METHODEN DER
ORGANISCHEN CHEMIE

METHODEN DER ORGANISCHEN CHEMIE

(HOUBEN-WEYL)

VIERTE, VÖLLIG NEU GESTALTETE AUFLAGE

BEGRÜNDET VON

EUGEN MÜLLER
1905–1976

OTTO BAYER 1902–1982 | HANS MEERWEIN 1879–1965 | KARL ZIEGLER 1898–1973

FORTGEFÜHRT VON

HEINZ KROPF
HAMBURG

BAND XIII/3c

ORGANOBOR-VERBINDUNGEN III

GEORG THIEME VERLAG STUTTGART · NEW YORK

ORGANOBOR-
VERBINDUNGEN III

HERAUSGEGEBEN VON

ROLAND KÖSTER

MAX-PLANCK-INSTITUT FÜR KOHLENFORSCHUNG
MÜLHEIM AN DER RUHR

BEARBEITET VON

MAXIMILIAN GRASSBERGER
WIEN

ROLAND KÖSTER
MÜLHEIM AN DER RUHR

GÜNTER SCHMID
ESSEN

BERND WRACKMEYER
MÜNCHEN

MIT 27 ABBILDUNGEN
UND 106 TABELLEN

19 84

GEORG THIEME VERLAG STUTTGART · NEW YORK

In diesem Handbuch sind zahlreiche Gebrauchs- und Handelsnamen, Warenzeichen u. dgl. (auch ohne besondere Kennzeichnung), Patente, Herstellungs- und Anwendungsverfahren aufgeführt. Herausgeber und Verlag machen ausdrücklich darauf aufmerksam, daß vor deren gewerblicher Nutzung in jedem Falle die Rechtslage sorgfältig geprüft werden muß. Industriell hergestellte Apparaturen und Geräte sind nur in Auswahl angeführt. Ein Werturteil über Fabrikate, die in diesem Band nicht erwähnt sind, ist damit nicht verbunden.

CIP-Kurztitelaufnahme der Deutschen Bibliothek

Methoden der organischen Chemie / (Houben-Weyl).
Begr. von Eugen Müller ... Fortgef. von Heinz Kropf. – Stuttgart ; New York : Thieme
Teilw. mit d. Angabe: Begr. von Eugen Müller u. Otto Bayer. – Teilw. nur mit Erscheinungsort Stuttgart
NE: Müller, Eugen [Begr.]; Houben, Josef [Begr.]; Kropf, Heinz [Hrsg.]
Bd. 13.
3c. → Organobor-Verbindungen.
3 (1984)

Organobor-Verbindungen / hrsg. von Roland Köster.
– Stuttgart; New York : Thieme
NE: Köster, Roland [Hrsg.]
3. Bearb. von Maximilian Grassberger...
4., völlig neu gestaltete Aufl. – 1984.
(Methoden der organischen Chemie ; Bd. 13, 3c)
NE: Grassberger, Maximilian [Bearb.]

Erscheinungstermin 15.11.1984

Satz und Druck: Tutte Druckerei GmbH, 8391 Salzweg-Passau

ISBN 3-13-213704-9

Allgemeines Vorwort

Die Methoden der organischen Chemie, 1909 von THEODOR WEYL begründet und 1913 von HEINRICH J. HOUBEN fortgeführt, haben sich zu einem wichtigen Standardwerk des chemischen Schrifttums entwickelt. Dies ist vor allem dem Einsatz des Herausgeber-Kollegiums der 1952 neubegründeten 4. Auflage

OTTO BAYER 1902–1982	EUGEN MÜLLER 1905–1976
HANS MEERWEIN 1879–1965	KARL ZIEGLER 1898–1973

zu verdanken.

Seit Erscheinen des ersten Bandes dieser Auflage hat sich die Situation sehr stark verändert. Durch das Anschwellen der chemischen Literatur, besonders der Publikationen über Syntheseverfahren der organischen Chemie, war es nicht möglich, das ursprüngliche Konzept – 16 Bände – einzuhalten. Damit wuchsen aber auch die Anforderungen an die Autoren hinsichtlich der Literaturbeschaffung und der kritischen Durchsicht und Auswahl des Stoffes sehr erheblich. Sie verdienen für ihren Idealismus und ihre Tätigkeit den Dank der gesamten Fachwelt. Ebenso gebührt für die Förderung des Werkes der Deutschen chemischen Industrie Dank, insbesondere der Bayer AG.

Während der langen Dauer der Herausgabe der 4. Auflage verstarben 1965 Herr Professor Dr. HANS MEERWEIN und 1973 Herr Professor Dr. KARL ZIEGLER. 1976, kurz vor dem Tod von Herrn Professor Dr. EUGEN MÜLLER, hat der Unterzeichnende dessen Aufgaben übernommen. 1982 ist auch Herr Professor Dr. OTTO BAYER verstorben. Die großen Verdienste der Senior-Herausgeber um den „Houben-Weyl" sind besonders zu würdigen.

Hervorzuheben ist, daß der „Houben-Weyl" nicht durch ein eigens geschaffenes Institut zustande gekommen ist, sondern durch die freie unternehmerische Zusammenarbeit zwischen dem Georg-Thieme-Verlag und einer großen Zahl von nur nebenberuflich literarisch tätigen Wissenschaftlern. Zu danken ist insofern auch Herrn Dr. BRUNO HAUFF, Herrn Dr. GÜNTHER HAUFF, Herrn Dr. ALBRECHT GREUNER und besonders Herrn Dr. H.-G. PADEKEN, für dessen wertvolle Arbeit als Lektor und Redakteur.

Das Gesamtwerk wird in wenigen Jahren mit einem Generalregister vorliegen. Es wird durch Erweiterungs- und Folgebände fortgeführt werden.

Für alle, die am „Houben-Weyl" mitgewirkt haben, ist es sicher eine große Befriedigung, ein internationales Standardwerk geschaffen zu haben, das aus der Laboratoriumspraxis nicht mehr wegzudenken ist.

HEINZ KROPF

Vorwort zu Band XIII/3c

Der letzte Teilband über Organobor-Verbindungen beschreibt im Anschluß an die Teilbände XIII/3a + 3b zunächst die Herstellungsmethoden der Organobor-Übergangsmetall-π-Komplexe. Das anschließende Kapitel über kondensierte Organobor-Verbindungen (z. B. Organopolyborane, B-Organocarborane) beendet den Herstellungsteil. Es folgt das Kapitel über die „Umwandlung der Organobor-Verbindungen" in borfreie organische Verbindungen. Eine kurze Übersicht über die Anwendungsgebiete der Organobor-Verbindungen ergänzt dieses Kapitel. Im Anschluß daran steht die Analytik der bororganischen Verbindungen, die heute vor allem durch die Anwendung NMR-spektroskopischer Methoden gekennzeichnet ist. Der Band enthält ferner eine nach Verbindungsklassen chronologisch geordnete Bibliographie, die auch einen Blick in die Geschichte der verschiedenartigen Organobor-Verbindungen bis zu ihrem heutigen Entwicklungsstand vermittelt. Mit dem Sachregister liegt jetzt ein von der in den drei Teilbänden angewandten Einteilungssystematik unabhängiger Zugang zu sämtlichen Einzelverbindungen sowie zu den präparativen und analytischen Methoden der Organobor-Verbindungen vor.

Nach einer etwa 30jährigen, fast gleichlaufend erfolgten stürmischen Entwicklung von präparativer Organobor-Chemie und instrumenteller Analytik konnte das umfangreiche Material in den drei Bänden systematisch geordnet vorgestellt werden. Die kommende Entwicklung führt sicher rasch zur Ausweitung des Systems, da die Organobor-Verbindungen auch weiterhin als einfachste Modellverbindungen für metallorganische Verbindungen interessant sein dürften. Außerdem haben sich die Verbindungen bereits als spezifisch wirksame Hilfsstoffe zur Einführung funktioneller Gruppen in organische Verbindungen (vgl. Umwandlungen) bewährt. Organobor-Verbindungen lassen sich ferner unter Ausnutzung ihrer speziellen Schutz-, Lenkungs- und Reaktiv-Funktionen zur Herstellung von anderweitig nicht oder nur schwierig zugänglichen Verbindungen verwenden. Die Organobor-Chemie sollte auch in Zukunft zu neuen präparativen Möglichkeiten der Chemie organischer Verbindungen, incl. der von Naturstoffen beitragen.

All denen, die sich beim Zustandekommen der Organobor-Bände einsetzten, danke ich auch an dieser Stelle für ihre wertvolle Mitarbeit. Mein besonderer Dank gilt den vier Koautoren, die mich stets hilfreich unterstützten. Dem Georg Thieme Verlag danke ich für sein großes Verständnis und sein stetes Entgegenkommen während der vielen Jahre der Zusammenarbeit.

Mülheim a. d. Ruhr, September 1984 ROLAND KÖSTER

Organobor-Verbindungen

Zeitschriftenliste

Nicht aufgeführte Zeitschriften sind nach Chemical Abstracts abgekürzt

A.	LIEBIGS Annalen der Chemie
Abh. dtsch. Akad. Wiss. Berlin, Kl. Chem., Geol. Biol.	Abhandlungen der Deutschen Akademie der Wissenschaften zu Berlin. Klasse für Chemie, Geologie und Biologie, Berlin
Abh. dtsch. Akad. Wiss. Berlin, Kl. Math. allg. Naturwiss.	Abhandlungen der Deutschen Akademie der Wissenschaften zu Berlin. Klasse für Mathematik und Allgemeine Naturwissenschaften (seit 1950)
Abstr. Kagaku-Kenkyū-Jo Hōkoku	Abstracts from Kagaku-Kenkyū-Jo Hōkoku (Reports of the Scientific Research Institute, seit 1950)
Abstr. Rom. Tech. Lit.	Abstracts of Romanian Technical Literature, Bukarest
Accounts Chem. Res.	Accounts of Chemical Research, Washington
A. ch.	Annales de Chimie, Paris
Acta Acad. Åbo	Acta Academiae Åboensis, Turku, Finnland
Acta Biochim. Pol.	Acta Biochimica Polonica, Warszawa
Acta chem. scand.	Acta Chemica Scandinavica, Kopenhagen, Dänemark
Acta chim. Acad. Sci. hung.	Acta Chimica Academiae Scientiarum Hungaricae, Budapest
Acta Chim. Sinica	Acta Chimica Sinica (Ha Hsüeh Hsüeh Pao; seit 1957), Peking
Acta Cient. Venez.	Acta Cientifica Venezolana, Caracas
Acta crystallogr.	Acta Crystallographica [Copenhagen] (bis 1951: [London])
Acta crystallogr., Sect. A	Acta Crystallographica, Section A, London
Acta crystallogr., Sect. B	Acta Crystallographica, Section B, London
Acta Histochem.	Acta Histochemica, Jena
Acta Histochem., Suppl.	Acta Histochemica (Jena), Supplementum
Acta Hydrochimica et Hydrobiologica	Acta Hydrochimica et Hydrobiologica, Berlin
Acta latviens. Chem.	Acta Universitatis Latviensis, Chemicorum Ordinis Series, Riga
Acta pharmac. int. [Copenhagen]	Acta Pharmaceutica Internationalia [Copenhagen]
Acta pharmacol. toxicol.	Acta Pharmacologica et Toxicologica, Kopenhagen
Acta Pharm. Hung.	Acta Pharmaceutica Hungarica, Budapest (seit 1949)
Acta Pharm. Suecica	Acta Pharmaceutica Suecica, Stockholm
Acta Pharm. Yugoslav.	Acta Pharmaceutica Yugoslavica, Zagreb
Acta physicoch. URSS	Acta Physicochimica URSS
Acta physiol. scand.	Acta Physiologica Scandinavica
Acta physiol. scand. Suppl.	Acta Physiologica Scandinavica, Supplementum
Acta phytoch.	Acta Phytochimica, Tokyo
Acta polon. pharmac.	Acta Poloniae Pharmaceutica (bis 1939 und seit 1947)
Advan. Alicyclic Chem.	Advances in Alicyclic Chemistry, New York
Advan. Appl. Microbiol.	Advances in Applied Microbiology, New York
Advan. Biochem. Engng.	Advances in Biochemical Engineering, Berlin
Advan. Carbohydr. Chem. and Biochem.	Advances in Carbohydrate Chemistry and Biochemistry, New York
Advan. Catal.	Advances in Catalysis and Related Subjects, New York
Advan. Chem. Ser.	Advances in Chemistry Series, Washington
Advan. Food Res.	Advances in Food Research, New York
Adv. Biol. Med. Phys.	Advances in Biological and Medical Physics, New York
Adv. Carbohydrate Chem.	Advances in Carbohydrate Chemistry
Adv. Chromatogr.	Advances in Chromatography, New York
Adv. Colloid Int. Sci.	Advanc in Colloid and Interface Science, Amsterdam
Adv. Drug Res.	Advanc in Drug Research, New York
Adv. Enzymol.	Advances in Enzymology and Related Subjects of Biochemistry, New York
Adv. Fluorine Chem.	Advances in Fluorine Chemistry, London
Adv. Free Radical Chem.	Advances in Free Radical Chemistry, London
Adv. Heterocyclic Chem.	Advances in Heterocyclic Chemistry, New York
Adv. Macromol. Chem.	Advances in Macromòlecular Chemistry, New York

Adv. Magn. Res.	Advances in Magnetic Resonance, New York
Adv. Microbiol. Phys.	Advances in Microbiological Physiology, New York
Adv. Organometallic Chem.	Advances in Organometallic Chemistry, New York
Adv. Org. Chem.	Advances in Organic Chemistry: Methods and Results, New York
Adv. Photochem.	Advances in Photochemistry, New York, London
Adv. Protein Chem.	Advances in Protein Chemistry, New York
Adv. Steroid Biochem. Pharm.	Advances in Steroid Biochemistry and Pharmacology, London/New York
Adv. Urethane Sci. Techn.	Advances in Urethane Science and Technology, Westport, Conn.
Afinidad	Afinidad [Barcelona]
Agents in Actions	Agents in Actions, Basel
Agr. Biol.-Chem. (Tokyo)	Agricultural and Biological Chemistry, Tokyo
Agr. Chem.	Agricultural Chemicals, Baltimore
Agrochimica	Agrochimica, Pisa
Agrokem. Talajtan	Agrokémia és Talajtan (Agrochemie und Bodenkunde), Budapest
Agrokhimiya	Agrokhimiya i Gruntoznavslvo (Agricultural Chemistry and Soil Science), Kiew
Agron. J.	Agronomy Journal, (seit 1949) Madison, Wis.
Aiche J. (A.I.Ch.E.)	American Institute of Chemical Engineers Journal, New York
Allg. Öl- u. Fett-Ztg.	Allgemeine Öl- und Fett-Zeitung, Berlin (1943 vereinigt mit Seifensieder-Ztg.
Am.	American Chemical Journal, Washington
A.M.A. Arch. Ind. Health	A.M.A. Archives of Industrial Health (seit 1955)
Am. Dyest. Rep.	American Dyestuff Reporter, New York
Amer. ind. Hyg. Assoc. Quart.	American Industrial Hygiene Association Quarterly, Chicago
Amer. J. Physics	American Journal of Physics, New York
Amer. Petroleum Inst. Quart.	American Petroleum Institute Quarterly, New York
Amer. Soc. Testing Mater.	American Society for Testing Materials, Philadelphia, Pa.
Amino-acid, Peptide Prot. Abstr.	Amino-acid, Peptide and Protein Abstracts, London
Am. Inst. Chem. Engrs.	American Institute of Chemical Engineers, New York
Am. J. Pharm.	American Journal of Pharmacy (bis 1936), Philadelphia
Am. J. Physiol.	American Journal of Physiology, Washington
Am. J. Sci.	American Journal of Science, New Haven, Conn.
Am. Perfumer	American Perfumer and Essential Oil Review (1936–1939: American Perfumer, Cosmetics, Toilet Preparations)
Am. Soc.	Journal of the American Chemical Society, Washington
Anal. Abstr.	Analytical Abstracts, (seit 1954) Cambridge
Anal. Biochem.	Analytical Biochemistry, New York
Anal. Chem.	Analytical Chemistry (seit 1947), Washington
Anal. chim. Acta	Analytica Chimica Acta, Amsterdam
Anales Real Soc. Espan. Fis. Quim. (Madrid)	Anales de la Real Sociedad Española de Fisica y Química, Madrid (seit 1936)
Analyst	The Analyst, Cambridge
An. Asoc. quím. arg.	Anales de la Asociación Química Argentina, Buenos Aires
An. Farm. Bioquím. Buenos Aires	Anales de Farmacia y Bioquímica, Buenos Aires
An. Fis.	Anales de la Real Sociedad Española de Fisica y Química, Serie A, Madrid
Ang. Ch.	Angewandte Chemie (bis 1931: Zeitschrift für angewandte Chemie); engl.: Angew. Chem. Intern. Ed. Engl. Angewandte Chemie Internationale Edition in Englisch (seit 1962), Weinheim, New York, London
Angew. Makromol. Chem.	Angewandte Makromolekulare Chemie, Basel
Anilinfarben-Ind.	Анилинокрасочная Промышленность (Anilinfarben-Industrie), Moskau
Ann. Acad. Sci. fenn.	Annales Academiae Scientiarum Fennicae, Helsinki
Ann. Chim. anal.	Annales de Chimie Analytique (1942–1946), Paris
Ann. Chim. anal. appl.	Annales de Chimie Analytique et de Chimie Appliquée (bis 1941), Paris
Ann. Chim. applic.	Annali di Chimica Applicata (bis 1950), Rom
Ann. chim. et phys.	Annales de chimie et de physique (bis 1941), Paris
Ann. chim. farm.	Annali di chimica farmaceutica (1938–1940), Rom
Ann. Chimica	Annali di Chimica (seit 1950), Rom
Ann. Fermentat.	Annales des Fermentations, Paris

Ann. Inst. Pasteur	Annales de l'Institut Pasteur, Paris
Ann. Med. Exp. Biol. Fennicae (Helsinki)	Annales Medicinae Experimentalis et Biologiae Fennicae, (seit 1947) Helsinki
Ann. N. Y. Acad. Sci.	Annals of the New York Academy of Sciences, New York
Ann. pharm. Franç.	Annales Pharmaceutiques Françaises (seit 1943), Paris
Ann. Phys. (New York)	Annals of Physics, New York
Ann. Physik	Annalen der Physik (bis 1943 und seit 1947), Leipzig
Ann. Physique	Annales de Physique, Paris
Ann. Rep. Med. Chem.	Annual Reports in Medicinal Chemistry, New York
Ann. Rep. NMR Spectr.	Annual Reports of NMR Spectroscopy, London
Ann. Rep. Org. Synth.	Annual Reports on Organic Synthesis, New York
Ann. Rep. Progr. Chem.	Annual Reports on the Progress of Chemistry, London
Ann. Rev. Biochem.	Annual Review of Biochemistry, Stanford, Calif.
Ann. Rev. Inf. Sci. Techn.	Annual Review of Information Science and Technology, Chicago
Ann. Rev. phys. Chem.	Annual Review of Physical Chemistry, Palo Alto, Calif.
Ann. Soc. scient. Bruxelles	Annales de la Société Scientifique des Bruxelles, Brüssel
Annu. Rep. Progr. Rubber	Annual Report on the Progress of Rubber Technology, London
Annu. Rep. Shionogi Res. Lab. [Osaka]	Annual Reports of Shionogi Research Laboratory [Osaka]
An. Quím.	Anales de la Real Sociedad Española de Física y Química, Serie B, Madrid
An. Soc. españ. [A] bzw. [B]	Anales de la Real Sociedad Española de Fisica y Química (1940–1947 Anales de Física y Química). Seit 1948 geteilt in: Serie A-Física. Serie B-Química, Madrid
An. Soc. cient. arg.	Anales de la Sociedad Cientifica Argentina, Santa Fé (Argentinien)
Antibiot. Chemother.	Antibiotics and Chemotherapy, New York
Antibiotiki (Moscow)	Антибиотики, Antibiotiki (Antibiotika), Moskau
Antimicrob. Agents Chemoth.	Antimicrobial Agents and Chemotherapy, Bethesda, Md.
Appl. Microbiol.	Applied Microbiology, Baltimore, Md.
Appl. Physics	Applied Physics, Berlin
Appl. Polymer Symp.	Applied Polymer Symposia, New York
Appl. scient. Res.	Applied Scientific Research, Den Haag
Appl. Sci. Res. Sect. A u. B	Applied Scientific Research, Den Haag A. Mechanics, Heat, Chemical Engineering, Mathematical Methods B. Electrophysics, Acoustics, Optics, Mathematical Methods
Appl. Spectrosc.	Applied Spectroscopy, Chestnut Hill, Mass.
Ar.	Archiv der Pharmazie (und Berichte der Deutschen Pharmazeutischen Gesellschaft), Weinheim/Bergstr.
Arch. Biochem.	Archives of Biochemistry and Biophysics (bis 1951: Archives of Biochemistry), New York
Arch. des Sci.	Archives des Sciences (seit 1948), Genf
Arch. Environ. Health	Archives of Environmental Health, Chicago (seit 1960)
Arch. Intern. Physiol. Biochim.	Archives Internationales de Physiologie et de Biochimie (seit 1955), Liège
Arch. Math. Naturvid.	Archiv for Mathematik og Naturvidenskab, Oslo
Arch. Mikrobiol.	Archiv für Mikrobiologie (bis 1943 und seit 1948), Berlin
Arch. Pharm. Chemi	Archiv for Pharmaci og Chemi, Kopenhagen
Arch. Phytopath. Pflanzensch.	Archiv für Phytopathologie und Pflanzenschutz, Berlin
Arch. Sci. phys. nat.	Archives des Sciences Physiques et Naturelles, Genf (bis 1947)
Arch. techn. Messen	Archiv für Technisches Messen (bis 1943 und seit 1947), München
Arch. Toxikol.	Archiv für Toxikologie, (seit 1954) Berlin, Göttingen, Heidelberg
Arh. Kemiju	Arhiv za Kemiju, (seit 1946) Zagreb (Archives de Chimie)
Ark. Kemi	Arkiv för Kemi, Mineralogie och Geologi, seit 1949 Arkiv för Kemi, Stockholm
Arm. Khim. Zh.	Армлнский Химический Журнал Armyanskii Khimicheskii Zhurnal (Armenian Chemical Journal) Erewan, UdSSR
Ar. Pth.	(NUUNYN-SCHMIEDEBERGS) Archiv für Experimentelle Pathologie und Pharmakologie, Berlin-W.
Arzneimittel-Forsch.	Arzneimittel-Forschung, Aulendorf/Württ.
ASTM Bull.	ASTM (American Society for Testing and Materials) Bulletin, Philadelphia
ASTM Spec. Techn. Publ.	ASTM (American Society for Testing and Materials), Technical Publications, New York

Abkürzung	Zeitschrift
Atti Accad. naz. Lincei, Mem., Cl. Sci. fisiche, mat. natur., Sez. I, II bzw. III	Atti della Accademia Nazionale dei Lincei. Memorie. Classe di Scienze Fisiche, Matematiche e Naturali. Sezione I (Matematica, Meccanica, Astronomia, Geodesia e Geofisica). Sezione II (Fisica, Chimica, Geologia, Paleontologia e Mineralogia). Sezione III (Scienze Biologiche) (seit 1946), Turin
Atti Accad. naz. Lincei, Rend., Cl. Sci. fisiche, mat. natur.	Atti della Accademia Nazionale dei Lincei. Rendiconti. Classe di Scienze Fisiche, Matematiche e Naturali (seit 1946), Rom
Aust. J. Biol. Sci.	Australian Journal of Biological Sciences (seit 1953), Melbourne
Austral. J. Chem.	Australian Journal of Chemistry (seit 1952), Melbourne
Austral. J. Sci.	Australian Journal of Science, Sydney
Austral. J. scient. Res., [A] bzw. [B]	Australien Journal of Scientific Research. Series A. Physical Sciences. Series B. Biological Sciences, Melbourne
Austral. P.	Australisches Patent, Canberra
Azerb. Khim. Zh.	Азербайджанский Химический Журнал Azerbaidschanisches Chemisches Journal
B.	Berichte der Deutschen Chemischen Gesellschaft; seit 1947: Chemische Berichte, Weinheim/Bergstr.
Belg. P.	Belgisches Patent, Brüssel
Ber. Bunsenges. Phys. Chem.	Berichte der Bunsengesellschaft für Physikalische Chemie, Heidelberg (bis 1952).
Ber. chem. Ges. Belgrad	Berichte der Chemischen Gesellschaft Belgrad (Glassnik Chemisskog Druschtwa Beograd, seit 1940), Belgrad
Ber. Ges. Kohlentechn.	Berichte der Gesellschaft für Kohlentechnik, Dortmund-Eving
Biochem.	Biochemistry, Washington
Biochem. biophys. Acta	Biochimica et biophysica Acta, Amsterdam
Biochem. Biophys. Research Commun.	Biochemical and Biophysical Research Communications, New York
Biochem. J. (London)	The Biochemical Journal, London
Biochem. J. (Kiew)	Biochemical Journal, Kiew, Ukraine
Biochem. Med.	Biochemical Medicine, New York
Biochem. Pharmacol.	Biochemical Pharmacology, London
Biochem. Prepar.	Biochemical Preparations, New York
Biochem. Soc. Trans.	Biochemical Society Transactions, London
Biochimiya	Биохимия(Biochimia), Moskau
Biodynamica	Biodynamica, Normandy, Mo., USA
Biofizika	Биофизика (Biophysik), Moskau
Biopolymers	Biopolymers, New York
BIOS Final Rep.	British Intelligence Objectives Subcommittee, Final Report
Bio. Z.	Biochemische Zeitschrift (bis 1944 und seit 1947)
Bitumen, Teere, Asphalte, Peche	Bitumen, Teere, Asphalte, Peche und verwandte Stoffe, Heidelberg
Bl.	Bulletin de la Société Chimique de France, Paris
Bl. Acad. Belgique	Académie Royale de Belgique: Bulletins de la Classe des Sciences, Brüssel
Bl. Acad. Polon.	Bulletin International de l'Académie Polonaise des Sciences et des Lettres, Classe des Sciences Mathématiques et Naturelles, Krakau
Bl. agric. chem. Soc. Japan	Bulletin of the Agricultural Chemical Society of Japan, Tokio
Bl. am. phys. Soc.	Bulletin of the American Physical Society, Lancaster, Pa.
Bl. chem. Soc. Japan	Bulletin of the Chemical Society of Japan, Tokio
Bl. Soc. chim. Belg.	Bulletin de la Société Chimique de Belgique (bis 1944), Brüssel
Bl. Soc. Chim. biol.	Bulletin de la Société de Chimie Biologique, Paris
Bl. Soc. Chim. ind.	Bulletin de la Société de Chimie Industrielle (bis 1934), Paris
Bl. Trav. Pharm. Bordeaux	Bulletin des Travaux de la Société de Pharmacie de Bordeaux
Bol. inst. quím. univ. nac. auton. Mé.	Boletin del instituto de química de la universidad nacional autonoma de México, Mexico City
Boll. chim. farm.	Bolletino chimico farmaceutico, Mailand
Boll. Lab. Chim. Prov. Bologna	Bolletino dei Laboratori Chimici, Provinciali, Bologna
Bol. Soc. quím. Perú	Boletin de la Sociedad Química del Perú, Lima (Peru)
Botyu Kagaku	Bulletin of the Institute of Insect Control (Kyoto), (Scientific Insect Control)
B. Ph. P.	Beiträge zur Chemischen Physiologie und Pathologie
Brennstoffch.	Brennstoff-Chemie (bis 1943 und seit 1949), Essen
Brit. Chem. Eng.	British Chemical Engineering, London

Brit. J. appl. Physics	British Journal of Applied Physics, London
Brit. J. Cancer	British Journal of Cancer, London
Brit. J. Industr. Med.	British Journal of Industrial Medicine, London
Brit. J. Pharmacol.	British Journal of Pharmacology and Chemotherapy, London
Brit. P.	British Patent, London
Brit. Plastics	British Plastics (seit 1945), London
Brit. Polym. J.	British Polymer Journal, London
Bul. inst. politeh. Jasi	Buletinul institutuluí politehnic din Jasi (ab 1955 mit Zusatz [NF])
Bul. Laboratorarelor	Buletinul Laboratorarelor, Bukarest
Bull. Acad. Polon. Sci., Ser. Sci. Chim. Geol. Geograph. bzw. Ser. Sci. Chim.	Bulletin de l'Académie Polonaise des Sciences, Serie des Sciences, Chimiques, Geologiques et Géographiques (seit 1960 geteilt in ... Serie des Sciences Chimiques und ... Serie des Sciences Geologiques et Géographiques), Warschau
Bull. Acad. Sci. URSS, Div. Chem. Sci.	Izwestija Akademii Nauk. SSSR (Bulletin de l'Académie des Sciences de URSS), (bis 1936) Moskau, Leningrad
Bull. Environ. Contamin. Toxicol.	Bulletin of Environmental Contamination and Toxicology, Berlin/New York
Bull. Inst. Chem. Research, Kyoto Univ.	Bulletin of the Institute for Chemical Research, Kyoto University (Kyoto Daigaku Kagaku Kenkyûsho Hôkoku), Takatsoki, Osaka
Bull. Research Council Israel	Bulletin of the Research Council of Israel, Jerusalem
Bull. Research Inst. Food Sci., Kyoto Univ.	Bulletin of the Research Institute for Food Science, Kyoto University (Kyoto Daigaku Shokuryô-Kagaku Kenkyujo Hôkoku), Fukuoka, Japan
Bull. Soc. roy. Sci. Liège	Bulletin de la Société Royale des Sciences de Liège, Brüssel
C.	Chemisches Zentralblatt, Weinheim/Bergstr.
C. A.	Chemical Abstracts, Washington
Canad. chem. Processing	Canadian Chemical Processing, Toronto, Canada
Canad. J. Chem.	Canadian Journal of Chemistry, Ottawa, Canada
Canad. J. Physics	Canadian Journal of Physics, Ottawa, Canada
Canad. J. Res.	Canadian Journal of Research (bis 1950), Ottawa, Canada
Canad. J. Technol.	Canadian Journal of Technology, Ottawa, Canada
Canad. P.	Canadisches Patent
Cancer (Philadelphia)	Cancer (Philadelphia), Philadelphia
Cancer Res.	Cancer Research, Chicago
Can. Chem. Process.	Canadian Chemical Processing, Toronto (seit 1951)
Can. J. Biochem.	Canadian Journal of Biochemistry, Ottawa
Can. J. Biochem. Physiol.	Canadian Journal of Biochemistry and Physiology (seit 1954), Ottawa
Can. J. Chem. Eng.	Canadian Journal of Chemical Engineering (seit 1957), Ottawa
Can. J. Microbiol.	Canadian Journal of Microbiology, Ottawa
Can. J. Pharm. Sci.	Canadian Journal of Pharmaceutical Sciences, Toronto
Can. J. Plant. Sci.	Canadian Journal of Plant Science (seit 1957), Ottawa
Can. J. Soil Sci.	Canadian Journal of Soil Science (seit 1957), Ottawa
Carbohyd. Chem.	Carbohydrate Chemistry, London
Carbohyd. Chem. Metab. Abstr.	Carbohydrate Chemistry and Metabolism Abstracts, London
Carbohyd. Res.	Carbohydrate Research, Amsterdam
Catalysis Rev.	Catalysis Reviews, New York
Cereal Chem.	Cereal Chemistry, St. Paul, Minnesota
Česk. Farm.	Čechoslovenska Farmacie, Prag
Ch. Apparatur	Chemische Apparatur (bis 1943), Berlin
Chem. Age India	Chemical Age of India
Chem. Age London	Chemical Age, London
Chem. Age N. Y.	Chemical Age, New York
Chem. Anal.	Organ Komisjii Analitycznej Komitetu Nauk Chemicznych PAN, Warschau
Chem. Brit.	Chemistry in Britain, London
Chem. Commun.	Journal of the Chemical Society, Cemical Communications, London (Proceeding of the Chemical Society: 1957–1964; Chemical Communication 1965–1968; Journal of the Chemical Society, D. Chemical Communication 1969–1971)
Chem. Econ. & Eng. Rev.	Chemical Economy and Engineering Review, Tokyo
Chem. Eng.	Chemical Engineering with Chemical and Metallurgical Engineering (seit 1946), New York
Chem. Eng. (London)	Chemical Engineering Journal, London

Chem. eng. News	Chemical and Engineering News (seit 1943), Washington
Chem. Eng. Progr.	Chemical Engineering Progress, New York
Chem. Eng. Progr., Monograph Ser.	Chemical Engineering Progress. Monograph Series, New York
Chem. Eng. Progr., Symposium Ser.	Chemical Engineering Progress. Symposium Series, New York
Chem. eng. Sci.	Chemical Engineering Science, London
Chem. High Polymers (Tokyo)	Chemistry of High Polymers (Tokyo) (Kobunshi Kagaku), Tokyo
Chemical Ind. (China)	Chemical Industry [China], Peking
Chemie-Ing.-Techn.	Chemie-Ingenieur-Technik (seit 1949), Weinheim/Bergstr.
Chemie in unserer Zeit	Chemie in unserer Zeit, Weinheim/Bergstr.
Chemie Lab. Betr.	Chemie für Labor und Betrieb, Frankfurt/Main
Chemie Prag	Chemie (Praha), Prag
Chemie und Fortschritt	Chemie und Fortschritt, Frankfurt/Main
Chem. & Ind.	Chemistry & Industry, London
Chem. Industrie	Chemische Industrie, Düsseldorf
Chem. Industries	Chemical Industries, New York
Chem. Inform.	Chemischer Informationsdienst, Leverkusen
Chemist-Analyst	Chemist-Analyst, Phillipsburg, New York, New Jersey
Chem. Letters	Chemistry Letters, Tokyo
Chem. Listy	Chemické Listy pro Vědu a Průmysl. Prag (Chemische Blätter für Wissenschaft und Industrie); seit 1951 Chemické Listy, Prag
Chem. met. Eng.	Chemical and Metallurgical Engineering (bis 1946), New York
Chem. N.	Chemical News and Journal of Industrial Science (1921–1932), London
Chemorec. Abstr.	Chemoreception Abstracts, London
Chemosphere	Chemosphere, London
Chem. pharmac. Techniek	Chemische en Pharmaceutische Techniek, Dordrecht
Chem. Pharm. Bull. (Tokyo)	Chemical & Pharmaceutical Bulletin (Tokyo)
Chem. Process Engng.	Chemical and Process Engineering, London
Chem. Processing	Chemical Processing, London
Chem. Products chem. News	Chemical Products and the Chemical News, London
Chem. Průmysl	Chemický Průmysl, Prag (Chemische Industrie, seit 1951), Prag
Chem. Rdsch. [Solothurn]	Chemische Rundschau [Solothurn]
Chem. Reviews	Chemical Reviews, Baltimore
Chem. Scripta	Chemical Scripta, Stockholm
Chem. Senses & Flavor	Chemical Senses and Flavor, Dordrecht/Boston
Chem. Soc. Rev.	Chemical Society Reviews (formerly Quarterly Reviews), London
Chem. Tech. (Leipzig)	Chemische Technik, (seit 1949) Leipzig
Chem. Techn.	Chemische Technik, Berlin
Chem. Technol.	Chemical Technology, Easton/Pa.
Chem. Trade J.	Chemical Trade Journal and Chemical Engineer, London
Chem. Week	Chemical Week, New York
Chem. Weekb.	Chemisch Weekblad, Amsterdam
Chem. Zvesti	Chemické Zvesti (tschech.). Chemische Nachrichten, Bratislawa
Chim. anal.	Chimie analytique (seit 1947), Paris
Chim. Anal. (Bukarest)	Chimie Analitica, Bukarest
Chim. Chronika	Chimika Chronika, Athen
Chim. et Ind.	Chimie et Industrie, Paris
Chim. farm. Ž.	Chimiko-farmazevtičeskij Žurnal, Moskau
Chim. geterocikl. Soed.	Химия гетеродиклиьнских соединий (Die Chemie der hetero-cyclischen Verbindungen), Riga
Chimia	Chimia, Zürich
Chimica e Ind.	Chimica e L'Industria (seit 1935), Mailand
Chim. Therap.	Chimica Therapeutica, Arcueil
Ch. Z.	Chemiker-Zeitung, Heidelberg
CIOS Rep.	Combined Intelligence Objectives Sub-Committee Report
Clin. Chem.	Clinical Chemistry, New York
Clin. Chim. Acta	Clinica Chimica Acta, Amsterdam
Clin. Sci.	Clinical Science, London
Collect. czech. chem. Commun.	Collection of Czechoslovak Chemical Communications (seit 1951), Prag
Collect. Pap. Fac. Sci., Osaka Univ. [C]	Collect Papers from the Faculty of Science, Osaka University, Osaka, Series C, Chemistry (seit 1943)

Collect. pharmac. suecica	Collectanea Pharmaceutica, Suecica, Stockholm
Collect. Trav. chim. Tchécosl.	Collection des Travaux Chimiques de Tchécoslovaquie (bis 1939) und 1947–1951; 1939: ... Tschèques), Prag
Colloid Chem.	Colloid Chemistry, New York
Comp. Biochem. Physiol.	Comparative Biochemistry and Physiology, London
Coord. Chem. Rev.	Coordination Chemistry Reviews, Amsterdam
C. r.	Comptes Rendus Hebdomadaires des Séances de l'Académie des Sciences, Paris
C. r. Acad. Bulg. Sci.	Доклады Болгарской Академии Наук (Comptes rendus de l'académie bulgare des sciences)
Crit. Rev. Tox.	Critical Reviews in Toxicology, Cleveland/Ohio
Croat. Chem. Acta	Croatica Chemica Acta, Zagreb
Curr. Sci.	Current Science, Bangalore
Dän. P.	Dänisches Patent
Dansk Tidsskr. Farm.	Dansk Tidsskrift for Farmaci, Kopenhagen
DAS.	Deutsche Auslegeschrift = noch nicht erteiltes DBP. (seit 1. 1. 1957). Die Nummer der DAS. und des später darauf erteilten DBP. sind identisch
DBP.	Deutsches Bundespatent (München, nach 1945, ab Nr. 800000)
DDRP.	Patent der Deutschen Demokratischen Republik (vom Ostberliner Patentamt erteilt)
Dechema Monogr.	Dechema Monographien, Weinheim/Bergstr.
Delft Progr. Rep.	Delft Progress Report (A: Chemistry and Physics, Chemical and Physical Engineering), Groningen
Die Nahrung	Die Nahrung (Chemie, Physiologie, Technologie), Berlin
Discuss. Faraday Soc.	Discussions of the Faraday Society, London
Dissertation Abstr.	Dissertation Abstracts, Ann Arbor, Michigan
Doklady Akad. SSSR	Доклады Академии Наук СССР (Comptes Rendus de l'Académie des Sciences de l'URSS), Moskau
Dokl. Akad. Nauk Arm. SSR	Доклады Академии Наук Армянской ССР / Doklady Akademii Nauk Armjanskoi SSR (Berichte der Akademie der Wissenschaften der Armenischen SSR), Erewan
Dokl. Akad. Nauk Azerb. SSR	Доклады Академии Наук Азербайджанской ССР/ Doklady Akademii Nauk Azerbaidshanskoi SSR (Berichte der Akademie der Wissenschaften der Azerbaidschanischen SSR), Baku
Dokl. Akad. Nauk Beloruss. SSR	Д. А. Н. Белорусской ССР/ Doklady Akademii Nauk Belorusskoi SSR (Berichte der Akademie der Wissenschaften der Belorussischen SSR), Minsk
Dokl. Akad. Nauk SSSR	Д. А. Н. Советской CCR / Doklady Akademii Nauk Sowjetskoi SSR (Berichte der Akademie der Wissenschaften der Vereinigten SSR), Moskau
Dokl. Akad. Nauk Tadzh. SSR	Д. А. Н. Таджикской ССР / Doklady Akademii Nauk Tadshikskoi SSR (Berichte der Akademie der Wissenschaften der Tadshikischen SSR)
Dokl. Akad. Nauk Uzb. SSR	Д. А. Н. Узбекской ССР / Doklady Akademii Nauk Uzbekskoi SSR (Berichte der Akademie der Wissenschaften der Uzbekischen SSR), Taschkent
Dokl. Bolg. Akad. Nauk	Доклады Болгарской Академии Наук / Doklady Bolgarskoi Akademii Nauk (Berichte der Bulgarischen Akademie der Wissenschaften), Sofia
Dopov. Akad. Nauk Ukr. RSR, Ser. A u. B	Доповиди Академии Наук Украинской РСР / Dopowidi Akademii Nauk Ukrainskoi RSR (Berichte der Akademie der Wissenschaften der Ukrainischen SSR), Serie A und B, Kiew
DOS	Deutsche Offenlegungsschrift (ungeprüft)
DRP.	Deutsches Reichspatent (bis 1945)
Drug Cosmet. Ind.	Drug and Cosmetic Industry, New York
Dtsch. Apoth. Ztg.	Deutsche Apotheker-Zeitung (1934–1945), seit 1950: vereinigt mit Süddeutsche Apotheker-Zeitung, Stuttgart
Dtsch. Farben-Z.	Deutsche Farben-Zeitschrift (seit 1951), Stuttgart
Dtsch. Lebensmittel-Rdsch.	Deutsche Lebensmittel-Rundschau, Stuttgart
Dyer Textile Printer	Dyer, Textile Printer, Bleacher and Finisher (seit 1934; bis 1934: Dyer and Calico Printer, Bleacher, Finisher and Textile Review), London

Electroanal. Chemistry	Electroanalytical Chemistry, New York
Endeavour	Endeavour, London
Endocrinology	Endocrinology, Boston, Mass.
Endokrinologie	Endokrinologie, Leipzig (1943–1949 unterbrochen)
Environ. Sci. Technol.	Environmental Science and Technology, England
Enzymol.	Enzymologia (Holland), Den Haag
Erdöl, Kohle	Erdöl und Kohle (seit 1948), Hamburg
Erdöl, Kohle, Erdgas, Petrochem.	Erdöl und Kohle – Erdgas – Petrochemie (seit 1960), Hamburg
Ergebn. Enzymf.	Ergebnisse der Enzymforschung, Leipzig
Ergebn. exakt. Naturwiss.	Ergebnisse der exakten Naturwissenschaften, Berlin
Ergebn. Physiol.	Ergebnisse der Physiologie, Biologischen Chemie und Experimentellen Pharmakologie, Berlin
Europ. J. Biochem.	European Journal of Biochemistry, Berlin, New York
Eur. Polym. J.	European Polymer Journal, Amsterdam
Experientia	Experientia, Basel
Experientia, Suppl.	Experientia, Supplementum, Basel
Farbe Lack	Farbe und Lack (bis 1943 und seit 1947), Hannover
Farmac. Glasnik	Farmaceutski Glasnik (Pharmazeutische Berichte), Zagreb
Farmacia (Bucharest)	Farmacia (Bucuresti), Bukarest
Farmaco Ed. Prat.	Farmaco Edizione Pratica, Pavia
Farmaco (Pavia), Ed. sci.	Il Farmaco (Pavia), Edizione scientifica
Farmac. Revy	Farmacevtisk Revy, Stockholm
Farmakol. Toksikol. (Moscow)	Фармакология и Токсикология (Farmakologija i Tokssikologija) Pharmakologie und Toxikologie, Moskau
Farmatsiya (Moscow)	Farmatsiya (Фармация), Moskau
Farm. sci. e tec. (Pavia)	Il Farmaco, scienza e tecnica (bis 1952), Pavia
Farm. Zh. (Kiew)	Фармацевтичний Журнал (Києв), Farmazewtischni Žurnal (Kiew) (Pharmazeutisches Journal, Kiew)
Faserforsch. u. Textiltechn.	Faserforschung und Textiltechnik, Berlin
FEBS Letters	Federation of European Biochemical Societies, Amsterdam
Federation Proc.	Federation Proceedings, Washington
Fette, Seifen, Anstrichmittel	Fette, Seifen, Anstrichmittel (verbunden mit „Die Ernährungsindustrie“) (früher häufige Änderung des Titels), Hamburg
FIAT Final Rep.	Field Information Agency, Technical, United States Group Control Council for Germany, Final Report
Fibre Chem.	Fibre Chemistry, London
Fibre Sci. Techn.	Fibre Science and Technology, Barking/Essex
Finn. P.	Finnisches Patent
Finska Kemistsamf. Medd.	Finska Kemistsamfundets Meddelanden (Suomen Kemistiseuran Tiedonantoja), Helsingfors
Fiziol. Zh. (Kiew)	Физиологичний Журнал (Києв) Fisiologitschnii Žurnal (Kiew) (Physiologisches Journal (Kiew)
Fiziol. Zh. SSSR im. I. M. Sechenova	Физиологический Журнал СССР имени И. М. Сеченова, (Fisiologitschesskii Žurnal SSSR imeni I. M. Setschenowa, Setschenow Journal für Physiologie der UdSSR, Moskau
Fluorine Chem. Rev.	Fluorine Chemistry Reviews, New York
Food	Food, London
Food Engng.	Food Engineering (seit 1951), New York
Food Manuf.	Food Manufacture (seit 1939 Food Manufacture, Incorporating Food Industries Weekly), London
Food Packer	Food Packer (seit 1944), Chicago
Food Res.	Food Research, Champaign, Ill.
Formosan Sci.	Formosan Science, Taipeh
Fortschr. chem. Forsch.	Fortschritte der Chemischen Forschung, New York, Berlin
Fortschr. Ch. org. Naturst.	Fortschritte der Chemie Organischer Naturstoffe, Wien
Fortschr. Hochpolymeren-Forsch.	Fortschritte der Hochpolymeren-Forschung, Berlin
Frdl.	Fortschritte der Teerfarbenfabrikation und verwandter Industriezweige. Begonnen von P. FRIEDLÄNDER, fortgeführt von H. E. FIERZ-DAVID, Berlin
Fres.	Zeitschrift für Analytische Chemie (von C. R. FRESENIUS), Berlin

Fr. P.	Französisches Patent
Fr. Pharm.	France-Pharmacie, Paris
Fuel	Fuel in Science and Practice; ab 1948: Fuel, London
G.	Gazzetta Chimica Italiana, Rom
Gas Chromat.-Mass.-Spectr. Abstr.	Gas Chromatography – Mass-Spectrometry Abstracts, London
Gazow. Prom.	Газовая Промышленность, Gasowaja Promyschlenost (Gas-Industrie), Moskau
Génie chim.	Génie chimique, Paris
Gidroliz. Lesokhim. Prom.	Гидролизная и Лесохимическая Промышленность / Gidrolisnaja i Lesochimitscheskaja Promyschlennost (Hydrolysen- und Holzchemische Industrie), Moskau
Gmelin	GMELIN Handbuch der anorganischen Chemie, Verlag Chemie, Weinheim
Helv.	Helvetica Chimica Acta, Basel
Helv. phys. Acta	Helvetica Physica Acta, Basel
Helv. Phys. Acta Suppl.	Helvetica Physica Acta, Supplementum, Basel
Helv. physiol. pharmacol. Acta	Helvetica Physiologica et Pharmacologica Acta, Basel
Henkel-Ref.	Henkel-Referate, Düsseldorf
Heteroc. Sendai	Heterocycles Sendai
Histochemie	Histochemie, Berlin, Göttingen, Heidelberg
Holl. P.	Holländisches Patent
Hoppe-Seyler	HOPPE-SEYLERS Zeitschrift für Physiologische Chemie, Berlin
Hormone Metabolic Res.	Hormone and Metabolic Research, Stuttgart
Hua Hsueh	Hua Hsueh, Peking
Hung. P.	Ungarisches Patent
Hydrocarbon Proc.	Hydrocarbon Processing, Houston
Immunochemistry	Immunochemistry, London
Ind. Chemist	Industrial Chemist and Chemical Manufacturer, London
Ind. chim. belge	Industrie Chimique Belge, Brüssel
Ind. chimique	L'Industrie Chimique, Paris
Ind. Corps gras	Industries des Corps Gras, Paris
Ind. eng. Chem.	Industrial and Engineering Chemistry, Industrial Edition, seit 1948: Industrial and Engineering Chemistry, Washington
Ind. eng. Chem. Anal.	Industrial and Engineering Chemistry, Analytical Edition (bis 1946), Washington
Ind. eng. Chem. News	Industrial and Engineering Chemistry. News Edition (bis 1939), Washington
Indian Forest Rec., Chem.	Indian Forest Records. Chemistry, Delhi
Indian J. Appl Chem.	Indian Journal of Applied Chemistry (seit 1958), Calcutta
Indian J. Biochem.	Indian Journal of Biochemistry, Neu Delhi
Indian J. Chem.	Indian Journal of Chemistry
Indian J. Physics	Indian Journal of Physics and Proceedings of the Indian Association for the Cultivation of Science, Calcutta
Ind. P.	Indisches Patent
Ind. Plast. mod.	Industrie des Plastiques Modernes (seit 1949; bis 1948: Industrie des Plastiques), Paris
Inform. Quim. Anal.	Informacion de Quimica Analitica, Madrid
Inorg. Chem.	Inorganic Chemistry, Easton
Inorg. Synth.	Inorganic Syntheses, New York
Insect Biochem.	Insect Biochemistry, Bristol
Interchem. Rev.	Interchemical Reviews, New York
Intern. J. Appl. Radiation Isotopes	International Journal of Applied Radiation and Isotopes, New York
Int. J. Cancer	International Journal of Cancer, Helsinki
Int. J. Chem. Kinetics	International Journal of Chemical Kinetics, New York
Int. J. Peptide, Prot. Res.	International Journal of Peptide and Protein Research, Copenhagen
Int. J. Polymeric Mat.	International Journal of Polymeric Materials, New York/London
Int. J. Sulfur Chem.	International Journal of Sulfur Chemistry, London/New York

Int. Petr. Abstr.	International Petroleum Abstracts, London
Int. Pharm. Abstr.	International Pharmaceutical Abstracts, Washington
Int. Polymer Sci. & Techn.	International Polymer Science and Technology, Boston Spa, Wetherby, Yorks.
Intra-Sci. Chem. Rep.	Intra-Science Chemistry Reports, Santa Monica/Calif.
Int. Sugar J.	International Sugar Journal, London
Int. Z. Vitaminforsch.	Internationale Zeitschrift für Vitaminforschung, Bern
Inzyn. Chem.	Inzynioria Chemíczina, Warschau
Ion	Ion (Madrid)
Iowa State Coll. J.	Iowa State College Journal of Science, Ames, Iowa
Iowa State J. Sci.	Iowa State Journal of Science, Ames (seit 1959), Iowa
Israel J. Chem.	Israel Journal of Chemistry, Tel Aviv
Ital. P.	Italienisches Patent
Izv. Akad. Azerb. SSR, Ser. Fiz.-Tekh. Mat. Nauk	Известия Академии Наук Азербайджанской ССР, Серия Физико-Технических и Химических Наук Izvestija Akademii Nauk Azerbaidschanskoi SSR, Sserija Fisiko-Technitscheskichi Chimitscheskich Nauk (Nachrichten der Akademie der Wissenschaften der Azerbaidschanischen SSR, Serie Physikalisch-Technische und Chemische Wissenschaften), Baku
Izv. Akad. Arm. SSR	Известия Академии Наук Армянской ССР, Химические Науки (Bulletin of the Academy of Sciences of the Armenian SSR), Erevan
Izv. Akad. SSSR	Известия Академии Наук СССР, Серия Химическая (Bulletin de l'Académie des Sciences de l'URSS, Classe des Sciences Chimiques, Moskau, Leningrad
Izv. Sibirsk. Otd. Akad. Nauk SSSR	Известия Сибирского Отделения Академии Наук СССР, Серия химических Наук, Izvesstija Ssibirskowo Otdelenija Akademii Nauk SSSR, Sserija Chimetscheskich Nauk (Bulletin of the Sibirian Branch of the Academy of Sciences of the USSR), Nowosibirsk
Izv. Vyssh. Ucheb, Zaved., Neft Gaz	Известия Высших Учебных Заведений (Баку), Нефть и Газ /Izvestija Wysschych Utschebnych Sawedjeni (Baku), Neft i Gas (Hochschulnachrichten [Baku], Erdöl und Gas), Baku
Izv. Vyss. Uch. Zav., Chim. i chim. Techn.	Известия Высших Учебных заведений [Иваново], Химия и химическая технология (Bulletin of the Institution of Higher Education, Chemistry and Chemical Technology), Swerdlowsk
J. Agr. Food Chem.	Journal of Agricultural and Food Chemistry, Washington
J. agric. chem. Soc. Japan	Journal of the agricultural Chemical Society of Japan. Abstracts (seit 1935) (Nippon Nogeikagaku Kaishi), Tokyo
J. agric. Sci.	Journal of Agricultural Science, Cambridge
J. Am. Leather Chemist's Assoc.	Journal of the American Leather Chemist's Association, Cincinnati (Ohio)
J. Am. Oil Chemist's Soc.	Journal of the American Oil Chemist's Society, Chicago
J. Am. Pharm. Assoc.	Journal of the American Pharmaceutical Association, seit 1940 Practical Edition und Scientific Edition; Practical Edition seit 1961 J. Am. Pharm. Assoc.; Scientific Edition seit 1961 J. Pharm. Sci., Easton, Pa.
J. Anal. Chem. USSR	Журнал Аналитической химии / Shurnal Analititscheskoi Chimii (Journal für Analytische Chemie), Moskau
J. Antibiotics (Japan)	Journal of Antibiotics (Japan)
Japan Analyst	Japan Analyst (Bunseki Kagaku)
Jap. A. S.	Japanische Patent-Auslegeschrift
Jap. Chem. Quart.	Japan Chemical Quarterly, Tokyo
Jap. J. Appl. Phys.	Japanese Journal of Applied Physics, Tokyo
Jap. P.	Japanisches Patent
Jap. Pest. Inform.	Japan Pesticide Information, Tokyo
Jap. Plast. Age	Japan Plastic Age, Tokyo
J. appl. Chem.	Journal of Applied Chemistry, London
J. appl. Electroch.	Journal of Applied Electrochemistry, London
J. appl. Physics	Journal of Applied Physics, New York
J. Appl. Physiol.	Journal of Applied Physiology, Washington, D.C.
J. Appl. Polymer Sci.	Journal of Applied Polymer Science, New York
Jap. Text. News	Japan Textile News, Osaka
J. Assoc. Agric. Chemists	Journal of the Association of Official Agricultural Chemists, Washington, D.C.

J. Bacteriol.	Journal of Bacteriology, Baltimore, Md.
J. Biochem. (Tokyo)	Journal of Biochemistry, Tokyo
J. Biol. Chem.	Journal of Biological Chemistry, Baltimore
J. Catalysis	Journal of Catalysis, London, New York
J. Cellular compar. Physiol.	Journal of Cellular and Comparative Physiology, Philadelphia, Pa.
J. Chem. Educ.	Journal of Chemical Education, Easton, Pa.
J. chem. Eng. China	Journal of Chemical Engineering, China, Omei/Szechuan
J. Chem. Eng. Data	Journal of Chemical and Engineering Data, Washington
J. Chem. Eng. Japan	Journal of Chemical Engineering of Japan, Tokyo
J. Chem. Physics	Journal of Chemical Physics, New York
J. chem. Soc. Japan	Journal of the Chemical Society of Japan (bis 1948; Nippon Kwagaku Kwaishi), Tokyo
J. chem. Soc. Japan, ind.	Journal of the Chemical Society of Japan, Industrial Chemistry Section (seit 1948; Kogyo Kagaku Zasshi), Tokyo
J. chem. Soc. Japan, pure Chem. Sect.	Journal of the Chemical Society of Japan, Pure Chemistry Section (seit 1948; Nippon Kagaku Zasshi)
J. Chem. U. A. R.	Journal of Chemistry of the U. A. R., Kairo
J. Chim. physique Physico-Chim. biol.	Journal de Chimie Physique et de Physico-Chimie Biologique (seit 1939)
J. chin. chem. Soc.	Journal of the Chinese Chemical Society
J. Chromatog.	Journal of Chromatography, Amsterdam
J. Clin. Endocrinol. Metab.	Journal of Clinical Endocrinology and Metabolism, (seit 1952) Springfield, Ill.
J. Colloid Sci.	Journal of Colloid Science, New York
J. Colloid Interface Sci.	Journal of Colloid and Interface Science
J. Color Appear.	Journal of Color and Appearance, New York
J. Dairy Sci.	Journal of Dairy Science, Columbus, Ohio
J. Elast. & Plast.	Journal of Elastomers and Plastics, Westport, Conn.
J. electroch. Assoc. Japan	Journal of the Electrochemical Association of Japan (Denkikwagaku Kyookwai-shi), Tokyo
J. Electrochem. Soc.	Journal of the Electrochemical Society (seit 1948), New York
J. Endocrinol.	Journal of Endocrinology, London
J. Fac. Sci. Univ. Tokyo	Journal of the Faculty of Science, Imperial University of Tokyo
J. Fluorine Chem.	Journal of Fluorine Chemistry, Lausanne
J. Food Sci.	Journal of Food Science, Champaign, Ill.
J. Gen. Appl. Microbiol.	Journal of General and Applied Microbiology, Tokyo
J. Gen. Appl. Microbiol., Suppl.	Journal of General and Applied Microbiology, Supplement, Tokyo
J. Gen. Microbiol.	Journal of General Microbiology, London
J. Gen. Physiol.	Journal of General Physiology, Baltimore, Md.
J. Heterocyclic Chem.	Journal of Heterocyclic Chemistry, Albuquerque (New Mexico)
J. Histochem. Cytochem.	Journal of Histochemistry and Cytochemistry, Baltimore, Md.
J. Imp. Coll. Chem. Eng. Soc.	Journal of the Imperial College Chemical Engineering Society
J. Ind. Eng. Chem.	The Journal of Industrial and Engineering Chemistry (bis 1923)
J. Ind. Hyg.	Journal of Industrial Hygiene and Toxicology (1936–1949), Baltimore, Md.
J. indian chem. Soc.	Journal of the Indian Chemical Society (seit 1928), Calcutta
J. indian chem. Soc. News	Journal of the Indian Chemical Society; Industrial and News Edition (1940–1947), Calcutta
J. indian Inst. Sci.	Journal of the Indian Institute of Science, bis 1951 Section A und Section B, Bangalore
J. Inorg. & Nuclear Chem.	Journal of Inorganic & Nuclear Chemistry, Oxford
J. Inst. Fuel	Journal of the Institute of Fuel, London
J. Inst. Petr.	Journal of the Institute of Petroleum, London
J. Inst. Polytech. Osaka City Univ.	Journal of the Institute of Polytechnics, Osaka City University
J. Jap. Chem.	Journal of Japanese Chemistry (Kagaku-no Ryoihi), Tokyo
J. Label. Compounds	Journal of Labelled Compounds, Brüssel
J. Lipid Res.	Journal of Lipid Research, Memphis, Tenn.
J. Macromol. Sci.	Journal of Macromolecular Science, New York
J. makromol. Ch.	Journal für makromolekulare Chemie (1943–1945)
J. Math. Physics	Journal of Mathematics and Physics
J. Med. Chem.	Journal of Medicinal Chemistry, New York
J. Med. Pharm. Chem.	Journal of Medicinal and Pharmaceutical Chemistry, New York

J. Mol. Biol.	Journal of Molecular Biology, New York
J. Mol. Spectr.	Journal of Molecular Spectroscopy, New York
J. Mol. Structure	Journal of Molecular Structure, Amsterdam
J. Nat. Cancer Inst.	Journal of the National Cancer Institute, Washington, D.C.
J. New Zealand Inst. Chem.	Journal of the New Zealand Institute of Chemistry, Wellington
J. Nippon Oil Technologists Soc.	Journal of the Nippon Oil Technologists Society (Nippon Yushi Gijitsu Kyo Laishi), Tokyo
J. Oil Colour Chemist's Assoc.	Journal of the Oil and Colour Chemist's Association, London
J. Org. Chem.	Journal of Organic Chemistry, Baltimore, Md.
J. Organometal. Chem.	Journal of Organometallic Chemistry, Amsterdam
J. Petr. Technol.	Journal of Petroleum Technology (seit 1949), Dallas
J. Pharmacok. & Biopharmac.	Journal of Pharmacokinetics and Biopharmaceutics, New York
J. Pharmacol.	Journal of Pharmacologie, Paris
J. Pharmacol. exp. Therap.	Journal of Pharmacology and Experimental Therapeutics, Baltimore, Md.
J. Pharm. Belg.	Journal de Pharmacie de Belgique, Brüssel
J. Pharm. Chim.	Journal de Pharmacie et de Chimie, Paris (bis 1943)
J. Pharm. Pharmacol.	Journal of Pharmacy and Pharmacology, London
J. Pharm. Sci.	Journal of Pharmaceutical Sciences, Washington
J. pharm. Soc. Japan	Journal of the Pharmaceutical Society of Japan (Yakugakuzasshi), Tokyo
J. phys. Chem.	Journal of Physical Chemistry, Baltimore
J. Phys. Chem. Data	Journal of Physical and Chemical Data, Washington
J. Phys. Colloid Chem.	Journal of Physical and Colloid Chemistry, Baltimore, Md.
J. Phys. (Paris), Colloq.	Journal de Physique (Paris), Colloque, Paris
J. Physiol. (London)	Journal of Physiology, London
J. phys. Soc. Japan	Journal of the Physical Society of Japan, Tokyo
J. Phys. Soc. Japan, Suppl.	Journal of the Physical Society of Japan, Supplement, Tokyo
J. Polymer Sci.	Journal of Polymer Science, New York
J. pr.	Journal für Praktische Chemie, Leipzig
J. Pr. Inst. Chemists India	Journal and Proceedings of the Institution of Chemists, India, Calcutta
J. Pr. Roy. Soc. N.S. Wales	Journal and Proceedings of the Royal Society of New South Wales, Sidney
J. Radioakt. Elektronik	Jahrbuch der Radioaktivität und Elektronik, 1924–1945 vereinigt mit Physikalische Zeitschrift
J. Rech. Centre nat. Rech. sci.	Journal des Recherches du Centre National de la Recherche Scientifique, Paris
J. Res. Bur. Stand.	Journal of Research of the National Bureau of Standards, Washington, D.C.
J.S. African Chem. Inst.	Journal of the South African Chemical Institute, Johannesburg
J. Scient. Instruments	Journal of Scientific Instruments (bis 1947 und seit 1950), London
J. scient. Res. Inst. Tokyo	Journal of the Scientific Research Institute, Tokyo
J. Sci. Food Agric.	Journal of the Science of Food and Agriculture, London
J. sci. Ind. Research (India)	Journal of Scientific and Industrial Research (India), New Delhi
J. Soc. chem. Ind.	Journal of the Society of Chemical Industry (bis 1922 und seit 1947), London
J. Soc. chem. Ind., Chem. and Ind.	Journal of the Society of Chemical Industry, Chemistry and Industry (1923–1942), London
J. Soc. chem. Ind. Japan Spl.	Journal of the Society of Chemical Industry, Japan. Supplemental Binding (Kogyo Kwagaku Zasshi, bis 1943), Tokyo
J. Soc. Cosmetic Chemists	Journal of the Society of Cosmetic Chemists, London
J. Soc. Dyers Col.	Journal of the Society of Dyers and Colourists, Bradford/Yorkshire, England
J. Soc. Leather Trades' Chemists	Journal of the Society of Leather Trades' Chemists, Croydon, Surrey, England
J. Soc. West. Australia	Journal of the Royal Society of Western Australia, Perth
J. Soil Sci.	Journal of Soil Science, London
J. Taiwan Pharm. Assoc.	Journal of the Taiwan Pharmaceutical Association, Taiwan
J. Univ. Bombay	Journal of the University of Bombay, Bombay
J. Virol.	Journal of Virology (Kyoto), Kyoto
J. Vitaminol.	Journal of Vitaminology, Kyoto
J. Washington Acad.	Journal of the Washington Academy of Sciences, Washington

Kauch. Rezina	Каучук и Резина / Kautschuk i Rezina (Kautschuk und Gummi), Moskau
Kaut. Gummi, Kunstst.	Kautschuk, Gummi und Kunststoffe, Berlin
Kautschuk u. Gummi	Kautschuk und Gummi, Berlin (Zusatz WT für den Teil: Wissenschaft und Technik)
Kgl. norske Vidensk. Selsk., Skr.	Kgl. Norske Videnskabers Selskab. Skrifter
Khim. Ind. (Sofia)	Химия и Индустрия (София), Chimija i Industrija (Sofia), (Chemie und Industrie (Sofia))
Khim. Nauka i Prom.	Химическая Наука и Промышленность, Chimitscheskaja Nauka i Promyschlennost (Chemical Science and Industry)
Khim. Prom. (Moscow)	Химическая Промышленность, Chimitscheskaja Promyschlennost (Chemische Industrie) (seit 1944), Moskau
Khim. Volokna	Химические Волокна, Chimitscheskije Wolokna (Chemiefasern), Moskau
Kinetika i Kataliz	Кинетика и Катализ (Kinetik und Katalyse), Moskau
Kirk-Othmer	Kirk-Othmer, Encyclopedia of Chemical Technology, Interscience Publ. Co., New York, London, Sidney
Klin. Wochenschr.	Klinische Wochenschrift, Berlin, Göttingen, Heidelberg
Koks Khim.	Кокс и Химия, Koks i Chimija (Koks und Chemie), Moskau
Koll. Beih.	Kolloid-Beihefte (Ergänzungshefte zur Kolloid-Zeitschrift, 1931–1943), Dresden, Leipzig
Kolloidchem. Beih.	Kolloidchemische Beihefte (bis 1931), Dresden u. Leipzig
Kolloid-Z.	Kolloid-Zeitschrift, seit 1943 vereinigt mit Kolloid-Beiheften
Koll. Žurnal	Коллоидный Журнал, Kolloidnyi Žurnal (Colloid-Journal), Moscow
Koninkl. Nederl. Akad. Wetensch.	Koninklijke Nederlandse Akademie van Wetenschappen
Kontakte	Kontakte, Firmenschrift Merck AG, Darmstadt
Kungl. svenska Vetenskaps-akad. Handl.	Kungliga Svenska Vetenskapsakademiens Handlingar, Stockholm
Kunststoffe	Kunststoffe, München
Kunststoffe, Plastics	Kunststoffe, Plastics, Solothurn
Labo	Labo, Darmstadt
Labor. Delo	Лабораторное Дело, Laboratornoje Djelo (Laboratoriumswesen), Moskau
Lab. Invest.	Laboratory Investigation, New York
Lab. Practice	Laboratory Practice
Lack- u. Farben-Chem.	Lack- und Farben-Chemie (Däniken)/Schweiz
Lancet	Lancet, London
Landolt-Börnst.	LANDOLT-BÖRNSTEIN-ROTH-SCHEEL: Physikalisch-Chemische Tabellen, 6. Auflage, Springer-Verlag, Heidelberg
Lebensm.-Wiss. Techn.	Lebensmittel-Wissenschaften und Technologie, Zürich
Life Sci.	Life Sciences, Oxford
Lipids	Lipids, Chicago
Listy Cukrov.	Listy Cukrovarnické (Blätter für Zuckerraffinerie), Prag
M.	Monatshefte für Chemie, Wien
Macromolecules	Macromolecules, Easton
Macromol. Rev.	Macromolecular Reviews, Amsterdam
Magyar chem. Folyóirat	Magyar Chemiai Folyóirat, seit 1949: Magyar Kemiai Folyóirat (Ungarische Zeitschrift für Chemie), Budapest
Magyar kem. Lapja	Magyar kemikusok Lapja (Zeitschrift des Vereins Ungarischer Chemiker), Budapest
Makromol. Ch.	Makromolekulare Chemie, Heidelberg
Manuf. Chemist	Manufacturing Chemist and Pharmaceutical and Fine Chemical Trade Journal, London
Materie plast.	Materie Plastiche, Milano
Mat. grasses	Les Matières Grasses. – Le Pétrole et ses Dérivés, Paris
Med. Ch. I. G.	Medizin und Chemie. Abhandlungen aus den Medizinisch-chemischen Forschungsstätten der I.G. Farbenindustrie AG. (bis 1942), Leverkusen
Meded. vlaamse chem. Veren.	Mededelingen van de Vlaamse Chemische Vereniging, Antwerpen
Melliand Textilber.	Melliand Textilberichte, Heidelberg

Mém. Acad. Sci. Inst. France	Mémoires de l'Académie des Sciences de l'Institute de France, Paris
Mem. Coll. Sci. Kyoto	Memoirs of the College of Science, Kyoto Imperial University, Tokyo
Mem. Inst. Sci. and Ind. Research, Osaka Univ.	Memoirs of the Institute of Scientific and Industrial Research, Osaka University, Osaka
Mém. Poudres	Mémorial des Poudres (bis 1939 und seit 1948), Paris
Mém. Services chim.	Mémorial des Services Chimiques de l'État, Paris
Mercks Jber.	E. MERCKS Jahresbericht über Neuerungen auf den Gebieten der Pharmakotherapie und Pharmazie, Weinheim
Metab., Clin. Exp.	Metabolism. Clinical and Experimental, New York
Methods Biochem. Anal.	Methods of Biochemical Analysis, New York
Microchem. J.	Microchemical Journal, New York
Microfilm Abst.	Microfilm Abstracts, Ann Arbor (Michigan)
Mikrobiol. Ž. (Kiev)	Микробиологичний Журнал (Киёв) /Mikrobiologitschnii Shurnal (Kiew) (Mikrobiologisches Journal), Kiew
Mikrobiologiya	Микробиология / Mikrobiologija (Mikrobiologie), Moskau
Mikrochemie	Mikrochemie (bis 1938), Wien
Mikrochem. verein. Mikrochim. Acta	Mikrochemie vereinigt mit Mikrochimica Acta (seit 1938), Wien
Mikrochim. Acta	Mikrochimica Acta (bis 1938), Wien
Mikrochim. Acta, Suppl.	Mikrochimica Acta, Supplement, Wien
Mitt. Gebiete, Lebensm. Hyg.	Mitteilungen aus dem Gebiete der Lebensmitteluntersuchung und Hygiene, Bern
Mod. Plastics	Modern Plastics (seit 1934), New York
Mod. Trends Toxic.	Modern Trends in Toxicology, London
Mol. Biol.	Молекулярная Биология Molekulyarnaja Biologija, (Molekular-Biologie), Moskau
Mol. Cryst.	Molecular Crystals, England
Mol. Pharmacol.	Molecular Pharmacology, New York, London
Mol. Photochem.	Molecular Photochemistry, New York
Mol. Phys.	Molecular Physics, London
Monatsh. Chem.	Monatshefte für Chemie und verwandte Teile anderer Wissenschaften, Leipzig
Nahrung	Nahrung (Chemie, Physiologie, Technologie), Berlin
Nat. Bur. Standards (U.S.), Ann. Rept. Circ.	National Bureau of Standards (U.S.), Annual Report, Circular, Washington
Nat. Bur. Standards (U.S.), Techn. News Bull.	National Bureau of Standards (U.S.), Technical News Bulletin, Washington
Nation. Petr. News	National Petroleum News, Cleveland/Ohio
Natl. Nuclear Energy Ser., Div. I–IX	National Nuclear Energy Series, Division I–IX, New York
Nature	Nature, London
Naturf. Med. Dtschl. 1939–1946	Naturforschung und Medizin in Deutschland 1939–1946 (für Deutschland bestimmte Ausgabe der FIAT-Review of German Science), Wiesbaden
Naturwiss.	Naturwissenschaften, Berlin, Göttingen
Natuurw. Tijdschr.	Natuurwetenschappelijk Tijdschrift, Vennoofschap
Neftechimiya	Нефтехимия (Petrochemistry), Moskau
Neftepererab. Neftekhim. (Moscow)	Нефтепереработка и Нефтехимия (Москва) / Neftepererabotka i Neftechimija, (Erdölverarbeitung und Erdölchemie) Moskau
New Zealand J. Agr. Res.	New Zealand Journal of Agricultural Research, Wellington, N.Z.
Niederl. P.	Niederländisches Patent
Nippon Gomu Kyokaishi	Journal of the Society of Rubber Industry of Japan, Tokyo
Nippon Nogei Kagaku Kaishi	Journal of the Agricultural Chemical Society of Japan, Tokyo
Nitrocell.	Nitrocellulose (bis 1943 und seit 1952), Berlin
Norske Vid. Selsk. Forh.	Kongelige Norske Videnskabers Selskab. Forhandlinger, Trondheim
Norw. P.	Norwegisches Patent
Nuclear Magn. Res. Spectr. Abstr.	Nuclear Magnetic Resonance Spectroscopy Abstracts, London
Nuclear Sci. Abstr. Oak Ridge	U.S. Atomic Energy Commission, Nuclear Science Abstracts, Oak Ridge
Nucleic Acids Abstr.	Nucleic Acids Abstracts, London
Nuovo Cimento	Nuovo Cimento, Bologna

Öl, Kohle	Öl und Kohle (bis 1934 und 1941–1945): in Gemeinschaft mit Brennstoff-Chemie von 1943–1945, Hamburg
Öst. Chemiker-Ztg.	Österreichische Chemiker-Zeitung (bis 1942 und seit 1947), Wien
Österr. Kunst. Z.	Österreichische Kunststoff-Zeitschrift, Wien
Österr. P.	Österreichisches Patent (Wien)
Offic. Gaz., U.S. Pat. Office	Official Gazette, United States Patent Office, Washington
Ohio J. Sci.	Ohio Journal of Science, Columbus/Ohio
Oil Gas J.	Oil and Gas Journal, Tulsa/Oklahoma
Organic Mass Spectr.	Organic Mass Spectrometry, London
Organometal. Chem. Rev.	Organometallic Chemistry Reviews, Amsterdam
Organometal. i. Chem. Synth.	Organometallics in Chemical Synthesis, Lausanne
Organometal. Reactions	Organometallic Reactions, New York
Org. Chem. Bull.	Organic Chemical Bulletin (Eastman Kodak), Rochester
Org. Prep. & Proced.	Organic Preparations and Procedures, New York
Org. Reactions	Organic Reactions, New York
Org. Synth.	Organic Syntheses, New York
Org. Synth., Coll. Vol.	Organic Syntheses, Collective Volume, New York

Paint Manuf.	Paint incorporating Paint Manufacture (seit 1939), London
Paint Oil chem. Rev.	Paint, Oil and Chemical Review, Chicago
Paint, Oil Colour J.	Paint, Oil and Colour Journal (seit 1950), London
Paint Varnish Product.	Paint and Varnish Production (seit 1949; bis 1949: Paint and Varnish Production Manager), Washington
Pak. J. Sci. Ind. Res.	Pakistan Journal of Science and Industrial Research, Karachi
Paper Ind.	Paper Industry (1938–1949: ... and Paper World), Chicago
Papier (Darmstadt)	Das Papier, Darmstadt
Pap. Puu	Paperi ja Puu – Papper och Trä (Paper and Timbre), Helsinki
P. C. H.	Pharmazeutische Zentralhalle für Deutschland, Dresden
Perfum. essent. Oil Rec.	Perfumery and Essential Oil Record, London
Periodica Polytechn.	Periodica Polytechnica, Budapest
Pest. Abstr.	Pesticides Abstracts, Washington
Pest. Biochem. Phys.	Pesticide Biochemistry and Physiology, New York
Pest. Monit. J.	Pesticides Monitoring Journal, Atlanta
Petr. Eng.	Petroleum Engineer, Dallas/Texas
Petr. Hydrocarbons	Petroleum and Hydrocarbons, Bombay
Petr. Processing	Petroleum Processing, New York
Petr. Refiner	Petroleum Refiner, Houston/Texas
Pharma. Acta Helv.	Pharmaceutica Acta Helvetica, Zürich
Pharmacol.	Pharmacology, Basel
Pharmacol. Rev.	Pharmacological Reviews, Baltimore
Pharmazie	Pharmazie, Berlin
Pharmaz. Ztg. – Nachr.	Pharmazeutische Zeitung – Nachrichten, Hamburg
Pharm. Bull. (Tokyo)	Pharmaceutical Bulletin (Tokyo) (bis 1958)
Pharm. Ind.	Die Pharmazeutische Industrie, Berlin
Pharm. J.	Pharmaceutical Journal, London
Pharm. Weekb.	Pharmaceutisch Weekblad, Amsterdam
Philips Res. Rep.	Philips Research Reports, Eindhoven/Holland
Phil. Trans.	Philosophical Transactions of the Royal Society of London
Photochem. and Photobiol.	Photochemistry and Photobiology, New York
Phosphorus	Phosphorus and Sulfur and the Related Elements, New York.
Physica	Physica. Nederlandsch Tijdschrift voor Natuurkunde, Utrecht
Physik. Bl.	Physikalische Blätter, Mosbach/Baden
Phys. Rev.	Physical Review, New York
Phys. Rev. Letters	Physical Review Letters, New York
Phys. Z.	Physikalische Zeitschrift (Leipzig)
Plant Physiol.	Plant Physiology, Lancaster, Pa.
Plaste u. Kautschuk	Plaste und Kautschuk (seit 1957), Leipzig
Plasticheskie Massy	Пластический масы (Soviet Plastics), Moskau
Plastics	Plastics (London)
Plastics Inst., Trans. and J.	The (London) Plastics Institute, Transactions and Jornal
Plastics Technol.	Plastics Technology
Poln. P.	Polnisches Patent

Polymer Age	Polymer Age, Tenderden/Kent
Polymer Ind. News	Polymer Industry News, New York
Polymer J.	Polymer Journal, Tokyo
Polytechn. Tijdschr. (A)	Polytechnisch Tijdschrift, Uitgave A (seit 1946), Haarlem
Postepy Biochem.	Postepy Biochemii (Fortschritt der Biochemie), Warschau
Pr. Acad. Tokyo	Proceedings of the Imperial Academy, Tokyo
Pr. Akad. Amsterdam	Proceedings, Koninklijke Nederlandsche Akademie von Wetenschappen (1938–1940 und seit 1943), Amsterdam
Pr. chem. Soc.	Proceedings of the Chemical Society, London
Prep. Biochem.	Preparative Biochemistry, New York
Pr. Indiana Acad.	Proceedings of the Indiana Academy of Science, Indianapolis/Indiana
Pr. indian Acad.	Proceedings of the Indian Academy of Sciences, Bangalore/Indien
Pr. Iowa Acad.	Proceedings of the Iowa Academy of Sciences, Des Moines/Iowa (USA)
Pr. irish Acad.	Proceedings of the Royal Irish Academy, Dublin
Pr. Nation. Acad. India	Proceedings of the National Academy of Sciences, India (seit 1936), Allahabad/Indien
Pr. Nation. Acad. USA	Proceedings of the National Academy of Sciences of the United States of America, Washington
Proc. Amer. Soc. Testing Mater.	Proceedings of the American Society for Testing Materials, Philadelphia, Pa.
Proc. Soc. Analyt. Chem.	Proceedings of the Society of Analytical Chemistry, London
Proc. Biochem.	Process Biochemistry, London
Proc. Egypt. Acad. Sci.	Proceedings of the Egyptian Academy of Sciences, Kairo
Proc. Indian Acad. Sci., Sect. A	Proceedings of the Indian Academy of Science, Section A, Bangalore
Proc. Japan Acad.	Proceedings of the Japan Academy (seit 1945), Tokio
Proc. Kon. Ned. Akad. Wetensh.	Proceedings, Koninklijke Nederlandse Akademie van Wetenschappen, Amsterdam
Proc. Roy. Austral. chem. Inst.	Proceedings of the Royal Australian Chemical Institute, Melbourne
Produits pharmac.	Produits Pharmaceutiques, Paris
Progress Biochem. Pharm.	Progress Biochemical Pharmacology, Basel
Progr. Boron Chem.	Progress in Boron Chemistry, Oxford
Progr. Org. Chem.	Progress in Organic Chemistry, London
Progr. Physical Org. Chem.	Progress in Physical Organic Chemistry, New York, London
Progr. Solid State Chem.	Progress in Solid State Chemistry, New York
Promysl. org. Chim.	Промышленность Органической Химии Promyschlennost Organitscheskoi Chimii (bis 1941: Shurnal Chimitscheskoi Promyschlennosti), (Industrie der Organischen Chemie, Organic Chemical Industry, bis 1940), Moskau
Prostaglandines	Prostaglandines, Los Altos/Calif.
Pr. phys. Soc. London	Proceedings of the Physical Society, London
Pr. roy. Soc.	Proceedings of the Royal Society, London
Pr. roy. Soc. Edinburgh	Proceedings of the Royal Society of Edinburgh, Edinburgh
Przem. chem.	Przemysl Chemiczny (Chemische Industrie), Warschau
Psychopharmacologia	Psychopharmacologia (Berlin), Berlin, Göttingen, Heidelberg
Publ. Am. Assoc. Advan. Sci.	Publication of the American Association for the Advancement of Science, Washington
Pure Appl. Chem.	Pure and Applied Chemistry (The Official Journal of the International Union of Pure and Applied Chemistry), London
Quart. J. indian Inst. Sci.	Quarterly Journal of the Indian Institute of Science, Bangalore
Quart. J. Pharm. Pharmacol.	Quarterly Journal of Pharmacy and Pharmacology (bis 1948), London
Quart. J. Studies Alc.	Quarterly Journal of Studies on Alcohol, New Haven, Conn.
Quart. Rev.	Quarterly Reviews, London (seit 1970 Chemical Society Reviews)
Quím. e Ind.	Química e Industria, Sao Paulo (bis 1938 Chimica e Industria)
R.	Recueil des Travaux Chimiques des Pays-Bas, Amsterdam
Radiokhimiya	Радиохимия/Radiochimija (Radiochemie), Leningrad
R. A. L.	Atti della Reale Academia Nazionale dei Lincei, Classe di Scienze Fisiche, Mathematiche e Naturali: Rendiconti (bis 1940)
Rasayanam	Journal for the Progress of Chemical Science, Poona, India
Rend. Ist. lomb.	Rendiconti dell'Istituto Lombardo di Scienze e Lettere. Classe di Scienze Matematiche e Naturali (seit 1944), Mailand

Rep. Government chem. ind. Res. Inst., Tokyo	Reports of the Government Chemical Industrial Research Institute, Tokyo
Rep. Progr. appl. Chem.	Reports on the Progress of Applied Chemistry (seit 1949), London
Rep. sci. Res. Inst.	Reports of Scientific Research Institute (Japan), Kagaku-Kenkyujo-Hokoku, Tokyo
Research	Research, London
Rev. Asoc. bioquím. arg.	Reviste de la Asociación Bioquímica Argentina, Buenos Aires
Rev. Chim. (Bucarest)	Revista de Chimie (Bucuresti), Bukarest
Rev. Fac. Cienc. quím.	Revista de la Facultad de Ciencias Químicas, Universidad Nacional de La Plata, La Plata
Rev. Fac. Sci. Istanbul	Revue de la Faculté des Sciences de l'Université d'Istanbul, Istanbul
Rev. Franc. Études Clin. Biol.	Revue Française d'Études Cliniques et Biologiques, Paris
Rev. gén. Matières plast.	Revue Générale des Matières Plastiques, Paris
Rev. gén. Sci.	Revue Générale des Sciences pures et appliquées, Paris
Rev. Inst. franç. Pétr.	Revue de l'Institut Français du Pétrole et Annales des Combustibles Liquides, Paris
Rev. Macromol. Chem.	Reviews in Macromolecular Chemistry, New York
Rev. Mod. Physics	Reviews of Modern Physics
Rev. Phys. Chem. Jap.	Review of Physical Chemistry of Japan, Tokyo
Rev. Plant Prot. Res.	Review of Plant Protection Research, Tokyo
Rev. Prod. chim.	Revue des Produits Chimiques, Paris
Rev. Pure Appl. Chem.	Reviews of Pure and Applied Chemistry, Melbourne
Rev. Quím. Farm.	Revista de Química e Farmácia, Rio de Janeiro
Rev. Roumaine Biochim.	Revue Roumaine de Biochimie, Bukarest
Rev. Roumaine Chim.	Revue Roumaine de Chimie (bis 1963: Revue de Chimie, Académie de la République Populaire Roumaine), Bukarest
Rev. Roumaine Phys.	Revue Roumaine de Physique, Bukarest
Rev. sci.	Revue Scientifique, Paris
Rev. scient. Instruments	Review of Scientific Instruments, New York
Ricerca sci.	Ricerca Scientifica, Rom
Roczniki Chem.	Roczniki Chemii (Annales Societatis Chimicae Polonorum), Warschau
Rodd	Rodd's Chemistry of Carbon Compounds, Elsevier Publ. Co., Amsterdam
Rubber Age N.Y.	The Rubber Age, New York
Rubber Chem. Technol.	Rubber Chemistry and Technology, Easton, Pa.
Rubber J.	Rubber Journal (seit 1955), London
Rubber & Plastics Age	The Rubber & Plastics Age, London
Rubber World	Rubber World (seit 1945), New York
Russian Chem. Reviews	Chemical Reviews (UdSSR); engl. Übersetzung von Uspechi Chím.
Sbornik Statei obšč. Chim.	Сборник Статей по Общей Химии Sbornik Statei po Obschtschei Chimii (Sammlung von Aufsätzen über die allgemeine Chemie), Moskau u. Leningrad
Schwed. P.	Schwedisches Patent
Schweiz. P.	Schweizerisches Patent
Sci.	Science, New York, seit 1951, Washington
Sci. American	Scientific American, New York
Sci. Culture	Science and Culture, Calcutta
Scientia Pharm.	Scientia Pharmaceutica, Wien
Scient. Pap. Bur. Stand.	Scientific Papers of the Bureau of Standards, Washington
Scient. Pr. roy. Dublin Soc.	Scientific Proceedings of the Royal Dublin Society, Dublin
Sci. Ind.	Science et Industrie (bis 1934), Paris
Sci. Ind. phot.	Science et Industries photographiques, Paris
Sci. Pap. Inst. Phys. Chem. Res. Tokyo	Scientific Papers of the Institute of Physical and Chemical Research, (bis 1948) Tokyo
Sci. Publ., Eastman Kodak	Scientific Publications, Eastman Kodak Co., Rochester/N.Y.
Sci. Progr.	Science Progress, London
Sci. Rep. Tohoku Univ.	Science Reports of the Tohoku Imperial University, Tokyo
Sci. Repts. Research Insts. Tohoku Univ., (A), (B), (C) bzw. (D)	The Science Reports of the Research Institutes, Tohoku University, Series A, B, C bzw. D, Sendai/Japan
Seifen-Oele-Fette-Wachse	Seifen-Oele-Fette-Wachse. Neue Folge der Seifensieder-Zeitung, Augsburg

Seikagaku	Seikagaku (Biochemie), Tokyo
Sen-i Gakkaishi	Journal of the Society of Textile and Cellulose Industry, (seit 1945) Japan
Separation Sci.	Separation Science, New York
Soc.	Journal of the Chemical Society, London (1880–1925 Journal of the Chemical Society Transactions)
Soil Biol. Biochem.	Soil Biology and Biochemistry, Oxford
Soil Sci.	Soil Science, Baltimore
Soobshch. Akad. Nauk Gruz. SSR	Сообщения Академии Наук Грузинской ССР / Soobschtschenija Akademii Nauk Grusinskoi SSR (Mitteilungen der Akademie der Wissenschaften der Grusinischen SSR, Tbilissi
South African Ind. Chemist	South African Industrial Chemist, Johannesburg
Spectrochim. Acta	Spectrochimica Acta, Berlin, ab 1947 Rom
Spectrochim. Acta (London)	Spectrochimica Acta, London (seit 1950)
Staerke	Stärke, Stuttgart
Steroids	Steroids, San Francisco
Steroids, Suppl.	Steroids, Supplements, San Francisco
Stud. Cercetari Biochim.	Studii si Cercetari de Biochimie, Bucuresti
Stud. Cercetari Chim.	Studii si Cercetari de Chimie, Bucuresti
Suomen Kem.	Suomen Kemistilehti (Acta Chemica Fennica), Helsinki
Suomen Kemistilehti B	Suomen Kemistilehti B (Finnische Chemiker-Zeitung)
Suppl. nuovo Cimento	Supplemento del Nuovo Cimento (seit 1949), Bologna
Svensk farm. Tidskr.	Svensk Farmaceutisk Tidskrift, Stockholm
Svensk kem. Tidskr.	Svensk Kemisk Tidskrift, Stockholm
Synthesis	Synthesis, Stuttgart, New York
Synth. React. Inorg. Metal-org. Chem.	Synthesis and Reactivity in Inorganic and Metal-organic Chemistry, New York
Talanta	Talanta, London
Tappi	Tappi (Technical Association of the Pulp and Paper Industry), New York
Techn. & Meth. Org., Organometal. Chem.	Techniques and Methods of Organic and Organometallic Chemistry, New York
Tekst. Prom. (Moscow)	Текстил Промышленност Tekstil Promyschlennost (Textil Industrie)
Tenside	Tenside Detergents, München
Teor. Khim. Techn.	Teoretitscheskii Osnovy Chimitscheskoj Technologii, Moskau
Terpenoids and Steroids	Terpenoids and Steroids, London
Tetrahedron	Tetrahedron, Oxford
Tetrahedron Letters	Tetrahedron Letters, Oxford
Tetrahedron, Suppl.	Tetrahedron, Supplements, London
Textile Chem. Color.	Textile Chemist and Colorist, New York
Textile Prog.	Textile Progress, Manchester
Textile Res. J.	Textile Research Journal (seit 1945), New York
Theor. Chim. Acta	Theoretica Chimica Acta (Zürich)
Tiba	Revue Générale de Teinture, Impression, Blanchiment, Apprêt et de Chimie Textile et Tinctoriale (bis 1940 und seit 1948), Paris
Tidskr. Kjemi, Bergv. Met.	Tidskrift för Kjemi, Bergvesen og Metallurgi (seit 1941), Oslo
Topics Med. Chem.	Topics in Medicinal Chemistry, New York
Topics Pharm. Sci.	Topics in Pharmaceutical Science, New York
Topics Phosph. Chem.	Topics in Phosphorous Chemistry, New York
Topics Stereochem.	Topics in Stereochemistry, New York
Toxicol.	Toxicologie, Amsterdam
Toxicol. Appl. Pharmacol.	Toxicology and Applied Pharmacology, New York
Toxicol. Appl. Pharmacol., Suppl.	Toxicology and Applied Pharmacology, Supplements, New York
Toxicol. Env. Chem. Rev.	Toxicological and Environmental Chemistry Reviews, New York
Trans. Amer. Inst. Chem. Eng.	Transactions of the American Institute of Chemical Engineers, New York
Trans. electroch. Soc.	Transactions of the Electrochemical Society, New York (bis 1949)
Trans. Faraday Soc.	Transactions of the Faraday Society, Aberdeen
Trans. Inst. chem. Eng.	Transactions of the Institution of Chemical Engineers, London
Trans. Inst. Rubber Ind.	Transactions of the Institution of the Rubber Industry, London

Trans. Kirov's Inst. chem. Technol. Kazan	Труды Казанского Химико-Технологического Института им. Кирова / Trudy Kasanskovo Chimiko-Technologitscheskovo Instituta im. Kirova (Transactions of the Kirov's Institute for Chemical Technology of Kazan), Moskau
Trans. Pr. roy. Soc. New Zealand	Transactions and Proceedings of the Royal Society of New Zealand (seit 1952 Transactions of the Royal Society of New Zealand), Wellington
Trans roy. Soc. Canada	Transactions of the Royal Society of Canada, Ottawa
Trans. Roy. Soc. Edinburgh	Transactions of the Royal Society of Edinburgh, Edinburgh
Trav. Soc. Pharm. Montpellier	Travaux de la Société de Pharmacie de Montpellier, (seit 1942) Montpellier
Trudy Mosk. Chim. Techn. Inst.	Труды Московского Химико-Технологического Института им. Д-И. Менделеева/Trudy Moskowskowo Chimiko-Technologitscheskowo Instituta im. D.I. Mendelejewa (Transactions of the Moscow Chemical-Technological Institute named for D. I. Mendeleev), Moskau
Tschechosl. P.	Tschechoslowakisches Patent
Uchenye Zapiski Kazan.	Ученые Записки Казанского Государственного Университета Utschenye Sapiski Kasanskowo Gossudarstwennowo Universiteta (Wissenschaftliche Berichte der Kasaner staatlichen Universität), Kasan
Ukr. Biokhim. Ž.	Украинский Биохимичний Журнал / Ukrainski Biochimitschni Shurnal (Ukrainisches Biochemisches Journal, Kiew
Ukr. chim. Ž.	Украинский Химический Журнал (bis 1938: Украінський, Charkau bis 1938, Хемічний Журнал) Ukrainisches Chemisches Journal), Kiew
Ukr. Fiz. Ž. (Ukr. Ed.)	Украинский Физичний Журнал / Ukrainski Fisitschni Shurnal (Ukrainisches Physikalisches Journal), Kiew
Ullmann	Ullmann's Enzyclopädie der technischen Chemie, Verlag Urban und Schwarzenberg, München, seit 1971 Verlag Chemie, Weinheim
Umschau Wiss. Techn.	Umschau in Wissenschaft und Technik, Frankfurt
U.S. Govt. Res. Rept.	U.S. Government Research Reports
US. P.	Patent der USA
Uspechi Chim.	Успехи Химии / Uspetschi Chimii (Fortschritte der Chemie), Moskau, Leningrad
USSR. P.	Sowjetisches Patent
Uzb. Khim. Zh.	Узбекский Химический Журнал / Usbekski Chimitscheski Shurnal (Usbekisches Chemisches Journal), Taschkent
Vakuum-Tech.	Vakuum-Technik (seit 1954), Berlin
Vestn. Akad. Nauk Kaz. SSR	Вестник Академии Наук Казахской ССР/ Westnik Akademii Nauk Kasachskoi SSR (Nachrichten der Akademie der Wissenschaften der Kasachischen SSR), Alma Ata
Vestn. Akad. Nauk SSSR	Вестник Академии Наук СССР/ Westnik Akademii Nauk SSSR (Mitteilungen der Akademie der Wissenschaften der UdSSR), Moskau
Vestn. Leningrad. Univ., Fiz., Khim.	Вестник Ленинградского Университета, Серия Физики и Химии / Westnik Leningradskowo Universsiteta, Serija Fisiki i Chimii (Nachrichten der Leningrader Universität, Serie Physik und Chemie), Leningrad
Vestn. Mosk. Univ., Ser. II Chim.	Вестник Московского Университета, Серия II Химия / Westnik Moskowslowo Universsiteta, Serija II Chimija (Nachrichten der Moskauer Universität, Serie II Chemie), Moskau
Virology	Virology, New York
Vitamins. Hormones	Vitamins and Hormones, New York
Vysokomolek. Soed.	Высокомолекулярные Соединения / Wyssokomolekuljarnye Sojedinenija (High Molecular Weight Compounds) Moskau
Werkstoffe u. Korrosion	Werkstoffe und Korrosion (seit 1950), Weinheim/Bergstr.
Yuki Gosei Kagaku Kyokai Shi	Journal of the Society of Organic Synthetic Chemistry, Japan, Tokyo

Z.	Zeitschrift für Chemie, Leipzig
Ž. anal. Chim.	Журнал Аналитической Химии / Shurnal Analititscheskoi Chimii (Journal of Analytical Chemistry), Moskau
Z. ang. Physik	Zeitschrift für angewandte Physik
Z. anorg. Ch.	Zeitschrift für Anorganische und Allgemeine Chemie (1943–1950 Zeitschrift für Anorganische Chemie), Berlin
Zavod. Labor.	Заводская Лаборатория / Sawodskaja Laboratorija (Industrial Laboratory), Moskau
Zbl. Arbeitsmed. Arbeitsschutz	Zentralblatt für Arbeitsmedizin und Arbeitsschutz (seit 1951), Darmstadt
Ž. eksp. teor. Fiz.	Журнал экспериментальной и теоретической физики / Shurnal Experimentalnoi Teoretitscheskoi Fisiki (Physikalisches Journal, Serie A Journal für experimentelle und theoretische Physik), Moskau, Leningrad
Z. El. Ch.	Zeitschrift für Elektrochemie und Angewandte Physikalische Chemie (seit 1952 Zeitschrift für Elektrochemie, Berichte der Bunsengesellschaft für Physikalische Chemie), Weinheim/Bergstr.
Z. fiz. Chim.	Журнал физической Химии /Shurnal Fisitscheskoi Chimii (engl. Ausgabe: Journal of Physical Chemistry)
Z. Kristallogr.	Zeitschrift für Kristallographie
Z. Lebensm.-Unters.	Zeitschrift für Lebensmittel-Untersuchung und -Forschung (seit 1943), München, Berlin
Z. Naturf.	Zeitschrift für Naturforschung, Tübingen
Ž. neorg. Chim.	Журнал Неорганической Химии / Shurnal Neorganitscheskoi Chimii (engl. Ausgabe: Journal of Inorganic Chemistry)
Ž. obšč. Chim.	Журнал Общей Химии / Shurnal Obschtschei Chimii (engl. Ausgabe: Journal of General Chemistry, London)
Ž. org. Chim.	Журнал Органической Химии / Shurnal Organitscheskoi Chimii (engl. Ausgabe: Journal of Organic Chemistry, Baltimore)
Z. Pflanzenernähr. Düng., Bodenkunde	Zeitschrift für Pflanzenernährung, Düngung, Bodenkunde (bis 1936 und seit 1946), Weinheim/Bergstr., Berlin
Z. Phys.	Zeitschrift für Physik, Berlin, Göttingen
Z. physik. Chem.	Zeitschrift für Physikalische Chemie, Frankfurt (seit 1945 mit Zusatz N. F.)
Z. physik. Chem. (Leipzig)	Zeitschrift für Physikalische Chemie, Leipzig
Ž. prikl. Chim.	Журнал Прикладной Химии / Shurnal Prikladnoi Chimii (Journal of Applied Chemistry)
Ž. prikl. Spektr.	Журнал Прикладной Спектроскопии / Shurnal Prikladnoi Spektroskopii (Journal of Applied Spectroscopy), Moskau, Leningrad
Ž. strukt. Chim.	Журнал Структурной Химии / Shurnal Strukturnoi Chimii (Journal of Structural Chemistry), Moskau
Ž. tech. Fiz.	Журнал Технической Физики / Shurnal Technitscheskoi Fisiki (Physikalisches Journal, Serie B, Journal für technische Physik), Moskau, Leningrad
Z. Vitamin-, Hormon- u. Fermentforsch. [Wien]	Zeitschrift für Vitamin-, Hormon- und Fermentforschung [Wien] (seit 1947)
Ž. vses. Chim. obšč.	Журнал Всесоюзного Химического Общества им. Д. И. Менделеева Shurnal Wsjesojusnowo Chimitscheskowo Obschtschestwa im. D. I. Mendelejewa (Journal of the All-Union Chemical Society named for D. I. Mendeleev), Moskau
Z. wiss. Phot.	Zeitschrift für Wissenschaftliche Photographie, Photophysik und Photochemie, Leipzig
Z. Zuckerind.	Zeitschrift für die Zuckerindustrie, Berlin
Ж.	Журнал Русского Физикого-Химического Общества Shurnal Russkowo Fisikowo-Chimitscheskowo Obschtschestwa (Journal der Russischen Physikalisch-Chemischen Gesellschaft, Chemischer Teil; bis 1930)

Abkürzungen für den Text der präparativen Vorschriften und der Fußnoten[1]

Abb.	Abbildung
abs.	absolut
Amp.	Ampere
Anm.	Anmerkung
Anm.	Anmeldung (nur in Verbindung mit der Patentzugehörigkeit)
API	American Petroleum Institute
ASTM	American Society for Testing Materials
asymm.	asymmetrisch
at	technische Atmosphäre
At.-Gew.	Atomgewicht
atm	physikalische Atmosphäre
BASF	Badische Anilin- & Sodafabrik AG, Ludwigshafen/Rhein (bis 1925 und wieder ab 1953), BASF AG (seit 1974)
Bataafsche (Shell)	N. V. Bataafsche Petroleum Mij., s'Gravenhage (Holland)
Shell Develop.	Shell Development Co., San Francisco, Corporation of Delaware
Bayer AG	Bayer AG, Leverkusen (seit 1974)
ber.	berechnet
bez.	bezogen
bzw.	beziehungsweise
cal	Calorien
CIBA	Chemische Industrie Basel, AG (bis 1973)
Ciba-Geigy	Fusionierte Firmen ab 1973
cycl.	cyclisch
D, bzw. D^{20}	Dichte, bzw. Dichte bei 20° bezogen auf Wasser von 4°
DAB	Deutsches Arznei-Buch
Degussa	Deutsche Gold- und Silber-Scheideanstalt, Frankfurt a. M.
d. h.	das heißt
Diglyme	2-(2-Methoxy-äthoxy)-äthanol
DIN	Norm
DK	Dielektrizitäts-Konstante
DMF	Dimethylformamid
DMSO	Dimethylsulfoxid
Du Pont	E. I. du Pont de Nemours & Co., Inc., Wilmington 98 (USA)
E	Erstarrungspunkt
EMK	Elektromotorische Kraft
ethanol.	ethanolisch
ether.	etherische
F	Schmelzpunkt
Farbf. Bayer	Farbenfabriken Bayer AG, vormals Friedrich Bayer & Co., Leverkusen-Elberfeld (bis 1925), Farbenfabriken Bayer AG, Leverkusen, Elberfeld, Dormagen und Uerdingen (1953–1974)
Farbw. Hoechst	Farbwerke Hoechst AG, vormals Meister Lucius & Brüning, Frankfurt/M.-Höchst (bis 1925 und wieder ab 1953 bis 1974)
g	Gramm
gem.	geminal
ges.	gesättigt
Gew., Gew.-%, Gew.-Tl.	Gewicht, Gewichtsprozent, Gewichtsteil
HMPT	Phosphorsäure-tris-[trimethylamid]
Hoechst AG	Hoechst AG, Frankfurt/M.-Höchst (seit 1974)
I. C. I.	Imperial Chemicals Industries Ltd., Manchester
I. G. Farb.	I. G. Farbenindustrie AG, Frankfurt a. M. (1925–1945)
IUPAC	International Union of Pure and Applied Chemistry
i. Vak.	im Vakuum

[1] Alle Temperaturangaben beziehen sich auf Grad Celsius, falls nicht anders vermerkt.

k (k_s, k_b)	elektrolytische Dissoziationskonstanten, bei Ampholyten, Dissoziationskonstanten nach der klassischen Theorie
K (K_s, K_b)	elektrolytische Dissoziationskonstanten von Ampholyten nach der Zwitterionentheorie
kcal	Kilocalorie
kg	Kilogramm
konz.	konzentriert
korr.	korrigiert
Kp, bzw. Kp_{750}	Siedepunkt, bzw. Siedepunkt unter 750 Torr Druck
kW, kWh	Kilowatt, Kilowattstunde
l	Liter
m (als Konzentrationsangabe)	molar
M	Metall (in Formeln)
$[M]_\lambda^t$	molekulares Drehungsvermögen oder Molekularrotation
mg	Milligramm
Min.	Minute
mm	Millimeter
ml	Milliliter
Mol.-Gew., Mol.-%, Mol.-Refr.	Molekulargewicht, Molprozent, Molekularrefraktion
n (als Konzentrationsangabe)	normal
nm	Nanometer
pd · sq. · inch	pounds per square inch; 0,070307 at = 0,068046 Atm
p_H	negativer, dekadischer Logarithmus der Wasserstoffionen-Aktivität
prim.	primär
Py	Pyridin
quart.	quartär
racem.	racemisch
s.	siehe
S.	Seite
s. a.	siehe auch
sek.	sekundär
Sek.	Sekunde
s. o.	siehe oben
spez.	spezifisch
sq. · inch	square inch; $6{,}451589 \cdot 10^{-4}$ m^2
Stde., Stdn., stdg.	Stunde, Stunden, stündig
s. u.	siehe unten
Subl. p.	Sublimationspunkt
symm.	symmetrisch
Tab.	Tabelle
techn.	technisch
Temp.	Temperatur
tert.	tertiär
theor.	theoretisch
THF	Tetrahydrofuran
Tl., Tle., Tln.	Teil, Teile, Teilen
u. a.	und andere
usw.	und so weiter
u. U.	unter Umständen
V	Volt
VDE	Verein Deutscher Elektroingenieure
VDI	Verein Deutscher Ingenieure
verd.	verdünnt
vgl.	vergleiche
vic.	vicinal
Vol., Vol.-%, Vol.-Tl.	Volumen, Volumenprozent, Volumenanteil
W	Watt
Zers.	Zersetzung
▽	Erhitzung
$[\alpha]_\lambda^t$	spezifische Drehung
∅	Durchmesser
~	etwa, ungefähr
μ	Mikron

Methoden zur Herstellung von Organobor-Verbindungen

bearbeitet von

ROLAND KÖSTER
Max-Planck-Institut für Kohlenforschung
Mülheim an der Ruhr

MAXIMILIAN GRASSBERGER
Sandoz Forschungsinstitut
Gesellschaft m. b. H.
Wien

GÜNTHER SCHMID
Institut für Anorganische Chemie
der Universität Essen

WALTER SIEBERT
Anorganisch-Chemisches Institut
der Universität Heidelberg

BERND WRACKMEYER
Institut für Anorganische Chemie
der Universität München

Literatur berücksichtigt bis Mitte 1984

Inhalt

Leitfaden zu den Organobor-Verbindungen

Definition

Zu den Organobor-Verbindungen zählen Verbindungen des Elements Bor mit mindestens einem borgebundenen organischen Rest. Oligo- und Polyborane sowie ionische Oligo- und Polybor-Verbindungen, deren Bor-Atome ausschließlich an Kohlenstoff-Atome eines polyedrischen Carboran-Gerüsts gebunden sind, gehören nicht zu den Organobor-Verbindungen. Die Herstellungsmethoden der B-Organo-Derivate der Carborane und Carboranate werden aber im vorliegenden Band besprochen.

Die Bor-Atome der Organobor-Verbindungen können außer an organische Reste zugleich auch an andere Elemente oder Elementgruppierungen gebunden sein. Zu den Organoboranen mit dreifach koordiniertem Bor-Atom zählen Triorganoborane sowie Diorganoelemento-borane und Dielemento-organo-borane sämtlicher Strukturen. Die Bor-Atome der beschriebenen Organobor-Verbindungen sind außer an Kohlenstoff- und Wasserstoff-Atome an Halogen-, Sauerstoff-, Schwefel-, Selen-, Stickstoff-, Phosphor-, Arsen-, Silicium-, Bor-, Alkalimetall- und einige Übergangsmetall-Atome gebunden.

Stoffeinteilung und Stoffordnung

Die Besprechung der Organobor-Verbindungen ist in das Hauptkapitel „Herstellungsmethoden" (Bd. XIII/3a bis c) und die Kapitel „Umwandlung" und „Analytik" (Bd. XIII/3c) aufgeteilt. Am Ende des Gesamtkapitels befindet sich eine nach Stoffklassen geordnete Bibliographie.

Die Organobor-Verbindungen sind nach der Koordinationszahl (KZ) des an mindestens einem Organo-Rest gebundenen Bor-Atoms (KZ_B) unterteilt. Begonnen wird mit den Organoboranen(1) und Organoboranen(2), deren Bor-Atome die KZ_B 1 und 2 haben. Es folgen die umfangreichen Klassen der Organoborane(3) und der Organobor-Verbindungen mit der $KZ_B = 4$, zu denen Lewisbase-Organoborane und Organoborate zählen. Im abschließenden Herstellungskapitel (Bd. XIII/3c) werden die Übergangsmetall-Organoboran-π-Komplexe mit $KZ_B = 4$ und 5 besprochen. Den Abschluß des Herstellungsteils bilden die kondensierten Organobor-Verbindungen (Organopolyborane und B-Organocarborane) ($KZ_B \leqq 6$).

Nach der Zahl der um das Bor-Atom gruppierten Atome (KZ_B) ist für die Stoffeinteilung die Art der an das Bor-Atom gebundenen Atome maßgebend. Vorrang haben Verbindungen, die ausschließlich BC-Bindungen enthalten wie z.B. Triorganoborane(3) oder Tetraorganoborate(1-). Danach folgen Verbindungen, deren Bor-Atom außerdem noch an ein anderes Atom gebunden ist. Diese Atome bestimmen die weitere Stoffordnung nach der Prioritätsreihe ($>$ = vor):

$$H > Hal > O > S > Se > N > P > As > C_{Carb} > Si > B > M$$

Organo-oxy-borane werden z.B. vor den Amino-organo-boranen und diese vor den Carboranyl-organo-boranen (C_{Carb} = Carboranyl) oder den Organodiboranen(4) behandelt. Innerhalb der Kapitel gilt, daß die Verbindungen mit der größeren BC-Bindungszahl vor denen mit kleinerer Zahl von BC-Bindungen eingereiht sind.

Die Kapitel der Organobor-Verbindungen mit besonders großer Stoffülle sind nach stofflichen Gesichtspunkten weiter aufgeteilt. Dies ist zumeist auch methodisch gerechtfertigt. Das Kapitel *Triorganoborane* ist z.B. in Abschnitte über aliphatische, aromatische, ungesättigte und heteroatomhaltige Triorganoborane unterteilt. Stets gilt dabei auch die *Priorität der letzten Stelle* (Beilstein-Prinzip). Alkoxyalkenyl-dialkyl-borane findet man bei den sauerstoffhaltigen Triorganoboranen. Zu den Hetero-Atomen zählen sämtliche Atome außer Bor, Kohlenstoff und Wasserstoff mit natürlicher Isotopenverteilung. Die Herstellungswege für deuteriumhaltige Triorganoborane sind daher bei den heteroatomhaltigen Triorganoboranen aufgeführt.

Jede Stoffklasse läßt sich bei Anwendung der vorgegebenen Regeln mit der *Priorität der letzten Stelle* leicht auffinden. Die Herstellungsmethoden für Amino-chlor-organoborane(3) sind z. B. wegen der vorhandenen BN-Bindung im Kapitel Organobor-Stickstoff-Verbindungen eingeordnet und zwar in Bd. XIII/3b. Die gesuchte Stoffklasse findet man entsprechend der oben angegebenen Atom-Rangfolge nach den Amino-diorgano-boranen und vor den Diamino-organo-boranen. In der Reihe der RB(N)-X-Verbindungen liegt sie nach den RB(N)-H-Boranen und vor den RB(N)-O-Verbindungen (> = vor):

```
      R           H          Hal          O           N
     /           /           /           /           /
 R—B    >    R—B    >    R—B    >    R—B    >    R—B
     \           \           \           \           \
      N           N           N           N           N
```

Ionische Organobor-Verbindungen werden stets im Anschluß an die neutralen Verbindungstypen besprochen. Die kationischen sind den anionischen Organobor-Verbindungen vorangestellt. Zwitterionische Verbindungen werden – falls vorhanden – zwischen den beiden Stoffklassen eingereiht.

Die Kapitel mit den verschiedenen Stofftypen sind nach methodischen Gesichtspunkten unterteilt. Die Herstellung einer Verbindungsklasse (z. B. Dihydro-organo-borane) wird dabei jeweils **aus** einem borhaltigen Edukt (z. B. Dihalogen-organo-boran) **mit** einem beliebigen (borhaltigen oder borfreien) Reagenz (z. B. Metallhydrid) beschrieben:

```
              Edukte
   [ aus ]   +   [ mit ]   →  Produkt(e)
  borhaltig     borhaltig
                oder
                borfrei
```

Der laufende Text ist nach diesem Prinzip abgefaßt. Man findet als Überschriften im Text sämtliche „aus“-Abschnitte und ebenso im Inhaltsverzeichnis. Stofflich umfangreiche Abschnitte werden durch „mit“-Überschriften unterteilt.

Die Substitutionen wie z. B. die Deproto**boryl**ierungen (Herstellung) oder Protodeborylierungen (Umwandlung)

```
                    /
              +X—B
  \                 \          \   /
 —C—H     ————————→      —C—B
  /            -HX             /   \
```

stehen im allgemeinen *vor* den Additionen wie z. B. den Hydro**bor**ierungen (Herstellung) oder den Carboborierungen (Herstellung oder Umwandlung):

```
                  /
            +HB
 \   /           \          \   /  /
  C=C    ————————→     H—C—C—B
 /   \                      /   \  \
```

Umlagerungen, die meist mit einem Wechsel der Koordinationszahl des Bor-Atoms von vier nach drei verbunden sind, werden meist in separaten Abschnitten beschrieben.

Bei den Umwandlungen stellt man aus bororganischen Verbindungen durch Spalten von BC-Bindungen borfreie organische Verbindungen her (Bd. XIII/3c). Das Entfernen des Bors läßt sich durch Substitutionen (Elementodeborylierungen), durch Eliminierungen (Deelementoborierungen) und durch C–C-verknüpfende Umlagerungen durchführen. Die Einteilung des Kapitels erfolgt nach den Prioritätsregeln für die entstehenden borfreien Produkte: Nach den Kohlenwasserstoffen werden Umwandlungsprodukte besprochen, die anstelle der Bor-Atome Heteroatome enthalten. Nach den Halogen-Kohlenwasserstoffen folgen sauerstoff- und schwefelhaltige organische Verbindungen. Das Kapitel schließt mit den Umwandlungen organischer Borverbindungen in verschiedene metallhaltige Verbindungen.

Die Charakterisierungs- und Trennmethoden der bororganischen Verbindungen (Bd. XIII/3c) sind wie die Herstellungsmethoden nach Verbindungstypen unterteilt. Eine weitere Aufteilung der Einzelabschnitte erfolgt nach den verschiedenen analytischen Methoden. Allgemeine Erläuterungen der angewandten chemischen und instrumentellen Methoden sind dem Analytik-Kapitel vorangestellt.

In der bibliographischen Übersicht findet man entsprechend dem allgemeinen stofflichen Einteilungsprinzip Hinweise auf wichtige Primärliteratur, vor allem jedoch auf Sekundär- und Tertiärliteratur über Organobor-Verbindungen. Der abschnittsweise chronologisch geordneten Bibliographie des Gesamtbandes folgen am Ende dieses Bandes die Autoren-, Sach- und Methodenregister für alle drei Organobor-Bände.

Nomenklatur

Die Boran- bzw. Borat-Nomenklatur wird bevorzugt angewendet. Systematische Namensgebungen werden im allgemeinen vermieden, wenn eingeführte Trivialnamen oder halbsystematische Bezeichnungen von Verbindungstypen vorliegen; z. B.:

$(H_5C_2)_3B$ Triethylboran statt: 3-Ethyl-3-borapentan

1-Boraadamantan statt: 1-Boratricyclo[3.3.1.1^{3,7}]boran bzw. 1,3,5-Trimethylcyclohexan-1′,3′,5′-triylboran

Die Namen sollen vor allem auch Zusammenhänge zwischen Edukt und Produkt erkennen lassen; z. B.:

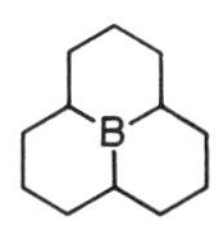

Cyclododecan-1,5,9-triylboran

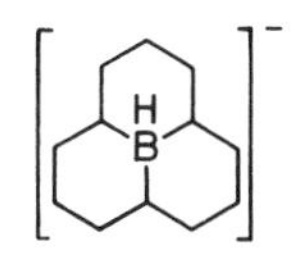

Cyclododecan-1,5,9-triyl-hydro-borat(1–)

Die Substituenten am Bor-Atom werden bei Anwendung der Boran- oder Borat-Nomenklatur in alphabetischer Reihenfolge genannt. Abweichend von den IUPAC-Regeln sind dabei auch die vorangestellten Zahlwörter (Di-, Tri-..., Bis-, Tris...) in die Alphabet-Folge miteinbezogen; z. B.:

R_2B-Br	**B**rom-**d**ialkyl-borane	statt: Di**a**lkyl-**b**rom-borane
$H_{11}C_6-B[N(C_2H_5)_2]_2$	**B**is[*diethylamino*]-*cyclohexyl-boran*	statt: **C**yclohexyl-bis[**d**iethylamino]-boran

Weitere Einzelheiten zur angewandten Namensgebung können dem Text und dem Gesamtregister (vgl. Bd. XIII/3c) entnommen werden, die durch zahlreiche Formelbilder Mißdeutungen weitgehend auszuschließen versuchen.

Arbeitsweise und Ausgangsverbindungen

Organobor-Verbindungen sind im allgemeinen luft- und feuchtigkeitsempfindliche Verbindungen. Ihre Handhabung und Reaktionen müssen daher unter Schutzgas wie Reinststickstoff oder Argon durchgeführt werden. Eine große Zahl organischer Bor-Verbindungen wie verschiedene Lewisbase-Organoborane, einige Organoborate sowie bestimmte Amino-organo-borane, Organo-oxy-borane und Organocarborane ist gegenüber Sauerstoff oder auch Wasser inert. Trotzdem sollte man vom Prinzip des Luft- und Feuchtigkeitsausschlusses bei den Präparationen nicht abgehen. Katalytisch wirksamer Sauerstoff kann den Verlauf von Reaktionen bororganischer Verbindungen entscheidend beeinflussen.

Die Toxizität von Organobor-Verbindungen, über die eingehend berichtet wurde[1-3], darf nicht unterschätzt werden. Beim strikten Einhalten von Luft- und Feuchtigkeitsausschluß und der dadurch gebotenen Arbeitsweise sind weitere Schutzvorrichtungen jedoch meist überflüssig.

Sämtliche Organobor-Verbindungen sind aus relativ wenigen, im Handel erhältlichen borhaltigen Grundchemikalien präparativ zugänglich. Wichtige käufliche Edukte sind z.B. Triethyl-, Tributyl- und Triphenyl-boran. Von den als Hydroborierungsreagenzien vielseitig anwendbaren Hydro-organo-boranen ist reines Bis(9-borabicyclo[3.3.1]nonan) im Handel zu beziehen. Erhältlich sind ferner Trichlor- und Tribromboran sowie Borsäure, Dibortrioxid und einige Trialkoxyborane. Als BC-freie Thioborane werden Organothioborane und als Schwefelspender Elementsulfide verwendet. Zur Herstellung organischer BN-Verbindungen setzt man verschiedene borhaltige Ausgangsverbindungen mit Stickstoffbasen um. Organische Diboran(4)-Verbindungen sind u.a. aus dem käuflich zu erwerbenden Tetrakis[dimethylamino]diboran(4) zugänglich. Wichtige Handelsprodukte zur Herstellung bororganischer Verbindungen sind ferner Tetrahydrofuran-Boran und Diethylether-Trifluorboran. Außerdem werden häufig die im Handel angebotenen Alkalimetall-tetrahydroborate, das Kalium-tetrafluoroborat und das Natrium-tetraphenylborat verwendet.

Anwendungen

Ursprünglich war beabsichtigt, den Borband des Houben-Weyl durch ein Kapitel über die „Anwendungen bororganischer Verbindungen" in der organischen und anorganischen Synthese sowie in der chemischen Analytik zu ergänzen. Wegen der Fülle des auf diesem Gebiet in Umfang noch immer stark anwachsenden Stoffs und wegen der unvermeidbaren Wiederholungen der Herstellungsmethoden wurde darauf verzichtet. Auf den Seiten 375a bis 376b dieses Bandes findet man eine kurze Übersicht über die wichtigsten Anwendungsgebiete der Organobor-Verbindungen.

---

[1] W. Kliegel, *Bor in Biologie, Medizin und Pharmazie, Toxikologie der Organobor-Verbindungen*, 781–803, Springer-Verlag, Heidelberg 1980.

[2] G.J. Levinskas, *Toxicology of Boron Compounds*, in R.M. Adams, *Boron, Metallo-Boron Compounds and Boranes*, Chap. 8, 693–737, Interscience Publ., New York 1964.

[3] R.L. Hughes, I.C. Smith u. E.W. Lawless, in R.T. Holzmann, *Production of the Boranes and Related Research, Appendix A*, 289–331, Academic Press, New York 1967.

A_4) Organobor-Verbindungen mit vier- bis sechsfach koordinierten Bor-Atomen

I. Organobor-Übergangsmetall-π-Komplexe

bearbeitet von

GÜNTER SCHMID

Institut für Anorganische Chemie
der Universität Essen

und

ROLAND KÖSTER

Max-Planck-Institut für Kohlenforschung
Mülheim an der Ruhr

Zu den Organobor-Übergangsmetall-π-Komplexen gehören offenkettige und vor allem cyclische Organobor-Verbindungen (vgl. Tab. 1, S. 2ff.) mit derzeit ein bis drei Bor-Atomen. Die Koordinationszahl der Bor-Atome im freien Liganden ist durchweg drei. In den am Übergangsmetall-Koordinationszentrum π-komplexierten Organobor-Liganden haben die Bor-Atome Koordinationszahlen von vier und fünf, je nach dem, ob die borhaltige Verbindung endständig (t) oder brückenständig (μ) am Metall gebunden ist.

Die Organobor-Verbindungen treten am Übergangsmetall als Neutral-Liganden, als radikalische Reste (Yl-Liganden) oder als anionische Verbindungen (At-Liganden) auf. Brückenfunktionen zwischen zwei Übergangsmetall-Atomen können nur bestimmte Organobor-Verbindungen übernehmen (vgl. Tab. 1, S. 2ff.).

Aus der Tabelle 1 geht hervor, daß es bisher keine Übergangsmetall-Organobor-π-Komplexe gibt, die eine π-gebundene BO-Bindung enthalten. Organobor-Sauerstoff-Verbindungen wie z. B. olefinische, cyclische Organo-1,3,2-diboroxane bilden Übergangsmetall-η^5-Organobor-π-Komplexe, deren Röntgenstrukturanalyse allerdings wegen des großen NiB-Abstands (>2,5 Å) keine unmittelbare Wechselwirkung von Bor- und Übergangsmetall-Atom erkennen läßt (s. Verbindung II, S. 2).[1] Beim *Bis-(η^5-3,4-diethyl-2,5-dimethyl-1,2,5-thiadiborolen)nickel* III (vgl. S. 63) und beim η^4-1,2-Diorgano-1,2-azaborolin-Liganden der Verbindung IV werden dagegen die Bor-Atome voll in die Wechselwirkung mit dem Übergangsmetall einbezogen. Von den π-Komplexen mit borfern gebundenem Übergangsmetall (z. B. I; Bd. XIII/3a, S. 319) bis zu den Sandwich-π-Komplexen II bis IV ergeben sich fließende Übergänge.

In diesem Kapitel werden u. a. die Herstellungsmethoden der Übergangsmetall-Organobor-π-Komplexe der Typen II bis IV besprochen. Gegenüber den übergangsmetallfreien, **neutralen** Liganden beobachtet man bei der π-Komplexierung am Bor-Atom ein charakteristisch **hoch**feldverschobenes ^{11}B-NMR-Signal (vgl. Tab. 97, S. 574–576):

---

[1] J. EDWIN, W. SIEBERT u. C. KRÜGER, J. Organometal. Chem. **215**, 255 (1981).

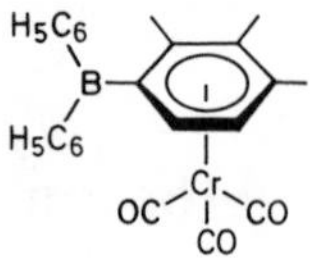	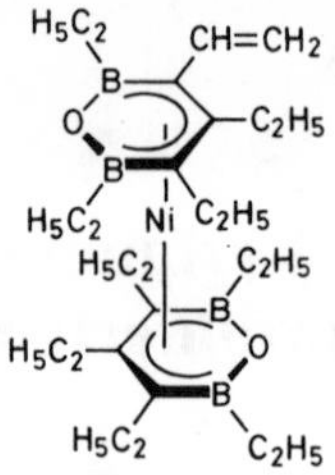	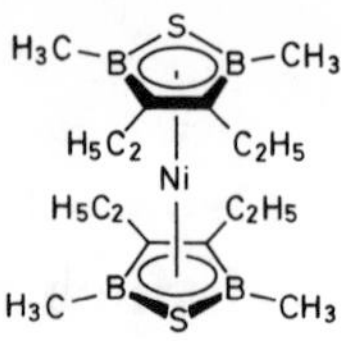	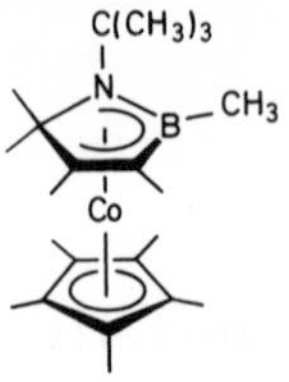

	I[1]	II[2,3]	III[4]	IV[5]
	XIII/3a, S. 319	XIII/3a, S. 815	XIII/3c, S. 63	XIII/3c, S. 75 f.
	$\delta\,^{11}B$ (ppm)			
π-Komplex:	66,4	41,4	37,0	32
Freier Ligand:	68,0	50,3	66,0	42

Tab. 1: Cyclische Organobor-Verbindungen als Liganden von Übergangsmetall-π-Komplexen

Organoboran	Organobor-Ligand					Herstellung		π-Komplex
	Freier Ligand		Metallgebundener Ligand			Freier Ligand		XIII/3 c
Name	Formel	max. Zahl der π-Elektronen	Formel	KZ des B-Atoms	Art der Komplexierung[a]	Symbol	S.	S.
Triorganobor-Verbindungen mit einem Bor-Atom								
1-Organoborol	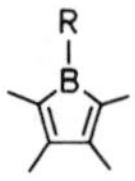	4	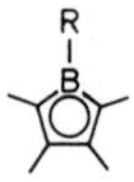	4 5	η^5,t η^5,μ	$R-B\frown R_{dien}$	XIII/3a, S. 218	7–10; vgl. 80 38 f.
1-Organo-1,4-dihydroborin	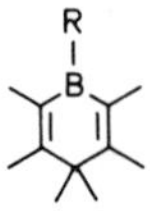	4	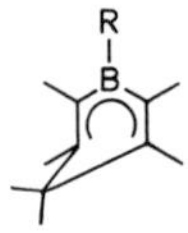	4	η^5,t	$R-B\frown R_{dien}$	XIII/3a, S. 218	9, 27, 30, 34
4-Organo-1,4-dihydro-1,4-silaborin	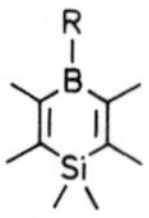	4	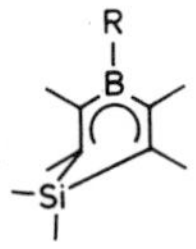	4	η^5,t	$R-B\frown R^{Si}_{dien}$	XIII/3a, S. 296	9, 12, 27, 30
1-Organo-1,6-dihydroborin	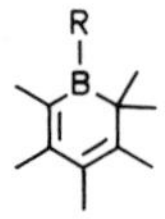	4	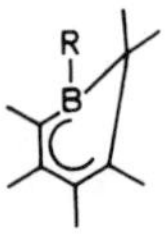	4	η^5,t	$R-B\frown R_{dien}$	–	20
1-Organoborin	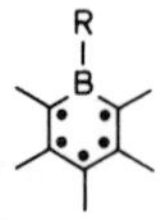	5	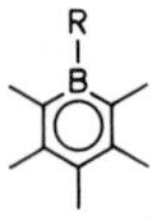 [c]	4	η^6,t	$R-B\frown R^{5e}$	XIII/3a, S. 312, 313	10, 13, 15 ff., 32 ff.

[a] t = endständige (terminale) Organobor-Liganden am Übergangsmetall-Atom (KZ_B = 4)
μ = brückenständige Organobor-Liganden zwischen zwei Übergangsmetall-Atomen (KZ_B = 5)

[1] J. Deberitz, K. Dirscherl u. H. Nöth, B. **106**, 2783 (1973).
[2] J. Edwin, W. Siebert u. C. Krüger, J. Organometal. Chem. **215**, 255 (1981).
[3] vgl. J. Edwin, Dissertation S. 93, Universität Marburg 1979.
[4] W. Siebert, R. Full, C. Krüger u. Y.-H. Tsay, Z. Naturf. **31 b**, 203 (1976).
[5] G. Schmid, U. Höhner u. D. Kampmann, Z. Naturf. **38 b**, 1094 (1983).

Tab. 1 (1. Forts.)

Organoboran	Organobor-Ligand					Herstellung		π-Komplex
	Freier Ligand		Metallgebundener Ligand			Freier Ligand		
Name	Formel	max. Zahl der π-Elektronen	Formel	KZ des B-Atoms	Art der Komplexierung[a]	Symbol	S.	XIII/3 c S.
1-Organo-5,6,7-trihydro-borepinyl	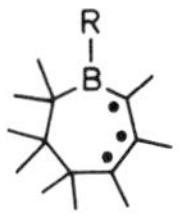	3	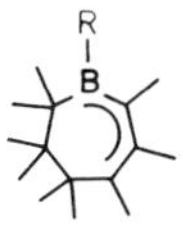	4	η^4,t	$R{-}B\frown R^{3e}$	–[b]	11
1-Organo-4,5-dihydroborepin	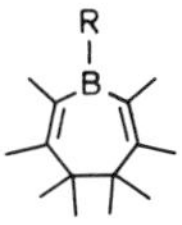	4	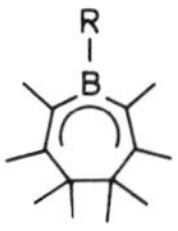	4	η^4,t	$R{-}B\frown R_{dien}$	XIII/3a, S. 218, 219	12, 29 f.
Triorganobor-Verbindungen mit zwei Bor-Atomen								
1,3-Diorgano-Δ^4-1,3-diborolen	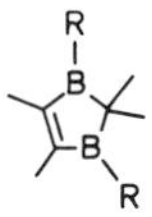	2	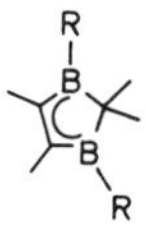	4	η^4,t	$R{-}B(R_{en})(R')B{-}R$	XIII/3a, S. 211, 212	22
1,3-Diorgano-Δ^4-1,3-diborolen-2-yl	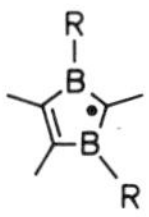	3	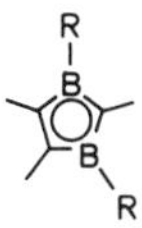	4 5	η^5,t η^5,μ	$R{-}B(R_{en})(R^{1e})B{-}R$	–[b]	21 ff. 29, 39 ff.
1,4-Diorgano-1,4-dihydro-1,4-diborin	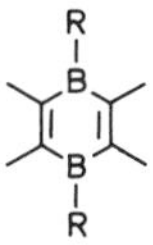	4	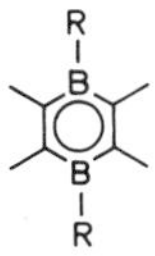	4 5	η^6,t η^6,t	$R{-}B(R_{en})(R_{en})B{-}R$	XIII/3a, S. 221, 319	22 f., 35 49
Organobor-Wasserstoff-Verbindungen								
1-Hydroborin	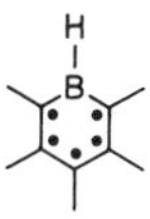	5	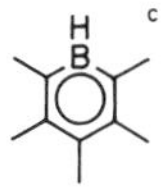 [c]	4	η^6,t	$HB\frown R^{5e}$	–[b]	50
Organobor-Halogen-Verbindungen								
1-Halogen-borin	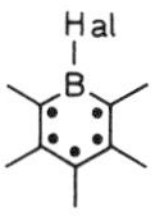	5	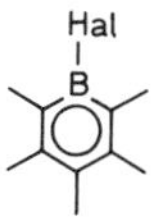 [c]	4	η^6,t	$Hal{-}B\frown R^{5e}$	–[b]	51 f.
Organobor-Sauerstoff-Verbindungen								
1-Organooxy-1,4-dihydroborin	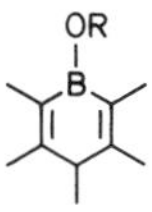	4	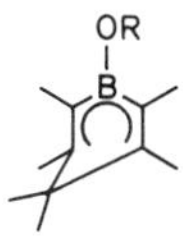	4	η^5,t	$R^1O{-}B\frown R_{dien}$	XIII/3a, S. 565	53 f.

[b] aus Li-Salz (XIII/3b, S. 125) am Übergangsmetall-Atom erzeugter Organobor-Ligand

[c] In der Literatur i. allg. als in 1-Stellung substituierter Borinato-Ligand bezeichnet

Tab. 1 (2. Forts.)

Organoboran	Organobor-Ligand					Herstellung		π-Komplex
	Freier Ligand		Metallgebundener Ligand			Freier Ligand		XIII/3 c
Name	Formel	max. Zahl der π-Elektronen	Formel	KZ des B-Atoms	Art der Komplexierung[a]	Symbol	S.	S.
1-Organooxy-1,6-dihydro-borin	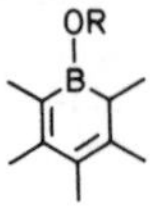	4	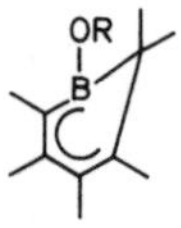	4	η^5,t	 $R^1O{-}B\frown R_{dien}$	–[b]	53
1-Organooxy-borin	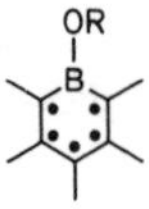	5	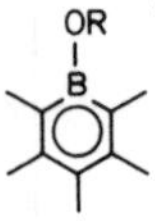 [c]	4	η^6,t	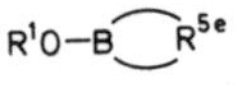 $R^1O{-}B\frown R^{5e}$	–[b]	54
1,4-Diorganooxy-1,4-dihydro-1,4-diborin	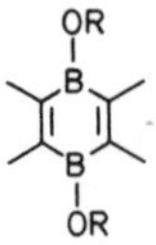	4	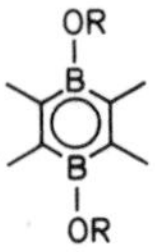	4	η^6,t	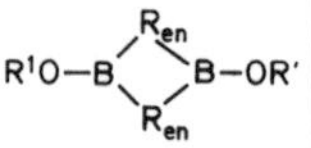 $R^1O{-}B(R_{en})_2B{-}OR'$	XIII/3a, S. 514, 565	54
2,6-Diorgano-2,6-dihydro-1,2,6-oxadiborinyl	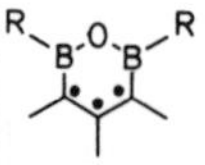	3	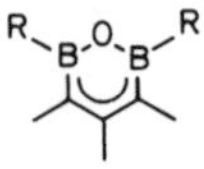 [in Lösung]	4	η^5,t	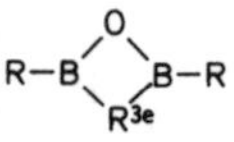 $R{-}B(O)(R^{3e})B{-}R$	XIII/3a, S. 815	54
Organobor-Schwefel-Verbindungen								
2,5-Diorgano-Δ^3-1,2,5-thiadiborolen	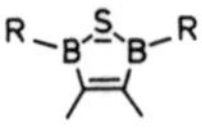	4		4, 5	η^5,t η^5,μ	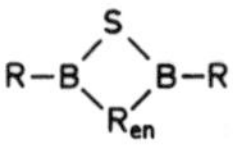 $R{-}B(S)(R_{en})B{-}R$	XIII/3a, S. 883	57 ff. 64 ff.
	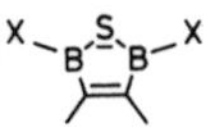					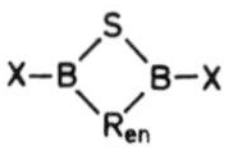 $X{-}B(S)(R_{en})B{-}X$	–[b]	68
	X = H	4		4	η^5,t			
	X = Hal	4		4	η^5,t		XIII/3a, S. 884	68 f.
	X = OR¹	4		5	η^5,μ		XIII/3a, S. 886	69
	X = SR¹	4		4	η^5,t		XIII/3a, S. 887	69
Organobor- bzw. Diorganobor-Stickstoff-Verbindungen								
2-Organo-Δ^3-1,2-azaborolin	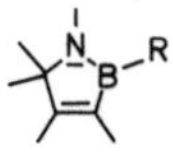	4	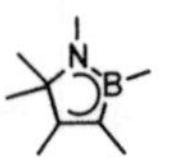	4	η^4,t	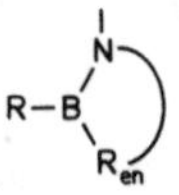 $R{-}B(N)R_{en}$	XIII/3b, S. 39	75
5-Organo-Δ^3-1,2,5-azasilaborolin	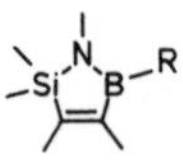	4	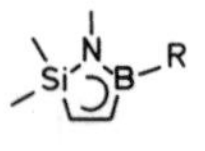	4	η^4,t	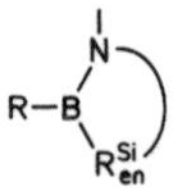 $R{-}B(N)R^{Si}_{en}$	XIII/3b, S. 123	74 f., 78 f., 80

[a] t = endständige (terminale) Organobor-Liganden am Übergangsmetall-Atom (KZ_B = 4)
μ = brückenständige Organobor-Liganden zwischen zwei Übergangsmetall-Atomen (KZ_B = 5)
[b] aus Li-Salz (XIII/3 b, S. 125) am Übergangsmetall-Atom erzeugter Organobor-Ligand
[c] In der Literatur i. allg. als in 1-Stellung substituierter Borinato-Ligand bezeichnet

Tab. 1 (3. Forts.)

Organoboran	Organobor-Ligand					Herstellung		π-Komplex
	Freier Ligand		Metallgebundener Ligand			Freier Ligand		
Name	Formel	max. Zahl der π-Elektronen	Formel	KZ des B-Atoms	Art der Komplexierung[a]	Symbol	S.	XIII/3 c S.
2-Organo-Δ^4-1,2-azaborolin-3-yl	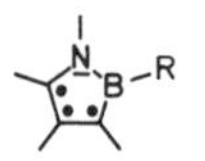	5	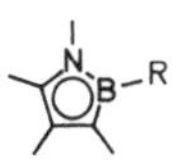	4	η^5,t	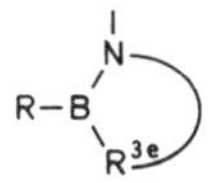	–[b]	73, 76 f., 79, 81
3,6-Diorgano-1,2,3,6-tetrahydro-1,2,3,6-diazadiborin	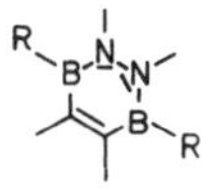	6	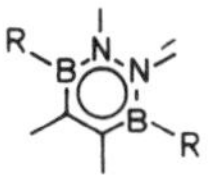	4	η^6,t	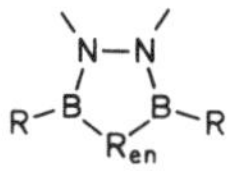	XIII/3b, S. 108	75
Organobor-Stickstoff-Element-Verbindungen								
5-Organooxy-Δ^3-1,2,5-azasilaborolin	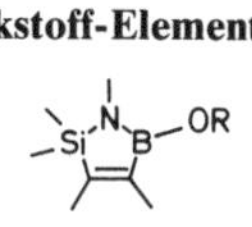	4	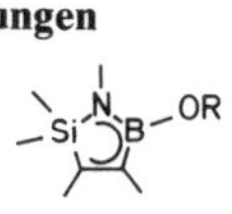	4	η^4,t	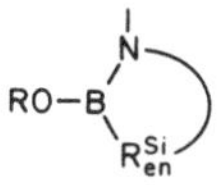	XIII/3b, S. 195	83
2,5-Diamino-Δ^3-1,2,5-thiadiborolen	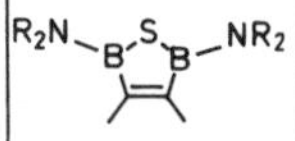	4	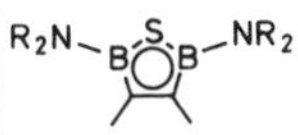	4	η^5,t	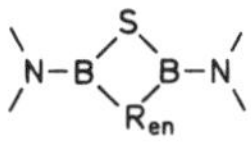	XIII/3b, S. 211	84
Organobor-Stickstoff-Stickstoff-Verbindungen								
1,3-Diorgano-1,3,2,4-diazadiboretan	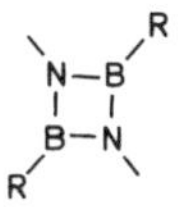	2	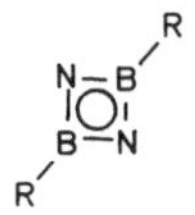	4	η^4,t	$(RBN–)_2$	XIII/3b, S. 333 ff.	85
2-Organo-Δ^4-1,3,2-diazaborolin	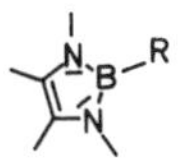	6	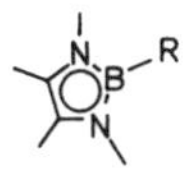	4	η^5,t	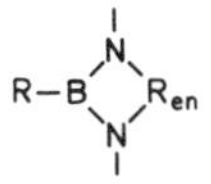	XIII/3b, S. 223, 242, 253	86 f.
2,5-Diorgano-Δ^3-1,2,5-azadiborolin	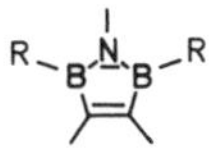	4	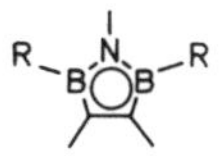	4	η^5,t	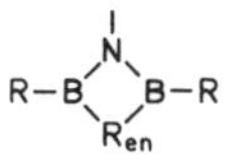	XIII/3b, S. 295, 299	82
2,4,6-Triorganoborazin	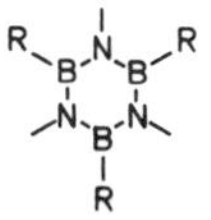	6		4	η^6,t	$(RBN—)_3$	XIII/3b, S. 338 ff.	87 ff.
Organobor-Bor-Verbindungen (als Organobor-Derivate bisher unbekannt)								
1,2,4-Triboracyclopenta-3,5-diyl	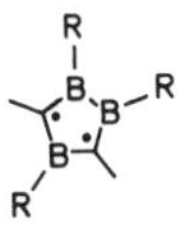	2	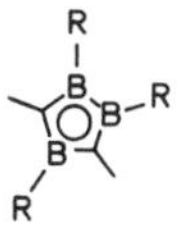	4	η^5,μ	2,4-$C_2B_3H_5$-(Derivat)	–[c]	90 f.
1,2,3-Tribora-Δ^4-cyclopenten	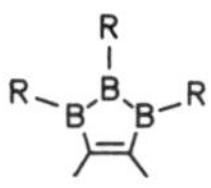	2	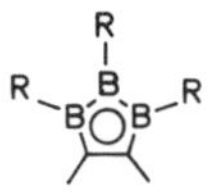	4	η^5,μ	2,3-$C_2B_3H_5$-(Derivat)	–[c]	90 f.

[a] t = endständige (terminale) Organobor-Liganden am Übergangsmetall-Atom (KZ_B = 4)
μ = brückenständige Organobor-Liganden zwischen zwei Übergangsmetall-Atomen (KZ_B = 5)
[b] aus Li-Salz (XIII/3 b, S. 125) am Übergangsmetall-Atom erzeugter Organobor-Ligand
[c] aus Polyborat bzw. Carboran(at) am Übergangsmetall erzeugter Ligand; vgl. S. 90 f.

a) Übergangsmetall-Triorganobor-π-Komplexe

In der Tab. 2 sind die Herstellungsverfahren zusammengestellt. Die Methoden gehen von den Triorganoboranen, z.Tl. auch von Dihalogen-organo-boranen sowie von verschiedenen anderen Ligand-Übergangsmetall-π-Organoboranen aus.

Tab. 2: (Ligand)Übergangsmetall-Triorganobor-π-Komplexe

Formel (L = borfreier Ligand)		Verbindungstyp	Herstellungsart	s. S.
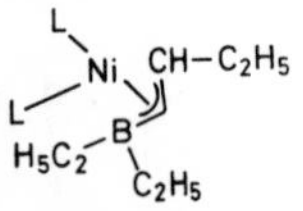	η^3 2e	$LM\overset{\pi}{-}BR_2R_{en}$ (M = Ni)	aus $R_2B{-}R_{en}$ + LM–En	11
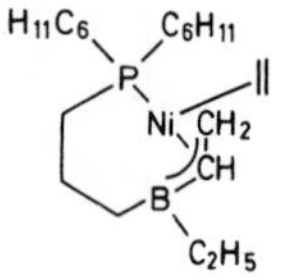	η^3 2e	$LM\overset{\pi}{-}BR_2R_{en}$ M = Ni	aus $Do{-}R^1BR^2_2$ + ML + C_2H_4	14
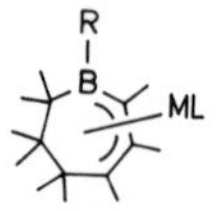	η^4 3e	$LM\overset{\pi}{-}BR_2R_{en}$ (M = Rh)	aus $R^1{-}B(R_{en})_2$ + LiR^2/En–M^+Cl^-	11
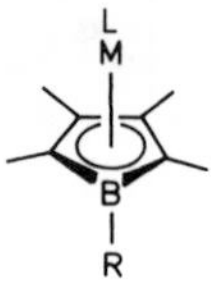	η^5 4e	$LM\overset{\pi}{-}BR(R_{en})_2$ (M = Fe, Co, Ni, Pt)	aus $R{-}B(R_{en})_2$ + LM aus $R{-}B(R_{en})_2$ + LM	8 10
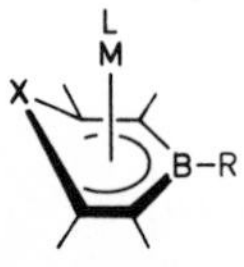	η^5 4e	$LM\overset{\pi}{-}BR(R_{en})_2$ (M = Fe, Co, Ni, Pd, Pt)	aus $R{-}B(R_{en})_2$ + LM aus $[LM\overset{\pi}{-}R_3B]^+$ + H^-	9 f. 20
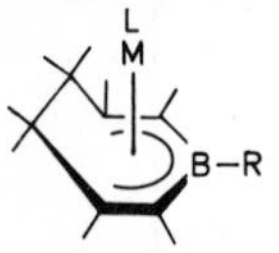	η^5 4e	$LM\overset{\pi}{-}BR(R_{en})_2$ (M = Cr, Mo, W)	aus $R{-}B(R_{en})_2$ + LM, LM^+, Hal^-, $h\nu$	12
L = CO	η^6 6e	$LM\overset{\pi}{-}BR(R_{en})_2$ M = Mn, Co	aus $R{-}B(R_{en})_2$ + LM aus $LM\overset{\pi}{-}RB(R_{en})_2$, borfern	17 14 f.
L = Cp	η^6 6e	$LM\overset{\pi}{-}BR(R_{en})_2$	aus $R{-}BHal_2$ + L_2M	13
		M = Co		
		M = Co	aus $M\overset{\pi}{-}(R_3B)_2$ + In	15 f.
		M = Co	aus $[M\overset{\pi}{-}(R_3B)_2]^-$ + Dien	16, 20
		M = Co, Rh	aus $[LM\overset{\pi}{-}BR_3]^+$ + H^-	20
		M = Ni, Fe, Mn, Co M^1 = Co	aus $M^1\overset{\pi}{-}(R_3B)_2$ + LM	16 ff.
		M = Fe, Ru, Os,	aus R_3B^- + LM-Hal	31
		M = Rh, Pt	aus $M{-}(R_3B)_2$ + CN^-/LM-Hal	19

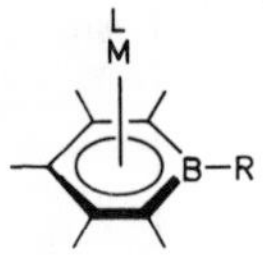

Tab. 2 (Forts.)

Formel (L = borfreier Ligand)		Verbindungstyp	Herstellungsart	s. S.
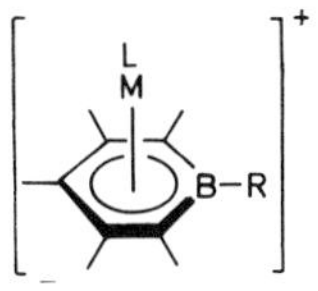		$[LM\overset{\pi}{=}BR(R_{en})_2]^+$		
		M = Rh, Ir	aus R_3B^- + LM-Hal	24
		M = Fe	aus $LM\overset{\pi}{=}R_3B$ + M–Hal	
		M = Fe	aus LM R–B$(R_{en})_2$ + El^+	26
		M = Co	+ Ox(Fe^{3+}) (J_2)	25
		M = Co	aus R–$BHal_2$ + ML_2	24
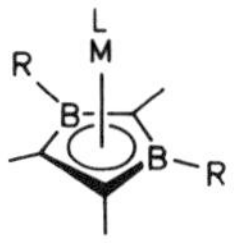	η^5 3e	$LM\overset{\pi}{=}R_2BRBR_2$ M = Ni, Co	aus R_2BRBR_2 + LM	21
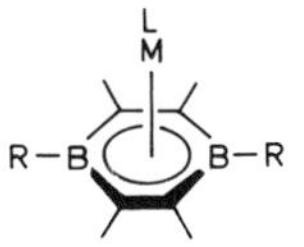	η^6 4e	$LM\overset{\pi}{=}R_2B_2(R_{en})_2$ M = Ni	aus $R_2B_2(R_{en})_2$ + LM aus $LM\overset{\pi}{=}(R'O)_2B_2(R_{en})_2$ + R–MgHal	22 23

1. Neutrale (Ligand)Übergangsmetall-Triorganobor-π-Komplexe

Zur Verbindungsklasse gehören π-Komplexe offenkettiger und vor allem cyclischer ungesättigter Triorganoborane mit einem bzw. zwei Bor-Atomen. Die Herstellungsmethoden dieser Verbindungstypen (vgl. Tab. 2, S. 6) werden entsprechend der Anzahl der B-Atome der Liganden in getrennten Abschnitten (S. 7ff. u. S. 21ff.) besprochen. Die kleine Zahl der π-Komplexe heteroatomhaltiger ungesättigter Triorganoborane ist in diese Abschnitte einbezogen worden.

α) (Ligand)Übergangsmetall-Triorganobor-π-Komplexe mit einem Bor-Atom

Die π-Komplexverbindungen lassen sich aus ungesättigten Triorganoboranen, Ligand-π-Triorganoboranen, Dihalogen-organo-boranen, Übergangsmetall-bis(π-Triorganoboranen), Lewisbase-Triorganoboranen sowie aus ionischen Ligand-Übergangsmetall-π-Triorganoboranen herstellen.

α_1) *aus Triorganoboranen*

Zur Herstellung von Ligand-Übergangsmetall-π-Triorganoboranen verschiedener Typen verwendet man ungesättigte sowie metallhaltige Triorganoborane. Die Reaktionen neutraler Triorganoborane mit Ligand-Übergangsmetall-Verbindungen verlaufen im allgemeinen ohne Veränderung der Triorganoboran-Komponente.

Falls zur Herstellung von Ligand-Übergangsmetall-π-Triorganoboranen neutrale Triorganoborane verwendet werden, die unter Abspaltung eines Substituenten als Yl- oder unter Elektronen-Aufnahme als At-Liganden am Übergangsmetall π-gebunden werden können, werden diese durch besondere Maßnahmen in situ erzeugt. Beispielsweise wird das Triorganoboran zunächst C-metalliert, bzw. man erzielt aus dem Triorganoboran durch Erhitzen, Belichten oder die Zugabe eines Katalysators die Abspaltung von H- oder Alkyl-Substituenten.

Ligand-Übergangsmetall-π-Triorganoborane erhält man aus ungesättigten, meist cyclischen Triorganoboranen mit verschiedenen Alken-, Alkadien-, Alkin- sowie Carbonyl-Übergangsmetall-Komplexen. Relativ schwach gebundene, neutrale Liganden werden von neutralen Triorganoboranen partiell oder vollständig verdrängt. Die vollständige Ablösung borfreier Neutral-Liganden wird auf S. 27ff. besprochen. Der Ligandenaustausch läßt sich präparativ oft durch Erhitzen oder aber durch Belichten beschleunigen.

$\alpha\alpha_1$) mit Carbonyl-Übergangsmetall-Verbindungen

Aus cyclischen ungesättigten Triorganoboranen sind bei meist drastischen Temperaturbedingungen unter Carbonyl-Abspaltung Carbonyl-Übergangsmetall-π-Triorganoborane präparativ zugänglich. Schonender ist im allgemeinen die Methode mit Ligand-Übergangsmetall-Verbindungen, deren Liganden sich durch bestimmte π-bindungsfähige Triorganoborane leichter verdrängen lassen (s. S. 14f.).

Die nicht komplexierten 1-Organoborole und das unsubstituierte Borol sind bisher unbekannt. Pentaphenylborol läßt sich jedoch herstellen (vgl. Bd. XIII/3a, S. 218) und eignet sich gut als Edukt zur π-Komplexierung an Übergangsmetallen. Außerdem kann Pentaphenylborol auch zwei Übergangsmetalle miteinander verbrücken (vgl. S. 38f.). Man erhält z.B. aus Pentaphenylborol mit Metallcarbonylen wie z.B. Nonacarbonyldieisen bzw. Tetracarbonylnickel stabile Carbonyl(pentaphenylborol)-Übergangsmetall-Komplexe[1]; z.B.:

$+ Fe_2(CO)_9$; $- Fe(CO)_5$, $- CO$

(η^5-Pentaphenylborol)-tricarbonyl-eisen

$+ Ni(CO)_4$; $- 2\,CO$

Dicarbonyl-(η^5-pentaphenylborol)-nickel

(η^5-Pentaphenylborol)-tricarbonyl-eisen[2]: 670 mg (1,51 mmol) Pentaphenylborol und 750 mg (2,06 mmol) Nonacarbonyldieisen werden in 50 *ml* Toluol bei 45–50° gerührt, bis die blaue Farbe des Borols verschwunden ist. Nach Entfernen aller flüchtigen Anteile i. Vak. wird der Rückstand in Pentan/Dichlormethan (85:15) an Aluminiumoxid (7% H_2O) chromatographiert. Der Komplex wird anschließend aus Pentan/Dichlormethan umkristallisiert; Ausbeute: 350 mg (40%); F: 218–220° (Zers. ab 260°) (blaßgelbe Kristalle, die in Lösung licht- und luftempfindlich sind).

Analog erhält man aus Pentaphenylborol[1] mit

(η^5-Cyclopentadienyl)-dicarbonyl-cobalt → *(η^5-Cyclopentadienyl)-(η^5-pentaphenylborol)-cobalt*
Bis-(η^4-cycloocta-1,3-dienyl)-platin → *(η^4-1,3-Cyclooctadienyl)-(5-pentaphenylborol)-platin*

Aus 1-Phenyl-2,5-dihydro-borol sind mit verschiedenen Ligand-Übergangsmetall-Verbindungen [z.B. $Ru_3(CO)_{12}$, $Ru(C_6H_6)(C_6H_8)$] in Arenen nach tagelangem Erhitzen bei 90° (bzw. 160°) Ligand-Übergangsmetall-π-(1-phenylborole) zugänglich[3]; z.B.:

$B-C_6H_5$ + $Ru_3(C_6H_6)(C_6H_8)$ $\xrightarrow[-C_6H_8]{160°}$

(η^6-Benzol)-(η^5-1-phenylborol)-ruthenium; 22%

[1] G.E. Herberich, J. Hengesbach, U. Kölle u. W. Oschmann, Ang. Ch. **89**, 43 (1977); engl.: **16**, 42.
[2] G.E. Herberich, B. Buller, B. Hessner u. W. Oschmann, J. Organometal. Chem. **195**, 253 (1980).
[3] G.E. Herberich, B. Hessner, W. Boveleth, H. Lüthe, R. Saive u. L. Zelenka, Ang. Ch. **95**, 1024 (1983); engl.: **22**, 996; Ang. Ch. Suppl. **1983**, 1503.

Cyclische Divinyl-organo-borane wie z.B. 1-Organo-1,4-dihydro-borine sind Vierelektronen-η^5-Komplexliganden für Übergangsmetalle. Die Herstellung der Ligand-Übergangsmetall-1-Phenyl-1,4-dihydro-borine oder -1,4-dihydro-1,4-silaborine gelingt aus den Triorganoboranen (XIII/3a, S. 296) mit Carbonyl-Übergangsmetallen.

Beispielsweise reagiert 4,4-Dimethyl-1-phenyl-1,4-dihydro-borin mit Pentacarbonyleisen unter Bildung der (4,4-Dimethyl-1-phenyl-borin)-tricarbonyl-eisen-Verbindungen[1].

C_6H_5 — B; $\xrightarrow[-2\,CO]{+Fe(CO)_5}$ B — C_6H_5; Fe $(CO)_3$

$X = C(CH_3)_2,\ Si(CH_3)_2,\ CH_2$

(η^5-4,4-Dimethyl-1-phenyl-1,4-dihydro-borin)-tricarbonyl-eisen[1]: Man löst 1 g (5,5 mmol) 4,4-Dimethyl-1-phenyl-1,4-dihydro-borin (XIII/3a, S.296) und 2 *ml* (2,92 g; 14,8 mmol) Pentacarbonyleisen in 100 *ml* Diethylether und belichtet unter Stickstoff mit einer Quecksilberdampflampe (TQ 150, Hanau) bei 12° (Wasserkühlung). Nach Entwicklung der ber. Menge Kohlenmonoxid werden die flüchtigen Anteile i. Vak. entfernt. Man nimmt den Rückstand in Pentan auf, filtriert und chromatographiert an Aluminiumoxid (O_2-frei, 7% H_2O). Die erste Zone enthält Pentacarbonyleisen, die zweite, intensiv gelbe Zone liefert nach Abziehen des Pentans, Sublimation bei 10^{-3} Torr/60° und Kristallisation aus Pentan bei −78° 1,42 g (80%) des Komplexes in Form goldgelber, luftbeständiger Kristalle (F: 85,5°; Zers. >200°).

Ligand-Cobalt-1-Phenylborine sind z.B. auch aus 1,1-Dimethyl-4-phenyl-1,4-dihydro-1,4-silaborinen (XIII/3a, S.296) mit (η^5-Cyclopentadienyl)-dicarbonyl-cobalt unter Belichtung zugänglich[2,1,3]:

C_6H_5 — B; Si; H_3C CH_3 $\xrightarrow[-2\,CO]{+(H_5C_5)Co(CO)_2,\,+h\nu}$ CH_3; H_3C—Si; B—C_6H_5; Co

(η^5-Cyclopentadienyl)-(2-6-η^5-1,1-dimethyl-4-phenyl-1,4-dihydro-1,4-silaborin)-cobalt[2,3]: 0,45 g (2,27 mmol) 1,1-Dimethyl-4-phenyl-1,4-dihydro-1,4-silaborin (XIII/3a, S.296) und 0,61 g (3,39 mmol) (η^5-Cyclopentadienyl)-dicarbonyl-cobalt werden in 40 *ml* Diethylether gelöst und unter Rühren in Stickstoffatmosphäre mit einer Quecksilberdampflampe (TQ 150, Hanau) belichtet. Dabei wird intensiv mit Wasser gekühlt. Nach der Entwicklung von ≈ 110 *ml* Gas wird 30 Min. unter gleichzeitiger Stickstoff-Spülung bestrahlt. I. Hochvak. werden die flüchtigen Anteile abgezogen, der Rückstand in Pentan aufgenommen, abfiltriert und an Aluminiumoxid (7% Wasser) mit Pentan chromatographiert. Die erste, rotbraune Zone enthält wenig (η^5-Cyclopentadienyl)-dicarbonyl-cobalt. Die 2. Zone ist braun und liefert ein tiefrotes Eluat. Nach Entfernen des Lösungsmittels wird aus Pentan bei −78° umkristallisiert; Ausbeute: 420 mg (58%); F: 87°; Zers.: 210–220°; Subl.p.:$_{0,0001}$: 60°).

Auf ähnliche Weise wird das rubinrote *(η^5-Cyclopentadienyl)-(η^5-4,4-dimethyl-1-phenyl-1,4-dihydro-borin)-cobalt*[3] (73%; F: 60°) gewonnen.

Auch aus anderen ungesättigten cyclischen Triorganoboranen lassen sich mit Carbonyl-Übergangsmetallen unter Gerüstumwandlung des Triorganoborans thermisch stabile Carbonyl- Übergangsmetall-π-Triorganoborane gewinnen. So sind beispielsweise wegen der hohen thermischen Stabilität der 1-Organoborol-Übergangsmetall-Verbindungen aus 1-Phenyl-4,5-dihydro-borepin mit Carbonylmetallen bei relativ drastischen Bedingungen infolge Ringkontraktion des Borepin-Derivats 1,2-disubstituierte Borol-Komplexe zugänglich. Die „einfachen" Borol-Metallkomplexe[1] z.B. *(η^5-2-Ethyl-1-phenyl-borol)tri-*

[1] G.E. Herberich, E. Bauer, J. Hengesbach, U. Kölle, G. Huttner u. H. Lorenz, B. **110**, 760 (1977).
[2] M. Thönnessen, Dissertation, Technische Hochschule Aachen 1978.
[3] G.E. Herberich u. M. Thönnessen, J. Organometal. Chem. **177**, 357 (1979).

carbonyl-eisen werden durch Erhitzen in Mesitylen gewonnen[1]:

$$\text{1-Phenyl-4,5-dihydro-borepin} + Fe(CO)_5 \xrightarrow[-2\,CO]{\Delta} (\eta^5\text{-2-Ethyl-1-phenyl-borol})Fe(CO)_3$$

(η^5-2-Ethyl-1-phenyl-borol)-tricarbonyl-eisen[1]: 2 g (11,9 mmol) 1-Phenyl-4,5-dihydro-borepin und 6,5 *ml* (48 mmol) Pentacarbonyleisen werden in 50 *ml* Mesitylen unter Rückfluß so lange zum Sieden erhitzt, bis 5,4 *l* Kohlenmonoxid (20°) entwickelt sind. Nach Entfernen der flüchtigen Anteile i. Vak. (10^{-2} Torr) wird in Pentan an Aluminiumoxid (4% H_2O) chromatographiert. Man erhält 650 mg (18%) bernsteinfarbenes, licht- und luftempfindliches Öl; F: ≈ −30°.

Mit dimerem Cyclopentadienyl-dicarbonyl-eisen erhält man aus 1-Phenyl-4,5-dihydro-borepin unter Ringverengung des olefinischen Triorganoborans neben Tripeldecker-π-Komplexen mit μ-(2-Ethyl-1-phenyl-borol)-Liganden (vgl. S. 39) in bescheidener Ausbeute auch *(η^5-Cyclopentadienyl)-(η^6-2-methyl-1-phenyl-borin)-eisen* (F: 65–67°)[2]:

$$\text{1-Phenyl-4,5-dihydro-borepin} \xrightarrow[-4\,CO]{+[H_5C_5Fe(CO)_2]_2} (\eta^5\text{-}C_5H_5)Fe(\eta^6\text{-2-}CH_3\text{-1-}C_6H_5\text{-borin})$$

Aus 4,4-Dimethyl-1-phenyl-1,4-dihydro-borin lassen sich mit Decacarbonyl-dimangan bzw. -dirhenium *(η^6-4-Methyl-1-phenyl-borin)-tricarbonyl-mangan* bzw. *-rhenium* herstellen[3]:

$$\text{4,4-Dimethyl-1-phenyl-1,4-dihydro-borin} \xrightarrow[-2\,CO,\ \{-CH_3\}]{+1/2\ Mn_2(CO)_{10}} (\eta^6\text{-}H_3C\text{-}C_5H_4B\text{-}C_6H_5)Mn(CO)_3$$

(η^6-4-Methyl-1-phenyl-borin)-tricarbonyl-mangan[3]: Man erhitzt 150 mg (0,38 mmol) Decacarbonyldimangan und 150 mg (0,83 mmol) 4,4-Dimethyl-1-phenyl-1,4-dihydro-borin auf 230°. In 1,5 Stdn. werden 40 *ml* Gas entwickelt, die Schmelze wird merklich dunkler. Man chromatographiert an Aluminiumoxid (luftfrei, 4% H_2O, Säulenlänge 45 cm, Weite 12 mm) und eluiert die erste gelbe Zone mit Pentan: Decacarbonyldimangan. Die zweite, gelbe Zone wird mit Pentan/Benzol (4 : 1) eluiert und ergibt 163 mg (70%) blaßgelbe Kristalle; F: 73–75° (Zers. >260°).

Die Rhenium-Verbindung (F: 115,5°) bildet sich bei 260° in 64%iger Ausbeute.

Mit Pentacarbonyleisen werden aus 1-Phenyl-4,5-dihydroborepin bzw. 4,4-Dimethyl-1-phenyl-1,4-dihydro-borin über das (η^5-4,4-Dimethyl-1-phenyl-1,4-dihydro-borin)-tricarbonyl-eisen *Bis(4-methyl-1-phenyl-borin)- oder Bis(4,4-dimethyl-1-phenyl-borin)-eisen* gebildet (vgl. S. 27f.)[1].

$\alpha\alpha_2$) mit Hydridierungsreagenzien

Aus bestimmten ungesättigten Triorganoboranen sind mit Ligand-Übergangsmetall-hydriden unter Hydrometallierung Ligand-Übergangsmetall-π-Triorganoborane präparativ zugänglich. Beispielsweise reagieren 1-Organo-4,5-dihydro-borepine mit dem Stoffpaar tert.-Butyllithium/(η^4-1,5-Cyclooctadien)-rhodium-chlorid unter Bildung von (η^4-1,5-Cyclooctadien)-(1-4-η^4-1-Organo-5,6,7-trihydro-borepinyl)-rhodium:

---

[1] G. E. Herberich, J. Hengesbach, U. Kölle u. W. Oschmann, Ang. Ch. **89**, 43 (1977), engl. **16**, 42.
[2] G. E. Herberich, J. Hengesbach, G. Huttner, A. Frank u. U. Schubert, J. Organometal. Chem. **246**, 141 (1983).
[3] G. E. Herberich u. E. Bauer, B. **110**, 1167 (1977).

C_6H_5–Borepin + $(H_3C)_3C{-}Li$ + 1/2 $[(\eta^4{-}1,5{-}C_8H_{12})RhCl]_2$ ⟶ (– C_4H_8(?), – LiCl) $(\eta^4$-$C_8H_{12})Rh(\eta^4$-Borepinyl-$B{-}C_6H_5)$

(η^4-1,5-Cyclooctadien)-(1–4-η^4-1-phenyl-5,6,7-trihydro-borepinyl)-rhodium[1]**:** In ein Schlenkrohr mit 0,35 *ml* (≈0,35 g; 2,1 mmol) 1-Phenyl-4,5-dihydro-borepin in 5 *ml* THF und 9 *ml* Pentan bei −78° werden unter Stickstoff 1,25 *ml* (2,1–2,2 mmol) Butyllithium-Lösung in Pentan/Hexan bei −78° gegeben. Nach kurzem Aufwärmen auf 0° bilden sich eine gelbliche, klare obere Phase (Pentan) und eine schmutziggelbe, viskose untere Phase (Verhältnis ≈10:1). Bei −78° werden 505 mg (1,02 mmol) Bis(η^4-1,5-cyclooctadien-rhodium-chlorid) zugegeben. Sofort bildet sich eine rote Suspension. 1–2 Stdn. wird bis auf −60° und schließlich auf 20° erwärmt. Nach 1 Stde. frittet man die braunrote Lösung über 1 cm Silicagel ab und entfernt i. Vak. die Lösungsmittel. Nach Aufnahme in wenig Benzol wird die Lösung mit 5 *ml* Silicagel versetzt und das Benzol unter Schütteln wieder abgezogen. Das staubfeine Adsorbat bringt man auf eine Fritte, die bereits mit 3–4 cm (10 *ml*) Silicagel bedeckt ist. Vorsichtiges Eluieren mit 0,5 *l* Pentan liefert eine hellgelbe Lösung, aus der i. Vak. 465 mg (60%) gelbe Kristalle gewonnen werden [F: 116–117°, aus Pentan oder Pentan/Dichlormethan (2:1)].

$\alpha\alpha_3$) mit Alken/Übergangsmetall-Komplexen

Die Verdrängung von Alkenen, Alkadienen bzw. Alkatrienen aus Olefin-Übergangsmetall-Verbindungen gelingt im allgemeinen leicht bei Einwirkung bestimmter ungesättigter Triorganoborane. Man erhält Übergangsmetall-π-Triorganoborane. Offenkettige und cyclische Alkenylborane lassen sich komplexieren.

Aus 1-Butenyl-diethyl-boran erhält man mit η^6-1,5,9-Cyclododecatrien-nickel in Gegenwart von Tricyclohexylphosphan eine Additionsverbindung, die mit der C=C-Bindung am Ni-Atom π-gebunden ist[2–5]. Vermutlich liegt ein η^3-π-Komplex vor:

$(H_5C_2)_2B{-}CH{=}CH{-}C_2H_5$ + (η^6-1,5,9-Cyclododecatrien)Ni + $(H_{11}C_6)_3P$, Toluol, 20° ⟶ (– 1,5,9-Cyclododecatrien) $[(H_{11}C_6)_3P]_2Ni(\eta^3$-$C_2H_5{-}CH{=}CH{-}B(C_2H_5)_2)$

Bis(tricyclohexylphosphan)-(η^3-1-butenyl-diethyl-boran)-nickel[2,3]**:** Zur Lösung von 1,66 g (7,4 mmol) (η^6-1,5,9-Cyclododecatrien)nickel und 4,22 g (15,1 mmol) Tricyclohexylphosphan in 45 *ml* Toluol gibt man bei ≈20° 980 mg (7,9 mmol) 1-Butenyl-diethyl-boran. Nach 30 Min. Rühren wird das Toluol i. Vak. abgezogen und der Rückstand aus Hexan umkristallisiert; Ausbeute: 3,47 g (63%); rote Nadeln.

Mit 1,4-Dihydroborinen lassen sich thermisch (ohne Belichten) Alkadiene aus Ligand-Übergangsmetallen verdrängen. Mit dem ansonsten resistenten Bis(η^4-1,5-cyclooctadien)-nickel reagiert bei 70° 1,1-Dimethyl-4-phenyl-1,4-dihydro-1,4-silaborin zum *Bis(η^5-1,1-dimethyl-4-phenyl-1,4-dihydro-1,4-silaborin)nickel*[6] (90%; vgl. S. 27). Bei −50° bis +20° in Toluol kann unter relativ großen präparativen Schwierigkeiten das thermodynamisch instabilere *(η^4-1,5-Cyclooctadien)-(η^5-1,1-dimethyl-4-phenyl-1,4-dihydro-1,4-silaborin)-nickel* isoliert werden[6,7]:

[1] G. E. HERBERICH, J. HENGESBACH u. U. KÖLLE, B. **110**, 1171 (1977).
[2] K. JONAS u. R. STABBA, Mülheim a. d. Ruhr, unveröffentlicht, Bochum 1970.
[3] vgl. R. STABBA, Dissertation, Universität Bochum 1971.
[4] K. JONAS u. K. FISCHER, Mülheim a. d. Ruhr, unveröffentlicht, Bochum 1972.
[5] K. FISCHER, Mülheim a. d. Ruhr, Dissertation, S. 62, Universität Bochum 1973.
[6] M. THÖNNESSEN, Dissertation, Technische Hochschule Aachen 1978.
[7] G. E. HERBERICH, M. THÖNNESSEN u. D. SCHMITZ, J. Organometal. Chem. **191**, 27 (1980).

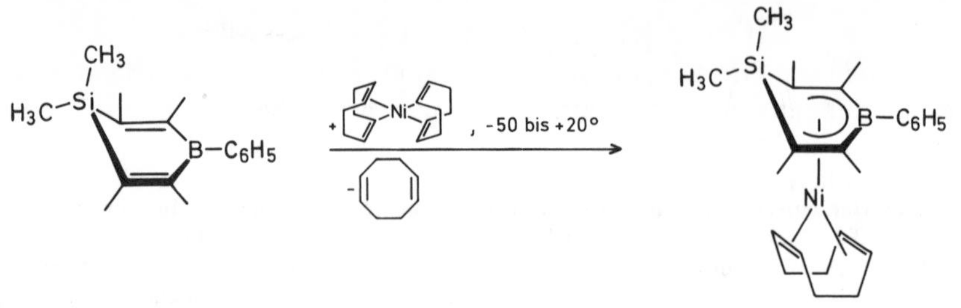

$+$ (cod)Ni(cod), $-$ cod; -50 bis $+20°$

$\alpha\alpha_4$) mit offenkettigen Diorgano-η^3-vinyl-boranen

Die Addition von B-Vinyl-Resten der Triorganoborane erfolgt in Gegenwart bestimmter Ligand-Übergangsmetall-Verbindungen wie z.B. von Nickel(0)-Komplexen besonders leicht. Es ist nicht geklärt, inwieweit das Bor-Atom einer Vinylbor-Gruppierung in die π-Bindung zum Übergangsmetall-Atom einbezogen ist.

Die Komplexverbindung aus Triphenylboran mit Bis(tricyclohexylphosphan)nickel[1] enthält wahrscheinlich keine B-Vinyl-π-Nickel-Bindung (A) sondern eine borferne Phenyl-Nickel-Beziehung (B). Demgegenüber dürften Nickel-π-Diorgano-vinyl-borane[2] η^3-Anteile (C) enthalten.

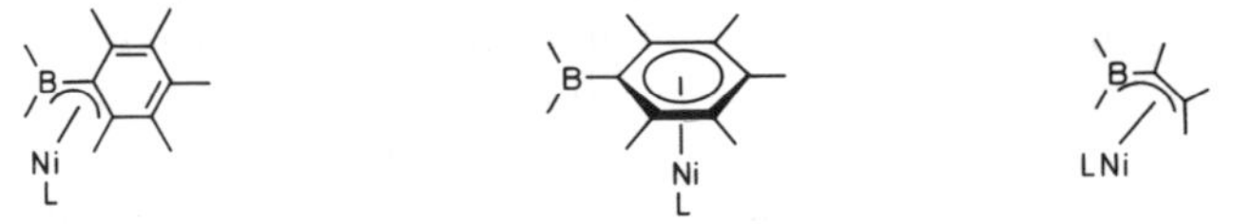

A B C

$\alpha\alpha_5$) mit Alkinylmetall-Verbindungen

Aus Trimethylboran ist mit Bis(triorganophosphan)-diethinyl-platin nach 1,1-Methyloborierung beim Erwärmen *Dimethyl-(1,2,5-trimethylborol)-platin* zugänglich[3,4]:

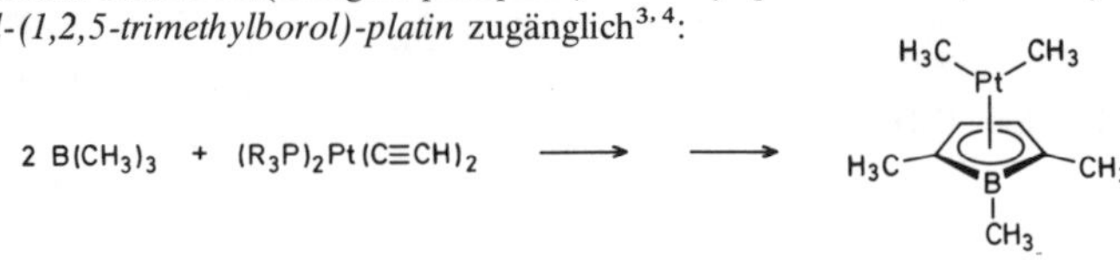

$$2\ B(CH_3)_3 + (R_3P)_2Pt(C{\equiv}CH)_2 \longrightarrow \longrightarrow$$

$\alpha\alpha_6$) mit Acetonitril-Übergangsmetall-Verbindungen

Aus Alkadienyl-organo-boranen der Divinylboran-Struktur lassen sich mit Acetonitril-Übergangsmetall-Komplexen unter Verdrängung von Acetonitril Übergangsmetall-π-Triorganoborane herstellen. Aus 1-Phenyl-4,5-dihydro-borepin erhält man z.B. mit Tricarbonyl-tris(acetonitril)-metall-Verbindungen in siedendem Toluol Tricarbonylmetall-π-(η^5-1-phenyl-4,5-dihydro-borepine)[5]:

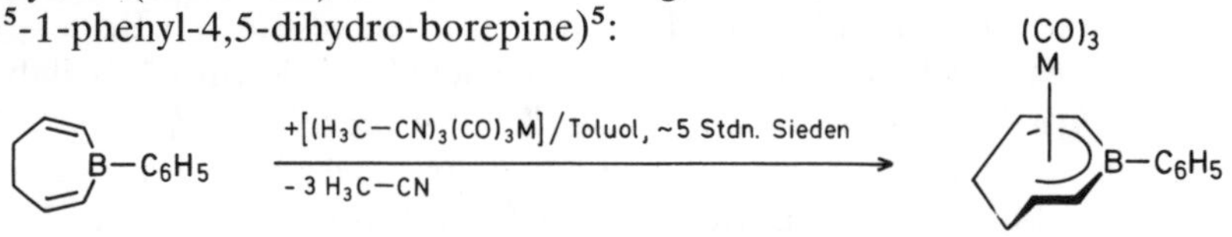

$+[(H_3C{-}CN)_3(CO)_3M]$ / Toluol, ~5 Stdn. Sieden; $-3\ H_3C{-}CN$

(η^5-1-Phenyl-4,5-dihydro-borepin)-tricarbonyl-...
M = Cr; ...-*chrom*; F: 71°
M = Mo; ...-*molybdän*; 25%; F: 94–95°
M = W; ...-*wolfram*; 27%; F: 105°

[1] G.E. Herberich, E. Bauer, J. Hengesbach, U. Kölle, G. Huttner u. H. Lorenz, B. **110**, 760 (1977).
[2] U. Kölle, W.-D.H. Beiersdorf u. G.E. Herberich, J. Organometal. Chem. **152**, 7 (1978).
[3] B. Wrackmeyer u. A. Sebald, Universität München, unveröffentlicht 1982; Chemie-Dozententagung Dortmund 1983, Programmheft S.80.
[4] vgl. B. Wrackmeyer u. C. Bihlmayer, Chem. Commun. **1981**, 1093.
[5] U. Kölle, W.-D.H. Beiersdorf u. G.E. Herberich, J. Organometal. Chem. **152**, 7 (1978); ausgehend von Bis(pyridin)-tetracarbonyl-chrom, -molybdän bzw. -wolfram werden in Dichlormethan mit Diethylether-Trifluorboran Ausbeuten von 37, 56 bzw. 15% erzielt.

$\alpha\alpha_7$) mit (Ligand)Übergangsmetall-halogeniden

Aus *metallhaltigen* Triorganoboranen sind mit (Ligand)Übergangsmetall-halogeniden π-Komplexverbindungen ungesättigter, i. allg. cyclischer Triorganoborane zugänglich[1,2]. Aus Thallium-1-methylborinat (vgl. Bd. XIII/3a, S. 312f.) läßt sich mit Dicarbonyl-tetramethylbutadien-cobaltjodid nach 17 Stdn. Rückfluß in THF in 87%iger Ausbeute orangefarbenes *(η^6-1-Methylborin)-(η^4-tetramethylcyclobutadien)-cobalt* (F: 116–118°) herstellen[1]:

$$Tl^+ [C_5H_5B{-}CH_3]^- + [(CO)_2Co(C_4(CH_3)_4)]^+ J^- \xrightarrow[-2\,CO,\ -TlJ]{THF} (\eta^4\text{-}C_4(CH_3)_4)Co(\eta^6\text{-}C_5H_5B{-}CH_3)$$

In 80%iger Ausbeute erhält man entsprechend *(η^6-1-Phenylborin)-(η^4-tetramethylcyclobutadien)-cobalt* (F: 72–73°)[1].

α_2) *aus Dihalogen-organo-boranen*

Eine der wichtigsten Herstellungsmethoden für Übergangsmetall-π-Triorganoborane geht von Dihalogen-organo-boranen aus. Dihalogen-organo-borane reagieren mit Bis(η^5-cyclopentadienyl)cobalt (Cobaltocen) unter der mit geminalen Dihalogenmethanen bekannten Ringerweiterung[2] des C_5-Rings zu (η^6-1-Organoborin-π-cobalt)-Verbindungen[4–8]. Zwischenprodukte der Reaktion sind (η^5-Cyclopentadienyl)-(η^6-1-organoborin)-cobalthalogenide[4,5,9] (vgl. S. 24).

Tropft man bei −78° 1 Mol Dichlor-phenyl-, Dibrom-phenyl- oder Dibrom-methylboran zu jeweils >2,5 Mol Cobaltocen in Toluol, so gewinnt man nach dem Erwärmen und Aufarbeiten (η^5-Cyclopentadienyl)-(η^6-1-organoborin)-cobalt-Verbindungen in Ausbeuten von 70–80%[4]:

$$R{-}BHal_2 + 3\ (C_5H_5)_2Co \xrightarrow[-2\,[(C_5H_5)_2Co]^+\,Hal^-]{Toluol,\ -78°\ bis\ +20°} (\eta^5\text{-}C_5H_5)Co(\eta^6\text{-}C_5H_5B{-}R)$$

(η^5-Cyclopentadienyl)-. . .-cobalt

R = CH_3 (Hal = Br); . . .-*(η^6-1-methylborin)*-. . .; 68%; F: 28°

R = C_6H_5 (Hal = Cl); . . .-*(η^6-1-phenylborin)*-. . .; 80%; F: 70–71°

Nebenprodukte der Reaktion sind außer den angegebenen Bis(η^5-cyclopentadienyl)cobalthalogeniden Bis(η^6-1-organoborin)cobalt-Verbindungen (vgl. S. 31ff.), die sich bei Anwendung äquimolarer Konzentrationsverhältnisse der Reaktionspartner nach derselben Methode in hohen Ausbeuten gewinnen lassen (vgl. S. 32).

(η^5-Cyclopentadienyl)-(η^6-1-phenylborin)-cobalt[6]: Zur Lösung von 2,40 g (12,7 mmol) Bis(η^5-cyclopentadienyl)cobalt in 80 *ml* Toluol wird unter Kühlung (−78°) bei kräftigem Rühren innerhalb 15 Min. eine Lösung

---

[1] G. E. Herberich u. A. K. Naithani, J. Organometal. Chem. **241**, 1 (1983).
[2] G. E. Herberich, W. Boveleth, B. Hessner, W. Koch, E. Raabe u. D. Schmitz, J. Organometal. Chem. **265**, 225 (1984); mit Chloro-tetracarbonyl-vanadium in situ.
[3] G. E. Herberich u. J. Schwarzer, Ang. Ch. **81**, 153 (1969); engl.: **8**, 143; J. Organometal. Chem. **34**, C 43 (1972).
[4] G. E. Herberich, G. Greiss, H. F. Heil u. J. Müller, Chem. Commun. **1971**, 1328.
[5] G. E. Herberich u. G. Greiss, B. **105**, 3413 (1972).
[6] G. E. Herberich, G. Greiss u. H. F. Heil, 5. Int. Conf. Organomet. Chem. Moskau **2**, 1328 (1971).
[7] K. H. Gustafsson, Acta chem. scand. [B] **32**, 765 (1978).
[8] R. N. Leyden u. M. F. Hawthorne, Inorg. Chem. **14**, 2018 (1975).
[9] G. E. Herberich, G. Greiss u. H. F. Heil, Ang. Ch. **82**, 838 (1970); engl.: **9**, 805.

von 1,26 g (5,08 mmol) Dibrom-phenyl-boran in 10 *ml* Toluol getropft. Man erwärmt langsam auf ≈20° und trennt über eine G4-Fritte ab.

Das rotbraune Filtrat wird in einer eisgekühlten Vorlage aufgefangen, das Lösungsmittel i. Vak. vorsichtig entfernt und der rote, ölige Rückstand mit ~30 *ml* Pentan extrahiert. Aus dem Rückstand wird mit Diethylether Bis(η^6-1-phenylborin)cobalt extrahiert (s. u.). Der Pentan-Extrakt wird über Aluminiumoxid (neutral, luftfrei, mit 4% Wasser) in einer wassergekühlten Säule (80 cm Länge, 2 cm Weite) mit Pentan chromatographiert. Man erhält 5 Zonen, wobei die 3. (rotbraune) Zone das (η^5-Cyclopentadienyl)-(η^6-1-phenylborin)-cobalt als Hauptprodukt enthält. In der 1. Zone befindet sich Bis(η^5-cyclopentadienyl)cobalt. Die übrigen Zonen enthalten Nebenprodukte.

Das Eluat der 3. Zone wird in einer Vorlage (0°) aufgefangen und bei 0° eingeengt, bis an der Wandung rote, ölige Streifen auftreten. Beim langsamen Abkühlen auf −78° kristallisieren schwarze Nadeln aus; Ausbeute: 0,895 g (80%); F: 70–71°.

Die Ringerweiterung des Cyclopentadienyl-Rests gelingt auch bei Verwendung von Benzyl-dibrom- oder Dichlor-(2,4,6-trimethylphenyl)-boran[1].

Die Methode läßt sich ferner zur Herstellung von *Dicarbonyl-(η^6-1-phenylborin)-cobalt* (17%; F: 201°) aus Dichlor-phenyl-boran mit dem Natriumsalz des (η^5-Cyclopentadienyl)-dicarbonyl-cobalts in Tetrahydrofuran verwenden[2].

α_3) *aus Lewisbase-Organoboranen*

Einige Lewisbase-Triorganoborane lassen sich zur Herstellung bestimmter Ligand-Übergangsmetall-π-Diorgano-vinyl-borane verwenden. In Gegenwart von Nickel-Verbindungen können sich in bestimmten Fällen mit Ethen leicht B-Vinyl-Gruppierungen bilden[3,4]. Man erhält z. B. aus 1,1-Dicyclohexyl-2,2-diethyl-1,2-phosphoniaboratolan mit (η^6-1,5,9-Cyclododecatrien)nickel in Gegenwart von Ethen unter Komplexierung des Phosphans am Nickel-Atom und Abspaltung von 1 Mol-Äquivalent Ethan in 57%iger Ausbeute *[η^3-(3-Dicyclohexylphosphinyl-propyl)-ethyl-vinyl-boran]-(η^2-ethen)-nickel* (57%)[3,4] (vgl. S. 439):

$H_{11}C_6$, C_6H_{11}, P⊕, B⊖, C_2H_5, C_2H_5 + Ni (Cyclododecatrien) —[1. $(H_5C_2)_2O$; 20°; 2. + 2 C_2H_4; 1 Stde.; − $C_{12}H_{18}$; − C_2H_6]→ C_6H_{11}, $H_{11}C_6$—P, Ni, B, C_2H_5

Aus 1,1-Dicyclohexyl-2,2-diphenyl-1,2-phosphoniaboratolan ist entsprechend *[η^3-(3-Dicyclohexylphosphinyl-propyl)-phenyl-vinyl-boran]-(η^2-ethen)-nickel* zugänglich (56%)[3,4].

Die Komplex-Verbindungen, von denen Röntgenstrukturanalysen (vgl. S. 439) vorliegen[5], enthalten jeweils eine Vinyl-boran-Nickel-π-Bindung, die vermutlich mit Beteiligung des Bor-Atoms zustande kommt[3,4].

α_4) *aus (Ligand)Übergangsmetall-Triorganobor-π-Komplexen*

Ligand-Übergangsmetall-Triorganobor-π-Komplexe lassen sich als Edukte zur Herstellung anderer Ligand-Übergangsmetall-Triorganobor-π-Komplexe verwenden. Durch borferne Reaktionen chemisch stabiler Übergangsmetall-Organobor-π-Komplexe sind am borfreien oder borhaltigen Liganden substituierte Ligand-Übergangsmetall-Triorganobor-π-Komplexe durch elektrophile Substitution (z. B. Friedel-Crafts-Acetylierung mit Acetylchlorid/Arsentrichlorid; Vilsmeyer-Formylierung mit Diorganoformamid/Phosphoroxytrichlorid) herstellbar.

---

[1] K. H. GUSTAFSSON, Acta chem. scand. [B] **32**, 765 (1978).
[2] R. N. LEYDEN u. M. F. HAWTHORNE, Inorg. Chem. **14**, 2018 (1975).
[3] K. JONAS u. K. FISCHER, Mülheim a. d. Ruhr, unveröffentlicht 1972.
[4] K. FISCHER, Mülheim a. d. Ruhr, Dissertation, S. 18, 61, Universität Bochum 1973.
[5] C. KRÜGER, K. JONAS u. K. FISCHER, Mülheim a. d. Ruhr, unveröffentlicht; vgl. Lit.-Zitat 4.

Aus (η^6-1-Methylborin)-tricarbonyl-mangan erhält man z.B. mit Acetylchlorid/Aluminiumtrichlorid in Nitromethan mit $\approx 80\%$iger Ausbeute und 98%iger Regioselektivität hellgelbes, kristallines *(η^6-2-Acetyl-1-methyl-borin)-tricarbonyl-mangan* (F: 38°)[1]:

(η^6-2-Acetyl-1-phenyl-borin)-(η^4-tetramethylcyclobutadien)-cobalt (69%; F: 69–72°) ist aus (η^6-1-Phenylborin)-(η^4-tetramethylcyclobutadien)-cobalt mit Acetylchlorid in Gegenwart des (nicht aggressiv wirksamen) Arsentrichlorids in Dichlormethan zugänglich. Bei Verwendung von Aluminiumtrichlorid als Katalysator erfolgt Deborierung[2]:

2,6-Diacetyl-Derivate lassen sich entsprechend herstellen. 2-Formyl-Derivate gewinnt man mit N-Methyl-formanilid in Gegenwart von Zinn(IV)-chlorid oder Phosphoroxytrichlorid[2].

Aus (η^4-1,5-Cyclooctadien)-(η^6-1-methylborin)-cobalt (vgl. S. 16) läßt sich mit Diphenylacetylen bei $\approx 140°$ in borferner Reaktion unter Verdrängung von 1,5-Cyclooctadien *(η^6-1-Methylborin)-(η^4-tetraphenylcyclobutadien)-cobalt* (80%; F: 183–183,5°) gewinnen[2]:

In 84%iger Ausbeute erhält man bei 180° *(η^6-1-Phenylborin)-(η^4-tetraphenylcyclobutadien)-cobalt* (F: 236–237°)[2].

α_5) *aus Übergangsmetall-Bis(Triorganobor)-π-Komplexen*

Man läßt z.B. Übergangsmetall-Bis(Triorganobor)-π-Komplexe mit Ligand-Übergangsmetallen, mit Nucleophilen/Metallhalogenid oder mit Alkalimetallen und bestimmten ungesättigten Kohlenwasserstoffen reagieren und erhält verschiedenartige Ligand-

[1] G.E. HERBERICH, B. HESSNER u. T.T. KHO, J. Organometal. Chem. **197**, 1 (1980).
[2] G.E. HERBERICH u. NAITHANI, J. Organometal. Chem. **241**, 1 (1983).

Übergangsmetall-π-Triorganoborane. Bisher sind vor allem Bis(η^6-1-organoborin)metall-π-Komplexe als Edukte eingesetzt worden.

$\alpha\alpha_1$) mit Alkinen

Mit Diphenylacetylen läßt sich aus Bis(η^6-1-organoborin)cobalt ein 1-Organoborin-Ligand verdrängen[1,2]; z.B.:

$$Bis(\eta^6\text{-}1\text{-}CH_3\text{-borin})Co + 2\ H_5C_6-C\equiv C-C_6H_5 \longrightarrow (\eta^6\text{-}1\text{-}CH_3\text{-borin})Co(\eta^4\text{-}C_4(C_6H_5)_4)$$

(η^6-1-Methylborin)-(η^4-tetraphenylcyclobutadien)-cobalt[1]: Im geschlossenen Rohr werden 310 mg (1,29 mmol) Bis(η^6-1-methylborin)cobalt 1,06 g (5,95 mmol) Diphenylacetylen und 1,5 *ml* Benzol 7 Tage auf maximal 150° erhitzt. Die Chromatographie des Gemisches in Pentan [Säule (50 cm Länge, 2 cm Weite) mit sauerstofffreiem Aluminiumoxid und mit 4% Wasser desaktiviert] ergibt 3 Zonen. Die 1. rote Zone enthält den ursprünglichen, die 2. Zone den neuen Komplex. Man kühlt das gelbe Eluat der 2. Zone auf −78° ab und gewinnt Kristalle. Nach Wiederholung der Prozeduren erhält man 330 mg (50%) tiefgelbe Nadeln (F: 183–184°).

$\alpha\alpha_2$) mit Alkalimetall/Ligand

Die Abspaltung von 1-Organoborin-Liganden aus Bis(η^6-1-organoborin)cobalt-Verbindungen gelingt mit Alkalimetallen in Tetrahydrofuran. Bei Zusatz eines geeigneten Ligand-Bildners erhält man Ligand-(η^6-1-organoborin)-cobalt-Verbindungen.

Aus Bis(η^6-1-phenylborin)cobalt läßt sich mit Lithiumgrieß in THF in Gegenwart von 1,5-Cyclooctadien in 93%iger Ausbeute *(η^4-1,5-Cyclooctadien)-(η^6-1-phenylborin)-cobalt* (F: 168–169°) herstellen[3].

(η^4-1,5-Cyclooctadien)-(η^6-1-phenylborin)-cobalt[3]: 500 mg (1,37 mmol) Bis(η^6-1-phenylborin)cobalt, 12 mg (1,73 mmol) Lithiumgrieß und 0,3 *ml* (2,5 mmol) 1,5-Cyclooctadien werden unter Argon in 50 *ml* THF 12 Stdn. zum Sieden erhitzt. Nach Entfernen des Lösungsmittels wird in 80 *ml* Diethylether aufgenommen und durch eine 3-cm-Schicht Aluminiumoxid (mit 4% Wasser) filtriert. Beim Einengen auf 20 *ml* und Kühlen auf −78° erfolgt Kristallisation. Nach Abhebern der Mutterlauge, Waschen mit kaltem Pentan wird i. Vak. getrocknet; Ausbeute: 410 mg (93%); F: 168–169°; Zers. >200°, Subl.p.$_{10}$: 80°.

In 95%iger Ausbeute ist *(η^4-Bicyclo[2.2.1]heptadien)-(η^6-1-phenylborin)-cobalt* (F: 189–190°) auf analogem Weg zugänglich[3].

(η^4-1,5-Cyclooctadien)-(η^6-1-methylborin)-cobalt (F: 53,5–54,5°; Zers. ≥185°) ist aus Bis(η^6-1-methylborin)cobalt mit Natriumamalgam und 1,5-Cyclooctadien in Tetrahydrofuran in Gegenwart von Acetonitril in 79%iger Ausbeute zugänglich[4,5, s.a. 6]:

$$Bis(\eta^6\text{-}1\text{-}CH_3\text{-borin})Co \xrightarrow[THF/H_3C-CN]{+Na(Hg)/+COD} (\eta^6\text{-}1\text{-}CH_3\text{-borin})Co(\eta^4\text{-}COD)$$

[1] G.E. Herberich u. H.J. Becker, Z. Naturf. **28b**, 828 (1973); **29b**, 439 (1974).
[2] G.E. Herberich, H.J. Becker u. G. Greiss, B. **107**, 3780 (1974).
[3] G.E. Herberich, W. Koch u. H. Lueken, J. Organometal. Chem. **160**, 17 (1978).
[4] G.E. Herberich u. A.K. Naithani, J. Organometal. Chem. **241**, 1 (1983).
[5] H. Bönnemann, B. Bogdanovic, R. Brinkmann, D.-W. Ho u. B. Spliethoff, Ang. Ch. **95**, 749 (1983).
[6] H. Bönnemann, W. Brigouc, R. Brinkmann u. W. Meurers, Helv. (im Druck) (1984); mit organisch gelöstem Magnesium.

(η^4-1,5-Cyclooctadien)-(η^6-1-methylborin)-cobalt[1]: 600 mg (2,49 mmol) Bis(η^6-1-methylborin)cobalt in 50 *ml* THF werden mit 15 g 2,5%igem (16,3 mmol) Natriumamalgam bei ~20° gerührt. Man gießt die Lösung zu einem Gemisch von 0,4 *ml* (3,3 mmol) 1,5-Cyclooctadien und 30 *ml* Acetonitril und läßt 12 Stdn. bei ~20° stehen. Nach Filtration durch eine 5 cm lange Aluminiumoxid-Schicht (neutral, mit 4% Wasser desaktiviert) wird auf ≈20 *ml* eingeengt und langsam auf −78° abgekühlt: Die Mutterlauge dekantiert man ab, wäscht den Niederschlag mit wenig kaltem Pentan und trocknet; Ausbeute: 510 mg (79%); F: 53,5–54,5° (Zers.: ≥185°).

$\alpha\alpha_3$) mit Carbonyl-Übergangsmetallen

Bis(η^6-1-organoborin)cobalt-Verbindungen reagieren mit Carbonyl-Übergangsmetall-Verbindungen unter Transmetallierung zu Carbonyl-(η^6-1-organoborin)-Übergangsmetallen[2-4]. Aus Bis(η^6-1-organoborin)cobalt-Verbindungen erhält man z.B. mit Nonacarbonyldieisen in siedendem Toluol durch 1-Organoborin/ Carbonyl-Austausch *μ,μ-Dicarbonyl-1,2-bis[η^6-1-methyl-* (bzw. *-phenyl)-borin]-1,2-dicarbonyl-dieisen*[2], dem in festem Zustand[2] die *cis*-Struktur zukommt[3]:

$$\text{Bis}(\eta^6\text{-1-R-borin})\text{Co} \xrightarrow[-1/2\ Co_2(CO)_9]{+Fe_2(CO)_9} (\eta^6\text{-1-R-borin})(CO)Fe(\mu\text{-}CO)_2Fe(CO)(\eta^6\text{-1-R-borin})$$

$R = CH_3, C_6H_5$

μ,μ-Dicarbonyl-1,2-bis(η^6-1-phenylborin)-1,2-dicarbonyl-dieisen[2]: 180 mg (0,49 mmol) Bis(η^6-1-phenylborin)cobalt und 1 g (2,75 mmol) Nonacarbonyldieisen in 10 *ml* Toluol werden 32 Stdn. zum Sieden erhitzt. Nach Abkühlen, Einengen i. Vak., Abfiltrieren über eine G4-Fritte und Waschen mit wenig Pentan extrahiert man mit Dichlormethan. Nach Abziehen des Lösungsmittels i. Vak. wird die Komplexverbindung bei 120° (Bad) i. Hochvak. sublimiert und erneut in Dichlormethan gelöst. Man überschichtet mit Pentan und kühlt langsam bis −78° ab; Ausbeute: 210 mg (81%); Zers. >150° (violette, blättrige, luftbeständige Kristalle).

Auf analoge Weise erhält man *μ,μ-Dicarbonyl-1,2-bis(η^6-1-methylborin)-1,2-dicarbonyl-dieisen*; 70%; Zers. >130°.

Mit Decacarbonyldimangan in Toluol wird in 84%iger Ausbeute *(η^6-1-Phenylborin)-tricarbonyl-mangan*[4] oder in Diglyme in 67%iger Ausbeute *(η^6-1-Methylborin)-tricarbonyl-mangan*[5] gebildet; z.B.:

$$\text{Bis}(\eta^6\text{-1-}C_6H_5\text{-borin})\text{Co} \xrightarrow[-1/2\ Co_2(CO)_9]{+Mn_2(CO)_{10},\ \text{Toluol},\ 110°} 2\ (\eta^6\text{-1-}C_6H_5\text{-borin})Mn(CO)_3$$

[1] G.E. Herberich u. A.K. Naithani, J. Organometal. Chem. **241**, 1 (1983).
[2] G.E. Herberich, H.J. Becker u. G. Greiss, B. **107**, 3780 (1974).
[3] G. Huttner u. W. Gartzke, B. **107**, 3786 (1974).
[4] G.E. Herberich u. H.J. Becker, Ang. Ch. **85**, 817 (1973); engl.: **12**, 764.
[5] G.E. Herberich, B. Hessner u. T.T. Kho, J. Organometal. Chem. **197**, 1 (1980).

(η⁶-1-Phenylborin)-tricarbonyl-mangan[1]**:** Eine Lösung von 300 mg (0,83 mmol) Bis(η⁶-1-phenylborin)cobalt und 650 g (1,66 mmol) Decacarbonyldimangan in 35 *ml* Toluol wird 50 Stdn. zum Sieden erhitzt (Bad: 140°). Nach Abfiltrieren wird das Lösungsmittel i. Vak. abgezogen und der Rückstand bei −20° in Pentan an einer Silicagel-Säule (50 cm lang, 1,2 cm weit) chromatographiert. Restliches Decacarbonyldimangan wandert sehr rasch und wird mit Pentan eluiert. Das Produkt wird mit Dichlormethan eluiert und nach Entfernen des Lösungsmittels bei 60–80° i. Hochvak. sublimiert; Ausbeute: 405 mg (84%) (hellgelbe Nadeln).

Mit Tetracarbonylnickel wird Kohlenmonoxid aufs Cobalt-Atom übertragen und keine 1-Organoborin-nickel-Verbindung gebildet. Man erhält *Dicarbonyl-(η⁶-1-phenylborin)-cobalt*[2]:

$+Ni(CO)_4$ / Toluol

Dicarbonyl-(η⁶-1-phenylborin)-cobalt[2]**:** Man erhitzt 315 mg (0,87 mmol) Bis(η⁶-1-phenylborin)cobalt, 10 *ml* Tetracarbonylnickel und 10 *ml* Toluol zum Sieden und läßt 24 Stdn. unter Rückfluß reagieren. Nach Entfernen aller flüchtigen Anteile i. Vak. wird der Rückstand in Pentan an sauerstoff-freiem Aluminiumoxid (mit 4% Wasser desaktiviert) in einer wassergekühlten Säule (50 cm lang, 1,2 cm weit) chromatographiert. Der gewünschte Komplex befindet sich in der gelben 1. Zone, deren Eluat tiefrot ist. Die 2. Zone enthält unumgesetztes Bis(η⁶-1-phenylborin)cobalt (die 3. Zone ein unbekanntes Nebenprodukt). Das Eluat der Zone 1 wird bis zur Trockene eingeengt, anschließend i. Hochvak. bei 30–40° (Bad) sublimiert und aus Pentan umkristallisiert; Ausbeute: 81 mg (35%); F: 79,5–80,0° (fuchsbraune Nadeln).

$\alpha\alpha_4$) mit (Ligand)Übergangsmetallen

Bis(η⁶-1-organoborin)cobalt reagiert auch mit (η⁵-Cyclopentadienyl)-dicarbonyl-eisen unter Übertragung des 1-Organoborin-Liganden zu (η⁵-Cyclopentadienyl)-(η⁶-1-organoborin)-eisen-Komplexen[1]:

+ $[(C_5H_5)(CO)_2Fe]_2$

R = C_6H_5, CH_3

(η⁵-Cyclopentadienyl)-(η⁶-1-methylborin)-eisen[1]**:** 1,0 g (4,15 mmol) Bis(η⁶-1-methylborin)cobalt und 6,22 g (17,6 mmol) reinstes dimeres (η⁵-Cyclopentadienyl)-dicarbonyl-eisen werden in 30 *ml* Mesitylen bis zum Ende der Gasentwicklung erhitzt. Man chromatographiert an Aluminiumoxid mit Pentan und sublimiert den Komplex; Ausbeute: 1,47 g (84%; hellrote Kristalle); F: 56–57°.

Entsprechend kann *(η⁵-Cyclopentadienyl)-(η⁶-1-phenylborin)-eisen* (95%; F: 77,5–78,5°) hergestellt werden.

---

[1] G. E. Herberich u. K. Carsten, J. Organometal. Chem. **144**, C 1 (1978).

[2] G. E. Herberich u. H. J. Becker, Z. Naturf. **29b**, 439 (1974).

$\alpha\alpha_5$) mit Nucleophil/Elektrophil-Reagenzien

Aus Bis(η^6-1-organoborin)cobalt-Verbindungen lassen sich mit Alkalimetallcyaniden sehr leicht die 1-Organoborin-Reste vom Cobalt ablösen. Die in situ gebildeten Alkalimetall-1-organoborinate (vgl. XIII/3a, S. 316) können mit Ligand-Übergangsmetall-halogeniden in Ligandübergangsmetall-1-Organoborine überführt werden[1,2].

Beispielsweise läßt sich aus Bis(η^6-1-phenylborin)cobalt nach Reaktion mit Alkalimetallcyaniden in Acetonitril beim Versetzen mit Trimethylplatinjodid in 80⁰/₀iger Ausbeute *(η^6-1-Phenylborin)-trimethyl-platin* herstellen:

B–C_6H_5 / Co / B–C_6H_5 — 1. + 2 NaCN/H_3C–CN; 2. + 1/2 $[(H_3C)_3PtJ]_4$ → $(CH_3)_3$Pt / B–C_6H_5

(η^6-1-Phenylborin)-trimethyl-platin[1]: Aus 482 mg (1,32 mmol) Bis(η^6-1-phenylborin)cobalt wird mit 1,5 g (31 mmol) Kaliumcyanid eine Acetonitril-Lösung von Kalium-1-phenylborinat hergestellt, die zu 330 mg (0,90 mmol Pt) tetramerem Trimethylplatinjodid in 25 *ml* Acetonitril gegeben wird. Nach 15 Stdn. bei 25° entfernt man i. Vak. das Acetonitril von der rosafarbenen Lösung und chromatographiert an Aluminiumoxid. Aus Pentan lassen sich beim Abkühlen auf −30° Kristalle gewinnen, die bei 35°/0,001 Torr sublimiert werden; Ausbeute: 283 mg (80⁰/₀).

Entsprechend erhält man aus Bis(η^6-1-organoborin)cobalt-Verbindungen mit Kaliumcyanid/(η^4-1,5-Cyclooctadien)rhodiumchlorid *(η^4-1,5-Cyclooctadien)-[η^6-1-methyl* (bzw. *-phenyl)-borin]-rhodium*[1]:

B–R / Co / B–R — 1. + KCN; 2. + $[(H_{12}C_8)RhCl]_2$ → 2 B–R / Rh / (Cyclooctadien)

R = CH_3, C_6H_5

(η^4-1,5-Cyclooctadien)-(η^6-1-phenylborin)-rhodium[1]: Aus 267 mg (0,73 mmol) Bis(η^6-1-phenylborin)cobalt wird, wie voranstehend beschrieben, das Kalium-1-phenylborinat hergestellt. Danach wird die Lösung mit 630 mg (1,28 mmol) Bis(η^4-1,5-cyclooctadien)-dichloro-dirhodium in 15 *ml* THF versetzt und 16 Stdn. zum Sieden erhitzt. Danach wird an Aluminiumoxid chromatographiert; Ausbeute: 347 mg (65⁰/₀); F: 161–162° (hellgelbes Pulver).

α_6) *aus kationischen (Ligand)Übergangsmetall-Triorganobor-Salzen*

Kationische Ligand-Übergangsmetall-π-Triorganoborane sind zur Herstellung neutraler Ligand-Übergangsmetall-Triorganoborane besonders gut geeignet. Mit Nucleophilen lassen sich z.B. aus (η^6-1-Organoborin)-Liganden (η^5-1-Organo-4-hydro-borin)-Liganden am Cobalt oder am Rhodium herstellen.

Mit Hydrid-Reagenzien wie z.B. mit Natriumtetrahydroborat in Acetonitril gewinnt man z.B. aus (η^5-Cyclopentadienyl)-(η^6-1-phenylborin)-cobalt-hexafluorophosphat neben anderen π-Komplex-Verbindungen in 30⁰/₀iger Ausbeute *(η^5-Cyclopentadienyl)-(η^5-1-phenyl-1,4-dihydro-borin)-cobalt* (F: ≈30°; aus Pentan bei −78°)[3]:

---

[1] G.E. Herberich, H.J. Becker, K. Carsten, C. Engelke u. W. Koch, B. **109**, 2383 (1976).
[2] G.E. Herberich u. H.J. Becker, Ang. Ch. **87**, 196 (1975); engl.: **14**, 184.
[3] G.E. Herberich, C. Engelke u. W. Pahlmann, B. **112**, 607 (1979).

LM : $(\eta^5-C_5H_5)Co$; $[\eta^6-H_5C_6-B(C_5H_5)]Co$; $[\eta^5-(H_3C)_5C_5]Rh$

$X = [PF_6]^-$

(η^5-Cyclopentadienyl)-(η^5-1-phenyl-1,4-dihydro- und -1,6-dihydro-borin)-cobalt-Verbindungen[1]: Unter sorgfältigem Luftausschluß wird 1 g (2,37 mmol) (η^5-Cyclopentadienyl)-(η^6-1-phenylborin)-cobalt-hexafluorophosphat in 10 *ml* Acetonitril bei 0° mit 0,2 g (5 mmol) Natriumtetrahydroborat 5 Min. gerührt. Man extrahiert (5 mal mit je 20 *ml* Pentan) und filtriert durch eine 3-cm-Schicht Aluminiumoxid (neutral, mit 7% Wasser). Das eingeengte Filtrat wird an Aluminiumoxid mit Pentan chromatographiert (neutral, 7% Wasser, Säule: 15 mm lichte Weite, 700 mm Länge, auf 0° gekühlt). Die schwach-rote 1. Zone ergibt ≈10 mg *(η^4-Cyclopentadien)-(η^5-cyclopentadienyl)-cobalt.*

Die amethystfarbene 2. Zone wird aufgefangen (−78°). Nach Abziehen des Pentans verbleiben 200 mg (30%) *(η^5-Cyclopentadienyl)-(η^5-1-phenyl-1,6-dihydro-borin)-cobalt* als luftempfindliches rotes Öl, das aus konz. Pentan-Lösungen bei −78° kristallisiert; F: ≈30°; Zers.: ≈20°.

Orangefarbenes *(η^5-Cyclopentadienyl)-(η^5-1-phenyl-1,4-dihydro-borin)-cobalt* [3. Zone] kann durch Einengen und Ausfrieren bei −78° als tieforangefarbene, luftbeständige Nadeln isoliert werden; F: 72,5°; Zers. 125°.

Die 4. Zone liefert nach Einengen und Ausfrieren bei −78° 0,34 g (51%) *(η^5-Cyclopentadienyl)-(η^6-1-phenyl-borin)-cobalt* (rotorangefarbene, luftempfindliche, verfilzte Nadeln); F: 55−56°; Zers.: 95°.

α_7) aus anionischen Übergangsmetall-π-Bis(triorganoboranen)

Die aus Bis(η^6-1-organoborin)cobalt-Verbindungen mit Alkalimetallen zugänglichen Alkalimetall-bis(η^6-1-organoborin)cobaltate lassen sich mit Alkadienen unter Abspaltung von Alkalimetall-1-organo-borinat in (η^4-Alkadien)-(η^6-1-organoborin)-cobalt-Komplexe überführen[2].

Natrium-bis(η^6-1-phenylborin)-cobaltat (vgl. S. 36) geht beim Erhitzen mit 1,5-Cyclooctadien bzw. Bicyclo[2.2.1]heptadien in *(η^4-1,5-Cyclooctadien)-* bzw. *(η^4-Bicyclo [2.2.1]heptadien)-(η^6- 1-phenylborin)-cobalt* über[2]:

[1] G. E. Herberich, C. Engelke u. W. Pahlmann, B. **112**, 607 (1979).

[2] G. E. Herberich, W. Koch u. H. Lueken, J. Organometal. Chem. **160**, 17 (1978).

Bis(η^6-1-organoborin)cobalt-π-Komplexe lassen sich mit z.B. der stöchiometrischen Menge Lithiumgrieß in THF unter Argon in Gegenwart des betreffenden Liganden herstellen[1] (vgl. S. 37).

β) (Ligand)Übergangsmetall-Triorganobor-π-Komplexe mit zwei Bor-Atomen

Die Verbindungen sind präparativ aus Triorganoboranen bzw. aus Ligand-Übergangsmetall-Diorgano-organoxy-boranen zugänglich.

β_1) *aus Triorganoboranen*

Bestimmte cyclische ungesättigte Triorganoborane mit zwei Bor-Atomen reagieren mit Ligand-Übergangsmetall-Verbindungen unter Verdrängung der Liganden (Kohlenmonoxid, Alkene) zu Ligand-Übergangsmetall-π-Triorganoboranen.

Die Reaktionen der 1,3-Diorgano-Δ^4-1,3-diborole[2] mit Carbonyl-Übergangsmetallen liefern π-Komplex-Verbindungen, deren Boran-Liganden sich von der Zusammensetzung des Edukt-Borans unterscheiden[3–6]. Aus 2-Methyl-tetraethyl-Δ^4-1,3-diborolen[2] erhält man unter H-Abstraktion am C^2- Atom mit Bis(carbonyl-η^5-cyclopentadienyl-nickel) in 64%iger Ausbeute und mit Nickelocen in ≈26%iger Ausbeute *(η^5-Cyclopentadienyl)-(η^5-2-methyl-tetraethyl-1,3-diborolenyl)-nickel*[3,4]. Mit weiterem Bis(carbonyl-η^5-cyclopentadienyl-nickel) entsteht als Nebenprodukt *μ(η^5-2-Methyl-tetraethyl-1,3-diborolenyl)-bis(η^5-cyclopentadienyl-nickel)* (20%; vgl. S. 42)[6]:

C_2H_5, H_5C_2, B, CH_3, H, B, H_5C_2, C_2H_5 + 1/2 [Ni(CO) Cp]$_2$ → (−CO, −1/2 H_2) Cp–Ni–(2-methyl-tetraethyl-1,3-diborolenyl)

Aus 4,5-Diethyl-1,3-dimethyl-1,3-diborolen ist beim Erhitzen in Mesitylen (150–160°, 2 Stdn.) mit Bis(carbonyl-cyclopentadienyl-nickel) unter Abspalten von Kohlenmonoxid in 75%iger Ausbeute *(η^5-Cyclopentadienyl)-(4,5-diethyl-1,3-dimethyl-1,3-diborolenyl)-nickel* (F: 39–41°, $Kp_{0,01}$: 56–58°) zugänglich[6].

Aus 2-Methyl-tetraethyl- Δ^3-1,3-diborolen erhält man mit (η^3-Allyl)-(η^5-cyclopentadienyl)-nickel in Mesitylen bei ≈180° in 71%iger Ausbeute rotes *(η^5-Cyclopentadienyl)-*(η^5-2-methyl-1,3,4,5-tetraethyl-1,3-diborolenyl)-nickel[7,8]:

2-Methyl-tetraethyl-1,3-diborolen + Cp–Ni–Allyl → (Mesitylen, ~180°) Cp–Ni–(2-methyl-1,3,4,5-tetraethyl-1,3-diborolenyl)

[1] G.E. Herberich, W. Koch u. H. Lueken, J. Organometal. Chem. **160**, 17 (1978).
[2] P. Binger, Ang. Ch. **80**, 288 (1968); engl.: **7**, 286.
[3] W. Siebert u. M. Bochmann, Ang. Ch. **89**, 483 (1977); engl.: **16**, 468.
[4] W. Siebert, M. Bochmann, J. Edwin, C. Krüger u. Y.-H. Tsay, Z. Naturf. **33b**, 1410 (1978).
[5] M. Bochmann, Diplomarbeit, Universität Marburg 1977.
[6] W. Siebert, J. Edwin u. M. Bochmann, Ang. Ch. **90**, 917 (1978); engl.: **17**, 868.
[7] W. Siebert u. T. Kuhlmann, Universität Heidelberg, unveröffentlicht 1983.
[8] Diplomarbeit T. Kuhlmann, Universität Heidelberg 1983.

Aus 1,3,4,5-Tetraalkyl- bzw. 1,2,3,4,5-Pentaalkyl-Δ^4-1,3-diborolen sind mit Ligand-Übergangsmetall-Verbindungen, deren Liganden sich bei $\approx 20°$ leicht verdrängen lassen, η^5-1,3-Diborolenyl-Übergangsmetall-Komplexe mit einem H-Atom am pentakoordinierten 2-C-Atom zugänglich[1]. Mit Bis(η^2-ethen)-(η^5-cyclopentadienyl)-cobalt[2] erhält man *(η^5-Cyclopentadienyl)-(η^5-2H-1,3-diborolen)-cobalt-* Verbindungen[3]:

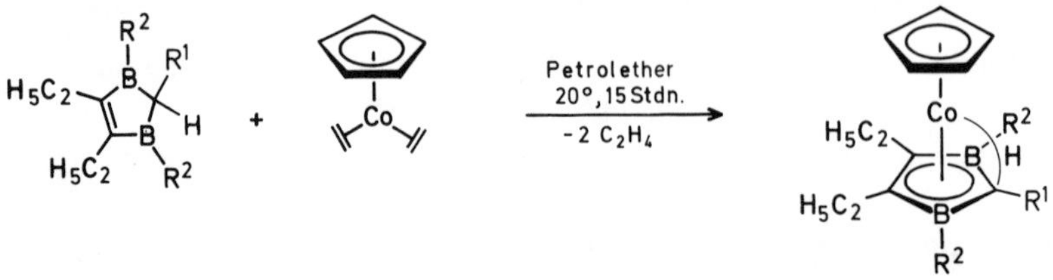

Petrolether 20°, 15 Stdn.; $-2\ C_2H_4$

(η^5-Cyclopentadienyl)-...-cobalt

$R^1 = H$; $R^2 = CH_3$; ...-*(η^5-4,5-diethyl-1,3-dimethyl-2H-1,3-diborolen)*-...; 65%; F: 62°; $Kp_{0,01}$: 70°
$R^1 = CH_3$; $R^2 = C_2H_5$; ...-*(η^5-2-methyl-1,3,4,5-tetramethyl-2H-1,3-diborolen)*-...; 48%; F: 92°

Unter H-Abstraktion reagiert 1,3,4,5-Tetraethyl-2-methyl-Δ^4-1,3-diborolen[4] auch mit Hydrido-tetracarbonyl-cobalt in allerdings bescheidener Ausbeute ($\approx 17\%$) zu *(η^5-2-Methyl-1,3,4,5-tetraethyl-1,3-diborolenyl)-tricarbonyl-cobalt*[3]:

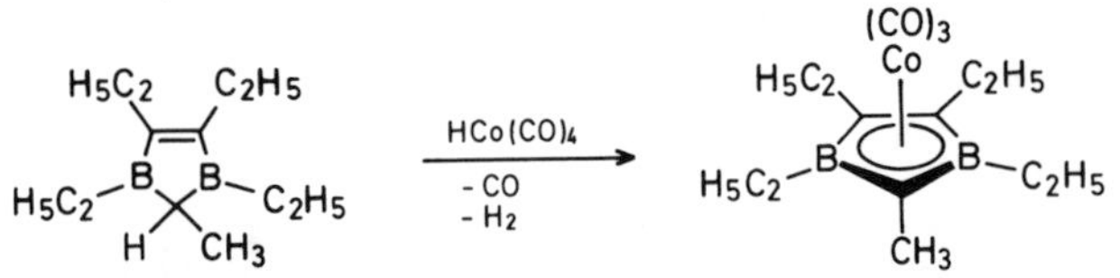

$HCo(CO)_4$; $-CO$; $-H_2$

(η^6-1,4-Diorgano-1,4-dihydro-1,4-diborin)-π-Verbindungen sind aus 1,4-Diorgano-1,4-dihydro-1,4-diborinen durch Verdrängung von Carbonyl-Liganden zugänglich.

Aus 1,4-Diferrocenyl-1,4-dihydro-1,4-diborin läßt sich mit Tetracarbonylnickel in Toluol *Dicarbonyl-(η^6-1,4-diferrocenyl-1,4-dihydro-1,4-diborin)-nickel* herstellen[5,6]:

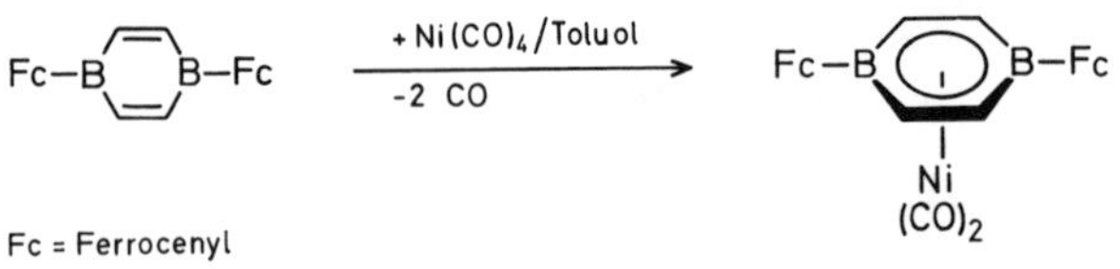

$+Ni(CO)_4$/Toluol; $-2\ CO$

Fc = Ferrocenyl

Dicarbonyl-(η^6-1,4-diferrocenyl-1,4-dihydro-1,4-diborin)-nickel[5]: 1,10 g 1,4-Diferrocenyl-1,4-dihydro-1,4-diborin werden unter Rühren in 20 *ml* Toluol suspendiert und mit 1,70 g (10 mmol) Tetracarbonylnickel in 5 *ml* Toluol versetzt. Unter Gasentwicklung schlägt die Farbe von violett nach rot um. Nach 30 Min. wird bei 10^{-2} Torr alles Flüchtige abgezogen und der Rückstand in Dichlormethan aufgenommen, auf Aluminiumoxid (mit 4% Wasser) aufgezogen und an Aluminiumoxid (4% Wasser) (Säule: 40 cm Länge, 2 cm Weite) chromatographiert. Die erste mit Pentan wandernde Zone enthält Spuren Ferrocen. Mit Pentan/Dichlormethan-Gemisch (9/1) eluiert man als 2. Zone den Komplex, der durch Einengen und Umkristallisieren aus Dichlormethan oder Toluol isoliert wird; Ausbeute: 0,70 g (42%); Zers. $>180°$.

Aus 1,4-Bis(ferrocenyl)-1,4-dihydro-1,4-diborin lassen sich mit verschiedenen Ligand-carbonyl-Übergangsmetallen [Tricarbonyl-triacetonitril-chrom und -wolfram oder (η^4-1,5-Cyclooctadien)-tetracarbonyl-molybdän und -wolfram] oder mit Carbonyl-Über-

[1] W. Siebert, J. Edwin u. H. Pritzkow, Ang. Ch. **94**, 147 (1982); engl.: **21**, 148.
[2] K. Jonas, E. Deffense u. D. Habermann, Ang. Ch. **95**, 729 (1983); Ang. Ch. Suppl. **1983**, 1005; engl.: **22**, 716.
[3] J. Edwin, M.C. Böhm, N. Chester, D.M. Hoffman, R. Hoffmann, H. Pritzkow, W. Siebert, K. Stumpf u. H. Wadepohl, Organometallics **2**, 1666 (1983).
[4] M. Bochmann, Diplomarbeit, Universität Marburg 1977.
[5] G.E. Herberich u. B. Hessner, J. Organometal. Chem. **161**, C 36 (1978).
[6] G.E. Herberich u. B. Hessner, B. **115**, 3115 (1982).

gangsmetallen [$Fe_2(CO)_9$; $Ru_3(CO)_{12}$; $Os_3(CO)_{12}$] unter CO- und Ligand-Verdrängung [η^6-1,4-Bis(ferrocenyl)-1,4-dihydro-1,4-diborin]-tricarbonyl- (bzw. tetracarbonyl)-Übergangsmetalle herstellen[1]:

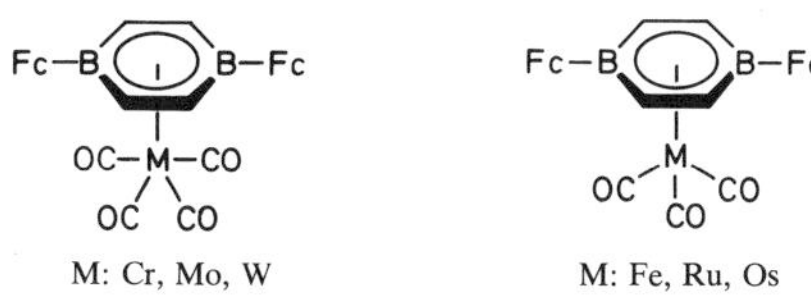

M: Cr, Mo, W M: Fe, Ru, Os

Fc = Ferrocenyl-Rest

(η^5-Cyclopentadienyl)-(η^5-2-methyl-1,3,4,5-tetraethyl-1,3-diborolenyl)-palladium (15%) und *-platin* (16%) lassen sich aus 2-Methyl-1,3,4,5-tetraethyl-1,3-diborolen mit den Übergangsmetall-dihalogeniden und Natrium-cyclopentadienid in THF herstellen[2]:

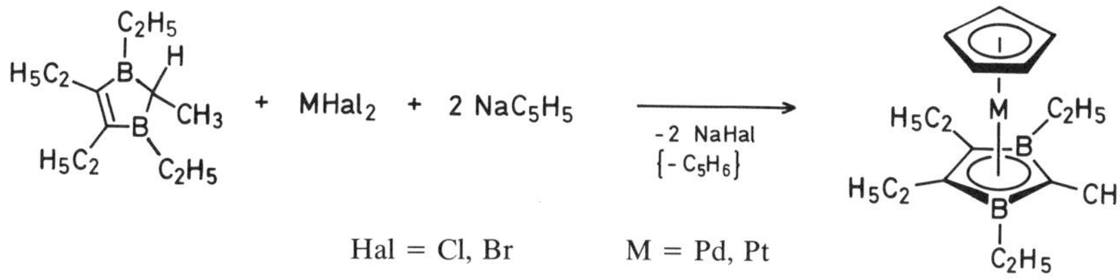

$$+ \ MHal_2 \ + \ 2\ NaC_5H_5 \xrightarrow[\{-C_5H_6\}]{-2\ NaHal}$$

Hal = Cl, Br M = Pd, Pt

β_2) aus Übergangsmetall-π-(Diorgano-oxy-boranen)

Der Substituentenaustausch bestimmter Ligand-Übergangsmetall-π-Organoborane liefert Ligand-Übergangsmetall-π-Triorganoborane. Aus (η^5-Cyclopentadienyl)-(η^6-1,4-dimethoxy-1,4-dihydro-1,4-diborin)-cobalt kann z.B. mit Methylmagnesiumjodid durch Austausch der exocyclischen Reste an den Bor-Atomen *(η^5-Cyclopentadienyl)-(η^6-1,4-dimethyl-1,4-dihydro-1,4-diborin)-cobalt* hergestellt werden[3]:

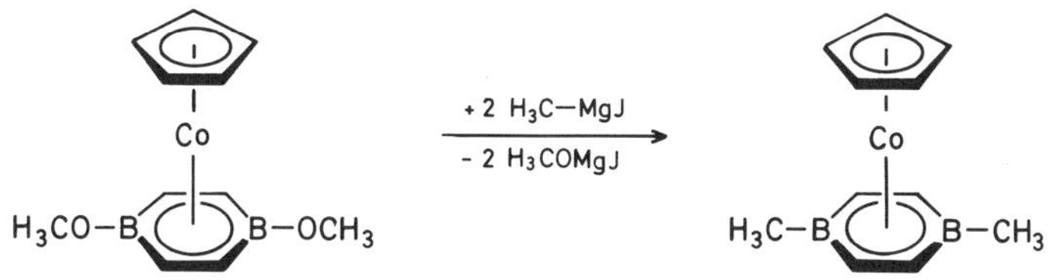

$$\xrightarrow[-2\ H_3COMgJ]{+2\ H_3C{-}MgJ}$$

2. Ionische (Ligand) Übergangsmetall-Triorganobor-π-Komplexe

Ionische Ligand-Übergangsmetall-Triorganoboran-π-Komplexe der 1-Organoborine sind bekannt. Die Verbindungen werden aus metallhaltigen Triorganoboranen, Dihalogen-organo-boranen, Ligand-Übergangsmetall-π-Triorganoboranen sowie Übergangsmetall-π-Bis(triorganoboranen) hergestellt.

α) Kationische (Ligand) Übergangsmetall-Triorganobor-π-Komplexe

α_1) aus metallhaltigen Triorganoboranen (Metall-1-organoborinaten)

Die aus Alkalimetall-1-organoborinaten zugänglichen Thallium-1-organoborinate (Bd. XIII/3a, S. 312) können zur Herstellung kationischer Übergangsmetall-1-Organoborin-π-Komplexe verwendet werden[4,5]:

---

1 G.E. Herberich u. M.M. Kucharska-Jansen, J. Organometal. Chem. **243**, 45 (1983).
2 H. Wadepohl u. W. Siebert, Z. Naturf. **39b**, 50 (1984).
3 G.E. Herberich, B. Hessner, S. Beswetherick, J.A.K. Harard u. P. Woodward, J. Organometal. Chem. **192**, 421 (1980).
4 G.E. Herberich, H.J. Becker u. C. Engelke, J. Organometal. Chem. **153**, 265 (1978).
5 G.E. Herberich, C. Engelke u. W. Pahlmann, B. **112**, 607 (1979).

1. + 1/2 {M[(H3C)5C5] Cl2}2
2. + NH4[PF6]

1. + 1/2 Ru(C6H6)Cl2
2. + NH4[PF6]

R = CH3, C6H5
M = Rh, Ir

(η^5-Pentamethylcyclopentadienyl)- (η^6- 1-phenylborin)- rhodium-hexafluorophosphat[1]**:** 1,095 g (3,0 mmol) Bis(η^6-1- phenylborin)cobalt werden mit 2,2 g (45 mmol) Natriumcyanid in 100 *ml* Acetonitril bei 60–70° zum Natrium-1-phenylborinat abgebaut (s. S. 26). Die Salzlösung wird durch eine G4-Fritte zu 2,2 g (9,2 mmol) Thalliumchlorid filtriert. Nach 2–3 stdgm. Rühren bei 20° wird 12 Stdn. auf 40–50° erwärmt. Zu dem nun vorliegenden Thallium-Salz (s. Bd. XIII/3 a, S. 313) gibt man 1,823 g (2,95 mmol) dimeres Dichloro-(η^5-pentamethyl-cyclopentadienyl)-rhodium und rührt 4 Stdn. bei 40–50°. Nach dem Abfritten (G4), Entfernen des Solvens, Aufnehmen in schwach angesäuertem Wasser und erneutem Filtrieren erhält man eine klare, hellgelbe Lösung, aus der mit Ammonium-hexafluorophosphat in wenig Wasser das Rohprodukt ausfällt. Man filtriert und kristallisiert aus Aceton/Diethylether um; Ausbeute: 2,91 g (92%); F: 240–241° (Zers.).

Auf analoge Weise erhält man

(η^5-Pentamethylcyclopentadienyl)-(η^6-1-phenylborin)-iridium-hexafluorophosphat	97%; F: 257–258,5° (Zers.)
(η^6-Benzol)-(η^6-1-phenylborin)-ruthenium-hexafluorophosphat	56%; F: 171–171,5°, Zers. >240°

α_2) *aus Dihalogen-organo-boranen*

Dibrom-organo-borane reagieren mit Bis(η^5-cyclopentadienyl)cobalt (Cobaltocen) unter Ringerweiterung eines Cyclopentadienyl-Rings zu *(η^5-Cyclopentadienyl)-(η^6-1-organoborin)-cobalt*-Salzen, die als *Hexabromostannate*[2], *Hexafluorophosphate*[1–3] oder als *Trijodide*[1] isoliert werden können:

R–BHal2 + Co (+X⁻) / −Hal⁻ → [Co ... B–R]⁺ X⁻

X = $^1/_2$[SnBr$_6$]$^{2-}$, [PF$_6$]$^-$, J$_3^-$

(η^5-Cyclopentadienyl)-...-cobalt-Salz

R = C_6H_5 (Hal = Br); ...-*(η^6-1-phenylborin)*-...[1,2]
R = $CH_2-C_6H_5$ (Hal = Br); ...-*(η^6-1-benzylborin)*-...[3]
R = 2,4,6-$(CH_3)_3-C_6H_2$ (Hal = Cl); ...-[*η^6-1-(2,4,6-trimethylphenyl)borin*]-...[3]

[1] G. E. Herberich, C. Engelke u. W. Pahlmann, B. **112**, 607 (1979).
[2] G. E. Herberich, G. Greiss u. H. F. Heil, Ang. Ch. **82**, 838 (1970); engl.: **9**, 805.
[3] K. H. Gustafsson, Acta chem. scand. [B] **32**, 765 (1978); C. A. **90**, 121778 (1979).

α_3) *aus (Ligand) Übergangsmetall-π*-Triorganoboranen

Die Oxidation von (η^5-Cyclopentadienyl)-(η^6-1-phenylborin)-cobalt mit wäßr. Eisen (III)-Salzlösungen (ohne Zusatz von Nucleophilen (!) vgl. S. 25) liefert in glatter Reaktion die relativ luftbeständigen *(η^5-Cyclopentadienyl)-(η^6-1-phenylborin)-cobalt*-Salze; z.B. nach Zugabe von gesättigter Ammonium-hexafluorophosphat-Lösung das *Hexafluorophosphat* (96%; F: 139°)[1]:

Co; B–C_6H_5; 1. $+Fe^{3+}$; H_2O; 2. $+NH_4^+$ $[PF_6]^-$; $[PF_6]^-$

α_4) aus Übergangsmetall-π-Bis(triorganoboranen)

Aus bestimmten Übergangsmetall-π-Bis(1-organoborinen) (vgl. S. 31ff.) lassen sich durch Oxidation oder mit Elektrophilen unter Deborylierung eines 1-Organoborin-Liganden kationische Ligand-Übergangsmetall-1-organoborine herstellen. Außerdem sind über Metall-1-organoborine kationische Ligand-Übergangsmetall-1-organoborin-Verbindungen zugänglich.

$\alpha\alpha_1$) mit Übergangsmetall-Salzen

Bis(η^6-1-organoborin)cobalt-Verbindungen werden elektrochemisch leicht zu Bis(η^6-organoborin)cobalt-Salzen oxidiert[2]. Diese Eigenschaft kann präparativ zur Herstellung der einfach deborylierten Ligand-cobalt-(1-organoborin)-Kationen ausgenutzt werden. So werden z.B. Bis(η^6-1-organoborin)cobalt-Komplexe oxidativ unter Ringverengung eines Borin-Liganden in (η^5-Cyclopentadienyl)-(η^6-1-organoborin)-cobalt-π-Komplexe umgewandelt[3].

Man verwendet z.B. Eisen(III)-Verbindungen in etherisch-wäßriger Lösung. Die Ringkontraktion bei der Oxidation unterbleibt, wenn Nucleophile ausgeschlossen werden. Offensichtlich bildet sich dann keine Verbindung mit abspaltbarem tetrakoordiniertem Bor-Atom:

B–R^1; Co; $+Fe^{3+}$; $Co^{\oplus}$; $+OR^{2-}$; H; $\ominus$B–R^1; OR^2

$+OR^{2-}_{\ominus}$; Co; R^1; $\ominus$B; OR^2; H; $+2\ Fe^{3+}$; $-R^1$–$B(OR^2)_2$; $-2\ Fe^{2+}$; $Co^{\oplus}$

$R^1 = C_6H_5$
$R^2 = H, CH_3$

---

[1] G.E. Herberich u. G. Greiss, B. **105**, 3413 (1972).
[2] U. Koelle, J. Organometal. Chem. **152**, 225 (1978).
[3] G.E. Herberich u. W. Pahlmann, J. Organometal. Chem. **97**, C 51 (1975).

(η⁵-Cyclopentadienyl)-(η⁶-1-phenylborin)-cobalt(III)-hexafluorophosphat[1]**:** Die Lösung von 322 mg (1,16 mmol) (η⁵-Cyclopentadienyl)-(η⁶-1-phenylborin)-cobalt(II) in 30 *ml* Diethylether wird mit 10 *ml* Wasser unterschichtet. Man gibt unter lebhaftem Rühren so lange kleine Portionen an Eisen(III)-chlorid-Hexahydrat zu, bis sich die ether. Phase entfärbt hat. Das weitere Aufarbeiten kann an Luft erfolgen. Man fällt mit ges. Ammonium-hexafluorophosphat-Lösung, filtriert ab und wäscht 2 mal mit Wasser. Die Reinigung erfolgt durch Umfällen aus einer acetonischen Lösung mit Ether. Nach dem Abfiltrieren wird i. Hochvak. getrocknet; Ausbeute: 470 mg (96%); F: 139° (Zers.).

$\alpha\alpha_2$) mit Alkalimetallcyanid/(Ligand) Übergangsmetall-halogenid

Aus Bis(η⁶-1-phenylborin)cobalt erhält man mit Natrium- oder Kaliumcyanid in Acetonitril Natrium- bzw. Kalium-1-phenylborinat, die sich in situ mit Thallium(I)-chlorid in Thallium-1-phenylborinat überführen lassen. Aus dieser Zwischenverbindung werden mit Ligand-Übergangsmetall-halogeniden nach Versetzen mit wäßr. Ammonium-hexafluorophosphat-Lösung kationische Ligand-Übergangsmetall-1-phenylborin-hexafluorophosphate gewonnen[2]:

Beispielsweise sind so zugänglich[2]:

(η⁵-Pentamethylcyclopentadienyl)-(η⁶-1-phenylborin)-rhodium-hexafluorophosphat	92%;	F: 240–241°
(η⁵-Pentamethylcyclopentadienyl)-(η⁶-1-phenylborin)-iridium-hexafluorophosphat	97%;	F: 257–258,5°
(η⁶-Benzol)-(η⁶-1-phenylborin)-ruthenium-hexafluorophosphat	56%;	F: 171–171,5°

$\alpha\alpha_3$) mit Acetylchlorid/Aluminiumtrichlorid

Aus Bis(η⁶-1-methylborin)eisen erhält man mit Acetylchlorid/Aluminiumtrichlorid in Dichlormethan bei 0° nach Hydrolyse durch Substitution eines Methylborandiyl-Substituenten durch die Ethan-1,1-diyl-Gruppe bei der Fällung mit Ammonium-hexafluorophosphat *(η⁶-1-Methylborin)-(η⁶-toluol)-eisen-hexafluorophosphat*[3]:

(η⁶-1-Methylborin)-(η⁶-toluol)-eisen-hexafluorophosphat[3]**:** Zu 0,53 g (4,0 mmol) Aluminiumchlorid und 2,92 *ml* (4,0 mmol) Acetylchlorid in 100 *ml* Dichlormethan gibt man bei 0° 0,238 g (1,0 mmol) Bis(η⁶-1-methylborin)eisen und hält 4,5 Stdn. bei dieser Temp. Nach der Hydrolyse wird das Kation mit Ammoniumhexafluorophosphat gefällt; Ausbeute: 314 mg (84%); Zers. p.: 198–200°.

---

[1] G. E. Herberich u. W. Pahlmann, J. Organometal. Chem. **97**, C 51 (1975).
[2] G. E. Herberich, C. Engelke u. W. Pahlmann, B. **112**, 607 (1979).
[3] G. E. Herberich u. K. Carsten, J. Organometal. Chem. **144**, C 1 (1978).

β) Anionische (Ligand)Übergangsmetall-Triorganobor-π-Komplexe

Die Verbindungen sind aus Triorganobor-Alkalimetall-Verbindungen (vgl. XIII/3a, S. 313ff.) mit Übergangsmetall-Verbindungen präparativ zugänglich.

Aus Natrium-1-methylborinat erhält man z.B. mit Tris[ammin]-tricarbonyl-chrom in 1,4-Dioxan beim Erhitzen unter Abspalten von Ammoniak in praktisch quantitativer Ausbeute *Natrium-(1-methylborin)-tricarbonyl-chromat* als 1,4-Dioxan-Solvat (Zers.: 175°)[1]:

$$Na^{+}[H_5C_5BCH_3]^{-} + (OC)_3Cr(NH_3)_3 \xrightarrow[-3\ NH_3]{1,4\text{-Dioxan}} [Na(C_4H_8O)_2]^{+}[H_3CBC_5H_5Cr(CO)_3]^{-}$$

3. Übergangsmetall-Bis(Triorganobor)-π-Komplexe

Neutrale, sandwichartige π-Komplexe aus Übergangsmetall und Triorganoboranen mit ein oder zwei Bor-Atomen haben im allgemeinen zwei identische Boran-Liganden (vgl. Tab. 3, S. 28). Die π-gebundenen Triorganoborane können im Komplex als neutrale, Yl- oder At-Monocyclen mit jeweils einer η^5- bzw. η^6-Bindung zum Koordinationszentrum des Übergangsmetalls auftreten (s. Tab. 3, S. 28).

Die verschiedenartigen Verbindungstypen (vgl. Tab. 3, S. 28) lassen sich aus Triorgano- und Dihalogen-organo-boranen sowie aus verschiedenen Ligand-Übergangsmetall-π-Organoboranen und aus Übergangsmetall-π-Bis(organoboranen) herstellen.

α) aus olefinischen Triorganoboranen

Bestimmte ungesättigte, monocyclische Triorganoborane reagieren mit Ligand-Übergangsmetall-Verbindungen unter Ligand-Verdrängung oder Übergangsmetallierung (Substitution) zu Übergangsmetall-Bis(Triorganobor)-π-Komplexen.

α_1) mit Carbonyl-Übergangsmetall-Verbindungen

Aus 4,4-Dimethyl-1-phenyl-1,4-dihydro-borin sowie aus 4,4-Dimethyl-1-phenyl-1,4-dihydro-1,4-silaborin erhält man mit Tetracarbonylnickel in Toluol beim Erwärmen auf ≈90° durch Carbonyl-Verdrängung Sandwich-Verbindungen[2,3]:

$$2\ C_6H_5\text{-}B(CH{=}CH)_2X \xrightarrow[-4\ CO]{+Ni(CO)_4} (\eta^5\text{-}H_5C_6\text{-}B(CH{=}CH)_2X)_2Ni$$

X = $C(CH_3)_2$; $Si(CH_3)_2$

Bis(η^5-4,4-dimethyl-1-phenyl-1,4-dihydro-borin)nickel[2]: 0,64 g (3,5 mmol) 4,4-Dimethyl-1-phenyl-1,4-dihydro-borin werden in einem Schlenkrohr unter Luft- und Feuchtigkeitsausschluß in 10 *ml* Toluol vorgelegt und bei −50° mit einer Lösung von 2,64 g (15,5 mmol) Tetracarbonylnickel in 6 *ml* Toluol versetzt. Nach Erwärmen auf 20° heizt man langsam auf 90° auf. Nach 4 Stdn. wird die tiefgelbe Lösung vom Lösungsmittel befreit und der gelbrote Rückstand an Aluminiumoxid (7% H_2O) mit Pentan chromatographiert. Das orangegelbe Eluat wird nach dem Einengen auf −78° gekühlt, der Komplex kristallisiert aus; Ausbeute 0,58 g (78%); F: 183–184° (Zers.: 270–275°).

Auf analoge Weise ist *Bis(η^5-1,1-dimethyl-4-phenyl-1,4-dihydro-1,4-silaborin)nickel* (93%; F: 195–196°) zugänglich.

---

[1] G.E. HERBERICH u. D. SÖHNEN, J. Organometal. Chem. **254**, 143 (1983).
[2] M. THÖNNESSEN, Dissertation, Technische Hochschule Aachen 1978.
[3] G.E. HERBERICH, M. THÖNNESSEN u. D. SCHMITZ, J. Organometal. Chem. **191**, 27 (1980).

Tab. 3: Übergangsmetall-Bis(Triorganobor)-π-Komplexe

Formel	Verbindungstyp		Herstellungsart	s. S.
Triorganoborane mit einem B-Atom				
R–B, M, B–R, X; X = $C(CH_3)_2$, $Si(CH_3)_2$ $-CH_2-CH_2-$	(η^5, η^5) (4e,4e)	$M^{\pi}[R\dot{B}(Ren)_2]_2$ M = Ni, Pd, Pt	aus R_3B + LM	30 27
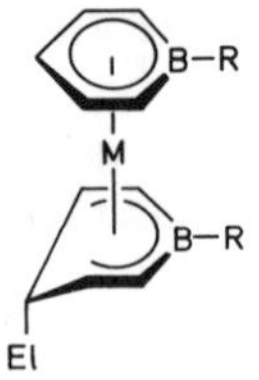 B–R, M, B–R, El	(η^6,η^5) (5e,4e)	$LM^{\pi}(R_3B)(R^1_3B)$ M = Co	aus $[M^{\pi}(R_3B)_2]^{\ominus}$ + $El^{\oplus}$	34
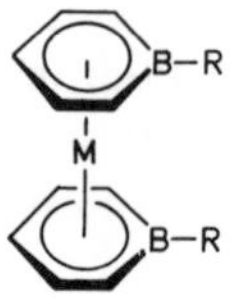 B–R, M, B–R	(η^6,η^6) (5e,5e)	$M^{\pi}[RB(Ren)_2]_2$		
		M = Fe	aus $R-B(Ren)_2$ + R^1Li + $MHal_2$	31
		M = Co	aus $R-BHal_2$ + L_2M	32
		M = Fe	aus $LM^{\pi}RB(Ren)_2$, △	32
		M = Fe		
		M = Ru, Os, Rh, Pt, Cr	aus $M^{\pi}(R_3B)_2$ + CN^-/+ $MHal_2$	33
		M = Fe, Ru, Os, Cr	aus R_3B^- + LMHal; MHal	31
		M = Fe	aus $M^{\pi}(R_3B)_2$ + LM	33
		M = Co		
		M = Fe	aus $M^{\pi}(R_2BH)_2$ + RLi	35
			aus $M^{\pi}(R^1_2B-OR^2)_2$ + RLi	35
			aus $M^{\pi}(R_3B)$/ + El^+ borfern	34
Triorganoborane mit zwei B-Atomen				
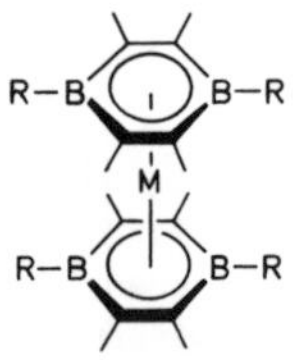 R–B, B–R, M, R–B, B–R	(η^6,η^6) (4e,4e)	$LM^{\pi}(R_3B)_2$ M = Ni	aus $M^{\pi}(R^1_2B-OR^2)_2$ + R_3Al	35
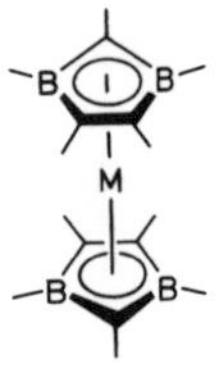 B, B, M, B, B	(η^5,η^5) (3e,3e)	$M^{\pi}(R_2B-R^1-BR_2)_2$ M = Ni, Pt	aus $R_2B-R^1-BR_2$ + M_{Hal_2}/H^-	29

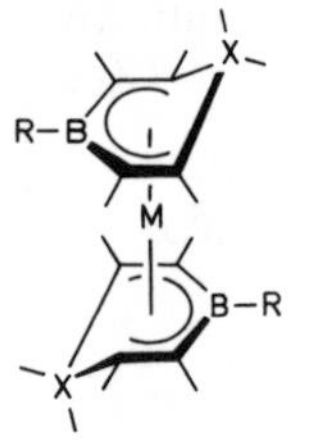

Die Abspaltung von Kohlenmonoxid läßt sich durch Belichten der Reaktionslösung bisweilen beschleunigen. Beispielsweise reagiert 1-Phenyl-4,5-dihydro-borepin mit Tetracarbonylnickel unter Bildung von *Bis(η^5-1-phenyl-4,5-dihydro-borepin)nickel*[1]:

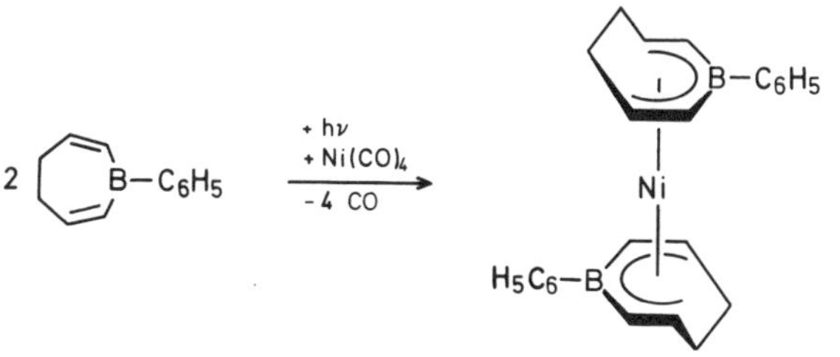

In bescheidener Ausbeute (6%) erhält man aus 2-Methyl-1,3,4,5-tetraethyl-2,3-dihydro-1,3-diborol mit Platin(II)-chlorid in 1,2-Dimethoxyethan nach Zugabe von Natrium-(hydro-triethyl-borat) (vgl. XIII/3b, S. 806) rotes *Bis(2-methyl-1,3,4,5-tetraethyl-1,3-diborolenyl)platin* (F: 119°)[2]:

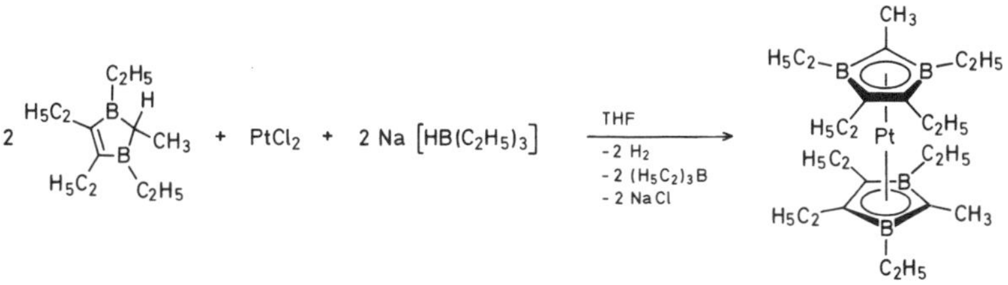

Durch Verdrängung von Kohlenmonoxid sind auch Übergangsmetall-π-Bis(triorganoborane) zugänglich. Aus 2-Methyl-1,3,4,5-tetraethyl-Δ^4-1,3-diborolen erhält man mit (η^5-Cyclopentadienyl)-carbonyl-nickel unter Abspaltung von Kohlenmonoxid und Wasserstoff u.a. tiefgrünes, paramagnetisches *μ-(η^5-2-Methyl-tetraethyl-1,3-diborolenyl)-bis(η^5-cyclopentadienyl-nickel)* (≈20%) (vgl. S. 40) neben dem Hauptprodukt (64% *(η^5-Cyclopentadienyl)-(η^5-2-methyl-tetraethyl-1,3-diborolenyl)-nickel* (vgl. S. 40)[3,4]:

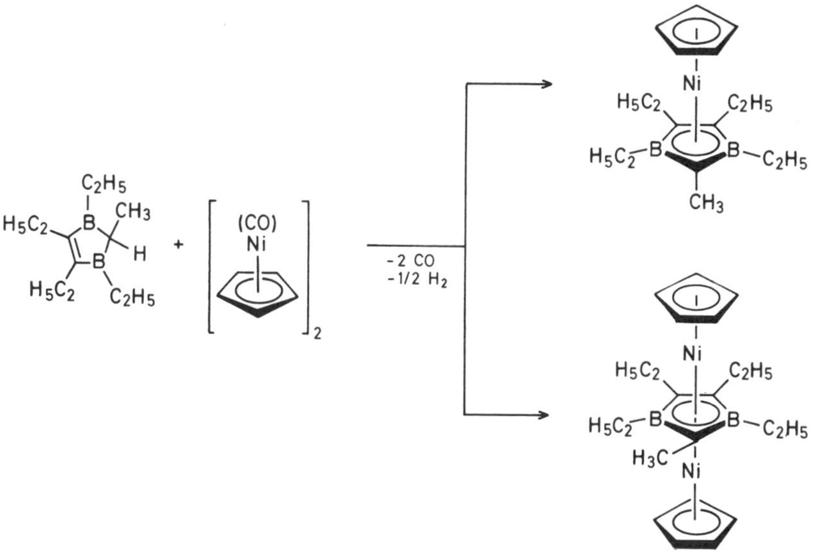

[1] G. E. Herberich, E. Bauer, J. Hengesbach, U. Kölle, G. Huttner u. H. Lorenz, B. **110**, 760 (1977).
[2] H. Wadepohl u. W. Siebert, Z. Naturf. **39b**, 50 (1984).
[3] W. Siebert u. M. Bochmann, Ang. Ch. **89**, 483 (1977); engl.: **16**, 468.
[4] W. Siebert, J. Edwin, M. Bochmann, C. Krüger u. Y.-H. Tsay, Z. Naturf. **33b**, 1410 (1978).

α_2) mit Alken-Übergangsmetall-π-Komplexen

Ungesättigte, cyclische Triorganoborane reagieren im allgemeinen glatt mit verschiedenen Alken-Übergangsmetall-Verbindungen unter Liganden-Austausch. Besonders schonend verläuft die Verdrängung von Ethen oder von 1,5,9-Cyclododecatrien. Auch 1,5-Cyclooctadien läßt sich im allgemeinen gut abspalten. Die Methode ist immer dann empfehlenswert, wenn die Alken-Übergangsmetall-Verbindungen leicht zugänglich sind. So gelingt z. B. mit Bis(η^4-cyclooctadien)nickel und -platin die Verdrängung von 1,5-Cyclooctadien aus Übergangsmetall-π-Komplexen bei Einwirken von 1-Phenyl-4,5-dihydro-borepin in Toluol[1,2]:

2 (1-Phenyl-4,5-dihydro-borepin) + Bis(cyclooctadien)M, Toluol (−78° bis +20°) → − 2 Cyclooctadien → Bis(1-phenyl-4,5-dihydro-borepin)M

M = Ni, Pt,

Bis(η^5-1-phenyl-4,5-dihydro-borepin)platin[2]: In einem Schlenkrohr werden bei −78° 0,89 g (2,17 mmol) Bis-(η^4-1,5-cyclooctadien)platin in 20 *ml* Toluol suspendiert. Anschließend pipettiert man 0,80 g (4,76 mmol) 1-Phenyl-4,5-dihydro-borepin hinzu und läßt unter Rühren langsam auf ≈20° erwärmen. Bei −40° wird die Lösung tiefgelb und klar. Nach 5 Stdn. bei 80° entfernt man das Lösungsmittel i. Vak. und chromatographiert mit Pentan/Ether (98/2) an Silicagel (mit 6% Wasser, Säule: Länge 40 cm, Weite 1 cm) bei −30°. Man eluiert nur eine gelbe Zone, aus der nach Abziehen des Lösungsmittels ein gelbes luftempfindliches Öl erhalten wird; Ausbeute: 0,93 g (81%); Zers.: 100–110°.

Mit Bis(η^4-1,5-cyclooctadien)platin wird aus 1,1-Dimethyl-4-phenyl-1,4-dihydro-1,4-silaborin *Bis(η^5-1,1-dimethyl-4-phenyl-1,4-dihydro-1,4-silaborin)platin* (93%; F: 171°; Zers.: 240–260°) und aus 4,4-Dimethyl-1-phenyl-1,4-dihydro-borin *Bis(η^5-4,4-dimethyl-1-phenyl-1,4-dihydro-borin)platin* [78%; F: 173–174° (Zers.)] erhalten[1,2].

Falls Alken-Übergangsmetall-π-Komplexe präparativ schlecht zugänglich sind, kann man zur Herstellung der Übergangsmetall-π-Bis(triorganoborane) die Triorganoborane auch mit Alken-Übergangsmetallhalogeniden umsetzen. Diese werden z. B. in Gegenwart von 1,5-Cyclooctadien reduziert.

Beispielsweise lassen sich aus 4,4-Dimethyl-1-phenyl-1,4-dihydro-borin oder -1,4-silaborin mit (η^4-1,5-Cyclooctadien)palladium(II)-chlorid nach Reduktion mit Bis(η^5-cyclopentadienyl)cobalt in Gegenwart von 1,5-Cyclooctadien Bis-(triorganoboran)-palladium-π-Komplexe herstellen[1,2]:

C_6H_5-B-heterocycle (X) + [(COD)Pd]$^{2+}$ 2 Cl^- → (+ 2 $Co(C_5H_5)_2$, ~50°; + Cyclooctadien; − 2 {[$Co(C_5H_5)_2$]$^+$ Cl^-}) → [(X-Boracyclus-B-C_6H_5)Pd(COD)] → (+ X-Boracyclus-B-C_6H_5, +50°; − Cyclooctadien) → Bis(X-Boracyclus-B-C_6H_5)Pd

X = $C(CH_3)_2$: *Bis(η^5-4,4-dimethyl-1-phenyl-1,4-dihydro-borin)palladium*; 90%; F: 138–139° (Zers.)
X = $Si(CH_3)_2$; *Bis(η^5-1,1-dimethyl-4-phenyl-1,4-dihydro-1,4-silaborin)palladium*; 77%; F: 190–200° (Zers.)

---

[1] M. Thönnessen, Dissertation, Technische Hochschule Aachen 1978.

[2] G. E. Herberich, M. Thönnessen u. D. Schmitz, J. Organometal. Chem. **191**, 27 (1980).

Auch *Bis(η⁵-1-phenyl-4,5-dihydro-borepin)palladium(0)* (71%; flüssig) ist so zugänglich[1,2].

Bis(η^5-4,4-dimethyl-1-phenyl-1,4-dihydro-borin)palladium[1,2]: In einem Schlenkrohr werden 0,49 g (1,72 mmol) (η^4-1,5-Cyclooctadien)palladium(II)-dichlorid und 0,66 g (3,63 mmol) 4,4-Dimethyl-1-phenyl-1,4-dihydro-borin in 3 *ml* 1,5-Cyclooctadien vorgelegt. Bei −50° tropft man eine Lösung von 0,68 g (3,6 mmol) Bis(η^5-cyclopentadienyl)cobalt in 50 *ml* Dichlormethan innerhalb 1 Stde. unter Rühren zu. Nach Erwärmen auf 20° wird 1 Stde. gerührt, das Lösungsmittel abgezogen und durch Toluol ersetzt. Bei 50° wird weitere 3 Stdn. umgesetzt. Man filtriert anschließend über −80° kaltes Aluminiumoxid (7% Wasser) und entfernt das Toluol i. Vak. Der Rückstand wird aus Pentan umkristallisiert; Ausbeute: 0,73 g (90%); F: 138–139°; (Zers.).

Alkalimetall- sowie Thallium-1-organoborinate (vgl. XIII/3a, S. 312, 316, 317) reagieren mit Übergangsmetallhalogeniden unter Bildung von Bis(η^6-1-organoborin)-Übergangsmetall-π-Komplexen[3−7]. Beispielsweise erhält man aus Lithium-1-organoborinaten mit Eisen(II)-chlorid Bis(η^6-1-organoborin)eisen[3,4]:

2 Li⁺ [C₅H₅B–R]⁻ —(+ FeCl₂ / − 2 LiCl)→ (R–B-Ring)₂Fe

Aus Kalium-1-organoborinaten lassen sich mit 1,5-Cyclooctadien-Übergangsmetallhalogeniden z.B. Bis(η^6-1-organoborin)-eisen, -ruthenium bzw. -osmium herstellen[5,6].

2 K⁺ [R–B-Ring]⁻ —(+ LMHal / − 2 KHal; −L)→ M²⁺ [R–B-Ring]⁻₂

R = CH_3, C_6H_5; Hal = Cl, Br

M = Fe, Ru, Os; L = 1,5-Cyclooctadien

Meist geht man jedoch von Bis(η^6-1-organoborin)cobalt aus und läßt mit Kaliumcyanid und Übergangsmetallhalogeniden reagieren (vgl. S. 33), z.B. zur Herstellung von Bis(η^6-1-organoborin)chrom-Verbindungen[8].

β) aus Dihalogen-organo-boranen

Mit Bis(η^5-cyclopentadienyl)cobalt lassen sich aus Dihalogen-organo-boranen unter Ringerweiterung beider Cyclopentadienyl-Reste Bis(η^6-organoborin)cobalt-Verbindungen herstellen. Man läßt bei −80° bis +20° 2 Mol Boran mit 5 Mol Cobaltocen in Hexan oder in Toluol reagieren. Zwischenprodukte sind die auf S. 13 besprochenen (η^5-Cyclopentadienyl)-(η^6-1-organoborin)-cobalt-Komplexe[9−13]:

---

[1] G.E. Herberich, M. Thönnessen u. D. Schmitz, J. Organometal. Chem. **191**, 27 (1980).
[2] M. Thönnessen, Dissertation, Technische Hochschule Aachen 1978.
[3] A.J. Ashe, III u. P. Shu, Am. Soc. **93**, 1804 (1971).
[4] A.J. Ashe, III, E. Meyers, P. Shu, T. v. Lehmann u. J. Bastide, Am. Soc. **97**, 6865 (1975).
[5] G.E. Herberich u. H.J. Becker, Ang. Ch. **87**, 196 (1975); engl.: **14**, 184.
[6] G.E. Herberich, H.J. Becker, K. Carsten, C. Engelke u. W. Koch, B. **109**, 2382 (1976).
[7] G.E. Herberich, W. Boveleth, B. Hessner, W. Koch, E. Raabe u. D. Schmitz, J. Organometal. Chem. **265**, 225 (1984); mit Vanadium(III)-chlorid zu der Bis(η^6-1-Organoborin)vanadium-π-Komplexen.
[8] G.E. Herberich u. W. Koch, B. **110**, 816 (1977).
[9] G.E. Herberich, G. Greiss, H.F. Heil u. J. Müller, Chem. Commun. **1971**, 1328.
[10] G.E. Herberich u. G. Greiss, B. **105**, 3413 (1972).
[11] G.E. Herberich, G. Greiss u. H.F. Heil, Ang. Ch. **82**, 838 (1970); engl.: **9**, 805.
[12] G.E. Herberich, G. Greiss u. H.F. Heil, 5. Int. Conf. Organometallic Chem. Moskau **2**, 1328 (1971).
[13] K.H. Gustafsson, Acta chem. scand. [B] **32**, 765 (1978).

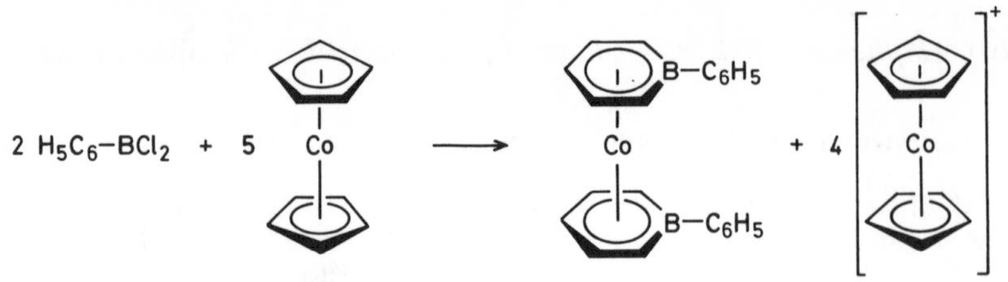

Auch Dibrom-organo-borane können verwendet werden[1,2]. Auf analoge Weise erhält man ferner *Bis[η^6-1-methyl (bzw. 1-benzyl) borin]cobalt*[1,3].

Bis(η^6-1-phenylborin)cobalt[1]: Zur Lösung von 8,06 g (42,6 mmol) Bis(η^5-cyclopentadienyl)cobalt in 350 *ml* Pentan tropft man bei 0° innerhalb 1 Stde. unter Rühren eine Lösung von 17 g (107 mmol) Dichlor-phenyl-boran in 40 *ml* Pentan. Nach weiteren 15 Min. bei ≈20° entfernt man das Pentan i. Vak. und destilliert restliches Boran i. Hochvak. ab. Der rotbraune Rückstand wird mit Eis zersetzt, dann mit je 100 *ml* Diethylether und Wasser versetzt und 30 Min. gerührt. Nach Abtrennen vom dunkelroten Niederschlag wäscht man mit 5 *ml* Wasser und 2mal mit 5 *ml* Ether nach. Man trocknet, trennt die ether. Phase ab, wäscht je 2mal mit verd. Natronlauge, verd. Salzsäure und Wasser und trocknet über Calciumchlorid. Nach Abfiltrieren wird die Lösung eingeengt, bis rote, glitzernde Blättchen ausfallen. Den Filterkuchen löst man in wenig Toluol, filtriert durch eine G3-Fritte und versetzt das Filtrat bis zur Kristallisation mit Pentan. Nach langsamem Abkühlen auf −78° beträgt die Ausbeute: 1,634 g (10,5%); F: 190–191°.

γ) aus Übergangsmetall-π-Organoboranen

γ_1) *aus (Ligand) Übergangsmetall-Triorganobor-π-Komplexen*

Bis(triorganoboran)-Übergangsmetall-π-Komplexe erhält man in geeigneten Fällen aus Ligand-Übergangsmetall-Triorganoboran-π-Komplexen beim Erhitzen unter Abspaltung von Ligand (z. B. Kohlenmonoxid, Alkene) oder/und Neubildung der Triorganoboran-Liganden.

An Eisen komplexiertes η^5-4,4-Dimethyl-1-phenyl-1,4-dihydro-borin läßt sich thermisch in η^6-1,4-Diorganoborin-Liganden überführen[4–6]; z. B.[4]:

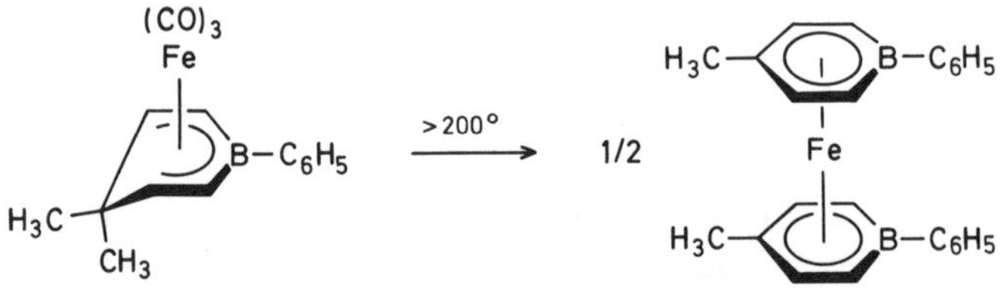

Bis(η^6-4-methyl-1-phenyl-borin)eisen

Als Nebenprodukt fällt *Bis(η^6-3,4-dimethyl-1-phenyl-borin)eisen* an.

γ_2) *aus Übergangsmetall-Bis(Triorganobor)-π-Komplexen*

Aus Übergangsmetall-π-Bis(triorganoboranen) können andere Komplexverbindungen des gleichen Typs hergestellt werden. Das Zentralatom läßt sich austauschen. Außerdem sind borferne Substitutionen am Organo-Rest möglich.

[1] G. E. HERBERICH u. G. GREISS, B. **105**, 3413 (1972).
[2] K. H. GUSTAFSSON, Acta chem. scand. [B] **32**, 765 (1978).
[3] G. E. HERBERICH, G. GREISS u. H. F. HEIL, Ang. Ch. **82**, 838 (1970); engl.: **9**, 805.
[4] G. E. HERBERICH u. E. BAUER, B. **110**, 1167 (1977).
[5] G. E. HERBERICH, G. GREISS, H. F. HEIL u. J. MÜLLER, Chem. Commun. **1971**, 1328.
[6] G. E. HERBERICH u. H. BECKER, Z. Naturf. **28b**, 828 (1973).

γγ₁) mit (Ligand)Übergangsmetall-π-Komplexen (Metall-Austausch)

Mit Metallcarbonylen oder anderen Ligand-Übergangsmetallen lassen sich Bis(η^6-1-organoborin)cobalt-Komplexe in andere Übergangsmetall-bis(1-organoborin)-Verbindungen überführen; z.B.[1-3]:

$+ Fe_2(CO)_9$

Bis(η^6-1-phenylborin)eisen[1]: Man erhitzt 220 mg (0,60 mmol) Bis(η^6-1-phenylborin)cobalt und 1,27 g (3,5 mmol) Nonacarbonyldieisen in 10 *ml* Toluol 24 Stdn. unter Rückfluß, entfernt das Lösungsmittel, erhitzt den Rückstand 1 Stde. auf 230°, spült hochsublimiertes Material mit Dichlormethan zurück und wiederholt die Thermolyse. Dann wird erneut in Dichlormethan aufgenommen, filtriert (G4) und nach Abziehen des Lösungsmittels bei 140° i. Hochvak. sublimiert. Nach Ablösen des Sublimats vom Kühlfinger mit Dichlormethan wird mit Pentan überschichtet und abgekühlt. Bei −78° kristallisieren 190 mg (87%) orangefarbene, luftbeständige Kristalle (F: 160–165°).

Das analog zugängliche *Bis(η^6-1-methylborin)eisen* (F: 71,2–71,7°) wird in 68%iger Ausbeute erhalten.

γγ₂) mit Alkalimetallcyanid und (Ligand)Übergangsmetall-halogeniden

Der Austausch des Zentralatoms der Übergangsmetall-bis(1-organoborine) ist auch über in situ gewonnene 1-Organoborinat(1-)-Salze mit Übergangsmetallhalogeniden möglich.

Man setzt i. allg. Bis(η^6-1-organoborin)cobalt-π-Komplexe mit Natrium- oder Kaliumcyanid in Acetonitril um und läßt unmittelbar mit (Ligand)-Übergangsmetall-halogeniden reagieren[4-7]:

1. $+ KCN/H_3C{-}CN\ [-Co(CN)_2]$
2. $+ MHal_2 (-2\ KCl)$

R = CH_3, C_6H_5
$MHal_2$ = $FeCl_2$[5], $[(COD)RhCl]_2$[4,6], $[(COD)RuCl_2]_x$[6], $OsCl_x$[6], $CrCl_3$[7]
(COD = 1,5-Cyclooctadien)

Bis(η^6-1-phenylborin)ruthenium[5]: Aus 200 mg (0,55 mmol) Bis(η^6-1-phenylborin)cobalt wird in Acetonitril mit Kaliumcyanid zunächst in situ Kalium-1-phenylborinat (vgl. XIII/3 a, S. 317) hergestellt. Die Lösung wird 12 Stdn. mit 151 mg (0,54 mmol) (η^4-1,5-Cyclooctadien)-ruthenium-dichlorid bei 40° behandelt sowie 1 Stde. unter Rückfluß erhitzt. Nach Entfernen des Lösungsmittels i. Vak. wird in Dichlormethan aufgenommen, über wenig Aluminiumoxid (luftfrei, mit 4% H_2O desaktiviert) filtriert und erneut vom Lösungsmittel befreit. Es werden 187 mg (85%) Rohprodukt i. Vak. (0,01 Torr/140–160°) sublimiert, dann 2mal in 1 *ml* Dichlormethan umkristallisiert und nach Überschichten mit 10 *ml* Pentan und Abkühlen auf −80° 154 mg (70%) farblose Nadeln gewonnen (F: 136–136,5°; Zers. >280°).

[1] G.E. Herberich u. H.J. Becker, Ang. Ch. **85**, 817 (1973); engl. **12**, 764.
[2] G.E. Herberich, H.J. Becker u. G. Greiss, B. **107**, 3780 (1974).
[3] G.E. Herberich u. K. Carsten, J. Organometal. Chem. **144**, C 1 (1978).
[4] G.E. Herberich u. H.J. Becker, Ang. Ch. **87**, 196 (1975); engl.: **14**, 184.
[5] A.J. Ashe, III. E. Meyers, P. Shu, T. v. Lehmann u. J. Bastide, Am. Soc. **97**, 6865 (1975).
[6] G.E. Herberich, H.J. Becker, K. Carsten, C. Engelke u. W. Koch, B. **109**, 2383 (1976).
[7] G.E. Herberich u. W. Koch, B. **110**, 816 (1977).

Analog erhält man *Bis(η⁶-1-methylborin)ruthenium* (73%; F: 64–65°; Zers. ab 280°)[1], sowie die paramagnetischen *Bis[η⁶-1-methyl*(bzw. *-phenyl)borin]chrom-*Verbindungen[2].

$\gamma\gamma_3$) mit Elektrophilen (borferne Reaktionen)

Aus Bis(η^6-1-organoborin)eisen erhält man mit Acetylchlorid/Aluminiumtrichlorid 2-Acetyl-Derivate der Eisen-Sandwich-π-Komplexe[3]:

+ $H_3C-CO-Cl$/+ $AlCl_3$, H_2CCl_2, 0° ; – $H[AlCl_4]$

R = CH_3; *(η^6-2-Acetyl-1-methyl-borin)-(η^6-1-methylborin)-eisen*; 20%
R = C_6H_5; *(η^6-2-Acetyl-1-phenyl-borin)-(η^6-1-phenylborin)-eisen*

γ_3) *aus anionischen Übergangsmetall-Bis(Triorganobor)-π-Komplexen*

Alkalimetall-bis(η^6-1-organoborin)cobaltate (vgl. S. 37) reagieren beim Erwärmen unter Abspaltung von elementarem Cobalt und Alkalimetall-1-organoborinat zu Bis(η^6-1-organoborin)cobalt[4]:

2 M^+ [...]$^-$ —Δ, – Co, – 2 {M^+[borinat]$^-$}→

Die Zersetzungsgeschwindigkeit hängt stark vom Lösungsmittel ab. THF-Lösungen sind stabiler als Acetonitril-Lösungen[4].

Mit Elektrophilen erhält man aus den Cobaltaten partiell substituierte unsymmetrische Cobalt-Sandwich-Verbindungen. Natrium-bis(η^6-1-methylborin)cobaltat liefert z.B. mit Jodbenzol in THF *(η^6-1-Methylborin)-(η^5-1-methyl-4-exo-phenyl-4-hydro-borin)-* (36%; F: 97–98°) und *(η^6-1-Methylborin)-(η^5-1-methyl-6-exo-phenyl-6-hydro-borin)-cobalt* (30%; F: 71–72°)[2]:

2 M^+ [...]$^-$ —+ 2 El–X, – 2 MX→ ... + ...

El = H, C_6H_5
R = CH_3, C_6H_5

---

[1] G.E. Herberich u. H.J. Becker, Ang. Ch. **87**, 196 (1975); engl.: **14**, 184.
[2] G.E. Herberich u. W. Koch, B. **110**, 816 (1977).
[3] A.J. Ashe, III., E. Meyers, P. Shu, T. Lehmann u. J. Bastide, Am. Soc. **97**, 6865 (1975).
[4] G.E. Herberich, W. Koch u. H. Lueken, J. Organometal. Chem. **160**, 17 (1978).

γ_4) *aus Übergangsmetall-π-Bis(diorgano-element-boranen)*

Die Herstellung der sandwichartigen Übergangsmetall-π-bis(triorganoborane) gelingt aus anderen Sandwich-Verbindungen mit metallorganischen Verbindungen durch Substitution an den Bor-Atomen.

Aus Übergangmetall-bis(η^6-1-hydroborinen) erhält man unter Hydrido-/Alkyl-Austausch mit lithiumorganischen Verbindungen ohne Veränderung der Umgebung des Übergangsmetalls eine Sandwich-Verbindung mit Triorganoboran-Substituenten[1]:

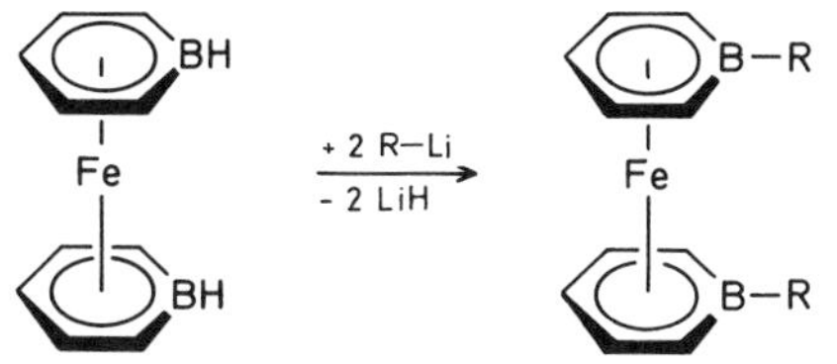

Auch die Substitution von Alkoxy-Resten am Bor-Atom von Bis(η^6-1-alkoxyborin)-Übergangsmetallen mit metallorganischen Verbindungen liefert die entsprechenden Bis(η^6-1-organoborin)-Komplexe; z.B.[1]:

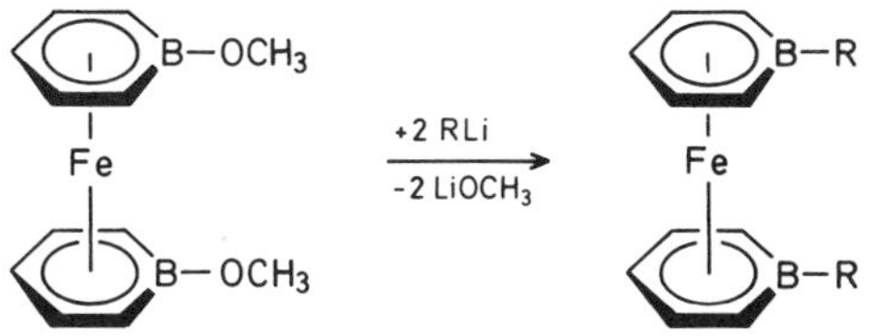

Aus (η^5-Divinyl-methoxy-boran)-(η^5-pentamethylcyclopentadienyl)-rhodium (vgl. S. 53) lassen sich mit Organomagnesiumhalogeniden in Diethylether die entsprechenden (η^5-Divinyl-organo-boran)-(η^5-pentamethylcyclopentadienyl)-rhodium-Verbindungen herstellen[2]:

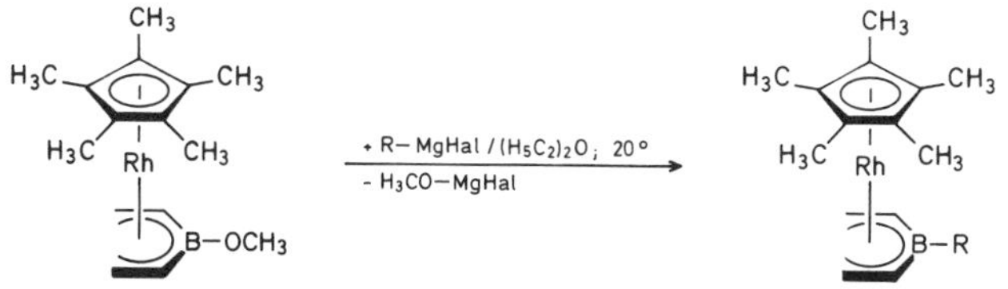

...-(η^5-pentamethylcyclopentadienyl)rhodium

Hal = Br; R = C_6H_5; *(η^5-Divinyl-phenyl-boran)-...*; 17%; F: 152°

Hal = J; R = CH_3; *(η^5-Divinyl-methyl-boran)-...*; 28%; F: 77–88°

Der Methoxy/Methyl-Austausch ist auch an beiden Bor-Atomen von 1,4-Dihydro-1,4-diborin-Liganden möglich; z.B.[3]:

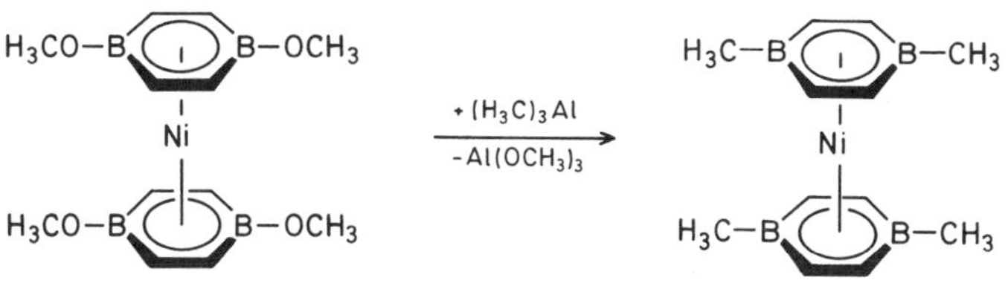

Bis(η^6-1,4-dimethyl-1,4-dihydro-1,4-diborin)nickel

---

[1] H.F. Sandford, Dissertation Abstr. B **40**, 2198 (1979); C.A. **92**, 94546 (1980).

[2] G.E. Herberich u. G. Pampaloni, J. Organometal. Chem. **240**, 121 (1983).

[3] G.E. Herberich u. B. Hessner, J. Organometal. Chem. **161**, C 36 (1978).

4. Ionische Übergangsmetall-Bis(Triorganobor)-π-Komplexe

Außer den neutralen Sandwich-Verbindungen der Übergangsmetalle mit zwei gleichen oder verschiedenen π-gebundenen Triorganoboran-Liganden gibt es auch kationische sowie anionische Komplexverbindungen der gleichen Zusammensetzung. Die Herstellung der Salze erfolgt i. allg. aus den neutralen Übergangsmetall-π-bis(triorganoborin)-Komplexen.

α) Kationische Übergangsmetall-Bis(Triorganobor)-π-Komplexe

Durch Oxidation sind aus Übergangsmetall-Bis(triorganobor)-π-Komplexen kationische Übergangsmetall-Bis(triorganobor)-π-Komplexe zugänglich.

Die Herstellung kationischer Übergangsmetall-Bis(1-organoborin)-Salze gelingt aus Bis(η^6-1-organoborin)cobalt durch Oxidation mit Jod in strikt wasserfreiem Toluol, Tetrahydrofuran oder Acetonitril. Man erhält die Trijodide[1,2]:

$B-C_6H_5$ / Co / $B-C_6H_5$ —($+J_2$, Toluol, 20°)→ $[\ldots]^+$ $J^-_{x\sim3}$

Bis(η^6-*1*-phenylborin)cobalt-trijodid[1]: Zu 500 mg (1,37 mmol) Bis(η^6-1-phenylborin)cobalt in 50 *ml* Toluol gibt man unter Rühren 518 mg (2,04 mmol) Jod in 80 *ml* Toluol. Von den grünlich schillernden Plättchen wird abdestilliert. Nach 2maligem Waschen mit jeweils 10 *ml* Ether wird aus Aceton/Ether umkristallisiert; Ausbeute: 858 mg (≈84%); Zers.-p.: 188°.

Aus Bis(η^6-1-organoborin)cobalt lassen sich mit kationischen Ligand-Übergangsmetall-Verbindungen unter Ladungsaustausch Bis(η^6-1-organoborin)cobalt-Salze herstellen. Mit Bis(η^5-cyclopentadienyl)eisen-hexafluorophosphat erhält man aus Bis(η^6-1-phenylborin)cobalt in Dichlormethan das entsprechende Cobalt-Salz[1]:

$B-C_6H_5$ / Co / $B-C_6H_5$ + [Fe-Komplex]$^+$ $[PF_6]^-$ —(H_2CCl_2, 20°; - Ferrocen)→ $[\ldots Co \ldots]^+$ $[PF_6]^-$

Bis(η^6-1-phenylborin)cobalt-hexafluorophosphat[1]: 500 mg (1,37 mmol) Bis(η^6-1-phenylborin)cobalt in 40 *ml* Dichlormethan werden bei 20° mit 450 mg (1,36 mmol) Bis(η^5-cyclopentadienyl)eisen-hexafluorophosphat versetzt. Nach Filtrieren wird der Komplex mit Diethylether ausgefällt; Ausbeute: 639 mg (≈92%); F: 171° (Zers.: ~180°) (rotorange Kristalle).

β) Anionische Übergangsmetall-Bis(Triorganobor)-π-Komplexe

Die Herstellung anionischer Sandwich-π-Komplexe erfolgt aus Bis(η^6-1-organoborin)cobalt mit Alkalimetall in Tetrahydrofuran oder in Acetonitril.

---

[1] G. E. Herberich, C. Engelke u. W. Pahlmann, B. **112**, 607 (1979).
[2] G. E. Herberich u. W. Pahlmann, J. Organometal. Chem. **97**, C 51 (1975).

Aus Bis(η^6-1-phenylborin)cobalt läßt sich z. B. mit 2%igem Natriumamalgam in THF bei 20° (0,3 Stdn.) nach Zugabe von Tetraphenylphosphoniumbromid-Lösung in Dichlormethan in 67%iger Ausbeute *Tetraphenylphosphonium-bis(η^6-1-phenylborin)-cobaltat* (F: 158–159°) gewinnen[1]:

$$(B-C_6H_5)Co(B-C_6H_5) \xrightarrow[-NaBr]{1.\ +Na/Hg/THF;\ 2.\ +[(H_5C_6)_4P]^+Br^-} [(H_5C_6)_4P]^+ [(B-C_6H_5)Co(B-C_6H_5)]^-$$

Die Anionen bilden sich auch bei der elektrochemischen Reduktion; z.B. *Bis(η^6-1-phenylborin)ferrat* aus Bis(η^6-1-phenylborin)eisen in Tetrahydrofuran[2].

5. Bis(Ligand-Übergangsmetall)-μ-Triorganobor-π-Komplexe

Zu den Bis(Ligand-Übergangsmetall)-μ-Triorganobor-π-Komplexen gehören sämtliche neutralen und ionischen π-Komplexe, die mindestens einen Triorganobor-Brückenliganden (als μ-Triorganoboran) zwischen zwei Metallatomen enthalten. Die Herstellungsmethoden der in nichtionische und salzartige Komplexe unterteilten Stoffklasse werden nach steigender Zahl der Triorganobor-Brückenliganden besprochen. Bisher gibt es π-Komplexe mit einem, zwei und drei μ-Triorganobor-Liganden.

Als μ-Triorganobor-Verbindungen eignen sich 1-Organoborole, 1-Organo-Δ^4-1,3-diborolene und Organo-1,4-dihydro-1,4-diborine.

Die Herstellung der verschiedenartigen Übergangsmetall-μ-Triorganobor-π-Komplexe erfolgt im wesentlichen aus olefinischen Triorganoboranen mit Ligand-Übergangsmetall-Verbindungen oder aus Ligand-Übergangsmetall-Triorganobor-π-Komplexen mit Übergangsmetall-Verbindungen bzw. aus anionischen (Ligand-Übergangsmetall)-Triorganobor-π-Komplexen (vgl. Tab. 4, S. 38).

α) Nichtionische Bis(Ligand-Übergangsmetall)-μ-Triorganobor-π-Komplexe

Neutrale (Ligand-Übergangsmetall)-μ-Triorganobor-π-Komplexe sind bekannt, die bis zu drei Triorganobor-Brückenliganden enthalten. Die Verbindungen haben Tripeldecker-, Tetradecker- sowie weitere Oligodecker-Sandwich-Strukturen.

α_1) *mit einem Triorganobor-Brückenliganden*

$\alpha\alpha_1$) aus olefinischen Triorganoboranen mit einem Bor-Atom

Edukte sind olefinische, ein oder zwei Bor-Atome enthaltende cyclische Triorganoborane, die mit Carbonyl-Übergangsmetallen oder mit Carbonyl-Ligand-Übergangsmetallen umgesetzt werden. Die μ-Triorganoborane werden bei den Reaktionen vielfach erst gebildet. Aus 1-Organo-4,5-dihydro-borepinen entstehen z. B. unter Ringverengung μ-1,2-Diorganoborole. Aus 1-Organo-2,5-dihydro-borolen oder aus Organo-Δ^4-1,3-diborolen bilden sich unter H-Abspaltung die μ-Organobor-Liganden.

---

[1] G.E. HERBERICH, W. KOCH u. H. LUEKEN, J. Organometal. Chem. **160**, 17 (1978).
[2] U. KOELLE, J. Organometal. Chem. **157**, 327 (1978).

Tab. 4: Bis(Ligand-Übergangsmetall)-μ-Triorganobor-π-Komplexe

Formel	Verbindungstyp	Herstellungsart	S. S.
	$(LM)_2\overset{\pi}{=}R_3B$ M = Mn, Fe	aus R–B(Ren)$_2$+LM aus RB⌒R$_{en}$ +LM	38, 39
	$(LM)_2\overset{\pi}{=}R_3B$ M, M^1 = Fe + Co M = M^1 = Co, Ni, Mn M = Ni M, M^1 = Ni, Co M, M^1 = Mn, Co, Mn, Fe	aus R_2B–R^1-BR_2+LM +LM' aus LM$\overset{\pi}{=}R_2$–B-R^1-BR_2+LM +LM' aus $(LM)_2\overset{\pi}{=}R_2B$-$R^1$-$BR_2$+LM'	39 40 f. 42 44
	$(LM)_2\overset{\pi}{=}R_3B$ M = Rh	aus LM$\overset{\pi}{=}R_3^1$M + LM-Hal	49

Aus 1-Phenyl-2,5-dihydroborol ist in Mesitylen bei 155–160° mit Decacarbonyldimangan nach drei Tagen in 15%iger Ausbeute *Bis(tricarbonylmangan)-μ-(1-phenylborol)* zugänglich[1]:

1-Phenyl-4,5-dihydro-borepin reagiert mit Metallcarbonylen bei relativ drastischen Bedingungen unter Ringkontraktion des Borepin-Derivats zu 1,2-disubstituierten Borol-Komplexen. Außer den „einfachen" Borol-Metallkomplexen ist auch *μ-[η^5-(2-Ethyl-1-phenyl-borol)]-bis(tricarbonylmangan)* z.B. in Mesitylen zugänglich[2,3]:

μ-[η^5- (2-Ethyl-1-phenyl-borol)]-bis(tricarbonylmangan)[3]: 1 g (5,95 mmol) 1-Phenyl-4,5-dihydro-borepin und 2,32 g (5,95 mmol) Decacarbonyldimangan werden in 20 *ml* Mesitylen 70 Stdn. unter Rückfluß zum Sieden erhitzt. Die chromatographische Aufarbeitung des Gemischs in Pentan an Kieselgelen erbringt nach 0,45 g (20%) Decacarbonyldimangan (1. Zone), 1,25 g (47%) braun-rote Nadeln (2. Zone) (F: 119–120°).

Zur Herstellung von Bis(Ligand-Übergangsmetall)-μ-Triorganoboranen aus potentiellen μ-Triorganoboranen mit einem Bor-Atom sind auch Carbonyl-cyclopentadienyl-Übergangsmetalle (M = Eisen, Cobalt, Nickel) geeignet[4].

[1] G. E. Herberich, B. Hessner, W. Boveleth, H. Lüthe, R. Saive u. L. Zelenka, Ang. Ch. **95**, 1024 (1983); engl.: **22**, 996; Ang. Ch. Suppl. **1983**, 1503.

[2] G. E. Herberich, J. Hengesbach, U. Kölle u. W. Oschmann, Ang. Ch. **89**, 43 (1977); engl.: **16**, 42.

[3] G. E. Herberich, J. Hengesbach, U. Kölle, G. Huttner u. A. Frank, Ang. Ch. **88**, 450 (1976); engl.: **15**, 433.

[4] G. E. Herberich, J. Hengesbach, G. Huttner, A. Frank u. U. Schubert, J. Organometal. Chem. **246**, 141 (1983).

Mit dimerem (η^5-Cyclopentadienyl)-dicarbonyl-eisen ist aus 1-Phenyl-4,5-dihydro-borepin *μ-[η^5-(2-Ethyl-1-phenyl-borol)]-bis(η^5-cyclopentadienyleisen)* zugänglich[1]:

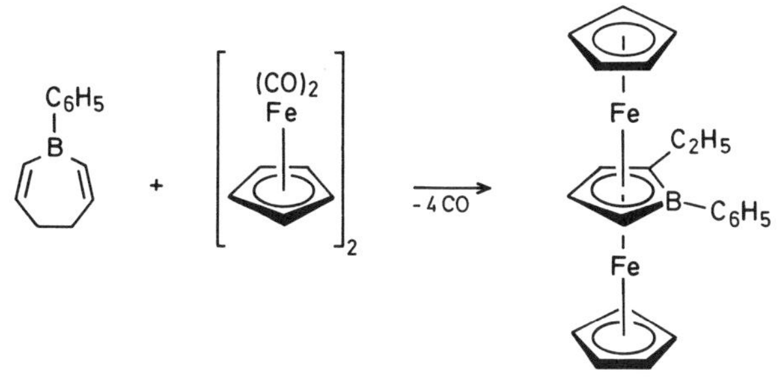

Der Tripeldecker-Komplex aus zwei Rhodium-Atomen und drei 1-Phenylborol-Liganden läßt sich aus 1-Phenyl-2,5-dihydro-borol mit dimerem Bis(ethen)-rhodiumchlorid in Tetrahydrofuran bei 20° (16 Stdn.) und 65° (4 Stdn.) in ≈90%iger Ausbeute herstellen[2]:

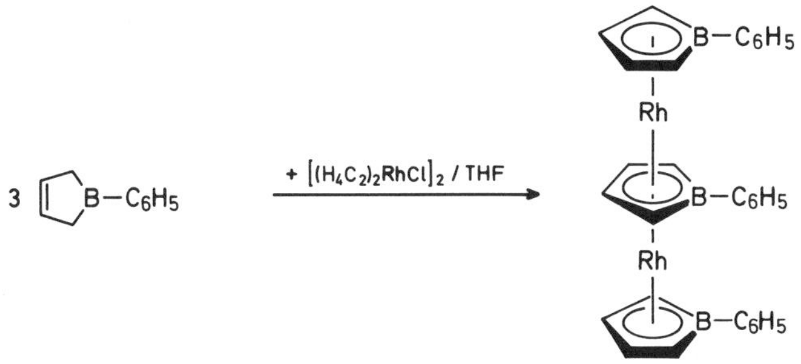

$\alpha\alpha_2$) aus olefinischen Triorganoboranen mit zwei Bor-Atomen

Oft verwendet wird 2-Methyl-tetraethyl-2,3-dihydro-1,3-diborol[3], das mit verschiedenen Carbonyl-cyclopentadienyl-Übergangsmetallen sog. Tripeldecker-π-Komplexe liefert[4].

Ausgehend von 2-Methyl-1,3,4,5-tetraethyl-2,3-dihydro-1,3-diborol erhält man mit Decacarbonyldimangan und Nonadicarbonyldieisen *μ-(η^5-2-Methyl-tetraethyl-1,3-diborolenyl)-(tricarbonyleisen)-(tricarbonylmangan)*[4,5]:

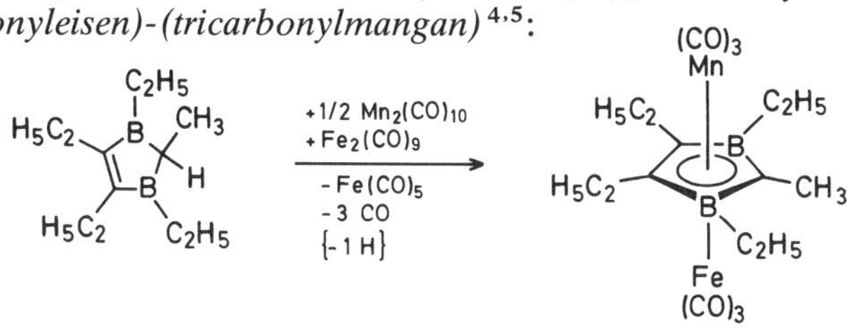

Durch die Methode sind Bis(Ligand-Übergangsmetall)-μ-Triorganoborane mit gleichen und verschiedenen Übergangsmetallen zugänglich. Aus 2-Methyl-1,3,4,5-tetraethyl-2,3- dihydro-1,3-diborol[3] läßt sich mit dimerem Carbonyl-(η^5-cyclopentadienyl)-nickel in Mesitylen bei 140–150° in sehr hoher Ausbeute (96%) tiefgrünes *μ-(η^5-2-Me-*

[1] G. E. Herberich, J. Hengesbach, G. Huttner, A. Frank u. U. Schubert, J. Organometal. Chem. **246**, 141 (1983).

[2] G. E. Herberich, B. Hessner, W. Boveleth, H. Lüthe, R. Saive u. L. Zelenka, Ang. Ch. **95**, 1024 (1983); engl.: **22**, 996; Ang. Ch. Suppl. **1983**, 1503.

[3] P. Binger, Ang. Ch. **80**, 288 (1968); engl.: **7**, 286.

[4] W. Siebert, Adv. Organometallic Chem. **18**, 332 (1980).

[5] H. Leichthammer, Diplomarbeit, Universität Marburg 1980.

thyl-tetraethyl-1,3-diborolenyl)-bis(η^5-cyclopentadienylnickel) (F: >200°) als 33 Valenzelektronen-π-Komplex herstellen[1–5]:

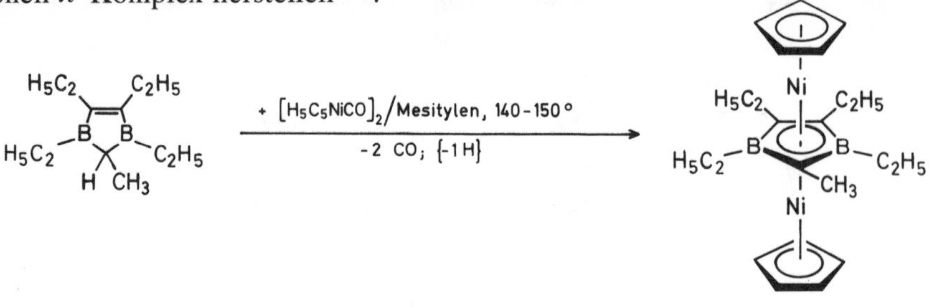

+ $[H_5C_5NiCO]_2$/Mesitylen, 140-150 °; −2 CO; {−1 H}

4,5-Diethyl-1,3-dimethyl-2,3-dihydro-1,3-diborol reagiert beim Erhitzen in siedendem Mesitylen mit Bis(carbonyl-η^5-cyclopentadienyl-nickel) unter Kohlenmonoxid-Abspaltung in 54%iger Ausbeute zum *μ-(4,5-Diethyl-1,3-dimethyl-1,3-diborolenyl)-bis(η^5-cyclopentadienylnickel)* (F: 185°)[5]:

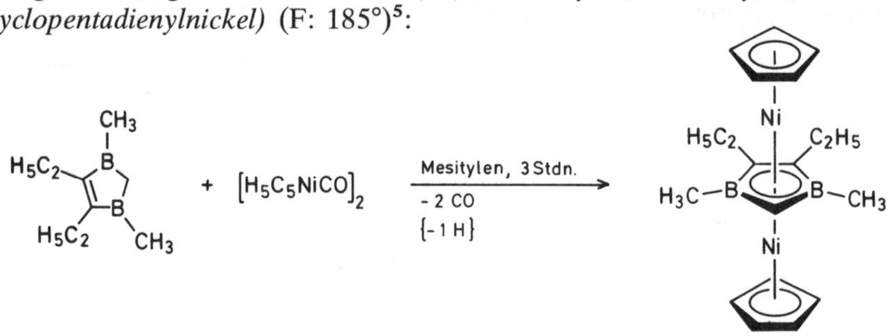

+ $[H_5C_5NiCO]_2$; Mesitylen, 3 Stdn.; −2 CO; {−1 H}

Der Tripeldecker-π-Komplex *μ-(2-Methyl-tetraethyl-1,3-diborolenyl)-bis(η^5-cyclopentadienylnickel)* (22%) ist auch aus 2-Methyl-1,3,4,5-tetraethyl-2,3-dihydro-1,3-diborol mit (η^3-Allyl)-(η^5-cyclopentadienyl)-nickel zugänglich[6]:

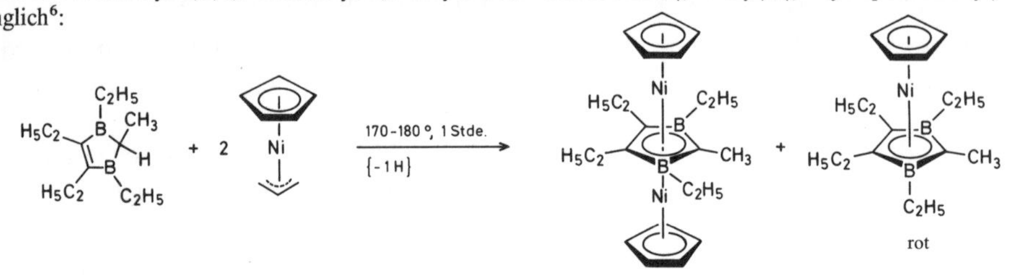

+ 2; 170-180 °, 1 Stde.; {−1 H}; + ; rot

Die luftbeständigen Tripeldecker-π-Komplexe mit 31 bis 33 Valenzelektronen sind paramagnetisch.

Mit (η^5-Cyclopentadienyl)-dicarbonyl-cobalt wird in bescheidener Ausbeute (≈15%) der gelbgrüne 31e-Komplex *μ-(η^5-2-Methyl-tetraethyl-1,3-diborolenyl)-bis(η^5-cyclopentadienylcobalt)* gewonnen[1,7]:

---

[1] W. SIEBERT, J. EDWIN u. M. BOCHMANN, Ang. Ch. **90**, 917 (1978); engl.: **17**, 868.
[2] W. SIEBERT u. M. BOCHMANN, Ang. Ch. **89**, 483 (1977); engl.: 468.
[3] M. BOCHMANN, Diplomarbeit, Universität Marburg 1977.
[4] W. SIEBERT, M. BOCHMANN u. J. EDWIN, Z. Naturf. **33b**, 1410 (1978).
[5] J. EDWIN, M. BOCHMANN, M. C. BÖHM, D. E. BRENNAN, W. E. GEIGER, C. KRÜGER, J. PEBLER, H. PRITZKOW, W. SIEBERT, W. SWIRIDOFF, H. WADEPOHL, J. WEISS u. U. ZENNECK, Am. Soc. **105**, 2582 (1983).
[6] T. KUHLMANN u. W. SIEBERT, Z. Naturf. **39b**, 1046 (1984); vgl. Diplomarbeit T. KUHLMANN, Universität Heidelberg 1983.
[7] J. EDWIN, Dissertation, Universität Marburg 1979.

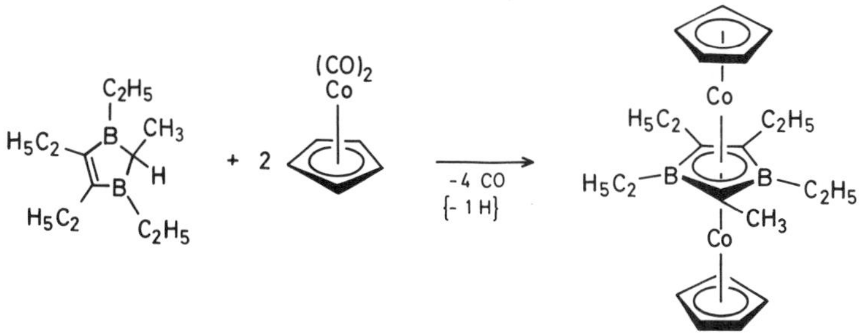

Grünes *μ-(η⁵-2-Methyl-tetraethyl-1,3-diborolenyl)-(η⁵-cyclopentadienyl-eisen)-(η⁵-cyclopentadienyl-cobalt)* läßt sich als 30e-Tripeldecker-π-Komplex in ~10%iger Ausbeute aus 2-Methyl-1,3,4,5-tetraethyl-Δ^4-1,3-diborolen[1] beim gleichzeitigen Einwirken von (η^5-Cyclopentadienyl)-dicarbonyl-cobalt und dimerem (η^5-Cyclopentadienyl)-dicarbonyl-eisen durch Erhitzen auf 180–200° gewinnen[2,3]:

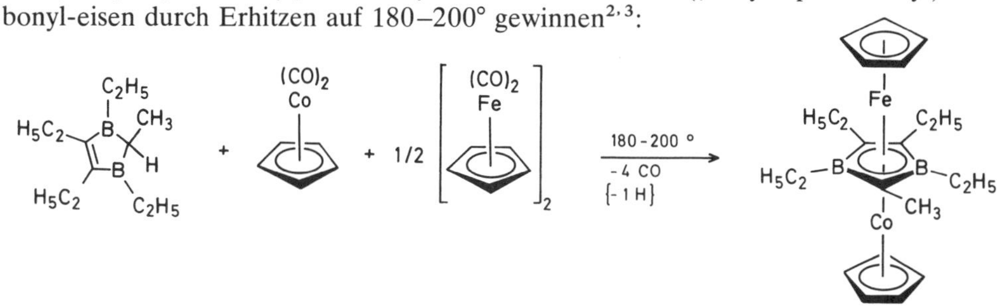

μ-(η^5-2-Methyl-1,3,4,5-tetraethyl-1,3-diborolenyl)-(η^5-cyclopentadienyleisen)-(η^5-cyclopentadienyl-cobalt)[1]: 0,58 g (3,05 mmol)2-Methyl-1,3,4,5-tetraethyl-Δ^4-1,3-diborolen, 0,56 g (3,11 mmol) (η^5-Cyclopentadienyl)-dicarbonyl-cobalt und 0,71 g (2,01 mmol) dimeres (η^5-Cyclopentadienyl)-dicarbonyl-eisen werden unter Stickstoff mit 1 *ml* Bis(2-ethoxyethyl)ether 6 Stdn. auf 180–200° erhitzt. Nach Abziehen des Lösungsmittels wird der Rückstand in Hexan aufgenommen und über eine G3-Fritte filtriert. Man chromatographiert die Lösung über trockenes Silicagel (Woelm 100–200), entfernt das Hexan i. Vak. und sublimiert entstandenes Ferrocen i. Vak. ab. Der tiefgrüne Komplex wird aus Diethylether/Acetonitril (1:4) bei –25° umkristallisiert; Ausbeute: 0,125 g (9,5%); Subl.p.: 120°.

Besonders leicht erfolgt die Verdrängung von Ethen aus Ligand-Übergangsmetall-Komplexen[4,5]. Man erhält aus 4,5-Diethyl-1,3-dimethyl-Δ^4-1,3-diborolen mit Bis-(ethen)-cyclopentadienyl-cobalt[6] *μ-(η⁵-4,5-Diethyl-1,3-dimethyl-1,3-diborolenyl)-bis-(η⁵-cyclopentadienylcobalt)*[4] (54%):

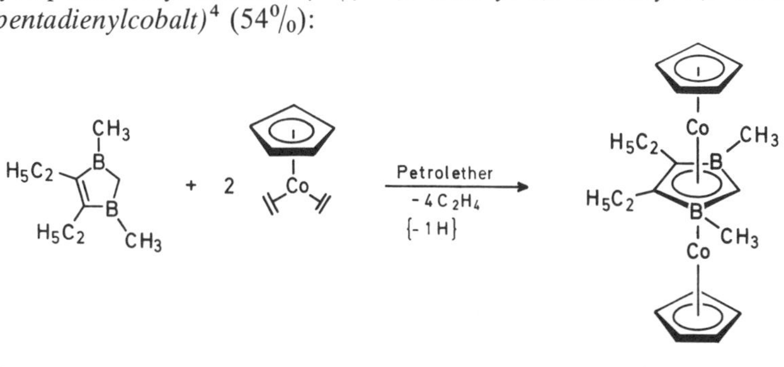

[1] P. Binger, Ang. Ch. **80**, 288 (1968); engl.: **7**, 286.
[2] W. Siebert u. M. Bochmann, Ang. Ch. **89**, 895 (1977); engl.: **17**, 857.
[3] W. Siebert, Adv. Organometallic Chem. **18**, 330 (1980).
[4] W. Siebert, J. Edwin u. H. Pritzkow, Ang. Ch. **94**, 147 (1982); engl.: **21**, 148.
[5] U. Zenneck, D. Büchner, L. Suber u. W. Siebert, 29. IUPAC-Kongreß, Köln Juni 1983, Abstr. of Papers, S. 81.
[6] K. Jonas, E. Deffense u. D. Habermann, Ang. Ch. **95**, 729 (1983); Ang. Ch. Suppl. **1983**, 1005; engl.: **22**, 716.

2-Methyl-1,3,4,5-tetraethyl-2H-1,3-diborolen reagiert mit (η^6-Aren)-bis(η^2-ethen)-eisen unter Bildung von *(η^6-Aren)-(1,3,4,5-η^4-2-methyl-1,3,4,5-tetraethyl-2H-1,3-diborolen)-eisen* mit 5fach koordiniertem C-Atom[1]:

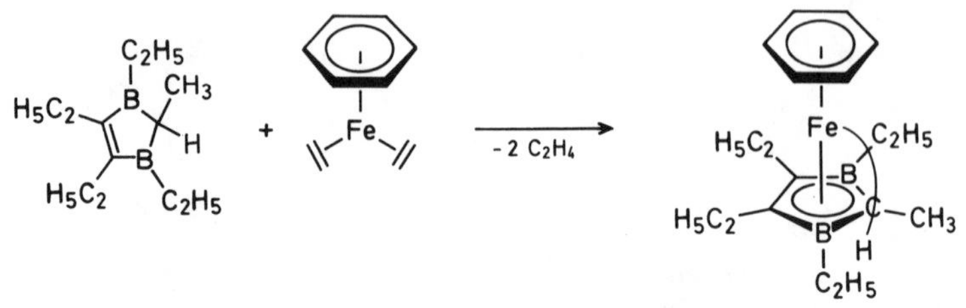

$\alpha\alpha_3$) aus (Ligand-Übergangsmetall)-Triorganobor-π-Komplexen

Zum Aufbau von Tripeldecker-Sandwich-Komplexen mit drei Ligand- und zwei Metall-Etagen sind Ligand-Übergangsmetall-π-Triorganoborane geeignet. Komplex-Verbindungen mit gleichen und verschiedenen Metallen sind gleichermaßen zugänglich.

Aus dem diamagnetischen (η^5-Cyclopentadienyl)-(η^5-2-methyl-tetraethyl-1,3-diborolenyl)-nickel (vgl. S. 21) erhält man mit dem dimeren Carbonyl-(η^5-cyclopentadienyl)-nickel in Mesitylen bei 150° das paramagnetische 33 Valenzelektronen-haltige *μ-(η^5-2-Methyl-tetraethyl-1,3-diborolenyl)-bis(η^5-cyclopentadienylnickel) (F: >200°)* nahezu quantitativ[2-4]:

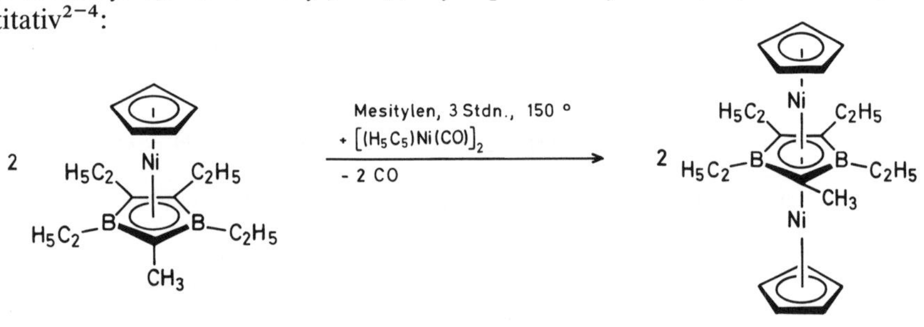

Mesitylen, 3 Stdn., 150 °; + $[(H_5C_5)Ni(CO)]_2$; - 2 CO

μ-(η^5-2-Methyl-1,3,4,5-tetraethyl-1,3-diborolenyl)-bis-(η^5-cyclopentadienylnickel)[2]: 0,3 g (0,96 mmol) (η^5-Cyclopentadienyl)-(η^5-2-methyl-tetraethyl-1,3-diborolenyl)-nickel und 0,16 g (0,53 mmol) dimeres Carbonyl-(η^5-cyclopentadienyl)-nickel werden in 5 *ml* Mesitylen 3 Stdn. auf 140–150° erhitzt. Nach Entfernen des Lösungsmittels i. Vak. wird der luftstabile Komplex bei 120–130°/0,01 Torr sublimiert; Ausbeute: 0,40 g (94%).

Durch Aufstocken des Nickel-Sandwichs mit Dicarbonyl-cyclopentadienyl-cobalt ist blaugrünes *μ-(η^5-2-Methyl-tetraethyl-1,3-diborolenyl)-(η^5-cyclopentadienylcobalt)-(η^5-cyclopentadienylnickel)* (F: >200°; Subl. $p_{0,01}$: 120–130°) in 88%iger Ausbeute zugänglich[2-4]:

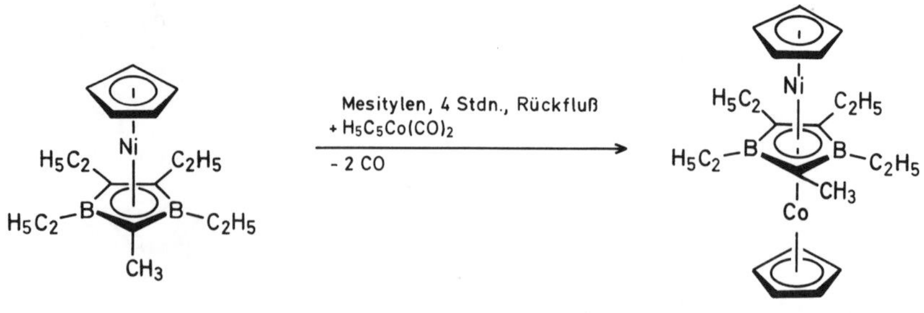

Mesitylen, 4 Stdn., Rückfluß; + $H_5C_5Co(CO)_2$; - 2 CO

---

[1] U. Zenneck, D. Büchner, L. Suber u. W. Siebert, 29. IUPAC-Kongreß, Köln Juni 1983, Abstr. of Papers, S. 61.

[2] W. Siebert, J. Edwin u. M. Bochmann, Ang. Ch. **90**, 917 (1978); engl.: **17**, 868.

[3] J. Edwin, Dissertation, Universität Marburg 1979.

[4] J. Edwin, M. Bochmann, M. C. Böhm, D. E. Brennan, W. E. Geiger, C. Krüger, J. Pebler, H. Pritzkow, W. Siebert, W. Swiridoff, H. Wadepohl, J. Weiss u. U. Zenneck, Am. Soc. **105**, 2582 (1983).

Aus (η^5-Cyclopentadienyl)-(η^5-4,5-diethyl-1,3-dimethyl-1,3-diborolen)-cobalt[1] lassen sich mit geeigneten Bis(η^2-alken)-(η^5-cyclopentadienyl)-metall-Verbindungen[2–5] in Benzol bzw. Petrolether unter Verdrängung des Alkens Bis(η^5-cyclopentadienylmetall)-μ-(4,5-diethyl-1,3-dimethyl-1,3-diborolenyl)-π-Verbindungen herstellen[6]:

+ Fe-Komplex; Benzol, 90°, 1 Stde.; − Cyclooctadien

μ-(η^5-4,5-Diethyl-1,3-dimethyl-1,3-diborolenyl)-(η^5-cyclopentadienyleisen)-(η^5-cyclopentadienyl-cobalt); 28%; Subl.p.$_{0,001}$: >90°

+ Co-Komplex, Petrolether; 4 Stdn., 40-50°; − 2 C_2H_4

μ-(η^5-4,5-Diethyl-1,3-dimethyl-1,3-diborolenyl)-bis(η^5-cyclopentadienylcobalt); 54%; F: 145–147°

Der Austausch von Ligand-Übergangsmetall-Resten in Bis(Ligand-Übergangsmetall)-μ-Triorganoboranen eignet sich zur Herstellung von gemischt-metallischen Tripeldecker-Sandwich-Verbindungen aus anderen Verbindungen dieses Typs.

Beispielsweise ist blaugrünes, paramagnetisches *μ-(η^5-2-Methyl-1,3,4,5-tetraethyl-1,3-diborolenyl)-(η^5-cyclopentadienylnickel)-(tricarbonylmangan)* aus paramagnetischem μ-(η^5-2-Methyl-1,3,4,5-tetraethyl-1,3-diborolenyl)-bis(η^5-cyclopentadienylnickel) mit Decacarbonyldimangan in Mesitylen zugänglich[7]:

$$2\ \text{Ni-Tripeldecker} \xrightarrow[-\ Ni(C_5H_5)_2;\ -\ Ni(CO)_4]{+\ Mn_2(CO)_{10}/\text{Mesitylen}} 2\ \text{(CO)}_3\text{Mn-Ni-Tripeldecker}$$

[1] W. SIEBERT, J. EDWIN u. H. PRITZKOW, Ang. Ch. **94**, 147 (1982); engl.: **21**, 148.
[2] K. JONAS, E. DEFFENSE u. D. HABERMANN, Ang. Ch. **95**, 729 (1983); Ang. Ch. Suppl. **1983**, 1005; engl.: **22**, 716.
[3] K. JONAS, Adv. Organometallic Chem. **19**, 97 (1981).
[4] K. JONAS u. L. SCHIEFERSTEIN, Ang. Ch. **91**, 590 (1979); engl.: **18**, 549.
[5] K. JONAS u. C. KRÜGER, Ang. Ch. **92**, 513 (1980); engl.: **19**, 520.
[6] J. EDWIN, M. BOCHMANN, M. C. BÖHM, D. E. BRENNAN, W. E. GEIGER, C. KRÜGER, J. PEBLER, H. PRITZKOW, W. SIEBERT, W. SWIRIDOFF, H. WADEPOHL, J. WEISS u. U. ZENNECK, Am. Soc. **105**, 2582 (1983).
[7] G. SEIBEL, Diplomarbeit, Universität Marburg 1979.

Aus μ-(η^5-2-Methyl-tetraethyl-1,3-diborolenyl)-(η^5-cyclopentadienylcobalt)-(η^5-cyclopentadienylnickel) erhält man mit Decacarbonyldimangan diamagnetisches *μ-(η^5-2-Methyl-1,3,4,5-tetraethyl-1,3-diborolenyl)-(η^5-cyclopentadienylcobalt)-(tricarbonylmangan)* mit 30 Valenzelektronen[1,2]:

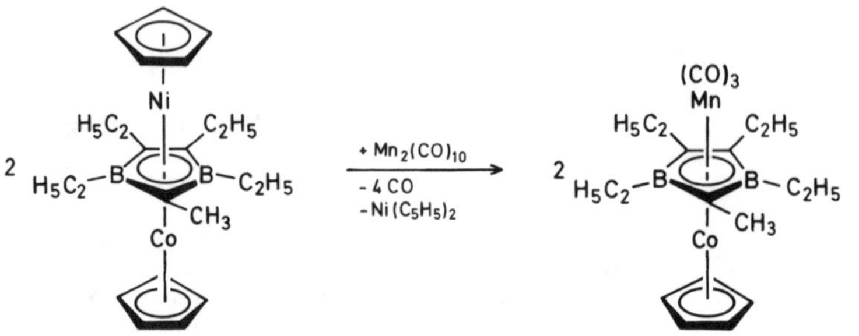

Der *borferne* Austausch von Cyclopentadienyl-Liganden in μ-Triorganobor-Tripeldecker-π-Komplexen gegen Carbonyl-Liganden ist bisweilen möglich. Aus μ-(η^5-2-Methyl-tetraethyl-1,3-diborolenyl)-bis(η^5-cyclopentadienylcobalt) erhält man mit Decacarbonyldimangan in Mesitylen bei 170–180° nach 3 Stdn. luftempfindliches, diamagnetisches *μ-(η^5-2-Methyl-tetraethyl-1,3-diborolenyl)-(η^5-cyclopentadienylcobalt)-(dicarbonylcobalt)* (dunkelviolett; Subl. $p_{0,01}$: 120–130°) in 66%iger Ausbeute[2]:

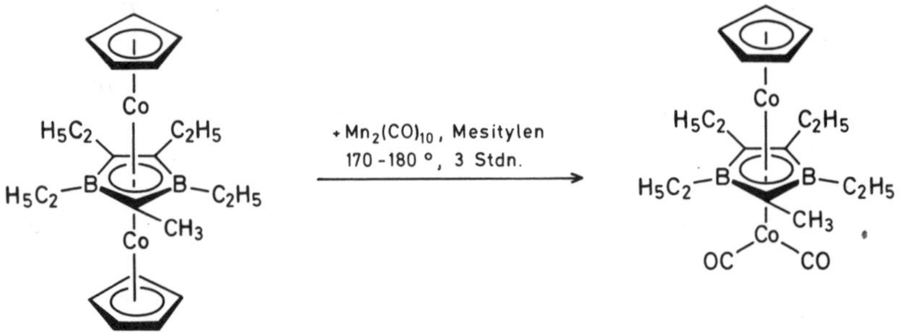

α_2) *Bis(Ligand-Übergangsmetall)-Bis(μ-Triorganobor)-Übergangsmetall-π-Komplexe*

Komplexverbindungen mit zwei verbrückenden π-gebundenen Triorganoboranen lassen sich unter besonderen Bedingungen (leichte Verdrängbarkeit von Liganden, günstige Austauschreaktionen von End- und Brückenligand) aus ungesättigten Triorganoboranen herstellen. Meist werden allerdings verschiedene Ligand-Übergangsmetall-Triorganoborsowie -μ-Triorganobor-π-Komplexe als Edukte verwendet.

---

[1] A. LEICHTHAMMER, Diplomarbeit, Universität Marburg 1980.

[2] J. EDWIN, M. BOCHMANN, M.C. BÖHM, D.E. BRENNAN, W.E. GEIGER, C. KRÜGER, J. PEBLER, H. PRITZKOW, W. SIEBERT, W. SWIRIDOFF H. WADEPOHL, J. WEISS u. U. ZENNECK, Am. Soc. **105**, 2582 (1983), dort S. 2585, 2598.

$\alpha\alpha_1$) aus olefinischen Triorganoboranen

Aus 4,5-Diethyl-1,3-dimethyl-2,3-dihydro-1,3-diborol läßt sich mit Bis(2-methyl-allyl)nickel bei ≈180° in Mesitylen der Tetradecker-Komplex *Bis[(η^3-2-methylallyl-nickel)-μ-(η^5-4,5-diethyl-1,3-dimethyl-1,3-diborolenyl)]-nickel* gewinnen[1,2]:

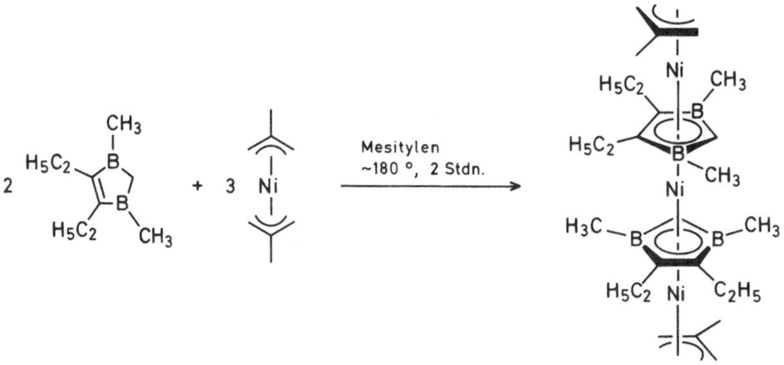

Mesitylen
~180 °, 2 Stdn.

$\alpha\alpha_2$) aus neutralen (Ligand-Übergangsmetall)-Triorganobor-π-Komplexen

Tetradecker-Komplexe mit zwei verbrückenden Triorganoboranen und zwei borfreien Endliganden (bzw. Endligandgruppierungen) sind aus Ligand-Übergangsmetall-Triorganoboranen über deren Alkalimetall-Salze mit Übergangsmetallhalogeniden zugänglich.

Aus (η^5-Cyclopentadienyl)-(η^5-2-methyl-tetraethyl-1,3-diborolenyl)-nickel[3] gewinnt man mit metallischem Kalium ein braunrotes Kalium-Salz, dessen Anion mit Nickel(II)-chlorid den Tetradecker *Bis[η^5-(η^5-cyclopentadienylnickel)-2-methyl-1,3,4,5-tetraethyl-1,3-diborolenyl]nickel* bildet[4,5]:

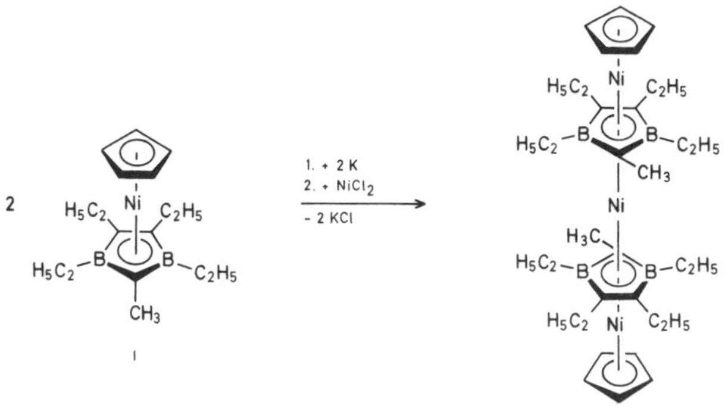

1. + 2 K
2. + $NiCl_2$
− 2 KCl

Zur Herstellung von *Bis[(η^5-cyclopentadienylcobalt)-μ-(η^5-4,5-diethyl-1,3-dimethyl-1,3-diborolenyl)]-cobalt* (74%; F: 209°) geht man vom (η^5-Cyclopentadienyl)-(η^5-4,5-diethyl-1,3-dimethyl-1,3-diborolen)-cobalt[6] aus und setzt in Mesitylen bei 170° mit (η^5-Cyclopentadienyl)-dicarbonyl-cobalt um[5]:

---

[1] T. KUHLMANN u. W. SIEBERT, Z. Naturf. **39 b**, 1046 (1984).
[2] vgl. Diplomarbeit T. KUHLMANN, Universität Heidelberg 1983.
[3] W. SIEBERT u. M. BOCHMANN, Ang. Ch. **89**, 483 (1977); engl.: **16**, 468.
[4] W. SIEBERT, Eur. Inorg. Chem. Symp. 3, **1978**, Herbstmeeting Chem. Soc. Warwick 1978.
[5] J. EDWIN, Dissertation, Universität Marburg 1979.
[6] W. SIEBERT, J. EDWIN, H. WADEPOHL u. H. PRITZKOW, Ang. Ch. **94**, 148 (1982); engl.: **21**, 149.

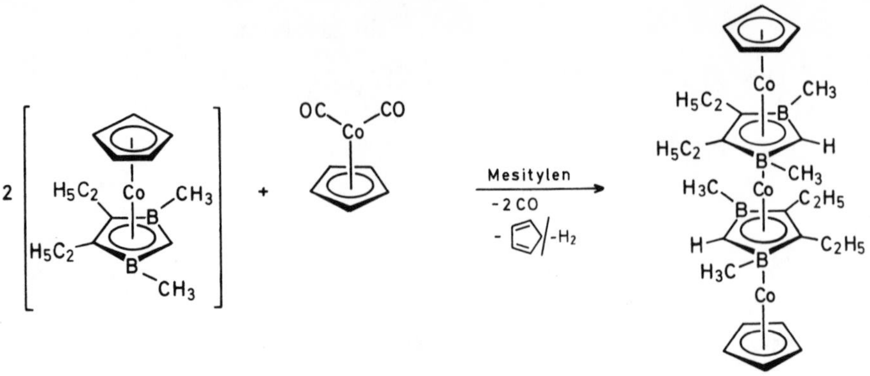

Aus (η^5-Cyclopentadienyl)-(η^4-2-methyl-tetraethyl-2H-1,3-diborol)-cobalt läßt sich mit Tetracarbonylnickel in Toluol bei ≈80%iger Ausbeute ein CO-verbrückter Vierkernkomplex herstellen[1]:

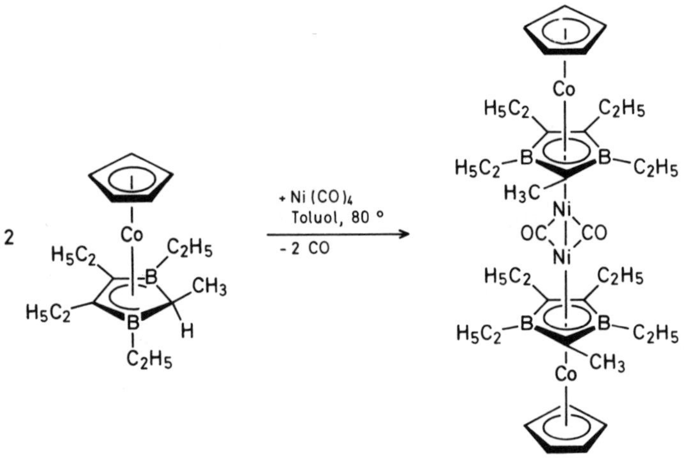

$\alpha\alpha_3$) aus anionischen (Ligand-Übergangsmetall)-Triorganobor-π-Komplexen

(η^5-Cyclopentadienyl)-(η^5-tetraalkyl-1,3-diborolenyl)-cobaltate reagieren mit verschiedenen Metallhalogeniden unter Bildung von *Bis*[*(η^5-cyclopentadienyl)-μ-(η^5-tetraalkyl-1,3-diborolenyl)-cobalt*]*metall*-Verbindungen[2–6]:

---

[1] M. W. Whiteley, H. Pritzkow, U. Zenneck u. W. Siebert, Ang. Ch. **94**, 464 (1982); engl.: **21**, 453.

[2] W. Siebert, J. Edwin, H. Wadepohl u. H. Pritzkow, Ang. Ch. **94**, 148 (1982); engl.: **21**, 149.

[3] J. Edwin, M. Bochmann, M. C. Böhm, D. E. Brennan, W. E. Geiger, C. Krüger, J. Pebler, H. Pritzkow, W. Siebert, W. Swiridoff, H. Wadepohl, J. Weiss u. U. Zenneck, Am. Soc. **105**, 2582 (1983).

[4] H. Wadepohl, Dissertation, Universität Marburg 1982.

[5] W. Siebert, J. Edwin, H. Pritzkow, H. Wadepohl u. M. W. Whiteley, 29. IUPAC-Kongreß, Köln Juni 1983, Abstr. of Papers S. 45.

[6] J. Edwin, M. C. Böhm, N. Chester, D. M. Hoffman, R. Hoffmann, H. Pritzkow, W. Siebert, K. Stumpf u. H. Wadepohl, Organometallics **2**, 1666 (1983).

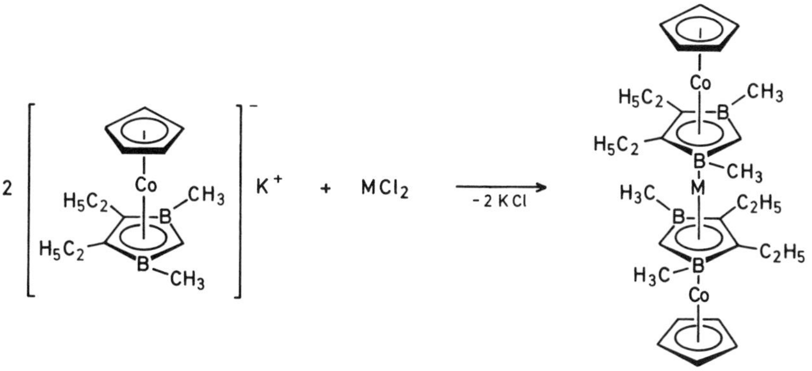

Bis[(η^5-cyclopentadienylcobalt)-μ-(η^5-4,5-diethyl-1,3-dimethyl-1,3-diborolenyl)] . . .

M = Zn;	. . .-*zink*[1,2]	34%; F: 230°
M = Fe;	. . .-*eisen*[1,2]	60%; F: 196°
M = Cr;	. . . -*chrom*[3]	58%; F: 206–207°
M = Mn;	. . . -*mangan*[4]	29%; F: 116°
M = Cu;	. . . -*kupfer*[3]	76%; F: 191°
M = Sn;	. . . -*zinn*[5]	69%; F: >140° (Zers.)

$\alpha\alpha_4$) aus Bis(Ligand-Übergangsmetall)-μ-Triorganobor-π-Komplexen

μ,η^5-1,3-Diborolenyl-Tetradecker-π-Komplexe sind aus Tripeldecker-π-Komplexen mit metallischem Kalium in Diethylether bei ≈20° unter Abspaltung von Cyclopentadienylkalium und Übergangsmetall zugänglich. Aus dem paramagnetischen μ-(η^5-4,5-Diethyl-1,3-dimethyl-1,3-diborolenyl)-(η^5-cyclopentadienylcobalt)-(η^5-cyclopentadienylnickel) erhält man mit Kalium in Diethylether 81% grünes paramagnetisches *Bis [(η^5-cyclopentadienylcobalt)-μ-(η^5-4,5-diethyl-1,3-dimethyl-1,3-diborolenyl)]nickel* (F: 180°) als 44e-Tetradecker-Komplex[1,6]:

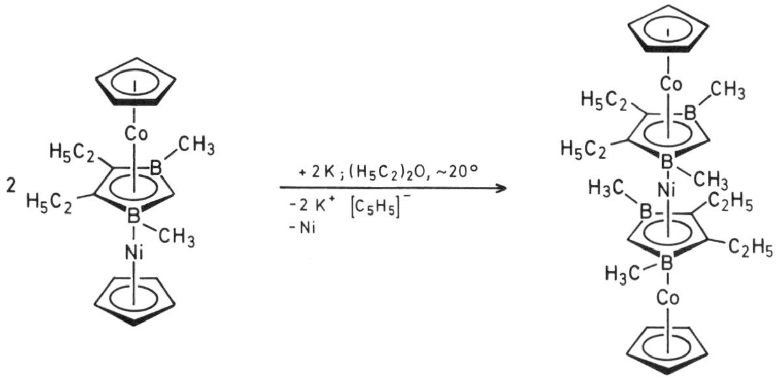

[1] W. Siebert, J. Edwin, H. Wadepohl u. H. Pritzkow, Ang. Ch. **94**, 148 (1982); engl.: **21**, 149.
[2] J. Edwin, M. Bochmann, M.C. Böhm, D.E. Brennan, W.E. Geiger, C. Krüger, J. Pebler, H. Pritzkow, W. Siebert, W. Swiridoff, H. Wadepohl, J. Weiss u. U. Zenneck, Am. Soc. **105**, 2582 (1983).
[3] H. Wadepohl, Dissertation, Universität Marburg 1982.
[4] J. Edwin, M.C. Böhm, N. Chester, D.M. Hoffman, R. Hoffmann, H. Pritzkow, W. Siebert, K. Stumpf u. H. Wadepohl, Organometallics **2**, 1666 (1983).
[5] H. Wadepohl, H. Pritzkow u. W. Siebert, Organometallics **2**, 1899 (1983).
[6] J. Edwin, Dissertation, Universität Marburg 1979.

α_3) *Neutrale (Ligand)Übergangsmetall-π-Komplexe mit drei Triorganobor-Brückenliganden*

Die Verbindungen treten als Pentadecker-π-Komplexe, z.B. mit Cyclopentadienyl-Endgruppen auf.

Der Pentadecker-π-Komplex *μ-(η^5-4,5-Diethyl-1,3-dimethyl-1,3-diborolenyl)-bis[(η^5-cyclopentadienylcobalt)-μ-(2-methyl-tetraethyl-1,3-diborolenylnickel)]* ist aus dimerem (η^5-Cyclopentadienylcobalt)-μ-[(η^5-2-methyl-tetraethyl-1,3-diborolenyl)-carbonyl-nickel] mit 4,5-Diethyl-1,3-dimethyl-Δ^4-1,3-diborolen in $\approx 45\%$iger Ausbeute zugänglich[1]:

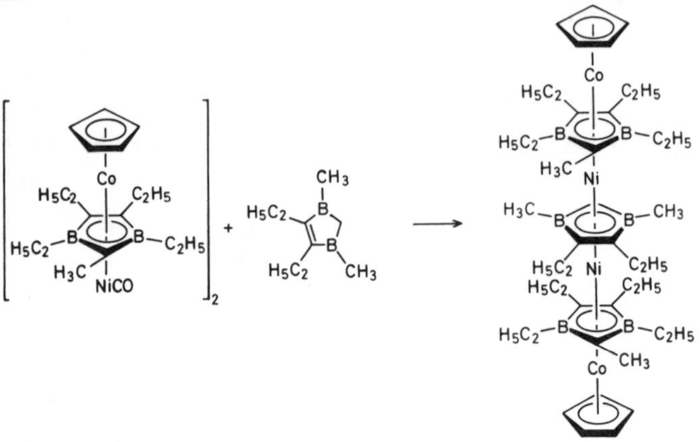

β) Ionische Bis(Ligand-Übergangsmetall)-μ-Triorganobor-π-Komplexe

Kationische Tripeldecker-Komplexverbindungen mit μ-Triorganobor-Liganden sind aus Ligand-Übergangsmetall-π-Triorganoboranen präparativ zugänglich. μ-Liganden sind fünf- und sechsgliedrige, ungesättige Triorganoborane mit zwei Bor-Atomen (vgl. S. 3):

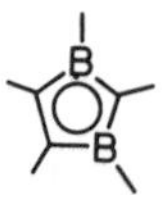

η^5-1,3-Diborolenyl
μ-3e-Ligand

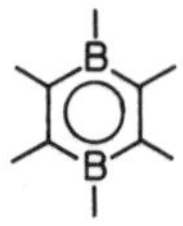

η^6-1,4-Dihydro-1,4-diborin
μ-4e-Ligand

Die Herstellung erfolgt z.B. aus Ligand-Übergangsmetall-Triorganobor-π-Komplexen oder aus Bis(Ligand-Übergangsmetall)-μ-Triorganobor-π-Komplexen.

β_1) *aus (Ligand-Übergangsmetall)-Triorganobor-π-Komplexen*

Aus (η^5-Cyclopentadienyl)-(η^5-2-methyl-tetraethyl-1,3-diborolenyl)-nickel erhält man mit Silbertetrafluoroborat in Diethylether unter partieller Oxidation *μ-(η^5-2-Methyl-tetraethyl-1,3-diborolenyl)-bis(η^5-cyclopentadienylnickel)-tetrafluoroborat*[2]:

---

[1] M. W. Whiteley, H. Pritzkow, U. Zenneck u. W. Siebert, Ang. Ch. **94**, 464 (1982); engl.: **21**, 453.
[2] W. Siebert, J. Edwin, H. Wadepohl u. H. Pritzkow, Ang. Ch. **94**, 148 (1982); engl.: **21**, 149.

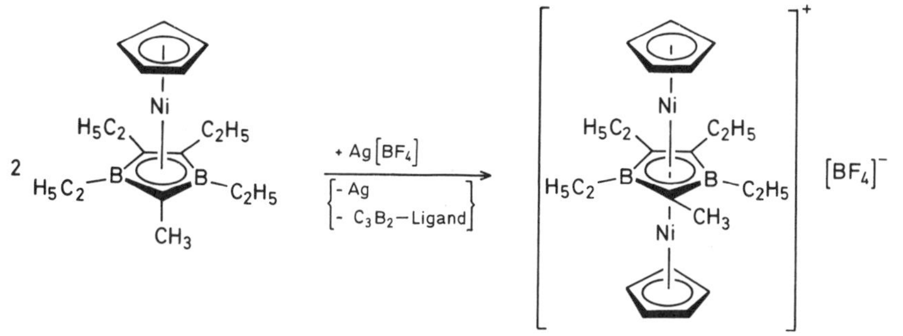

Aus (η^6-1,4-Dimethyl-1,4-dihydro-1,4-diborin)-(η^5-pentamethylcyclopentadienyl)-rhodium[1] erhält man mit Pentamethylcyclopentadienyl-rhodium-dichlorid in Dichlormethan unter Zusatz von Aluminiumtrichlorid beim anschließenden Versetzen mit Ammoniumhexafluorophosphat zu 76% *Bis[(η^5-pentamethylcyclopentadienyl)rhodium]-μ-(η^6-1,4-dimethyl-1,4-dihydro-1,4-diborin)-bis(hexafluorophosphat)* (Zers. p.: ≈320°)[2]:

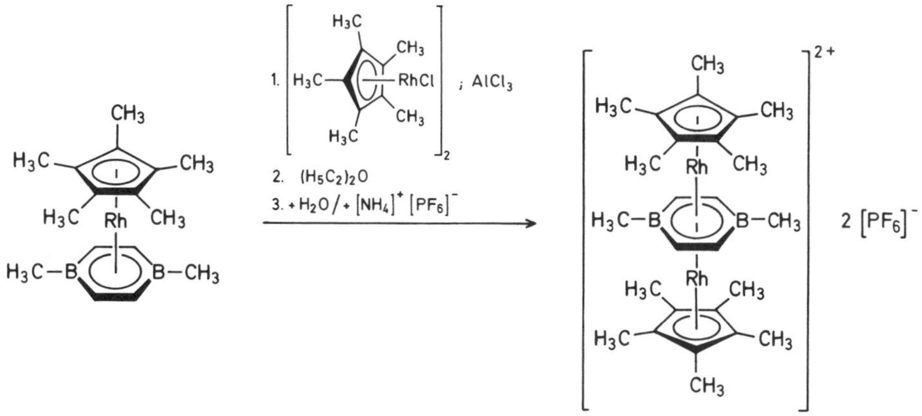

Der kationische μ-Triorganobor-Komplex ist auch aus (η^6-1,4-Dimethyl-1,4-dihydro-1,4-diborin)-(η^5-pentamethylcyclopentadienyl)-rhodium mit Trifluoressigsäure in Dichlormethan zu 93% zugänglich[2].

μ-(η^6-1,4-Dimethyl-1,4-dihydro-1,4-diborin)-bis(η^5-pentamethylcyclopentadienylrhodium)-bis(hexafluorophosphat)[1]: Eine Lösung von 56 mg (0,16 mmol) (η^6-1,4-Dimethyl-1,4-dihydro-1,4-diborin)-(η^5-pentamethylcyclopentadienyl)-rhodium und 50 mg (0,08 mmol) η^5-Pentamethylcyclopentadienylrhodium-dichlorid in 5 *ml* Dichlormethan wird mit 100 mg (0,75 mmol) Aluminiumtrichlorid versetzt. Nach dem Umschlagen der Farbe von dunkelrot nach gelb (≈15 Min.) gibt man bei ≈0° 10 *ml* Diethylether zu und anschließend 10 *ml* Wasser. Die wäßrige Phase wird mit 55 mg (0,35 mmol) Ammoniumhexafluorophosphat in 1 *ml* Wasser versetzt und der Niederschlag aus Aceton/Petrolether umkristallisiert; Ausbeute: 106 mg (76%); Zers. p.: ≈320°.

β₂) aus Bis(Ligand-Übergangsmetall)-Triorganobor-π-Komplexen

Aus Bis(η^5-cyclopentadienylmetall)-μ-Organo-1,3-diborolenyl-π-Komplexen lassen sich mit Oxidationsreagenzien wie z.B. mit Silbertetrafluoroborat in Diethylether kationi-

[1] G. E. Herberich, B. Hessner, S. Beswetherick, J. A. K. Howard u. P. Woodward, J. Organometal. Chem. **192**, 421 (1980).

[2] G. E. Herberich, B. Hessner, G. Huttner u. L. Zsolnai, Ang. Ch. **93**, 471 (1981); engl.: **20**, 472.

sche Tripeldecker-π-Komplexe mit verbrückenden Triorganobor-Liganden herstellen[1]:

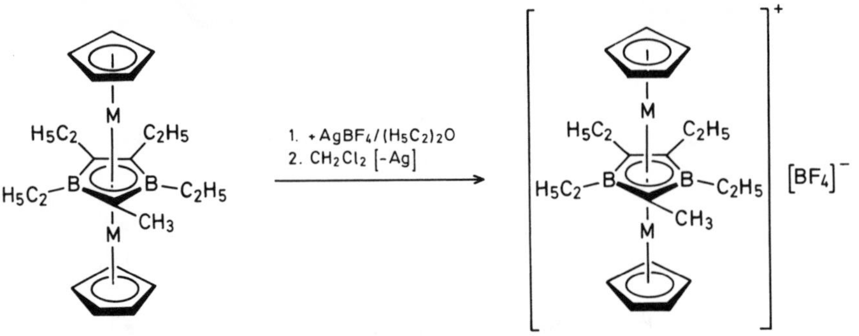
M
H_5C_2
C_2H_5
H_5C_2—B
B—C_2H_5
CH_3
M
1. +$AgBF_4$/$(H_5C_2)_2O$
2. CH_2Cl_2 [-Ag]
$[BF_4]^-$
+

μ-(η⁵- 2-Methyl-tetraethyl-1,3-diborolenyl)-. . .-tetrafluoroborat

M = M′ = Ni; . . .*-bis(η⁵-cyclopentadienylnickel)-*. . .; 85%
M = M′ = Co; . . .*-bis(η⁵-cyclopentadienylcobalt)-*. . .; 83%
M = Ni; M′ = Co; . . .*-(η⁵-cyclopentadienylcobalt)-(η⁵-cyclopentadienylnickel)-*. . .; 92%

Entsprechend läßt sich auch *(η⁵-Cyclopentadienyleisen)-(η⁵-cyclopentadienylcobalt)-μ-(η⁵-4,5-diethyl-1,3-dimethyl-1,3-diborolenyl)-tetrafluoroborat* in 95%iger Ausbeute herstellen[1].

b) Übergangsmetall-(Organobor-Wasserstoff)-π-Komplexe

Bisher sind nur (Ligand)Übergangsmetall-η⁵-tetraphenylborol[2] und Bis(η⁶-1-hydroborin)-Übergangsmetalle[3–5] bekannt.

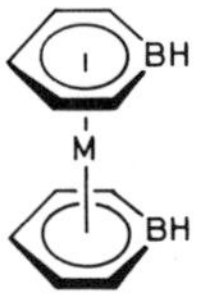
BH
M
BH

Aus Tetrahydrofuran-Boran ist mit (η⁵-Cyclopentadienyl-triphenylphosphan-cobalta)-2,3,4,5-tetraphenyl-cyclopentadien in siedendem Toluol (6 Stdn.) in ~20%iger Ausbeute *(η⁵-Cyclopentadienylcobalt)-2,3,4,5-tetraphenyl-borol* zugänglich[2].

Man erhält z. B. aus Bis(η⁶-1-methoxyborin)eisen mit Lithiumtetrahydroaluminat in 85%iger Ausbeute das rote *Bis(η⁶-1-hydroborin)eisen*[3–5]:

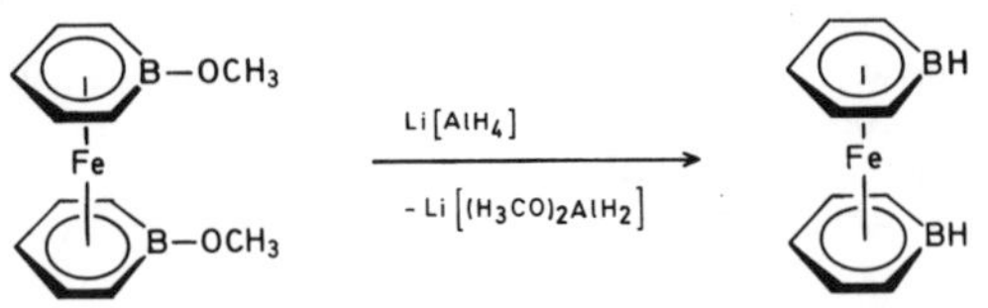
B—OCH_3
Fe
B—OCH_3
Li[AlH_4]
- Li [$(H_3CO)_2AlH_2$]
BH
Fe
BH

c) Übergangsmetall-(Organobor-Halogen)-π-Komplexe

Von der Verbindungsklasse sind Ligand-Übergangsmetall-π-(Diorgano-halogen-borane) und Übergangsmetall-Bis-π-(diorgano-halogen-borane) bekannt.

---

[1] J. Edwin, M. Bochmann, M. C. Böhm, D. E. Brennan, W. E. Geiger, C. Krüger, J. Pebler, H. Pritzkow, W. Siebert, W. Swiridoff, H. Wadepohl, J. Weiss u. U. Zenneck, Am. Soc. **105**, 2582 (1983).

[2] D. B. Palladino u. T. P. Fehlner, Organometallics **2**, 1692 (1983).

[3] A. J. Ashe, III, W. Butler u. H. F. Sandford, Am. Soc. **101**, 7066 (1979).

[4] A. J. Ashe, III u. H. F. Sandford, Imeboron IV, Juli 1979, Salt Lake City, Abstr. of Papers, S. 31.

[5] H. F. Sandford, Dissertation Abstr. Int. B. **40**, 2197 (1979); C. A. **92**, 94546 (1980).

1. (Ligand)Übergangsmetall-π-(Diorgano-halogen-borane)

Man stellt die offenkettigen sowie cyclischen Ligand-Übergangsmetall-π- Diorgano-halogen-borane aus Diorgano-halogen-boranen mit Übergangsmetallcarbonylen oder mit Carbonyl-Ligand-Übergangsmetall her.

Mit Pentacarbonyleisen reagiert Chlor-divinyl-boran in Ether/Pentan beim Belichten unter Bildung von *(η^5-Chlor-divinyl-boran)-tricarbonyl-eisen* (75%)[1]:

$$(H_2C{=}CH)_2B{-}Cl \; + \; Fe(CO)_5 \xrightarrow[-2\,CO]{+h\nu} (CO)_3Fe(\eta^5\text{-}C_4H_6B{-}Cl)$$

Blaßgelbes *(η^5-Chlor-divinyl-boran)-tricarbonyl-ruthenium* (F: 94–96°; Zers.p.: 180–185°) stellt man in ≈30%iger Ausbeute aus Chlor-divinyl-boran (s. Bd. XIII/3a, S. 412) in Pentan unter Belichten (Mitteldruck-Hg-Dampflampe) mit Dodecacarbonyl-triruthenium in Diethylether her[2]:

$$(H_2C{=}CH)_2B{-}Cl \; + \; 1/3\, Ru_3(CO)_{12} \xrightarrow[-CO]{+h\nu} (CO)_3Ru(\eta^5\text{-}C_4H_6B{-}Cl)$$

1,4-Difluor-2,3,5,6-tetramethyl-1,4-dihydro-1,4-diborin[3] reagiert mit Tetracarbonylnickel, Pentacarbonyleisen oder mit (η^5-Cyclopentadienyl)-dicarbonyl-nickel zu Komplexen, in denen das 4-π-Elektronen-System des 1,4-Dihydro-1,4-diborins an das Metallatom gebunden ist[3]; z. B.:

$$F{-}B(C(CH_3){=}C(CH_3))_2B{-}F \xrightarrow[-2\,CO]{+Ni(CO)_4} (CO)_2Ni(\eta^6\text{-}F{-}B(C(CH_3)C(CH_3))_2B{-}F)$$

Dicarbonyl-(η^6-1,4-difluor-2,3,5,6-tetramethyl-1,4-dihydro-1,4-diborin)-nickel[1]: 156,8 mg (1,0 mmol) 1,4-Difluor-2,3,5,6-tetramethyl-1,4-dihydro-1,4-diborin und 170,7 mg (1,0 mmol) Tetracarbonylnickel werden zusammen mit 1 *ml* trockenem, entgastem Toluol in eine Falle einer Hochvakuumapparatur kondensiert. Man erwärmt das verschlossene Reaktionsgefäß auf 20°, wobei Gasentwicklung und Gelbfärbung eintritt. Nach 30 Min. werden alle flüchtigen Bestandteile abgepumpt, wobei die gelben Kristalle des gewünschten Komplexes in einer auf −30° gekühlten Falle kondensieren. Spuren öliger Substanzen werden durch wiederholte fraktionierende Kondensation entfernt; Ausbeute: 217 mg (80%).

Da bei nicht vollständiger Umsetzung restliches 1,4-Difluor-2,3,5,6-tetramethyl-1,4-dihydro-1,4-diborin nicht von dem Nickel-Komplex abzutrennen ist, sollte stets in Gegenwart eines Überschusses an Tetracarbonylnickel gearbeitet werden.

Zur Herstellung von *(η^5-Cyclopentadienyl)-(η^6-1,4-difluor-2,3,5,6-tetramethyl-1,4-dihydro-1,4-diborin)-cobalt* und *(η^6-1,4-Difluor-2,3,5,6-tetramethyl-1,4-dihydro-1,4-diborin)-tricarbonyl-eisen* s. Lit.[4].

Aus (η^5-Cyclopentadienyl)-(η^6-1,4-dimethoxy-1,4-dihydro-1,4-diborin)-cobalt ist mit Trichlorboran in Schwefelkohlenstoff bei –78° unter Substituentenaustausch leicht zersetzliches *(η^5-Cyclopentadienyl)-(η^6-1,4-dichlor-1,4-dihydro-1,4-diborin)-cobalt* zugänglich[5].

---

[1] P.L. Timms, Am. Soc. **90**, 4585 (1968).
[2] G.E. Herberich u. G. Pampaloni, J. Organometal. Chem. **240**, 121 (1982).
[3] P.S. Maddres, A. Modinos, P.L. Timms u. P. Woodward, Soc. [Dalton] **1975**, 1272.
[4] G.E. Herberich, E.A. Mintz u. H. Müller, J. Organometal. Chem. **187**, 17 (1980).
[5] G.E. Herberich u. B. Hessner, B. **115**, 3115 (1982).

2. Übergangsmetall-Bis(diorgano-halogen-boran)-π-Komplexe

Die Verbindungen sind bisher aus Tribromboran und aus Ligand-Übergangsmetall-π-(Diorgano-fluor-boran) zugänglich.

Ein Überschuß an Tribromboran reagiert mit Bis(η^5-cyclopentadienyl)cobalt (~1,3 : 1) in Hexan oder in Toluol bei −80° bis +20° unter Bildung von *Bis(η^6-1-bromborin)cobalt* und *Bis(η^5-cyclopentadienyl)cobalt-tetrabromoborat*[1,2]:

$$6\ BBr_3 + 5\ (C_5H_5)_2Co \longrightarrow 4\ [(C_5H_5)_2Co]^+[BBr_4]^- + (C_5H_5BBr)_2Co$$

Die Verdrängung von Kohlenmonoxid aus Carbonyl-π-(Diorgano-halogen-boran)-Übergangsmetallen mit bestimmten Diorgano-halogen-boranen führt zu Sandwichkomplexen. Dicarbonyl-(η^6-1,4-difluor-2,3,5,6-tetramethyl-1,4-dihydro-1,4-diborin)-nickel reagiert mit 1,4-Difluor-2,3,5,6-tetramethyl-1,4-dihydro-1,4-diborin unter Belichten zum *Bis(η^6-1,4-difluor-2,3,5,6-tetramethyl-1,4-dihydro-1,4-diborin)nickel* (75%)[3]:

$$(C_4(CH_3)_4B_2F_2)Ni(CO)_2 \xrightarrow[-\ 2\ CO]{+\ C_4(CH_3)_4B_2F_2,\ h\nu} (C_4(CH_3)_4B_2F_2)_2Ni$$

Bis(η^6-1,4-difluor-2,3,5,6-tetramethyl-1,4-dihydro-1,4-diborin)nickel[4]: Eine Lösung von 156,8 mg (1,0 mmol) 1,4-Difluor-2,3,5,6-tetramethyl-1,4-dihydro-1,4-diborin und 272 mg (1,0 mmol) Dicarbonyl-(η^6-1,4-difluor-2,3,5,6-tetramethyl-1,4-dihydro-1,4-diborin)-nickel in 2 *ml* Toluol wird 12 Stdn. in einem geschlossenen Reaktionsgefäß mit einer UV-Lampe belichtet. Die gelbe Lösung wird dunkel, wobei orangefarbene Kristalle ausfallen. Nach dem Öffnen des Gefäßes können 1,5 mmol Kohlenmonoxid abgepumpt werden. Man filtriert, wäscht die Kristalle mit Petrolether (Kp: 40–60°) und trocknet i. Vak.; Ausbeute: 280 mg (75%).

d) Übergangsmetall-(Organobor-Sauerstoff)-π-Komplexe

Bekannt sind Ligand-Übergangsmetall-π-(Diorgano-organooxy-borane) mit offenkettigen Boran-Liganden sowie Übergangsmetall-bis-π-(diorganooxy-organo-borane) mit cyclischen sechsgliedrigen Boran-Liganden. Die Herstellung erfolgt aus Diorgano-organooxy-boranen oder aus Ligand-Übergangsmetall-π-(Diorgano-halogen-boranen).

---

[1] G. E. Herberich, G. Greiss, H. F. Heil u. J. Müller, Chem. Commun. **1971**, 1328.
[2] G. E. Herberich u. G. Greiss, B. **105**, 3413 (1972).
[3] P. S. Maddres, A. Modinos, P. L. Timms u. P. Woodward, Soc. [Dalton] **1975**, 1272.
[4] G. E. Herberich u. H. Müller, Ang. Ch. **83**, 1020 (1971); engl.: **10**, 937.

1. (Ligand)Übergangsmetall-π-(Diorgano-oxy-borane)

Aus Alkoxy-divinyl-boranen (vgl. XIII/3a, S. 543) erhält man mit Metallcarbonylen (z.B. Nonacarbonyldieisen) in Benzol zunächst instabile Tetracarbonyleisen-Komplexe, wobei lediglich eine C=C-Bindung des Alkoxy-divinyl-borans (borfern?) als Elektronendonator fungiert. Beim Erhitzen oder durch Belichtung erfolgt Bildung des (η^5-Divinylboran)-Komplexes[1]:

$+ Fe_2(CO)_9/C_6H_6$, 35°; $- Fe(CO)_5$ → $Fe(CO)_4$-Komplex; $+ h\nu/O(C_2H_5)_2$/10°; $- CO$ → $Fe(CO)_3$-Komplex

$R = C_4H_9$; *(η^5-Butyloxy-divinyl-boran)-tricarbonyl-eisen*
$R = CH_2-C_6H_5$; *(η^5-Benzyloxy-divinyl-boran)-tricarbonyl-eisen*

1-Methoxy-1,4-dihydro-borin (XIII/3a, S. 546) reagiert mit Nonacarbonyldieisen in Mesitylen bei 120° unter Bildung von *(η^5-1-Methoxy-1,6-dihydro-borin)-tricarbonyl-eisen*[2]:

$+ Fe_2(CO)_9$; ≲120°; $- Fe(CO)_5$; $- CO$ → $(CO)_3Fe$, $B-OCH_3$

Aus 1,4-Dimethoxy-1,4-dihydro-1,4-diborin (XIII/3a, S. 514) erhält man mit (η^5-Cyclopentadienyl)-dicarbonyl-dicobalt in Toluol bei 80° wachsartiges *(η^5-Cyclopentadienyl)-(η^6-1,4-dimethoxy-1,4-dihydro-1,4-diborin)-cobalt*[3].

Die Herstellung von *(η^5-Divinyl-methoxy-boran)-(η^5-pentamethylcyclopentadienyl)-rhodium* (F: 77–80°; 24%) erfolgt aus Divinyl-methoxy-boran (Bd. XIII/3a, S. 543) mit dimerem (η^5- Pentamethylcyclopentadienyl)rhodium-dichlorid und Cobaltocen als Reduktionsmittel in Dichlormethan bei ≈20°[4]:

$B-OCH_3$ + 1/2 $\{[C_5(CH_3)_5]RhCl_2\}_2$; $+ 2\ Co(C_5H_5)_2$; $- 2\ [Co(C_5H_5)_2]^+Cl^-$ → $C_5(CH_3)_5$–Rh–($B-OCH_3$)

Die Isolierung und Reinigung der Verbindung erfolgt chromatographisch an einer Silicagel-Säule mit Pentan/Diethylether bei –60°. Protische sowie Lewis-basische Lösungsmittel sind unbedingt auszuschließen[4].

(η^5-Benzyloxy-divinyl-boran)-(η^5-cyclopentadienyl)-cobalt (F: 43–44°) läßt sich aus (η^5-Chlor-divinyl-boran)-(η^5-cyclopentadienyl)-cobalt in Ether bei 20° mit einer Lösung von Benzylalkohol in Pyridin/Diethylether herstellen (87%)[5]:

Co–($B-Cl$) + $H_5C_6-CH_2-OH$; + Pyridin / $(H_5C_2)_2O$; $-[PyridinH]^+Cl^-$ → Co–($B-O-CH_2-C_6H_5$)

[1] G.E. HERBERICH, E. BAUER, J. HENGESBACH, U. KÖLLE, G. HUTTNER u. H. LORENZ, B. **110**, 760 (1977).
[2] H.F. SANDFORD, Dissertation Abstr. Int. B. **40**, 2197 (1979); C.A. **92**, 94546 (1980).
[3] G.E. HERBERICH u. B. HESSNER, B. **115**, 3115 (1982).
[4] G.E. HERBERICH u. G. PAMPALONI, J. Organometal. Chem. **240**, 121 (1982).
[5] G.E. HERBERICH, E.A. MINTZ u. A. MÜLLER, J. Organometal. Chem. **187**, 17 (1980).

2. Übergangsmetall-Bis(diorgano-oxy-boran)-π-Komplexe

Übergangsmetall-Verbindungen von ungesättigten cyclischen Tetraorganodiboroxanen des 1-Methoxy- und 1-Hydroxy-1,4-dihydro-borins bzw. des 1,4-Dimethoxy-1,4-dihydro-1,4-diborins sind beschrieben. Die Komplex-Verbindungen werden aus den Boranen mit Carbonyl-Übergangsmetallen oder aus Übergangsmetall-Bis-π-(diorgano-halogenboranen) hergestellt.

Aus 2-Methyl-tetraethyl-2,3-dihydro-1,3-diborol in Benzol erhält man mit Tetracarbonylnickel nach ~ 5stdgm. Erwärmen auf 60–70° neben zwei nicht komplexierten Organobor-Sauerstoff-Verbindungen (47%) (vgl. Bd. XIII/3a, S. 815) in ≈ 15%iger Ausbeute *(η^5-Pentaethyl-1,2,6-oxadiborin)-(η^4-tetraethyl-5-vinyl-1,2,6-oxadiborin)-nickel* (F: 225°; $\delta^{11}B$ = 41,4 ppm)[1]:

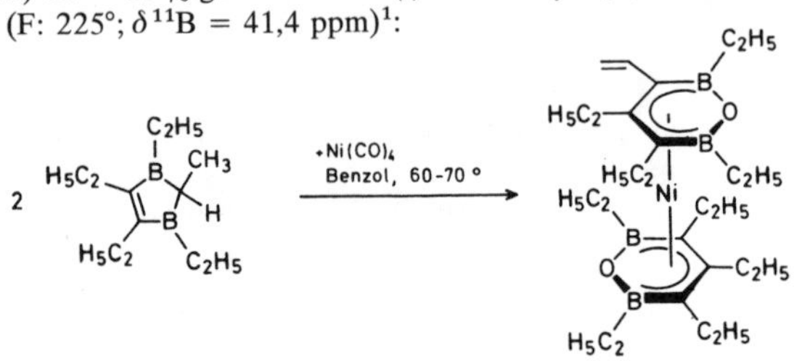

1-Methoxy-1,4-dihydro-borin (XIII/3a, S. 546) reagiert mit Nonacarbonyldieisen in Mesitylen bei 160° unter Bildung von *Bis(η^6-1-methoxyborin)eisen*[2]:

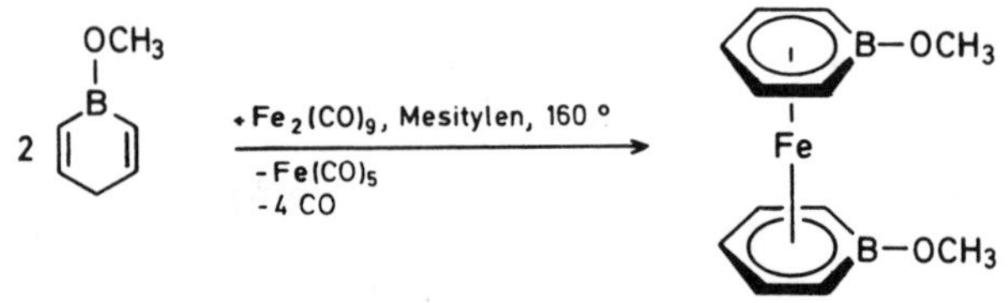

Aus 2 mol 1,4-Dimethoxy-1,4-dihydro-1,4-diborin (XIII/3a, S. 514) ist mit 1 mol Tetracarbonylnickel beim Erhitzen in Toluol *Bis(η^6-1,4-dimethoxyborin)nickel* zugänglich[3]:

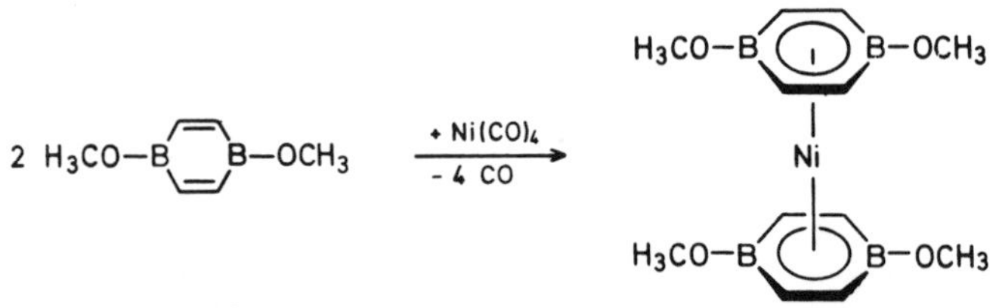

Aus Bis(η^6-1-bromborin)cobalt lassen sich mit Wasser oder Alkohol *Bis(η^6-1-hydroxyborin)*- bzw. *Bis(η^6-1-alkoxyborin)-cobalt* herstellen[4,5]:

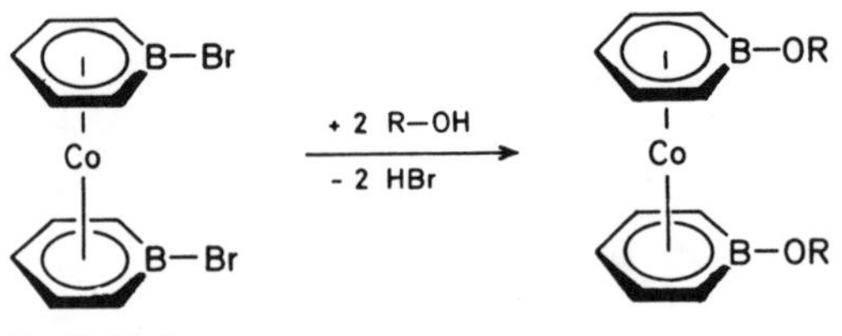

R = H, Alkyl

[1] J. Edwin, W. Siebert u. C. Krüger, J. Organometal. Chem. **215**, 255 (1981).
[2] H.F. Sandford, Dissertation Abstr. Int. B. **40**, 2197 (1979); C.A. **92**, 94546 (1980).
[3] G.E. Herberich u. B. Hessner, J. Organometal. Chem. **161**, C36 (1978).
[4] G.E. Herberich, G. Greiss, H.F. Heil u. J. Müller, Chem. Commun. **1971**, 1328.
[5] G.E. Herberich u. G. Greiss, B. **105**, 3413 (1972).

e) Übergangsmetall-(Organobor-Schwefel)-π-Komplexe

Als Übergangsmetall-π-(Organo-thio-borane) sind bisher nur die π-Komplexverbindungen von Organo-1,2,5-thiadiborolen (Bd. XIII/3a, S. 880ff.) hergestellt worden. 2,4,6-Triorgano-1,3,5,2,4,6-trithiatriborine (Bd. XIII/3a, S. 888ff.) bilden Additionsverbindungen mit Übergangsmetall-Schwefel-σ-Bindungen und werden daher auf S. 638 in Bd. XIII/3b besprochen.

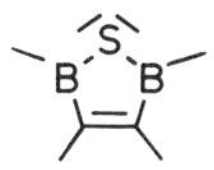

1,2,5-Thiadiborolene bilden als 4π-Elektronen-Verbindungen η^5-Liganden an Übergangsmetallen (vgl. Tab. 5, S. 56). 1,2,5-Thiadiborolene eignen sich außerdem als Brükkenliganden zum Aufbau von Übergangsmetall-π-Komplexen. Die Herstellung der einfachen π-Komplexe erfolgt aus den 1,2,5-Thiadiborolenen mit Übergangsmetall-Verbindungen. Ligand-Übergangsmetall-π-1,2,5-Thiadiborolene sind Edukte für Sandwich-, Tripeldecker- sowie Tetradecker-Komplexe (vgl. Tab. 5, S. 56).

2,5-Diorgano-Δ^3-1,2,5-thiadiborolene mit der Atomgruppierung M-π-C_2B_2S

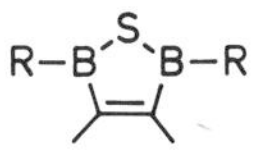

R–B B–R (S)

bilden an Übergangsmetallen endständige und brückenbildende 4π-Elektronen-Liganden. Die Herstellungsmethoden folgender Verbindungstypen werden getrennt besprochen:

① Ligand-Übergangsmetall-π-(2,5-Diorgano-Δ^3-1,2,5-thiadiborolen) als neutrale und anionische Verbindungen
② Übergangsmetall-bis-π-(2,5-Diorgano-Δ^3-1,2,5-thiadiborolen) als neutrale und anionische Verbindungen (Homo-Ligand-Sandwich-Komplexe)
③ Bis(Ligand-Übergangsmetall)-μ-(π-2,5-Diorgano-Δ^3-1,2,5-thiadiborolen) als neutrale und kationische Verbindungen (Tripeldecker-Komplexe)
④ Bis(Ligand-Übergangsmetall)-bis-μ-(π-2,5-Diorgano-Δ^3-1,2,5-thiadiborolen)-Übergangsmetalle (Tetradecker-Komplexe)

1. (Ligand)Übergangsmetall-(Diorganobor-Schwefel)-π-Komplexe

α) Neutrale (Ligand)Übergangsmetall-(Diorganobor-Schwefel)-π-Komplexe

Neutrale und anionische π-Komplexe sind aus 2,5-Diorgano-Δ^3-1,2,5-thiadiborolenen sowie aus den anionischen Ligand-Übergangsmetall-π-(2,5-Diorgano-1,2,5-thiadiborolenen) zugänglich.

α_1) *aus 2,5-Diorgano-Δ^3-1,2,5-thiadiborolenen*

Tetraalkyl-Δ^3-1,2,5-thiadiborolene (vgl. Bd. XIII/3a, S. 883) reagieren mit Carbonyl-Übergangsmetallen oder mit Carbonyl-Ligand-Übergangsmetallen unter Verdrän-

Tab. 5: Übergangsmetall-(Diorganobor-Schwefel)-π-Komplexe

Formel	Verbindungstyp	Herstellungsart	s. S.
ⓐ Ligand-Übergangsmetall-(Diorganobor-Schwefel)-π-Verbindungen			
	η^5 4e $LM^{\underline{\pi}}(R_2B\text{-}S\text{-}BR_2)$ M = Fe, Co, Ni, Cr	aus $R_2B\text{-}S\text{-}BR_2$ + LM L = CO, Cp	57
	M = Cr, Mo	aus $R_2B\text{-}S\text{-}BR_2$ + LM, hν	58
	M = Fe	aus $[LM^{\underline{\pi}}(R_2B\text{-}S\text{-}BR_2)^-$ + H^+ L + CO, Cp	60
	η^5 (4 + 1e) $[LM^{\underline{\pi}}(R_2B\text{-}S\text{-}BR_2)]^-$ M = Fe	aus $R_2B\text{-}S\text{-}BR_2$ + $[LM]^-$ L = Cp, COD	61
	M = Mn	aus $(LM)_2$–$R_2B\text{-}S\text{-}BR_2$ + Nu^-: Cp^- L = CO, Mn = Fe, Mn	61
ⓑ Übergangsmetall-bis(Diorganobor-Schwefel)-π-Verbindungen			
	$(\eta^5)^2$ $(4e)^2$ $M^{\underline{\pi}}(R_2B\text{-}S\text{-}BR_2)_2$ M = Cr, Mo, Fe	aus $R_2B\text{-}S\text{-}BR_2$ + LM, hν L = CO	62
	M = Ni	aus $LM^{\underline{\pi}}(R_2B\text{-}S\text{-}BR_2)$ + R_2BSBR_2 L = CO	63
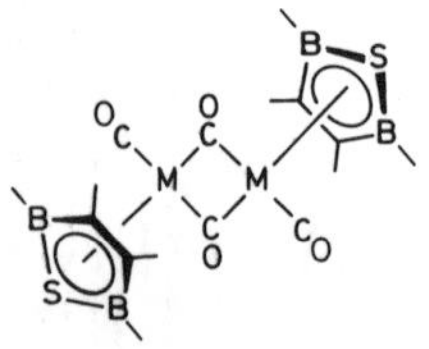	$(LM)^{\underline{\pi}}(R_2B\text{-}S\text{-}BR_2)_2$ M = Co	aus $R_2B\text{-}S\text{-}BR_2$ + LM L = CO	58
	$(\eta^5)^2$ $[(4e)^2 + 1e]$ $[M^{\underline{\pi}}(R_2B\text{-}S\text{-}BR_2)_2]^-$ M = Co	aus M_2 $(R_2B\text{-}S\text{-}BR_2)_3$ + Cp^-	63
ⓒ Übergangsmetall-(Diorganobor-Schwefel)-π-Verbindungen mit einem R_2BS-Brückenliganden			
	$(LM)_2{}^{\underline{\pi}}R_2B\text{-}S\text{-}BR_2$ M = Fe, Co, Mn	aus $R_2B\text{-}S\text{-}BR_2$ + LM L = CO, Cp	64
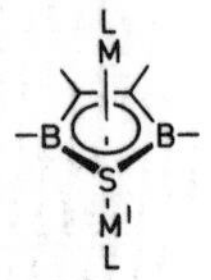	$[(LM)_2{}^{\underline{\pi}}R_2B\text{-}S\text{-}BR_2]^+AlCl_4^-$ M,M′=Mn,Fe	aus $(LM)_2{}^{\underline{\pi}}R_2B\text{-}S\text{-}BR_2$+$C_6H_6$/$AlCl_3$ L = CO, Cp	65
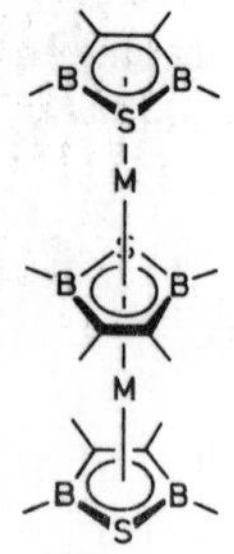	$(\eta^5)^3$ $(4e)^3$ $M_2{}^{\underline{\pi}}(R_2B\text{-}S\text{-}BR_2)_3$ M = Co	aus $R_2B\text{-}S\text{-}BR_2$ + LM L = CO	67

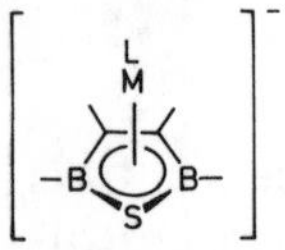

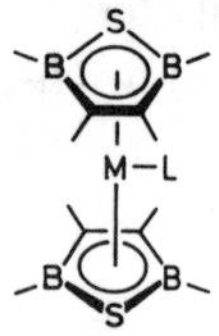

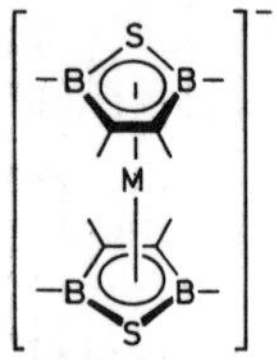

Tab. 5 (Forts.)

Formel	Verbindungstyp		Herstellungsart	s. S.
ⓓ **Übergangsmetall-(Diorganobor-Schwefel)-π-Verbindungen mit zwei R_2BS-Brückenliganden**				
	$(\eta^5)^2$ $(4e)^2$	$M^1(LM)_2\overset{\pi}{-}(R_2B\text{-}S\text{-}BR_2)_2$ M, M^1 = Mn, Fe	aus $[(LM)_2\overset{\pi}{-}R_2B\text{-}S\text{-}BR_2]^+$; Δ L = CO, C_6H_6	66
		$M^1(LM)_2\overset{\pi}{-}(R_2B\text{-}S\text{-}BR_2)_2$ M, M^1 = Mn, Fe, Co M, M^1 = Fe	aus $HM^+[LM\overset{\pi}{-}R_2B\text{-}S\text{-}BR_2]^-$ + MHal L = CO, Cp HM = Zn, K	66, 67
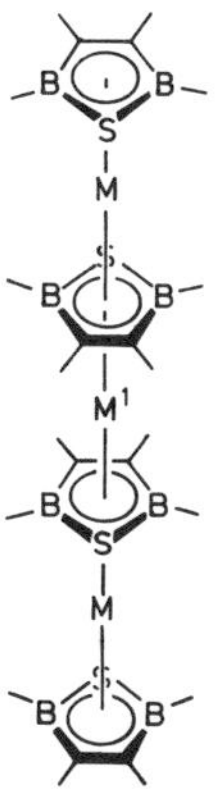	$(\eta^5)^4$ $(4e)^4$	$M^1M_2\overset{\pi}{-}(R_2B\text{-}S\text{-}BR_2)_4$ M, M^1 = Co, Fe	aus $[M\text{-}(R_2B\text{-}S\text{-}BR_2)_2]^-$ + M^1Hal	67

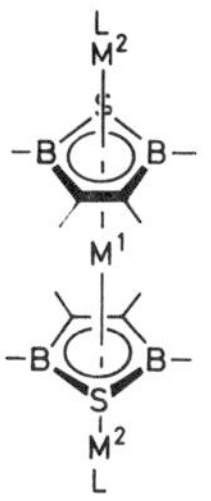

gung von Kohlenmonoxid zu Carbonyl- bzw. Ligand-Übergangsmetall-π-(Tetraalkyl-1,2,5-thiadiborolenen)[1–8].

Aus 3,4-Diethyl-2,5-dimethyl-Δ^3-1,2,5-thiadiborolen erhält man mit Nonacarbonyldieisen in Hexan bei 60° nach Abspaltung von Kohlenmonoxid rotes *(η^5-3,4-Diethyl-2,5-dimethyl-1,2,5-thiadiborolen)-tricarbonyl-eisen*[5]:

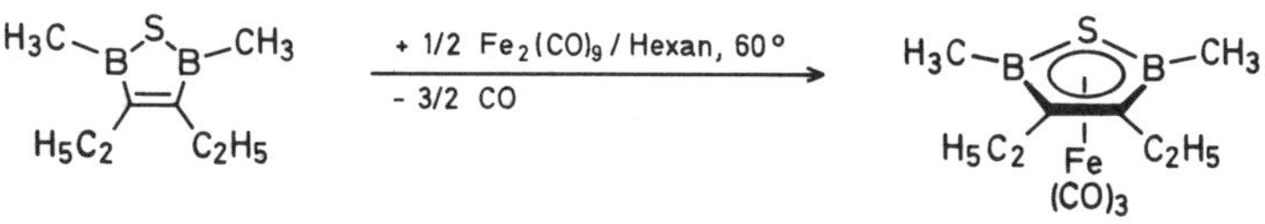

$$\xrightarrow[-\ 3/2\ CO]{+\ 1/2\ Fe_2(CO)_9\ /\ Hexan,\ 60°}$$

[1] W. SIEBERT, G. AUGUSTIN, R. FULL, C. KRÜGER u. Y.-H. TSAY, Ang. Ch. **87**, 286 (1975); engl.: **14**, 262.
[2] W. SIEBERT, R. FULL, C. KRÜGER u. Y.-H. TSAY, Z. Naturf. **31b**, 203 (1976).
[3] W. SIEBERT u. K. KINBERGER, Ang. Ch. **88**, 451 (1976); engl.: **15**, 434.
[4] W. SIEBERT, R. FULL, J. EDWIN, K. KINBERGER u. C. KRÜGER, J. Organometal. Chem. **131**, 1 (1977).
[5] K. KINBERGER u. W. SIEBERT, B. **111**, 356 (1978).
[6] W. SIEBERT, T. RENK, K. KINBERGER, M. BOCHMANN u. C. KRÜGER, Ang. Ch. **88**, 850 (1976); engl.: **15**, 779.
[7] W. SIEBERT u. W. ROTHERMEL, Ang. Ch. **89**, 346 (1977); engl.: **16**, 333.
[8] W. SIEBERT u. M. BOCHMANN, Ang. Ch. **89**, 895 (1977); engl.: **16**, 857.

(η^5-3,4-Diethyl-2,5-dimethyl-1,2,5-thiadiborolen)-tricarbonyl-eisen[1]: 2,1 mmol 3,4-Diethyl-2,5-dimethyl-Δ^3-1,2,5-thiadiborolen und 2,5 mmol Nonacarbonyldieisen werden in 30 *ml* Hexan unter Reinststickstoff 10 Min. auf 60° erhitzt, wobei lebhafte Kohlenmonoxid-Entwicklung einsetzt. Nach Abziehen des Lösungsmittels und gebildetem Pentacarbonyleisen wird destilliert; Ausbeute: 62%; F: 23–25°; $Kp_{0,02}$: 35°.

Entsprechend ist *(η^5-1,3-Dimethyl-⟨benzo-1,2,5-thiadiborol⟩)-tricarbonyl-eisen* [67%; F: 82–84° (Zers.)] zugänglich[2,3].

Mit Tetracarbonylnickel erhält man aus 3,4-Diethyl-2,5-dimethyl-Δ^3-1,2,5-thiadiborolen beim Erhitzen unter Abspaltung von 2 Mol-Äquivalenten Kohlenmonoxid gelbes *Dicarbonyl-(η^5-3,4-diethyl-2,5-dimethyl-1,2,5-thiadiborolen)-nickel* in 65% Ausbeute (F: 41°; $Kp_{0,03}$: 40°)[4]. Mit Hexacarbonylchrom wird *(η^5-3,4-Diethyl-2,5-dimethyl-1,2,5- thiadiborolen)-tetracarbonyl-chrom* erhalten[1]. Außer den Carbonyl-Übergangsmetall-π-(2,5-Diorgano-Δ^3-1,2,5-thiadiborolen) bilden sich thermisch, vor allem aber beim Belichten auch Bis(η^5-2,5-diorgano-1,2,5-thiadiborolen)-Übergangsmetalle (vgl. S. 62)[1].

Aus 3,4-Diethyl-2,5-dimethyl- Δ^3-1,2,5-thiadiborolen läßt sich mit Octacarbonyldicobalt in Pentan bei ≈20° dimeres *Dicarbonyl-(η^5-3,4-diethyl-2,5-dimethyl-1,2,5-thiadiborolen)-cobalt* [44%; F: 143–145° (Zers.)] (vgl. S. 67) herstellen[5,6]:

$$2\ \text{(3,4-Diethyl-2,5-dimethyl-1,2,5-thiadiborolen)} \xrightarrow[-4\ CO]{+\ Co_2(CO)_8} \text{Dimer}$$

R = C_2H_5

Beim Erhitzen wird eine π-Komplex-Verbindung mit μ-Liganden gebildet (vgl. S. 64f.).

Aus 3,4-Diethyl-2,5-dimethyl-Δ^3-1,2,5-thiadiborolen lassen sich mit Hexacarbonylchrom oder -molybdän in Tetrahydrofuran beim mehrstündigen, jedoch nicht zu langem Belichten mit einer Quecksilber-Hochdrucklampe *(η^5-3,4-Diethyl-2,5-dimethyl-1,2,5-thiadiborolen)-tetracarbonyl-chrom* bzw. *-molybdän* gewinnen. Lange Belichtungszeit führt verstärkt zu den Bis(1,2,5-thiadiborolen)-Verbindungen (vgl. S. 62)[1]:

$$2\ \text{Thiadiborolen} \xrightarrow[-4\ CO]{+2\ M(CO)_6\ /\ h\nu} 2\ \text{Thiadiborolen-}M(CO)_4$$

M = Cr, Mo

(η^5-3,4-Diethyl-2,5-dimethyl-1,2,5-thiadiborolen)-tetracarbonyl-chrom (M = Cr)[1]: 0,47 g (2,8 mmol) 3,4-Diethyl-2,5-dimethyl-Δ^3-1,2,5-thiadiborolen und 0,62 g (2,8 mmol) Hexacarbonylchrom werden in 25 *ml* THF 4 Stdn. mit einer Quecksilberhochdrucklampe bestrahlt. Nach Entfernen des Lösungsmittels sublimiert man nicht umgesetztes Hexacarbonylchrom bei 30°/0,02 Torr ab. Danach wird destillativ aufgearbeitet; Ausbeute: 0,20 g (21%); $Kp_{0,02}$: 50° (gelbgrün).

3,4-Diethyl-2,5-dimethyl-Δ^3-1,2,5-thiadiborolen reagiert beim Erhitzen mit (η^5-Cyclopentadienyl)-dicarbonyl-cobalt und mit dimerem Carbonyl-(η^5-cyclopentadienyl)-

[1] K. Kinberger u. W. Siebert, B. **111**, 356 (1978).
[2] W. Siebert, R. Full, J. Edwin, K. Kinberger u. C. Krüger, J. Organometal. Chem. **131**, 1 (1977).
[3] W. Siebert, G. Augustin, R. Full, C. Krüger u. Y.-H. Tsay, Ang. Ch. **87**, 286 (1975); engl.: **14**, 262.
[4] W. Siebert, R. Full, C. Krüger u. Y.-H. Tsay, Z. Naturf. **31b**, 203 (1976).
[5] W. Rothermel, Dissertation, Universität Marburg 1979.
[6] vgl. W. Siebert u. W. Rothermel, Ang. Ch. **89**, 346 (1977); engl.: **16**, 333.

nickel unter Bildung von *(η^5-Cyclopentadienyl)-(η^5-3,4-diethyl-2,5-dimethyl-1,2,5-thiadiborolen)-cobalt*[1] bzw. *-nickel*[2]:

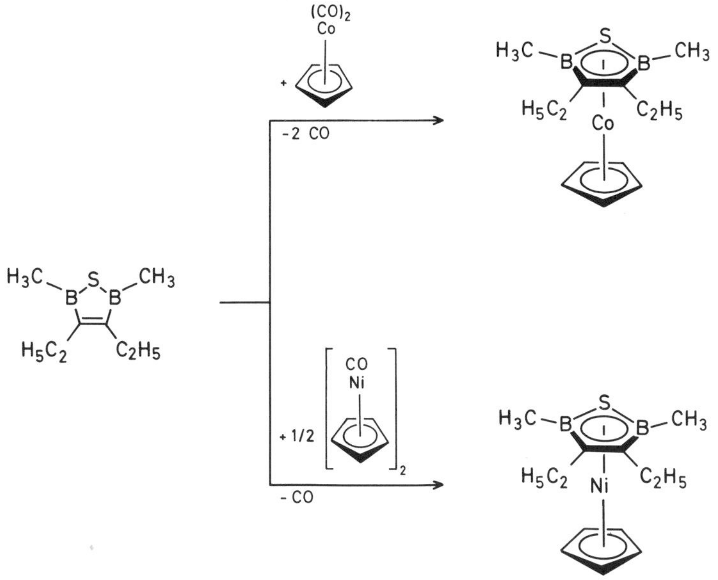

α_2) *aus Bis(Ligand-Übergangsmetall)-π-(2,5-Diorgano-Δ^3-1,2,5-thiadiborolenen)*

Der Abbau bestimmter Tripeldecker-Komplexe mit Cyclopentadienid-Verbindungen liefert unter Bildung von z.B. Ferrocen Ligand-Übergangsmetall-π-(2,5-Diorgano-1,2,5-thiadiborolene). Aus μ-(η^5-3,4-Diethyl-2,5-dimethyl-1,2,5-thiadiborolen)-(η^5-cyclopentadienyleisen)-(tricarbonylmangan) erhält man mit Natriumcyclopentadienid in Tetrahydrofuran ein anionisches Zwischenprodukt, aus dem mit Hydrogenchlorid in Dichlormethan *(η^5-3,4-Diethyl-2,5-dimethyl-1,2,5-thiadiborolen)-tricarbonyl-mangan* in 22%iger Ausbeute gewonnen wird[3]:

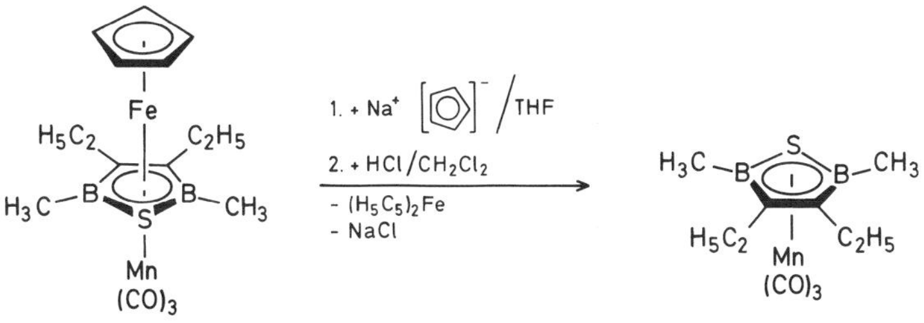

Die Ablösung von Cyclopentadienyleisen mit Aluminiumtrichlorid ist möglich. Aus dem Tripeldecker-Komplex Bis(η^5-cyclopentadienyleisen)-μ-(3,4-diethyl-2,5-dimethyl-1,2,5-thiadiborolen) läßt sich mit Aluminiumtrichlorid in siedendem Benzol zu 12% *(η^5-Cyclopentadienyl)-(η^5-3,4-diethyl-2,5-dimethyl-1,2,5-thiadiborolen)-hydrido-eisen* herstellen[4]:

---

[1] R. FULL, Dissertation, Universität Würzburg 1976.
[2] M. EL-DIN M. EL-ESSAWI, Dissertation, Universität Marburg 1978.
[3] C. BÖHLE, Dissertation, S. 138ff., Universität Marburg 1980.
[4] C. BÖHLE, Dissertation, S. 129f., Universität Marburg 1980.

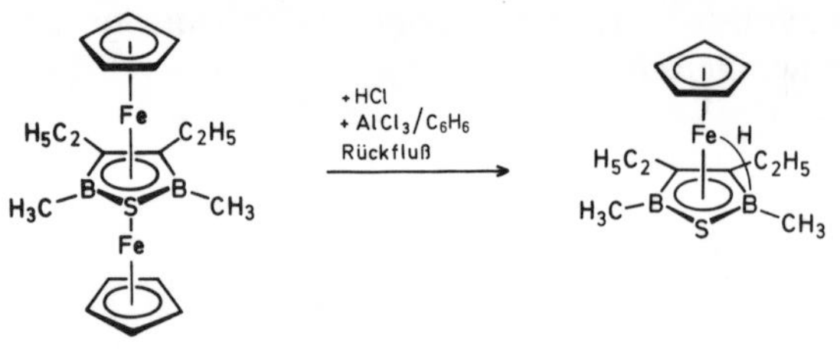

Fe
H_5C_2 C_2H_5
H_3C–B S B–CH_3
Fe

$\xrightarrow[\text{Rückfluß}]{+HCl;\ +AlCl_3/C_6H_6}$

Fe–H
H_5C_2 C_2H_5
H_3C–B S B–CH_3

α_3) *aus anionischen (Ligand)Übergangsmetall-π-(2,5-Diorgano-1,2,5-thiadiborolenen)*

Carbonyl- und (η^5-Cyclopentadienyl)-Übergangsmetall-π-(3,4-Diethyl-2,5-dimethyl-1,2,5-thiadiborolene) erhält man auch aus den Alkalimetall-Salzen bzw. den Zink-Verbindungen der Ligand-Übergangsmetall-π-(3,4-Diethyl-2,5-dimethyl-1,2,5-thiadiborolene) (vgl. S. 61) mit z.B. Hydrogenchlorid[1]:

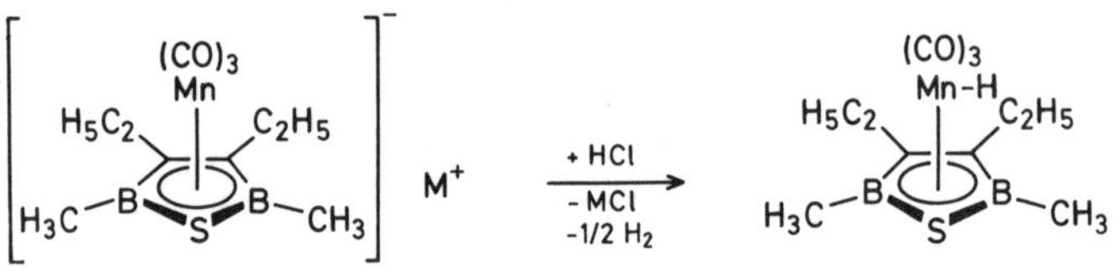

$[(CO)_3Mn$; H_5C_2 C_2H_5; H_3C–B S B–$CH_3]^-$ M^+

$\xrightarrow[-MCl;\ -1/2\ H_2]{+HCl}$

$(CO)_3$ Mn–H; H_5C_2 C_2H_5; H_3C–B S B–CH_3

M = Na, K

(η^5-3,4-Diethyl-2,5-dimethyl-1,2,5-thiadiborolen)-hydrido-tricarbonyl-mangan

$[$Fe; H_5C_2 C_2H_5; H_3C–B S B–$CH_3]_2$ Zn

$\xrightarrow[-ZnCl_2]{+HCl;\ THF;\ \Delta}$

Fe–H; H_5C_2 C_2H_5; H_3C–B S B–CH_3

(η^5-Cyclopentadienyl)-(η^5-3,4-diethyl-2,5-dimethyl-1,2,5-thiadiborolen)-hydrido-eisen

β) Anionische (Ligand)Übergangsmetall-(Diorganobor-Schwefel)-π-Komplexe

Die anionischen π-Komplexverbindungen sind aus 2,5-Diorgano-Δ^3-1,2,5-thiadiborolenen durch π-Komplexierung oder aus Bis(Ligand-Übergangsmetall)-π-(2,5-Diorgano-1,2,5-thiadiborolenen) durch Abbau (Dekomplexierung) zugänglich[2].

---

[1] W. Siebert u. C. Böhle, Universität Marburg, unveröffentlicht 1980.

[2] C. Böhle, Dissertation, S. 140, Universität Marburg 1980.

3,4-Diethyl-2,5-dimethyl-Δ^3-1,2,5-thiadiborolen reagiert mit Zink-bis[(η^4-1,5-cyclooctadien)-(η^5-cyclopentadienyl)-eisen][1,2] beim 1stdgn. Rückflußkochen in Hexan unter Bildung von *Zink-bis[(η^5-cyclopentadienyl)-(η^5-3,4-diethyl-2,5-dimethyl-1,2,5-thiadiborolen)-eisen]* (58%; F: 182–184°)[3,4]:

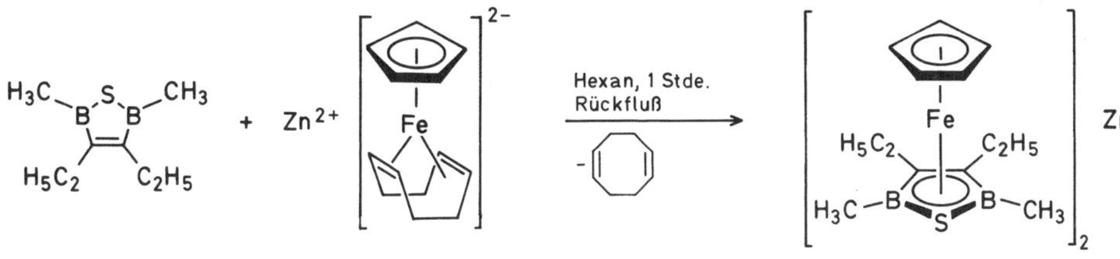

Der Abbau von Tripeldecker-Komplexen (vgl. S. 63) mit Hilfe von Cyclopentadienid-Salzen führt unter Abspaltung von (η^5-Cyclopentadienyl)-Übergangsmetall-Verbindungen zu Ligand-Übergangsmetall-π-(2,5-Diorgano-1,2,5-thiadiborolen)-Anionen[5,6]. Der Abbau gelingt z.B. mit Natriumcyclopentadienid auch beim μ-(η^5-3,4-Diethyl- 2,5-dimethyl-1,2,5-thiadiborolen)-bis(tricarbonylmangan) zum *Natrium-(η^5-3,4-diethyl-2,5-dimethyl-1,2,5-thiadiborolen)-tricarbonyl-manganat*[5,6]:

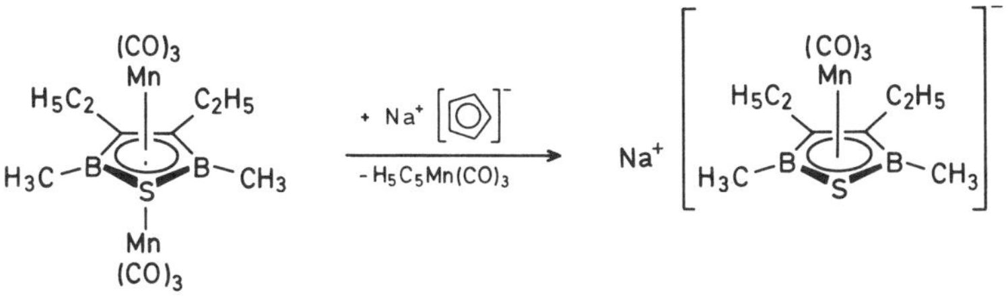

Aus μ-(η^5-3,4-Diethyl-2,5-dimethyl-1,2,5-thiadiborolen)-(η^5-cyclopentadienyleisen)-(tricarbonylmangan) wird Ferrocen abgespalten[5–7]. μ-(η^5-3,4-Diethyl-2,5-dimethyl-1,2,5-thiadiborolen)-bis(η^5-cyclopentadienyleisen) reagiert dagegen nicht mit Natriumcyclopentadienid[8].

Aus (η^5-Cyclopentadienyl)-(η^5-3,4-diethyl-2,5-dimethyl-1,2,5-thiadiborolen)-cobalt läßt sich mit metallischem Kalium in THF eine dunkelgrüne Lösung von *Kalium-(η^5-cyclopentadienyl)-(η^5-3,4-diethyl-2,5-dimethyl-1,2,5-thiadiborolen)-cobaltat* gewinnen[8]:

---

[1] K. Jonas u. L. Schieferstein, Ang. Ch. **91**, 590 (1979); engl.: **18**, 549.
[2] K. Jonas, L. Schieferstein, C. Krüger u. Y.-H. Tsay, Ang. Ch. **91**, 590 (1979); engl.: **18**, 550.
[3] W. Siebert, C. Böhle u. C. Krüger, Ang. Ch. **92**, 758 (1980); engl.: **19**, 746.
[4] C. Böhle, Dissertation, S. 134ff., Universität Marburg 1980.
[5] C. Böhle, Diplomarbeit, Universität Marburg 1978.
[6] W. Siebert u. C. Böhle, Universität Marburg, unveröffentlicht 1980.
[7] C. Böhle, Dissertation, S. 123, Universität Marburg 1980.
[8] M. El-Din M. El-Essawi, Dissertation, Universität Marburg 1978.

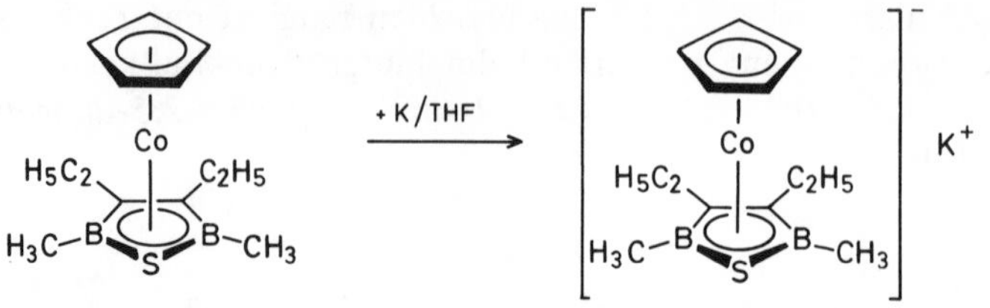

+ K/THF

K^+

2. Übergangsmetall-Bis(Diorganobor-Schwefel)-π-Komplexe

α) aus 2,5-Diorgano-Δ³-1,2,5-thiadiborolenen

Die Sandwich-Verbindungen sind aus 2,5-Diorgano-Δ³-1,2,5-thiadiborolenen mit Carbonyl-Übergangsmetallen oder mit bestimmten Carbonyl-Ligand-Übergangsmetallen beim Belichten zugänglich. Zwischenprodukte sind Carbonyl-(η^5-2,5-diorgano-1,2,5-thiadiborolen)-Übergangsmetalle (vgl. S. 57f.), die in Gegenwart der Δ³-1,2,5-thiadiborolene beim längeren Belichten weiterreagieren.

Aus 3,4-Diethyl-2,5-dimethyl-Δ³-1,2,5-thiadiborolen erhält man mit Hexacarbonylchrom bzw. -molybdän unter Abspaltung von 4 Mol-Äquivalenten Kohlenmonoxid *Bis(η^5-3,4-diethyl-2,5-dimethyl-1,2,5-thiadiborolen)-dicarbonyl-chrom* bzw. *-molybdän* in allerdings bescheidenen Ausbeuten; z.B. 11% vom gelben Chrom-Komplex mit nicht parallelen Ringen (F: 169–170°)[1]:

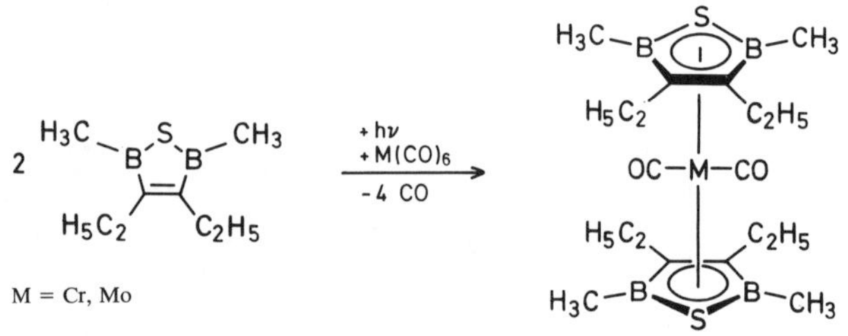

+ hν, + $M(CO)_6$, − 4 CO

M = Cr, Mo

Bis(η^5-3,4-diethyl-2,5-dimethyl-1,2,5-thiadiborolen)-dicarbonyl-chrom (32%) erhält man auch aus 3,4-Diethyl-2,5-dimethyl-Δ³-1,2,5-thiadiborolen mit (η^6-Benzol)-tricarbonyl-chrom.

Mit Pentacarbonyleisen erhält man beim Belichten *Bis(η^5-3,4-diethyl-2,5-dimethyl-1,2,5-thiadiborolen)-carbonyl-eisen*[2]:

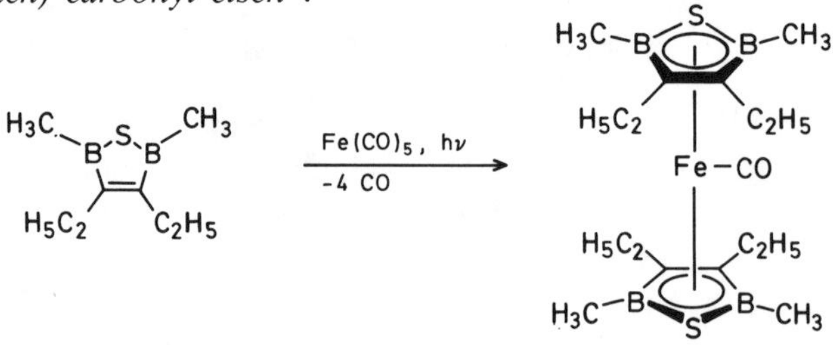

$Fe(CO)_5$, hν, − 4 CO

β) aus (Ligand)Übergangsmetall-π-(2,5-Diorgano-1,2,5-thiadiborolenen)

3,4-Dialkyl-2,5-dimethyl-Δ³-1,2,5-thiadiborolen verdrängt aus Carbonyl-(η^5-1,2,5-thiadiborolen)-Übergangsmetallen Kohlenmonoxid. *Bis(η^5-3,4-diethyl-2,5-dimethyl-1,2,5-thiadiborolen)nickel* (F: 127°, Zers.) wird in 64%iger Ausbeute aus Dicarbonyl-

[1] K. KINBERGER u. W. SIEBERT, B. **111**, 356 (1978).
[2] J. EDWIN, Dissertation, Universität Marburg 1979.

(η^5-3,4-diethyl-2,5-dimethyl-1,2,5-thiadiborolen)-nickel mit 3,4-Diethyl-2,5-dimethyl-1,2,5-thiadiborolen erhalten[1]:

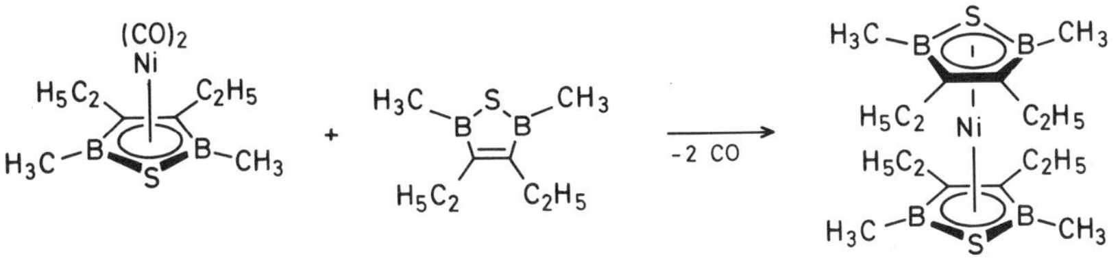

Aus (η^5-Cyclopentadienyl)-(η^5-3,4-diethyl-2,5-dimethyl-1,2,5-thiadiborolen)-nickel läßt sich beim Erhitzen unter Ligandenaustausch *Bis(η^5-3,4-diethyl-2,5-dimethyl-1,2,5-thiadiborolen)nickel* herstellen[1]:

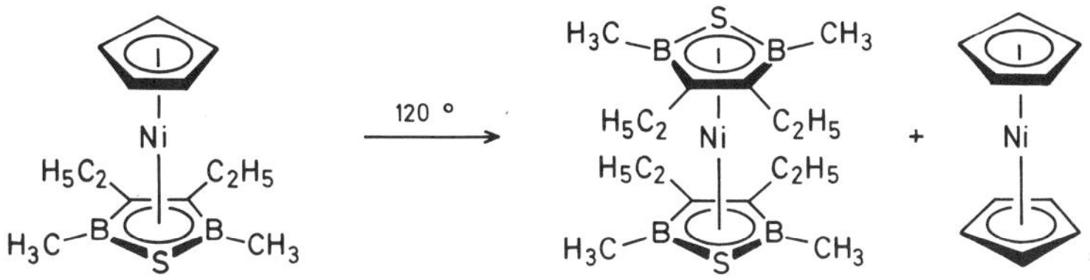

γ) aus Bis(Ligand-Übergangsmetall)-μ-(Diorganobor-Schwefel)-π-Komplexen

Der Abbau von Tripeldecker-Komplexen mit Natriumcyclopentadienid in Tetrahydrofuran liefert z.B. *Natrium-bis(η^5-3,4-diethyl-2,5-dimethyl-1,2,5-thiadiborolen)-cobaltat*[2,3]:

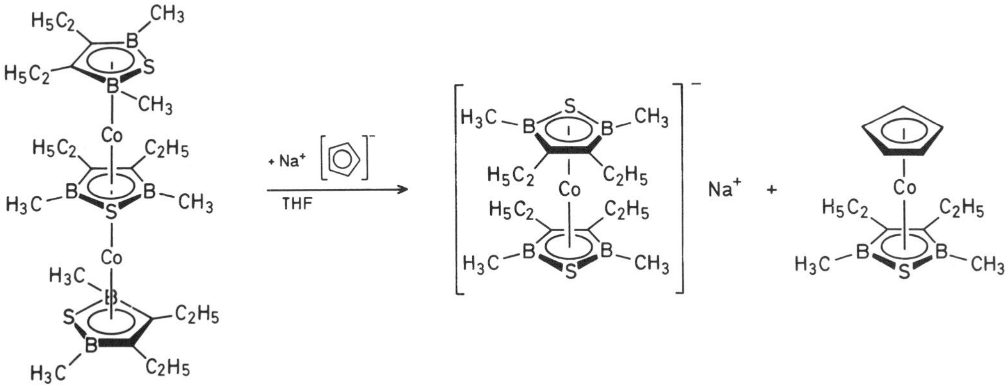

Das Anion läßt sich als Tetraphenylphosphonium-Salz (F: 210–213°) praktisch quantitativ gewinnen[3]. In situ verwendet man das Natrium-Salz zur Herstellung von Tetradekker-Komplexen[2].

[1] W. SIEBERT, R. FULL, C. KRÜGER u. Y.-H. TSAY, Z. Naturf. **31b**, 203 (1976).
[2] W. SIEBERT, W. ROTHERMEL, C. BÖHLE, C. KRÜGER u. D.J. BRAUER, Ang. Ch. **91**, 1014 (1979); engl.: **18**, 949.
[3] W. ROTHERMEL, Dissertation, Universität Marburg 1979.

3. Bis(Ligand-Übergangsmetall)-μ-(Diorganobor-Schwefel)-π-Komplexe

Die Verbindungen werden aus 2,5-Diorgano-Δ^3-1,2,5-thiadiborolenen mit Carbonyl-Übergangsmetallen oder mit Carbonyl-(η^5-cyclopentadienyl)-Übergangsmetallen hergestellt. Auch die Präparation von Tripeldecker-Komplexen mit zwei verschiedenen Übergangsmetallen ist möglich.

3,4-Diethyl-2,5-dimethyl-Δ^3-1,2,5-thiadiborolen reagiert mit Decacarbonyldimangan nach mehrstündigem Erhitzen in siedendem Mesitylen unter Abspaltung von Kohlenmonoxid zu *μ-(η^5-3,4-Diethyl-2,5-dimethyl-1,2,5-thiadiborolen)-bis(tricarbonylmangan)* in ~21%iger Ausbeute[1,2]:

$$\text{3,4-Diethyl-2,5-dimethyl-}\Delta^3\text{-1,2,5-thiadiborolen} \xrightarrow[-4\,CO]{+\,Mn_2(CO)_{10}} \mu\text{-Komplex mit } 2\times Mn(CO)_3$$

3,4-Diethyl-2,5-dimethyl-Δ^3-1,2,5-thiadiborolen reagiert mit dem dimeren (η^5-Cyclopentadienyl)-dicarbonyl-eisen unter quantitativer Abspaltung von Kohlenmonoxid in siedendem Mesitylen zu *μ-(η^5-3,4-Diethyl-2,5-dimethyl-1,2,5-thiadiborolen)-bis(η^5-cyclopentadienyleisen)*[3]:

$$\text{Thiadiborolen} + [C_5H_5Fe(CO)_2]_2 \xrightarrow[-4\,CO]{\text{Mesitylen, 160 - 170°, 8 Stdn.}} \mu\text{-Komplex mit } 2\times FeC_5H_5$$

μ-(η^5-3,4-Diethyl-2,5-dimethyl-1,2,5-thiadiborolen)-bis(η^5-cyclopentadienyleisen)[3]: Äquimolare Mengen dimeres (η^5-Cyclopentadienyl)-dicarbonyl-eisen und 3,4-Diethyl-2,5-dimethyl-Δ^3-1,2,5-thiadiborolen werden in 50 *ml* Mesitylen unter Luftausschluß 8 Stdn. auf 160–170° erhitzt. Man trennt vom ausgefallenen Eisen ab und entzieht dem Filtrat das Lösungsmittel. Den Rückstand arbeitet man chromatographisch auf (Silicagel mit Pentan). Das Eluat liefert bei der Sublimation i. Vak. Ferrocen und anschließend bei 90°/0,1 Torr einen dunkelgrünen kristallinen Rückstand, der aus Pentan (bei –20°) umkristallisiert wird; Ausbeute: 11%; Zers. >230°.

Die Methode zur Herstellung der sandwichartigen Bis(Ligand-Übergangsmetall)-π-(2,5-Diorgano-1,2,5-thiadiborolenen) aus 2,5-Diorgano-Δ^3-1,2,5-thiadiborolenen mit Carbonyl-Übergangsmetallen kann auch zur Gewinnung von Tripeldecker-Komplexen mit zwei verschiedenen Übergangsmetallen verwendet werden; z.B.[4,5]:

[1] W. Siebert u. K. Kinberger, Ang. Ch. **88**, 451 (1976); engl.: **15**, 434.
[2] C. Böhle, Diplomarbeit, Universität Marburg 1977.
[3] W. Siebert, T. Renk, K. Kinberger, M. Bochmann u. C. Krüger, Ang. Ch. **88**, 850 (1976); engl.: **15**, 779.
[4] W. Siebert, C. Böhle, C. Krüger u. Y.-H. Tsay, Ang. Ch. **90**, 558 (1978); engl.: **17**, 527.
[5] W. Siebert, Adv. Organometal. Chem. **18**, 301 (1980), dort S. 327.

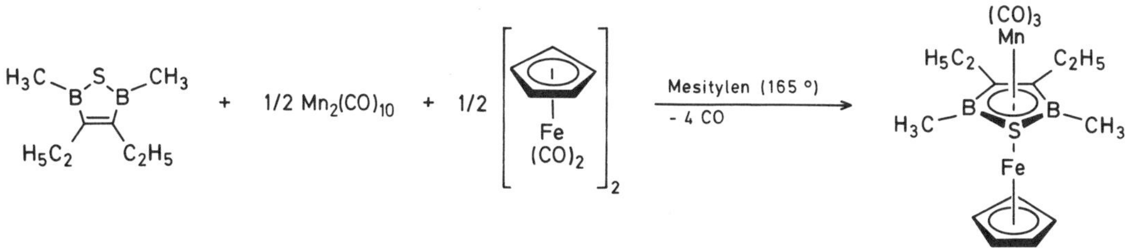

μ-(η^5-3,4-Diethyl-2,5-dimethyl-1,2,5-thiadiborolen)-(η^5-cyclopentadienyleisen)-(tricarbonylmangan)[1,2]: 0,85 g (5,12 mmol) 3,4-Diethyl-2,5-dimethyl-Δ^3-1,2,5-thiadiborolen, 1,49 g (3,84 mmol) Decacarbonyldimangan und 1,35 g (3,84 mmol) Bis[(η^5-cyclopentadienyl)-dicarbonyl-eisen] in 20 *ml* Mesitylen werden 0,5 Stdn. auf 165° erhitzt. Nach Abziehen des Lösungsmittels wird der Rückstand in Hexan aufgenommen und über trockenes Silicagel (Woelm 100–200) chromatographiert. Die erste Zone enthält Decacarbonyldimangan und wenig μ-(η^5-3,4-Diethyl-2,5-dimethyl-1,2,5-thiadiborolen)-bis(tricarbonylmangan), die folgende 0,82 g des gewünschten Komplexes (37%; F: 194°).

Kationische Bis(Ligand-Übergangsmetall)-μ-(η^5-2,5-Diorgano-1,2,5-thiadiborolene) sind aus Cyclopentadienyl-Komplexen mit Aluminiumtrichlorid und Benzol beim Erhitzen unter Liganden-Austausch zugänglich. *μ-(η^5-3,4-Diethyl-2,5-dimethyl-1,2,5-thiadiborolen)-(η^6-benzoleisen)-(tricarbonylmangan)-tetrachloroaluminat* erhält man zu 74%[1-3]:

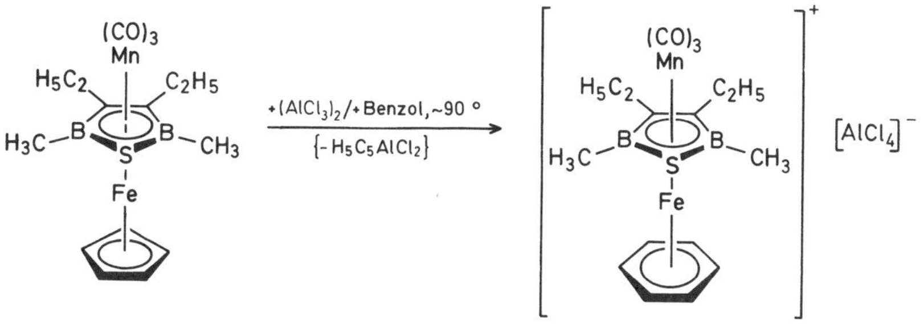

μ-(η^5-3,4-Diethyl-2,5-dimethyl-1,2,5-thiadiborolen)-(η^6-benzoleisen)-(tricarbonylmangan)-tetrachloroaluminat[1]: 0,25 g (0,58 mmol) μ-(η^5-3,4-Diethyl- 2,5-dimethyl-1,2,5-thiadiborolen)-(η^5- cyclopentadienyleisen)-(tricarbonylmangan) und 0,25 g (1,87 mmol) Trichloraluminium werden in 20 *ml* Benzol 0,5 Stdn. bei 90° gerührt. Man filtriert den roten Niederschlag ab; Ausbeute: 0,26 g (74%); F: 212° (Zers.).

4. Bis(Ligand-Übergangsmetall)-bis-(μ-Diorganobor-Schwefel)-Übergangsmetall-π-Komplexe

Die Komplexverbindungen, die aus jeweils zwei verbrückenden Liganden und drei Metall-Atomen mit zwei endständigen Liganden bzw. Ligandgruppierungen bestehen, sind präparativ aus ionischen Ligand-Übergangsmetall-bis-π-(2,5-Diorgano-1,2,5-thiadiborolenen) mit Übergangsmetallhalogeniden zugänglich.

α) aus anionischen (Ligand)Übergangsmetall-(Diorganobor-Schwefel)-π-Komplexen

Die Tetradecker-Komplexe lassen sich aus Ligand-(η^5-2,5-diorgano-1,2,5- thiadiborolen)-Übergangsmetallaten (vgl. S. 60f.) mit Übergangsmetallhalogeniden herstellen.

---

[1] W. Siebert, C. Böhle, C. Krüger u. Y.-H. Tsay, Ang. Ch. **90**, 558 (1978); engl.: **17**, 527.
[2] C. Böhle, Dissertation, S. 116f., Universität Marburg 1980.
[3] W. Siebert, Adv. Organometallic Chem. **18**, 301 (1980), dort S. 327.

Aus Natrium-(η^5-3,4-diethyl-2,5-dimethyl-1,2,5-thiadiborolen)-tricarbonyl-manganat (vgl. S. 61) erhält man mit Eisen- oder Cobalt-dichlorid *Bis[(tricarbonylmangan)-μ-(η^5-3,4-diethyl-2,5-dimethyl-1,2,5-thiadiborolen)]-eisen* bzw. *-cobalt*[1,2]:

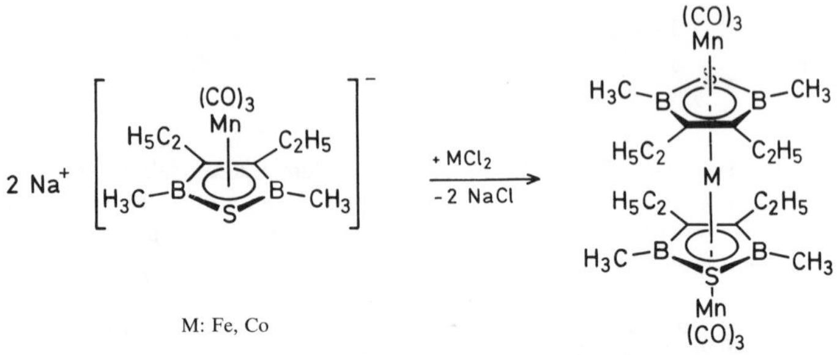

Entsprechend sind aus dem roten Zink-bis[(η^5-cyclopentadienyl)-(η^5-3,4-diethyl-2,5-dimethyl-1,2,5-thiadiborolen)-eisen] (vgl. S. 61) über das Kalium-Salz mit Eisen(II)- bzw. Cobalt(II)-chlorid in Tetrahydrofuran kristalline Tetradecker-Komplexe zugänglich: *Bis[(η^5-cyclopentadienyleisen)-μ-(η^5-3,4-diethyl-2,5-dimethyl-1,2,5-thiadiborolen)]eisen* (53%; F: 209–211°) und *-cobalt* (42%; F: 218°)[2,3].

β) aus kationischen Bis(Ligand-Übergangsmetall)-μ-(Diorganobor-Schwefel)-π-Komplexen

Beim Erhitzen kationischer Tripeldecker-π-Komplexe werden unter intermediärem Abbau und teilweisem Verknüpfen der Bruchstücke in allerdings äußerst bescheidener Ausbeute neutrale Tetradecker-π-Komplexe gebildet[4,5]; z.B.:

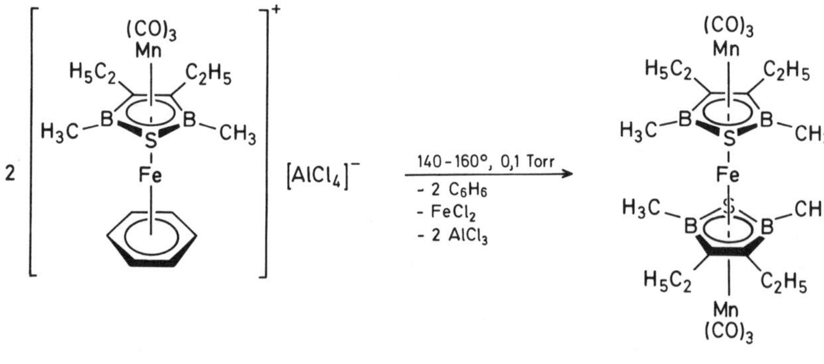

Bis[(tricarbonylmangan)-μ-(η^5-3,4-diethyl-2,5-dimethyl-1,2,5-thiadiborolen)]eisen[4]**:** Man erhitzt 0,2 g ($\approx$0,33 mmol) [μ-(η^5-3,4-Diethyl-2,5-dimethyl-1,2,5-thiadiborolen)-(η^6-benzol-eisen)-(tricarbonylmangan)] tetrachloroaluminat auf 140–160° i. Vak. (0,1 Torr) und erhält gelbbraunes Sublimat, das aus Schwefelkohlenstoff orangerote Kristalle liefert; Ausbeute: 3 mg (2,7%); F: >155° Dunkelfärbung, 210° Zers.

---

[1] C. Böhle, Diplomarbeit, Universität Marburg 1978.
[2] C. Böhle, Dissertation, S. 124ff., Universität Marburg 1980.
[3] W. Siebert, C. Böhle u. C. Krüger, Ang. Ch. **92**, 758 (1980); engl.:**19**, 746.
[4] W. Siebert, C. Böhle, C. Krüger u. Y.-H. Tsay, Ang. Ch. **90**, 558 (1978); engl.: **17**, 527.
[5] C. Böhle, Dissertation, S. 117, Universität Marburg 1980.

γ) aus anionischen Übergangsmetall-bis(Diorganobor-Schwefel)-π-Komplexen

Die Tetradecker-Komplexe enthalten je zwei μ- und η-(2,5-Diorgano-1,2,5-thiadiborolen)-Liganden. Die Verbindungen lassen sich aus den Alkalimetall-Salzen der Bis(η^5-2,5-diorgano-1,2,5-thiadiborolen)-Übergangsmetalle (vgl. S. 60) mit Übergangsmetall-dihalogeniden herstellen.

Beispielsweise gewinnt man aus Natrium-bis(η^5-3,4-diethyl-2,5-dimethyl-1,2,5-thiadiborolen)cobaltat mit Eisen(II)-chlorid 29% *Bis[(η^5-3,4-diethyl-2,5-dimethyl-1,2,5-thiadiborolencobalt)-μ-(η^5-3,4-diethyl-2,5-dimethyl-1,2,5-thiadiborolen)]eisen* (29%; F: 210–212°; Zers.)[1,2]:

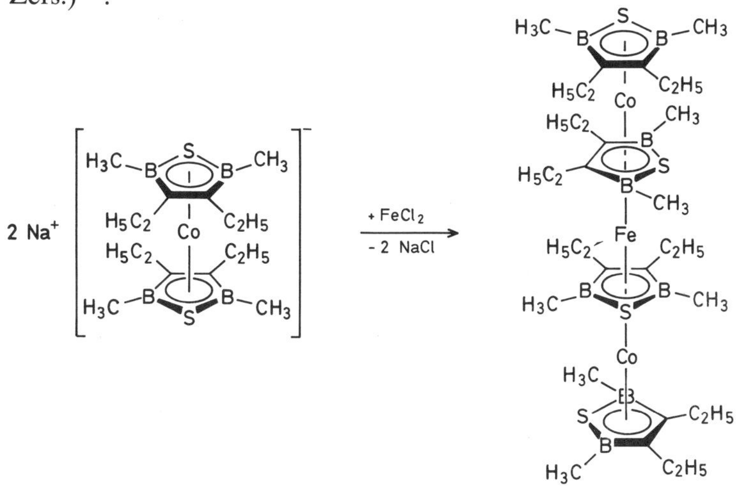

$$2\,Na^+ [Co(C_2B_2S(CH_3)_2(C_2H_5)_2)_2]^- \xrightarrow[-\,2\,NaCl]{+\,FeCl_2}$$

5. Bis[(Diorganobor-Schwefel)-Übergangsmetall]-μ-(Diorganobor-Schwefel)-π-Komplexe

Tripeldecker-π-Komplexe, deren η- und μ-Liganden ausschließlich aus Tetraorgano-2,5-dihydro-1,2,5-thiadiborolenen bestehen, erhält man aus den Organobor-Schwefel-Verbindungen mit bestimmten Übergangsmetallcarbonylen; z.B.[3–5]:

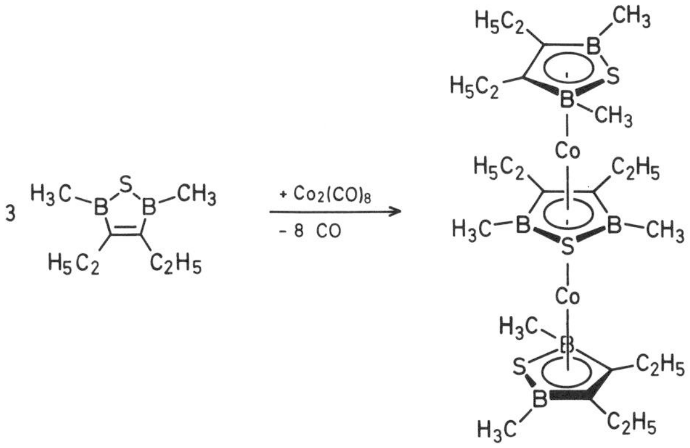

$$3\ \text{(H}_3\text{C)}_2\text{B}_2\text{S(C}_2\text{H}_5)_2\text{C}_2 \xrightarrow[-\,8\,CO]{+\,Co_2(CO)_8}$$

---

[1] W. Siebert, R. Full, K. Kinberger u. C. Krüger, J. Organometal. Chem. **131**, 1 (1977).
[2] W. Siebert, W. Rothermel, C. Böhle, C. Krüger u. D.J. Brauer, Ang. Ch. **91**, 1014 (1979); engl.: **18**, 949.
[3] W. Siebert, C. Böhle, C. Krüger u. Y.-H. Tsay, Ang. Ch. **90**, 558 (1978); engl.: **17**, 527.
[4] W. Siebert u. W. Rothermel, Ang. Ch. **89**, 346 (1977); engl.: **16**, 333.
[5] W. Siebert, Adv. Organometallic Chem. **18**, 301 (1980), dort S. 327.

μ-(η^5- 3,4-Diethyl-2,5-dimethyl-1,2,5-thiadiborolen)-bis(η^5-3,4-diethyl-2,5-dimethyl-1,2,5-thiadiborolen-cobalt)[1,2]: 1,30 mmol Octacarbonyldicobalt und 2,77 mmol 3,4-Diethyl-2,5-dimethyl-2,5-dihydro-1,2,5-thiadiborolen liefern in 20 *ml* Toluol unter Stickstoff eine tiefblaue Lösung, die nach Zugabe von weiteren 2,7 mmol 3,4-Diethyl-2,5-dimethyl- 2,5-dihydro-1,2,5-thiadiborolen 1,5 Stdn. zum Rückfluß erhitzt wird. Die dann tiefrote Lösung wird filtriert, das Filtrat eingeengt und mit Petrolether versetzt. Bei –10° erhält man schwarzglänzende Kristalle; Ausbeute: 0,57 g (71%); F: 172–175° (Zers.).

6. Ligand-Übergangsmetall-(Organobor-Schwefel-Wasserstoff)-π-Komplexe

Bisher sind π-Komplexverbindungen von Übergangsmetallen mit 2,5-Dihydro-1,2,5-thiadiborolen nicht isoliert worden. Nachgewiesen wurde lediglich *(η^5-3,4-Diethyl-1,2,5-thiadiborolen)-tricarbonyl-eisen*[3]:

$$\text{(3,4-Diethyl-2,5-dimethyl-thiadiborolen)Fe(CO)}_3 \xrightarrow[-2\,Li[H_3BCH_3]]{+2\,Li[BH_4]} \text{(3,4-Diethyl-thiadiborolen, HB/BH)Fe(CO)}_3$$

7. Übergangsmetall-(Organobor-Schwefel-Halogen)-π-Komplexe

α) (Ligand)Übergangsmetall-(Organobor-Schwefel-Halogen)-π-Komplexe

(η^5-3,4-Diethyl-2,5-dihalogen-1,2,5-thiadiborolen)-tricarbonyl-eisen-π-Komplexe sind aus den 3,4-Diethyl-2,5-dihalogen-2,5-dihydro-1,2,5-thiadiborolenen mit Nonacarbonyldieisen beim Erwärmen in Hexan in Ausbeuten von 60–90% zugänglich[3]:

$$\text{Hal-thiadiborolen} \xrightarrow[-CO,\ -Fe(CO)_5]{+Fe_2(CO)_9} \text{(Hal-thiadiborolen)Fe(CO)}_3$$

...-3,4-diethyl-1,2,5-thiadiborolen)-tricarbonyl-eisen
Hal = Cl; *(η^5-2,5-Dichlor-...*; $Kp_{0,05}$: 50°
Hal = Br; *(η^5-2,5-Dibrom-...*; $Kp_{0,02}$: 64–66°; F: 59–60°
Hal = J; *(η^5-2,5-Dijod-...*; F: 96–98°; Subl. $p._{0,01}$: 90°

Aus (η^5-3,4-Diethyl-2,5-dijod-1,2,5-thiadiborolen)-tricarbonyl-eisen erhält man mit Arsentrifluorid (Mol-Verhältnis 3:1) in Pentan bei ~25° (25 Stdn.) verunreinigtes *(η^5-3,4-Diethyl-2-fluor-5-jod-1,2,5-thiadiborolen)-tricarbonyl-eisen* ($Kp_{0,02}$: 42°)[3].

Aus 3,4-Diethyl-2,5-dihalogen-Δ^5-1,2,5-thiadiborolenen sind auch mit Bis(triphenylphosphan)-ethen-platin die unlöslichen, vermutlich assoziierten *Bis(triphenylphosphan)-(η^5-3,4-diethyl-2,5-dihalogen-1,2,5-thiadiborolen)-platin*-Komplexe zugänglich[4]:

$$\text{Hal-thiadiborolen} + [(H_5C_6)_3P]_2Pt{-}\overset{CH_2}{\underset{CH_2}{\|}} \xrightarrow[-C_2H_4]{(H_5C_2)_2O} [(H_5C_6)_3P]_2Pt\text{(Hal-thiadiborolen)}$$

Bis(triphenylphosphan)-(η^5-...-1,2,5-thiadiborolen)-platin
Hal = Br; *...-2,5-dibrom-3,4-diethyl-...*; 47%; F: 304–305°
Hal = J; *...-3,4-diethyl-2,5-dijod-...*; 84%; F: 316°(Zers.)

---

[1] W. Siebert u. W. Rothermel, Ang. Ch. **89**, 346 (1977); engl.: **16**, 333.
[2] W. Rothermel, Dissertation, Universität Marburg 1979.
[3] W. Siebert, R. Full, J. Edwin, K. Kinberger u. C. Krüger, J. Organometal. Chem. **131**, 1 (1977).
[4] M. El-Din M. El-Essawi, Dissertation, Universität Marburg 1978.

β) Bis[(Organobor-Schwefel-Halogen)-Übergangsmetall]-μ-(Organobor-Schwefel-Halogen)-π-Komplexe

Aus 3,4-Diethyl-2,5-dihalogen-Δ^3-1,2,5-thiadiborolenen lassen sich mit Octacarbonyldicobalt in siedendem Hexan in guten Ausbeuten unter Verdrängung von Kohlenmonoxid Dicobalt-tris(3,4-diethyl-2,5-dihalogen-Δ^3-1,2,5-thiadiborolene) herstellen[1,2]:

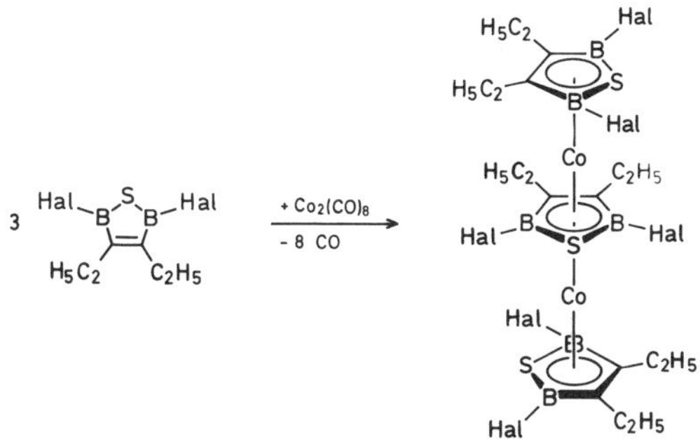

$$3\ \text{Hal-thiadiborolen} \xrightarrow[-8\ CO]{+\ Co_2(CO)_8} \text{Dicobalt-Komplex}$$

μ-(η^5-. . . . . .-1,2,5-thiadiborolen)-bis[(η^5-. . . . . .-1,2,5-thiadiborolen)cobalt]

Hal = Cl; . . .*-2,5-dichlor-3,4-diethyl-*. . . . . . .*-2,5-dichlor-3,4-diethyl-*. . .; 55%; F: 195–198°
Hal = Br; . . .*-2,5-dibrom-3,4-diethyl-*. . . . . .*-2,5-dibrom-3,4-diethyl-*. . .; 59%; F: 204–207%
Hal = J; . . .*-3,4-diethyl-2,5-dijod*. . . . . .*-3,4-diethyl-2,5-dijod-*. . .; 77%; F: 211–214°

8. (Ligand)Übergangsmetall-(Organobor-Sauerstoff-Schwefel)-π-Komplexe

(η^5-2,5-Diethoxy-3,4-diethyl-1,2,5-thiadiborolen)-tricarbonyl-eisen ($Kp_{0,1}$: 50°) läßt sich aus (η^5- 3,4-Diethyl- 2,5-dijod-1,2,5-thiadiborolen)- tricarbonyl-eisen mit Diethylether in Benzol bei ≈50° in 3 Stdn. in 40%iger Ausbeute gewinnen[3]:

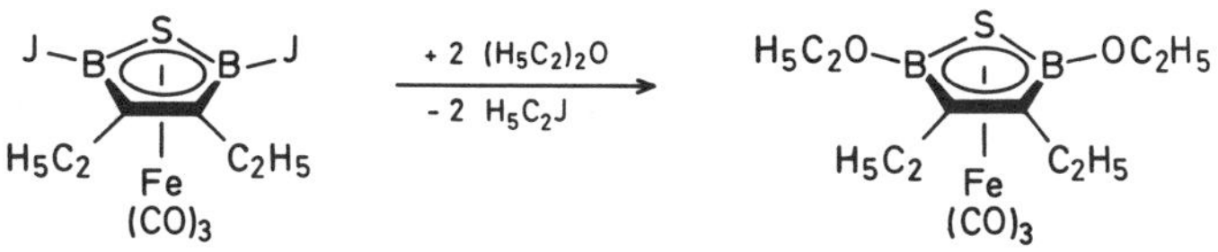

$$\xrightarrow[-2\ H_5C_2J]{+\ 2\ (H_5C_2)_2O}$$

9. (Ligand)Übergangsmetall-(Organobor-Schwefel-Schwefel)-π-Komplexe

Das thermisch stabile, dunkelrote *[η^5-2,5-Bis(methylthio)-1,2,5-thiadiborolen]-tricarbonyl-eisen* [$Kp_{0,01}$: 115° (subl.); F: 125–126°] läßt sich aus dem entsprechenden 2,5-Dijod-Derivat mit Dimethyldisulfan in Benzol herstellen. Der Zusatz von metallischem Quecksilber für die ~18 stdg. Reaktion bei ≈25° ist notwendig, um das Jod abzufangen und die Abspaltung von Tricarbonyleisen weitgehend zu vermeiden[3]:

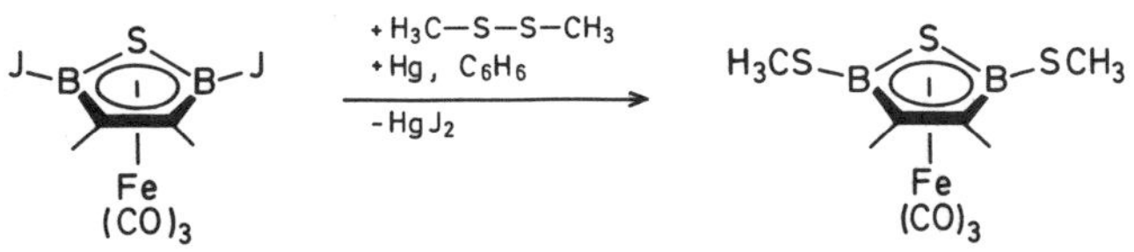

$$\xrightarrow[-HgJ_2]{+\ H_3C-S-S-CH_3,\ +Hg,\ C_6H_6}$$

Ligand-Übergangsmetall-Komplexe der Triorganoborthiine (Triorgano-1,3,5,2,4,6-trithiatriborine) sind Additionsverbindungen mit borfernen Schwefel-Übergangsmetall-σ-Bindungen. Die Herstellungsmethoden der etherhaltigen Verbindungen (O-B-Bindung) mit vierfach koordiniertem Bor-Atom werden auf S. 638 in XIII/3b besprochen.

[1] W. ROTHERMEL, Dissertation, Universität Marburg 1979.
[2] W. SIEBERT, Adv. Organometallic Chem. **18**, 333 (1980).
[3] W. SIEBERT, R. FULL, J. EDWIN, K. KINBERGER u. C. KRÜGER, J. Organometal. Chem. **131**, 1 (1977).

f) Übergangsmetall-(Organobor-Stickstoff)-π-Komplexe

Zur Verbindungsklasse zählen Ligand-Übergangsmetall-π-(Amino-organo-borane) mit sehr unterschiedlichen Boran- und 1,3,2-Diborazan-Strukturen (vgl. Tab. 6). Die Herstellungsmethoden der Übergangsmetall-π-(Amino-diorgano-borane), Übergangsmetall-π-(Diamino-organo-borane), Übergangsmetall-π-(Organo-1,3,2-diborazane) und der Übergangsmetall-π-(2,4,6-Triorganoborazine) werden in getrennten Abschnitten besprochen.

1. Übergangsmetall-(Diorganobor-Stickstoff)-π-Komplexe

Ligand-Übergangsmetall-π-(Amino-diorgano-borane) und Übergangsmetall-Bis-π-(amino-diorgano-borane) sind bekannt. Sämtliche Amino-diorgano-boran-Liganden sind fünf- und sechsgliedrige Heterocyclen, die ausschließlich als Endgruppen- und nicht als Brücken-Liganden auftreten (vgl. Tab. 6).

Tab. 6: Übergangsmetall-(Organobor-Stickstoff)-π-Komplexe

Formel	Verbindungstyp		Herstellungsart	s. S.
Übergangsmetall-(Diorganobor-Stickstoff)-π-Komplexe				
	η^3,η^4,η^5 3–5 e	$LM\overset{\pi}{=}R_2BN<$ M = Cr, Mo, W, Mn, Fe, Co,	aus $R_2BN<$ + LM L = CO (borfern) aus $[LM\overset{\pi}{=}R_2BN<]^-$ + El^+ aus $LM\overset{\pi}{=}R_2BN<$ + Hal_2	73, 76
	η^5 5e	$LM\overset{\pi}{=}R_2BN<$ M = Fe	aus $R_2BN<$ + LM L = CO	73
	η^4 4 e	$LM\overset{\pi}{=}R_2BN<$ M = Fe, Co	aus $R_2BN<$ + LM L = CO, En, Cp	74, 75
	η^6 6e	$LM\overset{\pi}{=}R_2BN<$ M = Cr	aus $R_2BN<$ + LM L = CO, H_3C–CN	75
	η^5 5e	$[LM\overset{\pi}{=}R_2BN<]^{\ominus}$ M = Fe	aus $LM\overset{\pi}{=}R_2BN<$ + K L = CO	77
	$(\eta^5)^2$ $(5e)^2$	$M\overset{\pi}{=}(R_2BN<)_2$ M = Ti, V, Fe, Co, Ni, Ru	aus $[R_2BN<]^- Li^+$ + $MHal_2$ aus $R_2BN<$ + M	79 79

Tab. 6 (1. Forts.)

Formel	Verbindungstyp		Herstellungsart	s. S.
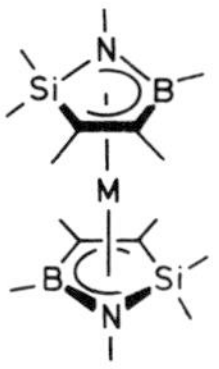	$(\eta^4)^2$ $(4e)^2$	$M\overset{\pi}{=}(R_2BN\langle)_2$ M = Ni M = Rh	aus $R_2BN\langle$ + LM (L = En) aus $R_2BN\langle$ +LMHal	79 80
Übergangsmetall-(Organobor-Stickstoff-Halogen)-π-Komplexe				
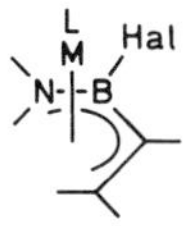	η^4 4e	$LM\overset{\pi}{=}R\text{-}B(Hal)\text{-}N\langle$ M = Fe	aus $R\text{-}B(Hal)\text{-}N\langle$ + LM L = CO	83
Übergangsmetall-(Organobor-Stickstoff-Stickstoff)-π-Komplexe				
	η^5 6e	$LM\overset{\pi}{=}RB(N\langle)_2$ M = Cr	aus $R\text{–}B(N\langle)_2$ + LM L = CO, H_3CCN	86
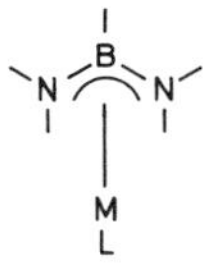	η^3 4e	$LM\overset{\pi}{=}R\text{–}B(N\langle)_2$ M = Fe	aus $R\text{–}B(N\langle)_2$ +-LM L = CO	85
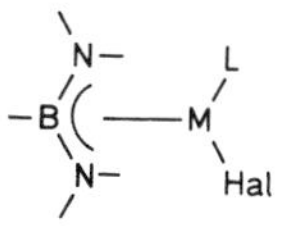	η^3 4e	$[LM\overset{\pi}{=}RBN\langle)_2]^+$ M = Pd	aus $R\text{–}B(N\langle)_2$ + LMHal	85
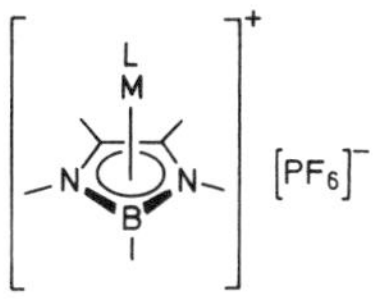	η^5 6e	$[LM\overset{\pi}{=}RBN\langle)_2]^+$ M = Cr	aus $LM^{II}R\text{–}B(N\langle)_2 + El^+[PF_6]^-$ L = CO	87
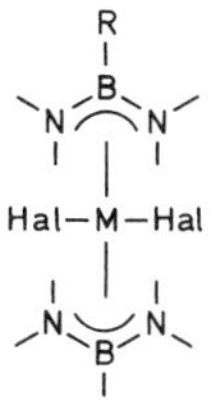	$(\eta^3)^2$ 4e	$[M\overset{\pi}{=}(RBN\langle)_2]^+$ M = Pd	aus $R\text{–}B(N\langle)_2 + LMHal_2$	86
Übergangsmetall-(Organo-1,3,2-diborazan)-π-Komplexe				
	η^5 4 e	$LM\overset{\pi}{=}R_2B\text{-}\overset{\mid}{N}\text{-}BR_2$ M = Fe, Co	aus $R_2B\text{-}\overset{\mid}{N}\text{-}BR_2$ + LM L = CO, Cp	82

Tab. 6 (2. Forts.)

Formel	Verbindungstyp		Herstellungsart	s.S.
	$(\eta^5)^2$ 4e	$LM\overset{\pi}{=}R_2B\text{-}N\text{-}BR_2$ M = CO	aus $R_2B\text{-}N\text{-}BR_2$ + LM L = CO	82
	$(\eta^5)^2$ 4e	$M\overset{\pi}{=}(R_2B\text{-}N\text{-}BR_2)_2$ M = Ni	aus $R_2B\text{-}N\text{-}BR_2$ + LM L = CO	82
Ligand-Übergangsmetall-π-(1,3-Diamino-1,3,2-diborathiane)				
	η^5 4e	$LM\overset{\pi}{=}R\text{–}B\text{–}S\text{–}B\text{–}R$ (B–N, B–N) M = Fe	aus $LM\overset{\pi}{=}R\text{–}B\text{–}S\text{–}B\text{–}R$ (Hal, Hal) L = Co	84
Ligand-Übergangsmetall-π-(2,4-Diorgano-diazadiborete)				
	η^4 4e	$LM\overset{\pi}{=}(R^1BNR^2)_2$ M = Cr	aus $R^1B = NR^2$ + LM L = CO	85
Ligand-Übergangsmetall-π-(2,4,6-Triorganoborazine)				
	η^6 6e	$LM\overset{\pi}{=}(R\text{–}BN\langle)_3$ M = Cr L = CO	aus $(R\text{–}BN)_3$ + LM L = CO, H_3CCN aus $(R\text{–}BN)_3$ + LM, hν L = CO	88 89

Die Herstellung der Ligand-Übergangsmetall-π-(Amino-diorgano-borane) geht im allgemeinen von den Boranen aus, die man mit Übergangsmetallen oder mit geeigneten Ligand-Übergangsmetallen reagieren läßt. Außerdem sind borferne Umwandlungen bekannt. Schließlich lassen sich Ligand-Übergangsmetall-π-(Amino-diorgano-borane) aus anionischen Vorprodukten gewinnen.

α) Neutrale (Ligand)Übergangsmetall-(Diorganobor-Stickstoff)-π-Komplexe

α_1) *aus cyclischen Amino-diorgano-boranen*

Bestimmte cyclische Amino-diorgano-borane reagieren mit Ligand-Übergangsmetallen beim Erwärmen oder beim Belichten unter Ligand-Verdrängung zu Ligand-Übergangsmetall-π-(Amino-diorgano-boranen). Bekannt sind neutrale 4e,η^4- sowie 6e,η^6-Liganden, die durch Verdrängung anderer Liganden unmittelbar an Übergangsmetalle π-gebunden werden können. Außerdem gibt es 5e,η^5-Liganden, die sich aus neutralen Präliganden durch Substituenten-Abspaltung erst während der Reaktion am Übergangsmetall bilden.

Die sandwichartigen Übergangsmetall-π-bis(Amino-diorgano-borane) (vgl. S. 78ff.) lassen sich auch aus Alkalimetall[amino-diorgano-boraten(1-)] mit Übergangsmetallhalogeniden herstellen.

1,2-Azaborolinyl-5e,η^5-Liganden, die mit Cyclopentadienyl-Liganden isoelektronisch sind, bilden sich aus Δ^3-1,2-Azaborolinen mit Metallcarbonylen in der Hitze durch Wasserstoff-Abstraktion[1-3].

Aus 1-tert.-Butyl-3-methyl-2-phenyl-Δ^3-1,2-azaborolin (vgl. Bd. XIII/3b, S. 39)[1] oder aus 1-tert.-Butyl- bzw. 1-Trimethylsilyl-2-methyl-Δ^3-1,2-azaborolin (vgl. S. 122, XIII/3b)[2,3] lassen sich beim Erhitzen mit Pentacarbonyleisen bis zum Sieden jeweils die entsprechenden *cis/trans-μ-Dicarbonyl-1,2-bis(η^5-1,2-azaborolinyl)-dicarbonyl-dieisen*-Komplexe herstellen:

$$2\ \text{Azaborolin} \xrightarrow[-6\ CO,\ -2\ H]{+2\ Fe(CO)_5} \text{Komplex} + \text{trans-Isomer}$$

μ-Dicarbonyl-1,2-bis(η^5-...-1,2-azaborolinyl)-1,2-dicarbonyl-dieisen

$R^1 = CH_3$; $R^2 = R^3 = H$; ...*-2-methyl-*...[3]; 21%

$R^2 = Si(CH_3)_3$; $R^3 = H$; ...*-2-methyl-1-trimethylsilyl*...[1]; 52%

$R^2 = C(CH_3)_3$; $R^3 = H$; ...*-1-tert.-butyl-2-methyl-*...[2]; 44%

$R^1 = C_6H_5$; $R^2 = C(CH_3)_3$; $R^3 = CH_3$; ...*-1-tert.-butyl-3-methyl-2-phenyl-*...[1]; 56%

Der abgespaltene Wasserstoff hydriert die Δ^3-1,2-Azaboroline zu 1,2-Azaborolidinen[4].

μ,μ-Dicarbonyl-cis/trans-1,2-bis(η^5-1-tert.-butyl-3-methyl-2-phenyl-1,2-azaborolinyl)-dicarbonyl-dieisen[1,3]: 0,8 g (3,75 mmol) 1-tert.-Butyl-3-methyl-2-phenyl-Δ^3-1,2-azaborolin werden in 20 *ml* Pentacarbonyleisen 8 Stdn. zum Sieden erhitzt. Sämtliche flüchtigen Anteile werden i. Vak. entfernt, man wäscht den Rückstand mit 10 *ml* Diethylether, nimmt in THF auf und frittet von Ungelöstem ab. Das Filtrat wird auf 5 *ml* eingeengt und langsam mit Petrolether versetzt und auf 0° abgekühlt. Die ausgefallenen Kristalle werden abfiltriert; Ausbeute: 0,76 g (60%); F: 120° (Zers.).

Aus 1-tert.-Butyl-2-methyl-Δ^3-1,2-azaborolin ist mit Hexacarbonylmolybdän bei ~80° unter gleichzeitiger UV-Bestrahlung in Petrolether in 25%iger Ausbeute *(η^3-Allyl)-(dicarbonyl)-(η^5-1-tert.-butyl-2-methyl-1,2-azaborolinyl)-molybdän* zugänglich[5]:

$$2\ \text{Azaborolin} + Mo(CO)_6 \xrightarrow[-4\ CO,\ \{-2\ (H_3C)_3CN{-}BCH_3\}]{+h\nu,\ 80°} \text{Komplex}$$

Die Bildung der Allyl-Gruppe ist offensichtlich auf den Zerfall eines 1,2-Azaborolin-Rings zurückzuführen[5].

Pentaorgano-Δ^3-1,2,5-azasilaboroline[6] sind η^4-4π-Elektronen Liganden für Übergangsmetalle und lassen sich mit Übergangsmetallcarbonylen in Ligand-Übergangsmetall-π-1,2,5-azasilaboroline überführen[7,8]; z.B.[8]:

[1] J. SCHULZE u. G. SCHMID, Ang. Ch. **92**, 61 (1980); engl.: **19**, 54.
[2] J. SCHULZE u. G. SCHMID, J. Organometal. Chem. **193**, 83 (1980).
[3] J. SCHULZE, R. BOESE u. G. SCHMID, B. **114**, 1297 (1981).
[4] G. SCHMID, Universität Essen, Privatmitteilung 1981.
[5] G. SCHMID, U. HÖHNER, D. KAMPMANN, F. SCHMIDT, D. BLÄSER u. R. BOESE, B. **117**, 672 (1984).
[6] R. KÖSTER u. G. SEIDEL, Ang. Ch. **93**, 1009 (1981); engl.: **20**, 972.
[7] R. KÖSTER u. G. SEIDEL, Ang. Ch. **94**, 225 (1982); engl.: **21**, 207.
[8] R. KÖSTER, G. SEIDEL, G. SCHMID, S. AMIRKHALILI u. R. BOESE, B. **115**, 738 (1982).

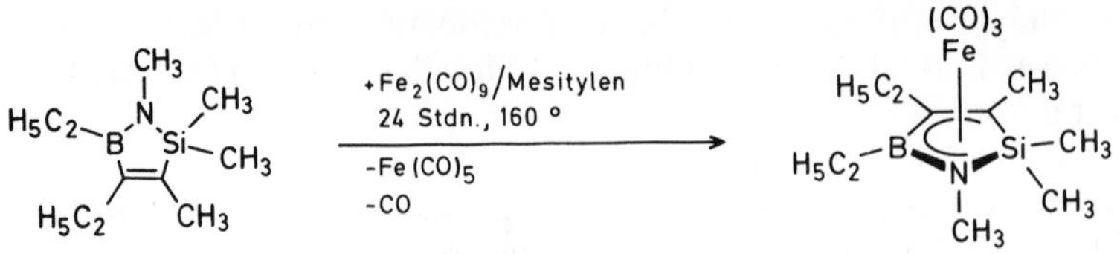

+ $Fe_2(CO)_9$/Mesitylen
24 Stdn., 160 °
- $Fe(CO)_5$
- CO

(η^4-4,5-Diethyl-1,2,2,3-tetramethyl-1,2,5-azasilaborolin)-tricarbonyl-eisen[1]: 1,1 g (5,6 mmol) 4,5-Diethyl-1,2,2,3-tetramethyl-Δ^3-1,2,5-azasilaborolin und 866 mg (2,4 mmol) Nonacarbonyldieisen werden in 20 *ml* Mesitylen 24 Stdn. auf 160° erhitzt (133 *ml* CO (83%) werden frei). Man filtriert die dunkelrote Lösung von wenig Unlöslichem (schwarz) ab, engt i. Vak. (10^{-3} Torr) ein, nimmt in wenig Pentan auf und kühlt auf −78°; Ausbeute: 1,3 g (81%); F: 183–184° (Zers.).

Aus 4,5-Diethyl-3-isopropenyl-1,2,2-trimethyl-Δ^3-1,2,5-azasilaborolin wird mit Pentacarbonyleisen ein ≈ 1:4-Isomerengemisch mit bornaher und borferner π-Bindung am Übergangsmetall gebildet[1]:

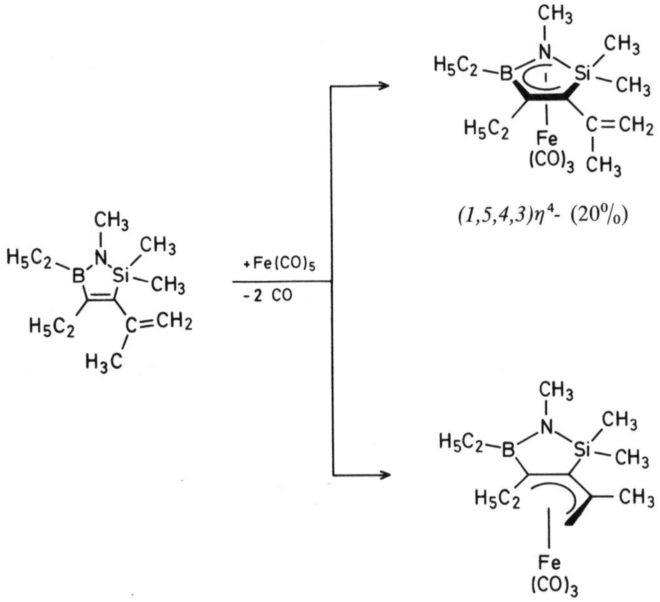

+ $Fe(CO)_5$
- 2 CO

(1,5,4,3)η^4- (20%)

(4,3,3^a,3^b)η^4-(4,5-Diethyl-3-isopropenyl-1,2,2-trimethyl-Δ^3-1,2,5-azasilaborolin)-tricarbonyl-eisen; 80%

Auch verschiedene methylierte Benzo-1,2,3,6-diazadiborine reagieren z. B. mit Hexacarbonyl-Übergangsmetallen (Chrom, Molybdän, Wolfram) unter Bildung von Tricarbonyl-Übergangsmetall-π-(Benzo-1,2,3,6-diazadiborinen). Die Tricarbonyl-Metall-Gruppierung ist jedoch ausschließlich an den Benzo-Ring gebunden[2]. Die Herstellung der Verbindungen gehört zu den borfernen Reaktionen der Amino-diorgano-borane (vgl. Bd. XIII/3b, S. 53).

Bestimmte Organobor-Heterocyclen mit C_2BN-Gruppierung reagieren mit Alken-Übergangsmetallen unter Verdrängung von Alkenen.

Aus 4,5-Diethyl-1,2,2,3-tetramethyl-Δ^3-1,2,5-azasilaborolin[3] erhält man mit Bis(η^2-ethen)-(η^5-cyclopentadienyl)cobalt[4] unter Abspaltung von 2 Mol-Äquivalenten Ethen

---

[1] R. Köster, G. Seidel, G. Schmid, S. Amirkhalili u. R. Boese, B **115**, 738 (1982).
[2] H. Schmidt u. W. Siebert, J. Organometal. Chem. **155**, 157 (1978).
[3] R. Köster u. G. Seidel, Ang. Ch. **94**, 225 (1982); engl.: **21**, 520.
[4] K. Jonas, E. Deffense u. D. Habermann, Ang. Ch. **95**, 729 (1983); Ang. Ch. Suppl. **1983**, 1005; engl.: **22**, 716.

(η^5-Cyclopentadienyl)-(η^4-4,5-diethyl-1,2,2,3-tetramethyl-1,2,5-azasilaborolin)-cobalt in 89%iger Ausbeute[1]:

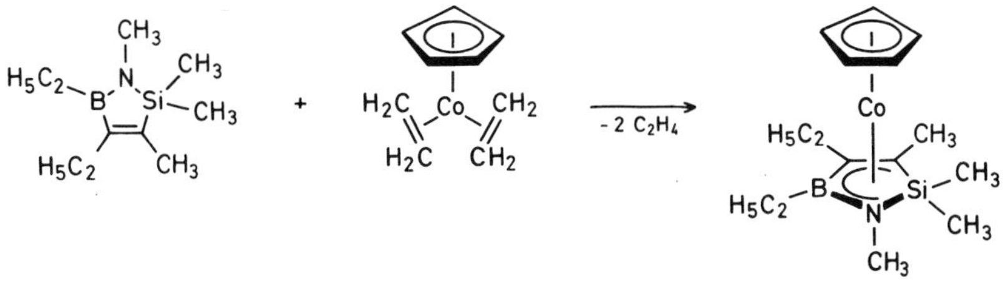

(η^5-Cyclopentadienyl)-(η^4- 4,5-diethyl-1,2,2,3-tetramethyl- 1,2,5-azasilaborolin)-cobalt[1, s. a. 2]: Beim Erwärmen der rotbraunen Suspension von 1 g (5,7 mmol) Bis(η^2-ethen)-(η^5-cyclopentadienyl)-cobalt[3] in 2,75 g (14,1 mmol) 4,5-Diethyl-1,2,2,3-tetramethyl-Δ^3-1,2,5-azasilaborolin auf 40–50° erhält man in 40 Min. 218 N*ml* Ethan (85%). Aus der dunkelgrünen Lösung wird i. Vak. (10^{-3} Torr) überschüssiges Δ^3-1,2,5-Azasilaborolin (~ 1,7 g) bei ~ 20° abdestilliert. Der Rückstand wird i. Vak. (10^{-3} Torr) bei 40–50° sublimiert; Ausbeute: 1,6 g (89%) (dunkelgrün).

Entsprechend erhält man aus 1-tert.-Butyl-2-methyl-Δ^3-1,2-azaborolin mit Bis(η^2-ethen)-(η^5-cyclopentadienyl)-cobalt in ~ 10%iger Ausbeute < 20° *(η^4-1-tert.-Butyl-2-methyl-azaborolin)-(η^5-cyclopentadienyl)-cobalt* ohne Abspaltung des Wasserstoff-Atoms in 5-Stellung[4]:

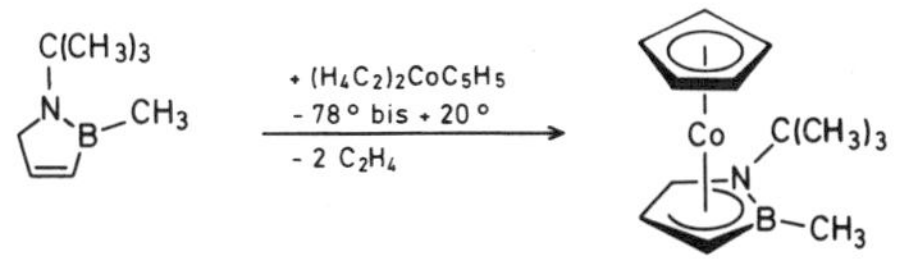

4,5-Diethyl-1,2,3,6-tetramethyl-1,2,3,6-tetrahydro-1,2,3,6-diazadiborin reagiert mit Tricarbonyl-tris(acetonitril)-chrom unter Verdrängung von Acetonitril zu *(η^6-4,5-Diethyl-1,2,3,6-tetramethyl- 1,2,3,6-diazadiborin)-tricarbonyl-chrom*[5, 6]:

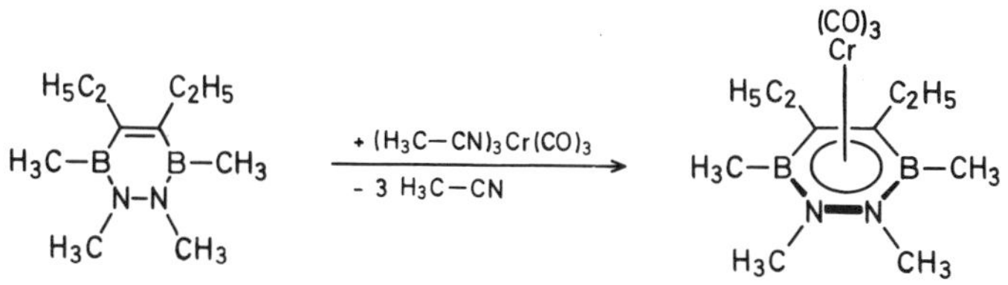

(η^6-4,5-Diethyl-1,2,3,6-tetramethyl-1,2,3,6-diazadiborin)-tricarbonyl-chrom[5]: 2,24 mmol 4,5-Diethyl-1,2,3,6-tetramethyl-1,2,3,6-tetrahydro-1,2,3,6-diazadiborin und 1,74 mmol Tricarbonyl-tris(acetonitril)-chrom werden unter Rühren 1 Stde. auf 90–100° erhitzt. Bei 11 Torr wird die Lösung weitere 40 Min. auf 90° erhitzt und dann i. Vak. alles Leichtflüchtige abdestilliert. Die rote Komplexverbindung sublimiert bei 120°/0,03 Torr; Ausbeute: 53%; F: 111–112°.

Aus Lithium-1-tert.-butyl-2-methyl-1,2-azaborolinylid erhält man mit Tris(acetonitril)-tricarbonyl-mangan-hexafluorophosphat in THF bei −40° bis +20° in ~ 14%-iger Ausbeute gelbes *(η^5-1-tert.-Butyl-2-methyl-1,2-azaborolinyl)-tricarbonyl-mangan* ($Kp_{0,001}$: 35°)[7,8]:

---

[1] R. Köster, G. Seidel, S. Amirkhalili, R. Boese u. G. Schmid, B. **115**, 738 (1982).
[2] R. Köster u. G. Seidel, Ang. Ch. **94**, 225 (1982); engl.: **21**, 520.
[3] K. Jonas, E. Deffense u. D. Habermann, Ang. Ch. **95**, 729 (1983); Ang. Ch. Suppl. **1983**, 1005; engl.: **22**, 716.
[4] G. Schmid, U. Höhner u. D. Kampmann, Z. Naturf. **38b**, 1094 (1983).
[5] W. Siebert u. R. Full, Ang. Ch. **88**, 55 (1976); engl.: **15**, 45.
[6] W. Siebert, R. Full, H. Schmidt, J. van Segert, M. Halstenberg u. G. Huttner, J. Organometal. Chem. **191**, 15 (1980).
[7] S. Amirkhalili, R. Boese, K. Höhner, D. Kampmann, G. Schmid u. P. Rademacher, B. **115**, 732 (1982).
[8] G. Schmid, U. Höhner, D. Kampmann, F. Schmidt, D. Bläser u. R. Boese, B. **117**, 672 (1984).

$$Li^+ \left[\text{1-}C(CH_3)_3\text{-2-}CH_3\text{-1,2-azaborolinyl} \right]^- \xrightarrow[\text{-LiPF}_6]{+[(H_3CCN)_3Mn(CO)_3]^+[PF_6]^-,\ \text{THF},\ \gtrsim -60°} (\eta^5\text{-1-}C(CH_3)_3\text{-2-}CH_3\text{-1,2-azaborolinyl})Mn(CO)_3$$

α_2) aus (Ligand)Übergangsmetall-π-(Amino-diorgano-boranen)

Zur Herstellung von Ligand-Übergangsmetall-π-(Amino-diorgano-boranen) können auch Komplexverbindungen eingesetzt werden.

Aus frisch hergestelltem (η^4-1-tert.-Butyl-2-methyl-1,2-azaborolin)-(η^5-cyclopentadienyl)-cobalt erhält man nach mehrtägigem Stehen ohne Lösungsmittel bei ≈20° dunkelgrüne bis schwarze Kristalle von *(η^5-1-tert.-Butyl- 2-methyl-1,2-azaborolinyl)- (η^5-cyclopentadienyl)-cobalt* in ≈10⁰/₀iger Ausbeute[1]:

$$(C_5H_5)Co(\eta^4\text{-}C_3H_4N(C(CH_3)_3)B(CH_3)) \xrightarrow[\{-H\}]{\sim 20°} (C_5H_5)Co(\eta^5\text{-}C_3H_3N(C(CH_3)_3)B(CH_3))$$

Aus den dimeren subst.-(η^5-1,2-Azaborolinyl)-dicarbonyl-eisen-Verbindungen lassen sich mit Halogenen durch borferne Reaktionen (η^5-1,2-Azaborolinyl)-dicarbonyl-eisen-halogenide herstellen; z.B. mit der *cis*-Verbindung formuliert[2-4]:

$$[(\eta^5\text{-1-}C(CH_3)_3\text{-3-}CH_3\text{-2-}C_6H_5\text{-1,2-azaborolinyl})Fe(CO)(\mu\text{-}CO)]_2 \xrightarrow{+Hal_2} 2\ (\eta^5\text{-1-}C(CH_3)_3\text{-3-}CH_3\text{-2-}C_6H_5\text{-1,2-azaborolinyl})Fe(CO)_2Hal$$

(η^5-1-tert.-Butyl-3-methyl- 2-phenyl-1,2-azaborolinyl)-dicarbonyl-eisenjodid[2,3]: Zu 1,1 g (1,7 mmol) dimerem (η^5-1-tert.- Butyl-3-methyl- 2-phenyl-1,2-azaborolinyl)-dicarbonyl- eisen in 50 *ml* Benzol werden bei ≈20° 30 ml benzol. Lösung von 0,43 g (1,7 mmol) Jod getropft. Nach 12 Stdn. Rühren wird abgefrittet, das braune Filtrat i. Vak. bis zur Trockene eingeengt und der Rückstand mit 100 *ml* siedendem Petrolether (40–60°) extrahiert. Nach dem Einengen der Petrolether-Lösung auf ≈20 *ml* wird auf −20° abgekühlt und der Kristallbrei abgesaugt; Ausbeute: 0,94 g (61⁰/₀); F: 95–96°.

α_3) aus anionischen (Ligand)Übergangsmetall-π-(Amino-diorgano-boranen)

Aus dem Lithiumsalz des (η^5-1-tert.-Butyl-2-methyl- 1,2-azaborolinyl)-tricarbonyl-molybdats lassen sich mit Halogen-trimethyl-element(IV)-Verbindungen in THF unter Abscheiden von Lithiumhalogenid gelbe, kristalline *(η^5-1-tert.-Butyl-2-methyl-1,2-azaborolinyl)-tricarbonyl-trimethylelement(IV)-chrom-, -molybdän-* und *-wolfram*-Komplexe herstellen[5,6]:

---

[1] G. Schmid, U. Höhner u. D. Kampmann, Z. Naturf. **38b**, 1094 (1983).
[2] J. Schulze u. G. Schmid, J. Organometal. Chem. **193**, 83 (1980).
[3] J. Schulze, R. Boese u. G. Schmid, B. **113**, 2348 (1980).
[4] J. Schulze, Dissertation, Universität Essen-GHS 1980.
[5] G. Schmid, F. Schmidt u. R. Boese, B. **117**, im Druck (1984);
vgl. F. Schmidt, Diplomarbeit, Universität Essen 1983.
[6] G. Schmid, U. Höhner, D. Kampmann, F. Schmidt, D. Bläser u. R. Boese, B. **117**, 672 (1984).

El = Ge; Hal = Br; 12%
El = Sn; Hal = Cl; 14%
El = Pb; Hal = Cl; 25%

Die aus den dimeren Dicarbonyl-(η^5-1,2-diorgano-1,2-azaborolinyl)-eisen-Komplexen (vgl. S. 76) mit metallischem Kalium in 1,4-Dioxan[1,2] oder mit Natriumamalgam in 1,4-Dioxan[3] herstellbaren Dicarbonyl-(η^5-1,2-diorgano-1,2-azaborolinyl)-ferrate reagieren mit elektrophilen Reagenzien (z.B. Trimethylsilylchlorid) unter Substitution am Eisen-Atom zu *Dicarbonyl-(η^5-1,2-diorgano-1,2-azaborolinyl)-trimethylsilyl-eisen*; z.B.[1]:

M = Na, K

(η^5-1-tert.-Butyl-3-methyl- 2-phenyl-1,2-azaborolinyl)- dicarbonyl-trimethylsilyl-eisen[1]: Zum Kalium-(η^5-1-tert.-butyl- 3-methyl-2-phenyl-1,2-azaborolinyl)- dicarbonyl-ferrat [aus 0,46 g (0,71 mmol) dimerem (η^5- 1-tert.-Butyl-3-methyl- 2-phenyl-1,2-azaborolinyl)-dicarbonyl-eisen mit ≈1 g (≈25 mmol) Kalium] in 80 *ml* 1,4-Dioxan gibt man (nach Entfernen überschüssigen Kaliums) bei ≈20° eine Lösung von ≈5 g (≈46 mmol) Chlor-trimethyl-silan. Nach 2 Stdn. Rühren entfernt man i. Vak. alles Leichtflüchtige, extrahiert mit Petrolether und engt die Petrolether-Lösung ein; Rohausbeute: 0,27 g (49%); nach Sublimation bei 80°/10^{-1} Torr reine Verbindung; F: 127–128°.

β) Anionische (Ligand)Übergangsmetall-(Diorganobor-Stickstoff)-π-Komplexe

Aus den dimeren Dicarbonyl-(η^5-1,2-azaborolinyl)-eisen-Komplexen lassen sich mit Alkalimetallen in 1,4-Dioxan Lösungen der Dicarbonyl-(η^5-1,2-azaborolinyl)-ferrate herstellen[1–3], aus denen sich verschiedene am Eisen substituierte Ligand-(η^5-1,2-azaborolinyl)-eisen-Verbindungen herstellen lassen (vgl. S. 77):

(Entsprechend auch mit dem *trans*-Isomer möglich)

Kalium-(η^5-1-tert.-butyl-3-methyl-2-phenyl-1,2-azaborolinyl)-dicarbonyl-ferrat

[1] J. SCHULZE u. G. SCHMID, J. Organometal. Chem. **193**, 83 (1980).
[2] J. SCHULZE, R. BOESE u. G. SCHMID, B. **113**, 2348 (1980).
[3] J. SCHULZE, Dissertation, Universität Essen-GHS 1980.

Aus (1,2-Diorgano-1,2-azaborolinyl)lithium-Verbindungen (vgl. Bd. XIII/3b, S. 124f.) lassen sich mit Carbonyl-Übergangsmetall-Verbindungen Lithium-Salze von π-Komplexen der Übergangsmetallate herstellen; z.B. *(η^5-1-tert.-Butyl-2-methyl-1,2-azaborolinyl)-tricarbonyl-molybdat*[1,2]:

$$Li^+[C_4H_3N(C(CH_3)_3)BCH_3]^- + Mo(CO)_6 \xrightarrow{-3\,CO} Li^+[(\eta^5\text{-}C_4H_3N(C(CH_3)_3)BCH_3)Mo(CO)_3]^-$$

γ) Übergangsmetall-Bis(Diorganobor-Stickstoff)-π-Komplexe

γ₁) *Neutrale Übergangsmetall-Bis(Diorganobor-Stickstoff)-π-Komplexe*

Die Herstellung der neutralen Sandwich-Verbindungen mit der Atomgruppierung M-π-$(R_2BN)_2$ erfolgt aus neutralen, cyclischen, ungesättigten Amino-diorgano-boranen mit bestimmten Metall-Verbindungen bzw. mit Metallen, die man durch Verdampfen atomar erzeugt (Metallatom-Synthese). Zusätzlich sind anionische Amino-diorgano-borane zur Herstellung von Übergangsmetall-Bis-π-[Amino-diorgano-boranen] geeignet.

γγ₁) aus Amino-diorgano-boranen

Aus 4,5-Diethyl-1,2,2,3-tetramethyl-Δ^3-1,2,5-azasilaborolin erhält man mit (η^6-1,5,9-Cyclododecatrien)nickel in Ausbeuten von ≈ 80% *Bis(η^4- 4,5-diethyl-1,2,2,3-tetramethyl-1,2,5-azasilaborolin)nickel*[3]:

$$2\ \text{Azasilaborolin} + (C_{12}H_{18})Ni \xrightarrow[-\,C_{12}H_{18}]{60-80\,°} Ni(\text{Azasilaborolin})_2$$

Bis(η^4-4,5-diethyl-1,2,2,3-tetramethyl-1,2,5-azasilaborolin)nickel[3]: 5,74 g (29,4 mmol) 4,5-Diethyl-1,2,2,3-tetramethyl-Δ^3-1,2,5-azasilaborolin und 1,36 g (6,2 mmol) *(η^6-trans,trans,trans*-1,5,9-Cyclododecatrien)-nickel werden 4 Stdn. auf 70–80° erwärmt. Anschließend wird i. Vak. bei 20°/10^{-3} Torr abdestilliert und der Rückstand i. Vak. bei 20–40°/10^{-3} Torr sublimiert; Ausbeute: 2,1 g (78%); Zers. >90°.

Aus 4,5-Diethyl-3-isopropenyl- 1,2,2-trimethyl-Δ^3-1,2,5-azasilaborolin wird mit (η^6-*all-trans*-1,5,9-Cyclododecatrien)nickel in 74%iger Ausbeute ein kurzzeitig luftbeständiger, diamagnetischer rotschwarzer Zweikern-Sandwich-π-Komplex als *meso*-Form kristallin erhalten[4]:

---

[1] G. Schmid, F. Schmidt u. R. Boese, B. **118**, i. Druck (1985); vgl. F. Schmidt, Diplomarbeit, Universität Essen 1983.
[2] G. Schmid, U. Höhner, D. Kampmann, F. Schmidt, D. Bläser u. R. Boese, B. **117**, 672 (1984).
[3] R. Köster, G. Seidel, S. Amirkhalili, R. Boese u. G. Schmid, B. **115**, 738 (1982).
[4] R. Köster u. G. Seidel, Ang. Ch. **94**, 225 (1982); engl.: **21**, 207.

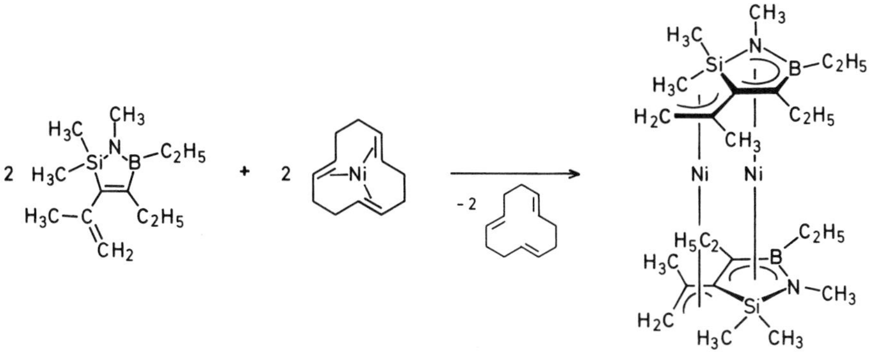

F: 134–136° (Zers.): *meso*

Aus 4,5-Diethyl-1,2,2,3-tetramethyl-Δ^3-1,2,5-azasilaborolin erhält man mit Metallatomen (Eisen, Nickel) die Sandwich-Verbindungen des Eisens [61%; paramagnetisches, äußerst luftempfindliches *Bis(η^4-4,5-diethyl-1,2,2,3-tetramethyl-1,2,5-azasilaborolin)eisen*] bzw. des Nickels [69%; *Bis(η^4-4,5-diethyl-1,2,2,3-tetramethyl-1,2,5-azasilaborolin)-nickel*][1]. Durch Metallatom-Synthese sind auch aus 2-Methyl-1-trimethylsilyl-Δ^3-1,2-azaborolin Sandwich-Verbindungen des Eisens[2], Cobalts[2] und Vanadiums[3] zugänglich[2,3]:

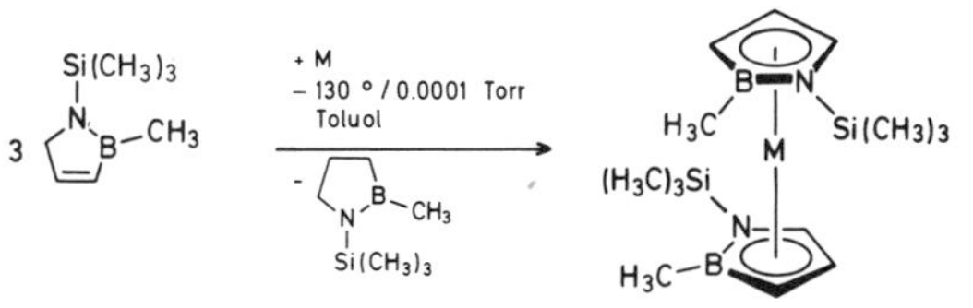

+ M
– 130 ° / 0.0001 Torr
Toluol

M = Fe, Co, V

$\gamma\gamma_2$) aus Alkalimetall-amino-diorgano-boraten

Die Herstellung sandwichartiger Übergangsmetall-bis-π-(Amino-diorgano-borane) läßt sich im allgemeinen glatt aus Alkalimetall-amino-diorgano-boraten mit Übergangsmetallhalogeniden unter Bildung von Alkalimetallhalogeniden durchführen.

Aus dem Lithium-Salz des 2-Methyl-1-trimethylsilyl-Δ^3-1,2-azaborolins (Bd. XIII/3b, S. 125) erhält man mit Eisen(II)-bromid in Tetrahydrofuran 30% *Bis(2-methyl-1-trimethylsilyl-1,2-azaborolinyl)eisen*. Analog werden *Bis(η^5-2-methyl-1-trimethylsilyl-1,2-azaborolinyl)cobalt* (76%) sowie andere elektrochemisch oxidierbare[4] Sandwich-Komplexe erhalten[2,3,5–8]:

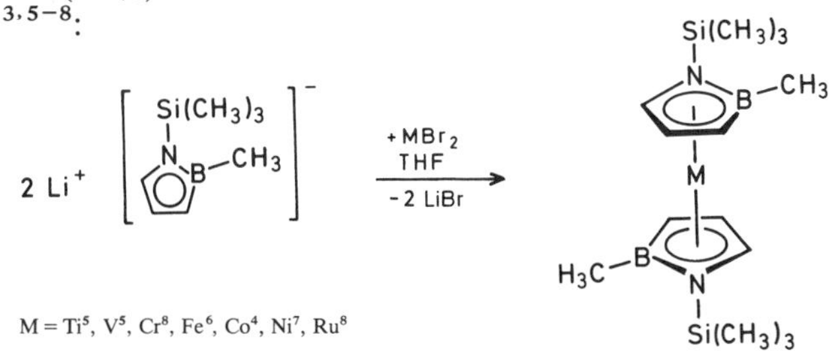

+ MBr_2
THF
– 2 LiBr

M = Ti[5], V[5], Cr[8], Fe[6], Co[4], Ni[7], Ru[8]

---

[1] R. Köster, G. Seidel, S. Amirkhalili, R. Boese u. G. Schmid, B. **115**, 738 (1982).
[2] S. Amirkhalili, U. Höhner u. G. Schmid, Ang. Ch. **94**, 84 (1982); Ang. Ch. Suppl. **1982**, 49; engl.: **21**, 68.
[3] S. Amirkhalili, R. Boese, U. Höhner, D. Kampmann, G. Schmid u. P. Rademacher, B. **115**, 732 (1982).
[4] J. G. M. van der Linden, C. A. M. Schrauwen, J. E. J. Schmitz, G. Schmid, U. Höhner u. D. Kampmann, Inorg. Chim. Acta **81**, 137 (1984).
[5] G. Schmid, S. Amirkhalili, U. Höhner, D. Kampmann u. R. Boese, B. **115**, 3830 (1982).
[6] G. Schmid, U. Höhner, D. Kampmann, D. Zaika u. R. Boese, B. **116**, 951 (1983).
[7] G. Schmid, U. Höhner, D. Kampmann, F. Schmidt, D. Bläser u. R. Boese, B. **117**, 672 (1984).
[8] G. Schmid, O. Boltsch, D. Bläser u. R. Boese, Z. Naturf. **39b**, 1082 (1984).
vgl. O. Boltsch, Diplomarbeit, Universität Essen 1983.

Der Nickel-Sandwich (29% Ausbeute) liegt im festen Zustand als *Bis(η³-1-tert.- butyl-2-methyl-1,2-azaborolinyl)nickel* vor[1].

Aus 1-tert.-Butyl-2-methyl-1,2-azaborolinyl-lithium erhält man mit Ruthenium(II)-chlorid-Lösung in THF bei –70° bis +20° in ≈13%iger Ausbeute *Bis(η⁵-1-tert.-butyl- 2-methyl-1,2-azaborolinyl)ruthenium*[2].

γγ₃) aus Übergangsmetall-Bis(Diorganobor-Stickstoff)-π-Komplexen

Aus der Dilithium-Verbindung des 1-Diisopropylaminoborols erhält man mit dem dimeren (Hexamethylbenzol)rutheniumdichlorid in Tetrahydrofuran in 19%iger Ausbeute hellgelbes kristallines, luftbeständiges *(η⁵-1-Diisopropylaminoborol)-(hexamethylbenzol)-ruthenium* (F: 140°)[3]:

$Li_2[C_4H_4B{-}N[CH(CH_3)_2]_2]$ + 1/2 $[(H_3C)_6C_6RuCl_2]_2$ —(THF, −2 LiCl)→ $(\eta^5\text{-}C_4H_4B{-}N[CH(CH_3)_2]_2)Ru(C_6(CH_3)_6)$

Aus Natrium-4,5-diethyl-2,2,3-trimethyl-1,2,5-azasilaborolinid läßt sich mit Bis[η²-ethen)rhodiumchlorid in >30%iger Ausbeute u.a. zentrosymmetrisch aufgebautes, dimeres *(η⁴-4,5-Diethyl-2,2,3-trimethyl-1,2,5-azasilaborolin-1-yl)-(η²-ethen)-rhodium* (F: 156–158°, Zers.) gewinnen[4]:

2 Na-Azasilaborolinid (H_5C_2, CH_3, Si(CH_3)₂) + 2 $(C_2H_4)_2Rh{-}Cl$ —($(H_5C_2)_2O$, −2 NaCl, −2 C_2H_4)→ Dimer $[(\eta^4\text{-Azasilaborolinyl})Rh(C_2H_4)]_2$

Aus Bis(η⁵-2-methyl-1-trimethylsilyl-1,2-azaborolinyl)eisen[5,6] läßt sich durch borferne Reaktion der an den N-Atomen unsubstituierte Sandwich in 62%iger Ausbeute herstellen. In THF wird bei –78° mit Lithium-2,2,6,6-tetramethylpiperidid und anschließend mit tert.-Butanol in THF umgesetzt[7]:

---

[1] G. Schmid, D. Kampmann, U. Höhner, D. Bläser u. R. Boese, B. **117**, 1052 (1984).
[2] G. Schmid, O. Boltsch, D. Bläser u. R. Boese, Z. Naturf. **39b**, 1082 (1984).
vgl. O. Boltsch, Diplomarbeit Universität Essen 1983.
[3] G.E. Herberich u. H. Ohst, Z. Naturf. **38b**, 1388 (1983).
[4] R. Köster u. G. Seidel, Mülheim a.d. Ruhr, unveröffentlicht 1983.
[5] S. Amirkhalili, R. Boese, U. Höhner, D. Kampmann, G. Schmid u. P. Rademacher, B. **115**, 732 (1982).
[6] S. Amirkhalili, U. Höhner u. G. Schmid, Ang. Ch. **94**, 84 (1982); engl.: **21**, 68; Ang. Ch. Suppl. **1982**, 50.
[7] G. Schmid, U. Höhner, D. Kampmann, D. Zaika u. R. Boese, B. **116**, 951 (1983).

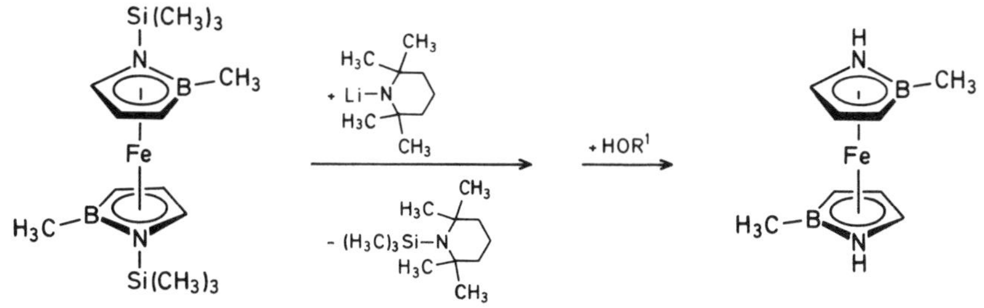

Bis(η^5-2-methyl-1,2-azaborolinyl)eisen[1]: Bei −78° werden zur Lösung von 0,25 g (0,69 mmol) Bis(η^5-2-methyl-1-trimethylsilyl-1,2-azaborolinyl)eisen[2,3] in 30 *ml* THF 1,5 mmol Lithium-2,2,6,6-tetramethylpiperidid in 20 *ml* THF getropft. Man erhitzt 10 Stdn. unter Rückfluß, kühlt wieder auf − 78° ab und tropft ein Gemisch von 2 *ml* tert.-Butanol und 15 *ml* THF zu. Nach 4 Stdn. Erhitzen auf ~ 80° und Abfritten bei ≈ 20° wird die rote Lösung i. Vak. eingeengt. Man gibt zum öligen Rückstand wenig Petrolether (40−60°), rührt 2 Stdn. bei ≈ 20° auf, frittet erneut ab und kühlt das Filtrat auf − 10° ab; Ausbeute: 0,95 g (62%) nach Umkrist. aus Petrolether); $Kp_{0,0001}$: 60−70°.

γ_2) *Ionische Übergangsmetall-Bis(Diorganobor-Stickstoff)-π-Komplexe*

Die Oxidation der kristallinen, paramagnetischen grünen Bis[η^5-1-alkyl(oder 1-trimethylsilyl)-2-methyl-1,2-azaborolinyl]cobalt-π-Komplexe mit Jod-Dampf liefert dunkelbraune kationische Sandwich-Komplexe als thermisch unbeständige Polyjodide. Mit Ferrocinium-hexafluorophosphat in THF sind dagegen in ≈ 95%iger Ausbeute bei ≈ 20° stabile Bis(η^5-1,2-dialkyl-1,2-azaborolinyl)cobalt-hexafluorophosphate zugänglich[4]:

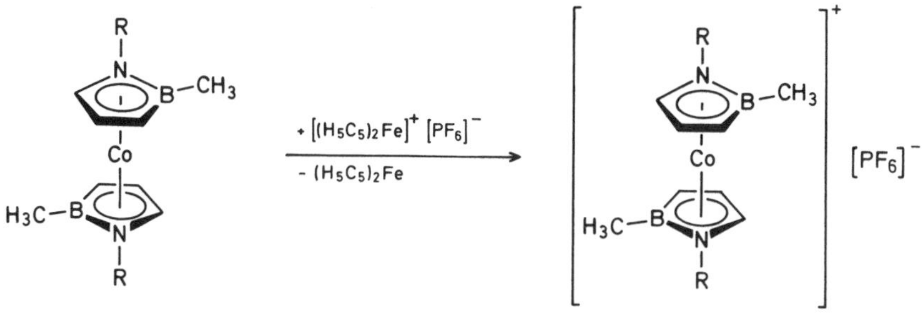

2. Übergangsmetall-(Organo-1,3,2-diborazan)-π-Komplexe

Zur Verbindungsklasse gehören vor allem Ligand-Übergangsmetall-π-Tetraorgano-1,3,2-diborazane und Übergangsmetall-bis-π-(Tetraorgano-1,3,2-diborazane).

Die Herstellungsmethoden gehen im allgemeinen von den Organodiborazanen aus, die mit Ligand-Übergangsmetallen unter Ligand-Verdrängung bis zu den Sandwich-Komplexen umgesetzt werden können.

α) (Ligand)Übergangsmetall-π-(Tetraorgano-1,3,2-diborazane)

Cyclische Tetraorganodiborazane, die sich zur η-, jedoch nicht zur μ-Komplexierung an Übergangsmetalle eignen, sind z.B. $4\pi,\eta^5$-Pentaorgano-1,2,5-azadiboroline (vgl. XIII/3b, 253, 295, 299)[5,6].

---

[1] G. Schmid, U. Höhner, D. Kampmann, D. Zaika u. R. Boese, B. **116**, 951 (1983).
[2] S. Amirkhalili, R. Boese, U. Höhner, D. Kampmann, G. Schmid u. P. Rademacher, B. **115**, 732 (1982).
[3] S. Amirkhalili, U. Höhner u. G. Schmid, Ang. Ch. **94**, 84 (1982); engl.: **21**, 68.
[4] G. Schmid, U. Höhner, D. Kampmann, D. Zaika u. R. Boese, J. Organometal. Chem. **256**, 225 (1983).
[5] H. Schmidt, Dissertation, Universität Marburg 1979.
[6] W. Siebert, H. Schmidt u. R. Full, Z. Naturf. **35b**, 873 (1980).

Verschiedene Ligand-Übergangsmetall-(Pentaalkyl-1,2,5-azadiboroline) lassen sich thermisch oder durch Belichten aus den Δ^3-1,2,5-Azadiborolinen mit Metallcarbonylen oder mit Carbonyl-cyclopentadienyl-metallen herstellen[1,2].

3,4-Diethyl-1,2,5-trimethyl-Δ^3-1,2,5-azadiborolin reagiert mit Octacarbonyldicobalt in Hexan unter Bildung von dimerem schwarzrotem *Dicarbonyl-(η^5-3,4-diethyl-1,2,5-trimethyl-1,2,5-azadiborolin)-cobalt* (25%; F: 145°, Zers.)[1,2]:

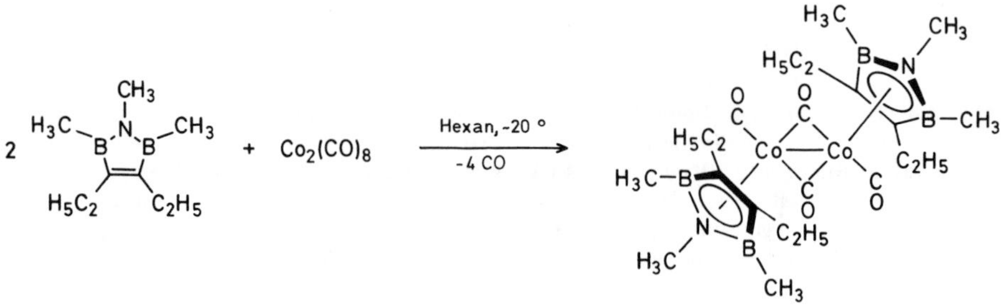

2 (3,4-Diethyl-1,2,5-trimethyl-Δ^3-1,2,5-azadiborolin) + $Co_2(CO)_8$ —(Hexan, −20°; −4 CO)→ $[(\eta^5\text{-}C_2B_2N)Co(CO)_2]_2$

Mit Dicarbonyl-(η^5-cyclopentadienyl)-cobalt läßt sich beim Erwärmen in Hexan in 42%iger Ausbeute *(η^5-Cyclopentadienyl)-(η^5-3,4-diethyl-1,2,5-trimethyl-1,2,5-azadiborolin)-cobalt* (rotes Öl; $Kp_{0,01}$: 80°) herstellen[1,2].

Mit Pentacarbonyleisen reagiert 3,4-Diethyl-1,2,5-trimethyl-Δ^4-1,2,5-azadiborolin in Tetrahydrofuran beim Belichten zum orangeroten, öligen *(η^5-3,4-Diethyl-1,2,5-trimethyl-1,2,5-azadiborolin)-tricarbonyl-eisen* (21%)[1,2]:

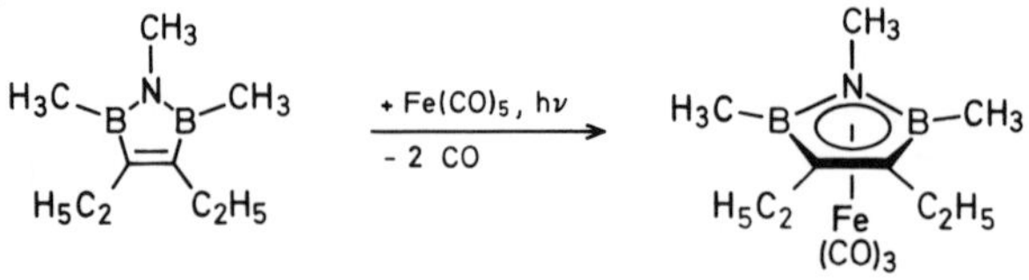

3,4-Diethyl-1,2,5-trimethyl-Δ^3-1,2,5-azadiborolin —(+ $Fe(CO)_5$, hν; − 2 CO)→ (η^5-azadiborolin)$Fe(CO)_3$

(η^5-3,4-Diethyl-1,2,5-trimethyl-1,2,5-azadiborolin)-tricarbonyl-eisen[1]**:** 0,9 g (5,52 mmol) 3,4-Diethyl-1,2,5-trimethyl-Δ^3-1,2,5-azadiborol und 1,3 g (6,7 mmol) Pentacarbonyleisen werden in 80 *ml* THF belichtet. Nach 6 Stdn. ist die Kohlenmonoxid-Entwicklung beendet. Das THF wird abdestilliert und aus dem Rückstand bei 50°/0,01 Torr der Komplex als gelboranges Öl destilliert; Ausbeute: 0,35 g (21%).

β) Übergangsmetall-Bis(tetraorgano-1,3,2-diborazan)-π-Komplexe

3,4-Diethyl-1,2,5-trimethyl-Δ^3-1,2,5-azadiborolin eignet sich auch zur Herstellung von *Bis(η^5-3,4-diethyl-1,2,5-trimethyl-1,2,5-azadiborolin)metallen*; z.B. des extrem luftempfindlichen *Nickel*-Komplexes[1,2]:

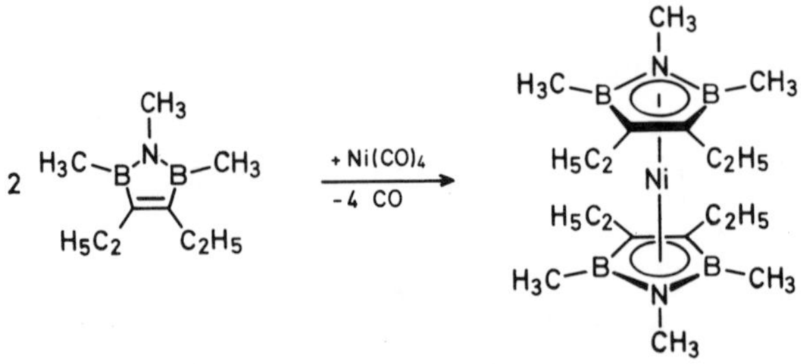

2 (3,4-Diethyl-1,2,5-trimethyl-Δ^3-1,2,5-azadiborolin) —(+ $Ni(CO)_4$; −4 CO)→ Bis(η^5-azadiborolin)Ni

---

[1] H. Schmidt, Dissertation, Universität Marburg 1979.

[2] W. Siebert, H. Schmidt u. R. Full, Z. Naturf. **35b**, 873 (1980).

Bis(η^5-3,4-diethyl-1,2,5-trimethyl-1,2,5-azadiborolin)nickel[1,2]: 0,5 g (3,07 mmol) 3,4-Diethyl-1,2,5-trimethyl-Δ^3-1,2,5-azadiborolin in 20 *ml* Hexan werden tropfenweise mit 1,04 g (6,1 mmol) Tetracarbonylnickel versetzt. Unter Gelbfärbung der Lösung tritt Kohlenmonoxid-Entwicklung ein. Man erwärmt ~3 Stdn. auf 60° und frittet dann von schwarzem Niederschlag ab. I. Hochvak. werden bei 40° alle flüchtigen Bestandteile abgezogen und die zurückbleibenden Kristalle 2mal aus Pentan umkristallisiert (−20°) (die Verbindung ist extrem luftempfindlich); Ausbeute: 0,28 g (48%); F: 167° (Zers.).

3. (Ligand)Übergangsmetall-(Organobor-Stickstoff-Halogen)-π-Komplexe

Als π-Komplex der Amino-halogen-organo-borane mit Übergangsmetallen wurde bisher lediglich ein Ligand-Übergangsmetall-π-(Amino-vinyl-boran) hergestellt. Die N=B−C=C-Bindung des Brom-dimethylamino-vinyl-borans komplexiert als π-Ligand mit einem Eisen-Atom. Aus dem Boran ist der π-Komplex mit Nonacarbonyldieisen in Diethylether bei ~20° zugänglich[3]:

$H_2C{=}CH{-}B(Br)N(CH_3)_2 \xrightarrow[-Fe(CO)_5,\ -CO]{Fe_2(CO)_9/(H_5C_2)_2O}$ $(H_3C)_2N{-}B(Br)$-vinyl-$Fe(CO)_3$

(η^4-Brom-dimethylamino-vinyl-boran)-tricarbonyl-eisen[3]: Zu 3,1 g (8,7 mmol) Nonacarbonyldieisen fügt man eine Lösung von 1,4 g (8,7 mmol) Brom-dimethylamino-vinyl-boran in 50 *ml* Diethylether und läßt unter Rühren 6 Stdn. bei ≈20° reagieren. Danach ist kein Nonacarbonyldieisen mehr vorhanden. Man filtriert von wenig Ungelöstem durch eine G4-Fritte und kondensiert i. Hochvak. bei −40 bis −50° das Lösungsmittel sowie gebildetes Pentacarbonyleisen in eine mit flüssiger Luft gekühlte Falle. Der Rückstand wird bei 25°/10^{-4} Torr sublimiert; Ausbeute: 260 mg (10%); gelbe Kristalle.

4. (Ligand)Übergangsmetall-(Organobor-Stickstoff-Sauerstoff)-π-Komplexe

Die Verbindungsklasse ist kaum bekannt. Aus 5-Ethoxy-4-ethyl-1,2,2,3-tetramethyl-Δ^3-1,2,5-azasilaborolin erhält man mit Bis(η^2-ethen)-(η^5-cyclopentadienyl)-cobalt[4] in Toluol bei 50°–60° unter Verdrängung von Ethen *(η^5-Cyclopentadienyl)-(η^4-5-ethoxy-4-ethyl-1,2,2,3-tetramethyl-1,2,5-azasilaborolin)-cobalt* zu 80%[5]:

Azasilaborolin (H_5C_2O, H_5C_2, CH_3, N-CH_3, Si(CH_3)$_2$) + CpCo(C_2H_4)$_2$ $\xrightarrow[-2\,C_2H_4]{Toluol}$ CpCo-Komplex

---

[1] H. Schmidt, Dissertation, Universität Marburg 1979.
[2] W. Siebert, H. Schmidt u. R. Full, Z. Naturf. **35b**, 873 (1980).
[3] G. Schmid, B. **103**, 528 (1970).
[4] K. Jonas, E. Deffense u. D. Habermann, Ang. Ch. **95**, 729 (1983); Ang.Ch. Suppl. **1983**, 1005; engl.: **22**, 716.
[5] R. Köster u. G. Seidel, Mülheim a. d. Ruhr, unveröffentlicht 1982.

(η^5-Cyclopentadienyl)-(η^4-5-ethoxy-4-ethyl-1,2,2,3-tetramethyl-1,2,5-azasilaborolin)-cobalt[1]: 602,1 mg (3,34 mmol) Bis(η^2-ethen)-(η^5-cyclopentadienyl)-cobalt[2] und 822,2 mg (3,89 mmol) 5-Ethoxy-4-ethyl-1,2,2,3-tetramethyl-Δ^3-1,2,5-azasilaborolin in 8 *ml* Toluol werden 2 Stdn. auf 50–60° erhitzt. Die anfangs dunkelbraune Lösung wird dunkelgrün, 127 N*ml* (85%) Ethen entweichen. Von wenig Ungelöstem wird abfiltriert und i. Vak. (12 bzw. 10^{-3} Torr; Bad ~ 50°) eingeengt; Ausbeute: 0,9 g (80%) dunkelgrünes, sehr luftempfindliches Oel.

5. (Ligand) Übergangsmetall-(Organobor-Stickstoff-Schwefel)-π-Komplexe

Die Herstellung von Ligand-Übergangsmetall-π-(2,5-Diamino-1,2,5-thiadiborolen) ist aus den Ligand-Übergangsmetall-(2,5-Dihalogen-1,2,5-thiadiborolinen) mit sekundären Aminen in Benzol möglich. Aus (η^5-3,4-Diethyl-2,5-dijod-1,2,5-thiadiborolen)-tricarbonyl-eisen erhält man z.B. mit 4 mol Dimethylamin unter Dimethylammoniumjodid-Abscheidung dunkelrotes *[η^5-3,4-Diethyl-2,5-bis(dimethylamino)-1,2,5-thiadiborolen]-tricarbonyl-eisen* (83%; $Kp_{0,01}$: 90°; F: 101–102°)[3]:

(CO) Fe; H_5C_2, C_2H_5; J—B, S, B—J $\xrightarrow[-\ 2\ [(H_3C)_2NH_2]^+J^-]{+\ 4\ (H_3C)_2NH;\ C_6H_6}$ $(CO)_3$ Fe; H_5C_2, C_2H_5; $(H_3C)_2N$—B, S, B—$N(CH_3)_2$

Verwendet man Dimethylamin im Überschuß, so wird die Komplexverbindung unter Bildung von Kohlenmonoxid und Schwefelwasserstoff sowie Abscheidung von Eisen-Metall zerstört[3].

6. Übergangsmetall-(Organobor-Stickstoff-Stickstoff)-π-Komplexe

Zur Verbindungsklasse gehören vor allem neutrale Ligand-Übergangsmetall-Verbindungen der 2,3-Dihydro-1,3,2-diazaborole, deren 6π-Elektronen-Liganden an die Übergangsmetalle pentahapto gebunden sind. Außerdem gibt es neutrale und kationische Übergangsmetall-π-Komplexe offenkettiger (Diamino-organo-boran)-Liganden.

Bei der Herstellung der Übergangsmetall-π-(Diamino-organo-borane) geht man im allgemeinen von den neutralen Diamino-organo-boranen mit Ligand-Übergangsmetall-Verbindungen aus.

α) (Ligand) Übergangsmetall-(Organobor-Stickstoff-Stickstoff)-π-Komplexe

Bestimmte offenkettige sowie ungesättigte cyclische Diamino-organo-borane reagieren mit Carbonyl-metallen unter CO-Substitution zu Ligand-Übergangsmetall-Diamino-organoboranen[4].

α_1) *aus Organo-organoimino-boranen(2)*

Das aus Butyl-(tert.-butyl-trimethylsilyl-amino)-chlor-boran in der Hitze zugängliche, sehr reaktive Butyl-tert.-butyl- imino-boran(2)[5] läßt sich in Tetrahydrofuran mit Tetrahydrofuran-Pentacarbonylchrom[6] in ≈30%iger Ausbeute in *(η^4-2,4-Dibutyl-1,3-di-tert.-*

---

[1] R. Köster u. G. Seidel, Mülheim a.d. Ruhr, unveröffentlicht 1982.
[2] K. Jonas, E. Deffense u. D. Habermann, Ang. Ch. **95**, 729 (1983); Ang. Ch. Suppl. **1983**, 1005; engl.: **22**, 716.
[3] W. Siebert, R. Full, J. Edwin, K. Kinberger u. C. Krüger, J. Organometal. Chem. **131**, 1 (1977).
[4] G. Schmid, Kémiai Közlemények **53**, 11–22 (1980); C.A. **92**, 208151 (1980).
[5] P. Paetzold u. C. von Plotho, B. **115**, 2819 (1982).
[6] W. Strohmeier, G. Matthias u. D. von Hobe, Z. Naturf. **15b**, 813 (1960).

butyl-1,3,2,4-diazadiboret)-tetracarbonyl-chrom [F: 172° (Zers.)] überführen. Außerdem wird 1,3,5-Tri-tert.-butyl-2,4,6-tributyl-borazin ($Kp_{0,001}$: 110°) gebildet[1]:

$$(H_3C)_3C\text{–}N(\text{–}Si(CH_3)_3)\text{–}B(C_4H_9)\text{–}Cl \xrightarrow[-\ ClSi(CH_3)_3]{\Delta} H_9C_4B{=}NC(CH_3)_3 \xrightarrow[-\ THF,\ -\ CO]{+\ THF\text{–}Cr(CO)_5} [(H_3C)_3C\text{-}N\text{-}B(C_4H_9)]_2\text{–}Cr(CO)_4$$

α_2) *aus offenkettigen Diamino-organo-boranen*

Aus Bis(dimethylamino)-methyl-boran erhält man mit Nonacarbonyldieisen in 1,4-Dioxan (5 Stdn. Rühren bei ≈20°) eine tiefdunkelrote Lösung, aus der sich *[η^3-Bis(dimethylamino)-methyl-boran]-tricarbonyl-eisen* in sehr bescheidener Ausbeute (2–4%) gewinnen läßt. Die Verbindung ist in entsprechend geringer Ausbeute auch aus π-Allyl-tricarbonyl-eisenbromid zugänglich[2]:

$$H_3C\text{–}B[N(CH_3)_2]_2 \xrightarrow[-\ FeBr_2,\ -\ 3\ CO,\ -\ 2\ \{C_3H_5\}]{+2\ (C_3H_5)Fe(CO)_3Br} (H_3C)_2N\text{–}B(CH_3)\text{–}N(CH_3)_2\cdot Fe(CO)_3$$

$$H_3C\text{–}B[N(CH_3)_2]_2 \xrightarrow[-\ Fe(CO)_5,\ -\ CO]{+\ Fe_2(CO)_9} (H_3C)_2N\text{–}B(CH_3)\text{–}N(CH_3)_2\cdot Fe(CO)_3$$

Während man aus Bis(dimethylamino)-methyl-boran mit Allyl-tricarbonyl-eisenbromid in 1,4-Dioxan *[η^3-Bis(dimethylamino)-methyl-boran]-tricarbonyl-eisen* nur zu 2–4%[2] erhält, ist *[η^3-Bis(dimethylamino)-methyl-boran]-palladium-dichlorid* aus Bis(dimethylamino)-methyl-boran mit Bis(benzonitril)-palladium-dichlorid zu 65% zugänglich[3]:

$$H_3C\text{–}B[N(CH_3)_2]_2 \xrightarrow[-\ 2\ H_3C\text{–}CN]{+\ (H_3C\text{–}CN)_2PdCl_2} (H_3C)_2N\text{–}B(CH_3)\text{–}N(CH_3)_2\cdot PdCl_2$$

[η^3-Bis(dimethylamino)-methyl-boran]-palladium-dichlorid[3]: 0,50 g (1,30 mmol) Bis(benzonitril)-palladiumdichlorid werden mit 5 *ml* Bis(dimethylamino)-methyl-boran versetzt und 30 Min. bei ≈20° gerührt. Anschließend trennt man über eine G3-Fritte den Niederschlag ab, wäscht diesen mehrmals mit Pentan und rührt anschließend noch mehrere Tage mit viel Pentan, um das Benzonitril vollständig zu entfernen. Danach wird vom gelben Produkt abgefrittet und i. Vak. getrocknet; Ausbeute: 0,25 g (65%).

---

[1] K. Delpy, D. Schmitz u. P. Paetzold, B. **116**, 2994 (1983); der entsprechende Wolfram-π-Komplex (Zers.-P.: 131°) fällt zu 64% an.

[2] G. Schmid, B. **103**, 528 (1970).

[3] G. Schmid u. L. Weber, Z. Naturf. **25b**, 1083 (1970).

α_3) *aus cyclischen Diamino-organo-boranen*

Bestimmte substituierte Δ^3-1,3,2-Diazaboroline sind $6\pi,\eta^5$-Elektronen-Liganden für Übergangsmetalle. Die Herstellung der π-Komplexverbindungen gelingt aus den Liganden mit Ligand-Übergangsmetallen thermisch oder photochemisch.

Aus 1,3-Di-tert.-butyl-2-methyl-Δ^3-1,3,2-diazaborolin (vgl. Bd. XIII/3b, S. 253) läßt sich mit Tricarbonyl-tris(acetonitril)-chrom in 1,4-Dioxan bei ~85° mit bis >90%-iger Ausbeute unter Verdrängung des Acetonitrils *(η^5-1,3-Di-tert.-butyl-2-methyl-1,3,2-diazaborolin)-tricarbonyl-chrom* herstellen[1,2]. Entsprechend ist thermisch auch das *[η^5-1,3-Bis(trimethyl-silyl)-2-methyl-1,3,2-diazaborolin]-tricarbonyl-chrom* zugänglich[3,4]:

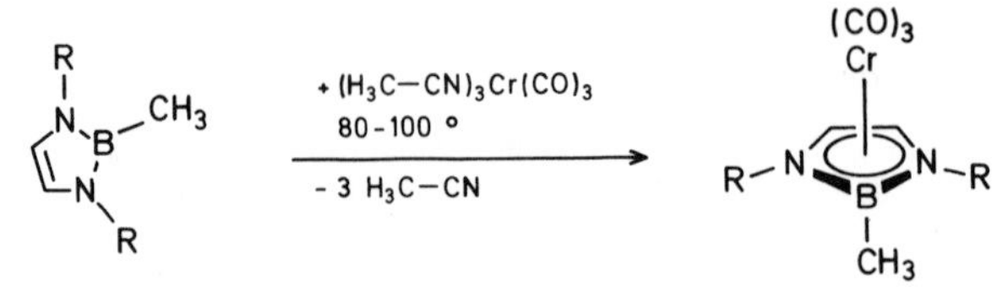

$$\xrightarrow[-\,3\ H_3C{-}CN]{+\,(H_3C{-}CN)_3Cr(CO)_3,\ 80\text{-}100^\circ}$$

R = $C(CH_3)_3$; $Si(CH_3)_3$

(η^5-1,3-Di-tert.-butyl-2-methyl-1,3,2-diazaborolin)-tricarbonyl-chrom[1]: 2,26 g (8,7 mmol) Tricarbonyl-tris(acetonitril)-chrom werden mit 5,82 g (30,0 mmol) 1,3-Di-tert.-butyl-2-methyl-Δ^3-1,3,2-diazaborolin (XIII/3b, S. 253) in 80 *ml* abs. 1,4-Dioxan 6 Stdn. auf 85° erwärmt. Man zieht das Acetonitril i. Vak. wiederholt in eine Kühlfalle ab. Nach Filtration der heißen braungelben Lösung wird das Filtrat auf 10° abgekühlt. Der Niederschlag wird nach Filtrieren mit Petrolether (Kp: 40–60°) gewaschen. Die Extraktion des Rückstandes mit Diethylether liefert weiteres Produkt; Ausbeute: 2,56 g (91%).

1,3-Diphenyl-Δ^3-1,3,2-diazaborolin wird mit Tricarbonyl-tris(acetonitril)-chrom borfern am Phenyl-Kern metalliert[4].

In relativ geringer Ausbeute (13%) ist *(η^5-1,3-Di-tert.-butyl-2-methyl-1,3,2-diazaborolin)-tricarbonyl-chrom* aus dem Δ^3-1,3,2-Diazaborolin-Derivat mit Hexacarbonylchrom beim Belichten mit einer Quecksilber-Niederdrucklampe in einer Quarzumlaufapparatur zugänglich[4].

β) Übergangsmetall-Bis(Organobor-Stickstoff-Stickstoff)-π-Komplexe

Die π-Komplex-Verbindungen sind kaum bekannt. Aus Bis[methylamino]-methyl-boran erhält man mit Bis[acetonitril]palladiumdichlorid bei −60° (50 Stdn.) nach Entfernen von Acetonitril i. Vak. gelbes *Bis[η^3-bis(methylamino)-methyl-boran]palladium-dichlorid* (99%) der vermutlichen Struktur I[5]:

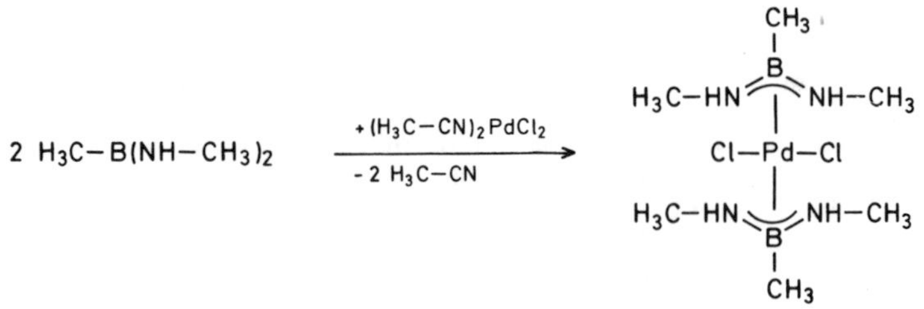

$$2\ H_3C{-}B(NH{-}CH_3)_2 \xrightarrow[-\,2\ H_3C{-}CN]{+\,(H_3C{-}CN)_2PdCl_2}$$

I

---

[1] G. SCHMID u. J. SCHULZE, Ang. Ch. **89**, 258 (1977); engl.: **16**, 249.
[2] G. SCHMID u. J. SCHULZE, B. **110**, 2744 (1977).
[3] J. SCHULZE, Dissertation, Universität Essen-GHS 1980.
[4] J. SCHULZE u. G. SCHMID, B. **114**, 495 (1981).
[5] R. LUTTER, Dissertation, Universität Marburg 1979.

γ) Kationische (Ligand)Übergangsmetall-(Organobor-Stickstoff-Stickstoff)-π-Komplexe

Ionische Komplexe lassen sich aus neutralen Komplexen mit geeigneten elektrophilen Reagenzien herstellen.

Aus (η^5-1,3-Di-tert.-butyl-2-methyl-1,3,2-diazaborolin)-tricarbonyl-chrom erhält man in borferner Reaktion mit Nitrosyl-hexafluorophosphat in Toluol (~72 Stdn. ~20°) unter Kohlenmonoxid-Abspaltung mit 77%iger Ausbeute *(η^5-1,3-Di-tert.-butyl-2-methyl-1,3,2-diazaborolin)-dicarbonyl-nitrosyl-chrom-hexafluorophosphat*[1,2]:

$NO^+ [PF_6]^-$, Toluol, 72 Stdn., 20° ; - CO

δ) (Ligand)Übergangsmetall-π-Organoborazine[3]

Bekannt sind Ligand-Chrom- bzw. Molybdän-π-(2,4,6-Triorganoborazine), jedoch keine Übergangsmetall-Bis-π-(organoborazine) mit Sandwich-Struktur. Die kinetische und thermodynamische Stabilität der Chrom-Borazin-Bindung wurde untersucht[4].

Die Herstellung der Ligand-Übergangsmetall-π-Hexaalkylborazine erfolgt aus den Hexaalkylborazinen mit Ligand-Übergangsmetall-Verbindungen unter verschiedenen Bedingungen. Eine weitere Methode zur Herstellung von Ligand-Übergangsmetall-π-(2,4,6-Trialkylborazinen) geht von Ligand-Übergangsmetall-π-(Hexaalkylborazinen) aus, die mit z. B. 2,4,6-Trialkylborazinen unter Liganden-Austausch reagieren.

δ_1) *aus Hexaalkylborazinen*

Man läßt mit Tricarbonyl-tris(nitril)-Übergangsmetallen beim Erwärmen oder mit Hexacarbonylmetallen unter Belichten reagieren.

$\delta\delta_1$) mit Tricarbonyl-tris(nitril)-Übergangsmetall

Hexaalkylborazine (Bd. XIII/3b, S. 338ff.) reagieren mit Tricarbonyl-tris[nitril]-chrom-Verbindungen unter Bildung von (η^6-Hexaalkylborazin)-tricarbonyl-chrom-Komplexen. Auch mit den Molybdän-Verbindungen sind in allerdings bescheidenen Ausbeuten die entsprechenden Komplexe zugänglich.

Zur Herstellung der (η^6-Hexaalkylborazin)-tricarbonyl-metalle werden die Hexaalkylborazine mit Tricarbonyl-tris(nitril)-metall-Komplexen in 1,4-Dioxan oder i. Vak. bei

---

[1] J. SCHULZE, Dissertation, Universität Essen-GHS 1980.
[2] J. SCHULZE u. G. SCHMID, B. **114**, 495 (1981).
[3] Gmelin, 8. Aufl. **51**/17, S. 17–19, 168–174, 218–219 (1978).
[4] M. SCOTTI u. H. WERNER, Inorg. Chim. Acta **25**, 261 (1977).

30–40° (rasche Entfernung des Nitrils) umgesetzt[1–5]:

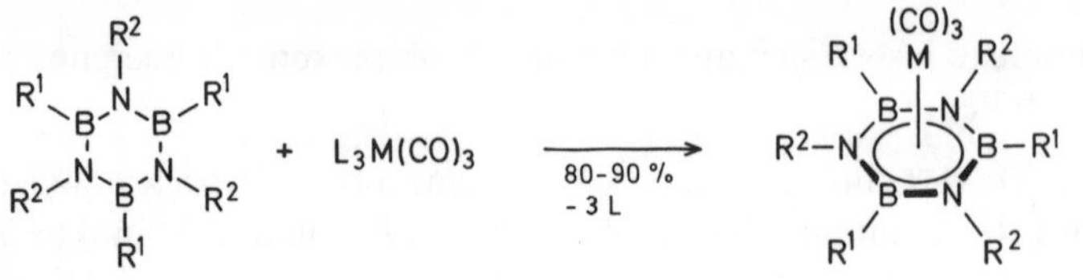

$$\text{Borazin} + L_3M(CO)_3 \xrightarrow[-3\,L]{80-90\,°} (\eta^6\text{-Borazin})M(CO)_3$$

L = $H_3C–CN$, $H_5C_6–CN$
M = Cr, Mo

Als Zwischenprodukte treten Bis(1,4-dioxan)-hexacarbonyl-metall-Komplexe mit 1,4-Dioxan-Verbrückungen (vgl. Bd. XIII/3b, S. 638) auf.

(η⁶-Hexamethylborazin)-tricarbonyl-chrom[1]: Ein 250-*ml*-Zweihalskolben mit Stickstoffhahn taucht in ein auf 30° thermostatisiertes Ölbad und ist mit zwei hintereinandergeschalteten Schlenk-Rohren verbunden. Das erste Schlenk-Rohr wird auf 0°, das zweite auf −20° gekühlt. Der Reaktionskolben wird mit 1,3 g (5,0 mmol) Tricarbonyl-tris(acetonitril)-chrom, 4,1 g (24,9 mmol) Hexamethylborazin und 80 *ml* abs. 1,4-Dioxan beschickt. Unter kräftigem Rühren zieht man i. Wasserstrahlvak. ≈ 50 *ml* 1,4-Dioxan in die Schlenk-Gefäße ab, fügt in den Reaktionskolben dieselbe Menge wieder zu. Der Vorgang wird wiederholt bis das Tricarbonyl-tris[acetonitril]-chrom vollständig verbraucht ist [neue (CO)-Banden bei 1963 und 1867 cm^{-1}]. Die Lösung wird über eine G4-Fritte filtriert, das Filtrat i. Vak. eingeengt, die nadelförmigen orange-farbenen Kristalle aus Benzol/Hexan bei ≈ 20° umkristallisiert und i. Vak. getrocknet; Ausbeute: 1,36 g (90%); F: 141° (Zers.).

Zur Isolierung der π-Komplexverbindungen ist nach dem Entfernen des 1,4-Dioxans der Zusatz von Pentan oft günstig, um kristallisierte Produkte zu erhalten.

Man erhält auf die gleiche Weise z. B.:

Tricarbonyl-(η⁶-2,4,6-triethyl-1,3,5-trimethyl-borazin)-chrom[2]	72%; F: 150° (Zers.)
Tricarbonyl-(η⁶-1,3,5-trimethyl-2,4,6-tripropyl-borazin)-chrom[4]	38%; F: 125°
(η⁶-2-Ethyl-pentamethyl-borazin)-tricarbonyl-chrom[6]	90%; Zers. 151°

Die Reaktion kann auch in flüssigem Borazin durchgeführt werden, was zur teilweisen Ausbeuteverbesserung führt oder überhaupt erst zur Isolierung von Komplexverbindungen (z. B. von Molybdän-Komplexen). So erhält man z. B. *(η⁶-Hexaethylborazin)-tricarbonyl-chrom* (Zers. 117°) in überschüssigem, flüssigen Hexaethylborazin in 70%iger Ausbeute[4].

(η⁶-Hexaalkylborazin)-tricarbonyl-chrom; allgemeine Arbeitsvorschrift[4]: In einem 50-*ml*-Schlenk-Rohr, versehen mit Magnetrührer und Quecksilber-Überdruckventil werden 0,5 g (1,93 mmol) Tricarbonyl-tris(acetonitril)-chrom vorgelegt und mit dem 10fachen molaren Überschuß des betreffenden Hexaalkylborazins versetzt. Das Reaktionsgefäß wird mittels eines thermostatisierten Heizbades auf eine Temp. gebracht, die ≈ 5° höher als der Schmelzpunkt des entsprechenden Borazins liegt. Während der 6stdgn. Reaktionszeit in einem Stickstoffstrom (im Falle des 2,4,6-Trimethyl-1,3,5-tripropyl-borazins i. Vak.) wird kräftig gerührt. Nach dem Abkühlen wird das feste Reaktionsgemisch auf einer G4-Extraktionsfritte mit wenig Pentan extrahiert. Beim Abkühlen der Pentan-Lösung kristallisiert der Borazin-Komplex aus. Man entfernt vorsichtig die überstehende Lösung und wäscht den Niederschlag mehrmals mit −20° kaltem Pentan. Nach dem Trocknen wird noch vorhandenes freies Borazin i. Hochvak. absublimiert, wobei die Sublimationstemp. des betreffenden Borazins genau eingehalten werden muß.

Auf diese Weise erhält man u. a.[2]:

Tricarbonyl-(η⁶-2,4,6-trimethyl-1,3,5-tripropyl-borazin)-chrom	18% (bei 85°); Zers. 128°
Tricarbonyl-(η⁶-1,3,5-triisopropyl-2,4,6-trimethyl-borazin)-chrom	14% (bei 75°); Zers. 178°

[1] R. Prinz u. H. Werner, Ang. Ch. **79**, 63 (1967); engl.: **6**, 91.
[2] H. Werner, R. Prinz u. E. Deckelmann, B. **102**, 95 (1969).
[3] K. Deckelmann u. H. Werner, Helv. **53**, 139 (1970).
[4] M. Scotti u. H. Werner, Helv. **57**, 1234 (1974).
[5] K. Deckelmann u. H. Werner, Helv. **54**, 2189 (1971).
[6] J. L. Adcock u. J. J. Lagowski, Inorg. Chem. **12**, 2533 (1973).

Tricarbonyl-(η^6-1,3,5-triethyl-2,4,6-trimethyl-borazin)-molybdän[1]**:** 0,5 g (0,72 mmol) fein zerriebenes Bis [tricarbonyl-tris(acetonitril)-molybdän]-1,4-Dioxan werden in einem 50-*ml*-Schlenk-Gefäß in 10 *ml* (39 mmol) 1,3,5-Triethyl-2,4,6-trimethyl-borazin suspendiert. I. Vak. ($\approx 10^{-2}$ Torr) wird das Gemisch 24 Stdn. bei 40° gerührt. Danach wird überschüssiges Borazin i. Hochvak. bei ≈ 60° in eine auf −196° gekühlte Falle destilliert. Der feste Rückstand wird mit wenig Pentan gewaschen und anschließend auf einer Extraktionsfritte mit Cyclohexan extrahiert. Nach dem Abziehen des Cyclohexans hinterbleibt ein gelbes Pulver; Ausbeute: 24 mg (4%); Zers. (unter Stickstoff): 110–120°.

Das Tricarbonyl-tris(acetonitril)-chrom kann auch gelöst in 1,2-Dichlorethan langsam zum vorgelegten Borazin getropft werden. Acetonitril wird bei 10^{-2} Torr laufend entfernt. Die Ausbeute ist jedoch nicht höher als voranstehend beschrieben.

δδ₂) mit Hexacarbonyl-Übergangsmetallen

Hexaalkylborazine reagieren mit Hexacarbonylchrom um 20° beim Belichten[2] unter Abspaltung von 3 Mol-Äquivalenten Kohlenmonoxid. In sehr guten Ausbeuten bilden sich (η^6-Hexaalkylborazin)tricarbonyl-chrom-Komplexe, falls man zur Entfernung des Kohlenmonoxids i. Vak. arbeitet[3,4]:

$$\text{Hexaalkylborazin} \xrightarrow[-3\,CO]{+Cr(CO)_6,\ h\nu} (\eta^6\text{-Hexaalkylborazin})Cr(CO)_3$$

Tricarbonyl-(η^6-1,3,5-triethyl-2,4,6-trimethyl-borazin)-chrom[4]**:** Unter Reinstickstoff werden 1 g (4,5 mmol) Hexacarbonylchrom und 45–60 mmol 1,3,5-Triethyl-2,4,6-trimethyl-borazin in einem 50-*ml*-Kölbchen (seitlicher Stickstoffhahn, Rückflußkühler) durch intensives Rühren vermischt. Man belichtet i. Vak. (10^{-3} Torr) durch die Kolbenwand (Abstand 3 cm) mit einer Quecksilberdampflampe (Philips. HPK 125 W), wobei Gefäß und Lampe in ein Wasserbad von ≈ 20° eintauchen. Nach 1 Min. wird das Gemisch deutlich gelb. Nach 1 Stde. bei 50° Erwärmen wird die Belichtung abgeschaltet. Die Ausgangsprodukte werden i. Hochvak. bei 60° entfernt, der Rückstand wird mit wenig kaltem Pentan gewaschen, in Cyclohexan gelöst und die Lösung filtriert. Das Lösungsmittel wird i. Vak. entfernt und der Rückstand sublimiert; Ausbeute: 80–90%.

Das auf ähnliche Weise zugängliche *Tricarbonyl-(η^6-2,4,6-triethyl-1,3,5-trimethyl-borazin)-molybdän*[2] ist dagegen nur zu 4% zugänglich.

δ₂) *aus (Ligand)Übergangsmetall-π-Hexaalkylborazinen*

Aus dem gut zugänglichen Tricarbonyl-(η^6-2,4,6-triethyl-1,3,5-trimethyl-borazin)-chrom erhält man mit z.B. 2,4,6-Trimethylborazin durch Ligandenaustausch bei 50–60° *Tricarbonyl-(η^6-2,4,6-trimethylborazin)-chrom* (F: 112°) in ≈ 30%iger Ausbeute[5]:

---

[1] K. Deckelmann u. H. Werner, Helv. **54**, 2189 (1971).
[2] vgl. ds. Handb., Bd. IV/5b, S. 1400.
[3] H. Werner, R. Prinz u. E. Deckelmann, B. **102**, 95 (1969).
[4] K. Deckelmann u. H. Werner, Helv. **53**, 139 (1970).
[5] M. Scotti u. H. Werner, J. Organometal. Chem. **81**, C 17 (1974).

7. Übergangsmetall-(Organobor-Bor)-π-Komplexe

Als Brückenliganden zweier (Ligand)Übergangsmetalle eignen sich auch C_2B_3-Fünfringe[1,2], die als isomere 1,2,3-Tribora- und 1,3,4-Triboracyclopentene aufgefaßt werden können:

Die Verbindungen werden als $C_2B_3H_5^{4-}$-Cyclocarboran-Liganden bezeichnet. Sie gehören somit eigentlich nur dann in dieses Kapitel, wenn an mindestens einem der Bor-Atome ein Organo-Rest gebunden ist. Derartige Organobor-Bor-Verbindungen sind bisher jedoch nicht beschrieben worden. Deshalb wird nur auf die Herstellungsmöglichkeiten der Bis(Ligand-Übergangsmetall)-μ-1,2,4-Triborolene und der Bis-μ-(1,2,4-Triborolen)-Übergangsmetall-π-Komplexe hingewiesen.

α) Bis(Ligand-Übergangsmetall)-μ-1,2,4-Triborole

Die stabileren Tripeldecker-Komplexe mit 1,3,4-Triborol-Ring bilden sich aus den isomeren Bis(Ligand-Übergangsmetall)-μ-1,2,4-Triborolene in der Dampfphase bei hoher Temperatur (300°)[3,4]:

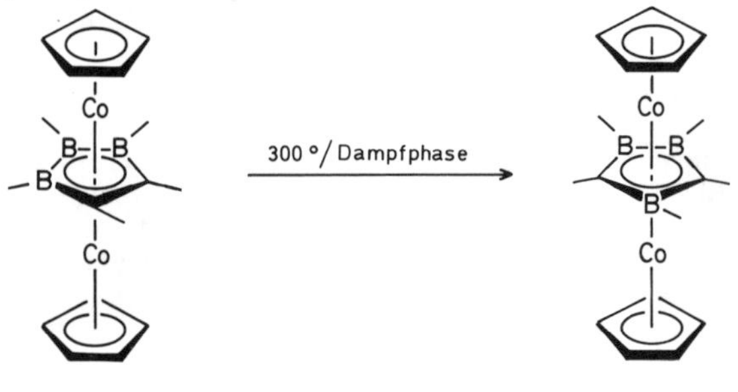

300°/Dampfphase

Die Herstellung der Tripeldecker-Komplexe erfolgt z.B. aus Alkalimetallpentaborat(1-) mit Cobalt(II)-chlorid in Tetrahydrofuran nach Zugabe von Natriumcyclopentadienid. Dabei wird ein Cyclopentadienyl-Ring in den Boran-Ring eingeschoben[5]:

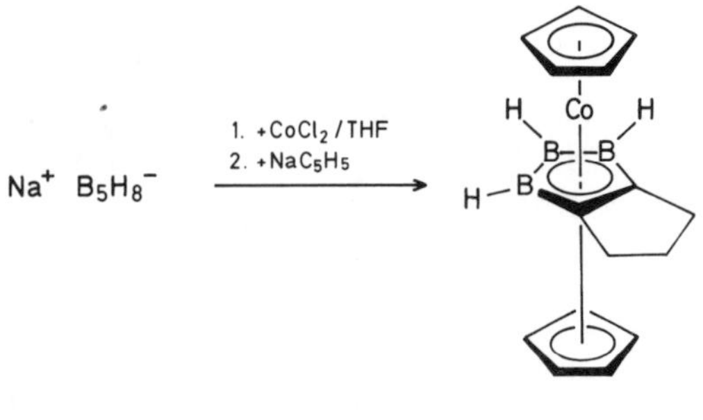

$$Na^+ \; B_5H_8^- \xrightarrow[2.\ +NaC_5H_5]{1.\ +CoCl_2/THF}$$

μ-(C_2B_3-Ligand)-Übergangsmetall-Komplexe sind auch aus (Ligand)-Übergangsmetall-*nido*-Carboranen nach Einwirken von Natriumhydrid über Carborat-Zwischenprodukte mit Cyclopentadienylnatrium/Cobalt(II)-chlorid zugänglich, wenn man die Lösun-

[1] R. Weiss u. R.N. Grimes, J. Organometal. Chem. **113**, 29 (1976).
[2] R.N. Grimes, Accounts Chem. Res. **11**, 420 (1979), S. 425.
[3] V.R. Miller u. R.N. Grimes, Am. Soc. **97**, 4213 (1975).
[4] R.N. Grimes, Coord. Chem. Rev. **28**, 47, 78f. (1979).
[5] J.R. Pipal u. R.N. Grimes, Inorg. Chem. **17**, 10 (1978).

gen mit Luftsauerstoff oxidiert[1-3]:

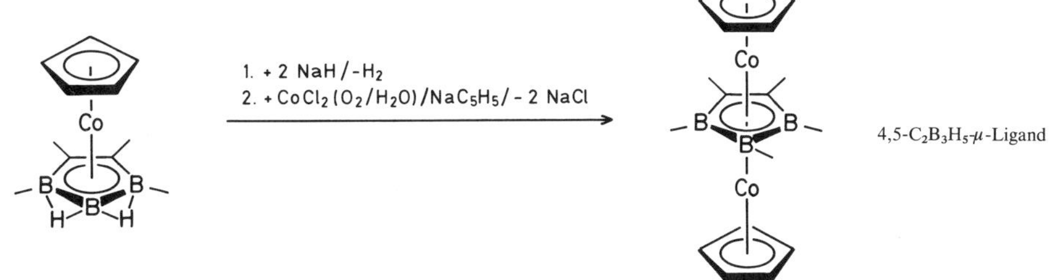

4,5-$C_2B_3H_5$-μ-Ligand

Ausgehend von 2,3-Dicarbo-*closo*-hexaboran(8) läßt sich nach Einwirken von metallischem Natrium in Naphthalin/THF mit Cyclopentadienylnatrium/Cobalt(II)-chlorid durch Luftoxidation *Bis(cyclopentadienyl-cobalt)-μ-1,2,4-Triborol* (≈6%) gewinnen[1,2]:

2,3-$C_2B_4H_8$ → (1. + Na/Naphthalin in THF; 2. + NaC_5H_5; 3. + $CoCl_2$/O_2, 22 h, 20°)

2,4-$C_2B_3H_5$-μ-Ligand

Tripeldecker-Komplexe mit oder ohne Organo-Rest am C-Atom des 1,2,3-Triborol-Rings erhält man aus den Natriumcarboraten mit Cyclopentadienylnatrium/Cobalt(II)-chlorid (THF) bei Luftzutritt in allerdings sehr bescheidener Ausbeute (3–4%)[1,2]:

Na^+ $[2\text{-}CH_3C_2B_4H_6]^-$ → (1. + NaC_5H_5; 2. + $CoCl_2$/THF; 3. + O_2)

Bis(cyclopentadienylcobalt)-4-methyl-triborol

β) Bis(Ligand-Übergangsmetall)-bis-μ-(Organobor-Bor)-Übergangsmetall-π-Komplexe

Tetradecker-Komplexe mit zwei 1,2-C_2B_3-Brückenliganden lassen sich aus Ligand-Übergangsmetall-π-1–2H-1,2,3-Triborol-μ-Komplex mit z. B. Cobalt(II)-chlorid gewinnen[3]; z. B.:

2 [Cp-Co-(H_3C, CH_3)-Triborol-H] → (+ CoCl; (- 2 HCl))

[1] D. C. Beer, V. R. Miller, L. G. Sneddon, R. N. Grimes, M. Mathew u. G. J. Palenik, Am. Soc. **95**, 3046 (1973).
[2] R. N. Grimes, D. C. Beer, L. G. Sneddon, V. R. Miller u. R. Weiss, Inorg. Chem. **13**, 1138 (1974).
[3] R. N. Grimes, Coord. Chem. Rev. **28**, 47, 83 (1979).

II. Kondensierte Organobor-Verbindungen

bearbeitet von

Maximilian Grassberger

Sandoz Forschungsinstitut GmbH
Wien

und

Roland Köster

Max-Planck-Institut für Kohlenforschung
Mülheim an der Ruhr

Das einfachste Kondensationsprodukt des Borans (BH_3) ist das Diboran(4) (B_2H_4) mit einer BB-2e2z-Bindung und zwei dreifach koordinierten Bor-Atomen. Weitere H_2- und/oder Boran-Abspaltungen liefern aus Diboran(6) Boran-Cluster mit 2e3z-Bindungen in allseitig durch Dreiecks(Delta)flächen geschlossenen oder auch teilweise geöffneten Polyedern, deren Bor-Atome vier- bis sechsfach koordiniert sind. Die Herstellungsmethoden der B-Organo-Verbindungen dieser Kondensate sind nachfolgend zusammengestellt.

a) Organopolyborane

Zur Verbindungsklasse der Oligo- und Polyborane gehören neutrale kondensierte Organobor-Verbindungen ohne oder mit Hetero-Atomen als exo-Substituenten des Polyeders sowie die ionischen Organopolyborane (vgl. S. 128ff.). Organopolyborane und Hydro-organo-polyborane werden im Gegensatz zu den Organomonoboranen (vgl. Bd. XIII/3a, S. 13ff. u. S. 321ff.) gemeinsam besprochen. Die Zahl peralkylierter Polyborane ist noch relativ klein. Die Verbindungen stellt man im allgemeinen analog wie die teilweise alkylierten Oligo- und Polyborane her. Die präparative Gewinnung der Halogen-organo-polyborane (vgl. S. 118ff.) und der Lewisbase-Organopolyborane (vgl. S. 121) wird in jeweils getrennten Abschnitten besprochen.

1. (Hydro)organo-polyborane ohne Hetero-Atom im Gerüst

Der Abschnitt ist nach der B-Zahl der Oligo- bzw. Polyborane unterteilt. Additionsverbindungen der Organopolyborane werden im Abschnitt auf S. 121ff. besprochen. Zu diesen Verbindungen gehören auch Kohlenmonoxid-Polyborane, die für die Herstellung der Organopolyborane große Bedeutung haben.

Die Organo-Derivate des Pentaborans(9) und des Decaborans(14) bilden die weitaus größte Zahl der Organo-oligo- und -polyborane.

Die Struktur und die Ladungsverteilung an den Bor-Atomen der Polyborane bedingen *regioisomere* Organo-polyborane. Kinetisch kontrollierte Reaktionen liefern vielfach andere isomere Alkyl-Derivate als Reaktionen, die unter thermodynamischer Kontrolle verlaufen.

Die Herstellungsmethoden der Organopolyborane differieren nach Edukt-Polyboran bzw. Produkt-Polyboran. Man muß zwischen den im allgemeinen thermisch und chemisch stabilen Strukturen mit vollständig (*closo*-Typen) oder nahezu abgeschlossener (*nido*-Typen) Polyederstruktur und den sehr reaktionsfähigen Vertretern mit mehrfach geöffneter Polyederstruktur (*arachno*- und *hypho*-Typen) unterscheiden[1,2]. Die unter milden Bedingungen verlaufenden Additionen eines Polyborans an Elektronendonatoren, z.B. an Kohlenmonoxid, Alkene (Hydroborierung), sind vor allem für geöffnete Positionen der Polyborane charakteristisch. Insbesondere endständige BH_2-Gruppen eignen sich für Alken-Additionen. Auch Boran-Austauschreaktionen sowie Kondensationen von Boranen niedriger B-Zahl zu Polyboranen höherer B-Zahl kommen als Herstellungsmethoden für Organopolyborane infrage. Aus den chemisch resistenteren Polyboranen lassen sich i. allg. nur unter sehr drastischen Bedingungen B-Organo-Derivate herstellen. Unter Friedel-Crafts-Bedingungen können Alkyl-Reste z.B. ins Pentaboran(9) oder ins Decaboran(14) eingeführt werden. Auch der Umweg über Alkalimetall-polyborate(1–) ist ein Herstellungsweg für Organopolyborane. Schließlich sind thermische sowie in saurem bzw. basischem Medium katalysierte Isomerisierungen von großem Nutzen.

α) Organotriborane

Organotriborane(7) sind bisher nicht beschrieben worden. Triboran(7) selbst ist nur in Form seiner Lewisbase-Additionsverbindungen (vgl. S. 121) bekannt.

β) Organotetraborane

Organotetraborane(4) (*closo*-Typen) und vor allem Hydro-organo-tetraborane(10) (*arachno*-Typen) sind präparativ zugänglich (vgl. Tab. 7). Tetraboran(8) (*nido*-Typ) ist in freier Form nicht beständig, läßt sich aber als Additionsverbindung, z.B. als *Kohlenmonoxid-Tetraboran(8)* isolieren. *Vinyltetraboran(8)* (Kp: 56,9°, ber.) soll angeblich aus Pentaboran(9) mit Acetylen bei 250° zugänglich sein[3].

Tab. 7: Organotetraborane

Formel	Verbindungstyp	Herstellungsart	s.S.
Organotetraborane(4)			
$B_4[C(CH_3)_3]_4$	$B_4R_4(4)$	aus B_4Hal_4 + LiR	94
Organotetraborane(10)			
$H_3C–B_4H_9$	$R–B_4H_9(10)$	aus $Do–B_2H_4$ + $R–BH_2$	95
		aus $Do–B_3H_7$ + $R–BH_2$	95
		aus B_4H_{10} + $R–BH_2$	95
		aus $R–B_5H_{10}$ + NH_3/HCl	96
		aus $[R–B_4H_8]^-$ + H^+	96
$(H_3C)_2B_4H_8$ (Isomere)	$R_2B_4H_8(10)$	aus $Do–B_2H_4$ + $R–BH_2$	95
		aus $Do–B_3H_7$ + $R–BH_2$	95
		aus $[B_3H_8]^-$ + $\rangle$B-Hal	96
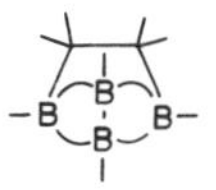	$RB_4H_8(10)$	aus B_4H_{10} + En	94
		aus $Do–B_4H_{10}$ + En	96
		aus B_5H_{11} + En	95

[1] vgl. L. Barton, *Systematization and Structures of the boron hydrides*, Topics Curr. Chem. **100**, 169–206 (1982).
[2] vgl. R.W. Rudolph, *Borane clusters, metal clusters, and catalysis*, in R.W. Parry u. E. Kodama, Boron Chemistry-4, S. 11–20, Pergamon Press, London 1980.
[3] US.P. 3086996 (1963/1956), Olin Mathieson Chem. Corp., Erf.: I. Shapiro u. H.G. Weiss; C.A. **60**, 548 (1964).

β_1) *Organotetraborane(4)*

Tetra-tert.-butyltetraboran(4)[1] erhält man aus Tetrachlortetraboran(4)[2,3] mit tert.-Butyllithium durch Substituentenaustausch in Pentan[1]:

$$B_4Cl_4 \quad + \quad 4\,(H_3C)_3C{-}Li \xrightarrow[-4\,LiCl]{Pentan} B_4[C(CH_3)_3]_4$$

Man kondensiert Tetrachlortetraboran(4) auf einen doppelten Überschuß von tert. Butyllithium in Pentan ein. Das unverbrauchte Lithium-Reagenz wird mit Jodmethan umgesetzt und nach Filtration vom Lithiumjodid alles Flüchtige i. Vak. abgetrennt. Man erhält ein klares glasartiges Produkt (F: 45°).

Partiell alkylierte Chlortetraborane(4) sind nach dieser Methode ebenfalls zugänglich (vgl. S. 119)[1].

β_2) *Organotetraborane(10)*

Hydro-organo-tetraborane(10) sind aus Lewisbase-Diboranen(4), Lewisbase-Triboran(7) oder aus Tetraboran(10) mit Alkyldiboranen(6) zugänglich. Außerdem lassen sich die Verbindungen aus Oligoboranen mit Alkenen durch Hydroborierung herstellen. Auch Organo-oligoborane sowie bestimmte Oligoborate werden verwendet (vgl. Tab. 7, S. 93).

$\beta\beta_1$) aus Oligoboranen

Aus Oligoboranen wie z.B. aus Tetraboran(10) oder Pentaboran(11) sind mit Alkenen durch Hydroborierung oder mit Alkyldiboranen(6) durch Substituentenaustausch Organotetraborane(10) zugänglich.

Aus Tetraboran(10) erhält man mit Alkenen in einem Heiß/Kalt-Reaktor[4] (s.u.) *2,4-(Ethan-1,2-diyl)tetraboran(10)* bzw. dessen C-Alkyl-Derivate[5,6]. Die Reaktionen verlaufen jeweils über das in freier Form bisher nicht beobachtete Tetraboran(8)[7,8]:

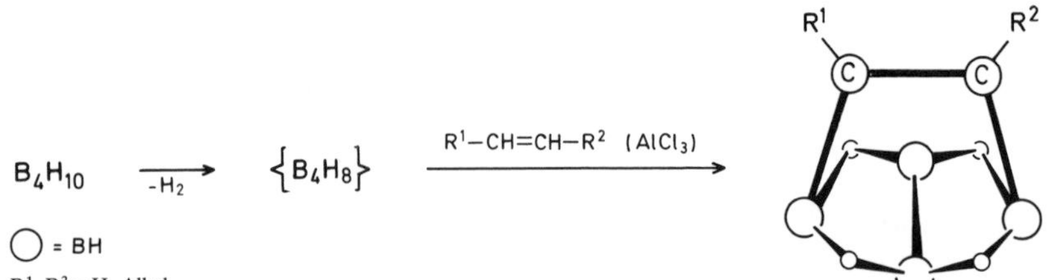

$$B_4H_{10} \xrightarrow[-H_2]{} \{B_4H_8\} \xrightarrow{R^1{-}CH{=}CH{-}R^2\ (AlCl_3)}$$

R[1] R[2]

C C

○ = BH

R^1, R^2 = H, Alkyl

Tetraboran(10) setzt sich mit Ethen im Heiß/Kalt-Reaktor (100°/0°)[4] bei Atmosphärendruck um. Zunächst fällt der Druck wegen Bildung des 2,4-(Ethan-1,2-diyl)tetraborans(10) ab, steigt dann aber wegen Zersetzung wieder an. Man bricht deshalb im Druckminimum ab. Ein Zusatz von Aluminiumtrichlorid verkürzt die Reaktionszeit, erhöht aber die Ausbeute nur unwesentlich[5,6].

2,4-(Ethan-1,2-diyl)tetraboran(10)[5]**:** In einem Glasreaktor (zwei 30 cm lange konzentrische Glasröhren mit zylindrischem Zwischenraum von 400 ml) wird die innere Wand mit frisch sublimiertem Aluminiumtrichlorid be-

---

[1] T. Davan u. J.A. Morrison, Chem. Commun. **1981**, 250.
[2] G. Urry, T. Wartik u. H.I. Schlesinger, Am. Soc. **74**, 5809 (1952).
[3] T. Davan u. J.A. Morrison, Inorg. Chem. **18**, 3194 (1979).
[4] M.J. Klein, B.C. Harrison u. I.J. Solomon, Am. Soc. **80**, 4149 (1958).
[5] B.C. Harrison, I.J. Solomon, R.D. Hites u. M.J. Klein, J. Inorg. & Nuclear Chem. **14**, 195 (1960).
[6] US.P. 2961469 (1960/1958), Callery Chem. Corp., Erf.: M.J. Klein u. I.J. Solomon; C.A. **55**, 18596 (1961).
[7] T. Onak, K. Gross, J. Tse u. J. Howard, Soc. [Dalton] **1973**, 2633.
[8] R.E. Williams u. F.J. Gerhart, J. Organometal. Chem. **10**, 168 (1967).

schichtet. Anschließend werden 1,23 g (23,7 mmol) Tetraboran(10) sowie so viel Ethen einkondensiert, bis der Gesamtdruck 700 Torr beträgt (≈130 ml, 5,8 mmol). Nach Verschließen des Reaktors erhitzt man die Innenwand auf 100°, kühlt die Außenwand auf 0° und läßt so lange reagieren, bis der zunächst auf 600 Torr fallende Druck wieder anzusteigen beginnt (≈40 Min.). Man stoppt die Reaktion durch Kühlen mit flüssigem Stickstoff und trennt durch fraktionierende Hochvak./Tieftemp.-Destillation auf. Bei −126° entfernt man nicht umgesetztes Ethen. Das Kondensat wird durch Destillation bzw. Kondensation bei −63° von 1,05 g (83,4% d. eingesetzten Menge) Tetraboran(10) befreit. Weniger flüchtige Nebenprodukte werden durch Destillation durch eine −23° Falle und Kondensation bei −63° entfernt; Ausbeute: 285 mg (90%); Dampfdruck bei 0° = 14,5 Torr.

Analog werden hergestellt[1]:

2,4-(Propan-1,2-diyl)tetraboran(10)	59%
2,4-(Butan-2,3-diyl)tetraboran(10)	71% (mit *trans*-2-Buten), 20% (mit *cis*-2-Buten).

Aus Tetraboran(10) wird mit Methyldiboranen(6) bzw. mit 1,2-Dimethyldiboran(6) z.B. *Methyltetraboran(10)*[2–4] gebildet:

$$B_4H_{10} + (H_3C)_nB_2H_{6-n} \xrightarrow{\text{48 Stdn., 20°/ 4 Stdn., 45°}} H_3C{-}B_4H_9 + (H_3C)_{n-1}B_2H_{7-n}$$

$n = 1,2$

Mit 1,2-Diethyldiboran(6) setzt sich Tetraboran(10) bei 0° in 1 Stde. nicht um[5,6].

Aus Pentaboran(11) werden mit Ethen *Ethylpentaboran(11)* (vgl. S. 107) und *2,4-(Ethan-1,2-diyl)tetraboran(10)* als Nebenprodukt gebildet[6]. Die Reaktion verläuft vermutlich über das mit Pentaboran(11) im Gleichgewicht stehende unbekannte Tetraboran(8)[6]:

$$B_5H_{11} \underset{+BH_3}{\overset{-BH_3}{\rightleftharpoons}} \{B_4H_8\} \xrightarrow{+C_2H_4} H_5C_2{-}B_4H_8$$

$\beta\beta_2$) aus Lewisbase-Oligoboranen

Aus Lewisbase-Diboran(4) bzw. -Triboran(7) sind mit Alkyldiboranen(6) durch Substituentenaustausch und Kondensation verschieden hoch alkylierte Tetraborane(10) zugänglich. So liefert z.B. die Umsetzung von Bis(trifluorphosphan)diboran(4) mit 1,2-Dimethyl- diboran(6) neben Tetraboran(10) und *2-Methyltetraboran(10)* ein Gemisch isomerer *Dimethyltetraborane(10)*[7]. Aus Dimethylether-Triboran(7) bildet sich überwiegend *2-Methyltetraboran(10)*[7,8].

Unter Zusatz von Trifluorboran wird Triboran(7) aus dem Dimethyletherat freigesetzt. Man erhält neben Tetraboran(10) als einziges Alkyl-Derivat *2-Methyltetraboran(10)* (45–53%)[7].

2-Methyltetraboran(10)[7]: In einem 11-*ml*-Pyrex-Kolben läßt man bei −16° 34 mg (0,397 mmol) Dimethylether-Triboran(7)[9] mit 89,3 mg (1,603 mmol) 1,2-Dimethyldiboran(6) und 44,6 mg (0,658 mmol) Trifluor-

[1] T. Onak, K. Gross, J. Tse u. J. Howard, Soc. [Dalton] **1973**, 2633.
[2] C.A. Lutz u. D.M. Ritter, Canad. J. Chem. **41**, 1341 (1963).
[3] C.A. Lutz, Dissertation, Dissertation Abstr. **24**, 65 (1963); C.A. **59**, 14874 (1963).
[4] D.M. Ritter, US. Government Research Dev. Reports **40**, Heft 2, 18 (1965); C.A. **63**, 622h (1965).
[5] I.J. Solomon, M.J. Klein, R.G. Maguire u. K. Hattori, Inorg. Chem. **2**, 1136 (1963).
[6] R.G. Maguire, I.J. Solomon u. M.J. Klein, Inorg. Chem. **2**, 1133 (1963).
[7] W.R. Deever u. D.M. Ritter, Inorg. Chem. **8**, 2461 (1969).
[8] W.R. Deever, Dissertation, Abstr. B **29**, 918 (1968); C.A. **70**, 8554 (1969).
[9] W.R. Deever u. D.M. Ritter, Inorg. Chem. **7**, 1036 (1968).

boran 4 Stdn. reagieren. Die flüchtigen Anteile werden an gemahlenem und sauer gewaschenem, mit Silicagel und „white oil Nr. 3" behandeltem Ziegelstein gaschromatographisch getrennt; Ausbeute: 17,2 mg Tetraboran(10) und 14,3 mg (53,4%) 2-Methyltetraboran(10) (F: −26,1°).

Auch mit Alkenen lassen sich bestimmte Organotetraborane(10) aus Lewisbase-Tetraboranen herstellen. Kohlenmonoxid-Tetraboran(8) reagiert mit Ethen bereits bei ≈20°. Man erhält *2,4-(Ethan-1,2-diyl)tetraboran(10)* in ≈100%iger Ausbeute[1]. Die Reaktion mit *trans*-2-Buten im Heiß/Kalt-Reaktor (75°/0°) liefert in 59%iger Ausbeute *2,4-(Butan-2,3-diyl)tetraboran(10)*.

ββ₃) aus Hydrooligoboraten

Hydrooligoborate oder Hydro-organo-oligoborate reagieren mit Elektrophilen unter Bildung von Organotetraboranen(10). Der Organo-Rest kann neu eingeführt werden oder aus dem Borat stammen.

Mit Chlor-dimethyl-boran erhält man aus Natriumoctahydrotriborat(1–) unter Natrium/Dialkylboryl-Austausch 2,2-Dimethyltetraboran(10)[2]:

$$NaB_3H_8 \quad + \quad (H_3C)_2BCl \xrightarrow[-NaCl]{40\ Min.,\ -30°} 2,2\text{-}(H_3C)_2B_4H_8$$

2,2-Dimethyltetraboran(10)[2]: Etherfreies Natrium-octahydrotriborat(1–)[3], hergestellt aus 458 mg (16,56 mmol) Diboran(6) und überschüssigem Natriumamalgam, wird mit 763 mg (10,0 mmol) Chlor-dimethyl-boran 40 Min. bei −30° gerührt. Durch fraktionierende Hochvak./Tieftemp.-Destillation werden die flüchtigen Anteile abgetrennt. Das 2,2-Dimethyltetraboran(10) destilliert langsam durch eine auf −78° gekühlte Falle und kondensiert bei −95° fast vollständig; Ausbeute: 330 mg (49%): Dampfdruck (0°) = 36,5 Torr.
Die Verbindung ist nur bei Temp. $< 0°$ stabil.

Die gleiche Methode wird auch zur Herstellung von Tetraboran(10) aus Tetraalkylammonium-octahydroboraten(1–) mit Trihalogenboran angewendet[4].

Aus Bis(ammin)-dihydrobor(1+)-methyl-octahydrotetraborat(1–) (s. S. 129) läßt sich mit wasserfreiem Hydrogenchlorid bei −110° *1-Methyltetraboran(10)*[5] freisetzen:

$$3\text{-}H_3C{-}B_5H_{10} \xrightarrow{+NH_3} [H_2B(NH_3)_2]^+\ [H_3C{-}B_4H_8]^- \xrightarrow[-[H_2B(NH_3)_2]^+Cl^-]{+HCl} 1\text{-}H_3C{-}B_4H_9$$

γ) Organopentaborane(9)

Die Herstellung von Alkyl- und Dialkyl-pentaboranen(9) erfolgt aus Pentaboran(9) mit verschiedenen Reaktionspartnern durch Substitution oder Addition, aus Alkylpentaboranen(9) durch Isomerisierung oder Substitution, aus Halogenpentaboranen(9) durch Substitution sowie aus Alkalimetallpentaboraten(1–) durch Substitution mit Elektrophilen (vgl. Tab. 8, S. 97)[6].

[1] T. Onak, K. Gross, J. Tse u. J. Howard, Soc. [Dalton] **1973**, 2633.
[2] D.F. Gaines, Am. Soc. **91**, 6503 (1969).
[3] W.V. Hough, L.J. Edward u. A.D. McElroy, Am. Soc. **80**, 1828 (1958).
[4] M.A. Toft, J.B. Leach, F.L. Himpsl u. S.G. Shore, Inorg. Chem. **21**, 1952 (1982).
[5] I.S. Jaworiwsky, J.R. Long, L. Barton u. S.G. Shore, Inorg. Chem. **18**, 56 (1979).
[6] Gmelin, 8. Aufl., 2. EB 1, 120–122 (1983).

Tab. 8: Organopentaborane(9)

Formel/Name	Verbindungstyp	Herstellungsart	s. S.
1-R–B_5H_8	R–B_5H_8(9)	aus B_5H_9 + R–Hal/$AlCl_3$	98
		aus B_5H_9 + En	99
		+ En/$AlCl_3$	100
		aus Hal–B_5H_8 + OR_2	104
$H_2C{=}C(CH_3)$–B_5H_8	$R_{1\text{-}en}$–B_5H_8(9)	aus B_5H_9/Al_2O_3 + In	101
		+ In/Kat	101
2-R–B_5H_8	R–B_5H_8(9)	aus R–B_5H_9 Iso, △	102 f.
		aus $[B_5H_8]^-$ + R–Hal	106
2,2′-$(RB_5H_7)_2$	$(RB_5H_7)_2$	aus R–B_5H_8 + Hg/hν	103
1,2-$R_2B_5H_7$	$R_2B_5H_7$(9)	aus R–B_5H_8 + RHal/$AlCl_3$	103
1-R^{Si}–B_5H_8	R^{Si}–B_5H_8(9)	aus SiB_5H_8 + $AlCl_3$	105
	R_2B–B_5H_8(9)	aus $[B_5H_8]^-$ + R_2B-Hal	106

γ_1) *aus Pentaboran(9)*

Pentaboran(9) läßt sich mit Alkylhalogeniden in Gegenwart von Lewissäuren alkylieren. Mit Alkenen oder Alkinen erhält man in Anwesenheit von Katalysatoren Monoalkyl- bzw. Monoalkenyl-pentaborane(9).

$\gamma\gamma_1$) mit elektrophilen Alkylierungsreagenzien

Das B^1-Atom in der Pyramidenspitze des tetragonal-pyramidalen Pentaborans(9) hat nach LCAO-MO-Berechnungen[1,2] eine negative Partialladung. Die Bor-Atome B^2 bis B^5 in der Basis sind positiv geladen.

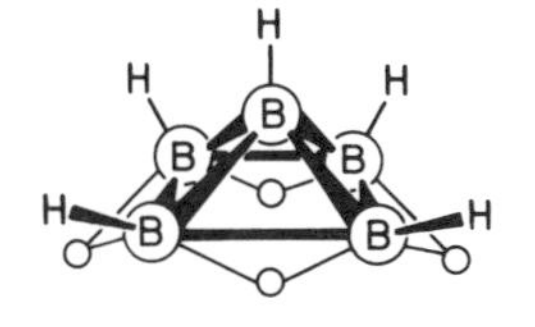

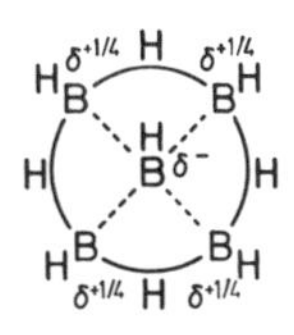

[1] W.H. Eberhardt, B.L. Crawfort Jr. u. W.N. Lipscomb, J. Chem. Physics **22**, 989 (1954).
[2] E. Switkes, I.R. Epstein, J.A. Tossell, R.M. Stevens u. W.N. Lipscomb, Am. Soc. **92**, 3837 (1970).

Pentaboran(9) wird von Halogenalkanen in Gegenwart von Friedel-Crafts-Katalysatoren unterhalb 100° ausschließlich am B^1-Atom alkyliert[1–13].

$$B_5H_9 \quad + \quad RX \xrightarrow[-HX]{20-100°/MY_n} 1\text{-}R{-}B_5H_8$$

R = Alkyl
MYn = Metallhalogenid
X = Halogen, OR, OB<, O–Si≤

Aus Pentaboran(9) erhält man z.B. mit Chlormethan in Gegenwart von Aluminiumtrichlorid unter kinetisch kontrollierter Alkylierung *1-Methylpentaboran(9)*[12]:

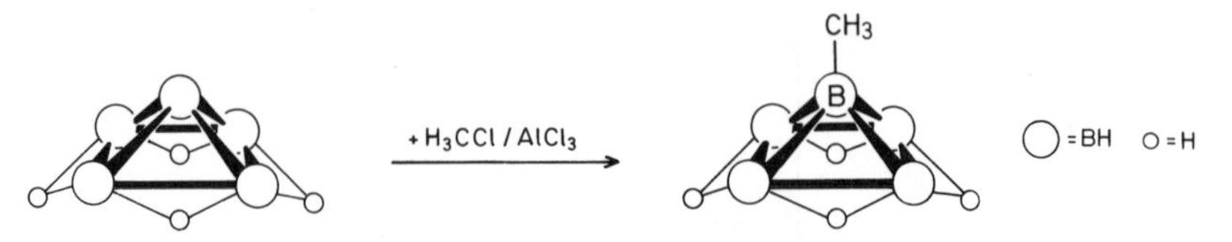

Erst bei höheren Temperaturen bilden sich aus den 1-Alkylpentaboranen(9) die thermodynamisch stabileren 2-Alkylpentaborane(9) (vgl. S. 101f.)[12], die mit Halogenalkan/Aluminiumtrichlorid weiter alkyliert werden. Dialkyl- sowie Trialkyl-pentaborane(9) sind so zugänglich (vgl. S. 103f.)[1,10].

Bei der durch Aluminiumtrichlorid katalysierten Reaktion mit Isopropylchlorid wurde der Einfluß der eingesetzten Katalysatormenge auf die Ausbeute untersucht[2]. Als optimal hat sich in diesem Fall ein Verhältnis Aluminiumtrichlorid : Isopropylchlorid : Pentaboran(9) = 0,3–0,5 : 25 : 75 erwiesen.

1-Methylpentaboran(9)[1]**:** In einem 1-*l*-Kolben werden 2,4 g (38 mmol) Pentaboran(9), 9 g (63,3 mmol) Methyljodid und 0,92 g (6,9 mmol) Aluminiumtrichlorid zusammen mit etwas Quecksilber (um Jodwasserstoff abzufangen) 40 Stdn. auf 100° erhitzt. Das Gemisch wird durch Hochvak./Tieftemp.-Destillation getrennt. Neben Wasserstoff, Trichlorboran und 0,77 g (12,2 mmol) nicht umgesetztem Pentaboran(9) erhält man 1-Methylpentaboran(9). Beimengungen von nicht umgesetztem Pentaboran(9) werden durch nochmaliges Erhitzen mit Methyljodid/Aluminiumtrichlorid beseitigt. Spuren von Methyljodid lassen sich durch Schütteln mit Quecksilber entfernen; Ausbeute: 2,2 g [78%; bez. auf umgesetztes Pentaboran(9)].

Zur Reinigung von 1-Alkylpentaboranen(9), die durch Friedel-Crafts-Alkylierung mit Alkylhalogeniden hergestellt wurden, wird auch 30 Min. Erwärmen mit Eisen(III)-oxid empfohlen[14].

Chlor- und Brom-alkane reagieren leichter als Jodalkane. Mit Halogenalkanen mit C > 3 kommt es zur Isomerisierung und Umlagerung des Alkyl-Restes. Aus Pentaboran(9) erhält man z.B. mit 1-Brombutan in Gegenwart von Aluminiumtrichlorid ein Gemisch von

---

[1] G. E. Ryschkewitsch, S. W. Harris, E. J. Mezey, H. H. Sisler, E. A. Weilmuenster u. A. B. Garrett, Inorg. Chem. **2**, 890 (1963).
[2] US. P. 3135803 (1964/1960), Aerojet-General Corp., Erf.: A. F. Graefe; C. A. **61**, 9526 (1964).
[3] E. R. Altwicker, G. E. Ryschkewitsch, A. B. Garrett u. H. H. Sisler, Inorg. Chem. **3**, 454 (1964).
[4] US. P. 3118936 (1964/1957), Olin Mathieson Chem. Corp., Erf.: E. R. Altwicker, S. W. Harris u. E. A. Weilmuenster; C. A. **60**, 9311 (1964).
[5] US. P. 2987553 (1961), Olin Mathieson Chem. Corp., Erf.: E. J. Mezey; C. A. **55**, 25756 (1961).
[6] US. P. 2977388 (1961), Olin Mathieson Chem. Corp., Erf.: J. A. Neff u. E. J. Wandel; C. A. **55**, 18595 (1961).
[7] N. J. Blay, I. Dunstan u. R. L. Williams, Soc. **1960**, 430.
[8] US. P. 3052725 (1962/1955), Olin Mathieson Chem. Corp., Erf.: E. R. Altwicker, A. B. Garrett, E. A. Weilmuenster u. S. W. Harris; C. A. **58**, 2471 (1963).
[9] US. P. 3038012 (1962/1955), Olin Mathieson Chem. Corp., Erf.: E. R. Altwicker, A. B. Garrett, E. A. Weilmuenster u. S. W. Harris; C. A. **57**, 15152 (1962).
[10] P. M. Tucker, T. Onak u. J. B. Leach, Inorg. Chem. **9**, 1430 (1970).
[11] T. Onak, G. B. Dunks, I. W. Searcy u. J. Spielman, Inorg. Chem. **6**, 1465 (1967).
[12] T. P. Onak u. F. J. Gerhart, Inorg. Chem. **1**, 742 (1962).
[13] J. B. Leach, G. Oates, J. B. Handley, A. P. Fung u. T. Onak, Soc. [Dalton] **1977**, 819.
[14] US. P. 3013084 (1961/1958), Callery Chem. Corp., Erf.: J. W. Shepherd; C. A. **57**, 11233 (1962).

1-(1-Methyl-propyl)- und *1-Isobutyl-pentaboran(9)*[1]. Mit Isobutyl- und tert.-Butyl-bromid tritt in Gegenwart von Aluminiumtrichlorid keine Alkylierung ein. Man erhält lediglich Kohlenwasserstoff-Polymere.

Tab. 9: 1-Alkylpentaborane(9) aus Pentaboran(9) mit Halogenalkanen in Gegenwart von Aluminiumtrichlorid

Chloralkan	Bedingungen Verh.: B_5H_9 : RHal : $AlCl_3$	...-*pentaboran(9)*	Ausbeute [%]	Kp [°C]	Kp [Torr]	F [°C]	Literatur
CH_3Cl	3 Stdn. 100°	*1-Methyl-...*	80				1
CH_3J	(1:1,67:0,18) 24 Stn. 100°	*1-Methyl-...*	78 (68)	75,2 30	760 144	−56 bis −55	2
C_2H_5Cl	(1:1,12:0,08) 48 Stn. 25°	*1-Ethyl-...*	51	106	760	−85 bis −84	2
$(H_3C)_2CH{-}Cl$	(1:0,34:0,018) 1 Min. 25°	*1-Isopropyl-...*	98	20	46,3	−45	3

Auch Ether[4,5], Alkoxyborane[6] oder Alkoxysilane[7] werden als Alkylierungsmittel verwendet; z.B.[4]:

$$B_5H_9 \xrightarrow[3\ \text{Stdn., } 60°]{+(H_5C_2)_2O{-}BF_3} 1\text{-}H_5C_2{-}B_5H_8$$

$\gamma\gamma_2$) mit ungesättigten Kohlenwasserstoffen

Die Herstellung von Monoalkylpentaboranen(9) läßt sich aus Pentaboran(9) mit 1-Alkenen thermisch oder in Gegenwart von Lewissäuren durchführen. Man erhält 2- bzw. 1-Alkylpentaborane(9). Mit Alkinen sind aus Pentaboran(9) in Gegenwart von Katalysatoren Alkenylpentaborane(9) zugänglich.

2-Alkylpentaborane(9) lassen sich aus Pentaboran(9) mit Alkenen durch mehrstündiges Erhitzen bei 150° herstellen[8–16]:

$$B_5H_9 \quad + \quad \text{Alken} \xrightarrow{150°} 2\text{-Alkyl-}B_5H_8$$

1 T.P. Onak u. F.J. Gerhart, Inorg. Chem. **1**, 742 (1962).
2 G.E. Ryschkewitsch, S.W. Harris, E.J. Mezey, H.H. Sisler, E.A. Weilmuenster u. A.B. Garrett, Inorg. Chem. **2**, 890 (1963).
3 US.P. 3135803 (1964/1960), Aerojet-General Corp., Erf.: A.F. Graefe; C.A. **61**, 9526 (1964).
4 US.P. 2977392 (1961/1957), Olin Mathieson Chem. Corp., Erf.: H. Landesman; C.A. **55**, 19789 (1961).
5 US.P. 2983761 (1961/1957), Olin Mathieson Chem. Corp., Erf.: H. Landesman; C.A. **55**, 20960 (1961).
6 US.P. 2917547 (1959/1956), Olin Mathieson Chem. Corp., Erf.: R.E. Williams; C.A. **54**, 24401 (1960).
7 US.P. 2964568 (1960/1956), Olin Mathieson Chem. Corp.; Erf.: H. Landesman; C.A. **55**, 18596 (1961).
8 US.P. 3316306 (1967/1955), Olin Mathieson Chem. Corp., Erf.: S.J. Chiras u. E.J. Mezey; C.A. **67**, 83699 (1967).
9 US.P. 3114774 (1963/1955), Olin Mathieson Chem. Corp., Erf.: G.E. Ryschkewitsch; C.A. **60**, 6866 (1964).
10 G.E. Ryschkewitsch, E.J. Mezey, E.R. Altwicker, H.H. Sisler u. A.B. Garrett, Inorg. Chem. **2**, 893 (1963).
11 E.R. Altwicker, Dissertation Abstr. **22**, 3389 (1962); C.A. **57**, 4688 (1962).
12 US.P. 2977387 (1961/1955), Thiokol Chem. Corp., Erf.: J.R. Gould u. J.E. Paustian; C.A. **55**, 16423 (1961).
13 US.P. 2983760 (1961/1955), Olin Mathieson Chem. Corp., Erf.: G.E. Ryschkewitsch; C.A. **55**, 20960 (1961).
14 US.P. 2971031 (1961/1955), Olin Mathieson Chem. Corp., Erf.: G.E. Ryschkewitsch; C.A. **55**, 12855 (1961).
15 US.P. 3031417 (1962/1955), Olin Mathieson Chem. Corp., Erf.: G.E. Ryschkewitsch; C.A. **57**, 11232 (1962).
16 US.P. 3106583 (1963/1957), Thiokol Chem. Corp., Erf.: J.R. Gould u. J.E. Paustian; C.A. **60**, 3004 (1964).

Eine Isomerisierung in der Alkyl-Seitenkette, z.B. durch Dehydroborierung-Hydroborierung, wird nicht beobachtet. Mit Isobuten bildet sich ausschließlich *2-Isobutylpentaboran(9)*[1]. Die Ausbeuten betragen 30–80% bei Umsätzen von 2–25%. In Alkanen[2] oder Tetrahydrofuran[3] als Lösungsmittel werden höhere Umsätze erzielt.

2-Isobutylpentaboran(9)[3]**:** In einen 60-*ml*-Kolben werden bei −196° 631 mg (10 mmol) Pentaboran(9), 0,9 *ml* Tetrahydrofuran und 557 mg (9,92 mmol) Isobuten einkondensiert. Nach Zuschmelzen des Kolbens läßt man 7,5 Stdn. bei 150° reagieren. Anschließend wird durch fraktionierende Hochvak.Tieftemp.-Destillation aufgearbeitet (Kühlfallen mit −8°, −18°, −52° u. −78°); 2-Isobutylpentaboran(9) kondensiert bei −52°. Durch Refraktionierung über −8°-, −18°- und −52°-Fallen erhält man reines Produkt; Ausbeute: 166 mg (61% bei 23%igem Umsatz an B_5H_9): Dampfdruck bei 24° = 5 Torr.

Die Reaktionen des Pentaborans(9) mit 1-Alkenen in Gegenwart von Lewissäuren [Aluminium-, Bor-, Eisen(III)-chlorid] bei <100° führt unter kinetischer Kontrolle zu 1-Alkylpentaboranen(9).

Zur Einführung von Ethyl-Gruppen in Pentaboran(9) mit Ethen kann z.B. Trichlorboran als Katalysator eingesetzt werden. Bei höheren 1-Alkenen (z.B. Propen, 1-Buten) tritt leicht Polymerisation ein. Man verwendet daher besser Eisen(III)-chlorid[4]:

$$B_5H_9 \quad H_2C{=}CH{-}R \xrightarrow{\text{Kat; 20–100°}} 1\text{-}(R{-}CH_2{-}CH_2){-}B_5H_8$$

Kat. = $AlCl_3$, $FeCl_3$, BCl_3

1-Ethylpentaboran(9)[4]**:** In einen 1-*l*-Kolben kondensiert man zunächst 13 mg (0,1 mmol) Aluminiumtrichlorid, dann 442 mg (7 mmol) Pentaboran(9) und 224 mg (8 mmol) Ethen ein. Im abgeschlossenen Kolben wird 3 Stdn. auf 100° erhitzt. Anschließend wird durch Hochvak./Tieftemp.-Destillation (Kühlfallen mit −80° und −190°) aufgearbeitet. Das Produkt wird gaschromatographisch gereinigt (6 m × 8 mm-Kel–F-Säule auf 30 mesh Ziegelstein, 60°) und bei –80° aufgefangen; Ausbeute: 320 mg (50%).

Auf ähnliche Weise (Pentaboran : Alken : Kat = 1 : 0,16 : 0,01; 35 Stdn. 35°) ist *1-Isopropylpentaboran(9)* (73%; Kp_{23}: 30°) zugänglich[5].

In Gegenwart bestimmter Übergangsmetall-Katalysatoren wie z.B. von Palladium(II)-bromid läßt sich die B_5H_9-Addition an 1-Alkene in eine Alken-Substitution unter sehr milden Bedingungen umlenken. Aus Pentaboran(9) erhält man mit der äquimolaren Menge Propen bei 0° in Gegenwart von Palladium(II)-bromid (≈1–2 mol-%) [87%ige Ausbeute bei ≈10%igem Umsatz] drei isomere *Propenylpentaborane(9)*[6]:

B_5H_9 —[$H_2C{=}CH{-}CH_3$ ($PdBr_2$)]→
- 46,8%: 2-(H_3C–CH=CH–B_5H_8)
- 36,4%: 1-(H_3C–CH=CH–B_5H_8)
- 9,5%: 1-(H_3C–CH=C(H)–B_5H_8), B_5H_8 und CH_3 an benachbarten C-Atomen: H_3C–CH=C(B_5H_8)–H

---

[1] G.E. Ryschkewitsch, E.J. Mezey, E.R. Altwickler, H.H. Sisler u. A.B. Garrett, Inorg. Chem. **2**, 893 (1963).

[2] US.P. 3114774 (1963/1955), Olin Mathieson Chem. Corp., Erf.: G.E. Ryschkewitsch; C.A. **60**, 6866 (1964).

[3] US.P. 2983760 (1961/1955), Olin Mathieson Chem. Corp., Erf.: G.E. Ryschkewitsch; C.A. **55**, 20960 (1961).

[4] T.P. Onak u. F.J. Gerhart, Inorg. Chem. **1**, 742 (1962).

[5] G.E. Ryschkewitsch, S.W. Harris, E.J. Mezey, H.H. Sisler, E.A. Weilmuenster u. A.B. Garrett, Inorg. Chem. **2**, 890 (1963).

[6] T. Davan, E.W. Corcoran jr. u. L.G. Sneddon, Organometallics **2**, 1693 (1983).

Außerdem werden kleine Anteile an *2-Propenyl-* (47%) und *1-Propyl-* (2,6%)*pentaboranen(9)* gebildet[1]. Ähnlich reagieren Ethen und 1-Buten[1].

Pentaboran(9) läßt sich mit niedermolekularen 1-Alkinen bei 200–220° in Gegenwart eines aktivierten Aluminiumoxid-Katalysators in Alkenylpentaborane(9) überführen. Mit Acetylen bildet sich bei 250° über einem Silizium-/Aluminiumoxid-Katalysator im geschlossenen Gefäß *Ethylpentaboran(9)*[2] neben Vinyltetraboran(8) als Hauptprodukt. Aus Pentaboran(9) erhält man mit Propin in 16%iger Ausbeute *Isopropenylpentaboran(9)*[3]. – Bei Verwendung bestimmter Ligand-Iridium- oder -Cobalt-Verbindungen (≈10 mol%) sind aus Pentaboran(9) mit Propin bei ≈75° *2-Isopropenyl-* und *2-(trans-1-Propenyl)-pentaboran(9)* in vom Übergangsmetall abhängigen Mengenverhältnissen zugänglich[4]:

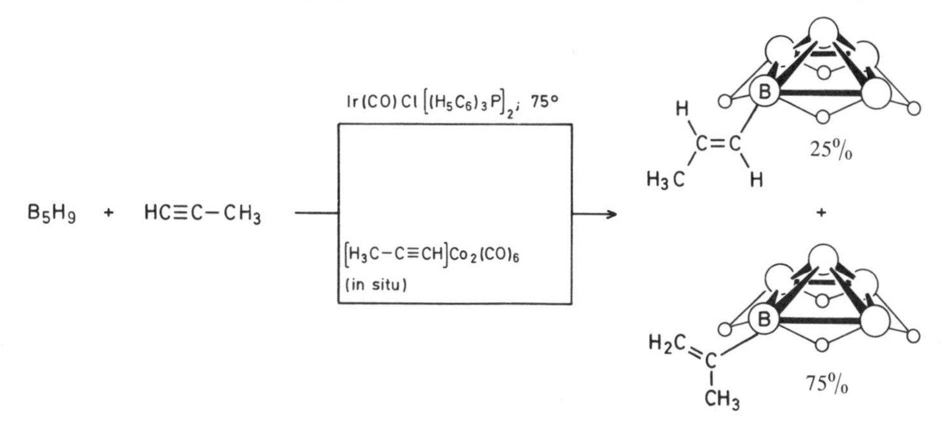

Der Iridium-Katalysator eignet sich gut auch zur Herstellung von *2-Vinyl-* und *2-(cis-1-Methyl-1-propenyl)-pentaboran(9)* aus Pentaboran(9) mit Acetylen bzw. 2-Butin [Ausbeute: jeweils ≈75% bez. auf verbrauchtes Pentaboran(9)][4]. Bei Verwendung des Cobalt-Katalysators reagiert Pentaboran(9) mit 1,2-disubstituierten Alkinen deutlich rascher als mit 1-Alkinen[4,5].

γ_2) *aus Alkylpentaboranen(9)*

Alkylpentaborane(9) lassen sich aus anderen Alkylpentaboranen(9) durch katalysierte oder thermische Isomerisierung sowie durch photochemische Kondensation oder durch Friedel-Crafts-Alkylierung herstellen.

Aus 1-Alkylpentaboranen(9) (vgl. S. 99) erhält man in Gegenwart von Lewisbasen bei ≈20°[6–12] oder beim Erhitzen auf ≈200°[13] durch Isomerisierung 2-Alkylpentaborane.

---

[1] T. Davan, E.W. Corcoran jr. u. L.G. Sneddon, Organometallics **2**, 1693 (1983).
[2] US.P. 3086996 (1963/1956), Olin Mathieson Corp., Erf.: I. Shapiro u. H.G. Weiss; C.A. **60**, 548 (1964).
[3] US.P. 3155731 (1964/1958), Thiokol Chem. Corp., Erf.: J.E. Paustian u. D.M. Gardner; C.A. **62**, 7795 (1965).
[4] R. Wilczynski u. L.G. Sneddon, Inorg. Chem. **20**, 3955 (1981).
[5] R. Wilczynski u. L.G. Sneddon, Am. Soc. **102**, 2857 (1980).
[6] T.P. Onak, Am. Soc. **83**, 2584 (1961).
[7] T. Onak, L.B. Friedman, J.A. Hartsuck u. W.N. Lipscomb, Am. Soc. **88**, 3439 (1966).
[8] T. Onak, G.B. Dunks, I.W. Searcy u. J. Spielman, Inorg. Chem. **6**, 1465 (1967).
[9] P.M. Tucker, T. Onak u. J.B. Leach, Inorg. Chem. **9**, 1430 (1970).
[10] US.P. 3135801 (1964/1959), Callery Chem. Corp., Erf.: A.F. Stang; C.A. **61**, 9526 (1964).
[11] W.V. Hough, L.J. Edwards u. A.F. Stang, Am. Soc. **85**, 831 (1963).
[12] A.B. Burg u. J.S. Sandhu, Am. Soc. **87**, 3787 (1965).
[13] T.P. Onak u. F.J. Gerhart, Inorg. Chem. **1**, 742 (1962).

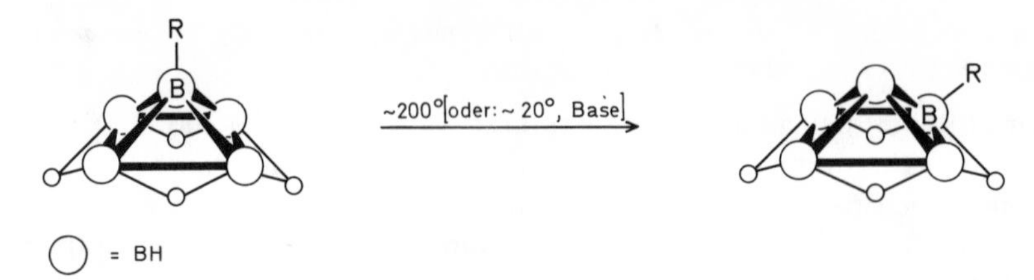

Erhitzt man das durch Friedel-Crafts-Alkylierung von Pentaboran(9) erhaltene Gemisch einige Stunden auf 200°, so erhält man direkt die 2-Alkylpentaborane(9)[1]. Im allgemeinen sind die Ausbeuten jedoch besser, wenn man 1-Alkylpentaboran(9) isoliert und anschließend in Gegenwart von Stickstoffbasen schonend umlagert.

Als Basen sind vor allem 2-Alkylpyridine (z.B. 2,6-Dimethylpyridin[2-4]) sowie Urotropin[5] geeignet. Urotropin kann wegen seiner geringen Flüchtigkeit nach der Reaktion leichter abgetrennt werden. Mit Trimethylamin entsteht bei ≈20° ein stabiles Salz, aus dem mit geeigneten Säuren – z.B. mit Decaboran(14) in Diethylether – 2-Alkylpentaborane(9) freigesetzt werden[4,6,7].

$$(H_3C)_3N \quad + \quad 1\text{-}H_5C_2{-}B_5H_8 \xrightarrow{1\ \text{Stde.},\ \sim 20°} [(H_3C)_3NH]^+ [H_5C_2{-}B_5H_7]^-$$

$$\xrightarrow{+B_{10}H_{14}/(H_5C_2)_2O} 2\text{-}H_5C_2{-}B_5H_8 \quad + \quad [(H_3C)_3NH]^+ [B_{10}H_{13}]^-$$

2-Methylpentaboran(9)[4]: 515 mg (6,67 mmol) 1-Methylpentaboran(9) und 5,76 g (6 *ml*; 54 mmol) 2,6-Dimethylpyridin werden 18 Stdn. bei ≈ 20° gerührt. Die entstandene orangerote Flüssigkeit wird durch Vakuum/Tieftemp.-Destillation fraktioniert. Bei −90° kondensiert das Rohprodukt, das durch gaschromatographische Trennung (30% Kel-F auf 30 mesh gemahlenem Ziegelstein) gereinigt wird; Ausbeute: 480 mg (93%).

Mehrfach alkylierte Pentaborane(9) lagern sich langsamer um als die 1-Alkyl-Derivate[4]. Außerdem bilden sich Isomeren-Gemische. 1,2-Dimethylpentaboran(9) liefert z.B. *2,3-Dimethyl-* neben wenig *2,4-Dimethyl-pentaboran(9)*[5]. Aus 2-Chlor-1,3-dimethylpentaboran(9) erhält man in Gegenwart von Urotropin (25°, 6 Stdn.) ein Gemisch von drei der vier möglichen Isomeren mit zwei Methylsubstituenten an den Basis-Bor-Atomen[5]:

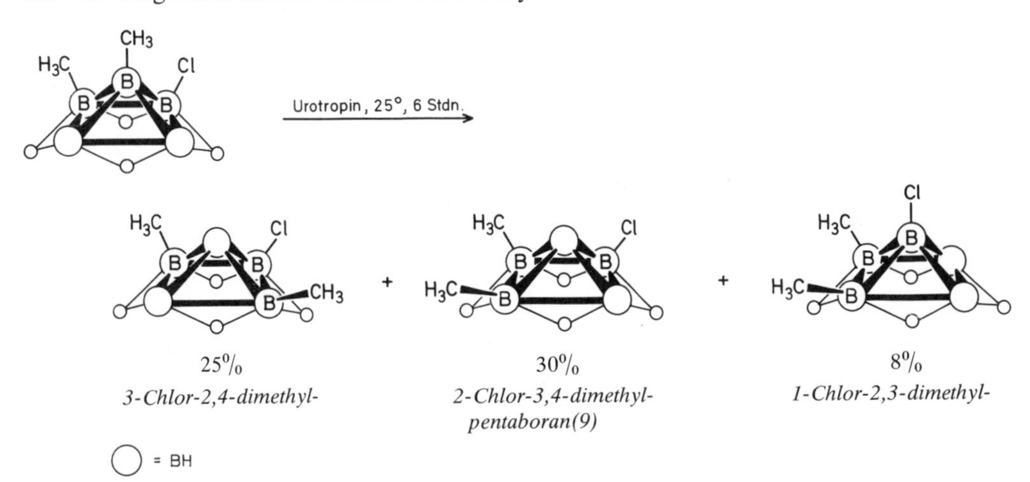

25% *3-Chlor-2,4-dimethyl-* 30% *2-Chlor-3,4-dimethyl-pentaboran(9)* 8% *1-Chlor-2,3-dimethyl-*

○ = BH

---

[1] T.P. Onak u. F.J. Gerhart, Inorg. Chem. **1**, 742 (1962).
[2] T.P. Onak, Am. Soc. **83**, 2584 (1961).
[3] T. Onak, L.B. Friedman, J.A. Hartsuck u. W.N. Lipscomb, Am. Soc. **88**, 3439 (1966).
[4] T. Onak, G.B. Dunks, I.W. Searcy u. J. Spielman, Inorg. Chem. **6**, 1465 (1967).
[5] P.M. Tucker, T. Onak u. J.B. Leach, Inorg. Chem. **9**, 1430 (1970).
[6] US.P. 3135801 (1964/1959), Callery Chem. Corp., Erf.: A.F. Stang; C.A. **61**, 9526 (1964).
[7] W.V. Hough, L.J. Edwards u. A.F. Stang, Am. Soc. **85**, 831 (1963).

Aus 1-[(Chlor-dimethyl-silyl)methyl]pentaboran(9) ist mit Urotropin unter Wanderung der Silylmethyl-Gruppe *2-[(Chlor-dimethyl-silyl)methyl]pentaboran(9)* zugänglich[1]:

Cl
$(H_3C)_2Si-CH_2$
B
Urotropin →
Cl
$CH_2-Si-CH_3$
CH_3
B

○ = BH
o = H

Beim Belichten bildet sich aus 1-Methylpentaboran(9) durch Kondensation *1,1'-Dimethyl-2,2'-bipentaboranyl(9)* in 30%iger Ausbeute[2]:

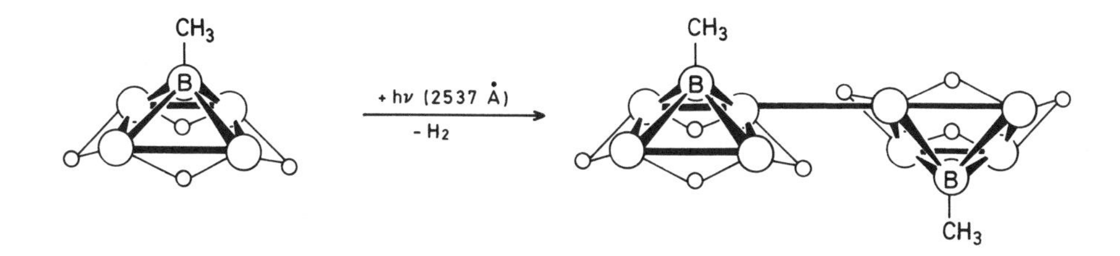

Die Methode läßt sich vor allem zur Herstellung verschiedener Bicarboranyle ohne B-Organo-Reste gut anwenden[1].

Aus Alkylpentaboranen(9) sind mit Chlormethan/Aluminiumtrichlorid Dialkyl- sowie Trialkyl-pentaborane(9) zugänglich. 2-Methylpentaboran(9) wird bei tieferen Temperaturen alkyliert als Pentaboran(9). Die Ausbeuten sind jedoch wegen Nebenreaktionen geringer[3,4] (s. Tab. 10, S. 104). Offensichtlich erleichtern die Alkyl-Substituenten an den B^2- bis B^5-Atomen die elektrophile Substitution am B^1-Atom, erhöhen jedoch gleichzeitig die Fragmentierungstendenz des Boran-Gerüsts:

CH_3
B
+ H_3CCl / $AlCl_3$ →
- HCl
CH_3
B
CH_3
B
usw. →

○ = BH
o = H

[1] J.B. Leach, G. Oates, J.B. Handley, A.P. Fung u. T. Onak, Soc. [Dalton] **1977**, 819.
[2] J.S. Plotkin, R.J. Astheimer u. L.G. Sneddon, Am. Soc. **101**, 4155 (1979).
[3] P.M. Tucker, T. Onak u. J.B. Leach, Inorg. Chem. **9**, 1430 (1970).
[4] T. Onak, G.B. Dunks, I.W. Searcy u. J. Spielman, Inorg. Chem. **6**, 1465 (1967).

Tab. 10: Mehrfach alkylierte Pentaborane(9) aus Alkylpentaboranen(9) mit Chlormethan/Aluminiumtrichlorid

$R-B_5H_8$ R	Bedingungen (Verh.: Edukt : H_3CCl : $AlCl_3$) Stdn., Temp.	*...-pentaboran(9)*	Ausbeute [%]	Kp		Literatur
				[°C]	[Torr]	
2-CH_3	1:1:0,022 1 Stde., 55°	*1,2-Dimethyl-...*	55	–	–	1
2-$CH(CH_3)-C_2H_5$	1:2,5:0,125 16 Stdn., 25°	*1-Methyl-2-(1-methyl-propyl)-...*	36	30 164[a]	4,6 760	2
2,3-$(CH_3)_2$	3 Tage, 25°	*1,2,3-Trimethyl-...*	35			1

[a] extrapolierter Wert

γ_3) *aus Halogenpentaboranen(9)*

1-Brompentaboran(9) reagiert mit Dimethylether unter Brom/Methyl-Austausch in 30%iger Ausbeute zu *1-Methylpentaboran(9)*[3]:

$$1\text{-Br—}B_5H_8 \xrightarrow[-H_2;\,-CH_4;\,-H_3CBr]{+(H_3C)_2O,\ 30\ \text{Stdn.},\ 40°} 1\text{-}H_3C\text{—}B_5H_8$$

2-Methylpentaboran(9) wird nicht gebildet[3]. Als nicht flüchtige Nebenprodukte entstehen sauerstoffhaltige Bor-Verbindungen[3].

2-Aryl-Derivate des Pentaborans(9) lassen sich aus 2-Chlorpentaboran(9) mit verschiedenen Alkylarenen in Gegenwart von Aluminiumtrichlorid in äußerst bescheidenen Ausbeuten (1% bis 9%) gewinnen; z.B.[4]:

Cl + m-Xylol (CH_3, CH_3), ($AlCl_3$), 3 Tage, ~40° → H_8B_5–$C_6H_3(CH_3)_2$ (H_3C, H_3C) + H_8B_5–C_6H_3(H_3C)–CH_3 + H_8B_5–$C_6H_3(CH_3)_2$ (CH_3, CH_3)

○ = BH
o = H

γ_4) *aus Silylpentaboranen(9)*

Aus (Chlormethyl-dimethyl-silyl)pentaboranen(9) (vgl. S. 106) können unter bestimmten Bedingungen umgelagerte *[(Chlor-dimethyl-silyl)methyl]pentaborane(9)* hergestellt werden. Die Chlormethyl-dimethyl-silyl-Gruppe wandert in Gegenwart von Basen (z.B. Urotropin) [in Umkehr zum Verhalten von Alkyl-Resten (vgl. S. 101)] am Pentaboran(9) lediglich von der 2- in die 1-Stellung[5]:

2-(CH_2Cl–$Si(CH_3)_2$)–B_5H_8 —Urotropin→ 1-(H_3C–$Si(CH_3)$–CH_2Cl)–B_5H_8

[1] P.M. Tucker, T. Onak u. J.B. Leach, Inorg. Chem. **9**, 1430 (1970).
[2] G.E. Ryschkewitsch, S.W. Harris, E.J. Mezey, H.H. Sisler, E.A. Weilmuenster u. A.B. Garrett, Inorg. Chem. **2**, 890 (1963).
[3] A.B. Burg u. J.S. Sandhu, Am. Soc. **87**, 3787 (1965).
[4] J.A. Heppert u. D.F. Gaines, Inorg. Chem. **21**, 4117 (1982).
[5] J.B. Leach, G. Oates, J.B. Handley, A.P. Fung u. T. Onak, Soc. [Dalton] **1977**, 819.

Mit Aluminiumtrichlorid wird dagegen aus 2-(Chlormethyl-dimethyl-silyl)pentaboran(9) *2-[(Chlor-dimethyl-silyl)methyl]pentaboran(9)* gewonnen[1]:

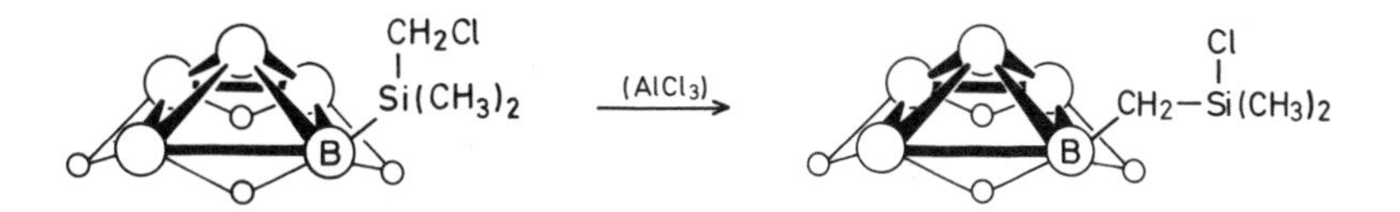

2-[(Chlor-dimethyl-silyl)methyl]pentaboran(9)[1]**:** Man läßt in einem abgeschmolzenen Glasrohr ein Gemisch von 1,55 g (9,14 mmol) 2-(Chlormethyl-dimethyl-silyl)pentaboran(9) und katalytischen Mengen an frisch sublimiertem Aluminiumtrichlorid von −190° auf ~ 20° erwärmen. Die einsetzende exotherme Reaktion wird durch Kühlen gemäßigt. Anschließend wird durch Hochvak./Tieftemp.-Destillation aufgearbeitet (Kühlfallen bei −22°, −65° und −196°). In der −22°-Falle sammeln sich 1,42 g Produkt (8,39 mmol; 92%).

Die Silyl-Gruppe des 1-(Chlormethyl-dimethyl-silyl)pentaborans(9) läßt sich entsprechend mit Aluminiumtrichlorid oder thermisch ohne Wanderung am Pentaboran-Gerüst isomerisieren; z.B.[1]:

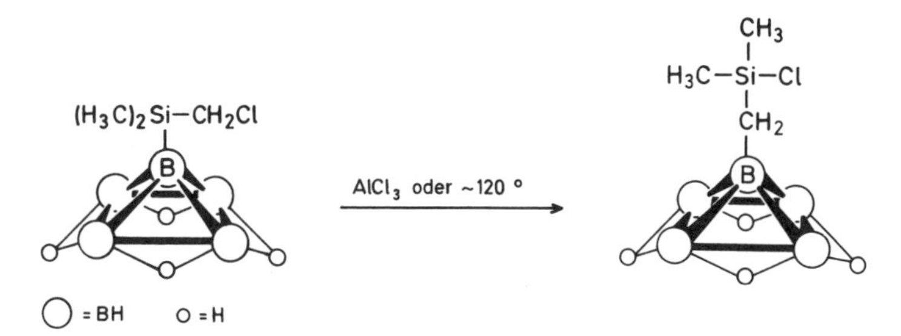

1-[(Chlor-dimethyl-silyl)methyl]pentaboran(9) ist auch unmittelbar aus 2-(Chlormethyl-dimethyl-silyl)pentaboran(9) durch Erhitzen zugänglich[1].

γ_5) *aus Borylpentaboranen(9)*

Aus 1-Dichlorborylpentaboran(9) bildet sich mit Ethen in Pentan beim Auftauen von −196° auf ≈20° unter 1,2-Diborierung (vgl. Bd. XIII/3a, S. 477) *1-[(2-Dichlorboryl)ethyl]pentaboran(9)*[2]:

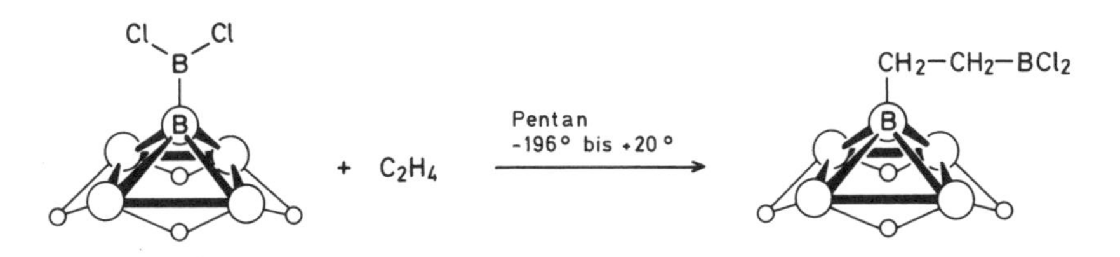

γ_6) *aus Hydropentaboraten*

Aus Alkalimetalloctahydropentaboraten lassen sich mit Halogenkohlenwasserstoffen unter Abscheiden von Alkalimetallhalogenid 2-Organopentaborane(9) herstellen.

---

[1] J.B. Leach, G. Oates, J.B. Handley, A.P. Fung u. T. Onak, Soc. [Dalton] **1977**, 819.
[2] D.F. Gaines, J.A. Heppert, D.E. Coons u. M.W. Jorgenson, Inorg. Chem. **21**, 3662 (1982).

Aus Kaliumoctahydropentaborat(1–)[1] erhält man mit Benzylbromid in Dimethylether/Pentan bei −30° in 11%iger Ausbeute *2-Benzylpentaboran(9)*[2]. *2-Allylpentaboran(9)* ist aus Lithiumoctahydropentaborat(1–)[3] mit Allyljodid in 13%iger Ausbeute zugänglich[2]:

$$Li^+ [B_5H_8]^- + H_2C{=}CH{-}CH_2{-}J \xrightarrow[-LiJ]{Pentan}$$ 2-(CH₂–CH=CH₂)-B₅H₈

○ = BH
o = H

Mit Chlor-dimethyl-boran erhält man aus Lithiumoctahydropentaborat bei −78° bis −40° *μ-Dimethylborylpentaboran(9)*[3]:

$$Li^+ [B_5H_8]^- + (H_3C)_2B{-}Cl \xrightarrow[-LiCl]{(H_5C_2)_2O,\ -78°\ bis\ 40°}$$ μ-B(CH₃)₂-B₅H₈

○ = BH
o = H

μ-Dimethylborylpentaboran(9)[3]**:** Zu 0,92 g (13,3 mmol) Lithiumoctahydropentaborat[4,5] in Diethylether werden bei −196° 1,22 g (16 mmol) Chlor-dimethyl-boran kondensiert; man läßt anschließend auf −78° erwärmen und rührt das Gemisch 1 Stde. bei −78° bis −40°. Die Lösung wird schwach gelb, und es fällt ein farbloser Niederschlag aus. μ-Dimethylborylpentaboran(9) wird aus den flüchtigen Anteilen durch Hochvak./Tieftemp.-Destillation isoliert. Nach Durchleiten durch eine −37°-Falle kondensieren bei −63° 1,09 g (81%); Dampfdruck (0°): 4,5 Torr.

Entsprechend ist *2-(Chlormethyl-dimethyl-silyl)pentaboran(9)*, das als Edukt zur Herstellung von Silylmethylpentaboranen(9) eingesetzt wird (vgl. S. 105), aus Alkalimetalloctahydropentaborat mit Chlor-chlormethyl-dimethyl-silan zugänglich[6]:

$$M^+ [B_5H_8]^- \xrightarrow[-MCl]{+ (H_3C)_2Si(CH_2{-}Cl){-}Cl}$$ μ-Si(CH₃)₂(CH₂Cl)-B₅H₈ $$\xrightarrow{(H_5C_2)_2O}$$ 2-Si(CH₃)₂(CH₂Cl)-B₅H₈

○ = BH
o = H

δ) Organopentaborane(11)

Monoorganopentaborane(11) stellt man aus Pentaboran(11) oder aus Organononahydropentaborat(1–) her[7].

δ₁) *aus Pentaboran(11)*

Monoorganopentaborane(11) sind aus Pentaboran(11) mit Alkyldiboranen(6) unter Substituentenaustausch oder mit Alkenen durch Hydroborierung präparativ zugänglich.

---

[1] R.A. Geanangel u. S.G. Shore, Am. Soc. **89**, 6771 (1967).
[2] D.F. Gaines u. M.W. Jorgenson, Inorg. Chem. **19**, 1398 (1980).
[3] D.F. Gaines u. T.V. Iorns, Am. Soc. **89**, 3375 (1967).
[4] vgl. Gmelin, 8. Aufl., Bd. **19**/3, S. 190 (1975).
[5] E.L. Mutterties, Pure Appl. Chem. **29**, 585 (1972).
[6] J.B. Leach, G. Oates, J.B. Handley, A.P. Fung u. T. Onak, Soc. [Dalton] **1977**, 819.
[7] Gmelin, 8. Aufl., 2 Erg. Bd. 1, 107–113 (1983).

$\delta\delta_1$) mit Alkyldiboranen(6)

Pentaboran(11) reagiert mit Alkyl- bzw. mit 1,2-Dialkyl-diboran(6) unter Substituentenaustausch zu Monoalkylpentaboranen(11)[1-4]:

$$B_5H_{11} + R\text{—}B_2H_5 \xrightarrow[-B_2H_6]{25\text{–}30°} R\text{—}B_5H_{10}$$

R = CH_3; *Methylpentaboran(11)*; 64%
R = C_2H_5; *Ethylpentaboran(11)*; 60–77%

Es ist nicht bekannt, welche der drei möglichen regioisomeren Alkyl-Derivate entstehen[5]. Die Austauschreaktion ist reversibel. Man arbeitet daher zweckmäßig mit einem Überschuß an Alkyldiboran(6) oder entfernt laufend das entstehende Diboran(6). Monoalkylpentaborane(11) reagieren mit einem Überschuß an 1,2-Dialkyldiboran(6) nur unvollständig zum Dialkylpentaboran(11)[3].

Methylpentaboran(11)[1]**:** 13 mg (0,2 mmol) Pentaboran(11) und 10 mg (0,2 mmol) Gemisch von Methyl- und Dimethyl-diboran(6) läßt man 15 Min. bei 35° reagieren. Durch Kondensation in eine auf −145° gekühlte Falle trennt man vom Diboran(6) ab und läßt dann erneut 15 Min. bei 35° reagieren. Die gaschromatographische Trennung (standard white oil 9 auf Johns-Mansville firebrick 32–65 Taylor mesh, 0,38 : 1) liefert Methylpentaboran(11). Ausbeute: 10 mg (64%); Dampfdruck (0°): 21 Torr.

$\delta\delta_2$) mit Alkenen

Aus Pentaboran(11) erhält man mit 1-Alkenen (z.B. Ethen, Propen, 1-Buten) bei 0° Monoalkylpentaborane(11)[6-8] mit unbekannter Alkyl-Position. Die Reaktion wird durch Aluminiumtrichlorid katalysiert[8]. Eine Verdünnung des Alkens mit Inertgas wie z.B. mit Wasserstoff wird empfohlen[7]. Anstelle von reinem Pentaboran(11) kann auch das durch Pyrolyse von Diboran(6) leicht herstellbare Pentaboran(9)/Pentaboran(11)-Gemisch verwendet werden. Das reaktionsträgere Pentaboran(9) reagiert unter den angewandten Bedingungen nicht mit Alkenen:

$$B_5H_{11} \xrightarrow{+C_2H_4} H_5C_2\text{—}B_5H_{10}$$

Ethylpentaboran(11)[7]**:** In einem 200-*ml*-Gefäß werden 100 *ml* (4,5 mmol) Ethen und 113 *ml* Pentaboran-Gemisch [mindestens 80% Pentaboran(11) = 4 mmol] bei −196° einkondensiert. Man fügt 52 *ml* trockenen Dihydrogen zu und läßt 50 Stdn. bei 0° reagieren, wobei der Druck von 594 auf 256 Torr fällt. Die Reaktion wird durch Kühlen auf −196° abgebrochen. Nach Abpumpen des Wasserstoffs wird das Gemisch durch Hochvak./Tieftemp.-Destillation fraktioniert. Bei −60° wird das Ethylpentaboran(11) gesammelt; Ausbeute: 0,226 g (90%, bez. auf umgesetztes Pentaboran); Dampfdruck (0°): 1,5 Torr.

---

[1] C.A. LUTZ u. D.M. RITTER, Canad. J. Chem. **41**, 1344 (1963).
[2] C.A. LUTZ, Dissertation Abstr. **24**, 65 (1963); C.A. **59**, 14874 (1963).
[3] I.J. SOLOMON, M.J. KLEIN, R.G. MAGUIRE u. K. HATTORI, Inorg. Chem. **2**, 1136 (1963).
[4] D.M. RITTER, U.S. Government Research Dev. Reports **40**, Heft 2, 18 (1965); C.A. **63**, 622 (1965).
[5] ^{11}B-NMR-Spektrum und IR-Spektrum deuten bei R = CH_3 auf ein Gemisch von *endo*- und *exo*-2-Methyl-Derivat hin.
[6] R.G. MAGUIRE, I.J. SOLOMON u. M.J. KLEIN, Inorg. Chem. **2**, 1133 (1963).
[7] US.P. 3391194 (1968/1955), Batelle Dev. Corp., Erf.: E.A. LAWTON, E.A. WEILMUENSTER u. A. LEVY; C.A. **69**, 60547 (1968).
[8] US.P. 3410911 (1968/1956), Mine Safety Appliances Comp., Erf.: M.J. KLEIN u. R.G. MAGUIRE; C.A. **70**, 96926 (1969).

Pentaboran(11) reagiert auch mit Vinylboranen unter Bildung von Organo-Derivaten des Pentaborans(11)[1,2]. Außerdem werden mit Vinylsilanen durch Hydroborierung entsprechende Silylalkylpentaborane(11) wie z.B. *Bis[2-pentaboran(11)-ylethyl]-silan* bzw. *-dimethyl-silan* gebildet[2]:

$$2\,B_5H_{11} \quad + \quad (H_2C{=}CH)_2SiR_2 \quad \longrightarrow \quad R_2Si(CH_2{-}CH_2{-}B_5H_{10})_2$$

R = H, CH_3

δ_2) *aus Hydro-organo-pentaboraten*

Das aus 3-Methylhexaboran(12) mit Ammoniak in Dichlormethan unter Deprotonierung bei −78° zugängliche Pentaborat(1−) I reagiert mit Hydrogenchlorid bei −110° in 76%iger Ausbeute zu *3-Methylpentaboran(11)* [Kp: 99±4 (ber.)][3]:

$$\underset{\text{I}}{[(H_3N)_2BH_2]^+\,[H_3C{-}B_5H_9]^-} \xrightarrow[-[(H_3N)_2BH_2]^+Cl^-]{+HCl(-110°)} 3\text{-}H_3C{-}B_5H_{10}$$

ε) Organohexaborane

Monoorgano- und Diorgano-hexaborane(10) sind bekannt. Die Herstellung erfolgt aus Pentaboran(9), Halogen-organo-pentaboranen(9) oder aus Dialkylborylhexaboranen(10). Monoorganohexaborane(10) sowie Monoorganohexaborane(12)[4] sind aus Organohexaboraten(1−) zugänglich.

ε_1) *aus Pentaboranen(9)*

Monoalkylhexaborane(10)[5] lassen sich aus Pentaboran(9) mit Trialkylboranen präparativ gewinnen. *2-Methylhexaboran(10)* erhält man aus Pentaboran(9) mit Trimethylboran in Gegenwart von 5–10 mol% Trimethylgallium bei 175–200° in 54%iger Ausbeute bei kleinsten Umsätzen (≈10%), so daß absolut nur ≈5% gewonnen werden[6]:

$$B_5H_9 \quad + \quad (H_3C)_3B \quad \xrightarrow{(H_3C)_3Ga} \quad 2\text{-}H_3C{-}B_6H_9$$

μ-Dimethylborylpentaboran(9) (vgl. S. 106) lagert sich in Diethylether in *4,5-Dimethylhexaboran(10)* um[7]:

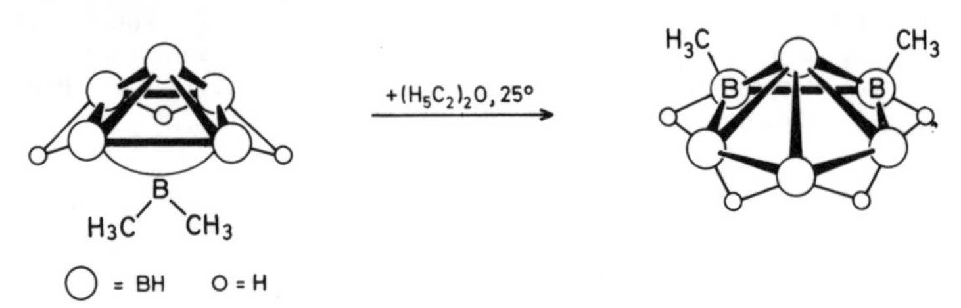

[1] DAS 1163822 (1964/1960), Metal & Thermit Corp., Erf.: H.E. RAMSDEN; C.A. **57**, 7309 (1962).
[2] US.P. 3072699 (1963/1959); Brit.P. 886948 (1962/1959), Metal & Thermit Corp., Erf.: H.E. RAMSDEN; C.A. **57**, 1191 (1962).
[3] I.S. JAWORIWSKY, J.R. LONG, L. BARTON u. S.G. SHORE, Inorg. Chem. **18**, 56 (1979).
[4] Gmelin, 8. Aufl., 2. EB. 1, 134–137 (1983).
[5] Gmelin, 8. Aufl. **54**/20, S. 68–71 (1979).
[6] D.F. GAINES, S. HILDEBRANDT u. J. ULMAN, Inorg. Chem. **13**, 1217 (1974).
[7] D.F. GAINES u. T.V. IORNS, Am. Soc. **92**, 4571 (1970).

4,5-Dimethylhexaboran(10)[1]: Man kondensiert zu einigen *ml* Diethylether bei −196° 0,62 g (6 mmol) μ-Dimethylboryl-pentaboran(9) (vgl. S. 106) und läßt das Gemisch einige Stdn. bei ≈ 20° stehen. Anschließend wird durch Hochvak./Tieftemp.-Destillation getrennt. Bei −45° kondensiert rohes 4,5-Dimethylhexaboran (10) (50–85%), das noch ≈ 10–20% Verunreinigungen enthält. Das reine Produkt wird durch nochmalige Hochvak./Tieftemp.-Destillation über eine Drehbandkolonne (optimale Temp. am Säulenkopf −40°) isoliert; Dampfdruck (19°): 3,5 Torr.

Aus 2-Trimethylsilyl- bzw. 2-Trimethylgermyl-μ-dimethylboryl-pentaboran(9) (s. S. 120) erhält man dagegen keine Organo-Derivate des Hexaborans(10)[2].

ε_2) *aus Oligoboraten*

Alkylhexaborane(10) lassen sich in Analogie zum Hexaboran(10)[3] aus Alkalimetall-oligoboraten(1−) herstellen. Die aus 2-Alkyl-1-brom-pentaboranen(9) mit Kaliumhydrid bei −78° unter Wasserstoff-Abspaltung zugänglichen Kalium-alkyl-1-brom-hexahydropentaborate reagieren mit Diboran(6) bei −78° unter Bildung von Kalium-alkyl-decahydrohexaboraten, die beim Erwärmen auf > −35° unter Kaliumbromid-Abspaltung 2-Alkylhexaborane(10) liefern. Aus 1-Brom-2-methyl-pentaboran(9) läßt sich über das Kalium-1-brom-2-methyl-hexahydropentaborat mit Diboran(6) in 55%iger Ausbeute *2-Methylhexaboran(10)* (Kp_6: 0°) herstellen[4]:

$$1\text{-}Br{-}2\text{-}CH_3{-}B_5H_7 + KH \xrightarrow[-H_2]{-78°} K^+ [1\text{-}Br{-}2\text{-}CH_3{-}B_5H_6]^- \xrightarrow{+1/2\ B_2H_6,\ (H_5C_2)_2O,\ -78°}$$

$$\{K^+ [1\text{-}Br{-}2\text{-}CH_3{-}B_6H_9]^-\} \xrightarrow[-KBr]{>-35°} 2\text{-}CH_3{-}B_6H_9$$

Aus Kalium-2-methyl-octahydro-hexaborat wird mit Hexaboran(10) in Dimethylether bei −78° unter Protonen-Austausch *2-Methylhexaboran(10)* freigesetzt[5]:

$$K^+ [2\text{-}H_3C{-}B_6H_8]^- + B_6H_{10} \longrightarrow 2\text{-}H_3C{-}B_6H_9 + K^+[B_6H_9]^-$$

3-Methylhexaboran(12) läßt sich aus dem Kalium-Salz des Methyldecahydrohexaborat(1−) (vgl. S. 130) mit Hydrogenchlorid bei −110° gewinnen[6]:

$$K^+ [H_3C{-}B_5H_7]^- \xrightarrow{+BH_3/(H_5C_2)_2O,\ -78°} K^+ [H_3C{-}B_6H_{10}]^- \xrightarrow[-KCl]{+HCl,\ -110°}$$

(Strukturformel des 3-Methylhexaborans(12): B_6-Gerüst mit zwei BH_2-Gruppen, Brücken-H-Atomen und CH_3-Gruppe)

---

[1] D.F. Gaines u. T.V. Iorns, Am. Soc. **92**, 4571 (1970).
[2] D.F. Gaines u. J. Ulman, J. Organometal. Chem. **93**, 281 (1975).
[3] H.D. Johnson II, V.T. Brice u. S.G. Shore, Inorg. Chem. **12**, 689 (1973).
[4] T. Onak, G.B. Dunks, I.W. Searcy u. J. Spielman, Inorg. Chem. **6**, 1465 (1967).
[5] R.J. Remmel, D.L. Denton, J.B. Leach, M.A. Toft u. S.G. Shore, Inorg. Chem. **20**, 1270 (1981).
[6] I.S. Jaworiwsky, J.R. Long, L. Barton u. S.G. Shore, Inorg. Chem. **18**, 56 (1979).

ζ) Organononaborane(13) und Organodecaborane(8)

Nonaborane(13) sind als Additionsverbindungen mit Lewisbasen (Kohlenmonoxid, 1,2-Dimethoxyethan) bekannt. Die Herstellung der Lewisbase-Organopolyborane wird auf S. 121 besprochen.

Decaboran(8) und Organodecaborane(8) kennt man ausschließlich als Additionsverbindungen mit Lewisbasen (Kohlenmonoxid, Dimethylsulfan, Trimethylamin), die auf S. 124 zusammengestellt sind.

η) Organodecaborane(14)

Mono-, Di- sowie Triorganodecaborane(14) sind bekannt. Die Verbindungen werden aus Diboran(6) und aus Organotetraboranen(10), vor allem aber aus Decaboran(14) mit halogenierten und ungesättigten Kohlenwasserstoffen oder mit metallorganischen Verbindungen über Decaborate(1−) hergestellt (vgl. Tab. 11).

Tab. 11: Organodecaborane (14)

Formel	Verbindungstyp	Herstellungsart	s. S.
Alkyl–$B_{10}H_{13}$	R–$B_{10}H_{13}$(14)	aus $\rangle$BH + R_3B, Δ, Kat. aus BH_3/RH + $AlCl_3$ aus H_5C_2–B_4H_9(10) aus $B_{10}H_{14}$(14) + R–M/H^+	111 111 111 116
H_3C–$B_{10}H_{13}$	R–$B_{10}H_{13}$(14)	aus $B_{10}H_{14}$(14) + R–Hal ($AlHal_3$) + $\rangle$C=O	114
H_5C_2–$B_{10}H_{13}$	R–$B_{10}H_{13}$(14)	aus $B_{10}H_{14}$(14) + En/$AlCl_3$	115
5(6)-R–$B_{10}H_{13}$ R = Alkyl, CH_2–CH=CH_2, CH_2–C_6H_5		aus $B_{10}H_{14}$(14) + R–M′/+R^+	115
$(H_3C)_2B_{10}H_{12}$ $(H_5C_2)_2B_{10}H_{12}$	$R_2B_{10}H_{12}$(14) $R_2B_{10}H_{12}$(14)	aus $B_{10}H_{14}$(14) + R–Hal/$AlCl_3$ + En/$AlCl_3$	 113 f. 115
6-H_5C_6–$B_{10}H_{13}$	R–$B_{10}H_{13}$(14)	aus $[B_{10}H_{12}(12)]^{2-}$ + $(H_5C_6)_2SnCl_2$, Δ	118
$HalCH_2$–$B_{10}H_{13}$ Hal = Cl, Br	R^{Hal}–$B_{10}H_{13}$ (14)	aus $B_{10}H_{14}$(14) + H_2CHal_2/$AlHal_3$	114
6-[F–C_6H_4–] $B_{10}H_{13}$	R^{Hal}–$B_{10}H_{13}$ (14)	aus Do–B_9H_{13}(13) + R^{Hal}–BH_2	111
H_5C_2O–CH(CH_3)–$B_{10}H_{13}$	R^O–$B_{10}H_{13}$ (14)	aus $B_{10}H_{14}$ (14) + RO–R_{en}/$ZnCl_2$	115
$H_{13}B_{10}$–$(CH_2)_2$–$B_{10}H_{12}$–$(CH_2)_2$–$B_{10}H_{12}$–$(CH_2)_2$–Cl	R^{Hal}–$B_{10}H_{12}$–R–$B_{10}H_{12}$–R–$B_{10}H_{13}$	aus $B_{10}H_{14}$(14) + Cl–CH_2–CH_2–Cl/$AlBr_3$	114

η_1) *aus Diboran(6) bzw. Alkyldiboranen(6)*

Beim Erhitzen von Alkyldiboranen(6) bzw. von Trialkylboranen mit Diboran(6) auf über 100° werden u.a. Alkyldecaborane(14) gebildet[1]. Die Bildung von mehrfach alkylierten Decaboranen(14) kann durch den Zusatz von bestimmten Nickel-Verbindungen zugunsten von Monoalkyldecaboran(14) zurückgedrängt werden[2].

Als Alkylierungsmittel für Diboran(6) eignen sich bei 100–200° auch Alkane unter Zusatz von Friedel-Crafts-Katalysatoren[3].

η_2) *aus Alkyltetraboranen(10)*

Alkyldecaborane(14) erhält man beim Erhitzen aus Alkyltetraboranen(10) unter Kondensation. Aus Ethyltetraboran(10) bildet sich *Ethyldecaboran(14)*[4].

η_3) *aus Nonaboranen*

Das aus Kalium-tetradecahydrononaborat mit Hydrogenchlorid zugängliche Nonaboran(15) reagiert in Gegenwart von 1,2-Dimethoxyethan unter Dihydrogen-Abspaltung zu 1,2-Dimethoxyethan-Nonaboran(13), das mit Dihydro-(4-fluorphenyl)-boran Dihydrogen abspaltet und in bescheidener Ausbeute *6-(4-Fluorphenyl)decaboran(14)* liefert[5]:

$$K^+ [B_9H_{14}]^- \xrightarrow[-KCl]{+HCl} \{B_9H_{15}\} \xrightarrow[-H_2]{+H_3CO-CH_2-CH_2-OCH_3} [(H_3CO-CH_2-CH_2-OCH_3)B_9H_{13}] \xrightarrow[-H_2;\ -H_3CO-CH_2-CH_2-OCH_3]{+F-C_6H_4-BH_2} 6\text{-}F-C_6H_4-B_{10}H_{13}$$

η_4) *aus Decaboran(14)*

Mono-, Di- und Trialkyl-decaborane(14) sind aus Decaboran(14) mit Halogenalkanen in Gegenwart von Aluminiumtrihalogeniden zugänglich. Auch Alkene, heteroatomsubstituierte Alkene und Ketone werden verwendet. Weitere Methoden zur Herstellung von Alkyl- und Aryldecaboranen(14) aus Decaboran(14) verlaufen mit metallorganischen Verbindungen über Decaborate(1−).

---

[1] N.J. BLAY, J. WILLIAMS u. R.L. WILLIAMS, Soc. **1960**, 424.

[2] US.P. 3038943 (1962/1959), Callery Chem. Corp., Erf.: K. HATTORI, J.J. FINN, M.J. KLEIN; C.A. **57**, 12534 (1962).

[3] US.P. 3280194 (1966/1964), USA, Secretary of the Air Forces, Erf.: C.E. PEARL u. H.W. HEIDSMAN; C.A. **66**, 97086 (1967).

[4] US.P. 3197491 (1965/1961), Du Pont, Erf.: M.J. SCHULER; C.A. **63**, 9985 (1965).

[5] Z. PLZÁK, B. ŠTÍBR, J. PLEŠEK u. S. HEŘMÁNEK, Collect. czech. chem. Commun. **40**, 3602 (1975); C.A. **84**, 105679 (1976).

$\eta\eta_1$) mit Halogenalkanen

Zur Alkylierung von Decaboran(14) nach Friedel-Crafts werden vor allem Halogenalkane eingesetzt[1-15]:

$$B_{10}H_{14} + nRX \xrightarrow{AlCl_3} R_nB_{10}H_{14-n} + nHX$$

Die Reaktionen treten ohne Katalysatoren erst bei 210–220° ein[16]. In Gegenwart der Katalysatoren bilden sich neben dem Monoalkyl-Derivat im allgemeinen auch mehrfach alkylierte Verbindungen mit einer weitgehend vom Umsatz des Decaborans(14) abhängigen Zusammensetzung[10].

Die Produktverteilung nach Reaktion mit Chlormethan/Aluminiumtrichlorid ist wie folgt[10]:

% umgesetztes $B_{10}H_{14}$	Gew. % $H_3CB_{10}H_{13}$	Gew. % $(H_3C)_2B_{10}H_{12}$	Gew. % Polymethyldecaborane (14)
10	100	–	–
27	81	19	–
35	77	23	–
44	73	27	–
53	62	30	8
69	50	38	12
77	38	34	29

Zur Herstellung der Monoalkyldecaborane(14) sind kleine Umsätze anzustreben, da die Monoalkyl-Derivate leichter vom Decaboran(14) als von den Polyalkyl-Derivaten abzutrennen sind[10]. Die Umsetzungen werden ohne Lösungsmittel, in überschüssigem Halogenalkan oder in inerten Lösungsmitteln (Kohlendisulfid, Cycloalkanen, Alkanen) durchgeführt. Die ersten Alkyl-Substituenten treten vorzugsweise ans B^2- bzw. B^4-Atom. Die Bor-Atome werden in folgender Reihenfolge substituiert[1,2]:

---

[1] N.J. Blay, I. Dunstan u. R.L. Williams, Soc. **1960**, 430.
[2] R.L. Williams, I. Dunstan u. N.J. Blay, Soc. **1960**, 5006.
[3] J. Cueilleron u. P. Guillot, Bl. **1960**, 2044.
[4] US.P. 3142707 (1964/1960), Olin Mathieson Chem. Corp., Erf.: C.O. Obenland; C.A. **61**, 10706 (1964).
[5] US.P. 2999117 (1961/1955), Olin Mathieson Chem. Corp., Erf.: E.R. Altwicker, A.B. Garrett, E.A. Weilmuenster u. S.W. Harris; C.A. **56**, 1478 (1962).
[6] US.P. 3030422 (1962/1958), Olin Mathieson Chem. Corp., Erf.: S.L. Clark u. D.A. Fidler; C.A. **57**, 6201 (1962).
[7] US.P. 3045049 (1962/1959), Olin Mathieson Chem. Corp., Erf.: S.L. Clark u. D.A. Fidler; C.A. **59**, 2858 (1963).
[8] US.P. 3109030 (1963/1955), Olin Mathieson Chem. Corp., Erf.: E.R. Altwicker, E.A. Weilmuenster, A.B. Garrett u. S.W. Harris; C.A. **60**, 3005 (1964).
[9] US.P. 3124616 (1964/1956), Callery Chem. Co., Erf.: R.R. Schroeder u. P.R. Wunz, jr.; C.A. **60**, 15908 (1964).
[10] US.P. 3139459 (1964/1961), Callery Chem. Corp., Erf.: R.F. Bratton; C.A. **61**, 7044 (1964).
[11] US.P. 3142706 (1964/1960), Olin Mathieson Chem. Corp., Erf.: C.O. Obenland; C.A. **61**, 10706 (1964).
[12] C.O. Obenland, J.R. Newberry, W.L. Schreiner, E.J. Bartoszek, Ind. eng. Chem. **4**, 281 (1965).
[13] US.P. 3158652 (1964/1955), Olin Mathieson Chem. Corp., Erf.: R.K. Jordan; C.A. **62**, 6512 (1965).
[14] US.P. 3158653 (1964/1955), Olin Mathieson Chem. Corp., Erf.: H. Stange; C.A. **62**, 6512 (1965).
[15] R.J. Polak u. N.C. Goodspeed, Ind. eng. Chem. **4**, 158 (1965).
[16] F.W. Emery, P.L. Harold u. A.J. Owen, Soc. **1964**, 4931.

$2,4 > 1,3 > 5, 7, 8, 10 > 6, 9$

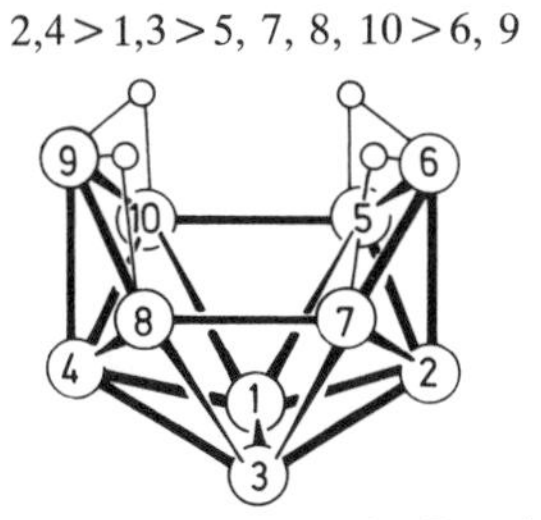

Numerierung der B-Atome des Decaboran(14)

Die Alkylierung von Decaboran(14) mit Brommethan und Aluminiumtrichlorid (im Verhältnis 1:4:1) in Schwefelkohlenstoff (80°, 6 Stdn.) führt z.B. zu folgendem Gemisch von Mono- bis Tetramethyldecaboranen(14)[1]:

$B_{10}H_{14}$ [+ $H_3CBr/AlCl_3$ in CS_2]

↑ $2-H_3C-B_{10}H_{13}$ (15%; F: 4–6°; Kp: 223°) → $2,4-(H_3C)_2B_{10}H_{12}$ (13%; F: 43,5–44,5°) → $1,2,4-(H_3C)_3B_{10}H_{11}$ (17%; F: 12–13°) ↓ $1,2,3,4-(H_3C)_4B_{10}H_{10}$ (22%; F: 178–179°)

↓ $1-H_3C-B_{10}H_{13}$ (5%) → $1,2-(H_3C)_2B_{10}H_{12}$ (19%; flüssig bei 20°) → $1,2,3-(H_3C)_3B_{10}H_{11}$ (5%; F: 161–163°) ↑ $1,2,3,4-(H_3C)_4B_{10}H_{10}$

$1,2,3-(H_3C)_3B_{10}H_{11}$ ↓ $1,2,3,5(8)-(H_3C)_4B_{10}H_{10}$ (3%; F: 70–71°)

Mit Bromethan läßt sich *1(?),2,4-Triethyldecaboran(14)* herstellen[2]. Neben Chlor- und Brom- ist auch Jod-methan als Alkylierungsmittel geeignet. Jodethan liefert schlechtere Ausbeuten als Brom- bzw. Chlorethan[2]. Mit 1-Brompropan erhält man *Propyldecaboran(14)*[2], während Brombutan, 3-Chlorpropin und Chlorethen mit Decaboran(14)/Aluminiumtrichlorid nicht zu den gewünschten Alkyl-Derivaten reagieren[2].

---

[1] R.L. Williams, I. Dunstan u. N.J. Blay, Soc. **1960**, 5006.
[2] J. Cueilleron u. P. Guillot, Bl. **1960**, 2044.

Neben Aluminiumtrichlorid sind auch Aluminiumtribromid[1], Eisen(III)-chlorid[1,2] oder Aluminiumsesquihalogenide[3,4] als Katalysatoren geeignet. Der Zusatz von Silicagel soll bei den mit Aluminiumtrichlorid katalysierten Reaktionen zu höheren Ausbeuten führen[5]. Schwächere Friedel-Crafts-Katalysatoren [Titan(IV)-, Zinkchlorid] sind ungeeignet[4].

Triethyldecaboran(14)[6]: Man löst 3,26 g (27 mmol) Decaboran(14) in 8 g (73 mmol) Bromethan, fügt 1 g Aluminiumtrichlorid zu und läßt 3–4 Stdn. bei ≈ 20° reagieren. Das anfangs flüssige Gemisch verdichtet sich und schäumt auf. Anschließend erhitzt man auf 80–100°, um überschüssiges Bromethan zu entfernen, nimmt den viskosen, grünlichen Rückstand in 50 *ml* Aceton auf und versetzt mit 20 *ml* kalter rauchender Salzsäure sowie 60 *ml* Petrolether. Nach Schütteln trennt man die gelbe, leicht trübe Petrolether-Phase ab, trocknet über Calciumchlorid und dampft ein. Die Destillation des Rückstandes i. Vak. liefert farbloses, flüssiges Triethyldecaboran(14); Ausbeute: 2,55 g (50%); $Kp_{0,2}$: 97–100°; n_D^{25}: 1,5500.

Mit 1,2-Dichlorethan wird ein Oligomer gewonnen, das drei Decaboran-Einheiten enthält[7]:

$$3\,B_{10}H_{14} \quad + \quad 3\,Cl{-}CH_2{-}CH_2{-}Cl \quad \xrightarrow[-5\,HCl]{AlBr_3,\ 25-100^\circ}$$

$$H_{13}B_{10}{-}CH_2{-}CH_2{-}B_{10}H_{12}{-}CH_2{-}CH_2{-}B_{10}H_{12}{-}CH_2{-}CH_2{-}Cl$$

{2-[x-(2-Chlorethyl)decaboran(14)-yl]ethyl}-[2-decaboran(14)-ylethyl]-decaboran(14)

Mit Dichlormethan bzw. 1,1-Dichlorethan reagiert Decaboran(14) dagegen nur bis zur Stufe des *Chlormethyl-* bzw. des *(1-Chlorethyl)-decaborans(14)*[7,1]:

$$B_{10}H_{14} \quad + \quad CH_2Cl_2 \quad \xrightarrow[-HCl]{AlBr_3,\ 60^\circ,\ 1\ Stde.} \quad ClH_2C{-}B_{10}H_{13}$$

Chlormethyl-decaboran(14)[1]: 10,4 g (0,04 mol) Aluminiumtribromid, 48,8 g (0,4 mol) Decaboran(14) und 17,2 g (0,2 mol) Dichlormethan werden in einem 200-*ml*-Kolben vermischt, wobei sich langsam Hydrogenchlorid entwickelt. Beim Aufheizen auf 60° wird die Gasentwicklung lebhafter und das Gemisch verflüssigt sich. Man rührt ≈ 1 Stde. bei 60–70°, läßt abkühlen und gießt dann in Eiswasser. Nach 5 Min. Rühren extrahiert man mit Benzol, dampft die Benzol-Lösung ein und erhält nach 2maliger Destillation i. Vak. 16 g (47%); $Kp_{1,4}$: 97–100°; F: 52–53,5° (aus Pentan; farblose Kristalle).

Auf analoge Weise erhält man *Brommethyl-decaboran(14)* (40%; F: 48–50,5°)[1].

---

[1] US. P. 3045049 (1962/1959), Olin Mathieson Chem. Corp., Erf.: S. L. Clark u. D. A. Fidler; C. A. **59**, 2858 (1963).

[2] US. P. 3109030 (1963/1955), Olin Mathieson Chem. Corp., Erf.: E. R. Altwicker, E. A. Weilmuenster, A. B. Garrett u. S. W. Harris; C. A. **60**, 3005 (1964).

[3] US. P. 3158653 (1964/1955), Olin Mathieson Chem. Corp., Erf.: H. Stange; C. A. **62**, 6512 (1965).

[4] R. J. Polak u. N. C. Goodspeed, Ind. eng. Chem. **4**, 158 (1965).

[5] US. P. 3124616 (1964/1956), Callery Chem. Co., Erf.: R. R. Schroeder u. P. R. Wunz Jr.; C. A. **60**, 15908 (1964).

[6] J. Cueilleron u. P. Guillot, Bl. **1960**, 2044.

[7] US. P. 3030422 (1962/1958), Olin Mathieson Chem. Corp., Erf.: S. L. Clark u. D. A. Fidler; C. A. **57**, 6201 (1962).

ηη₂) mit Alkenen oder mit Vinyl-Verbindungen

Zur Friedel-Crafts-Alkylierung können auch Alkene bzw. Alken/Hydrogenhalogenid-Gemische eingesetzt werden[1–3]:

$$B_{10}H_{14} \quad + \quad n\,H_2C{=}CH_2 \xrightarrow{AlCl_3} (H_5C_2)_nB_{10}H_{14-n}$$

n = 1,2

Aus Decaboran(14) erhält man mit Ethylvinylether/Zinkchlorid in Heptan in 27%iger Ausbeute *(1-Ethoxyethyl)decaboran(14)*[4]:

$$B_{10}H_{14} + H_5C_2O{-}CH{=}CH_2 \xrightarrow{ZnCl_2,\ Heptan,\ 98°} H_5C_2O{-}CH(CH_3){-}B_{10}H_{13}$$

ηη₃) mit Aceton

Decaboran(14) kann auch mit Aceton in *Methyldecaboran(14)* übergeführt werden[5]:

$$B_{10}H_{14} \xrightarrow[-H_3C{-}CHO\,(?)]{+(H_3C)_2CO} H_3C{-}B_{10}H_{13}$$

ηη₄) mit metallorganischen Verbindungen

6-Alkyldecaborane(14) sind aus Decaboran(14) mit Alkyl-metallen und nachfolgender Reaktion mit Hydrogenhalogenid bzw. mit Alkylierungsmitteln wie z.B. mit Allylhalogeniden oder Dialkylsulfaten zugänglich[6–8].

Decaboran(14) wird entweder durch das Alkyl-metall direkt alkyliert (nukleophile Alkylierung), oder es entsteht zunächst ein Metall-Derivat des Decaborans [Metall-polyborat(1–)], das man im zweiten Schritt mit dem elektrophilen Alkylierungsreagenz zum Alkyldecaboran(14) umsetzt[6]:

$$B_{10}H_{14} \xrightarrow{+R^1M} \{R^1{-}B_{10}H_{13}\,,MH\} \xrightarrow[-R^2H,\ -MX]{+R^2X} 6\text{-}R^1{-}B_{10}H_{13}$$

R^1 = Alkyl
R^2 = Alkyl, H

$$B_{10}H_{14} \xrightarrow[-R^1H]{+R^1M} B_{10}H_{13}M \xrightarrow[-MX]{+R^2X} 5\,(6)\text{-}R^2{-}B_{10}H_{13}$$

R^1 = Alkyl, H, OCH_3,
R^2 = Alkyl

---

[1] US.P. 2987552 (1961/1956), Olin Mathieson Chem. Corp., Erf.: J.A. Neff u. E.J. Wandel; C.A. **57**, 14078 (1962).

[2] US.P. 3194842 (1965/1955), Thiokol Chem. Corp., Erf.: M.S. Cohen u. C.A. Pezol; C.A. **63**, 13314 (1965).

[3] US.P. 3113153 (1963/1955), Olin Mathieson Chem. Corp., Erf.: J.A. Neff u. E. Wandel; C.A. **60**, 10715 (1964).

[4] US.P. 2977391 (1961/1957), Thiokol Chem. Corp., Erf.: C.E. Pearl; C.A. **55**, 15349 (1961).

[5] N.T. Kuznetsov, G.S. Klimchuk, L.N. Kulikova, Tr. Mosk. Inst. Tonkoi Khim. Tekhnol. **1973**, 3, 28; C.A. **81**, 105599 (1974).

[6] I. Dunstan, R.L. Williams u. N.J. Blay, Soc. **1960**, 5012.

[7] US.P. 3098876 (1963/1955), Thiokol Chem. Corp., Erf.: M.S. Cohen u. C.E. Pearl; C.A. **60**, 546 (1964).

[8] US.P. 3098877 (1963/1955), Thiokol Chem. Corp., Erf.: M.S. Cohen u. C.E. Pearl; C.A. **60**, 546 (1964).

Es hängt von der Art des Alkyl-metalls ab, welcher Reaktionsweg einzuschlagen ist. Während Methyl- und Ethyl-lithium auf Decaboran(14) hauptsächlich alkylierend wirken[1-3], überwiegt mit Methyl- und Ethyl-magnesiumhalogeniden die Metallierung[4].

i_1) durch nucleophile Alkylierung

Um die Bildung von gemischten Produkten zu vermeiden, wird bei der nukleophilen Alkylierung zur Zerstörung des Hydrids Hydrogenhalogenid ($R^2 = H$) oder eine Verbindung mit gleichem Alkyl-Rest wie das Alkyl-metall ($R^2 = R^1$) eingesetzt.

6-Ethyldecaboran(14)[1]**:** 53,2 *ml* einer 0,188 n Lösung von Ethyllithium in Benzol (0,01 mol) werden zu 50 *ml* benzolischer Lösung von 1,22 g (0,01 mol) Decaboran(14), das aus Hexan umkristallisiert wurde, getropft. Das Gemisch erwärmt sich, und es fällt ein farbloser voluminöser Niederschlag aus. Man rührt 30 Min., läßt über Nacht stehen und behandelt dann mit trockenem Hydrogenchlorid. Nach Abfiltrieren und Eindampfen erhält man eine gelbe Flüssigkeit, die nach gaschromatographischer Analyse aus 89,7% *6-Ethyldecaboran(14)* und 10,3% *Diethyldecaboran(14)* besteht; Ausbeute: 1,52 g (90%): F: −2,5 bis −2°.

i_2) durch elektrophile Alkylierung

Im Unterschied zur Friedel-Crafts-Alkylierung (s. S. 112ff.) tritt der Substituent bei der Alkylierung der metallierten Decaborane(14) wegen dessen veränderter Elektronenverteilung ans B^5- oder B^6-Atom[1]:

$$B_{10}H_{14} \xrightarrow[-R^1H]{MR^1} B_{10}H_{13}M \xrightarrow[-MHal]{R^2Hal} 5(6)\text{-}R^2\text{—}B_{10}H_{13}$$

$R^1 = H$, Alkyl, OCH_3
M = Na, Mg

Die 5-/6-Alkylierung ist offensichtlich vom Elektrophil R^2 abhängig. Aus Decaboranylmagnesiumjodid und Dimethylsulfat bilden sich z.B. gleiche Mengen an *5-* und *6-Methyldecaboran(14)*. Mit Diethylsulfat erhält man vorwiegend *5-Ethyldecaboran(14)*. Benzylchlorid reagiert mit Decaboranyl-magnesiumjodid oder -natrium hauptsächlich unter Bildung von *6-Benzyldecaboran(14)*[4,5].

Zur Metallierung des Decaborans(14) werden Grignard-Verbindungen[4,6-8], Natriumhydrid[9-11] und Natriummethanolat[9] eingesetzt. Mit Grignard-Verbindungen erfolgen als Konkurrenz-Reaktionen auch nukleophile Alkylierungen des Decaborans(14) (s. S. 115).

Als Alkylierungsmittel sind Dialkylsulfate[4,11] und Alkylfluoride[6] geeignet. Auch Allylhalogenide[8,9] und Benzylhalogenide[5,7,10] reagieren glatt. Methyljodid setzt sich dagegen mit Decaboranylnatrium nur schleppend um[11].

---

[1] I. DUNSTAN, R. L. WILLIAMS u. N. J. BLAY, Soc. **1960**, 5012.
[2] US. P. 3098876 (1963/1955), Thiokol Chem. Corp., Erf.: M. S. COHEN u. C. E. PEARL; C. A. **60**, 546 (1964).
[3] US. P. 3098877 (1963/1955), Thiokol Chem. Corp., Erf.: M. S. COHEN u. C. E. PEARL; C. A. **60**, 546 (1964).
[4] I. DUNSTAN, N. J. BLAY u. R. L. WILLIAMS, Soc. **1960**, 5016.
[5] US. P. 3002026 (1961/1958), Olin Mathieson Chem. Corp., Erf.: R. J. F. PALCHAK; C. A. **57**, 8614 (1962).
[6] J. GALLAGHAN u. B. SIEGEL, Am. Soc. **81**, 504 (1959).
[7] B. SIEGEL, J. L. MACK, J. U. LOWE, Jr. u. J. CALLAGHAN, Am. Soc. **80**, 4523 (1958).
[8] E. GRYSZKIEWICZ-TROCHIMOWSKI, J. MAUREL u. O. GRYSZKIEWICZ-TROCHIMOWSKI, Bl. **1959**, 1953.
[9] US. P. 3299144 (1967/1959), Olin Mathieson Chem. Corp., Erf.: R. J. F. PALCHAK; C. A. **66**, 105047 (1967).
[10] R. J. F. PALCHAK, J. H. NORMAN u. R. E. WILLIAMS, Am. Soc. **83**, 3381 (1961).
[11] N. J. BLAY, R. J. PACE u. R. L. WILLIAMS, Soc. **1962**, 3416.

Tab. 12: Organodecaborane(14) aus Decaboran(14) mit metallorganischen Verbindungen oder mit Metallhydriden und nachfolgend mit Elektrophilen

Ausgangs-verbindungen	Elektrophil	Reaktionsbedingungen	...-*decaboran(14)*	Art der Alkylierung[b]	Ausbeute [%]	F [°C]	Literatur
$B_{10}H_{14} + H_3C\text{–}Li$	HCl	Benzol/Diethylether, 2 Stdn.	*6-Methyl-...*[a]	N	65	27–28	1
			+ 5,6- +6,8-Dimethyl-...		22	26,5–28,5	
			+ 6,9-Dimethyl-...[a]		10	64–66	
$B_{10}H_{13}Na$	$(H_3CO)_2SO_2$	Diethylether, Rückfluß 30 Min.	*5-Methyl-...*	E	22,6		2
			+ 6-Methyl-...		3		
$B_{10}H_{13}Na$[c]	$H_2C{=}CH\text{–}CH_2Br$	Diethylether, Rückfluß 1 Stde.	*Allyl-...*	E	–		3
$B_{10}H_{13}Na$[c]	$3\text{-}F\text{-}C_6H_4\text{–}CH_2\text{–}Cl$	Diethylether	*(3-Fluorphenyl)-methyl-...*	E		96	4
	H_9C_4F	48–64 Stdn., ≈20°	*Butyl-...*	E		25	5
$B_{10}H_{13}MgBr$	$H_{11}C_5F$	48–64 Stdn. ≈20°	*Pentyl-...*	E	40		5
	$H_{13}C_6F$	48–64 Stdn. ≈20°	*Hexyl-...*	E	24		3
	$H_{15}C_7F$	48–64 Stdn. ≈20°	*Heptyl-...*	E	23		5
$B_{10}H_{13}MgJ$	$(H_3CO)_2SO_2$	Diethylether 2 Stdn.	*5-Methyl-...*[a]	E	21		6
			+ 6-Methyl-...[a]		29		6
	$(H_5C_2O)_2SO_2$	Diethylether 1 Stde.	*5-Ethyl-...*[a]	E	42		6
	$H_5C_6\text{–}CH_2\text{–}Cl$	≈20°, 2 Stdn.	*6-Benzyl-...*	E	21	64,6	7

[a] isoliert durch Gaschromatographie: 2 m Apiezon 2 (20%) auf Embacel, H_2, 140°
[b] N = nucleophile Alkylierung; E = elektrophile Alkylierung
[c] Aus $B_{10}H_{14}$ + NaH in Mineralöl

[1] I. DUNSTAN, N.J. BLAY u. R.L. WILLIAMS, Soc. **1960**, 5012.
[2] N.J. BLAY, R.J. PACE u. R.L. WILLIAMS, Soc. **1962**, 3416.
[3] US.P. 3299144 (1967/1959), Olin Mathieson Chem. Corp., Erf.: R.J.F. PALCHAK; C.A. **66**, 105047 (1967).
[4] Z. PLZÁK, B. ŠTÍBR, J. PLEŠEK u. S. HEŘMÁNEK, Coll. czech. chem. Commun. **40**, 3602 (1975).
[5] J. GALLAGHAN u. B. SIEGEL, Am. Soc. **81**, 504 (1959).
[6] I. DUNSTAN, N.J. BLAY u. R.L. WILLIAMS, Soc. **1960**, 5016.
[7] B. SIEGEL, J.L. MACK, J.M. LOWE JR., u. J. CALLAGHAN, Am. Soc. **80**, 4523 (1958).

Mit Tropyliumbromid reagiert Natrium-tridecahydrodecaborat zum zwitterionischen *6-Tropyliumyltridecahydrodecaborat*[1]:

$$Na^+ [B_{10}H_{13}]^- + [C_7H_7]^+ Br^- \xrightarrow{-NaBr} C_7H_7(H)B_{10}H_{13} \xrightarrow[- C_7H_8]{+ C_7H_7^+} C_7H_6^{\oplus}\text{—}B_{10}H_{13}^{\ominus}$$

6-Benzyldecaboran(14)[2]**:** 51,6 g (0,3 mol) Benzylbromid werden rasch zu einer Lösung von Decaboranyl-natrium, hergestellt aus 36,6 g (0,3 mol) Decaboran(14) und 15 g 50%iger Natriumhydrid-Öl-Dispersion, in 300 *ml* trockenem Diethylether gegeben. Man läßt 18 Stdn. bei ≈ 20° stehen, erhitzt anschließend 5 Stdn. auf 50°, verdünnt mit 300 *ml* Ether und filtriert vom abgeschiedenen Natriumbromid ab. Das orangefarbene Filtrat wird i. Vak. (≈ 15 Torr) eingedampft und der Rückstand 5mal mit je 100 *ml* Pentan digeriert. Die Pentan-Lösung wird eingedampft und der Rückstand i. Vak. destilliert. Neben 10 g nicht umgesetztem Decaboran(14) erhält man bei 150–180° (10^{-1} bis 10^{-3} Torr) eine blaßgelbe Flüssigkeit, die beim Abkühlen auf Raumtemp. fest wird. Ausbeute: 13 g (21%); F: 63,5–64,5° (aus Pentan, farblose Kristalle).

η_5) *aus Decahydrodecaboraten*

Dinatrium-dodecahydrodecaborat(2−) reagiert mit Dichlor-diphenyl-stannan unter Bildung von μ-Diphenylstanna-undecaboran(12) (30%), das pyrolytisch in bescheidener Ausbeute (≈ 10%) *6-Phenyldecaboran(14)* liefert[3]:

$$Na_2B_{10}H_{12} + (H_5C_6)_2SnCl_2 \xrightarrow[-2\,NaCl]{\text{Benzol, 1 Stde., 20°}} (H_5C_6)_2SnB_{10}H_{12}$$

$$\xrightarrow{\text{8 Stdn., 95°}} 6\text{-}H_5C_6\text{—}B_{10}H_{13}$$

ϑ) *Organododecaborane(10)*

Nicht komplexierte Organododecaborane(10) sind unbekannt. Es gibt jedoch Kohlenmonoxid-Dodecaborane(10) (Lewisbase-Organopolyborane), deren Herstellungen auf S. 127 beschrieben werden.

2. Heteroatom-organo-polyborane

Zur Verbindungsklasse, deren Herstellungsmethoden von denen der Organopolyborane getrennt besprochen werden, gehören Halogen-organo-polyborane sowie Organo-silyl- und Germanyl-organo-polyborane.

α) Halogen-organo-polyborane

Halogen-organo-tetraborane(4), Halogen-organo-pentaborane(9) und Halogen-organo-nonaborane(9) sind bekannt. Die Herstellung erfolgt aus Halogenpolyboranen mit nucleophilen und elektrophilen Alkylierungsreagenzien oder aus Alkyl-ammonium-halogenpolyboraten unter thermischer Zersetzung (vgl. Tab. 13, S. 119).

---

[1] I. Gennick u. K. M. Harmon, 170. ACS National Meeting, Chicago, Illinois, August 24–29, 1975, Abstr. of Papers ORCN 49.
[2] US.P. 3002026 (1961/1958), Olin Mathieson Chem. Corp., Erf.: R. J. F. Palchak; C. A. **57**, 8614 (1962).
[3] R. E. Loffredo, L. F. Drullinger, J. A. Slater, C. A. Turner u. A. D. Norman, Inorg. Chem. **15**, 478 (1976).

Tab. 13: Halogen-organo-polyborane

Formel	Verbindungstyp	Herstellungsart	s. S.
$B_4(C_2H_5)_2Cl_2$	$B_4R_2Cl_2(4)$	aus B_4Cl_4 + R–Li	119
$B_4(C_2H_5)Cl_3$	$B_4R_1Cl_3(4)$	aus B_4Cl_4 + R–Li	119
2-Cl-1-CH_3–$B_5H_7(9)$	$RB_5H_7Hal(9)$	aus B_5Hal (9) + R–Hal/$AlCl_3$	119
2-Cl-1,3-$(CH_3)_2$–$B_5H_6(9)$	$R_2B_5H_6Hal(9)$	aus $RB_5Hal(9)$ + R–Hal/$AlCl_3$	119
R–B_9Br_8	$RB_9Hal_8(9)$	aus $[(H_5C_2)_3NH]^+$ $[B_{10}Br_{10}]^-$	120
$R_2B_9Br_7$	$R_2B_9Hal_7(9)$		
R = CH_3, C_2H_5			

α₁) Halogen-organo-tetraborane(4)

Die partielle Alkylierung von Tetrachlortetraboran(4) gelingt mit Ethyllithium. Unter Chlor/Ethyl-Austausch erhält man die flüssigen gelben *Ethyl-trichlor-* und *Dichlor-diethyl-tetraborane(4)*[1]:

$$2\,B_4Cl_4 + 3\,H_5C_2\text{—Li} \xrightarrow[-3\,LiCl]{} B_4(C_2H_5)Cl_3 + B_4(C_2H_5)_2Cl_2$$

α₂) Halogen-organo-pentaborane(9)

Die Herstellung von Halogen-organo-pentaboranen(9) erfolgt aus Halogen-pentaboranen(9) mit Alkylierungsreagenzien oder durch basenkatalysierte Isomerisierung.

Aus 2-Chlorpentaboran(9) sind mit elektrophilen Alkylierungsmitteln Alkyl-2-chlor-pentaborane(9) zugänglich. *2-Chlor-1-methyl-pentaboran(9)* erhält man aus 2-Chlorpentaboran(9) durch Umsetzung mit Methylchlorid/Trichlorboran im abgeschmolzenen Kolben[2].

2-Chlor-1-methyl-pentaboran(9)[2]: Ein 50-*ml*-Kolben wird durch Beflammen i. Vak. getrocknet und mit 0,5 g (3,7 mmol) Aluminiumtrichlorid, 302 mg (3,1 mmol) 2-Chlorpentaboran(9), 170 mg (3,4 mmol) Methylchlorid und 3 *ml* chlor- und hydrogenchlorid-freiem Trichlorboran beschickt. Nach Abschmelzen läßt man 30 Stdn. bei 50° reagieren. Man fraktioniert über eine Hochvak./Tieftemp.-Kolonne. Bei −50° geht 2-Chlor-1-methyl-pentaboran(9) über; Ausbeute: 267 mg (73%).

2-Chlor-1,3-dimethyl-pentaboran(9) gewinnt man in 60%iger Ausbeute aus 2-Chlor-3-methyl-pentaboran(9) mit Chlormethan/Aluminiumtrichlorid in Gegenwart von Trichlorboran nach 3 Stdn. Reaktion bei 45°[2].

Aus 2-Chlor-1,3-dimethyl-pentaboran(9) läßt sich mit Hexamethylentetramin (Urotropin) innerhalb von ≈6 Stdn. bei 25° ein Gemisch aus *2-Chlor-3,4-dimethyl-*, *3-Chlor-2,4-dimethyl-* und *1-Chlor-2,3-dimethyl-pentaboran(9)* im ca.-Verhältnis 30:25:8 sowie Spuren von 2-Methylpentaboran(9) und 2-Chlor-3-methyl-pentaboran(9) herstellen[2]:

[1] T. DAVAN u. J. A. MORRISON, Chem. Commun. **1981**, 250.
[2] P. M. TUCKER, T. ONAK u. J. B. LEACH, Inorg. Chem. **9**, 1430 (1970).

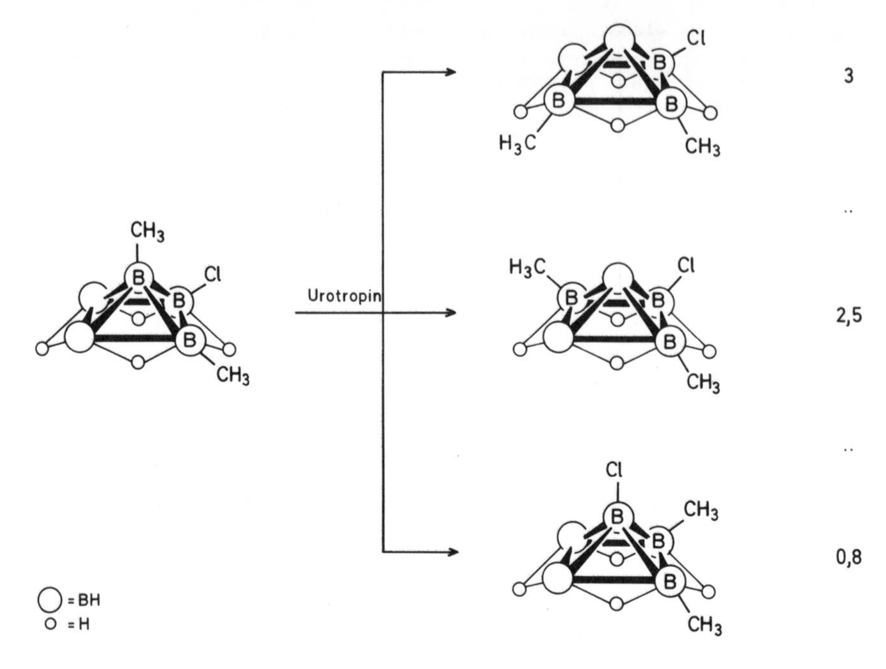

α_3) *Halogen-organo-nonaborane(9)*

Die thermische Zersetzung von Triethylammonium-decabromdecaborat(2−) bei ≈430° liefert unter C–C-Spaltung und Brom/Alkyl-Austausch *Methyl-octabrom-nonaboran(9)*. Bei ≈400° werden auch *Ethyl-octabrom-*, *Dimethyl-heptabrom-* und *Ethyl-heptabrom-methyl-nonaboran(9)* gebildet. Die Ausbeuten betragen allerdings nur 5–15%[1].

Aus Octachloroctaboran(8) lassen sich mit Trimethylaluminium verschieden hoch methylierte Chlornonaborane(9) gewinnen[2]:

$$B_8Cl_8 \xrightarrow{+Al(CH_3)_3} (H_3C)_nB_9Cl_{9-n}$$

n = 0–4

β) Silyl- und Germanyl-organo-polyborane

Silyl- und Germanyl-organo-polyborane bestimmter Strukturen lassen sich aus Silyl- bzw. Germanyl-hydro-polyboraten(1−) mit Halogen-diorgano-boranen herstellen. Beispielsweise sind Derivate des Pentaborans(9) nach der Methode zugänglich.

2,3-μ-Dimethylboryl-trimethylsilyl-pentaboran(9) erhält man aus Lithium-trimethylsilyl-heptahydro-pentaborat(1−) mit Chlor-dimethyl-boran unter Abspaltung von Lithiumchlorid. Präparativ geht man z.B. von 2-Trimethylsilylpentaboran(9) aus, das zunächst mit Butyllithium zum Trimethylsilylpentaborat(1–) umgesetzt wird. Mit Chlor-dimethyl-boran erhält man daraus *2,3-μ-Dimethylboryl-2-trimethylsilyl-pentaboran(9)*[3]:

$$[2\text{-}(H_3C)_3M]B_5H_8 \xrightarrow[-C_4H_{10}]{+C_4H_9Li} Li^+\{[2\text{-}(H_3C)_3M]B_5H_7\}^- \xrightarrow[-LiCl]{+(H_3C)_2BCl} [2\text{-}(H_3C)_3M][\mu\text{-}(H_3C)_2B]B_5H_7$$

M = Si, Ge

---

[1] D. Saulys u. J.A. Morrison, Inorg. Chem. **19**, 3057 (1980).
[2] S.L. Emery u. J.A. Morrison, Am. Soc. **104**, 6790 (1982).
[3] D.F. Gaines u. J. Ulman, J. Organometal. Chem. **93**, 281 (1975).

2,3-μ-Dimethylboryl-2-trimethylsilyl-pentaboran(9)[1]**:** In einer Hochvakuumanlage[2] (sauerstoff- und feuchtigkeitsfrei) werden in einem 100-*ml*-Kölbchen (über Teflon-Schliffe verbunden) 26 mmol 2-Trimethylsilylpentaboran(9) auf 25 mmol Butyllithium (in Diethylether, bei −196° eingefroren) kondensiert. Man erwärmt unter Rühren (Magnet) auf −70°, dann innerhalb 1,5 Stdn. auf −35°, beläßt 1 Stde. bei −35° und kühlt wieder auf −196° ab, um 25 mmol Chlor-dimethyl-boran einzukondensieren. Im Hochvak. wird 2mal von der −10°-Falle in eine −30°-Falle destilliert; Ausbeute: 6,7 g (76%) (flüssig); Dampfdruck (24°): 1 Torr.

Analog wird *2,3-μ-Dimethylboryl-2-trimethylgermanyl-pentaboran(9)* (45–50%) erhalten[1].

3. Lewisbase-Organopolyborane

Zur Verbindungsklasse zählen sämtliche Additionsverbindungen der Organopolyborane (vgl. S. 92ff.) mit Lewisbasen wie mit Ethern, Thioethern oder Aminen. Außerdem sind im Herstellungsabschnitt Kohlenmonoxid-Polyborane aufgenommen worden, obwohl diese Verbindungen streng genommen keine Organobor-Verbindungen sind, aber im weiteren Sinn zu den Organopolyboranen gerechnet werden können. Die Verbindungen haben außerdem große Bedeutung zur Herstellung sauerstoffhaltiger Organopolyborane.

Vor allem von den chemisch instabilen Polyboran-Typen sind vielfach nur die Additionsverbindungen mit Lewisbasen isolierbar. Beispielsweise sind Kohlenmonoxid-Addukte von Triboran(7), Tetraboran(8), Nonaboran(13) und Decaboran(8) bekannt (vgl. Tab. 14, S. 122).

α) Lewisbase-Triborane(7)

Zur Herstellung der Additionsverbindungen geht man von Lewisbase-Triboranen(7) oder von Tetraboran(10)-Derivaten aus (vgl. Tab. 14, S. 122).

α₁) aus Lewisbase-Triboranen(7)

Kohlenmonoxid-Triboran(7) ist aus dem Tetrahydrofuranat oder dem Dimethyletherat mit einem Überschuß an Kohlenmonoxid zugänglich[3,4]. Zum Freisetzen des Triborans aus den Etheraten gibt man Trifluorboran zu:

$$R_2O{-}B_3H_7 \; + \; CO \; + \; BF_3 \xrightarrow{-45°} OC{-}B_3H_7 \; + \; R_2O{-}BF_3$$

$$R_2O = \text{(Tetrahydrofuran)},\; (H_3C)_2O$$

Kohlenmonoxid-Triboran(7)[4]**:** In einem dickwandigen 100-*ml*-Glas-Bombenrohr wird aus 0,37 g (6,94 mmol) Tetraboran(10) mit 2 g (28 mmol) THF Tetrahydrofuran-Triboran(7) hergestellt[5].

Nach Abpumpen von überschüssigem THF und Diboran(6) bei 0° werden bei −196° 0,89 g (13,1 mmol) Trifluorboran und 0,98 g (35 mmol) Kohlenmonoxid einkondensiert. Das Bombenrohr wird abgeschmolzen und 90 Min. vollständig in ein −45° Bad eingetaucht gehalten, wobei das feste Tetrahydrofuran-Triboran(7) in ein flüssiges Produkt übergeht. Anschließend werden überschüssiges Kohlenmonoxid bei −196° sowie die anderen flüchtigen Anteile bei −45° (2 Stdn.) und dann bei 0° (1 Stde.) abgepumpt. Dabei kondensieren nach Passieren

[1] D.F. Gaines u. J. Ulman, J. Organometal. Chem. **93**, 281 (1975).
[2] D.F. Shriver, *The manipulations of air sensitive compounds*, McGraw-Hill, New York 1969.
[3] R.T. Paine u. R.W. Parry, Inorg. Chem. **11**, 268 (1972).
[4] J.D. Glore, J.W. Rathke, R. Schaeffer, Inorg. Chem. **12**, 2175 (1973).
[5] G. Kodama, R.W. Parry u. J.C. Carter, Am. Soc. **81**, 3534 (1959).

Tab. 14: Lewisbase-Oligo- und Polyborane

Formel	Verbindungstyp	Herstellungsart	s. S.
Kohlenmonoxid- und Phosphan-Triboran(7)			
$\overset{\oplus}{O}\overset{\ominus}{C}-B_3H_7$	$Do-B_3H_7(7)$	aus $Do'-B_3H_7$ + $Do/BHal_3$	121
$(H_3C)_3\overset{\oplus}{P}-\overset{\ominus}{B}H_2-CH_2-CH_2-\overset{\ominus}{B}_3H_6-\overset{\oplus}{P}(CH_3)_3$	$Do-B_3H_6R(7)$	aus $R-B_4H_8$ + Do	122 f.
Kohlenmonoxid-Tetraboran(8)			
$\overset{\oplus}{O}\overset{\ominus}{C}-B_4H_8$	$Do-B_4H_8(8)$	aus BH_3 + CO	123
		aus B_4H_{10} + CO	123
		aus B_5H_{11} + CO	123
Kohlenmonoxid-Nonaboran(13)			
$\overset{\oplus}{O}\overset{\ominus}{C}-B_9H_{13}$	$Do-B_9H_{13}(13)$	aus $[B_9H_{14}]^-$ + H^+/CO (via B_9H_{15})	124
Lewisbase-closo-Decaborane(8)			
$[(H_3C)_2S]_2-B_{10}H_7-CO-C_6H_5$	$Do_2-B_{10}H_7R^O$	aus $Do_2-B_{10}H_8$ + R–CO–Hal	124
$[(H_3C)_2S]_2B_{10}H_7(CN)$	$Do_2-B_{10}H_7R^N$	aus $Do_2-B_{10}H_7Hal$ + CuCN	124
6-(OC)–$B_{10}H_8$–1-$S(CH_3)_2$	$Do,Do'-B_{10}H_8(8)$	aus $[Do'-B_{10}H_9]^-$ + $(COCl)_2$	125
4-(OC)–$B_{10}H_8$–2-$N(CH_3)_3$			
1,10-$(OC)_2-B_{10}H_8$	$Do_2-B_{10}H_8$ (8)	aus $[(N^+_2)_2-B_{10}H_8^{2-}]$ + Do	126
Lewisbase-Organo-nido- und -arachno-decaborane(12)			
$R_2S-B_{10}H_{11}C_6H_{11}$	$Do-B_{10}H_{11}R(12)$	aus $Do_2-B_{10}H_{12}$ + En	126
$R_2S-B_{10}H_{11}C_6H_9$	$Do-B_{10}H_{11}R_{en}(12)$	aus $Do_2-B_{10}H_{12}$ + Dien	126
Kohlenmonoxid-closo-Dodecaborane(10)			
$(H_3C)_2N-B_{12}H_{10}-CO$	$Do^1-B_{12}H_{10}Do^{2+}$	aus $[Do-B_{12}H_{11}]^-$ + Cl–CO–CO–Cl	127
$(OC)_2B_{12}H_{10}$	$Do_2B_{12}H_{10}$	aus $[B_{12}H_{10}(COOH)_2]^{2-}$; Δ	127
Kohlenmonoxid-Halogen-closo-decaborane			
1,10-$(CO)_2B_{10}Hal_8$ Hal = Cl, Br	$Do_2B_{10}Hal_8$	aus $Do-B_{10}H_8$ + Hal_2/H_2O	128

einer −78° Kühlfalle 2,14 mmol Rohprodukt bei −112°. Man reinigt durch Sublimieren über eine Tieftemperatur-Kolonne[1]; Ausbeute: 128–140 mg [1,9–2,1 mmol; 28–30%, bez. auf Tetraboran(10)].

Aus dem Dimethyletherat wird eine wesentlich höhere Ausbeute (≈60%) erzielt. Es fehlen allerdings exakte Angaben über die Reaktionsbedingungen[2].

α_2) *aus Tetraboran(10)-Derivaten*

Beim Abbau von 2,4-(Ethan-1,2-diyl)tetraboran(10) mit Trimethylphosphan erhält man *(2-Borylethyl)triboran(7)* (kurze Zeit luftstabil; 65° Zers.) als Bis(trimethylphosphan)-Addukt[3]:

[1] J. DOBSON u. R. SCHAEFFER, Inorg. Chem. **9**, 2183 (1970).
[2] R.T. PAINE u. R.W. PARRY, Inorg. Chem. **11**, 268 (1972).
[3] R.E. BOWEN u. C.R. PHILLIPS, J. Inorg. & Nuclear Chem. **34**, 382 (1972).

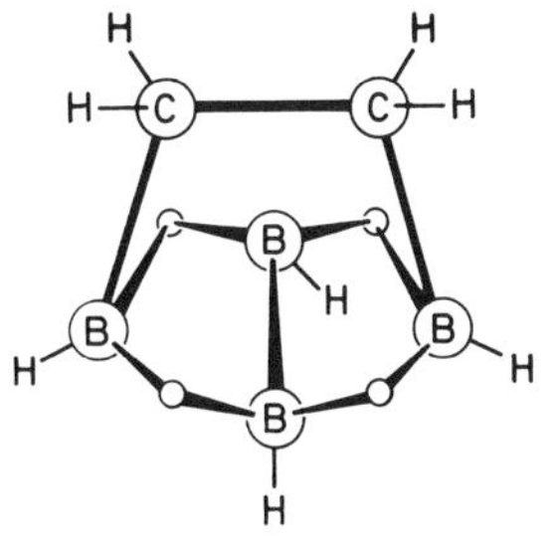

O = H

$$+\ 2\,(H_3C)_3P \xrightarrow{0^\circ} (H_3C)_3\overset{\oplus}{P}{-}H_2\overset{\ominus}{B}{-}CH_2{-}CH_2{-}\overset{\ominus}{B}_3H_6{-}\overset{\oplus}{P}(CH_3)_3$$

β) Lewisbase-Tetraborane(8)

Kohlenmonoxid-Tetraboran(8) ist aus Diboran(6), Tetraboran(10) oder aus Pentaboran(11) mit Kohlenmonoxid zugänglich (vgl. Tab. 14, S. 122).

Kohlenmonoxid-Tetraboran(8) wird aus Diboran(6) mit Kohlenmonoxid in einem sog. Heiß/Kalt-Reaktor mit Innentemp. 140–180° und Außentemp. −70 bis −78° hergestellt[1]:

$$2\,B_2H_6 \quad + \quad CO \quad \xrightarrow[60\,\%]{} \quad OC{-}B_4H_8 \quad + \quad 2\,H_2$$

Das zugleich anfallende Pentaboran(11) läßt sich nachträglich mit Kohlenmonoxid fast vollständig in dasselbe Addukt überführen.

Tetraboran(10) reagiert mit Kohlenmonoxid bei 20–30° langsam (≈220 Stdn.) unter Abspaltung von Dihydrogen zu Kohlenmonoxid-Tetraboran(8). Man muß in Gegenwart eines großen Überschusses an Kohlenmonoxid arbeiten, um die Zersetzung des Adduktes während der extrem langen Reaktionszeit zurückzudrängen[2,3]:

$$B_4H_{10} \quad + \quad CO \quad \xrightarrow[-\,H_2]{20-30^\circ,\ 220\ \text{Stdn.}}$$

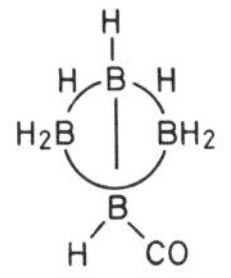

Reaktives Zwischenprodukt dürfte das durch Abspaltung von Dihydrogen entstehende komplexfreie Tetraboran(8) sein[4]:

$$B_4H_{10} \quad \longrightarrow \quad \{B_4H_8\} \quad + \quad H_2$$

Tetraboran(8) wird vermutlich zwischenzeitlich auch bei der Herstellung von Kohlenmonoxid-Tetraboran(8) aus Pentaboran(11) mit Kohlenmonoxid gebildet[3,5] (2–3 Stdn. ≈20°). Bei längeren Reaktionszeiten fällt die Ausbeute wegen irreversibler Zersetzung des Addukts:

$$B_5H_{11} \rightleftharpoons B_4H_8 \quad + \quad BH_3 \quad \xrightarrow[22-27^\circ,\ 2-3\ \text{Stdn.}]{+CO\ (20\ \text{at})} \quad OC{-}B_4H_8 \quad + \quad OC{-}BH_3$$

Kohlenmonoxid-Tetraboran(8) (*endo/exo*-60:40) erhält man aus reinem Pentaboran(11). Da dessen Abtrennung vom Pentaboran(9) zeitraubend ist (Hochvakuum/Tieftemperatur-Destillation), stellt man die Additionsverbindung besser aus Tetraboran(10) her[6].

---

[1] T. Onak, K. Gross, J. Tse, J. Howard, Soc. [Dalton] **1973**, 2633.
[2] G.L. Ter Haar, Dissertation, Abstr. **23**, 3627 (1963); C.A. **59**, 6016 (1963).
[3] J.R. Spielman u. A.B. Burg, Inorg. Chem. **2**, 1139 (1963).
[4] G.L. Brennan u. R. Schaeffer, J. Inorg. & Nuclear Chem. **20**, 205 (1961).
[5] A.B. Burg u. J.R. Spielman, Am. Soc. **81**, 3479 (1959).
[6] E.J. Stampf, A.R. Garber, J.D. Odom u. P.D. Ellis, Inorg. Chem. **14**, 2446 (1975).

γ) Kohlenmonoxid-Nonaboran(13)

Kohlenmonoxid-Nonaboran(13) ist aus Isononaboran(15) mit Kohlenmonoxid bei −30° zugänglich[1]. Das thermisch instabile Isononaboran(15) wird in situ aus Kalium-tetradecahydrononaborat(1−) mit flüssigem Hydrogenchlorid bei Rückflußtemperatur hergestellt:

$$K[B_9H_{14}] \xrightarrow[-KCl]{+HCl,\ -85°} \{i\text{-}B_9H_{15}\} \xrightarrow[-H_2]{+CO/Pentan,\ 25\ at,\ -30°} OC{-}B_9H_{13}$$

Kohlenmonoxid-Nonaboran(13)[1]**:** 2,26 g (15 mmol) Kalium-tetradecahydrononaborat[2] läßt man in einem dickwandigen 200-*ml*-Glasgefäß mit flüssigem Chlorwasserstoff unter Rückfluß reagieren. Überschüssiges Hydrogenchlorid wird bei −78° abdestilliert, letzte Spuren i. Hochvak. abgepumpt. Anschließend werden 100 *ml* trockenes Pentan und ein ≈10facher Überschuß an Kohlenmonoxid bei −196° einkondensiert (maximaler Druck bei ≈20°: 30 at). Nach Zuschmelzen des Glasgefäßes läßt man langsam auftauen, rührt die milchige Aufschlämmung 6 Stdn. bei −30° und pumpt anschließend das überschüssige Kohlenmonoxid bei −196° ab. Das Reaktionsgemisch wird unter Luftabschluß bei −20° filtriert. Aus dem klaren Filtrat scheiden sich beim Abkühlen auf −60° 1,58 g (11,4 mmol, 75%) Nadeln ab (F = 40,8°).

δ) Lewisbase-Organo-*closo*-decaborane(8)

closo-Decaboran(8) ist nur in Form seiner Additionsverbindungen mit Lewisbasen bekannt. Die Kohlenmonoxid-Addukte haben präparative Bedeutung zur Herstellung von Organodecahydrodecaboraten(2–) (vgl. S. 133). In der Tab. 14 (S. 122) sind die Methoden zur Gewinnung der Lewisbase-Decaborane(8) (Lewisbase: Kohlenmonoxid, Dialkylsulfide, Trimethylamin) zusammengestellt. Man geht von Lewisbase-Decaboranen(8), von Lewisbase-Nonahydrodecaboraten(1−) sowie von den zwitterionischen Bis(diazonium)decaboraten aus.

δ_1) *aus Lewisbase-Decaboranen(8)*

Das aus dem Decahydrodecaborat(2−) mit Dimethylsulfoxid leicht zugängliche[3] Bis-(dimethylsulfid)-Decaboran(8) reagiert mit Benzoylchlorid in Polyphosphorsäure zu *Bis[dimethylsulfid]-Benzoyldecaboran(8)*. Mit Acetanhydrid erhält man ein Gemisch von Monoacetyl- und mehrfach acetylierten Verbindungen[4]:

$$[(H_3C)_2S]_2{-}B_{10}H_8 \quad + \quad H_5C_6{-}CO{-}Cl \xrightarrow[-HCl]{} [(H_3C)_2S]_2{-}B_{10}H_7{-}CO{-}H_5C_6$$

Bis(dimethylsulfid)-Bromdecaboran(8) setzt sich mit Kupfer(I)-cyanid in Pyridin zum *Bis(dimethylsulfid)-Cyandecaboran(8)* um[3]:

$$[(H_3C)_2S]_2{-}B_{10}H_7Br \quad + \quad CuCN \xrightarrow[-CuBr]{Pyridin,\ 160\text{–}180°,\ 5\ Stdn.} [(H_3C)_2S]_2{-}B_{10}H_7CN$$

---

[1] R. Schaeffer u. E. Walter, Inorg. Chem. **12**, 2209 (1973).
[2] L.E. Benjamin, S.F. Stafiej, E.A. Takacs, Am. Soc. **85**, 2674 (1963).
[3] W.H. Knoth, W.R. Hertler u. E.L. Muetterties, Inorg. Chem. **4**, 280 (1965).
[4] US.P. 3296260 (1967/1963/1961), Du Pont, Erf.: W. H. Knoth jr.; C.A. **67**, 108211 (1967).

δ_2) *aus Lewisbase-Decaboraten*

Die Reaktion der Cäsium-2-(Trimethylamin)-[1] bzw. 1-(Dimethylsulfid)-nonahydrodecaborate(1−)[2] mit Oxalylchlorid führt zu Lewisbase-Decaboranen(8) mit einem Kohlenmonoxid-Molekül an einem äquatorialen Bor-Atom[3,4]; z.B.:

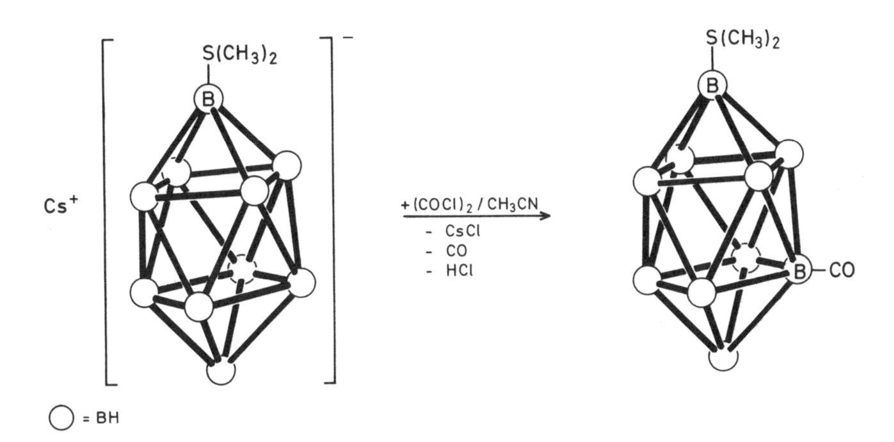

1-Dimethylsulfid-6-Kohlenmonoxid-Decaboran(8)[3]: Ein Gemisch von 5 g (16 mmol) Cäsium-1-(dimethylsulfid)-nonahydrodecaborat(1−), 14,8 g (10 *ml*, 117 mmol) Oxalylchlorid und 500 *ml* Acetonitril wird 45 Min. zum Rückfluß erhitzt und dann i. Vak. eingedampft. Man löst in heißem Wasser und läßt die Lösung über eine Kolonne mit saurem Ionenaustauscher laufen. Das Eluat wird eingedampft und der Rückstand i. Vak. (0,5 Torr, 140°) sublimiert. Zur Reinigung wird 2mal aus Cyclohexan/Benzol umkristallisiert; Ausbeute: 2,5 g (76%); F: 108–109°.

Aus dem 2-Trimethylamin-Addukt erhält man ein Isomeren-Gemisch, das sich über die Brucin-Salze der mit Wasser erhaltenen Säuren ins *4-Kohlenmonoxid-2-Trimethylamin-Decaboran(8)* und in die enantiomeren 2,7- und 2,8-Isomeren trennen läßt[3]:

$[(H_3C)_4N]^+$ [Anion mit $N(CH_3)_3$ am B] $\xrightarrow[-[(H_3C)_4N]^+Cl^-,\ -CO,\ -HCl]{+(COCl_2)/CH_3CN}$ $OC-B_{10}H_8-N(CH_3)_3$

○ = BH

[1] W.R. Hertler u. M.S. Raasch, Am. Soc. **86**, 3661 (1964).
[2] W.H. Knoth, W.R. Hertler u. E.L. Muetterties, Inorg. Chem. **4**, 280 (1965).
[3] W.R. Hertler, W.H. Knoth jr. u. E.L. Muetterties, Inorg. Chem. **4**, 288 (1965).
[4] W.R. Hertler, Am. Soc. **86**, 2949 (1964).

δ_3) *aus zwitterionischen Decaboraten*

1,10-Bis(kohlenmonoxid)-Decaboran(8) erhält man aus 1,10-Bis[diazonium(1+)]-octahydrodecaborat(2−)[1,2] mit Kohlenmonoxid oberhalb 125° in 55–75⁰/₀iger Ausbeute[1]:

$$1{,}10\text{-}B_{10}H_8(N_2)_2 \quad + \quad 2\,CO \xrightarrow[-2\,N_2]{3\ \text{Stdn., } 140°,\ 1000\ \text{at}} 1{,}10\text{-}(CO)_2{-}B_{10}H_8$$

Aus dem thermisch sehr stabilen 1,10-Bis(diazonium)-octachlordecaborat(2–) erhält man mit Kohlenmonoxid erst um ≈200° halogenierte 1,10-Bis(kohlenmonoxid)-Decaborane(8)[3]. In Gegenwart von Kohlenwasserstoff entstehen – wahrscheinlich durch Radikalreaktionen – auch Alkyl- oder Aryl-Derivate des Decaborans(8).

1,10-Bis(kohlenmonoxid)-Decaboran(8)[1]: Ein mit Silber ausgekleideter 100-*ml*-Autoklav wird mit 10 g (58 mmol) 1,10-Bis(diazonium)-octahydrodecaborat(2–) (Herstellung s. Lit.[1]) beschickt und evakuiert. Man preßt Kohlenmonoxid auf und erhitzt 3 Stdn. auf 140° (1000 at) (**Vorsicht:** bei zu raschem Aufheizen kann **explosions**artige Zersetzung eintreten). Für das Erwärmen von ≈20° bis auf 140° werden 1,5 Stdn. empfohlen. Anschließend wird gekühlt, belüftet und das Rohprodukt mit Wasser extrahiert. Man filtriert, dampft ein und sublimiert den Rückstand bei 80–100°/0,5 Torr; Ausbeute: 5,5–5,7 g (70–75⁰/₀); F: 155–156°.

ε) Lewisbase-Organo-*nido*- und -*arachno*-decaborane(12)

Verschiedene Lewisbase-[Organo-hydro-*nido*-decaborane(12)][4] sind aus Lewisbase-Decaboran(12) mit olefinischen Kohlenwasserstoffen oder aus Lewisbase-Organodecaboranen(12) mit anderen Lewisbasen zugänglich.

ε_1) *aus Lewisbase-Decaboranen(12)*

arachno-Decaboran(12)[4] bildet stabile Bis(dialkylsulfid)-Additionsverbindungen, aus denen mit Acetylen oder Alkinen 1,2-Dicarba-*closo*-dodecaborane(12) (vgl. S. 183) hergestellt werden können. Mit Alkenen und Cycloalkenen erhält man unter Hydroborierung 9-Alkyl- bzw. Cycloalkyl-5-dialkylsulfid-*nido*-decaborane(12)[5]:

$$(R_2S)_2{-}B_{10}H_{12} \quad + \quad H_2C{=}CH{-}R \xrightarrow[-R_2S]{} R_2S{-}B_{10}H_{11}{-}CH_2{-}CH_2{-}R$$

9-Cyclohexyl-5-dimethylsulfid-nido-decaboran(12)[5]: Zu 5 g (27,4 mmol) Bis(dimethylsulfid)-decaboran (12) gibt man ein Gemisch von 100 *ml* Cyclohexen und 80 *ml* Benzol und erwärmt unter Rühren 6 Stdn. auf ≈80°. Nach dem Abkühlen und Einengen (Rotationsverdampfer) nimmt man den Rückstand im Benzol/Hexan-Gemisch (≈1:5) auf und chromatographiert an Silicagel. Das Produkt (R_F = 0,8) wird aus Benzol/Hexan (≈1:4) bei 50° umkristallisiert; Ausbeute: 1,5 g (20⁰/₀); F: 75–76°.

Entsprechend ist *9-Cyclohexyl-5-diethylsulfid-nido-decaboran(12)* zugänglich[5]. Mit 1,3-Cyclohexadien läßt sich aus Bis(dimethylsulfid)decaboran(12) in Benzol *9-Cyclohexenyl-5-dimethylsulfid-nido-decaboran(12)* herstellen[5].

---

[1] W.H. Knoth, Am. Soc. **88**, 935 (1966).
[2] Herstellung von *Diazonium-(dimethylsulfid)-octahydrodecaborat(1–):*
R.N. Leyden u. M.F. Hawthorne, Am. Soc. **95**, 2032 (1973).
R.N. Leyden u. M.F. Hawthorne, Inorg. Chem. **14**, 2444 (1975).
[3] W.H. Knoth, J.C. Sauer, J.H. Balthis, H.C. Miller u. E.L. Muetterties, Am. Soc. **89**, 4842 (1967).
[4] Gmelin, 8. Aufl., 2. Erg. Bd. 1, 177–180 (1983).
[5] E.I. Tolpin, E. Mizusawa, D.S. Becker u. J. Venzel, Inorg. Chem. **19**, 1182 (1980).

ε_2) *aus Lewisbase-Organo-nido-decaboran(12)*

Durch Basen-Verdrängung sind aus Lewisbase-Organodecaboranen(12) andere Additionsverbindungen zugänglich. Aus *nido*-Strukturen können dabei auch *arachno*-Verbindungen gebildet werden.

Mit Pyridin erhält man aus 9-Cyclohexyl-5-dimethylsulfid-*nido*-decaboran(12) in Benzol durch Basen-Austausch und Basen-Addition in 94%iger Ausbeute *6,9-Bis(pyridin)-6-cyclohexyl-undecahydro-arachno-decaboran(12)*, das mit einem $^1/_2$ Mol-Äquivalent Benzol kristallisiert (F: 113°)[1]:

$$9\text{-}(H_{11}C_6)\text{-}B_{10}H_{11}\text{-}S(CH_3)_2 \xrightarrow[-\ (H_3C)_2S]{+\ \text{Pyridin/Benzol},\ -20°} [6\text{-}(H_{11}C_6)\text{-}B_{10}H_{11}]^- \ [Py]_2^+ \cdot 1/2\ C_6H_6$$

ζ) Lewisbase-Dodecaborane(10)

Die Additionsverbindungen des Dodecaborans(10) mit Kohlenmonoxid und Trimethylamin sind aus Dodecaboraten(1–) oder aus Dodecaboraten(2–) zugänglich (vgl. Tab. 14, S. 122).

Aus Tetramethylammonium-trimethylamin-undecahydrododecaborat(1–) erhält man mit Oxalylchlorid in siedendem Acetonitril ein Gemisch von *7-* und *12-Kohlenmonoxid-1-Trimethylamin-Dodecaboran(10)* (11%ige Ausbeute bei 60%igem Umsatz)[2] (vgl. a. S. 125):

$$[(H_3C)_4N]^+[(H_3C)_3\overset{\oplus}{N}\text{—}B_{12}H_{11}]^- \xrightarrow{+(COCl)_2/\text{Acetonitril, 2 Stdn., Rückfluß}} (H_3C)_3N\text{—}B_{12}H_{10}(CO)$$

1,7- und *1,12-Bis(kohlenmonoxid)-Dodecaborane(10)* sind aus den entsprechenden Bis[hydroxonium]-dicarboxy-decahydro-dodecaboraten(2–) durch Dehydratisieren zugänglich[3–6]:

$$[(HOOC)_2B_{12}H_{10}]^{2-}\ 2\,Cs^+ \xrightarrow{(\text{Ionenaustauscher})}$$

$$[(HOOC)_2B_{12}H_{10}]^{2-}\ 2\,[H_3O]^+ \xrightarrow[-4\,H_2O]{\Delta} (OC)_2B_{12}H_{10}$$

1,12-Bis(kohlenmonoxid)-Dodecaboran(10)[2]: 130 g (0,25 mol) Dicäsium-1,12-dicarboxy-decahydrododecaborat(2–)-Monohydrat (Herstellung s. S. 144) werden in 1,3 *l* Wasser unter Erwärmen auf 85–90° gelöst. Die Lösung läßt man über eine vorher erwärmte, mit 450 g stark saurem Ionenaustauscher beschickte Säule laufen. Das Eluat wird i. Vak. bei 25–30° auf ein kleines Vol. eingeengt und dann im Dampfbad zur Trockne eingedampft. Bei 135–150°/0,05 Torr wird sublimiert. Man erhält einen hygroskopischen farblosen Feststoff; Ausbeute: 45 g (92%); kein F: bis 400°.

Analog erhält man *1,7-Bis(kohlenmonoxid)-Dodecaboran(10)* (F: 215–222°)[4].

---

[1] E. I. TOLPIN, E. MIZUSAWA, D. S. BECKER u. J. VENZEL, Inorg. Chem. **19**, 1182 (1980).
[2] W. R. HERTLER, W. H. KNOTH u. E. L. MUETTERTIES, Inorg. Chem. **4**, 288 (1965).
[3] Fr. P. 1365632 (1964/1962), Du Pont, Erf.: J. C. SAUER; C. A. **62**, 6186 (1965).
[4] W. H. KNOTH, J. C. SAUER, J. H. BALTHIS, H. C. MILLER u. E. L. MUETTERTIES, Am. Soc. **89**, 4842 (1967).
[5] US. P. 3334136 (1967/1963), Du Pont, Erf.: W. H. KNOTH jr. u. N. E. MILLER; C. A. **67**, 108740 (1967).
[6] US. P. 3551120 (1970/1962), Du Pont, Erf.: H. C. MILLER u. E. L. MUETTERTIES; C. A. **74**, 55815 (1971).

4. Lewisbase-Halogen-organo-polyborane

Relativ wenige Lewisbase-Halogen-organo-polyborane sind bisher bekannt. Hergestellt wurden Kohlenmonoxid-Halogendecaborane(8) und -Halogendodecaborane(10).

1,10-Bis(kohlenmonoxid)-Octahalogendecaborane(8) (Halogen = Chlor, Brom) erhält man aus 1,10-Bis(kohlenmonoxid)-Decaboran(8) über Bis(hydroxonium)-1,10-Dicarboxy-octahalogen-decaborat(2–) (vgl. S. 147), das beim Erwärmen unter Wasser-Abspaltung reagiert[1]:

$$1,10\text{-}(OC)_2B_{10}H_8 \xrightarrow[\text{Hal = Cl, Br}]{1.\ H_2O \quad 2.\ Hal_2} [1,10\text{-}(HOOC)_2B_{10}Hal_8]^{2-}[H_3O^+]_2 \xrightarrow[-4H_2O]{\Delta} 1,10\text{-}(OC)_2B_{10}Hal_8$$

1,10-Bis(kohlenmonoxid)-Octachlordecaboran(8)[1]: Man leitet in eine mit Eiswasser gekühlte Lösung von 5 g (29 mmol) 1,10-Bis-(kohlenmonoxid)-Decaboran(8) in 150 *ml* Wasser 30 Min. Chlor ein und setzt das Einleiten 2 Stdn. bei ≈20° und 2 Stdn. bei 60° fort. I. Vak. wird eingeengt, der Rückstand i. Vak. (40°, 1 Torr) getrocknet, wobei ein farbloses kristallines Hydrat anfällt. Man kristallisiert aus Wasser um und erhitzt anschließend i. Vak. auf 200°, wobei das Produkt als hellgelber hygroskopischer Feststoff sublimiert. Zur Reinigung wird die Sublimation wiederholt; Ausbeute: 8,35 g (72%); F: 338–340°.

Bis(kohlenmonoxid)-Perhalogendodecaborane(10) sind entsprechend zugänglich[1].

b) Hydro-organo-oligo- und -polyborate

Die Verbindungsklasse umfaßt Hydro-organo-oligoborate(1–) mit 3 bis 6 Bor-Atomen (vgl. Tab. 15) sowie Hydro-organo-polyborate(1–) und -(2–), die 10 bis 12 Bor-Atome enthalten (vgl. Tab. 16, 17, S. 131, 133). Die Herstellungsmethoden der Organopolyborate mit an einem oder mehreren Bor-Atomen gebundenen Heteroatomen werden auf S. 145 besprochen.

1. Hydro-organo-oligoborate mit drei bis sechs Bor-Atomen

Die Herstellung der Alkalimetall- oder Ammonium-organooligoborate(1–) erfolgt aus Hydro-organo-oligo-boranen (B-Zahl ≲ 6), aus Lewisbase-Oligoboranen oder aus Organooligoboraten(1–) (vgl. Tab. 15).

Tab. 15: Hydro-organo-oligoborate

Formel	Verbindungstyp	Herstellungsart	s. S.
a) Hydro-organo-tetraborate(1–)			
$[H_2B(NH_3)_2]^+[H_3C{-}B_4H_8]^-$	$[R{-}B_4H_8(9)]^-$	aus $R{-}B_5H_{10}(11) + NH_3$	129
$NH_4^+[H_2N{-}CO{-}B_4H_8]^-$	$[R^{O,N}{-}B_4H_8(9)]^-$	aus $OC{-}B_4H_8 + NH_3$	130
b) Hydro-organo-pentaborate(1–)			
$[(H_3C)_3NH]^+[H_5C_2{-}B_5H_7]^-$	$[R{-}B_5H_7(8)]^-$	aus $R{-}B_5H_8(9) + (H_3C)_3N$	129
$K^+[H_3C{-}B_5H_7]^-$	$[R{-}B_5H_7(8)]^-$	aus $R{-}B_5H_8(9) + H^-$	129
c) Hydro-organo-hexaborate(1–)			
$M^+[H_3C{-}B_6H_8]^-$ M = K; 1/2 Mg	$[R{-}B_6H_8]^-$	aus $R{-}B_6H_9(10) + H^-$; $+ R^-$	129
$K^+[H_3C{-}B_6H_{10}]^-$	$[R{-}B_6H_{10}(11)]^-$	aus $[R{-}B_5H_7]^- + BH_3$	130

[1] W. H. Knoth, J. C. Sauer, J. H. Balthis, H. C. Miller u. E. L. Muetterties, Am. Soc. **89**, 4842 (1967).

α) aus Hydro-organo-oligoboranen

Organooligoborate erhält man präparativ aus Organo-*closo*- oder -*nido*-oligoboranen mit N-Basen oder mit Metallhydriden bzw. mit Metallalkanen.

α_1) *mit N-Basen*

Die Einwirkung von Ammoniak auf Methylpentaboran(11) in Dichlormethan liefert bei −78° unter Boran-Disproportionierung *Bis(ammin)-dihydrobor(1+)-methyl-octahydro-tetraborat(1−)*[1]:

$$H_3C{-}B_5H_{10} + 2\,NH_3 \xrightarrow[-78°]{H_2CCl_2} [H_2B(NH_3)_2]^+\,[H_3C{-}B_4H_8]^-$$

Entsprechend ist aus 3-Methylhexaboran(12) mit Ammoniak *Bis(ammin)-dihydrobor (1+)-methyl-nonahydropentaborat(1−)* zugänglich[1].

Aus 1-Ethylpentaboran(9) erhält man mit Trimethylamin (1:2) bei 20° *Trimethylammonium-ethyl-heptahydropentaborat(1−)* (F: 27–28°), das oberhalb des Schmelzpunkts in die Komponenten dissoziiert[2]:

$$1\text{-}H_5C_2{-}B_5H_8 + (H_3C)_3N \rightleftharpoons [(H_3C)_3NH]^+\,[H_5C_2{-}B_5H_7]^-$$

α_2) *mit Alkalimetallhydriden*

Alkyl-hydro-*nido*-pentaborane(9) reagieren mit Natriumhydrid in Kohlenwasserstoffen nach Zugabe von wenig Diglyme unter Abspaltung von Dihydrogen zu Natrium-alkyl-heptahydropentaboraten[3]. Präparativ führt man die Reaktionen bei −78° in Tetrahydrofuran[4] oder in Dimethylether[1] durch. Aus 1-Methylpentaboran(9) wird mit Kaliumhydrid nach der Dihydrogen-Abspaltung *Kalium-1-methyl-heptahydropentaborat(1-)* gewonnen[1,4]:

$$1\text{-}H_3C{-}B_5H_8 + KH \xrightarrow[-H_2]{\text{Ether};\ -78°} K^+\,[1\text{-}H_3C{-}B_5H_7]^-$$

Ether = THF[4], Dimethylether[1]

Aus 2-Methyl-*nido*-hexaboran(10) ist in Dimethylether durch Deprotonierung bei −78° *Kalium-2-methyl-octahydrohexaborat(1-)* zugänglich[3]:

$$2\text{-}H_3C{-}B_6H_9 + KH \xrightarrow[-H_2]{(H_3C)_2O,\ -78°} K^+\,[2\text{-}H_3C{-}B_6H_8]^-$$

α_3) *mit metallorganischen Verbindungen*

Aus 2-Methylhexaboran(10) läßt sich mit Dimethylmagnesium in Tetrahydrofuran unter Abspaltung von Methan (Deprotonierung) das bei 20° stabile *Bis(tetrahydrofuranat) des Magnesium-bis*[*2-methyloctahydrohexaborats(1−)*] in 95%iger Ausbeute herstellen[5]:

---

[1] I.S. Jaworiwsky, J.R. Long, L. Barton u. S.G. Shore, Inorg. Chem. **18**, 56 (1979).
[2] W.V. Hough, L.J. Edwards u. A.F. Stang, Am. Soc. **85**, 831 (1963).
[3] T. Onak, G.B. Dunks, I.W. Searcy u. J. Spielman, Inorg. Chem. **6**, 1465 (1967).
[4] V.T. Brice u. S.G. Shore, Inorg. Chem. **12**, 309 (1973).
[5] R.J. Remmel, D.L. Denton, J.B. Leach, M.A. Toft u. S.G. Shore, Inorg. Chem. **20**, 1270 (1981).

$$2\text{-}H_3C{-}B_6H_9 \;+\; (H_3C)_2Mg \;+\; 2\,THF \xrightarrow[-2\,CH_4]{} Mg[2\text{-}H_3C{-}B_6H_8]_2\;(THF)_2$$

β) aus Kohlenmonoxid-Hydrooligoboranen

Die Einwirkung von Ammoniak auf Kohlenmonoxid-Tetraboran(8) liefert unter Addition eine Verbindung, der vermutlich die Struktur des *Ammonium-aminocarbonyl-octahydrotetraborats(1–)* zukommt[1]:

$$OC{-}B_4H_8 \;+\; 2\,NH_3 \longrightarrow NH_4^+\,[B_4H_8{-}CONH_2]^-$$

γ) aus Hydro-organo-oligoboraten

In Dimethylether reagiert Kalium-1-methyl-heptahydropentaborat(1–) mit Diboran(6) bei −78° unter Addition zu *Kalium-methyl-decahydrohexaborat(1–)*[2]:

$$K^+[1\text{-}H_3C{-}B_5H_7]^- \;+\; 1/2\,B_2H_6 \xrightarrow[-78°]{(H_3C)_2O} K^+[H_3C{-}B_6H_{10}]^-$$

2. Hydro-organo-decaborate

Zur Verbindungsklasse gehören Hydro-organo-*nido*-decaborate(1–)

$$[Do{-}R_nB_{10}H_{13-n}] \qquad [R_nB_{10}H_{13-n}]^- \qquad [R_nB_{10}H_{14-n}]$$

sowie Hydro-organo-*closo*-decaborate(2–):

$$[R_nB_{10}H_{10-n}]^{2-}$$

Das *nido*-Decaborat(1–) $[B_{10}H_{13}]^-$ enthält vermutlich[3] fünf verschiedenartig gebundene Bor-Atome B^1, $B^{2,4}$, B^3, $B^{5,7,8,10}$ und $B^{6,9}$:

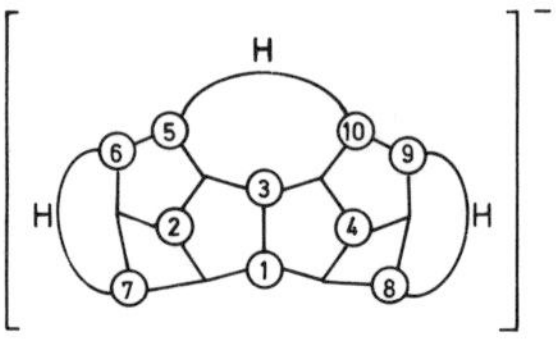

Decahydrodecaborat(2–) mit der durch Deltaflächen abgeschlossenen Polyeder-*closo*-Struktur eines mit zwei tetragonal-pyramidalen Spitzen kombinierten Archimedischen Antiprismas enthält zwei verschiedene Typen von Bor-Atomen. Die Spitzenbor-Atome B^1 und B^{10} im Polyeder haben die Koordinationszahl 5. Die übrigen acht Bor-Atome B^2 bis B^9 sind 6fach koordiniert. Dies führt zu einer unterschiedlichen Reaktivität an den Bor-Atomen.

[1] G.L. Ter Haar, Dissertation Abstr. **23**, 3627 (1963); C.A. **59**, 6016 (1963).
[2] I.S. Jaworiwsky, J.R. Long, L. Barton u. S.G. Shore, Inorg. Chem. **18**, 56 (1979).
[3] A.R. Siedle, G.M. Bodner u. L.J. Todd, J. Inorg. & Nuclear Chem. **33**, 3671, 3675 (1971).

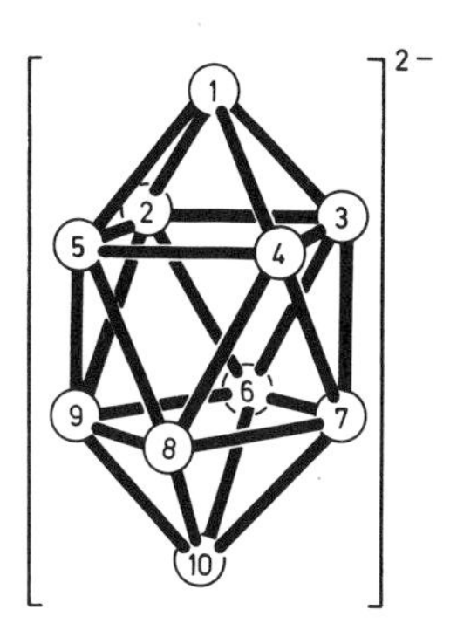

Gerüst und Bezifferung der Bor-Atome des Decahydro-*closo*-decaborats(2–)

α) Hydro-organo-*nido*-decaborate

Dodecahydro-monoorgano-*nido*-decaborate(1–) sind aus Decaboran(14) oder aus Organodecaboran(14) zugänglich. Außerdem gibt es Monoorgano-tridecahydro-*nido*-decaborate(2–), die aus Decaboran(14) hergestellt werden (vgl. Tab. 16).

Tab. 16: Hydro-organo-*nido*-decaborate

Formel	Verbindungstyp	Herstellungsart	s. S.
a) Hydro-organo-decaborate(1–)			
$[(H_5C_2)_3NH]^+ [6\text{-}H_5C_6\text{-}CH_2\text{-}B_{10}H_{12}]^-$	$[R\text{-}B_{10}H_{12}(13)]^-$	aus $6\text{-}R\text{-}B_{10}H_{13}(14) + (H_5C_2)_3N$	132
$Na^+[NC\text{-}B_{10}H_{12}]^-$	$[R^N\text{-}B_{10}H_{12}(13)]^-$	aus $B_{10}H_{14}(14) + CN^-/THF\ (-H_2)$	131
b) Hydro-organo-decaborate(2–)			
$Na_2^{2+}\ [NC\text{-}B_{10}H_{13}]^{2-}$	$[R^N\text{-}B_{10}H_{13}(14)]^{2-}$	aus $B_{10}H_{14}(14) + 2\ CN^-/H_2O$	132
c) Lewisbase-Hydro-organo-decaborate(1–)			
$Na^+[(H_3C)_2S\text{-}B_{10}H_{12}\text{-}CN]^-$	$[Do\text{-}R^NB_{10}H_{12}(13)]^-$	aus $B_{10}H_{14} + CN^-/S(CH_3)_2\ (-H_2)$	132
		aus $Do\text{-}B_{10}H_{12} + CN^-$	132

α_1) *aus Decaboran(14)*

Aus Decaboran(14) erhält man mit Alkalimetallcyaniden bei Einhalten bestimmter Bedingungen unter Abspaltung von Dihydrogen ohne Abbau des Boran-Gerüsts *Alkalimetall-cyan-dodecahydro-nido-decaborate(1–)*[1,2].

Die Reaktion von Decaboran(14) mit Natriumcyanid ist gut untersucht. Aus äquimolaren Mengen Natriumcyanid und Decaboran(14) wird in Tetrahydrofuran unter Dihydrogen-Abspaltung *Natrium-cyan-dodecahydro-nido-decaborat(1–)* gebildet, das nach Aufarbeitung in Diethylether als Dietherat anfällt[2]:

$$B_{10}H_{14} + NaCN \xrightarrow[-H_2]{\text{THF, 4 Stdn.}} \{Na^+[NC\text{—}B_{10}H_{12}]^-\} \xrightarrow{+(H_5C_2)_2O} Na^+[NC\text{—}B_{10}H_{12}]^- \cdot [(H_5C_2)_2O]_2$$

---

[1] V. T. Brice u. S. G. Shore, Inorg. Chem. **12**, 309 (1973).

[2] V. D. Aftandilian, H. C. Miller u. E. L. Muetterties, Am. Soc. **83**, 2471 (1961).

In Dimethylsulfid entsteht ebenfalls unter Abspaltung von Dihydrogen[1] *Natrium-[cyan-(dimethylsulfid)-dodecahydro-nido-decaborat(1–)]*[1]:

$$B_{10}H_{14} + NaCN \xrightarrow[-H_2]{(H_3C)_2S,\ 5\ Tage} Na^+[(H_3C)_2SB_{10}H_{12}{-}CN]^-$$

Natrium-cyan-(dimethylsulfid)-dodecahydrodecaborat(1–)[2]**:** Man rührt 2,5 g (20,5 mmol) Decaboran(14) und 0,69 g (14,1 mmol) wasserfreies Natriumcyanid in 35 *ml* Dimethylsulfid 5 Tage in einer abgeschlossenen Apparatur unter Eigendruck. Etwa 1 Äquivalent Dihydrogen wird frei. Anschließend wird filtriert, der Rückstand 2 Tage mit Benzol (Soxhlet) extrahiert, und ein farbloses, benzol-unlösliches, hygroskopisches Pulver fällt aus; Ausbeute: 2,9 g (89%).

In Wasser reagiert Decaboran(14) mit einem Überschuß an Natriumcyanid ohne Entwicklung von Dihydrogen. Unter Addition und Deprotonierung entsteht *Dinatrium-cyan-tridecahydro-decaborat(2–)*[1]:

$$B_{10}H_{14} + 2\,NaCN \xrightarrow[-HCN]{H_2O/2\text{–}3\ Tage} [NC{-}B_{10}H_{13}]^{2-}\ 2\,Na^+$$

α_2) *aus Organodecaboranen(14)*

Aus 6-Benzyldecaboran(14) erhält man mit Trimethylamin in Benzol bei ≈20° unter Abstraktion eines Protons aus dem *nido*-Decaboran in hoher Ausbeute (87%) *Triethylammonium-6-benzyl-dodecahydro-nido-decaborat(1–)*[3]:

$$6\text{-}(H_5C_6{-}CH_2){-}B_{10}H_{13} + (H_5C_2)_3N \xrightarrow{Benzol,\ \sim 20°} [(H_5C_2)_3NH]^+[6\text{-}(H_5C_6{-}CH_2){-}B_{10}H_{12}]^-$$

Triethylammonium-6-benzyl-dodecahydro-nido-decaborat(1–)[3]**:** Man gibt unter Rühren zu 223 mg (1,05 mmol) 6-Benzyldecaboran(14) in 8 *ml* trockenem Benzol eine Lösung von 100 mg (1,0 mmol) Triethylamin in 2 *ml* Benzol, wobei sich ein gelbes Öl abscheidet. Kühlen und Digerieren mit Benzol/Heptan führt zur Bildung von nahezu farblosen, luftempfindlichen Kristallen. Nach Filtrieren und Trocknen i. Vak. erhält man 270 mg (87%) Salz; F: 97° (Zers.).

α_3) *aus Lewisbase-Decaboranen(12)*

Aus Dimethylsulfid-Dodecahydrodecaboran läßt sich mit Natriumcyanid in langsamer Reaktion bei 20° (16 Stdn.) durch Addition *Natrium-[cyan-(dimethylsulfid)-dodecahydrodecaborat(1–)]* herstellen[2]:

$$(H_3C)_2S{-}B_{10}H_{12} + NaCN \xrightarrow{(H_3C)_2S;\ 16\ Stdn.} Na^+[(H_3C)_2S{-}B_{10}H_{12}{-}CN]^-$$

β) Hydro-organo-*closo*-decaborate

Verschiedenartige Hydro-organo-*closo*-decaborate(2–) ohne und mit heteroatomhaltigen Substituenten sind aus Lewisbase-Octahydro-*closo*-decaboranen(8), Lewisbase-Hydro-organo-*nido*-decaboranen(12) sowie aus Hydrodecaboraten(2–) und Hydro-organo-decaboraten(2–) präparativ zugänglich (vgl. Tab. 17, S. 133).

---

[1] W. H. Knoth u. E. L. Muetterties, J. Inorg. & Nuclear Chem. **20**, 66 (1961).
[2] V. T. Brice u. S. G. Shore, Inorg. Chem. **12**, 309 (1973).
[3] A. R. Siedle, G. M. Bodner u. L. J. Todd, J. Inorg. & Nuclear Chem. **33**, 3671 (1971).

Tab. 17: Hydro-organo-closo-decaborate

Formel	Verbindungstyp	Herstellungsart	s. S.
$[1,10)(H_3C)_2B_{10}H_8]^{2-}2M^+$	$[R_2B_{10}H_8(10)]^-$	aus $Do_2\text{–}B_{10}H_8 + H^-$	133
$[1,10\text{–}(H_5C_6OC)_2B_{10}H_8]^{2-}\ 2[H_5C_6\text{–}Hg)]^+$	$[R^O\text{–}B_{10}H_8(10)]^{2-}$	aus $Do_2\text{–}B_{10}H_8 + R^-$	134
$[1,10\text{–}(HOOC)_2B_8H_{10}]^{2-}\ 2[H_3O]^+$	$[R^O B_{10}H_8(10)]^{2-}$	aus $Do_2\text{–}B_{10}H_8 + H_2O$	134
$[H_3O]^+[1,6\text{-}(H_3C)_2S\text{–}B_{10}H_8\text{–}COOH]^-$	$[Do\text{–}R^OB_{10}H_8(10)]^{2-}$	aus $DoDo^1B_{10}H_8 + H_2O$	134
$[1,10\text{–}(H_5C_2OOC)_2B_{10}H_8]^{2-}2Na^+$	$[R^OB_{10}H_8(10)]^{2-}$	aus $Do_2\text{–}B_{10}H_8 + Na\text{–}OR^1$	134
$[1,10\text{–}(R^2N\text{–}CO)_2B_{10}H_8]^{2-}2[H_2NR^2{}_2]^+$	$[R^N_2B_{10}H_8(10)]^{2-}$	aus $Do_2\text{–}B_{10}H_8 + R_2NH$	135
$[H_{11}C_6\text{–}B_{10}H_9]^{2-}2[(H_3C)_4N]^+$	$[R\text{–}B_{10}H_9(10)]^{2-}$	aus $Do\text{–}RB_{10}H_{11} + H^\ominus$	135
$[2\text{-}(\oplus)\text{–}B_{10}H_9]^-\ [(H_9C_4)_4N]^+$	$[R^+\text{–}B_{10}H_9(10)]$	aus $B_{10}H_{10}{}^{2-}$ + R–Hal	136
$\{2\text{-}[R\text{–}C_6H_4\text{–}CO]\text{–}B_{10}H_9\}^{2-}\ [(H_3C)_4N]^+$	$[R^OB_{10}H_9(10)]^{2-}$	aus $B_{10}H_{10}{}^{2-}$ + R–CO-Hal	136
$[(H_5C_6\text{–}CH_2\text{–}CH_2)_2\ B_{10}H_8]^{2-}2M^+$	$[R_2B_{10}H_8(10)]^{2-}$	aus $B_{10}H_{10}{}^{2-}$ + En	137
$[H_9B_{10}\text{–}C(H)(=O)\text{–}B_{10}H_8\text{–}N(CH_3)_3]^{2-}\ 2\ [(H_3C)_4N]^+$	$[R^NB_{10}H_8\text{–}C(H)(=O)\text{–}B_{10}H_9]^{2-}$	aus $B_{10}H_{10}{}^{2-}$ + Do,Do'–$B_{10}H_8$	138
$[H_9B_{10}\text{–}C(H)(=O)\text{–}B_{10}H_8\text{–}COOH]^{3-}\ 3\ [(H_3C)_4N]^{3+}$	$[R^O\text{–}B_{10}H_8\text{–}C(H)(=O)\text{–}B_{10}H_9]^{3-}$	aus $[B_{10}H_{10}]^{2-} + Do_2\text{–}B_{10}H_8$	137
$[1,10\text{–}B_{10}H_8\text{–}(CN)\ (CO\text{–}NH_2)]^{2-}2M^+$	$[R^NR^{O,N}\text{–}B_{10}H_8]^{2-}$	aus $[R_2^{O,N}B_{10}H_8]^{2-}$ + $(COHal)_2$	138
$[1,10\text{–}B_{10}H_8(CN)COOH]^{2-}2[(H_3C)_4N]^+$	$[R^N,R^O\text{–}B_{10}H_8]^{2-}$	aus $[R_2^{O,N}B_{10}H_8]^{2-}$ borfern	138

β₁) aus Lewisbase-closo-Decaboranen(8)

Bis(kohlenmonoxid)-Decaboran(8) reagiert mit Nucleophilen, wie z.B. Hydriden, Carbanionen, Alkoholaten, Wasser oder Aminen, borfern am Carbonyl-Liganden zu Hydro-(subst.)-organo-decaboraten(2–).

$\beta\beta_1$) mit Metallhydriden

Aus Bis(kohlenmonoxid)-Decaboranen(8) bilden sich mit Metallhydriden unter Reduktion der CO-Liganden *Dimethyl-* bzw. *Bis(hydroxymethyl)-octahydrodecaborate(2–)*[1,2]; z.B.[1]:

$$1,10\text{-}(OC)_2B_{10}H_8 \xrightarrow[2.\ CsF]{1.\ LiAlH_4/(H_5C_2)_2O} [1,10\text{-}(H_3C)_2B_{10}H_8]^{2-}\ 2Cs^+$$

[1] W.H. Knoth, J.C. Sauer, J.H. Balthis, H.C. Miller u. E.L. Muetterties, Am. Soc. **89**, 4842 (1967).
[2] W.H. Knoth, Am. Soc. **89**, 4850 (1967).

Dicäsium-1,10-dimethyl-octahydrodecaborat(2–)[1]: Zu 2 g (53 mmol) Lithium-tetrahydroaluminat in 50 *ml* Diethylether gibt man langsam eine Lösung von 3 g (17 mmol) 1,10-Bis(kohlenmonoxid)-Decaboran(8) in 50 *ml* Diethylether und erhitzt 2 Stdn. zum Rückfluß. Durch Zugabe von feuchtem Ether und anschließend 10 *ml* Wasser wird protolysiert. Der Ether wird abdekantiert und der feste Rückstand so lange mit Wasser digeriert, bis der wäßr. Extrakt mit Cäsiumfluorid keine Fällung mehr ergibt. Aus den vereinigten wäßr. Phasen fällt man das Produkt mit Cäsiumfluorid; Ausbeute: 1,8 g (26%); kein F bis 400°.

$\beta\beta_2$) mit metallorganischen Verbindungen

Aus Bis(kohlenmonoxid)-Decaboran(8) sind mit Diorganoquecksilber-Verbindungen 1,10-Diacyl-Derivate des Decahydrodecaborats(2–) zugänglich; z.B.[1]:

$$1{,}10\text{-}(OC)_2B_{10}H_8 + 2\,(H_5C_6)_2Hg \xrightarrow{\text{Xylol, 60°, 2 Stdn.}} [1{,}10\text{-}(H_5C_6{-}CO)_2B_{10}H_8]^{2-}\,2\,[H_5C_6{-}Hg]^+$$

Bis(phenylquecksilber)-1,10-dibenzoyl-octahydrodecaborat(2–)

$\beta\beta_3$) mit Metallalkanolaten

Mit Alkalimetallalkanolaten lassen sich aus Bis[kohlenmonoxid]-Decaboran(8) *1,10-Bis(alkoxycarbonyl)-octahydrodecaborate(2–)* herstellen. Mit Natriumethanolat in Ethanol erhält man z.B. *Dinatrium-1,10-bis(ethoxycarbonyl)-octahydrodecaborat(2–)*[1]:

$$1{,}10\text{-}(OC)_2B_{10}H_8 + 2\,NaOC_2H_5 \longrightarrow [1{,}10\text{-}(H_5C_2OOC)_2B_{10}H_8]^{2-}\,2\,Na^+$$

$\beta\beta_4$) mit H-aciden Verbindungen

1,10-Bis(kohlenmonoxid)-Decaboran(8) reagiert mit H-aciden Verbindungen wie Wasser, Alkoholen oder Aminen unter Addition zu 1,10-Bis(subst.-carbonyl)octahydrodecaborat(2–)-Verbindungen.

Mit Wasser erhält man *Bis(hydroxonium)-1,10-dicarboxy-octahydrodecaborat (2–)*[2–5]:

$$1{,}10\text{-}(OC)_2B_{10}H_8 + 4\,H_2O \longrightarrow [1{,}10\text{-}(HOOC)_2B_{10}H_8]^{2-}\,2\,[H_3O]^+$$

Die durch Auflösen von 1,10-Bis(kohlenmonoxid)-Decaboran(8) in Wasser erhaltene Verbindung verhält sich bei der Titration mit Alkali wie eine vierbasische Säure mit zwei verschiedenen Ionisationskonstanten; näheres s. Lit.[1].

Entsprechend reagiert 1-(Dimethylsulfid)-6-Kohlenmonoxid-octahydrodecaboran(8) mit Wasser unter Bildung von *Hydroxonium-6-carboxy-1-(dimethylsulfid)-octahydrodecaborat(1–)*:

$$1\text{-}(H_3C)_2S{-}B_{10}H_8\text{-}6\text{-}CO + 2\,H_2O \longrightarrow [H_3O]^+[1\text{-}(H_3C)_2S{-}B_{10}H_8\text{-}6\text{-}COOH]^-$$

1,10-Bis(kohlenmonoxid)-Decaboran(8) reagiert mit Ammoniak, primären oder sekundären Aminen borfern unter Bildung von *Bis(ammonium)-1,10-bis(aminocarbonyl)-octahydro-decaboraten(2–)*[1,6]:

---

[1] W.H. Knoth, J.C. Sauer, J.H. Balthis, H.C. Miller u. E.L. Muetterties, Am. Soc. **89**, 4842 (1967).
[2] W.R. Hertler, Am. Soc. **86**, 2949 (1964).
[3] W.R. Hertler, W.H. Knoth u. E.L. Muetterties, Inorg. Chem. **4**, 288 (1965).
[4] US.P. 3166378 (1965/1962), Du Pont, Erf.: W.H. Knoth; C.A. **62**, 12795 (1965).
[5] Fr.P. 1377565 (1964/1963), Du Pont; C.A. **62**, 14502 (1965).
[6] F. Haslinger, A.H. Soloway u. D.N. Butler, J. Med. Chem. **9**, 581 (1966); C.A. **65**, 5476 (1966).

$$1{,}10\text{-}(OC)_2B_{10}H_8 + 4\,R^1R^2NH \longrightarrow [1{,}10\text{-}(R^1R^2N\text{-}CO)_2B_{10}H_8]^{2-}\; 2\,[R^1R^2NH_2]^+$$

$R^1 = R^2 = H$, Alkyl
$R^1 = H$; $R^2 =$ Alkyl, Aryl

Bis(piperidinium)-1,10-bis(piperidinocarbonyl)-octahydrodecaborat(2–)[1]: 0,5 g (2,9 mmol) 1,10-Bis(kohlenmonoxid)-Decaboran(8) und 10,3 g (12 *ml*; 121 mmol) Piperidin werden bis zur klaren Lösung im Wasserbad erhitzt. Beim Abkühlen kristallisieren 0,8 g (54%); F: 250–254°.

β₂) aus Lewisbase-Hydro-organo-nido-decaboranen(12)

Die Einwirkung von Natriumhydrid auf 5(7)-Dimethylsulfid-9-Cyclohexyl-*nido*-decaboran(12) in siedendem Tetrahydrofuran führt unter Abspaltung von Dihydrogen nach Aufarbeiten in Wasser mit Tetramethylammoniumchlorid in 96%iger Ausbeute zum *Bis(tetramethylammonium)-2-cyclohexyl-nonahydro-closo-decaborat(2–)-sesqui-Hydrat* (96%)[2]:

$$(H_3C)_2\overset{\oplus}{S}\text{-}\overset{\ominus}{B}_{10}H_{11}\text{-}2\text{-}C_6H_{11} + 2\,NaH \xrightarrow[3.\ +[(H_3C)_4N]^+\,Cl^-]{1.\ THF,\ Rückfluß\ (-H_2)\quad 2.\ +H_2O\ [-(H_3C)_2S]} [B_{10}H_9(C_6H_{11})]^{2-}\; 2\,[(H_3C)_4N]^+ \cdot 3/2\,H_2O$$

Bis(tetramethylammonium)-2-cyclohexyl-nonahydro-closo-decaborat(2–)-sesqui-Hydrat[2]: Man erwärmt in 100 *ml* THF 0,76 g (2,88 mmol) 5(7)-Dimethylsulfid-9-Cyclohexyl- *nido*-decaboran(12) und 1,9 g (79 mmol) Natriumhydrid 24 Stdn. auf 90°. Nach Abkühlen tropft man innerhalb 1 Stde. 25 *ml* Wasser zu und engt (mittels eines Rotationsverdampfers) ein.

Man gibt AG-50W-X8-Harz zu, so daß pH ≈ 7 erreicht wird und filtriert. Nach Einengen auf ~ 10 *ml* wird mit wäßr. Tetramethylammoniumchlord-Lösung ausgefällt. Man filtriert, trocknet den Niederschlag und kristalliert ihn aus Ethanol/Wasser (6:1) um; Ausbeute: 1,01 g (96%).

β₃) aus Hydro-closo-decaboraten

Decahydro-*closo*-decaborate(2–) lassen sich mit elektrophilen Alkylierungs- bzw. Acylierungs-Reagenzien unter Hydro/Organo-Rest-Substitution sowie mit ungesättigten Verbindungen wie Alkenen unter Hydroborierung in Hydro-organo-*closo*-decaborate(2–) überführen.

ββ₁) mit Elektrophilen

Benzylchlorid oder Tropyliumbromid reagieren mit Decahydro-*closo*-decaboraten(2–) unter Bildung von *Nonahydro-benzyl-* (bzw. *tropyliumyl*)*-closo-decaboraten(2–)*.

[1] W. H. KNOTH, J. C. SAUER, J. H. BALTHIS, H. C. MILLER u. E. L. MUETTERTIES, Am. Soc. **89**, 4842 (1967).
[2] E. I. TOLPIN, E. MIZUSAWA, D. S. BECKER u. J. VENZEL, Inorg. Chem. **19**, 1182 (1980).

Bis(hydroxonium)-decahydrodecaborat(2–) liefert mit zwei mol Tropyliumbromid in wäßriger Lösung wasserlösliches orangerotes *2-Tropyliumyl-nonahydrodecaborat*[1] (95%), das als Cäsium- oder Tetraalkylammonium-Salz isoliert wird[2]:

$$[B_{10}H_{10}]^{2-}\ 2\,[H_3O]^+ + 2\,[C_7H_7^{\oplus}]^+\,Br^- \xrightarrow[-2\,HBr,\ -H_2O]{-C_7H_8} [H_3O]^+\,[C_7H_6^{\oplus}\text{-}(2\text{-}B_{10}H_9)]^- \quad 38\,\%$$

$$\xrightarrow[-H_2O,\ -HBr]{+[(H_9C_4)_4N]^+\,Br^-} [(H_9C_4)_4N]^+\,[C_7H_6^{\oplus}\text{-}(2\text{-}B_{10}H_9)]^-$$

Hohe Verdünnung und langsame Zugabe des Tropyliumbromids zum Borat(2–) sowie laufende Extraktion des gebildeten Cycloheptatriens begünstigen die Reaktion. Als Nebenprodukt entsteht wasserunlösliches *2,3-Bis(tropyliumyl)-octahydrodecaborat(2–)*, das auch aus dem Monosubstitutionsprodukt mit zwei mol Tropyliumbromid hergestellt werden kann.

Tetrabutylammonium-2-tropyliumyl-nonahydrodecaborat(1–)[2]: 1,08 g (3,34 mmol) Bis(triethylammonium)-decahydrodecaborat(2–) in 25 *ml* Wasser werden mit einem Kationenaustauscher in die Säure übergeführt. Man verdünnt mit Wasser auf 3,7 *l*, überschichtet mit 300 *ml* Cyclohexan und tropft unter intensivem Rühren in 4 Stdn. 2,3 g (13,5 mmol) Tropyliumbromid in 1 *l* Wasser zu. Nach Rühren über Nacht wird die wäßr. Phase 2mal mit je 100 *ml* frischem Cyclohexan extrahiert und dann durch Diatomeenerde filtriert. Das klare orangerote Filtrat versetzt man mit einer Lösung von 1,8 g (5,6 mmol) Tetrabutylammoniumchlorid in 150 *ml* Wasser. Nach 12 Stdn. wird filtriert, wobei 549 mg (1,22 mmol; 36,5%) purpurne Nadeln (F: 200–201,5°, aus Ethanol) erhalten werden.

Benzoyl-nonahydrodecaborate(2–) werden aus Bis(hydroxonium)-decahydrodecaborat(2–) oder aus Hydroxonium-dimethylsulfid-nonahydrodecaborat(1–) mit Benzoylchlorid in einem Wasser/Glyme-Gemisch erhalten[3–5]. Aus dem nichtsubstituierten Decaborat(2–) erhält man ausschließlich das *2-Benzoyl*-Derivat:

$$[B_{10}H_{10}]^{2-}\ 2\,[H_3O]^+ + R\text{-}C_6H_4\text{-}COCl \xrightarrow[-[(H_3C)_4N]^+\,Cl^-,\ -H_2O]{1.+H_2O/\text{Glyme},0^\circ;\ 2.+[(H_3C)_4N]^+\,OH^-} [2\text{-}(R\text{-}C_6H_4\text{-}CO\text{-})B_{10}H_9]^{2-}\ 2\,[(H_3C)_4N]^+$$

R = H, $N(CH_2\text{-}CH_2\text{-}Cl)_2$

Bis(tetramethylammonium)-2-benzoyl-nonahydrodecaborat(2–)[3]: Zur Lösung von 22,5 g (145 mmol) Bis(hydroxonium)-decahydrodecaborat(2–) in 40 *ml* Wasser und 100 *ml* Glyme gibt man unter Rühren (Kühlen mit Eiswasser) 23 g (19 *ml*, 165 mmol) Benzoylchlorid. Nach 12 stdgm. Rühren gießt man das blutrote Gemisch in eine Lösung von 45 g Tetramethylammoniumchlorid in 200 *ml* Methanol; 16,5 g Bis(tetramethylammonium)-decahydrodecaborat(2–) fallen aus. Man filtriert und versetzt das rote Filtrat bis zur Entfärbung mit Tetramethylammoniumhydroxid und läßt nach Zugabe von weiteren 10 g Tetramethylammoniumhydroxid unter Rühren in 700 *ml* Ethanol einfließen, wobei 19 g cremefarbener Feststoff (35%) ausfallen; Zers.p.: 285–290°.

---

[1] Verbindungen, in denen ein *closo*-Borat (2–) $[B_n H_n]^{2-}$ mit zwei vollaromatischen, carbocyclischen, einfach positiv geladenen Ringen substituiert ist, sollen als „ousen" (griech. *ους* – Ohr) bezeichnet werden. Die Anzahl der Ring-C-Atome und Käfig-B-Atome werden dem Namen in eckigen Klammern vorangestellt, wobei die B-Zahl immer zuletzt angeführt steht. Hochzahlen an der B-Zahl bezeichnen – wenn bekannt – die Substitutionsstelle am B-Käfig. Wenn das Borat nur einen Ringsubstituenten hat, wird das Präfix „hemi" vorangestellt. Die Endungen „-ium" und „-id" werden für Kationen bzw. Anionen verwendet. Nonahydro-2-tropyliumyl-decaborat(2–) wäre demnach als $[7,10^2]$Hemiousenid-Ion zu bezeichnen.

[2] K. M. Harmon, A. B. Harmon u. A. A. MacDonald, Am. Soc. **91**, 323 (1969).

[3] W. H. Knoth, J. C. Sauer, D. C. England, W. R. Hertler u. E. L. Muetterties, Am. Soc. **86**, 3973 (1964).

[4] US. P. 3296260 (1967/1963), Du Pont, Erf.: W. H. Knoth Jr.; C. A. **67**, 108211 (1967).

[5] F. Haslinger, A. H. Soloway u. D. N. Butler, J. Med. Chem. **9**, 581 (1966); C. A. **65**, 5476 (1966).

Ausbeuten von 90% an Benzoylnonahydrodecaborat(2–) lassen sich erzielen, wenn man vom Bis(tetraalkylammonium)-decahydrodecaborat (2–) in Acetonitril statt von der freien Säure ausgeht[1]. Vermutlich liegt in saurer Lösung das Undecahydrodecaborat(1–) vor, das mit Elektrophilen schlechter reagiert als das Borat(2–).

$\beta\beta_2$) mit ungesättigten Kohlenwasserstoffen

Durch Hydroborierung lassen sich aus Decahydro-*closo*-decaboraten(2–) mit ungesättigten Kohlenwasserstoffen Hydro-organo-*closo*-decaborate(2–) herstellen.

Monoalkyl- und Polyalkyl-decahydrodecaborate(2–) sind aus Bis(hydroxonium)-decahydrodecaboraten(2–) mit Alkenen zugänglich[2]. Die Reaktion liefert jedoch nur selten ein definiertes Produkt. Meist bilden sich Gemische verschieden hoch alkylierter Decaborate(2–), die nicht leicht zu trennen sind. Mit Styrol in 2-Propanol/Wasser verläuft die Reaktion allerdings eindeutig zum *Bis(2-phenylethyl)octahydrodecaborat(2–)*, das als Dicäsium-Salz isoliert werden kann[2]:

$$[B_{10}H_{10}]^{2-}\ 2\,[H_3O]^+ \xrightarrow[0-10°,\ 2\ Stdn.]{+H_2C=CH-C_6H_5} [(H_5C_6-C_2H_4)_2B_{10}H_8]^{2-}\ 2\,[H_3O]^+ \xrightarrow{+NaOH}$$

$$[(H_5C_6-C_2H_4)_2B_{10}H_8]^{2-}\ 2\,Na^+ \xrightarrow{+CsF} [(H_5C_6-C_2H_4)_2B_{10}H_8]^{2-}\ 2\,Cs^+$$

Dicäsium-bis(2-phenylethyl)octahydrodecaborat(2–)[2]: Zur viskosen Lösung von 9 g Bis(hydroxonium)-decahydrodecaborat(2–) in Wasser gibt man unter Rühren vorsichtig bei 0° 7 *ml* 2-Propanol, dann bei 0–10° 5 g Styrol. Man rührt 2 Stdn. im Eiswasserbad, dann 2 Stdn. bei ≈20°. Mit 10%iger wäßr. Natriumhydroxid-Lösung wird neutralisiert und 20 Min. mit Wasserdampf destilliert. Nach nahezu vollständigem Einengen (Rotationsverdampfer) mischt man den Rückstand mit einem Überschuß einer 50%igen wäßr. Cäsiumfluorid-Lösung und extrahiert das Cäsium-Salz mit 200 *ml* kochendem Wasser. Beim Abkühlen fällt das Salz aus.

$\beta\beta_3$) mit Kohlenmonoxid-Octahydrodecaboranen(8)

Hydrogen-μ-carbonyl-carboxy-heptadecahydroeicosaborate(4–) lassen sich durch Acylierung des Decahydrodecaborat(2–)-Ions oder seiner Derivate mit Bis(kohlenmonoxid)-Decaboran(8) (elektrophiles Acylierungsreagenz) in Acetonitril oder in Wasser herstellen[3,4]. Die beiden Ausgangs-Borverbindungen können in breitem Umfang variiert werden [z.B. Sulfid- oder Amin-Kohlenmonoxid-Decaborane(8)]:

$$[B_{10}H_{10}]^{2-}\ 2\,[NH_4]^+ \ +\ 1{,}10\text{-}(OC)_2B_{10}H_8 \xrightarrow{+H_2O\ (bzw.\ H_3C-CN)}$$

$$[B_{10}H_9-CO-B_{10}H_8-COOH]^{4-}\ 2\,[NH_4]^+\ 2\,[H]^+ \rightleftharpoons \left\{[H_9B_{10}(CO)(H)B_{10}H_8-COOH]^{3-}\ 2\,[NH_4]^+\ [H]^+\right\}$$

$$\xrightarrow[-HCl]{+[(H_3C)_4N]^+Cl^-/H_2O} [H_9B_{10}(CO)(H)B_{10}H_8-COOH]^{3-}\ 3\,[(H_3C)_4N]^+ \cdot H_2O$$

---

[1] P.A. Wegner, D.M. Adams, F.J. Callabretta, L.T. Spada u. R.G. Unger, Am. Soc. **95**, 7513 (1973).
[2] W.H. Knoth, J.C. Sauer, D.C. England, W.R. Hertler u. E.L. Muetterties, Am. Soc. **86**, 3973 (1964).
[3] W.H. Knoth, N.E. Miller u. W.R. Hertler, Inorg. Chem. **6**, 1977 (1967).
[4] US.P. 3334136 (1967/1963), Du Pont, Erf.: W.H. Knoth u. N.E. Miller; C.A. **67**, 108740 (1967).

Die Carbonyl-Gruppe ist wegen des elektropositiven Effektes der beiden Borat-Kerne stark basisch. Das μ-Carbonyl-Derivat fällt daher aus wäßriger Lösung in der protonierten Form an.

Tris(tetramethylammonium)-hydrogen-μ-carbonyl-carboxy-heptadecahydroeicosaborat(4–) (3–)-Monohydrat[1]: Man rührt 1 g (6,5 mmol) Diammonium-decahydrodecaborat(2–), 1,1 g (6,4 mmol) 1,10-Bis(kohlenmonoxid)-Decaboran(8) in 25 *ml* Acetonitril 1,5 Stdn. bei ≈ 20°. Die klare, orangefarbene Lösung wird eingedampft, der Rückstand in 30 *ml* Wasser gelöst und durch Zugabe von 5 g (46 mmol) Tetramethylammoniumchlorid in 10 *ml* Wasser ausgefällt. Aus 50 *ml* Wasser umkristallisiert, erhält man 2 g (57%); kein F bis 360°.

Entsprechend lassen sich z.B. herstellen (vgl. a. S. 140):

$$[B_{10}H_{10}]^{2-}\ 2\,[(H_3C)_4N]^+ \;+\; 1\text{-}(H_3C)_2S{-}B_{10}H_8{-}6\text{-}CO \longrightarrow [H_9B_{10}(CO)(H)B_{10}H_8{-}S(CH_3)_2]^{2-}\ 2\,[(H_3C)_4N]^+$$

Bis(tetramethylammonium)-hydrogen-μ-carbonyl-(dimethylsulfan)-heptadecahydro-eicosaborat(3–)[1]; 74%

$$[B_{10}H_{10}]^{2-}\ 2\,[(H_3C)_4N]^+ \;+\; (H_3C)_3N{-}B_{10}H_8{-}CO \longrightarrow [H_9B_{10}(CO)(H)B_{10}H_8{-}N(CH_3)_3]^{2-}\ 2\,[(H_3C)_4N]^+$$

Bis(tetramethylammonium)-hydrogen-μ-carbonyl-(trimethylamin)-heptadecahydro-eicosaborat(3–)[1]; 42%

$\beta\beta_4$) aus Hydro-organo-decaboraten

Mit bestimmten Carbonsäurechloriden lassen sich Aminocarbonyl-hydro-*closo*-decaborate(2–) unter borferner Dehydratisierung des Organo-Restes in *Cyan-hydro-decaborate(2–)* überführen.

Aus Dicäsium-1,10-bis(aminocarbonyl)-octahydrodecaborat(2–) erhält man mit Oxalylchlorid in Acetonitril, nachfolgend mit Wasser und Fällung mit Tetramethylammonium-chlorid in 37%iger Ausbeute *Bis(tetramethylammonium)-carboxy-cyan-octahydrodecaborat(2–)*[1]:

$$[1,10\text{-}(H_2N{-}CO)_2B_{10}H_8]^{2-}\ 2\,Cs^+ \xrightarrow[-\,HCl \atop -\,1/2\,(COOH)_2]{+\,1/2\,(COCl)_2/CH_3CN} [1,10\text{-}NC{-}B_{10}H_8{-}CO{-}NH_2]^{2-}\ 2\,Cs^+$$

$$\xrightarrow[-\,NH_3]{+\,H_2O} [1,10\text{-}NC{-}B_{10}H_8{-}COOH]^{2-}\ 2\,Cs^+ \xrightarrow[-2\,CsCl]{+2\,[(H_3C)_4N]^+\,Cl^-} [1,10\text{-}NC{-}B_{10}H_8{-}COOH]^{2-}\ 2\,[(H_3C)_4N]^+$$

Bis(tetramethylammonium)-carboxy-cyan-octahydrodecaborat(2–)[2]: Man gibt 14,8 g (10 *ml*, 117 mmol) Oxalylchlorid zu 9,8 g (20,8 mmol) Dicäsium-1,10-bis(aminocarbonyl)-octahydrodecaborat(2–) in Acetonitril. Nach dem Abklingen der Reaktion filtriert man, gibt zum Filtrat 5 *ml* Wasser, dampft ein und nimmt den orangefarbenen viskosen Rückstand in 30 *ml* Wasser auf. Von 0,5 g Dicäsium-1,10-dicarboxy-octahydrodecaborat(2–) wird abfiltriert und das gewünschte Decaborat(2–) durch Zugabe von Tetramethylammoniumchlorid gefällt. Nach 2maligem Umkristallisieren aus Wasser erhält man 2,3 g (37%); Zers.p.: 310–320°.

---

[1] W.H. Knoth, N.E. Miller u. W.R. Hertler, Inorg. Chem. **6**, 1977 (1967).
s.a. US.P. 3334136 (1967/1963), Du Pont, Erf.: W.H. Knoth u. N.E. Miller; C.A. **67**, 108740 (1967).

[2] W.H. Knoth, J.C. Sauer, J.H. Balthis, H.C. Miller u. E.L. Muetterties, Am. Soc. **89**, 4842 (1967).

Die Dehydratisierung bei >300° führt zum *Dicäsium-1,10-dicyan-octahydrodecaborat(2–)*[1].

Dicäsium-1,10-dicyan-octahydrodecaborat(2–)[1]: 10,5 g (22,4 mmol) Dicäsium-1,10-bis(aminocarbonyl)-octahydrodecaborat(2–) werden bei 0,1 Torr/100 Min. auf 300–310° erhitzt. Nach Umkristallisieren aus Wasser erhält man 6,2 g (64%) reines Produkt.

3. Hydro-organo-closo-dodecaborate

Zu den Hydro-organododecaboraten zählen die Organo-Derivate des Dodecahydro-*closo*-dodecaborats, die im allgemeinen als Dianionen salzartiger Verbindungen mit Alkalimetall- oder Ammonium-Gegenionen auftreten.

Hydro-*closo*-dodecaborat $B_{12}H_{12}^{2-}$ bildet einen regelmäßigen Ikosaeder mit zwölf gleichwertigen Bor-Atomen der Koordinationszahl 6:

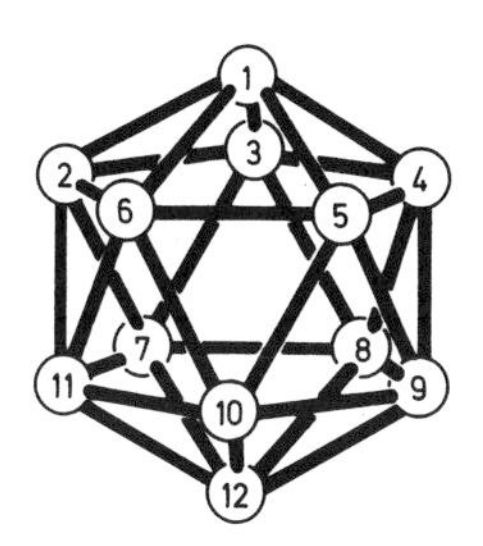

Gerüst und Bezifferung der Bor-Atome des Dodecahydro-*closo*-dodecaborats(2–)

Die Herstellungsmethoden der Hydro-organo-*closo*-dodecaborate(2–) gehen von Bis(kohlenmonoxid)-Dodecaboran(10) oder von Dodecahydro-*closo*-dodecaboraten(2–) bzw. von Decahydro-diorgano-*closo*-dodecaboraten(2–) aus (vgl. Tab. 18, S. 140).

α) aus Bis(Kohlenmonoxid)-Decahydrododecaboran(10)

Aus Bis(kohlenmonoxid)-Decahydrododecaboran(10) lassen sich mit Hydrid- und mit Organometall-Verbindungen sowie mit H-aciden Reagenzien Decahydro-diorgano-*closo*-dodecaborate(2–) herstellen.

α_1) *mit Metallhydriden*

Bei der Reduktion von Bis(kohlenmonoxid)-Dodecaboran(10) mit Lithium-tetrahydroaluminat erhält man unter vollständiger Desoxygenierung z.B. *Dimethyl-decahydrododecaborat(2–)*[2]:

$$(OC)_2B_{12}H_{10} \xrightarrow[\text{3. }+CsF]{\text{1. }+LiAlH_4/(H_5C_2)_2O\text{, einige Stdn. Rückfluß; 2. }+H_2O/HCl} [(H_3C)_2B_{12}H_{10}]^{2-}\ 2\,Cs^+$$

Im Gegensatz dazu verläuft die Reduktion mit Lithium-tetrahydroborat lediglich bis zum *Bis(hydroxymethyl)-decahydrododecaborat(2–)*[2]:

$$(OC)_2B_{12}H_{10} \xrightarrow[\text{3. }+CsCl]{\text{1. }+LiBH_4/\text{Glyme, 30 Min. Rückfluß; 2. }+H_2O} [(HOH_2C)_2B_{12}H_{10}]^{2-}\ 2\,Cs^+$$

---

[1] W. Hertler, W.H. Knoth u. E.L. Muetterties, Am. Soc. **86**, 5434 (1964).

[2] US.P. 3551120 (1970/1962), Du Pont, Erf.: H.C. Miller u. E.L. Muetterties; C.A. **74**, 55815 (1971).

Dimetall(I)-bis(hydroxymethyl)-decahydrododecaborat(2-)[1]: Eine Lösung von Bis(kohlenmonoxid)-Dodecaboran(10) in 1,2-Dimethoxyethan (Glyme) tropft man unter Rühren zur Lösung von Lithiumtetrahydroborat in Glyme. Man erhitzt zum Rückfluß (≈30 Min.). Nach Abkühlen und Abziehen des Glyme nimmt man in Wasser auf und versetzt jeweils die Borat(2–)-Lösung mit z.B. wäßr. Thallium(I)-hydroxid, Rubidium- oder Cäsiumchlorid. Die wäßr. Lösung der Dimetall-bis(hydroxymethyl)-decahydrododecaborate(2–) (Metall = Tl, Rb, Cs) können mit Hilfe saurer Ionenaustauscher in die freien Säuren überführt werden.

Mit Decahydrodecaborat(2–) erhält man aus Bis(kohlenmonoxid)-Dodecaboran(10) *μ-carbonyl-carboxy-dodecaborat(4–)* [sog. Bis(boranyl)keton] (vgl. a. S. 138, 147)[2]:

$$[B_{10}H_{10}]^{2-}\,2\,[NH_4]^+ \quad + (OC)_2B_{12}H_{10} \xrightarrow[2.\ +[(H_3C)_4N]^+\,Cl^-]{1.\ +\text{Acetonitril, Rückfl.}} 3\,[(H_3C)_4N]^+\,[H_3O]^+\,[B_{10}H_9{-}CO{-}B_{12}H_{10}{-}COOH]^{4-}$$

Tab. 18: Organododecaborate

Formel	Verbindungstyp	Herstellungsart	s.S.
a) Diorgano-decahydrododecaborate(2-)			
$[(H_3C)_2B_{12}H_{10}]^{2-}2Cs^+$	$[R_2B_{12}H_{10}(12)]^{2+}$	aus $(OC)_2B_{12}H_{10}$ + $[AlH_4]^+$	139
$[(R{-}CH{=}CH_2)_2B_{12}H_{10}]^{2-}2[H_3O]^+$	$[(R_{en})_2B_{12}H_{10}(12)]^{2-}$	aus $[B_{12}H_{12}]^{2-}$ + HC≡C–R	143
$[(HO{-}CH_2)_2B_{12}H_{10}]^{2-}2M^+$ M = Rb, Cs, Tl	$R_2B_{12}H_{10}(12)^{2-}$	aus $(OC)_2B_{12}H_{10}$ + $[BH_4]^-$	139
$[(R{-}CO)_2B_{12}H_{10}]^{2-}2[R{-}Hg]^+$	$[R^O_2B_{12}H_{10}(12)]^{2-}$	aus $(OC)_2B_{12}H_{10}$ + R_2Hg	141
$[1,7{-}(COOH)_2B_{12}H_{10}]^{2-}2M^+$	$[R_2B_{12}H_{10}(12)]^{2-}$	aus $[B_{12}H_{11}{-}COOH]^-$ + CO, Δ	144
$[1,12{-}(COOH)_2B_{12}H_{10}]^{2-}2M^+$	$[R_2B_{12}H_{10}(12)]^{2-}$	aus $[B_{12}H_{11}{-}COOH]^-$ + CO, Δ aus $[B_{12}H_{12}]^{2-}$ + $CO/Co_2(CO)_8$	144 144
$[1{-}(NC{-}COOH{-}B_{12}H_{10}]^{2-}2Cs^+$	$[R^O_2R^NB_{12}H_{10}]^{2-}$	aus $[B_{12}H_{10}\,(CONH_2)_2]^{2-}$ + $(COCl)_2$	144
$[1,7{-}(H_3COOC)_2B_{12}H_{10}]^{2-}2[(H_3C)_4N]^+$	$[R^O_2B_{12}H_{10}]^{2-}$	aus $1,7{-}(OC)_2B_{12}H_{10}$ + $H_3C{-}OH$	141
$[1,12{-}(H_2N{-}CO)_2B_{12}H_{10}]^{2-}2Cs^+$	$[R_2^{N,O}B_{12}H_{10}]^{2-}$	aus $1,12{-}(OC)_2B_{12}H_{10}$ + H_3N	142
$[(H_3C)_2N{-}C_6H_4{-}CO)_2B_{12}H_{10}]^{2-}2Cs^+$	$[R_2^{N,O}B_{12}H_{10}]^{2-}$	aus $1,12{-}(OC)_2B_{12}H_{10}$ + $ArNR_2$	142
b) Decaboranyl-diorgano-decahydrododecaborat(4-)			
$2[(H_3C)_4N]^+[H_3O]^+\,[(B_{10}H_9(CO)(HOOC)B_{12}H_{10}]^{4-}$	$[B_{10}H_9R^OB_{12}H_{10}R^O]^{4-}$	aus $(OC)_2B_{12}H_{10}$ + $[B_{10}H_{10}]^{2-}$	140
c) Organo-undecahydrododecaborate(1-)			
$[H_3O]^+\,[(C_7H_6^{\oplus}){-}B_{12}H_{11}]^-$	$[R{-}B_{12}H_{11}(12)]^-$	aus $[B_{12}H_{12}]^{2-}$ + H_7C_7-Hal	142
$[(H_3C)_4N]^+[OC{-}B_{12}H_{11}]^-$	$[R^OB_{12}H_{11}]^-$	aus $2[H_3O]^+[B_{12}H_{11}{-}COOH]^{2-}$ + $[(H_3C)_4N]^+OH^-(-H_2O)$	145
d) Organo-undecahydrododecaborate(2-)			
$2[H_3O]^+[HOOC{-}B_{12}H_{11}]^{2-}$	$[R^O{-}B_{12}H_{11}]^{2-}$	aus $[H_3O]^+[(OC)B_{12}H_{11}]^-$ + H_2O	145
$[H_7C_3{-}B_{12}H_{11}]^{2-}2M^+$	$[R{-}B_{12}H_{11}(12)]^{2-}$	aus $[B_{12}H_{12}]^{2-}$ + $H_3C{-}CH{=}CH_2$	143
$2[H_3O]^+[B_{12}H_{11}{-}COOH]^{2-}$	$[R^O{-}B_{12}H_{11}(12)]^{2-}$	aus $[B_{12}H_{12}]^{2-}$ + $CO/Co_2(CO)_8$	144
$[(R{-}CH{-}OH){-}B_{12}H_{11}]^{2-}2M^+$	$[RB_{12}H_{11}(12)]^{2-}$	aus $[B_{12}H_{12}]^{2-}$ + R–CHO	143

[1] US.P. 3551120 (1970/1962), Du Pont, Erf.: H.C. Miller u. E.L. Muetterties; C.A. **74**, 55815 (1971).
[2] US.P. 3334136 (1967/1963), Du Pont, Erf.: W.H. Knoth u. N.E. Miller; C.A. **67**, 108740 (1967).

Hydroxonium-tris(tetramethylammonium)-decaboranyl-μ-carbonyl-carboxy-dodecaborat(4–)[1]**:** Ein Gemisch von 4 g Bis(ammonium)-decahydrododecaborat(2–) und 1,4 g Bis(kohlenmonoxid)-Dodecaboran(10) in 50 *ml* wasserfreiem Acetonitril wird 6 Stdn. am Rückfluß erhitzt. Nach Abkühlen und Einengen i. Vak. nimmt man den viskosen Rückstand in 30 *ml* Wasser auf und gibt eine wäßr. Lösung von 8,2 g Tetramethylammoniumchlorid unter Rühren zu. Der Niederschlag wird abgetrennt und in wäßr. Natronlauge gelöst. Abermals wird eine wäßr. Lösung von Tetramethylammoniumchlorid zugegeben und filtriert. Nach Ansäuern des klaren Filtrats mit Salzsäure filtriert man von orangefarbenem Feststoff ab. Nach Umkristallisieren aus Wasser (150 *ml*) mit 2,5 g Tetramethylammoniumchlorid erhält man 1,5 g Salz; λ_{max} = 341 mμ (ε = 16400), 214 mμ (ε = 13900).

α_2) *mit metallorganischen Verbindungen*

Die nucleophile Alkylierung des Bis(kohlenmonoxid)-decahydro-*closo*-dodecaborans(10) führt zu Diorgano-decahydrododecaboraten(2–).

Acyl-dodecahydrododecaborate(2–) können aus Bis(kohlenmonoxid)-Dodecaboranen(10) mit Diorganoquecksilber-Verbindungen hergestellt werden[2]:

$$(OC)_2B_{12}H_{10} \quad + \quad 2\,R_2Hg \xrightarrow{\text{Xylol, Rückfluß}} [(R{-}CO)_2B_{12}H_{10}]^{2-}\ 2\,[RHg]^+$$

R = C_2H_5; *Bis(ethylquecksilber)-dipropanoyl-decahydrododecaborat(2–)*
R = C_6H_5; *Bis(phenylquecksilber)-dibenzoyl-decahydrododecaborat(2–)*

Die Additionen von H-aciden Verbindungen an Bis(kohlenmonoxid)-Dodecaborane(10) liefern disubst.-Organo-decahydrododecaborate(2–).

Das *Carboxy-undecahydro-* bzw. *1,7(*oder *1,12)-Dicarboxy-decahydrododecaborat (2–)* erhält man aus den Mono- bzw. Bis(kohlenmonoxid)-Verbindungen mit Wasser. Die Carbonsäuren fallen beim Eindampfen der wäßrigen Lösungen als Hydrate mit wechselndem Wasser-Gehalt an[2–5], z.B.:

$$[H_3O]^+\,[B_{12}H_{11}CO]^- \xrightarrow[]{1.\ +H_2O;\ 2.\ +CsOH} Cs^+\,[B_{12}H_{11}{-}COOH]^- \cdot H_2O \xrightarrow[-Cs^+]{+2H^+/H_2O} [B_{12}H_{11}{-}COOH]^{2-}(H_3O)_2^{2+} \cdot H_2O$$

Beim Titrieren der wäßrigen Lösungen mit Alkalimetallhydroxiden sind zwei Neutralisationsstufen erkennbar. Dementsprechend lassen sich auch zwei Typen von Salzen herstellen (Näheres s. Lit.).

Alkoxycarbonyl-Derivate der Dodecahydrododecaborate(2–) erhält man aus Bis(kohlenmonoxid)-Dodecaboranen(10) mit Alkoholen; z. B.[3]:

$$1{,}7\text{-}(OC)_2B_{12}H_{10} \xrightarrow{1.\ +CH_3OH;\ 2.\ +[(H_3C)_4N]^+Cl^-} [1{,}7\text{-}(H_3COOC)_2B_{12}H_{10}]^{2-}\ 2\,[(H_3C)_4N]^+$$

Bis(tetramethylammonium)-1,7-bis(methoxycarbonyl)-decahydrododecaborat(2–)[3]**:** 0,5 g (2,7 mmol) 1,7-Bis(kohlenmonoxid)-Dodecaboran(10) werden in 10 *ml* Methanol (exotherme Reaktion!) 30 Min. zum Rückfluß erhitzt. Anschließend fällt man durch Zugabe von 1 g (9,1 mmol) Tetramethylammoniumchlorid in 20 *ml* Methanol; Ausbeute: 0,9 g (87%), Zers.p.: 300–302°.

---

[1] US.P. 3334136 (1967/1963), Du Pont, Erf.: W.H. Knoth u. N.E. Miller; C.A. **67**, 108740 (1967).
[2] US.P. 3551120 (1970/1962), Du Pont, Erf.: H.C. Miller u. E.L. Muetterties; C.A. **74**, 55815 (1971).
[3] W.H. Knoth, J.C. Sauer, J.H. Balthis, H.C. Miller u. E.L. Muetterties, Am. Soc. **89**, 4842 (1967).
[4] F. Haslinger, A.H. Soloway u. D.N. Butler, J. Med. Chem. **9**, 581 (1966); C.A. **65**, 5476 (1966).
[5] W.H. Knoth, J.C. Sauer, H.C. Miller u. E.L. Muetterties, Am. Soc. **86**, 115 (1964).

Die entsprechenden Aminocarbonyl-Derivate werden mit Ammoniak bzw. mit Aminen gewonnen[1–3]:

$$1,12\text{-}(OC)_2B_{12}H_{10} \xrightarrow[2.\ +CsF\ (H_2O)]{1.\ +NH_3\ (\text{flüssig})} [1,12\text{-}(H_2N{-}CO)_2B_{12}H_{10}]^{2-}\ 2Cs^+$$

Bis(diethylammonium)-1,12-bis(diethylaminocarbonyl)-decahydrodecaborat(2–)[3]: Zur Lösung von 1 g (5,1 mmol) 1,12-Bis(kohlenmonoxid)-Dodecaboran(10) in 45 *ml* trockenem Acetonitril tropft man unter Rühren bei ≈ 20° 17,8 g (25 *ml*, 243 mmol) Diethylamin. Man erhält farblose Kristalle; Ausbeute: 2,1 g (84%); F: 225–226° (aus Acetonitril/Diglyme).

Die Herstellung von *Bis(4-dimethylaminobenzoyl)-decahydro-closo-dodecaboraten(2–)* ist mit N,N-Dimethylanilin durch elektrophile aromatische Substitution in siedendem Acetonitril möglich[1]:

$$(OC)_2B_{12}H_{10} + H_5C_6{-}N(CH_3)_2 \xrightarrow[2.\ +NaOH\quad 3.\ +CsF]{1.\ \text{in}\ H_3C{-}C{\equiv}N,\ 30\ \text{Min. Rückfluß}} \left\{[(H_3C)_2N{-}C_6H_4{-}CO]_2B_{12}H_{10}\right\}^{2-}\ 2\,Cs^+$$

Dicäsium-bis(4-dimethylamino-benzoyl)-decahydro-dodecaborat(2–)

β) aus Dodecahydro-*closo*-dodecaboraten

Die Herstellung von Hydro-organo-dodecaboraten(2–) erfolgt aus Hydrododecaboraten(2–) mit elektrophilen Reagenzien durch Hydro/Organo-Austausch mit ungesättigten Kohlenwasserstoffen sowie mit Aldehyden durch Hydroborierung und mit Kohlenmonoxid durch Addition und nachfolgende Hydratisierung.

β₁) mit Elektrophilen

Bis(hydroxonium)-dodecahydrododecaborate(2–) reagieren in Wasser mit Elektrophilen wie z.B. mit Tropyliumbromid[4] unter Bildung entsprechender Organo-Derivate. Man erhält z.B. mit zwei mol Tropyliumbromid in 86%iger Ausbeute *Hydroxonium-tropyliumyl-undecahydrododecaborat(1–)*. Zur Umsetzung sind etwas schärfere Bedingungen notwendig als bei der analogen Reaktion des Decahydrodecaborats; vgl. S. 135f.[4]:

$$[B_{12}H_{12}]^{2-}[H_3O]_2^{2+} + 2\,C_7H_7Br \xrightarrow[-C_7H_8,\ -2\,HBr,\ -H_2O]{H_2O,\ \sim 20°,\ 5\ \text{Stdn.};\ \text{Rückfluß}\ 2\ \text{Stdn.}} [H_3O]^+[H_6C_7{-}B_{12}H_{11}]^-$$

---

[1] US.P. 3551120 (1970/1962), Du Pont, Erf.: H.C. Miller u. E.L. Muetterties; C.A. **74**, 55815 (1971).
[2] W.H. Knoth, J.C. Sauer, J.H. Balthis, H.C. Miller u. E.L. Muetterties, Am. Soc. **89**, 4842 (1967).
[3] F. Haslinger, A.H. Soloway u. D.N. Butler, J. Med. Chem. **9**, 581 (1966); C.A. **65**, 5476 (1966).
[4] K.M. Harmon, A.B. Harmon u. A.A. MacDonald, Am. Soc. **91**, 323 (1969).

β_2) *mit ungesättigten Kohlenwasserstoffen*

Aus Bis(hydroxonium)-dodecahydrododecaborat(2–) sind mit 1-Alkenen oder Cyclohexen bereits bei ≈20° B-Alkyl-Derivate zugänglich[1–3]. Meist werden allerdings Gemische verschieden hoch alkylierter, schwer zu trennender Dodecaborate(2–) erhalten. Mit unsymmetrischen Alkenen (z.B. Propen, Styrol) entstehen Gemische regioisomerer Organo-Derivate; z.B.[1]:

$$[B_{12}H_{12}]^{2-}\,2\,[H_3O]^+\cdot 5\,H_2O \quad + \quad H_3C{-}CH{=}CH_2 \xrightarrow{CsF}$$

$$[n\text{-}H_7C_3{-}B_{12}H_{11}]^{2-}\,2\,Cs^+ \quad + \quad [(H_3C)_2CH{-}B_{12}H_{11}]^{2-}\,2\,Cs^+$$

Dicäsium-propyl-undecahydrododecaborat(2–)[1]: Ein Gemisch von 15 g (55 mmol) Bis(hydroxonium)-dodecahydrododecaborat(2–)-Pentahydrat und 30 g (710 mmol) Propen werden im Autoklaven 48 Stdn. bei 35° geschüttelt. Man löst das Rohprodukt in 10%iger wäßr. Natronlauge und filtriert. Bei Zugabe 50%igen wäßr. Cäsiumfluorids entsteht ein gelartiger Niederschlag, der aus Wasser umkristallisiert wird; Ausbeute: 8,5 g (37%).

1-Alkenyl-Derivate des Dodecahydrododecaborat-Dianions werden mit 1-Alkinen erhalten[2,3]; z.B.:

$$[B_{12}H_{12}]^{2-}\,2\,[H_3O]^+ \quad + \quad 2\,R{-}C{\equiv}CH \xrightarrow{1,4\text{-Dioxan}/H_2O} [(R{-}CH{=}CH)_2B_{12}H_{10}]^{2-}\,2\,[H_3O]^+$$

Die Hydroborierung von Carbonyl-Gruppen liefert Hydro-organo-dodecaborate(2–). Mit aliphatischen Aldehyden sind in wäßriger Lösung bei ≈100° (1-Hydroxyalkyl)-undecahydro-dodecaborate(2–) zugänglich[2]:

$$2\,[H_3O]^+\,[B_{12}H_{12}]^{2-} \quad + \quad R{-}CHO \xrightarrow{+H_2O,\ 100°,\ 1\ \text{Stde.}}$$

$$[R{-}CH(OH){-}B_{12}H_{11}]^{2-}\,2\,[H_3O]^+ \xrightarrow{+CsF} [R{-}CH(OH){-}B_{12}H_{11}]^{2-}\,2\,Cs^-$$

Dicäsium-...-undecahydrododecaborat(2–)
R = H; ...*-hydroxymethyl-*...
R = CH_3; ...*-(1-hydroxyethyl)-*...
R = C_3H_7; ...*-(1-hydroxybutyl)-*...

β_3) *mit Kohlenmonoxid/Carbonyl-Übergangsmetallen*

Aus Bis(hydroxonium)-dodecahydrododecaborat(2–) entsteht mit Kohlenmonoxid in Gegenwart von Octacarbonyldicobalt und nachfolgend mit wäßrigem Cäsiumhydroxid abhängig von den Reaktionsbedingungen *Dicäsium-carboxy-undecahydrododecaborat(2–)* oder *Dicäsium-1,12-dicarboxy-decahydrododecaborat(2–)* neben wenig 1,7-Isomer[1]. Die besten Ausbeuten erzielt man jeweils mit einem Bis(hydroxonium)-dodecahydrododecaborat(2–), das 2 bis 3 mol Hydratwasser enthält. Aus den Cäsiumsalzen sind durch Ionenaustausch die freien Säuren zugänglich[3]:

---

[1] W.H. KNOTH, J.C. SAUER, J.H. BALTHIS, H.C. MILLER u. E.L. MUETTERTIES, Am. Soc. **89**, 4842 (1967).
[2] W. HERTLER, W.H. KNOTH u. E.L. MUETTERTIES, Am. Soc. **86**, 5434 (1964).
[3] US.P. 3551120 (1970/1962), Du Pont, Erf.: H.C. MILLER u. E.L. MUETTERTIES; C.A. **74**, 55815 (1971).

$$[B_{12}H_{12}]^{2-}\ 2[H_3O]^+ + CO \xrightarrow[\text{3. + CsOH}]{\text{1. 70°, 800 at, 3 Stdn. }[Co_2(CO)_8]\text{; 2. 130°, 1000 at, 3 Stdn.}} [1,12\text{-}(HOOC)_2B_{12}H_{10}]^{2-}\ 2\,Cs^+$$

$$[B_{12}H_{12}]^{2-}\ 2[H_3O]^+ + CO \xrightarrow[\text{2. + Cs OH}]{\text{1. 70°, 1000 at, 30 Min. }[Co_2(CO)_8]} [(HOOC)B_{12}H_{11}]^{2-}\ 2\,Cs^+ \xrightarrow[-2\,Cs^+]{+2\,H_3O^+} [(HOOC)B_{12}H_{11}]^{2-}\ 2[H_3O]^+$$

Dicäsium-1,12-dicarboxy-decahydrododecaborat(2–)-Monohydrat[1]: 16,67 g (49 mmol) pulverisiertes Octacarbonyldicobalt und 50 g (220 mmol) Bis(hydroxonium)-dodecahydrododecaborat(2–)-Hydrat (2,5 Wasser) werden gut vermischt und in einen mit Silber ausgekleideten 400-*ml*-Autoklaven gegeben. Man kühlt mit Trokkeneis/Methanol, evakuiert und preßt 400 at Kohlenmonoxid auf. Anschließend wird 3 Stdn. auf 70° (800 at Druck) und weitere 3 Stdn. auf 130° (1000 at Druck) erhitzt. Nach Abkühlen und Belüften spült man den Inhalt des Autoklaven mit wenig Wasser heraus und filtriert. Die Filtrate aus drei solchen Ansätzen werden vereinigt und mit Dihydrogensulfid versetzt. Man filtriert, vertreibt gelöstes Dihydrogensulfan unter Durchleiten von Stickstoff und läßt über eine Säule mit 450 g stark saurem Ionenaustauscher laufen. Das Eluat wird mit 50%igem wäßr. Cäsiumhydroxid bis auf pH = 5,4 neutralisiert und im Dampfbad auf 1300 *ml* eingeengt. Das Abscheiden von Kristallen wird durch Kühlen mit Eiswasser vervollständigt. Zur Reinigung wird aus Wasser umkristallisiert (1,6 *ml* pro 1 g Rohprodukt); Ausbeute: 130 g (38%); kein F bis 400°.

Analog erhält man *Dicäsium-carboxy-undecahydrododecaborat(2–)-Monohydrat* (50%) [30 Min. 70° (1000 at)].

Bis(hydroxonium)-carboxy-undecahydrododecaborat(2–) liefert mit Kohlenmonoxid in Gegenwart eines Cobaltcarbonyl-Katalysators äquimolare Mengen von *1,7-* und *1,12-Dicarboxy-*Derivat, die sich durch fraktionierende Kristallisation der Dicäsiumsalze voneinander trennen lassen[1].

β_4) *aus Organododecaboraten*

Aus 1,12-Bis(aminocarbonyl)decahydrododecaborat(2–) läßt sich mit Oxalylchlorid unter Dehydratisierung *1-Carboxy-12-cyan-decahydrododecaborat(2–)* herstellen[1]:

$$[1,12\text{-}(NH_2CO)_2B_{12}H_{10}]^{2-}\ 2\,Cs^+ \xrightarrow[\text{2. + }H_2O]{\text{1. + }(COCl)_2\text{/Acetonitril}} [1,12\text{-}NC{-}B_{12}H_{10}{-}COOH]^{2-}\ 2\,Cs^+$$

Bei 350–375° erhält man unter Dehydratisierung *Dicäsium-1,12-dicyan-decahydrododecaborat(2–)*[2,3]:

$$[1,12\text{-}(CONH_2)_2B_{12}H_{10}]^{2-}\ 2\,Cs^+ \xrightarrow[\text{5 Tage}]{\text{350–375°/0,1 Torr}} [1,12\text{-}(CN)_2B_{12}H_{10}]^{2-}\ 2\,Cs^+$$

Die Dehydratisierung der Bis(hydroxonium)-dicarboxy-decahydrododecaborate(2–) liefert *1,7-* bzw. *1,12-Bis(kohlenmonoxid)-Dodecaboran(10)* (vgl. S. 127). Ebenso läßt sich aus Bis(hydroxonium)-carboxy-undecahydrododecaborat(2–) nach Überführung in

---

[1] W. H. Knoth, J. C. Sauer, J. H. Balthis, H. C. Miller u. E. L. Muetterties, Am. Soc. **89**, 4842 (1967).
[2] Fr. P. 1354771 (1964/1961), Du Pont; C. A. **61**, 5232 (1964).
[3] US. P. 3551120 (1970/1962), Du Pont, Erf.: H. C. Miller u. E. L. Muetterties; C. A. **74**, 55815 (1971).

das Tetramethylammoniumsalz beim Eindampfen der wäßrigen Lösung wasserfreies *Tetramethylammonium-(kohlenmonoxid)-undecahydrododecaborat(1–)* gewinnen[1]:

$$[(HOOC)B_{12}H_{11}]^{2-}\ 2\,[H_3O]^+ \xrightarrow[-3\,H_2O]{+[(H_3C)_4N]^+\,OH^-} [(H_3C)_4N]^+\ [OC{-}B_{12}H_{11}]^-$$

Tetramethylammonium-(kohlenmonoxid)-undecahydrododecaborat(1–): Eine wäßr. Lösung von 10 g (21,3 mmol) Dicäsium-(kohlenmonoxid)-undecahydrododecaborat(2–) läßt man über eine Säule mit stark saurem Ionenaustauscher laufen und teilt das Eluat in zwei gleiche Anteile. Einer wird mit Tetramethylammoniumhydroxid auf pH = 6,0 gebracht und dann wieder mit dem anderen Anteil vereinigt. Beim Eindampfen erhält man 5,2 g (21 mmol, 100%) kristallines Produkt; Zers.p.: 250°.

Dampft man das Eluat direkt ein (ohne Neutralisation), fällt die freie Säure als Hydrat mit 2–4 mol Hydratwasser an; Zers.p.: 60°.

4. B-Heteroatom-substituierte Organopolyborate

Halogen-organo-polyborate sowie N-substituierte Organopolyborate sind beschrieben worden (vgl. Tab. 19).

α) Halogen-organo-polyborate

Bekannt sind Halogen-organo-*closo*-decaborate(2–) und -dodecaborate(2–) (vgl. Tab. 19).

Tab. 19: Heteroatom-organo-polyborate

Formel	Verbindungstyp	Herstellungsart	s. S.
a) Halogen-organo-decaborate(2–)			
$[1,10\text{–}(HO\text{–}CH_2)_2B_{10}Cl_8]^{2\ominus}2[(H_3C)_4N]^+$	$[R^OB_{12}Cl_8]^{2-}$	aus $Do_2\text{–}B_{10}Cl_8 + H^-$	146
$[1,10\text{–}(H_5C_6\text{–}CO)B_{10}Cl_8]^{2-}\ 2[H_5C_2\text{–}Hg]^+$	$[R^OB_{10}Cl_8]^{2-}$	aus $Do\text{–}B_{10}Cl_8 + Hg(C_2H_5)_2$	146
$[2\text{–}(H_5C_6\text{–}CO)B_{10}Hal_9]^{2-}2[(H_3C)_4N]^+$ Hal = Cl, Br	$[R^OB_{10}Hal_9]^{2-}$	aus $[R^O_2B_{10}H_9]^{2-} + Hal_2$	147
$[1,10\text{-}(COOH)B_{10}Hal_2]^{2-}\ 2[H_3O]^+$ Hal = Cl, Br	$[R^O_2B_{10}Hal_8]^{2-}$	aus $[R^O_2B_{10}H_8]^{2-} + Hal_2$	147
$[B_{10}Cl_8(CH_2\text{–}COOH)_2]^{2-}$	$[R^OB_{10}Cl_8]^{2-}$	aus $[R^N_2B_{10}Cl_8]^{2-} + H_2O$	
$[B_{10}Cl_8(CH_2\text{–}Hal)_2]^{2-}$ Hal = Br, J	$[R^{Hal}B_{10}Cl_8]^{2-}$	aus $[R^O_2B_{10}Cl_8]^{2-} + HHal$	
$[B_{10}Cl_8(CH_2\text{–}O\text{–}CO\text{–}CH_3)_2]^{2-}$	$[R^OB_{10}Cl_8]^{2-}$	aus $[R^O_2B_{10}Cl_8]^{2-} + (H_3C\text{–}CO)_2O$	148
$[B_{10}Cl_8(CH_2\text{–}SO\text{–}CH_3)_2]^{2-}$	$[R^{S,O}B_{10}Cl_8]^{2-}$	aus $[R^{Hal}_2B_{10}Cl_8]^{2-}$ + $[H_3C\text{–}SO\text{–}CH_2]^{\ominus}$	148
$[B_{10}Cl_8(CH_2\text{–}CN)_2]^{2-}$	$[R^OB_{10}Cl_8]^{2-}$	aus $[R^{Hal}_2B_{10}Cl_8]^{2-} + CN^-$	148
b) Halogendecaboranyl-carbonyl-organo-decaborate(4–)			
$[Cl_9B_{10}(CO)B_{10}Cl_8\text{–}COOH]^{4-}\ 4[(H_3C)_4N]^+$	$[R^O\text{–}B_{10}Cl_8\text{–}CO\text{–}B_{10}Cl_9]^{4-}$	aus Hydro-Verbindung^{4-} + Cl_2	147
c) Halogen-hydro-organo-dodecaborate(2–)			
$[B_{12}H_6Cl_2(CN)_4]^{2-}2[H_3O]^+$	$[R^N_4B_{12}Cl_2H_6]^{2-}$	aus $[B_{12}H_{12}]^{2-}$ + ClCN	149
$[B_{12}Br_{11}\text{–}COOH]^{2-}2[(H_3C)_4N]^+$	$[R^OB_{12}Br_{11}]^{2-}$	aus $[B_{12}H_{11}\text{–}COOH]^{2-} + Br_2$	149
$[B_{12}H_{12\text{-}m}Hal_{m\text{-}n}(CN)_n]^{2-}2M^+$	$[R^NB_{12}Hal_nH_m]^{2-}$	aus $[B_{12}H_{12\text{-}m}Hal_m(12)]^{2-} + CN^-/h\nu$	150
d) Ammin-hydro-organo-polyborate(1–)			
$[(H_3C)_4N]^+[H_3N\text{–}B_{10}H_7(CH_2\text{–}CH_2\text{–}OH)_2]^-$	$[Do\text{–}B_{10}H_7R_2]^{2-}$	aus $[Do\text{–}B_{10}H_9]^-$ + (Ethylenoxid-Formel)	150

[1] W. H. Knoth, J. C. Sauer, J. H. Balthis, H. C. Miller u. E. L. Muetterties. Am. Soc. **89**, 4842 (1967).

α_1) *Halogen-organo-closo-decaborate*

Diorgano-octahalogen-decaborate(2–) (Halogen = Chlor, Brom, Jod) bzw. Nonahalogen-organo-decaborate(2–) lassen sich aus Bis(kohlenmonoxid)-Halogendecaboranen(8) oder aus Hydro-organo-decaboraten(2–) sowie aus Halogen-organo-decaboraten(2–) herstellen.

$\alpha\alpha_1$) aus Bis(Kohlenmonoxid)-Octachlordecaboran(8)

Bis(kohlenmonoxid)-Octachlordecaboran(8) reagiert mit Metallhydriden sowie mit bestimmten metallorganischen Verbindungen unter Bildung von Diorgano-octachlor-decaboraten(2–).

Die Reduktion des 1,10-Bis(kohlenmonoxid)-Octachlordecaborans(8) mit Lithiumtetrahydroborat erfolgt nur partiell und liefert nach Zugabe von Tetramethylammoniumchlorid in 60%iger Ausbeute *Bis(tetramethylammonium)-1,10-bis(hydroxymethyl)-octachlor-decaborat(2–)*[1]:

$$1,10\text{-}(OC)_2B_{10}Cl_8 \xrightarrow[2.\ +[(H_3C)_4N]^+Cl^-]{1.\ +LiBH_4/Glyme} [1,10\text{-}(HOH_2C)_2B_{10}Cl_8]^{2-}\ 2\,[(H_3C)_4N]^+$$

Bis(tetramethylammonium)-1,10-bis(hydroxymethyl)-octachlor-decaborat(2–)[1]: Unter Rühren gibt man zu 1,5 g (69 mmol) Lithiumtetrahydroborat in 50 *ml* Glyme eine Lösung von 3 g (6,7 mmol) 1,10-Bis(kohlenmonoxid)-Octachlordecaboran(8) in 50 *ml* Glyme und erhitzt 1 Stde. am Rückfluß. Nach Abkühlen wird die überstehende klare Lösung abdekantiert und das zurückbleibende viskose, farblose Öl in 80 *ml* Wasser gelöst. Man fällt mit Tetramethylammoniumchlorid und kristallisiert aus Wasser um; Ausbeute: 2,4 g (60%) farblose, glänzende Plättchen; kein F bis ~360°.

Ausbeuten bis 90% werden beim Reinigen durch Digerieren mit Wasser erzielt.

1,10-Bis(kohlenmonoxid)-Octachlordecaboran(8) reagiert mit Diethylquecksilber im Toluol/Glyme-Gemisch beim Erhitzen unter Bildung von *Bis[(ethylquecksilber)(1+)]-1,10-dipropanoyl-octachlor-decaborat(2–)*[2]:

$$1,10\text{-}(OC)_2B_{10}Cl_8 + 2\,Hg(C_2H_5)_2 \xrightarrow{\text{Toluol, Glyme, Rückfl., 2 Stdn.}} 2\,[HgC_2H_5]^+\ [1,10\text{-}(H_5C_2{-}CO)_2B_{10}Cl_8]^{2-}$$

Die zunächst anfallenden, wasserunlöslichen Organoquecksilber-Salze lassen sich durch Lösen in wäßriger Natronlauge und Zugabe von Tetramethylammoniumchlorid in die Bis-tetramethylammonium-Salze überführen.

Bis(tetramethylammonium)-1,10-dipropanoyl-octachlor-decaborat(2–)[2]: Eine Lösung von 10 g (22 mmol) 1,10-Bis(kohlenmonoxid)-Octachlordecaboran(8) in 200 *ml* Toluol und 25 *ml* Glyme wird zu 15 g (58 mmol) Diethylquecksilber in 100 *ml* Toluol gegeben; das Gemisch erwärmt sich dabei auf 35°. Anschließend wird 2 Stdn. am Rückfluß erhitzt, wobei sich das *Bis(ethylquecksilber)-1,10-dipropanoyl-octachlor-decaborat(2–)* als farblose Festsubstanz (10,3 g; 41%) abscheidet. Man löst in verd. wäßr. Natronlauge und gibt Tetramethylammoniumchlorid zu. Das *Bis(tetramethylammonium)*-Salz fällt aus und wird aus Wasser umkristallisiert.

1,10-Bis(kohlenmonoxid)-Octachlordecaboran(8) reagiert mit einem Überschuß an N,N-Dimethylanilin in ~80%iger Ausbeute zum zwitterionischen *1,10-Bis(4-dimethylammoniono-benzoyl)-octachlor-decaborat(2–)* (vgl. S. 150)[3]:

$$1,10\text{-}(OC)_2B_{10}Cl_8 + 2\,H_5C_6{-}N(CH_3)_2 \longrightarrow 1,10\text{-}[(H_3C)_2NH{-}C_6H_4{-}CO]_2B_{10}Cl_8$$

---

[1] W. H. Knoth, Am. Soc. **89**, 4850 (1967).

[2] W. H. Knoth, J. C. Sauer, J. H. Balthis, H. C. Miller u. E. L. Muetterties, Am. Soc. **89**, 4842 (1967).

[3] W. H. Knoth, N. E. Miller u. W. R. Hertler, Inorg. Chem. **6**, 1977 (1967).

$\alpha\alpha_2$) aus Hydro-organo-decaboraten

Die Halogenierungen verschiedener Hydro-organo-decaborate(2–) werden mit Chlor oder Brom in Wasser oder in Acetonitril durchgeführt und verlaufen unter vollständigem Wasserstoff/Halogen-Austausch[1–3].

Beispielsweise erhält man aus Bis[tetramethylammonium]-2-benzoyl-nonahydrodecaborat(2–) mit Chlor in Acetonitril oder mit Brom in Methanol/Wasser *Bis(tetramethylammonium)-2-benzoyl-nonahalogen-decaborat(2–)*[3]:

$$[2\text{-}H_5C_6\text{—CO—}B_{10}H_9]^{2-}\ 2\,[(H_3C)_4N]^+ \xrightarrow{+Cl_2/\text{Acetonitril}} [2\text{-}H_5C_6\text{—CO—}B_{10}Cl_9]^{2-}\ 2\,[(H_3C)_4N]^+$$

Bis(tetramethylammonium)-2-benzoyl-nonachlor-decaborat(2–); 87%

$$[2\text{-}H_5C_6\text{—CO—}B_{10}H_9]^{2-}\ 2\,[(H_3C)_4N]^+ \xrightarrow{Br_2/CH_3OH\text{—}H_2O} [2\text{-}(H_5C_6\text{—CO})\text{—}B_{10}Br_9]^{2-}\ 2\,[(H_3C)_4N]^+$$

Bis(tetramethylammonium)-2-benzoyl-nonabrom-decaborat(2–)

Das Tetramethylammonium-Salz I reagiert mit Chlor in Acetonitril zum *Tetrakis(tetramethylammonium)-μ-carbonyl-carboxy-heptadecachlor-eicosaborat(4–)*.

Die B-Chlor-Substituenten schwächen den elektropositiven Effekt der Boranyl-Reste ab. Das Perchlor-Derivat liegt daher im Gegensatz zum Ausgangsborat (s. S. 137) auch in wäßriger Lösung in der unprotonierten Form vor[1]:

$$\underset{\text{I}}{[H_9B_{10}(COH)B_{10}H_8\text{—COOH}]^{3-}\ 3\,[(H_3C)_4N]^+ \cdot OH_2} \xrightarrow[\text{2. }[(H_3C)_4N]^+OH^-\ [-H_2O]]{\text{1. }+Cl_2/CH_3CN\ [-HCl]} [Cl_9B_{10}\text{—}(CO)\text{—}B_{10}Cl_8\text{—COOH}]^{4-}\ 4\,[(H_3C)_4N]^+$$

Das 1,10-Dicarboxyoctahydrodecaborat(2–)-Ion reagiert mit Chlor oder Brom in wäßriger Lösung unter vollständiger Halogenierung zum *1,10-Dicarboxy-octabrom* (bzw. *-octachlor-decaborat(2–)-Ion*[2]:

$$[1{,}10\text{-}(HOOC)_2B_{10}H_8]^{2-}\ 2\,[H_3O]^+ \xrightarrow{+Hal_2/H_2O} [1{,}10\text{-}(HOOC)_2B_{10}Hal_8]^{2-}\ 2\,[H_3O]^+$$

Hal = Cl, Br

---

[1] W. H. KNOTH, N. E. MILLER u. W. R. HERTLER, Inorg. Chem. **6**, 1977 (1967).
[2] W. H. KNOTH, J. C. SAUER, J. H. BALTHIS, H. C. MILLER u. E. L. MUETTERTIES, Am. Soc. **89**, 4842 (1967).
[3] W. H. KNOTH, J. C. SAUER, D. C. ENGLAND, W. R. HERTLER u. E. L. MUETTERTIES, Am. Soc. **86**, 3973 (1964).

Mit Jod wird in wäßriger Lösung nur das *Dicarboxy-pentajod-trihydrodecaborat(2–)* gebildet. Die Perjodierung gelingt langsam mit Jodmonochlorid in siedendem Tetrachlormethan[1].

Dicäsium-1,10-dicarboxy-octajod-decaborat(2–)[1]: 21,1 g (44,7 mmol) Dicäsium-1,10-dicarboxy-octahydrodecaborat(2–) und 30 g (112 mmol) Jod werden in 250 *ml* Tetrachlormethan 1 Stde. bei ~20° gerührt. Nach Zugabe von 81 g (80 *ml*, 0,5 mol) Jodchlorid erhitzt man 18 Stdn. im Rückfluß. Nach Abkühlen, Filtrieren und Waschen des Filterkuchens mit Dichlormethan löst man in 100 *ml* kochendem Wasser. Man gibt portionsweise bis zur Entfärbung kleine Mengen Zink-Staub zu, filtriert und erhält nach Abkühlen 32,6 g. Beim Einengen der Mutterlauge werden weitere 9,6 g gewonnen; Ausbeute: 42,2 g (61%); kein F bis 400°.

$\alpha\alpha_3$) aus Halogen-organo-decaboraten

Halogen-organo-decaborate(2–) reagieren unter borferner Substitution am Organo-Rest oder beim Belichten unter Halogen-Substitution an den Bor-Atomen.

Zahlreiche borferne Reaktionen der 1,10-Bis(hydroxymethyl)-octachlor-decaborate(2–) führen zu neuen 1,10-Diorgano-octachlor-decaboraten(2–), wobei der Boratkern keinen spezifischen Einfluß ausübt[2]:

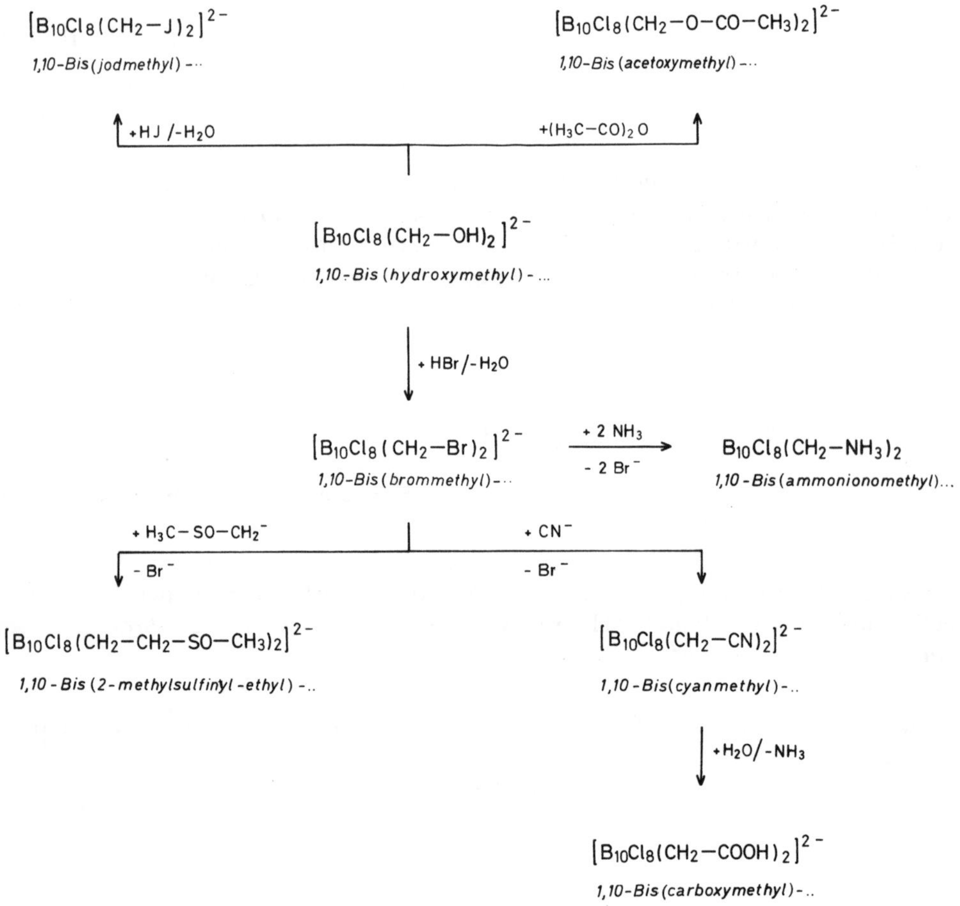

$[B_{10}Cl_8(CH_2{-}J)_2]^{2-}$
1,10-Bis(jodmethyl)-...

$[B_{10}Cl_8(CH_2{-}O{-}CO{-}CH_3)_2]^{2-}$
1,10-Bis(acetoxymethyl)-...

$+HJ/-H_2O$ ← → $+(H_3C{-}CO)_2O$

$[B_{10}Cl_8(CH_2{-}OH)_2]^{2-}$
1,10-Bis(hydroxymethyl)-...

↓ $+HBr/-H_2O$

$[B_{10}Cl_8(CH_2{-}Br)_2]^{2-}$
1,10-Bis(brommethyl)-...

$\xrightarrow[-2\,Br^-]{+2\,NH_3}$ $B_{10}Cl_8(CH_2{-}NH_3)_2$
1,10-Bis(ammonionomethyl)...

$+H_3C{-}SO{-}CH_2^-$ / $-Br^-$ ← → $+CN^-$ / $-Br^-$

$[B_{10}Cl_8(CH_2{-}CH_2{-}SO{-}CH_3)_2]^{2-}$
1,10-Bis(2-methylsulfinyl-ethyl)-..

$[B_{10}Cl_8(CH_2{-}CN)_2]^{2-}$
1,10-Bis(cyanmethyl)-..

↓ $+H_2O/-NH_3$

$[B_{10}Cl_8(CH_2{-}COOH)_2]^{2-}$
1,10-Bis(carboxymethyl)-..

[1] W.H. Knoth, J.C. Sauer, J.H. Balthis, H.C. Miller u. E.L. Muetterties, Am. Soc. **89**, 4842 (1967).
[2] W.H. Knoth, Am. Soc. **89**, 4850 (1967).

Mehrfach chlorierte oder bromierte Halogen-organo-decaborate(2–) reagieren mit Kaliumcyanid beim UV-Belichten in bescheidenen Ausbeuten unter Halogen/Cyan-Austausch zu Cyan-halogen-organo-decaboraten(2–)[1].

α_2) *Halogen-organo-closo-dodecaborate*

Man stellt partiell und vollständig halogenierte Hydro-organo-dodecaborate(2–) aus Hydrododecaborat(2–), Hydro-organo-dodecaboraten(2–) oder aus Halogen-hydro-dodecaboraten(2–) her.

$\alpha\alpha_1$) aus Dodecahydrododecaborat

Die gemeinsame Einführung von Organo- und Halogen-Substituenten in Hydroborate gelingt mit Chlorcyan. Beim Erhitzen von Bis(hydroxonium)-Dodecahydrododecaborat(2–) mit Chlorcyan erhält man *Dichlor-tetracyan-hexahydrododecaborat(2–)*[2]:

$$[B_{12}H_{12}]^{2-}\ 2\,[H_3O]^+ \xrightarrow[-2\,HCl,\ -2\,H_2]{+ClCN,\ 25-26°,\ 4\ Stdn.} [(NC)_4B_{12}H_6Cl_2]^{2-}\ 2\,[H_3O]^+$$

Bis(hydroxonium)-dichlor-tetracyan-hexahydrododecaborat(2–)

$\alpha\alpha_2$) aus Hydro-organo-dodecaboraten

Bis(hydroxonium)-carboxy-undecahydrododecaborat sowie Bis(hydroxonium)-1,12-dicarboxy-decahydrododecaborat reagieren mit Brom in wäßr. Lösung durch Wasserstoff/Brom-Austausch nach Aufarbeiten mit Tetramethylammoniumchlorid in Wasser unter Bildung von *Bis(tetramethylammonium)-carboxy-perbrom-dodecaboraten(2–)*[2,3]; z.B.:

$$[HOOC{-}B_{12}H_{11}]^{2-}\ 2\,[H_3O]^+ \xrightarrow{1.\ +Br_2/H_2O\quad 2.\ +[(H_3C)_4N]^+Cl^-} [HOOC{-}B_{12}Br_{11}]^{2-}\ 2\,[(H_3C)_4N]^+$$

Bis(tetramethylammonium)-carboxy-undecabrom-dodecaborat(2–)[3]**:** Man gibt 125 g (780 mmol) Brom zu 300 *ml* wäßr. Lösung von Bis(hydroxonium)-carboxy-undecahydro-dodecaborat(2–) [aus 20 g (53 mmol) Dicäsium-carboxy-undecahydrododecaborat(2–)-Hydrat]. Anschließend leitet man so lange Chlor ein, bis die Brom-Farbe fast verschwunden ist. Man fällt mit 20 g (180 mmol) Tetramethylammoniumchlorid und kristallisiert 2mal aus wäßr. Acetonitril um, wobei 29,8 g Bis[tetramethylammonium]-carboxy-undecabrom-dodecaborat(2–) als Acetonitril-Solvat ausfallen. Umkristallisieren aus Wasser und 3 Stdn. Trocknen i. Vak. bei ~ 100° liefert solvatfreies Produkt; Ausbeute: 21,4 g (45%).

Auf analoge Weise erhält man z.B.:

Bis(tetramethylammonium)-1,12-dicarboxy-octachlor-dihydrododecaborat(2–)[2]	60%
Bis(tetramethylammonium)-decabrom-1,12-dicarboxy-dodecaborat(2–)[3]	86%
Dicäsium-decajod-1,12-dicarboxy-dodecaborat(2–)[3]	81%

$\alpha\alpha_3$) aus Halogen-hydro-dodecaboraten

Halogen-hydrododecaborate(2–) reagieren mit Kaliumcyanid bei UV-Belichtung unter teilweiser Substitution des Halogen-Atoms gegen die Cyan-Gruppe[1]:

---

[1] S. Trofimenko, Am. Soc. **88**, 1899 (1966).
[2] US.P. 3551120 (1970/1962), Du Pont, Erf.: H.C. Miller u. E.L. Muetterties; C.A. **74**, 55815 (1971).
[3] W.H. Knoth, J.C. Sauer, J.H. Balthis, H.C. Miller u. E.L. Muetterties, Am. Soc. **89**, 4842 (1967).

$$[B_{12}Hal_mH_{12-m}]^{2-} + n[CN]^- \xrightarrow{+h\nu} [B_{12}Hal_{m-n}H_{12-m}(CN)_n]^{2-} + n[Hal]^-$$

Hal = Cl, Br

Man gewinnt meist Gemische verschieden hoch substituierter Cyan-Derivate. Die Perbrom-Verbindung (Hal = Br, m = 12) reagiert schneller und weitgehender ($n \leqq 9$) als die Perchlor-Verbindung. Der vollständige Austausch der Halogen-Atome gelingt auch bei langer Reaktionszeit nicht. Vielmehr wird das Halogen dann teilweise durch Wasserstoff ersetzt. Mit fallender Anzahl der B-Halogen-Gruppen nimmt die Reaktivität der B-Halogen-Bindung ab. Die Brom-Verbindungen reagieren z.B. bei m = 4 oder 5 nicht mehr[1].

Dicäsium-nonacyan-tribrom-dodecaborat(2–)[1]: Eine Lösung von 58 g (42,6 mmol) Dicäsium-dodecabrom-dodecaborat(2–) und 64 g (985 mmol) Kaliumcyanid in 550 *ml* Wasser wird 6 Tage unter Bestrahlen mit einer Hanovia Sc 2537 Lampe (5000 V, 5 W) gerührt. Die klare, gelbe Lösung wird mit einem Überschuß an Cäsiumfluorid gerührt, wobei man 21 g (56%) Salz erhält. Aus dem Filtrat gewinnt man durch Zugabe eines Überschusses an Tetramethylammoniumchlorid 5,6 g (20%) Tetramethylammonium-dibrom-hydro-nonacyan-dodecaborat(2–).

β) Ammin-hydro-organo-polyborate

Organopolyborate mit N-Substituenten am Bor-Atom sind kaum bekannt.

Tetramethylammonium-2-ammin-nonahydrodecaborat(1–)[2] reagiert in wäßr.-saurer Lösung mit Oxiran unter zweifacher Hydroborierung in ~38%iger Ausbeute zu *Tetramethylammonium-(ammin)-bis(2-hydroxyethyl)-heptahydrodecaborat(1–)*[3]:

$$[(H_3C)_4N]^+ [2\text{-}H_3N{-}B_{10}H_9]^- + 2\ \text{Oxiran} \longrightarrow [(H_3C)_4N]^+ [H_3N{-}B_{10}H_7(CH_2{-}CH_2OH)_2]^-$$

Tetramethylammonium-(ammin)-bis(2-hydroxyethyl)-heptahydro-decaborat(1–)][3]: Unter intensivem Rühren leitet man in eine Lösung von 3 g (14,4 mmol) Tetramethylammonium-(ammin)-nonahydrodecaborat(1–) in 75 *ml* 20%iger wäßr. Essigsäure 6 Stdn. Oxiran ein. Nach weiteren 12 Stdn. Rühren wird filtriert und das Filtrat eingedampft. Der sirupartige Rückstand liefert bei Digerieren mit 100 *ml* Ethanol einen fein verteilten dunklen Feststoff. Man filtriert, wäscht einige Male mit trockenem Ethanol und Ether, löst in Wasser und fällt aus der konz. wäßr. Lösung mit Ethanol. Nach nochmaligem Umfällen wird getrocknet; Ausbeute: 1,6 g (37,5%).

5. Zwitterionische Organopolyborate

Die Herstellung zwitterionischer Halogen-organo-*closo*-decaborate erfolgt aus Bis(kohlenmonoxid)-Octachlordecaboran(8) oder aus Diorgano-octachlor-decaboraten(2–).

α) aus Bis(Kohlenmonoxid)-Halogendecaboranen(8)

1,10-Bis(kohlenmonoxid)-Octachlordecaboran(8) reagiert mit einem Überschuß an N,N-Dimethylanilin in ~80%iger Ausbeute unter Bildung von *1,10-Bis(4-dimethylammoniono-benzoyl)-octachlor-decaborat(2–)*[4]:

$$1{,}10\text{-}(OC)_2B_{10}Cl_8 + 2\,H_5C_6{-}N(CH_3)_2 \longrightarrow [1{,}10\text{-}[(H_3C)_2\overset{\oplus}{N}H{-}C_6H_4{-}CO]_2^{2+}[B_{10}Cl_8]^{2}$$

---

[1] S. Trofimenko, Am. Soc. **88**, 1899 (1966).
[2] W.R. Hertler u. M.S. Raasch, Am. Soc. **86**, 3661 (1964).
[3] K.C. John, A. Kaczmarczyk u. A.H. Soloway, J. Med. Chem. **12**, 54 (1969); C.A. **70**, 37869 (1969).
[4] W.H. Knoth, N.E. Miller u. W.R. Hertler, Inorg. Chem. **6**, 1977 (1967).

1,10-Bis(4-dimethylammoniono-benzoyl)-octachlor-decaborat(2−)[1]: Man erhitzt ein Gemisch von 3,1 g (6,4 mmol) 1,10-Bis(kohlenmonoxid)-octachlor-decaboran(8) und 24 g (25 *ml*, 200 mmol) N,N-Dimethylanilin in 25 *ml* Acetonitril 1 Stde. zum Rückfluß, kühlt und filtriert 6,8 g rotbraunes Bis(anilinium)-Salz ab. Nach Lösen in 300 *ml* 0,5%iger wäßr. Natronlauge extrahiert man die Lösung 3mal mit Diethylether und filtriert. Beim Ansäuern mit Salzsäure fällt das Betain aus; Ausbeute: 4 g (83%); Zers.p.: 233°.

β) aus Halogen-organo-decaboraten

Durch borferne Substitutionen sind zwitterionische Di-subst.-organo-octachlor-*closo*-decaborate zugänglich. Beispielsweise läßt sich aus 1,10-Bis(brommethyl)-octachlor-decaborat(2–) mit Ammoniak *1,10-Bis(ammonionomethyl)-octachlor-decaborat(2–)* herstellen[2]:

$$[B_{10}Cl_8(CH_2{-}Br)_2]^{2-} \quad + \quad 2\,NH_3 \quad \xrightarrow[-2\,Br^{\ominus}]{} \quad \overset{2\ominus}{[B_{10}}Cl_8(CH_2{-}\overset{\oplus}{N}H_3)_2]$$

Mit Triphenylphosphan erhält man aus 1,10-Bis(jodmethyl)-octachlor-decaborat(2−) durch Jodid-Abspaltung *1,10-Bis(triphenylphosphoniono-methyl)-octachlor-decaborat(2–)*[2].

c) B-Organo-Heteroatompolyborane

Die Verbindungen sind aus allseitig geschlossenen oder z.T. geöffneten Polyedern mit mehreren Bor-Atomen und mindestens einem Fremd-Atom (z.B. Schwefel = Thiapolyborane, Kohlenstoff = Carborane) oder mehreren gleichen Fremd-Atomen (Carborane) bzw. ungleichen Fremd-Atomen (z.B. Phosphor und Kohlenstoff = Phospha-carba-polyborane; Übergangsmetall und Kohlenstoff = (Ligand)-Übergangsmetall-Carborane) aufgebaut. Wenigstens ein Bor-Atom der Polyeder ist an einem Organo-Rest gebunden. In diesem Abschnitt werden Herstellungsmethoden der folgenden neutralen Verbindungstypen besprochen:

1. B-Organo-thiapolyborane vom *closo*- und *nido*-Typ, S. 151−154,
2. B-Organo-Ligand-Übergangsmetall-Polyborane vom *closo*- und *nido*-Typ, S. 155–156,
3. B-Organo-carbapolyborane mit ein bis vier C-Atomen im Boran-Gerüst (*closo*- und *nido*-Typen), S. 156−198,
4. B-Organo-phospha- und arsa-carba-polyborane vom *closo*-Typ, S. 198−199,
5. B-Organo-Ligand-Übergangsmetall-Carborane vom *closo*- und *nido*-Typ, S. 199–203,
6. B-Heteroatom-organo-*closo*-carborane, S. 203−205.

Die Ionischen B-Organo-Heteroatompolyborane werden auf S. 201−208 besprochen.

1. Organo-thiapolyborane

Bekannt sind B-Organo-Derivate von 1-Thia-*closo*-decaboran(9), 6-Thia-*nido*-decaboran(11), 7-Thia-*nido*-undecaboran(12) und von 7-Thia-*closo*-dodecaboran(11)[3]. Die Herstellung der verschiedenen Alkyl-, Dialkyl-, Alkenyl- und Aryl- sowie Diaryl-Derivate (vgl. Tab. 20, S. 152) erfolgt aus den nicht substituierten Thia-polyboranen bzw. -polyboraten(2−).

---

[1] W.H. Knoth, N.E. Miller u. W.R. Hertler, Inorg. Chem. **6**, 1977 (1967).
[2] W.H. Knoth, Am. Soc. **89**, 4850 (1967).
[3] Organocarbapolyborane (Organocarborane) werden auf S. 156ff. besprochen.

Tab. 20: Herstellung von Organo-thiapolyboranen

Formel	Verbindungstyp	Herstellungsart	s. S.
a) Organo-thia-closo-decaborane(9)			
$R{-}1{-}SB_9H_8$	$R{-}1{-}SB_9H_8(9)$	aus $1{-}SB_9H_9$ + AlkylJ/$AlCl_3$	152
R = CH_3, C_2H_5			
$(H_5C_2)_2{-}1{-}SB_9H_7$	$R_2{-}1{-}SB_9H_7(9)$	aus $1{-}SB_9H_9$ + H_5C_2J	153
	$R_3{-}1{-}SB_9H_6(9)$		153
	$R_4{-}1{-}SB_9H_5(9)$		153
b) Organo-6-thia-nido-decaboran(11)			
9-Alkyl-6-SB_9H_{10}	$R{-}6{-}SB_9H_{10}(11)$	aus $6{-}SB_9H_{11}$ + En	153
9-Alkenyl-6-SB_6H_{10}	$R{-}6{-}SB_9H_{10}(11)$	aus $6{-}SB_9H_{11}$ + In	153
c) Organo-thia-nido-undecaboran(12)			
2-Ar-7-$SB_{10}H_{11}$	$R{-}7{-}SB_{10}H_{11}(12)$	aus $[7{-}SB_{10}H_{10}]^{2-}$ + R–H/Ag^+	154
Ar = H_5C_6, $C_6H_4{-}CH_3$			
d) Organo-thia-closo-dodecaborane(11)			
$H_5C_6{-}7{-}SB_{11}H_{10}$	$R{-}7{-}SB_{11}H_{10}(11)$	aus $[SB_{10}H_{10}]^{2-}$ + R–$BHal_2$	154
$(H_5C_6)_2{-}7{-}SB_{11}H_9$	$R_2{-}7{-}RB_{11}H_9(11)$	aus $[R{-}SB_{10}H_9]^{2-}$ + R–$BHal_2$	154

α) Alkyl-1-thia-*closo*-decaborane(9)

1-Thia-*closo*-decaboran(9) I leitet sich formal vom Decahydrodecaborat(2−) II durch Ersatz von BH^{2-} gegen Schwefel ab:

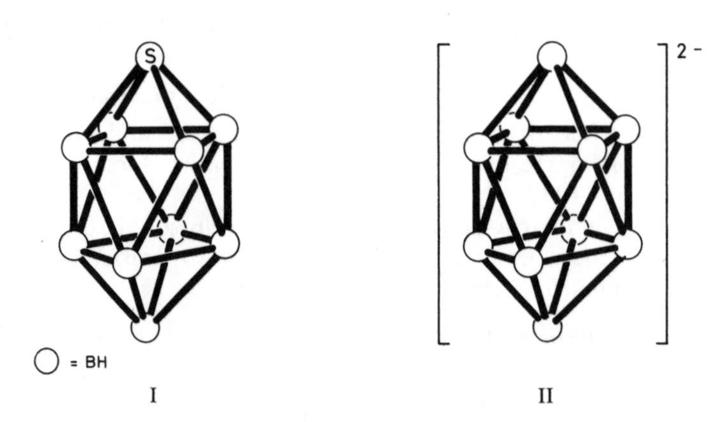

I II

Methyl- bzw. *Ethyl-1-thia-closo-decaborane(9)* erhält man aus 1-Thia-*closo*-decaboran(9) mit Methyl- oder Ethyljodid in Gegenwart von Aluminiumtrichlorid und Hydrogenchlorid[1]:

$$1{-}SB_9H_9 \quad + \quad nRJ \quad \xrightarrow[\approx 20°,\ 3\ \text{Tage}]{AlCl_3/HCl/CS_2,} \quad R_n{-}1{-}SB_9H_{9-n} \quad + \quad nHJ$$

R = CH_3, C_2H_5
n = 1–5

[1] B. J. Meneghelli u. R. W. Rudolph, J. Organometal. Chem. **133**, 139 (1977).

Man erhält Gemische verschieden hoch alkylierter Derivate. Maximal lassen sich fünf Alkyl-Reste einführen, wobei die dem Schwefel-Atom unmittelbar benachbarten B-Atome 2 bis 5 unsubstituiert bleiben.

Die höchsten Umsätze (bis zu 95%) werden bei einem Thiaboran/Aluminiumtrichlorid-Verhältnis von 1:1 und einem Hydrogenchlorid-Druck von 1,1–1,2 at erzielt.

β) Organo-6-thia-*nido*-decaborane(11)

Aus 6-Thia-*nido*-decaboran(11) lassen sich mit ungesättigten Kohlenwasserstoffen durch Hydroborierung 9-Organo-6-thia-*nido*-decaborane(11)[1] herstellen. Man läßt mit Alkenen, Alkadienen oder mit Alkinen in siedendem Benzol oder Cyclohexan reagieren[2,3].

Mit Ethen wird *9-Ethyl-6-thia-nido-decaboran(11)* in 43%iger Ausbeute gewonnen. Mit 1-Octen erhält man *9-Octyl-6-thia-nido-decaboran(11)* in ≈70%iger Ausbeute[3]:

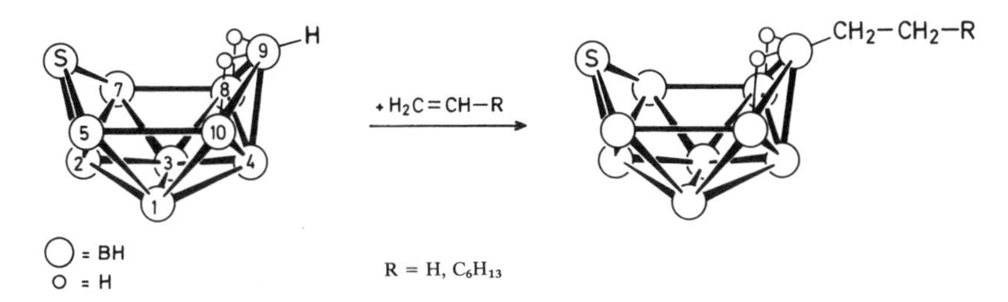

9-Ethyl-6-thia-nido-decaboran(11)[3]: In die siedende Lösung von 347,4 mg (2,45 mmol) 6-Thiadecaboran(11) in 25 *ml* Benzol (oder Cyclohexan) leitet man 7 Stdn. lang Ethen. Die gelbliche Lösung wird i. Vak. eingeengt und das Produkt bei 70° sublimiert; Ausbeute: 180 mg (43%).

Mit Styrol wird *9-(2-Phenylethyl)-6-thia-nido-decaboran(11)* gewonnen[3]. Cyclohexen liefert das *9-Cyclohexyl*-Derivat (70%)[3]. 6-Thia-*nido*-decaboran(11) reagiert mit Cyclopentadien in 67%iger Ausbeute unter Bildung von *1,3-Bis[6-thia-nido-decaboran(11)-9-yl]-cyclopentan*[3].

Mit Tolan (Diphenylethin) bildet 6-Thia-*nido*-decaboran(11) in Diethylether *9-(cis-1,2-Diphenylvinyl)-6-thia-nido-decaboran(11)* (83%)[3]. Entsprechend reagiert 3-Hexin zum *9-(cis-1-Ethyl-1-butenyl)-6-thia-nido-decaboran(11)* (55%)[3].

$$SB_9H_{11} + R{-}C{\equiv}C{-}R \longrightarrow (H)(R)C{=}C(B_9H_{10}S)(R)$$

$R = C_2H_5, C_6H_5$

Mit Acetylen wird aus 6-Thiadecaboran(11) (2:1) in 47%iger Ausbeute *1,1-Bis[6-thia-nido-decaboran(11)-9-yl]ethan* gewonnen[3].

Das aus äquimolaren Mengen 6-Thia-*nido*-decaboran(11) und *cis*-3-Hexen in Toluol bei ≈20° in 96%iger Ausbeute zugängliche *9-(1-Ethylbutyl)-6-thia-nido-decaboran(11)* reagiert mit *cis*-3-Hexen in 10fachem Überschuß nach 3tägigem Erhitzen auf 190° (geschlossenes Gefäß) in 84%iger Ausbeute unter Bildung eines Gemisches von *9-Hexyl-*, *1,9-Dihexyl-* und *1,4,9-Trihexyl-6-thia-nido-decaboran(11)*[4].

---

[1] Gmelin, 8. Aufl., 1. EB 3, Boron Compounds, S. 65 (1981).
[2] B.J. Meneghelli u. R.W. Rudolph, Am. Soc. **100**, 4626 (1978).
[3] B.J. Meneghelli, M. Bower, N. Canter u. R.W. Rudolph, Am. Soc. **102**, 4355 (1980).
[4] N. Canter, C.G. Overberger u. R.W. Rudolph, Organometallics **2**, 569 (1983).

γ) Organo-1-thia-*closo*-dodecaborane(11)

Organo-1-thia-*closo*-dodecaborane(11) sind wegen ihrer abgeschlossenen Polyeder-Struktur thermisch und chemisch wesentlich stabiler als Organo-thia-*nido*-polyborane mit „offenem" Gerüst. Die Verbindungen werden von Säuren nicht angegriffen, lassen sich aber von nucleophilen Reagenzien wie z.B. von methanolischem Natriumhydroxid zu Organo-decahydro-1-thia-*nido*-undecaboraten(1−) abbauen.

Die Herstellung der Organo-1-thia-*closo*-dodecaborane(11) erfolgt aus 1-Thia-*nido*-undecaboraten(2−) mit Dihalogen-organo-boranen. Aus Dilithium-decahydro-1-thia-*nido*-undecaborat(2−) erhält man mit Dichlor-phenyl-boran festes *2-Phenyl-1-thia-closo-dodecaboran(11)* (F: 102–105°)[1]:

$$[SB_{10}H_{10}]^{2-}\ 2\,Li^+ + H_5C_6{-}BCl_2 \xrightarrow[-2\,LiCl]{}$$

○ = BH

2-Phenyl-1-thia-closo-dodecaboran(11)[1]**:** Man gibt 1,5 g (10 mmol) 1-Thia-undecaboran(12) zu 13 *ml* einer 1,6 M Lösung von Butyllithium in Hexan, die mit 40 *ml* THF verdünnt wurde. Nach 20 Min. Rühren bei ≈20° kühlt man mit Eis und gibt 1,6 g (10 mmol) Dichlor-phenyl-boran, in wenig Benzol gelöst, zu. Man läßt auf ≈20° erwärmen und dampft i. Vak. ein. Der Rückstand wird mit Benzol digeriert und filtriert. Das Filtrat wird eingedampft und der Rückstand aus Heptan umkristallisiert; Ausbeute: 720 mg (30%); F: 102,7–105,5° (farblose Kristalle).

Entsprechend ist aus Dilithium-nonahydro-phenyl-1-thia-undecaborat(2–), herstellbar aus 2-Phenyl-1-thia-*closo*-dodecaboran(11) mit Natriumhydroxid bzw. Butyllithium, beim Einwirken von Dichlor-phenyl-boran *Diphenyl-1-thia-closo-dodecaboran(11)* zugänglich[1].

δ) Organo-7-thia-*nido*-undecaborane(12)

Aus Dilithium-decahydro-7-thia-*nido*-undecaborat(2−), das aus 7-Thia-*nido*-undecaboran(12) mit Methyllithium zugänglich ist[2], erhält man beim Oxidieren mit Silbertetrafluoroborat in Benzol durch Phenylierung in ≈10%iger Ausbeute *2-Phenyl-7-thia-nido-undecaboran(12)*. Hauptprodukt ist wiedergewonnenes 7-Thia-*nido*-undecaboran(12)[2,3]:

$$[SB_{10}H_{10}]^{2-}\ 2\,Li^+ + R{-}H \xrightarrow[-\,LiBF_4]{Ag[BF_4]} 2\text{-}R\text{-}7\text{-}SB_{10}H_{11}$$

$R = C_6H_5$, $4\text{-}CH_3\text{-}C_6H_4$

Mit Toluol ist entsprechend *2-(4-Methylphenyl)-7-thia-nido-undecaboran(12)* zugänglich[1].

---

[1] W.R. Hertler, F. Klanberg u. E.L. Muetterties, Inorg. Chem. **6**, 1696 (1967).
[2] D.A. Thompson, W.R. Pretzer u. R.W. Rudolph, Inorg. Chem. **15**, 2948 (1976).
[3] Gmelin, 8. Aufl., 1. Erg.-Bd. 3, Boron Compounds, S. 67 (1981).

2. (Ligand-Übergangsmetall)-π-Organopolyborane

Die Herstellung von (Ligand)Übergangsmetall-π-Organopolyboranen ist noch kaum untersucht worden. Man hat jedoch einige Verbindungen isoliert, die durch Verknüpfung einer BH-Bindung eines (Ligand)Übergangsmetall-polyborans mit der o-Stellung eines Phenyl-Rests der Triphenylphosphan-Liganden gebildet werden[1,2].

Beispielsweise reagiert Dinatrium-decahydrodecaborat(2–) mit Bis(triphenylphosphan)-carbonyl-chloro-iridium in Gegenwart von Methanol unter partiellem Abbau des Polyborats zum *2-(2-Diphenylphosphinophenyl)-1,1,2-tricarbonyl-1-triphenylphosphan-1,2-diiridahexaboran(6)* mit octaedrischer B_4Ir_2-Struktur[1,3]:

$$Na_2[B_{10}H_{10}] \xrightarrow[-2\,NaCl,\ -B(OCH_3)_3,\ -7\,H_2]{+2\,Ir(CO)[P(C_6H_5)_3]_2Cl,\ +6\,H_3COH} 2\,\{(OC)_3[(H_5C_6)_3P]\}IrB_4H_2Ir[C_6H_4-2-P(C_6H_5)_2]$$

Mit *trans*-Bis(triphenylphosphan)-carbonyl-chloro-iridium läßt sich aus dem Dinatrium-decahydrodecaborat(2–) in Methanol auch die bis zum B_8-Derivat abgebaute *nido*-Verbindung mit Arylbor-Bindung in sehr bescheidener Ausbeute (~ 3%) gewinnen[4]:

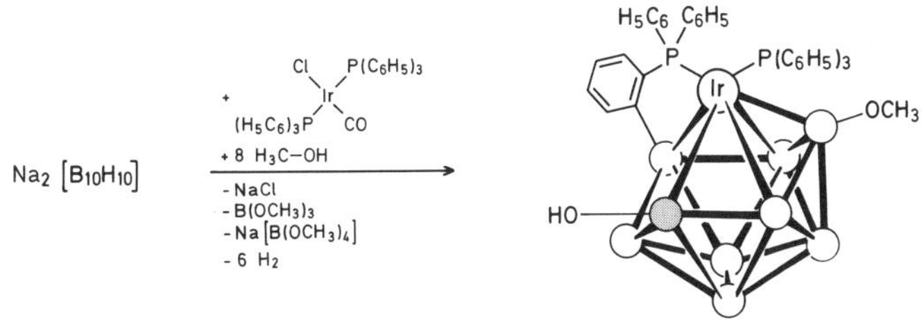

$$Na_2[B_{10}H_{10}] \xrightarrow[-NaCl,\ -B(OCH_3)_3,\ -Na[B(OCH_3)_4],\ -6\,H_2]{+\,Cl(CO)Ir[P(C_6H_5)_3]_2,\ +8\,H_3C-OH}$$

H5C6 C6H5, P, P(C6H5)3, Ir, OCH3, HO

Das *nido*-Anion $B_9H_{12}^-$ reagiert mit Tris(triphenylphosphan)iridiumchlorid in 85%-iger Ausbeute unter Bildung von *nido*-6-Iridadecaborin, wobei eine P-Phenyl-Gruppe in ortho-Position mit einem Boratom der B_9H_{11}-Species verknüpft wird[2,5]:

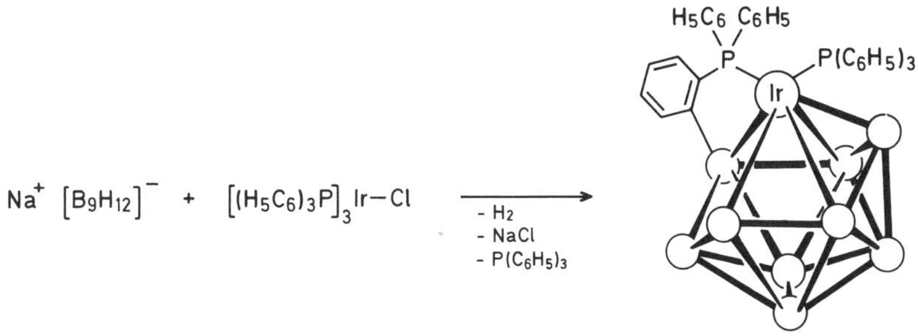

$$Na^+[B_9H_{12}]^- + [(H_5C_6)_3P]_3Ir-Cl \xrightarrow[-H_2,\ -NaCl,\ -P(C_6H_5)_3]{}$$

H5C6 C6H5, P, P(C6H5)3, Ir

Die Phenylbor-Bindung bildet sich auch bei der Thermolyse vom Iridatridecahydrodecaboran I unter Abspaltung von Dihydrogen[5]:

[1] N. N. GREENWOOD u. J. D. KENNEDY, *Transition-Metal Derivatives of Nido-Boranes and Some Related Species*, S. 43–118, in R. N. GRIMES, *Metal Interactions with Boron Clusters*, S. 102, 106ff., Plenum Press, New York 1982.

[2] N. N. GREENWOOD, Pure Appl. Chem. **55**, 1415–1430 (1984); S. 1427f.

[3] J. BOULD, N. N. GREENWOOD, J. D. KENNEDY u. W. S. MCDONALD, University of Leeds, unveröffentlicht 1983.

[4] J. E. CROOK, N. N. GREENWOOD, J. D. KENNEDY u. W. S. MCDONALD, Soc. Chem. Commun. **1981**, 933.

[5] J. BOULD, N. N. GREENWOOD, J. D. KENNEDY u. W. S. MCDONALD, Soc. Chem. Commun. **1982**, 465.

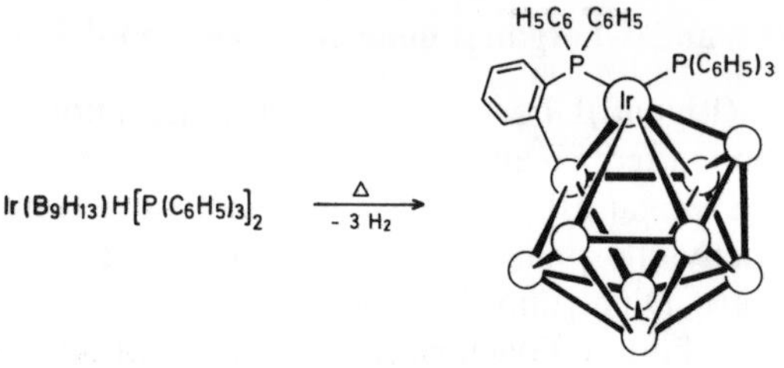

$Ir(B_9H_{13})H[P(C_6H_5)_3]_2 \xrightarrow[-3\,H_2]{\Delta}$

Aus Platinaundecaboran ist in Gegenwart von Triphenylphosphan eine Verbindung mit Phenyl-Rest an einem der B-Atome des $B_{10}Pt$-Gerüsts zugänglich[1]:

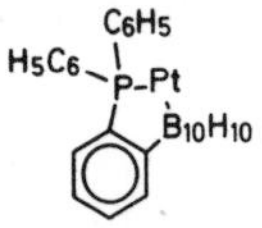

3. B-Organocarborane

Der Name „Carboran" leitet sich von Carba-boran ab und benennt Verbindungen mit einem polyedrischen Bor-Kohlenstoff-Gerüst. Die Kohlenstoff-Atome gelten als Heteroatome im Polyboran-Grundskelett. B-Organocarborane sind Derivate der Carborane mit an einem oder mehreren Bor-Atomen gebundenen Organo-Resten.

Falls die Atome des Carboran-Gerüstes einen geschlossenen, nur aus Dreiecks(Delta)flächen aufgebauten Polyeder bilden, spricht man von *closo*-Carboranen. Fehlt eine Ecke zum geschlossenen Polyeder – wie z.B. bei der tetra- oder pentagonalen Pyramide (vgl. S. 157) –, liegt ein *nido*-Carboran, fehlen zwei, ein *arachno*-Carboran vor[2].

Die Gerüste der meisten Carborane haben mehr Bor-Atome als Kohlenstoff-Atome. Daneben sind jedoch verschiedene Carborane mit gleicher B- und C-Zahl sowie mit C-Zahlen bekannt, die größer als die B-Zahlen sind.

Seit den ersten Beobachtungen auf dem Gebiet der Carborane im Jahr 1953 ist diese Stoffklasse intensiv bearbeitet worden[3–9]. Vor allem über die stabilen und gut zugänglichen Dicarba-*closo*-dodecaborane(12) liegt eine umfangreiche Literatur vor. Auch die Übergangsmetall-Carborane wurden eingehend untersucht[10–14].

In diesem Abschnitt werden die Herstellungsmethoden von B-Organocarboranen mit den B-Zahlen zwei (vgl. Tab. 21, S. 157), drei (vgl. Tab. 23, S. 161), vier (vgl. Tab. 25, S. 167), fünf (vgl. Tab. 26, 28, S. 169, 173), sechs bis acht (vgl. Tab. 29, S. 177), neun (Tab. 30, S. 180) und zehn (vgl. Tab. 31, 35, S. 183, 192) besprochen.

Die Synthese von Verbindungen mit Heterosubstituenten an den B-Atomen wie z.B. von Halogen-organo-carboranen oder Organo-oxy- sowie Amino-organo-carboranen sind in einem separaten Abschnitt (vgl. S. 191ff.) zusammengestellt.

Die Herstellung von B-Organocarboranen kann auf verschiedenen Wegen erfolgen, z.B. beim:

---

[1] R. Ahmad, M.A. Beckett, J. Bould, Y.M. Cheek, J.E. Crook, N.N. Greenwood, J.D. Kennedy u. W.S. McDonald, University of Leeds, unveröffentlicht 1980–1982.
[2] vgl. L. Barton, Topics Curr. Chem. **100**, 169 (1982).
[3] R. Köster u. M.A. Grassberger, Ang. Ch. **79**, 197 (1967).
[4] R.N. Grimes, *Carboranes*, Academic Press, New York 1970.
[5] Gmelin, 8. Aufl., **15**/2 (1974), **27**/6 (1975), **42**/11 (1977) u. **43**/12 (1977).
[6] L.I. Zakharkin, Pure Appl. Chem. **29**, 513 (1972).
[7] G.B. Dunks u. M.F. Hawthorne, Accounts Chem. Res. **6**, 124 (1973).
[8] J. Plešek u. S. Heřmánek, Pure Appl. Chem. **39**, 431 (1974).
[9] E.L. Muetterties, *Boron Hydride Chemistry,* Academic Press, New York 1975.
[10] M.F. Hawthorne, Pure Appl. Chem. **29**, 547 (1972).
[11] L.I. Zakharkin u. V.N. Kalinin, Uspechi Chim. **43**, 1207 (1974); C.A. **81**, 91599 (1974).
[12] R.N. Grimes, Pure Appl. Chem. **39**, 455 (1974).
[13] K.P. Callahan u. M.F. Hawthorne, Pure Appl. Chem. **39**, 475 (1975).
[14] S. Bresadola, in R.N. Grimes, *Metal interactions with boron clusters,* 173–237, Plenum Press, New York 1982.

1. Aufbau von Boranen kleiner B-Zahl,
2. Aufbau von Carboranen kleiner B-Zahl,
3. Abbau von Carboranen hoher B-Zahl und
4. Umwandlung von Carboranen gleicher B-Zahl

Zunächst werden die Herstellungsmethoden von Carboranen kleinster B-Zahl beschrieben. Bisweilen erfolgte bei Carboranen gleicher B-Zahl eine zusätzliche Unterteilung nach steigender C-Zahl. *closo-* und *nido-*Carborane werden nur z.Tl. getrennt voneinander besprochen.

α) B-Organocarborane mit zwei Bor-Atomen im Gerüst

Die bisher bekannten Herstellungsmethoden der B-Organo-2,3,4,5-tetracarba-*nido*-hexaborane(6) gehen von ungesättigten Triorganoboranen, Dihalogen-organo-boranen und von 1-Alkinyl-triorgano-boraten(1−) aus (vgl. Tab. 21).

Tab. 21: Organo-*nido*-carborane mit zwei B-Atomen

Formel[a]	Verbindungstyp	Herstellungsart	s. S.
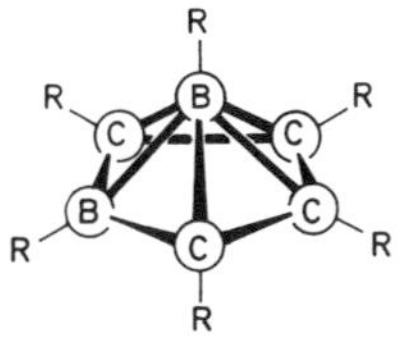	$C_4B_2(6)$ $R^2_4C_4R_2B_2(6)$	aus 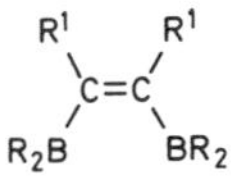 $R_2B(R^1)C{=}C(R^1)BR_2$ a) + >BH(Kat) b) Δ	158 158
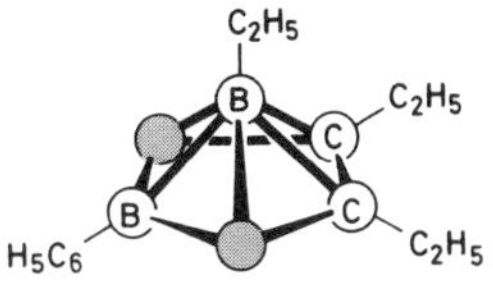	$C_4B_2(6)$ $R^1_2H_2C_4R_2B_2(6)$	aus $-BCl_2 + R_2B-R^{Sn}_{en}$	159
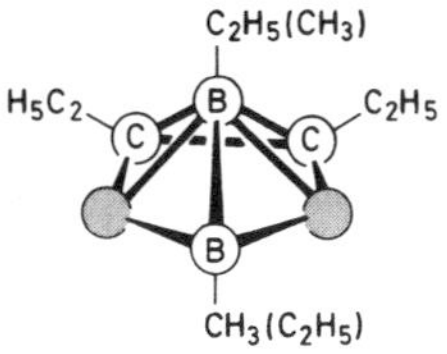	$C_4B_2(6)$ $R^2_2H_2C_4B_2RR^1(6)$	aus $-BBr_2 + R_2B-R^{Sn}_{en}$	159
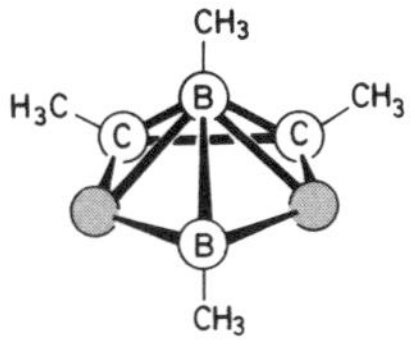	$C_4B_2(6)$ $R^1_2H_2C_4B_2R_2(6)$	aus $-BBr_2 + RB-R^{Sn}_{en}$	159
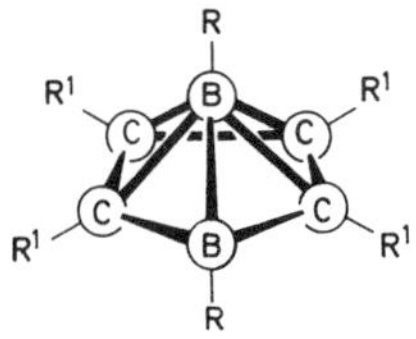	$C_4B_2(6)$ $R^1_4CB_2R_2(6)$	aus $[R_3B-C{\equiv}C-R^1]^{\ominus} + R_2BH$	160

[a] ○ = CH

α_1) *aus cis-Bis(dialkylboryl)-1,2-dialkyl-ethenen*

Hexaalkyl-2,3,4,5-tetracarba-*nido*-hexaborane(6) lassen sich aus *cis*-Bis(dialkylboryl)-1,2-dialkyl-ethenen (vgl. Tab. 22, S. 159) durch katalysierte oder thermische Dismutation herstellen.

cis-Bis[dialkylboryl]-1,2-dialkyl-ethene reagieren in Gegenwart kleiner Anteile von >BH-Boranen bei ≈40° unter Substituentenaustausch zu peralkylierten 2,3,4,5-Tetracarba-*nido*-hexaboranen(6) und Trialkylboranen[1,2]:

$$2\ R^1(R^2_2B)C{=}C(BR^2_2)R^1 \xrightarrow{(R_4B_2H_2,\ \sim 40°)} (R^1C)_4(R^2B)_2 + 2\ R^2_3B$$

Bei verschiedenen R^1- bzw. R^2-Substituenten werden Gemische erhalten.

Isomere Dimethyl-1,6,x,y-tetraethyl-2,3,4,5-tetracarba-hexaborane(6): 123 g (597 mmol) 2,3-Bis(diethylboryl)-2-penten werden mit 8 g Tetraethyldiboran(6) (≈14‰ Hydrid-H) 6 Stdn. auf ≈40° erwärmt. Die anschließende fraktionierende Destillation i. Vak. liefert 56,7 g Triethylboran, 7 g Zwischenlauf ($Kp_{0,001}$: 25–35°) sowie 52 g (241 mmol) Produkt (Gemisch der drei Stellungsisomeren); $Kp_{0,001}$: 48–50°.
8,8 g rotbraunes Öl verbleiben als Rückstand.

Beim Erhitzen der *cis*-Bis(dialkylboryl)-1,2-dialkyl-ethene auf 150° erhält man in Abhängigkeit von den Alkyl-Resten an den C-Atomen außer Peralkyl-2,3,4,5-tetracarba-*nido*-hexaboranen(6) auch Pentaalkyl-2,3-dihydro-1,3-diborole (vgl. Bd. XIII/3a, S. 211). Mit 95%iger Ausbeute verläuft allerdings die Herstellung von *Hexamethyl-2,3,4,5-tetracarba-nido-hexaboran(6)* (Kp_{12}: 78°) aus *cis*-2,3-Bis(dimethylboryl)-2-buten[1]:

$$2\ (H_3C)((H_3C)_2B)C{=}C(B(CH_3)_2)(CH_3) \xrightarrow[-2\ (H_3C)_3B]{\sim 150°,\ 3\ Stdn.} (H_3CC)_4(H_3CB)_2$$

Aus 2-Diethylboryl-3-dimethylboryl-*cis*-2-buten läßt sich von den möglichen Produkten in 90%iger Ausbeute das *6-Ethyl-1,2,3,4,5-pentamethyl-2,3,4,5-tetracarba-nido-hexaboran(6)* (Kp_{12}: 93°) neben wenig *Hexamethyl*-Isomer[3] herstellen. Aus 3,4-Bis[diethylboryl]-3-hexen werden thermisch (160°, 5 Stdn.) nur noch ≈1% C_4B_2-Carboran und in 90%iger Ausbeute 2-Methyl-1,3,4,5-tetraethyl-2,3-dihydro-1,3-diborol (vgl. Bd. XIII/3a, S. 211) gebildet.

α_2) *aus Dihalogen-organo-boranen*

Dihalogen-organo-borane reagieren mit bestimmten zinnhaltigen ungesättigten cyclischen Triorganoboranen (vgl. Bd. XIII/3a, S. 307f.) unter Substituentenaustausch zu *1,3,4,6-Tetraethyl-2,3,4,5-tetracarba-nido-hexaboranen(6)*[4,5].

---

[1] P. Binger, Tetrahedron Letters **1966**, 2675.
[2] P. Binger, Mülheim a. d. Ruhr, unveröffentlicht, 1967.
[3] P. Binger, Ang. Ch. **80**, 288 (1968); engl.: **7**, 286.
[4] L. Killian u. B. Wrackmeyer, J. Organometal. Chem. **132**, 213 (1972).
[5] H.-O. Berger, H. Nöth u. B. Wrackmeyer, B. **112**, 2884 (1979).

Tab. 22: Hexaalkyl-2,3,4,5-tetracarba-*nido*-hexaborane aus 1,2-*cis*-Bis(dialkylboryl)-alkenen[1] (5 Stdn. 160°)

Edukt	Umsatz [%]	...-2,3,4,5-tetracarbahexaboran(6)	Ausbeute [%]	Kp [°C]	Kp [Torr]
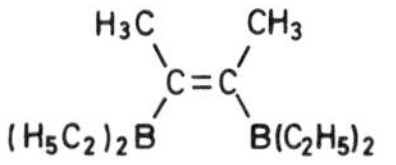 $(H_3C)(CH_3)C{=}C[B(C_2H_5)_2]_2$; $(H_5C_2)_2B$, $B(C_2H_5)_2$	80	*Dimethyl-tetraethyl-...*[a]	55	123	12
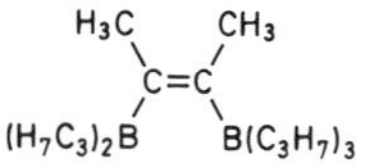 $(H_3C)(CH_3)C{=}C$; $(H_7C_3)_2B$, $B(C_3H_7)_3$	88	*Dimethyl-tetrapropyl-...*[a]	70	59	0,001
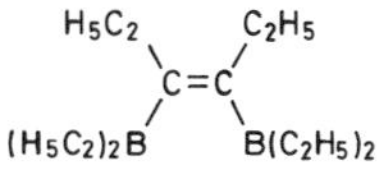 $(H_5C_2)(C_2H_5)C{=}C[B(C_2H_5)_2]_2$; $(H_5C_2)_2B$, $B(C_2H_5)_2$	60	*Hexaethyl-...*	1	85	0,01

[a] Isomerengemisch

Aus Dichlor-phenyl-boran erhält man mit 3-Diethylboryl-1,1-dimethyl-4-ethyl-stannol *6-Phenyl-1,3,4-triethyl-2,3,4,5-tetracarba-nido-hexaboran(6)*[2]:

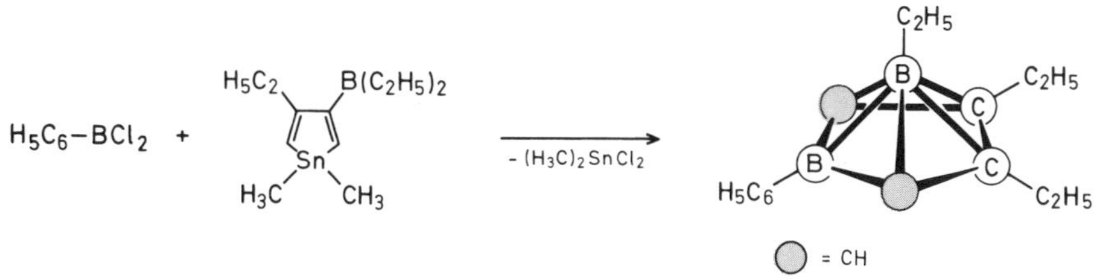

$H_5C_6{-}BCl_2$ + 3-Diethylboryl-1,1-dimethyl-4-ethyl-stannol (H_5C_2, $B(C_2H_5)_2$, Sn, H_3C, CH_3) $\xrightarrow{-(H_3C)_2SnCl_2}$ (C_2H_5, B, C, C_2H_5, B, C, H_5C_6, C_2H_5)

○ = CH

Dibrom-methyl-boran liefert mit 3-Diethylboryl-1,1-dimethyl-4-ethyl-stannol ein verunreinigtes Isomerengemisch von *1-Methyl-3,4,6-triethyl-* und *6-Methyl-1,3,4-triethyl-2,3,4,5-tetracarbahexaboran(6)*[3]. Aus Dibrom-methyl-boran läßt sich mit 1,1,2,4,6-Pentamethyl-1,4-dihydro-1,4-stannaborin in Hexan nach anschließendem Destillieren unreines *1,3,4,6-Tetramethyl-2,3,4,5-tetracarba-nido-hexaboran(6)* gewinnen[3]:

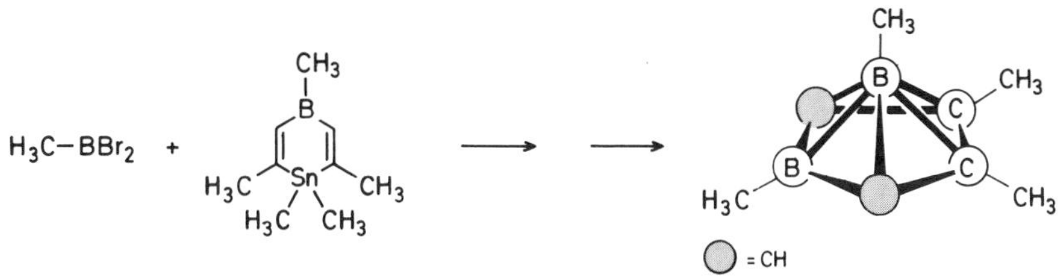

$H_3C{-}BBr_2$ + (CH_3, B, H_3C, Sn, CH_3, H_3C, CH_3) ⟶ ⟶ (CH_3, B, C, CH_3, B, C, H_3C, CH_3)

○ = CH

α_3) *aus Alkalimetall-1-alkinyl-trialkyl-boraten*

Hexaalkyl-2,3,4,5-tetracarba-*nido*-hexaborane(6) bilden sich aus Natrium-1-alkinyl-trialkyl-boraten mit Alkyldiboranen(6). Man kann von Trialkylboran/Alkyldiboran(6)-Gemischen ausgehen, die mit Natrium-1-alkinen die Borate bilden und unter Hydroborierung und Substituentenaustausch ohne Isolierung der Bis[dialkylboryl]alkene in 50%iger Ausbeute unmittelbar B-Alkyl-tetracarbahexaborane(6) liefern[4]; z.B.:

[1] P. Binger, Ang. Ch. **80**, 288 (1968); engl.: **7**, 286.
[2] L. Killian u. B. Wrackmeyer, J. Organometal. Chem. **132**, 213 (1972).
[3] H.-O. Berger, H. Nöth u. B. Wrackmeyer, B. **112**, 2884 (1979).
[4] R. Köster u. M. A. Grassberger, Ang. Ch. **79**, 197 (1967); engl.: **6**, 218.

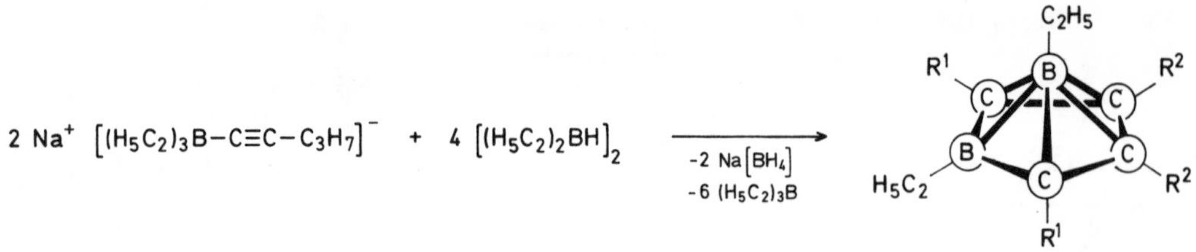

$$2\ Na^+\ [(H_5C_2)_3B{-}C{\equiv}C{-}C_3H_7]^- + 4\ [(H_5C_2)_2BH]_2 \xrightarrow[-6\ (H_5C_2)_3B]{-2\ Na[BH_4]}$$

$R^1, R^2 = C_2H_5, C_3H_7$

β) B-Organocarborane mit drei Bor-Atomen im Gerüst

Zu den Carboranen mit drei Bor-Atomen im Gerüst gehören C_2B_3[1]- und C_3B_3[2]-Verbindungen, von denen bisher allerdings nur B-Organo-Vertreter mit C_2B_3-*closo*-Gerüst hergestellt wurden.

Teilweise und vollständig alkylierte 1,5-Dicarba-*closo*-pentaborane(5) erhält man aus Triorganoboranen, Diorgano-hydro-boranen, Hydro-oligoboranen sowie aus Hydro- und Alkylsilyl-carboranen (vgl. Tab. 23, S. 161).

β₁) *aus Triorganoboranen*

Aus bestimmten aliphatischen Triorganoboranen lassen sich thermisch in bescheidener Ausbeute[3,4] durch Kondensation oder besser katalysiert unter B-Substituentenaustausch[5] teilweise sowie vollständig alkylierte 1,5-Dicarba-*closo*-pentaborane(5) herstellen.

Beim mehrstündigen Durchleiten von Trimethylboran durch ein auf 475–520° erhitztes Quarzrohr erhält man kleine Mengen *2,3,4-Trimethyl-1,5-dicarba-closo-pentaboran(5)*[3,4]:

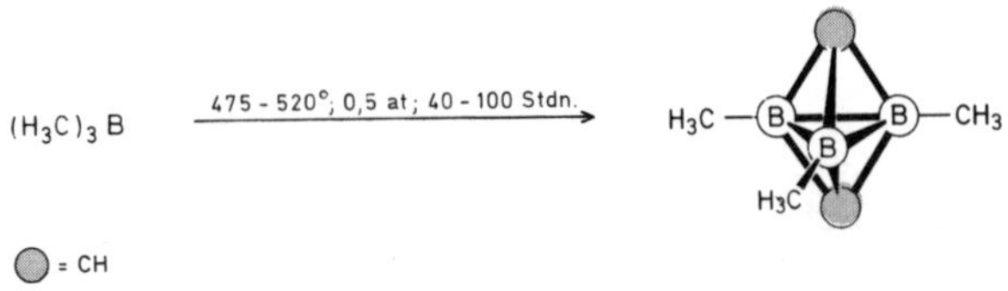

$$(H_3C)_3B \xrightarrow{475-520°;\ 0,5\ at;\ 40-100\ Stdn.}$$

● = CH

Als Nebenprodukt fällt das B-Permethyl-hexaboraadamantan an (vgl. Bd. XIII/3a, S. 27 u. XIII/3c, S. 438)[3,4].

Tris(diethylboryl)methan (vgl. Bd. XIII/3a, S. 20)[5] reagiert nach Zugabe katalytischer Mengen Tetraethyldiboran(6) oder Triethylaluminium bei 150° unter Abspaltung von Triethylboran zu *2,3,4-Triethyl-1,5-dicarba-closo-pentaboran(5)*[5] (30%):

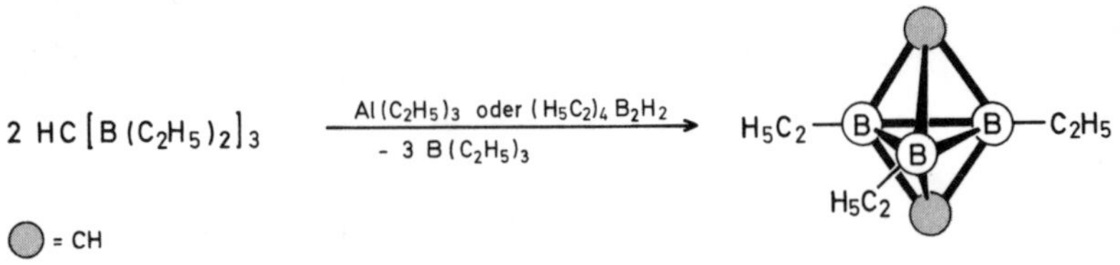

$$2\ HC[B(C_2H_5)_2]_3 \xrightarrow[-\ 3\ B(C_2H_5)_3]{Al(C_2H_5)_3\ oder\ (H_5C_2)_4B_2H_2}$$

● = CH

Die durch >BH-Boran katalysierte Reaktion läuft nur mit reinem Tris(diethylboryl)methan ab, das von der Herstellung her (s.u.) keine B-Methoxy-Gruppen mehr enthält. Die vollständige Entfernung der Methoxybor-Anteile ist durch wiederholtes Behandeln mit Triethylaluminium bei ≈20° möglich[5].

---

[1] R. Köster u. G.W. Rotermund, Tetrahedron Letters **1964**, 1667.
[2] N.R. Grimes, Advan. Inorg. Chem. Radiochem. **26**, 55, 70 (1983).
[3] M.P. Brown, A.K. Holliday u. G.M. Way, Chem. Commun. **1972**, 850.
[4] M.P. Brown, A.K. Holliday u. G.M. Way, Chem. Commun. **1973**, 532.
[5] R. Köster, H.-J. Horstschäfer, P. Binger u. P.K. Mattschei, A. **1975**, 1339.

Tab. 23: Alkyl-1,5-dicarba-*closo*-pentaborane(5)

Formel	Verbindungstyp $C_2B_3(5)$	Herstellungsart	s. S.
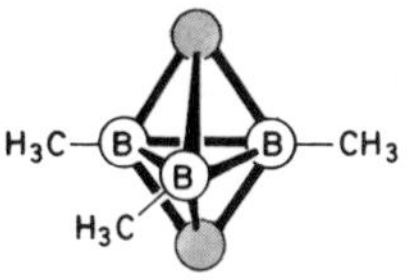 H_3C–B, B–CH_3, H_3C–B	$H_2C_2B_3R_3(5)$	aus BR_3, △	160
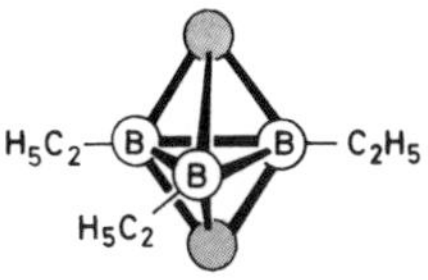 H_5C_2–B, B–C_2H_5, H_5C_2–B	$H_2C_2B_3R_3(5)$	aus $(R_2B)_3CH$ + Kat (Kat.: >BH; R_3Al)	160
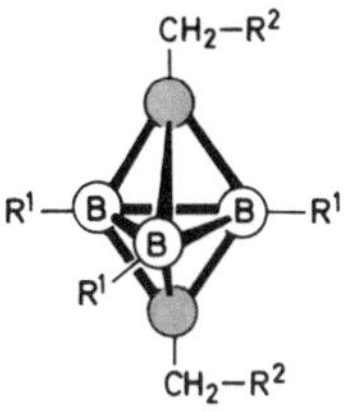 CH_2–R^2; R^1–B, B–R^1, R^1–B; CH_2–R^2	$R^1_2C_2B_3R_3(5)$	aus R_2BH + R_2B–R_{in}, △ + HC ≡ CH, △	162 163
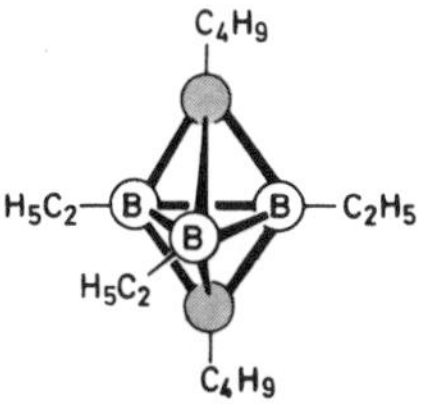 C_4H_9; H_5C_2–B, B–C_2H_5, H_5C_2–B; C_4H_9	$R^1_2C_2B_3R_3(5)$	aus R^1_2BH + NaC≡C–R^1	164
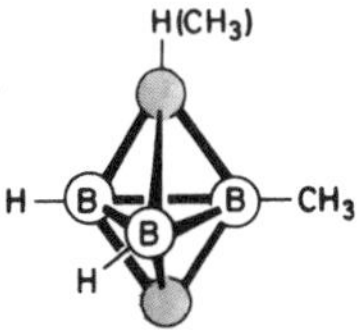 H(CH_3); H–B, B–CH_3, H–B	$H_2C_2B_3H_2R(5)$	aus B_4H_{10} + HC≡CH aus B_5H_{11} + HC≡CH (+ HC≡C–CH_3)	164 164
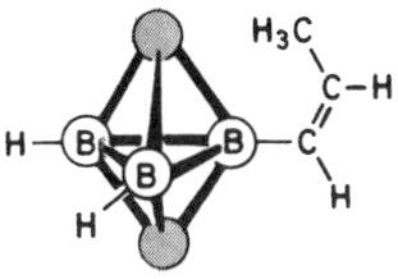 H–B, B–C(=C(H)(H_3C))–H, H–B	$H_2C_2B_3H_2R_{en}(5)$	aus $C_2B_3H_5$ + In aus $C_2B_3H_5$ + In + Kat	166 166
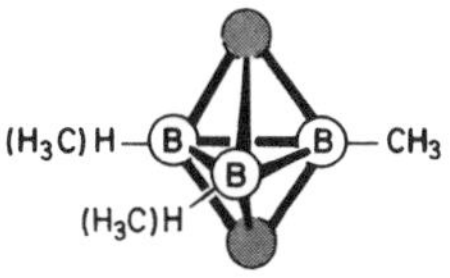 (H_3C)H–B, B–CH_3, (H_3C)H–B	$H_2C_2B_3H_{3-n}R_n(5)$ n = 1–3	aus $C_2B_3H_5$ + BR_3 + >BH + △	165 165 165
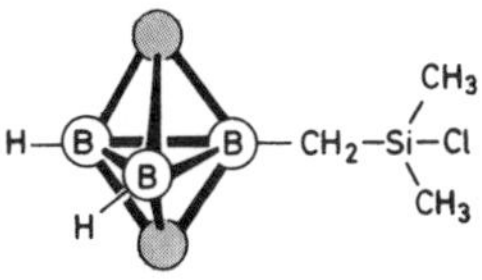 H–B, B–CH_2–Si(CH_3)$_2$–Cl, H–B	$H_2C_2B_3H_2R^{Si}(5)$	aus $C_2B_4H_8R^{Si}$, △	166

[a] ● = CH

Tris(diethylboryl)methan[1]: Eine Mischung von 180,5 g (0,623 mol) Tris(dimethoxyboryl)methan (≈80%ig)[2] und 1748g (17,8 mol) Triethylboran wird nach Zugabe von 8 *ml* „Ethyldiboran" (19,1‰ H^- ≥96 mmol BH) unter Rühren 1 Stde. zum Rückfluß (Innentemp. ≈100°) erhitzt. I. Vak. werden 1720 g Gemisch von Diethyl-methoxy-boran und Triethylboran abdestilliert (9 Torr). Bei 0,01 Torr werden nach ≈34 g Triethylboran 126 g farbloses Gemisch ($Kp_{0,01}$: 26–72°) gewonnen, woraus sich 6,9 g (7,3%) *Tetrakis(dimethoxyboryl)methan* (vgl. Bd. XIII/3 a, S. 749) abscheiden. Aus dem aliquoten Anteil des Filtrats [47 g von 117 g Tris(diethylboryl)methan] wird nach 4fach wiederholter Zugabe von jeweils ≈1,2 g Triethylaluminium (5°, 12 Stdn.), Abfiltrieren von Methoxyaluminium-Verbindung und Destillieren i. Vak. (0,05 Torr) das *Tris(diethylboryl)methan* erhalten; Ausbeute: 7,7 g (95%ig); $Kp_{0,001}$: 32–35°; F: –57,3°.

2,3,4-Triethyl-1,5-dicarba-*closo*-pentaboran(5)[1]: Man erhitzt 27,1 g eines Gemisches aus 13% Triethylboran, 17,5% Bis(diethylboryl)-(ethyl-methoxy-boryl)-methan (4,7 g; 22 mmol) und 59,9% Tris(diethylboryl)methan (27,1 g; 74 mmol) nach Zugabe von ≈1 *ml* Triethylaluminium 15 Stdn. in einem 65-*ml*-Autoklav unter Schütteln auf ≈150°. Nach Abkühlen werden von 25,5 g rotbrauner, viskoser Flüssigkeit i. Vak. (bis 0,04 Torr) bei ≈20° 15,8 g farbloses Gemisch abdestilliert. Das farblose Gemisch verdünnt man mit 50 *ml* Pentan und tropft unter Rühren ≈55 *ml* einer Lösung von 0,1 g (≈3 mmol) Natriumhydroxid in 30%igem Dihydrogenperoxid zu. Nach 15 Min. unter Rückfluß wird vom Niederschlag (Borsäure, Natriumborat) abfiltriert, die Pentan-Schicht abgetrennt, über Calciumchlorid getrocknet, i. Vak. eingeengt und der Rückstand i. Vak. fraktioniert; Ausbeute: 1,6 g (27%; 91%ig) (farbloses Öl); $Kp_{0,08}$: 25°; F: −59,8°.

β_2) *aus Diorgano-hydro-boranen*

Aus Dialkyl-hydro-boranen lassen sich mit 1-Alkinyl-dialkyl-boranen Pentaalkyl-1,5-dicarba-*closo*-pentaborane(5) herstellen (vgl. Tab. 24, S. 163). Durch zweifache Hydroborierung bilden sich zunächst 1,1,1-Tris(dialkylboryl)alkane (vgl. Bd. XIII/3 a, S. 73f.), die durch >BH-katalysierten Ligandenaustausch zu Trialkylboran und Pentaalkyl-1,5-dicarba-*closo*-pentaboranen(5) weiterreagieren[1,3,4]:

$$4\,R^1_2BH + 2\,R^1_2B{-}C{\equiv}C{-}R^2 \longrightarrow \longrightarrow 2\,(R^1_2B)_3C{-}CH_2{-}R^2 \xrightarrow[-\,3\,R^1_3B]{+\,[>BH]} (R^1B)_3(C{-}CH_2{-}R^2)_2$$

$R^1 = C_2H_5, C_3H_7$
$R^2 = CH_3, C_2H_5$

Zwischenprodukte der Reaktion sind Bis(dialkylboryl)alkene, von denen 1,2-Bis(dialkylboryl)-Isomere für die C_2B_3-Carboran-Bildung nicht geeignet sind. Auch 1,1,2-Tris(dialkylboryl)alkane sind keine direkten Vorprodukte der Bildung von 1,5-Dicarba-*closo*-pentaboranen(5).

Die Ausbeute hängt somit von der Regioselektivität der beiden Hydroborierungsschritte ab. Im ersten Schritt ist diese vergleichsweise groß, wenn man von vollkommen basenfreiem 1-Alkinyl-dialkyl-boran ausgeht und ein Gemisch von Tetraalkyldiboran(6) mit viel Trialkylboran einsetzt. Sperrige Reste wie z.B. Isopropyl-Gruppen am Bor-Atom lenken die Reaktion in Richtung der 1,2-Bis(dialkylboryl)alkene. B-Isopropylcarborane können so nicht hergestellt werden. Die zweite Hydroborierungsstufe verläuft auch unter den günstigsten Bedingungen nicht selektiv. Die Carboran-Ausbeuten betragen daher nur maximal 50%.

Pentaethyl-1,5-dicarba-closo-pentaboran(5) (Kp_9: 84–86°; F: −61,5°) ist z.B. aus Tetraethyldiboran(6) mit Diethyl-1-propinyl-boran in 45%iger Ausbeute zugänglich[1]:

---

[1] R. Köster, H.-J. Horstschäfer, P. Binger u. P.K. Mattschei, A. **1975**, 1339.
[2] R.B. Castle u. D.S. Matteson, Am. Soc. **90**, 2194 (1968); J. Organometal. Chem. **20**, 19 (1969). s. ds. Handb. Bd. XIII/3a, S. 749 (1982).
[3] R. Köster u. G.W. Rotermund, Tetrahedron Letters **1964**, 1667.
[4] R. Köster, H.-J. Horstschäfer u. P. Binger, Ang. Ch. **78**, 777 (1966); engl.: **5**, 730.

$$2\ [(H_5C_2)_2BH]_2 + 2\ H_3C{-}C{\equiv}C{-}B(C_2H_5)_2 \xrightarrow[-3\ (H_5C_2)_3B]{} \text{1,2,3,4,5-Pentaethyl-1,5-dicarba-closo-pentaboran(5)}$$

1,2,3,4,5-Pentaethyl-1,5-dicarba-closo-pentaboran(5)[1]: Zu 118,7 g (110 mmol) Diethyl-1-propinyl-boran tropft man unter Kühlen mit Eiswasser und Rühren innerhalb ≈2,5 Stdn. 880,8 g Tetraethyldiboran(6)/Triethylboran-Gemisch (3‰ Hydrid-H = 2,37 mol >BH). Die Lösung erwärmt sich schwach. Man destilliert aus der klaren gelben Mischung zuerst unter Atmosphärendruck (Innentemp. 125°) und dann i. Vak. (7 Torr, bis 30° Badtemp.) Triethylboran und überschüssiges Tetraethyldiboran(6) ab. Anschließend destillieren 83,4 g ($Kp_{0,05}$ ≤110°) über, die redestilliert werden; Ausbeute: 51 g (45%) 98%iges Carboran (farbloses Öl); Kp_9: 84–86°; F −61,5°.

Tab. 24: Pentaalkyl-1,5-dicarba-*closo*-pentaborane(5) aus Alkyldiboranen(6) mit 1-Alkinyl-dialkyl-boranen[2,3]

Alkyldiboran (6)	1-Alkinyl-dialkyl-boran	*...-1,5-dicarba-closo-pentaboran(5)*	Ausbeute [%]	Kp [°C]	Kp [Torr]	Literatur
$(H_5C_2)_4B_2H_2$	$(H_5C_2)_2B{-}C{\equiv}C{-}C_6H_{13}$	*1,5-Diheptyl-2,3,4-triethyl-...*	38,5	105–110	0,001	1
$(H_3C_7)_4B_2H_2$	$(H_7C_3)_2B{-}C{\equiv}C{-}CH_3$	*1,5-Diethyl-2,3,4-tripropyl-...*	52	117–118	10	1,2
$(H_5C_2)_4B_2H_2$	$(H_5C_2)_2B{-}C{\equiv}C{-}CH_3$	*Pentaethyl-...*	46	84–86	9	1

Die Reaktion des Tetraethyldiborans(6) mit Acetylen liefert in ≈15%iger Ausbeute *1,5-Dimethyl-2,3,4-triethyl-1,5-dicarba-closo-pentaboran(5)*[3]. In erster Stufe bildet sich vermutlich Diethyl-ethinyl-boran, das zum 1,1,1-Tris[diethylboryl]ethan hydroboriert wird. Die Bildung des Diethyl-ethinyl-borans kann durch Dihydrogen-Abspaltung direkt (Weg A) erfolgen oder mittelbar über das C_2H_2-Hydroborierungsprodukt Diethyl-vinyl-boran (Weg B) verlaufen[3]:

$$\text{A: } 3\ [(H_5C_2)_2BH]_2 + 2\ HC{\equiv}CH \xrightarrow[-3\ (H_5C_2)_3B]{-2\ H_2}$$

$$\text{B: } 4\ [(H_5C_2)_2BH]_2 + 4\ HC{\equiv}CH \xrightarrow[]{-5\ (H_5C_2)_3B}$$

$$\xrightarrow{-h\nu(?)} \text{1,5-Dimethyl-2,3,4-triethyl-1,5-dicarba-closo-pentaboran(5)}$$

Bei der Bildung des C_2B_3-Carborans aus Ethyldiboran(6) und Acetylen treten energiereiche Zwischenstufen auf, die unter Lichtemission (Chemilumineszenz) weiterreagieren[3].

1,5-Dimethyl-2,3,4-triethyl-1,5-dicarba-closo-pentaboran(5)[3]: Durch 58,9 g Ethyldiboran(6) [2,37% >BH (1,4 mol) >BH] leitet man bei ≈20° unter Rühren Acetylen, wobei 13,3 N*l* in 2,5 Stdn. aufgenommen werden. 0,19 N*l* (8,5 mmol) Dihydrogen werden frei. Die farblose Flüssigkeit wird im Autoklaven auf 200° erhitzt. Weitere 0,4 N*l* (6,5 mmol) Dihydrogen werden frei. Es wird fraktionierend destilliert; nach Triethylboran (45 g) und kleinen Anteilen verschiedener Ethandiyl-ethyl-borane (vgl. Bd. XIII/3a, S. 73) destilliert das Carboran; Ausbeute: 5,2 g (12,8%–17,1% bez. auf >BH); F: −84°; Kp_{11}: 58°; $Kp_{748,5}$: 170,5°.

[1] R. Köster, H.-J. Horstschäfer, P. Binger u. P. K. Mattschei, A. **1975**, 1339.
[2] R. Köster, H.-J. Horstschäfer u. P. Binger, Ang. Ch. **78**, 777 (1966); engl.: **5**, 730.
[3] R. Köster u. G. W. Rotermund, Tetrahedron Letters **1964**, 1667.

Aus Diboran(6) werden mit Acetylen B-Methyl-*closo*-carborane mit drei bis fünf Bor-Atomen gebildet[1,2]. Setzt man ein Gemisch von z. B. 3,62 mmol Diboran und 3,56 mmol Acetylen in Helium einer elektrischen Entladung zwischen Kupfer-Elektroden bei 1200 V aus, entsteht in bescheidener Ausbeute ein Gemisch unsubstituierter sowie B-methylierter *closo*-Carborane mit drei bis fünf Bor-Atomen[1,2], das sich gaschromatographisch trennen läßt.

Tetraethyldiboran(6) reagiert mit Natrium-1-pentin in bescheidener Ausbeute unter Bildung von *1,5-Dibutyl-2,3,4-triethyl-1,5-dicarba-closo-pentaboran(5)*. Außerdem werden hochmolekulare Verbindungen gebildet[3]:

$$12\ (H_5C_2)_2BH \ + \ 2\ Na-C\equiv C-C_3H_7 \xrightarrow[-2\ Na[BH_4]]{-7\ (H_5C_2)_3B}$$

C_4H_9 — C — H_5C_2–B, B–C_2H_5, B, H_5C_2 — C — C_4H_9

β_3) *aus Hydro-oligoboranen*

Die bei 100° thermisch induzierte, unter Blitzerscheinung ablaufende Reaktion von Tetraboran(10) oder Pentaboran(11) mit Acetylen liefert in geringen Mengen *2-Methyl-1,5-dicarba-closo-pentaboran(5)*[4]. Mit Propin oder 2-Butin erhält man zusätzlich *C,3-Dimethyl-1,2-dicarba-closo-pentaboran(5)*; z.B.[4]:

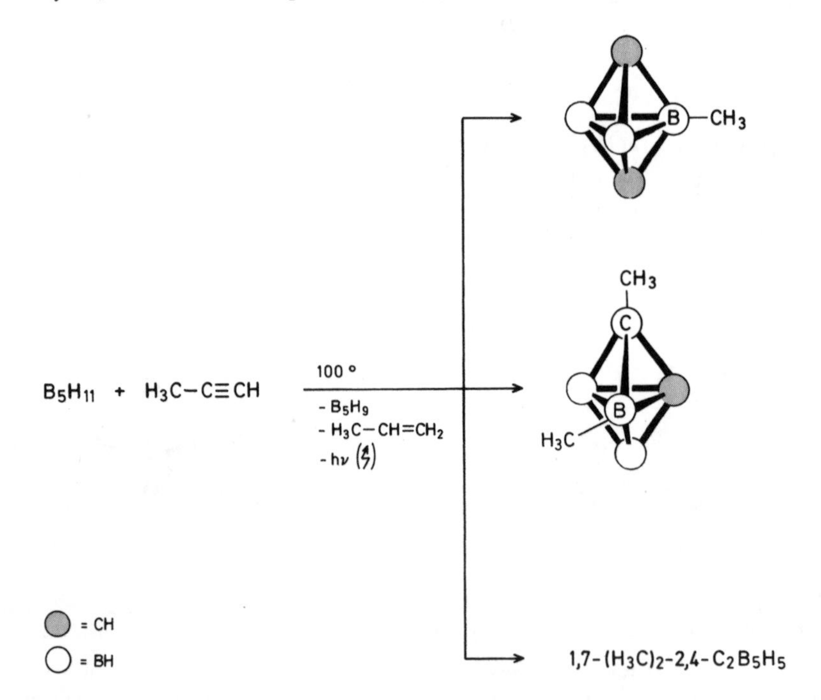

[1] R. N. Grimes, Am. Soc. **88**, 1070 (1966).
[2] R. N. Grimes, Am. Soc. **88**, 1895 (1966).
[3] R. Köster u. M. A. Grassberger, Ang. Ch. **79**, 197, 215 (1967); engl.: **6**, 218.
[4] R. N. Grimes, C. L. Bramlett u. R. L. Vance, Inorg. Chem. **8**, 55 (1969).
Apparaturen vgl.:
R. N. Grimes, C. L. Bramlett u. R. L. Vance, Inorg. Chem. **7**, 1066 (1968).
R. N. Grimes u. C. L. Bramlett, Am. Soc. **89**, 2557 (1967).

β_4) *aus 1,5-Dicarba-closo-pentaboran(5)*

Die Reaktionen des 1,5-Dicarba-*closo*-pentaborans(5) mit Trialkylboranen oder mit ungesättigten Kohlenwasserstoffen sind wegen bescheidener Ausbeuten und der Bildung von Gemischen zur Herstellung von B-Organo-1,5-dicarba-*closo*-pentaboranen(5) präparativ nicht empfehlenswert.

$\beta\beta_1$) mit Trialkylboranen

Während der Substituentenaustausch zur Herstellung von Alkyl-*nido*-polyboranen einige Bedeutung hat (vgl. S. 175), wird er zur Gewinnung von Alkyl-*closo*-carboranen nur selten angewandt[1,2]. Aus äquimolaren Mengen 1,5-Dicarba-*closo*-pentaboran(5) und Trimethylboran erhält man bei 50° nach 5 Tagen in ~30%iger Ausbeute *2-Methyl-dicarba-closo-pentaboran(5)* und *Tetramethyldiboran(6)*[2]:

2 [Carboran] + 2 $(H_3C)_3B$ $\xrightarrow{-(H_3C)_4B_2H_2}$ 2 [B–CH_3-Carboran]

○ = BH ● = CH

Längeres Erhitzen führt zur Bildung des Di- und Trimethyl-Derivates. Außerdem bilden sich nichtflüchtige Zersetzungsprodukte. Aus einem 1:4 Gemisch von 1,5-Dicarba-*closo*-pentaboran(5) und Trimethylboran erhält man in einem Heiß/Kalt-Reaktor[3] ein Gemisch von *B-Methyl-1,5-dicarba-closo-pentaboranen(5)* sowie an den Bor-Atomen teilweise methyliertes *2,2'-Bi-[1,5-dicarba-closo-pentaboranyl(5)]*[2]:

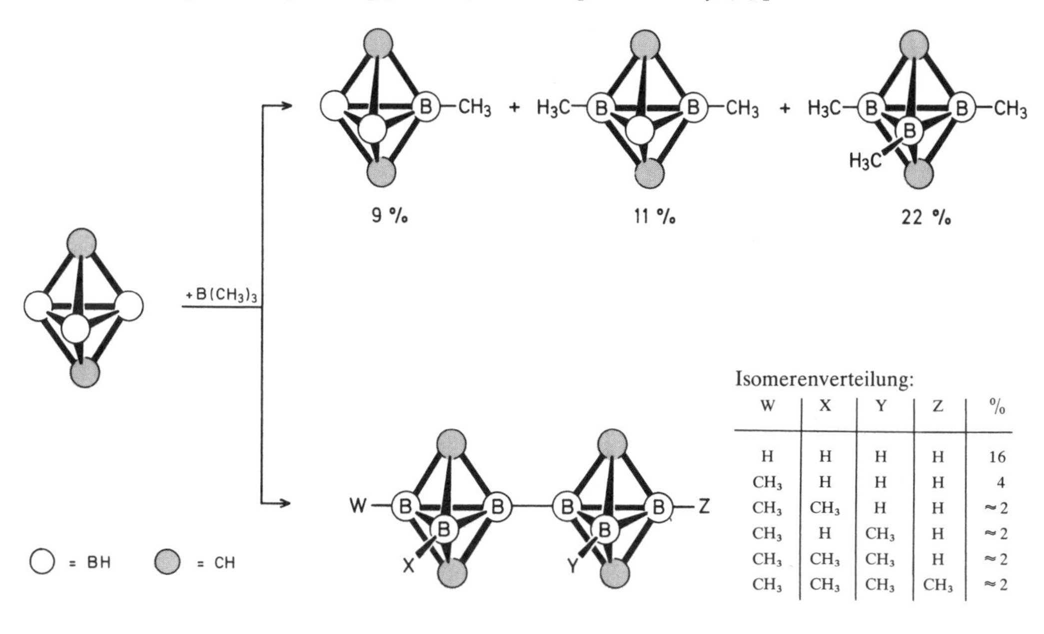

Isomerenverteilung:

W	X	Y	Z	%
H	H	H	H	16
CH_3	H	H	H	4
CH_3	CH_3	H	H	≈2
CH_3	H	CH_3	H	≈2
CH_3	CH_3	CH_3	H	≈2
CH_3	CH_3	CH_3	CH_3	≈2

---

[1] R.N. Grimes, J. Organometal. Chem. **8**, 45 (1967).
[2] R.C. Dobbie, E.W. Distefano, M. Black, J.B. Leach u. T. Onak, J. Organometal. Chem. **114**, 233 (1976).
[3] M.J. Klein, B.C. Harrison u. I.J. Solomon, Am. Soc. **80**, 4149 (1958).

$\beta\beta_2$) mit Alkinen

Bei der Hydroborierung von Propin mit 1,5-Dicarba-*closo*-pentaboran(5) um 165° erhält man in 10%iger Ausbeute *(Z)-2-(1-Propenyl)-1,5-dicarba-closo-pentaboran(5)* (Kp_{15}: 22°)[1].

Die B-Alkenylierungen lassen sich mit Übergangsmetall-π-Komplexen (z.B. mit 2-Butin-hexacarbonyl-dicobalt) katalysieren. Man erhält z.B. mit 2-Butin bei ≈ 100° *2-(cis-1-Methyl-1-propenyl)- und 2,3,4-Tris(cis-1-methyl-1-propenyl)-1,5-dicarba-closo-pentaborane(5).*[2]

β_5) *aus nido-Carboranen mittlerer B-Zahl*

Unsubstituierte *nido*-Carborane lassen sich bei Energiezufuhr unter Abspaltung von Dihydrogen in die thermodynamisch stabileren *closo*-Carborane überführen[3-5]. Alkylierte *nido*-Carborane[6,7] reagieren analog in abgeschwächter Form, da B- und C-Alkyl- Substituenten das Carboran-Gerüst stabilisieren[8,9].

Beim Durchleiten eines 3:1 Gemisches von 4- bzw. 5-[(Chlor-dimethyl-silyl)methyl]-2,3-dicarba-*nido*-hexaboran(8) durch ein auf 650° erhitztes Quarzrohr erhält man *2-[(Chlor-dimethyl-silyl)methyl]-1,5-dicarba-closo-pentaboran(5)* neben wenig *2-[(Chlor-dimethyl-silyl)methyl]-1,6-dicarba-closo-hexaboran(6)*[7]:

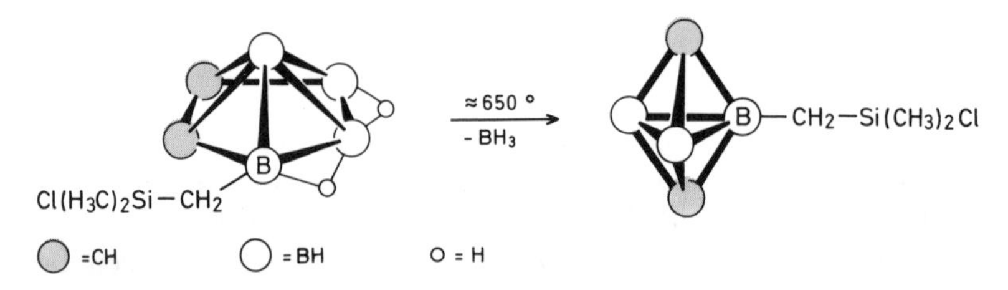

γ) B-Organocarborane mit vier Bor-Atomen im Gerüst

Zur Verbindungsklasse zählen *nido*- und *closo*-Carborane (vgl. Tab. 25, S. 167) wie z.B. Organo-carba-*nido*-pentaborane(10), Organo-dicarba-*closo*-hexaborane(6), Organo-dicarba-*nido*-hexaborane(8) und organo-tetracarba-*nido*-octaboran(8).

γ_1) *B-Organo-carba-nido-pentaboran(10)*

Aus Diethylether-Trifluorboran erhält man in Gegenwart von Triethylboran nach Enthalogenierung mit Lithium-Metall in Tetrahydrofuran beim Destillieren des Produktgemisches eine Fraktion ($Kp_{0,001}$: 73–74°), die bis zu 85% eine Verbindung mit der Summenformel $C_{12}H_{30}B_4$ enthält. Aufgrund der ^1H- und ^{11}B-NMR-Spektren handelt es sich vermutlich um *2,3-(Ethan-1,1-diyl)-1-methyl-2,3,4,5-tetraethyl-1-carba-nido-pentaboran(10)*[10]:

---

[1] A.B. Burg u. T.J. Reilly, Inorg. Chem. **11**, 1962 (1972).
[2] R. Wilczynski u. L.G. Sneddon, Inorg. Chem. **21**, 506 (1982).
[3] G.B. Dunks u. M.F. Hawthorne, Accounts Chem. Res. **6**, 124 (1973).
[4] R.N. Grimes, *Carboranes*, Academic Press, New York 1970.
[5] R.R. Rietz u. M.F. Hawthorne, Inorg. Chem. **13**, 755 (1974).
[6] M.A. Grassberger, E.G. Hoffmann, G. Schomburg u. R. Köster, Am. Soc. **90**, 56 (1968).
[7] C.B. Ungermann u. T. Onak, Inorg. Chem. **16**, 1428 (1977).
[8] R.N. Grimes, J. Organometal. Chem. **8**, 45 (1967).
[9] C.L. Bramlett u. R.N. Grimes, Am. Soc. **88**, 4269 (1966).
[10] R. Köster, G. Benedikt u. M.A. Grassberger, A. **719**, 187 (1968).

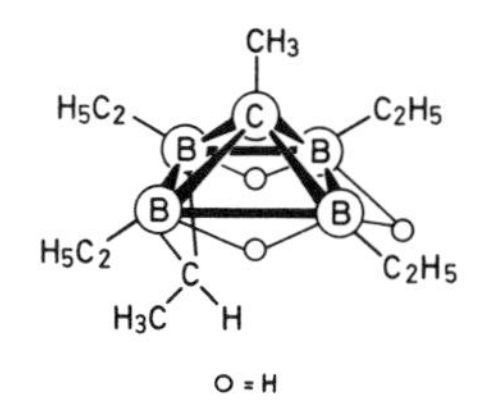

γ_2) *B-Organo-dicarba-closo-hexaborane(6)*

Aus einem 3:1-Gemisch von 4- und 5- [(Chlor-dimethyl-silyl)methyl]-2,3-dicarba-*nido*-hexaboran(8) erhält man beim Durchleiten durch ein auf 650° erhitztes Quarzrohr in untergeordneter Menge *2-[(Chlor-dimethyl-silyl)methyl]-1,6-dicarba-closo-hexaboran(6)* neben dem Hauptprodukt *2-[(Chlor-dimethyl-silyl)methyl]-1,5-dicarba-closo-pentaboran(5)* (vgl. S. 104ff.)[1]:

Tab. 25: B-Organocarborane mit vier Bor-Atomen im Gerüst

Formel	Verbindungstyp	Herstellungsart	s. S.
CH_3, H_5C_2, C_2H_5, H_5C_2, C_2H_5, H_3C, H	$CB_4(10)$	aus Do–$BHal_3$/R_3B + M/THF	166f.
CH_2–$Si(CH_3)_2Cl$ R_{en}	$C_2B_4(6)$	aus $C_2B_4H_8R^{Si}$, △ aus $C_2B_4H_6$ mit In(Kat.)	168 168
CH_3(H), H(CH_3)	$C_2B_4(8)$	aus RB_5H_8 + HC≡CH	168
H_2C–Si(CH_3)(CH_3)–Cl	$C_2B_4(8)$	aus $H_2C_2B_4H_5Si$ ($AlCl_3$)	168
CH_3, H_5C_2, C_2H_5, H_3C, CH_3, H_5C_2, C_2H_5, CH_3	$C_4B_4(8)$	aus R–B–S–B–R (R_{en}) + K/THF	169

● = CH ○ = BH o = H

[1] C.B. Ungermann u. T. Onak, Inorg. Chem. **16**, 1428 (1977).

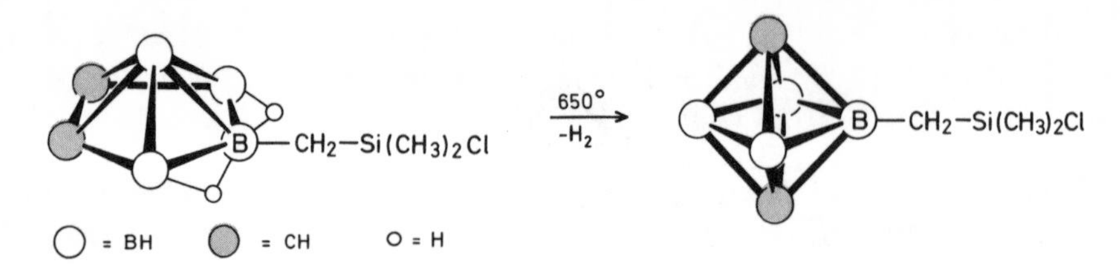

Aus 1,6-Dicarba-closo-hexaboran(6) sind mit 2-Butin in Gegenwart von (2-Butin)-hexacarbonyl-dicobalt bei 100° einfach und mehrfach an den Bor-Atomen substituierte *(cis-1-Methyl-1-propenyl)-1,6-dicarba-closo-hexaborane(6)* zuzüglich.[1]

γ_3) *B-Organo-dicarba-nido-hexaborane(8)*

B-Alkyl-2,3-dicarba-*nido*-hexaborane(8) erhält man aus Alkylpentaboranen(9) mit Acetylen oder aus Silyl-2,3-dicarba-*nido*-hexaboran(8) durch katalysierte Umlagerung.

$\gamma\gamma_1$) aus Alkylpentaboranen(9)

Pentaboran(9) liefert beim Erhitzen mit Alkinen im geschlossenen Gefäß C-Alkyl-2,3-dicarba-*nido*-hexaborane(8). Am Bor alkylierte Carborane bilden sich nicht[2]. Um zu *B-Methyl-2,3-dicarba-nido-hexaboranen(8)* zu gelangen, muß man von 1- oder 2-Methylpentaboran(9) ausgehen[3]:

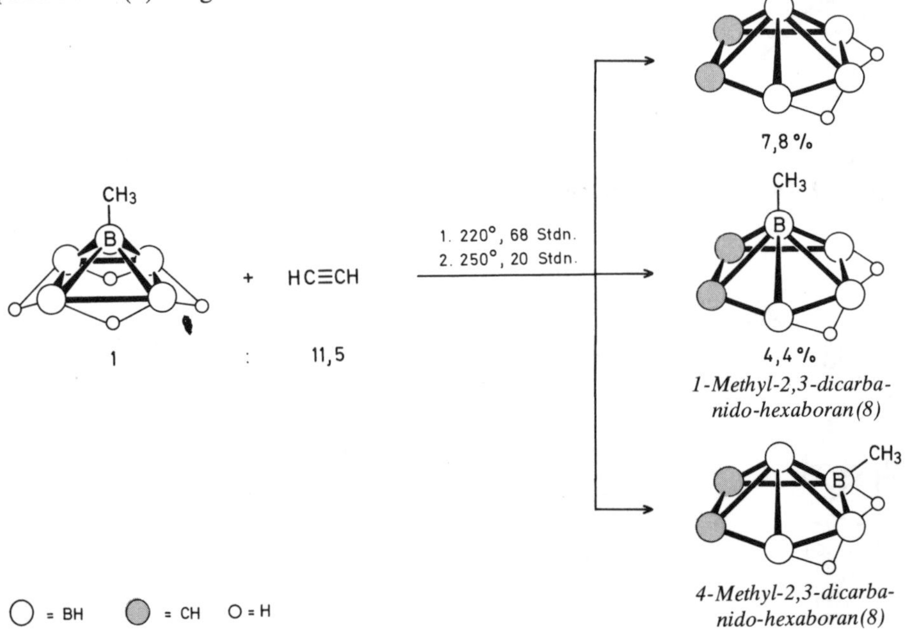

$\gamma\gamma_2$) aus Silyl-2,3-dicarba-*nido*-hexaboran(8)

5-(Chlormethyl-dimethyl-silyl)-2,3-dicarba-*nido*-hexaboran(8) lagert sich in Gegenwart von Aluminiumtrichlorid nahezu quantitativ in *4-[(Chlor-dimethyl-silyl)methyl]-2,3-dicarba-nido-hexaboran(8)* um[4].

---

[1] R. Wilczynski u. L. G. Sneddon, Inorg. Chem. **21**, 506 (1982).
[2] T. Onak, R. P. Drake u. G. B. Dunks, Inorg. Chem. **3**, 1686 (1964).
[3] T. Onak, D. Marynick, P. Mattschei u. G. B. Dunks, Inorg. Chem. **7**, 1754 (1968).
[4] C. B. Ungermann u. T. Onak, Inorg. Chem. **16**, 1428 (1977).

Ohne Katalysator erhält man beim mehrstündigen Erhitzen auf 150° ein 2:1-Gemisch von *4-[(Chlor-dimethyl-silyl)methyl]*-Derivat und dem thermisch stabileren *5-[(Chlor-dimethyl-silyl)methyl]*-Derivat. Durch Erhitzen auf 530° kann das 4-Derivat in das 5-Isomere umgelagert werden.

Aus 2,3-Dicarba-*nido*-hexaboran(8) erhält man mit 2-Butin bei der Übergangsmetall-katalysierten B-*cis*-Butenylierung *1-,5- und 4-(cis-1-Methyl-1-propenyl)-2,3-dicarba-nido-hexaborane(8)*[1].

γ_4) *B-Organo-tetracarba-nido-octaboran(8)*[2]

Aus 3,4-Diethyl-2,5-dimethyl-2,5-dihydro-1,2,5-thiadiborol läßt sich mit metallischem Kalium in Tetrahydrofuran in 30%iger Ausbeute *1,2,3,4-Tetraethyl-5,6,7,8-tetramethyl-1,2,3,4-tetracarbaoctaboran(8)* als farblose Flüssigkeit gewinnen[3].

δ) B-Organocarborane mit fünf Bor-Atomen im Gerüst

Die Herstellungsmethoden der B-Organo-carba-*closo*-hexaborane(7) und der B-Organocarba-*nido*-hexaborane(9) werden von denen der B-Organo-dicarba-*closo*-heptaborane(7) getrennt besprochen.

Tab. 26: B-Organo-monocarbahexaborane

Formel	Verbindungstyp	Herstellungsart	s.S.
Monocarba-closo-hexaborane(7)			
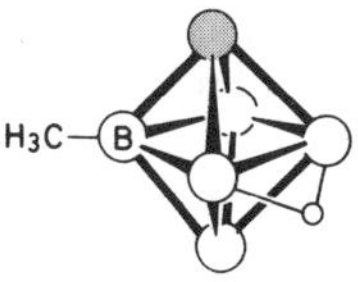 H_3C–B	$CB_5(7)$	aus $B_5H_7Si_2$, △	171
Monocarba-nido-hexaborane(9)			
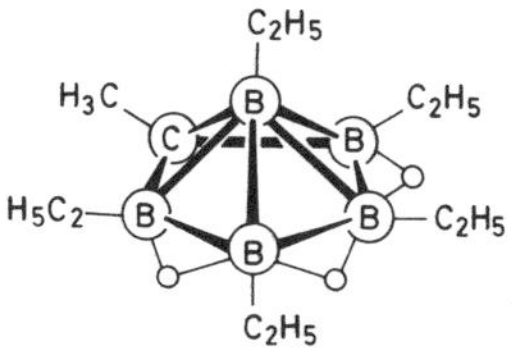 H_3C, C_2H_5, C_2H_5, H_5C_2, C_2H_5, C_2H_5	$CB_5(9)$	aus R_2BHal + M/THF	170
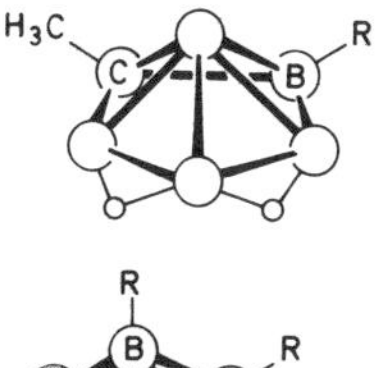 H_3C, R	$CB_5(9)$	aus $R_{en}B_5H_8(9)$, △	170
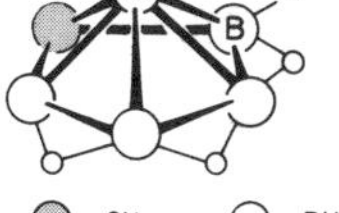 R, R	$CB_5(9)$	aus 2,5-$C_2B_6H_8(8)$ +$[(H_3C)_4N]^+[BH_4]^-$	171

● = CH ○ = BH ∘ = H

δ_1) *B-Organocarbahexaborane*

Organo-1-carba-*closo*-hexaborane(7) und -2-carba-*nido*-hexaborane(9) werden aus Dialkyl-halogen-boranen, aus Organo- bzw. Silyl-oligoboranen sowie aus Carboranen hergestellt.

---
[1] R. Wilczynski u. L.G. Sneddon, Inorg. Chem. **21**, 506 (1982).
[2] vgl. R.N. Grimes, Adv. Inorg. Chem. Radiochem. **26**, 55, 71 (1983).
[3] W. Siebert u. M.E. El-Essawi, B. **112**, 1480 (1979).

$\delta\delta_1$) aus Dialkyl-halogen-boranen

Bei der Enthalogenierung von Alkyl-halogen-boranen mit Alkali- oder Erdalkalimetallen werden durch Boran-Kondensation Gemische von Organocarboranen gebildet[1].

Aus Alkyl-halogen-boranen erhält man mit metallischem Lithium oder Magnesium in Tetrahydrofuran oder in 1,2-Dimethoxyethan (Monoglyme) B-Alkyl-*closo*- und -*nido*-carborane mit drei bis sieben Bor-Atomen[1]. Neben den destillierbaren Trialkylboranen und Alkylcarboranen bilden sich in unterschiedlicher Menge auch nicht destillierbare Anteile hochmolekularer CHB-Verbindungen.

Hauptprodukt der destillierbaren Carboran-Fraktion aus der Reaktion von Chlor-diethyl-boran mit Lithium ist *2-Methyl-1,3,4,5,6-pentaethyl-2-carba-nido-hexaboran(9)*. Außerdem erhält man *2,4-Dimethyl-1,3,5,6,7-pentaethyl-2,4-dicarba-closo-heptaboran(7)* (vgl. S. 172ff.):

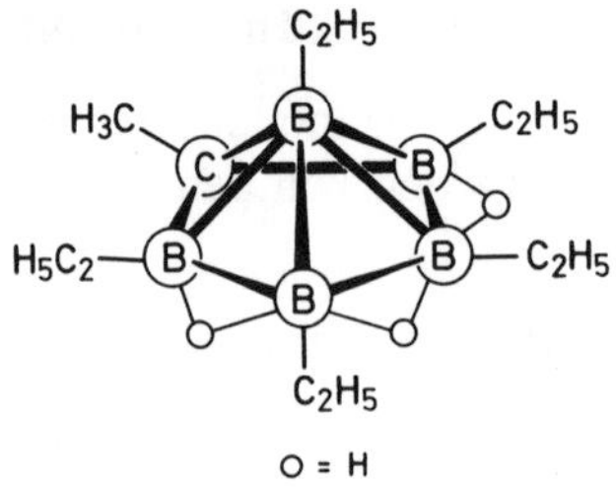

C_2H_5 H_3C C_2H_5 H_5C_2 C_2H_5 C_2H_5

o = H

Aus Difluor-ethyl-boran läßt sich nach Enthalogenierung (vgl. S. 174) mit metallischem Lithium in Tetrahydrofuran bei 0–5°, Abtrennen des Lithiumfluorids und Triethylborans sowie nach Reaktion des Produktgemisches mit Ethen beim Destillieren eine Fraktion ($Kp_{0,01}$: 65–106°) isolieren, die ≈26% *2-Methyl-1,3,4,5,6-pentaethyl-2-carba-nido-hexaboran(9)* und insgesamt 5% isomere *2-Methyl-tetraethyl-2-carba-nido-hexaborane(9)* enthält. Die fraktionierende Destillation i. Vak. liefert farbloses *2-Methyl-1,3,4,5,6-pentaethyl-2-carba-nido-hexaboran(9)* ($Kp_{0,001}$: 88°)[1,2].

$\delta\delta_2$) aus substituierten Pentaboranen(9)

Die Thermolyse 2-substituierter Pentaborane(9) führt zu Monocarbahexaboranen des *nido*- und *closo*-Typs.

Aus 2-Alkenylpentaboranen(9) erhält man beim Erhitzen auf ≈350° durch intramolekulare hydroborierende C–C-Spaltung 2,3-Dialkyl-2-carba-*nido*-hexaborane(9)[3,4]. Beispielsweise bilden sich aus 2-(*cis*-1-Methylpropenyl)pentaboran(9) bei 355° ≈äquimolare Mengen von *3-Ethyl-2-methyl-* und *4-Ethyl-2-methyl-2-carba-nido-hexaboran(9)* in einer GC-bestimmten Gesamtausbeute von ≈75%[3,4]:

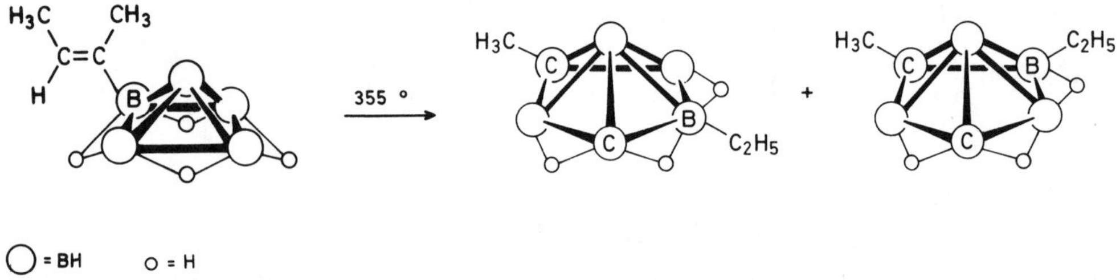

H_3C CH_3 C=C H — 355° → H_3C C_2H_5 + H_3C C_2H_5

○ = BH o = H

[1] R. Köster, G. Benedikt u. M. A. Grassberger, A. **719**, 187 (1968).
[2] M. A. Grassberger, E. G. Hoffmann, G. Schomburg u. R. Köster, Am. Soc. **90**, 56 (1968).
[3] R. Wilczynski u. L. G. Sneddon, Am. Soc. **102**, 2857 (1980).
[4] R. Wilczynski u. L. G. Sneddon, Inorg. Chem. **20**, 3955 (1981).

Aus 2-Allylpentaboran(9) sind das *2,3-Dimethyl-* sowie das *2,4-Dimethyl-*Isomere des *2-Carba-nido-hexaborans(9)* zugänglich. 2-(1-Propenyl)pentaboran(9) liefert bei 355° *3-* und *4-Ethyl-2-carba-nido-hexaborane(9)*[1]. 2-Ethenylpentaboran(9) läßt sich in die drei isomeren *2-*, *3-* und *4-Methyl-2-carba-nido-hexaborane(9)* umwandeln[1].

Bei deutlich höheren Temperaturen (575°) wird aus 1,2-Bis[trimethylsilyl]pentaboran(9) unter Blitzerscheinungen *2-Methyl-1-carba-closo-hexaboran(7)* in ≈16%iger Ausbeute gewonnen[2]:

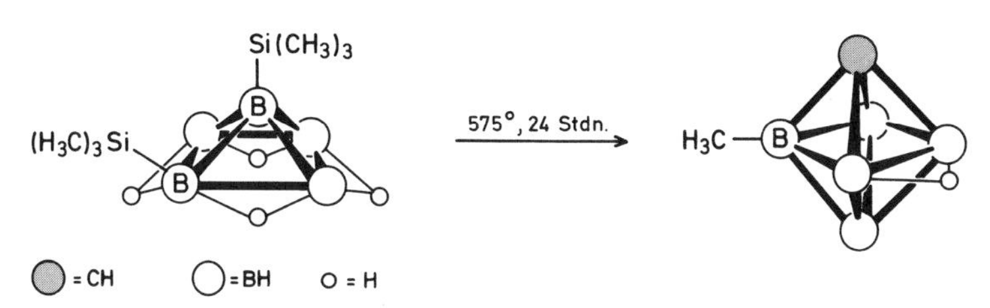

Als Nebenprodukt bildet sich *2-Methyl-1-trimethylsilyl-1,5-dicarba-closo-pentaboran(5)* (vgl. S. 166)[2].

Die Gasphasenpyrolyse von 2-Trimethylsilyl-μ-dimethylboryl-pentaboran(9) liefert bereits bei ≈260° *6-Methyl-4-trimethylsilyl-1-carba-closo-hexaboran(7)* in 14%iger Ausbeute[3]:

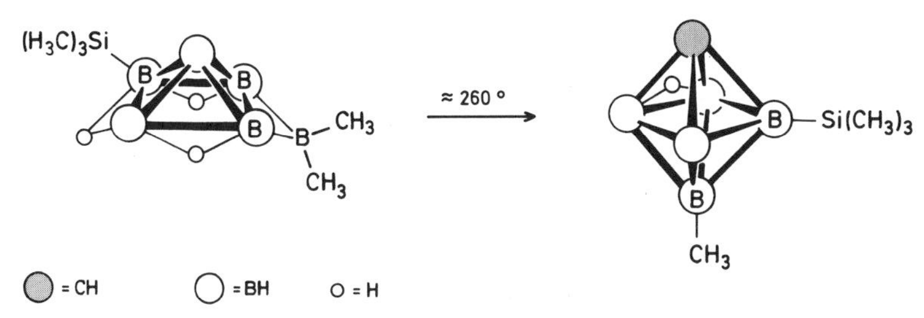

$\delta\delta_3$) aus Hydrocarboranen

2,5-Dicarba-*closo*-octaboran(8)[4] reagiert mit Tetramethylammonium-tetrahydroborat in Diglyme bei ≈90° unter Abspaltung von je einem C- und B-Atom aus dem BC-Gerüst zu 2-Carba-*nido*-hexaboran(9) und verschiedenen an den B-Atomen methylierten 2-Carba-*nido*-hexaboranen(9) (vgl. Tab. 27; S. 172)[4,5]; z.B.:.

$2,5-C_2B_6H_8$ $\xrightarrow{+[(H_3C)_4N]^+\ [BH_4]^-/\text{Diglyme}, 90°, 30\ \text{Stdn.}}$

= CH = BH = H

R = H, CH_3

Aus 2-Methyl- bzw. 2,5-Dimethyl-2,5-dicarba-closo-octaboranen(8) erhält man Gemische mehrfach alkylierter 2-Carba-*nido*-hexaborane(9) (vgl. Tab. 27; S. 172)[5].

---

[1] R. Wilczynski u. L.G. Sneddon, Inorg. Chem. **20**, 3955 (1981).
[2] J.B. Leach, G. Oates, S. Tang u. T.J. Onak, Soc. [Dalton] **1975**, 1018.
[3] D.F. Gaines u. J. Ulman, J. Organometal. Chem. **93**, 281 (1975).
[4] G.B. Dunks u. M.F. Hawthorne, Inorg. Chem. **7**, 1038 (1968).
[5] G.B. Dunks u. M.F. Hawthorne, Inorg. Chem. **8**, 2667 (1969).

Tab. 27: Alkylierte 2-Carba-*nido*-hexaborane(9) aus methylierten 2,5-Dicarba-*closo*-octaboranen(8) mit Tetramethylammonium-tetrahydroborat[1]

Edukt	*2-Carba-nido-hexaborane* (%)									
	CB_5H_9	*Mono-methyl-...*			*Dimethyl-...*			*Trimethyl-...*	*Ethyl-methyl-...*	
		1	2	3	1,2	1,3	2,3	1,2,3	1,2	1,3
2,5-$C_2B_6H_8$	18,5	10	–	12	–	–	–	–	–	–
2-CH_3–2,5-$C_2B_6H_7$	0,6		25		16,7	–	6,5	2,5	–	–
2,5-$(CH_3)_2$–2,5-$C_2B_6H_6$	–	–	–	10	–	–	–	–	26,8	14,5

Aus den Produktverteilungen folgt, daß eine der beiden CH-Einheiten des *closo*-Carborans eine B-Methyl-Gruppe bildet, während die andere CH-Einheit im Carboran-Gerüst verbleibt.

1-Methyl- und 3-Methyl-2-carba-*nido*-hexaboran(9)[1]: Man rührt 1,37 g (15,4 mmol) Tetramethylammonium-tetrahydroborat 1 Stde. bei ≈20° mit 8 *ml* Diglyme, pumpt nach dem Kühlen mit flüssigem Stickstoff entstandenes Gas ab, gibt 1,5 g (15,5 mmol) 2,5-Dicarba-*closo*-octaboran(8) zu und läßt auf ≈20° erwärmen. Nach 30 Stdn. Erwärmen auf 90° kühlt man mit flüssigem Stickstoff ab und entfernt i. Vak. nicht kondensierbares Gas (8 mmol) sowie nach Erwärmen auf ≈20° Diglyme und nicht umgesetztes Dicarbaoctaboran. Der schwach gelbe Rückstand wird i. Vak. 15 Stdn. auf 90° erwärmt, wobei man eine lösungsmittelfreie Festsubstanz erhält. Man läßt nun in vier Anteilen je 13 mmol Hydrogenchlorid zuströmen, wobei man jedesmal 20 Stdn. bei ≈20° einwirken läßt und die entstandenen flüchtigen Produkte anschließend i. Vak. in einer mit flüssigem Stickstoff gekühlten Falle kondensiert. Es bleibt Tetramethylammonium-chlorid zurück. Die vereinigten Kondensate werden durch Hochvak.-Tieftemp.-Destillation fraktioniert (Kühlfallen mit 0°, –98°, –196°). In der –98° Falle sammeln sich 0,925 g, die in Anteilen von je ≈0,25 *ml* durch Gaschromatographie (8 mm × 6 m Pyrex Säule, 30% Apiezon L auf Chromosorb P) getrennt werden:

214 mg (2,85 mmol; 18,5%) *2-Carba-nido-hexaboran(9)*
139 mg (1,56 mmol; 10,1%) *1-Methyl*-Derivat
166 mg (1,86 mmol; 12,1%) *3-Methyl*-Derivat

δ_2) *B-Organo-dicarba-closo-heptaborane(7)*

Die Herstellung alkylierter 2,4-Dicarba-*closo*-heptaborane(7) erfolgt aus Alkyl-halogen-boranen, Hydropentaboran(9) oder aus verschiedenen Hydrocarboranen. Die Verwendung von Alkyl-hydro-boranen hat präparativ keine Bedeutung (vgl. Tab. 28, S. 173).

$\delta\delta_1$) aus Alkyl-hydro-boranen

Alkylierte 2,4-Dicarba-*closo*-heptaborane(7) bilden sich aus Alkyldiboranen(6) thermisch bei 210–230°[2] oder mit Alkalimetall[3,4]. Präparativ hat die nur wenig ergiebige Thermolyse wegen der Bildung von Gemischen alkylierter *closo*-Carborane mit fünf und mehr B-Atomen jedoch kaum Bedeutung.

Mit Natrium-Metall erhält man aus Tetraethyldiboran(6) nach 1–2 Stdn. Rückfluß Gemische von Alkylcarboranen mit drei bis acht Bor-Atomen. *2,4-Dimethyl-1,3,5,6,7-pentaethyl-2,4-dicarba-closo-heptaboran(7)* läßt sich unter anderem nachweisen[3,4]:

[1] G.B. Dunks u. M.F. Hawthorne, Inorg. Chem. **8**, 2667 (1969).
[2] R. Köster, W. Larbig u. G.W. Rotermund, A. **682**, 21 (1969).
[3] R. Köster u. M.A. Grassberger, Ang. Ch. **77**, 457 (1965); engl.: **4**, 439.
[4] R. Köster, G. Benedikt u. M.A. Grassberger, A. **719**, 187 (1968).

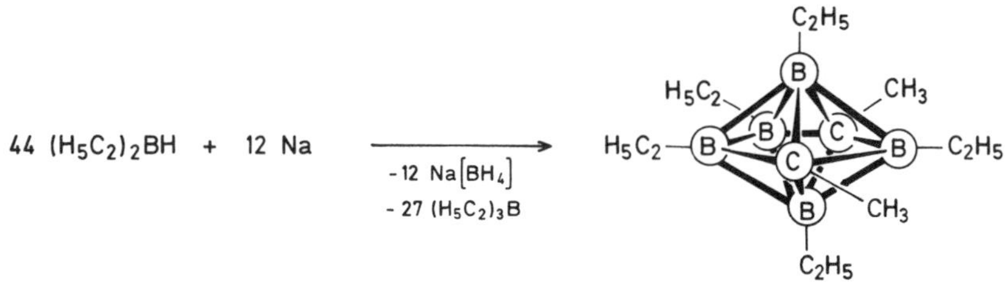

44 (H5C2)2BH + 12 Na
- 12 Na[BH4]
- 27 (H5C2)3B
C2H5
H5C2
CH3
H5C2
C2H5
CH3
C2H5

Die Herstellung der Verbindung erfolgt besser aus Alkyl-halogen-boranen mit Alkalimetallen (s. S. 174).

Tab. 28: Organo-2,4-dicarba-*closo*-heptaborane(7)

Formel[a]	Verbindungstyp	Herstellungsart	s. S.
	$C_2B_5(7)$ $R^1_2C_2B_5R_5(7)$	aus R_2BH + M aus R_2B–Hal + M/THF	172 f. 174
	$C_2B_5(7)$ $H_2C_2B_5H_4R_{en}(7)$ $H_2C_2B_5R_5(7)$	aus B_5H_9 + $In/Co_2(CO)_8$ aus B_5H_9 + C_2H_2/BR_3, Δ	175 175
	$C_2B_5(7)$ $H_2C_2B_5H_3R_2$ $H_2C_2B_5H_2R_3$	aus $C_2B_4H_6$ + BR_3, Δ	175
	$C_2B_5(7)$ $H_2C_2B_5R_5(7)$	aus $C_2B_4H_8$ + BR_3, Δ	175
1-CH_3–$C_2B_5H_6$ 3-CH_3–$C_2B_5H_6$ 5-CH_3–$C_2B_5H_6$ 5,6-$(CH_3)_2$–$C_2B_5H_5$	$C_2B_5(7)$ $H_2C_2B_5H_4R(7)$	aus $C_2B_5H_6R^5$, Δ, Iso	176
1,5,6-$(CH_3)_3$–$C_2B_5H_4$ 1,5,6,7-$(CH_3)_4$–$C_2B_5H_3$	$C_2B_5(7)$	aus $C_2B_5H_7$ + $H_3CCl/AlCl_3$	176
B-$(CH_3)_x$–$C_2B_5H_{7-x}(7)$ x = 1–5	$H_2C_2B_5H_4R(7)$	aus $R_2C_2B_4H_6$ + BR_3, Δ	175

[a] ● = CH
○ = BH

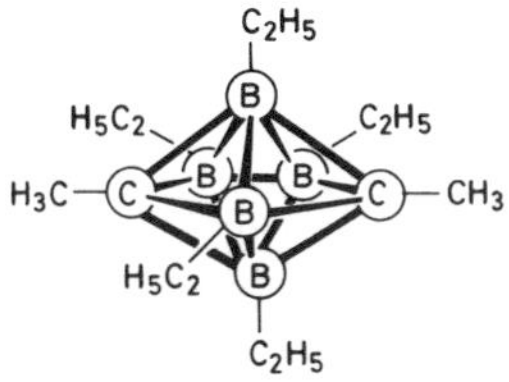

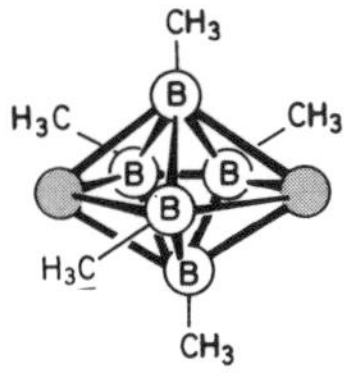

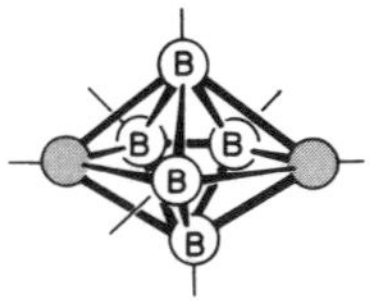

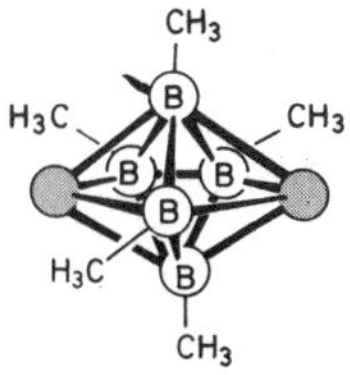

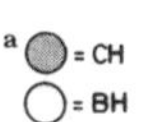

$\delta\delta_2$) aus Alkyl-halogen-boranen

Die Enthalogenierung von Alkyl-halogen-boranen mit Alkalimetallen[1] liefert u. a. alkylierte 2,4-Dicarba-*closo*-heptaborane(7). Man läßt z.B. Difluor-ethyl-boran in Tetrahydrofuran mit metallischem Lithium bei 0–5° reagieren. Auch Chlor-diethyl-boran kann verwendet werden[2,3].

Aus Chlor-diethyl-boran bildet sich mit Lithium-Metall in Tetrahydrofuran ein Gemisch destillierbarer Organocarborane, Triethylboran sowie ein nicht destillierbarer Anteil[2,3]. Ein Hauptprodukt der Carboran-Fraktion ist *2,4-Dimethyl-1,3,5,6,7-pentaethyl-2,4-dicarba-closo-heptaboran(7)*[4]:

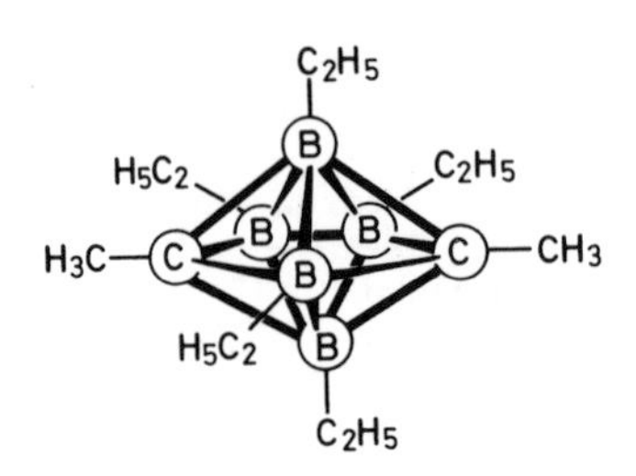

Aus Difluor-ethyl-boran erhält man mit Lithium-Metall eine Organocarboran-Fraktion mit 24% *2,4-Dimethyl-1,3,5,6,7-pentaethyl-* und drei isomeren *2,4-Dimethyl-tetraethyl-2,4-dicarba-closo-heptaboranen(7)*[2,3].

Erhitzt man nach der Enthalogenierung auf 190–200°, so lassen sich zusätzlich B-Organo-1,5-dicarba-*closo*-pentaborane(5) nachweisen. Die Carborane werden vermutlich über Radikalreaktionen und Substituentenaustausch an den Bor-Atomen aufgebaut. Möglicherweise werden dabei (vgl. Bd. XIII/3 a, S. 20) Tris(boryl)alkan-Stufen durchlaufen.

C–C-Verknüpfungen oder -Spaltungen beobachtet man bei der Enthalogenierung nicht. Die B-Alkyl-Substituenten der Carborane entsprechen den Alkyl-Resten des eingesetzten B_1-Borans, während die C-Alkyl-Reste entsprechend dem Einbau im Carboran-Gerüst um eine Methylen-Gruppe verkürzt sind. Außer den B-Peralkyl-Derivaten werden stets auch kleine Anteile von B-Alkyl-B-hydro-Derivaten gebildet.

2,4-Dimethyl-1,3,5,6,7-pentaethyl-2,4-dicarba-*closo*-heptaboran(7) und 2-Methyl-1,3,4,5,6-pentaethyl-2-carba-*nido*-hexaboran(7)[3,5]: Eine Lösung von 62,4 g (0,8 mol) Difluor-ethyl-boran in 150 *ml* THF tropft man bei 0 bis 5° unter starkem Rühren in eine Suspension von 11,2 g (1,6 mol) fein verteiltem Lithium in 300 *ml* THF. Nach ≈ 9 Stdn. ist das Metall vollständig verbraucht. Lithiumfluorid wird abzentrifugiert und mit Hexan gewaschen. Die THF-Lösung wird bei 12 Torr durch Abdestillieren von 340 g (mit ≈ 14 g Triethylboran) Lösungsmittel eingeengt und auf die verbliebenen 70 *ml* incl. Waschhexan ≈ 1 Stde. bei ≈ 20° 50 at Ethen aufgepreßt. Nach Entspannen liefert die Destillation neben 54 g (Kp: 68–72°) und 18,7 g (Kp_{20}: 41–91°) 10,5 g farblose Flüssigkeit ($Kp_{10^{-2}}$: 65–106°) mit 2,48 g *2,4-Dimethyl-1,3,5,6,7-pentaethyl-2,4-dicarba-closo-heptaboran(7)* und 2,68 g *2-Methyl-1,3,4,5,6-pentaethyl-2-carba-nido-hexaboran(7)*[5] (GC).

Die reinen Verbindungen lassen sich daraus nach fraktionierender Destillation (Drehbandkolonne) durch präparative Gaschromatographie (2 m Säule mit 4 mm Innendurchmesser, 15% Apiezon L mit 0,1% Atpet auf Embacel) isolieren:

2,4-Dimethyl-1,3,5,6,7-pentaethyl-2,4-dicarba-closo-heptaboran(7); F: 87° (farblose Nadeln)

2-Methyl-1,3,4,5,6-pentaethyl-2-carba-nido-hexaboran(7)[5] (farbloses Öl; Kp [einer 73%igen Fraktion] 88°/10^{-2} Torr).

---

[1] R. Köster u. G. Benedikt, Ang. Ch. **76**, 650 (1964); engl.: **4**, 515.
[2] R. Köster, G. Benedikt u. M. A. Grassberger, A. **719**, 187 (1968).
[3] R. Köster u. M. A. Grassberger, Ang. Ch. **78**, 590 (1966); engl.: **6**, 580.
[4] R. Köster, M. A. Grassberger, E. G. Hoffmann u. G. W. Rotermund, Tetrahedron Letters **1966**, 905.
[5] M. A. Grassberger, E. G. Hoffmann, G. Schomburg u. R. Köster, Am. Soc. **90**, 56 (1968).

$\delta\delta_3$) aus Pentaboran(9)

Pentaboran(9) reagiert mit Acetylen in Gegenwart von Trimethylboran bei 235° unter Bildung von B-Methyl-carboranen. Bei der über 2,3-Dicarba-*nido*-hexaboran(8) verlaufenden Reaktion läßt sich u. a. *B-Pentamethyl-2,4-dicarba-closo-heptaboran(7)* nachweisen[1]:

$$B_5H_9 + HC{\equiv}CH + (H_3C)_3B \xrightarrow{-235\,°} (H_3C)_5C_2B_5H_2$$

● = CH

$\delta\delta_4$) aus Hydrocarboranen

Aus Hydrocarboranen verschiedener Strukturen sind mit Trimethylboran oder mit Chlormethan/Aluminiumtrichlorid *B-Methyl-2,4-dicarba-closo-heptaborane(7)* zugänglich.

i_1) mit Trimethylboran

1,6-Dicarba-*closo*-hexaboran(6) reagiert bei 550–590° mit Trimethylboran unter Bildung von *B-Dimethyl-2,4-dicarba-closo-heptaboranen(7)* neben wenig *B-Trimethyl*-Derivat[2]:

$$C_2B_4H_6 \xrightarrow[>550-590°]{+B(CH_3)_3} H_2C_2B_5H_3(CH_3)_2 + H_2C_2B_5H_2(CH_3)_3$$

nido-Carborane reagieren bereits bei ≥220°. Aus 2,3-Dicarba-*nido*-hexaboran(8) mit Trimethylboran im Überschuß ist unter Methan- und Dihydrogen-Abspaltung *B-Pentamethyl-2,4-dicarba-closo-heptaboran(7)* zu gewinnen[2,3]. Außerdem werden isomere Mono-, Di-, Tri- und Tetramethyl-Derivate gebildet[3].

Aus 2,3-Dimethyl-2,3-dicarba-*nido*-hexaboran(8) erhält man mit Trimethylboran (225°, 10 Stdn.) *Heptamethyl-2,4-dicarba-closo-heptaboran(7)* (≈70%) neben *Hexamethyl-* (≈10%), *Pentamethyl-* (≈6%), *Tetramethyl-* (≈3%), *Trimethyl-* (≈3%) und *Dimethyl-2,4-dicarba-closo-heptaboran(7)* (≈1%)[2]:

$$(H_3C)_2C_2B_4H_6 \xrightarrow[225°,\ 10\ Stdn.]{+B(CH_3)_3} (H_3C)_nC_2B_5H_{7-n}$$

$n = 1–7$

i_2) mit Alkinen

Die mit (2-Butin)-hexacarbonyl-dicobalt katalysierte B-Alkenylierung des 2,4-Dicarba-*closo*-heptaborans(7) mit 2-Butin liefert *Mono-, Bis-* und *Pentakis-(cis-1-methyl-1-propenyl)-2,4-dicarba-closo-heptaborane(7)*[4].

---

[1] R. Köster, M. A. Grassberger, E. G. Hoffmann u. G. W. Rotermund, Tetrahedron Letters **1966**, 905.
[2] A. P. Fung, E. W. Distefano, K. Fuller, G. Siwapinyoyos, T. Onak u. R. E. Williams, Inorg. Chem. **18**, 372 (1979).
[3] H. V. Sekhmian u. R. E. Williams, Inorg. Nuclear Chem. Letters **3**, 289 (1967).
[4] R. Wilczynski u. L. G. Sneddon, Inorg. Chem. **21**, 506 (1982).

i_3) mit Chlormethan/Aluminiumtrichlorid

Aus 2,4-Dicarba-*closo*-heptaboran(7) sind mit Chlormethan in Gegenwart von Trichloraluminium bei 50° in langsamer Reaktion unter elektrophiler Substitution B-Methyl-2,4-dicarba-*closo*-heptaborane(7) zugänglich[1]. Man erhält pro Alkylierungsstufe nur ein Isomer[1]:

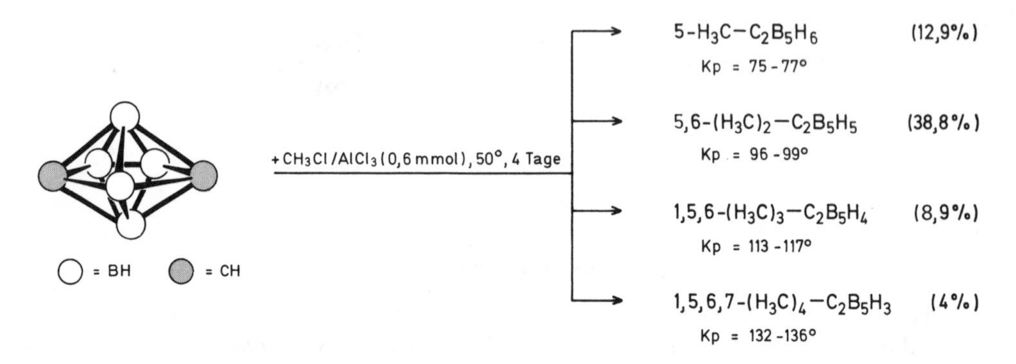

$\delta\delta_5$) aus Hydro-organo-carboranen

Die Isomerisierung von Hydro-organo-carboranen hat präparativ bisher keine Bedeutung. Es können Organo-Reste am Carboran-Gerüst wandern, oder es wird das BC-Gerüst umgelagert. 5-Methyl-2,4-dicarba-*closo*-heptaboran(7) lagert sich innerhalb 2 Stdn. bei ≈300° zu einem 38:34:28-Gemisch der *1-, 3-* und *5-Methyl*-Derivate um[2,3]:

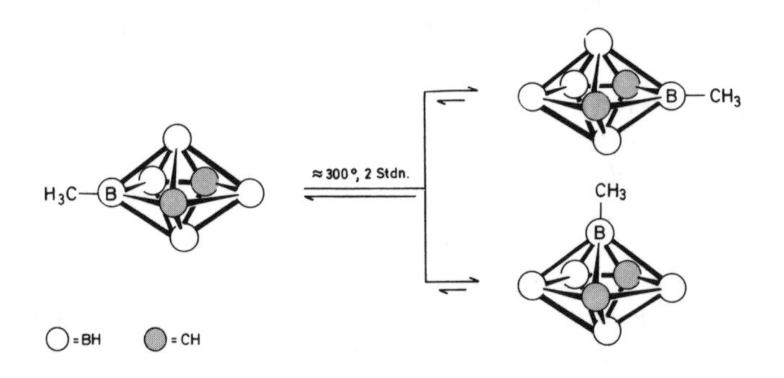

ε) B-Organocarborane mit sechs bis acht Bor-Atomen im Gerüst

Zur Verbindungsklasse zählen B-Organo-Derivate des 1,7-Dicarba-*closo*-octaborans(8), 1,6-Dicarba-*closo*-nonaborans(9) und des 1,6-Dicarba-*closo*-decaborans(10).

Von den kohlenstoffreichen B-Organocarboranen mit sechs bis acht Bor-Atomen (Gerüste C_4B_6[4], C_4B_7[5], C_4B_8[5]) sind bisher nur peralkylierte Tetracarbadecaborane(10) ($R^2_4C_4B_6R^1_6$) hergestellt worden[4].

---

[1] J.F. Ditter, E.B. Klusman, R.E. Williams u. T. Onak, Inorg. Chem. **15**, 1063 (1976).
[2] A.P. Fung u. T. Onak, Am. Soc. **99**, 5512 (1977).
[3] B. Oh u. T. Onak, Inorg. Chem. **21**, 3150 (1982).
[4] R. Köster, G. Seidel u. B. Wrackmeyer, Ang. Ch. **96**, 520 (1984); engl.: **23**, 512.
[5] R.N. Grimes, Advan. Inorg. Chem. Radiochem. **26**, 55, 73, 85 (1983); dort auch ältere Literatur.

Die Verbindungen werden aus Hydro-oligoboranen oder aus Hydrocarboranen sowie aus (Hydro)-organo-carboranen und aus Hydro-organo-carboraten durch Abbau oder Fusion (Dimerisation) hergestellt (vgl. Tab. 29). Die bei der Enthalogenierung von Alkyl-halogen-boranen mit Alkalimetallen in bescheidener Menge auftretenden B-Organo-dicarba-*closo*-octaborane(8) spielen für präparative Zwecke keine Rolle[1].

Tab. 29: B-Organocarborane mit sechs bis acht Bor-Atomen im Gerüst

Formel[a]; Name	Verbindungstyp	Herstellungsart	s. S.
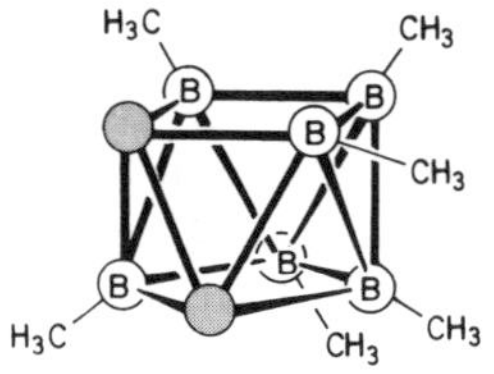 *2,3,4,5,6,8-Hexamethyl-1,7-dicarba-octaboran(8)*	$C_2B_6(8)$ $H_2C_2B_6R_6(8)$	aus B_5H_9 + $HC{\equiv}CH/R_3B$, Δ aus $C_2B_4H_8(8)$ + R_3B aus $[4,6,7\text{-}(H_3C)_3\text{-}1,2\text{-}C_2B_9H_8]^{2-}$ + H_3CJ/H_2O	178 179 180
Decaethyl-tetracarba-decaboran(10) Vermutete Struktur s. S. 113	$C_4B_6(10)$ $R_4C_4B_6R_6(10)$	aus $R_2C_2B_3R_3$ mit K/J_2; R = C_2H_5	178
$7\text{-}H_3C\text{-}6,8\text{-}C_2B_7H_{12}(13)$ *7-Methyl-6,8-dicarba-arachno-nonaboran(13)*	$H_2C_2B_7H_{12}R(13)$	aus $[11\text{-}NH_2(OH)\text{-}8,10,10,11\text{-}(CH_3)_4\text{-}7,9\text{-}C_2B_9H_8]^{2-}$ + H_2O	180
$2\text{-}H_3C\text{-}1,3\text{-}C_2B_7H_{12}(13)$ *2-Methyl-1,3-dicarba-arachno-nonaboran(13)*	$H_2C_2B_7H_{12}R(13)$	aus $R^1_2C_2B_7H_7(9)$ + $H_3CCl/AlCl_3$	179
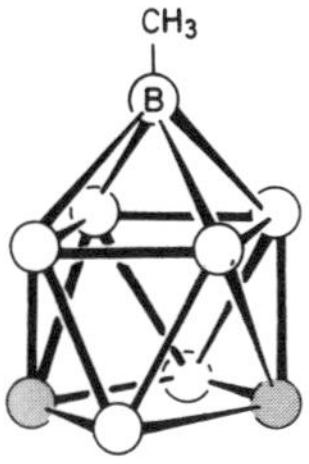 *8-Methyl-1,6-dicarba-nonaboran(9)*	$C_2B_7(9)$ $H_2C_2B_7H_6R(9)$	aus $C_2B_7H_9$ + $H_3CCl/AlCl_3$	179
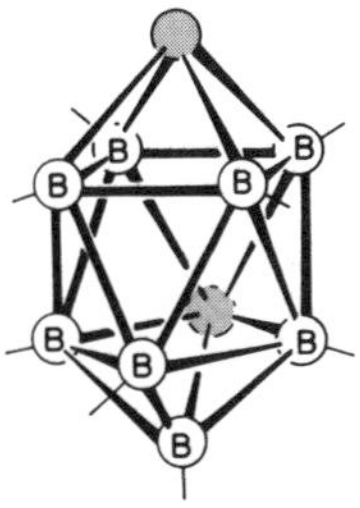 *B-Dimethyl-1,6-dicarba-closo-decaboran(10)*	$C_2B_8(10)$ $H_2C_2B_8H_7R(10)$	aus $3\text{-}H_3C\text{-}C_2B_5H_8(9)$; Δ	180

[a] ● = CH; ○ = BH

[1] R. KÖSTER, G. BENEDIKT u. M. A. GRASSBERGER, A. **719**, 187 (1968).

*ε*₁) *aus Hydro-oligoboranen*

Pentaboran(9) bildet mit Acetylen in Gegenwart von Trimethylboran nach 16 Stdn. bei 235° im geschlossenen Gefäß zahlreiche verschieden hoch B-methylierte Dicarba-*closo*-heptaborane(7) (vgl. S. 175) und B-methylierte Dicarbaoctaborane(8)[1]:

$$B_5H_9 \quad + \quad HC{\equiv}CH \quad \xrightarrow{+(H_3C)_3B,\ 16\ \text{Stdn.},\ 250°} \quad \underset{n\,=\,1\text{–}4}{(H_3C)_nC_2B_5H_{7-n}} \quad + \quad \underset{m\,=\,3\text{–}6}{(H_3C)_mC_2B_6H_{8-m}}$$

*ε*₂) *aus B-Organo-closo-carboranen*

Aus Pentaalkyl-1,5-dicarba-*closo*-pentaboranen(5) (vgl. S. 160 ff.) lassen sich bei ≈20° in THF mit metallischem Kalium dunkelfarbige Lösungen herstellen, aus denen mit Halogen (Brom, Jod) oder mit anderen Oxidationsreagenzien unter Dimerisation (Fusion) Decaalkyltetracarbadecaborane (10) als kristallisierte, bei ≈20° luftstabile Produkte in ≈20%iger Ausbeute gewonnen werden[2]:

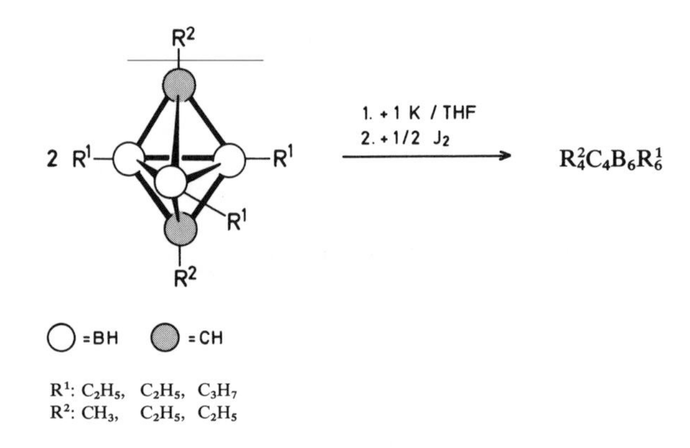

Decaethyltetracarbadecaboran(10)[2]**:** 1,98 g (50,6 mmol) metallisches Kalium läßt man bei ~20° unter Rühren auf eine Lösung von 7,82 g (38,7 mmol) Pentaethyl-1,5-dicarba-*closo*-pentaboran(9) in 50 *ml* THF ≈4 Tage einwirken. Nach Abhebern der dunkelbraunen Lösung von 0,16 g (4,1 mmol) unverbrauchtem Kalium und Abfiltrieren von wenig Ungelöstem tropft man langsam (in ~20 Min.) 0,79 g (3,1 mmol) Jod in 10 *ml* THF zu. Unter Temperaturanstieg hellt sich die Lösungsfarbe auf, Kaliumjodid fällt aus. Nach 3 Stdn. Rühren wird von 0,88 g (≈92%) Kaliumjodid abfiltriert, i. Vak. vollständig eingeengt und in 2,5 *ml* Diethylether aufgenommen. Aus der gelblichen Lösung kristallisiert das Produkt bei –78° aus; Ausbeute: 0,21 g (18%); Subl.p.: >270°/760 Torr.

*ε*₃) *aus Hydro-nido-carboranen*

Verschiedene alkylierte Carborane mit sechs Bor-Atomen lassen sich aus Hydro-*nido*-carboranen mit Hilfe von Trialkylboranen präparativ gewinnen. Außerdem führen elektrophile Alkylierungen von Hydrocarboranen zu Alkylcarboranen.

---

[1] A. P. Fung, E. W. Distefano, K. Fuller, G. Siwapinyoyos, T. Onak u. R. E. Williams, Inorg. Chem. **18**, 372 (1979).

[2] R. Köster, G. Seidel u. B. Wrackmeyer, Ang. Ch. **96**, 520 (1984); engl.: **23**, 512.

2,3-Dicarba-*nido*-hexaboran(8) reagiert bei 220–240° mit Trimethylboran unter Methan- und Dihydrogen-Abspaltung in bescheidenen Ausbeuten (< 5%) zu *B-Hexamethyl-1,7-dicarbaoctaboran(8)* neben anderen Organocarboranen[1]:

+ $(H_3C)_3B$ $\xrightarrow[-CH_4,\ -H_2]{220-240°}$ $H_2C_2B_6(CH_3)_6$

= CH
= BH
= H

B-Methyl-1,6-dicarbanonaborane(9) können unter Friedel-Crafts-Bedingungen aus 1,6-Dicarbanonaboran(9) mit Chlormethan bei 20° bis 100° erhalten werden[2]. Als Katalysator verwendet man Aluminiumtrichlorid in stöchiometrischen oder substöchiometrischen Mengen. Die Umsetzungen verlaufen meist unter Bildung von nur einem Substitutionsderivat[2]:

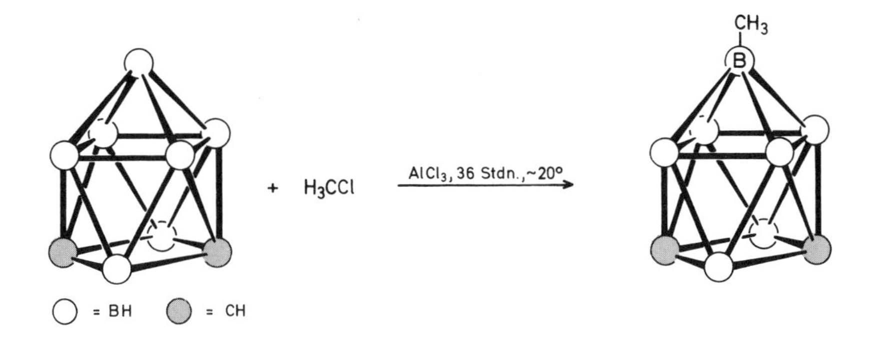

8-Methyl-1,6-dicarbanonaboran(9)[2]: Nacheinander werden 3–5 mg wasserfreies Aluminiumtrichlorid, 168 mg (1,54 mmol) 1,6-Dicarbanonaboran(9) und 3,1 mmol Chlormethan in einem 50-*ml*-Pyrexkolben einkondensiert. Nach Erwärmen auf ≈20° bildet sich innerhalb 36 Stdn. eine rote Flüssigkeit. Bei der Tieftemp./Hochvak.-Destillation (Kühlfallen bei −80°, −145° und −196°) wird das B-Methyl-Derivat in der −80°-Falle aufgefangen. Beigemengtes Ausgangscarboran wird gaschromatographisch (0,95 cm · 3 m Aluminium-Säule, 30% Apiezon L auf Chromosorb P, Helium 60 cm^3/Min) abgetrennt; Ausbeute: 67,5 mg (35,7%).

Aus 1-Methyl-1,6-dicarbanonaboran(9) erhält man mit Chlormethan (19 Stdn. 50°) in ≈30%iger Ausbeute *1,8-Dimethyl-1,6-dicarbanonaboran(9)*[1]. *1,6,8-Trimethyl-1,6-dicarbanonaboran(9)* wird in 76%iger Ausbeute aus 1,6-Dimethyl-1,6-dicarbanonaboran(9) gebildet[2].

Die Friedel-Crafts-Alkylierung von 1,6-Dicarbanonaboran(9) und seinen C-Methyl-Derivaten mit Ethen/Aluminiumtrichlorid liefert in 40–50%iger Ausbeute *8-Ethyl*-Derivate der *1,6-Dicarbanonaborane(9)*. Man läßt bei ≈100° 2 Mol-Äquivalente Ethen mit 1 Mol-Äquivalent Carboran ≈36 Stdn. reagieren[2].

---

[1] A.P. Fung, E.W. Distefano, K. Fuller, G. Siwapinyoyos, T. Onak u. R.E. Williams, Inorg. Chem. **18**, 372 (1979).

[2] G.B. Dunks u. M.F. Hawthorne, Inorg. Chem. **9**, 893 (1970).

ε_4) *aus Hydro-organo-nido-carboranen*

Die Pyrolyse B-alkylierter *nido*-Carborane liefert infolge Kondensation mitunter B-alkylierte *closo*-Carborane höherer B-Zahl. Aus 3-Methyl-2-carba-*nido*-hexaboran(9) läßt sich nach 2tägigem Erhitzen auf 250° bei ≈16%iger Umwandlung *B-Dimethyl-1,6-dicarba-closo-decaboran(10)* mit beiden Methyl-Gruppen in äquatorialer Position gewinnen[1]:

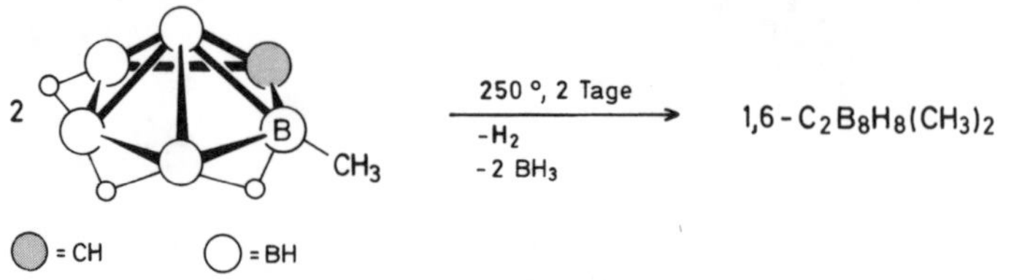

2 [Strukturformel: B–CH_3] $\xrightarrow[-H_2,\ -2\ BH_3]{250°,\ 2\ Tage}$ 1,6-$C_2B_8H_8(CH_3)_2$

● = CH ○ = BH

ε_5) *aus Hydro-organo-carboraten*

Beim Versuch, 4,6,7-Trimethyl-1,2-dicarbaundecaborat(2−) mit Jodmethan zu methylieren, erhält man unter partiellem Abbau des C_2B_9-Gerüsts *7-Methyl-6,8-dicarba-arachno-nonaboran(13)*[2,3]:

$$[4,6,7\text{-}(H_3C)_3\text{-}1,2\text{-}C_2B_9H_8]^{2-} + H_2O \xrightarrow{+H_3CJ} 7\text{-}H_3C\text{-}6,8\text{-}C_2B_7H_{12}$$

ζ) B-Organocarborane mit neun Bor-Atomen im Gerüst

B-Organo-Derivate des Dicarba-*closo*-undecaborans(11) sowie der Dicarba-*nido*-undecaborane(13) sind bekannt. Die Herstellung der Verbindungen erfolgt aus Carboraten(1−) bzw. aus Organocarboraten(1−) mit Elektrophilen (vgl. Tab. 30).

Tab. 30: Organocarborane mit neun Bor-Atomen

Formel[a]; Name	Verbindungstyp	Herstellungsart	s. S.
8-Methyl-7,8-dicarba-nido-undecaboran(13)	$C_2B_9(13)$	aus 11-$RC_2B_9H_{12}(13)$ Isomerisierung	181
11-Methyl-2,7-dicarba-nido-undecaboran(13)	$H_2C_2B_9H_{10}R(13)$	aus $[C_2B_9H_{11}R]^-$ + H^+	181
9-(H_5C_6–CO)–7,8-$C_2B_9H_{12}(13)$	$C_2B_9(13)$ $H_2C_2B_9H_{10}R^O(13)$	aus $[7,8\text{-}C_2B_9H_{12}]^-$ + R–CO–Hal	181
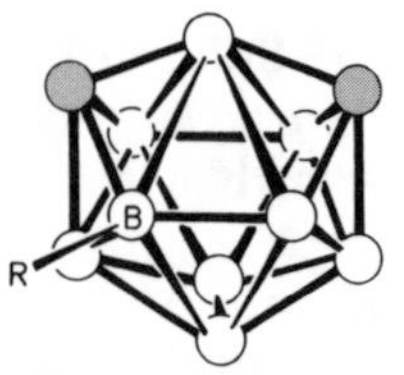 [Strukturformel] R = $C_2B_{10}H_{11}$	$C_2B_9(11)$ $H_2C_2B_9H_8R(11)$	aus $[C_2B_9H_{11}R]^-$ + H^+ ($-H_2$)	181

[a] ● = CH ○ = BH

[1] R. R. RIETZ u. M. F. HAWTHORNE, Inorg. Chem. **13**, 755 (1974).
[2] V. A. BRATTSEV, S. P. KNYAZEV u. V. I. STANKO, Ž. obšč. Chim. **45**, 1192 (1975); engl.: 1173; C. A. **83**, 114529 (1975).
[3] S. P. KNYAZEV, V. A. BRATTSEV u. V. I. STANKO, Ž. obšč. Chim. **47**, 2627 (1977); engl.: 2398; C. A. **88**, 136703 (1978).

ζ_1) *B-Organo-dicarba-nido-undecaborane(13)*

Organo-dicarba-*nido*-undecaborane(13) lassen sich aus Hydro-dicarba-*nido*-undecaboraten(1−) mit C-Elektrophilen oder aus Hydro-organo-dicarba-*nido*-undecaboraten(1−) mit Protonen herstellen.

Kalium-[7,8-(bzw. -7,9)-dicarbadodecahydroundecaborat(1−)] reagiert mit Benzoyl- bzw. Acetylchlorid oder mit Acetanhydrid in Benzol/Tetrahydrofuran zu B-Acyl-7,8-(bzw. -7,9)-dicarbaundecaboranen(13)[1]. Aus dem 7,8-Dicarba-Isomer dürfte dabei das 9-Acyl-Derivat (F: 165–166°) entstehen:

$$K^+[7,8\text{-}C_2B_9H_{12}]^- + H_5C_6\text{—}COCl \xrightarrow[-KCl]{} 9\text{-}(H_5C_6\text{—}CO)\text{-}7,8\text{-}C_2B_9H_{12}$$

In alkalisch-wäßriger Lösung tritt Deprotonierung zu den Acyl-dicarbadecahydroundecaboraten(1−) ein, die als Cäsium- oder Tetramethylammonium-Salze gefällt werden können (s. S. 209).

Aus B-Alkyl-undecahydro-dicarba-*nido*-undecaboraten(1−) erhält man beim vorsichtigen Protonieren B-Alkyl-dicarba-*nido*-undecaborane(13).

Die Protonierung des 11-Methyl-undecahydro-2,7-dicarba-*nido*-undecaborats(1−), herstellbar aus 7,8-Dicarba-*nido*-undecaborat(2−) mit Chlormethan in flüssigem Ammoniak[2], liefert das strukturell identifizierte *11-Methyl-2,7-dicarba-nido-undecaboran(13)*[3]:

$$[11\text{—}H_3C\text{—}2,7\text{—}C_2B_9H_{11}]^- \underset{-H^+}{\overset{+H^+}{\rightleftharpoons}}$$

○ = BH ● = CH ο = H

ζ_2) *Carboranyl-dicarba-closo-undecaborane(11)*

B-Carboranyl-undecahydro-7,9-dicarba-*nido*-undecaborate(1−) (vgl. S. 207) reagieren mit bestimmten Protonen-Spendern wie z.B. mit Polyphosphorsäure unter Protonierung und Abspaltung von Dihydrogen in Ausbeuten von 79–85% zu *B-Carboranyl-dicarba-closo-undecaboranen(11)*[1]:

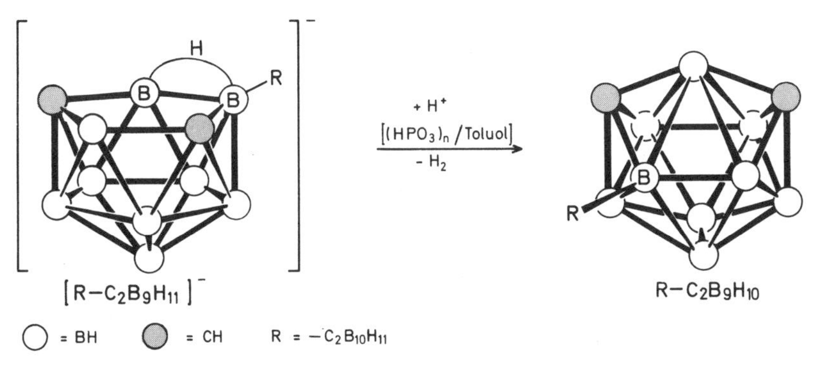

[1] V.A. Brattsev, S.P. Knyasev u. V.I. Stanko, Ž. obšč. Chim **46**, 1419 (1976); engl.: 1395; C.A. **85**, 124003 (1976).
[2] S.P. Knyazev, V.A. Brattsev u. V.I. Stanko, Doklady Akad. SSSR **234**, 837 (1977); engl.: 299; C.A. **87**, 102396 (1977).
[3] Yu. T. Struchkov, M. Yu. Antipin, V.I. Stanko, V.A. Brattsev, N.I. Kirillova u. S.P. Knyazev, J. Organometal. Chem. **141**, 133 (1977); Röntgenstrukturanalyse.

B-Carboranyl-dicarba-closo-undecaboran(11) (zur Bezifferung der Gerüst-Atome s. Original-Lit.)[1]: 75 g Polyphosphorsäure in 200 *ml* Toluol werden mit 4,08 g (10 mmol) fein gepulvertem Cäsium-[dicarba-*closo*-dodecaboran(12)yl]-undecahydro-dicarba-undecaborat(1−) versetzt und 90 Min. zum Rückfluß erhitzt. 9,4 mmol Dihydrogen entweichen. Die Toluol-Phase wird abdekantiert und die Polyphosphorsäure-Phase 15 Min. mit 100 *ml* siedendem Toluol extrahiert. Man engt die Toluol-Lösungen ein und sublimiert den Rückstand i. Vak. bei 130°; Ausbeute: 2,33 g (85%); F: 156–158°.

η) B-Organocarborane mit zehn Bor-Atomen im Gerüst

Zur Verbindungsklasse zählen B-Organo-Derivate der drei isomeren Dicarba-*closo*-dodecaborane(12):

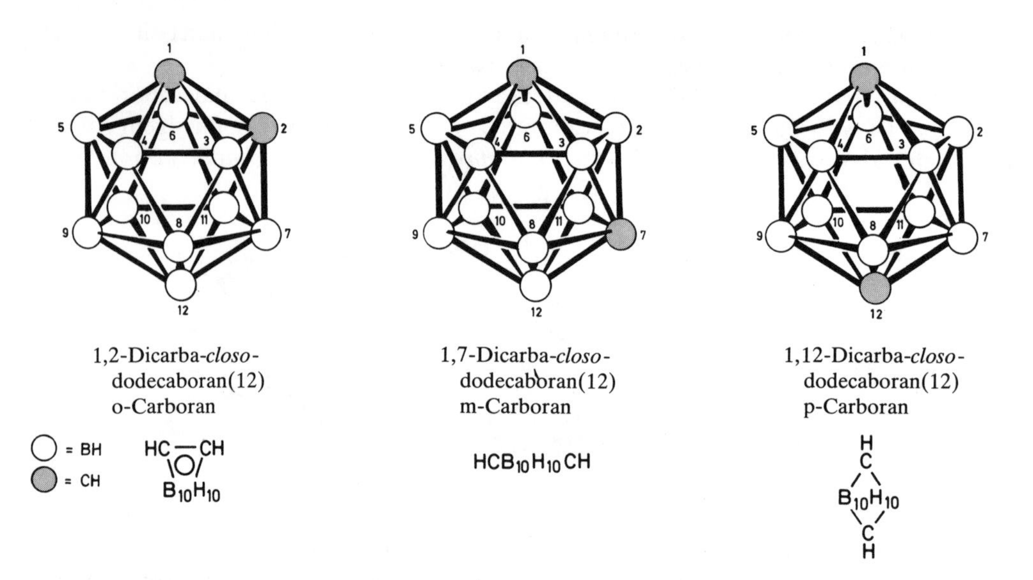

Die Herstellungsmethoden der Organo- und der Heteroatom-organo-dicarba-*closo*-dodecaborane(12) werden in getrennten Abschnitten (vgl. S. 191ff.) besprochen.

η_1) *B-Organo-dicarba-closo-dodecaborane(12)*

Die Verbindungen stellt man aus Organodecaboranen(14) durch C_2B_{10}-Aufbau mit Alkinen, aus Hydro-dicarba-*closo*-dodecaboranen(12) durch Alkylierung an den Bor-Atomen mit Halogenalkanen/Katalysator oder aus Organo-dicarba-*closo*-dodecaboranen(12) mit Alkalimetall/Übergangsmetallhalogenid durch Isomerisierung des C_2B_{10}-Gerüsts her. Außerdem sind B-Organo-dicarba-*closo*-dodecaborane(12) aus Dicarba-*nido*-undecaboraten(2−) durch Kondensation mit Dihalogen-organo-boranen sowie aus Dicarba-*closo*-dodecaboraten(2−) mit metallorganischen Verbindungen durch Arylierung an den Bor-Atomen zugänglich (vgl. Tab. 31, S. 183).

[1] D. A. Owen u. M. F. Hawthorne, Am. Soc. **91**, 6002 (1969); s. dort ursprünglich eingeführte Numerierung der Gerüstatome auf S. 6003.

Tab. 31: B-Organo-dicarba-*closo*-dodecaborane(12)

Formel	Verbindungstyp	Herstellungsart	s. S.
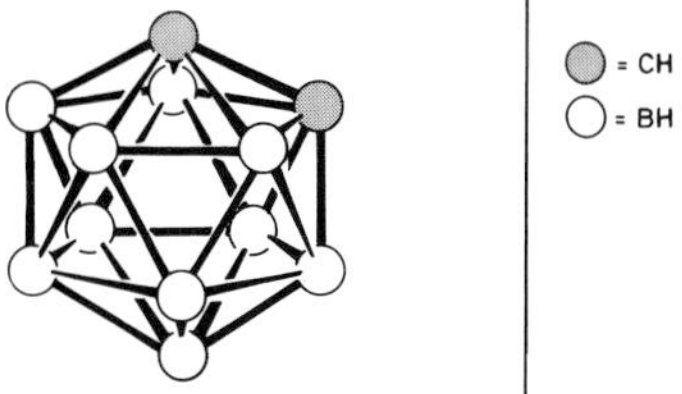	● = CH ○ = BH		
a) Monoorgano-dicarba-*closo*-dodecaborane(12)			
$1,2\text{-}C_2B_{10}H_{11}(CH_3)$	$H_2C_2B_{10}H_9R(12)$	aus $C_2B_{10}H_{11}R^M$, borfern + H^+	186
$3\text{-}H_5C_2\text{–}1,2\text{-}C_2B_{10}H_{11}$	$H_2C_2B_{10}H_9R(12)$	aus $1(2)\text{-}H_5C_2\text{–}B_{10}H_{13}(14)$ + $HC{\equiv}CH$	183
$Ar\text{–}1,2\text{-}C_2B_{10}H_{11}$	C_2-Isomere $H_2C_2B_{10}H_{11}R_n(12)$	aus $Ar\text{–}1,2\text{-}C_2B_{10}H_{11}$ + Na/Naphthalin + $COCl_2$ (Isomerisierung)	186
$R\text{–}1,2\text{–}C_2B_{10}H_{11}$ $R\text{–}1,7\text{–}C_2B_{10}H_{11}$	$H_2C_2B_{10}H_9R(12)$	aus $C_2B_{10}H_{11}I$ + MR (Pd-kat)	187
$3\text{-}R\text{–}1,2\text{-}C_2B_{10}H_{11}$	$H_2C_2B_{10}H_9R(12)$	aus $[7,8\text{-}C_2B_9H_{11}]^{2-}$ + $RBHal_2$	187 f.
$2\text{-}R\text{–}1,7\text{-}C_2B_{10}H_{11}$	$H_2C_2B_{10}H_9R(12)$	aus $[7,9\text{-}C_2B_9H_{11}]^{2-}$ + $RBHal_2$	187 f.
b) Diorgano-dicarba-*closo*-dodecaborane(12)			
$3,6\text{-}R_2\text{–}1,2\text{-}C_2B_{10}H_{10}$	$H_2C_2B_{10}H_8R_2(12)$	aus $[7,8\text{-}C_2B_9H_{10}R]^{2-}$ + $RBHal_2$	187
c) Oligoorgano-dicarba-*closo*-dodecaborane(12)			
$R_n\text{–}1,2\text{-}C_2B_{10}H_{12\text{-}n}$	$(1,2\text{-}H_2C_2)B_{10}H_{10\text{-}n}R_n(12)$	aus $1,2\text{-}C_2B_{10}H_{12}$ + R–Hal/$AlCl_3$ aus $[C_2B_{10}H_{12}]^{2-}$ + R–M/$CuCl_2$	184 185
$R_n\text{–}1,7\text{-}C_2B_{10}H_{12\text{-}n}$	$(1,7\text{-}H_2C_2)B_{10\text{-}n}R_n(12)$	aus $1,7\text{-}C_2B_{10}H_{12}$ + R-Hal/$AlCl_3$	185

$\eta\eta_1$) aus Organodecaboranen(14)

B-Organo- bzw. B,C-Organo-1,2-dicarba-*closo*-dodecaborane(12) lassen sich aus Organodecaboranen(14) mit Acetylen bzw. mit 1-Alkinen in Gegenwart von Lewisbasen in guten Ausbeuten herstellen[1–3]. Aus 1- und 2-Ethyldecaboran(14) erhält man mit Acetylen *3-Ethyl-1,2-dicarba-closo-dodecaboran(12)*[1]:

$$1(2)\text{-}H_5C_2\text{—}B_{10}H_{13} \quad + \quad HC{\equiv}CH \xrightarrow[-2H_2]{H_9C_4SCH_3/O(C_4H_9)_2,\ \approx 100°} 3\text{-}H_5C_2\text{-}1,2\text{-}C_2B_{10}H_{11}$$

B-Ethyl-1,2-dicarba-closo-dodecaboran(12)[1]**:** Man erhitzt 100 g (665 mMol) Ethyldecaboran(14) (40% 1- und 60% 2-Ethyl-Derivat) mit 84,4 g (810 mmol) Butyl-methyl-sulfan und 115 g Dibutylether langsam auf 110° und leitet 8 Stdn. in die Lösung durch ein Sinterglas-Einleitrohr mit einer Geschwindigkeit von 90 *ml*/Min. gereinigtes Acetylen (Aluminiumoxid/Granulat/konz. Schwefelsäure/festes Natriumhydroxid) ein. 2–3 Stdn. tritt heftiges Schäumen auf, wobei die hellgelbe Lösung orange wird. Man fraktioniert i. Vak. (Badtemp.: $< 150°$). Die Fraktion $Kp_{0,3}$: 70–110° wird redestilliert; Ausbeute: 89,1 g (78%); $Kp_{0,3}$: 70° (Badtemp.: 170°).

---

[1] T.L. Heying, J.W. Ager, S.L. Clark, D.J. Mangold, H.L. Goldstein, M. Lillman, R.J. Polak u. J.W. Szymanski, Inorg. Chem. **2**, 1089 (1963).
[2] R. Köster u. M.A. Grassberger, Ang. Ch. **79**, 197 (1967); engl.: **6**, 218.
[3] R.N. Grimes, *Carboranes*, Academic Press, New York 1970.

$\eta\eta_2$) aus Hydro-dicarba-closo-dodecaboranen(12)

Die Alkylierungen von Hydro-dicarba-*closo*-dodecaboranen(12) liefern unter Hydrogen/Alkyl-Austausch Alkyl-hydro-dicarba-*closo*-dodecaborane(12). Man verwendet elektrophile Alkylierungsreagenzien, vor allem Halogenalkane in Gegenwart von Lewissäuren. Außerdem lassen sich B-Aryl-Reste über At(2−)-Verbindungen (vgl. S. 187ff.) einführen.

i_1) mit Halogenalkanen/Lewissäure

Die drei isomeren Dicarba-*closo*-dodecaborane(12) (vgl. S. 182) und ihre C-Organo-Derivate lassen sich in Gegenwart von Friedel-Crafts-Katalysatoren mit Halogenalkanen an den Bor-Atomen alkylieren[1,2]:

$$C_2B_{10}H_{12} \quad + \quad nRX \xrightarrow{AlCl_3} R_nC_2B_{10}H_{12-n} \quad + \quad nHX$$

$$n = 1\text{–}8$$

Da B-Alkyl-Gruppen die elektrophile Einführung von Alkyl-Resten erleichtern, erhält man meist Gemische verschieden hoch alkylierter Carborane, deren Zusammensetzung vom Halogenalkan und von den Reaktionsbedingungen abhängt. Mit Brom- und Jod-methan bzw. mit Bromethan lassen sich bis zu sieben bzw. acht[2] Alkyl-Reste einführen:

$$1,2\text{-}C_2B_{10}H_{12} \quad + \quad nH_5C_2\text{—}Br \xrightarrow[-nHBr]{AlCl_3} (H_5C_2)_n\text{-}1,2\text{-}C_2B_{10}H_{12-n}$$

$$n = 1\text{–}8$$

Die Alkylierungen werden in Schwefelkohlenstoff unter Rückfluß oder im Alkylierungsreagenz (z.B. Brommethan) in Gegenwart von z.B. ≈20 mol% Aluminiumtrichlorid durchgeführt. Die Gemische der verschieden hoch alkylierten Carborane (vgl. Tab. 32) lassen sich durch GLC bzw. HPLC trennen. Weitere Einzelheiten müssen der Originalliteratur entnommen werden[1,2].

Tab. 32: Zusammensetzung der B-Ethylcarboran-Gemische[1] aus o-Carboran mit Brommethan/Aluminiumtrichlorid bei 25°

[Stdn.]	(% Anteil) mit n					
	0	1	2	3	4	5
0,16	14	40	41	5	–	–
0,33	12	21	44	21	2	–
1,33	–	2	20	32	46	–
24	–	–	–	–	85	15

B-Tetraethyl-1,2-dicarba-*closo*-dodecaboran(12) und Pentaethyl-Derivate[2]: Ein Gemisch aus 5 g (34,7 mmol) 1,2-Dicarba-*closo*-dodecaboran(12) und 40 g (367 mmol) Bromethan wird nach Zugabe von 1 g Aluminiumtrichlorid 16 Stdn. bei 20–25° stehengelassen (Hydrogenbromid-Entwicklung). Anschließend wird die Lö-

[1] L.I. Zakharkin, I.V. Pisareva u. R.K. Bikkineev, Izv. Akad. SSSR **1977**, 641; engl.: 577; C.A. **87**, 23358 (1977).

[2] US.P. 3092664 (1963/1958), Olin Mathieson Chem. Corp., Erf.: S.L. Clark u. D.J. Mangold; C.A. **59**, 11556 (1963).

sung mit Wasser versetzt und mit Chloroform extrahiert. Nach dem Trocknen der Chloroform-Phase mit Calciumchlorid und Eindampfen wird i. Vak. destilliert; Ausbeute: 6,3 g; Kp_1: 118–120° (hauptsächlich Tetraethyl- neben wenig Pentaethyl-Derivat).

Aus 1,2-Dicarba-*closo*-dodecaboran(12) erhält man mit Isopropylbromid infolge sterischer Hinderung nur *B-Mono-isopropyl-* und *B-Diisopropyl-1,2-dicarba-closo-dodecaborane(12)* in etwa äquimolaren Mengen[1]. 1,2-Dicarba-*closo*-dodecaboran(12) wird mit Tetrachlormethan oder mit Chloroform in Gegenwart von Aluminiumtrichlorid lediglich chloriert[2].

1,7-Dicarba-*closo*-dodecaboran(12) (m-Carboran) reagiert mit Alkylierungsreagenzien langsamer als das 1,2-Isomer (ortho-Isomer)[1]. Als Halogenalkane sind vor allem Bromalkane geeignet. Beim 1,7-Isomer tritt mit Jodmethan neben Methylierung auch Jodierung am Bor-Atom ein[1].

i_2) mit Natrium/Naphthalin oder Arylmetall-Verbindungen

3-, 4-, 8- und 9-Aryl-1,2-dicarba-*closo*-dodecaborane(12) lassen sich aus 1,2-Dicarba-*closo*-dodecaboran(12) mit Natrium-naphthalin in Tetrahydrofuran über das Dicarbadodecaborat(2−) (vgl. S. 212f.) mit Aryllithium- oder Arylmagnesium-Verbindungen herstellen. Beispielsweise sind *1,2-Dimethyl-9-phenyl-o-carboran* oder *4-(4-Methylphenyl)-o-carboran* so zugänglich[3].

$$HC{-}CH\,(B_{10}H_{10}) \xrightarrow{+2\ Na,\ Naphthalin} [C_2B_{10}H_{12}]^{2-}\ 2\ Na^+ \xrightarrow[2.\ +CuCl_2]{1.\ +ArM} HC{-}CH\,(B_{10}H_9{-}Ar)$$

Phenyl-1,2-dicarba-closo-dodecaborane(12)[3]**:** Zu 50 *ml* flüssigem Ammoniak werden bei −40° 1,44 g (0,01 mol) Carboran (o- bzw. m-Isomer) in 20 *ml* absol. Ether und 0,46 g (20 mmol) Natrium-Metall gegeben. Man läßt ≈ 10 Min. rühren, verdampft den Ammoniak und den Ether i. Vak. und gibt 20 *ml* THF zu. Danach wird eine Lösung von Phenylmagnesiumbromid (hergestellt aus 1,7 g Brombenzol und 0,3 g Magnesium) zum trockenen Rückstand getropft. Nach ≈ 1 Stde. wird in THF mit Kupfer(II)-chlorid (portionsweise Zugabe) oxidiert und die Lösung mit Wasser und mit verd. Salzsäure gewaschen sowie über Calciumchlorid getrocknet. Nach Absublimieren des unverbrauchten Carborans wird der Rückstand chromatographiert (GLC-Analyse); Ausbeute: 29% *3-*, 47% *4-* und 24% *8(9)-Phenyl-o-carboran*.

i_3) *mit Diazo-Verbindungen unter Belichten*

1,2-Dicarba-*closo*-dodecaboran(12) reagiert mit Diazoessigsäureethylester in Hexafluorbenzol beim UV-Belichten unter Bildung von vier isomeren B-Ethoxycarbonylmethyl-Derivaten (näheres s. Lit.)[4].

$\eta\eta_3$) aus B-Organo-dicarba-*closo*-dodecaboranen(12)

Heteroatomfreie B-Organo-dicarba-*closo*-dodecaborane(12) lassen sich durch borferne Reaktionen aus den metallhaltigen Organo-Derivaten herstellen. Aus 2-Chlorma-

[1] L. I. ZAKHARKIN, I. V. PISAREVA u. R. K. BIKKINEEV, Izv. Akad. SSSR **1977**, 641; engl.: 577; C. A. **87**, 23358 (1977).
[2] L. I. ZAKHARKIN, O. Y. OKHLOBYSTIN, G. K. SEMIN u. T. A. BABUSHKINA, Izv. Akad. SSSR **1965**, 1913; engl.; 1886; C. A. **64**, 3582 (1966).
[3] V. N. KALININ, N. I. KOBEL'KOVA, A. V. ASTAKHIN, A. I. GUSEV u. L. I. ZAKHARKIN, J. Organometal. Chem. **149**, 9 (1978).
[4] G. ZHENG u. M. JONES, Am. Soc. **105**, 6487 (1983).

gnesiomethyl-m-carboran erhält man mit Protolysereagenzien unter Demetallierung *2-Methyl-m-carboran*[1]:

$$HCB_{10}H_9CH{-}2{-}CH_2MgCl \xrightarrow[-\,MgCl^+]{+H^+} HCB_{10}H_9CH{-}2{-}CH_3$$

Die Verbindung ist auch aus Dicarba-undecaboraten(2–) (Dicarbollide) (vgl. S. 211) mit Dichlor-methyl-boran in Ether zugänglich (vgl. S. 187).

Die Isomerisierung von Aryl-dicarba-*closo*-dodecaboranen(12) gelingt mit Natrium-naphthalin/Kupfer(II)-chlorid in Tetrahydrofuran über die B-Organo-dicarbadodecaborate(2–). Aus 3-(4-Methylphenyl)-o-carboran erhält man ein Gemisch von verschiedenen *(4-Methylphenyl)-o-carboranen*[2]:

$$B_{10}H_9{-}3\left[C_6H_4{-}CH_3\right] \xrightarrow[2.\ +CuCl_2/THF]{1.\ +Na/Naphthalin/THF} B_{10}H_9{-}x\left[C_6H_4{-}CH_3\right]$$

x = 4, 8, 9

(4-Methylphenyl)-1,2-dicarba-closo-dodecaborane[2]**:** Zum grünen Gemisch von Natrium-naphthalin [aus 0,4 g (17 mmol) metallischem Natrium und 0,1 g Naphthalin] in frisch destilliertem THF gibt man 1,1 g (5 mmol) 3-(4-Methylphenyl)-o-carboran. Die Lösung wird bis zum Wiederauftreten der grünen Farbe und dann noch ≈2 Stdn. gerührt. Man trennt vom überschüssigen Natrium-Metall ab und fügt 2 g wasserfreies Kupfer(II)-chlorid zu. Nach 30 Min. Rühren wird das THF i. Vak. entfernt, Benzol zugegeben und vom Rückstand abfiltriert. Man wäscht das Filtrat mit Wasser, trocknet über Calciumchlorid und entfernt Benzol und Naphthalin i. Vak. Die GC-Trennung liefert eine Mischung von *3-* (40%), *4-* (48%) sowie *8-* und *9-(4-Methylphenyl)-o-carborane* (12%).

1,2-Dicarba-*closo*-dodecaborane(12) mit borgebundenen ungesättigten Organo-Resten lassen sich beim Erhitzen in der Gasphase (560–580°) in Alkenyl- und Alkinyl-1,7-dicarba-*closo*-dodecaborane(12) isomerisieren, z.B. erhält man aus 3-Vinyl-o-carboran ein Gemisch von *2-* und *4-Vinyl-m-carboranen*[3]:

$$HC{-}CH(B_{10}H_9{-}R) \xrightarrow{560-580^\circ\ \text{in Gasphase}} HCB_{10}H_9CH{-}2(4){-}R$$

R = CH=CH$_2$, C≡CH

Aus 3-Vinyl-1,2-dicarba-*closo*-dodecaboran(12) erhält man mit Hydrogenchlorid/Aluminiumtrichlorid in Schwefelkohlenstoff in 50%iger Ausbeute *2-(1-Chlorethyl)-m-carboran*[3]:

$$HC{-}CH(B_{10}H_9{-}3{-}CH{=}CH_2) \xrightarrow[CS_2]{+HCl/AlCl_3} (HC)_2H_9B_{10}{-}2{-}CHCl{-}CH_3$$

[1] L. I. Zakharkin, V. N. Kalinin u. V. V. Gedymin, Ž. obšč. Chim. **43**, 1974 (1973); engl.: 1956; C. A. **80**, 14985 (1974).

[2] V. N. Kalinin, N. I. Kobel'kova, A. V. Astakhin, A. I. Gusev u. L. I. Zakharkin, J. Organometal. Chem. **149**, 9 (1978).

[3] V. N. Kalinin, N. I. Kobel'kova u. L. I. Zakharkin, Izv. Akad. SSSR **1982**, 1661; engl.: 1479; C. A. **97**, 216271 (1982).

$\eta\eta_4$) aus B-Halogen-dicarba-*closo*-dodecaboranen(12)

Aus Halogencarboranen sind mit magnesiumorganischen Verbindungen in Gegenwart von Katalysatoren Arylcarborane sowie Alkylcarborane[1] und Alkenylcarborane[2] zugänglich. Man erhält z.B. aus 9-Jod-o- oder -m-carboran mit 4-Fluorphenylmagnesiumbromid unter Zusatz von Bis[triphenylphosphan]-palladium-dichlorid[1,2] oder Tetrakis-[triphenylphosphan]palladiumdichlorid[3] in siedendem Diethylether *9-(4-Fluorphenyl)-o-* bzw. *-m-carboran* in $>70\%$iger Ausbeute. Entsprechend lassen sich *2-(4- Fluorphenyl)-p-carborane* herstellen[1,2]:

$$\underset{\text{CH}}{\overset{\text{HC}}{B_{10}H_9}}\text{-2-J} + \text{BrMg-C}_6\text{H}_4\text{-F} \xrightarrow[\text{-BrMgJ}]{[(H_5C_6)_3P]_2PdCl_2/(H_5C_2)_2O,\ 30\ \text{Stdn. Sieden}} \underset{\text{CH}}{\overset{\text{HC}}{B_{10}H_9}}\text{-2-C}_6\text{H}_4\text{-F}$$

$\eta\eta_5$) aus Hydrocarboraten

B-Organo-dicarba-*closo*-dodecaborane(12) erhält man aus Hydro-*nido*-carboraten durch Einführung von Organobor-Gruppierungen oder aus Hydro-*closo*-carboraten mit metallorganischen Verbindungen durch Hydro/Organo-Substitution.

i_1) aus B-Hydro-dicarba-*nido*-undecaboraten

Das im Ikosaederfragment der (3)-1,2- bzw. 1,7-Dicarbollide (vgl. S. 211) fehlende Bor-Atom läßt sich mit Dihalogen-organo-boranen als Organoborandiyl-Gruppierung einführen[2]. Man erhält 3-Organo-1,2- oder 2-Organo-1,7-dicarba-*closo*-dodecaborane(12) (vgl. S. 189):

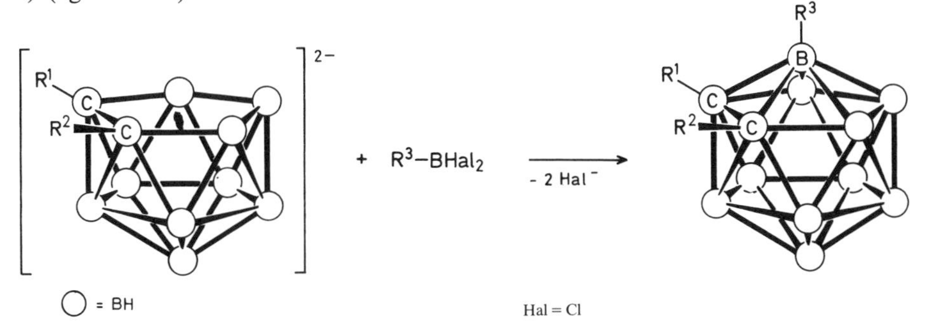

Präparativ läßt man im allgemeinen Trimethylammonium-dicarbaundecarborate(1−) (vgl. S. 209) mit Basen, z.B. Natriumhydrid in Tetrahydrofuran oder Butyllithium in Benzol, reagieren und setzt die so gewonnenen Dicarbaundecaborate(2−) [(3)-1,2-Dicarbollide] (vgl. Tab. 33, S. 189) mit den Dihalogen-organo-boranen um.

2-Vinyl-1,7-dicarba-*closo*-dodecaboran(12)[4,5]**:** 110 *ml* (110 mmol) 1 M Butyllithium-Lösung in Benzol wird zu 9,6 g (50 mmol) Trimethylammonium-dodecahydro-7,9-dicarbaundecaborat(1−) in 250 *ml* abs. Diethylether getropft. Man erhitzt bis zur vollständigen Entfernung des Trimethylamins und tropft anschließend langsam 60

---

[1] L. I. Zakharkin, A. I. Kovredov u. V. A. Ol'shevskaya, Izv. Akad. SSSR **1981**, 2159; C. A. **96**, 52355 (1982).
[2] L. I. Zakharkin, A. I. Kovredov, V. A. Ol'shevskaya u. Z. S. Shaugumbekova, J. Organometal. Chem. **226**, 217 (1982).
[3] M. F. Hawthorne u. P. A. Wegner, Am. Soc. **90**, 896 (1968).
[4] L. I. Zakharkin, V. N. Kalinin u. V. V. Gedymin, Ž. obšč. Chim. **43**, 1974 (1973); engl.: 1956; C. A. **80**, 14985 (1974).
[5] L. I. Zakharkin, V. N. Kalinin u. V. V. Gedymin, Synth. React. Inorg. Metal.-org. Chem. **3**, 93 (1973); C. A. **78**, 84474 (1973).

mmol Dichlor-vinyl-boran in 50 *ml* abs. Heptan bei −50° zu. Man zersetzt mit Wasser, trennt die Ether Phase ab, trocknet über Calciumchlorid und dampft ein. Der Rückstand wird einige Male mit heißem Hexan extrahiert und die Hexan-Lösung eingedampft. Die Destillation des Rückstandes liefert 6 g (70%); Kp_2: 75–77°.

Aus 3-Organo-undecahydro-7,8-dicarbaundecaboraten(2−) (vgl. S. 209) sind mit Dihalogen-organo-boranen 3,6-Diorgano-1,2-dicarba-*closo*-dodecaborane(12) zugänglich[1].

3-Phenyl-1,2-dicarba-*closo*-dodecaboran(12)[1]**:** 2,7 g Natriumhydrid (56%ige Dispersion in Mineralöl d.s. 1,51 g Natriumhydrid, 63 mmol), werden 2mal mit je 30 *ml* THF gewaschen und anschließend in 90 *ml* THF suspendiert. Man gibt 5 g (25,9 mmol) Trimethylammonium-dodecahydro-7,8-dicarbaundecaborat(1−), gelöst in 75 *ml* THF zu und rührt 3 Stdn. im Rückfluß. Zum Schluß wird gebildetes Trimethylamin im Stickstoffstrom möglichst vollständig entfernt. Nach Abkühlen setzt sich überschüssiges Natriumhydrid ab. Die überstehende THF-Lösung von $Na_2[C_2B_9H_{11}]$ wird in der Vorlage E einer speziellen Apparatur (siehe Abb. 1) nach Kühlen mit flüssigem Stickstoff i. Vak. entgast und dann aus dem Kölbchen F 4,5 g (28,3 mmol) reines entgastes Dichlor-phenyl-boran i. Vak. durch Erwärmen auf 90–100° in die gefrorene $Na_2[C_2B_2H_{11}]$-Lösung in THF destilliert. Es bildet sich ein farbloser Niederschlag. Man rührt 2 Stdn. bei ≈20° i. Vak. und dann 3 Stdn. bei Atmosphärendruck im THF-Rückfluß. Anschließend wird durch Celite® filtriert und 2mal mit je 20 *ml* THF nachgewaschen. Man dampft ein (Rotavapor), digeriert 1,5 Stdn. mit siedendem Heptan, wobei die Hauptmenge in Lösung geht. Nach Filtrieren durch Celite® wird eingedampft, der schwach luftempfindliche halbfeste Rückstand in möglichst wenig Dichlormethan gelöst und über Kieselgel mit 100 *ml* Hexan und dann mit Hexan/Benzol (50:50) chromatographisch gereinigt. I. Vak. wird bei 80° sublimiert; Ausbeute: 4,51 g (80%); F: 109–110°.

2-Phenyl-1,7-dicarba-*closo*-dodecaboran(12)[2]**:** Man gibt zu 3,86 g (20 mmol) Trimethylammonium-dodecahydro-7,9-dicarbaundecaborat(1−) in 80 *ml* trockenem Diethylether 40 *ml* einer 1 N Butyllithium-Lösung (40 mmol) und erhitzt unter Rühren zum Rückfluß. Mit Inertgas wird Trimethylamin ausgetrieben. Zur klaren Lösung gibt man bei −40° 4,5 g (28 mmol) Dichlor-phenyl-boran in 20 *ml* Diethylether, läßt das Gemisch auf ≈20° erwärmen und rührt 2 Stdn. Man versetzt mit Wasser, trennt die org. Phase ab, wäscht mit verd. Natronlauge und Wasser und trocknet über Calciumchlorid. Nach Eindampfen wird in Hexan aufgenommen und über Aluminiumoxid chromatographisch gereinigt; Ausbeute: 3,2 g (73%); F: 35–35,5° (aus Pentan).

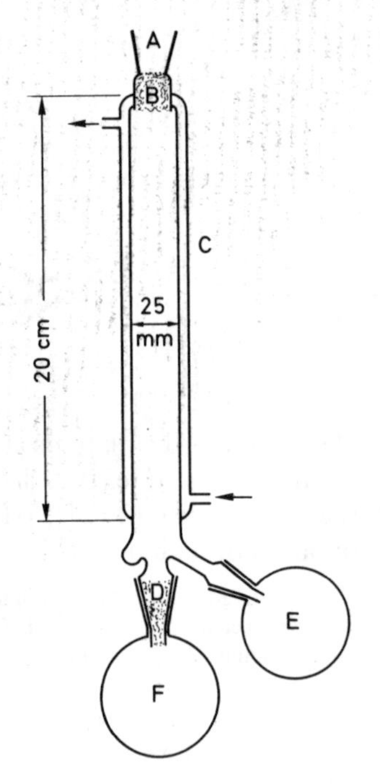

Abb. 1 Verwendete Apparatur[1]
A Anschluß an das Vakuumsystem
B Glaswolle
C Wassergekühlter Mantel
D Glaswolle
E Vorlage für Dinatrium-1,7-dicarba-*closo*-dodecaborat(11) in THF
F Destillationskolben mit Dichlor-phenyl-boran

[1] M.F. Hawthorne u. P.A. Wegner, Am. Soc. **90**, 896 (1968).
[2] L.I. Zakharkin u. V.N. Kalinin, Ž. obšč. Chim. **43**, 853 (1973); engl.: 853; C.A. **79**, 65542 (1973).

Tab. 33: B-Organo-1,2-dicarba-*closo*-dodecaborane(12) aus Dicarba-*nido*-undecaboraten(2–) mit Dihalogen-organo-boranen

Dicarba-*nido*-undecaborat(2–)	Dichlor-organo-boran	...-*1,2-dicarba-closo-dodecaboran(12)*	Ausbeute [%]	F [°C]	Literatur
$[7,8\text{-}C_2B_9H_{11}]^{2-}$	$H_5C_2\text{–}BCl_2$	*3-Ethyl-...*	51	15–17	[1]
	$H_7C_3\text{–}BCl_2$	*3-Propyl-...*		41–44	[2]
	$H_9C_4\text{–}BCl_2$	*3-Butyl-...*	72	22–23	[2]
	$H_2C{=}CH\text{–}BCl_2$	*3-Vinyl-...*		43–44	[3]
	$Cl_2B\text{–}(CH_2)_4\text{–}BCl_2$	*1,4-Bis[1,2-dicarba-closo-dodecaboran(12)-3-yl]-butan*	80	163–164	[4]
	$1\text{-}(Cl_2B)\text{–}2\text{-}CH_3\text{–}1,2\text{-}C_2B_{10}H_{10}$	*3-[1-Methyl-1,2-dicarba-closo-dodecaboran(12)-2-yl]-...*	30	208–210	[5]
$[7\text{-}H_5C_6\text{–}7,8\text{-}C_2B_9H_{10}]^{2-}$	$H_5C_6\text{–}BCl_2$	*1,3-Diphenyl-...*	38	105–106	[1]
	$4\text{-}CH_3C_6H_4\text{–}BCl_2$	*3-(4-Methylphenyl)-1-phenyl-...*	45	110–111	[6]
$[7,8\text{-}(H_3C)_2\text{–}7,8\text{-}C_2B_9H_9]^{2-}$	$H_5C_6\text{–}BCl_2$	*1,2-Dimethyl-3-phenyl-...*	55	158–159	[1]
$[3\text{-}H_5C_6\text{–}7,8\text{-}C_2B_9H_{10}]^{2-}$	$H_5C_6\text{–}BCl_2$	*3,6-Diphenyl-...*	35	173,5–174,5	[1]
$[7,8\text{-}(H_3C)_2\text{–}3\text{-}H_5C_6\text{–}7,8\text{-}C_2B_9H_8]^{2-}$	$H_5C_6\text{–}BCl_2$	*1,2-Dimethyl-3,6-diphenyl-...*	22	214–216	[1]

[1] M. F. Hawthorne u. P. A. Wegner, Am. Soc. **90**, 896 (1968).
[2] B. M. Mikhailov u. T. V. Potapova, Izv. Akad. SSSR **1967**, 1629; engl.: 1576; C. A. **68**, 39680 (1968).
[3] L. I. Zakharkin u. V. I. Kalinin, Izv. Akad. SSSR **1968**, 1423; engl.: 1353; C. A. **69**, 77300 (1968).
[4] T. V. Potapova u. B. M. Mikhailov, Izv. Akad. SSSR **1967**, 2367; engl.: 2266; C. A. **68**, 49671 (1968).
[5] L. I. Zakharkin u. V. S. Kozova, Ž. obšč. Chim. **42**, 476 (1972); C. A. **77**, 62065 (1972).
[6] L. I. Zakharkin, E. I. Kukulina u. L. S. Podvisotskaya, Izv. Akad. SSSR **1966**, 1866; engl.: 1808; C. A. **66**, 95101 (1967).

i_2) aus Dicarbadodecaboraten

B-Organo-dicarbadodecaborane(12) lassen sich aus Hydro-dicarbadodecaboraten(2−) mit metallorganischen Verbindungen oder aus B-Organo-dicarbadodecaboraten(2−) mit Übergangsmetall-halogeniden herstellen.

ii_1) aus Hydro-dicarba-*closo*-dodecaboraten

Dinatrium-dodecahydro-dicarbadodecaborate(2−) reagieren in Tetrahydrofuran mit lithium- oder magnesium-organischen Verbindungen zu B-Organo-Derivaten, aus denen man mit Kupfer(II)-chlorid durch Oxidation B-substituierte 1,2-Dicarba-*closo*-dodecaborane(12) erhält[1–3] (vgl. S. 184):

$$Na_2\left[C_2B_{10}H_{12}\right] + n\,RM \xrightarrow[-n\,MH]{THF,\ \sim 20°} Na_2\left[R_nC_2B_{10}H_{12-n}\right]$$

$$\xrightarrow[-CuCl,\ -NaCl]{CuCl_2/THF} R_n\text{-}1,2\text{-}C_2B_{10}H_{12-n}$$

n = 1–5
M = Li, MgX
R = Alkyl, Aryl, $CH{=}CH_2$ (vgl. S. 194)[4], $CH{=}CH{-}C_6H_5$

Die Reaktion liefert stets Gemische verschieden hoch substituierter Carborane. Aus äquimolaren Mengen Dodecahydrodicarbadodecaborat(2−) und Phenyllithium erhält man z.B. nach der Oxidation neben unsubstituiertem 1,2-Dicarba-*closo*-dodecaboran(12) (30%), das *B-Phenyl-1,2-dicarba-closo-dodecaboran(12)* [20–25%; mit 3-, 4-, 8- und 9-Phenyl-, vgl. Tab. 34, S. 191] sowie Di- und Triphenyl-Derivate (30%)[2].

B-Aryl-1,2-dicarba-*closo*-dodecaborane(12)[5]: Zur Lösung des Dodecahydrodicarbadodecaborats(2–) in THF wird eine äquimolare Menge Arylmagnesiumhalogenid [oder Aryllithium] in Ether gegeben. Es bildet sich ein farbloser Niederschlag. Man rührt 1 Stde. bei ≈20°, kühlt auf 0° und gibt unter Rühren in kleinen Anteilen einen Überschuß an trockenem Kupfer(II)-chlorid zu. Nach 30 Min. dampft man i. Vak. ein, nimmt den Rückstand mit Benzol auf, filtriert, wäscht das Filtrat 2mal mit Wasser und trocknet über Calciumchlorid. Nach Eindampfen läßt man den Rückstand mit Benzol/Hexan (1:3) über eine Aluminiumoxid-Säule laufen und entfernt unsubstituiertes 1,2-Dicarba-*closo*-dodecaborat(12) durch Sublimation bei 120°/2 Torr. Die B-Aryl-1,2-dicarba-*closo*-dodecaborane(12) werden durch Destillation und Säulenchromatographie an Silikagel isoliert.

---

[1] V. N. Kalinin, N. I. Kobel'kova u. L. I. Zakharkin, Ž. obšč. Chim **47**, 963 (1977); engl.: 879; C. A. **87**, 135497 (1977).
[2] V. N. Kalinin, N. I. Kobel'kova, A. V. Astakhin, A. I. Gusev u. L. I. Zakharkin, J. Organometal. Chem. **149**, 9 (1978).
[3] V. N. Kalinin, N. I. Kobel'kova u. L. I. Zakharkin, Imeboron IV, Salt Lake City, Juli 1979, Abstr. of Papers S. 35.
[4] L. I. Zakharkin, V. N. Kalinin u. V. V. Gedymin, Ž. obšč. Chim. **43**, 1974 (1973); engl.: 1956; C. A. **80**, 14985 (1974).
[5] L. I. Zakharkin, V. N. Kalinin u. V. A. Antonovich u. E. G. Ryss, Izv. Akad. SSSR **1976**, 1036; engl.: 1009; C. A. **85**, 158894 (1976).

Tab. 34: B-Monoaryl-1,2-dicarba-*closo*-dodecaborane(12) aus Dinatrium-dodecahydro-dicarbadodecaboraten(2−) mit äquimolaren Mengen metallorganischer Verbindung[1]

1,2-Dicarbadodeca-borat(2–)	metallorganische Verbindung	...-*1,2-dicarba-closo-dodecaboran(12)*	Ausbeute [%]	Rel. %-Anteil der Isomeren (Position)		
				3	4	8−9
$[C_2B_{10}H_{12}]^{2-}$	H_5C_6–Li	*B-Phenyl-...*	15	25	51	24
	H_5C_6–MgBr		15	29	47	24
	4-H_3C–C_6H_4–MgBr	*B-(4-Methylphenyl)-...*	20	30	45	25
	3-H_3C–C_6H_4–MgBr	*B-(3-Methylphenyl)-...*	12	27	49	24
	4-F–C_6H_4–MgBr	*B-(4-Fluorphenyl)-...*	5	33	42	25
	3-F–C_6H_4–MgBr	*B-(3-Fluorphenyl)-...*	5	26	47	27
$[1,2\text{-}(H_3C)_2\text{–}C_2B_{10}H_{10}]^{2-}$	H_5C_6–MgBr	*1,2-Dimethyl-B-phenyl-...*	23	13	36	51

ii$_2$) aus B-Organo-dicarba-*closo*-dodecaboraten

Die Isomerisierung von z.B. 3-Aryl-1,2-dicarba-*closo*-dodecaboraten(2−) zu B-Aryl-1,7-dicarba-*closo*-dodecaboranen(12) und B-Aryl-1,12-dicarba-*closo*-dodecaboranen(12) läßt sich mit Cobalt(II)-chlorid über das Cobalt-bis-π-aryl-carboranat(1–) mit Hilfe von Kupfer(II)-chlorid als Oxidationsreagenz durchführen[1]:

$$2\left[B_{10}H_9\text{–}Ar\right]^{2-} \xrightarrow[-2\,Cl^-]{+CoCl_2} \left\{Co\text{–}\left[B_{10}H_9\text{–}Ar\right]_2\right\}^{2-} \xrightarrow{+CuCl_2/THF} \begin{cases} B_{10}H_9\text{–}Ar \\ HCB_{10}H_9CH\text{–}Ar \\ HC\text{–}B_{10}H_9\text{–}Ar\text{–}CH \end{cases}$$

η_2) B-(Heteroatom subst. Organo)-dicarba-closo-dodecaborane(12)

Die in der Tab. 35 (S. 192) aufgeführten B-Organo-dicarba-*closo*-dodecaborane(12) mit halogen-, sauerstoff-, stickstoff-, silicium- und metall-haltigen funktionellen Organo-Resten werden größtenteils mit Hilfe borferner Reaktionen hergestellt. Es sind auch Reaktionen bekannt, die wie z.B. die thermische Isomerisierung von Isonitril-Carboranen durch das C_2B_{10}-Gerüst spezifisch beeinflußt werden (vgl. Tab. 35, S. 192).

[1] V. N. Kalinin, N. I. Kobel'kova, A. V. Astakhin, A. I. Gusev u. L. I. Zakharkin, J. Organometal. Chem. **149**, 9 (1978).

Tab. 35: Heteroatomhaltige Organo-dicarba-closo-dodecaborane(12)

Formel	Verbindungstyp	Herstellungsart	s. S.
a) mit halogenhaltigen Organo-Resten			
1,2-$C_2B_{10}H_{11}$–CH_2Cl	$H_2C_2B_{10}H_{11}R^{Hal}$	aus $C_2B_{10}H_{11}R^{O}$ + PCl_5, borfern	193
b) mit sauerstoffhaltigen Organo-Resten			
1,2-$C_2B_{10}H_{11}$–R	$C_2B_{10}H_{11}R^{O}$		193
R = CH_2–OH		aus $C_2B_{10}H_{11}R^{COCl}$ + H^-	
R = $CH(CH_3)$–OH		aus $C_2B_{10}H_{11}R^{CO-CH_3}$ + H^-	
R = $C(CH_3)(C_6H_5)$–OH		aus $C_2B_{10}H_{11}R^{CO-C_6H_5}$ + H_3C–MgHal	
1,7-$C_2B_{10}H_{11}$–CHO	$C_2B_{10}H_{11}R^{O}$	aus $C_2B_{10}H_{11}$–$CH{=}CH_2$ + O_3	194
1,2-$C_2B_{10}H_{11}$–CO–R	$C_2B_{10}H_{11}R^{O}$		
R = CH_3		aus $(H_2C_2B_{10}H_9)_2Hg$ + H_3C–CO–Hal/$AlCl_3$	198
		aus $C_2B_{10}H_{11}R^{COCl}$ + $(H_3C)_2Cd$	
R = C_6H_5		aus $C_2B_{10}H_{11}R^{COCl}$ + C_6H_6/$AlCl_3$	
1,2(7)-$C_2B_{10}H_{11}$–COOH	$C_2B_{10}H_{11}R^{O_2}$	aus $C_2B_{10}H_{11}R^{Si}$ + CrO_3	195
		aus $C_2B_{10}H_{11}R^{MgHal}$ + CO_2	
1,2-$C_2B_{10}H_{11}$–$COOCH_3$	$C_2B_{10}H_{11}R^{O_2}$	aus $C_2B_{10}H_{11}R^{COOH}$ + CH_2N_2	196
1,2-$C_2B_{10}H_{11}$–3-COOH	$C_2B_{10}H_{11}R^{O_2}$	aus $C_2B_{10}H_{11}R^{O,N}$ + NO_2^-/H^+	194
1,2-$C_2B_{10}H_{12-n}(COOH)_n$	$C_2B_{10}H_{12-n}R^{O_2}$	aus $C_2B_{10}H_{12-n}R^{Si}$ (borfern) + Ox[CrO_3/H^+]	194
		aus $C_2B_{10}H_{11}R_{en}$ + CrO_3	
1,2-$C_2B_{10}H_{11}$–R			
R = CH_2–COOH	$C_2B_{10}H_{11}R^{O_2}$	aus $C_2B_{10}H_{11}R^{COCl}$ + CH_2N_2/Ag_2O/H_2O	
R = CO–Cl	$C_2B_{10}H_{11}R^{Cl,O}$	aus $C_2B_{10}H_{11}R^{COOH}$ + PCl_5 ($SOCl_2$)	
c) mit stickstoffhaltigen Organo-Resten			
1,2-$C_2B_{10}H_{11}$–R			
R = 3-(N_3–CO)–C_6H_4	1,2-$C_2B_{10}H_{11}R^{O,N_3}$	aus $C_2B_{10}H_{11}R^{COCl}$ + NaN_3	195
R = 3-CO–CHN_2	1,2-$C_2B_{10}H_{11}R^{O,N_3}$	aus $C_2B_{10}H_{11}R^{COCl}$ + CH_2N_2	196
R = 3-CO–NH_2	1,2-$C_2B_{10}H_{11}R^{O,N}$	aus $C_2B_{10}H_{11}R^{N}$ + H_2O/H^+	
R = CN	1,2-$C_2B_{10}H_{11}R^{N}$	aus $C_2B_{10}H_{11}R^{NC}$, Δ	197
d) mit siliciumhaltigen Organo-Resten			
1,2-$C_2B_{10}H_{11}$–R			
R = $COOSi(CH_3)_3$	$C_2B_{10}H_{11}R^{O_2,Si}$	aus $C_2B_{10}H_{11}R^{COOH}$ + $HN(SiR_3)_2$	
R = CH_2–CH_2–$Si(CH_3)_3$	$C_2B_{10}H_{11}R^{Si}$	aus $C_2B_{10}H_{11}R^{SiCl_3}$ + H_3C–MgJ	196
		aus $C_2B_{10}H_{12}$ + $R_{en}SiCl_3$, $AlCl_3$	197
e) mit magnesiumhaltigen Organo-Resten			
1,2-$C_2B_{10}H_{11}$–CH_2–MgCl	$C_2B_{10}H_{11}R^{MgCl}$	aus $C_2B_{10}H_{11}R^{Cl}$ + Mg	196
f) mit eisenhaltigen Organo-Resten			
$C_2B_{10}H_{11}$–3-[$COFe(CO)_2(\pi C_5H_5)$]	$C_2B_{10}H_{11}R^{ML,O}$	aus $C_2B_{10}H_{11}R^{Hal,O}$ + $Na^+[LFe]^-$	196
$C_2B_{10}H_{11}$–R-π-$Fe(CO)_2$)	$C_2B_{10}H_{11}R^{LM}$	aus $C_2B_{10}H_{11}R^{ML,O}$, Δ	196
$C_2B_{10}H_{11}$–R–$Fe(CO)_2Hal$	$C_2B_{10}H_{11}R^{LM,O}$	aus $C_2B_{10}H_{11}R^{ML,O}$ + Hal_2	198

$\eta\eta_1$) aus B-Organo-dicarba-*closo*-dodecaboranen(12)

Heteroatomhaltige Organo-dicarba-*closo*-dodecaborane(12) lassen sich aus anderen Organo-Derivaten unter Gerüst-Isomerisierung und vor allem durch zahlreiche borferne Reaktionen herstellen, die größtenteils nicht vom Carboran-Kern beeinflußt werden.

i_1) durch Gerüst-Isomerisierung

Die thermische Isomerisierung des C_2B_{10}-Gerüstes gelingt trotz der hohen Temperaturen auch in Gegenwart bestimmter heteroatomhaltiger Organo-Reste.

Leitet man 3-Cyan-1,2-dicarba-*closo*-dodecaboran(12) durch ein auf 580° erhitztes Quarzrohr, so erhält man unter Umlagerung des Carboran-Gerüstes ein Gemisch von *2-* und *4-Cyan-1,7-dicarba-closo-dodecaboran(12)*[1].

2- und 4-Cyan-1,7-dicarba-closo-dodecaboran(12)[1]: 5,9 g (35 mmol) 3-Cyan-1,2-dicarba-*closo*-dodecaboran(12) werden bei 1 Torr durch eine auf 580° erhitzte 50 cm lange Quarzröhre (∅ 2 cm) sublimiert. Man erhält 5,6 g (95%) eines Gemisches von 2- und 4-Cyan-1,7-dicarba-*closo*-dodecaboran(12). Die Trennung durch präparative Dünnschichtchromatographie auf Aluminiumoxid mit Chloroform-Hexan (3:2) liefert 1 g (17%) *2-Cyan*-Derivat (F: 205–207°; aus Hexan) sowie 1,5 g (25%) *4-Cyan*-Derivat (F: 212–214°, aus Hexan).

i_2) durch borferne Reaktionen

Aus Organo-Resten der B-Organo-dicarba-*closo*-dodecaborane(12) lassen sich durch zahlreiche borferne Abwandlungen der Organo-Reste heteroatomhaltige B-Organo-dicarba-*closo*-dodecaborane(12) herstellen (vgl. Tab. 35, S. 192).

Organo-dicarba-*closo*-dodecaborane(12) mit halogenhaltigen Resten sind mit Chlorierungsreagenzien durch borferne Reaktion zugänglich. *Chlormethyl-dicarba-closo-dodecaborane(12)* erhält man z.B. aus Hydroxymethyl-dicarba-*closo*-dodecaboran(12) mit Phosphor(V)-chlorid[2]:

$$B_{10}H_9-CH_2OH \xrightarrow{+PCl_5} B_{10}H_9-CH_2Cl$$

Verschiedene sauerstoffhaltige Organo-dicarba-*closo*-dodecaborane(12) sind aus anderen Organo-Derivaten zugänglich (vgl. Tab. 35, S. 192).

Bekannt sind Verbindungen mit borfernen Hydroxy-, Carbonyl- und Carbonsäure-Funktionen. *2-Hydroxymethyl-m-carboran* erhält man z.B. aus dem 2-Carboxy-Derivat mit Phosphor(V)chlorid und Reduktion mit Lithiumtetrahydroaluminat[3]:

$$HCB_{10}H_9CH\text{-}2\text{-}COOH \xrightarrow[2.\ +Li[AlH_4]]{1.\ +PCl_5} HCB_{10}H_9CH\text{-}2\text{-}CH_2OH$$

---

[1] L. I. Zakharkin, V. N. Kalinin u. N. I. Kobel'kova, Synth. React. Inorg. Metal-org. Chem. **6**, 91 (1976); C. A. **85**, 142405 (1976).

[2] L. I. Zakharkin, V. N. Kalinin u. V. V. Gedymin, Tetrahedron **27**, 1317 (1971).

[3] L. I. Zakharkin, V. N. Kalinin u. V. V. Gedymin, Synth. React. Inorg. Metal-org. Chem. **3**, 93 (1973); C. A. **78**, 84474 (1973).

3-Formyl-1,2- und *2-Formyl-1,7-dicarba-closo-dodecaborane(12)* sind durch Ozonisierung der entsprechenden Vinyl-Derivate zugänglich (keine Ausbeuteangaben)[1,2]; z. B.:

$$HCB_{10}H_9CH\text{-}2\text{-}CH{=}CH_2 \xrightarrow[2.\ +(H_3C)_2S]{1.\ +O_3/CH_3OH} HCB_{10}H_9CH\text{-}2\text{-}CHO$$

Aus Cyan-1,2(7)-dicarba-*closo*-dodecaboranen(12) lassen sich mit Methyllithium nach anschließender Hydrolyse B-Acetyl-dicarba-*closo*-dodecaborane(12) gewinnen; z.B. *2-Acetyl-m-carboran*[3]:

$$HCB_{10}H_9CH\text{-}2\text{-}CN \xrightarrow[2.\ +H^+]{1.\ +H_3C{-}Li} HCB_{10}H_9CH\text{-}2\text{-}COCH_3$$

Aus 3-Carboxy-o-carboran ist mit Methyllithium in Ether in 70%iger Ausbeute *3-Acetyl-o-carboran* (F: 78–80%) zugänglich[1].

B-Carboxy-1,2- und *-1,7-dicarba-closo-dodecaborane(12)* stellt man in guter Ausbeute aus den B-Vinyl-Derivaten (vgl. S. 190) durch oxygenierenden Abbau der Seitenkette mit z.B. Chromsäure her[1,3]:

$$HCB_{10}H_9CH\text{-}2\text{-}CH{=}CH_2 \xrightarrow{+CrO_3,\ 20°,\ 2\ Stdn.} HCB_{10}H_9CH\text{-}2\text{-}COOH \quad 89\%$$

$$B_{10}H_9{-}3{-}CH{=}CH_2 \xrightarrow{+CrO_3,\ 20°,\ 2\ Stdn.} B_{10}H_9{-}3{-}COOH \quad 90\%$$

2-Carboxy-1,7-dicarba-closo-dodecaboran(12)[3]**:** 16,5 g (165 mmol) Chrom(VI)-oxid werden bei ≈ 20° unter Rühren zu 8,5 g (50 mmol) 2-Vinyl-1,7-dicarba-*closo*-dodecaboran(12) in 175 *ml* Eisessig, 50 *ml* Acetanhydrid und 10 *ml* konz. Schwefelsäure gegeben. Nach 2 Stdn. wird auf Eis gegossen und mit Diethylether extrahiert. Die Ether-Extrakte werden mit verd. Natronlauge ausgeschüttelt und die alkalisch-wäßr. Phase angesäuert. Man extrahiert mit Diethylether und trocknet über Calciumchlorid. Nach Eindampfen wird der Rückstand i. Vak. sublimiert; Ausbeute: 8,5 g (89%); F: 160–161° (Heptan).

Carboxy-dicarba-closo-dodecaborane(12) können aus den Cyan-Derivaten mit Wasser und anschließende Reaktion des Amids mit Nitrit gewonnen werden[4]:

$$HCB_{10}H_9CH\text{-}4\text{-}CN \xrightarrow[2.\ +NaNO_2/H_2SO_4/H_3C{-}COOH,\ 90\ Min.\ 90°]{1.\ +H_2O/H_2SO_4/H_3C{-}COOH,\ 2\ Stdn.,\ 105{-}110°} HCB_{10}H_9CH\text{-}4\text{-}COOH$$

4-Carboxy-1,7-dicarba-closo-dodecaboran(12)[4]**:** 1,5 g (8,6 mmol) 4-Cyan-1,7-dicarba-*closo*-dodecaboran(12) werden in 50 *ml* Eisessig und 50 *ml* konz. Schwefelsäure 2 Stdn. bei 105–110° gerührt. Nach Kühlen auf 0° tropft man eine Lösung von 0,8 g Natriumnitrit in 2 *ml* Wasser zu und läßt dann 1 Stde. rühren. Anschließend wird auf Eis gegossen, mit Ether extrahiert, die Ether-Phase getrocknet und der Ether abgezogen; Ausbeute: 0,9 g (56%); F: 157–158° (Hexan).

---

[1] L. I. Zakharkin, V. N. Kalinin u. V. V. Gedymin, Ž. obšč. Chim. **43**, 1974 (1973); engl.: 1956; C. A. **80**, 14985 (1974).

[2] L. I. Zakharkin u. V. N. Kalinin, Izv. Akad. SSSR **1968**, 1423; engl.: 1353; C. A. **69**, 77300 (1968).

[3] L. I. Zakharkin, V. N. Kalinin u. V. V. Gedymin, Synth. React. Inorg. Metal-org. Chem. **3**, 93 (1973); C. A. **78**, 84474 (1973).

[4] L. I. Zakharkin, V. N. Kalinin u. N. I. Kobel'kova, Synth. React. Inorg. Metal-org. Chem. **6**, 91 (1976); C. A. **85**, 142405 (1976).

B-(2-Trimethylsilylethyl)-Gruppen lassen sich mit Chromsäure oxidativ bis zur *Carboxy*-Gruppe abbauen[1,2]; z.B.:

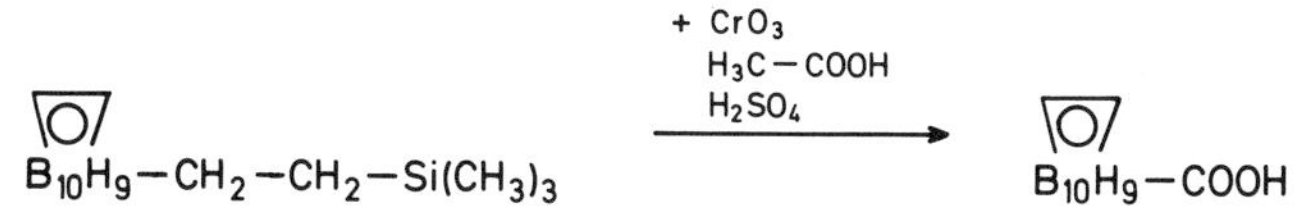

$$B_{10}H_9{-}CH_2{-}CH_2{-}Si(CH_3)_3 \xrightarrow[H_2SO_4]{+\,CrO_3;\ H_3C{-}COOH} B_{10}H_9{-}COOH$$

10-Carboxy-o-carboran

Aus B-(2-Trimethylsilyl-ethyl)-m-carboran erhält man in 52%iger Ausbeute *10-Carboxy-m-carboran* (F: 214–226°)[3]

Aus magnesiumhaltigen Organo-1,2- und -1,7-dicarba-*closo*-dodecaboranen(12) stellt man mit Kohlendioxid borfern *Carboxymethyl*-Derivate her[4]:

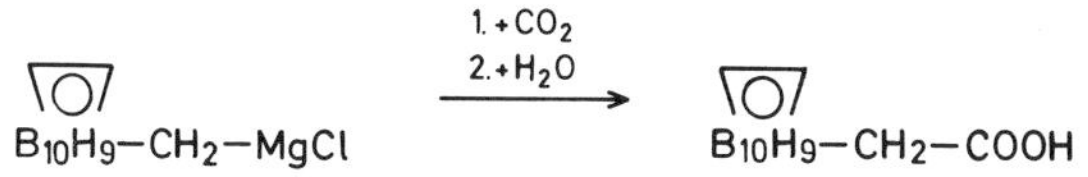

$$B_{10}H_9{-}CH_2{-}MgCl \xrightarrow{1.\,+CO_2;\ 2.\,+H_2O} B_{10}H_9{-}CH_2{-}COOH$$

Borferne Reaktionen sind auch zur Herstellung stickstoffhaltiger Organo-dicarba-*closo*-dodecaborane(12) geeignet. Die säurekatalysierte Hydrolyse der Cyan-Derivate bietet einen Zugang zu *Aminocarbonyl*-Substitutionsprodukten der o- und m-Carborane[4–6]:

$$HCB_{10}H_9CH\text{-}4\text{-}CN \xrightarrow[105-110°,\ 2\ Stdn.]{+H_2O/H_2SO_4/H_3C{-}COOH} HCB_{10}H_9CH\text{-}4\text{-}CONH_2$$

Die weitere Verseifung liefert *4-Carboxy-m-carboran*[5]. Aus 3-Cyan-o-carboran erhält man das *3-Aminocarbonyl-o-carboran*.

Aus 3-(4-Chlorcarbonylphenyl)-o-carboran erhält man mit Natriumazid in Aceton/Wasser bei ≈30° in 79%iger Ausbeute *3-(4-Azidocarbonyl-phenyl)-o-carboran* (F: 118–119°), dessen Zersetzung in 96%iger Schwefelsäure bei 120–130° nach Stickstoff-Abspaltung und Decarboxylierung *3-(4-Aminophenyl)-o-carboran* (F: 122°) in 60%iger Ausbeute liefert[4,7]:

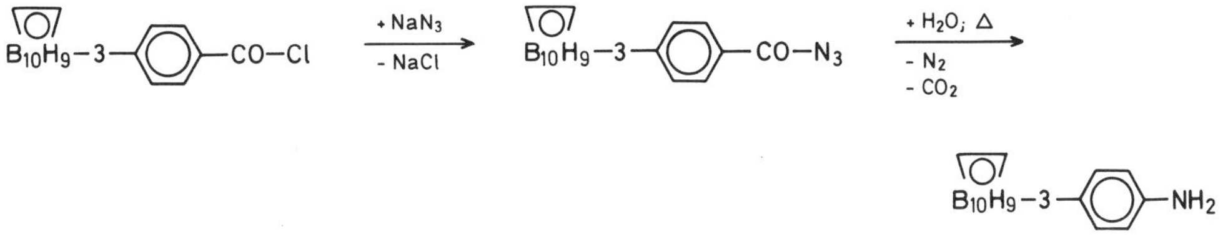

$$B_{10}H_9{-}3{-}C_6H_4{-}CO{-}Cl \xrightarrow[-NaCl]{+NaN_3} B_{10}H_9{-}3{-}C_6H_4{-}CO{-}N_3 \xrightarrow[-N_2;\ -CO_2]{+H_2O;\ \Delta} B_{10}H_9{-}3{-}C_6H_4{-}NH_2$$

---

[1] V.F. MIRONOV, V.I. GRIGOS, S.YA. PECHURINA, A.F. ZHIGACH u. V.. N. SIRYATSKAYA, Doklady Akad. SSSR **210**, 601 (1973); engl.: 421; C.A. **79**, 42587 (1973).

[2] V.I. GRIGOS, S.YA. PECHURINA, A.F. GLDCHENKO u. V.F. MIRONOV, Ž. obšč. Chim. **45**, 2098 (1975); engl.: 2062; C.A. **84**, 5033 (1976).

[3] V.F. MIRONOV, S.YA. PECHURINA u. V.I. GRIGOS, Doklady Akad. SSSR **230**, 865 (1976) engl.: 619; C.A. **86**, 16725 (1977).

[4] L.I. ZAKHARKIN, V.N. KALININ u. V.V. GEDYMIN, Tetrahedron **27**, 1317 (1971).

[5] L.I. ZAKHARKIN, V.N. KALININ u. N.I. KOBEL'KOVA, Synth. React. Inorg. Metal-org. Chem. **6**, 91 (1976); C.A. **85**, 142405 (1976).

[6] L.I. ZAKHARKIN, V.N. KALININ u. V.V. GEDYMIN, Synth. React. Inorg. Metal-org. Chem. **1**, 45 (1971); C.A. **75**, 20462 (1971).

[7] L.I. ZAKHARKIN, V.N. KALININ u. A.P. SNYAKIN, Ž. obšč. Chim. **41**, 1516 (1971); engl.: 1521; C.A. **75**, 151249 (1971).

3-Diazoacetyl-o-carboran (F: 89–91°) läßt sich aus 3-Chlorcarbonyl-o-carboran mit etherischer Diazomethan-Lösung in 35%iger Ausbeute gewinnen[1]:

$$B_{10}H_9\text{-3-CO-Cl} \xrightarrow[-HCl]{+CH_2N_2} B_{10}H_9\text{-CO-CHN}_2$$

Weitere Reaktionen (incl. Umlagerungen) zu stickstoffhaltigen Organocarboranen (z.B. Ketoximen, Hydrazonen) können der Originalliteratur entnommen werden[1].

Siliciumhaltige Organo-dicarba-*closo*-dodecaborane(12) lassen sich mit Hilfe metallorganischer Verbindungen am Si-Atom substituieren, ohne daß das C_2B_{10}-Gerüst angegriffen wird. Aus 2-(Trichlorsilylethyl)-carboranen erhält man mit Methylmagnesiumjodid *(2-Trimethylsilylethyl)*-carborane[2]:

$$B_{10}H_9\text{-}CH_2\text{-}CH_2\text{-}SiCl_3 \xrightarrow[-3\ MgClJ]{+3\ H_3CMgJ} B_{10}H_9\text{-}CH_2\text{-}CH_2\text{-}Si(CH_3)_3$$

Metallhaltige B-Organo-1,2- und -1,7-dicarba-*closo*-dodecaborane(12) sind aus Halogenalkyl-haltigen Verbindungen mit Metallen (z.B. Magnesium) zugänglich; z.B.[1]:

$$B_{10}H_9\text{-}CH_2\text{-}Cl \xrightarrow{+Mg} B_{10}H_9\text{-}CH_2\text{-}MgCl$$

Ligand-Übergangsmetall-haltige Dicarba-*closo*-dodecaborane(12) lassen sich aus Chlorcarbonyl-carboranen mit Natrium-Salzen von Ligand-Übergangsmetallaten herstellen; z.B. *3-(η⁵-Cyclopentadienyl-dicarbonyl-eisen-carbonyl)-o-carboran* (F: 158–159°)[3]:

$$B_{10}H_9\text{-3-CO-Cl} \xrightarrow[-NaCl]{+[C_5H_5\text{-}Fe(CO)_2]^-Na^+,\ -70^\circ\ bis\ +20^\circ/THF} B_{10}H_9\text{-3-CO-Fe}(CO)_2(C_5H_5)$$

σ-(o-Carboran-3-carbonyl)-(η⁵-cyclopentadienyl)-dicarbonyl-eisen[3]: Man tropft bei −70° eine 0,02 M Lösung von 3-Chlorcarbonyl-o-carboran in THF zu 0,02 mol Natrium-[η⁵-cyclopentadienyl-dicarbonyl-eisen(1−)] in 75 *ml* THF und läßt langsam auf ≈20° erwärmen. Nach mehreren Stdn. Rühren wird das THF i. Vak. abgezogen. Der Rückstand wird in Benzol über eine Aluminiumoxid-Säule (Aktivitätsstufe II) chromatographiert; Ausbeute: 65%; [F: 155–156° (Zers.)].

Unter borferner Reaktion ist aus η⁵-[o-Carboran-3-yl-cyclopentadienyl]-dicarbonyl-eisenbromid beim Erhitzen auf ≈180° in Dekalin reines *1,1'-Bis(o-carboran-3-yl)ferrocen* (F: 253–254°) zugänglich[3]:

$$2\ B_{10}H_9\text{-3-}C_5H_4\text{-}Fe(CO)_2Br \xrightarrow{\sim 180-200^\circ} Fe(C_5H_4\text{-3-}B_{10}H_9)_2$$

---

[1] L.I. Zakharkin, V.N. Kalinin u. V.V. Gedymin, Tetrahedron **27**, 1317 (1971).
[2] V.F. Mironov, V.I. Grigos, S. Ya. Pechurina, A.F. Zhigach u. V.N. Siryatskaya, Doklady Akad. SSSR **210**, 601 (1979); engl.: 421; C.A. **79**, 42587 (1973).
[3] L.I. Zakharkin, L.V. Orlova, B.V. Lokshin u. L.A. Fedorov, J. Organometal. Chem. **40**, 15 (1972).

ηη2) aus Hydro-dicarba-*closo*-dodecaboranen(12)

Aus Dicarba-*closo*-dodecaboranen(12) lassen sich mit Vinylsilanen in Gegenwart von Aluminiumtrichlorid durch Hydrocarboranylierung *Silylalkyl-dicarba-closo-dodecaborane(12)* herstellen[1]:

$$C_2B_{10}H_{12} \quad + \quad nH_2C{=}CH{-}SiCl_3 \xrightarrow{AlCl_3} (Cl_3Si{-}CH_2{-}CH_2)_nC_2B_{10}H_{12-n}$$

$$n = 1\text{–}3$$

Mit Trichlor-vinyl-silan wird in Abhängigkeit vom eingesetzten Carboran-Isomer entweder das Disubstitutionsprodukt {*Bis(2-trichlorsilylethyl)-1,2-* bzw. *1,7-dicarba-closo-dodecaboran(12)*} oder zusätzlich *Tris(2-trichlorsilylethyl)-1,2-dicarba-closo-dodecaboran(12)* gebildet. Man arbeitet in überschüssigem Trichlor-vinyl-silan ohne Zusatz von Lösungsmitteln[1].

B-(2-Trichlorsilylethyl)-1,2-dicarba-*closo*-dodecaboran(12)[1]**:** Ein Gemisch von 15,4 g (107 mmol) 1,2-Dicarba-*closo*-dodecaboran(12) und 7,1 g (53 mmol) Aluminiumtrichlorid wird unter Rühren mit 17,2 g (107 mmol) Trichlor-vinyl-silan versetzt. Man erhitzt anschließend allmählich auf 120° und läßt 2 Stdn. reagieren. Nach Abkühlen auf 30° werden 8,2 g Phosphoroxichlorid und dann 200 *ml* Hexan zugegeben. Man dekantiert die Hexan-Lösung ab, dampft ein und destilliert den Rückstand i. Vak.; Ausbeute: 18,1 g (56%); Kp_1: 138–142°.

Als Nebenprodukt fallen 3,8 g Bis(2-trichlorsilylethyl)-Derivat an ($Kp_{1,5}$: 190–191°).

Analog werden erhalten:

B-(2-Trichlorsilylethyl)-1,7-dicarba-closo-dodecaboran(12) 60%; Kp_1: 105–109°
B-(2-Trichlorsilylethyl)-1,2-dicarba-closo-dodecaboran(12) 32%; $Kp_{1,5}$: 115–120°

ηη3) aus Halogen-hydro-dicarba-*closo*-dodecaboranen(12)

Die Halogen-Atome der Halogen-hydro-dicarba-*closo*-dodecaborane(12) lassen sich gegen bestimmte funktionelle Organo-Reste austauschen. Beispielsweise kann man die Cyan-Gruppe durch Umsetzung von B-Jod-Derivaten mit Kupfer(I)-cyanid einführen. *9-Cyan-1,12-dicarba-closo-dodecaboran(12)* ist so zugänglich[2].

ηη4) aus Isocyan-dicarba-*closo*-dodecaboranen(12)

Aus 3-Isocyan-1,2-dicarba-*closo*-dodecaboran(12) (herstellbar aus dem 3-Amino-Derivat) ist durch Erhitzen unter Umlagerung *3-Cyan-1,2-dicarba-closo-dodecaboran(12)* zugänglich[3]:

$$3\text{-}CN{-}1,2\text{-}C_2B_{10}H_{11} \xrightarrow{210°} 3\text{-}NC{-}1,2\text{-}C_2B_{10}H_{11}$$

[1] V. F. Mironov, V. I. Grigos, S. Ya. Pechurina, A. F. Zhigach u. V. N. Siryatskaya, Doklady Akad. SSSR **210**, 601 (1973); engl.: 421; C. A. **79**, 42587 (1973).
[2] L. I. Zakharkin, V. I. Kalinin u. V. V. Gedymin, Izv. Akad. SSSR **1970**, 1209; engl.: 1157; C. A. **73**, 77301 (1970).
[3] L. I. Zakharkin, V. N. Kalinin u. V. V. Gedymin, Synth. React. Inorg. Metal-org. Chem. **1**, 45 (1971); C. A. **75**, 20462 (1971).

3-Cyan-1,2-dicarba-closo-dodecaboran(12)[1]**:** Eine Lösung von 1,7 g (10 mmol) 3-Isocyan-1,2-dicarba-*closo*-dodecaboran(12) in 15 *ml* Dodecan wird unter Rühren 3 Stdn. zum Rückfluß erhitzt. Die Lösung wird i. Vak. eingedampft und der Rückstand bei 150°/3 Torr sublimiert; Ausbeute: 1,2 g (71%); F: 221–222,5° (aus Heptan).

$\eta\eta_5$) aus B-metallierten Dicarba-*closo*-dodecaboranen(12)

Organo-o-carborane mit sauerstoffhaltigen Gruppierungen im Organo-Rest werden aus Metall-o-carboranen durch Substitution an den Bor-Atomen oder durch borferne Reaktion (vgl. S. 193ff.) hergestellt.

9-Acetyl-o-carboran (F: 167–168°) erhält man aus Quecksilber-bis(o-carboranen)[2] mit Carbonsäurechloriden in Gegenwart von Aluminiumtrichlorid in Dichlormethan bei ≈20° unter partiellem Substituentenaustausch[3]:

$$[B_{10}H_9]_2Hg + H_3C-CO-Cl \xrightarrow[-B_{10}H_9-HgCl]{AlCl_3/CH_2Cl_2,\ 20°} B_{10}H_9-CO-CH_3$$

9-Acetyl-m-carboran (F: 67–68°, aus Heptan) läßt sich entsprechend herstellen[2].

$\eta\eta_6$) aus Ligand-Übergangsmetall-Carboranen

Aus Ligandeisen-substituierten Carboranen, die durch Erhitzen auf ≈170° aus den (Ligandeisen-carbonyl)-carboranen zugänglich sind[4], erhält man mit Halogen (Chlor, Brom) bei ≈20° unter rascher Umlagerung Ligandeisen-substituierte B-Organocarborane[4]:

$$B_{10}H_9-Fe(CO)_2(C_5H_5) + Hal_2 \xrightarrow{CCl_4;\ -20°} B_{10}H_9-C_5H_4-Fe(CO)_2-Hal$$

Hal = Cl, Br

(Dicarbonyl-π-cyclopentadienyl-eisen)-σ-3-o-carboran (F: 124–125°) reagiert mit Brom in Tetrachlormethan in 90%iger Ausbeute unter Bildung von *Dicarbonyl-[3-o-carboranyl-η^5-cyclopentadienyl]-eisen-bromid*[4].

η^5-[(o-Carboran-3-yl)cyclopentadienyl]-dicarbonyl-eisenbromid[4]**:** Unter Rühren tropft man 0,7 g (4,3 mmol) Brom in Tetrachlormethan bei 20° zu 0,64 g (2 mmol) σ-(o-Carboran-3-yl)-(η^5-cyclopentadienyl)-dicarbonyl-eisen. Nach einigen Min. scheidet sich ein roter Niederschlag ab. Man filtriert nach ≈ 1 Stde. ab, wäscht mit Tetrachlormethan und trocknet i.Vak.; Ausbeute: 0,79 g (90%); Zers.: >150° (ohne Schmelzen); Umkristallisieren aus Benzol.

η_3) *B-Organo-1-phospha- (bzw. -1-arsa)-7-carba-closo-dodecaborane(11)*

Aus 1-Phospha-7-carba-*closo*-dodecaboran(11) erhält man mit Brommethan in langsamer Reaktion bei Zugabe von Aluminiumtrichlorid B-Mono- und B-Diethyl-Derivate[5]:

---

[1] L. I. Zakharkin, V. N. Kalinin u. V. V. Gedymin, Synth. React. Inorg. Metal-org. Chem. **1**, 45 (1971); C. A. **75**, 20462 (1971).
[2] L. I. Zakharkin u. I. V. Pisareva, Izv. Akad. SSSR **1977**, 1885; engl.: 1747; C. A. **87**, 184578 (1977).
[3] L. I. Zakharkin u. I. V. Pisareva, Izv. Akad. SSSR **1978**, 1950; engl.: 1721; C. A. **89**, 197629 (1978).
[4] L. I. Zakharkin, L. V. Orlova, B. V. Lokshin u. L. A. Fedorov, J. Organometal. Chem. **40**, 15 (1972).
[5] L. I. Zakharkin, I. V. Pisareva u. R. K. Bikkineev, Izv. Akad. SSSR **1977**, 641; engl.: 577; C. A. **87**, 23358 (1977).

$$1,7\text{-}PCB_{10}H_{11} \xrightarrow[48\ \text{Stdn.}]{+H_5C_2Br/AlCl_3} \underset{45\%}{PCB_{10}H_{11}} + \underset{35\%}{PCB_{10}H_{10}(C_2H_5)} + \underset{20\%}{PCB_{10}H_9(C_2H_5)_2}$$

Aus Hydro-1-arsa-2-carba-*closo*-dodecaboran(11) ist mit Bromethan in Gegenwart von Aluminiumtrichlorid bei ≈20° in wenigen Minuten ein Gemisch verschieden hoch B-ethylierter 1-Arsa-2-carba-*closo*-dodecaborane(11) zugänglich[1].

η_4) *(Ligand-Übergangsmetall)-B-Organocarboran-π*-Komplexe

Die Herstellung von (Ligand-Übergangsmetall)-Organocarboran-π-Komplexen unterschiedlicher B- und C-Zahlen erfolgt aus Organo-*closo*-carboranen über Organocarborate mit Übergangsmetall-halogeniden. Außerdem erhält man die Verbindungen aus Ligand-Übergangsmetall-Hydrocarboranen mit organischen Elektrophilen oder aus den separat hergestellten Organocarboraten mit Übergangsmetall-halogeniden (vgl. Tab. 36).

Tab. 36: (Ligand-Übergangsmetall)-B-Organocarboran-π-Komplexe

Formel[a]	Verbindungstyp	Herstellungsart	s. S.
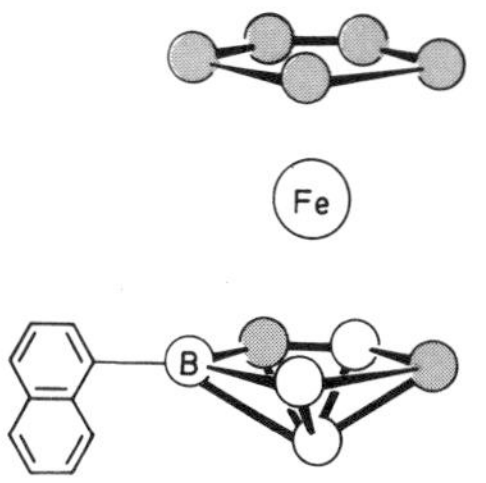 Fe, B *(η^5-Cyclopentadienyl)-[2-(1-Naphthyl)-2,4-dicarba-nido-hexaborato(8)]-eisen*	$LM^{\pi}C_2B_4H_5R$	aus $C_2B_5H_7$ 1. + Na/Naphthalin 2. + $FeCl_2/NaC_5H_5/O_2$	201 f.
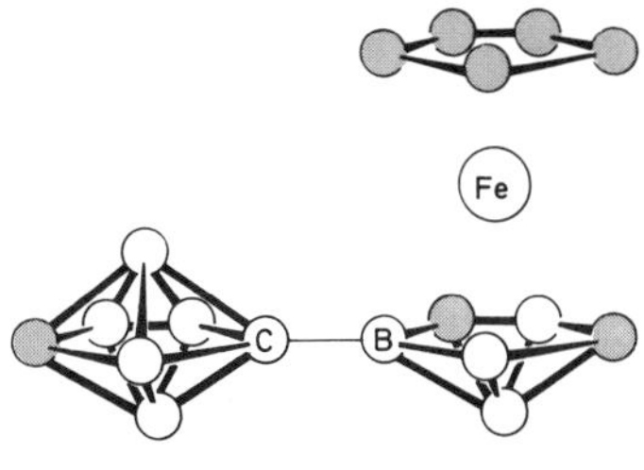 Fe, C, B *(η^5-Cyclopentadienyl)-{2-[1-(2,4-Dicarba-closo-heptaboran(7)-2-yl]-2,4-dicarba-nido-hexaboratol(8)}-eisen*	$LM^{\pi}C_2B_4H_5R^{Carb}$	aus $C_2B_5H_7$ 1. + Na/Naphthalin 2. + $FeCl_2/NaC_5H_5/O_2$	201

[a] ● = CH; ○ = BH

[1] L. I. Zakharkin, I. V. Pisareva u. R. K. Bikkineev, Izv. Akad. SSSR **1977**, 641; engl.: 577; C. A. **87**, 23358 (1977).

Tab. 36 (Forts.)

Formel[a]	Verbindungstyp	Herstellungsart	s. S.
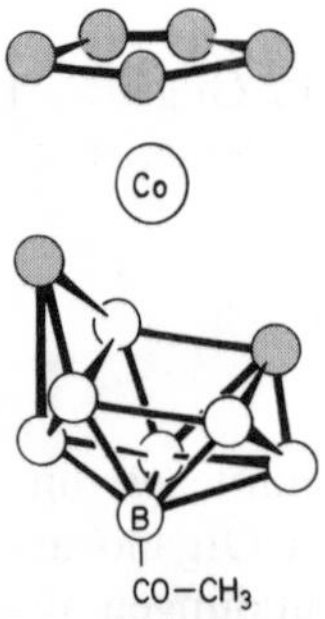 Co; B; CO−CH$_3$ (η^5-Cyclopentadienyl)-[8-Acetyl-1,6-dicarba-nonaborato(11)]-cobalt	$LM^{\pi}C_2B_7H_8R^O$	aus $LM^{\pi}C_2B_7H_9$ + RCO–Hal / $AlCl_3$	202
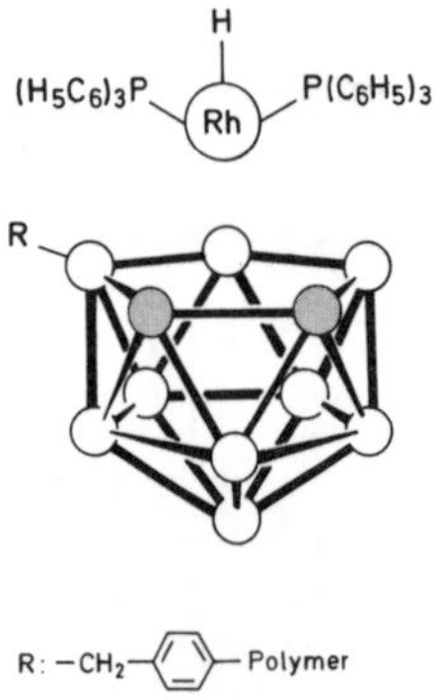 H; $(H_5C_6)_3P$; Rh; $P(C_6H_5)_3$; R; R: −CH$_2$−C$_6$H$_4$−Polymer (3,3-Bis[triphenylphosphan]-3H)-4-polystyrylmethyl-3,1,2-rhodium-dicarboran	$LM^{\pi}H_2C_2B_9H_8R$	aus $[7,8\text{-}H_2C_2B_9H_9R]^-$ + LM–Hal	203

[a] ● = CH; ○ = BH

ηη₁) aus Organo-*closo*-carboranen

Aus 2,4-Dicarba-*closo*-heptaboran(7) erhält man mit Naphthalin-Natrium in Tetrahydrofuran über Dicarba-*nido*-heptaborate(1−) bei nachfolgender Zugabe von Eisen(II)-chlorid und Cyclopentadienylnatrium unter Durchleiten von Luft unter Substitution einer BH-Einheit in der Pyramiden-Spitze durch η^5-Cyclopentadienyleisen ein am Eisen-Atom komplexiertes 2,4-Dicarba-*nido*-hexaboran(8). Gleichzeitig wird Hydrogen am B^5-Atom durch den 2,4-Dicarba-*closo*-heptaboran(7)-2-yl-Rest und in geringerem Ausmaß auch durch den 1-Naphthyl-Rest substituiert[1]:

[1] L. G. Sneddon, D. C. Beer u. R. N. Grimes, Am. Soc. **95**, 6623 (1973).

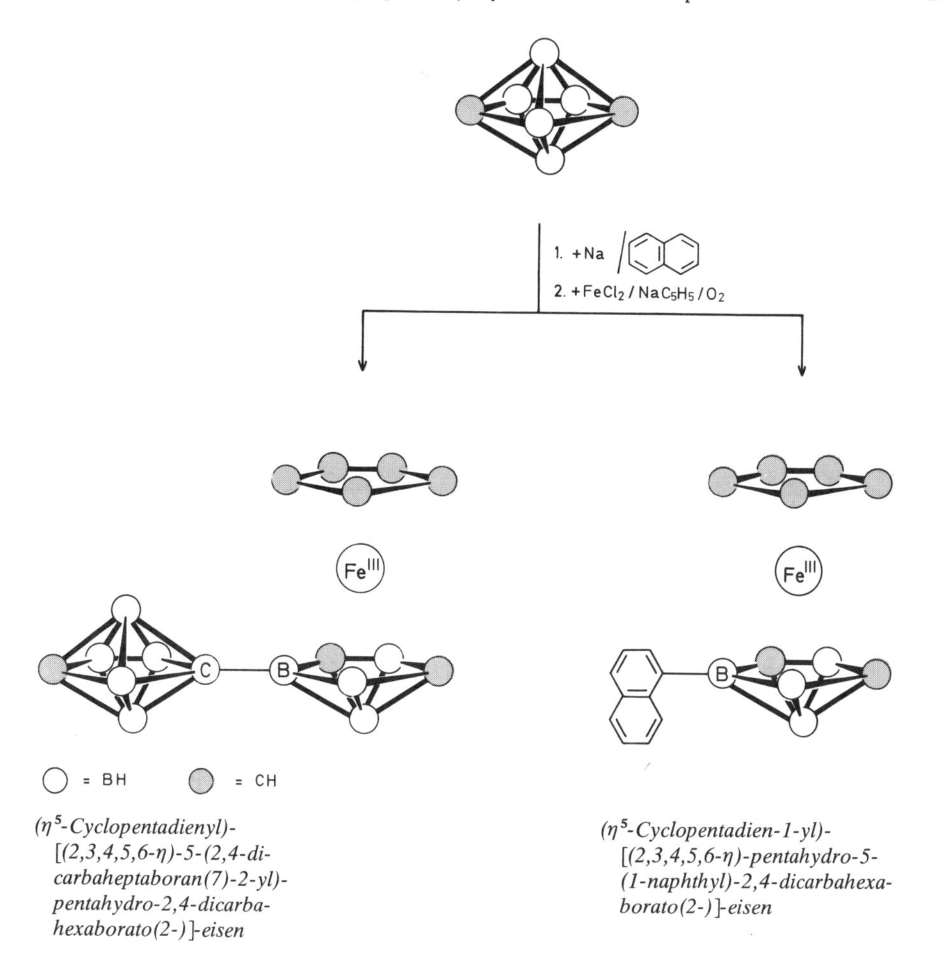

(η^5-Cyclopentadienyl)-[(2,3,4,5,6-η)-5-(2,4-dicarbaheptaboran(7)-2-yl)-pentahydro-2,4-dicarbahexaborato(2-)]-eisen

(η^5-Cyclopentadien-1-yl)-[(2,3,4,5,6-η)-pentahydro-5-(1-naphthyl)-2,4-dicarbahexaborato(2-)]-eisen

Analoge Produkte mit Cobalt als Zentralatom werden in geringeren Mengen entsprechend mit Cobalt(II)-chlorid gewonnen[1].

$\eta\eta_2$) aus (Ligand-Übergangsmetall)-Hydrocarboran-π-Komplexen

Ans Übergangsmetall gebundene Hydrocarborane lassen sich mit elektrophilen Reagenzien in Übergangsmetall-Hydro-organo-carborane überführen. Aus (η^5-Cyclopentadienyl) [(7,8,9,10,11-η)-undecahydro-7,8-dicarba-undecaborato(2–)]-cobalt wird mit Acetylchlorid/Aluminiumtrichlorid in Dichlormethan nach der Hydrolyse ein Gemisch von *B-Acetyl-*, *B-Chlor-*, *B-Hydroxy-* und *B-Acetoxy*-Derivaten (6,6; 18; 50; 15%) erhalten[2]. Die Acylierung von (η^5-Cyclopentadienyl)-[η^5-nonahydro-dicarbanonaborato(2–)]-cobalt mit Acetylchlorid/Aluminiumtrichlorid liefert dagegen ein einheitliches Produkt:

---

[1] V.R. Miller u. R.N. Grimes, Am. Soc. **95**, 2830 (1973).
[2] T. Totani, H. Nakai, M. Shiro u. T. Nakagawa, Soc. [Dalton] **1975**, 1938.

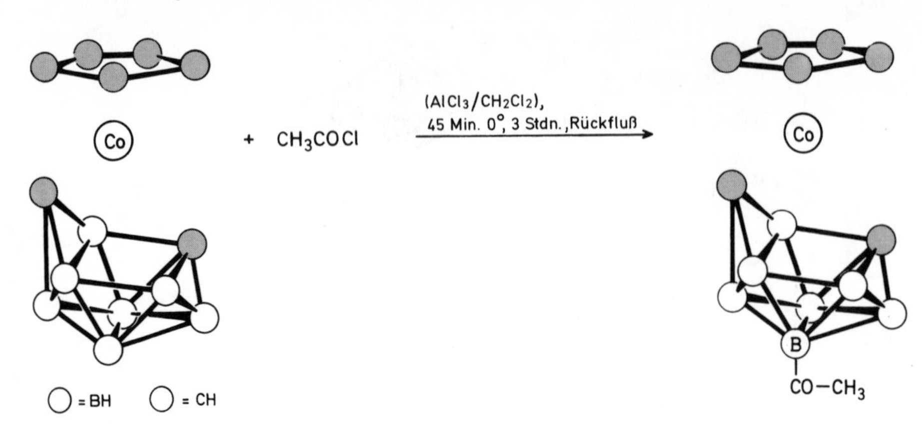

(η⁵-Cyclopentadienyl)-[η⁵-8-acetyl-octahydro-7,8-dicarba-nonaborato(2–)]-cobalt[1]**:** 0,67 g (5 mmol) Aluminiumchlorid und 0,4 g (5 mmol) Acetylchlorid in 25 *ml* trockenem Dichlormethan werden bei 0° mit 1 g (4,3 mmol) (η⁵-Cyclopentadienyl)-[η⁵-nonahydro-7,8-dicarba-nonaborato(2–)]-cobalt in 25 *ml* Dichlormethan versetzt. Man rührt 45 Min. bei 0°, läßt auf ≈20° erwärmen und erhitzt schließlich noch 3 Stdn. zum Rückfluß. Man gießt anschließend in Eiswasser, trennt die Dichlormethan-Phase ab und wäscht die Wasser-Phase einmal mit Dichlormethan. Die vereinigten Dichlormethan-Lösungen werden über Magnesiumsulfat getrocknet und eingedampft. Der Rückstand wird aus Ether/Hexan umkristallisiert oder chromatographisch an Kieselgel mit Hexan/Dichlormethan (1:1) gereinigt; Ausbeute: 0,85 g (72%); F: 162° (rot).

Aus Ligand-Übergangsmetall-dicarba-undecaboranen(11) stellt man mit Halogenalkanen in Gegenwart von Aluminiumtrichlorid bei ≈20° Ligand-Übergangsmetall-π-[alkyl-halogen-dicarba-undecaborane(12)] her. Aus (η⁵-Cyclopentadienylcobalt)dicarbaundecaboranen erhält man z.B.[2]:

$$(C_5H_5^{-})\text{—}Co\text{—}H_2C_2B_9H_9 \xrightarrow{+\,RHal/AlCl_3\,;\,\sim 20°} (C_5H_5^{-})\text{—}Co\text{—}H_2C_2B_9H_{9-(n+m)}R_nHal_m$$

R = CH_3, C_2H_5, $CH(CH_3)_2$
Hal = J, Br

ηη₃) aus Organocarboraten

Reaktionen der Alkalimetall-hydro-organo-carborate mit Ligand-Übergangsmetall-halogeniden führen zu Ligand-Übergangsmetall-π-organocarboranen. Aus Natrium- oder Kalium-[9-(polystyrylmethyl)-7,8-dicarba-*nido*-nonaborat](1–) erhält man mit Tris(triphenylphosphan)rhodiumchlorid in Ethanol nach 12stdgm. Rückflußkochen *{3,3-Bis(triphenylphosphan)-3H-4-polystyrylmethyl)-3,1,2-rhodiumdicarbadecaboran (12)}*[3]:

---

[1] B.M. Graybill u. M.F. Hawthorne, Inorg. Chem. **8**, 1799 (1969).
[2] L.I. Zakharkin, I.V. Pisareva u. R.K. Bikkineev, Izv. Akad. SSSR **1977**, 641; engl.: 577; C.A. **87**, 23358 (1977).
[3] B.A. Sosinsky, W.C. Kalb, R.A. Grey, V.A. Uski u. M.F. Hawthorne, Am. Soc. **99**, 6768 (1977).

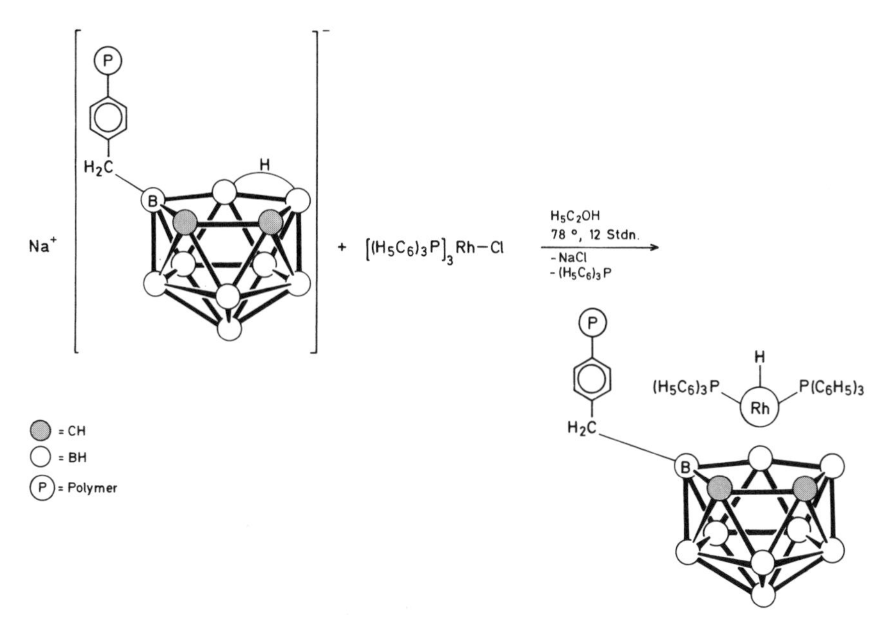

η_5) *B-Heteroatom-organo-closo-carborane*

Zu den B-Heteroatom-haltigen Organo-*closo*-carboranen zählen vor allem Derivate der Dicarba-*closo*-dodecaborane(12). Außer diesen sind bisher lediglich Halogen-organo-Derivate des 2,4-Dicarba-*closo*-heptaborans(7) beschrieben worden.

Auch die B-Organo-dicarba-*closo*-dodecaborane(12) mit an einem oder mehreren Bor-Atomen gebundenen Hetero-Atomen sind verhältnismäßig selten. Man kennt wenige Halogen-organo-carborane, Organo-oxy-carborane und Amino-organo-carborane mit C_2B_{10}-Gerüst. Die Herstellungsmethoden verschiedener Organo-*nido*-carborane mit vier, sieben und neun Bor-Atomen und Mehrzentren gebundenen Ligand-Übergangsmetall-Gruppierungen (vgl. Tab. 36, S. 199) sowie von Phospha- und Arsa-carba-*closo*-dodecaboranen werden an anderer Stelle besprochen (s. S. 198f.).

$\eta\eta_1$) Halogen-organo-dicarba-*closo*-borane

Alkyl-halogen-dicarba-*closo*-borane lassen sich aus Alkyl-amino-carboranen mit Natriumnitrit/Hydrogenhalogenid (Halogen = Chlor, Brom) oder aus Halogencarboranen mit Chloralkan/Katalysator bzw. aus Alkyl-halogen-hydro-carboranen mit Halogen (Brom, Jod) herstellen.

5-Chlor-6-methyl-2,4-dicarba-closo-heptaboran(7) erhält man aus dem 5-Chlor-Derivat mit Chlormethan in Gegenwart von Aluminiumtrichlorid. Die Verbindung fällt in über 80%iger Ausbeute an, ist aber mit 5-Chlor-1-methyl-2,4-dicarba-*closo*-heptaboran(7) (5%) verunreinigt[1]:

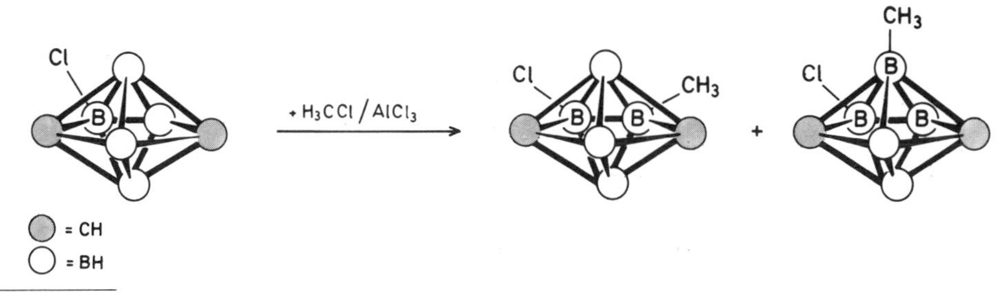

[1] G. Siwapinyoyos u. P. Onak, Inorg. Chem. **21**, 156 (1982).

Aus 2-Chlor-1,6-dimethyl-m-carboran läßt sich mit Jod in Tetrachlormethan unter Zusatz katalytischer Mengen Aluminiumtrichlorid *2-Chlor-1,6-dimethyl-10-jod-m-carboran* (F: 172–173°) herstellen[1]. Die Bromierung des 2-Brom-6-methyl-m-carborans mit Brom in Tetrachlormethan liefert in Gegenwart von Aluminiumtrichlorid *2,10-Dibrom-6-methyl-* und *6-Methyl-2,10,B-tribrom-m-carborane*[1].

Die Substitution der Amino-Gruppe des 2-Amino-6-methyl-m-carborans durch Chlor- oder Brom-Atome gelingt mit Natriumnitrit/konz. Salzsäure bzw. Hydrogenbromid[1]:

$$HCB_{10}H_8CH(6\text{-}CH_3)\ (2\text{-}NH_2) \xrightarrow[2.\ +NaNO_2]{1.\ +HCl} HCB_{10}H_8CH(6\text{-}CH_3)\ (2\text{-}Cl)$$

2-Chlor-6-methyl-1,7-dicarba-closo-dodecaboran(12)[1]**:** Zu 5,2 g (30 mol) 2-Amino-6-methyl-m-carboran in 25 ml Ether gibt man 25 *ml* konz. Salzsäure und läßt intensiv rühren. Man kühlt ab, gibt 2,1 g (30 mmol) festes Natriumnitrit portionsweise zu und extrahiert mit Hexan. Nach dem Einengen wird der Rückstand i. Vak. sublimiert; Ausbeute: 5,1 g (88%); F: 75–76°.

In 87%iger Ausbeute ist entsprechend *2-Brom-6-methyl-m-carboran* (F: 90,5–91,5°) zugänglich[1].

$\eta\eta_2$) Organo-oxy-dicarba-*closo*-dodecaborane(12)

Die Substitution von Amino-Gruppen durch Hydroxy-Gruppen in Dicarba-*closo*-dodecaboranen(12) gelingt mit Natriumnitrit in schwefelsaurer Eisessig-Lösung. Man erhält z.B. aus 2-Amino-6-methyl-m-carboran in 82%iger Ausbeute *2-Hydroxy-6-methyl-m-carboran* (F: 174,5–175,5°)[1]:

$$HCB_{10}H_8CH(2\text{-}NH_2)\ (6\text{-}CH_3) \xrightarrow{+NaNO_2/H^+} HCB_{10}H_8CH(2\text{-}OH)\ (6\text{-}H_3C)$$

Mit Acetanhydrid läßt sich aus dem 2-Hydroxy-Derivat das *2-Acetoxy-6-methyl-1,7-dicarba-closo-dodecaboran(12)* (F: 56,5–57°) in 65%iger Ausbeute herstellen[1].

η_6) *Amino-organo-dicarba-closo-dodecaborane(12)*

Aus Dicarba-*closo*-dodecaboranen(12) lassen sich über Dicarbadodecaborate(2–) in flüssigem Ammoniak mit Jodmethan unter Aminierung und Methylierung an den Bor-Atomen bestimmte Amino-organo-dicarba-*closo*-dodecaborane(12) herstellen.

Erzeugt man Dinatrium-[dodecahydrodicarbadodecaborat(2–)] in flüssigem Ammoniak und setzt mit Jodmethan um, so erhält man aus 1,2- oder 1,7-Dicarba-*closo*-dodecaboran(12) in Ausbeuten bis 50% *2-Amino-6-methyl-1,7-dicarba-closo-dodecaboran(12)*[1,2]; z.B.:

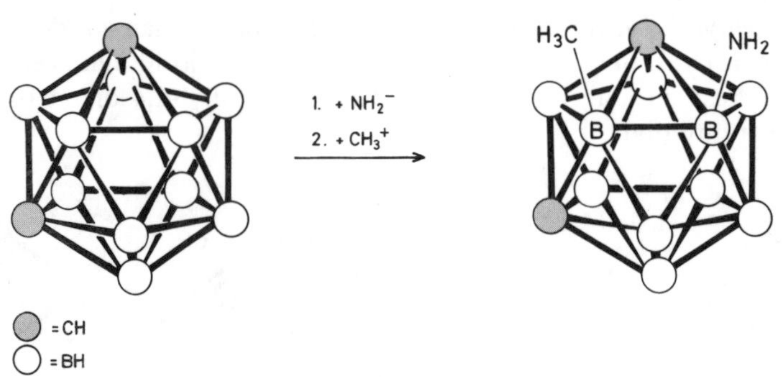

[1] V. I. Stanko, Y. V. Gol'tyapin, T. P. Klimova, N. I. Kirillova u. Yu. T. Struchkov, Ž. obšč. Chim. **47**, 2248 (1977); engl.: 2051; C. A. **88**, 37870 (1978).

[2] V. I. Stanko u. Y. V. Gol'tyapin, Ž. obšč. Chim. **46**, 1418 (1976); engl.: 1394; C. A. **85**, 160210 (1976).

1-Methyl-1,2-dicarba-*closo*-dodecaboran(12) reagiert analog. Das 1,2-Dimethyl-Derivat läßt sich nicht aminieren. Man erhält ein Gemisch von B,C-Methyl-1,2- (bzw. -1,7)-dicarba-*closo*-dodecaboranen(12).

2-Amino-6-methyl-1,7-dicarba-*closo*-dodecaboran(12)[1]: Zur Lösung von 7,2 g (50 mmol) 1,2-Dicarba-*closo*-dodecaboran(12) in 250 *ml* trockenem flüssigem Ammoniak gibt man 2,5 g (109 mmol) Natrium und, wenn die Lösung intensiv blau ist, einige Eisen(III)-chlorid-Kristalle. Nach Abklingen der lebhaften Dihydrogen-Entwicklung (≈ 3 Min.) tropft man 7,2 g (51 mmol) Jodmethan zu (stürmisches Aufsieden bei Zugabe jedes Tropfens). Anschließend wird vorsichtig mit Wasser versetzt und mit Hexan extrahiert. Nach Trocknen und Eindampfen wird der Rückstand i. Vak. sublimiert; Ausbeute: 4,5 g (52%); F: 138–139°.

4. Ionische B-Organo-Heteroatompolyborane

Zu den ionischen B-Organo-Heteroatom-polyboranen zählen B-Organocarborane mit 5- und 6-fach koordinierten Bor-Atomen in Kationen und Anionen. Auch zwitterionische Verbindungen sind bekannt. Organo-carbabor(1+)-Salze kennt man als C_5B_1-Verbindungen. Als Organocarborate(1–) und -(2–) sind vor allem die B-Organocarbollid-Verbindungen mit neun Bor-Atomen sowie B-Organocarborate mit zehn Bor-Atomen bekannt (vgl. Tab. 37, S. 206).

α) Kationische Organobor-Verbindungen mit $KZ_B \geqq 5$

B-Organo-pentacarba-*nido*-hexaboran(1+)-Salze

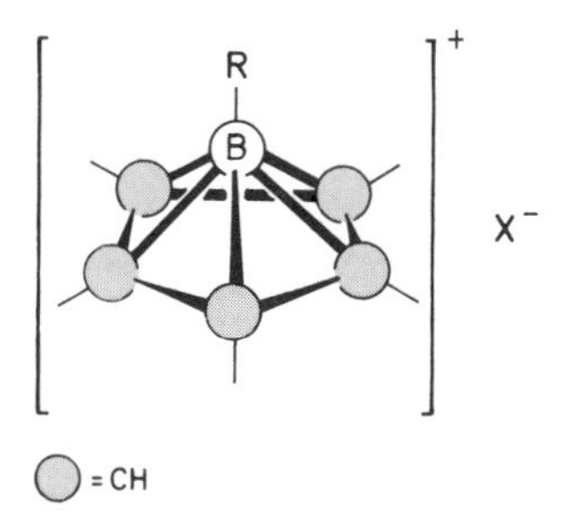

lassen sich aus Halogen-organo-boranen oder aus Trihalogenboranen herstellen.

Bis(pentamethylcyclopentadienyl)-chlor-boran reagiert in Dichlormethan mit Trichlorboran unter Substituentenaustausch in 85%iger Ausbeute zu *(Pentamethyl-1-cyclopentadienyl)-(η⁵-pentamethylcyclopentadienyl)-bor(1+)-tetrachloroborat(1–)*[2]:

$[(C_5(CH_3)_5)]_2BCl + BCl_3 \xrightarrow[-40°]{H_2CCl_2} [\ldots]^+ [BCl_4]^-$

○ = CH

[1] V. I. Stanko, Y. V. Gol'tyapin, T. P. Klimova, N. I. Kirillova u. Y. T. Struchkov, Ž. obšč. Chim. **47**, 2248 (1977); engl.: 2051; C. A. **88**, 37870 (1978).

[2] P. Jutzi u. A. Seufert, J. Organometal. Chem. **161**, C5 (1978).

Tab. 37: Ionische Organocarborane

Formel[a]	Verbindungstyp	Herstellungsart	s. S.
a) Kationische Verbindungen			
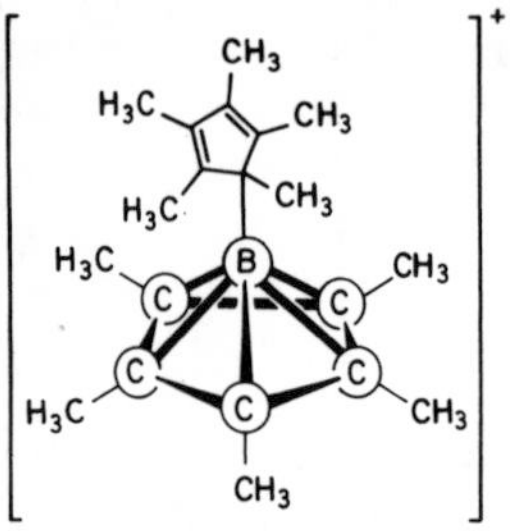	$[C_5B{-}R]^+$	aus $R_2B{-}Hal + BCl_3$	205
b) Anionische Verbindungen			
M^+ 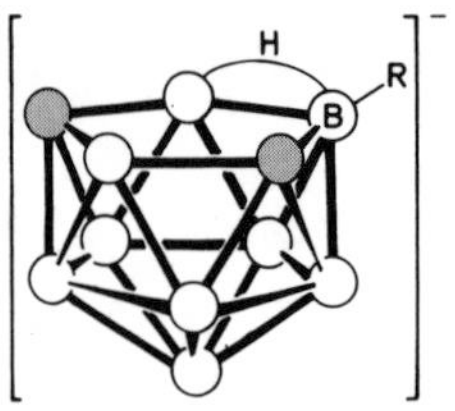	$[H_2C_2B_9H_9R]^-$	aus $C_2B_9H_{11}(11) + R^-$	208
M^+ 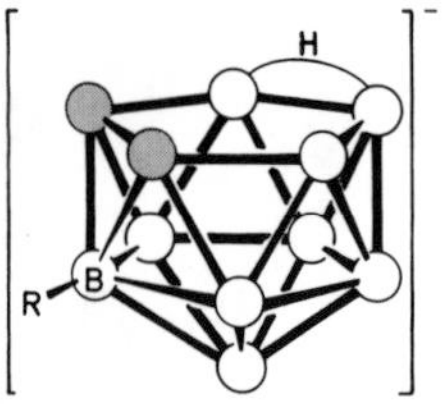	$[H_2C_2B_9H_9R]^-$	aus $H_2C_2B_{10}H_9R + R^1O^-$	209
M^+ 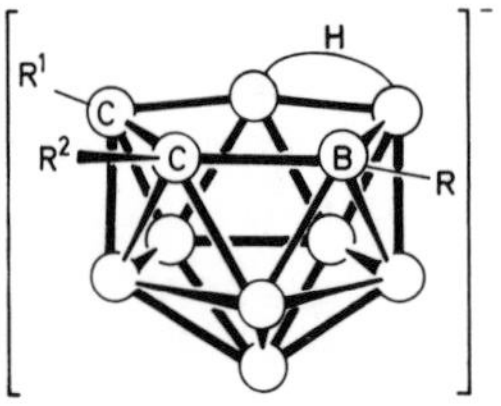	$[R^1R^2C_2B_9H_7R]^-$	aus $[7,8\text{-}H_2C_2B_9H_9]^{2-} + R^+$ aus $[7,9\text{-}H_2C_2B_9H_9]^{2-} + R^+$	210 210 f.
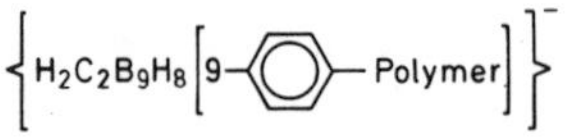 $\{H_2C_2B_9H_8[9\text{-}C_6H_4\text{-Polymer}]\}^-$	$[H_2C_2B_9H_8R]^-$	aus $[H_2C_2B_9H_9]^{2-} + RHal$	210 f.
$[H_5C_6{-}C_2B_{10}H_{10}{-}CH_3]^-$	$[RHC_2B_{10}H_9R]^-$	aus $R'HC_2B_{10}H_{10} + RMgHal$	212
$[1,2\text{-}H_2C_2B_{10}H_8{-}C_6H_4{-}CH_3]^{2-}$	$[H_2C_2B_{10}H_9R]^{2-}$	aus $1,2\text{-}H_2C_2{-}3\text{-}RB_{10}H_9 + M$	213

a) ● = CH ○ = BH

(Pentamethyl-1-cyclopentadienyl)-(η^5-pentamethylcyclopentadienyl)-bor(1+)-tetrachlorborat(1–)[1]: Zu 0,47 g (4 mmol) Trichlorboran in 5 ml Dichlormethan tropft man bei −40° eine Lösung von 0,95 g (3 mmol) Bis(pentamethylcyclopentadienyl)-chlor-boran in 15 *ml* Dichlormethan. Nach Abziehen alles Leichtflüchtigen i. Vak. versetzt man den Rückstand mit 10 *ml* Pentan und rührt kurze Zeit durch. Man filtriert und wäscht den feinkristallinen Niederschlag 2mal mit je 5 *ml* Pentan; Ausbeute: 1,1 g (85%); F: 140° (Zers.).

β) Anionische B-Organocarborane

Zur Verbindungsklasse gehören B-Organocarborate unterschiedlicher B- und C-Zahl. Bekannt sind Organocarborate mit neun und zehn Bor-Atomen im Carboran-Gerüst.

β_1) *B-Organocarborate mit neun Bor-Atomen*

7,8(9)-Dicarba-undecaborate(1–) und 7,8(9)-Dicarbaundecaborate(2–) sind als B-Organo-Derivate hergestellt worden:

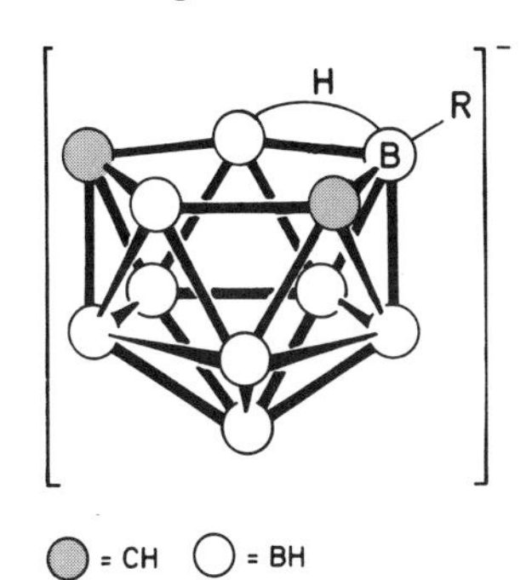

10-Organo-7,9-dicarba-*nido*-undecaborat(1–)

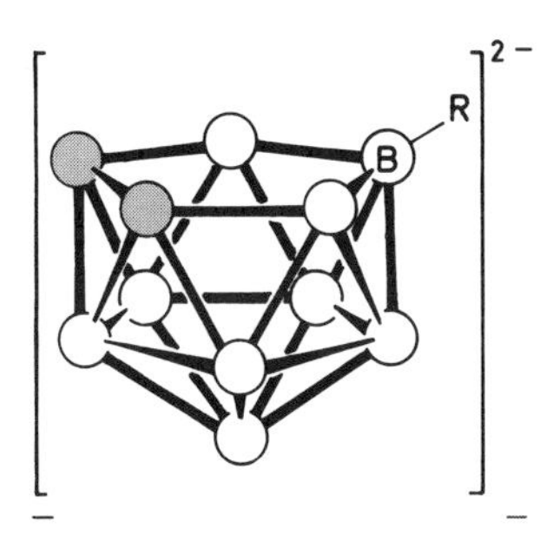

10-Organo-7,8-dicarba-*nido*-undecaborat(2–)

Man geht von Hydro-dicarba-*closo*-dodecaboranen(12) oder von Hydro-dicarba-undecaboraten(1–) aus.

$\beta\beta_1$) B-Organo-dicarba-*nido*-undecaborate

Die Verbindungen werden aus Hydro-dicarba-*closo*-undecaboranen(11), aus Hydro-dicarba-*closo*-dodecaboranen(12) und aus Hydro-dicarba-undecaboraten(2–) hergestellt.

Zur Herstellung von B-Organo-dicarba-undecaboraten(1–), setzt man Hydro-dicarba-*closo*-undecaborane(11) sowie Hydro-dicarba-*closo*-dodecaborane(12) mit nucleophilen Reagenzien um.

i_1) aus Undecahydro-1,8-dicarba-*closo*-undecaboranen(11)

Alkyllithium-Verbindungen addieren sich an 1,8-Dicarba-*closo*-undecaborane(11). Man erhält 10-Alkyl-undecahydro-7,9-dicarba-undecaborate(1–), die als Cäsium- oder Tetramethylammonium-Salze isoliert werden[2]:

---

[1] P. Jutzi u. A. Seufert, J. Organometal. Chem. **61**, C5 (1978).

[2] D. A. Owen u. M. F. Hawthorne, Am. Soc. **91**, 6002 (1969); dort zahlreiche Beispiele.

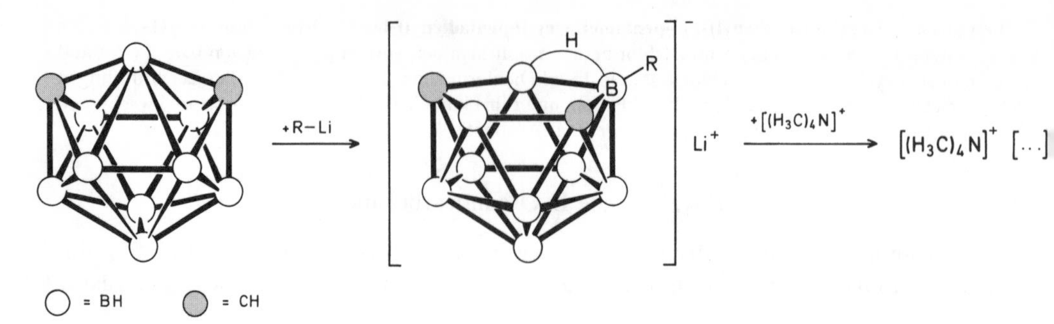

Tetramethylammonium-10-butyl-undecahydro-7,9-dicarbaundecaborat(1–)[1]: Innerhalb 45 Min. werden zu 4,0 g (30,2 mmol) 1,8-Dicarba-*closo*-undecaboran(11) in 100 *ml* trockenem Hexan 20 *ml* 1,6 N Butyllithium (32 mmol) in Hexan getropft; ein farbloser Niederschlag fällt aus. Man gibt vorsichtig 50 *ml* Wasser zu und trennt anschließend die beiden Phasen. Die Wasser-Phase wird 2mal mit je 200 *ml* Pentan gewaschen und das Produkt aus der wäßr. Lösung durch Zugabe von 10 *ml* 50%iger wäßr. Tetramethylammoniumchlorid-Lösung gefällt. Der Niederschlag wird aus Ethanol/Wasser (75 *ml*/50 *ml*) umkristallisiert; Ausbeute: 6,37 g (80%); F: 282–285°.

Auf die gleiche Weise ist *(1-Methylpyridinium)-B-ethyl-C-phenyl-undecahydro-7,9-dicarbadodecaborat(1–)* (F: 120–122°) zugänglich.

Außer Lithiumalkanen sind auch die aus Malonsäuredinitril oder aus bestimmten Carboranen mit Lithiumalkan erhaltenen lithiumorganischen Verbindungen als Reaktionspartner geeignet. Malonsäuredimethylester reagiert unter den gleichen Bedingungen allerdings unter Bildung einer B–O-Bindung zum Enol-Derivat. Andere C-Nucleophile wie Phenyl-, Phenylethinyl- oder Cyclopentadienyl-Metall-Verbindungen bilden mit 1,8-Dicarba-*closo*-undecaboran(11) instabile Verbindungen[1].

i_2) aus Hydro-1,2-dicarba-*closo*-dodecaboranen(12)

B-Organo-7,8-dicarba-undecaborate(1–) sind durch Abbau der unsubstituierten 1,2-Dicarba-*closo*-dodecaborane(12) oder seiner C-Organo-Derivate zugänglich[2]. Man läßt mit Stickstoffbasen wie z.B. mit Piperidin oder Hydrazin, mit Metallalkoholaten oder mit Kaliumhydroxid in Methanol bzw. Ethanol bzw. mit Metallamiden wie z.B. Alkalimetallamiden reagieren. Unter Herausspalten eines den C-Atomen unmittelbar benachbarten Bor-Atoms (B^3, B^6) erhält man Metall-dodecahydro-7,8-dicarba-undecaborate(1–)[3–5]:

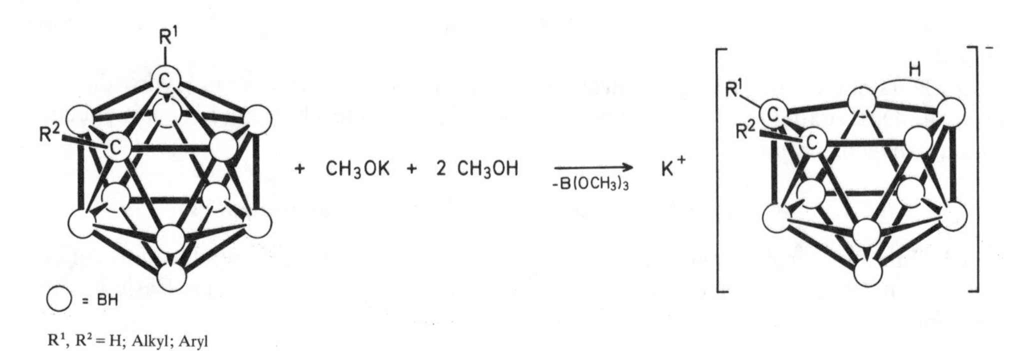

R^1, R^2 = H; Alkyl; Aryl

---

[1] D.A. Owen u. M.F. Hawthorne, Am. Soc. **91**, 6002 (1969); dort zahlreiche Beispiele.

[2] M.F. Hawthorne u. P.A. Wegner, Am. Soc. **90**, 896 (1968).

[3] R.N. Grimes, *Carboranes,* Academic Press, New York 1970.

[4] M.F. Hawthorne, D.C. Young, P.M. Garrett, D.A. Owen, S.G. Schwerin, F.N. Tebbe u. P.A. Wegner, Am. Soc. **90**, 862 (1968).

[5] R. Köster u. M.A. Grassberger, Ang. Ch. **79**, 197 (1967); engl.: **6**, 218.

Analog läßt sich aus 1,7-Dicarba-*closo*-dodecaboran unter Angriff am B^2-Atom das Dodecahydro-7,9-dicarba-undecaborat(1–) herstellen. Dabei sind allerdings schärfere Reaktionsbedingungen als beim 1,2-Isomer erforderlich. 1,12-Dicarba-*closo*-dodecaboran(12) wird auch bei mehrstündigem Erhitzen mit Kaliumhydroxid in siedendem Butanol nicht angegriffen[1].

Präparativ werden die beim Abbau der Dicarba-*closo*-dodecaborane(12) mit alkoholischer Kalilauge erhaltenen Dodecahydrodicarbaundecaborate(1–) als in Wasser schwer lösliche Trimethylammonium-Salze isoliert und als solche weiter umgesetzt.

Trimethylammonium-dodecahydro-7,8-dicarba-undecaborat(1–); allgemeine Arbeitsvorschrift[2]: Zur Lösung von 20 g (0,36 mol, 100% Überschuß) Kaliumhydroxid in 300 *ml* trockenem Ethanol werden unter Inertgas 28 g (0,175 mol) 1,2-Dicarba-*closo*-dodecaboran(12) gegeben. Man rührt das Gemisch zunächst eine Stde. bei ≈ 20° und erhitzt dann zum Rückfluß, bis die Dihydrogen-Entwicklung aufhört (≈ 2 Stdn.). Nach Abkühlen versetzt man mit weiteren 100 *ml* trockenem Ethanol und fällt dann das überschüssige Kaliumhydroxid mit Kohlendioxid als Kaliumcarbonat. Man filtriert und wäscht 5mal mit je 50 *ml* Ethanol. Die vereinigten Filtrate werden zur Trockene eingedampft, wobei das rohe Kaliumcarborat anfällt. Man nimmt in 150 *ml* Wasser auf und fällt durch Zugabe von 22 g (0,24 mol) Trimethylammoniumchlorid in 100 *ml* Wasser. Nach Filtrieren, Waschen mit 50 *ml* kaltem Wasser und Trocknen i. Vak. über Phosphor(V)-oxid erhält man 37,8 g (98%); F: 308–309,5° (aus Wasser).

Das 7,9-Isomere erhält man auf analoge Weise in 86%iger Ausbeute aus dem 1,7-Dicarba-*closo*-dodecaboran (4 Stdn. Erhitzen auf 150° im Autoklav.).

Entsprechend werden aus B-Organo-1,2-dicarba-*closo*-dodecaboran(12) B-Organo-7,8-dicarbaundecaborate(1–) hergestellt; z.B.[3]:

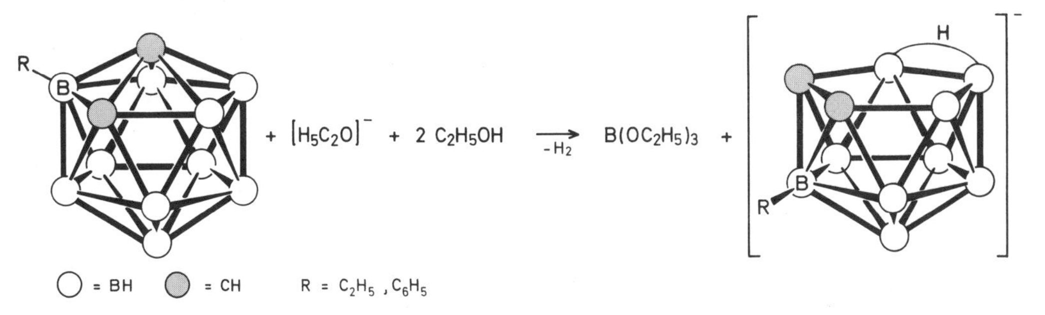

Die Reaktionen treten bei den 3,6-Diorgano-Derivaten nicht ein. Beispielsweise bleibt 3,6-Diphenyl-1,2-dicarba-*closo*-dodecaboran(12) auch bei längerem Erhitzen in Piperidin unverändert[3].

Tetramethylammonium-[3-phenyl-undecahydro-7,8-dicarba-undecaborat(1–)][3]: Zu 5 g (89,5 mmol) Kaliumhydroxid in 75 *ml* trockenem Ethanol wird eine Lösung von 5,0 g (22,8 mmol) 3-Phenyl-1,2-dicarba-*closo*-dodecaboran(12) in 50 *ml* Ethanol gegeben und 10 Stdn. zum Rückfluß erhitzt. Die Lösung wird anschließend (Rotavapor) eingedampft und der farblose feste Rückstand (Kaliumhydroxid und Kaliumsalz des Produktes) in möglichst wenig 6 N Salzsäure gelöst. Man filtriert durch Celite®, wäscht 2mal mit je 15 *ml* Wasser und fällt das Carborat aus dem klaren Filtrat durch Zugabe von 50%iger Tetramethylammoniumchlorid-Lösung. Anschließend wird aus Ethanol/Wasser umkristallisiert; Ausbeute: 5,5 g (≈86%); F: 132–133°.

Analog erhält man u.a.

Tetramethylammonium-7,8-dimethyl-3-phenyl-nonahydro-7,8-dicarbaundecaborat(1–) 76%; F: 283–286° (Zers.)

Tetramethylammonium-3-ethyl-undecahydro-7,8-dicarbaundecaborat(1–) 75%; F: 278–279° (Zers.)

---

[1] J.S. Roscoe, S. Kongpricha u. S. Papetti, Inorg. Chem. **9**, 1561 (1970).

[2] M.F. Hawthorne, D.C. Young, P.M. Garrett, D.A. Owen, S.G. Schwerin, F.N. Tebbe u. P.A. Wegner, Am. Soc. **90**, 862 (1968).

[3] M.F. Hawthorne u. P.A. Wegner, Am. Soc. **90**, 896 (1968).

i_3) aus Hydro-dicarbaundecaboraten

Aus 7,8-Dicarba-*nido*-undecaborat(2–) erhält man mit Alkylhalogeniden unter Alkylierung und Gerüstumlagerung[1] 11-Alkyl-2,7-dicarba-*nido*-undecaborate(1–)[1-5], die sich bereits bei 20° zu 8-Alkyl-7,9-dicarba-*nido*-undecaboraten(1–) umsetzen:

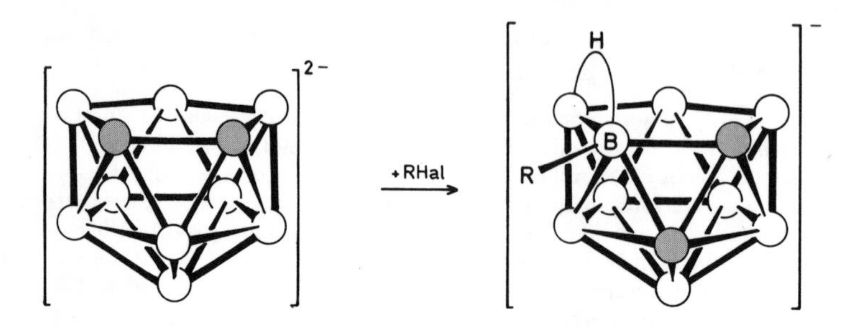

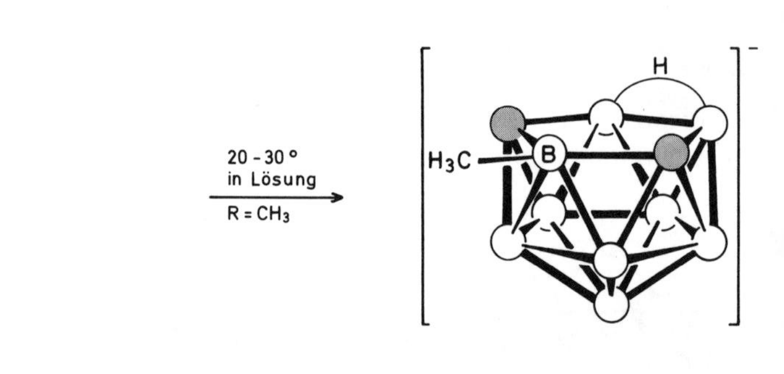

$R = CH_3, C_2H_5, C_4H_9; CH_2{-}CH = CH_2, CH_2{-}C_6H_5$
Hal = Cl, Br, J

Entsprechend reagieren 7,9-Dicarba-*nido*-undecaborate(2–) unter Bildung von 10-Alkyl-7,9-dicarba-*nido*-undecaboraten(1–). Beispielsweise läßt sich aus Undecahydro-7,9-dicarbanonaborat(2–) mit Jodmethan in Ammoniak/Tetrahydrofuran μ-Methyl-undecahydro-7,9-dicarbanonaborat(1–) gewinnen, das zum *10-Methyl-undecahydro-7,9-dicarba-nonaborat(1–)* isomerisiert[3].

Aus Dialkalimetall-7,8-dicarba-*nido*-undecaboraten(2–) kann man mit Poly-(4-chlormethylphenylethen) (chlormethyliertes Polystyrol) in Gegenwart von Dibenzo-18-krone-6[6] in siedendem Tetrahydrofuran nach 24 Stdn. Erhitzen *Alkalimetall-9-(polystyrylmethyl)-7,8-dicarba-nido-undecaborat(1–)* herstellen[3].

(1-Methylpyridinium)-8,10,11-trimethyl-7,9-dicarba-nido-undecaborat(1–) (F: 152–153°) ist aus 7,9-Dicarba-*nido*-undecaborat(2–) mit Jodmethan in Tetrahydrofuran/Ammoniak über mehrere Zwischenstufen zugänglich[4]:

---

[1] S.P. Knyasev, V.A. Brattsev u. V.I. Stanko, Doklady Akad. SSSR **234**, 837 (1977); engl.: 299; C.A. **87**, 102396 (1977).

[2] V.A. Brattsev, S.P. Knyasev u. V.I. Stanko, Ž. obšč. Chim. **45**, 1192 (1975); engl.: 1173; C.A. **83**, 114529 (1975).

[3] B.A. Sosinsky, W.C. Kalb, R.A. Grey, V.A. Uski u. M.F. Hawthorne, Am. Soc. **99**, 6768 (1977).

[4] S.P. Knyazev, V.A. Brattsev, V.I. Stanko, Ž. obšč. Chim. **47**, 2627 (1977); engl.: 2398; C.A. **88**, 136703 (1978).

[5] S.P. Knyazev, V.A. Brattsev u. V.I. Stanko, Doklady Akad. SSSR **234**, 1093 (1977); engl.: 323; C.A. **87**, 67631 (1977).

[6] Dibenzo-18-Krone-6 = 1,4,7,14,17,20-Hexaoxa[7,7]orthocyclophan.

$[7,9\text{-}C_2B_9H_{11}]^{2-}$ $\xrightarrow{+H_3C-J/THF/NH_3}$ $[\mu\text{-}H_3C-7,9\text{-}C_2B_9H_{11}]^{2-}$ $\longrightarrow$

$[10\text{-}H_3C-7,9\text{-}C_2B_9H_{11}]^-$ $\longrightarrow$ $\longrightarrow$ $[\text{N-Methylpyridinium}]^+$ $[8,10,11\text{-}(H_3C)_3-7,9\text{-}C_2B_9H_9]^-$

$\beta\beta_2$) B-Organo-dicarba-*nido*-undecaborate

Dicarba-*nido*-undecaborate(2–) *(Dicarbollide)*[1] erhält man aus Hydro-dicarba-*nido*-undecaboraten(1–) mit Nucleophilen unter Abspaltung von Dihydrogen.

Mit Natriumhydrid in Tetrahydrofuran reagieren Dodecahydro-7,8- oder -7,9-dicarba-undecaborate(1–) (vgl. S. 207) unter Bildung von Undecahydro-7,8- bzw. -7,9-dicarba-undecaborat(2-)-Salzen, die auch als *(3)-1,2-* bzw. *(3)-1,7-Dicarbollide* bezeichnet werden[1–3] und formal durch Abspaltung einer $HB^{2\oplus}$-Einheit aus Dicarba-*closo*-dodecaboranen gebildet werden:

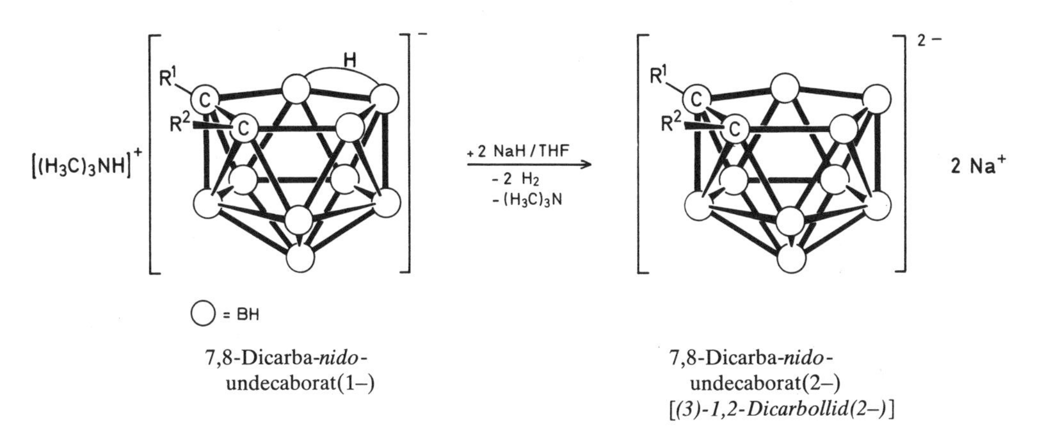

7,8-Dicarba-*nido*-undecaborat(1–)

7,8-Dicarba-*nido*-undecaborat(2–) [*(3)-1,2-Dicarbollid(2–)*]

Anstelle von Natriumhydrid in Tetrahydrofuran[1] läßt sich zur Deprotonierung auch Butyllithium in Benzol/Ether[4,5] verwenden.

B-Organo-Derivate der Dicarbaundecaborate(2–) sind bisher nur als Übergangsmetall-Komplexe bekannt. Die Einführung des Organo-Restes erfolgt z.B. bei der thermischen Zersetzung von Aryldiazonium-bis(7,8,9,10,11-η^5-undecahydro-7,8-dicarba-undecaborato)-cobalt(1–) in Benzol oder Toluol. Über radikalische Zwischenstufen bildet sich eine o-Phenylen-Brücke zwischen den beiden Dicarbollid-Kernen. Der neue Benzoldiyl-Rest stammt aus dem aromatischen Lösungsmittel[6]:

---

[1] M.F. Hawthorne u. P.A. Wegner, Am. Soc. **90**, 896 (1968).

[2] M.F. Hawthorne, D.C. Young, P.M. Garrett, D.A. Owen, S.G. Schwerin, F.N. Tebbe u. P.A. Wegner, Am. Soc. **90**, 862 (1968).

[3] R.N. Grimes, *Carboranes*, Academic Press, New York 1970.

[4] L.I. Zakharkin, V.N. Kalinin u. V.V. Gedymin, Synth. React. Inorg. Metal-org. Chem. **3**, 93 (1973); C.A. **78**, 84474 (1973).

[5] L.I. Zakharkin u. V.N. Kalinin, Ž. obšč. Chim. **43**, 853 (1973); engl.: 853; C.A. **79**, 65592 (1973).

[6] J.N. Francis, C.J. Jones u. M.F. Hawthorne, Am. Soc. **94**, 4878 (1972).

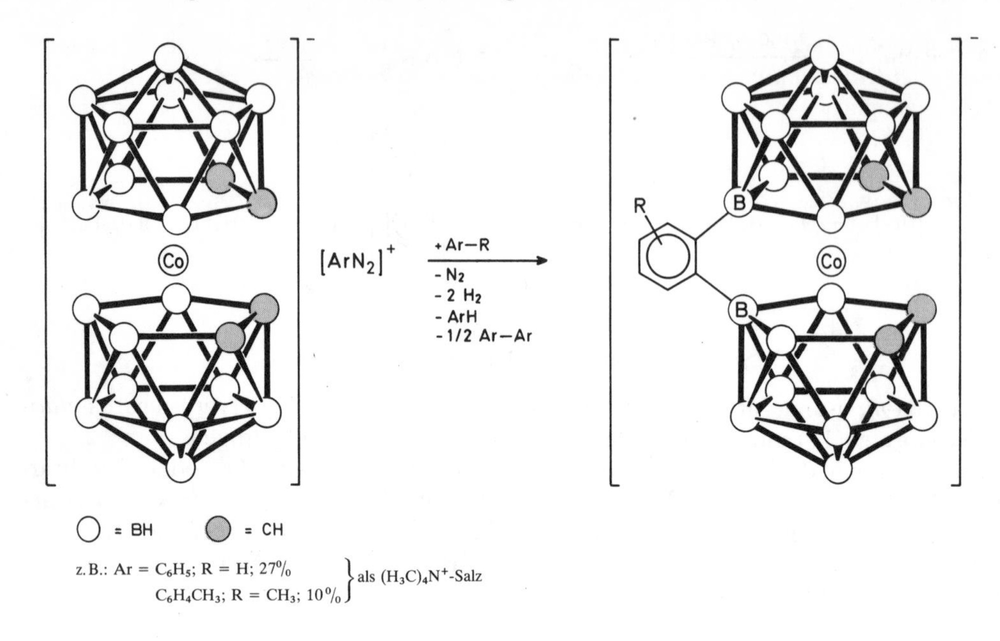

β_2) *B-Organocarborate mit zehn Bor-Atomen im Gerüst*

Zur Verbindungsklasse zählen B-Organo-Derivate der Dicarba-*closo*-dodecaborate(1–) und der Dicarba-*closo*-dodecaborate(2–).

Die Herstellung erfolgt aus Hydro-dicarba-dodecaboranen(12) mit metallorganischen Verbindungen, aus B-Organo-dicarba-*closo*-dodecaboranen(12) mit Alkalimetallen sowie aus Hydro-dicarbadodecaboraten(1–) mit Alkylierungsmitteln.

$\beta\beta_1$) aus Hydro-dicarba-*closo*-dodecaboranen(12)

Aus 1-Phenyl-1,2-dicarba-*closo*-dodecaboran(12) sind mit Alkylmagnesiumhalogeniden neben C-metalliertem Ausgangscarboran in allerdings schlechter Ausbeute B-Alkyl-C-phenyl-decahydrodicarbadodecaborate(1–) zugänglich[1]:

$$1\text{-}H_5C_6\text{—}C_2B_{10}H_{11} \xrightarrow[\substack{2.\ +5\%\ H_2SO_4 \\ 3.\ +[H_3C\text{—}NC_5H_5]^+ J^-}]{1.\ +(H_5C_2)_2O/(H_3CO\text{—}CH_2)_2\,/\,RMgJ,\ 10\ Stdn.,\ \sim 20^\circ} [H_3C\text{—}NC_5H_5]^+\ [1\text{-}H_5C_6\text{—}R_B\text{—}C_2B_{10}H_{10}]^-$$

(1-Methylpyridinium)-B-methyl-C-phenyl-decahydro-dicarbadodecaborat(1–)[1]: Zu einer Lösung von Methylmagnesiumjodid [aus 14,2 g (100 mmol) Jodmethan und 2,4 g Magnesium] in 80 *ml* 1:1-Gemisch Diethylether/1,2-Dimethoxyethan gibt man bei 5–10° eine Lösung von 17,6 g (80 mmol) 1-Phenyl-1,2-dicarba-*closo*-dodecaboran(12) in 30 *ml* 1,2-Dimethoxyethan. Man rührt 10 Stdn. bei 20°, hydrolysiert mit 5%iger Schwefelsäure und extrahiert mit Diethylether. Aus der Ether-Lösung werden 11,8 g (67% einges. Menge) 1-Phenyl-1,2-dicarba-*closo*-dodecaboran(12) zurückgewonnen. Die wäßr. Phase wird mit einer Lösung von 6,0 g 1-Methylpyridiniumjodid in 15 *ml* Wasser versetzt und das sich abscheidende Öl aus Ethanol kristallisiert; Ausbeute: 1,2 g (11%); F: 109–110°.

---

[1] K. A. Bilevich, L. I. Zakharkin u. O. Y. Okhlobystin, Izv. Akad. SSSR **1967**, 448; engl.: 435; C. A. **67**, 11522 (1967).

Mit Ethylmagnesiumbromid ist in 1,2-Dimethoxyethan unter analogen Bedingungen *(1-Methylpyridinium)-B-ethyl-C-phenyl-decahydro-dicarbadodecaborat(1–)* (F: 120–122°) zugänglich[1].

Dicarba-*closo*-dodecaborane(12) bilden mit Alkalimetallen unter Elektronenübergang zwischen Metall und Carboran Alkalimetall-carborate.

Hydro- sowie Hydro-organo-dicarba-*closo*-dodecaborane(12) liefern Alkalimetall-dicarba-*closo*-dodecaborate(1–) und -(2–):

$$H_2C_2B_{10}H_{10-x}R_x \xrightarrow[-M^+]{+M} [H_2C_2B_{10}H_{10-x}R_x]^- \xrightarrow[-M^+]{+M} [H_2C_2B_{10}H_{10-x}R_x]^{2-}$$

Das Dodecahydro-dicarbadodecaborat(2–) wird aus 1,2- oder 1,7-Dicarba-*closo*-dodecaboran(12) (bzw. deren Derivaten) mit Alkalimetallen in flüssigem Ammoniak oder in Naphthalin/Tetrahydrofuran erhalten[2–4]:

$$1,2\text{-}(1,7)\text{-}C_2B_{10}H_{12} + 2\,Na \longrightarrow [C_2B_{10}H_{12}]^{2-}\,2\,Na^+$$

Aus dem 1,2- oder 1,7-Isomer des Carborans gewinnt man jeweils das gleiche Produkt[5].

Dinatrium-dodecahydro-dicarbardodecaborat(2–); allgemeine Arbeitsvorschrift[4]: 0,1 g (4,3 mmol) Natrium gibt man in kleinen Stücken zur Lösung von 0,5 g Naphthalin in 30 *ml* trockenem THF, rührt das Gemisch bis zur intensiven Grünfärbung und fügt 1,5 g (10 mmol) 1,2-Dicarba-*closo*-dodecaboran(12) zu, wobei die grüne Farbe sofort verschwindet. Anschließend werden weitere 0,4 g (17,4 mmol) Natrium-Metall zugegeben, die sich unter schwachem Erwärmen auflösen. Nach 3–4 Stdn. ist das Natrium praktisch vollständig gelöst und das Gemisch wird wieder grün.

$\beta\beta_2$) aus B-Organo-dicarba-*closo*-dodecaboranen(12)

Die Reaktion des 3-(4-Methylphenyl)-undecahydro-1,2-dicarba-*closo*-dodecaboran mit Natrium/Naphthalin in Tetrahydrofuran liefert nach mehrstündigem Rühren bei ≈20° *Dinatrium-3-(4-methylphenyl)-undecahydro-1,2-dicarba-closo-dodecaborat(2–)*[6]:

$$B_{10}H_9\text{–}3\text{-}Ar + 2\,Na/\text{Naphthalin} \xrightarrow{THF,\ 20°} [B_{10}H_9\text{–}3\text{-}Ar]^{2-}\ 2\,Na^+$$

[1] K. A. Bilevich, L. I. Zakharkin u. O. Y. Okhlobystin, Izv. Akad. SSSR **1967**, 448; engl.: 435; C. A. **67**, 11522 (1967).

[2] V. I. Stanko, V. A. Brattsev, Y. V. Goltyapin, V. V. Khrapov, T. A. Babushkina u. T. P. Klimova, Ž. obšč. Chim. **44**, 335 (1974); engl.: 319; C. A. **80**, 133525 (1974).

[3] L. I. Zakharkin, V. N. Kalinin u. L. S. Podvisotskaya, Izv. Akad. SSSR **1966**, 1495; engl.: 1444; C. A. **66**, 65555 (1967).

[4] L. I. Zakharkin, V. N. Kalinin u. L. S. Podvisotskaya, Izv. Akad. SSSR **1967**, 2310; engl. 2212; C. A. **68**, 69064 (1968).

[5] L. I. Zakharkin, V. N. Kalinin, V. A. Antonovich u. E. G. Rys, Izv. Akad. SSSR **1976**, 1036; C. A. **85**, 158894 (1976).

[6] V. N. Kalinin, N. I. Kobel'kova, A. V. Astakhin, A. I. Gusev u. L. I. Zakharkin, J. Organometal. Chem. **149**, 9 (1978).

ββ₃) aus Dicarba-*closo*-dodecaboraten

Das aus 1-Phenyl-1,2-dicarba-*closo*-dodecaboran(12) mit metallischem Kalium in 1,2-Dimethoxyethan zugängliche *Dikalium-1-phenyl-1,2-dicarba-closo-dodecaborat(2–)* reagiert mit Jodalkanen unter Bildung isomerer *B-Methyl-* (bzw. *Ethyl)-1-phenyl-1,2-dicarba-closo-dodecaborate(1–)*[1]:

$$\left[H_5C_6\text{–}C_2B_{10}H_{10}\right]^{2-}\ 2\,K^+ \xrightarrow[-\,KJ]{+\,RJ} \left[H_5C_6\text{–}C_2B_{10}H_9\text{–}R\right]^{-}\ K^+$$

R = CH_3, C_2H_5

(1-Methylpyridinium)-[B-methyl-C-phenyl-decahydro-dicarbadodecaborat(1–)][2]**:** Eine Lösung von 11 g (50 mmol) 1-Phenyl-1,2-dicarba-*closo*-dodecaboran(12) in 50 *ml* 1,2-Dimethoxyethan läßt man mit 2 g (50 mmol) feinzerschnittenem Kalium unter Argon bei 20° so lange reagieren, bis alles Kalium verbraucht ist. Anschließend wird eine Lösung von 7,1 g (50 mmol) Jodmethan in 10 *ml* 1,2-Dimethoxyethan zugegeben und das Gemisch 16 Stdn. bei 20° stehen gelassen. Man versetzt mit Wasser und extrahiert mit Hexan. Bei Eindampfen der Hexan-Lösung werden 4,5 g (41% der eingesetzten Menge) 1-Phenyl-1,2-dicarba-*closo*-dodecaboran(12) zurückerhalten. Zur wäßr. Lösung wird eine Lösung von 6,0 g (27 mmol) 1-Methylpyridiniumjodid in 15 *ml* Wasser gegeben. Das sich abscheidende Öl wäscht man mit Ether und kristallisiert anschließend aus Ethanol um; Ausbeute: 3,7 g (55%); F: 101–104° (aus Ethanol).

---

[1] K. A. Bilevich, L. I. Zakharkin u. O. Y. Okhlobystin, Izv. Akad. SSSR **1967**, 448; engl.: 435; C. A. **67**, 11522 (1967).

[2] V. I. Stanko, V. A. Brattsev, Y. A. Gol'tyapin, V. V. Khrapov, T. A. Babushkina u. T. P. Klimova, Ž. obšč. Chim. **44**, 335 (1974); engl.: 319; C. A. **80**, 133525 (1974).

B. Umwandlung von Organobor-Verbindungen

bearbeitet von

ROLAND KÖSTER

Max-Planck-Institut für Kohlenforschung
Mülheim a. d. Ruhr

Die Umwandlung bringt eine Übersicht über Spaltungsreaktionen der Organobor-Verbindungen in borfreie organische Verbindungen, die auch andere Heteroatome enthalten können. Kombinationen der Umwandlungs- mit den Herstellungsmethoden der Organobor-Verbindungen sind für die Anwendung von Bor-Verbindungen in der organischen Synthese wichtig. Nach erfolgter Herstellung durch Borylierung (Substitution) oder Elementborierung (Addition) lassen sich durch De-elementborierung (Eliminierung) oder Elementdeborylierung (Substitution) zahlreiche Verbindungen mit neuen funktionellen Gruppen am ursprünglich borgebundenen C-Atom gewinnen:

R–C(X)–C–B< → (1,2-De-elementborierungen; – >B–X) → R>C=C< ungesättigte organische Verbindungen

R–C(X)–C–B< → (Elementdeborylierungen; Element Y: H, C, Hal, O, S, N, P, M) → R–C(X)–C–Y Element-substituierte Organo-Reste

Zu Beginn des Umwandlungskapitels steht ein Abschnitt über die Abspaltung des Bor-Atoms durch Eliminierungen (1,2-De-elementborierungen, S. 216–229).

Die Reaktionen, bei denen das Bor-Atom durch andere Elemente substituiert wird (Elementdeborylierungen), nehmen den weitaus größten Anteil der Umwandlungen ein. Die Unterteilung erfolgte in der Reihe ($>$ = vor) der das Bor-Atom substituierenden Elemente:

$$\mathrm{H > C > F > Cl > Br > J > O > S > Se > N > P > Sb > Bi}$$
> Haupt- und Nebengruppenmetalle (Si, Sn, Pb, Al, Tl, Be, Mg, Zn, Cd, Hg, Li, Na)
> Übergangsmetalle (Ti, V, W, Fe, Pt)

Die große Produktgruppe, die beim Ersatz des Bor-Atoms durch Kohlenstoff-Atome entsteht, wurde unterteilt in:

ⓐ Organo-Organo-Verbindungen, die durch Verknüpfen zweier B-Organo-Reste (Bis-carbodeborylierungen) entstehen (S. 254–274)
und
ⓑ Organo-Kohlenstoff-Verbindungen, die man durch Übertragen von B-Organo-Resten auf C-Atome der Reagenzien (Carbodeborylierungen und Carboborierungen) erhält (S. 274–313).

I. Organo-Verbindungen durch De-elementborierungen

Zu den Umwandlungen der Organobor-Verbindungen in borfreie Organo-Verbindungen gehören Abspaltungen von Boryl-Resten, die zusammen mit anderen Atomen oder Atomgruppierungen aus dem Organo-Rest eliminiert werden. Wichtigste Reaktionstypen sind 1,2-Dehydroborierungen, 1,2-Dehaloborierungen und andere 1,2-De-elementborierungen. Die Reaktionen führen im wesentlichen zu olefinischen Kohlenwasserstoffen. Es gibt allerdings auch 1,2-Eliminierungen unter Bildung borfreier Alkine (vgl. S. 228f.)

a) Alkene und Cycloalkene

Durch Thermolyse oder Photolyse lassen sich einzelne Organo-Reste als Alkene bzw. Cycloalkene aus Organobor-Verbindungen abspalten. Besonders glatt verlaufen Dehydroborierungen in Gegenwart ungesättigter Kohlenwasserstoffe oder Carbonylgruppenhaltiger Verbindungen. Auch verschiedene stickstoffhaltige Verbindungen können verwendet werden. Schließlich sind Alkene bzw. Cycloalkene durch Eliminierung aus Organobor-Verbindungen mit Hilfe H-acider Verbindungen, bestimmter nucleophiler Reagenzien bzw. mit Lewissäuren oder mit einigen Übergangsmetall-Verbindungen zugänglich.

1. durch Erhitzen

α) 1,2-Dehydroborierungen

Beim Erwärmen von Trialkylboranen, deren Alkyl-Reste $R > C_2$ sind und mindestens ein H-Atom in 2-Stellung enthalten, bilden sich Alkene und Dialkyl-hydro-borane (Bd. XIII/3a, S. 322)[1]:

$$R_2B-\overset{|}{\underset{|}{C}}-\overset{|}{\underset{|}{C}}-H \xrightarrow{\Delta} \gt C=C \lt + R_2BH$$

R = Alkyl

Die Dehydroborierung verläuft als 1,2-Eliminierung für verschiedenartige Alkyl-Reste unterschiedlich rasch[2-9]:

tert.-Alkyl >> sek.-Alkyl > prim.-Alkyl

Die Verfahrensweise bei der thermischen Dehydroborierung[10] (z. B. Temperatur, Konzentration, Verweilzeit) beeinflussen deutlich die Zusammensetzung der abgespaltenen Alkene. Olefinische Kohlenwasserstoffe aus den ursprünglich vorhandenen B-Alkyl-Resten oder aus den durch Dehydroborierung/Hydroborierung isomerisierten B-Alkyl-Resten können gleichermaßen gebildet werden[11].

Der durch $>$BH-Borane katalysierte Alkyl-Austausch beeinflußt die Geschwindigkeit der Dehydroborierung mittelbar[12]. Untersuchungen über (thermische) Triorganoboran-

---

[1] s. ds. Handb., Bd. XIII/3a, S. 29, 31, 78, 149, 322, 353, 362 (1982); Bd. XIII/3b, S. 83 (1983).
[2] L. Rosenblum, Am. Soc. **77**, 5016 (1955).
[3] R. Köster, A. **618**, 31 (1958).
[4] P. F. Winternitz u. A. A. Carotti, Am. Soc. **82**, 2430 (1960).
[5] R. Köster u. G.W. Rotermund, Ang. Ch. **74**, 252 (1962); engl.: **1**, 217.
[6] R. Köster, Ang. Ch. **75**, 1079 (1963); engl.: **3**, 174 (1964).
[7] R. Köster, G. Griaznov, W. Larbig u. P. Binger, A. **672**, 1, 6 (1964).
[8] R. Köster, W. Larbig u. G. W. Rotermund, A. **682**, 21 (1965).
[9] E. Abuin, J. Grotewold, E. A. Lissi u. M. C. Vara, Soc. [B] **1968**, 1044.
[10] s. ds. Handb., Bd. XIII/3a, S. 26ff., 37ff. (1982).
[11] R. Köster, W. Larbig u. G. W. Rotermund, A. **682**, 21, 24 ff. (1965).
[12] R. Köster, G. Griaznov, W. Larbig u. P. Binger, A. **672**, 1, 6f. (1964).

Isomerisierungen (vgl. Bd. XIII/3a, S. 20ff.) ergaben, daß Alkene aus 9-Alkyl-9-borabicyclo-[3.3.1]nonanen thermisch wesentlich langsamer abgespalten werden als aus verschiedenen gemischten Tri-sek.-alkyl-boranen[1].

B-Ethyl-Gruppen lassen sich i. allg. rein thermisch nicht eliminieren[2-4]. *Ethen* erhält man aus Triethylboran allenfalls in der Gasphase[5]. Beim Basen-Zusatz (z.B. Triethylamin) läßt sich die Dehydroborierung der Trialkylborane beschleunigen[6]. Eine Dehydroborierung sämtlicher Alkyl-Reste der Trialkylborane ist rein thermisch nicht möglich.

Produkte der thermischen 1,2-Eliminierung von Trialkylboranen sind (isomerisierte) Alkene und (isomerisierte) Dialkyl-hydro-borane (vgl. Bd. XIII/3a, S. 322 ff.) bzw. deren Addukte mit Lewisbasen (vgl. Bd. XIII/3b, S. 476) oder auch aliphatische Triorganoborane mit neuen strukturellen Merkmalen (vgl. Bd. XIII/3a, S. 26ff).

Beim Erwärmen von sek.-Alkyl- und vor allem von tert.-Alkyldiboranen(6) lassen sich bestimmte Alkyl-Reste als Alken abspalten[7]. Tetraisopinocampheyldiboran(6) steht beispielsweise im Gleichgewicht mit Triisopinocampheyldiboran(6) und *α-Pinen*[8-11].

Auch einzelne Alkyl-Gruppen bestimmter Alkylbor-Stickstoff-Verbindungen[12], Alkylbor-Bor-Verbindungen[13], Organobor-carboranyl-Verbindungen[14], Lewisbase-Trialkylborane[15] und Alkalimetall-alkylborate[16] spalten thermisch Alken ab.

β) 1,x-Dehaloborierungen[17]

Die Bildung von Alken unter Abspaltung von Fluorboran aus (2-Fluoralkyl)boranen (1,2-Defluoroborierung) tritt bei der Hydroborierung von Fluoralkenen i. allg. spontan ein[18-21]:

$$\rangle B-\overset{|}{\underset{|}{C}}-\overset{|}{\underset{F}{C}}- \xrightarrow[-\rangle BF]{} \rangle C=C\langle$$

Auch 1,2-Dechloroborierungen erfolgen vielfach spontan, z. B. im Anschluß an die Hydroborierung von 3-Chlorcyclohexen[22,23]:

$$R_2BH + \text{3-Chlorcyclohexen} \longrightarrow \left[\text{2-Chlorcyclohexyl-}BR_2\right] \xrightarrow{-R_2BCl} \text{Cyclohexen}$$

R = Alkyl

---

[1] H. C. Brown, U. S. Racherla u. H. Taniguchi, J. Org. Chem. **46**, 4313 (1981).
[2] R. Köster, A. **618**, 31 (1958); Ang. Ch. **75**, 1079 (1963); engl.:**3**, 174 (1964).
[3] R. Köster u. G.W. Rotermund, Ang. Ch. **74**, 252 (1962); engl.: **1**, 217.
[4] R. Köster, W. Larbig u. G. W. Rotermund, A. **682**, 21 (1965).
[5] E. Abuin, J. Grotewold, E.A. Lissi u. M.C. Vara, Soc. [B] **1968**, 1044.
[6] H.C. Brown u. N.M. Yoon, Am. Soc. **99**, 5514 (1977).
[7] H. C. Brown, E. Negishi u. J.-J. Katz, Am. Soc. **94**, 5893 (1972).
[8] H. C. Brown u. A. W. Moerikofer, Am. Soc. **84**, 1478 (1962).
[9] H. C. Brown u. G.J. Klender, Inorg. Chem. **1**, 204 (1962).
[10] H.C. Brown, N.R. Ayyangar u. G. Zweifel, Am. Soc. **86**, 1071 (1964).
[11] A. Pelter, D. J. Ryder, J. H. Sheppard, C. Subrahmanyam, H. C. Brown u. A. K. Mandal, Tetrahedron Letters **1979**, 4777.
[12] s.ds. Handb., Bd. XIII/3b, S. 45, 295 (1983).
[13] s.ds. Handb., Bd. XIII/3b, S. 133 (1983).
[14] s.ds. Handb., Bd. XIII/3b, S. 399 (1983).
[15] s.ds. Handb., Bd. XIII/3b, S. 105, 113, 338 (1983).
[16] s.ds. Handb., Bd. XIII/3b, S. 812f., 821 (1983).
[17] s.ds. Handb., Bd. V/2a, S. 183 (1977).
[18] F.G.A. Stone u. W.A.G. Graham, Chem. & Ind. **1955**, 1181.
[19] B. Bartocha, W.A.G. Graham u. F.G.A. Stone, J. Inorg. & Nuclear Chem. **6**, 119 (1958).
[20] J. R. Phillips u. F.G.A. Stone, Soc. **1962**, 94.
[21] T.D. Coyle, J. Cooper u. J.J. Ritter, Inorg. Chem. **7**, 1014 (1968).
[22] P. Binger u. R. Köster, Tetrahedron Letters **1961**, 156.
[23] R. Köster, G. Griaznov, W. Larbig u. P. Binger, A. **672**, 1 (1964).

Die vier regio- bzw. stereo-isomeren (Chlorcyclohexyl)borane verhalten sich unterschiedlich. In Tetrahydrofuran tritt beim (*trans*-2-Chlorcyclohexyl)boran 1,2-Eliminierung rasch ein, während die gleiche Verbindung in Diethylether bei ≈ 20° stabil ist. Demgegenüber sind die drei weiteren Isomeren [(*cis*-2-, *cis*-3- und *trans*-3-Chlorcyclohexyl)-boran] in beiden Ethern eliminierungsstabil[1,2].

Zur thermischen 1,1-Dechloroborierung aus Organo-Resten benötigt man >180°. Chlor-dimethoxy-boran wird z.B. aus (Chlor-dicyclohexyl-methyl)-dimethoxy-boran unter Bildung von *Cyclohexylmethylen-cyclohexan* freigesetzt[3]:

$$(C_6H_{11})_2C(Cl)-B(OCH_3)_2 \xrightarrow[-ClB(OCH_3)_2]{>180-240°} C_6H_{10}=CH-C_6H_{11}$$

In wäßr. ethanolischer Lösung erfolgt die Dechloroborierung bei ≈60°, in Gegenwart von Silbernitrat bereits bei ≈25°[4]:

$$R^1-C(Cl)(R^2)-B(OCH_3)_2 \xrightarrow{AgNO_3 / H_5C_2OH / H_2O;\ 60°} R^1=C(H)R^2$$

$R^1 = C_6H_{11}$, (Norbornyl), $C(CH_3)_2-CH(CH_3)_2$

$R^2 = C_6H_{11}$, (Norbornyl), C_5H_9

γ) 1,2-Desoxyborierungen

Die Abspaltung von Oxyboryl-Verbindungen aus 1-Oxy-2-boryl-alkanen führt zu Alkenen. Beispielsweise wird Diorganoboryloxylithium aus Diorgano-(2-lithiumoxyalkyl)-boranen (Bd. XIII/3a, S. 262) leicht unter Bildung von 1-Phenyl-1-alkenen 1,2-eliminiert[4,5]:

$$R^2-CH_2-CH(BR^1_2)-CH(OLi)-C_6H_5 \xrightarrow[-R^1_2B-OLi]{\approx 20°} R^2-CH_2-CH=CH-C_6H_5$$

$R^1 = C_6H_{11}$
$R^2 = C_4H_9$

Aus 1-Diorganoboryl-2-organooxy-alkanen lassen sich thermisch bei ≈100° Diorgano-organooxy-boran unter Bildung von Alkenen abspalten[1,6-9]. Auch Aryloxy-diorga-

---

[1] D.J. Pasto u. R. Snyder, J. Org. Chem. **31**, 2777 (1966).
[2] D. J. Pasto u. J. Hickman, Am. Soc. **90**, 4445 (1968).
[3] J.-J. Katz, B.A. Carlson u. H.C. Brown, J. Org. Chem. **39**, 2817 (1974).
[4] H.C. Brown, J.-J. Katz u. B.A. Carlson, J. Org. Chem. **40**, 813 (1975).
[5] G. Cainelli, G. Dal Bello u. G. Zubiani, Tetrahedron Letters **1966**, 4315.
[6] s. ds. Handb., Bd. V/1b, S. 796 (1972).
[7] B.M. Mikhailov u. A.N. Blokhina, Izv. Akad. SSSR **1962**, 1373; engl.; 1289; C.A. **58**, 5707 (1963).
[8] D.J. Pasto u. C.C. Cumbo, Am. Soc. **86**, 4343 (1964).
[9] B.M. Mikhailov u. Yu. N. Bubnov, Tetrahedron Letters **1971**, 2127.

no-borane[1], Acyloxy- und Tosyloxy-diorgano-borane[2-4] sowie Tetraalkyldiboroxane[2,5] sind thermisch bzw. basenkatalysiert aus aliphatischen C-Ketten 1,2-eliminierbar. Thermisch stabil sind (*trans*-2-Alkoxycyclopentyl)borane[3]. Die thermische Abspaltung der Organooxybor-Gruppierung erfolgt meist als *cis*-1,2-Eliminierung[6,7].

Auch aus offenkettigen Diorgano-(2-trimethylsilyloxyethyl)-boranen bilden sich unter *cis*-1,2-Eliminierung von Diorgano-trimethylsilyloxy-boranen spontan Alkene[8,9].

2. mit olefinischen Kohlenwasserstoffen

Alkene werden aus Alkyl-Resten der Trialkylborane mit Hilfe olefinischer und acetylenischer Kohlenwasserstoffe beim Erhitzen abgespalten[10-16]. Die Gleichgewichte der sog. Verdrängungsreaktionen stellen sich oberhalb ≈120° rasch ein[11,12,14]; z.B.:

$$\underset{n \gtrsim 3}{B(C_nH_{2n+1})_3} + \underset{m \gtrsim 2}{C_mH_{2m}} \rightleftharpoons C_nH_{2n} + (H_{2m+1}C_m)B(C_nH_{2n+1})_2$$

Ethen eignet sich zur Verdrängung langkettiger Alkyl-Reste besonders gut[14]. Zahlreiche Beispiele zur Abspaltung von Alkenen bzw. von Cycloalkenen sind bekannt. Man verwendet als Verdrängungsreagenzien bei 150–170° Alkene (z.B. 1-Decen[14,17]), 1,3-Alkadiene[16,18,19], verschiedene heteroatomhaltige Alkene[19,20] wie z.B. auch Vinylsilane[21] sowie offenkettige[22] und cyclische[23,24] acetylenische Kohlenwasserstoffe.

Zahlreiche Untersuchungen über Mechanismen und Reaktionsgeschwindigkeiten der Alken-Verdrängung wurden durchgeführt[25-28].

---

[1] H.C. Brown u. R.M. Gallivan, Am. Soc. **90**, 2906 (1968).
[2] J.-J. Katz, B.A. Carlson u. H.C. Brown, J. Org. Chem. **39**, 2817 (1974).
[3] H.C. Brown u. O.J. Cope, Am. Soc. **86**, 1801 (1964).
[4] D.B. Bigley u. D.W. Payling, Soc. **1965**, 3974.
[5] H.C. Brown u. E.F. Knights, Am. Soc. **90**, 4439 (1968).
[6] B.M. Mikhailov u. A.N. Blokhina, Izv. Akad. SSSR **1962**, 1373; engl.: 1289; C.A. **58**, 5707 (1963).
[7] D.J. Pasto u. P.E. Timony, J. Organometal. Chem. **60**, 19 (1973).
[8] G.L. Larson, D. Hernández u. A. Hernández, J. Organometal. Chem. **76**, 9 (1974).
[9] G.L. Larson u. A. Hernández, J. Organometal. Chem. **102**, 123 (1975).
[10] s.ds. Handb., Bd. V/1b, S. 636, 653, 1028 (1972); Bd. XIII/3a, S. 37, 39, 41, 58, 152ff., 266, 293, 520f. (1982); Bd. XIII/3b, S. 437, 491 (1983).
[11] R. Köster, Ang. Ch. **68**, 383 (1956).
[12] R. Köster, Öst. Chemiker-Ztg. **57**, 136 (1956).
[13] H.C. Brown u. B.C. Subba Rao, J. Org. Chem. **22**, 1137 (1957).
[14] R. Köster, A. **618**, 31 (1958).
[15] H.C. Brown u. B.C. Subba Rao, Am. Soc. **81**, 6434 (1959).
[16] R. Köster, Ang. Ch. **71**, 520 (1959).
[17] H. Taniguchi, Bl. chem. Soc. Japan **52**, 2942 (1979); C.A. **92**, 58844 (1980).
[18] B.M. Mikhailov u. F.B. Tutorskaya, Izv. Akad. SSSR **1959**, 1127; engl.: 1091; C.A. **54**, 1267 (1959).
[19] B.M. Mikhailov u. T.A. Shchegoleva, Izv. Akad. SSSR **1959**, 546; engl.: 518; C.A. **53**, 21623 (1959).
[20] B.M. Mikhailov, V.A. Dorokhov u. M.V. Mostovoi, Probl. Organ. Sinteza Akad. Nauk SSSR **1965**, 228; C.A. **64**, 14204 (1965).
[21] B.M. Mikhailov u. A.N. Blokhina, Ž. obšč. Chim. **30**, 3615 (1960); C.A. **55**, 20920 (1961).
[22] A.J. Hubert, Soc. **1965**, 6669.
[23] A.J. Hubert, Soc. **1965**, 6679.
[24] A.J. Hubert u. J. Dale, Soc. **1965**, 6674.
[25] B.M. Mikhailov, M.E. Kuimova u. E.A. Shagova, Izv. Akad. SSSR **1968**, 548; engl.: 533; C.A. **69**, 67447 (1968).
[26] B.M. Mikhailov, G.S. Ter-Sarkisyan u. N.A. Nikolaeva, Izv. Akad. SSSR **1968**, 541; engl.: 527; C.A. **69**, 67448 (1968).
[27] B.M. Mikhailov, M.E. Kuimova u. E.A. Shagova, Doklady Akad. SSSR **179**, 1344 (1968); engl.: 361; C.A. **69**, 76149 (1968).
[28] B.M. Mikhailov u. M.E. Kuimova, Ž. obšč. Chim. **41**, 1714 (1971); C.A. **75**, 151011 (1971).

Auch aus Lewisbase-Alkylboranen lassen sich in Sonderfällen Alkene abspalten; z.B. erhält man aus Triethylamin-Dihydro-hexyl-boran mit Cyclopentenen *2,3-Dimethyl-2-buten*[1].

3. mit sauerstoffhaltigen Reagenzien

α) mit Hydroxy-Verbindungen

Die Eliminierung von Alken aus Organobor-Verbindungen läßt sich in Sonderfällen mit hydroxylhaltigen Nucleophilen erzielen. Beispielsweise reagiert Bis(2-jodethyl)-jod-boran (Bd. XIII/3a, S. 414) mit Wasser unter Bildung der zweifachen Menge *Ethen*[2]:

$$JB(CH_2CH_2J)_2 \ + \ 3\,H_2O \longrightarrow 2\,C_2H_4 \ + \ B(OH)_3 \ + \ 3\,HJ$$

Aus 1-Chloralkyl-dimethoxy-boranen (Bd. XIII/3a, S. 689) wird mit alkalisch wäßrigem Ethanol ein trisubstituiertes Ethen abgespalten[3]:

$$\text{Cyclopentyl-C(Cl)(tert-Butyl)-B(OCH}_3)_2 \xrightarrow[-\,HCl \;\; -\,B(OH)_3]{+\,OH^{\ominus}/H_2O/H_5C_2OH} \text{(CH}_3)_3\text{C-CH=C(CH}_3)\text{-Cyclopentyl}$$

Mit Allyl-Sauerstoff-Verbindungen werden aus Trialkylboranen beim Erwärmen auf >140° Alkene verdrängt; z.B. *Buten* aus Tributylboran mit Alkyl-allyl-ethern[4,5] oder mit Allylalkohol[6,7]:

$$B(C_4H_9)_3 \ + \ HO{-}CH_2{-}CH{=}CH_2 \xrightarrow{\approx 160^\circ} C_4H_8 \ + \ C_4H_{10} \ + \ \text{(2-Butyl-1,2-oxaborolan)}$$

(2-Chloralkyl)borane lassen sich mit anionischen Reagenzien wie Hydroxid oder Alkanolat bzw. mit Aminen in substituierte Ethene umwandeln[8–12]. (*trans*-2-Chlor-subst.-cyclohexyl)borane reagieren basenkatalysiert (z.B. in Tetrahydrofuran) unter Eliminierung zu Cyclohexenen[13,14].

1,2-Desaminoborierungen lassen sich mit H-aciden sauerstoffhaltigen Reagenzien als Elektrophilen beschleunigen. *Cyclohexen* erhält man z.B. aus Dihydroxy-(1-piperidinocyclohexyl)-boran beim Erwärmen in Gegenwart von Carbonsäuren. Die Protolyse der BC-Bindung (vgl. S. 243) spielt dabei praktisch keine Rolle[15–17]:

---

[1] H.C. Brown u. N.N. Yoon, Am. Soc. **99**, 5514 (1977).
[2] H. Mongeot, Bl. **1970**, 2505.
[3] H.C. Brown, J.-J. Katz u. B.A. Carlson, J. Org. Chem. **40**, 813 (1975).
[4] s. ds. Handb., Bd. XIII/3a, S. 520 (1982).
[5] G.B. Baghdasaryan, S.M. Markoryan u. M.G. Indzhikyan, Arm. Khim. Zh. **28**, 116 (1975).
[6] s. ds. Handb., Bd. XIII/3a, S. 516 (1982).
[7] B.M. Mikhailov, V.A. Dorokhov u. N.V. Mostovoi, Ž. obšč. Chim. **1965**, 228; C.A. **64**, 14204 (1966).
[8] M.F. Hawthorne u. J.A. Dupont, Am. Soc. **80**, 5830 (1958).
[9] D.S. Matteson u. J.D. Liedtke, Am. Soc. **87**, 1526 (1965).
[10] B.M. Mikhailov u. P.M. Aronovich, Izv. Akad. SSSR **1961**, 927; engl.: 860; C.A. **55**, 24541 (1961).
[11] H.C. Brown u. O.J. Cope, Am. Soc. **86**, 1801 (1964).
[12] H.C. Brown u. R.M. Gallivan, Am. Soc. **90**, 2906 (1968).
[13] D.J. Pasto u. R. Snyder, J. Org. Chem. **31**, 2777 (1966).
[14] D.J. Pasto u. J. Hickman, Am. Soc. **90**, 4445 (1968).
[15] J.W. Lewis u. A.A. Pearce, Tetrahedron Letters **1964**, 2039.
[16] J.W. Lewis u. A.A. Pearce, Soc. [B] **1969**, 863.
[17] G. Cainelli, G. Dal Bello u. G. Zubiani, Tetrahedron Letters **1966**, 4315.

$$\text{(2-Piperidinocyclohexyl)-}B(OH)_2 + R{-}COOH \xrightarrow[-(HO)_2BN(C_5H_{10})]{\text{Diglyme, 140°}} \text{Cyclohexen}$$

Bestimmte (2-Aminocycloalkyl)borane sind gegenüber 1,2-Eliminierungen mit Carbonsäuren stabil[1].

β) mit Carbonyl-Verbindungen

β_1) *mit Aldehyden*[2]

Die Verdrängung eines Alkyl-Rests aus Trialkylboranen mit Aldehyden (Acetaldehyd, Benzaldehyd und Derivate) bei 80–160° (vgl. Bd. XIII/3a, S. 523ff.) verdankt ihre Triebkraft der Stärke der BO-Bindung[3–11]:

$$R^1_2B{-}\overset{|}{\underset{|}{C}}{-}\overset{|}{\underset{|}{C}}{-}H + R^2{-}CHO \longrightarrow \;\rangle C{=}C\langle\; + R^1_2B{-}O{-}CH_2{-}R^2$$

Formaldehyd reagiert in Gegenwart von Luftsauerstoff[12]. Vermutlich verläuft die konzertierte Reaktion über einen sechsgliedrigen Übergangszustand[6]. Die Alkyl-Reste der 9-Alkyl-9-borabicyclo[3.3.1]nonane lassen sich mit Benzaldehyd verdrängen[13–15], was auch kinetisch gemessen wurde[13]:

$$\text{(9-BBN)}B{-}C(H)(CH_3){-}C(CH_3)_2{-}H + H_5C_6{-}CHO \longrightarrow (H_3C)_2C{=}C(CH_3)H + \text{(9-BBN)}B{-}O{-}CH_2{-}C_6H_5$$

Aus (Cycloalkylmethyl)-dialkyl-boranen lassen sich beim Erhitzen mit aromatischen Aldehyden (z.B. 3,4-Dimethoxybenzaldehyd) 1,3-Bis- sowie 1,3,5-Tris(methylen)cyclohexane gewinnen; z.B.[16]:

---

[1] J.-J. BARIEUX u. J. GORE, Bl. **1971**, 1649, 3978.
[2] s. ds. Handb., Bd. V/1b, S. 799 (1972); Bd. XIII/3a, 524 (1982).
[3] H. MEERWEIN, G. HINZ, H. MAJERT u. H. SÖNKE, J. pr. **147**, 226 (1937).
[4] A.V. TOPCHIEV, A.A. PROKHOROVA, Ya. M. PAUSHKIN u. M.V. KURASHEV, Izv. Akad. SSSR **1958**, 370; engl.: 352; C.A. **52**, 12752 (1958).
[5] A.V. TOPCHIEV, Ya. M. PAUSHKIN, A.A. PROKHOROVA u. M.V. KURASHEV, Doklady Akad. SSSR **128**, 110 (1959); engl.: 713; C.A. **54**, 1268 (1960).
[6] B.M. MIKHAILOV, Yu. N. BUBNOV u. K.G. KISELEV, Ž. obšč. Chim. **36**, 62 (1966); C.A. **64**, 15908 (1966).
[7] E.A. TIMOFEEVA, G.A. LUTSENKO u. N.I. SHUIKIN, Izv. Akad. SSSR **1967**, 1152; engl.: 1117; C.A. **68**, 39676 (1968).
[8] B.M. MIKHAILOV, Yu. N. BUBNOV, S.A. KOROBEINIKOVA u. S.I. FROLOV, Izv. Akad. SSSR **1968**, 1923; engl.: 1839; C.A. **70**, 4171 (1969).
[9] M.M. MIDLAND, J.E. PETRE, S.A. ZDERIC u. A. KAZUBSKI, Am. Soc. **104**, 528 (1982).
[10] H.C. BROWN, P.K. JADHAV u. M.C. DESAI, Am. Soc. **104**, 4303 (1982).
[11] M.E. GURSKII, S.V. BARANIN u. B.M. MIKHAILOV, Izv. Akad. SSSR **1980**, 2188; C.A. **94**, 30233 (1981).
[12] N. MIYAURA, M. ITOH, A. SUZUKI, H.C. BROWN, M.M. MIDLAND u. P. JACOB III, Am. Soc. **94**, 6549 (1972).
[13] M.M. MIDLAND, A. TRAMONTANO u. S.A. ZDERIC, J. Organometal. Chem. **156**, 203 (1978).
[14] M.M. MIDLAND, S. GREER, A. TRAMONTANO u. S.A. ZDERIC, Am. Soc. **101**, 2352 (1979).
[15] M.M. MIDLAND, Aspects Mech. Organomet. Chem. **1978**, 207, 215ff.
[16] M.E. GURSKII, S.V. BARANIN, A.S. SHASHKOV, A.I. LUTSENKO u. B.M. MIKHAILOV, J. Organometal. Chem. **246**, 129 (1983).

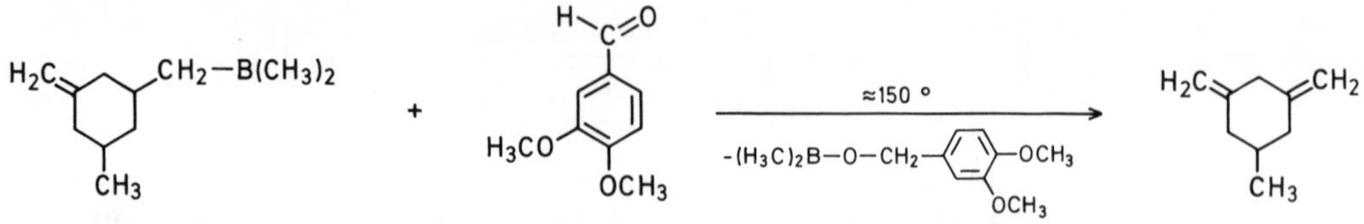

H_2C= (3-Methyl-cyclohexyl) $CH_2-B(CH_3)_2$ + H_3CO, OCH_3-Benzaldehyd (H–C=O) $\xrightarrow[-(H_3C)_2B-O-CH_2-C_6H_3(OCH_3)_2]{\approx 150°}$ H_2C=, =CH_2, CH_3

Aus Dialkyl-*trans*-myrtanyl-boranen erhält man mit Benzaldehyd *β-Pinen*[1]:

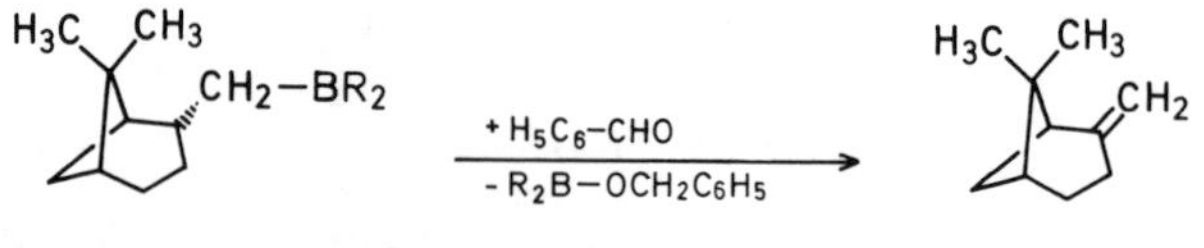

H_3C, CH_3, CH_2-BR_2 $\xrightarrow[-R_2B-OCH_2C_6H_5]{+H_5C_6-CHO}$ H_3C, CH_3, =CH_2

Die Umwandlung von Cyclohexylmethyl-diorgano-boranen mit Benzaldehyd liefert unter Verdrängung Methylencyclohexane[2]. In speziellen Fällen lassen sich auch Alkenyl-Gruppen dehydroborieren: 9-(3-Butenyl)-9-borabicyclo[3.3.1]nonan reagiert bei 60–100° mit Methacrolein unter Dehydroborierung von *1,3-Butadien*[3].

α-Pinen wird bei der Herstellung chiraler Diorganooxy-organo-borane unter Verdrängung (vgl. Bd. XIII/3a, S. 525) aus Diisopinocampheyl-organo-boranen mit Acetaldehyd abgespalten[4]:

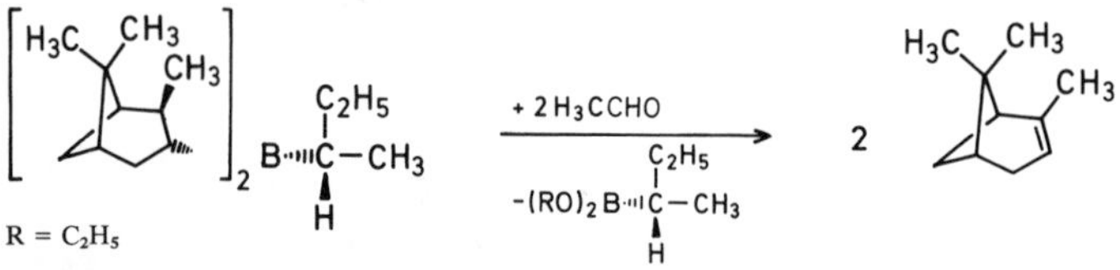

$[H_3C, CH_3, CH_3]_2$ B–C(C_2H_5)(H)–CH_3 $\xrightarrow[-(RO)_2B-C(C_2H_5)(H)-CH_3]{+2\,H_3CCHO}$ 2 (H_3C, CH_3, CH_3)

R = C_2H_5

1 mol Diisopinocampheyl-hydro-boran reagiert mit Benzaldehyd bei 100° unter Reduktion des Aldehyds quantitativ zu 2 mol *α-Pinen*[5]:

$[H_3C, CH_3, CH_3]_2BH$ + 3 H_5C_6-CHO ⟶ 2 (H_3C, CH_3, CH_3) + $B(O-CH_2-C_6H_5)_3$

Mit Acetaldehyd läßt sich aus Hydro-isopinocampheyl-organo-boranen unter Aldehyd-Reduktion ebenfalls *α-Pinen* abspalten[6]:

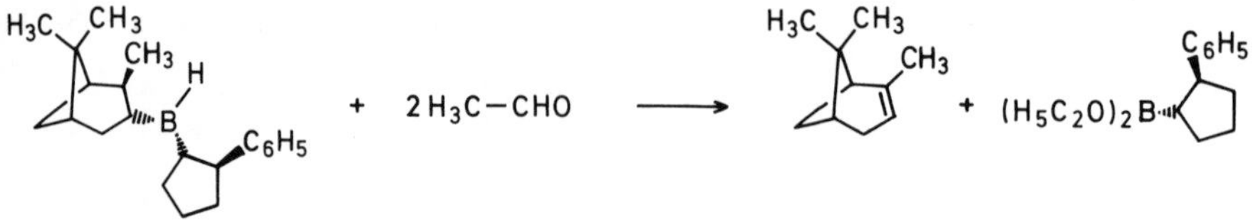

(H_3C, CH_3, CH_3)–B(H)–(2-C_6H_5-cyclopentyl) + 2 H_3C-CHO ⟶ (H_3C, CH_3, CH_3) + $(H_5C_2O)_2B$–(2-C_6H_5-cyclopentyl)

---

[1] M.M. Midland, J.E. Petre, S.A. Zderic u. A. Kazubski, Am. Soc. **104**, 528 (1982).
[2] M.E. Gurskii. S.V. Baranin u. B.M. Mikhailov, Izv. Akad. SSSR **1980**, 2188; C.A. **94**, 30233 (1981).
[3] R. Köster, W. Fenzl u. H.J. Zimmermann, unveröffentlicht.
vgl. H.J. Zimmermann, Dissertation, S. 30, 64, 165, Universität Bochum 1971.
[4] H.C. Brown, P.K. Jadhav u. M.C. Desai, Am. Soc. **104**, 4303 (1982); Tetrahedron **40**, 1325 (1984).
[5] H.C. Brown, P.K. Jadhav u. M.C. Desai, J. Org. Chem. **47**, 4583 (1982).
[6] H.C. Brown, P.K. Jadhav u. M.C. Desai, Am. Soc. **104**, 4303 (1982).

Auch Carboranyl-dialkyl-borane (Bd. XIII/3b, S. 398) spalten beim Erhitzen mit Aldehyden Alken ab[1,2].

β₂) mit Ketonen

Die Abspaltung von Alken aus Alkylboranen ist auch mit Keto-Funktionen möglich. Mit Indantrion wird aus Triethyl-boran bei ≈100° ein Ethen/Ethan-Gemisch erhalten[3]. Intramolekular cyclisiert z.B. Diisopropyl-(1,2-diphenyl-2-oxo-ethoxy)-boran beim Erwärmen unter Abspalten von *Propen* zum 1,3,2-Dioxaborolan[4]:

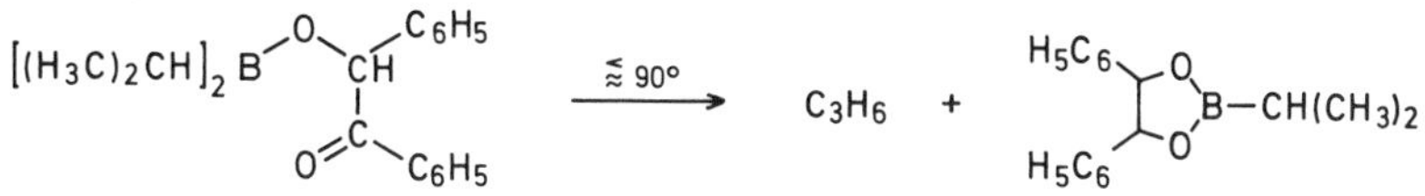

$$[(H_3C)_2CH]_2B{-}O{-}CH(C_6H_5){-}C(=O){-}C_6H_5 \xrightarrow{\lesssim 90°} C_3H_6 + \text{4,5-}(C_6H_5)_2\text{-1,3,2-dioxaborol-2-yl}{-}CH(CH_3)_2$$

Beim 9-(3-Pinanyl)-9-borabicyclo[3.3.1]nonan läßt sich mit prochiralen Ketonen (z.B. Acetophenon) bei erhöhtem Druck (2000–6000 atm) die *α-Pinen*-Verdrängung unter besonders effizienter asymmetrischer Keton-Reduktion durchführen[5].

4. mit schwefelhaltigen Reagenzien

Sek. Alkyl-Reste der Trialkylborane werden bei ≈170° mit Dimethylsulfoxid als Alken verdrängt[6]:

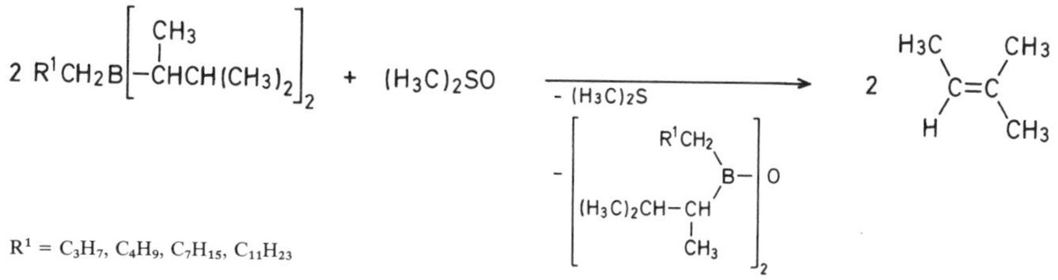

$$2\ R^1CH_2B[-CH(CH_3)CH(CH_3)_2]_2 + (H_3C)_2SO \xrightarrow[-\ (H_3C)_2S]{} 2\ (H_3C)HC{=}C(CH_3)_2 - [R^1CH_2{-}B(-CH(CH_3)CH(CH_3)_2){-}]_2O$$

$R^1 = C_3H_7, C_4H_9, C_7H_{15}, C_{11}H_{23}$

5. mit stickstoffhaltigen Reagenzien

Mit Nitrosoalkanen oder mit Azo-Verbindungen lassen sich aus Trialkylboranen ein bis zwei Alkyl-Reste als Alkene verdrängen.

1 mol Trialkylboran reagiert mit 2-Methyl-2-nitroso-propan bereits bei ≈20° exotherm unter Abspaltung von 1 mol Alken[7-9]; z.B.:

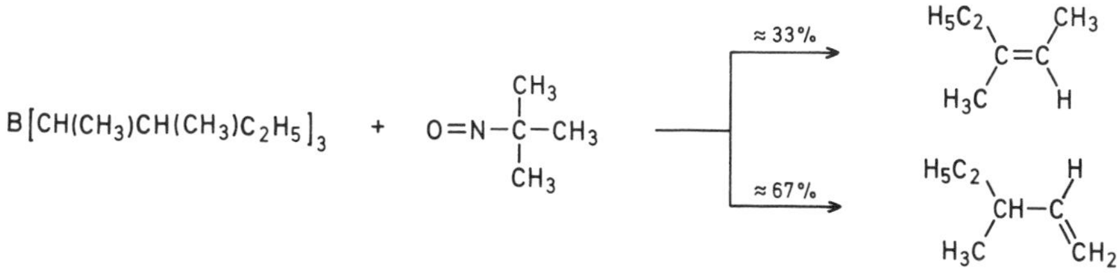

$$B[CH(CH_3)CH(CH_3)C_2H_5]_3 + O{=}N{-}C(CH_3)_3 \longrightarrow \begin{cases} \xrightarrow{\approx 33\%} (H_5C_2)(H_3C)C{=}CH(CH_3) \\ \xrightarrow{\approx 67\%} (H_5C_2)(H_3C)CH{-}CH{=}CH_2 \end{cases}$$

---

[1] B.M. Mikhailov u. E.A. Shagova, Ž. obšč. Chim. **45**, 1052 (1975); engl.: 1039; C.A. **83**, 97432 (1975).
[2] s. ds. Handb., Bd. XIII/3b, S. 399 (1983).
[3] s. ds. Handb., Bd. XIII/3a, S. 663 (1982).
[4] R. Köster, H.-J. Zimmermann u. W. Fenzl, A. **1976**, 1116, 1124.
[5] M.M. Midland u. J.I. McLaughlin, J. Org. Chem. **49**, 1317 (1984).
[6] Y. Masuda, M. Hoshi u. A. Arase, Bl. chem. Soc. Japan **52**, 271 (1979).
[7] A.G. Davies, K.G. Foot, B.P. Roberts u. J.C. Scaiano, J. Organometal. Chem. **31**, C1 (1971).
[8] K.G. Foot u. B.P. Roberts, Soc. [C] **1971**, 3475.
[9] s. ds. Handb., Bd. XIII/3a, S. 592 (1982).

Praktisch quantitativ spaltet sich bei ≈20° aus 1 mol Trialkylboran (Alkyl = Ethyl, Butyl) mit Azodicarbonsäurediethylester bzw. mit Dibenzoyldiazen[1-3] 1 mol Alken ab; z.B.[2]:

$$2\,B(C_4H_9)_3 + R^1-\underset{\underset{O}{\|}}{C}-N=N-\overset{\overset{O}{\|}}{C}-R^1 \xrightarrow{\approx 20°} 2\,C_4H_8 + [\text{Cyclus: } (H_9C_4)_2B,\ N,\ C(R^1),\ O \ldots]$$

$R^1 = OC_2H_5$[1,2]; C_6H_5[2]

cis-Azobenzol eliminiert aus Tributylboran einen Butyl-Rest als *Buten*[1]. *trans*-Azobenzol reagiert nicht[1]. Auch verschiedene NO-Verbindungen (z.B. Distickstoffoxid bei 70°, Azobenzol bei 140°) spalten aus Trialkylboranen einen Alkyl-Rest als Alken ab[4]. Ähnlich reagiert Triethylboran mit N-Methylbenzaldimin[4].

Mit Nitrilen reagieren Trialkylborane beim Erhitzen auf 150–160° unter Freisetzen einer Alkyl-Gruppe als Alken[5,6].

6. mit Lewis-Säuren

Die Abspaltung von Diorgano-trimethylsilyloxy-boran aus Diorgano-(2-trimethylsilyloxyalkyl)-boranen, die bei offenkettigen Verbindungen unter 1,2-*cis*-Eliminierung spontan erfolgen[7,8], werden bei cyclischen Verbindungen von Lewis-Säuren wie z.B. Diethylether-Trifluorboran katalysiert. Man gewinnt Cycloalkene[8,9]; z.B.:

$$\text{Cyclohexan-}(H)(OSi(CH_3)_3)(B<)(H) \xrightarrow[-\ >BOSi(CH_3)_3]{(H_5C_2)_2O-BF_3} \text{Cyclohexen}$$

7. mit Nucleophilen

Das aus *cis-β*-Ethoxystyrol unter Deuterioborierung gewonnene Produkt wird mit Butyllithium durch *trans*-Desoxyborierung von Dipropyl-ethoxy-boran in *cis-β-Deuterostyrol* übergeführt[10]:

$$H_5C_6(H)C=C(H)OC_2H_5 \xrightarrow{+DB(C_3H_7)_2} (H_7C_3)_2B-\overset{H_5C_6}{\underset{H}{C}}-\overset{OC_2H_5}{\underset{H}{C}}-D \xrightarrow[-(H_7C_3)_2B-OC_2H_5]{H_9C_4Li} H_5C_6(H)C=C(H)D$$

Auch die Abspaltung von Dipropyl-phenylthio-boran (1,2-Dethioborierung) aus Dipropyl-(1-phenyl-2-phenylthio-ethyl)-boran mit Butyllithium erfolgt als *trans*-1,2- Eliminierung[10]. Das aus Deuterio-dipropyl-boran mit *trans-β*-Pyrrolidinostyrol zugängliche Boran wird mit Butyllithium unter *trans*-1,2-Desaminoborierung in *cis-β-Deuteriostyrol* übergeführt[10].

[1] A.G. Davies, B.P. Roberts u. J.C. Scaiano, Soc. [Perkin II] **1972**, 803.
[2] A. Haag u. H. Baudisch, Tetrahedron Letters **1973**, 401.
[3] s. ds. Handb., Bd. XIII/3b, S. 640 (1983).
[4] P. Paetzold u. G. Schimmel, Z. Naturf. **35b**, 568 (1980).
[5] V.A. Dorokhov u. M.F. Lappert, Soc. [A] **1969**, 433.
[6] s. ds. Handb., Bd. XIII/3b, S. 670 (1983).
[7] G.L. Larson, D. Hernández u. A. Hernández, J. Organometal. Chem. **76**, 9 (1974).
[8] G.L. Larson u. A. Hernández, J. Organometal. Chem. **102**, 123 (1975).
[9] G.L. Larson, A. Hernández, C. Alonso u. I. Nieves, Tetrahedron Letters **1975**, 4005.
[10] D.J. Pasto u. R. Snyder, J. Org. Chem. **31**, 2777 (1966).

8. mit (Übergangs)metall-Verbindungen

Verschiedene Metall-Verbindungen eignen sich zur Umwandlung von Organoboranen in Alkene.

Mit Silbernitrat in wäßrig-ethanolischer Lösung wird (1-Chlor-1-cyclopentyl-2,2,3-trimethyl-butyl)-dimethoxy-boran bei 25° in *2-Cyclopentyl-3,4-dimethyl-2-penten* umgewandelt[1]:

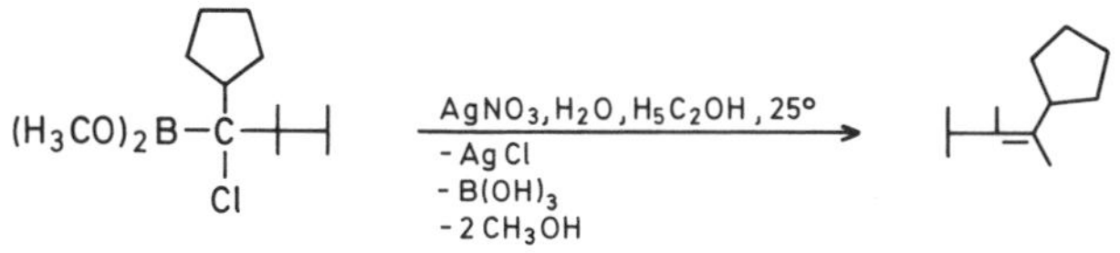

$(H_3CO)_2B-C(Cl)(C_5H_9)-C(CH_3)_2-CH(CH_3)_2 \xrightarrow[-\,AgCl \; -\,B(OH)_3 \; -\,2\,CH_3OH]{AgNO_3, H_2O, H_5C_2OH, 25°}$ 2-Cyclopentyl-3,4-dimethyl-2-penten

Mit alkalisch-wäßriger Silbernitrat-Lösung lassen sich 1,2-De-diborierungen durchführen; z.B.[2]:

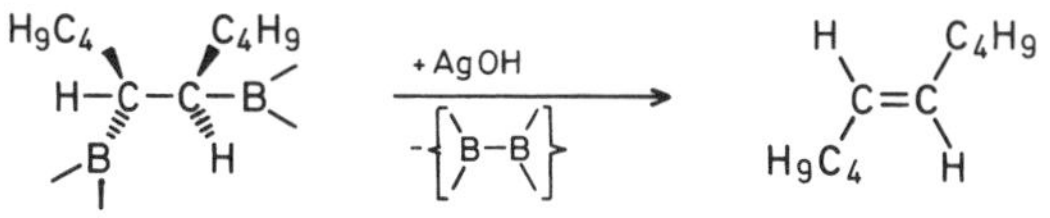

$H_9C_4-CH(B<)-CH(C_4H_9)-B< \xrightarrow[-\{>B-B<\}]{+AgOH} H(H_9C_4)C=C(C_4H_9)H$

Die Einwirkung von Quecksilber(II)-chlorid auf 1,2-Bis(dioxyboryl)alkane in alkalischer Lösung liefert Alkene[3-5]; z.B.:

$$(HO)_2B-CH_2-CH_2-B(OH)_2 \xrightarrow[-Hg_2Cl_2 \; -2Cl^-]{+2HgCl_2 \; +2OH^-} C_2H_4 + 2B(OH)_3$$

Aus *threo*-α,β-Diborylalkanen erhält man mit Chrom(VI)-oxid in Pyridin ausschließlich (E)-Alkene[6,7]:

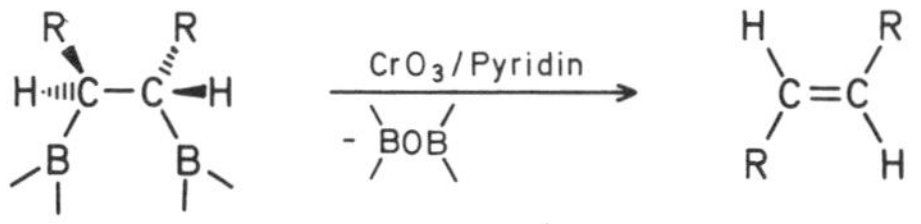

$R(H)(>B)C-C(H)(R)(B<) \xrightarrow[-\,>BOB<]{CrO_3/Pyridin} H(R)C=C(R)H$

$R = C_6H_5$[6]; C_4H_9[7]

b) Heteroatomhaltige Alkene

Heteroatomhaltige, olefinische Kohlenwasserstoffe (Heteroatom: z.B. D, Hal, N, Si) lassen sich aus Organobor-Verbindungen durch Erhitzen oder in Gegenwart von Säuren, Basen oder anionischen Nucleophilen gewinnen.

---

[1] H.C. Brown, J.-J. Katz u. B.A. Carlson, J. Org. Chem. **40**, 813 (1975).
[2] K. Avasthi, S.S. Ghosh u. D. Devaprabhakara, Tetrahedron Letters **1976**, 4871.
[3] D.S. Matteson u. J.G. Shdo, J. Org. Chem. **29**, 2742 (1964).
[4] D.S. Matteson, R.A. Bowie u. G. Srivastava, J. Organometal. Chem. **16**, 33 (1969).
[5] s. ds. Handb., Bd. XIII/2b, S. 81 (1974).
[6] M.M. Bhagwat, I. Mehrotra u. D. Devaprabhakara, Tetrahedron Letters **1975**, 167.
[7] V.V. Ramana Rao, S.K. Agarwal, I. Mehrotra u. D. Devaprabhakara, J. Organometal. Chem. **166**, 9 (1979).

1. Deuterierte Alkene

Definiert deuterierte Alkene erhält man aus Borylalkanen, die in 2-Position deuteriert und heterofunktion-substituiert sind. Die Reaktion erfolgt unter 1,2-Eliminierung mit Hilfe von Basen (z.B. Benzyllithium) oder von Säuren (z.B. Diethylether-Trifluorboran)[1].

2. Halogenalkene

cis- oder *trans*-1-Bromalkene lassen sich aus Dialkyl-(1,2-dibromalkyl)-boranen mit Wasser oder thermisch[2] bzw. aus 2-(1,2-Dibrom-3-phenyl-ethyl)-1,3,2-dioxaborolan thermisch oder mit Lewisbasen[3] gewinnen; z.B.[3]:

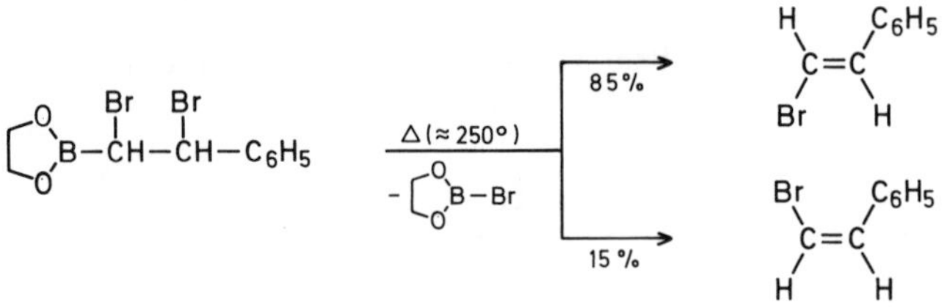

Br Br
B–CH–CH–C_6H_5
Δ (≈ 250°)
– B–Br
85%
H C_6H_5 C=C Br H
15%
Br C_6H_5 C=C H H

3. Silylalkene

1-Silylalkene erhält man aus Diorgano-(2-silylethyl)-boranen mit Basen wie z.B. mit Natriummethanolat in Methanol unter 1,2-Eliminierung[4]:

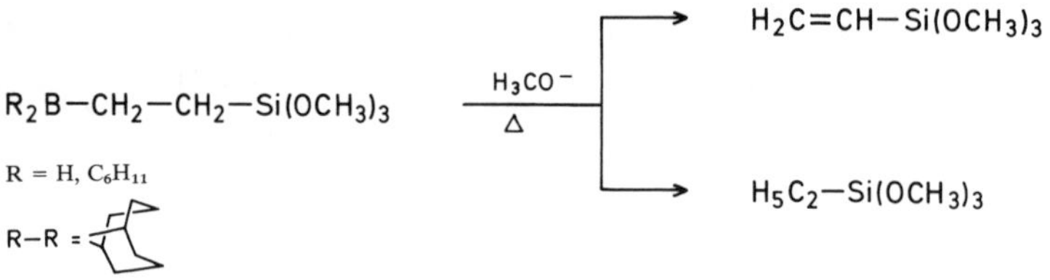

$R_2B-CH_2-CH_2-Si(OCH_3)_3$ $\xrightarrow[\Delta]{H_3CO^-}$ $H_2C=CH-Si(OCH_3)_3$ + $H_5C_2-Si(OCH_3)_3$

R = H, C_6H_{11}

R–R =

Substituierte 1-Trimethylsilylethene bilden sich auch aus substituierten (2-Boryl-ethyl)-trimethyl-silanen mit Triethylaluminium unter B/Al-Austausch und nachfolgender 1,2-Eliminierung von Diethyl-methoxy-aluminium[5]:

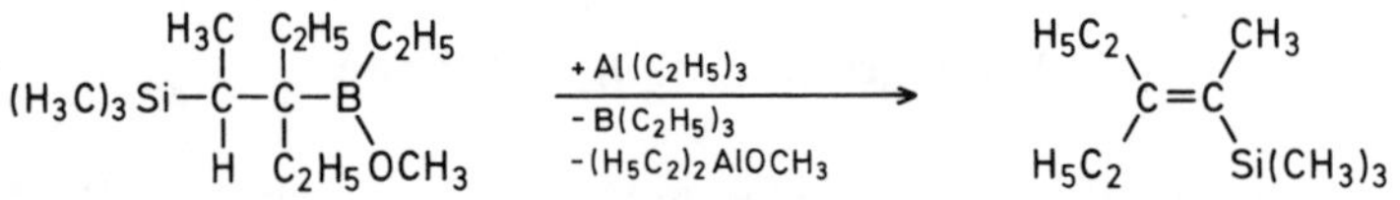

$(H_3C)_3Si-C(H)(CH_3)-C(C_2H_5)_2-B(C_2H_5)(OCH_3)$ $\xrightarrow[-B(C_2H_5)_3,\ -(H_5C_2)_2AlOCH_3]{+Al(C_2H_5)_3}$ $(H_5C_2)_2C=C(CH_3)Si(CH_3)_3$

c) Alkadiene

Die Einwirkung von Lewisbasen oder von anionischen Nucleophilen führt aus jeweils bestimmten Organobor-Verbindungen unter 1,x-Eliminierung zu 1,2-, 1,4-, 1,5- und 1,6-Alkadienen.

[1] D.J. Pasto u. R. Snyder, J. Org. Chem. **31**, 2777 (1966).
[2] H.C. Brown, D.A. Bowman, S. Misumi u. M.K. Unni, Am. Soc. **89**, 4531 (1967).
[3] M.F. Lappert u. B. Prokai, J. Organometal. Chem. **1**, 384 (1964).
[4] P.R. Jones u. T.F.O. Lim, J. Organometal. Chem. **120**, 27 (1976).
[5] P. Binger u. R. Köster, Synthesis **1973**, 309.

Aus (1-Chlormethyl-1-alkenyl)-dialkyl-boranen erhält man mit wäßrigem Natriumhydroxid unter Abspaltung von Dialkyl-hydroxy-boran und Natriumchlorid 1,2-Alkadiene[1]:

$$(R^1)(H)C{=}C(CH_2Cl)(BR^2_2) + NaOH \xrightarrow{-NaCl} R^1{-}CH{=}C{=}CH_2 + R^2_2B{-}OH$$

$R^1 = C_4H_9$ (64%); $C(CH_3)_3$ (65%); C_6H_{11} (72%); C_6H_5 (73%)
$R^2 = CH_2CH_2CH(CH_3)_2$

Die Umwandlung der (3-Chlor-1-propenyl)-dialkyl-borane mit Basen liefert *Allen* und wenig *Propin*[2]; z.B.:

$$R_2B{-}CH{=}CH{-}CH_2{-}Cl + Na[BR_4] \xrightarrow[-2\,R_3B]{-NaCl} \begin{cases} \approx 95\% & H_2C{=}C{=}CH_2 \\ \approx 5\% & HC{\equiv}C{-}CH_3 \end{cases}$$

$R = C_2H_5, C_3H_7$

Sauerstoffhaltige 1,2-Alkadiene (*Ethoxyallene*) gewinnt man aus Diorgano-(1,1-diethoxymethyl-1-alkenyl)-boranen durch spontane Abspaltung von Diorgano-ethoxyboranen[3]:

$$H_2C{=}C(CH(OC_2H_5)_2)(BR_2) \xrightarrow{-R_2BOC_2H_5} H_2C{=}C{=}CH{-}OC_2H_5$$

$R = CH(CH_3)CH(CH_3)_2, C_6H_{11}$

Die 1,2-Eliminierung von Butyloxy-diallyl-boran aus (2-Butyloxy-4-pentenyl)-diallyl-boran [aus Triallylboran mit Alkyl-vinyl-ether] beim Erwärmen auf ≦140° führt zu *1,4-Pentadien*[4]:

$$(H_5C_3)_2BCH_2CH(OC_4H_9)CH_2CH{=}CH_2 \xrightarrow[-(H_5C_3)_2BOC_4H_9]{110-140°} H_2C{=}CH{-}CH_2{-}CH{=}CH_2$$

Aus Allyl-butyloxy-(2-butyloxy-4-pentenyl)-boran erhält man unter Abspaltung von Allyl-dibutyloxy-boran entsprechend *1,4-Pentadien*[5]:

$$(H_5C_3)(H_9C_4O)BCH_2CH(OC_4H_9)CH_2CH{=}CH_2 \xrightarrow{-H_5C_3B(OC_4H_9)_2} H_2C{=}CH{-}CH_2{-}CH{=}CH_2$$

Mit Basen lassen sich aus alkylsubstituierten 1-Dihydroxyboryl-4-mesyloxy-cyclohexanen offenkettige 1,5-Alkadiene gewinnen. Die transanullaren 1,4-Eliminierungen verlaufen vermutlich über mehrgliedrige Übergangszustände[6-9]:

---

[1] G. Zweifel, A. Horng u. J.T. Snow. Am. Soc. **92**, 1427 (1970).
[2] P. Binger u. R. Köster, Ang. Ch. **74**, 652 (1962); engl.: **1**, 508.
[3] G. Zweifel, A. Horng u. J.E. Plamondon, Am. Soc. **96**, 316 (1974).
[4] B.M. Mikhailov u. Yu. N. Bubnov, Tetrahedron Letters **1971**, 2127.
[5] B.M. Mikhailov u. Yu. N. Bubnov, Ž. obšč. Chim. **41**, 2039 (1971); C.A. **76**, 45655 (1972).
vgl. Ethen-Bildung: B.M. Mikhailov u. A.N. Blokhina, Izv. Akad. SSSR **1962**, 1373; engl.: 1289: C.A. **59**, 5707 (1963).
[6] s. ds. Handb., Bd. V/1b, S. 767 (1972).
J.A. Marshall, Tetrahedron Letters **1970**, 3861.
[7] J.A. Marshall, Synthesis **1971**, 229.
[8] M. Miyashita, T. Yanami u. A. Yoshikoshi, Chem. Commun. **1972**, 846.
[9] J.A. Marshall u. R.D. Peveler, Syn. Commun. **3**, 167 (1973).

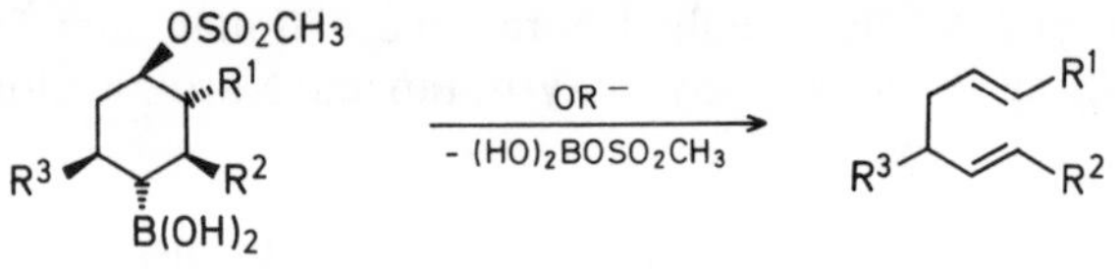

$R^1 = H; CH_3$
$R^2 = CH_3; C_2H_5$
$R^3 = H, CH_3$

Unter der Einwirkung von Natronlauge werden aus in situ erzeugten Bicycloalkyl-dihydroxy-boranen u.a. 1,6-Cycloalkadiene [und/oder Tricycloalkane; vgl. S. 275] abgespalten[1–4]; z.B.:

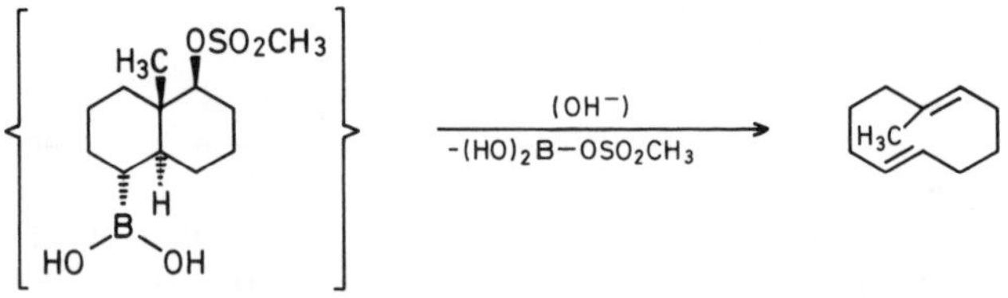

d) Alkatriene

1,2,3-Alkatriene sind aus speziellen (mehrfach ungesättigten, jodhaltigen) Organoboranen mit nucleophilen Reagenzien präparativ zugänglich.

Aus (1-Alkyliden-2-jod-2-alkenyl)-methoxy-thexyl-boran (vgl. Bd. XIII/3a, S. 533) bildet sich mit Natriummethanolat unter 1,2-Dejodoborierung ein 1,4-disubstituiertes 1,2,3-Butatrien[5]:

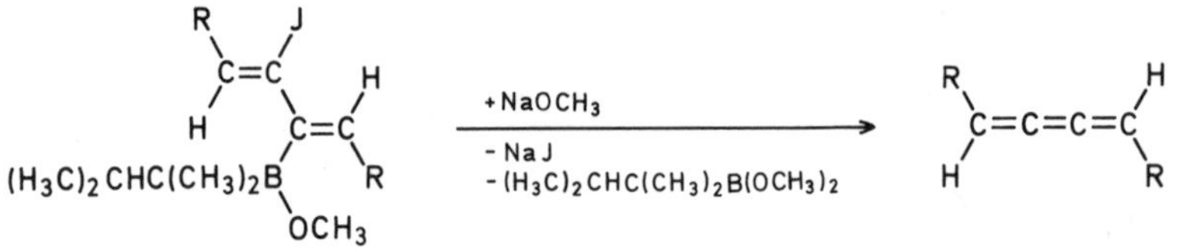

$R = C_4H_9; C_6H_{11}$

e) Alkine

Mit Nucleophilen erhält man aus halogenhaltigen Vinylboranen Acetylen oder Alkine.

Aus (*trans*-2-Chlorvinyl)-dihydroxy-boran läßt sich mit wäßrigem Natriumhydroxid *Acetylen* abspalten[6]:

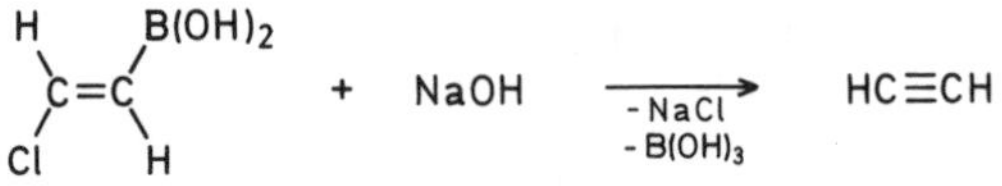

$$ClCH{=}CH{-}B(OH)_2 + NaOH \xrightarrow[-B(OH)_3]{-NaCl} HC{\equiv}CH$$

(*trans*-2-Brom-1-alkenyl)-dibrom-boran (vgl. Bd. XIII/3a, S. 415) reagiert mit Pyridin unter Bildung von *Acetylen* (*trans*-1,2-Eliminierung)[7]:

---

[1] J.A. MARSHALL, Synthesis **1971**, 229.
[2] s. ds. Handb., Bd. V/1b S. 767–769 (1972).
[3] J.A. MARSHALL u. J.H. BABLER, Tetrahedron Letters **1970**, 3861.
[4] J.A. MARSHALL u. G.L. BUNDY, Am. Soc. **88**, 4291 (1966).
[5] T. YOSHIDA, R.M. WILLIAMS u. E. NEGISHI, Am. Soc. **96**, 3688 (1974).
[6] A.F. BRISOV, Izv. Akad. SSSR **1951**, 402; C.A. **46**, 2995 (1951).
[7] M.F. LAPPERT u. B. PROKAI, J. Organometal. Chem. **1**, 384 (1964).

1,2-Dejodoborierungen verlaufen mit Nucleophilen z.B. über die in situ auftretenden *trans*-(2-Jodethenyl)borane zum disubstituierten Alkin[1]:

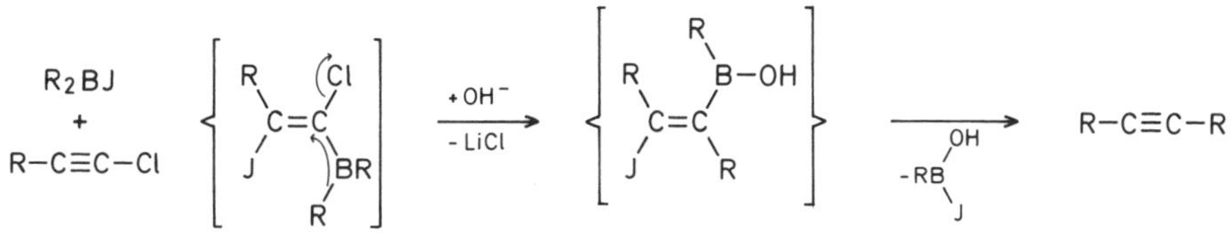

R = C_4H_9, C_5H_{11}, $CH_2CH(CH_3)_2$, C_6H_{13}

Mit Methansulfinylchlorid als Elektrophil läßt sich aus 1-Alkinyl-triorgano-boraten nach Alkyl-Wanderung (vgl. S. 259f., 267) über das (nicht isolierte) Diorgano-(*cis*-methansulfinyl-1-alkenyl)-boran unter spontaner *cis*-Eliminierung von Diorgano-methansulfenyloxy-boran vorwiegend Alkin (≈60–80%) gewinnen[2,3]; z.B.:

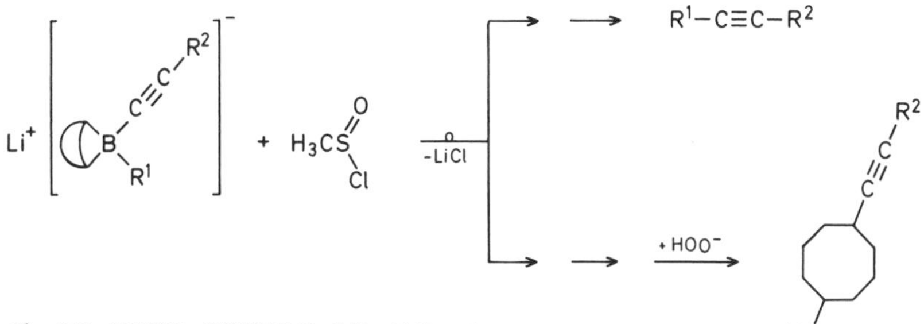

R^1 = C_4H_9; $CH(CH_3)_2$, $CH(CH_3)C_2H_5$, C_6H_{11}, 10-Pinanyl
R^2 = C_5H_{11}; C_6H_5

II. Organo-Verbindungen unter Elementersatz des Bor-Atoms in Organobor-Verbindungen

a) Organo-Wasserstoff-Verbindungen (Protodeborylierungen)

Aus Organobor-Verbindungen sind unter Protodeborylierung aliphatische, aromatische und ungesättigte Kohlenwasserstoffe präparativ zugänglich[4]:

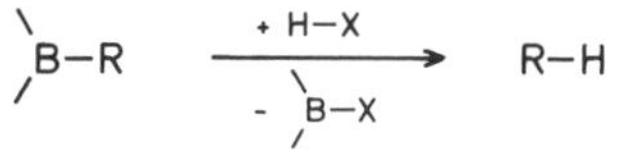

1. Alkane, Cycloalkane und Arylalkane

Gesättigte Kohlenwasserstoffe erhält man aus aliphatischen Organobor-Verbindungen mit Wasserstoff unter Druck. Zahlreiche H-acide Verbindungen eignen sich für die BC-Protolyse. Intra- und intermolekular können auch CH-Bindungen reagieren. Die Proto-

[1] K. YAMADA, N. MIYAURA, M. ITOH u. A. SUZUKI, Tetrahedron Letters **1975**, 1961.
[2] M. NARUSE, K. UTIMOTO u. H. NOZAKI, Tetrahedron Letters **1973**, 1847.
[3] M. NARUSE, K. UTIMOTO u. H. NOZAKI, Tetrahedron **30**, 2159 (1974).
[4] T. ONAK, *Protodeboronation Reagents,* in *Organoborane Chemistry*, Academic Press, New York 1975.

lyse von Austauschgemischen der Organobor-Verbindungen mit metallorganischen Verbindungen verwendet man oft zur Gewinnung aliphatischer Kohlenwasserstoffe aus B-Alkyl-Resten.

α) mit Dihydrogen unter Druck

Aliphatische und aromatische Triorganoborane reagieren oberhalb ≈140° mit Dihydrogen unter Druck[1]. Einzelne sowie sämtliche Organo-Reste lassen sich als Alkan, Cycloalkan oder Aren abspalten[2-6].

Katalysatoren[7-10] sind für die BC-Hydrierungen entbehrlich[4]. Die Hydriergeschwindigkeit nimmt von den Aryl- über die Alkyl-Reste bis zum Methyl-Rest hin ab[4]. Unter Zusatz von Trialkylaminen wie z.B. von Triethylamin lassen sich Folgereaktionen der Hydroborane weitgehend ausschließen, da thermisch stabile Trialkylamin-Trihydroborane gebildet werden[3,4,11]:

$$R^1_3B \;+\; 3\,H_2 \;+\; R^2_3N \xrightarrow{150-220°} 3\,R^1H \;+\; R^2_3N{-}BH_3$$

R^1: C_2H_5, C_3H_7
R^2: C_2H_5, C_4H_9

In Gegenwart von Alkalimetallen oder Alkalimetallhydriden erhält man aus B-Alkyl-Resten ebenfalls Alkane neben Alkalimetalltetrahydroborat[2,12]:

$$R^1_3B \;+\; 3\,H_2 \;+\; MH \xrightarrow{\approx 200°} 3\,R^1H \;+\; M[BH_4]$$

$R^1 = C_2H_5, C_3H_7$
$M = Na, K$

Trialkylborane spalten mit Dihydrogen unter Druck auch in Anwesenheit von Calciumcarbid Alkane ab[12]:

$$2\,BR_3 \;+\; 10\,H_2 \;+\; CaC_2 \longrightarrow 6\,RH \;+\; C_2H_6 \;+\; Ca(BH_4)_2$$

$R = C_2H_5, C_3H_7$

Die Hydrierung der Alkene zu Alkanen[13] erfolgt auch mit Dihydrogen unter Druck bei ≧220° in Gegenwart der Trialkylborane als Katalysatoren[4,11,13,14].

---

[1] s. ds. Handb., Bd. V/1a, S. 59 (1970); Bd. XIII/3a, S. 325, 353f (1982); Bd. XIII/3b, S. 75, 476 (1983).
[2] R. Köster, Ang. Ch. **68**, 383 (1956).
[3] R. Köster, Ang. Ch. **69**, 94 (1957).
[4] R. Köster, G. Bruno u. P. Binger, A. **644**, 1 (1961).
[5] DDR. P. 21052 (1957); DBP 1048586 (1956/1959); US.P. 3068285 (1957/1962), Studiengesellschaft Kohle mbH., Erf.: R. Köster; C.A. **55**, 3433 (1961).
[6] DDR.P. 16560 (1957), Studiengesellschaft Kohle mbH., Erf. R. Köster, H. Lehmkuhl u. G. Bruno.
[7] H.E. Podall, H.E. Petree u. J.R. Zietz, J. Org. Chem. **24**, 1222 (1959).
[8] R. Klein, A.D. Bliss, L.J. Schoen u. H.G. Nadeau, Am. Soc. **83**, 4131 (1961).
[9] M.A. Wahab, Indian J. Chem. **11**, 137 (1961).
[10] US.P. 2946664 (1960), Olin Mathieson Chem. Corp., Erf.: R. Klein, H.G. Nadeau, L.J. Schoen u. A.D. Bliss; C.A. **54**, 23228 (1960).
[11] DDR.P. 21052 (1957); DBP 1048586 (1956/1959), Studiengesellschaft Kohle mbH., Erf.: R. Köster; C.A. **55**, 3433 (1961).
US.P. 3068285 (1957/1962), Studiengesellschaft Kohle mbH., Erf.: R. Köster.
[12] DBP 1054438 (1957/1959), Studiengesellschaft Kohle mbH., Erf.: R. Köster; C.A. **55**, 68021 (1961).
[13] E.J. DeWitt, F.L. Ramp u. L.E. Trapasso, Am. Soc. **83**, 4672 (1961).
[14] F.L. Ramp, E.J. DeWitt u. L.E. Trapasso, J. Org. Chem. **27**, 4368 (1962).

Aliphatische und aromatische Organodiborane(6) reagieren mit Dihydrogen unter Druck oberhalb ≈ 140° unter Bildung von Kohlenwasserstoffen[1]. Auch die Hydrogenolyse der Organo-Reste von Halogen-organo-boranen sollte sich unter den Bedingungen des >BH-katalysierten Substituentenaustauschs bis zu einem bestimmten Dealkylierungsgrad durchführen lassen. Die Reaktionen wurden jedoch noch nicht näher untersucht. Die Abspaltung von Alkanen aus Alkoxy-alkyl-boranen ist mit Dihydrogen unter Druck bei den erhöhten Temperaturen ebenfalls nur beim >BH-katalysierten Alkyl/Alkoxy-Austausch möglich[1].

$$2\ R^1_2BOR^2 \quad + \quad R^1_2BH \quad \longrightarrow \quad 2\ R^1_3B \quad + \quad R^1B(OR^2)_2$$

$R^1 = C_2H_5, C_3H_7$
$R^2 = C_2H_5, C_4H_9$

$$2\ R_3B \quad + \quad 6\ H_2 \quad \longrightarrow \quad 6\ RH \quad + \quad B_2H_6$$

$R = C_2H_5, C_3H_7, C_4H_9$

Alkyl- und Aryl-Reste von Amin-Triorganoboranen lassen sich mit Dihydrogen unter Druck oberhalb ≈ 160° als Alkan oder Aren (vgl. S. 242) abhydrieren[1]. Die Hydrogenolysen sollen in Gegenwart von Raney-Nickel bereits bei ≈ 100° katalytisch beschleunigt ablaufen[2].

β) mit Protolyse-Reagenzien

Unter Protodeborylierung lassen sich einzelne Organo-Reste aus aliphatischen bzw. aromatischen Organoboranen mit H-aciden Verbindungen als Alkan bzw. Aren abspalten:

$$>BR \quad + \quad HX \quad \longrightarrow \quad RH \quad + \quad >BX$$

R = Alkyl, Aryl (vgl. S. 242)

Die Protolyse mit Hydrogenbromid verläuft i. allg. zügiger als mit Hydrogenchlorid[3-6]. Die BC-Bindung wird von Hydrohalogeniden meist rascher gespalten als von Alkoholen oder von Aminen[7]. Organothiole reagieren mit der BC-Bindung deutlich zügiger als Alkohole[5,6]. Die Acidität der Protonensäure HX und die Nucleophilie des Atoms bzw. der Atomgruppierung X beschleunigen die BC-Protolyse. Carbonsäuren mit beiden Eigenschaften sind daher besonders effiziente Protolyse-Reagenzien und lassen sich auch als Katalysatoren der Protodeborylierung verwenden (Bd. XIII/3a, S. 509).

β₁) mit wasserfreien Hydrogenhalogeniden

Mit wasserfreiem Hydrogenfluorid wird aus Trimethylboran bei ≈60° eine Methyl-Gruppe als *Methan* abgespalten. Dimethyl-fluor-boran reagiert dagegen nur noch träge[8].

---

[1] R. Köster, G. Bruno u. P. Binger, A. **644**, 1 (1961).
[2] M. A. Wahab, Indian J. Chem. **11**, 137 (1973).
[3] R. B. Booth u. C. A. Kraus, Am. Soc. **74**, 1415 (1952).
[4] J. R. Johnson, H. R. Snyder u. M. G. van Campen, Am. Soc. **60**, 115 (1938).
[5] B. M. Mikhailov u. V. A. Vaver, Izv. Akad. SSSR **1960**, 852; C. A. **54**, 24347 (1960).
[6] B. M. Mikhailov, V. A. Vaver u. Yu. N. Bubnov, Doklady Akad. SSSR **126**, 575 (1959); C. A. **54**, 261 (1960).
[7] D. Ulmschneider u. J. Goubeau, B. **90**, 2733 (1957).
[8] E. L. Muetterties, Am. Soc. **80**, 4526 (1958); Fußnote (9), S. 4527.

Trialkylborane werden von wasserfreiem Hydrogenchlorid dealkyliert. Aus Tributylboran läßt sich bei 110° eine Butyl-Gruppe als *Butan* abspalten[1]. Das Freisetzen von *Butan* aus Chlor-dibutyl-boran mit Hydrogenchlorid gelingt in Gegenwart von Aluminiumtrichlorid[1,2].

Wasserfreies Hydrogenbromid reagiert mit Tributylboran bei 55–60° unter Bildung von *Butan* und Brom-dibutyl-boran[3]:

$$B(C_4H_9)_3 \quad + \quad HBr \quad \xrightarrow{\approx 60°} \quad C_4H_{10} \quad + \quad Br{-}B(C_4H_9)_2$$

Aus 1 mol Tributylboran erhält man mit Hydrogenjodid bei ≈20° 1 mol *Butan*[1,4].

β_2) *mit Wasser*

Die Abspaltung von Alkanen aus Trialkylboranen mit Wasser ohne Zusatz erfolgt erst bei relativ hohen Temperaturen. Dehydroborierungen (vgl. S. 216) sind der Protodeborylierung vorgelagert.

Die erste Methyl-Gruppe des Trimethylborans wird mit reinem Wasser bei 200–220°, die zweite Methyl-Gruppe erst >300° als *Methan* abgespalten[5,6]:

$$B(CH_3)_3 \quad + \quad H_2O \quad \xrightarrow{\approx 200°} \quad CH_4 \quad + \quad (H_3C)_2B{-}OH$$

$$(H_3C)_2B{-}OH \quad + \quad H_2O \quad \xrightarrow{\approx 320°} \quad CH_4 \quad + \quad (H_3CBO)_3 \quad + \quad H_2O$$

Ein Alkyl-Rest der Trialkylborane läßt sich in Gegenwart von Katalysatoren (Carbonsäuren[7–9], Thiole[10]) (vgl. S. 237, 239) bereits bei ≈20° als Alkan freisetzen. Die Geschwindigkeit der Carbonsäure-katalysierten Protodeborylierung fällt in der Reihe

$$B(C_2H_5)_3 \;>\; B(C_3H_7)_3 \;>\; B[CH(CH_3)_2]_3 \;>\; B[CH_2CH(CH_3)_2]_3$$

ab[7] (vgl. S. 234f.).

Aus Lithium-phenylalkyl-triethyl-boraten erhält man mit Wasser bzw. mit Deuteriumoxid Phenylalkane und Ethan beim Erwärmen in siedendem THF; z.B.[11]:

$$Li^+ \left[(H_5C_2)_3B{-}\underset{C_6H_5}{\underset{|}{C}H}{-}CH_3\right]^- \xrightarrow[\text{THF, 65°, 4 Stdn. Rückfluß}]{+D_2O} \begin{cases} H_5C_6{-}\underset{D}{\underset{|}{C}H}{-}CH_3 \\ C_2H_5D \end{cases}$$

---

[1] R.B. Booth u. C.A. Kraus, Am. Soc. **74**, 1415 (1952).
[2] s. ds. Handb., Bd. XIII/3a, S. 433 (1982).
[3] J.R. Johnson, H.R. Snyder u. M.G. van Campen, Am. Soc. **60**, 115 (1938).
[4] H.A. Skinner u. T.F.S. Tees, Soc. **1953**, 3378.
[5] D. Ulmschneider u. J. Goubeau, B. **90**, 2733 (1957).
[6] B.M. Mikhailov, V.A. Vaver u. Yu. N. Bubnov, Doklady Akad. SSSR **126**, 575 (1959); C.A. **54**, 261 (1960).
[7] R. Köster, H. Bellut u. W. Fenzl, A. **1974**, 54.
[8] R. Köster u. W. Fenzl, A. **1974**, 69.
[9] s. ds. Handb., Bd. XIII/3a, S. 493f., 813, 832 (1982).
[10] B.M. Mikhailov u. Yu. N. Bubnov, Izv. Akad. SSSR **1960**, 1872; engl.: 1742; C.A. **55**, 15335 (1961).
[11] H.C. Brown u. S.-C. Kim, J. Org. Chem. **49**, 1064 (1984).

Aryl-Reste (vgl. S. 242ff.) werden deutlich rascher protodeboryliert als Alkyl-Reste[1]. Benzylbor-Verbindungen reagieren mit Wasser unter Einfluß von Basen (vgl. S. 243) vergleichsweise leicht unter Abspalten von Arylalkanen[2]. Die Protodeborylierung der Benzyl-Gruppe läßt sich durch UV-Belichten beschleunigen[3].

Die Alkyl-Gruppen der Dialkyl-oxy-borane sind mit Wasser i.allg. relativ schwer in Alkane zu überführen. Diethyl-pivaloyloxy-boran reagiert aber $>100°$ mit Wasser unter Freisetzen einer Ethyl-Gruppe als *Ethan* (vgl. Bd. XIII/3a, S. 829)[4].

α-Heteroatomsubstituierte Alkyl-Reste lassen sich mit Wasser unter milden Bedingungen als heteroatomhaltige Alkane abspalten[5–7]:

$$>B-CH(X)-C_2H_5 + H_2O \longrightarrow H_7C_3-X + >B-OH$$

X = CHO[5]; COCH$_3$[6]; CN[7]

β_3) *mit Wasser unter Zusätzen*

$\beta\beta_1$) mit Hydrogenhalogenid-Zusatz[8–10]

Mit Hydrogenchlorid in Wasser lassen sich bei $\approx 100°$ aus Trioctylboran zwei Octyl-Gruppen als *Octan* abspalten[9,10]:

$$B(C_8H_{17})_3 + 2\,H_2O \xrightarrow{HCl} 2\,C_8H_{18} + H_{17}C_8-B(OH)_2$$

Wäßriges 48%iges Hydrogenbromid reagiert mit Tributylboran unter Freisetzen einer Butyl-Gruppe als *Butan*[8,9].

$\beta\beta_2$) mit Basen-Zusatz

Die Abspaltung von Alkanen oder heteroatomhaltigen Alkanen läßt sich in bestimmten Fällen mit Wasser unter Zusatz von Basen durchführen. Aus Tributylboran erhält man mit Natriumhydroxid in Glykol *Butan*. Die erste Butyl-Gruppe wird bei 130–150°, die weiteren bei 150–180° abgespalten[11].

Man erhält in alkalisch-wäßriger Lösung aus substituierten B-Alkyl-Resten ohne Veränderung der funktionellen Gruppen 1-Formyl-[5], 1-Acetyl-[6], 1-Carboxy-[12] oder 1-Cyan-alkane[7]:

$$R^1_2B-CH(X)-R^2 + H_2O \xrightarrow{OH^-, \approx 20°} R^2-CH_2-X + R^1_2B-OH$$

X: CHO; COCH$_3$; COOC$_2$H$_5$; CN

---

[1] R. Köster, H. Bellut u. W. Fenzl, A. **1974**, 54.
[2] H.C. Brown u. R.L. Sharp, Am. Soc. **88**, 5851 (1966).
[3] V.V. Chung, K. Inagalli, M. Tokuda u. M. Itoh, Chem. Letters **1976**, 209.
[4] R. Köster u. A.A. Pourzal, Synthesis **1973**, 674.
[5] J. Hooz u. G.F. Morrison, Canad. J. Chem. **48**, 868 (1970).
[6] J. Hooz u. S. Linke, Am. Soc. **90**, 5936 (1968).
[7] J. Hooz u. S. Linke, Am. Soc. **90**, 6891 (1968).
[8] J.R. Johnson, H.R. Synder u. M.G. van Campen, Am. Soc. **60**, 115 (1938).
[9] R.B. Booth u. C.A. Kraus, Am. Soc. **74**, 1415 (1952).
[10] R. Köster, A. **618**, 31 (1958).
[11] L.S. Vasil'ev, V.V. Veselovskii u. B.M. Mikhailov, Izv. Akad. SSSR **1977**, 1126; engl.: 1031; C.A. **87**, 68445 (1977).
[12] J.J. Tufariello, L.T.C. Lee u. P. Wojtkowski, Am. Soc. **89**, 6804 (1967).

Auch Arylalkane sind so zugänglich[1,2].

Aus Dihydroxy-organo-boranen werden mit wäßrigem Natriumhydroxid in Diglyme unter Retention Organo-Reste protodeboryliert; z.B. *meso-* bzw. *d,l-2,3-Diphenylbutane* (≈70%) aus Dihydroxy-(1,2-diphenyl-1-methyl-propyl)-boranen[3]:

$$H_5C_6-C(CH_3)(B(OH)_2)-CH(CH_3)-C_6H_5 + H_2O \xrightarrow[(p_H=9-10)]{NaOH,\ Diglyme} H_5C_6-C(CH_3)(H)-CH(CH_3)-C_6H_5 + B(OH)_3$$

erythro/threo

Tetrakis[dimethoxyboryl]methan läßt sich mit Natriummethanolat in Methanol partiell protodeborylieren[4]. Aus 2-Heptafluorpropyl-1,3,2-benzodioxaborol erhält man mit wäßrigen Alkalimetallhydroxiden quantitativ *Heptafluorpropan*[5].

$\beta\beta_3$) mit Carbonsäure-Zusatz

Die Abspaltung von Kohlenwasserstoffen aus Organo-Resten der Triorganoborane mit Wasser führt unter Zusatz von Carbonsäuren i. allg. zu Diorgano-hydroxy-boranen (Bd. XIII/3a, S. 492; vgl. a. S. 232) und deren Folgeprodukten (z.B. Tetraorganodiboroxanen, vgl. Bd. XIII/3a, S. 810ff.)[6,7]:

$$R^1_3B + H_2O \xrightarrow{R^2-COOH} R^1-H + R^1_2B-OH$$

$R^1 = C_2H_5, C_3H_7, CH_2CH(CH_3)_2; CH(CH_3)_2$
$R^2 = C(CH_3)_3$

β_4) *mit Alkoholen und Zusätzen*

Aus Trialkylboranen lassen sich mit Alkoholen ohne Zusatz von Katalysatoren (Carbonsäuren, vgl. S. 237, Thiole, vgl. S. 239) i. allg. erst >140° Alkane abspalten[8–10]. Vielfach bilden sich dabei unter Dehydroborierung auch Alkene und Wasserstoff.

$$R^1_2B-CH_2-CH_2-R^2 + H-OR^3 \xrightarrow{\Delta,\ >140°} R^2-CH_2-CH_3 + R^1_2B-OR^3$$

$$R^1_2B-CH_2-CH_2-R^2 + H-OR^3 \xrightarrow[-H_2]{\Delta,\ >140°} R^2-CH=CH_2 + R^1_2B-OR^3$$

$R^1 = CH_3, C_2H_5, C_3H_7, C_4H_9$
$R^2 = H; CH_3, C_2H_5$
$R^3 = C_4H_9, C_6H_{13}, C_8H_{17}$

---

[1] H.C. Brown u. R.L. Sharp, Am. Soc. **88**, 5851 (1966).
[2] T. Mukaiyama, S. Yamamoto u. M. Shiono, Bl. chem. Soc. Japan **45**, 2244 (1972).
[3] A.J. Weinheimer u. W.E. Marsico, J. Org. Chem. **27**, 1962 (1962).
[4] R.B. Castle u. D.S. Matteson, J. Organometal. Chem. **20**, 19 (1969).
[5] T. Chivers, Chem. Commun. **1967**, 157.
[6] R. Köster, K.-L. Amen, H. Bellut u. W. Fenzl, Ang. Ch. **83**, 805 (1971); engl.: **10**, 748.
[7] s. ds. Handb., Bd. XIII/3a, S. 493 (1982).
[8] s. ds. Handb., Bd. XIII/3a, S. 508, 510f., 515, 571f. (1982).
s. ds. Handb., Bd. XIII/3a, S. 655ff., 688, 694 (1982).
[9] H. Meerwein, G. Hinz, H. Majert u. H. Sönke, J. pr. **147**, 226 (1936).
[10] B.M. Mikhailov u. V.A. Vaver, Izv. Akad. SSSR **1960**, 852; engl.: 796; C.A. **54**, 24347 (1960).

Trimethylboran reagiert mit 1,2-Alkandiol bei ≈340° unter Freisetzen zweier Methyl-Gruppen als *Methan*[1,2]:

$$B(CH_3)_3 + HO\text{-}CH_2\text{-}CH_2\text{-}OH \xrightarrow{\approx 340°, 14\,Stdn.} 2\,CH_4 + H_3C\text{-}B\langle O\text{-}CH_2\text{-}CH_2\text{-}O\rangle$$

Trialkyl- und Tricycloalkyl-borane spalten mit bestimmten Alkanolen in Gegenwart von Sauerstoff beim Belichten zwei Organo-Reste als Kohlenwasserstoffe ab (vgl. Bd. XIII/3a, S. 654)[3]. Ammoniak-Tribenzylboran läßt sich mit Methanol in Tetrahydrofuran unter Belichtung in Toluol und 1,2-Diphenylethan (vgl. S. 257) umwandeln. Mit Methanol-d[1] wird deuterodeboryliert[4].

Die durch Alkancarbonsäuren (z.B. durch 2,2-Dimethylpropansäure) bei ≧20° katalysierte Alkoholyse liefert 1 mol Alkan aus 1 mol Trialkylboran[5-8]:

$$R^1_3B + H\text{-}OR^2 \xrightarrow{R^3COOH} R^1H + R^1_2B\text{-}OR^2$$

$R^1 = C_2H_5, C_3H_7$ usw.
$R^2 = C_nH_{2n+1}$
$R^3 = C(CH_3)_3$

Entsprechend reagieren Trialkylborane mit Alkandiolen[5,9], Oligohydroxy- oder Polyhydroxyalkanen[5,10-13] sowie mit den Hydroxy-Gruppen von Sacchariden[5,10,14].

Die Alkoholyse einer Alkyl-Gruppe der Trialkylborane läßt sich auch mit Organothiolen katalysieren[15-18].

Intramolekulare Donator-Gruppierungen wie z.B. Oxo-, Organooxycarbonyl- oder Cyan-Gruppen am α-C-Atom des Alkyl-Rests beschleunigen die Alkoholyse der heteroatomhaltigen Triorganoborane[19-21]:

$$(H_5C_2)_2B\text{-}CH(C_2H_5)\text{-}C(=O)OC_2H_5 + (H_3C)_3C\text{-}OH \longrightarrow H_5C_2\text{-}CH_2\text{-}C(=O)OC_2H_5 + (H_5C_2)_2B\text{-}OC(CH_3)_3$$

---

[1] D. Ulmschneider u. J. Goubeau, B. **90**, 2733 (1957).
[2] R.M. Washburn, F.A. Billig, M. Bloom, C.F. Albright u. E. Levens, Advan. Chem. Ser. **32**, 208 (1961).
[3] M. Tokuda, V.V. Chung, K. Inagaki u. M. Itoh, Chem. Commun. **1977**, 690.
[4] V.V. Chung, K. Inagaki, M. Tokuda u. M. Itoh, Chem. Letters **1976**, 209.
[5] s. ds. Handb., Bd. VI/1d, S. 292 (1978); Bd. XIII/3a, S. 516ff. (1982).
[6] R. Köster, K.-L. Amen, H. Bellut u. W. Fenzl, Ang. Ch. **83**, 805 (1971); engl.: **10**, 748.
[7] R. Köster, H. Bellut u. W. Fenzl, A. **1974**, 54.
[8] R. Köster, W. Fenzl u. G. Seidel, A. **1975**, 352.
[9] W.V. Dahlhoff u. R. Köster, A. **1975**, 1625.
[10] R. Köster, K.-L. Amen u. W.V. Dahlhoff, A. **1975**, 752.
[11] W.V. Dahlhoff u. R. Köster, A. **1976**, 1925.
[12] W.V. Dahlhoff, W. Schüssler u. R. Köster, A. **1976**, 387.
[13] R. Köster u. W.V. Dahlhoff, J. Org. Chem. **41**, 2316 (1976).
[14] W.V. Dahlhoff u. R. Köster, A. **1975**, 1926.
[15] s. ds. Handb., Bd. XIII/3a, S. 856 (1982).
[16] B.M. Mikhailov u. Yu. N. Bubnov, Izv. Akad. SSSR **1960**, 1872; engl.: 1742; C.A. **55**, 15335 (1961).
[17] B.M. Mikhailov u. Yu. N. Bubnov, Ž. obšč. Chim. **31**, 160 (1961); C.A. **55**, 23317 (1961).
[18] B.M. Mikhailov u. L.S. Vasil'ev, Izv. Akad. SSSR **1962**, 1345.
[19] H.C. Brown, M.M. Rogic, M.W. Rathke u. G.W. Kabalka, Am. Soc. **90**, 818 (1968).
[20] H.C. Brown, H. Nambu u. M.M. Rogic, Am. Soc. **91**, 6852 (1969).
[21] H.C. Brown, H. Nambu u. M.M. Rogic, Am. Soc. **91**, 6854 (1969).

Die Abspaltung des Organo-Restes des Dihydroxy-subst.-butyl-borans erfolgt in alkalisch-wäßriger Lösung[1] (vgl. S. 233f.).

β_5) mit 1,1-Dihydroxy-C-Verbindungen

Trialkylborane reagieren mit 1,1-Dihydroxyaliphaten in Gegenwart von Carbonsäure-Katalysator unter Abspaltung von Alkan[2]. Beispielsweise wird aus Triethylboran mit Octahydroxycyclobutan jeweils eine Ethyl-Gruppe als *Ethan* abgespalten. Unter Boran-Austausch bilden sich O,O-Ethylborandiyl-Reste[3]:

$$8\,B(C_2H_5)_3 + C_4(OH)_8 \xrightarrow[-4B(C_2H_5)_3]{(H_3C)_3CCOOH} 8\,C_2H_6 + C_4O_8(BC_2H_5)_4$$

β_6) mit enolisierbaren Carbonyl-Verbindungen

Die Protodeborylierung der Trialkylborane verläuft mit enolisierbaren offenkettigen und cyclischen Carbonyl-Verbindungen in Gegenwart von 2,2-Dimethylpropansäure <100° unter Abspaltung einer Alkyl-Gruppe als Alkan[4–7]:

$$B(C_2H_5)_3 + O{=}C(R^3){-}CH(R^1){-}R^2 \xrightarrow{(H_3C)_3C{-}CO{-}OH} 1\,C_2H_6 + (H_5C_2)_2B{-}OC(R^3){=}C(R^1)R^2$$

$R^1 = CH_3, C_2H_5, C_3H_7; C_6H_5$
$R^2 = H; CH_3$
$R^3 = C_2H_5, C_3H_7; CH(CH_3)_2, C_6H_{11}; C_6H_5$
$R^1{-}R^3 = {-}(CH_2)_n{-}$ (n = 5,6,8–10 u. a.)

Oberhalb ≈130° tritt ohne Katalysator (vgl. S. 221ff.) unter Ethen-Abspaltung verstärkt Reduktion der Carbonyl-Verbindung ein[5–7].

Chelatbildende Hydroxy-Verbindungen[8] (z.B. 2,4-Pentandion[9–13], Benzoin[10,11], 8-Hydroxychinolin[12,13], 3-Oxoketimine[9]) spalten aus offenkettigen Trialkylboranen oder aus Alkandiyl-alkyl-boranen beschleunigt Alkan ab[10,11,13].

---

[1] A.J. WEINHEIMER u. W.E. MARISCO, J. Org. Chem. **27**, 1926 (1962).
[2] s. ds. Handb., Bd. XIII/3a, S. 529, 573, 693, 774f., 808 (1982).
[3] M. YALPANI, R. KÖSTER u. G. WILKE, B. **116**, 1336 (1983).
[4] s. ds. Handb., Bd. VI/1d, S. 197ff. (1978); Bd. VII/2b, S. 1456 f., 1474, 1482, 1496f., 1500f., (1976); Bd. XIII/3a, S. 521ff., 556f., 560f., 691 (1982).
[5] R. KÖSTER u. W. FENZL, Ang. Ch. **80**, 756 (1968); engl.: **7**, 735.
[6] W. FENZL u. R. KÖSTER, Ang. Ch. **83**, 807 (1971); engl.: **10**, 750.
[7] W. FENZL u. R. KÖSTER, A. **1975**, 1322.
[8] s. ds. Handb., Bd. XIII/3b, S. 534ff., 543, 574f., 639 (1983).
[9] B.M. MIKHAILOV u. Yu. N. BUBNOV, Izv. Akad. SSSR **1960**, 1883.
[10] M.F. HAWTHORNE u. M. REINTJES, Am. Soc. **86**, 5016 (1964).
[11] R. KÖSTER u. G.W. ROTERMUND, A. **689**, 40 (1965).
[12] L.H. TOPORCER, R.E. DESSY u. S.E.I. GREEN, Am. Soc. **87**, 1236 (1965).
[13] G.W. ROTERMUND u. R. KÖSTER, A. **686**, 153 (1965).

β₇) mit Carbonsäuren

Aus aliphatischen Triorganoboranen lassen sich mit wasserfreien Carbonsäuren Alkane abspalten[1–12]. Zwei Alkyl-Gruppen werden mit Eisessig bei ≈20° protodeboryliert[4]. In siedendem Diglyme reagieren Trialkylborane mit wasserfreier Propionsäure unter Freisetzen aller drei Alkyl-Reste als Alkane[4]:

$$R_3B + 3\ H_5C_2-C(=O)OH \xrightarrow{\text{Diglyme, 165°}} 3\ RH + B\left[OC(=O)-C_2H_5\right]_3$$

R = Alkyl

Aus 2-Alkyl-1-borahomoadamantanen erhält man mit wasserfreier Stearinsäure bei 250° (2 Stdn.) 1-Alkyl-*cis*-3,5-dimethyl-cyclohexane (50–80%)[12,13]:

+Stearinsäure
≈250°, 2 Stdn.

$(CH_2)_2R$, H_3C, CH_3

R = CH_3 (63%), C_2H_5 (52%), C_3H_7 (78%)

Primäre und sekundäre Alkyl-Gruppen werden i. allg. zügiger abgespalten als tert.-Alkyl-Reste[8]. Steigende Nucleophilie der Carbonsäure beschleunigt die Protolyse. 2,2-Dimethylpropansäure reagiert rascher als Essigsäure und diese schneller als die Halogenessigsäuren[6]. Die Konfiguration des Alkyl-Rests bleibt bei der Protodeborylierung erhalten[4,10]; z.B. der *exo*-Bicyclo[2.2.1]hept-2-yl-Rest[4].

o-Carboranyl-dibutyl-boran reagiert mit Eisessig unter Freisetzen von Butan[14]. Auch Lewisbase-Triorganoborane werden mit wasserfreien Carbonsäuren protodeboryliert. Aus Trimethylamin-1-Boraadamantan (s. Bd. XIII/3b, S. 433) erhält man mit Stearinsäure 1,3-Dimethyl-5-ethyl-cyclohexan[15].

β₈) mit Hydroxy-Element-Verbindungen (außer Hydroxy-Kohlenstoff-Verbindungen)

Mit Hilfe von Alkyl-hydroperoxiden werden Alkyl-Reste der Alkylborane oxidiert (vgl. S. 348). Außerdem erfolgt aber auch Protodeborylierung; z.B.[16]:

---

[1] s. ds. Handb., Bd. V/1a, S. 222 (1970); Bd. XIII/3a, S. 579f., 803, 828ff., 834 (1982); Bd. XIII/3b, S. 400, 578, 615, 664 (1983).
[2] H. MEERWEIN, G. HINZ, H. MAJERT u. H. SÖNKE, J. pr. **147**, 226 (1937).
[3] H. MEERWEIN u. H. SÖNKE, J. pr. **147**, 251 (1937).
[4] H.C. BROWN u. K.J. MURRAY, Am. Soc. **81**, 4108 (1959).
[5] H.C. BROWN u. K.J. MURRAY, J. Org. Chem. **26**, 631 (1961).
[6] B.M. MIKHAILOV u. V.A. VAVER, Ž. obšč. Chim. **31**, 574 (1961); C.A. **55**, 23318 (1961).
[7] L.H. TOPORCER, R.E. DESSY u. S.I.E. GREEN, Am. Soc. **87**, 1236 (1965).
[8] D.B. BIGLEY u. D.W. PAYLING, J. Inorg. & Nuclear Chem. **33**, 1157 (1971).
[9] R. KÖSTER, H. BELLUT u. W. FENZL, A. **1974**, 54.
[10] G.W. KABALKA, R.J. NEWTON u. J. JACOBUS, J. Org. Chem. **44**, 4185 (1979).
[11] H.C. BROWN u. N.C. HÉBERT, J. Organometal. Chem. **255**, 135 (1983).
[12] M.E. GURSKII, D.G. PERSHIN u. B.M. MIKHAILOV, J. Organometal. Chem. **260**, 17 (1984).
[13] M.E. GURSKII, S.V. BARANIN u. B.M. MIKHAILOV, J. Organometal. Chem. **270**, 9 (1984).
[14] B.M. MIKHAILOV, E.A. SHASHGOVA u. V.G. KISELEV, Izv. Akad. SSSR **1979**, 589; engl.: 543; C.A. **91**, 20569 (1979).
[15] B.M. MIKHAILOV, N.N. GOVOROV, Y.A. ANGELYUK, V.G. KISELEV u. M.I. STRUCHKOVA, Izv. Akad. SSSR **1980**, 1621; engl.: 1164; C.A. **93**, 239498 (1980).
[16] s. ds. Handb., Bd. XIII/3a, S. 809 (1982).

$$R^1_2B{-}OR^2 + H{-}O{-}OC(CH_3)_3 \longrightarrow \begin{cases} R^1{-}H + R^1{-}B(O{-}OC(CH_3)_3)(OR^2) \quad R^1 = C_5H_{11};\ R^2 = C_4H_9 \\ (H_3C)_3C{-}OH + R^1{-}B(OR^2)_2 \end{cases}$$

Trialkylborane reagieren mit tert.-Butylhydroperoxid zu Alkyl-Radikalen, die in Alken und Alkan disproportionieren[1,2].

Mit Alkan- oder Aren-sulfonsäuren wird aus Trialkylboran bei 90–100° ein Alkyl-Rest als Alkan abgespalten[3]. In Gegenwart von 2,2-Dimethylpropansäure tritt die Protodeborylierung bereits bei ≈20° ein. Auch die Reaktion der Trialkylborane mit Schwefelsäure läßt sich durch Carbonsäure-Zusatz beschleunigen[4,5]:

$$2\,(H_5C_2)_3B + H_2SO_4 \xrightarrow{(H_3C)_3CCOOH} 2\,C_2H_6 + (H_5C_2)_2B{-}OSO_2O{-}B(C_2H_5)_2$$

Aus 1 mol Tetraethyldiboroxan werden mit konzentrierter Schwefelsäure bei 70–80° ohne weiteren Zusatz zwei mol Ethan freigesetzt[6].

Trialkylborane spalten mit Oximen bei ≦100° einen Alkyl-Rest als Alkan ab[7–9]. In Gegenwart von Carbonsäuren erfolgt die Protodeborylierung bereits bei 20–50°[7]:

$$R^1_3B + HO{-}N{=}C(R^2)(R^3) \longrightarrow R^1{-}H + R^1_2B{-}O{-}N{=}C(R^2)(R^3)$$

$R^1 = C_2H_5, C_3H_7$
$R^2 = CH_3; C_6H_5$
$R^3 = H; CH_3$

Mit Metall-bis(methylglyoximen) reagieren Trialkylborane entsprechend[7,10,11].

Mit Hydroxy-Phosphor-Verbindungen läßt sich eine Alkyl-Gruppe der Trialkylborane protodeborylieren[12,13]. Mit Phenylphosphonsäure sind auch zwei Alkyl-Gruppen abspaltbar[13].

Auch Hydroxy-Arsen-Verbindungen reagieren mit Trialkylboran unter Alkan-Bildung[14].

---

[1] Yu. A. Kurskii, V. N. Alyasov, V. P. Maslennikov, N. M. Lapshin u. Yu. A. Aleksandrov, Ž. obšč. Chim. **49**, 2123 (1979); engl.: 1863; C. A. **92**, 57841 (1980).

[2] V. N. Alyasov, I. Yu. Kuznetsov, V. P. Maslennikov u. Yu. A. Aleksandrov, Ž. obšč. Chim. **52**, 1134 (1982); engl.: 992; C. A. **97**, 23851 (1982).

[3] S. Trofimenko, Am. Soc. **91**, 2139 (1969).

[4] R. Köster, K.-L. Amen, H. Bellut u. W. Fenzl, Ang. Ch. **83**, 805 (1971); engl.: **10**, 748.

[5] vgl. R. Köster, H. Bellut u. W. Fenzl, A. **1974**, 54.

[6] R. Köster u. W. Schüssler, Mülheim a. d. Ruhr, unveröffentlicht 1984.

[7] s. ds. Handb., Bd. XIII/3a, S. 593f., (1982); Bd. XIII/3b, S. 587, 730 (1983).

[8] I. Pattison u. K. Wade, Soc. [A] **1968**, 2618.

[9] K. G. Foot u. B. P. Roberts, Soc. [C] **1971**, 3475.

[10] G. N. Schrauzer, B. **95** 1438 (1962).

[11] F. Umland u. D. Thierig, Ang. Ch. **74**, 388 (1962).

[12] s. ds. Handb., Bd. XIII/3a, S. 596ff. (1982).

[13] R. Köster u. L. Synoradzki, B. **117**, 2850 (1984).

[14] s. ds. Handb., Bd. XIII/3a, S. 599 (1982).

Die Protodeborylierung eines Alkyl-Restes der Trialkylborane läßt sich mit Hydroxy-triorgano-silanen in Gegenwart von Carbonsäuren (2,2-Dimethylpropansäure) bei 20–50° quantitativ durchführen (s. ds. Handb., Bd. XIII/3a, S. 600); z.B.:

$$B(C_2H_5)_3 + H{-}OSi(CH_3)_2 \xrightarrow{(H_3C)_3C{-}COOH} C_2H_6 + (H_5C_2)_2B{-}OSi(CH_3)_3$$

Die Abspaltung von Alkan aus Trialkylboranen erfolgt mit Hydroxybor-Verbindungen thermisch [Dimethyl-hydroxy-boran[1,2]; 1,2-Bis(dihydroxyboryl)ethan[3]] oder in Gegenwart von Katalysatoren (Diethyl-hydroxy-boran[4,5]); z.B.[3]:

$$(HO)_2B{-}CH_2{-}CH_2{-}B(OH)_2 \xrightarrow{\approx 200°} C_2H_6 + B_2O_3 + H_2O$$

Mit Hydroxy-Quecksilber-Verbindungen reagieren Trialkylborane wie z.B. Triethylboran unter Zusatz von Carbonsäure als Katalysator bereits bei ≈20°[6].

Wasserfreie Alkalimetallhydroxide spalten beim Erwärmen oberhalb ≈100 bis 150° aus Triorganoboranen Alkan ab; z.B. Ethan aus 3,4-Bis(diethylboryl)-3-hexen mit Kaliumhydroxid[7].

β_9) *mit Thiolen*

Die Thiolyse der ersten Alkyl-Gruppe der Trialkylborane mit Alkan- oder Aren-thiolen[8,9] verläuft bei ≈20° in Gegenwart von Sauerstoff[10–12] oder Di-tert.-butylhyponitrit[13,14] als Radikalreaktion[10–15]:

$$R^1_3B + H{-}SR^2 \xrightarrow{\approx 20°\ (O_2)} R^1{-}H + R^1_2B{-}SR^2$$

$R^1 = C_2H_5, C_3H_7, C_4H_9$
$R^2 = C_2H_5, C_3H_7; C_6H_5$

Die Geschwindigkeit der homolytischen Protodeborylierung steigt in der Reihe:

prim.-Alkyl < sek.-Alkyl < tert.-Alkyl

Die Alkan-Abspaltung aus der zweiten und vor allem aus der dritten Alkyl-Gruppe erfolgt auch oberhalb 150° nur langsam[9,10].

---

[1] D. ULMSCHNEIDER u. J. GOUBEAU, B. **90**, 2733 (1957).
[2] B.M. MIKHAILOV, V.A. VAVER u. YU. N. BUBNOV, Doklady Akad. SSSR **126**, 575 (1957); C.A. **54**, 261 (1960).
[3] C. CHAMBERS, A.K. HOLLIDAY u. S.M. WALKER, Pr. chem. Soc. **1964**, 286.
[4] W. FENZL u. R. KÖSTER, Inorg. Synth. **22**, 193 (1983).
[5] s. ds. Handb., Bd. XIII/3a, S. 818 (1982).
[6] s. ds. Handb., Bd. XIII/3a, S. 602 (1982).
[7] s. ds. Handb., Bd. XIII/3a, S. 604, 850 (1982).
[8] s. ds. Handb., Bd. XIII/3a, S. 856 (1982); Bd. XIII/3b, S. 432 (1983).
[9] DBP 1079634 (1959/1966), Farbf. Bayer; Erf.: K. LANG; C.A. **55**, 13316 (1961).
[10] B.M. MIKHAILOV, V.A. VAVER u. YU. N. BUBNOV, Doklady Akad. SSSR **126**, 575 (1959); engl.: 369; C.A. **54**, 261 (1959).
[11] B.M. MIKHAILOV, V. A. VAVER u. YU. N. BUBNOV, Ž. obšč. Chim. **31**, 160 (1961); C.A. **55**, 23317 (1961).
[12] B.M. MIKHAILOV u. YU. N. BUBNOV, Izv. Akad. SSSR **1964**, 2248; engl.: 2154; C.A. **62**, 9161 (1964).
[13] A.G. DAVIES u. B.P. ROBERTS, Soc. [B] **1971**, 1830.
[14] A.G. DAVIES, T. MAKI, B.P. ROBERTS, A. PELTER u. D.N. SHARROCKS, J. Organometal. Chem. **82**, 301 (1974).
[15] A. PELTER, K. ROWE, D.N. SHARROCKS, K. SMITH u. C. SUBRAHMANYAM, Soc. [Dalton] **1976**, 2087.

β₁₀) mit H-aciden Stickstoff-Verbindungen

Trialkylborane reagieren mit Ammoniak[1–3], mit prim. Aminen[2–4] oder mit sek.- Aminen[5–7] > 170° unter Abspalten einer Alkyl-Gruppe als Alkan und/oder als Alken und Dihydrogen:

$$R^1_2B-CH_2-CH_2-R^2 + H_2N-R^3 \xrightarrow{>170°} R^2-CH_2-CH_3 + R^1_2B-NH-R^3$$

$$\xrightarrow{-H_2} R^2-CH=CH_2 + R^1_2B-NH-R^3$$

$R^1 = C_nH_{2n+1}$
$R^2 = C_mH_{2m+1}$
R^3 = Alkyl; Aryl

Trimethylboran spaltet zwei Methyl-Reste als Methan ab, wenn man mit 1,2-Diaminoethan auf ≈300° erhitzt[8–10]:

$$B(CH_3)_3 + H_2N-CH_2-CH_2-NH_2 \xrightarrow{\approx 300°} 2\,CH_4 + H_3C-B\langle(NH)_2C_2H_4\rangle$$

Carbonsäuren[11] sowie Alkan- bzw. Aren-thiole[12,13] eignen sich als Katalysatoren für die Protodeborylierung der Triorganoborane mit sekundären Aminen wie z.B. Dibutylamin[14] oder Pyrrol[15–18].

Die Abspaltung von Alkan aus Trialkylboranen erfolgt auch mit Iminen[19], am besten jedoch unter den Bedingungen der Carbonsäure-Katalyse[20].

Auch die Carbonsäureamidolyse der Trialkylborane[21–23] läßt sich mit Carbonsäure-Katalysatoren beschleunigen[24]. Die entstehenden Carbonsäureamido-dialkyl-borane (XIII/3b, S. 88ff.) reagieren mit Carbonsäureamiden bei erhöhter Temperatur katalysiert weiter; z.B.[24]:

---

[1] s. ds. Handb., Bd. XIII/3b, S. 11, 677 (1983).
[2] E. Wiberg, K. Hertwig u. A. Bolz, Z. anorg. Ch. **256**, 177 (1948).
[3] B.M. Mikhailov, V.A. Dorokhov u. N.V. Mostovoi, Izv. Akad. SSSR **1964**, 201.
[4] s. ds. Handb., Bd. XIII/3b, S. 11f., 22, 161, 217f., 234, 360, 558, 576, 640, 643, 657, 673 (1983).
[5] s. ds. Handb., Bd. XIII/3b, S. 12, 22 (1983).
[6] B.M. Mikhailov, W.A. Wawier u. Yu. N. Bubnov, Doklady Akad. SSSR **126**, 575 (1959); C.A. **54**, 261 (1960).
[7] H.J. Becher, Z. anorg. Ch. **289**, 262 (1957).
[8] E. Wiberg u. K. Hertwig, Z. anorg. Ch. **257**, 138 (1948).
[9] J. Goubeau u. A. Zappel, Z. anorg. Ch. **279**, 39 (1955).
[10] D. Ulmschneider u. J. Goubeau, B. **90**, 2733 (1957).
[11] E. Rothgery u. R. Köster, A. **1974**, 101.
[12] s.ds. Handb., Bd. XIII/3b, S. 13 (1983).
[13] B.M. Mikhailov u. Yu. N. Bubnov, Izv. Akad. SSSR **1960**, 1872; C.A. **55**, 15335 (1961).
[14] R. Köster, H. Bellut, W. Fenzl u. W. Schüssler, Mülheim a.d. Ruhr, unveröffentlicht, 1972–1973.
[15] H. Bellut u. R. Köster, A. **738**, 86 (1970).
[16] H. Bellut, C.D. Miller u. R. Köster, Synth. React. Inorg. Metal-org. Chem. **1**, 83 (1971).
[17] R. Köster, F. Levelt u. W. Fenzl, A. **1981**, 734.
[18] s. ds. Handb., Bd. XIII/3b, S. 13f. (1983).
[19] I. Pattison u. K. Wade, Soc. [A] **1967**, 1098.
[20] s. ds. Handb., Bd. XIII/3b, S. 82 (1982).
[21] s. ds. Handb., Bd. XIII/3a, S. 782ff. (1982); Bd. XIII/3b, S. 255, 650 (1983).
[22] US.-P. 3065267 (1962); Brit. P. 919374 (1963), Bayer AG, Erf.: K. Lang u. F. Schubert; C.A. **58**, 10236 (1963).
[23] B.M. Mikhailov u. V.A. Dorokhov, Izv. Akad. SSSR **1971**, 201; engl.: 190; C.A. **75**, 5433 (1971).
[24] W. Fenzl, H. Kosfeld u. R. Köster, A. **1976**, 1370.

$$(H_5C_2)_2B-O-C_4HN_2(CH_3)(CH(CH_3)_2) + O=C_4H_2N_2(CH_3)(CH(CH_3)_2) \xrightarrow{>85°} C_2H_6 + H_5C_2B[O-C_4HN_2(CH_3)(CH(CH_3)_2)]_2$$

Die Reaktion der Trialkylborane mit offenkettigen oder cyclischen Carbonsäureamidinen liefert ebenfalls Alkane[1].

Eine oder zwei Alkyl-Gruppen der Trialkylborane lassen sich auch mit Kohlensäureamid-Verbindungen als Alkan abspalten[2].

Die Protodeborylierung der Trialkylborane mit Hydrazin oder Organohydrazinen (z.B. Phenylhydrazin) oder anderen NNH-Verbindungen[3] tritt $>150°$ ein. Zwischenprodukte sind Lewisbase-Trialkylborane (XIII/3b, S. 435ff.). Bei den hohen Temperaturen erfolgt vielfach Dehydroborierung (Alken-Bildung) mit nachfolgender Protodeborylierung[3-5]:

$$2\,R^1_2B-CH_2-CH_2-R^2 + H_2N-NH_2 \xrightarrow{>150°} \begin{cases} 2\,R^2-CH_2-CH_3 + R^1_2B-NH-NH-BR^1_2 \\ 2\,R^2-CH=CH_2 + 2\,H_2 \end{cases}$$

$R^1 = CH_2CH_2R^2$
$R^2 = CH_3, C_2H_5, C_3H_7, C_4H_9$

Ähnlich reagieren Amin-Alkylbor-Verbindungen beim Erhitzen unter Abspalten von Alkan und Alken/Dihydrogen[6]. Auch mit Alkalimetallamiden lassen sich aus Trialkylboranen oder aus olefinischen Triorganoboranen $\geqq 100°$ Alkane freisetzen[7]. Die Umwandlungen verlaufen über Amino-triorgano-borate verschiedener Strukturen[7-9]

β_{11}) *mit CH-aciden Verbindungen*

Die Abspaltung von Alkanen aus Trialkylboranen kann auch mit CH-aciden Verbindungen erfolgen. Vor allem sind intramolekulare Reaktionen bekannt[10]. Triorganoborane mit Aralkyl-Resten reagieren beim Erhitzen oft unter Cyclisierung, wobei neben olefinischen Kohlenwasserstoffen (vgl. S. 216) Alkane oder Arylalkane freigesetzt werden[10]. Die Pyrolyse des Trimethylborans liefert *Methan*[11-14]. Aus den Alkyl-Resten der homologen Trialkylborane werden meist Alkene, nach C–C-Spaltung auch Alkane niedriger C-Zahl und entsprechende Alkene gebildet[15,16].

---

[1] s. ds. Handb., Bd. XIII/3a, S. 90f (1982); Bd. XIII/3b, S. 650, 652f., 667 (1983).
[2] s. ds. Handb., Bd. XIII/3b, S. 95, 261, 583, 658 (1983).
[3] s. ds. Handb., Bd. XIII/3b, S. 113, 644, 860, 862 (1983).
[4] B.M. Mikhailov u. Yu. N. Bubnov, Izv. Akad. SSSR **1960**, 370; engl.: 343; C.A. **54**, 20931 (1960).
[5] H. Nöth, Z. Naturf. **16b**, 471 (1961).
[6] s. ds. Handb., Bd. XIII/3b, S. 342 (1983).
[7] s. ds. Handb., Bd. XIII/3b, S. 127 (1983).
[8] s. ds. Handb., Bd. XIII/3b, S. 117, 865 (1983).
[9] R. Köster u. G. Seidel, Ang. Ch. **93**, 1009 (1981); engl.: **20**, 972 (1981).
[10] s. ds. Handb., Bd. XIII/3a, S. 152, 159, 161, 246, 826 (1982).
[11] J. Goubeau u. R. Epple, B. **90**, 171 (1957).
[12] M.P. Brown, A.K. Holliday u. G.M. May, Chem. Commun. **1972**, 850; **1973**, 532.
[13] M.P. Brown, A.K. Holliday u. G.M. May, Soc. [Dalton] **1971**, 148.
[14] M.P. Brown, A.K. Holliday, G.M. May, R.B. Whittle u. C.M. Woodard, Soc. [Dalton] **1977**, 1862.
[15] s. ds. Handb., Bd. XIII/3a, S. 26ff. (1982).
[16] R. Köster, W. Larbig u. G.W. Rotermund, A. **682**, 21 (1965).

Aus Dialkyl-(phenylamidino)-boranen bilden sich beim Erhitzen auf ≈250° Alkane unter Borylierung einer N-Phenyl-Gruppe[1,2]. Alkalimetall-tetraethylborate reagieren mit Benzol unter Abspaltung eines Ethyl-Rests als *Ethan*[3].

β_{12}) *mit metallorganischen Verbindungen und Protolyse*

Mit Triethylaluminium lassen sich praktisch sämtliche Organo-Reste aufs Aluminium-Atom übertragen (vgl. S. 362). Die Protolyse der Triorganoaluminium-Verbindungen liefert z.B. Alkane[4–6]:

$$R_3B \; + \; (H_5C_2)_3Al \xrightarrow[-(H_5C_2)_3B]{} AlR_3 \xrightarrow[-Al(OH)_3]{+3\,H_2O} 3\,R{-}H$$

R = Alkyl, z.B.: $C_{10}H_{21}$

2. Arene bzw. Hetarene

Die Umwandlung von Arylbor-Verbindungen in Aren-Kohlenwasserstoffe gelingt mit Dihydrogen unter Druck sowie vor allem mit H-aciden Verbindungen. Auch bestimmte Verbindungen mit $-\overset{|}{\underset{|}{C}}-H$- und $\overset{\backslash\backslash}{C}-H$-Bindungen reagieren mit Arylbor-Gruppierungen unter Aren-Bildung.

α) mit Dihydrogen unter Druck

Aus aromatischen Triorganoboranen werden mit Dihydrogen unter Druck >140° Arene abgespalten (vgl. S. 230). Boran kann als Trialkylamin-Boran stabilisiert werden[7]:

$$(H_5C_6)_3B \; + \; 3\,H_2 \; + \; N(C_2H_5)_3 \xrightarrow[-(H_5C_2)_3N{-}BH_3]{>140\,°} 3\,C_6H_6$$

Aryl-Gruppen werden deutlich rascher protodeboryliert als Alkyl-Gruppen[7].

β) mit Wasser unter Zusätzen

Triphenylboran reagiert mit Wasser ohne Katalysator bei ≈20° unter Bildung von *Dihydroxy-phenyl-boran*[8]. Die dritte Aryl-Gruppe wird bei ≈150° als *Benzol* abgespalten[8–11]. Tri-1-naphthyl- und Trimesityl-boran lassen sich von Wasser bei ≈20° wegen des sterisch abgeschirmten Bor-Atoms nicht angreifen[12].

---

[1] B.M. Mikhailov u. V.A. Dorokhov, Izv. Akad. SSSR **1973**, 2649; engl.: 2594; C.A. **80**, 48073 (1974). s. ds. Handb., Bd. XIII/3b, S. 94 (1983).
[2] V.A. Dorokhov, O.G. Boldeyreva, M.N. Bochkareva u. B.M. Mikhailov, Izv. Akad. SSSR **1979**, 174; engl.: 163; C.A. **90**, 152277 (1979).
[3] s. ds. Handb., Bd. XIII/3b, S. 763 (1983).
[4] R. Köster u. G. Bruno, A. **629**, 89 (1960).
[5] P. Binger u. R. Köster, Ang. Ch. **74**, 652 (1962); engl. **1**, 508.
[6] A. Stefano, Helv. **56**, 1192 (1973).
[7] R. Köster, G. Bruno u. P. Binger, A. **644**, 1 (1961).
[8] A.D. Ainley u. F. Challenger, Soc. **1930**, 2171. vgl. ds. Handb., Bd. XIII/3a, S. 619 (1982).
[9] A. Michaelis, B. **27**, 248 (1894).
[10] E.W. Abel, W. Gerrard u. M.F. Lappert, Soc. **1958**, 1451.
[11] E.W. Abel, W. Gerrard u. M.F. Lappert, Chem. & Ind. **1958**, 158.
[12] H.C. Brown u. V.H. Dodson, Am. Soc. **79**, 2302 (1957).

Hydrogenfluorid reagiert mit Dihydroxy-phenyl-boran bei 20–50° unter Bildung von *Benzol*[1]. Aus Aryl-dihydroxy-boranen werden Arene mit Hydrogenhalogeniden in Wasser (z.B. aus Natriumchlorid mit 20⁰/₀iger Essigsäure) freigesetzt[2–4]. Tris(2-biphenylyl)boran ist auch bei mehrstündigem Erhitzen mit methanolischer Salzsäure stabil[5].

Arylbor-Bindungen werden mit Wasser in Gegenwart von Carbonsäuren leichter gespalten als Alkylbor-Bindungen. Beispielsweise wird die BC_{aryl}-Bindung der 1-Alkyl-1-boraindane von Wasser bei ≈20° in Anwesenheit von 2,2-Dimethylpropansäure quantitativ umgewandelt[6]; z.B.:

$$\text{1-Ethyl-3-methyl-1-boraindan} + H_2O \xrightarrow{(H_3C)_3C{-}COOH,\ \approx 20°} C_6H_5{-}CH(CH_3){-}CH_2{-}B(C_2H_5)(OH)$$

Die Phenylbor-Gruppe ist in Benzol überführbar, wenn Dihydroxy-phenyl-boran mit Wasser unter Zusatz von Basen erwärmt wird[7–9]. 1-Naphthyl-[10], 4-Methoxyphenyl-[10], 4-Dimethylaminonaphthyl-[11] und 2-Thienyl-Reste[12] der Aryl-dihydroxy-borane lassen sich so abspalten.

(8-Chinolinyl)-dihydroxy-boran wird mit Wasser bei 225° innerhalb 36 Stdn. in *Chinolin* und Borsäure umgewandelt[13]:

$$\text{8-}B(OH)_2\text{-Chinolin} + H_2O \xrightarrow{\approx 225°} \text{Chinolin} + B(OH)_3$$

Die Protodeborylierung von Aryl-Resten am Bor-Atom erfolgt beschleunigt unter Zusatz von Metallsalzen wie z.B. von Cadmium-, Zink-, Kupfer- und Silber-halogeniden in wäßriger Lösung[14–16]:

$$H_5C_6{-}B(OH)_2 + H_2O \xrightarrow{CdBr_2} C_6H_6 + B(OH)_3$$

γ) mit C-Hydroxy-Verbindungen

Arene werden aus aromatischen Organoboranen mit aliphatischen Hydroxy-Kohlenstoff-Verbindungen i. allg. bei 50–200° abgespalten[17]. Aus Triphenylboran erhält man in

[1] E.L. Muetterties, Am. Soc. **80**, 4526 (1958).
[2] H.G. Kuivila u. A.R. Hendrickson, Am. Soc. **74**, 5068 (1952).
[3] H.G. Kuivila u. E.J. Soboczenski, Am. Soc. **76**, 2675 (1954).
[4] H.G. Kuivila u. R.M. Williams, Am. Soc. **76**, 2679 (1954).
[5] G. Wittig u. W. Herwig, B. **88**, 962 (1955).
[6] R. Köster, H. Bellut u. W. Fenzl, A. **1974**, 54.
vgl. Bd. XIII/3a, S. 493 (1982).
[7] A.D. Ainley u. F. Challenger, Soc. **1930**, 2171.
[8] H.G. Kuivila, J.F. Reuwer u. J. A. Mangravite, Canad. J. Chem. **41**, 3081 (1963).
[9] B.W. Hatt, Chem. & Ind. **1975**, 617.
[10] A. Michaelis, B. **27**, 244 (1894).
[11] H.R. Snyder u. F.W. Wyman, Am. Soc. **70**, 234 (1948).
[12] J.R. Johnson, M.G. van Campen u. O. Grummit, Am. Soc. **60**, 111 (1938).
[13] R.L. Letsinger u. S.H. Dandegnonker, Am. Soc. **81**, 4198 (1958).
[14] A.D. Ainley u. F. Challenger, Soc. **1930**, 2170.
[15] H.R. Snyder, J.A. Kuck u. J.R. Johnson, Am. Soc. **60**, 105 (1938).
[16] H.G. Kuivila, J.F. Reuwer u. J.A. Mangravite, Am. Soc. **86**, 2666 (1964).
[17] s. ds. Handb., Bd. XIII/3a, S. 689ff. (1982); Bd. XIII/3b, S. 558, 728, 744 (1983).

siedendem Methanol aus einer Phenyl-Gruppe *Benzol*[1,2]. Die Alkoholyse des Tri-1-naphthyl-borans setzt sämtliche Aryl-Reste als Naphthalin frei[1,2]. Beim 1-Phenylborolan spaltet Alkohol erstaunlicherweise den Ring auf[3,4]. Mit 2-Aminoethanol wird aus Triarylboranen in siedendem Benzol eine Aryl-Gruppe als Aren freigesetzt[1].

Aus Arylbor-Verbindungen erhält man auch mit phenolischen Verbindungen Arene[5]. Phenole mit N-Donator-Funktion wie z.B. 2-Hydroxypyridin reagieren mit Phenylbor-Verbindungen besonders glatt unter Protodeborylierung[6].

2,4-Pentandion sowie analoge Verbindungen sind zur Abspaltung einzelner Aryl-Reste als Aren aus Triarylboranen sehr gut geeignet[7]. Mit Eisessig unter Zusatz von Hydrogenchlorid reagiert das zwitterionische Trimethylammoniono-methyl-triphenyl-borat (Bd. XIII/3b, S 703) unter quantitativer Abspaltung der drei Phenyl-Reste als *Benzol*[8].

δ) mit Hydroxy-Element-Verbindungen

Die Hydroxychlor-Gruppierung der Perchlorsäure spaltet in Dichlormethan aus Phenylbor-Verbindungen *Benzol* ab[9,10]. Mit den Hydroxy-Gruppen der Organo-hydrogenperoxide reagiert Triphenylboran nur z.T. unter Freisetzen von *Benzol*[11]. NOH-Verbindungen wie Aldoxime[12] oder 2-Hydroxyamino-Verbindungen[13] wandeln Phenylbor-Verbindungen (Triphenyl-[12], Diphenyl-hydroxy-boran[13], Tetraphenyldiboroxan[13]) in *Benzol* um.

Die Abspaltung von Benzol aus den Hydroxy-phenyl-boranen bei der Pyrolyse führt zum Triphenylboroxin (Bd. XIII/3a, S. 838) bzw. zum Dibortrioxid[14–16]. Besonders leicht wird *Pentafluorbenzol* aus Dihydroxy-pentafluorphenyl-boran abgespalten[17].

ε) mit NH-Verbindungen

Die Umwandlung von Phenylbor-Verbindungen in Benzol gelingt mit HN-Bindungen der primären Amine[18], der Carbonsäureamide[19], des Pyrazols[20] oder der Ammonium-Verbindungen. Die Aren-Abspaltung ist aus Triphenylboran[18–20] oder aus Tetraphenylborat[21] möglich.

---

[1] C.S. Rondestvedt, R.M. Scribner u. C.E. Wulfman, J. Org. Chem. **20**, 9 (1955).
[2] D. Ulmschneider u. J. Goubeau, B. **90**, 2733 (1957).
[3] B.M. Mikhailov u. V.A. Dorokhov, Doklady Akad. SSSR **133**, 119 (1960); engl.: 743; C.A. **54**, 24652 (1960).
[4] Yu. N. Bubnov, S.A. Korobeinikova, G.V. Isagulyants u. B.M. Mikhailov, Izv. Akad. SSSR **1970**, 2023; engl.: 1902; C.A. **75**, 36200 (1971).
[5] s. ds. Handb., Bd. XIII/3b, S. 535, 568, 613, 727 (1983).
[6] s. ds. Handb., Bd. XIII/3b, S. 581, 621, 626 (1983).
[7] R. Köster u. G.W. Rotermund, A. **689**, 40 (1965).
[8] F. Bickelhaupt u. J.W.F.K. Barnick, R. **87**, 188 (1968).
vgl. ds. Handb., Bd. XIII/3b, S. 420 (1983).
[9] s. ds. Handb., Bd. XIII/3b, S. 419, 618 (1983).
[10] A.T. Balaban, A. Arsene, I. Bally, A. Barabás, M. Paraschiv, M. Roman u. E. Romaş, Rev. Roumaine Chim. **15**, 635 (1970).
[11] V.N. Alyasov, I. Yu. Kuznetsov, V.P. Maslennikov u. Yu. A. Aleksandrov, Ž. obšč. Chim. **52**, 1134 (1982); engl.: 992; C.A. **97**, 23851 (1982).
[12] s. ds. Handb., Bd. XIII/3b, S. 585 (1983).
[13] s. ds. Handb., Bd. XIII/3b, S. 623 (1983).
[14] E.W. Abel, W. Gerrard u. M.F. Lappert,, Soc. **1958**, 1451.
[15] E.W. Abel, W. Gerrard u. M.F. Lappert, Chem. & Ind. **1958**, 158.
[16] s. ds. Handb., Bd. XIII/3a, S. 837 (1982).
[17] R.D. Chambers u. T. Chivers, Pr. chem. Soc. London **1963**, 208.
[18] s. ds. Handb., Bd. XIII/3b, S. 11 (1983).
[19] s. ds. Handb., Bd. XIII/3a, S. 836 (1982); Bd. XIII/3b, S. 95, 342, 360 (1983).
[20] s. ds. Handb., Bd. XIII/3b, S. 861 (1983).
[21] s. ds. Handb., Bd. XIII/3a, S. 173 (1982); Bd. XIII/3b, S. 448, 578, 587, 793 (1983).

ζ) mit CH-Verbindungen

Intermolekulare Protodeborylierungen zur Abspaltung von Arenen erfolgen durch Pyrolyse bestimmter aromatischer Triorganoborane[1] oder Tetraorganoborate[2].

3. Olefinische Kohlenwasserstoffe

Die Umwandlungen von Vinyl-, Allyl- oder Alkadienyl-bor-Verbindungen in olefinische Kohlenwasserstoffe erfolgen mit H-aciden Reagenzien. Wasser, Alkohole, enolisierbare Carbonyl-Verbindungen sowie Carbonsäuren werden verwendet. Außerdem setzt man Verbindungen mit HS- oder HN-Bindungen ein.

α) mit Wasser

Die Geschwindigkeit der Hydrolyse von B-Vinyl-Resten fällt in der Reihe[3]:

$$(H_2C{=}CH)_2B{-}Cl > H_2C{=}CH{-}BCl_2 > H_2C{=}CH{-}BF_2 > F_2C{=}CF{-}BF_2$$

Subst.-Vinyl-Reste werden rascher vom Bor-Atom abgespalten als Phenyl-Gruppen[4]:

$$(H_5C_6)_2B{-}CH{=}CH{-}C_2H_5 + H_2O \longrightarrow C_4H_8 + (H_5C_6)_2B{-}OH$$

Besonders leicht und glatt lassen sich mit neutralem Wasser Allyl-Gruppen protodeborylieren[5]; ein mol Triallylboran liefert bei ≈20° zwei mol *Propen*[6]:

$$B(CH_2{-}CH{=}CH_2)_3 + 2\,H_2O \xrightarrow{20°} 2\,C_3H_6 + H_2C{=}CH{-}CH_2{-}B(OH)_2$$

Die Hydrolyse des 1-(2-Butenyl)borolans erfolgt unter Allyl-Umlagerung zum *1-Buten*[7]:

$$\text{(Borolan)}B{-}CH_2{-}CH{=}CH{-}CH_3 \xrightarrow[-\text{(Borolan)}B{-}OH]{+H_2O} H_2C{=}CH{-}CH_2{-}CH_3$$

Beim Erwärmen auf ≈50° können hydrolytisch sämtliche Allyl- bzw. 2-Butenyl-Gruppen vom Bor-Atom abgespalten werden[8-10].

2-Allyl-1,3,2-dioxaborolan reagiert mit Wasser zu *Propen* und 2-Hydroxy-1,3,2-dioxaborolan[11]. Auch B-3-Alkenyl-Reste lassen sich in bestimmten Fällen leicht hydrolysieren[12]:

---

[1] s. ds. Handb., Bd. XIII/3a, S. 164 (1982).
[2] s. ds. Handb., Bd. XIII/3b, S. 769 (1983).
[3] F. E. Brinckman u. F. G. A. Stone, Am. Soc. **82**, 6218 (1960).
[4] P. Binger, Mülheim a. d. Ruhr, unveröffentlicht 1965.
[5] B. M. Mikhailov, Organometal. Chem. Rev. **8**, 1 (1972); vgl. ds. Handb., Bd. V/1c, S. 454 (1970).
[6] B. M. Mikhailov u. F. B. Tutorskaya, Doklady Akad. SSSR **123**, 479 (1958); engl.: 879; C. A. **53**, 6990 (1959).
[7] B. M. Mikhailov u. A. Ya. Bezmenov, Izv. Akad. SSSR **1965**, 931; engl.: 904; C. A. **63**, 5664 (1965).
[8] B. M. Mikhailov u. F. B. Tutorskaya, Doklady Akad. SSSR **123**, 479 (1958); engl.: 879; C. A. **53**, 6990 (1959).
[9] B. M. Mikhailov u. F. B. Tutorskaya, Doklady Akad. SSSR **1960**, 852; C. A. **54**, 24347 (1960).
[10] B. M. Mikhailov u. A. Y. Bezmenov, Izv. Akad. SSSR **1965**, 941; C. A. **63**, 5664 (1965).
[11] B. M. Mikhailov, L. S. Vasil'ev u. E. N. Safonova, Doklady Akad. SSSR **147**, 630 (1962); engl.: 1023; C. A. **58**, 9108 (1963).
[12] A. Pelter, M. G. Hutchings, K. Smith u. D. J. Williams, Soc. [Perkin I] **1975**, 145.

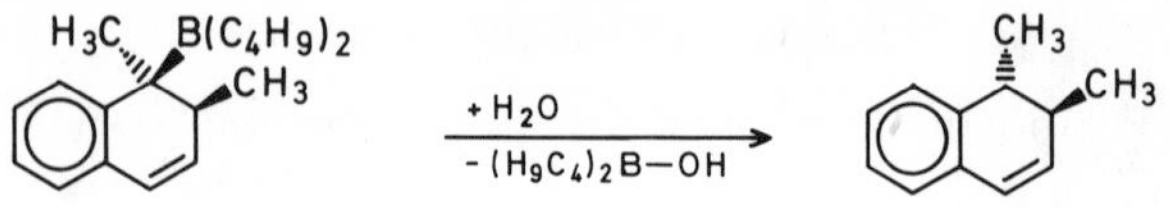

$$\text{1,2-Dimethyl-1-(dibutylboryl)-1,2-dihydronaphthalin} \xrightarrow[-(H_9C_4)_2B-OH]{+H_2O} \text{1,2-Dimethyl-1,2-dihydronaphthalin}$$

cis-1,2-Bis(diethylboryl)alkene werden von neutralem Wasser in reine (*Z*)-Alkene übergeführt[1,2]:

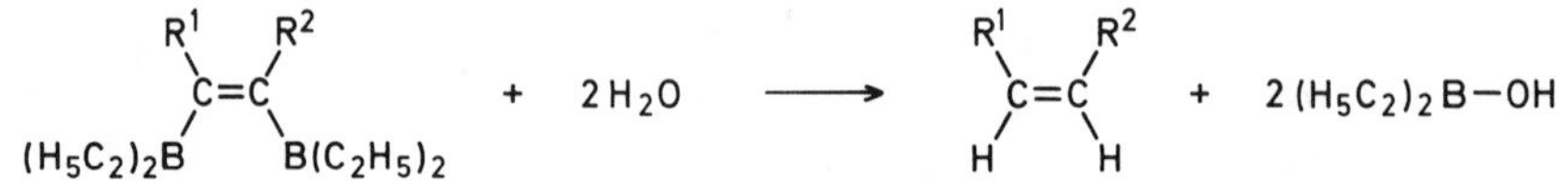

$$(H_5C_2)_2B(R^1)C{=}C(R^2)B(C_2H_5)_2 + 2\,H_2O \longrightarrow R^1(H)C{=}C(H)R^2 + 2\,(H_5C_2)_2B{-}OH$$

$R^1 = C_2H_5$; $R^2 = CH_3$
$R^1, R^2 = C_2H_5$

β) mit Wasser unter Zusätzen

Verschiedene heteroatomhaltige Alkene werden aus heteroatomhaltigen Alkenylboranen in saurer wäßriger Lösung abgespalten. Beispielsweise erhält man aus (Z)-Dialkyl-(3-dialkylaminovinyl)-boranen *(E)-Dimethyl-(2-methyl-2-pentenyl)-amin*[3]:

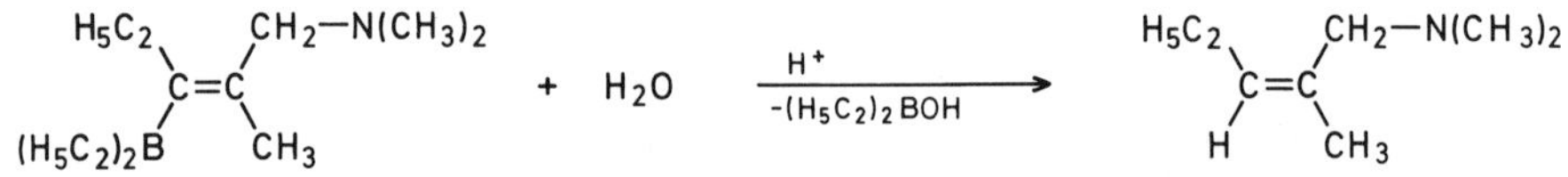

$$H_5C_2(\,(H_5C_2)_2B\,)C{=}C(CH_2{-}N(CH_3)_2)CH_3 + H_2O \xrightarrow[-(H_5C_2)_2BOH]{H^+} H_5C_2(H)C{=}C(CH_2{-}N(CH_3)_2)CH_3$$

Aus Alkalimetall-alkenyl-diorgano-organooxy-boraten werden in saurer wäßriger Lösung Alkenole unter Protodeborylierung abgespalten; z.B.[4]:

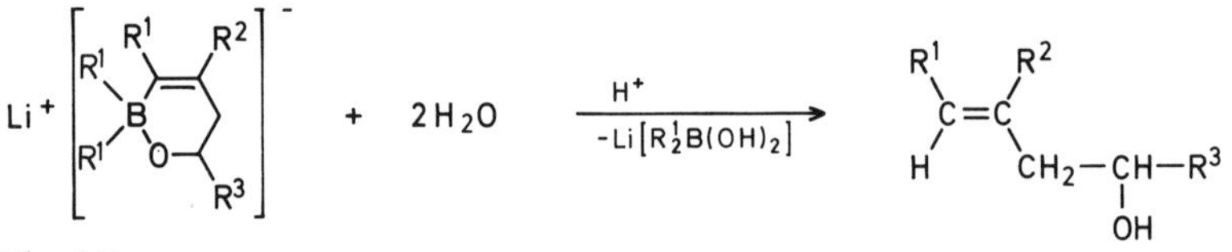

$$Li^+\left[\text{cyclisches Borat: }R^1_2B(-C(R^1){=}C(R^2)-CH_2-CH(R^3)-O-)\right]^- + 2\,H_2O \xrightarrow[-Li[R^1_2B(OH)_2]]{H^+} R^1(H)C{=}C(R^2)CH_2{-}CH(OH){-}R^3$$

$R^1 = C_4H_9$
$R^2 = CH_3, C_2H_5$
$R^3 = H$

Lithium-1-alkenyl-trialkyl-borate reagieren mit wäßrigem Natriumhydroxid unter Konfigurationserhalt (vgl. S. 253) des 1-Alkenyl-Rests in hoher Ausbeute (≈90%) zu reinen Alkenen; z.B.:[5]

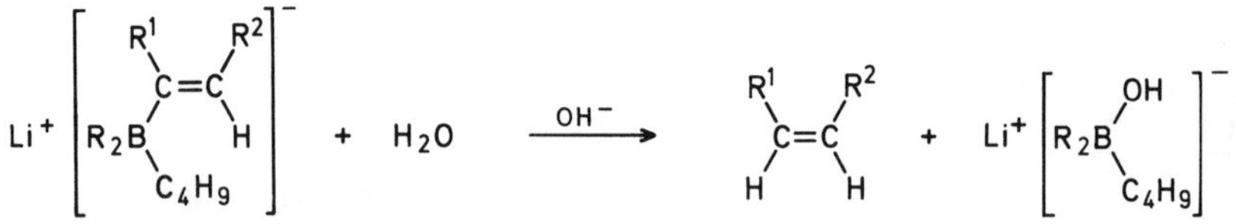

$$Li^+\left[R_2B(C_4H_9)C(R^1){=}C(R^2)H\right]^- + H_2O \xrightarrow{OH^-} R^1(H)C{=}C(H)R^2 + Li^+\left[R_2B(OH)C_4H_9\right]^-$$

$R = CH(CH_3)_2, C_6H_{11}; C(CH_3)_3$
$R^1 = H; CH_3, C_4H_9$
$R^2 = C_4H_9; C_6H_{11}; C(CH_3)_3$

---

[1] P. Binger u. R. Köster, Tetrahedron Letters **1965**, 1901.
[2] vgl. P. Binger, Ang. Ch. **80**, 288 (1968); engl.: **7**, 286.
[3] P. Binger u. R. Köster, B. **108**, 395 (1975).
[4] K. Utimoto, T. Furubayashi u. H. Nozaki, Chem. Letters **1975**, 397.
[5] E. Negishi u. K.-W. Chiu, J. Org. Chem. **41**, 3483 (1976).

Unter Zusatz von Übergangsmetallsalzen [$Ag(NH_3)_2{}^+NO_3{}^-$ [1]; $Pd(OOCCH_3)_2$ [1,2]] lassen sich in wäßriger Lösung aus Alkenyl-dialkyl-boranen (mit Aceton als protonenspendendem Lösungsmittel) (*Z*)-Alkene gewinnen[2]:

$$(R^1)(R_2B)C{=}C(R^2)(H) + H_2O \xrightarrow[\text{THF/Aceton}]{Pd(II)(OCOCH_3)_2} (R^1)(H)C{=}C(R^2)(H)$$

$R = CH(CH_3)CH(CH_3)_2, C_6H_{11}$ $R^2 = H; C_2H_5, C_4H_9; C_6H_5$
$R^1 = C_4H_9, C_6H_{13}; C_6H_5$ u. a.

Ammoniakalische Silbernitrat-Lösung spaltet aus 1-Alkenyl-alkyl-methoxy-boranen (*E*)-Alkene ab[1]:

$$(H_{11}C_6)(\text{Thexyl-}B(OCH_3))C{=}C(H)(R) + H_2O \xrightarrow{Ag(NH_3)_2NO_3,\ 75-80°/8\ Stdn.} (H_{11}C_6)(H)C{=}C(H)(R) + \text{Thexyl-}B(OH)(OCH_3)$$

R : $CH(C_5H_{11})-O-$(Tetrahydropyran-2-yl)

γ) mit Alkoholen oder Phenolen

Alkoholysen von B-Vinyl- und B-Allyl-Resten verlaufen i. allg. bei 20–100° rasch und quantitativ[3]. Aus 1 mol Triallylboran erhält man mit Methanol zwei mol *Propen*[4]:

$$B(CH_2CH{=}CH_2)_3 + 2\ HOCH_3 \xrightarrow{\approx 20°} 2\ C_3H_6 + H_2C{=}CH{-}CH_2{-}B(OCH_3)_2$$

Aus der ersten 2-Alkenyl-Gruppe des Tri-2-butenylborans erhält man mit Methanol allylumgelagertes *1-Buten* (98%) und *2-Buten* (2%)[5]. 9-Allyl- und 9-(2-Butenyl)-9-borabicyclo[3.3.1]nonane reagieren mit Methanol unter Bildung von *Propen* bzw. (nach Allyl-Umlagerung) von *1-Buten*[6]. Mit 2-Aminoethanol läßt sich die Allyl-Gruppe aus 3-Allyl-7-methoxymethyl-3-borabicyclo[3.3.1]non-6-en in siedendem Benzol glatt als *Propen* abspalten[7].

Mit Alkoholen lassen sich aus 1,4-Alkadienyl-boranen 1,4-Alkadiene freisetzen. Man erhält mit z. B. Nonanol heteroatom-freie und -haltige 1,4-Alkadiene; z. B.[8]:

$$\left[H_2C{=}C(R^1){-}CH_2\right]_2 B{-}CH{=}C(R^2){-}CH_2{-}C(R^3){=}CH_2 \xrightarrow{+H_{19}C_9OH/H^+} H_2C{=}C(R^2){-}CH_2{-}C(R^3){=}CH_2 + 2\ H_2C{=}C(R^1)(CH_3)$$

$R^1 = R^3 = H$
$R^2 = H, D$; Alkyl; C_6H_5; $CH{=}CH_2$; OCH_3, OC_2H_5; $Si(CH_3)_3$

---

[1] E. J. Corey u. T. Ravindranathan, Am. Soc. **94**, 4013 (1972).
s. ds. Handb., Bd. V/2b, S. 798 (1972).
[2] H. Yatagai, Y. Yamamoto u. K. Maruyama, Chem. Commun. **1978**, 702.
[3] s. ds. Handb., Bd. XIII/3a, S. 512ff., 656ff., 691 (1982); Bd. XIII/3b, S. 543 (1983).
[4] B. M. Mikhailov u. F. B. Tutorskaya, Doklady Akad. SSSR **123**, 479 (1958); engl.: 879; C. A. **53**, 6990 (1959).
[5] B. M. Mikhailov u. V. F. Pozdnev, Izv. Akad. SSSR **1967**, 1477; engl.: 1428; C. A. **68**, 29743 (1968).
[6] G. W. Kramer u. H. C. Brown, J. Organometal. Chem. **132**, 9 (1977).
[7] B. M. Mikhailov u. M. E. Kuimova, Izv. Akad. SSSR **1980**, 1881; engl.: 1355; C. A. **94**, 65741 (1981).
[8] B. M. Mikhailov, Yu. N. Bubnov, S. A. Korobeinikova u. S. I. Frolov, J. Organometal. Chem. **27**, 165 (1971).

Aus 2-Methyl-1,3,4,5-tetraethyl-2,3-dihydro-1,3-diborol erhält man in siedendem Methanol unter Spaltung beider BC_{Vinyl}-Bindungen *cis-3-Hexen*. Außerdem werden die 1,1-Ethyliden-Bindungen gespalten[1]:

$$\text{2-Methyl-1,3,4,5-tetraethyl-2,3-dihydro-1,3-diborol} + 3\ CH_3OH \xrightarrow[-(H_5C_2)_{3-n}B(OCH_3)_n]{65°,\ 3\ Stdn.} (H_5C_2)HC{=}CH(C_2H_5)\ (cis) + C_2H_6$$

Auch heteroatomhaltige Alkadiene (Heterofunktion: Alkoxy-[1], Trimethylsilyl-Rest[2]) können so vom Bor-Atom abgespalten werden.

δ) mit 2,4-Pentandion

Die Abspaltung von B-Allyl-Resten als Alken läßt sich auch mit 2,4-Pentandion glatt durchführen[3,4].

ε) mit Carbonsäuren

Heteroatomfreie B-Vinyl-Gruppen werden von Carbonsäuren i. allg. unter milden Temperaturbedingungen als Alken freigesetzt. Aus Tri-subst.-vinylboranen bilden sich mit verdünnter wäßriger Essigsäure bei 0° quantitativ Alkene[5–7]:

$$B(CR^1{=}CHR^2)_3 + 3\ H_3CCOOH \xrightarrow{0°\ /H_2O} 3\ R^1CH{=}CHR^2 + B(OCOCH_3)_3$$

R^1 = H; Alkyl
R^2 = CH_3, Alkyl

Die Konfiguration des Alkens entspricht der des 1-Alkenyl-Restes[6–14]. Aus heteroatomhaltigen subst.-Vinyl-Resten mit Chlor-[15], Brom-[16], Jod-[16,17], Chlormethyl-[18],

---

[1] P. Binger, Ang. Ch. **80**, 288 (1968); engl.: **7**, 286.
[2] S. I. Frolov, Yu. N. Bubnov u. B. M. Mikhailov, Izv. Akad. SSSR **1969**, 1996; engl.: 1846; C. A. **72**, 21731 (1970).
[3] B. M. Mikhailov, Yu. N. Bubnov, S. A. Korobeinikova u. S. I. Frolov, Izv. Akad. SSSR **1968**, 1923; engl.: 1839; C.A. **70**, 4171 (1969).
[4] s. ds. Handb., Bd. XIII/3b, S. 536 (1983).
[5] B. M. Mikhailov u. M. E. Kuimova, Izv. Akad. SSSR **1980**, 1881; engl.: 1355; C. A. **94**, 65741 (1981).
[6] s. ds. Handb., Bd. V/1b, S. 585 ff., 611 f., 790 ff. (1972); Bd. V/2a, S. 787 ff. (1977); Bd. XIII/3a, S. 201, 581 (1982).
[7] H. C. Brown u. G. Zweifel, Am. Soc. **81**, 1512 (1959).
[8] H. C. Brown u. G. Zweifel, Am. Soc. **83**, 3834 (1961).
[9] G. Zweifel, R. P. Fisher, J. T. Snow u. C. C. Whitney, Am. Soc. **93**, 6309 (1971).
[10] E. Negishi, J.-J. Katz u. H. C. Brown, Synthesis **1972**, 555.
[11] A. Pelter u. C. R. Harrison, Chem. Commun. **1974**, 828.
[12] A. Pelter, K. J. Gould u. C. R. Harrison, Tetrahedron Letters **1975**, 3327.
[13] A. Pelter, C. Subramanyam, R. J. Laub, K. J. Gould u. C. R. Harrison, Tetrahedron Letters **1975**, 1633.
[14] A. Arasa, M. Hoshi u. Y. Masuda, Bl. chem. Soc. Japan **57**, 209 (1984).
[15] J. R. Blackborow, Soc. [Perkin II] **1973**, 1989.
[16] s. ds. Handb., Bd. V/1b, S. 797 (1972).
J. L. Torregrosa, M. Baboulène, V. Spéziale u. A. Lattes, Tetrahedron Letters **1982**, 2785.
H. C. Brown, D. Basavaiah u. S. U. Kulkarni, J. Org. Chem. **47**, 3808 (1982).
S. Hara, T. Kato u. A. Suzuki, Synthesis **1983**, 1005.
S. Hara, H. Dojo, S. Takinami u. A. Suzuki, Tetrahedron Letters **1983**, 731.
[17] G. Zweifel u. H. Arzoumanian, Am. Soc. **89**, 5086 (1967).
[18] G. Zweifel, A. Horng u. J. T. Snow, Am. Soc. **92**, 1427 (1970).

Ethoxymethyl-[1], Acetal-[2], Acyl-[3,4], Ethoxycarbonyl-[3,4], 2-Lithiumoxyethyl-[5], Cyan-[3,4], 4-Acetylpyridinio-[6], Nitro-[7], Diorganophosphinyl-[8], Trimethylsilyl-[9], Tributylstannyl-[10] Resten erhält man bei der Umwandlung mit Carbonsäuren heteroatomsubstituierte Alkene wie z. B. Alkenylketone[4] oder Alkenylalkanole[11]. Bei der Acidolyse können funktionelle Gruppen wie z. B. der Tributylstannyl-Rest[10] abgespalten oder das Reagenz an die Vinylbor-Gruppierung (z. B. an [(*Z*)-2-Trimethylsilylvinyl]borane[12]) addiert werden. Dabei bilden sich in einer Parallelreaktion heteroatomhaltiges Alken und eine neue Organobor-Verbindung; z. B.[12]:

$$(H_5C_2)_2B(H_5C_2)C{=}C(CH_3)Si(CH_3)_3 \xrightarrow[-(H_5C_2)_2BOCOCH_3]{+H_3C-COOH} H(H_5C_2)C{=}C(CH_3)Si(CH_3)_3 \quad (\sim 18\%)$$

$$\longrightarrow H_3C-CO-O-B(C_2H_5)-C(C_2H_5)_2-CH(CH_3)Si(CH_3)_3 \quad (82\%)$$

Auch die Aufspaltung cyclischer Organobor-Stickstoff-Verbindungen mit Vinyl-Gruppen am Bor-Atom ist mit heißem Eisessig möglich[13]:

$$F_5C_6\text{-Borazarennaphthalin}(C_6H_5, OCH_3) + 2\ H_3CCOOH \xrightarrow[-F_5C_6H]{\text{Rückfl.}} H_2C{=}C(C_6H_5)\text{-}C_6H_3(NH\text{-}CO\text{-}CH_3)(OCH_3)$$

Einzelne Allyl-Gruppen lassen sich mit Carbonsäuren (über 4- und/oder 6gliedrige Übergangszustände) i. allg. leicht vom Bor-Atom als Alken abspalten[14]. Vielfach erhält man allylumgelagertes Alken; z. B.[15]:

$$R^1HC{=}CH-CH_2-BR^2_2 \xrightarrow{+H_3C-COOH} R^1HCH-CH{=}CH_2$$

$R^1 = C_2H_5; C_6H_5$
$R^2 = CH(CH_3)CH(CH_3)_2$

[1] G. Zweifel, A. Horng u. J. E. Plamondon, Am. Soc. **96**, 316 (1974).
[2] H. C. Brown, U. S. Racherla u. D. Basavaiah, Synthesis **1984**, 303.
[3] A. Pelter, K. J. Gould u. C. R. Harrison, Tetrahedron Letters **1975**, 3327.
[4] A. Pelter, C. R. Harrison u. D. Kirkpatrick, Tetrahedron Letters **1973**, 4491.
[5] K. Utimoto, T. Furubayashi u. H. Nozaki, Chem. Letters **1975**, 3327.
[6] A. Pelter, K. J. Gould u. L. A. P. Kane-Maguire, Chem. Commun. **1974**, 1029.
[7] A. Pelter u. L. Hughes, Chem. Commun. **1977**, 913.
[8] P. Binger u. R. Köster, J. Organometal. Chem. **73**, 205 (1974).
[9] S. Rajagopalan u. G. Zweifel, Synthesis **1984**, 113.
[10] J. Hooz u. R. Mortimer, Tetrahedron Letters **1976**, 805.
[11] M. Naruse, K. Utimoto u. H. Nozaki, Tetrahedron Letters **1973**, 2741.
[12] P. Binger u. R. Köster, Synthesis **1973**, 309; vgl. ds. Handb., Bd. XIII/3a, S. 582 (1982).
[13] P. I. Paetzold, G. Stohr, H. Maisch u. J. Lenz, B. **101**, 2881 (1968).
[14] Yu. N. Bubnov, O. A. Nesmeyanova, T. Yu. Rudashashevskaya, B. M. Mikhailov u. B. A. Kazansky, Tetrahedron Letters **1971**, 2153.
[15] I. Mehrotra u. D. Devaprabhakara, J. Organometal. Chem. **33**, 287 (1971).

Aus Triallylboran wird eine Allyl-Gruppe als *Propen* protolytisch freigesetzt[1].

Organo-Reste mit borfernen C=C-Bindungen lassen sich mit Carbonsäuren in borfreie, offenkettige Cycloalkene umwandeln[2–4]; z.B.[2]:

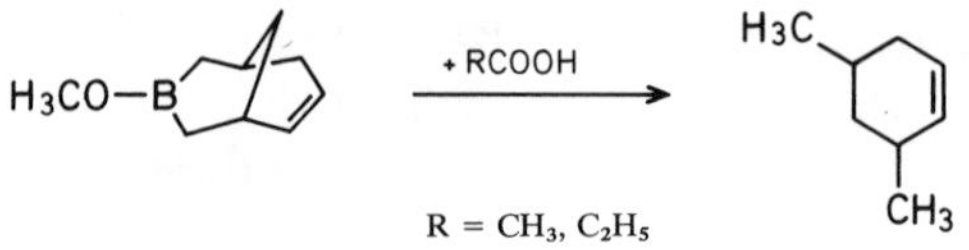

H_3CO-B → (+ RCOOH) →

R = CH_3, C_2H_5

Auch die Abspaltung von Allylcyclopropyl-Resten läßt sich mit Carbonsäuren leicht durchführen[5,6]:

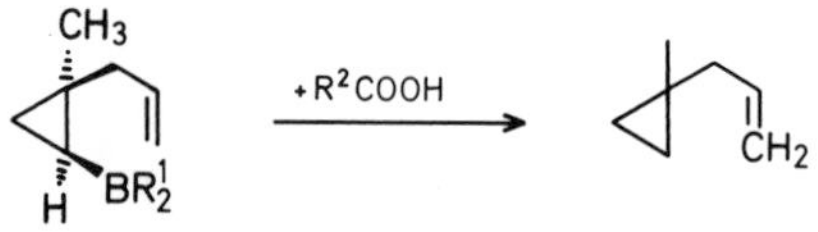

→ (+ R^2COOH) →

R^1 = OCH_3
R^2 = CH_3, C_2H_5

Die aus 9-Jod-9-borabicyclo[3.3.1]nonan mit 1,2-Alkadienen hergestellten 9-(2-Jod-1-alkenyl)-9-borabicyclo[3.3.1]nonane (vgl. XIII/3a, S. 461) reagieren mit Essigsäure unter Bildung von 2-Jodalkenen[7]:

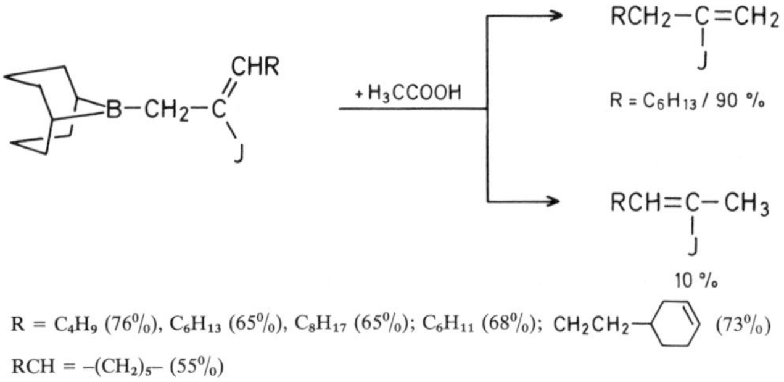

$B-CH_2-C(J)=CHR$ → (+ H_3CCOOH) → $RCH_2-C(J)=CH_2$ + $RCH=C(J)-CH_3$

R = C_6H_{13} / 90 % ; 10 %

R = C_4H_9 (76%), C_6H_{13} (65%), C_8H_{17} (65%); C_6H_{11} (68%); CH_2CH_2-(Cyclohexenyl) (73%)
RCH = $-(CH_2)_5-$ (55%)

1,2-Alkadiene lassen sich aus Allenylboranen mit Carbonsäuren freisetzen[8]:

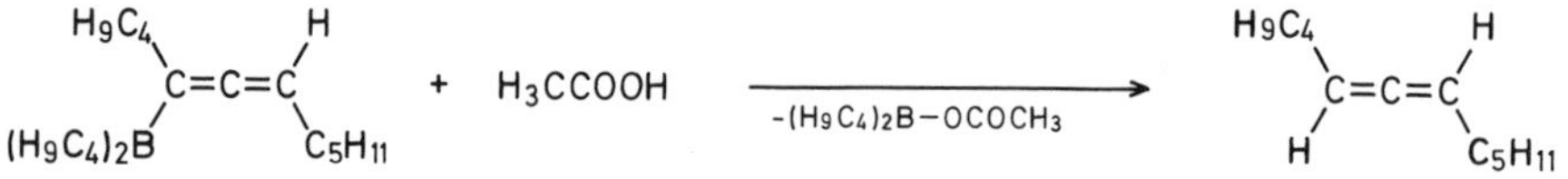

$$(H_9C_4)_2B(H_9C_4)C=C=C(H)C_5H_{11} + H_3CCOOH \xrightarrow{-(H_9C_4)_2B-OCOCH_3} (H_9C_4)(H)C=C=C(H)C_5H_{11}$$

[1] B.M. Mikhailov, Organometal. Chem. Rev. A **8**, 1 (1972); Intra-Sci. Chem. Rep. **7**, 191 (1973).
[2] B.M. Mikhailov, Yu. N. Bubnov u. S.I. Frolov, Izv. Akad. SSSR **1967**, 2290; engl.: 2193; C.A. **68**, 49673 (1968).
[3] Yu.N. Bubnov, S.I. Frolov, V.G. Kiselev u. B.M. Mikhailov, Ž. obšč. Chim. **40**, 1316 (1970); C.A. **74**, 53884 (1971).
[4] B.M. Mikhailov u. K.L. Cherkasova, Izv. Akad. SSSR **1971**, 1244; engl.: 1150; C.A. **75**, 76883 (1971).
[5] Yu. N. Bubnov, O.A. Nesmeyanova, T. Yu. Rudashevskaya, B.M. Mikhailov u. B.A. Kazansky, Tetrahedron Letters **1971**, 2153.
[6] B.M. Mikhailov, Yu. N. Bubnov, O.A. Nesmeyanova, V.G. Kiselev, T. Yu. Rudashevskaya u. B.A. Kazansky, Tetrahedron Letters **1972**, 4627.
[7] S. Hara, S. Takinami, S. Hyuga u. A. Suzuki, Chem. Letters **1984**, 345; C.A. **101**, 6664 (1984).
[8] M.M. Midland u. D.C. McDowell, J. Organometal. Chem. **156**, C5 (1978).

1,4-Alkadiene sind aus Alkadienyl-alkyl-methoxy-boranen mit Eisessig zugänglich[1-3]. Auch aus 1,4-Alkadienyl-dialkoxy-boranen erhält man mit Methanol in Gegenwart von Essigsäure 1,4-Alkadiene; z.B.[4-6]:

$$\text{Alkadienyl-dimethoxy-boran} \xrightarrow[-\ (H_3CO)_3B]{+\ H_3COH/H_3CCOOH} H_9C_4\text{-}C(=CH_2)\text{-}CH_2\text{-}CH=CH_2$$

Mit Eisessig lassen sich aus Cycloalkatetraenylboranen Cycloalkatetraene gewinnen[7]. Mit Carbonsäuren-O-d werden unter Deuteriodeborylierung Deuterium-Atome auf Vinyl-Gruppen übertragen. Man erhält z.B. aus Triorganoboranen bzw. 1-Alkenyl-dioxy-boranen definierte 1-Deuterio-1-alkene[8-16]; z.B.[16]:

$$\text{(Benzodioxaborolyl)-CH=CH-C(CH_3)_3} + H_3C\text{-}C(=O)OD \longrightarrow D(H)C=CH\text{-}C(CH_3)_3 + \text{(Benzodioxaborolyl)-O-CO-CH_3}$$

Die Deuteriodeborylierung erfolgt über das allylumgelagerte Triorganoboran[11]:

$$R^1(H_3C)B\text{-}CH(R^2)\text{-}CH=CH_2 \rightleftharpoons R^1(H_3C)B\text{-}CH_2\text{-}CH=CH\text{-}R^2 \xrightarrow[-\ R^1(H_3C)BOCOCH_3]{+\ H_3C\text{-}C(=O)OD} R^2\text{-}CHD\text{-}CH=CH_2$$

R^1, R^2 = $CH(CH_3)CH(CH_3)_2$, C_6H_{11}, 2-Methyl-cyclopentyl, 2-Methyl-cyclohexyl, Pinanyl

Offensichtlich spielt der sechsgliedrige Zwischenzustand bei der Reaktion die entscheidende Rolle:

$$R^1\text{-}C(=O)\text{-}O\text{-}D \cdots B(CH_2\text{-}CH=CH\text{-}R^2) \longrightarrow D(R^2)CH\text{-}CH=CH_2 + R^1\text{-}C(=O)\text{-}O\text{-}B\langle$$

R^1, R^2 = Alkyl, Aryl

---

[1] E. Negishi u. T. Yoshida, Chem. Commun. **1973**, 606.
[2] G. Zweifel u. H. Arzumanian, Am. Soc. **89**, 5086 (1967).
[3] E. Negishi, J.-J. Katz u. H.C. Brown, Synthesis **1972**, 555.
[4] B.M. Mikhailov, Y.N. Bubnov, S.A. Korobeinikova u. S.I. Frolov, Izv. Akad. SSSR **1968**, 1923; engl.: 1839; C.A. **70**, 4171 (1969).
[5] Yu. N. Bubnov, S.I. Frolov, V.G. Kiselev, V.S. Bogdanov u. B.M. Mikhailov, Ž. obšč. Chim. **40**, 1311 (1970); C.A. **74**, 53885 (1971).
[6] Yu. N. Bubnov, S.I. Frolov, V.G. Kiselev, V.S. Bogdanov u. B.M. Mikhailov, Organometal. i. Chem. Synth. **1**, 37 (1970); c.A. **74**, 76471 (1971).
[7] A.J. Hubert u. J. Dale, Soc. **1965**, 6674.
[8] s. ds. Handb., Bd. V/1b, S. 586, 790ff. (1972).
[9] A.C. Cope, G.A. Berchtold, P.E. Peterson u. S.H. Sharman, Am. Soc. **82**, 6370 (1960).
[10] B.W. Murray u. G.J. Williams, J. Org. Chem. **34**, 1896 (1969).
[11] G. Zweifel u. A. Horng, Synthesis **1973**, 672.
[12] J.B. Campbell u. G.A. Molander, J. Organometal. Chem. **156**, 71 (1978).
[13] G.W. Kabalka u. N.S. Bowman, J. Org. Chem. **38**, 1602 (1973).
[14] D.E. Bergbreiter u. D.P. Rainville, J. Organometal. Chem. **121**, 19 (1976).
[15] D.F. Bergbreiter u. D.P. Rainville, J. Org. Chem. **41**, 3031 (1976).
[16] Yu. N. Bubnov, V.S. Bogdanov, I.P. Yakolev u. B.M. Mikhailov, Ž. obšč. Chim. **42**, 1313 (1972); engl.: 1308; C.A. **77**, 114479 (1972).

ζ) mit Thiolen

Aus Allylbor-Verbindungen lassen sich mit Thiolen bei ≈20° Alkene abspalten. Ein mol Triallylboran reagiert mit Ethanthiol unter Abspaltung von zwei mol *Propen* und unter Addition an eine Allyl-Gruppe[1,2]:

$$B(CH_2-CH=CH_2)_3 \; + \; 3\; H-SC_2H_5 \longrightarrow 2\; C_3H_6 \; + \; H_5C_2S-(CH_2)_3-B(SC_2H_5)_2$$

η) mit NH-Verbindungen

Triallylboran reagiert mit Ammoniak über das Ammin-Triallylboran (vgl. Bd. XIII/3b, S. 436) zu *Propen* und Amino-diallyl-boran[3,4]:

$$B(CH_2-CH=CH_2)_3 \; + \; NH_3 \longrightarrow \longrightarrow C_3H_6 \; + \; H_2N-B(CH_2-CH=CH_2)_2$$

Mit prim.-Aminen oder 2-Aminoethanolen lassen sich zwei Allyl-Gruppen aus Triallylboran als *Propen* abspalten[5].

Alkalimetallamide reagieren mit Diorgano-subst.-vinyl-boranen unter Abspaltung gleich konfigurierter Alkene[6]:

$$(H_5C_2)_2B(H_5C_2)C=C(C_2H_5)_2 \; + \; NaNH_2 \xrightarrow[-Na^+[(H_5C_2)_2B=NH]^-]{THF} H(H_5C_2)C=C(C_2H_5)_2$$

Aus 1,2-Alkadienyl-dialkyl-boranen lassen sich mit Natriumamid in Mesitylen bei ≈150° substituierte 1,2-Alkadiene in 80%igen Ausbeuten abspalten[7]:

$$(H_5C_2)_2B(H_5C_2)C=C=C(CH_3)_2 \; + \; NaNH_2 \xrightarrow[-NaNHB(C_2H_5)_2]{Mesitylen} H(H_5C_2)C=C=C(CH_3)_2$$

ϑ) mit metallorganischen Verbindungen und nachfolgender Protolyse

Triorganoborane tauschen mit Trialkylaluminium-Verbindungen Organo-Reste aus (vgl. Bd. XIII/3a, S. 19). Mit Triethylaluminium lassen sich i. allg. 1-Alkenyl-Reste (vgl. S. 262) der Triorganoborane aufs Aluminium-Atom übertragen. Nach Abdestillieren des Triethylborans werden die Vinyl- sowie andere Alkenyl-Reste in verdünnter Ether-Lösungen unter Kühlen mit Wasser oder mit Alkohol als Alken freigesetzt[8–10]; z. B.:[11]:

---

[1] s. ds. Handb., Bd. XIII/3a, S. 870 (1982).
[2] B.M. Mikhailov u. A.Y. Bezmenov, Izv. Akad. SSSR **1965**, 931; engl.: 904; C.A. **63**, 5064 (1965).
[3] s. ds. Handb., Bd. XIII/3b, S. 75f. (1983).
[4] B.M. Mikhailov u. F.B. Tutorskaya, Doklady Akad. SSSR **123**, 479 (1958); C.A. **53**, 6990 (1959).
[5] J.P. Laurent u. R. Haran, Bl. **1964**, 2448 (1964).
[6] R. Köster u. G. Seidel, Ang. Ch. **93**, 1009 (1981); engl.: **20**, 972.
[7] R. Köster u. G. Seidel, Mülheim a.d. Ruhr, unveröffentlicht 1979.
[8] R. Köster u. G. Bruno, A. **629**, 89 (1960).
[9] P. Binger u. R. Köster, Ang. Ch. **74**, 652 (1962); engl.: **1**, 508.
[10] A. Stefano, Helv. **56**, 1192 (1973).
[11] R. Köster, E. Griasnow, W. Larbig u. P. Binger, A. **672**, 1 (1964).

$$3\ (H_5C_2)_2B-CH_2-CH_2-C_6H_9 \xrightarrow[-3\ B(C_2H_5)_3]{+1\ Al(C_2H_5)_3} Al[CH_2-CH_2-C_6H_9]_3 \xrightarrow[-3\ Al(OR)_3]{+3\ HOR} 3\ C_6H_9-CH_2-CH_3$$

Die Reaktion der Triorganoborane mit Lithioalkanen liefert i. allg. Lithium-alkyl-triorgano-borate (Bd. XIII/3b, S. 751). Aus (Z)-1-Alkenyl-Resten werden mit wäßrigem Alkalihydroxid selektiv und in hoher Ausbeute (≈90%) *cis*-Alkene (vgl. S. 246) abgespalten; z.B.[1]:

$$R_2B-C(R^1)=CH-R^2 \xrightarrow{+LiC_4H_9} Li^+\left[R_2B(C_4H_9)-C(R^1)=CH-R^2\right]^- \xrightarrow[-Li^+[R_2B(C_4H_9)OH]^-]{+H_2O/NaOH} (R^1)HC=CH(R^2)\ (cis)$$

$R = C_6H_{11}, CH(CH_3)CH(CH_3)_2$
$R^1 = H; CH_3, C_4H_9$
$R^2 = C_4H_9; C_6H_{11}; C(CH_3)_3$

4. Acetylenische Kohlenwasserstoffe

Die Abspaltung von Acetylen oder 1-Alkinen aus acetylenischen Organobor-Verbindungen gelingt mit Wasser oder anderen H-aciden Verbindungen[2-4]. Die Reaktionen verlaufen allerdings nicht immer ohne Komplikation[5].

Aus basenfreien Bis(dialkylboryl)acetylenen bzw. 1-Alkinyl-dialkyl-boranen (Bd. XIII/3a, S. 237ff.) erhält man mit Wasser oder Alkohol bei ≈20° langsam *Acetylen*[2] bzw. 1-Alkine[4]. Rasch und quantitativ erfolgt die Protodeborylierung des 1-Alkinyl-Rests mit verdünnter Schwefelsäure bei ≈70°. Gasförmige 1-Alkine lassen sich durch Volumetrie quantitativ erfassen[4].

$$R^1_2B-C\equiv C-R^2 + H_2O \xrightarrow{H^+} HC\equiv C-R^2 + R^1_2B-OH$$

$R^1 = C_2H_5, C_3H_7$
$R^2 = CH_3, C_2H_5$

Auch aus den 1-Alkinyl-Resten der basenfreien Alkyl-di-1-alkinyl-borane (Bd. XIII/3a, S. 241f.) werden mit verdünnter Schwefelsäure 1-Alkine quantitativ freigesetzt[4].

Aus Amin-1-alkinyl-alkyl-boranen (Bd. XIII/3b, S. 445) unterschiedlicher Zusammensetzung können mit 5N Schwefelsäure bei kurzem Aufkochen 1-Alkine abgespalten werden[1]. Mit Dihydrogenperoxid werden 1-Alkine ebenfalls freigesetzt[4].

Alkalimetall-1-alkinyl-trialkyl-borate (Bd. XIII/3b, S. 777) reagieren mit Wasser unter Bildung von einem mol 1-Alkin pro mol Borat[5]. Entsprechend erhält man *1,3-Butadiin* aus Dinatrium-1,3-butadiin-1,4-diyl-hexaethyl-diborat(2–)[5]:

$$Na_2^{2+}\left[(H_5C_2)_3B-C\equiv C-C\equiv C-B(C_2H_5)_3\right]^{2-} + 2\ H_2O \xrightarrow[-2\ Na^+[(H_5C_2)_3BOH]^-]{} HC\equiv C-C\equiv CH$$

Aus Natrium-di-1-alkinyl-dialkyl-boraten oder -alkyl-tri-1-alkinyl-boraten läßt sich mit Wasser nur wenig 1-Alkin freisetzen. Erst beim Ansäuern tritt vollständige Protodeborylierung der 1-Alkinyl-Reste ein. In saurem Medium wird die Reaktion durch die unter C–C-Verknüpfung verlaufende Additions/Umlagerung (vgl. S. 261) gestört[5].

---

[1] E. Negishi u. K.-W. Chiu, J. Org. Chem. **41**, 3484 (1976).
[2] H. Hartmann u. K.-H. Birr, Z. anorg. Ch. **299**, 174 (1959).
[3] ds. Handb., Bd. XIII/3b, S. 429 (1983).
[4] R. Köster, H.-J. Horstschäfer u. P. Binger, A. **717**, 1 (1968).
[5] P. Binger, G. Benedikt, G.W. Rotermund u. R. Köster, A. **717**, 21 (1968).

1,3-Alkenine (≈90%) erhält man aus Lithium-alkatrienyl-dialkyl-methoxy-boraten mit Eisessig bei ≈20° und anschließender Neutralisation mit 3 N wässrigem Natriumhydroxid[1]:

$$Li^{+}\left[R_2B(OCH_3)(CR{=}C{=}C{=}CH_2) \right]^{-} \xrightarrow{+H_3CCOOH} H_2C{=}CH{-}C{\equiv}C{-}C_nH_{2n+1}\ (\approx 9)\ n = 5-8 \quad + \quad H_2C{=}C{-}C{\equiv}C{-}CH(CH_3){-}C_nH_{2n+1}\ (\approx 1)$$

$R = C_5H_{11}, C_6H_{13}, C_7H_{15}, C_8H_{17}$

Auch Heteroatomhaltige Verbindungen mit Dreifachbindung sind aus Organobor-Verbindungen zugänglich. Die Hydrolyse der Cyan-phenyl-1-pyrrolo-borate in neutralem oder alkalischem Medium liefert Hydrogencyanid; z.B.[2]:

$$[(H_5C_6)_nB(NC_4H_4)_{3-n}CN]^- + H_2O \longrightarrow H{-}C{\equiv}N + [(H_5C_6)_nB(NC_4H_4)_{3-n}OH]^-$$

b) **Organo-Kohlenstoff-Verbindungen** (allgemein)

Zu den C–C-verknüpfenden Umwandlungen der Organobor-Verbindungen gehören die Gewinnung von Organo-Organo-Verbindungen aus zwei B-Organo-Resten (intramolekulare Bis-carbodeborylierungen) sowie die Übertragung von Organo-Resten auf C-Atome der Reagenzien [intermolekulare Carbodeborylierungen (vgl. S. 276ff.) und Carboborierungen (vgl. S. 284ff.)]. Das Kapitel ist entsprechend unterteilt.

1. Organo-Organo-Verbindungen

Bis-carbodeborylierungen bei Diorganobor- oder Triorganobor-Verbindungen führen zur C–C-Verknüpfung von zwei borgebundenen Organo-Resten:

$$R_3B + X{-}Y \xrightarrow[-R{-}B(X)Y]{} R{-}R$$

Aliphatische, aromatische, ungesättigte und heteroatomhaltige Kohlenwasserstoffe sowie Kohlenwasserstoff-Übergangsmetall-π-Komplexe (vgl. S. 274) sind so zugänglich.

α) Aliphatische Kohlenwasserstoffe

Die Umwandlung von Organobor-Verbindungen in aliphatische Kohlenwasserstoffe erfolgt beim Belichten oder auf elektrochemischem Weg. Außerdem verwendet man verschiedene Peroxide sowie nucleophile Reagenzien und bestimmte Übergangsmetall-Verbindungen.

[1] J. Koshino, T. Sugawara u. A. Suzuki, Syn. Commun. **1984**, 245.

[2] J. Emri u. B. Györi, Polyhedron **2**, 1273 (1984); C.A. **100**, 174884 (1984).

α_1) *mit elektrischem Strom*

Die Verknüpfung von zwei Organo-Resten der Organobor-Verbindungen läßt sich durch anodische Oxidation in Gegenwart von Nucleophilen erzielen. Die i.allg. über Organoborate verlaufende Reaktion führt zur Verknüpfung zweier Alkyl- oder Aryl-Gruppen[1-6]. Aus verschiedenen Organoboranen erhält man in Gegenwart von Nucleophilen (z.B. Hydroxy[5,6], Methoxy[3,6], Butylamin[6] und weitere[6]) bei der Elektrolyse an der Platin-Anode[6] Bialkyle[3-6], Bicycloalkyle[6] oder Biaryle[1,2]:

$$2\ {>}B{-}R \; + \; Nu \xrightarrow{e} R{-}R$$

R = C_6H_{13}[3,4], C_8H_{17}[4]; C_5H_9[6], C_6H_{11}[4,6]; C_6H_5[1,2],
Nu = OCH_3[3,6]; OH[5,6]

Man geht von aromatischen[1,2], aliphatischen[3,5,6] oder von heteroatomsubstituierten (Funktionen: Cl, OR, COOR)[6] Triorganoboranen sowie von Dihydroxy-organo-boranen[4] aus. Bei der kathodischen Reduktion des Acetons in Gegenwart von Trialkylboranen bilden sich Bialkyle (vgl. Bd. XIII/3a, S. 663)[7].

α_2) *mit Hydrogenperoxy-Verbindungen*

Mit neutralem wäßrigem 30⁰/₀igem Dihydrogenperoxid lassen sich zwei der drei Alkyl-Reste der Trialkylborane über Radikal-Zwischenstufen in dimere Alkyl-Verbindungen überführen. Die Zusammensetzung der Produktgemische ist zeit-, temperatur- und konzentrationsabhängig. Aus Trihexylboran, das aus Tetrahydrofuran-Boran und 1-Hexen hergestellt wurde, erhält man z.B. mit Dihydrogenperoxid in Tetrahydrofuran bei 0° innerhalb 24 Stdn vorwiegend C_{12}-Alkane [*Dodecan* und *5-Methylundecan* ≈3:1] neben Hexan und 1-Hexanol, dessen Menge nach alkalisch-wäßriger Dihydrogenperoxid-Oxidation (vgl. S. 331ff.) auf das etwa siebenfache gesteigert werden kann[8]:

$$R_3B + H_2O_2 \xrightarrow{+H_2O} \begin{cases} R{-}R \\ R{-}H + R{-}B(OH)_2 \xrightarrow{+HOO^-} R{-}OH \\ R{-}OH \end{cases}$$

R = Alkyl

Gemische von Trihexyl- und Tripentyl-boran liefern C_{10}-, C_{11}- und C_{12}-Alkane[8]. Aus den drei epimeren Tris(bicyclo[2.2.1]hept-2-yl)boranen gewinnt man bei 25° mit neutralem wäßrigem 30⁰/₀igem Dihydrogenperoxid in Abhängigkeit von der *exo/endo*-Konfiguration der aliphatischen Reste unterschiedliche Mengen an 2,2′-Bi-bicyclo[2.2.1]heptyl und 2-Hydroxybicyclo[2.2.1]heptan. Außerdem werden Bicyclo[2.2.1]heptan und Bicyclo[2.2.1]hepten gebildet[9].

---

[1] D.H. GESKE, J. Phys. Chem. **66**, 1743 (1962).
[2] W.R. TURNER u. P.J. ELVING, Anal. Chem. **37**, 207 (1965).
[3] H. SCHÄFER u. D. KOCH, Ang. Ch. **84**, 32 (1972); engl.: **11**, 48.
[4] A.A. HUMFFRAY u. L.F.G. WILLIAMS, Electrochimica Acta **17**, 1157 (1972); C.A. **77**, 42366 (1972).
[5] T. TAGUCHI, M. ITOH u. A. SUZUKI, Chem. Letters **1973**, 719.
[6] G. SCHLEGEL u. H.J. SCHÄFER, B. **117**, 1400 (1984).
[7] Y. TAKAHASHI, M. TOKUDA, M. ITOH u. A. SUZUKI, Chem. Letters **1978**, 669.
vgl. ds. Handb., Bd. XIII/3a, S. 663 (1982).
[8] D.B. BIGLEY u. D.W. PAYLING, Soc. [B] **1970**, 1811.
[9] P.J. KRUSIC u. J.K. KOCHI, Am. Soc. **91**, 3942 (1969).

Alkyl-Radikale erhält man aus Trialkylboranen, Dialkyl-halogen-boranen und Trialkylboroxinen mit tert.-Butyloxy-Radikalen (z.B. photochemisch aus tert.-Butyloxy-Verbindungen[1], Di-tert.-butylperoxid[2], tert.-Butylperoxy-trimethyl-silan[3]). Die Kombination von Alkyl-Radikalen kann zur Bildung von Alkanen führen.

α_3) *mit Übergangsmetall-Verbindungen*

Alkylbor-Verbindungen werden von bestimmten Übergangsmetall-Verbindungen radikalisch dealkyliert. Aus Trialkylboranen erhält man mit Silberoxid oder mit Silbernitrat in alkalischen bzw. ammoniakalischen Lösungen Bialkyle[4-8]:

$$R_3B \xrightarrow{Ag^+/Base} R{-}R$$

R = Alkyl

Auch die Alkyl-Reste der Alkyl-dihydroxy-borane lassen sich mit Silbersalz in ammoniakalisch-wäßriger Lösung dimerisieren[9]:

$$H_9C_4{-}B(OH)_2 + [Ag(NH_3)_2]^+ + H_2O \xrightarrow[-NH_3]{} 1/2\ C_8H_{18} + NH_4^+ + Ag + B(OH)_3$$

Borabicycloalkane reagieren mit alkalischer Silbernitrat-Lösung nicht zu borfreien, bicyclischen Aliphaten. Man erhält vielmehr Ketone und Cycloalkene[10,11].

Mit Palladium(II)acetat[12] in Tetrahydrofuran/Triethylamin bilden sich aus Dialkyl-vinyl-boranen[7,12] Alkenyl-alkyl-Verbindungen (vgl. S. 264f.).

Aus Alkalimetall-cyano-trialkyl-boraten (Bd. XIII/3b, S. 770ff.) lassen sich mit Trifluoressigsäureanhydrid beim Erwärmen auf ≈40° nach anschließender Oxidation Trialkylcarbinole gewinnen. Alkyl-Reste und das Kohlenstoffatom des Carbinols stammen aus dem Ausgangsborat. Derartige 1,1-Addititionen werden auf den S. 289f. erörtert.

β) Aromatische Kohlenwasserstoffe

Biaryle kann man aus Diarylbor- und Triarylbor-Verbindungen beim Belichten, durch elektrochemische Oxidation oder mit Hilfe von Halogen bzw. von Übergangsmetall-Verbindungen herstellen.

---

[1] A.G. Davies u. R. Tudor, Soc. [B] **1970**, 1815.
[2] A.G. Davies, D. Griller u. B.P. Roberts, Soc. [B] **1971**, 1823.
[3] G.A. Razuvaev, V.A. Dodonov, D.F. Grishin u. V.K. Cherkasov, Doklady Akad. SSSR **253**, 113 (1980); engl.: 321; C.A. **94**, 16154 (1981).
[4] H.R. Snyder, J.A. Kuck u. J.R. Johnson, Am. Soc. **60**, 105 (1938).
[5] H.C. Brown, C. Verbrugge u. C.H. Snyder, Am. Soc. **83**, 1001 (1961).
[6] H.C. Brown u. C.H. Snyder, Am. Soc. **83**, 1002 (1961).
[7] E.J. Corey u. T. Ravindranathan, Am. Soc. **94**, 4013 (1972).
[8] R. Murphy u. R.H. Prager, Tetrahedron Letters **1976**, 463.
[9] J.R. Johnson, M.G. van Campen u. O. Grummitt, Am. Soc. **60**, 111 (1938).
[10] I. Mehrotra u. D. Devaprakhakara, J. Organometal. Chem. **82**, C1 (1974).
[11] K. Avasthi, S.S. Ghosh u. D. Devaprakhakara, Tetrahedron Letters **1976**, 4871.
[12] H. Yatagai, Y. Yamamoto, K. Maruyama, A. Sonoda u. S.-I. Murahashi, Chem. Commun. **1977**, 852.

β_1) mit Licht

Beim Belichten (λ = 254 nm) der Alkalimetall-tetraarylborate (Bd. XIII/3b, S. 763ff.) in wäßriger Lösung werden u.a. Biaryle und 1-Aryl-1,4-cyclohexadiene (vgl. S. 258) gebildet[1-10]; z.B.[2]:

$$Na[B(C_6H_5)_4] \xrightarrow[H_2O]{+h\nu} H_5C_6{-}C_6H_5 \;\; + \;\; H_5C_6{-}\text{(cyclohexa-1,4-dienyl)}$$

In Gegenwart von Sauerstoff erhält man auch Terphenyle[11].

Tri-1-naphthylboran wird beim Belichten (>350 nm) [offensichtlich nicht[12] über Naphthylboran(1)] in 5–10%iger Ausbeute ins *1,1'-Binaphthyl* umgewandelt[12,13].

β_2) mit elektrischem Strom

Die elektrochemische Oxidation des Natrium-tetraphenylborats an der Graphit-[14,15] bzw. Platin-[16]Elektrode liefert in wäßriger Lösung *Biphenyl*:

$$[(H_5C_6)_4B]^- \; + \; H_2O \xrightarrow[-H^+]{-2e^-} H_5C_6{-}C_6H_5 \; + \; (H_5C_6)_2B{-}OH$$

Aus Diphenyl-hydroxy-boran bilden sich elektrochemisch in wäßriger Lösung *Biphenyl* und Borsäure[15]:

$$(H_5C_6)_2B{-}OH \; + \; 2H_2O \xrightarrow[-2H^+]{-2e^-} H_5C_6{-}C_6H_5 \; + \; B(OH)_3$$

β_3) mit Halogen

Mit Halogenen (Brom, Jod) erhält man aus Kalium-phenyl-tris-[3- bzw. -4-methylphenyl]-borat in Chloroform in 95%iger Ausbeute Biaryle[17]:

---

[1] s. ds. Handb., Bd. IV/5b, S. 1405 (1975); Bd. XIII/3a, S. 12, 174 (1982).
[2] J.L.R. Williams, Chem. Commun. **1967**, 109.
[3] J.L.R. Williams, Am. Soc. **89**, 4538 (1967).
[4] J.L.R. Williams, J.C. Doty, P.J. Grisdale, R. Searle, T.H. Regan, G.P. Happ u. D.P. Maier, Am. Soc. **89**, 5153 (1967).
[5] P.J. Grisdale, B.E. Babb, J.C. Doty, T.H. Regan, D.P. Maier u. J.L.R. Williams, J. Organometal. Chem. **14**, 63 (1968).
[6] J.L.R. Williams, J.C. Doty, P.J. Grisdale, T.H. Regan, G.P. Happ u. D.P. Maier, Am. Soc. **90**, 53 (1968).
[7] J.L.R. Williams, P.J. Grisdale, J.C. Doty, M.E. Glogowski, B.E. Babb u. D.P. Maier, J. Organometal. Chem. **14**, 53 (1968)
[8] P.J. Grisdale u. J.L.R. Williams, J. Organometal. Chem. **22**, C19 (1970).
[9] J.C. Doty, P.J. Grisdale, T.R. Evans u. J.L.R. Williams, J. Organometal. Chem. **32**, C35 (1971).
[10] D.G. Borden, Photopraphic Sci. Eng. **16**, 300 (1972).
[11] P.J. Grisdale, J.L.R. Williams, M.E. Glogowski u. B.E. Babb, J. Org. Chem. **36**, 544 (1971).
[12] G.C. Calhoun u. G.B. Schuster, J. Org. Chem. **49**, 1925 (1984).
[13] G.B. Ramsey u. D.M. Anjo, Am. Soc. **99**, 3182 (1977).
[14] D.H. Geske, J. phys. Chem. **66**, 1743 (1962).
[15] W.R. Turner u. P.J. Elving, Anal. Chem. **37**, 207 (1965).
[16] W.R. Turner u. P.J. Elving, J. phys. Chem. **69**, 1067 (1965).
[17] J.J. Eisch u. R.J. Wilcseck, J. Organometal. Chem. **71**, C21 (1974).

$$K^+ \{H_5C_6-B[-C_6H_4-CH_3]_3\}^- \xrightarrow[CHCl_3]{+Br_2} \begin{cases} \approx 30\% & H_3C-C_6H_4-C_6H_4-CH_3 \\ \approx 70\% & H_3C-C_6H_4-C_6H_5 \end{cases}$$

β_4) *mit Metall-Salzen*

Biaryle und heteroatomhaltige Biaryl-Verbindungen erhält man mit verschiedenen Metallsalzen in wäßriger Lösung aus Arylbor-Verbindungen[1-3]. Beispielsweise reagieren Aryl-dihydroxy-borane mit Kupfer(II)-acetat unter Bildung von *Biphenyl* bzw. substituierten Biphenylen[1]. Mit ammoniakalischer Silberoxid-Lösung bildet sich aus Chlorferrocenyl-dihydroxy-boran *1,1'-Bi(chlorferrocenyl)*[2]:

$$2\ (ClC_5H_4)Fe(C_5H_4B(OH)_2) \xrightarrow[-2\ B(OH)_3,\ -Ag]{[Ag(NH_3)_2]^+\ OH^-} (ClC_5H_4)Fe(C_5H_4-C_5H_4)Fe(C_5H_4Cl)$$

Die oxidative Kupplung von Aryl-Resten der Kalium-phenyl-tris(4-methylphenyl)-borate mit Eisen(III)- bzw. Cer(IV)-Verbindungen liefert Biaryle[3].

γ) Olefinische Kohlenwasserstoffe

Zur Umwandlung ungesättigter Organobor-Verbindungen in olefinische Kohlenwasserstoffe eignen sich Reaktionen unter Lichteinwirkung sowie Reaktionen mit bestimmten protonenaktiven und anderen Elektrophilen, Halogenen, Alkanolaten und übergangsmetallhaltigen Verbindungen.

Unter C–C-Verknüpfung von zwei B-Organo-Resten – meist ausgehend von Organoboraten [aus Organoboran und Alkalimetall-Verbindung] – erhält man Alkene, Alkadiene und Alkatriene.

γ_1) *mit Licht*

Alkadienyl-organo-Verbindungen sind aus Tetraarylboraten beim Belichten präparativ zugänglich. Aus Natrium-tetraphenylborat erhält man so in wäßriger Lösung unter C–C-Verknüpfung (vgl. S. 257) u.a. *1-Phenyl-1,4-cyclohexadien*[4-6]:

$$Na\ [B(C_6H_5)_4] \xrightarrow{+h\nu\ /\ +H_2O} H_5C_6-C_6H_7$$

---

[1] Z. Holzbecher, Chem. Listy **46**, 17 (1952); C. A. **46**, 10998 (1952).

[2] A. N. Nesmeyanov, V. N. Drozd, V. A. Sazonova, V. I. Romanenko, A. K. Prokof'ev u. L. A. Nikonova, Izv. Akad. SSSR **1963**, 667; engl.: 597; C. A. **59**, 7556 (1963).

[3] J. J. Eisch u. R. J. Wilcsek, J. Organometal. Chem. **71**, C21 (1974).

[4] J. L. R. Williams, J. C. Doty, P. J. Grisdale, T. H. Regan u. D. G. Borden, Chem. Commun. **1967**, 109.

[5] J. L. R. Williams, J. C. Doty, P. J. Grisdale, R. Searle, T. H. Regan, G. P. Happ u. D. P. Maier, Am. Soc. **89**, 5153 (1967).

[6] J. L. R. Williams, J. C. Doty, P. J. Grisdale, T. H. Regan, G. P. Happ u. D. P. Maier, Am. Soc. **89**, 53 (1968).

γ_2) mit Elektrophilen

Die Umwandlung von 1-Alkenyl- oder 1-Alkinyl-organo-boraten (bzw. von deren Edukten) in verschiedenartig substituierte, borfreie Alkene mit neuen C–C-Bindungen gehören zu den wichtigsten Präparationen der Organischen Chemie mit Hilfe von Organobor-Verbindungen. Die seit 1965 vielseitig abgewandelte Reaktion α-ungesättigter Organoborate mit Elektrophilen verläuft i. allg. zweistufig nach der ursprünglich aufgestellten Gleichung[1-3]:

$$Na^+ [R^1_3B{-}C{\equiv}C{-}R^2]^- \xrightarrow[-\,NaX]{+\,El^+X^-} \begin{cases} (R^1_2B)(R^1)C{=}C(R^2)(El) \longrightarrow \text{Bor-freie Produkte} \\ (R^1_2B)(R^1)C{=}C(El)(R^2) \longrightarrow \text{Bor-freie Produkte} \end{cases}$$

$R^1 = CH_3, C_2H_5, C_3H_7$
$R^2 = CH_3, C_2H_5; C_6H_5$
$ElX = HCl; (H_5C_2)_2O^+ BF_4^-$;TOS-OR; R-Hal, Allyl-Cl, $(H_5C_2)_2BCl$, $(H_7C_3)_2BCl$

Die Reaktionen werden durch den Angriff des Elektrophils in β-Stellung des ungesättigten B-Organo-Rests eines [z. T. erst in situ gebildeten] Borats eingeleitet. Die Wanderung eines B-Organo-Rests vom Bor- zum α-C-Atom des 1-Alkinyl- bzw. 1-Alkenyl-Rests führt zum Organoboran. Dieses kann unter 1,2-Eliminierung (vgl. S. 217f.) weiterreagieren oder durch Protolyse in (*E/Z*)-Alkene übergeführt werden. In bestimmten Fällen verlaufen die Umwandlungen hoch stereoselektiv (vgl. S. 263f.), bisweilen sogar vollkommen einheitlich (vgl. S. 260f.).

Die Addition/Umlagerungs-Reaktionen der α-ungesättigten Organoborate mit Elektrophilen führen zu den verschiedensten olefinischen Triorganobor[4]-(XIII/3a, S. 201ff.) und Lewisbase-Triorganobor[5] (XIII/3b, S. 448ff.)-Verbindungen, aus denen protolytisch ungesättigte Kohlenwasserstoffe gewonnen werden können[6].

Die Reaktionen mit den wichtigsten Reagenzien zur Umwandlung der α-ungesättigten Organoborate sind in den folgenden Abschnitten zusammengestellt.

$\gamma\gamma_1$) mit protonenhaltigen Verbindungen

Bestimmte Organo-Organo-Verknüpfungen erfolgen aus Boraten spontan, so daß die entstehenden Organoborane lediglich protolytisch gespalten werden müssen, um olefinische Kohlenwasserstoffe zu gewinnen. Unter spontaner Umlagerung verlaufen beispielsweise die Abspaltung von Lithiumhalogenid[7,8] oder Lithiumacetat[9] aus 3-Halogen-[7,8] bzw. 3-Acetoxy[9]-(1-alkinyl-trialkyl-boraten). Die Protolyse mit Carbonsäuren (vgl. S. 237) liefert beispielsweise 1,3-Dialkyl-1,2-alkadiene[9]:

---

[1] P. Binger u. R. Köster, Tetrahedron Letters **1965**, 1901.
[2] P. Binger, G. Benedikt, G.W. Rotermund u. R. Köster, A. **717**, 21 (1968).
[3] s. ds. Handb., Bd. V/2a, S. 787ff. (1977).
[4] Olefinische Triorganoborane: XIII/3a, S. 199–206, 208–210, 213, 216 (1982).
Acetylenische Triorganoborane: XIII/3a, S. 239–241 (1982).
Heteroatomhaltige olefinische Triorganoborane: XIII/3a, S. 270–273, 279–280 (Sauerstoff), S. 283–284 (Schwefel), 289–290 (Stickstoff), S. 290 (Phosphor), S. 299–303 (Silicium), S. 306–311 (Zinn).
[5] Heteroatomhaltige Lewisbase-Triorganoborane: XIII/3b, S. 429–432 (Sauerstoff), S. 448–450 (Stickstoff), S. 472 (Phosphor).
[6] s. ds. Handb., Bd. V/2a, S. 787ff. (1977).
[7] T. Leung u. G. Zweifel, Am. Soc. **96**, 5620 (1974).
[8] s. ds. Handb., Bd. V/2a, S. 1016 (1977); XIII/3a, S. 204 (1982).
[9] M.M. Midland u. D.C. Dowell, J. Organometal. Chem. **156**, C 5 (1978).

$$Li^+\left[(H_9C_4)_3B-C{\equiv}C-\underset{}{\overset{C_5H_{11}}{\overset{|}{C}}}H-OCOCH_3\right]^- \xrightarrow[-Li-OCOCH_3]{} (H_9C_4)_2B(H_9C_4)C{=}C{=}CH(C_5H_{11}) \xrightarrow{+H^+} H_9C_4(H)C{=}C{=}CH(C_5H_{11})$$

Alkalimetall-1-alkinyl-trialkyl-borate reagieren mit Hydrogen-chlorid unter Bildung von umgelagerten (*Z*/*E*)-1-Alkenyl-1-alkyl-dialkyl-boranen[1,2]:

$$M\ [R^1_3BC{\equiv}C-R^2]^- \xrightarrow[-MCl]{+HCl} (R^1_2B)(R^1)C{=}CHR^2 \xrightarrow{+H_2O} R^1CH{=}CHR^2$$

Aus bestimmten Alkalimetall-1-alkenyl-trialkyl-boraten lassen sich mit wäßrigem Hydrogenchlorid bei ≈25° unter Alkyl-Wanderung (vgl. S. 259) und anschließender Dialkyl-hydro-boran-Eliminierung (H_2-Abspaltung!) tetraalkylierte Alkene (Bialkyliden-Verbindungen) gewinnen[3,4]:

$$Li^+\left[((H_3C)_2CH)(H_3C)CH-B(C_4H_9)_2-C(H_9C_4){=}CH(C_4H_9)\right]^- \xrightarrow[-LiCl]{+HCl} \left\{((H_3C)_2CH)(H_3C)CH-B(C_4H_9)-C(C_4H_9)(CH_2C_4H_9)-CH(CH_3)CH(CH_3)_2\right\}$$

$$\xrightarrow[\left\{-((H_3C)_2CH)(H_3C)CH-B(H)C_4H_9 \xrightarrow{+H_2O} H_2\right\}]{} ((H_3C)_2CH)(H_3C)C{=}C(C_4H_9)CH_2C_4H_9$$

Mit wasserfreiem Hydrogenchlorid in Diethylether entstehen aus Lithium-(1,2-dimethoxyvinyl)-trialkyl-boraten (XIII/3b, S. 788) 1,1-Dialkylethene in ≈65%iger Ausbeute[5]; z.B.:

$$Li^+\left[(H_{13}C_6)_3B-C(OCH_3){=}CH-OCH_3\right]^- \xrightarrow[\substack{-LiCl \\ \{-H_{13}C_6B(OCH_3)_2\}}]{+HCl} H_{13}C_6-C(C_6H_{13}){=}CH_2$$

Alkalimetall- (*trans*-1-alkenyl)- (1-alkinyl)-dicyclohexyl-borate reagieren mit Hydrogenchlorid u.a. (≈20%) [vgl. S. 259] unter Wanderung des Alkenyl-Rests. Die Acidolyse (*E*/*Z*)-1,3- liefert dann (*E*/*Z*)-1,3-Alkadiene; z.B.: *(5E,7Z)-Hexadecadien.*[6]

---

[1] P. Binger u. R. Köster, Tetrahedron Letters **1965**, 1901.
[2] G. Zweifel u. R.P. Fisher, Synthesis **1972**, 376.
[3] K.-W. Chiu, E. Negishi, M.S. Plante u. A. Silviera, J. Organometal. Chem. **112**, C3 (1976).
[4] E. Negishi u. K.-W. Chiu, J. Org. Chem. **41**, 3484 (1976).
[5] T. Yogo u. A. Suzuki, Chem. Letters **1980**, 591.
[6] G. Zweifel u. S.J. Backlund, J. Organometal. Chem. **156**, 159 (1978).

Lithium-dicyclohexyl- (1-hexinyl)-(*trans*-1-hexenyl)-borat reagiert mit Diethylether-Trifluorboran. Nach Reaktion mit Eisessig und Hydroperoxid-Oxidation erhält man *(5E,7Z)-Dodecadien* (67%)[1]:

$$Li^+ \left[(H_{11}C_6)_2B(CH{=}CH{-}C_4H_9)(C{\equiv}C{-}C_4H_9) \right]^- \xrightarrow{(H_5C_2)_2O-BF_3} \xrightarrow{+H^+(H_3CCOOH)} H_9C_4{-}CH{=}CH{-}CH{=}CH{-}C_4H_9$$

$\gamma\gamma_2$) mit C-Elektrophilen

Die Reaktionen der Alkalimetall-(1-alkinyl)-triorgano-borate mit C-Elektrophilen führen i. allg. zu (*Z/E*)-(1-Alkenyl)-diorgano-boranen[2,3]. Als elektrophile Reagenzien werden z.B. Triethyloxonium-tetrafluoroborate[2] oder Allylhalogenide[4] verwendet:

$$Na^+ [R^1_3B-C{\equiv}C-R^2]^- \xrightarrow[-NaX]{+El^+X^-} R^1_2B(R^1)C{=}C(R^2)El \xrightarrow{+H_2O} H(R^1)C{=}C(R^2)El$$

$$\phantom{Na^+ [R^1_3B-C{\equiv}C-R^2]^-} \longrightarrow R^1_2B(R^1)C{=}C(El)R^2 \xrightarrow{+H_2O} H(R^1)C{=}C(El)R^2$$

El: Alkyl, Allyl

$\gamma\gamma_3$) mit Heteroatom-Elektrophilen (Hal, Si, Sn)

Wichtigste Reaktionen der α-ungesättigten Organoborate mit Heteroatom-Elektrophilen sind die Umsetzungen mit Halogenen (vor allem Jod) bzw. Halogen-Verbindungen. Der Addition/Umlagerung ist i. allg. eine 1,2-Dehaloborierung (vgl. S. 217) nachgelagert.

1-Alkenyl-organobor-Verbindungen reagieren mit Jod in alkalisch-wäßriger Lösung unter Bildung von 1-Organo-1-alkenen[5,6]. Die präparativ wichtigen Reaktionen verlaufen z.B. über 1-Alkenyl-trialkyl-[5-8], 1-Alkenyl-dialkyl-hydroxy-[9-11], 1-Alkenyl-alkyl-dialkoxy-[12,13] bzw. Alkendiyl-dihydroxy-borate[14]; z.B.[5]:

---

[1] G. Zweifel u. S.J. Backlund, J. Organometal. Chem. **156**, 159 (1978).
[2] P. Binger u. R. Köster, Tetrahedron Letters **1965**, 1901.
[3] P. Binger u. R. Köster, Synthesis **1973**, 309.
[4] P. Binger, R. Adatia u. R. Köster, Mülheim a.d. Ruhr, unveröffentlicht 1970.
[5] G. Zweifel, H. Arzoumanian u. C.C. Whitney, Am. Soc. **89**, 3652 (1967).
[6] G. Zweifel, N.L. Polston u. C.C. Whitney, Am. Soc. **90**, 6243 (1968).
[7] N. Miyaura, H. Tagami, M. Itoh u. A. Suzuki, Chem. Letters **1974**, 1411.
K. Avasthi, T. Baba u. A. Suzuki, Tetrahedron Letters **1980**, 945.
S.W. Slayden, J. Org. Chem. **47**, 2753 (1982).
[8] N.J. Lalima u. A.B. Levy, J. Org. Chem. **43**, 1279 (1978).
[9] G. Zweifel, Intra-Sci. Chem. Rep. **7**, 131 (1973).
[10] G. Zweifel u. R.P. Fisher, Synthesis **1974**, 339.
[11] G. Zweifel u. R.P. Fisher, Synthesis **1975**, 376.
[12] D.A. Evans, T.C. Crawford, R.C. Thomas u. J.A. Walker, J. Org. Chem. **41**, 3947 (1976).
[13] D.A. Evans, R.C. Thomas u. J.A. Walker, Tetrahedron Letters **1976**, 1427.
H.C. Brown u. D. Basavaiah, J. Org. Chem. **47**, 3806 (1982).
H.C. Brown u. D. Basavaiah, Synthesis **1983**, 283.
[14] G. Zweifel u. R.P. Fisher, Synthesis **1972**, 557.

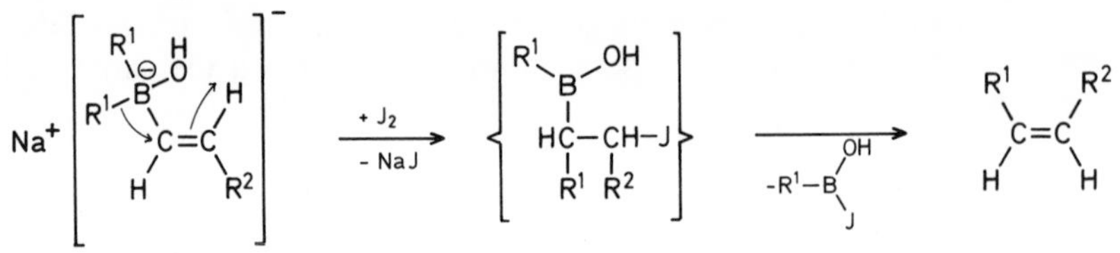

$R^1 = C_6H_{11}$, $CH(CH_3)CH(CH_3)_2$
$R^2 = C_4H_9$

Mit Jod erhält man in alkalisch-wäßriger Lösung aus Bis(1-alkenyl)-cyclooctan-1,5-diyl-boraten Bialkenyl-Verbindungen[1-5]; z.B.[5]:

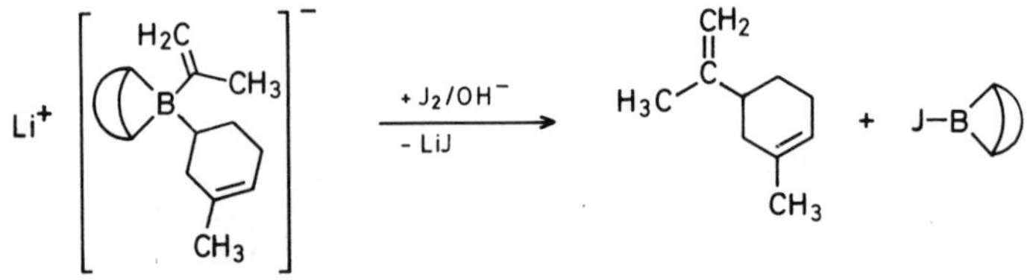

Die reaktiven Organoborate lassen sich auch in situ erzeugen und dann mit Jod umsetzen. Aus Bis(1-alkenyl)-organooxy-boranen oder aus Tris(1-alkenyl)boranen sind mit Jod/Alkali über Borate in situ substituierte (*E*/*Z*)-1,3-Alkadiene als (vgl. S. 260f.) Bi-1-alkenyle zugänglich[2,3]:

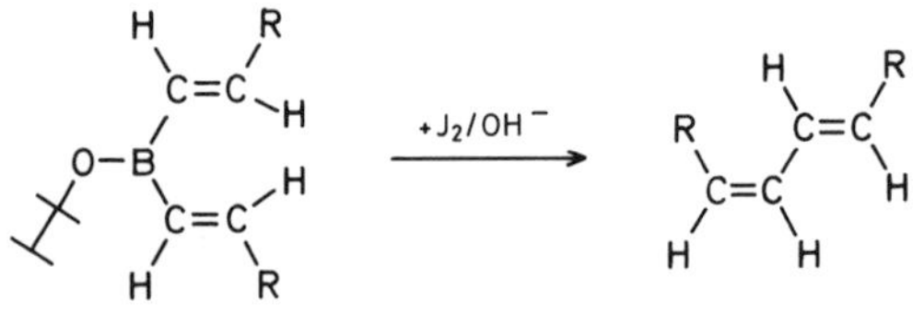

$R = C_2H_5$, C_4H_9

Die Übertragung von zwei borgebundenen Organo-Resten auf die 1-Alkenyl-Gruppe gelingt über Borate in situ aus (1-Brom-1-alkenyl)-diorgano-boranen; z.B. zur Umwandlung in Alkylidencycloalkane[6]:

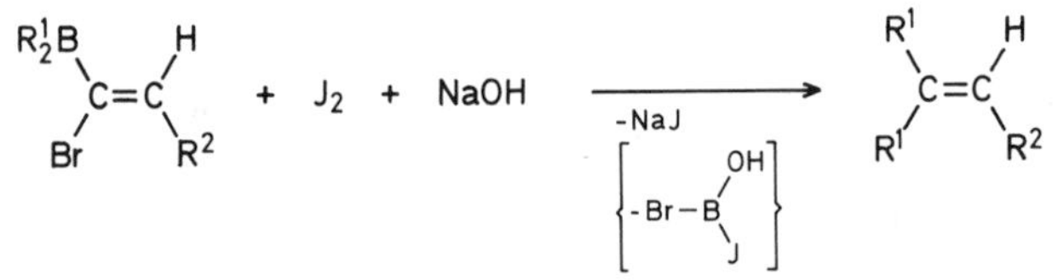

R^1–R^1 = $-(CH_2)_5-$, $-CH_2CH_2(CH_3)-(CH_2)_2-$, $-CH_2CH(CH_3)-(CH_2)_n-CH(CH_3)CH_2-$ (n = 1,2)
$R^2 = C_4H_9$; $C(CH_3)_3$

Mit Phenyljododiacetat erhält man aus *trans*-1-Alkenyl-dialkyl-boranen in Trichlormethan bei 0–25° über Borate in situ (*E*)-Alkene; z.B. (*E*)-*1-Cyclohexyl-1-hexen*[7]:

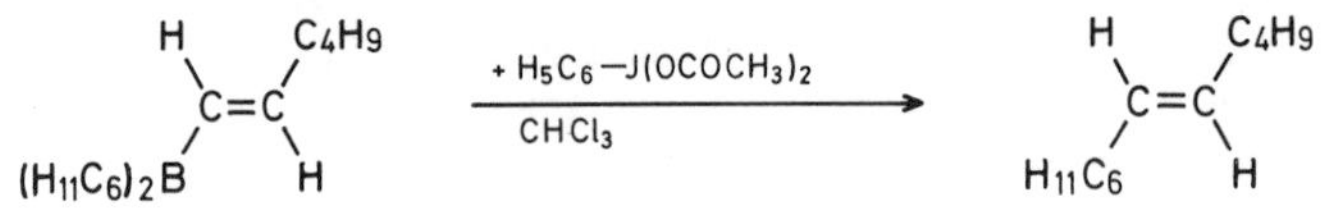

[1] G. Zweifel, H. Arzoumanian u. C.C. Whitney, Am. Soc. **89**, 3652 (1967).
[2] G. Zweifel, N.L. Polston u. C.C. Whitney, Am. Soc. **90**, 6243 (1968).
[3] s. ds. Handb., Bd. V/1b, S. 800f. (1972); Bd. IV/1a, S. 571 (1981).
[4] G. Zweifel, R.P. Fisher, J.T. Snow u. C.C. Whitney, Am. Soc. **93**, 6309 (1971).
[5] N. Miyaura, H. Tagami, M. Itoh u. A. Suzuki, Chem. Letters **1974**, 1411.
[6] G. Zweifel u. R.P. Fisher, Synthesis **1972**, 557.
[7] Y. Masuda, A. Arase u. A. Suzuki, Chem. Letters **1978**, 665.

Die Einwirkung von Bromcyan (Cyanogenbromid) in Dichlormethan auf *trans*-1-Alkenyl-dialkyl-borane liefert über Borate in situ unter C–C-Verknüpfung Produkte, die in alkalisch-wässriger Lösung in hohen Ausbeuten zu (*E*)-1-Alkyl-1-alkenen führen[1,2]:

$$R^1_2B(R^2)C{=}C(H)R^3 \xrightarrow{+BrCN\,/\,CH_2Cl_2} \xrightarrow{+NaOH\,/\,H_2O} R^1(R^2)C{=}C(H)R^3$$

$R^1 = C_6H_{11}$; 2-Methylcyclohexyl; (2,6,6-Trimethylbicyclo[3.1.1]hept-2-en-3-yl)methyl ($-CH_2$, CH_3, CH_3)

$R^2 = H$; C_2H_5
$R^3 = C_2H_5$, C_4H_9

Die stereoselektiven Alken-Synthesen mit der Jod/Alkali- bzw. mit der Bromcyan-Methode sind beispielsweise für die Cyclopentan-Chemie von Bedeutung[3,4].

Dilithium-ethindiyl-hexaalkyl-diborate lassen sich nach demselben Prinzip mit Bromcyan, abhängig von den Edukt-Molverhältnissen, in (*E*)-Dialkylethene (≈50–80%), Trialkylethene (≈60–70%) und Tetraalkylethene (≈30–35%) umwandeln; z.B.[5]:

$$Li_2^{2+}\left[R_3B{-}C{\equiv}C{-}BR_3\right]^{2-}$$

$\xrightarrow{1.\ +1\ BrCN/NaOCH_3\ (H_5C_2)_2O;\ 2.\ +H^+;\ 3.\ +HOO^-}$ $R(H)C{=}C(H)R$

$\xrightarrow{1.\ +2\ BrCN/NaOCH_3\ (H_5C_2)_2O;\ 2.\ +H^+;\ 3.\ +HOO^-}$ $R(R)C{=}C(H)R$

$\xrightarrow{1.\ +3\ BrCN/NaOCH_3\ (H_5C_2)_2O;\ 2.\ +H^+;\ 3.\ +HOO^-}$ $R(R)C{=}C(R)R$

$R = C_3H_7$, C_4H_9, $CH_2CH(CH_3)_2$; C_5H_9

Die Additionen/Umlagerungen der 1-Alkinyl-triorgano-borate mit den Heteroatom-Elektrophilen Trimethylsilyl[6–8] (vgl. XIII/3a, S. 201) bzw. Tributylstannyl[9,10] verlaufen zwar nicht ohne Nebenreaktionen wie Halogen/1-Alkinyl-Austausch[10] (vgl. S. 360), jedoch hochselektiv. Die Reaktionen mit Dialkylboryl-Elektrophilen liefern ausschließlich 1,2-*cis*-Bis(dialkylboryl)alkene[11,12],

$$Na^+\left[R^1_3B{-}C{\equiv}C{-}R^2\right]^- + ClBR^1_2 \xrightarrow{-NaCl} R^1(R^1_2B)C{=}C(R^2)BR^1_2$$

---

[1] s. ds. Handb., Bd. V/1b, S. 795, 799 (1972).
[2] G. Zweifel, R.P. Fisher, J.T. Snow u. C.C. Whitney, Am. Soc. **94**, 6560 (1972).
[3] D.A. Evans, T.C. Crawford, R.C. Thomas u. J.A. Walker, J. Org. Chem. **41**, 3947 (1976).
[4] D.A. Evans, R.C. Thomas u. J.A. Walker, Tetrahedron Letters **1976**, 1427.
[5] N. Miyaura, S. Abiko, M. Itoh u. A. Suzuki, Synthesis **1975**, 669;
s. ds. Handb. Bd. XIII/3a, S. 203 (1982).
[6] P. Binger u. R. Köster, Synthesis **1973**, 309.
[7] R. Köster u. L.A. Hagelee, Synthesis **1976**, 118.
[8] L.A. Hagelee u. R. Köster, Synth. React. Inorg. Metal-org. Chem. **7**, 53 (1977).
[9] J. Hooz u. R. Mortimer, Tetrahedron Letters **1976**, 805.
[10] G. Zweifel u. S.J. Backlund, J. Organometal. Chem. **156**, 159 (1978).
[11] P. Binger u. R. Köster, Tetrahedron Letters **1965**, 1901.
[12] P. Binger, Tetrahedron Letters **1966**, 2675.

aus denen man protolytisch neue *cis*-Alkene gewinnt[1,2]:

$$(R^1)(R^1_2B)C{=}C(R^2)(BR^1_2) \xrightarrow[-\,2\,R^1_2BOH]{+\,H_2O} (R^1)(H)C{=}C(R^2)(H)$$

γ_3) mit Alkanolaten

Mit Natriummethanolat erhält man aus (1-Brom-1-alkenyl)-diorgano-boranen unter Abspaltung von Natriumbromid ein umgelagertes Methoxy-organo-(1-organo-1-alkenyl)-boran, das mit Eisessig bei ≈120° *(E)*-Alkene liefert[3–5]:

$$(R^1_2B)(Br)C{=}C(H)(R^2) + NaOCH_3 \xrightarrow{-NaBr} \left\{ (R^1)(H_3CO)B{-}C(R^1){=}C(H)(R^2) \right\} \xrightarrow{+\,H_3CCOOH} (R^1)(H)C{=}C(H)(R^2)$$

$R^1 = C(CH_3)_2CH(CH_3)_2$; $CH(C_2H_5)C_3H_7$
$R^2 = C_4H_9$

Bialkenyl-Verbindungen (1,3-Alkadiene) lassen sich durch Umwandlung olefinischer Triorganoborane mit nucleophilen Reagenzien oder olefinischer Organoborate mit Elektrophilen bzw. mit Jod gewinnen. Auch Übergangsmetall-Verbindungen werden zur Verknüpfung von zwei 1-Alkenyl-Resten eingesetzt.

Mit Natriummethanolat reagiert 1-Alkenyl-(1-halogen-1-alkenyl)-organo-boran unter Bildung substituierter *(E/E)*-1,3-Alkadiene (vgl. S. 265)[6]:

$$(CH_3)_3C{-}B[CH{=}C(H)(R^2)][C(Hal){=}C(H)(R^1)] \xrightarrow[-\,NaHal]{+\,NaOCH_3} \xrightarrow{+\,(H_3C)_2CHCOOH} (R^2)(H)C{=}C(H){-}C(H){=}C(H)(R^1)$$

$R^1 = C_4H_9$, C_6H_{11}
$R^2 = C_3H_7$, C_4H_9; C_6H_{11}
Hal: Cl, Br, J

z. B.: $R^1 = C_4H_9$; $R^2 = C_3H_7$
99%iges *(E/E)-4,6-Undecadien*; 45%

Bialkenyliden-Verbindungen (1,2,3-Alkatriene) erhält man bei der Umwandlung von Alkyl-bis(1-jod-1-alkenyl)-boranen mit Natriummethanolat[7]:

$$R^2B[C(J){=}C(H)(R^1)]_2 \xrightarrow{+\,NaOCH_3} \left\{ Na^+ \left[(H_3CO)(R^2)B^-[C(J){=}C(H)(R^1)]_2 \right] \xrightarrow{-\,NaJ} (H_3CO)(R^2)B{-}C(=C(H)R^1){-}C(J){=}C(H)(R^1) \right\} \xrightarrow{-\,R^2{-}B(OCH_3)(J)} R^1{-}CH{=}C{=}C{=}CH{-}R^1$$

$R^1 = C_4H_9$; C_6H_{11}
$R^2 = C(CH_3)_2CH(CH_3)_2$

---

[1] P. BINGER u. R. KÖSTER, Tetrahedron Letters **1965**, 1901.
[2] P. BINGER, Tetrahedron Letters **1966**, 2675.
[3] G. ZWEIFEL u. H. ARZOUMANIAN, Am. Soc. **89**, 5086 (1967).
[4] E. NEGISHI, J.-J. KATZ u. H.C. BROWN, Synthesis **1972**, 555.
[5] E.J. COREY u. T. RAVINDRANATHAN, Am. Soc. **94**, 4013 (1972).
[6] E. NEGISHI u. T. YOSHIDA, Chem. Commun. **1973**, 606.
[7] T. YOSHIDA, R.M. WILLIAMS u. E. NEGISHI, Am. Soc. **96**, 3688 (1974).

γ_4) *mit Übergangsmetall-Verbindungen*

Die Umwandlung von 1-Alkenyl-organo-boranen mit ammoniakalischer Silbersalz-Lösung führt zu 1-Organo-1-alkenen[1]; z.B.:

$$R^1-B(OCH_3)-C=C \xrightarrow{Ag(NH_3)_2^+ \; OH^-} R^1-C=C$$

$R^1 = C(CH_3)_2CH(CH_3)_2$

Mit Palladium(II)-acetat erhält man in THF unter Zusatz von Triethylamin ebenfalls 1-Organo-1-alkene[2]:

$$R^1_2B(H)C=C(H)R^2 \xrightarrow[THF]{Pd(OCOCH_3)_2/(H_5C_2)_3N} R^1(H)C=C(H)R^2$$

$R^1 = CH(CH_3)CH(CH_3)_2$, C_6H_{11}

$R^2 = C(CH_3)_3$, C_6H_5, $(CH_2)_3Cl$, 2-Methyl-cyclopentyl (CH_3)

Bi(1-alkenyl)-Verbindungen werden aus bestimmten Organobor-Verbindungen mit Methylkupfer gewonnen. Chlor-(di-1-alkenyl)-borane und Methylkupfer liefern neben dem Alken B sehr reine (99%) *(E,E)*-1,3-Alkadiene A in >90%iger Ausbeute[3,4]:

$$[H_9C_4-C(H)=C(C_4H_9)-]_2B-Cl \xrightarrow{+H_2O,\; H_3CCu} H_9C_4(H)C=C(C_4H_9)-C(C_4H_9)=C(H)C_4H_9 \; (A) \; + \; H_9C_4(H)C=C(C_4H_9)CH_3 \; (B)$$

	0°	−78°
% A	95	98
% B	5	2

1,3-Alkadiene sind mit Methylkupfer auch aus Di-1-alkenyl-methyl-boranen bei −78° zugänglich[5]. Aus Natrium-1-alkenyl-dialkyl-methoxy-boraten erhält man mit Dimethylsulfan-Kupfer(I)-bromid bei 0° *(E,E)*-1,3-Alkadiene[6].

Die Verknüpfung von zwei an verschiedene Bor-Atome gebundenen 1-Alkenyl-Resten läßt sich mit Palladium(II)-chlorid/Lithiumchlorid in Gegenwart von Triethylamin bei ≈20° durchführen; z.B. erhält man *(E,E)*-1,4-Diaryl-1,3-butadiene aus (*trans*-2-Arylethenyl)-dihydroxy-boranen[7]:

$$2\; H_5C_6(H)C=C(H)B(OH)_2 \xrightarrow[24\; Stdn.,\; \approx 20°]{PdCl_2/LiCl/N(C_2H_5)_3} H_5C_6(H)C=C(H)-C(H)=C(H)C_6H_5$$

[1] E.J. Corey u. T. Ravindranathan, Am. Soc. **94**, 4013 (1972).
[2] H. Yatagai, Y. Yamamoto u. K. Maruyama, Chem. Commun. **1977**, 852.
[3] Y. Yamamoto, H. Yatagai u. I. Moritani, Am. Soc. **97**, 5606 (1975).
[4] Y. Yamamoto, H. Yatagai, K. Maruyama, A. Sonoda u. S.-I. Murakashi, Am. Soc. **99**, 5652 (1977).
[5] Y. Yamamoto, H. Yatagai, K. Maruyama, A. Sonoda u. S.-I. Murahashi, Bl. chem. Soc. Japan **50**, 3427 (1977).
[6] J.B. Campbell u. H.C. Brown, J. Org. Chem. **45**, 549 (1980).
[7] V.V. Ramano Rao, C.V. Kumar u. D. Devaprabhakara, J. Organometal. Chem. **179**, C7 (1979).

δ) Acetylenische Kohlenwasserstoffe

Zur Abspaltung von zwei B-Organo-Resten mit mindestens einer C≡C-Bindung aus Organobor-Verbindungen verwendet man in Sonderfällen Protolyse-Reagenzien oder Chlorsulfoxide, meist jedoch Jod/Nucleophil als Reagenz.

δ_1) *mit Protolyse-Reagenzien*

Die aus Trialkylboranen und 1,4-Dimethoxy-2-butin/Butyllithium in situ erzeugten Lithium-(1-methoxy-1,2,3-butatrienyl)-trialkyl-borate reagieren unter spontaner Alkylgruppen-Wanderung. Die Acidolyse (vgl. S. 253f.) liefert 4-Alkyl-1,2-alkenine[1]:

$$\left\{ Li^+ \left[R_3B-\underset{}{\overset{OCH_3}{C}}=C=C=CH_2 \right]^- \right\} \longrightarrow \xrightarrow{+ H_3CCOOH} R-C\equiv C-CH=CH_2$$

$R = C_nH_{2n+1}$; n = 5–8

δ_2) *mit Jod*

1-Alkinyl-Reste werden vom Bor-Atom mit Jod in Diethylether bei −78° bis −20° abgespalten und intramolekular mit Organo-Resten verknüpft. Aus Lithium-1-alkinyl-triorgano-boraten erhält man mit Jod 1-Organoalkine in >90%iger Ausbeute[2-7]; z.B.[2]:

$$Li^+ \left[R^1_3B-C\equiv C-R^2 \right]^- + J_2 \xrightarrow[-78 \text{ bis } -20°]{(H_5C_2)_2O} R^1C\equiv CR^2 + LiJ + R^1_2BJ$$

$R^1 = C_4H_9; C_5H_9; C_6H_5$ $R^2 = C(CH_3)_3; C_6H_5$

Auch die Übertragung chiraler Reste auf das Alkin ist möglich; z.B. aus Lithium-1-alkinyl-alkyl-diisopinocampheyl-borat mit Jod[7,8]:

$$Li^+ \left\{ \left[\text{Isopinocampheyl} \right]_2 B(-C\equiv C-R)(-CH(C_2H_5)(CH_3)) \right\}^- \xrightarrow{+J_2 / -78°} \begin{cases} \sim 60\,\%: R-C\equiv C-C^*H(C_2H_5)(CH_3) \\ \sim 40\,\%: \text{Isopinocampheyl}-C\equiv C-R \end{cases}$$

$R = C_6H_{13}; C_6H_{11}; C(CH_3)_3; C_6H_5$

Aus Lithium-(2-chlorethinyl)-trialkyl-boraten werden mit Jod in Diethylether nach Zusatz von alkalischem Dihydrogenperoxid 1,2-Dialkylethine gebildet[6]:

$$Li^+ \left[R_3B-C\equiv C-Cl \right]^- \xrightarrow[(H_5C_2)_2O]{+J_2} \xrightarrow{+\text{Base}} R-C\equiv C-R$$

Die Verknüpfung von 1-Alkinyl- und 1-Alkenyl-Rest aus Lithium-1-alkenyl-1-alkinyl-dialkyl-boraten gelingt mit Jod in Tetrahydrofuran bei tiefer Temperatur. Die Aufarbeitung mit wäßrigem Natriumhydroxid liefert unter 1,2-Eliminierung 1,3-Alkenine[5-10]:

---

[1] J. KOSHINO, T. SUGAWARU u. A. SUZUKI, Synth. Commun. **1984**, 245.
[2] s. ds. Handb., Bd. V/2a, S. 411, 424f., 459, 562, 644 (1977).
[3] A. SUZUKI, N. MIYAURA, S. ABIKO, M. ITOH, H.C. BROWN, J.A. SINCLAIR u. M.M. MIDLAND, Am. Soc. **95**, 3080 (1973).
[4] M.M. MIDLAND, J.A. SINCLAIR u. H.C. BROWN, J. Org. Chem. **39**, 731 (1974).
[5] A. PELTER, K. SMITH u. M. TABATA, Chem. Commun. **1975**, 857.
[6] K. YAMADA, N. MIYAURA, M. ITOH u. A. SUZUKI, Tetrahedron Letters **1975**, 1961.
[7] C.A. BROWN, M.C. DESAI u. P.K. JADHAV, V. Imeboron, Swansea Juli 1983; Abstr. of Papers S. 4/5.
[8] H.C. BROWN u. P.K. JADHAV, Asymmetr. Synthesis **2**, 19 (1983).
[9] s. ds. Handb., Bd. V/2a, S. 558 (1977).
[10] E. NEGISHI, G. LEW u. T. YOSHIDA, Chem. Commun. **1973**, 874.

$$Li^+ \left[R^1_2B(C{\equiv}C{-}R^2)(CH{=}CH{-}R^3) \right]^- \xrightarrow[-\,LiJ;\ -\,R^1_2BJ]{1.\ +J_2/THF\ (-78\ bis\ +25°);\ 2.\ +NaOH/H_2O} R^3{-}CH{=}CH{-}C{\equiv}C{-}R^2$$

$R^1 = C(CH_3)_2CH(CH_3)_2$
$R^2 = C_3H_7,\ C_4H_9,\ C_6H_{11}$
$R^3 = C_4H_9,\ C_6H_{11},\ -(CH_2)_9OSi(CH_3)_3$

Zwei 1-Alkinyl-Reste werden vom Bor-Atom abgespalten und miteinander als 1,3-Alkadiine verknüpft, falls man Jod in Tetrahydrofuran bei tiefer Temperatur (≈ −78°) auf Lithium-di-1-alkinyl-dialkyl-borate (XIII/3b, S. 778, 780) einwirken läßt[1-3]:

$$Li^+ \left[R^1_2B(C{\equiv}C{-}R^2)_2 \right]^- \xrightarrow{+J_2/THF} R^2{-}C{\equiv}C{-}C{\equiv}C{-}R^2$$

$R^1 = CH(CH_3)CH(CH_3)_2$
$R^2 = C_2H_5;\ C_6H_{11};\ C(CH_3)_3;\ C_6H_5$

δ_3) *mit Methansulfinylchlorid*

Disubstituierte Alkine erhält man aus Lithium-1-alkinyl-trialkyl-boraten (vgl. Bd. XIII/3b, S. 777ff.) mit Methansulfinylchlorid. Nach Alkyl-Wanderung vom Bor- aufs C_1-Atom erfolgt *cis*-1,2-Eliminierung[4,5]:

$$Li^+ \left[R^1_3B{-}C{\equiv}C{-}R^2 \right]^- + H_3C{-}S(O){-}Cl \xrightarrow[-\,LiCl]{} R^1{-}C{\equiv}C{-}R^2 \quad \{+\ R^1_2B{-}S(O){-}CH_3\}$$

$R^1 = C_4H_9;\ CH(CH_3)C_2H_5,\ C_6H_{11}$
$R^2 = CH_2CH_2CH(CH_3)_2;\ C_6H_5$

ε) Heteroatomhaltige Kohlenwasserstoffe

Gesättigte, ungesättigte sowie heteroatomhaltige Kohlenwasserstoffe mit mindestens zwei B-Organo-Resten lassen sich aus Organobor-Verbindungen mit Halogen/Nucleophil, mit verschiedenen heteroatomhaltigen Halogen-Verbindungen (Heteroatom = Hal, O, S, N) oder mit bestimmten Elektrophilen (Heteroatom = Si, Sn, Übergangsmetall) gewinnen.

ε_1) *Halogenhaltige, ungesättigte Kohlenwassserstoffe*

Man gewinnt mit Jodosobenzoldiacetat[6] in Dichlormethan aus (1-Brom-1-alkenyl)-diorgano-boranen (Bd. XIII/3a, S. 256) bei 0–25° 1-Brom-1-organo-alkene[7]:

---

[1] A. Pelter, K. Smith u. M. Tabata, Chem. Commun. **1975**, 857.
[2] J. A. Sinclair u. H. C. Brown, J. Org. Chem. **41**, 1078 (1976).
[3] s. ds. Handb., Bd. V/2a, S. 937 (1977).
[4] s. ds. Handb., Bd. V/2a, S. 183, 439 (1977).
[5] M. Naruse, K. Utimoto u. H. Nozaki, Tetrahedron Letters **1973**, 1847.
[6] s. ds. Handb., Bd. V/4, S. 670 (1960).
[7] Y. Masuda, A. Arase u. A. Suzuki, Chem. Letters **1978**, 665.

$$R^1_2B(Br)C{=}C(R^2)H \xrightarrow{+ H_5C_6J(OCOCH_3)_2/CH_2Cl_2} Br(R^1)C{=}C(R^2)H$$

$R^1 = C_6H_{13}, C_8H_{17}, CH_2CH(CH_3)C_3H_7; C_6H_{11}; C(CH_3)_2CH(CH_3)_2$
$R^2 = C_4H_9$

(1-Brom-1-alkenyl)-dialkyl-borane reagieren mit Blei(IV)-acetat[1] in Dichlormethan bei −50° hoch stereoselektiv unter Bildung von vorwiegend *(Z)*-Bromalkenen[2]:

$$R^1_2B(Br)C{=}C(H)R^2 \xrightarrow{+ Pb(OCOCH_3)_4,\ CH_2Cl_2,\ -50°} \begin{cases} R^1(Br)C{=}C(H)R^2 & >96\% \\ R^1(Br)C{=}C(R^2)H & <4\% \end{cases}$$

R^1	$CH(CH_3)CH(CH_3)_2$	C_6H_{13}	C_8H_{17}	$CH_2CH(CH_3)C_3H_7$
R^2	C_4H_9	C_4H_9	C_4H_9	C_4H_9
%	56	65	≈54	54

Aus Lithium-1-alkinyl-cyclooctan-1,5-diyl-(2-halogen-1-alkenyl)-boraten erhält man mit Jod unter Verknüpfen der beiden ungesättigten Reste in 98%iger Selektivität 1-Alkinyl-2-halogen-1-alkene mit 60–70%iger Ausbeute[3]:

$$Li^+ \left[(C_8H_{14})B(C{\equiv}C{-}R^2)(C(Hal){=}C(H)R^1) \right]^- \xrightarrow[-\ LiJ,\ -\ (C_8H_{14})B{-}J]{+ J_2} R^2{-}C{\equiv}C{-}C(H){=}C(Hal){-}R^1$$

$R^1 = C_6H_{13}$; $R^2 = C_4H_9$ (64%)
Hal = Br, J

ε_2) *Sauerstoffhaltige Verbindungen*

Lithium-(1,2-dimethoxyvinyl)-trialkyl-borate, zugänglich aus Trialkylboranen mit 1-Brom-1,2-dimethoxy-ethan/Butyllithium (vgl. Bd. XIII/3b, S. 788), reagieren mit Diethylether-Trifluorboran bei 0° und nachfolgend mit Natriummethanolat in Dihydrogenperoxid unter Bildung von 1-Methoxy-2-alkanonen[4]:

$$Li^+ \left[R_3B{-}C(OCH_3){=}CH{-}OCH_3 \right]^- \xrightarrow[2.\ +HOO^-/OCH_3^-]{1.\ +(H_5C_2)_2O{-}BF_3} R{-}CO{-}CH_2{-}OCH_3$$

$R = C_4H_9, C_5H_{11}, C_6H_{13}, CH_2{-}CH(CH_3)_2, CH(CH_3){-}C_2H_5, C_5H_9$

Aus Trialkylboranen erhält man mit 1,2-Dimethoxyvinyllithium Tetraorganoborate, die mit Fluorsulfonsäureorganoestern (Elektrophil) nach Alkyl-Wanderung (vgl. S. 259)

---

[1] s. ds. Handb., Bd. IV/1b, S. 204ff. (1975).
[2] Y. Masuda, A. Arase u. A. Suzuki, Chem. Letters **1978**, 665.
[3] S. Hara, Y. Satoh, H. Ishiguro u. A. Suzuki, Tetrahedron Letters **1983**, 735.
[4] J. Koshino, T. Sugawara, T. Yogo u. A. Suzuki, Chem. Letters **1983**, 933.

und Protolyse (wäßriges Hydrogenchlorid)[1] Alkyl-organo-ketone liefern (≈60–80%)[1]:

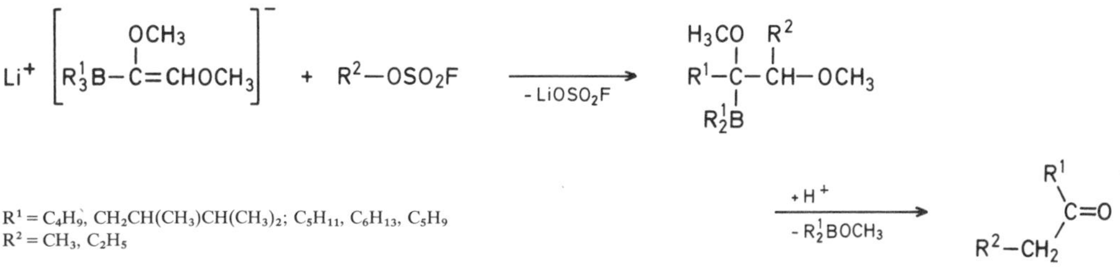

$$Li^+ \left[R^1_3B-\underset{|}{\overset{OCH_3}{C}}=CHOCH_3 \right]^- + R^2-OSO_2F \xrightarrow{-LiOSO_2F} R^1-\underset{R^1_2B}{\overset{H_3CO}{C}}-\overset{R^2}{CH}-OCH_3$$

$$\xrightarrow[-R^1_2BOCH_3]{+H^+} R^1(R^2-CH_2)C=O$$

$R^1 = C_4H_9, CH_2CH(CH_3)CH(CH_3)_2; C_5H_{11}, C_6H_{13}, C_5H_9$
$R^2 = CH_3, C_2H_5$

2-Hexylfuran ist aus Lithium-cyclooctan-1,5-diyl-(2-furanyl)-hexylborat mit N-Chlorsuccinimid (51%) zugänglich.[2]

Bei der Oxidation von Lithium-tributyl-(3,3,3-triethoxy-1-propinyl)-borat erhält man nach zweifacher Alkyl-Wanderung[2] *3-Butyl-3-hydroxy-heptansäure-ethylester* und *3-Butyl-2-heptensäure-ethylester* in Mengen, die vom Oxidations-Reagenz abhängen[3]:

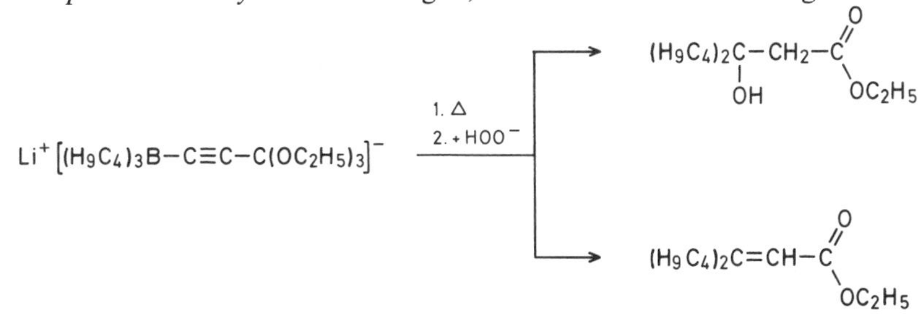

$$Li^+ [(H_9C_4)_3B-C\equiv C-C(OC_2H_5)_3]^- \xrightarrow{1.\ \Delta;\ 2.\ +HOO^-} (H_9C_4)_2C(OH)-CH_2-C(=O)-OC_2H_5 \quad + \quad (H_9C_4)_2C=CH-C(=O)-OC_2H_5$$

Dialkyl-(2-ethoxycarbonylethenyl)-borane reagieren mit Brom nach der Zugabe von Natriumethanolat unter Organorest-Verknüpfung zu 3-(*cis*-2-Alkyl)acrylsäure-ethylestern[4]:

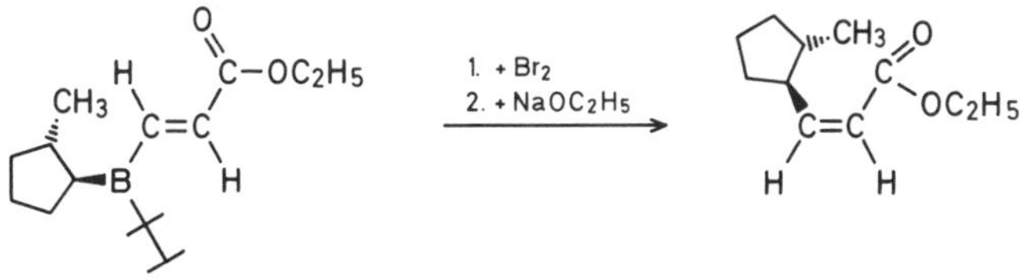

$$\text{(2-Methylcyclopentyl)(Thexyl)B-CH=CH-C(=O)-OC}_2\text{H}_5\ (E) \xrightarrow{1.\ +Br_2;\ 2.\ +NaOC_2H_5} \text{(2-Methylcyclopentyl)-CH=CH-C(=O)-OC}_2\text{H}_5\ (Z)$$

E *Z*

Die Thexyl-Gruppe wandert nur mit maximal 3%igem Anteil[4].

Aus Lithium-(2-ethoxycarbonylethinyl)-trialkyl-boraten erhält man mit Jod in Tetrahydrofuran bei tiefer Temperatur (−76°) unter C–C-Verknüpfung 1-Alkyl-2-ethoxycarbonyl-alkine in 70–80%iger Ausbeute[5]:

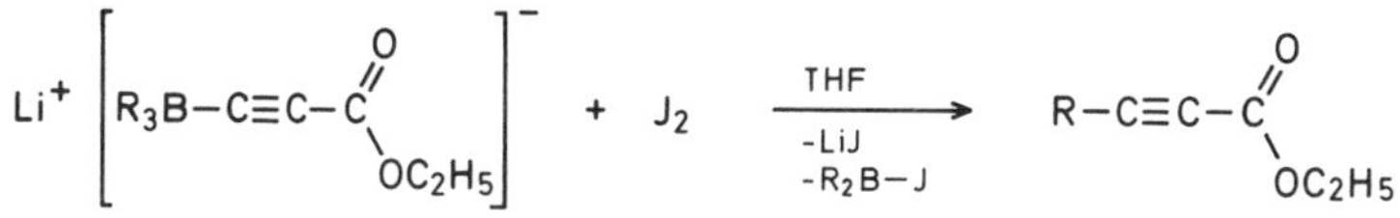

$$Li^+ \left[R_3B-C\equiv C-C(=O)-OC_2H_5 \right]^- + J_2 \xrightarrow[-LiJ,\ -R_2B-J]{THF} R-C\equiv C-C(=O)-OC_2H_5$$

$R = C_3H_7, C_4H_9, CH_2CH(CH_3)_2; C_5H_9$

Lithium-(3-oxo-3-phenyl-propinyl)-trialkyl-borate reagieren mit Jod in Tetrahydrofuran bei ≧ −76° unter Bildung von 1-Alkinyl-phenyl-ketonen[5]:

[1] T. Yogo, J. Koshino u. A. Suzuki, Chem. Letters **1981**, 1059.
[2] E.R. Marinelli u. A.B. Levy, Tetrahedron Letters **1979**, 2313.
[3] S. Hara, H. Dojo, T. Kato u. A. Suzuki, Chem. Letters **1983**, 1125.
[4] E. Negishi, G. Lew u. T. Yoshida, J. Org. Chem. **39**, 2321 (1974).
[5] K. Yamada, N. Miyaura, M. Itoh u. A. Suzuki, Synthesis **1977**, 679.

$$Li^+ [R_3B{-}C{\equiv}C{-}C(=O)C_6H_5]^- + J_2 \xrightarrow[-LiJ,\ -R_2B{-}J]{THF} R{-}C{\equiv}C{-}C(=O)C_6H_5$$

R = C_3H_7, C_4H_9, $CH_2CH(CH_3)_2$

Hydroxy-gruppenhaltige Produkte, deren C-Gerüst aus zwei bzw. drei B-Organo-Resten stammen, sind aus Trialkylboranen mit Brom/Wasser unter Lichteinwirkung zugänglich. Man oxidiert mit alkalischem Dihydrogenperoxid[1-4]:

$$(H_5C_2)_3B \xrightarrow{1.\ +2\ Br_2,\ h\nu/H_2O;\ 2.\ +HOO^-} H_3C{-}C(C_2H_5)_2{-}OH$$

$$(H_{11}C_6)_3B \xrightarrow{1.\ +2\ Br_2,\ h\nu/H_2O;\ 2.\ +HOO^-} 1\text{-}(H_{11}C_6)\text{-cyclohexanol} + \text{Cyclohexanol}$$

$$(H_9C_5)(\text{thexyl})B{-}R \xrightarrow{1.\ +2\ Br_2,\ h\nu/H_2O;\ 2.\ +HOO^-} 1\text{-}R\text{-cyclopentanol}$$

R = C_4H_9, $CH_2CH(CH_3)_2$; $(CH_2)_5Cl$; $(CH_2)_3COOC_2H_5$

Lithium-(3-alkoxy-1-alkenyl)-alkyl-dimethoxy-borate (Bd. XIII/3b, S. 843) reagieren mit Jod in Tetrahydrofuran unter Alkyl-Wanderung. Die Hydrolyse liefert 3-Alkoxy-1-alkyl-1-alkene[5,6]. Die Alken-Ausbeute wird durch Einsatz von Natriummethanolat in Methanol/THF erhöht[5]:

$$Li^+ [(H_3CO)_2B(\text{2-}C_2H_5\text{-cyclopentyl})(CH{=}CH{-}CH(OR){-}C_5H_{11})]^- \xrightarrow{1.\ +J_2/THF;\ 2.\ H_2O/OH^-} (\text{2-}C_2H_5\text{-cyclopentyl}){-}CH{=}CH{-}CH(OR){-}C_5H_{11}$$

R = H, 2-Tetrahydropyranyl, $Si(CH_3)_2{-}C(CH_3)_3$

Lithium-dialkyl-(oxyalkendiyl)-borate (Bd. XIII/3b, S. 837 f.) reagieren mit Jod/Alkali unter Verknüpfung von Alkyl-Rest und sauerstoffhaltigem 1-Alkenyl-Rest zu substituierten Alkenolen[7,8]:

---

[1] s. ds. Handb., Bd. VI/1a, Teil 2, S. 1470 (1980).
[2] C.F. LANE u. H.C. BROWN, Am. Soc. **93**, 1025 (1971).
[3] H.C. BROWN, Y. YAMAMOTO u. C.F. LANE, Synthesis **1972**, 304.
[4] H.C. BROWN u. C.F. LANE, Synthesis **1972**, 303.
[5] D.A. EVANS, R.C. THOMAS u. J.A. WALKER, Tetrahedron Letters **1976**, 1427.
[6] D.A. EVANS, T.C. CRAWFORD, R.C. THOMAS u. J.A. WALKER, J. Org. Chem. **41**, 3947 (1976).
[7] M. NARUSE, K. UTIMOTO u. H. NOZAKI, Tetrahedron **30**, 3037 (1974).
[8] K. UTIMOTO, T. FURUBAYASHI u. H. NOZAKI, Chem. Letters **1975**, 397.

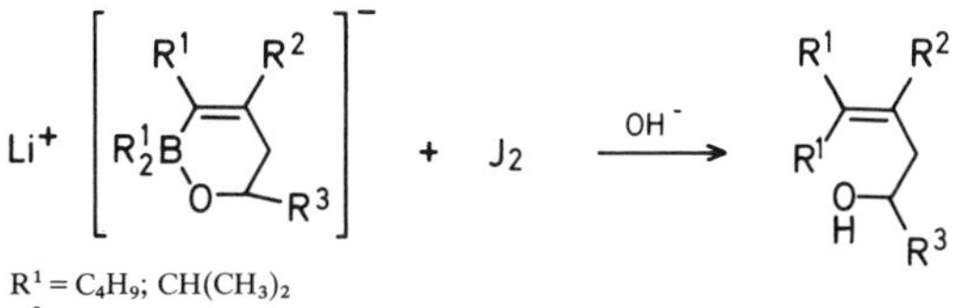

$R^1 = C_4H_9$; $CH(CH_3)_2$
$R^2 = C_5H_{11}$; C_6H_5
$R^3 = H$; CH_3; C_2H_5; C_6H_5

Alkalimetall-cyano-trialkyl-borate (Bd. XIII/3b, S. 791 f.) reagieren mit Carbonsäurehalogeniden oder mit Trifluoracetanhydrid unter C–C-Verknüpfung mehrerer Organo-Reste. Nach Oxidation mit alkalischem Dihydrogenperoxid erhält man Trialkylcarbinole[1,2]:

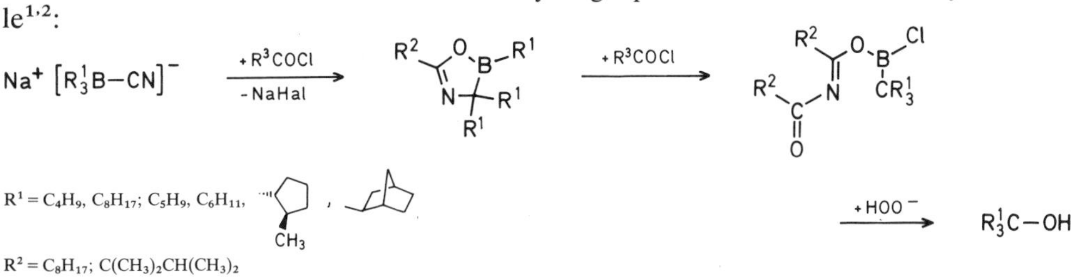

$R^1 = C_4H_9$, C_8H_{17}; C_5H_9, C_6H_{11},

$R^2 = C_8H_{17}$; $C(CH_3)_2CH(CH_3)_2$

Mit Trifluoracetanhydrid sind aus gemischten Cyan-trialkyl-boraten auch gemischte Trialkylcarbinole zugänglich[2].

ε_3) *Schwefelhaltige Verbindungen*

Die Kupplung zweier schwefelhaltiger, aromatischer B-Organo-Reste zu Bithienyl-Verbindungen gelingt, wenn man Di-2-thienylbor-Verbindungen (mit vierfach koordinierten Bor-Atomen) mit Brom/Pyridin, mit N-Bromsuccinimid (NBS)[3,4] oder mit Jod in Tetrahydrofuran reagieren läßt[5]. Aus 2,2′-Dithienyl-1,3,2-oxaazoniaboratolidin erhält man z. B. mit NBS in Gegenwart von wäßrig-methanolischem Borax-Puffer *2,2′-Bithienyl* in >80%iger Ausbeute[4]:

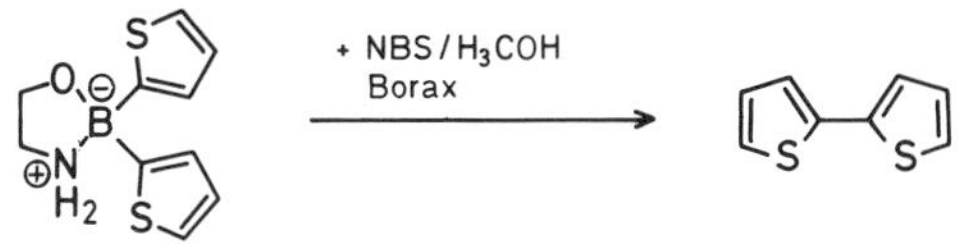

Die Reaktion beginnt mit dem Angriff des Elektrophils (Brom-Kation) am 2-Thienyl-Rest in 5-Stellung und wird durch das Nucleophil am Bor-Atom vervollständigt[3].

Entsprechend sind aus verschiedenen 2,2-Diaryl-1,3,2-oxaazoniaboratolidinen zahlreiche Biaryle bzw. Biheteroaryle zugänglich[4].

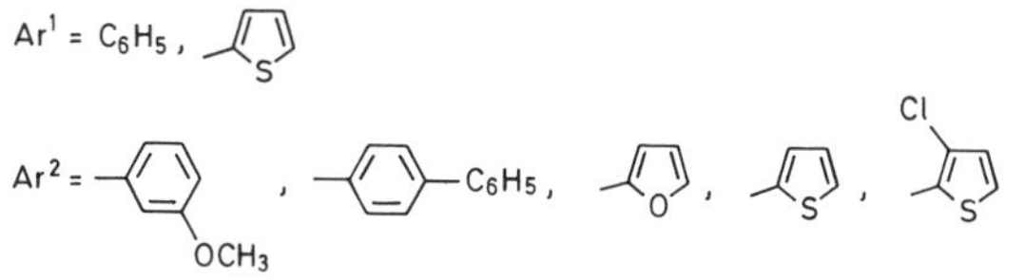

$Ar^1 = C_6H_5$,

$Ar^2 =$

---

[1] A. Pelter, M. G. Hutchings, K. Smith u. D. J. Williams, Soc. [Perkin I] **1975**, 145.
[2] A. Pelter, M. G. Hutchings, K. Rowe u. K. Smith, Soc. [Perkin I] **1975**, 138.
[3] G. M. Davies, P. S. Davies, W. E. Paget u. J. M. Wardleworth, Tetrahedron Letters **1976**, 795.
[4] A. Pelter, H. Williamson u. G. M. Davies, Tetrahedron Letters **1984**, 453.
[5] J. Kagan u. S. K. Arora, Tetrahedron Letters **1983**, 4043.

Aus Lithium-bis(2-thioenylethyl)-cyclooctan-1,5-diyl-borat läßt sich mit Jod in THF nach Aufarbeiten mit alkalisch-wässrigem Dihydrogenperoxid *1,4-Bis(2-thienyl)butadiin* (69%) gewinnen[1]:

$$Li^+ \left\{ (C_8H_{14})B\left[-C\equiv C-C_4H_3S\right]_2 \right\}^- \xrightarrow{+J_2/THF} C_4H_3S-C\equiv C-C\equiv C-C_4H_3S$$

ε_4) *Selenhaltige Verbindungen*

Lithium-1-hexinyl-triethyl-borat reagiert mit Benzolselenylchlorid unter Umlagerung zum Diethyl-(1-ethyl-2-phenylseleno-1-hexenyl)-boran, das bei der Protolyse Phenyl-subst.-vinyl-selenid liefert[2]:

$$Li^+ \left[(H_5C_2)_3B-C\equiv C-C_4H_9\right]^- \xrightarrow[-LiCl]{+H_5C_6Se-Cl} (H_5C_2)_2B(H_5C_2)C{=}C(C_4H_9)SeC_6H_5 \xrightarrow[-(H_5C_2)_2BOH]{+H_2O} H(H_5C_2)C{=}C(C_4H_9)SeC_6H_5$$

ε_5) *Stickstoffhaltige Verbindungen*

Aus Lithium-2-(1-methylpyrrolyl)-trialkyl-boraten und entsprechenden Verbindungen lassen sich mit Jod oder mit N-Chlorsuccinimid 2-Alkylindole[3] oder -pyrrole[4] gewinnen:

$$Li^+ \left[R_3\overset{\ominus}{B}-(1\text{-}CH_3\text{-indol-2-yl})\right]^- \xrightarrow[60-90\%]{+J_2} 1\text{-}CH_3\text{-}2\text{-}R\text{-indol}$$

Nach Addition des J^+-Elektrophil und Alkyl-Wanderung an das α-C-Atom erfolgt 1,2-Eliminierung von Dialkyl-jod-boran[3,4].

Mit Jod/Alkalimetallhydroxid sind ungesättigte, tertiäre Amine aus stickstoffhaltigen, olefinischen Triorganoboranen (Bd. XIII/3a, S. 289) zugänglich[5-8]. Beispielsweise erhält man isomere Alkenyl-dimethyl-amine aus Dicyclohexyl-(3-dimethylamino-1-propenyl)-boran[5,7]:

$$(H_3C)_2NCH_2CH{=}CH-B(C_6H_{11})_2 \xrightarrow{+J_2/OH^-,\ THF} \begin{cases} \approx 80\%: & (H_3C)_2N-CH_2-CH{=}CH-C_6H_{11} \\ \approx 20\%: & (H_3C)_2N-CH_2-C({=}CH_2)-C_6H_{11} \end{cases}$$

Alkandiyl-(1-brom-3-dialkylamino)-borane reagieren mit Jod/Alkalimetallhydroxid unter Bildung von 2-Dialkylamino-1-alkyliden-cycloalkanen[8]:

---

[1] J. KAGAN u. S.K. ARORA, J. Org. Chem. **48**, 4317 (1983).
[2] J. HOOZ u. R. MORTIMER, Tetrahedron Letters **1976**, 805.
[3] A.B. LEVY, J. Org. Chem. **43**, 4684 (1974).
[4] E.R. MARINELLI u. A.B. LEVY, Tetrahedron Letters **1979**, 2313.
[5] J.-L. TORREGROSA, M. BABOULÈNE, V. SPÉZIALE u. A. LATTES, Tetrahedron **38**, 2355 (1982).
[6] J.-L. TORREGROSA, M. BABOULÈNE, V. SPÉZIALE u. A. LATTES, Tetrahedron **39**, 3101 (1983).
[7] J.-L. TORREGROSA, M. BABOULÈNE, V. SPÉZIALE u. A. LATTES, C.r. II **297**, 891 (1983).
[8] J.-L. TORREGROSA, M. BABOULÈNE, V. SPÉZIALE u. A. LATTES, J. Organometal. Chem. **244**, 311 (1983).

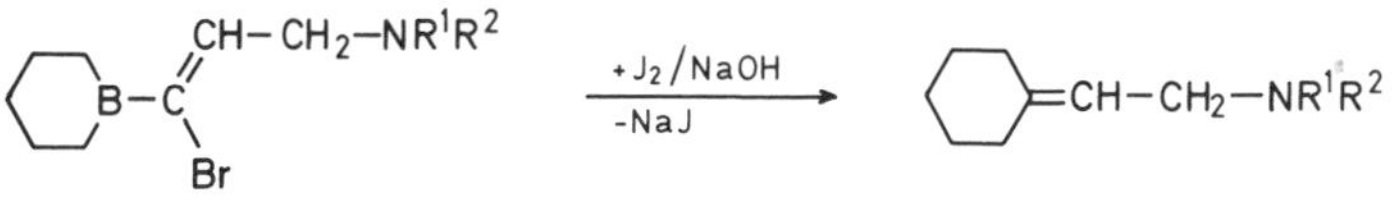

$R^1 = CH_3, C_2H_5$
$R^2 = C_2H_5, C_6H_5$
$R^1–R^2 = –(CH_2)_5–$

Bromierte Alkadienyl-dialkyl-amine werden neben bromierten Alkenyl-dialkyl-aminen aus 1-Alkenyl-tert.-alkyl-(1-brom-3-dialkylamino-1-propen-2-yl)-boranen mit Nucleophilen gewonnen[1]:

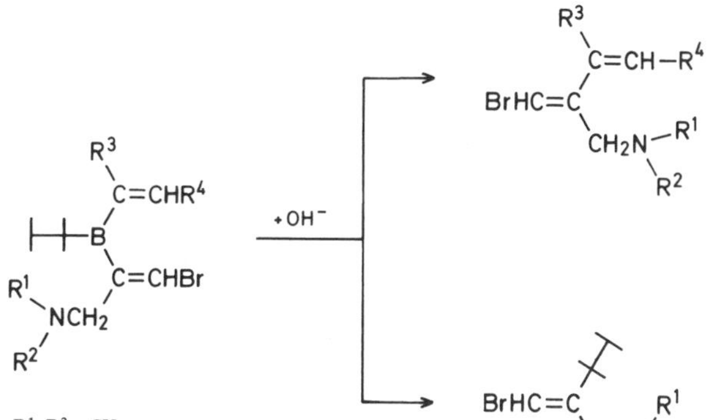

$R^1, R^2 = CH_3$
$R^1–R^2 = –(CH_2)_5–$
$R^3 = H, CH_3, C_6H_5$
$R^4 = C_3H_7, C(CH_3)_3; C_6H_5; CHClCH_3, CH_2OCH_3$

Natrium-cyan-tri-prim. und vor allem -sek.-alkyl-borate lassen sich in guten Ausbeuten in Alkylcyanide umwandeln, wenn man mit Natriumcyanid in Gegenwart von Blei(IV)-acetat bei –20° in THF reagieren läßt[2]:

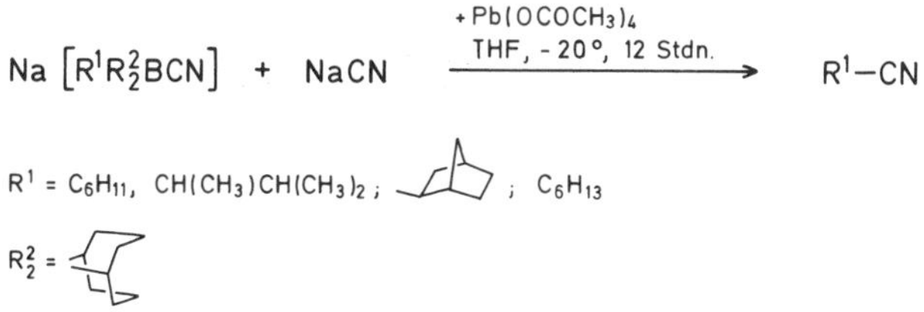

$$Na[R^1R^2_2BCN] + NaCN \xrightarrow[THF,\ -20°,\ 12\ Stdn.]{+Pb(OCOCH_3)_4} R^1{-}CN$$

$R^1 = C_6H_{11}, CH(CH_3)CH(CH_3)_2$; ; C_6H_{13}

$R^2_2 =$

ε[6]) *Siliciumhaltige Alkene*

Aus Natrium-1-alkinyl-triorgano-boraten erhält man mit Chlor-trimethyl-silan neben 1-Alkinyl-trimethyl-silan (vgl. S. 360) hochstereoselektiv in 40–60%iger Ausbeute *(E)*-Diorgano-(1-organo-2-trimethylsilylvinyl)-borane (Bd. XIII/3a, S. 299). Die Protolyse (vgl. S. 248) führt mit 2,4-Pentadion in allerdings nur bescheidener Ausbeute (27%) zum *(E)*-Trimethylsilylalken[3,4]:

---

[1] J.-L. TORREGROSA, M. BABOULÈNE, V. SPÉZIALE u. A. LATTES, J. Organometal. Chem. **238**, 281 (1982).
[2] Y. MASUDA, M. HOSHI, T. YAMADA u. A. ARASE, Chem. Commun. **1984**, 398.
[3] P. BINGER u. R. KÖSTER, Synthesis **1973**, 309.
[4] vgl. R. KÖSTER u. L. A. HAGELEE, Synthesis **1976**, 118.

$Na^+ [R^1_3B{-}C{\equiv}C{-}R^2]^- + Cl{-}Si(CH_3)_3 \xrightarrow{-NaCl}$

$\xrightarrow{-BR^1_3} R^2{-}C{\equiv}C{-}Si(CH_3)_3$ (vgl. S. 360)

$\rightarrow (R^1)(R^1_2B)C{=}C(R^2)(Si(CH_3)_3) \xrightarrow[-R^1_2B\text{-(2,4-dimethyl-1,3-dioxa-2-borinan)}]{+(H_3CCO)_2CH_2} (R^1)(H)C{=}C(R^2)(Si(CH_3)_3)$

$R^1 = CH_3, C_2H_5$
$R^2 = CH_3$

ζ) Ligand-Übergangsmetall-Verbindungen

Das Herausspalten des Bor-Atoms aus (Ligand)Übergangsmetall-(1-Organoborin)-π-Komplexen (vgl. S. 25) gelingt mit wäßrigen Eisen(III)-chlorid-Lösungen[1,2]:

$(R^1\text{-}C_5H_5B)_2Co \xrightarrow[(FeCl_3)]{-e^-} [(R^1\text{-}C_5H_5B)_2Co^{\oplus}]^+ \xrightarrow{+R^2O^-} (R^1\text{-}C_5H_5B)Co^{\oplus}(C_5H_5B^{\ominus}(R^1)(OR^2)) \longrightarrow$

$(R^1\text{-}C_5H_5B)Co(C_5H_5\text{-}B(R^1)OR^2) \xrightarrow[-R^1B(OR^2)_2,\ -H^+]{+R^2OH/-2e^-(FeCl_3)} (R^1\text{-}C_5H_5B)Co^{\oplus}(C_5H_5)$

$R^1 = C_6H_5$
$R^2 = H; CH_3$

2. Organo-Kohlenstoff-Verbindungen (speziell)

α) durch C-Substitution

Die Übertragungen borgebundener Organo-Reste auf C-Atome gehören zu den wichtigsten Anwendungen von Organobor-Verbindungen in der präparativen organischen Chemie. Man kennt C–C-Verknüpfungen durch Substitution und durch Addition (vgl. S. 284ff.). Mit Ausnahme der wenigen, nachfolgend in Abschnitt $\alpha\alpha_1$ beschriebenen intramolekularen „Carbodeborylierungen [= 1,3-Deelementborierungen] handelt es sich bei den meisten Reaktionen um intermolekulare Carbodeborylierungen.

Mittels Substitution sind aliphatische, aromatische, ungesättigte und verschiedene heteroatomhaltige [Heteroatom: z.B. O,S,N] Kohlenwasserstoffe präparativ zugänglich.

---

[1] G.E. Herberich u. W. Pahlmann, J. Organometal. Chem. **97**, C51 (1975).
[2] s. ds. Handb., Bd. XIII/3c, S. 25f. (1984).

α_1) *Aliphaten und Araliphaten*

$\alpha\alpha_1$) mit Nucleophilen (intramolekulare Carbodeborylierungen)

3-Halogenpropylbor-Verbindungen reagieren mit Nucleophilen unter Bildung von Cyclopropanen[1–10]. Aus 3-Chlorpropylboranen erhält man mit wäßrigem Natriumhydroxid unter C–C-Verknüpfung unter 1,3-Eliminierung von Halogenboran *Cyclopropan*[1,2]:

$$>B-CH_2-CH_2-CH_2-Cl + NaOH \xrightarrow[-NaCl,\ ->B-OH]{} \triangledown$$

Die Umwandlung der 3-Halogenpropylborane (Halogen = Chlor, Brom) erfolgt mit Hydrid-Reagenzien oder Alkyl-Anionen protonenfrei[3,5,6]:

$$R_2B-CH_2-CH_2-CH_2-Cl + Na^+ [(H_5C_2)_3BH]^- \longrightarrow \triangledown + R_2BH + NaCl$$

$R = C_2H_5, C_3H_7$

Aus 9-(3-Chlorpropyl)-9-borabicyclo[3.3.1]nonan erhält man in alkalisch-wäßriger Lösung unter Zusatz von Tetrahydrofuran ebenfalls *Cyclopropan*[7]. 9-(3,4-Dichlorbutyl)-9-borabicyclo[3.3.1]nonan liefert *Chlormethyl-cyclopropan*[8]. Aus *erythro/threo*-9-(3-Chlor-1,2-dimethyl-propyl)-9-borabicyclo[3.3.1]nonan wird *trans-* bzw. *cis-1,2-Dimethylcyclopropan* gebildet[9].

3-Tosyloxyalkylborane reagieren mit Basen (z.B. Methyllithium[11]) unter Bildung von Cyclopropanen[11–14]. Aus *cis*-1-Mesyloxy-9-methyl-10-boryl-*cis*-dekalin wird mit alkalisch-wäßriger Lösung *6-Methyltricyclo[4.4.0.0^{1,5}]decan* gebildet[13,14].

H3C OSO2CH3; + THF–BH3; + OH⁻; H3C O–SO2CH3; (HO)3B⊖; – [(HO)3B–OSO2CH3]⁻; + OH⁻; H3CSO2–O; ⊖ (HO)3B–; – [(HO)3B–OSO2CH3]⁻; CH3

---

[1] M.F. Hawthorne u. J.A. Dupont, Am. Soc. **80**, 5830 (1958).
[2] M.F. Hawthorne, Am. Soc. **82**, 1886 (1960).
[3] P. Binger u. R. Köster, Tetrahedron Letters **1961**, 156.
[4] P. Binger u. R. Köster, Ang. Ch. **74**, 652 (1962); engl.: **1**, 508.
[5] R. Köster, G. Griasnow, W. Larbig u. P. Binger, A. **672**, 1 (1964).
[6] R. Köster u. M.A. Grassberger, A. **719**, 169 (1969).
[7] H.C. Brown u. S.P. Rhodes, Am. Soc. **91**, 2149 (1969).
[8] H.C. Brown u. S.P. Rhodes, *Organic Syntheses via Boranes*, S. 152, J. Wiley & Sons, New York 1975.
[9] H.L. Goering u. S.L. Trenbeath, Am. Soc. **98**, 5016 (1976).
[10] s. ds. Handb., Bd. XIII/4, S. 204, 252 (1970); Bd. IV/3, S. 405 (1971); Bd. XIII/3a, S. 33 (1982).
[11] H.C. Brown u. S.P. Rhodes, Am. Soc. **91**, 4306 (1969).
[12] H.C. Brown u. K.A. Keblys, Am. Soc. **86**, 1791 (1964).
[13] J.A. Marshall u. J.H. Babler, Chem. Commun. **1968**, 993.
[14] J.A. Marshall, Synthesis **1971**, 229.

4-Chlorbutylborane reagieren nicht mit Nucleophilen[1]. Borfreie 1,5-Cycloalkadiene erhält man aber aus 4-Organosulfonyloxy-dialkyl-boranen (vgl. S. 228)[2-4].

$\alpha\alpha_2$) mit elektrophilen Reagenzien (intermolekulare Carbodeborylierungen)

Aus Alkalimetall-methyl-trialkyl-boraten erhält man in Gegenwart von Kupfer(I)-Salzen mit Benzylbromid über radikalische Zwischenstufen Phenylalkane (Alkylbenzole) in ≈60%iger Ausbeute[5]:

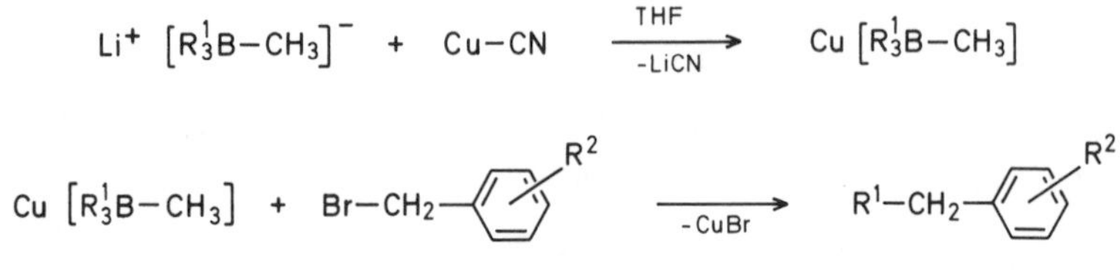

$$Li^+ [R^1_3B-CH_3]^- + Cu-CN \xrightarrow[-LiCN]{THF} Cu[R^1_3B-CH_3]$$

$$Cu[R^1_3B-CH_3] + Br-CH_2-C_6H_4R^2 \xrightarrow[-CuBr]{} R^1-CH_2-C_6H_4R^2$$

$R^1 = C_4H_9, C_6H_{13}; (CH_2)_5Cl$
$R^2 = H; CH_3(3); Br(4); COOCH_3(4)$

Nebenprodukte (≈30%) sind 1,2-Diarylethane[5]. Toluol[6] wird nicht gebildet[5].

Mit Diphenylsulfon erhält man aus Lithium-hydro-triethyl-borat in siedendem Tetrahydrofuran *Ethylbenzol* (76%). Dessen Ausbeute kann unter Zusatz von 1-Octen bis auf 92% gesteigert werden[7,8]:

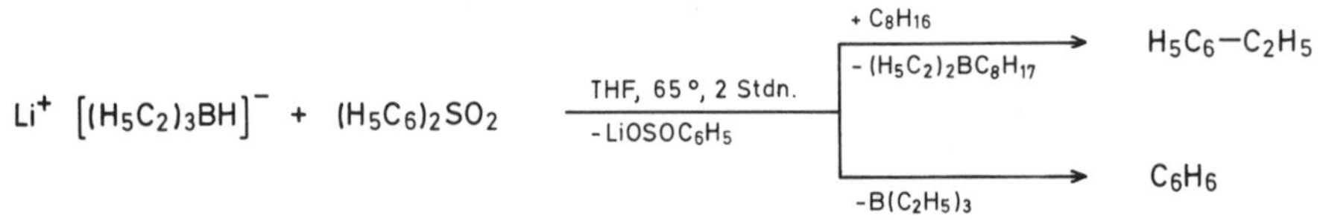

$$Li^+ [(H_5C_2)_3BH]^- + (H_5C_6)_2SO_2 \xrightarrow[-LiOSOC_6H_5]{THF,\ 65°,\ 2\ Stdn.} \begin{cases} \xrightarrow[-(H_5C_2)_2BC_8H_{17}]{+C_8H_{16}} H_5C_6-C_2H_5 \\ \xrightarrow[-B(C_2H_5)_3]{} C_6H_6 \end{cases}$$

In sehr unterschiedlichen Ausbeuten sind *Butylbenzol* (79%), *Isobutylbenzol* (29%) und (1-Methylpropyl)benzol (<1%) zugänglich[8].

α_2) *Arene*

Borgebundene Aryl-Reste lassen sich unter Aren-Substitution mit elektrophilen Organo-Resten verknüpfen. Beispielsweise reagieren Aryl-trialkyl-borate unter Methylierung mit Fluorsulfonsäuremethylester und zusätzlicher intramolekularer Alkylierung (vgl. S. 259) zu Triorganoboranen. Die Hydrolyse liefert Alkyl-methyl-dihydroarene. Bei der alkalischen Dihydrogenperoxid-Oxidation erhält man Alkyl-methyl-arene[9]:

[1] R. Köster, G. Griasnow, W. Larbig u. P. Binger, A. **672**, 1 (1964).
[2] J.A. Marshall u. J.H. Babler, Chem. Commun. **1968**, 993.
[3] J.A. Marshall, Synthesis **1971**, 229.
[4] Vgl. ds. Handb. XIII/3a, 34 (1982): Zum Cyclobutan-Ringschluß.
[5] N. Miyaura, M. Itoh u. A. Suzuki, Synthesis **1976**, 618.
[6] H. Jäger u. G. Hesse, B. **95**, 345 (1962).
[7] S. Krishnamurthy, S.-C. Kim u. H. C. Brown, *Imeboron IV*, Juli 1979, Salt Lake City; Abstr. of Papers S. 47/8.
[8] H.C. Brown, S.-C. Kim u. S. Krishnamurthy, Organometallics **2**, 779 (1983).
[9] E. Negishi u. R.E. Merrill, Chem. Commun. **1974**, 860.

$$\left[(H_9C_4)_2\overset{\ominus}{B}-C_4H_9 \text{(1-Naphthyl)}\right]^- + H_3C-OSO_2F \xrightarrow{-LiOSO_2F} (H_9C_4)_2B,\ C_4H_9,\ CH_3\text{-Dihydronaphthalin} \begin{cases} \xrightarrow{+H_2O} C_4H_9,\ CH_3\text{-Dihydronaphthalin} \\ \xrightarrow{+HOO^-} 1\text{-}C_4H_9\text{-}2\text{-}CH_3\text{-Naphthalin} \end{cases}$$

Die Palladium(0)-katalysierten Aryl-phenyl- und Arylen-phenyl-Kupplungen gelingen beim Dihydroxy-phenyl-boran mit Bromarenen[1]. Man erhält mit Brombenzol bzw. mit 1,4-Dibrombenzol in Gegenwart von Tetrakis(triphenylphosphan)palladium *Biphenyl* und *Terphenyl*[1]:

$$H_5C_6-B(OH)_2 \xrightarrow{Pd[P(C_6H_5)_3]_4} \begin{cases} \xrightarrow{+Br-C_6H_5} H_5C_6-C_6H_5 \\ \xrightarrow{+Br-C_6H_4-Br} H_5C_6-C_6H_4-C_6H_5 \end{cases}$$

Die Substitution von Ringglied-Bor-Atomen in 1-Organoborin-Übergangsmetall-π-Komplexen (vgl. S. 18) durch C-Atome gelingt mit Acetylchlorid/Aluminiumtrichlorid[2,3]:

$$(C_5H_5)Fe(C_5H_5B-R) + H_3C-C(=O)Cl \xrightarrow[2.\ +H_2O]{1.\ AlCl_3} (C_5H_5)Fe(C_6H_5-CH_3)$$

$R = C_6H_5$

α_3) *Ungesättigte Kohlenwasserstoffe*

Alkadiene erhält man aus Organobor-Verbindungen mit C-Elektrophilen. Disubstituierte Alkine lassen sich aus Organoboranen mit 1-Alkinen durch Übergangsmetall-Katalyse gewinnen.

Die Alkyl-Reste der 2-Alkenyl-trialkyl-borate (Bd. XIII/3b, S. 774ff.) werden mit Allylhalogeniden in 1,5-Alkadiene umgewandelt[4,5].

$$Li^+[R_3B-CH_2-CH=CH-CH_3]^- \xrightarrow[-LiCl,\ -R_3B]{+H_5C_6-CH=CH-CH_2-Cl,\ (H_5C_2)_2O} H_2C=CH-CH(CH_3)-CH_2-CH=CH-C_6H_5$$

R_3B: $(H_9C_4)_3B$; H_9C_4-B(9-BBN)

[1] N. Miyaura, T. Yanagi u. A. Suzuki, Syn. Commun. **11**, 513 (1981).
[2] G.E. Herberich u. K. Carsten, J. Organometal. Chem. **144**, C1 (1978).
[3] s. ds. Handb., Bd. XIII/3c, S. 15, 34 (1984).
[4] Y. Yamamoto u. K. Maruyama, Am. Soc. **100**, 6282 (1978).
[5] Y. Yamamoto, H. Yatagai, Y. Saito u. K. Maruyama, J. Org. Chem. **49**, 1096 (1984).

1-Alkenyl-dialkyl-borane reagieren als 1-Alkenyl-dialkyl-hydroxy-borate (Bd. XIII/3b, 833) mit Allylbromid in Gegenwart von Kupfer(II)-acetat bei –15° unter Bildung von 1,4-Alkadienen[1]:

$$Na^+ \left[(H_{11}C_6)_2B(OH){-}C(R^1){=}C(R^2)H \right]^- \xrightarrow[2.\ +BrCH_2CH{=}CH_2,\ -15°]{1.\ +Cu(OCOCH_3)_2} H_2C{=}CH{-}CH_2{-}C(R^1){=}C(R^2)H$$

R^1	H	H
R^2	C_8H_{17}	C_6H_5
[%]	63	86

Aus Chlor-di-1-alkenyl-boranen bilden sich bei –30° mit Methyl-Kupfer [aus Kupfer(I)-jodid, Methyllithium in Diethylether bei 0°] und anschließend mit Allylhalogeniden (Halogen: Cl, Br) stereochemisch reine (>99%) (*4E*)-1,4-Alkadiene in 70–95%iger Ausbeute[2]:

$$\left[R^1{-}CH{=}C(R^2){-} \right]_2 B{-}Cl \xrightarrow[2.\ H_2C{=}CHCH_2{-}Hal]{1.\ +H_3C{-}Cu\ (-30°)} R^1(H)C{=}C(R^2){-}CH_2{-}CH{=}CH_2$$

$R^1 = C_4H_9, (CH_2)_3Cl$
$R^2 = H, C_4H_9$
Hal = Cl, Br

Kupfer-butyl-trifluor-borat läßt sich mit Allylalkoholen in 1- und 3-Butylallylalkohole umwandeln[3].

Aus (*E*)-1-Alkenyl-dioxy-boranen (Bd. XIII/3a, S. 625) erhält man mit (*Z*)- oder (*E*)-1-Alkenyljodiden in Gegenwart katalytischer Mengen von Tetrakis[triphenylphosphan]-palladium in wäßrig-alkalischer Lösung stereoselektiv (*E,Z*)- oder (*E,E*)-1,3-Alkadiene[4]:

$$H_{17}C_8{-}CH{=}CH{-}B(OH)_2 \xrightarrow[H_2O]{+NaOH} \begin{cases} \xrightarrow{+\ (Z)\text{-}J{-}CH{=}CH{-}C_4H_9,\ Kat.} (E,Z)\text{-}H_{17}C_8{-}CH{=}CH{-}CH{=}CH{-}C_4H_9 \\ \xrightarrow{+\ (E)\text{-}J{-}CH{=}CH{-}C_4H_9,\ Kat.} (E,E)\text{-}H_{17}C_8{-}CH{=}CH{-}CH{=}CH{-}C_4H_9 \end{cases}$$

Kat.: $Pd[P(C_6H_5)_3]_4$

Die katalysierten Reaktionen lassen sich auch intramolekular, z.B. zur Gewinnung mehrfach ungesättigter Carbocyclen (z.B. Humulen), anwenden[5].

Aus sämtlichen Alkyl-Resten der Trialkylborane erhält man mit Phenylacetylen elektrochemisch (Platin-Elektroden) disubstituierte Alkine in 70–94%iger Ausbeute[6]:

---

[1] M. Hoshi, Y. Masuda u. A. Arase, Bl. chem. Soc. Japan **56**, 2855 (1983).
[2] Y. Yamamaoto, H. Yatagai, A. Sonoda u. S.-I. Murahashi, Chem. Commun. **1976**, 452.
[3] Y. Yamamoto u. K. Maruyama, J. Organometal. Chem. **156**, C9 (1978).
[4] G. Cassani, P. Massardo u. P. Piccardi, Tetrahedron Letters **1983**, 2513.
[5] N. Miyaura, H. Suginome u. A. Suzuki, Tetrahedron Letters **1984**, 761.
[6] Y. Takahashi, M. Tokuda, M. Itoh u. A. Suzuki, Chem. Letters **1977**, 999.

$$R_3B + 3\ H_5C_6{-}C{\equiv}CH \xrightarrow[{[(H_9C_4)_4N^+]\ J^-/THF}]{+e^-} 3\ H_5C_6{-}C{\equiv}C{-}R$$

R = C_3H_7, C_4H_9, C_5H_{11}; $CH(CH_3)C_2H_5$, C_5H_9

Aus Organobor-Verbindungen sind mit Elektrophilen acetylenische Kohlenwasserstoffe mit neuer Organo-C-Bindung zugänglich. 1-Alkenyl-dicyclohexyl-borane reagieren mit 1-Brom-1-alkinen über die Natrium-1-alkenyl-dicyclohexyl-hydroxy-borate in Gegenwart von Kupfer(II)-acetat unter Bildung von (*E*)-Alkeninen[1]:

$$Na^+\left[(H_{11}C_6)_2B(OH){-}CH{=}CH{-}C_4H_9\right]^- \xrightarrow[2.\ +\ Br-C\equiv C-C_4H_9,\ -15°]{1.\ +\ Cu(OCOCH_3)_2} H_9C_4{-}C{\equiv}C{-}CH{=}CH{-}C_4H_9$$

Aus Natrium-1,3-alkadiinyl-trialkyl-boraten[2,3] bzw. Dinatrium-bis(triethylboratyl)-butadiin[2,4] spaltet man mit Alkyl-Kationen u.a. (vgl. Bd. XIII/3a, S. 240) Alkyl-1,3-alkadiine ab[3]:

$$Na^+\ [(H_5C_2)_3B{-}C{\equiv}C{-}C{\equiv}C{-}C_3H_7]^- + [(H_5C_2)_3O]^+[BF_4]^- \xrightarrow[{-Na[BF_4],\ -(H_5C_2)_2O,\ -B(C_2H_5)_3}]{} H_5C_2{-}C{\equiv}C{-}C{\equiv}C{-}C_3H_7$$

α_4) *Heteroatomhaltige Verbindungen*

$\alpha\alpha_1$) mit heteroatomhaltigen Reagenzien

Carbodeborylierungen liefern verschiedenartige borfreie Verbindungen aus B-Organo-Rest und heteroatomhaltigem Reagenz. Carbonyl-Verbindungen mit ein und zwei B-Organo-Resten sowie Carbonsäure-Derivate mit einem B-Organo-Rest sind zugänglich. Schwefelhaltige Verbindungen erhält man aus Organobor-Verbindungen durch Alkyl-Substitution von Sulfonyl-Verbindungen. Stickstoffhaltige Verbindungen aus B-Organo-Rest und C-Reagenz sind Nitrile mit ein oder zwei B-Organo-Resten sowie Nitro-Kohlenwasserstoffe.

i_1) Sauerstoffhaltige Verbindungen

Alkyl-substituierte Ketone sind aus Trialkylboranen mit α-Bromketonen in Gegenwart von Nucleophilen wie z.B. von Kalium-tert.-butanolat in Tetrahydrofuran zugänglich[5-7].

Aus Triethylboran erhält man mit ω-Bromacetophenon bei 0° *Butyrophenon*[5]:

$$B(C_2H_5)_3 + H_5C_6{-}CO{-}CH_2{-}Br + KO{-}C(CH_3)_3 \xrightarrow[-KBr]{THF} H_5C_6{-}CO{-}CH_2{-}C_2H_5 + (H_5C_2)_2B{-}OC(CH_3)_3$$

---

[1] M. Hoshi, Y. Masuda u. A. Arase, Bl. chem. Soc. Japan **56**, 2855 (1983).
[2] s. ds. Handb., Bd. XIII/3a, S. 240 (1982).
[3] R. Köster u. G. Seidel, Mülheim a.d. Ruhr, unveröffentlicht, 1977/1978.
[4] P. Binger u. R. Köster, Mülheim a.d. Ruhr, unveröffentlicht, 1970.
[5] H.C. Brown, M.M. Rogić u. M.W. Rathke, Am. Soc. **90**, 6218 (1968).
[6] H.C. Brown, H. Nambu u. M.M. Rogić, Am. Soc. **91**, 6852 (1969).
[7] R.H. Prager u. J.M. Tippett, Austral. J. Chem. **27**, 1457, 1467 (1974).

Entsprechend reagieren 9-Alkyl- bzw. 9-Cycloalkyl-9-borabicyclo[3.3.1]nonane: Der 9-Organo-Rest läßt sich auf 2-Bromcyclohexanon und zahlreiche andere α-Bromketone übertragen[1]. Mit 2,6-Dibromcyclohexanon erhält man 2-Alkylcyclohexanone[2].

Lithium-tetraalkylborate (Bd. XIII/3b, S. 750ff.) reagieren mit Acylhalogeniden bei $\approx 25°$ in Tetrahydrofuran/Hexan unter Übertragung eines Alkyl-Rests vom B- auf das C-Atom zu Alkyl-organo-ketonen. Die Ausbeuten betragen $\approx$60–80%[2–5]:

$$Li^+ [R^1_3BR^2]^- + R^3{-}C(=O){-}Hal \xrightarrow[-R^1_3B]{-LiHal} R^2{-}C(=O){-}R^3$$

$R^1 = C_4H_9;\ C_5H_9$
$R^2 = C_4H_9;\ CH_2C_6H_5;\ CH_2SOCH_3$ [3,5]
$R^3 = C_4H_9;\ C_6H_5$

Zwei Alkyl-Reste lassen sich vom B- auf das C-Atom der Cyan-Gruppe übertragen. Man gewinnt Dialkylketone. Aus Natrium-cyano-trialkyl-boraten (Bd. XIII/3b, S. 791ff.) erhält man mit Trifluoressigsäureanhydrid als elektrophilem Reagenz bei der nachfolgenden Hydrogenperoxid-Oxidation Dialkylketone in Ausbeuten von 85–100%[6,7]:

$$Na^+ [R_3B{-}CN]^- + [F_3C{-}C(=O){-}]_2O \xrightarrow[-NaOCOCF_3]{\text{Diglyme},\ -78\ \text{bis} +20°} \xrightarrow{+HOO^-} R_2C{=}O$$

R = C_4H_9[6], C_8H_{17}[6], C_5H_9[6], C_6H_{11}[6], (Norbornyl)[6], (CH_3-Cyclopentyl)[7]

Das gemischt substituierte Kalium-cyano-cyclohexyl-octyl-thexyl-borat reagiert mit 78% Ausbeute zum *1-Cyclohexyl-1-nonanon*[8]. Aus Kalium-alkandiyl-alkyl-cyano-boraten erhält man Cycloalkanone[9].

3-Alkyl-2-phenyl-2-alkenale und (2,2-Dialkyl-1-phenyl-ethenyl)-methyl-ketone sind aus Lithium-phenylalkinyl-trialkyl-boraten mit Orthocarbonsäuretriestern in Gegenwart von Titan(IV)-chlorid als elektrophilem Reagenz nach Oxidation der Reaktions-Lösung zugänglich; z.B.[10]:

$$Li^+ [(H_7C_3)_3B{-}C{\equiv}C{-}C_6H_5]^- + HC(OC_2H_5)_3 \xrightarrow{TiCl_4} \xrightarrow{+HOO^-} (H_7C_3)_2C{=}C(C_6H_5){-}CHO$$

Die Reaktion der Lithium-(4,4-dimethyl)-4,5-dihydro-1,3-oxazol-2-yl)-trialkyl-borate mit Jodmethan als Elektrophil führt nach Oxidation zu Dialkylketonen[11]:

$$Li^+ [R_3B{-}(\text{Oxazolinyl})]^- \xrightarrow[-LiJ]{+H_3C{-}J} (\text{2-R-2-}BR_2\text{-3-}CH_3\text{-oxazolidin}) \xrightarrow{+HOO^-} R_2C{=}O$$

R = C_3H_7, C_4H_9, $C_4H_2CH(CH_3)_2$, C_6H_{13}, C_8H_{17}; C_5H_9

---

[1] H.C. Brown, H. Nambu u. M.M. Rogić, Am. Soc. **91**, 6852 (1969).
[2] R.H. Prager u. J.M. Tippett, Austral. J. Chem. **27**, 1457, 1467 (1974).
[3] E. Negishi, K.-W. Chiu u. T. Yoshida, J. Org. Chem. **40**, 1676 (1975).
[4] E. Negishi, J. Organometal. Chem. **108**, 281 (1976).
[5] M.J. Kukla, Tetrahedron Letters **1982**, 4539.
[6] A. Pelter, M.G. Hutchings u. K. Smith, Chem. Commun. **1970**, 1529.
[7] A. Pelter, M.G. Hutchings, K. Smith u. D.J. Williams, Soc. [Perkin I] **1975**, 145.
[8] A. Pelter, D.J. Ryder u. J.H. Sheppard, Tetrahedron Letters **1978**, 4715.
[9] R. Murphy u. R.H. Prager, J. Organometal. Chem. **156**, 133 (1978).
[10] S. Hara, H. Dojo u. A. Suzuki, Chem. Letters **1983**, 285.
[11] T. Baba u. A. Suzuki, Syn. Commun. **13**, 367 (1983).

Alkansäuren erhält man aus Trialkylboranen mit Bromessigsäureethylester in Gegenwart von Kalium-tert.-butanolat (vgl. S. 279)[1]:

$$R_3B + Br{-}CH_2{-}C(=O){-}OC_2H_5 + KO{-}C(CH_3)_3 \xrightarrow[-\ KBr]{} \xrightarrow{+\ H_2O} R{-}CH_2{-}C(=O){-}OC_2H_5$$

R = C_2H_5, C_4H_9, $CH_2CH(CH_3)_2$, C_6H_{13}; $CH(CH_3)C_2H_5$, C_5H_9, C_6H_{11},

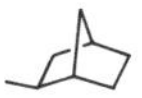

Substituierte Cyclopropylcarbonsäuren erhält man um ≈20° (12 Stdn.) aus 9-(4-Oxo-oxetan-2-ylmethyl)-9-borabicyclo[3.3.1]nonanen mit Natriummethanolat bei Zugabe von Methanol[4]:

$$R_3B + Br{-}CH_2{-}CH{=}CH{-}C(=O){-}OC_2H_5 \xrightarrow[-\ KBr]{K-OC(C_2H_5)_3} \xrightarrow{+\ H_2O} R{-}CH{=}CH{-}CH_2{-}C(=O){-}OC_2H_5$$

Substituierte Cyclopropylcarbonsäuren erhält man um ≈20° (12 Stdn.) aus 9-(4-Oxo-oxetan-2-ylmethyl)-9-borabicyclo[3.3.1]nonanen mit Natriummethanolat bei Zugabe von Methanol[4]:

$$\text{9-BBN}{-}CH(R){-}\text{(4-Oxo-oxetan-2-yl)} + NaOCH_3 \xrightarrow{HOCH_3} \text{2-R-Cyclopropyl}{-}C(=O){-}OH$$

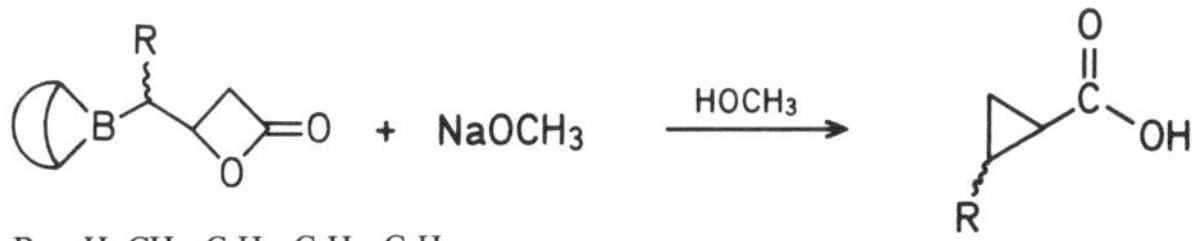

R = H, CH_3, C_2H_5, C_4H_9, C_6H_{13}

Reine (*E*)-2-Alkylacrylsäureethylester lassen sich durch Übertragen von Alkyl-Resten der Kupfer(methyl-trialkyl-borate) auf (E)-2-Bromacrylsäureester gewinnen. Die Ausbeuten betragen bis zu ≈80%[5]:

$$Cu\,[R_3B{-}CH_3] + (Br)(H)C{=}C(H){-}C(=O){-}OC_2H_5 \xrightarrow[-\ 1/2\ Cu_2Br_2,\ -\ H_3C-BR_2]{THF} (R)(H)C{=}C(H){-}C(=O){-}OC_2H_5$$

R = C_3H_7, C_4H_9, $CH_2CH(CH_3)_2$, C_8H_{17}

i₂) Schwefelhaltige Verbindungen

B-Alkyl-Reste der Trialkylborane lassen sich auf das C-Atom der Brommethyl-Gruppe von Sulfonen in Gegenwart von tert.-Butanolat in Tetrahydrofuran übertragen[6]:

$$R_3B + Br{-}CH_2{-}SO_2{-}Y \xrightarrow[-\ H-OC(CH_3)_3,\ -\ KBr]{(THF),\ +\ K-OC(CH_3)_3} R{-}CH_2{-}SO_2{-}Y$$

Y = C_2H_5, C_6H_5; $OCH_2C(CH_3)_3$, $N(C_2H_5)_2$
R = C_4H_9, $CH_2CH(CH_3)_2$, C_6H_{13}, C_8H_{17}; C_5H_9, C_6H_{11}

---

[1] H.C. Brown, M.M. Rogić, M.W. Rathke u. G.W. Kabalka, Am. Soc. **90**, 818 (1968).
[2] H.C. Brown, M.M. Rogić, M.W. Rathke u. G.W. Kabalka, Am. Soc. **90**, 1911 (1968).
[3] H.C. Brown u. H. Nambu, Am. Soc. **92**, 1761 (1970).
[4] M. Kawashima u. T. Fujisawa, Chem. Letters **1983**, 1273.
[5] N. Miyaura, N. Sasaki, M. Itoh u. A. Suzuki, Tetrahedron Letters **1977**, 3369.
[6] W.E. Truce, L.A. Mura, P.J. Smith u. F. Young, J. Org. Chem. **39**, 1449 (1974).

Aus Lithium-methylsulfinylmethyl-tributyl-borat erhält man in Hexan/Tetrahydrofuran mit Glutarsäure-chlorid-methylester nicht unter C–C[1]- sondern C–O-Verknüpfung und Reduktion der Sulfoxid-Funktion in 72%iger Ausbeute *Glutarsäure-methylester-methylthiomethylester*[2]:

$$Li^+ \left[(H_9C_4)_3B-CH_2-\overset{O}{\overset{\|}{S}}-CH_3\right]^- + Cl\overset{O}{\overset{\|}{C}}(CH_2)_3\overset{O}{\overset{\|}{C}}OCH_3 \xrightarrow[-(H_9C_4)_2B-OC_4H_9]{-LiCl} H_3CSCH_2O\overset{O}{\overset{\|}{C}}(CH_2)_3\overset{O}{\overset{\|}{C}}OCH_3$$

i$_3$) Stickstoffhaltige Verbindungen

Ein bis zwei Alkyl-Reste der Trialkylborane lassen sich elektrochemisch auf Acetonitril übertragen. Man elektrolysiert in Acetonitril mit Tetraethylammoniumjodid als Leitsalz zwischen Platin-Elektroden bei ≈20° in Stickstoff-Atmosphäre. Die Stromdichte beträgt ≈500 mA/cm^2 [2,3]:

$$R_3B + H_3C-C\equiv N \xrightarrow[{[R_4N^+ X^-]}]{e^-} R-CH_2C\equiv N \quad \text{und} \quad R_2CHC\equiv N$$

R = C_4H_9, C_6H_{13}, C_8H_{17}; $CH(CH_3)C_2H_5$

Aus Propannitril erhält man α-alkylierte Propannitrile; z.B. *2-Methyloctannitril* aus Trihexylboran in 80%iger Ausbeute[3].

Die Chlor-Substitution beim Chloracetonitril durch B-Alkyl-Reste der Trialkylborane oder der 9-Alkyl-9-borabicyclo[3.3.1]nonane liefert in Gegenwart von Kalium-2,6-di-tert.-butylphenolat in tert.-Butanol/Tetrahydrofuran bei 0° Alkylacetonitrile in Ausbeuten von 60–90%; z.B.[4]:

$$B(C_2H_5)_3 + Cl-CH_2CN + \text{2,6-}((H_3C)_3C)_2C_6H_3OK \xrightarrow[-KCl]{THF,\ 0°} \underset{95\,\%}{H_5C_2-CH_2CN} + (H_5C_2)_2BO-C_6H_3\text{-2,6-}(C(CH_3)_3)_2$$

Mit Dichloracetonitril erhält man Dialkylacetonitrile[5]. Aus 9-Ethyl-9-borabicyclo[3.3.1]nonan ist mit Brom-cyan-essigsäureethylester in 94%iger Ausbeute *2-Cyanbutansäureethylester* zugänglich[6]. Mit Brommalonsäuredinitril lassen sich aus Trialkylboranen Alkylmalonsäuredinitrile in 80–90%iger Ausbeute gewinnen[6].

Die Übertragung von Alkyl- und Cycloalkyl-Resten der Triorganoborane auf Nitromethan läßt sich elektrochemisch (vgl. S. 282) zwischen Platin-Elektroden mit Tetraethylammoniumjodid als Leitsalz durchführen[7]:

$$R_3B + H_3CNO_2 \xrightarrow[(H_3CNO_2)]{+e,\ [R_4N]^+ J^-} R-CH_2NO_2$$

R = C_3H_7, C_6H_{13}, C_8H_{17}; $CH(CH_3)C_2H_5$, C_5H_9

---

[1] E. Negishi, K.W. Chin u. T. Yoshida, J. Org. Chem. **40**, 1676 (1975).
[2] M.J. Kukla, Tetrahedron Letters **1982**, 4539.
[3] Y. Takahashi, M. Tokuda, M. Itoh u. A. Suzuki, Chem. Letters **1975**, 523.
[4] H.C. Brown, H. Nambu u. M.M. Rogić, Am. Soc. **91**, 6854 (1969).
[5] H. Nambu u. H.C. Brown, Am. Soc. **92**, 5790 (1970).
[6] H. Nambu u. H.C. Brown, Organometal. i. Chem. Synth. **1**, 95 (1970/1971).
[7] Y. Takahashi, M. Tokuda, M. Itoh u. A. Suzuki, Synthesis **1976**, 616.

Eine B-Alkyl-Gruppe oder bis maximal zwei B-Cycloalkyl-Gruppen lassen sich in Organonitromethane umwandeln[1]. Aus Tributylboran erhält man mit Bromnitromethan in Gegenwart von Kalium-2,6-di-tert.-butylphenolat in Tetrahydrofuran in 57%iger Ausbeute *1-Nitropentan*[2].

$$(H_9C_4)_3B + Br-CH_2NO_2 + 2,6\text{-}[(H_3C)_3C]_2C_6H_3OK \xrightarrow[-\ (H_9C_4)_2BO-C_6H_3[C(CH_3)_3]_2]{-\ KBr} H_9C_4-CH_2NO_2$$

$\alpha\alpha_2$) aus heteroatomhaltigen Organobor-Verbindungen

Die Übertragung heteroatomhaltiger, ungesättigter Organo-Reste vom Bor- auf C-Atome (vgl. S. 277ff.) läßt sich z.B. mit sauerstoff-, schwefel-, stickstoff-, silicium- und eisenhaltigen Organo-Resten durchführen.

i_1) Sauerstoff- und schwefelhaltige Verbindungen

Die Übertragung des B-Ethoxyethinyl-Rests im Ethoxyethinyl-tripropyl-borat auf das C-Atom des Jodmethans erfolgt in 35%iger Ausbeute[3]:

$$Li^+ \left[(H_7C_3)_3B-C\equiv C-OC_2H_5\right]^- + J-CH_3 \xrightarrow[-\ B(C_3H_7)_3]{-\ LiJ} H_3C-C\equiv C-OC_2H_5$$

Aus (*E*)-2-(8-Trimethylsilyloxy-1-octenyl)benzo-1,3,2-dioxaborol erhält man mit (*Z*)-1-Jod-1-buten in alkalisch-wäßriger Lösung unter Zusatz von Tetrakis(triphenylphosphan)palladium bei 65° (2 Stdn.) in ≈60%iger Ausbeute *(7E,9Z)-7,9-Dodecadien-1-ol*[4]:

$$Na^+ \left[C_6H_4O_2B^{\ominus}(OH)-CH=CH-(CH_2)_6-OSi(CH_3)_3 \right]^- + J-CH=CH-C_2H_5 \xrightarrow[THF/H_2O]{Pd[(H_5C_6)_3P]_4} HO-(CH_2)_6-CH=CH-CH=CH-C_2H_5$$

Der 2-Thienyl-Rest des Kalium-tetra-2-thienyl-borats läßt sich in Gegenwart von Kupfer(I)-bromid auf das Ferrocen-Molekül übertragen[5]:

2,3'-*Bithienyl* läßt sich aus Dihydroxy-3-thienyl-boran mit 2-Bromthiophen Palladium-katalysiert in 72%iger Ausbeute herstellen[6]:

i_2) Stickstoffhaltige Verbindungen

3-Arylpyridine sind Palladium(0)-Katalysiert mit Bromarenen aus Diethyl-(3-pyridyl)-boran zugänglich[7].

---

[1] Y. Takahashi, M. Tokuda, M. Itoh u. A. Suzuki, Synthesis **1976**, 616.
[2] B.R. Fishwick, D.K. Rowles u. C.J.M. Stirling, Chem. Commun. **1983**, 835.
[3] B.M. Mikhailov, M.E. Gurskii, M. Gverdtsiteli u. V.G. Kiselev, Izv. Akad. SSSR **1979**, 855; C.A. **91**, 57084 (1979).
[4] G. Cassani, P. Massardo u. P. Piccardi, Tetrahedron Letters **1983**, 2513.
[5] A.N. Nesmeyanov, V.A. Sazonova u. V.N. Drozd, Doklady Akad. SSSR **129**, 1060 (1959); engl.: 1113.
[6] S. Gronowitz u. K. Lawitz, Chem. Scripta **22**, 265 (1983); C.A. **101**, 23252 (1984).
[7] M. Ishikura, M. Kamada u. A. Terashima, Heteroc. Sendai **22**, 265 (1984); 3-Arylpyridine mit Bromarenen aus Diethyl-3-pyridyl-boran.

i_3) Siliciumhaltige Verbindungen

Aus 1-heteroatomsubstituierten 1-Alkenyl-trialkyl-boraten erhält man mit Halogenethenen unter Zusatz von Pd(0)-Katalysator 1,3-Alkadiene[1]:

$$Li^+ \left[(H_{13}C_6)(H)C{=}C(Si(CH_3)_3)(B(C_6H_{11})_2C_4H_9) \right]^- \xrightarrow[- LiBr]{+ Br-CH=CH_2,\ Pd[P(C_6H_5)_3]_4} (H_{13}C_6)(H)C{=}C(Si(CH_3)_3)(CH{=}CH_2)$$

Aus dem Kupfer-Salz des Dialkyl-methyl-(1-trimethylsilyl-(*Z*)-1-octenyl)-borats gewinnt man in Gegenwart von Triethylphosphit mit Jodethan *(Z)-3-Trimethylsilyl-3-decen* (89%)[2]:

$$Cu^+ \left[(H)(H_{13}C_6)C{=}C(BR_2CH_3)(Si(CH_3)_3) \right]^- \xrightarrow{P(OC_2H_5)_3,\ HMPT} \xrightarrow[-1/2\ Cu_2J_2,\ -H_3CBR_2]{+ H_5C_2J} (H)(H_{13}C_6)C{=}C(C_2H_5)(Si(CH_3)_3)$$

$R = C_6H_{11}$

Mit Allylchloriden erhält man silylierte Alkadiene[2].

i_4) Eisenhaltige Verbindungen

Die C–C-Verknüpfung eisenhaltiger Organo-Reste mit anderen Organo-Resten gelingt in Gegenwart von Kupfer(II)-Salzen. Aus 1,1′-Bis(dihydroxyboryl)ferrocen erhält man mit Pyridin neben Ferrocen *1-(2-Pyridyl)ferrocen*[3]:

$$Fe(C_5H_4B(OH)_2)_2 + C_5H_5N \xrightarrow{CuCO_3} (C_5H_4\text{-}2\text{-}C_5H_4N)Fe(C_5H_5)$$

β) durch Addition (Carboborierungen)

Verschiedene heteroatomhaltige und einige ungesättigte Kohlenwasserstoffe lassen sich durch additive Übertragung von B-Organo-Resten auf koordinativ ungesättigte C_1-Atome (1,1-Additionen) oder auf C,Y-Mehrfachbindungen (1,x-Additionen mit $x \geqq 2$) präparativ gewinnen.

β_1) *1,1-Additionen an C_1-Verbindungen*

1,1-Additionen von Organobor-Funktionen an Carbene, Carbenoide oder Ylid-C-Atome liefern vor allem sauerstoffhaltige und siliciumhaltige Organo-Kohlenstoff-Verbindungen.

---

[1] E. Negishi u. F.-T. Luo, J. Org. Chem. **48**, 1560 (1983).
[2] K. Uchida, K. Utimoto u. H. Nozaki, Tetrahedron **33**, 2987 (1977).
[3] A. N. Nesmeyanov, V. A. Sazonova u. A. V. Gerasimenko, Doklady Akad. SSSR **147**, 634 (1962); engl.: 1027; C.A. **58**, 9133 (1963).

Zwei bzw. drei B-Organo-Reste lassen sich in Alkene und vor allem in gesättigte und ungesättigte Alkohole umwandeln. Außerdem sind aus Organobor-Verbindungen mit verschiedenen C_1-Reagenzien wie Kohlenmonoxid, Isonitrilen, Carbenoiden oder Yliden unter 1,1-Organoborylierung Carbonyl-Verbindungen und Carbonsäuren zugänglich.

$\beta\beta_1$) Alkene

Aus Trialkylboranen gewinnt man mit Carbenoiden unter Alkyl-Übertragung vom B- auf das C-Atom und nachfolgender Eliminierung Alkene, die aus den C-Atomen von zwei B-Alkyl-Resten und dem Carbenoid-C-Atom aufgebaut sind.

Tributylboran reagiert mit (Brom-dichlor-methyl)-phenyl-quecksilber bei 60–70° unter Bildung von 4-Nonenen (58% *cis*, 42% *trans*) in ≈68%iger Ausbeute[1,2]:

$$B(C_4H_9)_3 + H_5C_6Hg{-}CCl_2Br \xrightarrow[\{-H_5C_6HgBr\}]{\text{Benzol}, \approx 70°} H_9C_4{-}CH{=}CH{-}C_3H_7 \quad \{+ H_9C_4BCl_2\}$$

Aus Tripropylboran werden (*E*/*Z*)-3-Heptene (1:2), aus Trihexylboran (*E*/*Z*)-6-Tridecene (≈1:1) gebildet[1,2].

1-Alkene vom Isobuten-Typ erhält man durch Übertragung von zwei Alkyl-Resten der Trialkylborane auf das α–C-Atom des 1,2-Dimethoxyvinyllithium. Das intermediär gebildete Borat wird mit wasserfreiem Hydrogenchlorid in Diethylether umgesetzt; z.B. ins *2-Hexyl-1-octen* (65%)[3]:

$$B(C_6H_{13})_3 \xrightarrow{+ LiC(OCH_3){=}CHOCH_3} \xrightarrow[-LiCl \quad \{-H_{13}C_6B(OCH_3)_2\}]{+HCl} H_{13}C_6{-}C(C_6H_{13}){=}CH_2$$

Aus Alkoxy-dialkyl-boranen erhält man mit Lithium-dichlor-methoxy-methan (1-Chlor-dialkyl-methyl)-dialkoxy-borane[4,5], die thermisch (vgl. S. 218) oder mit Silbernitrat in wässrig-alkoholischer Lösung Alkene bilden[4]:

$$(RCH_2)_2BOR^1 \xrightarrow[-LiCl]{+LiCCl_2OCH_3/THF} (RCH_2)_2C(Cl){-}B(OCH_3)(OR) \xrightarrow{AgNO_3,\ H_5C_2OH/H_2O} RCH_2CH{-}CHR$$

$RCH_2 = C_4H_9, C_5H_9; C_6H_{11}, CH(CH_3)CH(CH_3)_2$, (Norbornyl)

$R^1 = CH_3$, 2,6-Dimethylphenyl (H_3C, H_3C)

$\beta\beta_2$) Alkohole

i_1) mit Kohlenmonoxid

Mit Kohlenmonoxid lassen sich aus Trialkylboranen alkylierte Methanole gewinnen[6]. Die Produkte der 1,1-Addition werden mit nucleophilen komplexen Hydrid-Reagenzien

---

[1] s. ds. Handb., Bd. XIII/2b, S. 376 (1974).
[2] D. SEYFERTH u. B. PROKAI, Am. Soc. **88**, 1834 (1966).
[3] T. YOGO u. A. SUZUKI, Chem. Letters **1980**, 591.
[4] H.C. BROWN, J.-J. KATZ u. B.A. CARLSON, J. Org. Chem. **40**, 813 (1975).
[5] J.-J. KATZ, B.A. CARLSON u. H.C. BROWN, J. Org. Chem. **39**, 2817 (1974).
[6] H.C. BROWN, *The reactions of organoboranes with Carbon Monoxide*, in *Boranes in Organic Chemistry*, S. 343–371, Cornell University Press, Ithaka · London 1972.

(z.B. Natrium-tetrahydroborat[1], Lithium-hydro-trimethoxy-aluminat[2–5], Kalium-hydro-triisoproyloxy-borat[5,6]) hydridiert und anschließend protolysiert[1–7]:

$$R^1_3B \xrightarrow{+CO} \left\{ \left[R^1_2B\text{-}C(R^1){=}O \right] \right\} \xrightarrow{+R^2_3ElH^-} \left\{ \left[\left[R^1_2B\text{-}C(H)(R^1)\text{-}O\text{-}ElR^2_3 \right] \right]^- \right\} \xrightarrow[-R^1_2BOH,\ -R^2_3ElOH]{+2\,H_2O} R^1\text{-}CH_2OH$$

$R^1 = C_6H_{13}$; C_5H_9; C_6H_{11}, [Norbornyl], [2-Methylcyclopentyl]

$R^2 = OCH_3$; $OCH(CH_3)_2$
El = B, Al

Die Übertragung eines Alkyl-Rests der Trialkylborane auf das α–C-Atom der Alkyliden-organo-Element-Ylide liefert nach Oxidation Alkyl-(alkyl)-carbinole[8–13]:

$$R^1_3B \xrightarrow{+\ H(R^2)C{=}ElR^3_n} R^3_n\overset{\oplus}{El}\text{-}CHR^2\text{-}\overset{\ominus}{B}R^1_3 \xrightarrow[-ElR^3_n]{\Delta} R^1_2B\text{-}CH(R^2)\text{-}R^1 \xrightarrow{+HOO^-} R^2\text{-}CH(R^1)\text{-}OH$$

$R^1 = H$[13]
$R^2 = H$; Alkyl
$R^3 =$ Alkyl
El = S[8,9], SO[10], N[11,12], P[13]
n = 2 2 3 3

Dialkylcarbinole erhält man aus Trialkylboranen mit Kohlenmonoxid, wenn man das reduzierte Additionsprodukt (vgl. S. 286) bei 0° mit wäßrigem Hydrogenchlorid versetzt und anschließend mit alkalisch-wäßriger Dihydrogenperoxid-Lösung oxidiert[14]:

$$Li^+ \left[R_2B\text{-}CH(R)\text{-}O\text{-}Al(OCH_3)_3 \right]^- \xrightarrow[2.\ +HOO^-]{1.\ +HCl/H_2O} R_2CHOH$$

R = C_2H_5, C_8H_{17}, $CH_2CH(CH_3)_2$

$CH(CH_3)C_2H_5$, C_6H_{11}, [Norbornyl]

Aus Trialkylboranen sind mit Kohlenmonoxid unter Druck bei 50° bzw. 150° in Gegenwart von Glykol 2-Trialkylmethyl-1,3,2-dioxaborolane (Bd. XIII/3a, S. 660ff.) zugänglich.

[1] M.W. Rathke u. H.C. Brown, Am. Soc. **89**, 2740 (1967).
[2] H.C. Brown, E.F. Knights u. R.A. Coleman, Am. Soc. **91**, 2144 (1969).
[3] H.C. Brown u. R.A. Coleman, Am. Soc. **91**, 4606 (1969).
[4] J.L. Hubbard u. H.C. Brown, Synthesis **1978**, 676.
[5] G.W. Kabalka u. J.W. Ferrell, Syn. Commun. **9**, 443 (1979).
[6] G.W. Kabalka, M.C. Delgado, U.S. Kunda u. S.A. Kunda, J. Org. Chem. **49**, 174 (1984).
[7] H.C. Brown, J.L. Hubbard u. K. Smith, Synthesis **1979**, 701.
[8] J.J. Tufariello, P. Wojtkowski u. L.T.C. Lee, Chem. Commun. **1967**, 505.
[9] J.J. Tufariello, L.T.C. Lee u. P. Wojtkowski, Am. Soc. **89**, 6804 (1967).
[10] J.J. Tufariello u. L.T.C. Lee, Am. Soc. **88**, 4757 (1966).
[11] W.K. Musker u. R.R. Stevens, Tetrahedron Letters **1967**, 995.
[12] F. Bickelhaupt u. J.W.F.K. Barnick, R. **87**, 188 (1968).
[13] R. Köster u. B. Rickborn, Am. Soc. **89**, 2782 (1967).
[14] J.L. Hubbard u. H.C. Brown, Synthesis **1978**, 676.

Die Oxidation mit alkalisch-wäßrigem Dihydrogenperoxid liefert Trialkylcarbinole[1-4]:

$$R_3B + CO \xrightarrow{50°} \xrightarrow[150° (-H_2O)]{+ HO-CH_2CH_2-OH} R_3C-B\langle O_2C_2H_4 \rangle \xrightarrow{+HOO^-} R_3C-OH$$

R = Alkyl

Alkandiyl-alkyl-borane oder Alkantriylborane lassen sich entsprechend in Alkandiyl-alkyl-carbinol bzw. Alkantriylcarbinole umwandeln[1]. Die Übertragung der Organo-Reste erfolgt intramolekular[4]. Aus den isomeren Perhydro-9b-boraphenalenen[5] erhält man mit Kohlenmonoxid/Glykol/Dihydrogenperoxid die isomeren Hydroxy-perhydro-9b-phenalene[6-8].

i_2) mit Carbenoiden

Triarylborane reagieren mit Lithium-dichlormethan bei –74° zu einem Produkt, dessen alkalische Dihydrogenperoxid-Oxidation Diarylcarbinole liefert[9].

$$Ar_3B + LiCHCl_2 \xrightarrow{-74°} \xrightarrow{+HOO^-} Ar_2CHOH$$

Ar = C_6H_5

Unter den gleichen Bedingungen erhält man aus Trialkylboranen mit Chlor-difluormethan/Lithium-1,1-diethylpropanolat Trialkylcarbinole (vgl. S. 288)[10].

Mit 1,1-Bis[phenylthio]butyl-lithium/Quecksilber(II)-chlorid werden aus Trialkylboranen unter Übertragung von zwei B-Alkyl-Resten aufs C-Atom des Carbenoids nach alkalischer Dihydrogenperoxid-Oxidation 1,1-Dialkylbutanole gebildet[11-14]:

$$R_3B + LiC(SC_6H_5)_2C_3H_7 \xrightarrow{THF, -30 \text{ bis } +20°} \xrightarrow{+HgCl_2, -78 \text{ bis } 0°} \xrightarrow{+HOO^-} H_7C_3-CR_2-OH$$

R = C_5H_9, C_6H_{11}

Auf das C^2-Atom des 2-Alkyl-2-lithio-benzo-1,3,2-dithioborols (vgl. S. 293) lassen sich entsprechend zwei Alkyl-Reste der Trialkylborane übertragen[15]. Es werden i. allg. Dialkylketone (vgl. S. 292) gewonnen[15].

---

[1] s. ds. Handb., Bd. VI/1a, Teil 2, S. 1463ff. (1980); Bd. XIII/3a, S. 660ff. (1982).
H.C. Brown, *The reactions of organoboranes with Carbon Monoxide* in *Boranes in Organic Chemistry*, 349–352; 358–360; 370–371, Cornell University Press, Ithaka 1972.
[2] M.E.D. Hillman, Am. Soc. **84**, 4715 (1962); **85**, 982 (1963).
[3] H.C. Brown u. M.W. Rathke, Am. Soc. **89**, 2737 (1967).
[4] H.C. Brown u. M.W. Rathke, Am. Soc. **89**, 4528 (1967).
[5] G.W. Rotermund u. R. Köster, A. **686**, 153 (1965).
[6] H.C. Brown u. E. Negishi, Am. Soc. **89**, 5478 (1967).
[7] H.C. Brown u. W.C. Dickason, Am. Soc. **91**, 1226 (1969).
[8] A. Pelter, P.J. Maddocks u. K. Smith, Chem. Commun. **1978**, 805.
[9] G. Köbrich u. H.R. Merkle, B. **100**, 3371 (1967).
[10] H.C. Brown, B.A. Carlson u. R.H. Prager, Am. Soc. **93**, 2070 (1971).
[11] s. ds. Handb., Bd. VI/1a, Teil 2, S. 1472ff. (1980).
[12] R.J. Hughes, A. Pelter u. K. Smith, Chem. Commun. **1974**, 863.
[13] R.J. Hughes, S. Ncube, A. Pelter, K. Smith, E. Negishi u. T. Yoshida, Soc. [Perkin I] **1977**, 1172.
[14] R.J. Hughes, A. Pelter, K. Smith, E. Negishi u. T. Yoshida, Tetrahedron Letters **1976**, 87.
[15] S. Ncube, A. Pelter u. K. Smith, Tetrahedron Letters **1979**, 1895.

Tri-sek.-alkylborane reagieren mit Chlor-difluor-methan/ oder Dichlor-fluor-methan/Lithium-3-ethyl-3-pentanolat (1:2)[1] [oder Kalium-tert.-butanolat[2]] in Tetrahydrofuran unter Übertragung sämtlicher Alkyl-Gruppen vom B- auf das C-Atom[1,2]:

$$R_3B + HCClF_2 \; (+ HCCl_2F) + 2\,Li{-}OC(C_2H_5)_3 \xrightarrow[-LiF(Cl),\; -LiCl,\; -HOC(C_2H_5)_3]{THF} R_3C{-}B(OC(C_2H_5)_3)(F) \xrightarrow{+HOO^-} R_3C{-}OH$$

R = C_4H_9, $CH_2CH(CH_3)_2$; $CH(CH_3)C_2H_5$, C_5H_9, C_6H_{11}, (Norbornyl)

Aus Tri-prim.-alkylcarbinylbor-Verbindungen gewinnt man mit Hilfe der üblichen Oxidationsmethoden Alkohole (vgl. S. 331ff.). Tri-sek.-alkylcarbinole werden erst nach „Aufschluß" der resistenten Alkyl-fluor-organo-borane mit Methansulfonsäure (oder mit Schwefelsäure) oxidativ vom Bor-Atom abgespalten[1]:

$$R^1_3C{-}B(OR^2)(F) + H_3CSO_3H \xrightarrow{-HOR^2} R^1_3C{-}B(O{-}SO_2CH_3)(F) \xrightarrow{+HOO^-} R^1_3C{-}OH$$

$R^1 = CH(CH_3)C_2H_5$
$R^2 = C(C_2H_5)_3$

Mit Dichlormethyl-methyl-ether reagieren Triorganoborane in Gegenwart von Lithium-3-ethyl-3-pentanolat bei ≈25° in Tetrahydrofuran zu Verbindungen, deren Hydroperoxid-Oxidation in >90%iger Ausbeute zu Trialkylcarbinolen sowie zu Triphenylcarbinol führt[3]:

$$R_3B + HCCl_2{-}OCH_3 + Li{-}OC(C_2H_5)_3 \xrightarrow[-LiCl,\; -HOC(C_2H_5)_3]{25°,\ THF} \xrightarrow[\{-HOB(OCH_3)(Cl)\}]{+HOO^-} R_3C{-}OH$$

R = C_4H_9, $CH_2CH(CH_3)_2$; $CH(CH_3)C_2H_5$, C_5H_9, C_6H_{11}, (Norbornyl), C_6H_5

Cyclohexyl-dicyclopentyl-boran liefert unter den gleichen Bedingungen *Dicyclopentyl-cyclohexyl-carbinol*[4].

Tert.-Alkyl-Reste wandern unter dem Einfluß von Basen verhältnismäßig leicht vom B-Atom zum α–C-Atom. Ohne jegliche Isomerisierung erhält man aus tert.-Alkyl-dialkyl-boranen mit Dichlormethyl-methyl-ether/Lithium-3-ethyl-3-pentanolat (1:1) in Tetrahydrofuran bei ≈15° Chlor-methoxy-trialkylmethyl-borane (Bd. XIII/3a, S. 606). Aus diesen sind mit Glykol und nachfolgend mit alkalisch-wäßrigem Dihydrogenperoxid Trialkylcarbinole in Ausbeuten von 75–95% zugänglich[3,5]:

$$^tR{-}BR_2 \xrightarrow[-LiCl,\; -HOC(C_2H_5)_3]{+HCCl_2{-}OCH_3/Li{-}OC(C_2H_5)_3,\; THF/15°,\ 30\ Min.} {^tR}{-}CR_2{-}B(OCH_3)(Cl) \xrightarrow[65{-}80°]{+HO{-}CH_2CH_2{-}OH} \xrightarrow{+HOO^-} {^tR}{-}CR_2{-}OH$$

R = C_4H_9, C_5H_{11}, $CH_2CH(CH_3)_2$; $CH(CH_3)C_2H_5$, C_5H_9, C_6H_{11}
^tR = $C(CH_3)_3$, $C(CH_3)_2CH(CH_3)_2$

[1] H.C. Brown u. B.A. Carlson, J. Organometal. Chem. **54**, 61 (1973).
[2] H.C. Brown, B.A. Carlson u. R.H. Prager, Am. Soc. **93**, 2070 (1971).
[3] H.C. Brown u. B.A. Carlson, J. Org. Chem. **38**, 2422 (1973).
[4] H.C. Brown u. S.U. Kulkarni, J. Organometal. Chem. **218**, 299 (1981).
[5] H.C. Brown, J.-J. Katz u. B.A. Carlson, J. Org. Chem. **38**, 3968 (1973).

Aus 9-tert.-Butyl-9-borabicyclo[3.3.1]nonan erhält man entsprechend in 83%iger Ausbeute *9-tert.-Butyl-9-hydroxy-bicyclo[3.3.1]nonan*[1]:

$(H_3C)_3C{-}B$ → (+ CCl_3-Reagenz) → → (+ HOO^-) → $(H_3C)_3C$/HO-Bicyclononan

Zwei Alkyl-Reste der Trialkylborane lassen sich mit α-Lithiofuran in Gegenwart von Protonen aufs α-C-Atom übertragen (vgl. S. 339). Nach alkalisch-wäßriger Oxidation (vgl. S. 331ff.) gewinnt man offenkettige Alkendiole[2]:

R_3B → (+ 2-Lithiofuran, Δ) → Li^+ [Furyl-BR_3]$^-$ → (+ H^+) → {Dihydrofuran mit BR_2, R} → → 1,2-Oxaborin (O–B–R, R, R) → (+ HOO^-) → HO OH R, R (Alkendiol)

R = C_2H_5, C_3H_7, C_5H_{11}, C_6H_{13}

i₃) mit Cyanid/Trifluoressigsäureanhydrid

Trialkylcarbinole erhält man nach Übertragung aller drei Alkyl-Reste der Trialkylborane auf das C-Atom des Cyanid-Ions bei nachfolgender alkalischer Oxidation[3-8]. Die aus Trialkylboranen und Alkalimetallcyaniden leicht zugänglichen Alkalimetall-cyano-trialkyl-borate (Bd. XIII/3b, S. 791f.) reagieren mit elektrophilem Trifluoracetyl aus Trifluoressigsäureanhydrid in Diglyme unter dreifacher Alkyl-Wanderung zu Produkten, die mit alkalischem Dihydrogenperoxid Trialkylcarbinole liefern[4,5]:

Na^+ $[R_3B{-}CN]^-$ + $(F_3CCO)_2O$ → (≈0°, $-NaOCOCF_3$) → Oxazaborol (R, R, R, B, N, O, CF_3)

→ (+$(F_3CCO)_2O$, ≈40°) → $F_3C{-}CO{-}$ (O) B(⊖)(R_3C) Ring (O, ⊕, N, O, CF_3, CF_3) → (+ HOO^-) → $R_3C{-}OH$

R = C_4H_9[4], C_6H_{13}[5], C_7H_{15}[4], C_8H_{17}[4,5]; Norbornyl[5]

Prim. Alkyl-Reste werden rascher als sek. Alkyl-Reste und diese rascher als tert.-Alkyl-Gruppen übertragen[6]. Aus Kalium-cyano-*all-cis*-cyclododecan-1,5,9-triyl-borat wird beim Erwärmen mit Trifluoressigsäureanhydrid und nachfolgender Oxidation *13-Hydroxy-all-cis-perhydro-9b-phenalen* gewonnen[7]:

---

[1] H.C. Brown, J.-J. Katz u. B.A. Carlson, J. Org. Chem. **38**, 3968 (1973).
[2] A. Suzuki, N. Miyaura u. M. Itoh, Tetrahedron **27**, 2775 (1971).
[3] s. ds. Handb., Bd. VI/1a, S. 1467 (1980).
[4] A. Pelter, M.G. Hutchings u. K. Smith, Chem. Commun. **1971**, 1048; Intra-Sci. Chem. Rep. **7**, 73 (1973).
[5] A. Pelter, M.G. Hutchings, K. Rowe u. K. Smith, Soc. [Perkin I] **1975**, 138.
[6] A. Pelter, M.G. Hutchings, K. Smith u. D.J. Williams, Soc. [Perkin I], **1975**, 145.
[7] A. Pelter, P.J. Maddocks u. K. Smith, Chem. Commun. **1978**, 805.
[8] G.W. Kabalka u. J.W. Ferrell, Syn. Commun. **9**, 443 (1979).

$$K^+ \left[\text{(CN)(H)B-Bicyclus} \right]^- \xrightarrow{+(F_3CCO)_2O} \xrightarrow{+HOO^-} \text{(OH)C-Tricyclus}$$

Aus Natrium-cyano-triphenyl-borat erhält man entsprechend *Triphenylmethan*[1].

i$_4$) mit Isonitrilen

1,1-Additionen der Trialkylborane an Isonitrile[2-5] lassen sich zur vollständigen Übertragung der drei Alkyl-Reste aufs Isonitril-C-Atom verwenden. Aus Triethylboran erhält man mit Phenylisonitril in Gegenwart von Phenol Diphenoxy-(1,1-diethylbutyl)-boran, aus dem mit alkalischem Dihydrogenperoxid *3-Ethyl-3-pentanol* gewonnen wird[6]:

$$B(C_2H_5)_3 \quad + \quad C{\equiv}N{-}C_6H_5 \longrightarrow \xrightarrow{+HOC_6H_5} \xrightarrow{+HOO^-} (H_5C_2)_3C{-}OH$$

$\beta\beta_3$) Carbonyl-Verbindungen

i$_1$) Aldehyde

Auf das C-Atom des Kohlenmonoxids läßt sich aus Triorganoboranen eine Organo-Gruppe übertragen, wenn die 1,1-Additionsverbindung mit komplexen Hydriden abgefangen und anschließend alkalisch-wäßrig mit Dihydrogenperoxid oxidiert wird. Man erhält aliphatische[7,8] oder aromatische[1] Aldehyde:

$$R^1_3B \xrightarrow{+CO} \left[\left\{ R^1_2B{-}C(=O){-}R^1 \right\} \right] \xrightarrow{+HEl(R^2_3)^-} \left[R^1_2B{-}CH(R^1){-}O{-}ElR^2_3 \right]^- \xrightarrow{+HOO^-} R^1{-}CHO$$

$R^1 = C_6H_{13}$; C_6H_5
$R^2 = OCH_3$, $OCH(CH_3)_2$
El = B; Al

Aus 9-Alkyl(Cycloalkyl)-9-borabicyclo[3.3.1]nonanen lassen sich unter Verwendung von Kalium-hydro-tripropyloxy-borat als Hydridierungs-Reagenz entsprechend Alkanale gewinnen[9-11]. Die Konfiguration des Alkyl-Rests bleibt bei der Prozedur erhalten; z.B. gewinnt man *trans-2-Formyl-1-methyl-cyclopentan* aus *trans*-2-Methylcyclopentylboran[12]. Auf diese Weise sind auch Verbindungen mit ^{13}C-angereicherter Formyl-Gruppe zugänglich[10].

---

[1] G.W. Kabalka u. J.W. Ferrell, Syn. Commun. **9**, 443 (1979).
[2] s. ds. Handb., Bd. XIII/3a, S. 531, 662 (1982); Bd. XIII/3b, S. 456, 729 (1983).
[3] G. Hesse u. H. Witte, A. **687**, 1 (1965).
[4] H. Witte, Tetrahedron Letters **1965**, 1127.
[5] A. Haag u. G. Hesse, Intra-Sci. Chem. Rep. **7**, 105 (1973).
[6] H. Witte, P. Mischke u. G. Hesse, A. **722**, 21 (1969).
[7] H.C. Brown, E.T. Knights u. R.A. Coleman, Am. Soc. **91**, 2144 (1969).
[8] H.C. Brown u. R.A. Coleman, Am. Soc. **91**, 4606 (1969).
[9] H.C. Brown, J.L. Hubbard u. K. Smith, Synthesis **1979**, 701.
[10] G.W. Kabalka, M.C. Delgado, U. Sastry u. K.A.R. Sastry, Chem. Commun. **1982**, 1273.
[11] G.W. Kabalka, M.C. Delgado, U.S. Kunda u. S.A. Kunda, J. Org. Chem. **49**, 174 (1984).
[12] H.C. Brown, M.M. Rogić, M.W. Rathke u. G.W. Kabalka, Am. Soc. **91**, 2150 (1969)

Homologe Aldehyde erhält man unter regio- und stereo-kontrollierten Bedingungen bei –50° bis –5° aus Alkyl-diorganooxy-boranen mit Phenylthio-methoxy-methyllithium in Tetrahydrofuran. Nach Zugabe von Quecksilber(II)-chlorid wird mit alkalischem Dihydrogenperoxid oxidiert[1,2]:

$$R^1-B(OR^2)_2 \xrightarrow{+LiCH(OCH_3)(SC_6H_5)} \xrightarrow{+HgCl_2} \xrightarrow{+HOO^-} R^1-CHO$$

$R^1 = C_6H_{13}$, $CH_2CH(C_6H_5)CH_3$, $CH(C_2H_5)C_3H_7$; C_6H_{11},

R^2–R^2 = $-(CH_2)_3-$

Als Edukte der Umwandlung lassen sich auch 2-Alkyl-1,3,2-dithiaborolane verwenden, die mit Lithium-trichlormethan in THF umgesetzt werden. Nach Hydrogenperoxid-Oxidation erhält man Alkylalkanale[2]:

$$R-B(SCH_2CH_2S) \xrightarrow{+LiCCl_3/THF} \xrightarrow{+HOO^-/H_2O} R-CHO$$

$R = C_6H_{13}$; C_6H_{11}, $CH(C_2H_5)C_3H_7$; $C(CH_3)_2CH(CH_3)_2$;

Aus Trialkylboranen lassen sich mit 1,2-Dimethoxyvinyllithium [aus 1-Brom-1,2-dimethoxy-ethen und Butyllithium] Tetraorganoborate gewinnen, die mit Lewissäuren, optimal mit Diethylether-Trifluorboran, und nachfolgend mit wäßrigem Hydrogenchlorid in 70–80%iger Ausbeute Alkanale liefern[3]:

$$R_3B + Li-C(OCH_3)=CH-OCH_3 \xrightarrow[2.\ +HCl/H_2O]{1.\ +(H_5C_2)_2O-BF_3} R-CH_2-CHO$$

$R = C_4H_9$, $CH_2CH(CH_3)_2$, C_5H_{11}, C_6H_{13}; $CH(CH_3)C_2H_5$, C_5H_9

Trialkylborane reagieren mit Diazoacetaldehyd unter Stickstoff-Abspaltung. Eine B-Alkyl-Gruppe wird auf das Carbenoid-C-Atom übertragen. Man erhält Alkanale[4,5]:

$$R_3B + N_2CH-CHO \xrightarrow[-N_2]{} \xrightarrow{+H_2O} R-CH_2-CHO$$

$R = C_2H_5$, C_4H_9, $CH_2CH(CH_3)_2$; $CH(CH_3)C_2H_5$, C_5H_9

i$_2$) Ketone

Ketone erhält man durch Übertragung von B-Organo-Resten auf C-Atome des Kohlenmonoxids bzw. verschiedener carbenoider Verbindungen.

Trialkylborane reagieren mit Kohlenmonoxid unter Druck bei ≈100° zu Organobor-Sauerstoff-Verbindungen[6,7]. Nach alkalischer Dihydrogenperoxid-Oxidation gewinnt man in hohen Ausbeuten (≈90%) Dialkylketone[8]:

---

[1] H.C. Brown u. T. Imai, Am. Soc. **105**, 6285 (1983).
[2] H.C. Brown u. T. Imai, J. Org. Chem. **49**, 892 (1984).
[3] J. Koshino, T. Sugawara, T. Yogo u. A. Suzuki, Syn. Commun. **1983**, 1149.
[4] s. ds. Handb., Bd. VII/2a, S. 580 (1973).
[5] J. Hooz u. G.F. Morrison, Canad. J. Chem. **48**, 868 (1970).
[6] M.E.D. Hillman, Am. Soc. **84**, 4715 (1962); Am. Soc. **85**, 982 (1963).
[7] s. ds. Handb., Bd. VII/2a, S. 553f. (1973); Bd. XIII/3a, S. 529 (1982).
[8] H.C. Brown u. M.W. Rathke, Am. Soc. **89**, 2738 (1967).

$$R_3B \xrightarrow{+CO} \left\{ \begin{matrix} R_2B \\ \quad \backslash \\ \quad C=O \\ \quad / \\ R \end{matrix} \right\} \xrightarrow{\Delta, +H_2O} \left\{ R-\overset{R}{\underset{OH}{C}}-B\begin{matrix} R \\ OH \end{matrix} \right\} \xrightarrow{+HOO^-} \begin{matrix} R \\ \backslash \\ C=O \\ / \\ R \end{matrix}$$

$R = C_4H_9, C_8H_{17}; CH(CH_3)C_2H_5, C_5H_9, C_6H_{11},$ (Norbornyl)

Gleiche sowie ungleiche Alkyl- bzw. Cycloalkyl-Reste sind auf das C-Atom des Kohlenmonoxids übertragbar[1–4]. Die Wanderung der tert.-Alkyl-Reste vom B- aufs C-Atom verläuft deutlich langsamer als die der prim. und sek.-Alkyl-Reste. Dialkylcarbinole sind daher aus Dialkyl-thexyl-boranen mit Kohlenmonoxid bei ≈70 atm und ≈50° nach Oxidation zugänglich[4]:

$$R^1R^2BR^3 + CO \xrightarrow{50°, 70 \text{ atm.}} \xrightarrow{+HOO^-} \begin{matrix} R^1 \\ \backslash \\ C=O \\ / \\ R^2 \end{matrix}$$

$R^1 = C_4H_9, C_5H_{11}, C_6H_{13}; CH_2CH(CH_3)_2, C_5H_9$
$R^2 = C_4H_9, C_6H_{13}; CH_2CH(CH_3)_2, CH(CH_3)C_2H_5, C_5H_9$
$R^3 = C(CH_3)_3, C(CH_3)_2CH(CH_3)_2$

Bei ≈150° lassen sich auch tert.-Alkyl-Gruppen unter relativ drastischen Bedingungen auf das C-Atom übertragen (vgl. S. 287)[4]. Aus (3-Acetoxybutyl)-hexyl-thexyl-boran läßt sich bei ≈50° *2-Hydroxy-5-undecanon* gewinnen[5].

Dialkylketone sowie cyclische aliphatische Ketone werden aus Alkoxy-dialkyl-boranen mit Dichlormethyl-methyl-ether/Lithium-3-ethyl-3-pentanolat (DCME-Methode, vgl. Bd. XIII/3a, S. 688f.) in Hexan/Methanol nach Oxidation gebildet[6–9]:

$$R^1_2B-OR^2 \xrightarrow[\substack{-LiCl \\ -HOC(C_2H_5)_3}]{\substack{+Cl_2CH-OCH_3 \\ +Li-OC(C_2H_5)_3}} \left\{ -R^2O-B\begin{matrix} OCH_3 \\ Cl \end{matrix} \right\} \xrightarrow{+HOO^-} \begin{matrix} R^1 \\ \backslash \\ C=O \\ / \\ R^1 \end{matrix}$$

R^1 = Alkyl; Cycloalkyl
$R^2 = CH_3; 2,4-(CH_3)_2C_6H_3$

Aus Alkoxy-dialkyl-boranen mit chiralen Alkyl-Resten erhält man chirale Dialkylketone[10–12]. Gemischt substituierte Ketone sind so z.B. aus Aryloxy-dialkyl-boranen mit verschiedenen Alkyl-Resten jedweder Herkunft zugänglich[13].

Aus dem in situ erzeugten Hydromethoxy-organo-boran I erhält man mit der DCME-Methode das cyclische Keton II[14]:

---

[1] H.C. Brown u. M.W. Rathke, Am. Soc. **89**, 4528 (1967).
[2] H.C. Brown, G.W. Kabalka u. M.W. Rathke, Am. Soc. **89**, 4530 (1967).
[3] H.C. Brown u. E. Negishi, Am. Soc. **89**, 5285 (1967).
[4] E. Negishi u. H.C. Brown, Synthesis **1972**, 196.
[5] H.C. Brown, D. Basavaiah u. U.S. Racherla, Synthesis **1983**, 886.
[6] s. ds. Handb., Bd. XIII/3a, S. 688 (1982).
[7] B.A. Carlson u. H.C. Brown, Am. Soc. **95**, 6876 (1973).
[8] B.A. Carlson, J.-J. Katz u. H.C. Brown, J. Organometal. Chem. **67**, C39 (1974).
[9] H.C. Brown, G.G. Pai u. R.G. Naik, J. Org. Chem. **49**, 1072 (1984).
[10] H.C. Brown, P.K. Jadhav u. M.C. Desai, Am. Soc. **104**, 6844 (1982).
[11] H.C. Brown, P.K. Jadhav u. M.C. Desai, Tetrahedron **40**, 1325 (1984).
[12] H.C. Brown u. P.K. Jadhav, Asymmetric Synthesis **2**, 38 (1983).
[13] H.J. Bestmann u. T. Röder, Ang. Ch. **95**, 812 (1983); engl.: **22**, 782.
[14] J.W.S. Stevenson u. T.A. Bryson, Chem. Letters **1984**, 5.

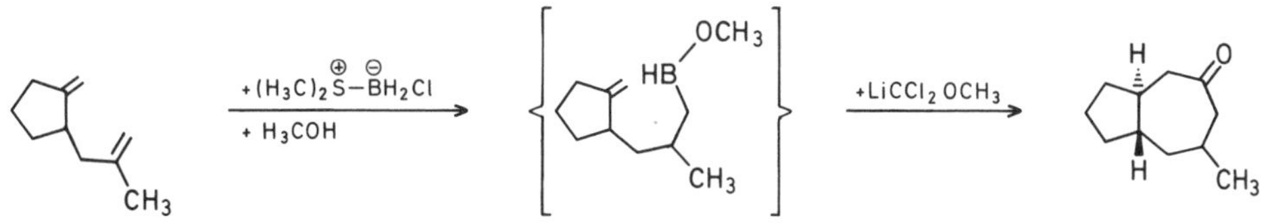

$$(H_3C)_2\overset{\oplus}{S}-\overset{\ominus}{B}H_2Cl \;/\; H_3COH \longrightarrow \text{I} \xrightarrow{+LiCCl_2OCH_3} \text{II}$$

I II

Ungleich substituierte Ketone lassen sich auch durch Übertragung einer Alkyl-Gruppe der Trialkylborane auf das Carbenoid-C-Atom der 2-Lithio-2-alkyl-benzo-1,3-dithiole gewinnen[1]:

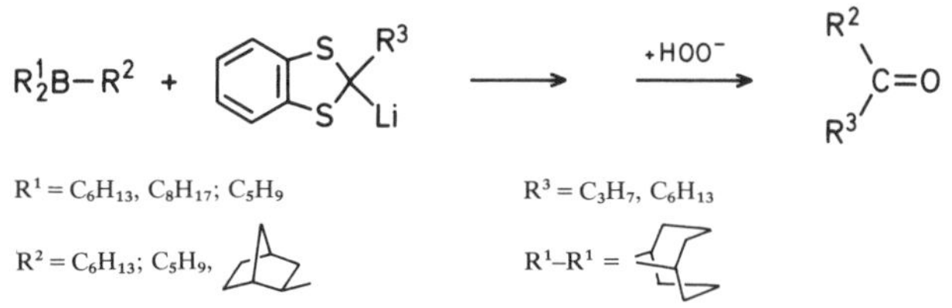

$$R^1_2B-R^2 + \text{(2-Lithio-2-}R^3\text{-benzo-1,3-dithiol)} \longrightarrow \xrightarrow{+HOO^-} R^2(R^3)C=O$$

$R^1 = C_6H_{13}, C_8H_{17}; C_5H_9$ $R^3 = C_3H_7, C_6H_{13}$

$R^2 = C_6H_{13}; C_5H_9,$ $R^1\text{–}R^1 =$

Auch Phenyl-Reste des Triphenylborans können auf Carbonyl-Gruppen transferiert werden. Man erhält mit 1-Chlor-2,2-diphenyl-vinyl-lithium in Diethylether/Tetrahydrofuran nach 3stdg. Rückflußkochen und alkalischer Dihydrogenperoxid-Oxidation in 32%-iger Ausbeute *1,2,2-Triphenylethanon*[2]:

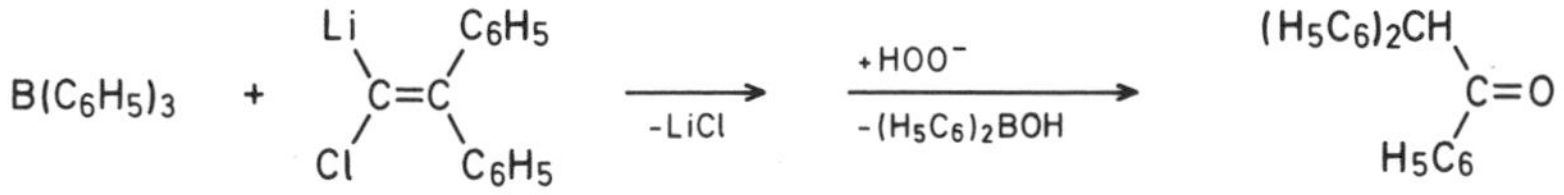

$$B(C_6H_5)_3 + (Li)(Cl)C=C(C_6H_5)_2 \xrightarrow{-LiCl} \xrightarrow[-(H_5C_6)_2BOH]{+HOO^-} (H_5C_6)_2CH-C(=O)-C_6H_5$$

Die Übertragung von Alkyl-Resten der Trialkylborane auf α–C-Atome der Diazoketone liefert alkylierte Keto-Verbindungen. Aus Trihexylboran bildet sich mit Diazoaceton nach Stickstoff-Abspaltung und Hydrolyse *2-Nonanon* (65%)[3-5]:

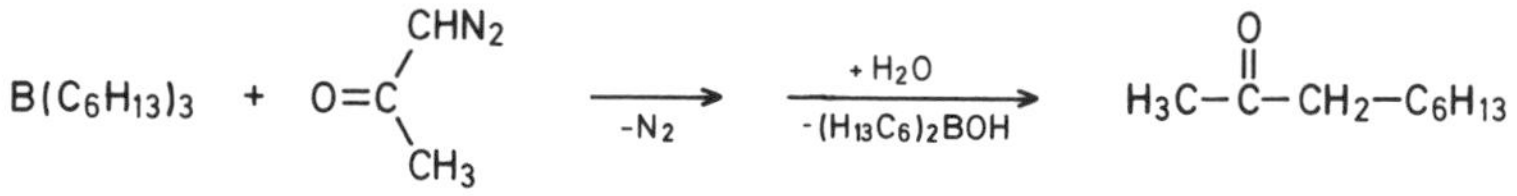

$$B(C_6H_{13})_3 + O=C(CHN_2)(CH_3) \xrightarrow{-N_2} \xrightarrow[-(H_{13}C_6)_2BOH]{+H_2O} H_3C-\overset{O}{\overset{\|}{C}}-CH_2-C_6H_{13}$$

Bis(diazo)ketone lassen sich entsprechend umsetzen[6].

Tripropylboran reagiert mit Diazaacetophenon in Tetrahydrofuran zu einem Gemisch der *(E/Z)* 1-Dipropylboryloxy-1-phenyl-pentene[7,8]. Praktisch quantitativ erhält man daraus *1-Phenyl-1-pentanon*[7]:

---

[1] S. Ncube, A. Pelter u. K. Smith, Tetrahedron Letters **1979**, 1893.
[2] G. Köbrich u. H.R. Merkle, B. **100**, 3371 (1967).
[3] J. Hooz u. S. Linke, Am. Soc. **90**, 5936 (1968).
[4] J. Hooz u. D.M. Gunn, Tetrahedron Letters **1969**, 3455.
[5] J. Hooz u. J. Oudenes, Tetrahedron Letters **1983**, 5695.
[6] J. Hooz u. D.M. Gunn, Chem. Commun. **1969**, 139.
vgl. ds. Handb., Bd. VII/2a, S. 580 (1973).
[7] D.J. Pasto u. P.W. Wojtkowski, Tetrahedron Letters **1970**, 215.
[8] S. Masamune, S. Mori, D. van Horn u. D.W. Brooks, Tetrahedron Letters **1979**, 1665.
vgl. ds. Handb., Bd. XIII/3a, S. 531 (1982).

$$B(C_3H_7)_3 + O{=}C(C_6H_5)(CHN_2) \xrightarrow[-N_2]{THF} \left[(E)\text{-}(H_7C_3)_2BO(H_5C_6)C{=}C(H)(C_3H_7) \;;\; (Z)\text{-}(H_7C_3)_2BO(H_5C_6)C{=}C(C_3H_7)(H) \right] \xrightarrow{+H_2O} H_5C_6\text{-}C(=O)\text{-}CH_2\text{-}C_3H_7$$

(E)-Isomere Dibutyl-subst.-vinyloxy-borane werden bevorzugt bzw. praktisch ausschließlich gebildet. Mit Spuren Lithiumphenolat (oder Pyridin) in Benzol entsteht aus dem *(E)*- das *(Z)*-Isomer[1].

$\beta\beta_4$) Carbonsäuren und Derivate

^{13}C-Alkansäuren sind nach der Aldehyd-Synthese (vgl. S. 290) aus Trialkylboran mit Kohlenmonoxid/Kaliumhydro-triisopropyloxy-borat und Oxidation [Dihydrogenperoxid/Natriumacetat in wäßriger Lösung, anschließende Silberoxid-Oxidation] zugänglich[2]:

$$[HO(CH_2)_{11}]_3B \xrightarrow{+^{13}CO} \xrightarrow{+K[HB(OR)_3]} \xrightarrow{+HOO^-} \xrightarrow{+Ag_2O} HO(CH_2)_{11}\text{-}^{13}C(=O)OH$$

$R = CH(CH_3)_2$

Triorganoborane lassen sich mit Dimethyl-sulfuranyliden-ethylacetat unter Übertragung eines B-Organo-Rests nach alkalisch-wäßriger Dihydrogenperoxid-Oxidation in Organoessigsäureethylester ($\approx 50\%$) umwandeln[3]:

$$R_3B + (H_3C)_2S{=}CH\text{-}C(=O)OC_2H_5 \xrightarrow[-(H_3C)_2S]{} \xrightarrow{+HOO^-} R\text{-}CH_2\text{-}C(=O)OC_2H_5$$

$R = C_6H_{13}, C_7H_{15}, C_8H_{17}$
$CH(CH_3)C_4H_9, C_5H_9; C_6H_5,$ (Norbornyl)

Trialkylborane reagieren mit Diazoessigsäureestern unter Wanderung einer Alkyl-Gruppe. Nach Oxidation erhält man Alkansäureester[4–7]:

$$R_3B + N_2CHCOOC_2H_5 \xrightarrow[-N_2]{(H_5C_2)_2O} \xrightarrow{+HOO^-} R\text{-}CH_2COOC_2H_5$$

$R = C_3H_7$[7]

---

[1] S. Masamune, S. Mori, D. van Horn u. D.W. Brooks, Tetrahedron Letters **1979**, 1665. vgl. ds. Handb., Bd. XIII/3a, S. 531 (1982).
[2] G.W. Kabalka, M.C. Delgado, U. Sastry u. K.A.R. Sastry, Chem. Commun. **1982**, 1273.
[3] J.J. Tufariello, L.T.C. Lee u. P. Wojtkowski, Am. Soc. **89**, 6804 (1967).
[4] J. Hooz u. L. Linke, Am. Soc. **90**, 6891 (1968).
[5] J. Hooz u. D.M. Gunn, Am. Soc. **91**, 6195 (1969).
[6] J. Hooz u. D.M. Gunn, Tetrahedron Letters **1969**, 3455.
[7] D.J. Pasto u. P.W. Wojtkowski, Tetrahedron Letters **1970**, 215.

Entsprechend werden aus Chlor-dialkyl-boranen mit Diazoessigsäureethylester in >90%iger[1] und aus Dichlor-organo-boranen in 60% (Alkyl) bis 100%iger (Aryl) Ausbeute Alkylessigsäureethylester gewonnen; z.B.[2]:

$$\text{Norbornyl-}BCl_2 + N_2CHCOOC_2H_5 \xrightarrow[-N_2]{(H_5C_2)_2O} \xrightarrow{+H_2O} \text{Norbornyl-}CH_2C(=O)OC_2H_5\ (\sim 60\%) + Cl{-}CH_2C(=O)OC_2H_5\ (\sim 26\%)$$

Alkansäuren erhält man mit Lithium-trichlor-methan aus Alkyl-diorganothio-boranen in THF nach alkalischer Dihydrogenperoxid-Oxidation[3].

Lithium-1-alkinyl-trialkyl-borate werden mit Kohlendioxid in THF nach Acidolyse der Zwischenprodukte stereospezifisch in (*Z*)-2-Alkensäuren umgewandelt (70–83%)[4]:

$$Li^+ [R^1_3BC{\equiv}C{-}R^2]^- \xrightarrow[2.\ +H_3CCOOH]{1.\ +CO_2/THF} (R^1)(H)C{=}C(COOH)(R^2)$$

$R^1 = C_6H_{13}, C_8H_{17}; C_5H_9, C_6H_{11}$
$R^2 = C_4H_9; C_6H_5$

ββ₅) Nitrile

Die Übertragung von Organo-Resten der Organobor-Verbindungen auf C-Atome läßt sich auch zur Gewinnung von Nitrilen verwenden. Aus Trialkylboranen erhält man mit 2-Brom-6-lithio-pyridin in Diethylether/Hexan bei −60° bis +20° unter Aufspaltung des Heterocyclus und Übertragung einer B-Alkyl-Gruppe aufs C^2-Atom (1,1-Addition von $R{-}BR_2$) bei der Acidolyse 5-Alkyl-2*(Z)*,4*(E)*-pentadiennitril; z.B.[5]:

$$B(C_4H_9)_3 + \text{2-Brom-6-lithio-pyridin} \xrightarrow{(H_5C_2)_2O/C_6H_{14},\ -60°\ \text{bis}\ +20°} \xrightarrow{+H_3CCOOH} H_9C_4{-}CH{=}CH{-}CH{=}CH{-}C{\equiv}N$$

93%

Mit Diazoacetonitril sind aus Trialkylboranen Alkansäurenitrile zugänglich[6].

ββ₆) Siliciumhaltige Verbindungen

Trialkylborane reagieren mit α-Lithio-trimethylsilylpropargyl-phenyl-ethern in Diethylether oder Tetrahydrofuran unter Transfer eines B-Alkyl-Rests aufs C-Atom der Propargyl-Gruppe. Man erhält nach Acidolyse des Austauschprodukts 1-Alkinyl-trimethyl-silane (70–90%) und 1,2-Alkadienyl-trimethyl-silane (10–30%) in 65–75%iger Gesamtausbeute[7]:

---

[1] H.C. Brown, M.M. Midland u. A.B. Levy, Am. Soc. **94**, 3662 (1972).
[2] J. Hooz, J.N. Bridson, J.G. Calzada, H.C. Brown, M.M. Midland u. A.B. Levy, J. Org. Chem. **38**, 2574 (1973).
[3] H.C. Brown u. T. Imai, J. Org. Chem. **49**, 892 (1984).
[4] D. Min-zhi, T. Yong-ti u. X. Wei-hua, Tetrahedron Letters **1984**, 1797.
[5] K. Utimoto, N. Sakai, M. Obayashi u. H. Nozaki, Tetrahedron **32**, 769 (1976).
[6] J. Hooz u. L. Linke, Am. Soc. **90**, 6891 (1968).
[7] T. Yogo, J. Koshino u. A. Suzuki, Syn. Commun. **9**, 809 (1979).

$$R_3B + LiCH(OC_6H_5)C{\equiv}CSi(CH_3)_3 \longrightarrow \xrightarrow{+H_3CCOOH} \begin{cases} R{-}CH_2C{\equiv}CSi(CH_3)_3 \\ RHC{=}C{=}CH{-}Si(CH_3)_3 \end{cases}$$

$R = C_3H_7, C_4H_9, CH_2CH(CH_3)_2; CH(CH_3)C_2H_5, C_5H_9$

β₂) 1,2- und 1,x-Additionen an Mehrfachbindungssysteme

Die Übertragung von Organo-Resten bororganischer Verbindungen auf C-Atome von Mehrfachbindungen oder Mehrfachbindungs-Systemen führt zu olefinischen oder heteroatomhaltigen Kohlenwasserstoffen.

ββ₁) Olefinische Kohlenwasserstoffe

Elektrochemisch lassen sich B-Organo-Reste unter Addition an C,C-Mehrfachbindungssysteme vom B- auf C-Atome transferieren. Die Elektrolyse des Methoxy-trihexylborats in Methanol liefert in Gegenwart von 1,3-Butadien an der Graphit-Anode Bihexyl und Produkte des Alkadiens mit freien Hexyl- (und Methoxy)Radikalen[1]:

$$[(H_{13}C_6)_3BOCH_3]^- + H_2C{=}CH{-}CH{=}CH_2 \xrightarrow{-e^-} \{H_{13}C_6{-}C_4H_6^\bullet\}$$

$$\{H_{13}C_6{-}C_4H_6^\bullet\} \longrightarrow \begin{cases} \xrightarrow{+C_6H_{13}^\bullet} H_{13}C_6{-}CH_2CH{=}CHCH_2{-}C_6H_{13} \\ \longrightarrow 1/2\ (H_{13}C_6{-}CH_2CH{=}CHCH_2{-})_2 \end{cases}$$

Die Organo-Reste der Organobor-Verbindungen reagieren unter Carboborierung mit 1-Alkenylethern, Carbonyl-Verbindungen oder mit 1-Alkenylsulfonen. Die nachfolgende 1,2-Eliminierung liefert ungesättigte Kohlenwasserstoffe.

Die Addition von Organobor-Verbindungen an C=O-Bindungen (vgl. XIII/3a, S. 525)[2] kann unter bestimmten Bedingungen (Temperatur[3], energiereiche Additionsprodukte[4-6]) unter 1,2-Eliminierung zu Alkenen führen. Aus Tricyclohexylboran erhält man z.B. mit Benzaldehyd bei ≈300° (5 Stdn.) in 14%iger Ausbeute *Benzylidencyclohexan* neben Benzylalkohol[2]:

$$B(C_6H_{11})_3 + C_6H_5{-}CHO \xrightarrow{\approx 300°} \left[R_2BO{-}CH(C_6H_5){-}C_6H_{10}H \right] \xrightarrow{-R_2BOH} C_6H_5{-}CH{=}C_6H_{10}$$

---

[1] H. SCHÄFER u. D. KOCH, Ang. Ch. **84**, 32 (1972); engl.: **11**, 48.
[2] s. ds. Handb., Bd. V/1b; S. 796, 799 (1972).
[3] T. KUDO u. A. NOSE, Yakugaku Zasshi **95**, 1411 (1975); C.A. **84**, 90200 (1976).
[4] G. CAINELLI, G. DAL BELLO u. G. ZUBIANI, Tetrahedron Letters **1965**, 3429.
[5] G. CAINELLI, G. DAL BELLO u. G. ZUBIANI, Tetrahedron Letters **1966**, 4315.
[6] A. PELTER, B. SINGARAM u. J.W. WILSON, Tetrahedron Letters **1983**, 635.

Die aus 1,1-Bis(diorganoboryl)alkanen (Bd. XIII/3a, S. 73ff.) nach Boryl/Lithium-Austausch zugänglichen α-Lithioalkyl-diorgano-borane addieren sich an die C=O-Bindung des Benzaldehyds. Die Zwischenprodukte liefern unter $LiOBR_2$-Eliminierung *(E/Z)*-Alkene[1,2]. Analog reagieren α-Lithioalkyl-dimesityl-borane mit bestimmten Aldehyden und Ketonen zu *(E/Z)*-Alkenen[3]:

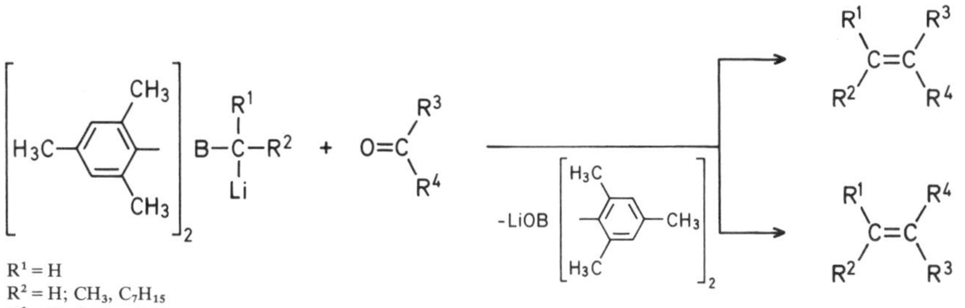

$$[2,4,6-(CH_3)_3C_6H_2]_2B-C(R^1)(R^2)Li + O=C(R^3)R^4 \xrightarrow{-LiOB[2,4,6-(CH_3)_3C_6H_2]_2} R^1R^2C=CR^3R^4 + R^1R^2C=CR^4R^3$$

$R^1 = H$
$R^2 = H; CH_3, C_7H_{15}$
$R^3 = H; C_7H_{15}; C_6H_5$
$R^4 = C_6H_5$
$R^3–R^3 = –(CH_2)_5–$; 2,2'-Biphenyldiyl

Ein B-Alkyl-Rest der Tri-prim.- oder Tri-sek.-alkylborane wird in siedendem Tetrahydrofuran an die C=C-Bindung des Methyl-*cis*-2-phenylethenyl-sulfons addiert. Unter Eliminierung von Dialkyl-sulfonyloxy-boran werden (*E*)-1-Phenyl-1-alkene in 70–80%-iger Ausbeute gebildet. Nebenreaktion ist die radikalisch verlaufende 2-Tetrahydrofuranyl-Substitution[4]:

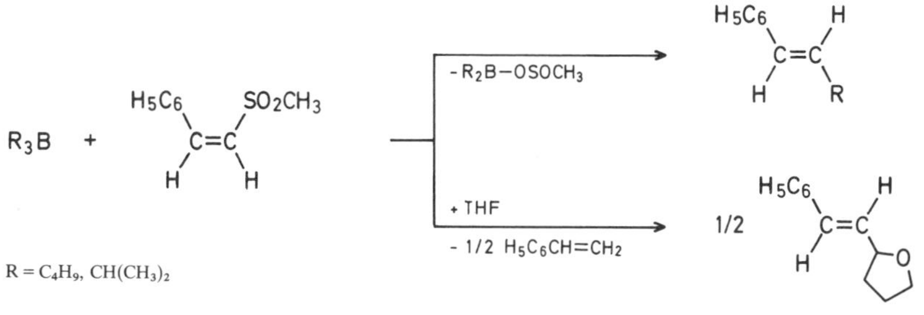

$$R_3B + H_5C_6(H)C=C(H)SO_2CH_3 \xrightarrow{-R_2B-OSOCH_3} H_5C_6(H)C=C(H)R$$

$$R_3B + H_5C_6(H)C=C(H)SO_2CH_3 \xrightarrow[-1/2\ H_5C_6CH=CH_2]{+THF} 1/2\ H_5C_6(H)C=C(H)(\text{2-Tetrahydrofuranyl})$$

$R = C_4H_9, CH(CH_3)_2$

B-Allyl-Reste addieren sich an die C=C-Bindungen von Alkyl-vinyl-ethern[5]. Die nachfolgende >BO-Eliminierung[6] liefert Alkadiene. Aus Alkoxy-diallyl-boran oder Triallylboran[7] erhält man mit Butyl-vinyl-ether bei 120–140° *1,4-Pentadien* und Allyl-butyloxy-borane (vgl. Bd. XIII/3a, S. 521)[6,7]:

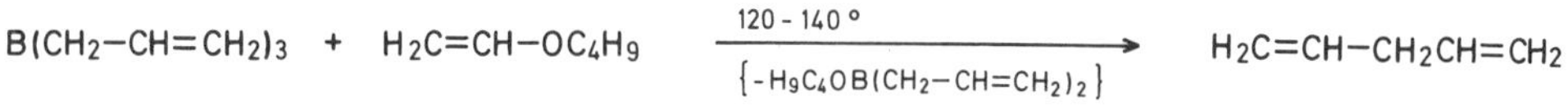

$$B(CH_2-CH=CH_2)_3 + H_2C=CH-OC_4H_9 \xrightarrow[\{-H_9C_4OB(CH_2-CH=CH_2)_2\}]{120-140^\circ} H_2C=CH-CH_2CH=CH_2$$

[1] G. Cainelli, G. Dal Bello u. G. Zubiani, Tetrahedron Letters **1965**, 3429.
[2] G. Cainelli, G. Dal Bello u. G. Zubiani, Tetrahedron Letters **1966**, 4315.
[3] A. Pelter, B. Singaram u. J.W. Wilson, Tetrahedron Letters **1983**, 635.
[4] N. Miyamoto, D. Fukuoka, K. Utimoto u. H. Nozaki, Bl. chem. Soc. Japan **47**, 503 (1974); C.A. **81**, 3527 (1974).
[5] s. ds. Handb., Bd. XIII/3a, S. 521, 688 (1982).
[6] B.M. Mikhailov u. A.N. Blokhina, Izv. Akad. SSSR **1962**, 1373; engl.: 1289; C.A. **59**, 5707 (1963).
[7] B.M. Mikhailov u. Yu. N. Bubnov, Tetrahedron Letters **1971**, 2127; Ž. obšč. Chim. **41**, 2039 (1971); C.A. **76**, 45655 (1972).

$\beta\beta_2$) Sauerstoffhaltige Organo-Kohlenstoff-Verbindungen

Aus Organobor-Verbindungen gewinnt man mit Kohlenmonoxid, Isonitrilen oder mit Carbenoiden gesättigte und ungesättigte Alkohole sowie Alkandiole (vgl. 1,1-Addition auf S. 284ff.). 1,2- und 1,4-Additionen der Organobor-Verbindungen an Carbonyl-Verbindungen, Oxirane, ungesättigte Ketone, Diketone oder Chinone liefern unter C–C-Verknüpfung sauerstoffhaltige Kohlenwasserstoffe.

i_1) Hydroxy-Verbindungen

Gesättigte sowie olefinische Hydroxy-Verbindungen sind aus Organobor-Verbindungen durch Addition an C=O-Bindungen zugänglich. Die Protolyse der umgewandelten Organoborane führt zu Alkoholen, Alkenolen, Alkadienolen sowie Alkandiolen.

ii_1) Gesättigte und ungesättigte Alkohole

iii_1) mit Formaldehyd

Die Übertragung einer Alkyl-Gruppe vom Bor-Atom der Trialkylborane auf das C-Atom des Formaldehyds verläuft als Radikalreaktion. Tri-prim.-alkylborane reagieren erst bei Sauerstoff-Zutritt unter 1,2-Carboborierung. Die Protolyse liefert Alkylmethanole[1]:

$$R_3B + H_2C{=}O \xrightarrow{(O_2)} R_2B{-}OCH_2{-}R \xrightarrow{+H_2O} R{-}CH_2OH$$

$R = C_4H_9, C_8H_{17}; CH_2CH(CH_3)_2$

Jod-Zusatz inhibiert die 1,2-Addition. In Abwesenheit von Radikalspendern (Sauerstoff) erfolgt Alken-Abspaltung (vgl. S. 221)[1]. Auch sek.-Alkyl-Reste wie z.B. 2-Butyl-Reste lassen sich in Gegenwart von Sauerstoff bei $\approx 0°$ auf das C-Atom des Formaldehyds übertragen[1].

iii_2) mit Aldehyden

Die 1,2-Addition von B-(2-Alkenyl)-Resten an Aldehyde ist eine wichtige präparative Methode zur Herstellung von Alkenolen[2]; z.B.:

$$>B{-}CH_2{-}CH{=}CH_2 + R(H)C{=}O \longrightarrow \xrightarrow{+H_2O} H_2C{=}CHCH_2{-}CH(OH){-}R$$

$R = CH_3, C_3H_7; C_6H_5$

Sämtliche Allyl-Reste der Triallylborane reagieren mit der Carbonyl-Gruppe[3–5]. Der Allyl-Rest des Disiamyl-(3-phenyl-2-butenyl)-borans lagert sich an die C=O-Bindung von Butanal oder Benzaldehyd an[6].

---

[1] N. Miyaura, M. Itoh, A. Suzuki, H.C. Brown, M.M. Midland u. P. Jacob, III., Am. Soc. **94**, 6549 (1972).
[2] s. ds. Handb., Bd. VI/1a, Teil 2, S. 1475 (1980); Bd. XIII/3a, S. 525, 662, 692 (1982).
[3] B.M. Mikhailov u. Yu. N. Bubnov, Izv. Akad. SSSR **1964**, 1874; engl.: 1774; C.A. **62**, 11840 (1965).
[4] G.S. Ter Sarkisyan, N.A. Nikoleva u. B.M. Mikhailov, Izv. Akad. SSSR **1970**, 876; engl.: 822; C.A. **73**, 44822 (1970).
[5] B.M. Mikhailov, V.N. Smirnov u. O.D. Ryazonova, Doklady Akad. SSSR **204**, 612 (1972); engl.: 446; C.A. **77**, 101723 (1972).
[6] I. Mehrotra u. D. Devaprabhakara, J. Organometal. Chem. **51**, 93 (1973).

Die *(Z)*-Allyl-Gruppe der 2-Allyl-1,3,2-dioxaborolane läßt sich mit aliphatischen und aromatischen Aldehyden diastereoselektiv in die *erythro/threo*-isomeren (≈95:5) Alkenole überführen[1–6]:

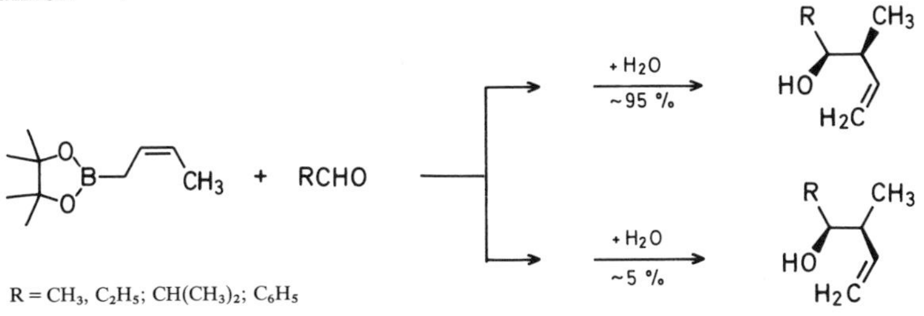

R = CH_3, C_2H_5; $CH(CH_3)_2$; C_6H_5

Aus dem chiralen *(Z)*-2-Butenylbor-Derivat des 2-*exo*,3-*exo*-Dioxy-3-*endo*-phenyl-bicyclo[2.2.1]heptan[2] oder dem Diisopinocampheyl-3,3-dimethylallyl-boran[7,8] erhält man mit Aldehyden enantioselektiv (65–96%)[2,8] Alkenole (z.B. *erythro-3R,4R-4-Hydroxy-3-methyl-1-penten*)[2]:

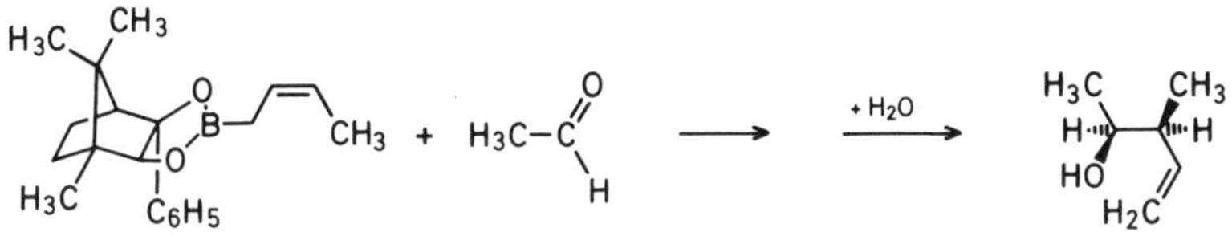

Auch heteroatomhaltige Allyl[9]- und Propargyl[10]-Reste reagieren mit der Carbonyl-Funktion. Beispielsweise lassen sich 3-Methoxy-2-alkenyl-Reste vom B- aufs C-Atom der Aldehyde übertragen; z.B.[9]:

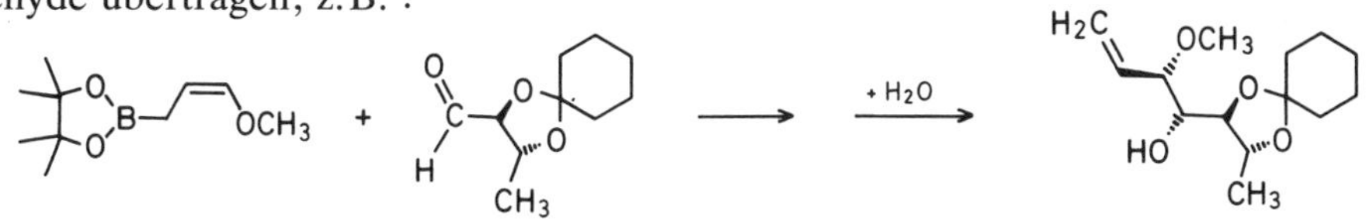

Auch substituierte Vinyl-Gruppen[11] sowie 1-Trimethylsilylallyl-Reste[12] werden auf aldehydische C-Atome transferiert. Man erhält z.B. bevorzugt die (*Z*)-1-Silyl-1-alken-4-ole[12]:

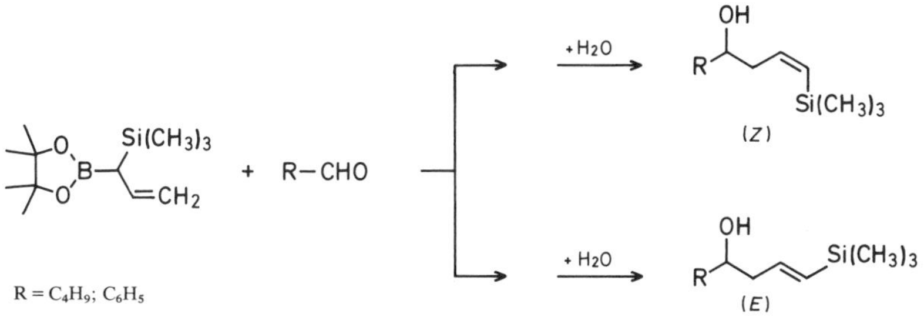

R = C_4H_9; C_6H_5

---

[1] R.W. Hoffmann u. H.-J. Zeiss, Ang. Ch. **91**, 329 (1979); engl.: **18**, 306.
[2] R.W. Hoffmann u. W. Ladner, Tetrahedron Letters **1979**, 4653.
[3] S.B. Preston, Dissertation Abstr. B. **1983**, 3988; C.A. **99**, 88255 (1983).
[4] R.W. Hoffmann, VI. Imeboron Swansea 1983, Abstr. of Papers, S. 21.
[5] R.W. Hoffmann u. B. Landmann, Tetrahedron Letters **1983**, 3209; Ang. Ch. **96**, 427 (1984); engl.: **23**, 437.
[6] R.W. Hoffmann u. B. Kemper, Tetrahedron **40**, 2219 (1984).
[7] P.K. Jadhav, Chem. eng. News. **61**, Nr. 37, 49 (1983).
[8] H.C. Brown u. P.K. Jadhav, Tetrahedron Letters **1984**, 1215.
[9] W.R. Roush, D.J. Harris u. B.M. Lesur, Tetrahedron Letters **1983**, 2227.
[10] J. Koshino, T. Sugawara u. A. Suzuki, Heteroc. Sendai **22**, 489 (1984).
[11] D.J.S. Tsai u. D.S. Matteson, Organometallics **2**, 236 (1983).
[12] P.G.M. Wuts, P.A. Thompson u. G.R. Callen, J. Org. Chem. **48**, 5398 (1983).

Aus 9(3-Trimethylsilyl-2-alkinyl)-9-borabicyclo[3.3.1]nonanen erhält man mit Aldehyden nach Oxidation trimethylsilylierte α-Allenole[1]:

$$\text{9-BBN}-CH(R^1)-C\equiv C-Si(CH_3)_3 \xrightarrow[2.\ +HOO^-]{1.\ +R^2CHO} (H)(R^1)C=C=C(CH(R^2)-OH)(Si(CH_3)_3)$$

$R^1 = H;\ C_3H_7$
$R^2 = C_5H_{11};\ CH(CH_3)_2;\ C_6H_5$

Lithium-allyl-diethyl-phenylseleno-borate reagieren mit aliphatischen oder aromatischen Aldehyden unter Bildung von *(E/Z)*- bzw. *erythro/threo*-Homoallylalkoholen[2]:

$$Li^+\left[(H_5C_2)_2B(SeC_6H_5)(CH(C_2H_5)-CH=CH_2)\right]^- + R-CHO \xrightarrow{(H_2O)} \xrightarrow{+HOO^-} R-CH(OH)-CH_2-CH=CH-C_2H_5 \ \text{und} \ R-CH(OH)-CH(C_2H_5)-CH=CH_2$$

$R = C_3H_7,\ C_9H_{19};\ C_6H_5,\ 4\text{-}CH_3C_6H_4;\ 4\text{-}OCH_3C_6H_4,\ 4\text{-}NO_2C_6H_4$

Aus Dipropyl-(3-methyl-2-butenyl)-boran erhält man mit Butanal eine Additionsverbindung, aus der mit Tris(2-hydroxyethyl)amin nach Abspalten der Dipropylbor-Gruppe *3,3-Dimethyl-4-hydroxy-1-hepten* gebildet wird[3]:

$$(H_3C)_2C=CH-CH_2-B(C_3H_7)_2 + H-C(=O)-C_3H_7 \xrightarrow{0} \xrightarrow{+N(C_2H_4OH)_3} H_7C_3-CH(OH)-C(CH_3)_2-CH=CH_2$$

iii₃) mit Ketonen

Tri-2-alkenylborane reagieren auch mit Ketonen unter Übertragung der drei Allyl-Reste vom B- aufs C-Atom der Carbonylfunktion. Nach Protolyse erhält man Alken-4-ole[4-7]:

$$(H_2C=CH-CH_2)_3B + 3\ (H_3C)_2C=O \xrightarrow{+H_2O} 3\ H_2C=CH-CH_2-C(CH_3)_2-OH$$

Disiamyl-(3-phenyl-2-butenyl)-boran reagiert mit Aceton deutlich langsamer als mit Aldehyden[8]. Die Allyloborierung der Carbonyl-Verbindungen ist von einer Allyl-Umlagerung begleitet.

9-Allyl-9-borabicyclo[3.3.1]nonan reagiert mit Carbonyl-Verbindungen unter 1,2-Carboborierung zu 9-(1-subst.-3-Alkenyloxy)-9-borabicyclo[3.3.1]nonanen[3,7].

---

[1] K.K. WANG, S.S. NIKAM u. C.D. HO, J. Org. Chem. **48**, 5376 (1983).
[2] Y. YAMAMOTO, Y. SAITO u. K. MARUYAMA, J. Org. Chem. **48**, 5408 (1983).
[3] B.M. MIKHAILOV, Yu. N. BUBNOV, A.V. TSYBAN u. M.S. GRIGORYAN, J. Organometal. Chem. **154**, 131 (1978).
[4] B.M. MIKHAILOV, Yu. N. BUBNOV u. S.A. KOROBEINIKOVA, Izv. Akad. SSSR **1969**, 2465; engl.: 2307; C.A. **72**, 67015 (1970).
[5] B.M. MIKHAILOV, V.N. SMIRNOV u. O.D. RYAZONOVA, Doklady Akad. SSSR **204**, 612 (1972); engl.: 446; C.A. **77**, 101723 (1972).
[6] B.M. MIKHAILOV, Organometal. Chem. Rev. **8**, 1 (1972).
[7] G.W. KRAMER u. H.C. BROWN, J. Org. Chem. **42**, 2292 (1977).
[8] I. MEHROTRA u. D. DEVAPRABHAKARA, J. Organometal. Chem. **51**, 93 (1973).

Aus 9-(3-Trimethylsilyl-2-alkinyl)- 9-borabicyclo[3.3.1]nonanen erhält man mit Ketonen nach alkalisch-wässriger Hydrogenperoxid-Oxidation trimethylsilylierte α-Allenole (vgl. S. 341)[1].

iii$_4$) mit Vinylcarbonyl-Verbindungen

In Sonderfällen lassen sich C=C–C=O-Atomgruppierungen 1,2-carboborieren. Arylbor-Gruppen werden im Gegensatz zu Allylbor-Gruppen (vgl. S. 302) erst bei relativ hohen Temperaturen an die C=O-Bindung addiert. Die Protolyse der Alkenyl-oxy-diorgano-borane liefert Alkenole.

3-Hydroxy-2-methyl-3-phenyl-propen gewinnt man aus dem Hochtemperatur-1,2-Additionsprodukt von Triphenylboran und 2-Methylacrolein [nach Oxidation der restlichen BC-Bindungen mit Trimethylamin-N-oxid] mit Methanol[2]:

$$(H_5C_6)_3B + O{=}CH{-}C(CH_3){=}CH_2 \xrightarrow[\text{(Schmelze)}]{>140°} \xrightarrow{+ON(CH_3)_3} \xrightarrow{+HOCH_3} HO{-}CH(C_6H_5){-}C(CH_3){=}CH_2$$

Aus 1,2-Alkadienyl-dialkoxy-boranen erhält man mit aliphatischen oder aromatischen Aldehyden Alkin-3-ole[3-6]. Chirale Allenyl-diorganooxy-borane (mit Weinsäure-Rest) reagieren mit Aldehyd-Funktionen unter Bildung enantiomerer Alkin-3-ole[6]:

$$\text{(Weinsäureester-dioxaborolan)}{-}CH{=}C{=}CH_2 + R^2{-}CHO \longrightarrow \xrightarrow{+H_2O} HO{-}CH(R^2){-}CH_2{-}C{\equiv}CH$$

$R^1 = C_2H_5$; $CH(CH_3)_2$
$R^2 = C_5H_{11}$; C_6H_{11}; $C(CH_3)_3$; C_6H_5

(1-Alkyl-1,2-alkenyl)-dialkyl-borane stehen im Gleichgewicht mit (3-Alkyl-2-alkinyl)-dialkyl-boranen. Mit Aldehyden erhält man substituierte Alkin-3-ole und 1,2-Alkadien-4-ole[7]:

$$R^2{-}C{\equiv}C{-}CH_2{-}BR^1_2 \overset{25°}{\rightleftharpoons} H_2C{=}C{=}C(R^2){-}BR^1_2$$

$$R^2{-}C{\equiv}C{-}CH_2{-}BR^1_2 \xrightarrow{+R^3{-}CHO} R^3{-}CH(OH){-}C(R^2){=}C{=}CH_2$$

$$H_2C{=}C{=}C(R^2){-}BR^1_2 \xrightarrow{+R^3{-}CHO} R^2{-}C{\equiv}C{-}CH_2{-}CH(OH){-}R^3$$

$R^1,R^2 = C_5H_9$, C_6H_{11}, (2-Methyl-cyclopentyl)
$R^3 = C_2H_5$; C_6H_{11}; $C(CH_3)_3$; $CH{=}CH_2$; C_6H_5

---

[1] K.K. Wang, S.S. Nikam u. C.D. Ho, J. Org. Chem. **48**, 5376 (1983).
[2] R. Köster, H.-J. Zimmermann u. W. Fenzl, A. **1976**, 1116.
[3] s. ds. Handb., Bd. V/2a, S. 328f. (1977).
[4] E. Favre u. M. Gaudemar, J. Organometal. Chem. **76**, 297 (1974).
[5] E. Favre u. M. Gaudemar, J. Organometal. Chem. **76**, 305 (1974).
[6] R. Haruta, M. Ischiguro, N. Ikeda u. H. Yamamoto, Am. Soc. **104**, 7667 (1982).
[7] G. Zweifel, S.J. Backlund u. T. Leung, Am. Soc. **100**, 5561 (1978).

Während Alkyl-Gruppen der Trialkylborane an 1,3-Alkenale 1,4-addiert werden, reagieren Allyl-Gruppen der Triallylborane unter 1,2-Addition mit der C=O-Bindung[1]. Die Protolyse führt zu Alkadienolen.

Aus Tri-2-butenylboran erhält man mit 2-Methylacrolein bei −10° bis +20° unter 1,2-Addition und Allyl-Umlagerung in 82%iger Ausbeute Di(2-butenyl)-[2-methyl-1-(1-methylvinyl)-3-butenyloxy]-boran. Mit 8-Hydroxychinolin wird daraus *2,4-Dimethyl-3-hydroxy-1,5-hexadien* gebildet[1]:

$$B(CH_2-CH=CH-CH_3)_3 + O=C(H)-C(CH_3)=CH_2 \longrightarrow \xrightarrow{+\text{8-Hydroxychinolin}} H_2C=C(CH_3)-CH(OH)-CH(CH_3)-CH=CH_2$$

Alkadienole bilden sich aus den Additionsverbindungen des Triallylborans mit Vinylketonen. Die C–C-Verknüpfungen erfolgen unter 1,2-Addition an die C=O-Bindung der C=C–C=O-Atomgruppierung[2-4]; z.B.:

$$B(CH_2-CH=CH_2)_3 + O=C(CH_3)-CH=CH_2 \longrightarrow \xrightarrow{+H_2O} HO-C(CH_3)(CH_2-CH=CH_2)-CH=CH_2$$

iii₅) mit Oxiranen

Die Übertragung von B-Organo-Resten der 1-Alkinyl-trialkyl-borate auf C-Atome der Oxirane verläuft unter zusätzlicher C–C-Verknüpfung von Alkyl- und 1-Alkinyl-Rest (vgl. S. 259). In Abhängigkeit vom Lösungsmittel werden aus Lithium-tributyl-1-propinyl-borat mit Oxiran nach der Protolyse des entstehenden Borans *(Z)*- oder *(E)-1-Hydroxy-3-methyl-3-octen* gebildet[5-7]:

$$Li^+ [(H_9C_4)_3B-C\equiv C-CH_3]^- + \text{Oxiran} \xrightarrow{CH_2Cl_2} \xrightarrow{+H^+} (H_9C_4)(H)C=C(CH_2CH_2OH)(CH_3)$$

(*Z*); Bevorzugtes Produkt

$$\xrightarrow{THF} \xrightarrow{+H^+} (H)(H_9C_4)C=C(CH_2CH_2OH)(CH_3)$$

(*E*)

Oxirane reagieren mit Organo-trifluor-boraten unter Bildung von Additionsprodukten, aus denen protolytisch gesättigte oder ungesättigte Alkohole gewonnen werden[8,9].

---

[1] R. Köster, H.-J. Zimmermann u. W. Fenzl, A. **1976**, 1116.

[2] s. ds. Handb., Bd. XIII/3a, S. 528 (1982).

[3] G. S. Ter-Sarkisyan, N. A. Nikolaeva u. B. M. Mikhailov, Izv. Akad. SSSR **1968**, 2156; engl.: 2382; C. A. **70**, 67808 (1969).

[4] G. S. Ter-Sarkisyan, N. A. Nikolaeva u. B. M. Mikhailov, Izv. Akad. SSSR **1970**, 876; engl.: 822; C. A. **73**, 44822 (1970).

[5] s. ds. Handb., Bd. VI/2a, Teil 2, S. 1478ff. (1977).

[6] M. Naruse, K. Utimoto u. H. Nozaki, Tetrahedron **30**, 3037 (1974).

[7] K. Utimoto, T. Furubayashi u. H. Nozaki, Chem. Letters **1975**, 397.

[8] vgl. A. Ghribi, A. Alexakis u. J. F. Normant, Tetrahedron Letters **1984**, 3075; $R_2CuLiBF_3$ als Reagenzien.

[9] M. J. Eis, J. E. Wrobel u. B. Gauem, Am. Soc. **106**, 3693 (1984); Reaktionen von Oxiranen mit LiR/$(H_5C_2)_2O-BF_3$ zu Alkanolen bzw. Alkenolen.

Die Reaktion der Trialkylborane mit Vinyloxiran erfolgt unter Sauerstoff-Katalyse. Sie liefert nach Hydrolyse 4-alkylsubstituierte Allylalkohole[1,2]:

$$R_3B + \text{(Vinyloxiran)} \xrightarrow{O_2} \xrightarrow{+H_2O} R{-}CH_2CH{=}CHCH_2OH$$

$R = C_2H_5;\ C_5H_9$

Ethinyloxiran reagiert in Gegenwart von Sauerstoff mit Trialkylboran unter Bildung von 2,3-Alkadien-1-olen[1,2]:

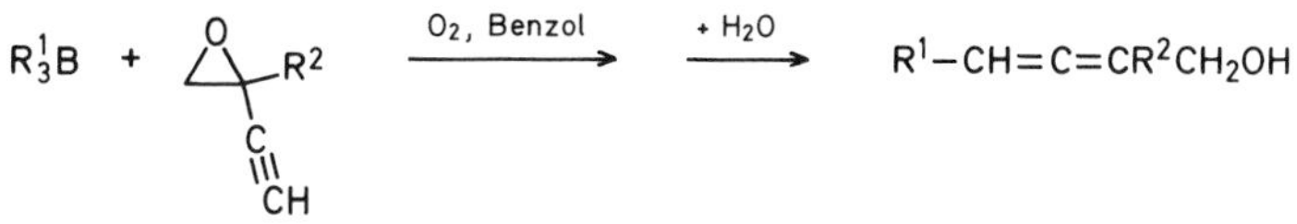

$$R^1_3B + \text{(2-Ethinyl-2-}R^2\text{-oxiran)} \xrightarrow{O_2,\ Benzol} \xrightarrow{+H_2O} R^1{-}CH{=}C{=}CR^2CH_2OH$$

$R^1 = C_2H_5;\ C_5H_9$
$R^2 = H;\ CH_3$

iii$_6$) mit Carbonsäureestern

Allyl-dialkyl-borane addieren sich an die C=O-Bindung der Alkansäureester. Im Anschluß an die Carbodeborylierung erfolgt 1,2-Eliminierung (Desoxyborierung) zu 2-Alkenyl-methyl-ketonen, die mit Allyl-dialkyl-boran weiterreagieren[3]:

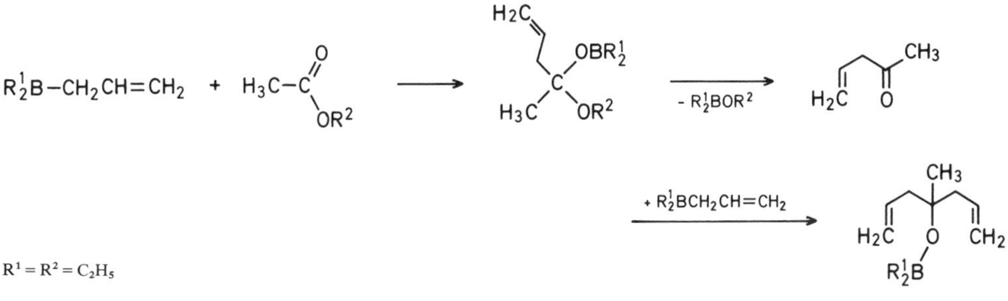

$$R^1_2B{-}CH_2CH{=}CH_2 + H_3C{-}C(=O){-}OR^2 \longrightarrow H_2C{=}CH{-}CH_2{-}C(CH_3)(OBR^1_2)(OR^2) \xrightarrow{-R^1_2BOR^2} H_2C{=}CH{-}CH_2{-}CO{-}CH_3$$

$$\xrightarrow{+R^1_2BCH_2CH{=}CH_2} (H_2C{=}CH{-}CH_2)_2C(CH_3){-}O{-}BR^1_2$$

$R^1 = R^2 = C_2H_5$

ii$_2$) Alkandiole

Aus Lithium-trialkyl-vinyl-boraten erhält man mit Aldehyden Lithium-organooxy-triorgano-borate (Bd. XIII/3b, S. 837), die durch Oxidation in Alkandiole übergeführt werden können[4,5]:

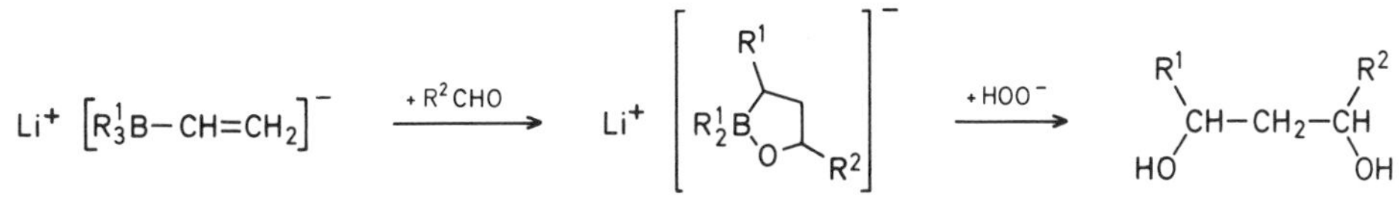

$$Li^+ [R^1_3B{-}CH{=}CH_2]^- \xrightarrow{+R^2CHO} Li^+ \left[\text{(cycl. Borat: } R^1_2B, R^1, O, R^2)\right]^- \xrightarrow{+HOO^-} R^1{-}CH(OH){-}CH_2{-}CH(OH){-}R^2$$

$R^1 = C_2H_5,\ C_4H_9;\ CH(CH_3)_2$
$R^2 = H;\ CH_3;\ CH(CH_3)_2;\ C_6H_5$

---

[1] s. ds. Handb., Bd. V/1b, S. 911 (1972); Bd. V/2a, S. 1057 (1977).
[2] A. Suzuki, N. Miyaura, M. Itoh, H. C. Brown u. P. Jacob III., Synthesis **1973**, 305.
[3] B. M. Mikhailov, Yu. N. Bubnov, A. V. Tsyban u. M. S. Grigoryan, J. Organometal. Chem. **151**, 131 (1978).
[4] K. Utimoto, K. Uchida u. H. Nozaki, Tetrahedron Letters **1973**, 2741.
[5] K. Utimoto, K. Uchida u. H. Nozaki, Chem. Letters **1974**, 1493.

ii_3) Phenolische Verbindungen

Die Addition von B-Alkyl-Resten der Trialkylborane an Chinone erfolgt bei ≈20°. Nach Protolyse erhält man 2-Alkylhydrochinone[1-3]. Luftsauerstoff beschleunigt die über freie Radikale verlaufenden Reaktionen. Jod- oder Galvinoxyl-Zusatz inhibiert die Additionen[4,5]. Aus heteroatomhaltigen Trialkylboranen erhält man unter Addition eines Organo-Rests nach Hydrolyse 2-substituierte Hydrochinone[5]:

$$B[(CH_2)_yX]_3 + \text{1,4-Benzochinon} \xrightarrow{O_2} \xrightarrow{+H_2O} \text{2-}[(CH_2)_yX]\text{-Hydrochinon} + HO{-}B[(CH_2)_yX]_2$$

y = 3, 4, 10
X = Cl; $OCOCH_3$, $OCOC_6H_5$; OCH_3

Mit 2,6-Diacetoxy-1,4-benzochinon reagiert Tritridecylboran unter Bildung von *2,6-Diacetoxy-3-tridecyl-hydrochinon*[6].

Mit 1,4-Naphthochinon reagieren Tripropyl-, Tributyl- bzw. Tribenzyl-boran unter Bildung von 2-Alkyl-1,4-dihydroxy-naphthalinen[7].

Allylborane reagieren mit den O=C–C=C-Atomgruppierungen der para-Chinone bei ≈20°[8-13]. Triallylborane addieren sich an 1,4-Benzochinon unter einfacher 1,4- oder zweifacher 1,2-Allyloborierung. Nach der protolytischen Deborylierung werden *Allylhydrochinon* und *3,6-Diallyl-3,6-dihydroxy-1,4-cyclohexadien* isoliert[9-11]:

$$B(CH_2CH{=}CH_2)_3 + \text{1,4-Benzochinon} \rightarrow \begin{cases} \xrightarrow{+H_2O} \text{2-}(CH_2CH{=}CH_2)\text{-Hydrochinon} \\ \xrightarrow{+H_2O} \text{3,6-}(HO)_2\text{-3,6-}(H_2C{=}CHCH_2)_2\text{-1,4-cyclohexadien} \end{cases}$$

[1] s. ds. Handb., Bd. VIII/3a, S. 106f. (1977).
[2] M.F. Hawthorne u. M. Reintjes, Am. Soc. **86**, 951 (1964).
[3] M.F. Hawthorne u. M. Reintjes, Am. Soc. **87**, 4585 (1965).
[4] G.W. Kabalka, J. Organometal. Chem. **33**, C 25 (1971).
[5] G.W. Kabalka, Tetrahedron **29**, 1159 (1973).
[6] K. Maruyama, K. Saimoto u. Y. Yamamoto, J. Org. Chem. **43**, 4895 (1978).
[7] B.M. Mikhailov, G.S. Ter-Sarkisyan u. N.A. Nikolaeva, Ž. obšč. Chim. **41**, 1721 (1971); C.A. **76**, 3934 (1972).
[8] s. ds. Handb., Bd. VII/3a, S. 108 (1977).
[9] B.M. Mikhailov, V.F. Pozdnev u. V.G. Kiselev, Doklady Akad. SSSR **151**, 577 (1963); engl.: 571; C.A. **59**, 12830 (1963).
[10] B.M. Mikhailov u. G.S. Ter-Sarkisyan, Izv. Akad. SSSR **1966**, 380; engl.: 357; C.A. **64**, 15907 (1966).
[11] B.M. Mikhailov, G. Yu. Pek, V.C. Bogdanov u. V.F. Pozdnev, Izv. Akad. SSSR **1966**, 1117; engl.: 1075; C.A. **65**, 12224 (1966).
[12] B.M. Mikhailov, G.S. Ter-Sarkisyan u. N.A. Nikolaeva, Izv. Akad. SSSR **1968**, 541; engl.: 527; C.A. **69**, 67448 (1968).
[13] G.S. Ter-Sarkisyan, N.A. Nikolaeva, V.G. Kiselev u. B.M. Mikhailov, Ž. obšč. Chim. **41**, 152 (1971); C.A. **75**, 35516 (1971).

Mehrfache Allylierungen des 1,4-Benzochinons können auch von Desoxygenierungen begleitet sein und zu Diallylphenolen führen; z.B.[1,2]:

$$(H_5C_3)_3B + \text{2-Butyl-1,4-benzochinon} \longrightarrow \xrightarrow{+H_2O} \text{2-Butyl-4,6-diallyl-phenol } (H_9C_4,\ C_3H_5,\ C_3H_5,\ OH)$$

Auf 1,4-Naphthochinon lassen sich ein oder zwei Allyl-Gruppen des Triallylborans übertragen[1]:

$$(H_5C_3)_3B + \text{1,4-Naphthochinon} \longrightarrow \begin{cases} \xrightarrow{+H_2O} \text{2-Allyl-1,4-dihydroxy-naphthalin } (OH,\ C_3H_5,\ OH) \\ \xrightarrow{+H_2O} \text{1,4-Diallyl-1,4-dihydroxy-1,4-dihydro-naphthalin } (H_5C_3,\ OH;\ HO,\ C_3H_5) \end{cases}$$

1,2-Naphthochinon und 9,10-Anthrachinon reagieren ebenfalls unter C–C-Verknüpfung mit Allyl-Resten des Triallylborans[2]. Allyl-dibutyloxy-boran liefert mit 1,4-Naphthochinon nach Hydrolyse *1-Allyl-1,4-dihydroxy-1,4-dihydro-naphthalin*[1,3]. Butyloxy-diallyl- sowie Allyl-dibutyloxy-borane eignen sich ebenfalls zur 2-Allylierung von 1,4-Benzochinon[4].

ii$_4$) Carbonyl-Verbindungen

1,4- und 1,2-Additionen von Organobor-Gruppierungen an C=C–C=O- und verwandte Mehrfachbindungssysteme liefern borhaltige Organo-Kohlenstoff-Verbindungen, deren Protolyse zu borfreien, durch Organo-Reste verlängerten, gesättigten oder olefinischen Carbonyl-Verbindungen (Aldehyde, Ketone, Hydroxyketone) und Carbonsäureestern führt.

iii$_1$) Gesättigte Aldehyde und Ketone

iiii$_1$) mit Vinylaldehyden

Trialkylborane reagieren mit 2-Alkenalen wie Acrolein oder 2-Methylacrolein unter 1,4-Addition zu 1-Alkenyloxy-dialkyl-boranen (Bd. XIII/3a, S. 526, 663), aus denen pro-

---

[1] B.M. Mikhailov, G.S. Ter-Sarkisyan u. N.A. Nikolaeva, Izv. Akad. SSSR **1968**, 541; engl.: 527; C.A. **69**, 67448 (1968).

[2] G.S. Ter-Sarkisyan, N.A. Nikolaeva, V.G. Kiselev u. B.M. Mikhailov, Ž. obšč. Chim. **41**, 152 (1971); C.A. **75**, 35516 (1971).

[3] s. ds. Handb., Bd. VII/3a, S. 108 (1977).

[4] B.M. Mikhailov u. G.S. Ter-Sarkisyan, Izv. Akad. SSSR **1966**, 380; engl.: 357; C.A. **64**, 15907 (1966).

tolytisch alkylierte Propanale bzw. alkylierte 2-Methylpropanale gewonnen werden[1-19]:

$$R_3B + O{=}C(H)CH{=}CH_2 \longrightarrow \xrightarrow{+H_2O} O{=}C(H)CH_2CH_2{-}R$$

R = Alkyl

Die 1,4-Additionen der niedermolekularen Trialkylborane an die C=C–C=O-Atomgruppierung des 2-Methylacroleins[15,16] erfolgen spontan bereits bei tiefer Temperatur. Triethylboran reagiert z.B. bei −78° unter Bildung von reinem *(E)*-Diethyl-(2-methyl-1-pentenyloxy)-boran, dessen Methanolyse zum *2-Methylpentanal* führt[15]:

$$(H_5C_2)_3B + O{=}C(H)C(CH_3){=}CH_2 \xrightarrow{-70\,°} (H_5C_2)_2BO(H)C{=}C(CH_2C_2H_5)CH_3 \xrightarrow[-(H_5C_2)_2BOCH_3]{+H_3COH} O{=}C(H){-}CH(CH_2C_2H_5)CH_3$$

In Gegenwart von Radikal-Bildnern wie Sauerstoff[8] oder Diacylperoxiden[7] sowie beim Belichten[7] lassen sich die Alkyl-Übertragungen beschleunigen (vgl. S. 298). Der Zusatz von Galvinoxyl inhibiert die 1,4-Carboborierungen.

Allyl- und Phenylbor-Gruppierungen der Triorganoborane reagieren mit 2-Methylacrolein unter 1,2-Carboborierung der C=O-Bindung[16]. Nach Hydrolyse erhält man Alkadienole (vgl. S. 302)[16] bzw. *3-Hydroxy-2-methyl-3-phenyl-propen* (vgl. S. 301)[16].

---

[1] a) s. ds. Handb., Bd. VI/1d, S. 197, 292 (1978); Bd. VII/2b, S. 1390 (1976); Bd. VII/2c, S. 2106 (1977); Bd. XIII/3a, S. 526f., 663 (1982).
b) V.A. Sazanova, A.V. Gerasimenko u. N.A. Shiller, Ž. obšč. Chim. **33**, 2042 (1963); C.A. **59**, 8772 (1963).

[2] H.C. Brown, M.M. Rogić, M.W. Rathke u. G.W. Kabalka, Am. Soc. **89**, 5709 (1967).

[3] A. Suzuki, A. Arase, H. Matsumoto, M. Itoh, H.C. Brown, M.M. Rogić u. M.W. Rathke, Am. Soc. **89**, 5708 (1967).

[4] H.C. Brown, G.W. Kabalka, M.W. Rathke u. M.M. Rogić, Am. Soc. **90**, 4165 (1968).

[5] A. Suzuki, S. Nozawa, M. Itoh, H.C. Brown, E. Negishi u. S.K. Gupta, Soc. [D] **1969**, 1009.

[6] G.W. Kabalka, H.C. Brown, A. Suzuki, S. Honma, A. Arase u. M. Itoh, Am. Soc. **92**, 710 (1970).

[7] H.C. Brown u. G.W. Kabalka, Am. Soc. **92**, 712 (1970).

[8] H.C. Brown u. G.W. Kabalka, Am. Soc. **92**, 714 (1970).

[9] A. Suzuki, S. Nozawa, M. Itoh, H.C. Brown, G.W. Kabalka u. G.W. Holland, Am. Soc. **92**, 3503 (1970). vgl. ds. Handb., Bd. V/1b, S. 793 (1972).

[10] D.J. Pasto u. P.W. Wojtkowski, Tetrahedron Letters **1970**, 215.

[11] A. Suzuki, N. Miyaura, M. Itoh, H.C. Brown, G.W. Holland u. E. Negishi, Am. Soc. **93**, 2792 (1971). vgl. ds. Handb., Bd. V/1b, S. 911 (1971).

[12] N. Miyamoto, S. Isiyama, K. Utimoto u. H. Nozaki, Tetrahedron Letters **1971**, 4597.

[13] K. Utimoto, T. Tanaka u. H. Nozaki, Tetrahedron Letters **1972**, 1167. vgl. ds. Handb., Bd. IV/5b, S. 1403 (1975).

[14] A. Suzuki, N. Miyaura, M. Itoh, H.C. Brown u. P. Jacob III., Synthesis **1973**, 305. vgl. ds. Handb., Bd. V/2a, S. 1018 und 1057 (1977).

[15] W. Fenzl, R. Köster u. H.-J. Zimmermann, A. **1975**, 2201.

[16] R. Köster, H.-J. Zimmermann u. W. Fenzl, A. **1976**, 1116.

[17] P. Jacob III. u. H.C. Brown, Am. Soc. **98**, 7832 (1976).

[18] Y. Maruse, M. Hoshi u. A. Arase, Bl. chem. Soc. Japan **52**, 271 (1979).

[19] J. Hooz u. J. Oudenes, Tetrahedron Letters **1983**, 5695.

iiii$_2$) mit Vinylketonen

Gesättigte Ketone lassen sich aus den 1,4-Additionsprodukten der Trialkylborane mit dem C=C–C=O-Bindungssystem der Vinylketone in Gegenwart von Radikalbildner gewinnen[1–10]. Molekularer Sauerstoff[5,7,9] oder peroxidische Verbindungen[4] setzen die 1,4-Carboborierungen in Gang. Auch beim Belichten lassen sich Alkyl-Gruppen aufs C^3-Atom übertragen[4].

Mit Butenon[2,6,8,10] oder 2-Methyl-3-oxo-1-buten[3,8] erhält man aus Trialkylboranen in Gegenwart der Radikalspender Alkenyloxy-dialkyl-borane. Die Protolyse führt zu alkylkettenverlängerten Ketonen (vgl. S. 301):

$$R_3B + H_2C{=}C(CH_3){-}C({=}O){-}CH_3 \xrightarrow{(O_2)} \xrightarrow[-R_2BOCH_3]{+HOCH_3} R{-}CH_2{-}CH(CH_3){-}C({=}O){-}CH_3$$

$R = C_2H_5$[8]

Die Übertragung der Butyl-Gruppe des Kupfer-butyl-trifluor-borats auf 1- und 2-substituierte Vinylketone liefert nach der Protolyse 2-Butylketone[11]:

$$Cu^+\,[H_9C_4BF_3]^- + H_5C_6{-}CH{=}CH{-}C({=}O){-}CH_3 \xrightarrow{(H_5C_2)_2O} \xrightarrow{+H_2O} (H_5C_6)(H_9C_4)CH{-}CH_2{-}C({=}O){-}CH_3$$

81%

3-Oxoalkylammonium-halogenide (Mannich-Basen) reagieren als potentielle Vinylketone mit Trialkylboranen unter 1,4-Alkyloborierung[12,13]. Die Protolyse liefert alkylverlängerte Ketone; z.B. mit (2-Oxocyclopentylmethyl)-trimethyl-ammonium-halogenid aus Tris(6-ethoxycarbonylpentyl)boran den *7-(2-Oxocyclopentyl)heptansäureethylester*[13]:

$$B\left[{-}(CH_2)_5{-}C({=}O){-}OC_2H_5\right]_3 + \left[\text{2-Oxocyclopentyl}{-}CH_2{-}N(CH_3)_3\right]^+ J^- \xrightarrow[-[(H_3C)_3NH]^+J^-]{THF}$$

$$\xrightarrow[-R_2BOH]{+H_2O} \text{2-Oxocyclopentyl}{-}(CH_2)_6{-}C({=}O){-}OC_2H_5$$

---

[1] s. ds. Handb., Bd. VII/2b, S. 1390 (1976); Bd. VII/2c, S. 2106f. (1977); Bd. XIII/3a, S. 527f. (1982).
[2] A. Suzuki, A. Arase, H. Matsumoto, M. Itoh, H.C. Brown, M.M. Rogić u. M.W. Rathke, Am. Soc. **89**, 5708 (1967).
[3] G.W. Kabalka, H.C. Brown, A. Suzuki, S. Honma, A. Arase u. M. Itoh, Am. Soc. **92**, 710 (1970).
[4] H.C. Brown u. G.W. Kabalka, Am. Soc. **92**, 712 (1970).
[5] H.C. Brown u. G.W. Kabalka, Am. Soc. **92**, 714 (1970).
[6] D.J. Pasto u. P.W. Wojtkowski, Tetrahedron Letters **1970**, 215.
[7] N. Miyaura, M. Harada, M. Itoh u. A. Suzuki, Chem. Letters **1973**, 11.
[8] W. Fenzl, R. Köster u. H.-J. Zimmermann, A. **1975**, 2201.
[9] A. Arase, Y. Masuda u. A. Suzuki, Bl. chem. Soc. Japan **49**, 2275 (1976).
[10] Y. Maruse, M. Hoshi u. A. Arase, Bl. chem. Soc. Japan **52**, 271 (1979).
[11] Y. Yamamoto u. K. Maruyama, Am. Soc. **100**, 3240 (1978).
[12] H.C. Brown, M.W. Rathke, G.W. Kabalka u. M.M. Rogić, Am. Soc. **90**, 4166 (1968).
[13] O. Attanasi, G. Baccolini, L. Caglioti u. G. Rosini, G.**103**, 31 (1973).

iiii₃) mit α-Azidostyrol

Die 1,3-Trialkylboran-Addition an das aus α-Azidostyrol unter Stickstoff-Abspaltung gebildete „Vinylnitren" führt zu Dialkyl-subst.-imino-boranen (Bd. XIII/3b, S. 82ff.)[1,2]. Nach Oxidation der restlichen BC-Bindungen erhält man daraus mit verdünnter Schwefelsäure Alkyl-phenyl-ketone[1]:

$$R_3B + N_3-C(=CH_2)-C_6H_5 \xrightarrow[-N_2]{THF\ (\approx 20°)} \xrightarrow{+H_2O\ (H^+)} O=C(CH_2-R)-C_6H_5$$

R = C_2H_5, C_4H_9, $CH_2CH(CH_3)_2$, C_6H_{13}; $CH(CH_3)C_2H_5$, C_5H_9

Aus Triethylboran gewinnt man mit 1-Azido-1-phenyl-ethen in 95⁰/₀iger Ausbeute *1-Phenyl-1-butanon*[2]. Auch Triisopropylboran reagiert mit 1-Azido-1-phenyl-ethen in Benzol bei 45° in einer Radikalketten-Reaktion[2].

iii₂) Ungesättigte Ketone

Im Gegensatz zu Triallylboranen (vgl. S. 302) reagieren 2-Alkenylbor-Verbindungen der 9-(2-Alkenyl)-9-borabicyclo[3.3.1]nonane mit Butenon unter 1,4-Addition an die C=C–C=O-Atomgruppierung[3]. Die Hydrolyse liefert Alkenylketone; z.B.[3]:

$$\text{(9-BBN)}B-CH=CH-C_4H_9 \xrightarrow[\text{16 Stdn. Rückfluß}]{+ O=C(CH=CH_2)CH_3,\ THF} \xrightarrow{+H_2O} H_3C\overset{O}{\overset{\|}{C}}CH_2CH_2-CH=CH-C_4H_9$$

Ein Alkyl-Rest der Kupfer-methyl-trialkyl-borate (vgl. XIII/3b, S. 752) läßt sich unter 1,6-Addition auf 1-Acyl-2-vinyl-cyclopropan übertragen. Die Hydrolyse der Produkte führt in Ausbeuten von 50–80⁰/₀ zu (3-Alkenyl)-phenyl-ketonen[4]:

$$Cu^+\ [H_3CBR_3]^- + H_2C=CH-\triangle-\overset{O}{\overset{\|}{C}}-C_6H_5 \longrightarrow R-CH_2-CH=CH-CH_2-CH_2-\overset{O}{\overset{\|}{C}}-C_6H_5$$

R = C_3H_7, C_4H_9, $CH_2CH(CH_3)_2$

Alkenylketone sind auch aus Trialkylboranen mit 1,3-Alkinylketonen unter 1,4-Addition präparativ zugänglich. Die Sauerstoff-katalysierte Übertragung eines Alkyl-Rests der Trialkylborane auf die C≡C–C=O-Atomgruppierung führt nach protolytischer Entborylierung in 60–80⁰/₀igen Ausbeuten zu *(Z/E)*-Alkenyl-ketonen[5,6]:

---

[1] A. Suzuki, M. Tabata u. M. Ueda, Tetrahedron Letters **1975**, 2195.
[2] A.F. Bamford, M.D. Cook u. B.P. Roberts, Tetrahedron Letters **1983**, 3779.
[3] P. Jacob III. u. H.C. Brown, Am. Soc. **98**, 7832 (1976).
[4] N. Miyaura, M. Itoh u. A. Suzuki, Tetrahedron Letters **1976**, 255.
[5] s. ds. Handb., Bd. V/1b, S. 793 (1972); Bd. VII/2c, S. 2107 (1977); Bd. XIII/3a, S. 529 (1982).
[6] A. Suzuki, S. Nozawa, M. Itoh, H.C. Brown, G.W. Kabalka u. G.W. Holland, Am. Soc. **92**, 3503 (1970).

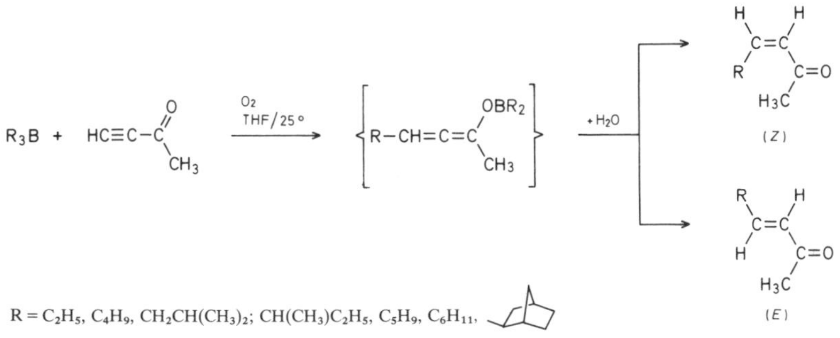

$$R_3B + HC{\equiv}C{-}C(=O)CH_3 \xrightarrow[THF/25°]{O_2} \{R{-}CH{=}C{=}C(OBR_2)CH_3\} \xrightarrow{+H_2O} (Z)\text{- und } (E)\text{-}R{-}CH{=}CH{-}C(=O)CH_3$$

R = C_2H_5, C_4H_9, $CH_2CH(CH_3)_2$; $CH(CH_3)C_2H_5$, C_5H_9, C_6H_{11},

Auch die photochemisch eingeleitete 1,4-Addition einer Ethylbor-Gruppe an das C=C–C=O-Bindungssystem des 3-Oxo-1,4-cyclooctadiens in Diethylether liefert nach Aufarbeiten [mit Trimethylamin-N-oxid, Protolyse] ein cyclisches Alkenylketon; z.B. *4-Ethyl-3-oxo-cyclohepten* (90%)[1]:

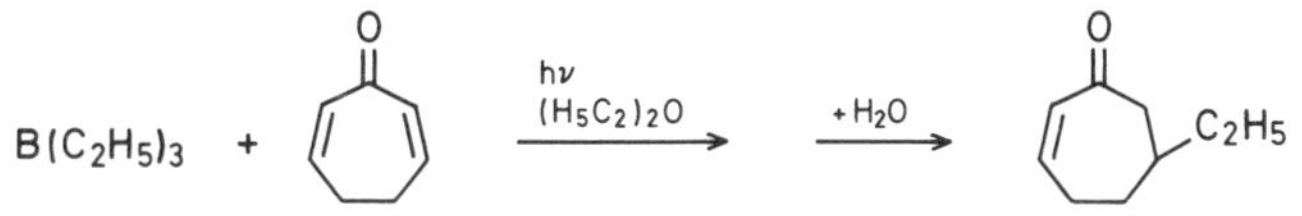

$$B(C_2H_5)_3 + \text{Cycloheptadienon} \xrightarrow[(H_5C_2)_2O]{h\nu} \xrightarrow{+H_2O} \text{4-Ethyl-3-oxo-cyclohepten}$$

Aus 9-(1-Alkinyl)-9-borabicyclo[3.3.1]nonan erhält man mit Butenon nach Protolyse *2-Oxo-5-undecin*[2]:

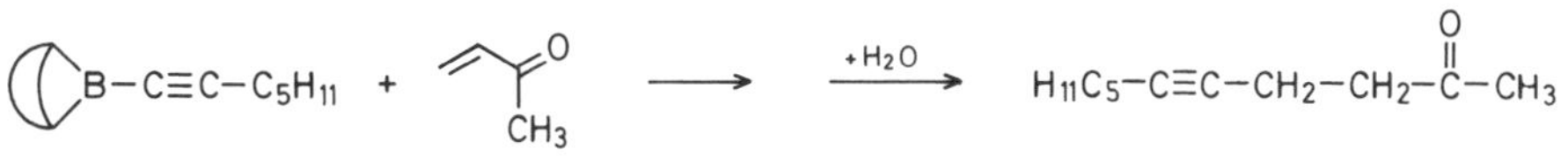

$$\text{9-BBN}{-}C{\equiv}C{-}C_5H_{11} + H_2C{=}CH{-}CO{-}CH_3 \longrightarrow \xrightarrow{+H_2O} H_{11}C_5{-}C{\equiv}C{-}CH_2{-}CH_2{-}\overset{O}{\overset{\|}{C}}{-}CH_3$$

iii₃) Hydroxyketone

Trialkylborane, die thermisch (bei tiefer Temperatur!) mit 2,4-Pentandion unter O-Dialkylborylierung reagieren (Bd. XIII/3b, S. 534ff.), carboborieren photochemisch mit einer B-Alkyl-Gruppe das O=C–C=C–C=O-Bindungssystem von β-Dicarbonyl-Verbindungen. Aus Tributylboran erhält man mit 2,4-Pentandion in Benzol beim Belichten nach der Protolyse *(Z/E)-4-Methyl-2-oxo-3-octen* (35%) und *4-Methyl-2-oxo-4-octanol* (15%)[3,4]:

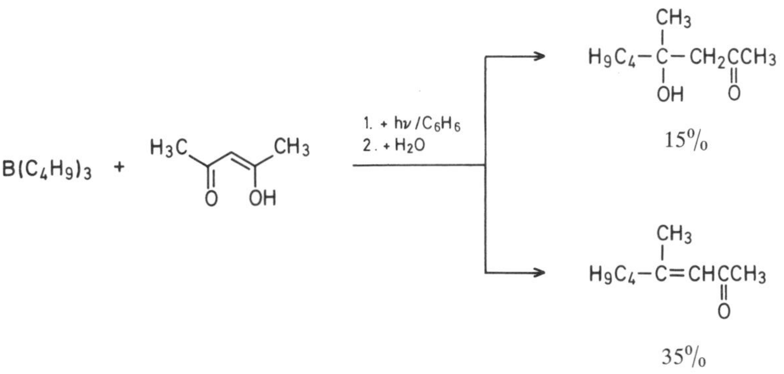

$$B(C_4H_9)_3 + H_3C{-}CO{-}CH{=}C(OH){-}CH_3 \xrightarrow[2.\ +H_2O]{1.\ +h\nu/C_6H_6} H_9C_4{-}C(CH_3)(OH){-}CH_2CCH_3(=O)\ (15\%) + H_9C_4{-}C(CH_3){=}CHCCH_3(=O)\ (35\%)$$

[1] N. Miyamoto, S. Isiyama, K. Utimoto u. H. Nozaki, Tetrahedron Letters **1971**, 4597.
[2] H.C. Brown, U.S. Racherla u. D. Basavaiah, Synthesis **1984**, 303.
[3] s. ds. Handb., Bd. IV/5b, S. 1403 (1975).
[4] K. Utimoto, T. Tanaka u. H. Nozaki, Tetrahedron Letters **1972**, 1167.

Ähnlich bildet sich mit 3-Oxobutansäureethylester aus Tributylboran in 37%iger Ausbeute *3-Hydroxy-3-methyl-heptansäureethylester*[1].

iii₄) Alkansäuren und deren Ester

Die elektrochemische 1,2-Addition einer Alkylbor-Gruppierung an die C=C-Bindung des Acrylsäure- oder des 2-Methylacrylsäureethylesters in Acetonitril liefert Alkansäure- bzw. 2-Methyl-alkansäureethylester in Ausbeuten von ≈60–86%[2]:

$$R^1_3B + H_2C{=}C(R^2){-}C(=O)OC_2H_5 \xrightarrow[\text{Elektrolyse (Pt–Pt)}]{[(H_9C_4)_4N]^+ J^-,\ H_3C{-}CN} R^1{-}CH_2CH(R^2)C(=O)OC_2H_5$$

$R^1 = C_3H_7, C_4H_9, C_5H_{11}; CH(CH_3)C_2H_5, C_5H_9$
$R^2 = H; CH_3$

Kupfer-butyl-trifluor-borat reagiert mit 3-Methyl-2-butensäureethylester unter Übertragung des Butyl-Restes zum *3,3-Dimethylheptansäureethylester* (≈50%)[3]:

$$[H_9C_4{-}BF_3]^- + (H_3C)_2C{=}CH{-}C(=O)OC_2H_5 \xrightarrow{\text{Hexan}} \xrightarrow{+H_2O} H_9C_4{-}C(CH_3)_2{-}CH_2{-}C(=O)OC_2H_5$$

ββ₃) Schwefelhaltige Organo-Kohlenstoff-Verbindungen

Carboborierungen von schwefelhaltigen Ketonen oder Carbonsäureestern führen zu schwefelhaltigen Organo-alkenen und -ketonen. Aus 2-(1-Phenylthioalkyl)-1,3,2-dioxaborolan erhält man mit Ketonen Phenylthioalkene. Mit Carbonsäuremethylestern werden α-Phenylthioketone gebildet[4]:

$$\text{(Pinacolato)}B{-}CH(SC_6H_5)R^1 \xrightarrow{+\,Li{-}N[CH(CH_3)_2]_2} \begin{cases} \xrightarrow{+R^2COR^3} \xrightarrow{+H_2O} R^2R^3C{=}C(R^1)SC_6H_5 \\ \xrightarrow{+R^4COOCH_3} \xrightarrow{+H_2O} R^4{-}C(=O){-}CH(R^1){-}SC_6H_5 \end{cases}$$

$R^1 = CH_3, C_4H_9$
$R^4 = C_3H_7; C_6H_5; CH_2CH_2CH(CH_3)CH_2C(CH_3)_3; CH_2C_6H_5, CH_2CH_2C_6H_5; CH_2CH{=}CH_2$

Mit Ameisensäureestern (R^4 = H) erhält man entsprechend α-Phenylthioaldehyde[5].

---

[1] K. Utimoto, T. Tanaka u. H. Nozaki, Tetrahedron Letters **1972**, 1167.
[2] Y. Takahashi, K. Yuasa, M. Tokuda, M. Itoh u. A. Suzuki, Bl. chem. Soc. Japan **51**, 339 (1978).
[3] Y. Yamamoto u. K. Maruyama, Am. Soc. **100**, 3240 (1978).
[4] D.S. Matteson u. K. Arne, Am. Soc. **100**, 1325 (1978).
[5] R. Ray u. D.S. Matteson, J. Org. Chem. **47**, 2479 (1982).

$\beta\beta_4$) Stickstoffhaltige Organo-Kohlenstoff-Verbindungen

Organobor-Verbindungen carboborieren Aldimine, Nitrile, Iminoxide und Nitroalkane unter Bildung stickstoffhaltiger, C–C-verknüpfter Organo-Verbindungen. Nach Protolyse erhält man Amine, Imine, Nitrile sowie Nitro-Verbindungen.

i_1) Amine

Ungesättigte prim.-Amine gewinnt man nach zweifacher Allyloborierung von Nitrilen mit Triallylboranen. Die Hydrolyse der Amino-organo-borane (XIII/3b, S. 15) liefert Alkadienylamine[1,2]:

$$B(CH_2CH{=}CH_2)_3 + R{-}C{\equiv}N \longrightarrow \xrightarrow{\Delta} \xrightarrow{+H_2O} (H_2C{=}CHCH_2)_2C(NH_2)R$$

Prim. Allylamine lassen sich auch aus 1-Allyl-1,3,2-dioxaborolanen mit Aldoximen gewinnen. Die Additionsprodukte werden z.B. mit Eisen(II)-haltiger, boratgepufferter Dihydroliponsäure in Chloroform desoxygeniert[3]:

Sek.-Amine sind aus Organobor-Verbindungen mit Aldiminen bzw. mit Ketiminen unter 1,2-Carboborierung der C=N-Bindung zugänglich. Die zunächst entstehenden borhaltigen C–C-verknüpften Verbindungen lassen sich leicht entborylieren.

Die Übertragung von Alkyl-Resten der Trialkylborane auf Acridin gelingt beim Belichten in benzolischer Lösung. Nach Oxidation mit alkalischem Dihydrogenperoxid erhält man 9-Alkylacridan neben 9-Alkylacridin[4]; z.B.:

$$R_3B + \text{Acridin} \xrightarrow{h\nu,\ \approx 20°} \xrightarrow{+HOO^-} \text{9-R-Acridan} + \text{9-R-Acridin}$$

R	C_4H_9	C_6H_{11}
[%]	65	90
	8	5

---

[1] Y. N. Bubnov, V. S. Bogdanov u. B. M. Mikhailov, Ž. obšč. Chim. **38**, 260 (1968); C. A. **69**, 52200 (1968).

[2] s. ds. Handb., Bd. XIII/3b, S. 333/4 (1983).

[3] R. W. Hoffmann, G. Eichler u. A. Endesfelder, A. **1983**, 2000.

[4] N. Miyamoto, S. Isiyama, K. Utimoto u. H. Nozaki, Tetrahedron Letters **1971**, 4597.

2-Alkenyl-Reste der offenkettigen und cyclischen Allyl-diorganooxy-borane (Bd. XIII/3a, S. 653, 680f.) werden auf N=C-Bindungen von Iminen übertragen. Nach Entborylierung mit Tris[2-hydroxyethyl]amin erhält man z.B. aus Allyl-dimethoxy-boran mit Tripiperidein in 90%iger Ausbeute *2-Allylpiperidin*[1]:

$$(H_3CO)_2B-CH_2-CH=CH_2 \; + \; 1/3 \; [\text{Piperidein}]_3 \xrightarrow{CH_2Cl_2} \xrightarrow[\substack{-\,B(OC_2H_4)_3N \\ -\,2\,HOCH_3}]{+N(C_2H_4OH)_3} \text{2-}(CH_2-CH=CH_2)\text{-piperidin}$$

Die Reaktionen der in situ erzeugten 1-Alkinyl-difluor-borane oder der Lithium-1-alkinyl-trifluor-borate mit Aldiminen liefern unter Übertragung des B-Alkinyl-Restes α-Alkinylamine; z.B.[2]:

$$Li^+ \left[F_3BC{\equiv}C-R\right]^- \; + \; R^1CH_2CH{=}N-R^2 \xrightarrow{THF} \xrightarrow[H_2O]{+NaOH} R^1CH_2CH(C{\equiv}C-R)-NHR^2$$

$R = C_3H_7;\ C_6H_5$
$R^1CH_2 = C_3H_7;\ CH(CH_3)_2$
$R^2 = CH_2C_6H_5,\ (CH_2)_2C_6H_5;\ CH(CH_3)C_6H_5$

i₂) Aldimine und Ketimine

In 1,4-Stellung addieren sich an 2-Butenalimin bei Luft-Zutritt Trialkylborane[3] unter Bildung von 1-Alkenyl-amino-dialkyl-boranen. Mit Methanol gewinnt man in 50–75%-iger Ausbeute alkylverlängerte Aldimine[4]:

$$R_3B \; + \; H_3CCH{=}CHCH{=}NCH(CH_3)_2 \xrightarrow[-\,R_2BOCH_3]{1.\ +O_2;\ 2.\ +CH_3OH} R-CH(CH_3)CH_2CH{=}NCH(CH_3)_2$$

$R = C_3H_7,\ C_4H_9,\ C_5H_{11};\ C_5H_9$

Die Umwandlung von Organoboranen mit Amin-N-oxiden bzw. mit Imin-N-oxiden (Nitronen) führt zu Organo-Sauerstoff- (vgl. S. 335, 338, 346) und Organo-Kohlenstoff-Verbindungen.

Aus Trialkylboranen erhält man z.B. mit N-Oxiden aromatischer Amine cyclische Ketimine. Die Reaktionen verlaufen nicht einheitlich. Tricyclohexylboran reagiert z.B. mit Chinolin-N-oxid unter Bildung von *2-Cyclohexylchinolin-N-oxid, 2-Cyclohexylchinolin* und *Chinolin*[5]:

$$B(C_6H_{11})_3 \; + \; \text{Chinolin-N-oxid} \xrightarrow{H_5C_2OH,\ \Delta} \text{2-}C_6H_{11}\text{-Chinolin-N-oxid} \; + \; \text{2-}C_6H_{11}\text{-Chinolin} \; + \; \text{Chinolin}$$

---

[1] R.W. Hoffmann, G. Eichler u. A. Endesfelder, A. **1983**, 2000.
[2] M. Wada, Y. Sakurai u. K. Akiba, Tetrahedron Letters **1984**, 1083.
[3] Freie Radikale aus Organoboranen für synthetische Zwecke: vgl. H.C. Brown u. M.M. Midland, Ang. Ch. **84**, 702 (1972); engl.: **11**, 692.
[4] N. Miyaura, M. Kashiwagi, M. Itoh u. A. Suzuki, Chem. Letters **1974**, 395.
[5] T. Kudo, A. Nose u. M. Hamara, Yakugaku Zasshi **95**, 521 (1975); C.A. **83**, 146716 (1975).

4-Methylchinolin-N-oxid, Pyridin-N-oxid und Isochinolin-N-oxid verhalten sich analog[1].

i_3) Nitrile und Carbonsäure-Derivate

Trialkylborane carboborieren bei Luftzutritt die C=C–C≡N-Atomgruppierung des Acrylnitrils in 1,4-Stellung. Nach Hydrolyse erhält man 3-Alkylpropannitrile; z.B.[2]:

$$B(C_6H_{11})_3 + H_2C{=}CH{-}C{\equiv}N \xrightarrow{O_2} \xrightarrow{H_2O} H_{11}C_6{-}CH_2CH_2CN$$

Aus Triethylboran wird (wegen Folgereaktion?) kein Pentannitril gebildet[2].

Kupfer-methyl-trialkyl-borate, zugänglich aus Lithium-methyl-trialkyl-boraten (Bd. XIII/3b, S. 757) und Kupfer(I)-bromid, erhält man mit Acrylnitril Produkte, deren Hydrolyse 2-Alkylpropannitrilen (≈90%) liefert[3]:

$$Cu^+[R_3BCH_3]^- + H_2C{=}CH{-}C{\equiv}N \longrightarrow \xrightarrow{H_2O} R{-}CH_2CH_2CN$$

$R = C_3H_7, C_4H_9, C_5H_{11}, CH_2CH(CH_3)_2, C_6H_{13}$

i_4) NO-Verbindungen

Die 1,3-Addition der Triorganoborane an die C=NO-Gruppierung von Nitronen liefert nach Protolyse organo-substituierte N,N-Dialkylhydroxylamine[4]:

$$R_3B \xrightarrow{+\,H_3C{-}\overset{\oplus}{N}(O^\ominus){=}CH{-}C_6H_5} \xrightarrow{+\,H_2O} HO{-}N(CH_3){-}CH(R){-}C_6H_5$$

$$R_3B \xrightarrow{+\,\text{Isochinolin-N-oxid}} \xrightarrow{+\,H_2O} \text{1-R-2-Hydroxy-1,2-dihydroisochinolin}$$

$R = C_2H_5, C_3H_7; CH(CH_3)_2; C_6H_5$

Die elektrochemische Übertragung von B-Organo-Resten auf Nitro-Verbindungen erfolgt beim Nitromethan als Substitution (vgl. S. 282) und beim Nitroethen als Addition[5].

$\beta\beta_5$) Siliciumhaltige Organo-Kohlenstoff-Verbindungen

Unter Addition von 2-Alkenylbor-Gruppierungen an 1-silylierte Alkine sind nach Eliminierung siliciumhaltige, ungesättigte Kohlenwasserstoffe zugänglich. Aus Allyl-dialkyl-boranen erhält man mit Ethoxy-trimethylsilyl-acetylen bei 60° in 86%iger Ausbeute *1-Trimethylsilyl-4-penten-1-in*[6]:

$$(H_9C_4)_2B{-}CH_2CH{=}CH_2 + (H_3C)_3Si{-}C{\equiv}C{-}OC_2H_5 \xrightarrow[2.\ >20°\ [-H_5C_2O{-}B(C_4H_9)_2]]{1.\ -50°\ \text{bis}\ 5°} (H_3C)_3Si{-}C{\equiv}C{-}CH_2CH{=}CH_2$$

---

[1] T. Kudo, A. Nose u. M. Hamara, Yakugaku Zasshi **95**, 521 (1975); C.A. **83**, 146716 (1975).
[2] H.C. Brown u. M. M. Midland, Ang. Ch. **84**, 702 (1972); engl. **11**, 692.
[3] N. Miyaura, M. Itoh u. A. Suzuki, Tetrahedron Letters **1976**, 255.
[4] P. Paetzold u. G. Schimmel, Z. Naturf. **35b**, 568 (1980).
[5] A. Suzuki u. H. Akihara, Hokkaido Universität, Sapporo Japan 1976, nicht veröffentlicht.
[6] S.V. Ponomarev, Yu. N. Bubnov u. B.M. Mikhailov, Izv. Akad. SSSR **1981**, 1859; engl.: 1528; C.A. **96**, 20155 (1982).

Analog reagieren Triallylboran und Tri-2-butenylboran jeweils mit einer 2-Alkenyl-Gruppe[1].

c) Organo-Element(VIIB)-Verbindungen

Organo-Reste der verschiedensten Organobor-Verbindungen lassen sich vom Bor-Atom auf Chlor-, Brom- oder Jod-Atome übertragen. Halodeborylierungen der Organobor-Verbindungen bieten präparative Möglichkeiten zur Herstellung aliphatischer, aromatischer oder ungesättigter Halogen-Kohlenwasserstoffe. Die regio- und/oder stereochemisch einheitlich verlaufenden Reaktionen der Organobor-Verbindungen unter Bildung von subst.-Vinylhalogeniden (Halogen = Brom, Jod) (vgl. S. 323, 327) sind von besonderem Interesse.

1. Organo-Chlor-Verbindungen

Chlorhaltige Reagenzien zur Chlorodeborylierung sind bestimmte Chlor-Sauerstoff-Verbindungen (z.B. Hypochlorit) bzw. Chlor/Sauerstoff-Verbindungskombinationen (z.B. Chlormethan/Dihydrogenperoxid). Außerdem werden Chlor-Element(V)-Verbindungen und Übergangsmetallchloride zur Umwandlung von Organobor-Verbindungen in Organo-Chlor-Verbindungen eingesetzt.

α) Chloralkane

Aus Trialkylboranen bilden sich in Aliphaten (z.B. Cyclohexan) mit tert.-Butylhypochlorit bei 0–65° unter homolytischer BC-Spaltung Chloralkane[2]. *Chlorcyclohexan* bildet sich als Chlorierungsprodukt des Lösungsmittels[3]:

$$R_3B \xrightarrow{+ (H_3C)_3CO-Cl} \begin{cases} \xrightarrow{-(H_3C)_3COBR_2} R-Cl \\ \xrightarrow{+\ \text{Cyclohexan}} \text{Chlorcyclohexan} \end{cases}$$

R = Alkyl

Trialkylborane initiieren die Chloralkan-Bildung aus Alkanen mit Chlor, mit tert.-Butylhypochlorit oder N-Chlorsuccinimid[4].

Trimethylboroxin reagiert im UV-Licht mit tert.-Butylhypochlorit in Benzol unter Bildung von *Chlormethan* (≈30%)[5]:

$$(H_3C-BO)_3 \xrightarrow[\text{Benzol}]{+ (H_3C)_3CO-Cl,\ h\nu} H_3C-Cl$$

Aus einem mol Tributylboran bilden sich mit tert.-Butylperoxy-trimethyl-silan und Tetrachlormethan zwei mol *Chlorbutan*[6].

---

[1] S.V. Ponomarev, Yu. N. Bubnov u. B.M. Mikhailov, Izv. Akad. SSSR **1981**, 1859; engl.: 1528; C.A. **96**, 20155 (1982).

[2] A.G. Davies u. B.P. Roberts, Nature Physical Science **229**, 221 (1971); dort weitere Literaturhinweise.

[3] A.G. Davies, T. Maki u. B.P. Roberts, Soc. [Perkin II] **1972**, 744.

[4] M. Hoshi, Y. Masuda u. A. Arase, Chem. Letters **1984**, 195.

[5] D.S. Matteson, J. Org. Chem. **29**, 3399 (1964).

[6] G.A. Razuvaev, M.A. Lopatin u. V.A. Dodonov, Ž. obšč. Chim. **48**, 2494 (1978); engl.: 2264; C.A. **90**, 72271 (1979).

$$B(C_4H_9)_3 + (H_3C)_3Si{-}O{-}O{-}C(CH_3)_3 \rightleftharpoons \left[\begin{array}{c}1{:}1\text{-}\\ \text{Additions-}\\ \text{verbindung}\end{array}\right] \xrightarrow[- C_2Cl_6;\ - H_9C_4{-}B(OC(CH_3)_3)(OSi(CH_3)_3)]{+ 2\ CCl_4} 2\ H_9C_4{-}Cl$$

Mit N-Chlordialkylaminen erhält man aus Trialkylboranen oder aus Dialkylamino-diethyl-boranen Chloralkane. Außerdem bilden sich Dialkyl-dialkylamino-borane[1,2]. Beispielsweise reagieren Trioctyl- bzw. Tricyclohexyl-boran mit N-Chlordiorganoaminen (N-Chlordiethylamin, 1-Chlorpiperidin) unter Chlordeborylierung eines Alkyl-Rests (30–50%)[3]:

$$R^1_3B + Cl{-}NR^2_2 \longrightarrow R^1{-}Cl + R^1_2B{-}NR^2_2$$

$R^1 = C_8H_{17}$

Aus borgebundenen 1-Octyl-Resten wird *1-Chloroctan*, aus 2-Octyl-Resten *2-Chloroctan* gebildet[3]. In Gegenwart von Radikalfängern wie z.B. von Galvinoxyl erhält man mit N-Chlor-dimethylamin praktisch kein Chloralkan: Die homolytische BC-Spaltung wird verhindert[4]. Im UV-Licht erfolgt dagegen Chlorbutan-Bildung sehr rasch aus Tributylboran mit N-Chlor-dimethylamin[5]:

$$B(C_4H_9)_3 + (H_3C)_2N{-}Cl \xrightarrow[-(H_9C_4)_2B{-}N(CH_3)_2]{h\nu} H_9C_4{-}Cl$$

$R^1 = C_8H_{17};\ C_6H_{11}$
$R^2 = C_2H_5$
$R^2{-}R^2 = -(CH_2)_5-$

Dichloramin-T und N,N-Dichlorcarbamidsäureethylester lassen sich zur Umwandlung von Trialkylboranen in Chloralkane verwenden. Unter milden Bedingungen erhält man ein mol Triorganoboran mit langkettigen Alkyl-Resten (C_6 bis C_{12}) ein mol Chloralkan (90–100%)[6]. Aus 9-Alkylborabicyclo[3.3.1]nonanen wird unter bevorzugtem Erhalt des Bicyclus in ≈75%iger Ausbeute Chloralkan gebildet[6]:

$$(\text{9-BBN})B{-}R + Cl_2N{-}Tos \xrightarrow{-(\text{9-BBN})B{-}N(Cl)(Tos)} R{-}Cl$$

$R = C_7H_{15},\ C_{15}H_{31}$

N,N-Dichlorcarbamidsäureethylester ist reaktiver und wirkt daher bei der Chlorodeborylierung der Alkyl-Reste weniger selektiv als Dichloramin-T[6].

Antimon(V)-chlorid ist zur Umwandlung einzelner Alkyl-Reste in Chloralkane geeignet. Aus Triethylboran werden Chlor-diethyl-boran[1] und *Chlorethan* gebildet[7].

Tetrachlormethan eignet sich als Reagenz zur Chlorodeborylierung in Gegenwart von Radikalbildnern (z.B. Übergangsmetall-Verbindungen[8], Dihydrogenperoxid[9], UV-Be-

---

[1] s. ds. Handb., Bd. XIII/3a, S. 387 (1982).
[2] s. ds. Handb., Bd. XIII/3b, S. 18, 234 (1983).
[3] J.C. Sharefkin u. H.D. Banks, J. Org. Chem. **30**, 4313 (1965).
[4] A.G. Davies, S.C.W. Hook u. B.P. Roberts, J. Organometal. Chem. **22**, C 11 (1970).
[5] A.G. Davies, S.C.W. Hook u. B.P. Roberts, J. Organometal. Chem. **23**, C 37 (1970).
[6] V.B. Jigajinni, W.E. Paget u. K. Smith, J. Chem. Res. (S) **1981**, 376.
[7] R. Köster, H. Bellut, G. Benedikt u. E. Ziegler, A. **724**, 34 (1969).
[8] H.C. Brown, N.C. Hébert u. C.H. Snyder, Am. Soc. **83**, 1001 (1961).
[9] A.G. Davies u. R. Tudor, Soc. [B] **1970**, 1815.

lichtung[1]). Mit Silber-Verbindungen werden aus Trialkylboranen in Tetrachlormethan Chloralkane gewonnen[2]. Aus Tris(bicyclo[2.2.1]hept-2-yl)boran erhält man in Gegenwart von Tetrachlormethan nach Zugabe von 30%igem Dihydrogenperoxid *2-Chlorbicyclo[2.2.1]heptan*[3]. Aus Alkyl-(benzyl-methyl-amino)-phenyl-boran wird in Tetrachlormethan beim UV-Belichten bei ~ 35° Chloralkan gebildet[1,4].

Die Chlorodeborylierung von Alkyl-Resten läßt sich auch mit Chloriden von Übergangsmetallen hoher Oxidationszahl durchführen. Eisen(III)-chlorid reagiert z.B. mit Tricyclohexylboran in Gegenwart von Wasser/Tetrahydrofuran bei ≈55° langsam unter Bildung von *Chlorcyclohexan*[5]:

$$B(C_6H_{11})_3 + 6\ FeCl_3 + 3\ H_2O \xrightarrow[-B(OH)_3,\ -3\ HCl,\ -6\ FeCl_2]{} 3\ H_{11}C_6-Cl$$

Analog reagieren Tripentylboran (≈59% *Chlorpentan*), Trihexylboran (≈60% *Chlorhexan*) und Trioctylboran (≈55% *Chloroctan*)[5]. In Dimethylsulfoxid ist mit Eisen(III)-chlorid aus Trihexylboran bei 170° *1-Chlorhexan* zugänglich[6].

Mit Kupfer(III)-chlorid erhält man in wäßriger Lösung aus einer Alkyl-Gruppe der Trialkylborane ebenfalls Chloralkane in 40–90%iger Ausbeute[7].

Die Reaktion äquimolarer Mengen Trichlornioboxid und Tributylboran liefert zwei mol *Chlorbutan*[8,9].

β) Chlorarene

B-Aryl-Reste können mit Chlor in Chlorarene umgewandelt werden. Dichlor-phenylboran liefert bereits ≤20° *Chlorbenzol* und Trichlorboran[10,11]:

$$H_5C_6-BCl_2 + Cl_2 \xrightarrow[-BCl_3]{\leq 20°} H_5C_6-Cl$$

γ) Heteroatomhaltige Organo-Chlor-Verbindungen

Aryl-dihydroxy-borane reagieren in wäßriger Lösung mit Chlor unter Bildung von Chlorarenen und Phenolen[12]:

$$Ar-B(OH)_2 \xrightarrow[-B(OH)_3,\ -HCl]{+Cl_2/H_2O} Ar-Cl \quad + \quad Ar-OH$$

$Ar = C_6H_5;\ 3\text{-}NO_2\text{-}C_6H_4$

[1] K.G. Hancock u. D.A. Dickinson, Am. Soc. **95**, 280 (1973).
[2] H.C. Brown, N.C. Hébert u. C.H. Snyder, Am. Soc. **83**, 1001 (1961).
[3] A.G. Davies u. R. Tudor, Soc. [B] **1970**, 1815.
[4] s. ds. Handb., Bd. XIII/3b, S. 48 (1983).
[5] A. Arase, Y. Masuda u. A. Suzuki, Bl. chem. Soc. Japan **47**, 2511 (1974).
[6] Y. Masuda, M. Hoshi u. A. Arase, Bl. chem. Soc. Japan **52**, 271 (1979).
[7] C.F. Lane, J. Organometal. Chem. **31**, 421 (1971).
[8] E.M. Fedneva, Y.A. Buslaev u. V.I. Alpatora, Izv. Akad. Nauk SSSR (neorg. mater) **3**, 584 (1967); engl.: 521; C.A. **67**, 50003 (1967).
[9] s. ds. Handb., Bd. XIII/3a, S. 616 (1982).
[10] A. Michaelis u. P. Becker, B. **13**, 58 (1880).
[11] E.W. Abel, W. Gerrard u. M.F. Lappert, Soc. **1957**, 5051.
[12] A.D. Ainley u. F. Challenger, Soc. **1930**, 2171.

Analog verlaufen die Umwandlungen heteroatomhaltiger Aryl-dihydroxy-borane [z.B. Dihydroxy-2-furyl-boran, Dihydroxy-2-thienyl-boran] mit Chlorwasser[1].

Die Chlorodeborylierung des Phenylthiomethyl-Rests gelingt bei 2-Organo-1,3,2-dioxaborolanen mit Sulfurylchlorid in Tetrachlormethan bei ~25°[2]:

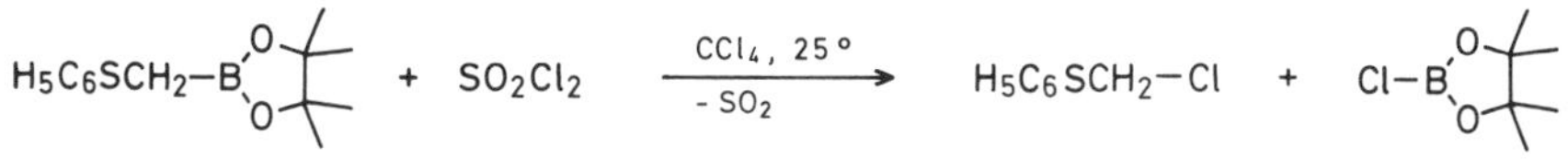

$$H_5C_6SCH_2-B(O_2C_6H_{12}) + SO_2Cl_2 \xrightarrow[-SO_2]{CCl_4,\ 25°} H_5C_6SCH_2-Cl + Cl-B(O_2C_6H_{12})$$

Die Abspaltung von α-Phenylthioalkyl-Resten als Chlor-(α-phenylthio)-alkane erfolgt auch mit N-Chlorsuccinimid in Tetrachlormethan aus Triorganoboranen[3] oder Diorganooxy-organo-boranen[2]:

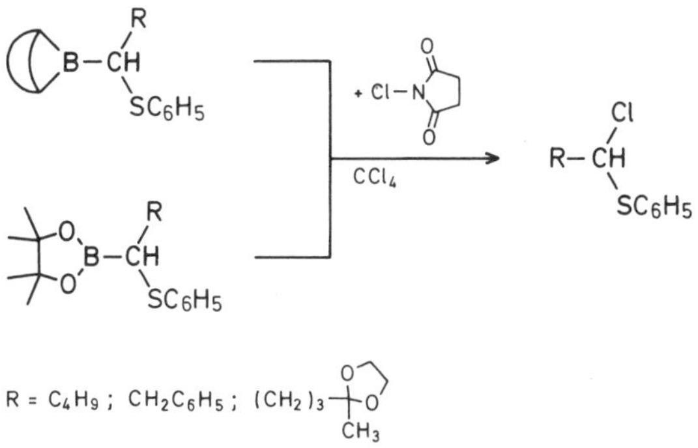

$$R-CH(SC_6H_5)-B< \text{ bzw. } R-CH(SC_6H_5)-B(O_2C_6H_{12}) \xrightarrow[CCl_4]{+\ Cl-N(\text{Succinimid})} R-CH(Cl)-SC_6H_5$$

$R = C_4H_9;\ CH_2C_6H_5;\ (CH_2)_3-C(CH_3)(OCH_2CH_2O)$

Die BC-Spaltung von B-Aryl-Resten oder heteroatomhaltigen B-Aryl-Resten mit Kupfer(II)-chlorid in wäßriger Lösung liefert Chlorarene; z.B. aus Aryl-dihydroxy-boran[4] bzw. Dihydroxy-ferrocenyl-boran[5,6] oder aus Triphenylboroxin[7]:

$$Ar-B(OH)_2 + 2\ CuCl_2 + H_2O \xrightarrow[-B(OH)_3,\ -HCl]{} Ar-Cl + Cu_2Cl_2$$

Ar = C_6H_5; Ferrocenyl

2. Organo-Brom-Verbindungen

Zur Umwandlung aliphatischer und aromatischer Organobor-Verbindungen in Bromalkane oder -arene setzt man vor allem elementares Brom ein. Die Reaktionen erfolgen beim Belichten bzw. in Gegenwart von Nucleophilen. Außerdem lassen sich Brom-Stickstoff-Verbindungen und speziell für Bromarene auch bestimmte Übergangsmetallbromide zur Bromodeborylierung verwenden. Vinylbromide erhält man aus Vinylboranen mit Brom beim Erhitzen, mit wäßriger Brom-Lösung oder mit Brom in Gegenwart von Basen.

---

[1] J.C. Perrine u. R.N. Keller, Am. Soc. **80**, 1823 (1958).
[2] A. Mendoza u. D.S. Matteson, J. Organometal. Chem. **156**, 149 (1978).
[3] A. Mendoza u. D.S. Matteson, Chem. Commun. **1978**, 357.
[4] A.D. Ainley u. F. Challenger, Soc. **1930**, 2171.
[5] A.N. Nesmeyanov, V.A. Sazonova u. V.N. Drozd, Doklady Akad. SSSR **126**, 1004 (1959); engl.: 437; C.A. **54**, 6673 (1960).
[6] A.N. Nesmeyanov, V.A. Sazonova u. V.N. Drozd, B. **93**, 2717 (1960).
[7] R.N. Keller u. E.M.V. Wall, Advan. Chem. Ser. **32**, 221 (1961).

α) Aliphatische Brom-Verbindungen

In Abhängigkeit von den Reaktionsbedingungen reagieren Trialkylborane mit Brom unterschiedlich[1–4]. Im Tageslicht erfolgt vorwiegend Brom-Substitution am α–C-Atom eines Alkyl-Rests. Die Reaktion wird unter Homolyse des Broms im Licht eingeleitet. Man erhält 1-Bromalkyl-dialkyl-borane, aus denen sich mit dem Hydrogenbromid Bromalkan abspaltet[4,5]:

$$R^1_2BCH_2R^2 + Br_2 \xrightarrow[-HBr]{} R^1_2B-CH(Br)R^2 \xrightarrow[-R^1_2BBr]{+HBr} R^2CH_2-Br$$

Im Tageslicht oder bei UV-Belichtung spielt die Dibromierung von BC-Bindungen nur in Sonderfällen eine Rolle. Das α–CH_2-Gruppenfreie 2-Isopropyl-2-boraadamantan mit starrem Gerüst reagiert in Dichlormethan mit Brom im Tageslicht bereits in 38%iger Ausbeute unter Bildung von *2-Brompropan*. Die Reaktion zum 2-Brompropan läßt sich unter Lichtausschluß bis auf ≈65% steigern[6].

2-Isopropyl-2-boraadamantan ($B-CH(CH_3)_2$) $\xrightarrow[CH_2Cl_2]{+Br_2}$
- Tageslicht, $-HBr$: $Br-CH(CH_3)_2$ (38%)
- im Dunkeln: $Br-CH(CH_3)_2$ (65%)

\+ 2-Brom-2-boraadamantan ($B-Br$) u. a.

Die BC-Dibromierung der Trialkylborane läuft im Dunkeln bereits bei ≈0° rasch ab[5,7,8]. Allerdings wird praktisch nur ein Alkyl-Rest in Bromalkan umgewandelt. Die Geschwindigkeit der Bromodeborylierung fällt in der Reihe

$$R_3B > R_2BBr > RBBr_2$$

deutlich ab[9,10]. Sek.-Alkyl-Reste am Bor-Atom werden rascher bromiert als prim.-Alkyl-Reste. Man erhält aus z.B. Tri-sek.-alkylboranen[1] oder aus 9-sek.-Alkyl-9-borabicyclo[3.3.1]nonan[7] mit Brom in Dichlormethan unter Lichtausschluß bei 0–20° die sek.-Bromalkane in Ausbeuten von 80–90%.

Die Einwirkung von Brom auf Triallylboran führt unter BC- und C=C-Dibromierung zum *1,2,3-Tribrompropan*[11]:

$$B(CH_2-CH=CH_2)_3 + 6\ Br_2 \xrightarrow[-BBr_3]{-35°} 3\ Br-CH_2-CHBr-CH_2-Br$$

Drei Alkyl-Reste der Trialkylborane lassen sich in Bromalkane umwandeln, wenn man mit Brom in Gegenwart von Nucleophilen (Anionen, N-Basen) in z.B. Tetrahydrofuran

[1] A.G. Davies u. B.P. Roberts, Nature Physical Science **229**, 221 (1971); C.A. **75**, 4885 (1971).
[2] D.J. Pasto u. K. McReynolds, Tetrahedron Letters **1971**, 801.
[3] H.C. Brown u. Y. Yamamoto, Chem. Commun. **1971**, 1535.
[4] J. Grotewold, E.A. Lissi u. J.C. Scainano, J. Organometal. Chem. **19**, 431 (1969).
[5] C.F. Lane u. H.C. Brown, Am. Soc. **92**, 7212 (1970).
[6] B.M. Mikhailov, T.A. Shchegoleva, E.M. Shashkova u. V.G. Kiselev, J. Organometal. Chem. **250**, 23 (1983).
[7] C.F. Lane u. H.C. Brown, J. Organometal. Chem. **26**, C 51 (1971).
[8] C.P. Pinazzi, P. Guillaume u. D. Reyx, J. Polymer Sci., Polymer Symp. **47**, 167 (1974); C.A. **82**, 140702 (1975).
[9] H.C. Brown u. C.F. Lane, Synthesis **1972**, 303.
[10] H.C. Brown, Y. Yamamoto u. C.F. Lane, Synthesis **1972**, 304.
[11] L.I. Zakharkin u. V.I. Stanko, Izv. Akad. SSSR **1960**, 1896; engl.: 1774; C.A. **55**, 15337 (1961).

reagieren läßt[1]. Unter Lichtausschluß erhält man aus 1 mol Tri-prim.-alkylboran mit Brom/Natriummethanolat drei mol 1-Bromalkan[2,3]:

$$R_3B + 3\ Br_2 + 4\ NaOCH_3 \xrightarrow[-3\ NaBr,\ -Na[B(OCH_3)_4]]{THF,\ 0^\circ} 3\ R{-}Br$$

R = C_4H_9, C_6H_{13}, C_8H_{17}, [Strukturformel]; $CH(CH_3)C_2H_5$, C_5H_9, C_6H_{11}, $CH(CH_3)C_6H_5$

Die durch Natriummethanolat induzierte Bromierung verläuft unter Inversion. Aus Tris-*exo*-(bicyclo[2.2.1]hept-2-yl)boran erhält man aus dem ersten Bicycloalkyl-Rest vorwiegend (75 ± 5%) *endo-2-Brombicyclo[2.2.1]heptan*[3,4]:

$$[\text{Bicyclo[2.2.1]hept-2-yl}]_3B + Br_2 + NaOCH_3 \xrightarrow[-R_2BOCH_3,\ -NaBr]{HOCH_3/THF,\ 0^\circ} \text{endo-2-Brombicyclo[2.2.1]heptan}$$

Ähnlich reagieren Tris-*cis*-myrtanylboran und andere Verbindungen. Allgemein werden in Gegenwart von Natriummethanolat prim. B-Alkyl-Reste rascher bromodeboryliert als sek.-Alkyl-Reste[2].

Mit Brom/Natriummethanolat lassen sich in Methanol (*E*)-1-Alkenyl-dihydroxy-borane in 2-Brom-1,1-dimethoxy-alkane überführen[5]:

$$R{-}CH{=}CH{-}B(OH)_2 + Br_2 + NaOCH_3 + 4\ HOCH_3 \xrightarrow[-NaBr,\ -B(OCH_3)_3,\ -2\ H_2O]{} R{-}CHBr{-}CH(OCH_3)_2$$

R = C_4H_9, C_6H_{13}; C_6H_{11}; $C(CH_3)_3$; $CH(Cl)C_2H_5$

Mit Chlorbrom erhält man aus gemischten Trialkylboranen in Tetrahydrofuran bei 0° nach Zugabe von Wasser unter Lichtausschluß prim.- bzw. sek.-Bromalkane in Ausbeuten von 60–85%; z.B.[6]:

$$(H_{11}C_6)_2B{-}C_8H_{17} + BrCl \xrightarrow[\{-(H_{11}C_6)_2BCl\}]{H_2O/THF} C_8H_{17}{-}Br \quad \approx 70\%$$

Die Bromodeborylierung eines Alkyl-Rests gemischt substituierter Trialkylborane gelingt mit Brom/Natriumacetat; z.B.[7]:

$$\text{Zucker-}CH_2{-}BR_2 + Br_2 + 2\ NaOCOCH_3 \longrightarrow \text{Zucker-}CH_2{-}Br$$

Ms : $-SO_2CH_3$
R = C_6H_{11}

[1] s. ds. Handb., Bd. XIII/3a, S. 532 (1982).
[2] H.C. Brown u. C.F. Lane, Am. Soc. **92**, 6660 (1970).
[3] H.C. Brown u. C.F. Lane, Chem. Commun. **1971**, 521.
[4] D.E. Bergbreiter u. D.P. Rainville, J. Organometal. Chem. **121**, 19 (1976).
[5] T. Hamaoka u. H.C. Brown, J. Org. Chem. **40**, 1189 (1975).
[6] G.W. Kabalka, K.A.R. Sastry, H.C. Hsu u. M.D. Hylarides, J. Org. Chem. **46**, 3113 (1981).
[7] L.D. Hall u. J.-R. Neeser, Canad. J. Chem. **60**, 2082 (1982); C.A. **97**, 198473 (1982).

In Gegenwart von 2 mol-Äquivalenten Natriumacetat in Methanol/Tetrahydrofuran läßt sich mit Brom/N-Chlorsuccinimid das Dicyclohexyl-glycosyl-boran I in 60%iger Ausbeute in den Bromzucker II überführen[1]:

I + Br_2 + $NaOCOCH_3$ $\xrightarrow[-NaBr,\ -(H_{11}C_6)_2BOCOCH_3]{(NCIS),\ THF/HOCH_3}$ II

Ms: $-SO_2CH_3$

Anstelle von Natriummethanolat kann man auch Brom/Pyridin verwenden, falls Alkyl-Gruppen aus Trialkylboranen als Bromalkan abgespalten werden sollen[2]. Mit 1-Brompyridinium-tribromid bildet sich aus 2-(1-Phenylethyl)-1,3,2-dioxaborolan in 98%iger Ausbeute *1-Brom-1-phenyl-ethan*[3]:

$$\text{2-(1-Phenylethyl)-1,3,2-dioxaborolan} + [\text{1-Brompyridinium}]^+ Br_3^- \xrightarrow{Py,\ -78°\ bis\ -60°} \xrightarrow[Hexan]{+H_2O} H_3C-CH(C_6H_5)-Br$$

Läßt man Brom auf Trialkylborane zunächst unter den Bedingungen (Lichteinwirkung) der α-Brom-Substitution (vgl. S. 318) einwirken, so tritt bei nachträglicher Zugabe von Pyridin Alkyl-Wanderung unter C–C-Verknüpfung ein. Man erhält Pyridin-Brom-dialkyl-borane (vgl. Bd. XIII/3b, S. 517)[4]. Aus 2-Butylborolan ist mit Brom/Pyridin kein Brombutan zugänglich, da der Fünfring bevorzugt geöffnet wird[2,5].

Bromalkane erhält man aus Trialkylboranen mit Übergangsmetallbromiden, z.B. mit Kupfer(II)bromid in Wasser/Tetrahydrofuran[6,7]:

$$R_3B + 2\ CuBr_2 + H_2O \xrightarrow[-Cu_2Br_2,\ -HBr,\ -R_2BOH]{THF} R-Br$$

R = C_4H_9, C_6H_{13}, $CH_2CH(CH_3)_2$; $CH(CH_3)C_2H_5$, C_5H_9, C_6H_{11}, 2-Norbornyl

In Dimethylsulfoxid werden bei 170° bis maximal zwei Alkyl-Reste der Trialkylborane mit wäßrigem Kupfer(II)-bromid in Bromalkan umgewandelt[8]:

$$B(C_6H_{13})_3 + 4\ CuBr_2 + 2\ H_2O \xrightarrow[-2\ Cu_2Br_2\ (160-170°),\ -2\ HBr,\ -H_{13}C_6-B(OH)_2]{(H_3C)_2SO} 2\ H_{13}C_6-Br$$

[1] J.-R. Neeser, L.D. Hall u. J.A. Balatoni, Helv. **66**, 1018 (1983).
[2] s. ds. Handb., Bd. XIII/3a, S. 532 (1982).
[3] D.J. Pasto, J. Chow u. S.K. Arora, Tetrahedron **25**, 1557 (1968).
[4] H.C. Brown u. Y. Yamamoto, Am. Soc. **93**, 2796 (1971).
[5] L.S. Vasil'ev, V.P. Dmitrikov u. B.M. Mikhailov, Ž. obšč. Chim. **42**, 1015 (1972); engl.: 1005; C.A. **77**, 101722 (1972).
[6] C.F. Lane, J. Organometal. Chem. **31**, 421 (1971).
[7] A. Arase, Y. Masuda u. A. Suzuki, Bl. chem. Soc. Japan **47**, 2511 (1974).
[8] Y. Masuda, M. Hoshi u. A. Arase, Bl. chem. Soc. Japan **52**, 271 (1979).

β) Aromatische Brom-Verbindungen

Mit Wasser lassen sich in Gegenwart von Nucleophilen (auch Wasser) Arylbor-Verbindungen in Bromarene umwandeln[1-5]. Aus einem mol Triphenylboran erhält man mit Brom in Tetrahydrofuran nach Versetzen mit Natriummethanolat in Methanol drei mol *Brombenzol* in ≈84⁰/₀iger Ausbeute[6]:

$$B(C_6H_5)_3 + 3\,Br_2 + 3\,NaOCH_3 \xrightarrow[-3\,NaBr,\ -3\,B(OCH_3)_3]{HOCH_3\,/\,THF} 3\,H_5C_6{-}Br$$

Diaryl-hydroxy-borane reagieren mit Brom/Wasser in Gegenwart von Kaliumbromid unter Spaltung beider BC-Bindungen[7]:

$$Ar_2BOH + 2\,Br_2 + 2\,H_2O \xrightarrow[-B(OH)_3]{} 2\,Ar{-}Br + 2\,HBr$$

$Ar = C_6H_5$

Die Bromodeborylierungen von Aryl-dihydroxy-boranen[7] wurden auch kinetisch untersucht[8-10]. Man ließ mit Brom in 20⁰/₀iger wäßriger Essigsäure reagieren[11].

$$Ar{-}B(OH)_2 + Br_2 + H_2O \longrightarrow Ar{-}Br + B(OH)_3 + HBr$$

$Ar = C_6H_5$

Die mit Basen katalysierbare und mit Säuren zu inhibierende Bromolyse der Aryl-dihydroxy-borane[10] verläuft über Borat(1–)-Zwischenprodukte. Nach nucleophilem Angriff des Broms am Bor-Atom bilden sich vermutlich zwitterionische Phenonium-borate[8,9]:

$$H_5C_6{-}B(OH)_2 \xrightarrow{+OH^-} [H_5C_6{-}B(OH)_3]^- \xrightarrow{+Br^+} \left\{ \left[\text{Phenonium-Ion mit } Br \text{ und } \overset{\ominus}{B}(OH)_3 \right] \right\} \xrightarrow[-B(OH)_3]{} H_5C_6{-}Br$$

Nebenreaktion ist die Protolyse der BC-Bindung. Arylbor-Verbindungen werden leichter hydrobromiert als Alkylbor-Verbindungen[1].

Dihydroxy-(2-hydroxyphenyl)-boran und Dihydroxy-(2-methoxyphenyl)-boran lassen sich mit Brom in alkalisch-wäßriger Lösung ohne Deborylierung am Arylkern bromsubstituieren[12,13].

1,4-Dibrombenzol ist mit Bromwasser aus 1,4-Bis(dihydroxyboryl)benzol zugänglich[14].

---

[1] A.D. Ainley u. F. Challenger, Soc. **1930**, 2171.
[2] F.R. Bean u. J.R. Johnson, Am. Soc. **54**, 4451 (1932).
[3] J.R. Johnson, M.G. van Campen u. O. Grummitt, Am. Soc. **60**, 111 (1938).
J.R. Johnson u. M.G. van Campen, Am. Soc. **60**, 121 (1938).
[4] E.W. Abel, W. Gerrard u. M.F. Lappert, Soc. **1957**, 5051.
[5] L.S. Vasil'ev, V.P. Dmitrikov, V.S. Bogdanov u. B.M. Mikhailov, Ž. obšč. Chim. **42**, 1318 (1972); engl.: 1313; C.A. **77**, 114472 (1972).
[6] G.W. Kabalka u. J.W. Ferrell, Syn. Commun. **9**, 443 (1979).
[7] N.N. Mel'nikov u. M.S. Rokitskaja, Ž. obšč. Chim. **8**, 1768 (1938); C.A. **33**, 4970 (1939).
[8] H.G. Kuivila u. A.R. Henrickson, Am. Soc. **74**, 5068 (1952).
[9] H.G. Kuivila u. F.J. Soboczenski, Am. Soc. **76**, 2675 (1954).
[10] H.G. Kuivila u. E.K. Easterbrook, Am. Soc. **73**, 4629 (1951).
[11] H.G. Kuivila u. L.E. Benjamin, Am. Soc. **77**, 3823 (1955).
[12] B. Serafin, H. Duda u. M. Makosza, Roczniki Chem. **37**, 765 (1963).
[13] R.L. Letsinger, J.M. Smith, J. Gilpin u. D.B. McLean, J. Org. Chem. **30**, 807 (1964).
[14] D.R. Nielsen u. W.E. McEwen, Am. Soc. **79**, 3681 (1957).

Aus dem Amin-diaryl-oxy-boran I gewinnt man mit Brom *1,2-Bis(2-bromphenyl)ethan* (II)[1]:

$$\text{I} + 2\,Br_2 \xrightarrow[-\,[HOCH_2CH_2NH_3]^+\,Br^-,\ -\,B(OH)_3,\ -\,HBr]{+\,H_2O} \text{II}$$

Kalium-tetraarylborate (Aryl = Phenyl, 4-Methylphenyl) reagieren mit Brom zu den entsprechenden Bromarenen. Nebenprodukte sind Biaryle (z. B. *Biphenyl*; vgl. S. 257 f.)[2].

$$K^+\left[(H_5C_6)_3B\text{–}C_6H_4\text{–}CH_3\right]^- \xrightarrow{+\,Br_2} \xrightarrow{+\,H_3COH} H_3C\text{–}C_6H_4\text{–}Br$$

Man kann auch 1-Brompyridiniumbromid in Methanol verwenden[3-5].

Die Bor-Substitution am Aryl-Rest durch Brom läßt sich auch mit Brom-Stickstoff-Verbindungen durchführen. Meist werden diese in situ hergestellt. Man versetzt z. B. Aryl-dihydroxy-borane in Methanol mit einer wäßrigen Natriumbromid-Lösung und fügt dann Chloramin-T in wäßrigem Methanol zu. Nach Zugabe von wäßrigem Hydrogenchlorid lassen sich beim Vervollständigen der Reaktion bis zu 90% *Brombenzol* isolieren[6,7]:

$$C_6H_5\text{–}B(OH)_2 \xrightarrow[H_2O]{+\,NaBr} \xrightarrow[-\,B(OH)_3]{+\,ClNTos\,Na\,/HCl} C_6H_5\text{–}Br$$

Brom-Isotope wie z. B. das Radioisotop ^{82}Br können nach dieser Methode in Aryl-Reste eingeführt werden[7].

Mit Kupfer(II)-bromid wandelt man in wäßriger Lösung auch heteroatomhaltige B-Aryl-Reste in Bromarene um[8-10]. Man erhält z. B. aus Dihydroxy-2-furanyl-boran in bescheidener Ausbeute (<30%) *2-Bromfuran*[9]:

$$C_4H_3O\text{–}B(OH)_2 + CuBr_2 \xrightarrow[-1/2\,Cu_2Br_2,\ -B(OH)_3]{H_2O} C_4H_3O\text{–}Br$$

Aus 1,1′-Bis(dihydroxyboryl)ferrocen wird mit Kupfer(II)-bromid *1,1′-Dibromferrocen* gebildet[10].

---

[1] R. L. LETSINGER u. I. H. SKOOG, Am. Soc. **77**, 5176 (1955).

[2] J. J. EISCH u. R. J. WILCSEK, J. Organometal. Chem. **71**, C 21 (1974).

[3] H. BÖHME u. E. BOLL, Z. anorg. Ch. **291**, 160 (1957).

[4] s. ds. Handb., Bd. XIII/3b, S. 463 (1983).

[5] A. PELTER, H. WILLIAMSON u. G. M. DAVIES, Tetrahedron Letters **1984**, 453.

[6] G. W. KABALKA, K. A. R. SASTRY, U. SASTRY u. K. SOMAYAJI, Org. Prep. & Proced. Int. **14**, 359 (1982); C. A. **97**, 215640 (1982).

[7] G. W. KABALKA, K. A. R. SASTRY u. P. G. PAGNI, J. Radioanal. Chem. **74**, 315 (1983); C. A. **98**, 107354 (1983).

[8] A. D. AINLEY u. F. CHALLENGER, Soc. **1930**, 2171.

[9] J. R. JOHNSON, M. G. van CAMPEN u. O. GRUMMITT, Am. Soc. **60**, 111 (1938).

[10] A. N. NESMEYANOV, V. A. SAZONOVA u. V. N. DROZD, Doklady Akad. SSSR **126**, 1004 (1959); engl.: 437; C. A. **54**, 6673 (1960).

γ) Olefinische Brom-Verbindungen

Die durch Hydroborierung von 1-Alkinen leicht zugänglichen (*E*)-1-Alkenyl-diorgano-borane (Bd. XIII/3a, S. 188ff.) können mit Brom in Tetrachlormethan nach Versetzen mit wäßrigem Natriumhydroxid oder mit methanolischem Natriummethanolat in (*Z*)-1-Bromalkene umgewandelt werden[1,2]. Thermisch bilden sich vor allem (*E*)-1-Bromalkene[1,2]:

$R^1_2B(H)C{=}C(H)R^2 \xrightarrow[CCl_4]{+Br_2}$; $+H_2O$ (NaOH): >97% (*Z*)-$BrHC{=}CHR^2$, <3% (*E*)-$BrHC{=}CHR^2$; Δ: >88% (*E*), <12% (*Z*)

$R^1 = -CH(CH_3)CH(CH_3)_2$
$R^2 = C_3H_7, C_4H_9, C_5H_{11}, C_6H_{13}$

Mit dem Substituenten R^2 = Phenyl wird das *Z/E*-Verhältnis im Produkt umgekehrt. Bei der Solvolyse erhält man 96% *trans-ω-Bromstyrol*, bei der Thermolyse jedoch ≈82% *cis-ω-Bromstyrol*[1].

Die Bromierung von Dihydroxy-[(*E*)-subst.-vinyl]-boranen in Dichlormethan/Diethylether liefert ein Produkt, aus dem bei Zugabe von Natriummethanolat in Methanol unter Inversion (*Z*)-Bromalkene gebildet werden[3,4]. 2-(1-Alkenyl)-1,3,2-dioxaborole reagieren mit Brom in Dichlormethan und anschließend mit Natriummethanolat in Methanol unter Inversion[3]:

(Benzodioxaborolyl)$(R^1)C{=}C(H)R^2 \xrightarrow{+Br_2} \xrightarrow[-NaBr]{+NaOCH_3/HOCH_3} R^1(Br)C{=}C(H)R^2$

$R^1 = H, CH_3, C_2H_5$
$R^2 = C_2H_5, C_5H_9, C_6H_{11}; C(CH_3)_3, C_6H_5$

Mit Natriumbromid in Gegenwart von N-Chlorsuccinimid (NClS) erhält man aus (*E*)-1-Alkenyl-dihydroxy-boranen in wäßriger Lösung unter Bromodeborylierung (*Z*)-1-Bromalkene[5]:

$R(H)C{=}C(H)B(OH)_2 \xrightarrow[(H_2O)]{+NaBr/NClS} R(H)C{=}C(H)Br$

$R = C_8H_{17}; CH_2CH_2CH_2Cl$

---

[1] H.C. Brown, D.H. Bowman, S. Misumi u. M.K. Unni, Am. Soc. **89**, 4531 (1967).
[2] s. ds. Handb., Bd. V/1b, S. 799 (1972).
[3] H.C. Brown, T. Hamaoka u. N. Ravindran, Am. Soc. **95**, 6456 (1973).
[4] N. Miyaura, H. Suginome u. A. Suzuki, Tetrahedron Letters **1983**, 1527.
[5] G.W. Kabalka, K.A.R. Sastry, F.F. Knapp u. P.C. Srivastava, Synth. Commun. **1983**, 1027.

3. Organo-Jod-Verbindungen

Durch Jododeborylierungen erhält man aus Organobor-Verbindungen aliphatische, aromatische sowie vor allem olefinische Jodkohlenwasserstoffe. Die wichtigsten Reagenzien zur Übertragung des bzw. der Organo-Reste vom Bor- auf das Jod-Atom sind elementares Jod, das unmittelbar oder unter Belichten in Gegenwart verschiedener Hilfsstoffe wie z.B. von Nucleophilen reagiert. Außer Jod werden Jodchlorid oder Jodstickstoff-Verbindungen eingesetzt. Auch Jodalkane haben sich in Gegenwart von Sauerstoff zur Gewinnung von Jodalkanen aus Organobor-Verbindungen bewährt.

α) Jodalkane

Die Jododeborylierung von Alkylboranen führt zu Jodalkanen. Läßt man z.B. Jod auf Trialkylborane >150° einwirken, so wird ein Alkyl-Rest substituiert[1–4]:

$$R_3B + J_2 \xrightarrow[-R_2B-J]{>150°} R-J$$

z.B.: R = C_3H_7[2], $CH_2CH(CH_3)_2$[3]; $CH(CH_3)_2$[2], C_6H_{11}[3]

Die photochemische Jodierung von Triethylboran in Cyclohexan verläuft über freie Radikale und liefert *Jodethan*[5,6].

Glatt und ergiebig lassen sich Trialkylborane in Jodalkane umwandeln, wenn man Jod in Gegenwart von Nucleophilen wie z.B. von Hydroxid- oder Methanolat-Ionen reagieren läßt. Alle drei Alkyl-Reste der Trialkylborane können in Jodalkan übergeführt werden[5–8]:

$$R_3B + 3\,J_2 + 4\,NaOCH_3 \xrightarrow[-Na[B(OCH_3)_4]\;-3\,NaJ]{HOCH_3} 3\,R-J$$

R = C_4H_9, $CH_2CH(CH_3)_2$; $-CH_2$-(2,2-Dimethyl-bicyclo[2.2.1]heptyl), $CH(CH_3)C_2H_5$, C_5H_9, C_6H_{11}; $(CH_2)_{10}COOCH_3$

Sek.-Alkyl-Reste am Bor-Atom werden langsamer jodiert als prim.-Alkyl-Reste. Aus prim.-Alkyl-disiamyl-boranen erhält man mit Jod in alkalisch-wäßriger Lösung prim.-Alkyljodid[9]. Die Jodierung erfolgt unter Inversion. Aus Tris(bicyclo[2.2.1]hept-*exo*-2-yl)boran wird mit Jod/Methanolat *endo-2-Jodbicyclo[2.2.1]heptan* gewonnen[8,10]. Optische Induktion auf das abgespaltene Jodalkan ist durch chirale Organo-Reste am Bor-Atom der Triorganoborane bei der alkalischen Jododeborylierung möglich: Aus 2-Butyl-diisopinocampheyl-boran gewinnt man in ≈50%iger Ausbeute *(R)-2-Jodbutan* in 84%iger optischer Anreicherung[8]. Die einfache Jodierung von B-Organo-Resten mit Jod in Gegenwart von Nucleophilen kann vor allem bei ungesättigten Organoboranen durch Bildung von Organo-Organo-Verbindungen (vgl. S. 261) ersetzt werden.

---

[1] J.R. JOHNSON, H.R. SNYDER u. M.G. VAN CAMPEN, Am. Soc. **60**, 115 (1938).
[2] L.H. LONG u. D. DOLLIMORE, Soc. **1953**, 3902.
[3] H. HARTMANN u. K.H. BIRR, Z. anorg. Ch. **299**, 174 (1959).
[4] s. ds. Handb., Bd. XIII/3a, 305 (1982).
[5] M. ABUFHELE, C. ANDERSEN, E.A. LISSI u. E. SANHUEZA, J. Organometal. Chem. **42**, 19 (1972).
[6] H.C. BROWN, M.W. RATHKE u. M.M. ROGIĆ, Am. Soc. **90**, 5038 (1968).
[7] N.R. DE LUE u. H.C. BROWN, Synthesis **1976**, 114.
[8] H.C. BROWN, N.R. DE LUE, G.W. KABALKA u. H.C. HEDGECOCK, Am. Soc. **98**, 1290 (1976).
[9] H.C. BROWN, *Boranes in Organic Chemistry*, S. 319, Cornell University Press, Ithaka 1972.
[10] s. ds. Handb., Bd. XIII/3a, 533 (1982).

Die Verwendung von Jod in Gegenwart von Natriumacetat/Methanol ist zur Umwandlung langkettiger sowie heteroatomhaltiger Alkyl-dicyclohexyl-borane in Jodalkane (Ausbeuten bis ≈90%) vorteilhaft[1].

$$(H_{11}C_6)_2B{-}CH_2CH_2R \;+\; J_2 \;+\; NaOCOCH_3 \xrightarrow[-NaJ \;\; -(H_{11}C_6)_2BOCOCH_3]{CH_3OH} RCH_2CH_2J$$

R = C_8H_{17}; $-CH_2-$(3,4-Methylendioxyphenyl), $(CH_2)_8OCOCH_3$, $(CH_2)_3OCOC_6H_5$; $CH_2SC_6H_4CH_3$

Aus aliphatischen Tetraorganoboraten (Bd. XIII/3b, S. 750) sind mit Jod/Hydroxid Jodalkane und/oder *Benzyljodid* zugänglich[2]:

$$M^+\left[(H_{13}C_6)_3B{-}CH_2C_6H_5\right]^- \;+\; J_2 \;+\; MOH \xrightarrow[-MJ \;\; -M[R_3BOH]]{} \begin{cases} \sim 25\,\% & H_5C_6CH_2{-}J \\ \sim 44\,\% & H_{13}C_6{-}J \end{cases}$$

Die Substitution der Bor- durch Jod-Atome erfolgt auch bei Cyano-trihydro-boraten (Bd. XIII/3b, S. 822) mit Jod in alkalisch-wäßriger Lösung[3]:

$$2\,K^+\left[H_3B{-}CN\right]^- \;+\; 5\,J_2 \xrightarrow[-2\,KJ \;\; -2\,BJ_3 \;\; -3\,H_2]{} 2\,J{-}CN$$

Die Umwandlung der Trialkylborane in Jodalkane läßt sich unter milden Bedingungen (25°, 1 Stde.) mit Jodchlorid/Diglyme in Gegenwart von Natriumacetat/Methanol durchführen[4-6]:

$$R_3B \;+\; 3\,JCl \;+\; 3\,NaOCOCH_3 \xrightarrow[-3\,NaCl]{Diglyme,\; HOCH_3} 3\,R{-}J$$

z.B.: R = C_6H_{13}

Im allg. werden eine oder zwei Alkyl-Reste jodiert. Diese können auch heteroatomhaltig sein, z.B. Chlor-, Acetal- oder Ester- sowie Thioether-Funktionen enthalten[4,5]. Das Radioisotop ^{125}Jod läßt sich entsprechend z.B. auf ω-jodierte Fettsäuren übertragen[6,7]:

$$(H_{11}C_6)_2B{-}(CH_2)_nCOOR^1 \;+\; {}^{125}J{-}Cl \;+\; NaOCOCH_3 \xrightarrow[-NaCl \;\; -(H_{11}C_6)_2BOCOCH_3]{THF,\,\approx 20°,\; CH_3OH} {}^{125}J{-}(CH_2)_nCOOR^1$$

z.B.: n = 10 (89%), 15 (89%), 18 (95%)
R^1 = CH_3[6]; $CH_2C_6H_5$[7]

---

[1] G.W. Kabalka, K.A.R. Sastry u. K.U. Sastry, Syn. Commun. **12**, 101 (1982).
[2] E. Negishi, M.J. Idacavage, K.-W. Chiu, T. Yoshida, A. Abramovitsch, M.E. Goettel, A. Silviera u. H.D. Bretherick, Soc. [Perkin II] **1978**, 1225.
[3] J.R. Berscheid u. K.F. Purcell, Inorg. Chem. **9**, 624 (1970).
[4] G.W. Kabalka u. E. E. Gooch III, J. Org. Chem. **45**, 3578 (1980).
[5] E.E. Gooch u. G.W. Kabalka, Synth. Commun. **11**, 521 (1981).
[6] G.W. Kabalka, E.E. Gooch u. C. Otto, J. Radioanal. Chem. **65**, 115 (1981); C.A. **95**, 203260 (1981).
[7] Jap. P. 15925 (1981/1983), Research Corp.; C.A. **99**, 37682 (1983).

Jododeborylierungen mit Jodid/Chloramin-T als Oxidationsreagenz sind zur Umwandlung eines Organo-Rests der Triorganoborane in Jodorgano-Verbindungen gut geeignet[1,2]:

$$R_3B + NaJ + Cl{-}N(Na)(Tos) \longrightarrow R{-}J$$

R = C_6H_{13}; $(CH_2)_5OCOC_6H_5$ (94%), $-CH_2CH(CH_3)CH_2S-C_6H_4-CH_3$ (99%), $-(CH_2)_3-$(3,4-Methylendioxyphenyl) (78%), $(CH_2)_n-COOR^1$

[n = 10, R^1 = CH_3 (94%); n = 18; R^1 = H (89%); n = 21, R^1 = H (91%)]

Die Methode gestattet auch die glatte Umwandlung von jeweils einem Alkyl-Rest der Trialkylbor-Verbindungen in Jodalkane mit den Radiojod-Isotopen ^{125}Jod[2-4] bzw. ^{123}Jod[5]. Auch die Jodierung prim. Alkyl-Gruppen in Zucker-Derivaten ist über entsprechende Organobor-Verbindungen möglich[6-8]; z. B. 3,5-O-Benzyliden-6-desoxy-6-jodo-1,2-O-isopropyliden-β-L-idofuranose[8]:

$$\text{(Boryl-Zucker)} + NaJ \xrightarrow[\text{Tos}]{(+ NaOCOCH_3),\ + ClN(Na)} \text{(Jod-Zucker)}$$

Eine Alkyl-Gruppe der Tri-prim.-alkyl-borane (Alkyl = Ethyl, Butyl, Pentyl, Hexyl) läßt sich mit Allyljodid in Gegenwart von Luftsauerstoff quantitativ in Jodalkane umwandeln[9]:

$$R^1_3B + H_2C{=}CHCH_2{-}J \xrightarrow[\{-R^1_2BO_2CH_2CH=CH_2\}]{+ O_2} R^1{-}J$$

R^1 = C_2H_5, C_6H_{13}; C_5H_9, C_6H_{11}

Nebenprodukt ist 1,5-Hexadien (vgl. S. 261). Die Reaktion verläuft über Alkyl- und R_2BO_2-Radikale. Die durch Sauerstoff radikalisch induzierte Jodalkan-Bildung ist bei Verwendung von prim.- oder sek.-Alkyljodiden als Startmolekül wesentlich weniger ergiebig als mit Allyljodid[9]. Tricyclohexylboran reagiert mit Allyljodid in ≈75%iger Ausbeute unter Bildung von *Jodcyclohexan*[9].

---

[1] G. W. Kabalka, Imeboron IV, Salt Lake City, Juli 1979, Abstr. of Papers, S. 78/79.

[2] G. W. Kabalka u. E. E. Gooch, J. Org. Chem. **46**, 2582 (1981).

[3] G. W. Kabalka u. E. E. Gooch, Chem. Commun. **1981**, 1011.

[4] G. W. Kabalka, K. A. R. Sastry u. K. Muralidhar, J. Labeled Compd. Radiopharm. **19**, 795 (1982); C. A. **97**, 215434 (1982).

[5] G. W. Kabalka, E. E. Gooch, T. L. Smith u. M. A. Sells, Int. J. Appl. Radiat. Isot. **33**, 223 (1982); C. A. **96**, 217163 (1982).

[6] G. W. Kabalka, *Synthesis and Applications of Isotopically Labeled Compds.*, Proceedings of an Int. Symp., Kansas City, Juni 1982, S. 201–202; C. A. **98**, 160760 (1983).

[7] L. D. Hall u. J.-R. Neeser, Canad. J. Chem. **60**, 2082 (1982).

[8] J.-R. Neeser, L. D. Hall u. J. A. Balatoni, Helv. **66**, 1018 (1983).

[9] A. Suzuki, S. Nozawa, M. Harada, M. Itoh, H. C. Brown u. M. M. Midland, Am. Soc. **93**, 1508 (1971).

β) Jodarene

Die Übertragung von Aryl-Resten vom Bor- auf Jod-Atome gelingt mit Jod in wäßriger Lösung[1–5] oder mit Jod in Tetrahydrofuran unter Basen-Zusatz.

Aus Aryl-dihydroxy-boranen erhält man mit Jod in wäßrigem Medium Jodarene[1–4]:

$$Ar{-}B(OH)_2 + J_2 + H_2O \xrightarrow[-B(OH)_3]{-HJ} Ar{-}J$$

Ar: C_6H_5[4], 1-Naphthyl[5]; 5-Methyl-2-thienyl[4], 2-Methyl-3-thienyl[4]

Aryl-dihydroxy-borane werden auch mit Jodchlorid in Jodarene übergeführt[6].

Aus einem Phenyl-Rest des Triphenylborans läßt sich mit Jod in Tetrahydrofuran nach Zugabe von Natriummethanolat in Methanol Jodbenzol in ≈40%iger Ausbeute gewinnen[7].

Mit der Methode (Jod/Natronlauge in THF) können auch über Polymerketten substituierte Dihydroxy-phenyl-borane in polymere borfreie Jodarene umgewandelt werden[8].

γ) Ungesättigte (heteroatomhaltige) Organo-Jod-Verbindungen

Die Jodierung von BC_{vinyl}-Bindungen mit Jod/Base führt ausgehend von Triorganoboranen zu C–C-verknüpften Organo-Organo-Verbindungen (vgl. S. 262). Aus Alkenyl-dihydroxy-boranen lassen sich mit Jod/Base jedoch 1-Alkenyljodide gewinnen. Unter Retention der C=C-Konfiguration wird der Dihydroxyboryl-Rest durch Jod substituiert[9]:

$$(R)(H)C{=}C(H)(B(OH)_2) + J_2 + NaOH \xrightarrow[-B(OH)_3]{-NaJ} (R)(H)C{=}C(H)(J)$$

R = C_4H_9, C_6H_{13}; C_6H_{11}; C_6H_5

Mit Chloramin-T/Natriumjodid (vgl. S. 326) sind aus 2-Dihydroxyboryl-2-alkensäureestern 2-Jod-2-alkensäureester zugänglich[10].

Aus 2-Organo-1,4-alkadienyl-dimethoxy-boraten sind mit Jod/Alkalimetallhydroxid nach Oxidation (vgl. S. 334) 1-Jod-1,4-alkadienole zugänglich[11, 12].

$$Na^+ [\text{Borat}(R)(OCH_3)_2]^- \xrightarrow{1.\ +J_2/OH^-;\ 2.\ +HOO^-} (J)(H)C{=}C(R){-}CH_2{-}CH(OH){-}CH_2{-}CH{=}CH_2$$

R = C_4H_9, C_5H_{11}; C_6H_5; CH_2OCH_3, $-CH_2O$-(2-Tetrahydropyranyl)

[1] A.D. Ainley u. F. Challenger, Soc. **1930**, 2171.
[2] J.R. Johnson, M.G. van Campen u. O. Grummitt, Am. Soc. **60**, 111 (1938).
[3] H.G. Kuivila u. R.M. Williams, Am. Soc. **76**, 2679 (1954).
[4] R.D. Brown, A.S. Buchanan u. A.A. Humffray, Austral. J. Chem. **18**, 1527 (1965).
[5] R.L. Bruce u. A.A. Humffray, Austral. J. Chem. **24**, 1085 (1971).
[6] E.E. Gooch, Dissertation Abstr. Int.B **1981**, 1892; C.A. **96**, 52361 (1982).
[7] G.W. Kabalka u. J.W. Ferrell, Syn. Commun. **9**, 443 (1979).
[8] N.P. Bullen, P. Hodge u. F.G. Thorpe, Soc. [Perkin I] **1981**, 1863.
[9] H.C. Brown, T. Hamaoka u. N. Ravindran, Am. Soc. **95**, 5786 (1973).
[10] F.F. Knapp, M.M. Goodman, G.W. Kabalka u. K.A.R. Sastry, J. Med. Chem. **27**, 94 (1984).
[11] B.M. Mikhailov u. L.I. Lavrinovich, Izv. Akad. SSSR **1983**, 2836; C.A. **100**, 174235 (1984).
[12] B.M. Mikhailov u. L.I. Lavrinovich, J. Organometal. Chem. **264**, 289 (1984); **268**, 5 (1984).

Auch heteroatomhaltige Dihydroxy-vinyl-borane werden mit Jod/Natronlauge am Bor-Atom durch Jod substituiert[1-3]; z.B.[1]:

$$(H_3C)_3C-Si(CH_3)_2-O-CH(C_4H_9)-CH_2-CH{=}CH-B(OH)_2 + J_2 + NaOH \xrightarrow[-\,B(OH)_3]{-\,NaJ} (H_3C)_3C-Si(CH_3)_2-O-CH(C_4H_9)-CH_2-CH{=}CH-J$$

d) Organo-(ElementVIB)-Verbindungen

Außer Sauerstoff lassen sich Schwefel (S. 349), Selen (S. 351) und Tellur (S. 352) anstelle der Bor-Atome auf Organo-Reste übertragen.

1. Organo-Sauerstoff-Verbindungen

Oxydeborylierungen der Organobor-Verbindungen führen zu alkoholischen und phenolischen Verbindungen sowie zu Carbonyl-Verbindungen. Außerdem sind durch BC-Oxidationen Organo-hydrogen-peroxide präparativ zugänglich. Die Umwandlungen der Organobor-Verbindungen in Organoether und Organosäuren spielen praktisch keine Rolle.

α) Hydroxy-Verbindungen

α_1) *Aliphatische Hydroxy-Verbindungen*

Alkanole, -diole und -triole werden aus Organobor-Verbindungen vor allem mit alkalischen Dihydrogenperoxid-Lösungen hergestellt[4]. Weitere Oxidations-Reagenzien zur Gewinnung von Alkoholen aus Organobor-Verbindungen sind Brom in Wasser sowie Hypochlorite. Außerdem werden in wäßriger Lösung aus Organoboranen mit molekularem Sauerstoff Alkohole hergestellt. Von besonderem Interesse sind oxidative BC-Umwandlungen mit wasserfreien Amin-N-oxiden und mit verschiedenen Peroxiden. Zur Gewinnung aliphatischer Alkohole aus Organobor-Verbindungen setzt man auch Metall-oxide und weitere Metall-Derivate hoher Metall-Oxidationszahl ein.

$\alpha\alpha_1$) mit elektrischem Strom

Die elektrochemische Oxidation des Dihydroxy-methyl-borans im alkalisch-wäßrigen Medium führt zu *Methanol* und *Ethan*[5]:

$$H_3C-B(OH)_2 \xrightarrow{NaOH,\ e^-} \begin{cases} \xrightarrow{+H_2O} H_3C-OH \\ \longrightarrow H_3C-CH_3 \end{cases}$$

---

[1] P.W. Collins, E.Z. Dajani, M.S. Bruhn, C.H. Brown, J.R. Palmer u. R. Pappo, Tetrahedron Letters **1975**, 4217.

[2] N. Miyaura, H. Suginome u. A. Suzuki, Tetrahedron Letters **1983**, 1527.

[3] G. A. Tolstikov, M.S. Miftakhov, N.A. Danilova u. F.Z. Galin, Ž. org. Chim. **19**, 1857 (1983); C.A. **100**, 51326 (1984).

[4] s. ds. Handb., Bd. VI/2, S. 244ff. (1963); Bd. VI/1a, Teil 1, 494ff. (1979); Bd. VI/1a, Teil 2, S. 1463 (1980).

[5] A.A. Humffray u. L.F.G. Williams, Electrochimica Acta **17**, 1157 (1972); C.A. **77**, 42366 (1972).

$\alpha\alpha_2$) mit molekularem Sauerstoff

Trialkylborane reagieren mit molekularem Sauerstoff,[1-19]. Zunächst bilden sich Alkyl-peroxy-dialkyl-borane, aus denen bei Einhalten bestimmter Bedingungen Alkyl-hydroperoxide (vgl. S. 348f.) gewonnen werden können. Die Umwandlung von Trialkylboranen mit molekularem Sauerstoff in Alkohole wird in basischen Lösungen durchgeführt:

$$R_3B + 3/2\ O_2 + NaOH + 3\ H_2O \xrightarrow[-\ Na[B(OH)_4]]{THF} 3\ R{-}OH$$

R = Alkyl

Falls bei zu hoher Temperatur oder ohne Zusatz von Nucleophil autoxidiert wird, lassen sich wegen Redoxreaktionen nur ≈2 mol Alkohol gewinnen[1-19]:

$$R_3B + O_2 \longrightarrow R{-}B(OR)_2 \xrightarrow{+H_2O} 2\ R{-}OH$$

R = Alkyl

Aus 1 mol Tricyclohexylboran erhält man bei striktem Einhalten der Bedingungen für die O_2/OH^--Reaktion bis zu drei mol Cyclohexanol[15].

Die Autoxidationen[20-29] verlaufen vermutlich ausnahmslos über Radikalzwischenstufen; Inhibitor ist z.B. Galvinoxyl (s.S. 357). Redox-Reaktionen zwischen Alkylperoxy-dialkyl-boranen und Trialkylboranen führen zu Alkyl-dialkoxy-boranen und somit nur zu 2 mol Alkohol (vgl. S. 335)[22, 27, 30]. Die erste BC-Bindung der Trialkylborane reagiert bei der

---

[1] E. Frankland u. B.F. Duppa, Pr. chem. Soc. **10**, 568 (1859).
[2] E. Frankland, Ann. chim. farm. **124**, 129 (1862).
[3] C.H. Bamford u. D.M. Newitt, Soc. **1946**, 695.
[4] R.S. Brokaw, E.J. Badin u. R.N. Pease, Am. Soc. **70**, 1921 (1948).
[5] H.C. Brown u. V.H. Dodson, Am. Soc. **79**, 2302 (1957).
[6] M.H. Abraham u. A.G. Davies, Soc. **1959**, 429.
[7] A.G. Davies, D.G. Hare u. R.F.M. White, Chem. & Ind. **1960**, 566.
[8] A.G. Davies, D.G. Hare u. O.R. Khan, Soc. **1963**, 1125.
[9] S. Kato, M. Wada u. Y. Tsuzuki, Bl. chem. Soc. Japan **36**, 868 (1963).
[10] R.L. Hansen u. R.R. Hamann, J. Phys. Chem. **67**, 2868 (1963).
[11] L. Parts u. J.T. Miller, Inorg. Chem. **3**, 1483 (1964).
[12] A.G. Davies u. B.P. Roberts, Nature Phys. Sci. **229**, 221 (1971).
[13] H.C. Brown u. E. Negishi, Am. Soc. **93**, 6682 (1971).
[14] H.C. Brown u. M.M. Midland, Ang. Ch. **84**, 702 (1972); engl.: **11**, 692.
[15] H.C. Brown, M.M. Midland u. G.W. Kabalka, Am. Soc. **93**, 1024 (1971).
[16] M.M. Midland u. H.C. Brown, Am. Soc. **93**, 1506 (1971).
[17] A. Suzuki, S. Nozawa, M. Harada, I. Mitsuomi, H.C. Brown u. M.M. Midland, Am. Soc. **93**, 1508 (1971).
[18] Y. Tanahashi, J. Lhomme u. G. Ourisson, Tetrahedron **28**, 2655 (1972).
[19] M.M. Midland u. H.C. Brown, Am. Soc. **95**, 4069 (1973).
[20] R.C. Petry u. F.H. Verhoek, Am. Soc. **78**, 6416 (1956).
[21] A.G. Davies, D.G. Hare u. R.F.M. White, Soc. **1960**, 1040.
[22] N.L. Zutty u. F.J. Welch, J. Org. Chem. **25**, 861 (1960).
[23] A.G. Davies u. B.P. Roberts, Chem. Commun. **1966**, 298.
[24] A.G. Davies u. B.P. Roberts, Soc. [B] **1967**, 17.
[25] P.G. Allies u. P.B. Bindley, Chem. & Ind. **1967**, 319.
[26] S.B. Mirviss, J. Org. Chem. **32**, 1713 (1967).
[27] P.G. Allies u. P.B. Brindley, Soc. [B] **1969**, 1126.
[28] A.G. Davies, K.U. Ingold, B.P. Roberts u. R. Tudor, Soc. [B] **1971**, 698.
[29] P.B. Brindley u. J.C. Dodson, Chem. Commun. **1972**, 202.
[30] J.R. Johnson, H.R. Snyder u. M.G. van Campen, Am. Soc. **60**, 115 (1938).

Autoxidation rascher als die zweite und diese rascher als die letzte BC-Bindung[1-10]. Daher ist auch die Sauerstoff-Aufnahme von Trialkylboranen rascher als von Alkyl-dialkoxy-boranen usw. Alkyl-Gruppen werden schneller autoxidiert als Vinyl-Gruppen. Von den aliphatischen Organo-Resten reagieren mit molekularem Sauerstoff tert.-Alkyl-Reste rascher als sek.-Alkyl-Reste und diese im allg. rascher als prim.-Alkyl-Reste[10-13]. Am langsamsten wird die BC-Bindung der Methylbor-Gruppe autoxidiert. Von den Tri-sek.-alkylboranen nimmt Tricyclohexylboran rascher Sauerstoff auf als Tris(1-methylpropyl)-boran[14,15].

Zwei mol von O-isotopen-angereichertem Alkohol lassen sich aus einem mol Trialkylboran durch Einleiten von Sauerstoff (z.B. $^{17}O_2{}^{18}O_2$-Gemisch) herstellen. Man versetzt nach der Autoxidation mit Eisessig und erwärmt auf ≈60°[17]:

$$R_3B \xrightarrow{+^{18}O_2} \xrightarrow{+\,2\,HOCOCH_3,\,\Delta} 2\,R{-}^{18}OH + R{-}B(OCOCH_3)_2$$

R = Alkyl

Die über freie Radikale führende Autoxidation läßt sich durch Zusatz von Radikalfängern wie z.B. Galvinoxyl[10,17-23] oder auch Jod[24-26] unterbinden. Setzt man dagegen Radikal-Spender wie z.B. tert.-Butylhyponitrit zu, so werden die Homolysen in Gang gesetzt[22,27]. Die Konfiguration der an das B-Atom gebundenen C-Atome geht verloren. Dies ist bei der alkalischen Dihydrogenperoxid-Reaktion nicht der Fall. Die radikalische Autoxidation läßt sich durch Zusatz von Wasser[10,17-33] oder von Aminen[28,33-39] verlangsamen bzw. verhindern.

[1] J.R. Johnson, H.R. Snyder u. M.G. van Campen, Am. Soc. **60**, 115 (1938).
[2] J.R. Johnson, M.G. van Campen u. O. Grummitt, Am. Soc. **60**, 111 (1938).
[3] J.R. Johnson u. M.G. van Campen, Am. Soc. **60**, 121 (1938).
[4] H.R. Snyder, J.A. Kuck u. J.R. Johnson, Am. Soc. **60**, 105 (1938).
[5] K. Torssell, Acta chem. scand. **8**, 1779 (1954).
[6] K. Torssell, Acta chem. scand. **9**, 239 (1955).
[7] P.A. McCusker u. L.J. Glunz, Am. Soc. **77**, 4253 (1955).
[8] T.D. Parsons, M.B. Silverman u. D.M. Ritter, Am. Soc. **79**, 5091 (1957).
[9] S.B. Mirviss, Am. Soc. **83**, 3051 (1961).
[10] A.G. Davies, K.U. Ingold, B.P. Roberts u. R. Tudor, Soc. [B] **1971**, 698.
[11] C.H. Bamford u. D.M. Newitt, Soc. **1946**, 695.
[12] A.G. Davies, D.G. Hare u. R.F.M. White, Soc. **1961**, 341.
[13] J. Grotewold, E.A. Lissi u. J.C. Scaiano, Soc. [B] **1969**, 475.
[14] P.B. Brindley u. J.C. Dodson, Chem. Commun. **1972**, 202.
[15] P.B. Brindley, J.C. Hodgson u. M.J. Scotton, Soc. [Perkin II] **1979**, 45.
[16] G.W. Kabalka, T.J. Reed u. S.A. Kunda, Syn. Commun. **13**, 737 (1983).
[17] A.G. Davies u. B.P. Roberts, Chem. Commun. **1966**, 298.
[18] A.G. Davies u. B.P. Roberts, Soc. [B] **1967**, 17.
[19] P.G. Allies u. P.B. Brindley, Chem. & Ind. **1967**, 319.
[20] P.G. Allies u. P.B. Brindley, Soc. [B] **1969**, 1126.
[21] A.G. Davies u. B.P. Roberts, Soc. [B] **1969**, 311.
[22] A.G. Davies u. B.P. Roberts, Nature Phys. Sci. **229**, 221 (1971).
[23] S. Korcek, G.B. Watts u. K.U. Ingold, Soc. [Perkin II] **1972**, 242.
[24] H.C. Brown u. M.M. Midland, Chem. Commun. **1971**, 699.
[25] M.M. Midland u. H.C. Brown, Am. Soc. **93**, 1506 (1971).
[26] J. Grotewold, J. Hernandez u. E.A. Lissi, Soc. [B] **1971**, 182.
[27] K.U. Ingold, Chem. Commun. **1969**, 911.
Lit. [28-39] s. S. 331.

Die BC-Bindungen von Trialkylboroxinen werden von molekularem Sauerstoff nur in Gegenwart von Übergangsmetall-Katalysatoren oxidiert. Tri-prim.-alkylboroxine reagieren mit Sauerstoff/Cobalt-Verbindungen deutlich langsamer als Tri-tert.-alkylboroxine[40,41]:

$$(R{-}BO)_3 + 3/2\ O_2 \xrightarrow{\text{Co-Kat.}} (RO{-}BO)_3$$

$\alpha\alpha_3$) mit Dihydrogenperoxid

i_1) in neutraler Lösung

Die Oxidation der Trialkylborane mit neutralem, wäßrigem 30%igem Dihydrogenperoxid in Tetrahydrofuran führt zu etwa äquimolaren Mengen Alkohol und Bialkyl (vgl. S. 255f.)[42–45]:

$$R_3B + H_2O_2 \xrightarrow[\text{-B(OH)}_3]{\text{THF}} R{-}OH + R{-}R$$

R = Alkyl

Nebenprodukt der radikalisch verlaufenden Dihydrogenperoxid-Oxidation im neutralen Medium ist Alkan. Sein Anteil wird bei Zusatz von Radikalfängern kleiner[42]. Auch mit Dihydrogenperoxid in saurer-wäßriger Lösung bilden sich aus Trialkylboranen Alkohol und Bialkyl[46,47]. Aus einem mol Alkyl-dihydroxy-boranen erhält man mit neutralem wäßrigem Dihydrogenperoxid ein mol Alkohol[30].

i_2) in alkalisch-wäßriger Lösung

Die präparativ wichtigste Methode zur Umwandlung von Organobor-Verbindungen in Hydroxy-Verbindungen ist die Oxidation mit alkalisch-wäßrigem Dihydrogenperoxid[31].

---

[28] E. Frankland u. B.F. Duppa, Ann. chim. farm. **115**, 319 (1860).
[29] E. Frankland, Soc. **15**, 363 (1862).
[30] J.R. Johnson, M.G. van Campen u. O. Grummitt, Am. Soc. **60**, 111 (1938).
[31] J.R. Johnson u. M.G. van Campen, Am. Soc. **60**, 121 (1938).
[32] H.R. Snyder, J.A. Kuck u. J.R. Johnson, Am. Soc. **60**, 105 (1938).
[33] S.B. Mirviss, Am. Soc. **83**, 3051 (1961).
[34] E. Frankland, Pr. chem. Soc. **12**, 123 (1863).
[35] M.H. Abraham u. A.G. Davies, Soc. **1959**, 429.
[36] A.G. Davies u. D.G. Hare, Soc. **1959**, 438.
[37] A.G. Davies, D.G. Hare u. R.F.M. White, Chem. & Ind. **1959**, 1315.
[38] A.G. Davies, D.G. Hare u. R.F.M. White, Soc. **1960**, 1040.
[39] A.G. Davies, D.G. Hare u. R.F.M. White, Soc. **1961**, 341.
[40] O. Grummitt, Am. Soc. **64**, 1811 (1942).
[41] A.G. Davies, D. Griller u. B.P. Roberts, Soc. [B] **1971**, 1823.
[42] D.B. Bigley u. D.W. Payling, Chem. Commun. **1968**, 938.
[43] D.J. Pasto, S.K. Arora u. J. Chow, Tetrahedron **25**, 1571 (1969).
[44] D.B. Bigley u. D.W. Payling, Soc. [B] **1970**, 1811.
[45] A.G. Davies u. R. Tudor, Soc. [B] **1970**, 1815.
[46] B.M. Mikhailov, P.M. Aronovich u. V.G. Kiselev, Izv. Akad. SSSR **1968**, 146; engl.: 137; C.A. **69**, 96802 (1968).
[47] H. Minato, J.C. Ware u. T.G. Traylor, Am. Soc. **85**, 3024 (1963).

Das im Gleichgewicht[1-5]

$$H_2O_2 + OH^- \rightleftharpoons OOH^- + H_2O$$

vorhandene Hydroperoxid-Ion leitet die Reaktion durch einen S_N2-Angriff am Bor-Atom[3,6] ein. Parallelreaktionen wie z.B. die >BC-Hydrolyse spielen bei aliphatischen Organoboranen praktisch keine Rolle.

Sämtliche >BC-Bindungen der offenkettigen und cyclischen aliphatischen Organoborane lassen sich durch die Methode praktisch ohne Protodeborylierungen (vgl. S. 255) über Borat-Zwischenstufen in ⋛C–OH-Funktionen überführen[7-9]:

$$>B-R + HOONa \longrightarrow \left\{ Na^+ \left[-\overset{|}{\underset{R}{B}}-OOH \right]^- \right\} \xrightarrow{+H_2O} R-OH + Na^+ \left[-\overset{|}{\underset{OH}{B}}-OH \right]^-$$

R = Alkyl

Die Konfiguration von R bleibt bei der Übertragung vom B- auf das C-Atom vollständig erhalten[10-30]. Die Reaktionen verlaufen daher nicht nur regio- sondern auch stereospezifisch. Chirale Organobor-Reagenzien für die konfigurationserhaltende BC-Oxidation sind z.B. Diisopinocampheylboran[11,23,25,26,28], Dilongifolylboran[24,27], Limonylboran[30] oder Monoisopinocampheyl[29]. Mehrfach borylierte Aliphaten lassen sich mit dem Hydrogenperoxid-Reagenz in die entsprechend mehrfach hydroxylierten Verbindungen wie z.B. in Alkandiole[20] oder -triole umwandeln.

---

[1] R. Blecher, D. Gibbons u. A. Sykes, Mikrochim. Acta Suppl. **40**, 76 (1952).
[2] H.G. Kuivila, Am. Soc. **76**, 870 (1954).
[3] H.G. Kuivila, Am. Soc. **77**, 4014 (1955).
[4] H.G. Kuivila u. A.G. Armour, Am. Soc. **79**, 5659 (1957).
[5] A.G. Davies u. R.B. Moodie, Soc. **1958**, 2372.
[6] H. Minato, J.C. Ware u. T.G. Traylor, Am. Soc. **85**, 3024 (1963).
[7] J.R. Johnson u. M.G. van Campen, Am. Soc. **60**, 121 (1938).
[8] s. ds. Handb., Bd. VI/2, S. 245 (1963).
[9] s. ds. Handb., Bd. VI/1a, Teil 1, S. 494ff. (1979); Bd. VI/1a, Teil 2, S. 1463ff. (1980).
[10] W.J. Wechter, Chem. & Ind. (London) **1959**, 294.
[11] H.C. Brown u. G. Zweifel, Am. Soc. **83**, 486 (1961); **83**, 2544 (1961).
[12] R. Köster u. P. Binger, Tetrahedron Letters **1961**, 156.
[13] G. Zweifel u. H.C. Brown, Am. Soc. **86**, 393 (1964).
[14] H.C. Brown u. R.L. Sharp, Am. Soc. **88**, 5851 (1966).
[15] G. Zweifel u. H. Arzoumanian, Am. Soc. **89**, 291 (1967); Tetrahedron Letters **1966**, 2535.
[16] D.J. Pasto, S.K. Arora u. J. Chow, Tetrahedron **25**, 1571 (1969).
[17] J. Klein u. D. Lichtenberg, J. Org. Chem. **35**, 2654 (1970).
[18] vgl. H.C. Brown, *Boranes in Organic Chemistry*, Cornell Univ. Press, Ithaca 1972.
[19] B.M. Mikhailov, Uspechi Chim. **45**, 1102 (1976); C.A. **85**, 108687 (1976).
[20] s. ds. Handb., Bd. V/1c, S. 879ff (1970); Bd. VI/1a, Teil 1, S. 543 (1979).
[21] E. Negishi u. H.C. Brown, Org. Synth. **61**, 103 (1983); Perhydro-9b-phenalenol.
[22] H.C. Brown u. G. Zweifel, Am. Soc. **83**, 3834 (1961).
[23] G. Zweifel, N.R. Ayyangar, T. Munekata u. H.C. Brown, Am. Soc. **86**, 1076 (1964).
[24] J. Lhomme u. G. Ourisson, Tetrahedron **24**, 3167 (1968).
[25] J.J. Patridge, N.K. Chadha u. M.R. Uskoković, Am. Soc. **95**, 532 (1973); **95**, 7171 (1973).
[26] A. Rüttimann u. H. Mayer, Helv. **63**, 1456 (1980).
[27] P.K. Jadhav u. H.C. Brown, J. Org. Chem. **46**, 2988 (1981).
[28] H.C. Brown, M.C. Desai u. P.K. Jadhav, J. Org. Chem. **47**, 5065 (1982).
[29] H.C. Brown, P.K. Jadhav u. A.K. Mandal, J. Org. Chem. **47**, 5074 (1982).
[30] H.C. Brown u. P.K. Jadhav, Asymmetric Synthesis **2**, 27 (1983).

BC-Protolysen treten vor allem bei der Hydrogenperoxid-Oxidation olefinischer Organoborane (Vinyl-[1], Allyl-[2], Benzyl-[3]-Reste), aber auch bei 1,1-Bis(boryl)alkanen[4] ein (vgl. S. 344). Die Oxidation von Triarylboranen kann durch Biaryl-Bildung (vgl. S. 257) gestört werden[5]. Außer ungesättigten Organoboranen (vgl. S. 338) können auch heteroatomhaltige Organoborane (vgl. S. 343f.) in Hydroxy-Verbindungen übergeführt werden.

Verfahrensmodifikationen der Dihydrogenperoxid-Methoden (z.B. unter N-Basen-Zusatz[6] oder mit Natriumacetat-Puffer[7]) sind für die Oxidation aliphatischer Organoborane i. allg. entbehrlich, spielen aber für ungesättigte Organoborane eine wesentliche Rolle.

Sämtliche Alkyl-Reste der Trialkylborane lassen sich mit Hydrogenperoxid oxidieren. Die erste Alkyl-Gruppe reagiert deutlich rascher als die zweite und diese rascher als die dritte[8]. Die Dihydrogenperoxid-Oxidation cyclischer aliphatischer Triorganoborane führt zu offenkettigen Alkandiolen[9-13] oder -triolen[14,15].

Sterisch stark gehinderte Organoborane müssen vor der Dihydrogenperoxid-Oxidation aufgeschlossen werden. Nach Abspalten des 1,1-Diethylpropyloxy-Rests der Fluor-(1,1-diethylpropyloxy)-(tri-sek.-alkylmethyl)-borane mit Methansulfonsäure lassen sich stark verzweigte Alkyl-Gruppen in Alkohole überführen[16]; z.B.:

$$[H_5C_2(CH_3)CH]_3C-B(F)OC(C_2H_5)_3 \xrightarrow[-HOC(C_2H_5)_3]{+H_3CSO_2OH} \xrightarrow{+HOO^-/HOC_2H_5} [H_5C_2(CH_3)CH]_3C-OH$$

Offenkettige sowie cyclische aliphatische Diorgano-oxy-borane[17,18] und Dioxy-organoborane[19,20] lassen sich mit dem Dihydrogenperoxid-Reagenz ebenfalls glatt in Alkanole überführen. B-Alkyl-Gruppen von Lewisbase-Organoboranen werden mit alkalischem Dihydrogenperoxid ebenfalls zu Alkoholen oxidiert; z.B. von Amin-Alkyl-dihydroboranen[21,22] oder Dimethylsulfan-Alkyl-dihalogen-boranen[23]. In Gegenwart von Dimethylsulfan wird zunächst mit Hilfe wäßrigen Natriumhypochlorits die Schwefelverbindung zum Sulfoxid (oder mit Calciumhypochlorit) oxidiert, um die Organoboran-Oxidation nicht zu stören[24].

---

[1] R. KÖSTER u. P. BINGER, Tetrahedron Letters **1961**, 156.
[2] B.M. MIKHAILOV, Uspechi Chim. **45**, 1102 (1976); C.A. **85**, 108687 (1976).
[3] H.C. BROWN u. R.L. SHARP, Am. Soc. **88**, 5851 (1966).
[4] G. ZWEIFEL u. H. ARZOUMANIAN, Am. Soc. **89**, 291 (1967); Tetrahedron Letters **1966**, 2535.
[5] D.J. PASTO, S.K. ARORA u. J. CHOW, Tetrahedron **25**, 1571 (1969).
[6] H.C. BROWN u. G. ZWEIFEL, Am. Soc. **83**, 3834 (1961).
[7] H.C. BROWN u. S.P. RHODES, Am. Soc. **91**, 4306 (1969).
[8] J.R. JOHNSON u. M.G. VAN CAMPEN, Am. Soc. **60**, 121 (1938).
[9] T.J. LOGAN u. T.J. FLAUTT, Am. Soc. **82**, 3446 (1960).
[10] R. KÖSTER u. G.W. ROTERMUND, Ang. Ch. **72**, 138 (1960).
[11] H.C. BROWN u. G. ZWEIFEL, Am. Soc. **83**, 1241 (1961).
[12] H.C. BROWN, G. ZWEIFEL u. K. NAGASE, Am. Soc. **84**, 190 (1962).
[13] H.C. BROWN, K.J. MURRAY, H. MÜLLER u. G. ZWEIFEL, Am. Soc. **88**, 1443 (1966).
[14] R. KÖSTER u. G.W. ROTERMUND, Ang. Ch. **72**, 563 (1960).
[15] J. Tsuji, H. YASUDA u. T. MANDAI, J. Org. Chem. **43**, 3606 (1978).
[16] H.C. BROWN u. B.A. CARLSON, J. Organometal. Chem. **54**, 61 (1973).
[17] B.M. MIKHAILOV u. K.L. CHERKASOVA, Izv. Akad. SSSR **1971**, 1244; engl.: 1150; C.A. **75**, 76883 (1971).
[18] E. NEGISHI u. T. YOSHIDA, Chem. Commun. **1973**, 606.
[19] J.R. JOHNSON, M.G. VAN CAMPEN u. O. GRUMMITT, Am. Soc. **60**, 111 (1938).
[20] A. PELTER, M.G. HUTCHINGS, K. ROWE u. K. SMITH, Soc. [Perkin I] **1975**, 138.
[21] H.C. BROWN, N.M. YOON u. A.K. MANDAL, J. Organometal. Chem. **135**, C 10 (1977).
[22] S. KAFKA u. M. FERLES, Collect. czech. chem. Commun. **49**, 78 (1984); C.A. **101**, 38319 (1984).
[23] H.C. BROWN u. U.S. RACHERLA, J. Org. Chem. **48**, 1389 (1983).
[24] H.C. BROWN u. A.K. MANDAL, J. Org. Chem. **45**, 916 (1980).

Die Dihydrogenperoxid-Oxidation wird auch in methanolischer Lösung unter Zusatz von Natriummethanolat durchgeführt; z.B. bei Natrium-hydro-organo-boraten[1,2]:

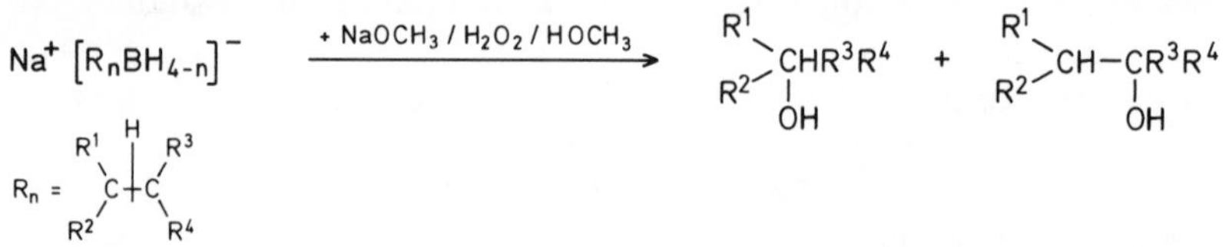

$$Na^+ [R_nBH_{4-n}]^- \xrightarrow{+ NaOCH_3 / H_2O_2 / HOCH_3} R^1R^2C(OH)-CHR^3R^4 + R^1R^2CH-CR^3R^4(OH)$$

$R_n = R^1R^2C-C(H)R^3R^4$

R^{1-4} = H; Alkyl; Aryl

Die Dihydrogenperoxid-Oxidation der in situ erzeugten cyclischen Lithium-oxy-triorgano-borate liefert Alkandiole[3]:

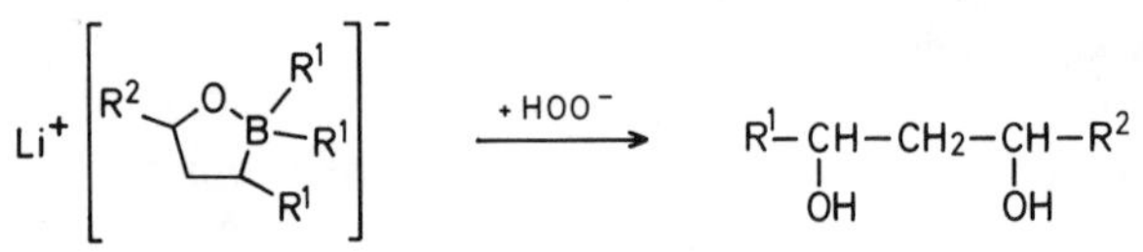

$$Li^+ \left[\text{cyclo-}(R^2CH-O-BR^1_2-CHR^1-CH_2) \right]^- \xrightarrow{+ HOO^-} R^1-CH(OH)-CH_2-CH(OH)-R^2$$

$R^1 = C_2H_5; C_4H_9; CH(CH_3)_2$
$R^2 = H; CH_3; CH(CH_3)_2; C_6H_5; CH{=}CHCH_3$

$\alpha\alpha_4$) mit Natriumperborat

Die Oxidation von BC-Bindungen mit Natriumperborat (5–10% Überschuß) in alkalisch-wäßriger Lösung liefert in Gegenwart von Tetrahydrofuran aus sterisch gehinderten 2-Organo-1,3,2-dioxaborolanen z.B. diastereomere Alkohole[4–6]; z.B.[5]:

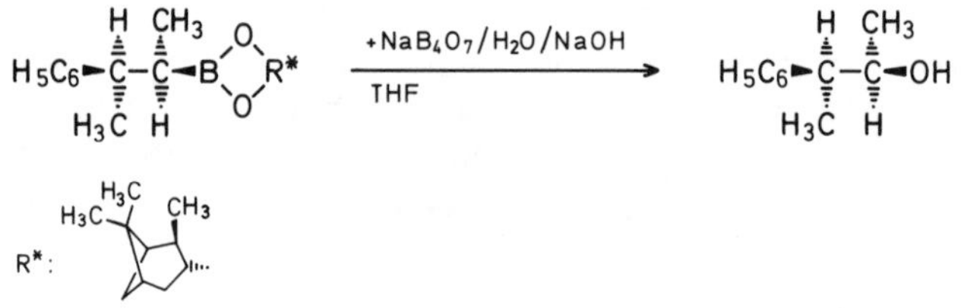

$$H_5C_6-C(H)(CH_3)-C(CH_3)(H)-B(O_2R^*) \xrightarrow[THF]{+ NaB_4O_7 / H_2O / NaOH} H_5C_6-C(H)(CH_3)-C(CH_3)(H)-OH$$

R*: (Pinandiyl-Rest)

$\alpha\alpha_5$) mit Peroxycarbonsäuren

Peroxycarbonsäuren oxidieren sämtliche BC-Bindungen der Trialkylborane[7,8]. Benzopersäure läßt man in Chloroform[7] oder in Chlorbenzol (z.B. zur analytischen BC-Bestimmung[9]) bei ≈20° einwirken. Die Zugabe von Wasser liefert aus einem mol Trialkylboran drei mol Alkohol (vgl. S. 332, 335):

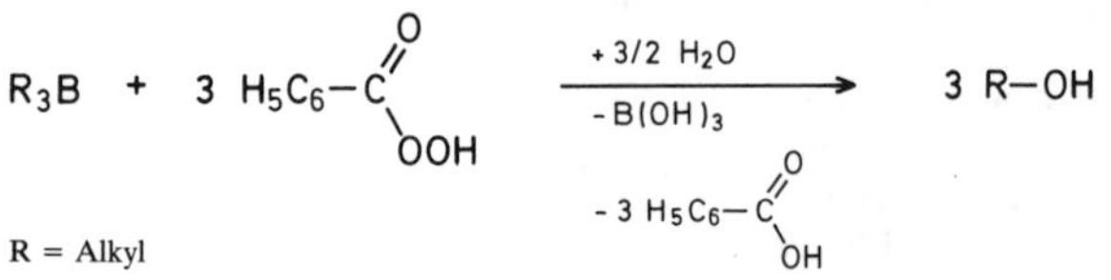

$$R_3B + 3\ H_5C_6-C(=O)OOH \xrightarrow[- B(OH)_3,\ - 3\ H_5C_6-C(=O)OH]{+ 3/2\ H_2O} 3\ R-OH$$

R = Alkyl

---

[1] H.S. Lee, K. Isagawa u. Y. Otsuji, Chem. Letters **1984**, 363.
[2] H.S. Lee, K. Isagawa, H. Toyoda u. Y. Otsuji, Chem. Letters **1984**, 673.
[3] K. Utimoto, K. Uchida u. H. Nozaki, Chem. Letters **1974**, 1493.
[4] D.S. Matteson u. R.J. Moody, J. Org. Chem. **45**, 1091 (1980).
[5] D.S. Matteson u. R. Ray, Am. Soc. **102**, 7590 (1980).
[6] D.S. Matteson u. D. Majumdar, Organometallics **2**, 1529 (1983).
[7] J.R. Johnson u. M.G. van Campen, Am. Soc. **60**, 121 (1938).
[8] R.D. Strahm u. M.F. Hawthorne, Anal. Chem. **32**, 530 (1960).
[9] R. Köster, A. **618**, 31 (1958).

Essigpersäure in Hexan[1,2] sowie Trifluoressigpersäure[3] sind zur vollständigen Oxidation der BC-Bindungen von Alkylboranen geeignet. Aus 1,1-Bis(boryl)alkanen erhält man mit 3-Chlorbenzoepersäure wegen Protolyse einer >BC-Bindung allerdings keine Aldehyde (vgl. S. 344) sondern Alkohole[4,5].

$\alpha\alpha_6$) Mit Alkylperoxyboranen

Alkylperoxybor-Verbindungen eignen sich zur Oxidation von >BC-Bindungen. Man erhält aus Alkylbor-Verbindungen Alkyloxybor-Verbindungen, deren Protolyse Alkohole liefert; z.B. aus Trialkylboranen[6–10]:

$$R^1_3B + R^2OO{-}B\langle \xrightarrow[-R^2O-B\langle]{} \xrightarrow[-R^1_2B-OH]{+H_2O} R^1{-}OH$$

$R^1 = C_4H_9$[11]; $CH(CH_3)C_2H_5$[11]
$R^2 = C_2H_5$[10]; C_4H_9[11]; $CH(CH_3)C_2H_5$[11]

Der radikalische Verlauf der $R_3B/ROO\text{-}BR_2$-Reaktion läßt sich durch die Peroxid-Homolyse erklären[11,12].

$\alpha\alpha_7$) Mit Amin- und Imin-N-oxiden

Die Oxidation von Organobor-Verbindungen mit wasserfreiem Trimethylamin-N-oxid ist zur Umwandlung von Organo-Resten in Alkohole gut geeignet[13,14]. Die breit anwendbare Methode[15] hat den Vorteil, daß die Oxidation durch acidimetrische Titration des freigesetzten Trimethylamins leicht verfolgt werden kann. Außerdem wird die Oxidation durch Protolyse von BC-Bindungen nicht gestört. Dies ist bei Verwendung des Trimethylamin-N-oxid-Bishydrats[15] allerdings nicht der Fall. Dieses Reagenz eignet sich somit nur zur Oxidation aliphatischer Organoborane[16].

Sämtliche BC-Bindungen der Trialkyl- und Tricycloalkyl-borane werden von wasserfreiem Trimethylamin-N-oxid in siedendem Toluol oder Benzol quantitativ zu Triorganooxyboranen oxidiert. Die Protolyse mit Wasser oder Alkohol liefert Alkohole oder Cycloalkanole[13,14]:

$$R_3B + 3\ ON(CH_3)_3 \xrightarrow[-3\ N(CH_3)_3]{\text{Toluol, }110°} (RO)_3B \xrightarrow[-B(OH)_3]{+3\ H_2O} 3\ R{-}OH$$

R = Alkyl; Cycloalkyl

---

[1] P. Heimbach, Dissertation, Technische Hochschule Aachen, 1960.
[2] G. Wilke u. P. Heimbach, A. **652**, 7 (1962).
[3] J.R. Johnson u. M.G. van Campen, Am. Soc. **60**, 121 (1938).
[4] G. Zweifel u. H. Arzoumanian, Am. Soc. **89**, 291 (1967).
[5] s. ds. Handb., Bd. V/2a, S. 701 (1977).
[6] R.C. Petry u. F.H. Verhoek, Am. Soc. **78**, 6416 (1956).
[7] S.B. Mirviss, J. Org. Chem. **32**, 1713 (1967).
[8] P.G. Allies u. P.B. Brindley, Soc. [B] **1969**, 1126.
[9] A.G. Davies, K.U. Ingold, B.P. Roberts u. R. Tudor, Soc. [B] **1971**, 698.
[10] R. Köster u. G. Seidel, Ang. Ch. **96**, 146 (1984); engl.: **23**, 155.
[11] P.B. Brindley, J.C. Hodgson u. M.J. Scotton, Soc. [Perkin II] **1979**, 45.
[12] S.S. Ivanchev u. L.V. Shumnyi, Doklady Akad. SSSR **270**, 1123 (1983); engl.: 198; C.A. **99**, 122987 (1983).
[13] R. Köster u. Y. Morita, Ang. Ch. **78**, 589 (1966); engl.: **5**, 580.
[14] R. Köster u. Y. Morita, A. **704**, 70 (1967).
[15] s. ds. Handb., Bd. VI/1c, S. 146 (Triphenylboran); Bd. XIII/3a, S. 507, 659, 688 (1982) (partielle Oxidationen von Triorganobor-Verbindungen); Bd. XIII/3b, S. 195 (Organobor-Stickstoff-Verb.), S. 442 (1983) (Amin-Triorganoborane).
[16] G.W. Kabalka u. H.C. Hedgecock, J. Org. Chem. **40**, 1776 (1975).

Bei ≈ 20° wird von wasserfreiem Trimethylamin-N-oxid nur ein Teil der Organo-Reste der Trialkylborane oxidiert. Mit Pyridin- bzw. 4-Methylpyridin-N-oxid reagiert in siedendem Toluol nur eine Alkyl-Gruppe der Trialkylborane (vgl. Bd. XIII/3a, S. 508). Die Oxidation verschiedenartiger Alkyl-Reste erfolgt unterschiedlich rasch[1,2]:

sek.-Alkyl > prim.-Alkyl ≥ Methyl

Cyclopropylbor-Verbindungen werden von Trimethylamin-N-oxid glatt oxidiert[3]. Die Konfiguration der Alkyl-Gruppe bleibt bei den N-Oxid-Oxidationen erhalten[4].

Auch Alkyl-Gruppen von Alkyl-hydro-boranen [Alkyldiborane(6)] reagieren mit Trimethylamin-N-oxid[1]. Vor der Oxidation zerstört man jedoch die >BH-Gruppen am besten mit der äquivalenten Menge Alkohol. Die Alkyl-Reste der Alkyl-halogenborane, der Alkyl-oxy-borane bzw. der Alkandiyl-oxy-borane können mit dem N-Oxid ebenfalls leicht oxidiert werden[1].

Auch Alkyl-Gruppen von Alkylbor-Stickstoff-Verbindungen werden mit wasserfreiem Trimethylamin-N-oxid i. allg. quantitativ oxidiert. Teilweise reagieren auch BN-Bindungen. Bei der Protolyse erhält man Alkohole aus den Alkyloxybor-Gruppen.

Die Alkyl-Reste am Bor-Atom von Lewisbase-Alkylboranen werden von wasserfreiem Trimethylamin-N-oxid i. allg. unter Standardbedingungen (110° in Toluol) vollständig oxidiert[1]. Alkalimetall-tetraalkylborate reagieren dagegen mit dem N-Oxid vielfach nicht[1]. Dagegen werden die Alkyl-Reste der Dialkylbis(amin)bor(1+)-Salze von Trimethylamin-N-oxid oxidiert[1]. B-Alkylcarborane verhalten sich gegenüber dem Oxidationsreagenz unterschiedlich[1].

Weitere Angaben über die N-Oxid-Methode findet man bei der Besprechung der Umwandlungen von Organobor-Verbindungen in Phenole und in Carbonyl-Verbindungen (vgl. S. 338, 346).

$\alpha\alpha_8$) mit weiteren Stickstoff-Sauerstoff-Verbindungen

Die Umwandlungen der Triorganoborane mit Organo-nitroso-[5] oder -nitro-Verbindungen sowie mit Stickstoffoxiden[6-8] haben für die Oxydeborylierung der Organobor-Verbindungen keine oder allenfalls nur wenig präparative Bedeutung. Vielfach treten auch Aminodeborylierungen (vgl. S. 355f.) ein.

$\alpha\alpha_9$) mit Phenyljodosoacetat

Zwei Alkyl-Reste der Tri-prim.-alkylborane reagieren mit Phenyljodosodiacetat in Benzol unter Bildung von Essigsäure-prim.-alkylestern[9]:

$$R_3B + 2\,H_5C_6J(OCOCH_3)_2 \xrightarrow[-R-B(OCOCH_3)_2]{\text{Benzol, } 55°,\ 8\text{Stdn.}} 2\,ROCOCH_3 + 2\,H_5C_6J$$

$R = C_6H_{13};\ C_8H_{17};\ C_6H_{11}$

---

[1] R. Köster u. Y. Morita, A. **704**, 70 (1967).
[2] R. Köster u. K.-L. Amen, Mülheim a. d. Ruhr, unveröffentlicht 1969.
vgl. K.-L. Amen, Dissertation, Universität Bochum, 1970.
[3] R. Köster, S. Arora u. P. Binger, Ang. Ch. **81**, 185 (1969); engl.: **8**, 205.
vgl. S. Arora, Dissertation, Universität Bochum, 1971.
[4] A.G. Davies u. B.P. Roberts, Soc. [C] **1968**, 1474.
[5] Z. Yoshida, T. Ogushi, O. Manabe u. H. Hiyamra, Tetrahedron Letters **1965**, 753.
[6] M. Inatome u. L.P. Kuhn, Advan. Chem. Ser. **42**, 183 (1964).
[7] S.J. Brois, Tetrahedron Letters **1964**, 345.
[8] M.H. Abraham, J.H.N. Garland, J.A. Hill u. L.F. Larkworthy, Chem. & Ind. **1962**, 1615.
[9] Y. Masuda u. A. Arase, Bl. chem. Soc. Japan **51**, 901 (1978).

$\alpha\alpha_{10}$) mit Metall-Verbindungen hoher Oxidationsstufen

Zwei Alkyl-Reste der Trialkylborane werden von Blei(IV)-acetat in Alkyl-Gruppen der Essigsäurealkylester umgewandelt[1,2]:

$$R_3B \quad + \quad 2\,Pb(OCOCH_3)_4 \xrightarrow[-RB(OCOCH_3)_2]{\text{Benzol, } 55°,\ 24\ \text{Stdn.}} 2\,R{-}OCOCH_3 \quad + \quad 2\,Pb(OCOCH_3)_2$$

$R = C_6H_{13}, C_8H_{17}; CH(CH_3)C_2H_5, C_6H_{11}, C_8H_{15},$

Die Oxidation von Trialkylboranen mit der doppelten Menge Peroxomolybdän-Komplex ($MoO_5 \cdot HMPT$) in Chlorbenzol bei 0°–20° liefert nach Zugabe von 25%iger Natronlauge und Extraktion mit Diethylether ≈ 75% der Alkyl-Reste als Alkanole[3]:

$$R_3B \xrightarrow{+2\,MoO_5 \cdot HMPT,\ 20°/2\ \text{Stdn.}/\text{Chlorbenzol}} \xrightarrow{+NaOH/H_2O} 3\ R{-}OH$$

R: C_4H_9, C_6H_{13}, C_8H_{17}, $CH_2CH(CH_3)_2$
C_8H_{17} – Gemisch verschiedener Isomere

Die Einwirkung von Chrom(VI)-Verbindungen auf tert.-Butyl-dihydroxy-boran in schwachsaurer, wäßriger Lösung (pH ≈ 5) führt zu *tert.-Butanol*[4,5]:

$$(H_3C)_3C{-}B(OH)_2 \quad + \quad 1/3\ Cr^{6+} \quad + \quad H_2O \xrightarrow[-B(OH)_3,\ -1/3\ Cr^{3+}]{} (H_3C)_3C{-}OH$$

Bei $P_H < 5$ bilden sich verstärkt Ketone[4,5].

α_2) *Aromatische Hydroxy-Verbindungen*[6]

Oxidations-Reagenzien zur Umwandlung von Organobor-Verbindungen in phenolische Verbindungen sind außer alkalischen Dihydrogenperoxid-Lösungen vor allem Amin-N-oxide sowie Oxide von Metallen hoher Oxidationszahl. Die Autoxidation spielt zur Umwandlung von Arylbor-Gruppen in Phenole wegen Biaryl-Bildung (vgl. S. 257) präparativ keine Rolle[7].

$\alpha\alpha_1$) mit alkalisch-wäßrigem Dihydrogenperoxid

Während die Oxidation von Aryl-dihydroxy-boranen mit neutralem, wäßrigem Dihydrogenperoxid wegen Arenbildung unter Protodeborylierung nur bedingt zur Gewinnung phenolischer Verbindungen verwendet werden kann[8–12], lassen sich mit alkalisch-wäßrigem Dihydrogenperoxid aus Monoarylbor-Verbindungen (z.B. Aryl-dihydroxy-boranen)

---

1 Y. Masuda u. A. Arase, Bl. chem. Soc. Japan **51**, 901 (1978).
2 s. ds. Handb., Bd. XIII/3a, S. 782 (1982).
3 G. Schmidt u. B. Olbertz, J. Organometal. Chem. **152**, 271 (1978).
4 H.C. Brown u. C.P. Garg, Am. Soc. **83**, 2951 (1961).
5 J.C. Ware u. T.G. Traylor, Am. Soc. **85**, 3026 (1963).
6 s. ds. Handb., Bd. VI/1c, S. 145 (1976).
7 S.B. Mirviss, J. Org. Chem. **32**, 1713 (1967).
8 H.G. Kuivila, Am. Soc. **76**, 870 (1954).
9 H.G. Kuivila u. R.A. Wiles, Am. Soc. **77**, 4830 (1955).
10 H.G. Kuivila u. A.G. Armour, Am. Soc. **79**, 5659 (1957).
11 R.L. Letsinger u. I.H. Skoog, Am. Soc. **77**, 5176 (1955).
12 M.F. Hawthorne, J. Org. Chem. **22**, 1001 (1957).

Phenole präparativ gewinnen[1-3]. Triphenylboran wird auch von alkalischem Dihydrogenperoxid nicht übersichtlich oxidiert[4].

$\alpha\alpha_2$) mit Amin-N-oxiden

Die Oxidation von Arylbor-Verbindungen in protonenfreien Medien verläuft mit wasserfreiem Trimethylamin-N-oxid in siedendem Toluol glatt und quantitativ. Aus Triarylboranen sind Triaryloxyborane zu erhalten, die mit Alkoholen leicht in Phenole übergeführt werden können[5-7]:

$$Ar_3B + 3\,ON(CH_3)_3 \xrightarrow[-3\,N(CH_3)_3]{\text{Toluol, 110°}} (ArO)_3B \xrightarrow{+3\,HOR} 3\,ArOH$$

Ar = Aryl

B-Aryl-Reste lassen sich deutlich schwerer oxydeborylieren als B-Alkyl-Reste (vgl. Bd. XIII/3a, S. 660)[8].

$\alpha\alpha_3$) mit Kupfer(II)-acetat

Dihydroxy-phenyl-boran läßt sich mit Kupfer(II)-acetat in wäßriger Lösung zum *Phenol* oxidieren[9]:

$$H_5C_6{-}B(OH)_2 + Cu(OCOCH_3)_2 \xrightarrow[-B(OH)_3]{H_2O} H_5C_6{-}OH + 1/2\ Cu_2(OCOCH_3)_2$$

α_3) *Ungesättigte Hydroxy-Verbindungen*

Olefinische bzw. acetylenische Alkohole sind i. allg. durch Dihydrogenperoxid-Oxidation (vgl. S. 331f.) ungesättigter Organobor-Verbindungen zugänglich. Die aus subst.-Vinylboranen entstehenden Carbonyl-Verbindungen werden auf S. 343 bzw. 345 besprochen.

Offenkettige[10] und cyclische[11,12] olefinische Triorganoborane reagieren mit alkalisch-wäßrigem Dihydrogenperoxid gleichermaßen; z.B.[10]:

$$R^1_2B{-}CH(CH_3){-}CH{=}CHR^2 \xrightarrow{+3\,HOO^-} H_3C{-}CH(OH){-}CH{=}CHR^2 + 2\,R^1{-}OH$$

$R^1 = CH(CH_3)CH(CH_3)_2$
$R^2 = C_5H_{11}$

Aus Tri-2-alkenylboranen erhält man die dreifache Menge 2-Alkenol. Zur Vermeidung von Protodeborylierung gibt man ein Amin (z.B. Triethylamin) zu[13]:

$$B(CH_2CH{=}CHCH_3)_3 \xrightarrow{+3\,HOO^-} 3\,HOCH_2CH{=}CHCH_3$$

---

[1] M.F. Hawthorne, J. Org. Chem. **22**, 1001 (1957).
[2] R.L. Letsinger, J.M. Smith, J. Gilpin u. D.B. McLean, J. Org. Chem. **30**, 807 (1964).
[3] s. ds. Handb., Bd. VI/1c, S. 145f. (1976).
[4] V.A. Shushunov, V.P. Maslennikov, G.I. Makin u. A.V. Gorbunov, Ž. obšč. Chim. **42**, 1577 (1972).
[5] R. Köster u. Y. Morita, Ang. Ch. **78**, 589 (1966); engl.: **5**, 580.
[6] R. Köster u. Y. Morita, A. **704**, 70 (1967).
[7] DBP 1294964 (1966/1969) ≡ US.P. 3558633, Studiengesellschaft Kohle m.b.H., Erf.: R. Köster; C.A. **71**, 39139 (1969).
[8] R. Köster u. K.-L. Amen, Mülheim a.d. Ruhr, unveröffentlicht 1969.
vgl. K.-L. Amen, Dissertation, Universität Bochum, 1970.
[9] Z. Holzbecher, Chem. Listy **46**, 17 (1952); C.A. **46**, 10998 (1952).
[10] R. Kow u. M.W. Rathke, Am. Soc. **95**, 2715 (1973).
[11] M.E. Gurskii, S.V. Baranin, A.S. Shashkov, A.I. Lutsenko u. B.M. Mikhailov, J. Organometal. Chem. **246**, 129 (1983).
[12] M.E. Gurskii, S.V. Baranin, A.I. Lutsenko u. B.M. Mikhailov, J. Organometal. Chem. **270**, 17 (1984).
[13] B.M. Mikhailov u. V.F. Pozdnev, Izv. Akad. SSSR **1967**, 1477; engl.: 1428; C.A. **68**, 29743 (1967).

Cycloalkendiole sind mit dem Dihydrogenperoxid-Reagenz auf analoge Weise zugänglich[1]:

H_5C_3–B(bicyclo)–C_4H_9 + 3 HOO^- ⟶ $HOCH_2$/C_4H_9/CH_2OH-cyclohexen + $H_2C{=}CHCH_2{-}OH$

Auch cyclische Diorgano-oxy-borane mit C=C-Bindungen (vgl. S. 289) reagieren unter Bildung von Alkendiolen[2]:

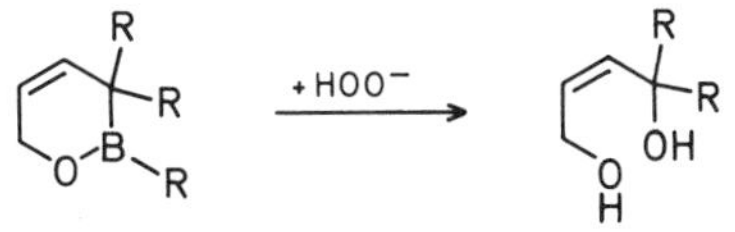

R = C_2H_5, C_3H_7, C_5H_{11}, C_6H_{13}

Die alkalische Dihydrogenperoxid-Oxidation von Dioxy-organo-boranen liefert ebenfalls Alkenole, z.B.: *1-Allyl-2-hydroxy-1-methyl-cyclopropan*[3]:

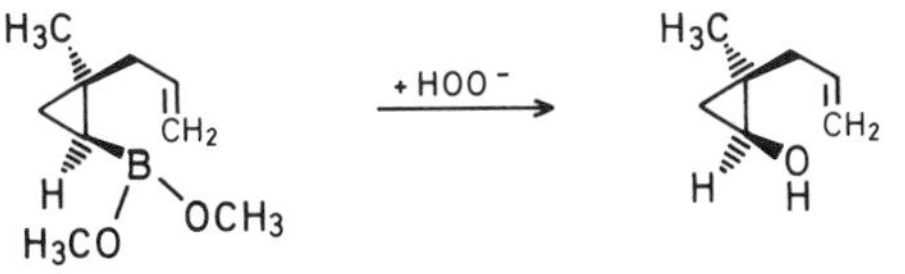

Aus ungesättigten Triorganoboranen erhält man die entsprechenden ungesättigten Alkohole; z.B. 2-Alkyl-4-allyl-5-hydroxy-1-pentene[4]:

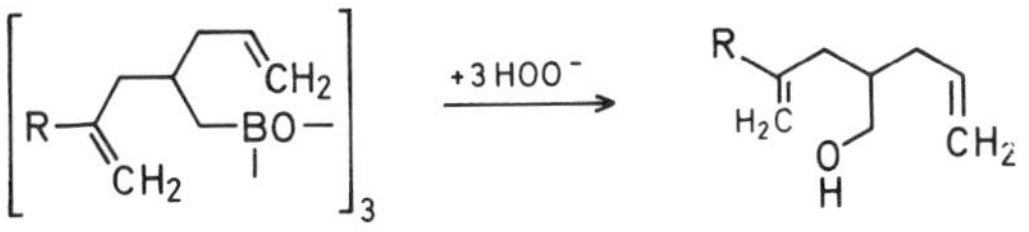

R = CH_3

Die alkalische Dihydrogenperoxid-Oxidation führt auch in Gegenwart borferner C≡C-Bindungen in hohen Ausbeuten zu Alkinolen[5,6]:

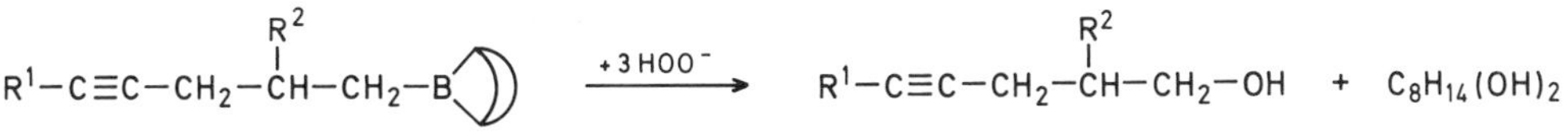

$$R^1{-}C{\equiv}C{-}CH_2{-}CH(R^2){-}CH_2{-}B\text{(9-BBN)} \xrightarrow{+3\,HOO^-} R^1{-}C{\equiv}C{-}CH_2{-}CH(R^2){-}CH_2{-}OH + C_8H_{14}(OH)_2$$

R^1 = C_3H_7, C_6H_{13}; C_6H_5
R^2 = H; CH_3

---

[1] Yu. N. Bubnov, S.I. Frolov, V.G. Kiselev u. B.M. Mikhailov, Ž. obšč. Chim. **40**, 1316 (1970); C.A. **74**, 53884 (1971).
[2] A. Suzuki, N. Miyaura u. M. Itoh, Tetrahedron **27**, 2775 (1971).
[3] Yu. N. Bubnov, O.A. Nesmeyanova, T. Yu. Budashevskaya, B.M. Mikhailov u. B.A. Kazansky, Tetrahedron Letters **1971**, 2153.
[4] S.I. Frolov, Yu. N. Bubnov u. B.M. Mikhailov, Izv. Akad. SSSR **1969**, 1996; engl.: 1846.
[5] C.A. Brown u. R.A. Coleman, J. Org. Chem. **44**, 2328 (1979).
[6] M.M. Midland, A. Tramontano, A. Kazubski, R.S. Graham, D.J.S. Tsai u. D.B. Cardin, Tetrahedron **40**, 1371 (1984).

α_4) *Heteroatomhaltige C-Hydroxy-Verbindungen*

Zahlreiche Organobor-Verbindungen mit Heteroatomen im Organo-Rest lassen sich mit alkalischem Dihydrogenperoxid in die entsprechend substituierten Alkohole bzw. Alkenole umwandeln.

Definiert deuterierte Alkohole sind mit der Methode zugänglich[1,2]; z.B.:

$$(H_3C)_3C(H)C{=}C(H)D \xrightarrow{+(H_3C)_2\overset{\oplus}{S}-\overset{\ominus}{B}D_3} \xrightarrow{+HOO^-} \text{C(CH}_3)_3\text{, H, D / D, H, OH}$$

(*E*)-Alken — *erythro-*

An der C = C-Bindung gebundes Jod wird bei der Umwandlung mit alkalisch-wäßrigem Dihydrogenperoxid nicht abgespalten[3,4]. Man erhält z.B. *2-(6-Jod-1,3,5-cycloheptatrienyl)-ethanol* (78%)[3]:

$$\text{J-C}_7\text{H}_5\text{-CH}_2\text{CH}_2\text{-B(9-BBN)} \xrightarrow[-C_8H_{14}(OH)_2]{+3\,HOO^-} \text{J-C}_7\text{H}_5\text{-CH}_2\text{CH}_2\text{-OH}$$

Die hydroxydeborylierenden Umwandlungen von Organobor-Verbindungen, die silylgeschützte[5,6] Hydroxy-Gruppen[7], acetalische Funktionen[8], Carbonyl-Gruppen[9,10] oder Carbonsäureester-Gruppen[11,12] enthalten, lassen sich mit alkalischem Dihydrogenperoxid i. allg. komplikationslos durchführen. Auch Sulfon-Gruppen im organischen Rest werden bei der Oxidation der Organobor-Funktion mit alkalischem Dihydrogenperoxid nicht angegriffen; z.B.[13]:

$$\text{(9-BBN)B-CH(R)CH}_2\text{CH}_2\text{SO}_2\text{Ar} \xrightarrow[-C_8H_{14}(OH)_2]{+3\,HOO^-} \text{ArSO}_2\text{CH}_2\text{CH}_2\text{CH(R)-OH}$$

Ar = C_6H_5, 4-$CH_3C_6H_4$, 4-$OCH_3C_6H_4$
R = H; CH_3

---

[1] G.W. Kabalka u. N.S. Bowman, J. Org. Chem. **38**, 1607 (1973).
[2] D.E. Bergbreiter u. D.P. Rainville, J. Org. Chem. **41**, 3031 (1976).
[3] R. Okazaki, M. O-Oka, N. Tokitoh, Y. Shishido, T. Hasegawa u. N. Inamoto, Phosphorus Sulfur **16**, 161 (1983).
[4] B.M. Mikhailov u. L.I. Lavrinovich, J. Organometal. Chem. **264**, 289 (1984); *4-Hydroxymethyl-1-jod-1,6-heptadien*.
[5] B.M. Mikhailov, T.K. Baryshnikova, V.G. Kiselev u. A.S. Shashkov, Izv. Akad. SSSR **1979**, 2544; engl.: 2361; C.A. **93**, 8231 (1980).
[6] G.L. Larson u. J.A. Prieto, Tetrahedron **39**, 855 (1983).
[7] s. ds. Handb., Bd. VI/1a, S. 530 (1979).
[8] B.M. Mikhailov, Yu. N. Bubnov, S.A. Korobeinikova u. V.S. Bogdanov, Ž. obšč. Chim. **40**, 1321 (1970); C.A. **74**, 53888 (1971).
[9] D.J. Pasto, S.K. Arora u. J. Chow, Tetrahedron **25**, 1571 (1969).
[10] s. ds. Handb., Bd. VI/1a, S. 541 (1979).
[11] E. Negishi u. T. Yoshida, Am. Soc. **95**, 6837 (1973).
[12] s. ds. Handb. Bd. VI/1a, S. 543 (1979).
[13] R. Moreau u. Y. Adam, C. r. **287** [C], 39 (1978).

Die alkalische Dihydrogenperoxid-Oxidation N-haltiger Organoborane[1] liefert z.B. glatt α-Aminocycloalkanole[2,3]:

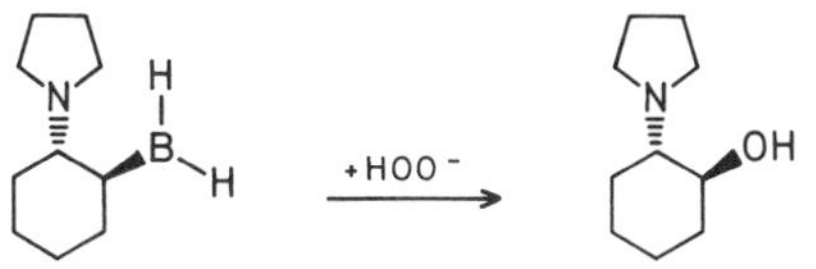

$\xrightarrow{+HOO^-}$

Ammoniumalkyl-dihydroxy-boran(1+)-chloride reagieren (vgl. Bd. XIII/3b, S. 417ff.) mit Dihydrogenperoxid unter Bildung von Aminoalkoholen[4]; z.B. *3-Dimethylamino-propanol* (68%):

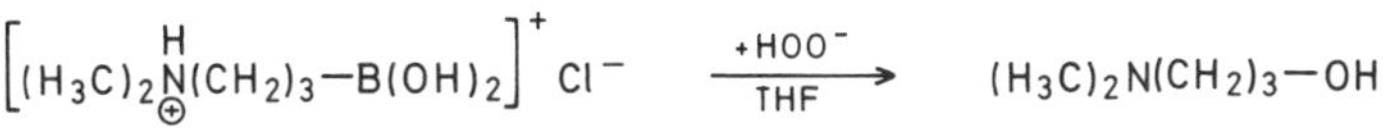

$$\left[(H_3C)_2\overset{H}{\underset{\oplus}{N}}(CH_2)_3{-}B(OH)_2\right]^+ Cl^- \xrightarrow[THF]{+HOO^-} (H_3C)_2N(CH_2)_3{-}OH$$

Aus Lewisbase-Organo-boranen sind nach Vorbehandeln in acetonischem Hydrogenchlorid durch Hydroperoxid-Oxidation in Tetrahydrofuran Aminoalkohole zugänglich[5-7]:

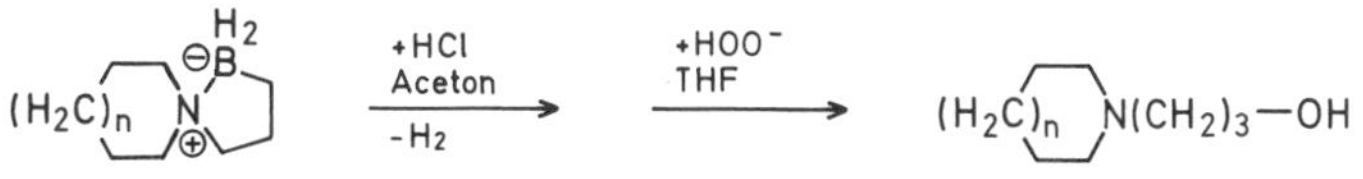

$$\xrightarrow[-H_2]{+HCl,\ Aceton} \xrightarrow{+HOO^-,\ THF} (H_2C)_n\ N(CH_2)_3{-}OH$$

n = 0-2 (36–82%)

Siliciumhaltige Alkanole[8] und Alkandiole[9] sind durch Umwandlung der bororganischen Verbindungen mit alkalischem Dihydrogenperoxid gut zu gewinnen; z.B.[9]:

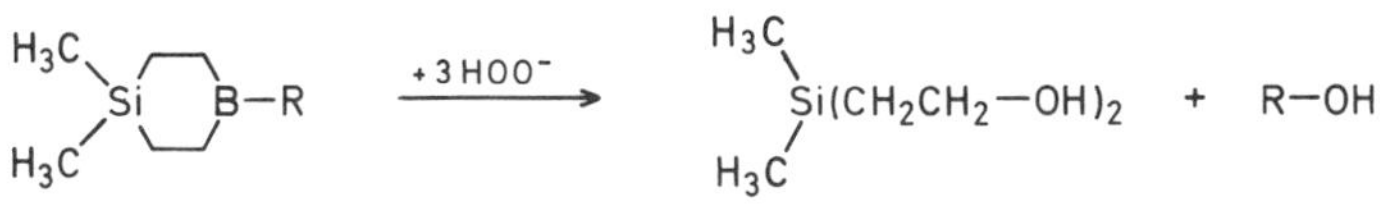

$$\xrightarrow{+3\,HOO^-} (H_3C)_2Si(CH_2CH_2{-}OH)_2 + R{-}OH$$

$R = C(CH_3)_2CH(CH_3)_2$

C-Trimethylsilylierte 1,2-Alkadienole lassen sich mit alkalischem Dihydrogenperoxid aus den Additionsprodukten von 9-(3-Trimethylsilyl-2-propinyl)-9-borabicyclo [3.3.1]nonan an Aldehyde (vgl. XIII/3a, S. 299) herstellen[10]:

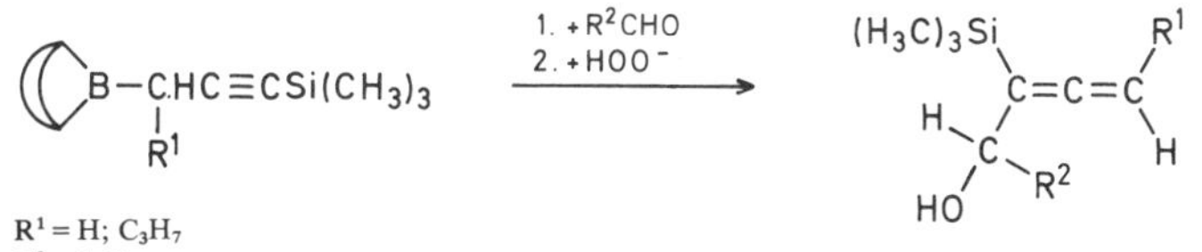

$$B{-}\underset{R^1}{CH}C{\equiv}CSi(CH_3)_3 \xrightarrow{1.\ +R^2CHO;\ 2.\ +HOO^-} (H_3C)_3Si(HO{-}CHR^2)C{=}C{=}C(R^1)H$$

$R^1 = H; C_3H_7$
$R^2 = C_5H_{11}$

---

[1] s. ds. Handb., Bd. VI/1a, S. 529 (1979).
[2] J.-J. BARIEUX u. J. GORE, Bl. **1971**, 1649.
[3] J.-J. BARIEUX u. J. GORE, Bl. **1971**, 3978.
[4] Z. POLÍVKA u. M. FERLES, Collect. czech. chem. Commun. **34**, 3009 (1969).
[5] M. FERLES u. S. KAFKA, Collect. czech. chem. Commun. **47**, 2150 (1982).
[6] M. FERLES u. S. KAFKA, Collect. czech. chem. Commun. **48**, 1068 (1983).
[7] S. KAFKA u. M. FERLES, Collect. czech. chem. Commun. **49**, 78 (1984).
[8] J.A. SODERQUIST u. A. HASSNER, J. Organometal. Chem. **156**, C 12 (1978).
[9] J.A. SODERQUIST u. A. HASSNER, J. Org. Chem. **48**, 1801 (1983).
[10] K.K. WANG, S.S. NIKAM u. C.D. HO, J. Org. Chem. **48**, 5376 (1983).

β) Alkyl-organo- und Diorgano-ether

Diorganoether stellt man aus Organobor-Verbindungen elektrochemisch in Gegenwart nucleophiler Reagenzien her.

β_1) *mit elektrischem Strom*

Die elektrochemische Oxidation der Trialkylborane wird mit Natriumperchlorat in Methanol bei Gegenwart von Natriummethanolat an Graphit-Elektroden durchgeführt. In hohen Ausbeuten (80–100%) erhält man Alkyl-methyl-ether und Bialkyle[1]:

$$R_3B + H_3COH \xrightarrow{+e\,/\,NaOCH_3} R{-}OCH_3 \;;\; R{-}R$$

$R = C_4H_9, C_5H_{11}, C_6H_{13}, C_7H_{15}; C_5H_9, C_6H_{11}$

In Gegenwart von Natriumacetat in Essigsäure bilden sich Essigsäurealkylester in Ausbeuten von ≈40–70%[1]. Die anodische Oxidation der Natrium-Verbindungen des Dihydroxy-methyl-borans in wäßriger Lösung liefert *Ethan* (vgl. S. 255) und *Methanol* (vgl. S. 328)[2].

β_2) *mit Brom/Dihydrogenperoxid*

Man kann aus ganz bestimmten cyclischen aliphatischen Triorganoboranen auch auf einem anderen Weg cyclische Dialkylether erhalten. Aus 2-Isopropyl-2-boraadamantan wird mit Brom in Dichlormethan (vgl. S. 318) im Tageslicht ein 3-Brom-7-[brom-(2-propyl)-boryl]bicyclo[3.3.1]nonan gebildet, dessen alkalische Oxidation *2-Oxaadamantan* liefert[3]:

B–CH(CH3)2 (2-Isopropyl-2-boraadamantan) $\xrightarrow[\text{NORMAL-Licht}]{+Br_2/CH_2Cl_2}$ Br–(bicyclo[3.3.1]nonan)–B(Br)–CH(CH3)2

$\xrightarrow{+HOO^-}$ Br–(bicyclo[3.3.1]nonan)–OH ; 2-Oxaadamantan (O)

γ) Organo-Carbonyl-Verbindungen

Die Umwandlungen der Organobor-Verbindungen in Aldehyde erfolgen durch Oxidation mit Halogenen und deren Additions-Verbindungen, mit Peroxy-Verbindungen oder mit bestimmten Metalloxiden. Ketone, Ketonalkohole sowie Alkenyl- und Alkinyl-ketone erhält man aus ungesättigten Organobor-Verbindungen mit alkoholischem Dihydrogenperoxid oder mit Amin-N-oxiden. Aliphatische Organobor-Verbindungen lassen sich mit Oxiden von Metallen hoher Oxidationsstufe in Ketone, Diketone und Triketone umwandeln.

---

[1] T. Taguchi, Y. Takahashi, M. Itoh u. A. Suzuki, Chem. Letters **1974**, 1021.

[2] A. A. Humffray u. L. F. G. Williams, Electrochimica Acta 17, 1157 (1972); C. A. **77**, 42366 (1972).

[3] B. M. Mikhailov, T. A. Shchegoleva, E. M. Shashkova u. V. G. Kiselev, J. Organometal. Chem. **250**, 23 (1983).

γ_1) *Organo-Acetal-Verbindungen*

α-Bromacetale lassen sich mit Brom/Natriummethylat in Methanol aus 1-Alkenyl-dihydroxy-boranen bei tiefer Temperatur (–78°) in Ausbeuten bis ≈90% gewinnen[1]:

$$\begin{matrix} R & & H \\ & C{=}C & \\ H & & B(OH)_2 \end{matrix} \xrightarrow[\substack{-3\,NaBr \\ -H_3COB(OH)_2}]{\substack{+2\,Br_2/+3\,NaOCH_3 \\ +H_3COH,\,-78°}} \begin{matrix} R \\ CH{-}CH(OCH_3)_2 \\ Br \end{matrix}$$

$R = C_4H_9,\ C_6H_{13};\ C_6H_{11};\ C(CH_3)_3;\ CHClC_2H_5$

Dimethylacetale erhält man mit N-Chlorsuccinimid (ClNS) in Methanol unter Triethylamin-Zusatz aus 1-Phenylthioalkyl-1,3,2-dioxaborolanen[1]. Zwischenprodukte sind O-Methyl-S-phenyl-acetale[1,2].

$$\text{(Pinakol-dioxaborolanyl)}B{-}CH(R){-}SC_6H_5 \xrightarrow{\substack{+ClNS \\ +H_3COH,\,(H_5C_2)_3N}} H_3CO{-}CH(R){-}SC_6H_5 \xrightarrow{+ClNS} H_3CO{-}CH(R){-}OCH_3$$

$R = C_2H_5$[1], $CH_2CH_2C_6H_5$[2]; $CH_2CH{=}CH_2$[2]

Auch aus 9-(1-Phenylthio-alkyl)-9-borabicyclo[3.3.1]nonanen lassen sich mit N-Chlorsuccinimid in Methanol unter Triethylamin-Zusatz O-Methyl-S-phenyl-acetale gewinnen[1]:

$$\text{(9-BBN)}B{-}CH(R){-}SC_6H_5 \xrightarrow{+ClNS/+H_3COH,\,N(C_2H_5)_3} H_3CO{-}CH(R){-}SC_6H_5$$

$R = C_5H_9$

γ_2) *Organo-Aldehyd-Verbindungen*

$\gamma\gamma_1$) mit alkalisch-wäßrigem Dihydrogenperoxid

Die Umwandlung von Organo-vinyl-boranen mit alkalisch-wäßrigem Dihydrogenperoxid liefert Aldehyde bzw. Ketone (vgl. S. 345)[3–10]:

$$>B{-}CH{=}CHR \ + \ NaOOH \xrightarrow[-\ >BONa]{} R{-}CH_2{-}CHO$$

$R = \text{Alkyl};\ C_6H_{11}$

Triorganoborane mit Organovinyl-Rest werden vom alkalisch-wäßrigen Dihydrogenperoxid i. allg. am 1-Alkenyl-Rest oxidiert; z.B.[4]:

---

[1] A. Mendoza u. D.S. Matteson, J. Organometal. Chem. **156**, 149 (1978).
[2] A. Mendoza u. D.S. Matteson, Chem. Commun. **1978**, 357.
[3] H.C. Brown u. G. Zweifel, Am. Soc. **83**, 3834 (1961).
[4] H. Kretschmar u. W.F. Erman, Tetrahedron Letters **1970**, 41.
[5] H.C. Brown, A.B. Levy u. M.M. Midland, Am. Soc. **97**, 5017 (1975).
[6] H.C. Brown u. M.M. Midland, J. Org. Chem. **40**, 2845 (1975).
[7] s. ds. Handb., Bd. IV/1a, S. 240 (1981); Bd. E 3, S. 416f. (1983).
[8] M.V. Garad, A. Pelter, B. Singaram u. J.W. Wilson, Tetrahedron Letters **1983**, 637.
[9] A. Pelter, S. Singaram u. H.C. Brown, Tetrahedron Letters **1983**, 1433.
[10] A. Pelter, B. Singaram, L. Williams u. J. W. Wilson, Tetrahedron Letters **1983**, 623, 627 u. 631.

$$\text{(Bicyclus)}-CH=CH-B(C_5H_{11})_2 \xrightarrow{+HOO^-} \text{(Bicyclus)}-CH_2-CH_2-CHO$$

2-(2-Phenylvinyl)-1,3,2-dioxaborolan wird mit Dihydrogenperoxid in Gegenwart von Eisen(II)-Salz (Fenton's Reagenz) radikalisch zu *Phenylacetaldehyd* und *Benzophenon* oxidiert[1]:

$$\text{(Dioxaborolan)}B-CH=CHC_6H_5 \xrightarrow{+HOO^-/Fe^{2+}} H_5C_6CH_2CHO \;+\; H_5C_6C(=O)CH_3$$

Bei der alkalischen Dihydrogenperoxid-Oxidation von 1,1-Diborylalkanen bilden sich z.T. Aldehyde[1,2]:

$$RCH_2CH(B\langle)_2 \xrightarrow{+HOO^-} RCH_2CHO$$

Aus Alkadienylboranen sind mit Natrium-hydrogenperoxid Alkenale zugänglich[3,4]:

$$H_2C=CHCH_2C(R)=CH-B(OCH_3)_2 \xrightarrow{+HOO^-} H_2C=CHCH_2CH(R)CHO$$

$\gamma\gamma_2$) mit Natriumperboraten

Zur Überführung von 2-Organovinylbor[5]- oder von 1-Amino-2-phenyl-ethylbor[6]-Verbindungen in Organomethylaldehyde verwendet man auch „Natriumperborate" wie z.B. $NaBO_2 \cdot 3H_2O/H_2O_2$ sowie $Na_2B_4O_7 \cdot 10\,H_2O/H_2O_2$ (30%ig)[5,6]. Man gewinnt Aldehyde aus 2-(1-Alkenyl)-1,3,2-dioxaborolanen mit Natriumperborat[5]:

$$\text{(Dioxaborolan)}B-CH=CR^1R^2 \xrightarrow{+NaBO_2 \cdot H_2O_2 \cdot 3H_2O} R^1R^2CHCHO$$

$R^1 = H; CH_3$
$R^2 = C_4H_9, C_7H_{15}, C_8H_{17}; CH_2CH_2CH=CH_2; C_6H_5$

---

[1] D.J. Pasto, S.K. Arora u. J. Chow, Tetrahedron **25**, 1571 (1969).
[2] D.J. Pasto, Am. Soc. **86**, 3039 (1964).
[3] Yu. N. Bubnov, S.I. Frolov, V.G. Kiselev, V.S. Bogdanov u. B.M. Mikhailov, Organometal. i. Chem. Synth. **1**, 37 (1970).
[4] S.I. Frolov, Yu. N. Bubnov u. B.M. Mikhailov, Izv. Akad. SSSR **1969**, 1996; engl.: 1846; C.A. **72**, 21731 (1970).
[5] D.S. Matteson u. R.J. Moody, J. Org. Chem. **45**, 1091 (1980).
[6] D.S. Matteson u. K.M. Sadhu, Organometallics **3**, 614 (1984).

$\gamma\gamma_3$) mit Pyridinium-chlorchromat

Aus Trialkylboranen erhält man mit Pyridinium-chlorchromat[1] in siedendem Dichlormethan unter Oxidation einer Alkyl-Gruppe nach Aufarbeiten Alkanal in ≈70%iger Ausbeute; z.B.[2,3]:

$$B(C_8H_{17})_3 \xrightarrow{+PyHCl \cdot CrO_3} H_{15}C_7CHO$$

γ_3) *Organo-Keton-Verbindungen*

Ketone erhält man durch Oxidation der 1-Alkenylborane mit alkalisch-wäßrigem Dihydrogenperoxid, mit Trimethylamin-N-oxid oder mit Chrom(VI)-Verbindungen.

$\gamma\gamma_1$) mit alkalisch-wäßrigem Dihydrogenperoxid

1-Organovinyl- sowie 1,2-Diorganovinyl-Gruppen am Bor-Atom werden von alkalischem Dihydrogenperoxid in Ketone umgewandelt[4-19]:

$$>B-C(R^1)=CH-R^2 \xrightarrow[\left[>B(OH)_2\right]^-]{+HOO^-/H_2O} R^1-CO-CH_2R^2$$

$R^1 = H; CH_3, CH_2CH(CH_3)_2; C_6H_{11}$
$R^2 = CH_3; C(CH_3)_3$

Man kann von Triorganoboranen wie z.B. von 1-Alkenyl-dialkyl-boranen[4-8] ausgehen. Auch 1-Alkenyl-dichlor-borane[9] oder 1-Alkenylborane mit Fremdfunktion im Alkenyl-Rest lassen sich mit Dihydrogenperoxid in Ketone mit Alkenyl-Gruppe[4,19] mit Alkinyl-Gruppe[11,12,13], Ether-Gruppierung[14,15], Acetyl-Gruppen[16-18], Ester-Gruppierung[16-18] oder mit Cyan-Gruppe[16-18] umwandeln.

[1] V.V. Ramana Rao, D. Devaprabhakara u. S. Chandrasekaran, J. Organometal. Chem. **162**, C 9 (1978).
[2] C.G. Rao, S.U. Kulkarni u. H.C. Brown, J. Organometal. Chem. **172**, C 20 (1979).
[3] s. ds. Handb., Bd. E 3, S. 342ff (1983).
[4] N. Miyaura, T. Yoshinari, M. Itoh u. A. Suzuki, Tetrahedron Letters **1974**, 2961.
[5] G. Zweifel, A. Horng u. J.E. Plamondon, Am. Soc. **96**, 316 (1974).
[6] H.C. Brown, A.B. Levy u. M.M. Midland, Am. Soc. **97**, 5017 (1975).
[7] H.C. Brown u. M.M. Midland, J. Org. Chem. **40**, 2845 (1975).
[8] s. ds. Handb., Bd. V/2c, S. 787ff. (1977); Bd. V/2a, S. 703f. (1977); Bd. VII/2a, S. 821 (1973); Bd. XIII/3a, S. 189ff. (1982).
A. Arase, M. Hoshi u. Y. Masuda, Bl. chem. Soc. Japan **57**, 209 (1984).
[9] H.C. Brown u. N. Ravindran, J. Organometal. Chem. **61**, C5 (1973).
[10] E. Negishi u. T. Yoshida, Chem. Commun. **1973**, 606.
[11] G. Zweifel u. N.L. Polston, Am. Soc. **92**, 4068 (1970).
[12] V.V. Markova, V.A. Kormer u. A.A. Petrov, Ž. obšč. Chim. **35**, 1669 (1965); C.A. **63**, 17870 (1965).
[13] H.C. Brown, N.G. Bhat u. D. Basavaiah, Synthesis **1983**, 885.
[14] G. Zweifel, A. Horng u. J.E. Plamondon, Am. Soc. **96**, 316 (1974).
[15] J. Koshino, T. Sugawara, T. Yogo u. A. Suzuki, Chem. Letters **1983**, 933.
[16] A. Pelter, C.R. Harrison u. D. Kirkpatrick, Tetrahedron Letters **1973**, 4491.
[17] A. Pelter, K.J. Gould u. C.R. Harrison, Tetrahedron Letters **1975**, 3327.
[18] A. Pelter, K.J. Gould u. C.R. Harrison, Soc. [Perkin I] **1976**, 2428.
[19] A. Arase, M. Hoshi u. Y. Masuda, Bl. chem. Soc. Japan **57**, 209 (1984).

$\gamma\gamma_2$) mit Trimethylamin-N-oxid

Die Oxidation von 1-Organo- bzw. 1,2-Diorganovinyl-boranen mit wasserfreiem Trimethylamin-N-oxid[1,2] führt in siedenden Aromaten (Benzol, Toluol) zu Ketonen[3]:

$$\geq B-C(R)=C\lessgtr \; + \; ON(CH_3)_3 \xrightarrow[-N(CH_3)_3]{} \xrightarrow{+H_2O} R-C(=O)-CH\lessgtr$$

R = Alkyl

Wasserhaltiges Trimethylamin-N-oxid[4] wird wegen der leicht erfolgenden Protolyse als Oxidationsreagenz von 1-Alkenylbor-Verbindungen nicht verwendet[2]. Wasserfreies Trimethylamin-N-oxid läßt sich z.B. zur Gewinnung von Cyclooctanonen mit Trimethylsilyloxy-Gruppe oder mit acetalischer Gruppierung[5] sowie von einem offenkettigen Keton mit π-gebundener Tricarbonyleisen-Gruppierung[6] einsetzen.

Die für Aldol-Additionen vielfach verwendeten 1-Alkenyloxyborane[7] sind z.B. auch aus 2(1′-Alkenyl)-1,3,2-dioxaborolanen mit Trimethylamin-N-oxid zugänglich[8].

$\gamma\gamma_3$) mit Chromsäureanhydrid [*Chrom(VI)-oxid*]

Die Oxidation von Alkylbor-Verbindungen mit Chrom(VI)-oxid in wäßrig-saurer Lösung (pH $\approx$5) liefert Ketone[9,10]:

$$\geq B-C_6H_{11} \xrightarrow{+CrO_3/H_2O} O=C_6H_{10}$$

Aus Bicyclo[2.2.1]heptenylboran werden mit dem Chrom(VI)-Reagenz zwei isomere cyclische Ketone gebildet[11]:

$$\text{Bicyclo[2.2.1]heptenyl}-B\lessgtr \xrightarrow{+CrO_3/H_2O} \text{zwei isomere Bicycloheptenone}$$

Als Nebenreaktion erfolgt Protolyse der Alkylbor-Gruppe[12]. Mit überschüssigem Chrom(VI)-oxid in Wasser wird Bis-9-borabicyclo[3.3.1]nonan in *Cyclooctanon* (60%) übergeführt[13]:

---

[1] R. Köster u. Y. Morita, Ang. Ch. **78**, 589 (1966); engl. **5**, 580.
[2] R. Köster u. Y. Morita, A. **704**, 70 (1967).
[3] R. Köster u. K.-L. Amen, Mülheim a. d. Ruhr unveröffentlicht 1969.
vgl. Dissertation K.-L. Amen, Universität Bochum, 1970.
[4] G.W. Kabalka u. H.C. Hedgecock, J. Org. Chem. **40**, 1776 (1975).
[5] E. Urbina, A. Guerrero, L. Cuéllar u. R. Contreras, Synthesis **1983**, 113.
[6] A. Pelter, K.J. Gould u. L.A.P. Kane-Maguire, Chem. Commun. **1974**, 1029.
[7] W. Fenzl u. R. Köster, A. **1975**, 1322; A. **1976**, 1370 (mit H. Kosfeld).
[8] R.W. Hoffmann u. K. Ditrich, Tetrahedron Letters **1984**, 1781.
[9] H.C. Brown u. C.P. Garg, Am. Soc. **83**, 2951 (1961).
[10] s. ds. Handb., Bd. IV/1b, S. 425ff. (1975); Bd. VII/2a, S. 788 (1973); Bd. E3, S. 294 (1983).
[11] P.T. Lansberg u. E.J. Nienhouse, Chem. Commun. **1966**, 273.
[12] s. ds. Handb., Bd. IV/1b, S. 425ff. (1975); Bd. VII/2a, S. 788 (1973); Bd. E 3, S. 294 (1983).
[13] M.M. Bhagwat, I. Mehrotra u. D. Devaprabhakara, J. Organometal. Chem. **82**, C27 (1974).

$$[(\text{C}_8\text{H}_{14})\text{BH}]_2 \xrightarrow[(H_5C_2)_2O]{+CrO_3/H_2O} 2\ \text{Cyclooctanon}$$

Mit Pyridinium-chlorchromat erhält man z.B. aus 1,1:2,2-Bis(cyclooctan-1,5-diyl)diboroxan [Bis(1,5-cyclooctandiylboryl)oxid] (Bd. XIII/3a, S. 816) in Dichlormethan u.a. *Cyclooctanon*[1].

Mit Chrom(VI)-oxid in acetonischer Lösung (Jones-Reagenz) lassen sich aus cyclischen ungesättigten Diorgano-oxy-boranen Alkenone gewinnen[2]:

$$\xrightarrow{+CrO_3/(H_3C)_2CO} R^1_2C{=}C(R^2){-}C({=}O){-}R^3$$

$R^1 = C_4H_9;\ CH(CH_3)_2,\ CH(CH_3)C_2H_5$
$R^2 = C_5H_{11};\ C_6H_5$
$R^3 = CH_3$

$\gamma\gamma_4$) mit Ruthenium(VIII)-oxid

Die Umwandlung von Trialkylboranen in Ketone gelingt mit Ruthenium(VIII)-oxid in Gegenwart von Natriumperjodat/Natriumacetat in wäßrigem Aceton. Aus Perhydro-9b-boraphenalen erhält man *1,5,9-Trioxocyclododecan* (44%; F: 90–91,5°)[3]:

$$\xrightarrow[\text{Aceton}/H_2O\ (NaOCOCH_3)]{+RuO_4/NaJO_4}$$

γ_4) *Organo-Carbonsäure-Verbindungen*

Bestimmte aliphatische Organobor-Verbindungen lassen sich mit Peroxycarbonsäuren in Alkansäuren umwandeln. Aus 1,1-Diborylalkanen erhält man durch Oxidation mit 3-Chlorbenzopersäure in Tetrahydrofuran unter Kühlen auf –20° bis ≈0° ein Produkt, das nach Versetzen mit ≈3 N wäßriger Natronlauge in ≈ 80%iger Ausbeute *Hexansäure* liefert[4,5]:

$$H_9C_4CH_2CH[B(OCH_3)_2]_2 \xrightarrow{+2\ 3\text{-}ClC_6H_4COOOH} \{H_9C_4CH_2CHO\} \xrightarrow{+\ 3\text{-}ClC_6H_4COOOH} H_9C_4CH_2COOH$$

---

[1] S.U. Kulkarni, C.G. Rao u. V.D. Patil, Heteroc. Sendai **18**, 321 (1982).
[2] M. Naruse, T. Tomita, K. Utimoto u. H. Nozaki, Tetrahedron Letters **1973**, 795; Tetrahedron **30**, 835 (1974).
[3] R.H. Müller u. R.M. Dipardo, Chem. Commun. **1975**, 565.
[4] G. Zweifel u. H. Arzoumanian, Am. Soc. **89**, 291 (1967).
[5] s. ds. Handb., Bd. V/2a, S. 701 (1977).

γ_5) *Organo-hydroperoxide*

Mit Sauerstoff (Autoxidation) und nachfolgender Protolyse sind aus verschiedenen Organobor-Verbindungen Organo-hydroperoxide präparativ zugänglich[1]:

$$>B-R + O_2 \longrightarrow >B-OOR \xrightarrow[- >B-OH]{+ H_2O} HOO-R$$

R = Alkyl

Autoxidable, restliche BC-Bindungen werden vor der Protolyse „nachoxidiert". Während wasserfreies Dihydrogenperoxid in tert.-Butanol[2] hierfür nicht zu empfehlen ist, lassen sich Benzopersäure in Chloroform oder Essigpersäure in Hexan gut verwenden[3].

Eine präparativ ergiebige Umwandlung von Alkylbor-Verbindungen zu Alkyl-hydroperoxiden hängt zunächst von der Autoxidierbarkeit der BC-Bindungen ab. Trialkylborane[4-6] (z.B. auch Trimethylboran[7]) und Ether-Alkyl-dichlor-borane (vgl. Bd. XIII/3b, S. 521ff.)[8] lassen sich bei $\leq 0°$ in nachweisbare Alkylperoxy-Bor-Verbindungen überführen. Pentaalkyl-2,5-dihydro-1,2,5-azasilaborole reagieren mit Sauerstoff zu unzersetzt destillierbaren Ethylperoxy-bor-Verbindungen[9,10].

Trialkylborane nehmen unter Bildung von Alkyl-dialkylperoxy-boranen zwei mol molekularen Sauerstoff auf[4-6]:

$$R_3B + 2\,O_2 \xrightarrow{\text{Hexan}} R-B(OOR)_2$$

$R = C_4H_9$

Aus den Verbindungen bilden sich – vor allem bei erhöhter Temperatur – in Gegenwart von unverbrauchtem Trialkylboran Alkoxy-alkyl-alkylperoxy-borane (vgl. Bd. XIII/3a, S. 809)[5]:

$$R-B(OOR)_2 + R_3B \longrightarrow R-B(OOR)(OR) + R_2B-OR$$

R = Alkyl

Auch bei der Protolyse der Alkylperoxybor-Verbindungen oder bei der Zugabe von Lewisbasen treten Redoxreaktionen mit Alkylbor-Gruppierungen ein[5].

Zur Umwandlung von Alkylbor-Verbindungen in Alkyl-hydroperoxide zerstört man die nicht autoxidablen Alkylbor-Gruppierungen bei möglichst tiefer Temperatur durch Oxidation. Peroxycarbonsäuren sind hierfür geeignet[3]. Die anschließende Hydrolyse mit gesättigter Natriumhydrogencarbonat-Lösung liefert das Alkyl- bzw. Cycloalkylhydroperoxid; z.B.[3]:

---

[1] s. ds. Handb., Bd. IV/1a, S. 77ff. (1981).
[2] N.A. Milas u. S. Sussman, Am. Soc. **58**, 1302 (1936).
[3] G. Wilke u. P. Heimbach, A. **652**, 7 (1962).
[4] M.H. Abraham u. A.G. Davies, Chem. & Ind. **1957**, 1622.
[5] M.H. Abraham u. A.G. Davies, Soc. **1959**, 429.
[6] s. ds. Handb., Bd. XIII/3a, S. 785f. (1982).
[7] H.C. Brown u. M.M. Midland, Am. Soc. **93**, 4078 (1971).
[8] M.M. Midland u. H.C. Brown, Am. Soc. **95**, 4069 (1973).
[9] s. ds. Handb., Bd. XIII/3b, S. 195 (1983).
[10] R. Köster u. G. Seidel, Ang. Ch. **96**, 146 (1984); engl.: **23**, 155.

$$H_{21}C_{12}-B(OOC_{12}H_{21}) \xrightarrow{+ C_6H_5-C(=O)OOH} \xrightarrow{+ NaHCO_3 / H_2O} 2\ H_{21}C_{12}-OOH + 1\ H_{21}C_{12}-OH$$

Man kann auch mit alkalischem Dihydrogenperoxid nachoxidieren, um Alkylhydroperoxide zu gewinnen[1].

2. Organo-Schwefel-Verbindungen

Die Organo-Reste von Organobor-Verbindungen lassen sich in Organothiole, Organothioether und in Organothiocyanate überführen. Organo-Reste werden mit Schwefel oder mit Diorganodisulfanen vom Bor-Atom aufs Schwefel-Atom übertragen. Die Abspaltung der Organo-Reste vom Bor-Atom liefert mit verschiedenen schwefelhaltigen Reagenzien Diorganosulfane. Mit Dicyandisulfan und Metallthiocyanaten erhält man aus Organobor-Verbindungen Organo-thiocyanate.

α) Organothiole und Diorganodisulfane

Bei der Einwirkung von elementarem Schwefel auf Triorganoborane werden bei 130–145° Diorgano-organothio-borane[2] gebildet[3–5]. Die Protolyse liefert z.B. in Gegenwart von Piperidin[6] Alkan-, Alken- oder Arenthiole (Mercaptane, Thiophenole)[7]:

$$R_3B + 1/8\ S_8 \longrightarrow R_2B-SR \xrightarrow[-R_2BOH]{+H_2O} R-SH$$

R = Alkyl; Aryl; Alkenyl

Lediglich ein Organo-Rest des Triorganoborans (Propyl[3–5], Butyl[3–5], Octyl[3–5], Cyclohexyl[6], Phenyl[6], Allyl[6]) reagiert in relativ bescheidener Ausbeute.

Bei Luftzutritt werden in Gegenwart von Basen wie z.B. Alkalimetallhydroxid Diorganodisulfane[8] gebildet:

$$2\ RSH \xrightarrow[-H_2O]{+1/2\ O_2} RS-SR$$

R = Alkyl; Aryl

Aus Trialkylboranen läßt sich mit Thioketonen beim Belichten ein Alkyl-Rest auf das Schwefel-Atom übertragen[9, 10]:

$$2\ B(C_4H_9)_3 + 2\ R_2C{=}S \xrightarrow{h\nu} 2\ (H_9C_4)_2B-SC_4H_9 + R_2C{=}CR_2$$

$$(H_9C_4)_2B-SC_4H_9 \xrightarrow{+H_2O} HS-C_4H_9$$

R = $-C_6H_4-N(CH_3)_2$

---

[1] H.C. Brown u. M.M. Midland, Am. Soc. **93**, 4078 (1971).
[2] s. ds. Handb., Bd. XIII/3a, S. 857 (1982).
[3] B.M. Mikhailov u. Yu. N. Bubnov, Izv. Akad. SSSR **1959**, 172; engl.: 159; C.A. **53**, 15958 (1959).
[4] B.M. Mikhailov u. Yu. N. Bubnov, Ž. obšč. Chim. **29**, 1648 (1959); C.A. **54**, 8602 (1960).
[5] B.M. Mikhailov u. Yu. N. Bubnov, Izv. Akad. SSSR **1961**, 531; C.A. **55**, 23318 (1961).
[6] Z. Yoshida, T. Okushi u. O. Manabe, Tetrahedron Letters **1970**, 1641.
[7] s. ds. Handb., Bd. IX, S. 7ff. (1955).
[8] s. ds. Handb., Bd. IX, S. 59ff. (1955).
[9] M. Inatome u. L.P. Kuhn, Tetrahedron Letters **1965**, 73.
[10] s. ds. Handb., Bd. IV/5b, S. 1403 (1975); Bd. XIII/3a, S. 857 (1982).

β) Diorganosulfane

Die Übertragung von zwei Alkyl-Resten der Trialkylborane auf Schwefel-Atome gelingt mit Dimethyldisulfan in Gegenwart von Luftsauerstoff oder bei Belichten über Radikal-Zwischenstufen[1,2]:

$$R_3B \quad + \quad 2\ H_3CS{-}SCH_3 \xrightarrow[-(H_3CS)_2BR]{Rad.} 2\ R{-}SCH_3$$

Rad. [Radikalbildner]: O_2, $h\nu$
R = C_4H_9, $(CH_2)_7CH_3$, $CH_2CH(CH_3)_2$; C_5H_9, $CH(CH_3)C_2H_5$, C_6H_{11}, [Norbornyl-Strukturformel]

Die Ausbeuten an Methyl-organo-sulfan[3] betragen in Gegenwart von Sauerstoff in Tetrahydrofuran-Lösung 70–88%. Bei Belichtung von Hexan-Lösungen erzielt man 91–95%ige Ausbeuten an Methyl-organo-sulfan[1,4]. Die Gegenwart von Jod verhindert die Alkyl-Übertragung[1]. 1-Alkylborinane werden von Dimethyldisulfan beim Belichten selektiv abgebaut[1].

$$\text{3,5-Dimethyl-1-R-borinan} \quad + \quad H_3CS{-}SCH_3 \xrightarrow[-\ \text{3,5-Dimethyl-1-(methylthio)-borinan}]{+\ h\nu} R{-}SCH_3$$

R = C_8H_{17}; C_6H_{11}

Diphenyldisulfan reagiert mit nur einem Alkyl-Rest der Trialkylborane[1].

Mit Arensulfenylchloriden[5] lassen sich aus Trialkylboranen Alkyl-aryl-sulfane gewinnen. In 20–40%iger Ausbeute wird ein Octyl-Rest des Trioctylborans auf das Schwefel-Atom übertragen[6]:

$$B(C_8H_{17})_3 \quad + \quad ArS{-}Cl \xrightarrow[-(H_{17}C_8)_2B{-}Cl]{} H_{17}C_8{-}SAr$$

Ar = C_6H_5

Die Reaktionen der aliphatischen Triorganoborane mit Arensulfonylchloriden führen bei 160–180° zu Alkyl-aryl-sulfiden[7]; z.B.:

$$R_3B \quad + \quad ArSO_2{-}Cl \xrightarrow{160-180^\circ} ArS{-}R$$

R = C_6H_{13}; C_6H_{11}
Ar = C_6H_5, 2- bzw. 4-$CH_3C_6H_4$, 2-Naphthyl; 4-$OCH_3C_6H_4$, 4-ClC_6H_4

Trialkyl- und Tricycloalkyl-borane reagieren mit Arensulfonylaziden bereits in siedendem Toluol unter Übertragung eines Organo-Rests auf das Schwefel-Atom. Alkyl- bzw. Cycloalkyl-aryl-sulfane lassen sich nach Oxidation mit alkalisch-wäßrigem Natriumhydroxid isolieren (45–70%)[8]:

---

[1] H.C. Brown u. M.M. Midland, Am. Soc. **93**, 3291 (1971).
[2] s. ds. Handb., Bd. XIII/3a, S. 857 (1982).
[3] s. ds. Handb., Bd. IX, S. 97ff. (1955).
[4] vgl. ds. Handb., Bd. IV/5b, S. 1404–1405 (1975).
[5] s. ds. Handb., Bd. IX, S. 268 (1955).
[6] P.M. Draper, T.H. Chan u. D.N. Harpp, Tetrahedron Letters **1970**, 1687.
[7] A. Nose u. T. Kudo, Yakugaku Zasshi **96**, 140 (1976); C.A. **85**, 20756 (1976).
[8] M. Ortiz u. G.L. Larson, Syn. Commun. **1982**, 43.

$$R^1_3B + N_3-SO_2-C_6H_4-R^2 \xrightarrow[-N_2]{Toluol,\ 110°} \xrightarrow{+HOO^-} R^1-S-C_6H_4-R^2$$

$R^1 = C_6H_{13}; C_5H_9, C_6H_{11},$ (Norbornyl)

$R^2 = H; CH_3$

γ) Organothiocyanate

Mit Dicyandisulfan (Dirhodan) erhält man aus Triphenylboran in Benzol bei ≈ 5° innerhalb einiger Stunden unter Übertragung eines Phenyl-Rests vom B- auf das S-Atom *Phenylthiocyanat*[1,2]:

$$(H_5C_6)_3B + (SCN)_2 \xrightarrow{Benzol} H_5C_6-SCN + (H_5C_6)_2B-SCN$$

Aus Trialkylboranen lassen sich mit Kaliumthiocyanat/Ammonium-eisen(III)-sulfat (1:3) in wäßriger Lösung nach 24stdgm. Erwärmen auf ≈ 60° Alkyl- bzw. Cycloalkyl-thiocyanate in 30–80%iger Ausbeute gewinnen[3]:

$$R_3B + 6\,Fe(SCN)_3 \xrightarrow[-B(OH)_3,\ -6\,Fe(SCN)_2,\ -3\,HSCN]{+3\,H_2O/THF} 3\,R-SCN$$

$R = C_4H_9, C_6H_{13}; CH(CH_3)C_2H_5, CH(CH_3)C_4H_9, C_6H_{11}$

tert.-Alkyl-Reste werden rascher als sek.-Alkyl-Reste übertragen und diese rascher als prim.-Alkyl-Gruppen[4].

3. Organo-Selen-Verbindungen

Die Umwandlung von Organobor-Verbindungen in verschiedene Organo-Selen-Verbindungen gelingt mit Selendioxid (Diorganoselenane und Diorganodiselenane), mit Eisenthiocyanat (Organoselenocyanate) und mit Selen(IV)-chlorid (Dihalogen-diorgano-Selen-Verbindungen).

α) Organoselenane und Diorganoselenane

Mit elementarem Selen werden einzelne Alkyl-Reste der Trialkylborane selenodeboryliert. Aus Tributyl- oder Triisobutyl-boran werden mit Selen bei 220°–250° 3,5-Dialkyl-1,2,4,3,5-triselenadiborolane (vgl. Bd. XIII/3a, S. 896) gebildet. Die dabei entstehenden Butylselenane[5] wurden bisher nicht isoliert[6].

Mit Selendioxid erhält man aus Trialkylboranen in wäßriger Lösung Dialkylselenan und -diselenane[7]:

---

[1] T. Wizemann, H. Müller, D. Seybold u. K. Dehnicke, J. Organometal. Chem. **20**, 211 (1969).
[2] s. ds. Handb., Bd. XIII/3a, S. 857 (1982).
[3] A. Arase, Y. Masuda u. A. Suzuki, Bl. chem. Soc. Japan **47**, 2511 (1974).
[4] A. Arase u. Y. Masuda, Chem. Letters **1976**, 1115.
[5] s. ds. Handb., Bd. IX, S. 917ff. (1955).
[6] B.M. Mikhailov u. T.A. Shchegoleva, Izv. Akad. SSSR **1959**, 357; engl.: 330; C.A. **53**, 20041 (1959).
[7] A. Arase u. Y. Masuda, Chem. Letters **1975**, 419.

$$R_3B + SeO_2 \xrightarrow[\approx 65°]{H_2O} R{-}Se{-}R \quad + \quad R{-}Se{-}Se{-}R$$

$R = C_4H_9, C_6H_{13}, CH_2CH(CH_3)_2; CH(CH_3)C_2H_5, C_6H_{11}$

In Tetrahydrofuran werden mit Selendioxid ausschließlich die Dialkylselenane gebildet (z.B. *Dicyclohexylselenan*)[1].

β) Organoselenocyanate

Einheitlich[2] und gemischt[3] substituierte Trialkylborane reagieren mit Eisen(III)-selenocyanat [aus Kaliumselenocyanat mit Ammonium-eisen(III)-sulfat im 2:1-Verhältnis] in wäßriger Lösung unter Zusatz von Tetrahydrofuran[2] zu Alkylselenocyanaten[4]. Zwei Organo-Reste lassen sich selenodeborylieren (Ausbeuten bis 60% auf drei Alkyl-Gruppen bezogen)[2,3]:

$$R_3B + Fe(SeCN)_3 \xrightarrow{H_2O} 2\,R{-}SeCN$$

$R = C_3H_7, C_4H_9, C_6H_{13}; C_6H_{11}, CH(CH_3)C(CH_3)_2$

Tert. und sek. Alkyl-Reste werden rascher auf das Selen-Atom übertragen als prim. Alkyl-Reste. Dies weist auf Radikal-Zwischenstufen hin[3].

γ) Dihalogen-diorgano-selenane

Tetrachlorselenan reagiert mit Brom-diphenyl-boran unter Selenodeborylierung der Phenyl-Reste zum *Dichlor-diphenyl-selenan*[5]:

$$(H_5C_6)_2B{-}Br + SeCl_4 \xrightarrow[(-HCl)\; -BrBCl_2]{Toluol} (H_5C_6)_2SeCl_2$$

Die Reaktion verläuft nicht einheitlich. Es werden auch (Methylphenyl)selen-Verbindungen gebildet[5].

4. Organo-Tellur-Verbindungen

Die Übertragung der Organo-Reste vom B- auf das Te-Atom ist noch wenig untersucht. Aus Triphenylboran läßt sich mit Tellur(IV)-chlorid in Toluol bei ≈50° in 44%iger Ausbeute *Phenyl-trichlor-telluran* gewinnen[5].

Mit Tellur(IV)-chlorid erhält man auch aus Brom-diphenyl-boran in siedendem Toluol *Phenyl-trichlor-telluran* (F: 218–221°)[5]:

$$(H_5C_6)_2B{-}Br + TeCl_4 \xrightarrow[-H_5C_6{-}B(Br)(Cl)]{Toluol} H_5C_6{-}TeCl_3$$

[1] A. Arase u. Y. Masuda, Chem. Letters **1975**, 419.
[2] A. Arase u. Y. Masuda, Chem. Letters **1976**, 785.
[3] A. Arase u. Y. Masuda, Chem. Letters **1976**, 1115.
[4] s. ds. Handb., Bd. IX, S. 939 (1955).
[5] D.P. Rainville u. R.A. Zingaro, J. Organometal. Chem. **190**, 277 (1980).

Natrium-tetraphenylborat reagiert mit Dichlor-dimethyl-telluran in Methanol unter Übertragung von einer Phenyl-Gruppe aufs Tellur-Atom ($\leqq 65\%$ Ausbeute)[1]:

$$2\,Na[B(C_6H_5)_4] + (H_3C)_2TeCl_2 \xrightarrow[-B(C_6H_5)_3,\ -2\,NaCl]{H_3COH} [(H_3C)_2TeC_6H_5]^+[B(C_6H_5)_4]^-$$

Tellur(IV)-chlorid reagiert unter Aufnahme von drei Phenyl-Resten auf das Tellur-Atom[1]:

$$4\,Na[B(C_6H_5)_4] + TeCl_4 \xrightarrow[-4\,NaCl,\ -3\,B(C_6H_5)_3]{Benzol} [Te(C_6H_5)_3]^+[B(C_6H_5)_4]^-$$

e) Organo-Element(V)-Verbindungen

Übertragungen von B-Organo-Resten auf Stickstoff-, Phosphor- (S. 359), Antimon- (S. 359) und Bismut-Atome (S. 360) sind bekannt.

1. Organo-Stickstoff-Verbindungen

Durch Übertragung von B-Organo-Resten aus Organobor-Verbindungen auf Stickstoff-Atome sind Amine, N-Organocarbonsäureamide, Organoisothiocyanate, N-Organohydroxylamine, N-Organosulfonamide und Organoazide präparativ zugänglich.

α) Amine

Prim. Amine erhält man aus Organobor-Verbindungen mit Hydroxylamin-O-sulfonsäure oder mit Ammonium-hypochlorit. Sek. Amine bilden sich aus Triorganoboranen mit Dichloramin, N-Chlor-hydroxylamin-O-arylethern, mit Nitroso- oder Nitrobenzol sowie mit Organoaziden. Tert. Amine werden aus Triorganobor-Verbindungen mit Diorganohalogen-aminen oder mit Organoaziden gewonnen.

α_1) *Primäre Amine*

Aus Trialkylboranen sind mit Chloramin in alkalisch-wäßrigem Tetrahydrofuran Alkylamine in Ausbeuten von $\approx 60\%$ zugänglich[2].

Hydroxylamin-O-sulfonsäure eignet sich zur Alkylodeborylierung. Maximal zwei Alkyl-Gruppen der Trialkylborane lassen sich auf das N-Atom übertragen[2–4]:

$$R_3B + H_2N{-}OSO_3H \xrightarrow{THF} 2\,R{-}NH_2$$

R = Alkyl

---

[1] R.F. Ziolo, C.J. Thornton, A.C. Smith, D.D. Titus, C.S. Smith u. N. Buono, J. Organometal. Chem. **190**, C 64 (1980).

[2] H.C. Brown, W.R. Heydkamp, E. Breuer u. W.S. Murphy, Am. Soc. **86**, 3565 (1964).

[3] M.W. Rathke, N. Inoue, K.R. Varma u. H.C. Brown, Am. Soc. **83**, 2870 (1966).

[4] H.C. Brown u. V. Varma, Am. Soc. **88**, 2871 (1966).

Weitere prim. aliphatische Amine lassen sich aus Trialkylboranen gewinnen[1–5]. Mit O-(2,4,6-Trimethylbenzolsulfonyl)hydroxylamin stellt man aus Trialkylboranen in Diethylether gleichfalls bis maximal 2 mol prim. aliphatische Amine her[6–8].

$$R_3B + 2\ H_3C\text{-}C_6H_2(CH_3)_2\text{-}SO_2O\text{-}NH_2 \xrightarrow{(H_5C_2)_2O} 2\ R\text{-}NH_2$$

R = $C_{10}H_{21}$[6]; C_6H_{11}, C_8H_{15}[6], [6]

Die Alkyl-Reste werden unter Retention zwischen Bor- und Stickstoff-Atom ausgetauscht. Aus Bicyclo[2.2.1]hept-2-*exo*-ylboranen erhält man 2-*exo*-Aminobicyclo[2.2.1]heptane[1,9].

Aus *R*- bzw. *S*-Alkyl-diisopinocampheyl-boranen sind mit Hydroxylamin-O-sulfonsäure in ≈75%iger optischer Ausbeute *R*- bzw. *S*-Alkylamine zugänglich[5]:

$$(-)\ Ipc_2B\text{-}CH(C_2H_5)(CH_3) \xrightarrow{+HOSO_3NH_2} H_2N\text{-}CH(C_2H_5)(CH_3)$$

75%ee

Triphenylboran reagiert mit Hydroxylamin-O-sulfonsäure unter Übertragung eines Phenyl-Rests vom B- auf das N-Atom[10]:

$$(H_5C_6)_3B + H_2N\text{-}OSO_3H \xrightarrow{\Delta} \xrightarrow[-(H_5C_6)_2BOH]{+OH^-} H_5C_6\text{-}NH_2$$

Bei der Einwirkung fester Hydroxylamin-O-sulfonsäure auf Diorgano-subst.-benzylborane erfolgt eine ungewöhnliche C–C-Spaltung. Man erhält aus Tris(2,4,5-trimethoxyphenyl)propyl-boran mit Hydroxylamin-O-sulfonsäure in 20%iger Ausbeute *2,4,5-Trimethoxyanilin*[11]:

$$R_2B\text{-}CH(C_2H_5)\text{-}C_6H_2(OCH_3)_3 + H_2N\text{-}OSO_3H \longrightarrow \xrightarrow{+H^+} H_3CO\text{-}C_6H_2(OCH_3)_2\text{-}NH_2$$

R = $CH(C_2H_5)C_6H_4\text{-}4\text{-}OCH_3$

---

[1] H.C. Brown, W.R. Heydkamp, E. Breuer u. W.S. Murphy, Am. Soc. **86**, 3565 (1964).
[2] M.W. Rathke, N. Inoue, K.R. Varma u. H.C. Brown, Am. Soc. **83**, 2870 (1966).
[3] H.C. Brown u. V. Varma, Am. Soc. **88**, 2871 (1966).
[4] J.L. Coke u. M.C. Mourning, Am. Soc. **90**, 5561 (1968).
[5] L. Verbit u. P.J. Heffron, J. Org. Chem. **32**, 3199 (1967).
[6] Y. Tamura, J. Minamikawa, Y. Miki, S. Matsugashita u. M. Ikeda, Tetrahedron Letters **1972**, 4137.
[7] Y. Tamura, J. Minamikawa, K. Sumoto, S. Fujii u. M. Ikeda, J. Org. Chem. **38**, 1239 (1973).
[8] Y. Tamura, J. Minamikawa, S. Fujii u. M. Ikeda, Synthesis **1974**, 196.
[9] D.I. Schuster, H.E. Katerinopoulos, W.L. Holden, A.P.S. Narula, R.B. Libes u. R.B. Murphy, J. Med. Chem. **25**, 850 (1982); C.A. **97**, 23428 (1982).
[10] G.W. Kabalka u. J.W. Ferrell, Syn. Commun. **9**, 443 (1979).
[11] L.A. Levy u. L. Fishbein, Tetrahedron Letters **1969**, 3773.

2-Amino-2,6,6-trimethyl-bicyclo[3.1.1]heptan bildet sich aus Di-3-pinanyl-hydroboran mit Hydroxylamin-O-sulfonsäure in Diglyme bei 100° in ≈ 42%iger Ausbeute. Über das Phosphat wird das Amin mit wäßrigem Natriumhydroxid freigesetzt (93%)[1,2]:

$$[\text{Pinanyl}]_2BH + 2\ H_3\overset{\oplus}{N}-OSO_2O^{\ominus} \xrightarrow[100°]{\text{Diglyme}} 2\ \text{Pinanyl-}NH_2$$

Ein Organo-Rest der Trialkyl- und Tricycloalkyl-borane wird mit Hilfe von Ammoniumhypochlorit in wäßriger Lösung bei 0° vom B- auf das N-Atom übertragen. Man erhält prim. aliphatische Amine (80–90%)[3,4]:

$$R_3B + NH_4OH \xrightarrow[\text{tropfenweise Zugabe}]{NaOCl,\ 0°} R-NH_2$$

z.B.: R = C_8H_{17}, $C_{10}H_{21}$; C_6H_{11}, $CH(CH_3)C_2H_5$; $CH(CH_3)CH_2-S-C_6H_4CH_3(4)$

Die Methode eignet sich auch zur Gewinnung N-isotopenangereicherter prim. Amine; z.B. R-$^{15}NH_2$[4].

α_2) *Sekundäre Amine*

Die Umwandlung von Organobor-Verbindungen in sek. Amine gelingt mit N-Chlor-Verbindungen. Aus cyclischen aliphatischen Triorganoboranen werden mit O-(2,4-Dinitrophenyl)hydroxylamin und tert.-Butylhypochlorit in Dichlormethan zwei Alkyl-Reste vom B- auf das N-Atom übertragen[5–7]; z.B.:

$$\text{(Perhydro-9b-boraphenalen)} + 2\ Cl-NH-O-C_6H_3(NO_2)_2 \xrightarrow{H_2CCl_2,\ -78°\ \text{bis}\ +25°} \xrightarrow{+HOO^-} \text{(Hydroxy-perhydro-azaphenalen)}$$

Ein Organo-Rest der Triorganoborane kann auf das N-Atom von Nitroso-Verbindungen übertragen werden. Aus Tricyclohexylboran ist mit Nitrosocyclohexan bei ≈50° neben *Bicyclohexyl* (vgl. S. 255) *Dicyclohexylamin* zugänglich[8]:

$$2\ (H_{11}C_6)_3B + O{=}NC_6H_{11} \longrightarrow \begin{cases} \xrightarrow[-(H_{11}C_6)_2BOH]{+H_2O} H_{11}C_6-NHC_6H_{11} \\ \longrightarrow H_{11}C_6-C_6H_{11} \end{cases}$$

Auf das N-Atom des Nitrosylchlorids wird ebenfalls ein Cyclohexyl-Rest übertragen[8].

---

[1] H.C. Brown u. V. Varma, Am. Soc. **88**, 2871 (1966).
[2] M.W. Rathke u. A. A. Millard, Org. Synth. **58**, 32–36 (1978).
[3] G.W. Kabalka, K.A.R. Sastry, G.W. McCollum u. A. Yoshioka, J. Org. Chem. **46**, 4296 (1981).
[4] G.W. Kabalka, K.A.R. Sastry, G.W. McCollum u. C.A. Lane, Chem. Commun. **1982**, 62.
[5] R.H. Mueller, Tetrahedron Letters **1976**, 2925.
[6] R.H. Mueller u. R.M. Dipardo, J. Org. Chem. **42**, 3210 (1977).
[7] R.H. Mueller u. M.E. Thompson, Tetrahedron Letters **1980**, 1093.
[8] Z. Yoshida, T. Ogushi, O. Manabe u. H. Hiyama, Tetrahedron Letters **1965**, 753.

Mit Nitrosobenzol erhält man aus Tricyclohexylboran unter Aminodeborylierung *N-Cyclohexylanilin*[1], das auch mit Nitrobenzol zugänglich ist[1]:

$$(H_{11}C_6)_3B \xrightarrow[\text{1.} + H_5C_6NO_2 / - H_5C_6NO \text{; 2.} + H_2O]{\text{1.} + H_5C_6N{=}O \text{; 2.} + H_2O} H_5C_6{-}NH{-}C_6H_{11}$$

Aliphatische und aromatische Organoazide sind zur Aufnahme von Organo-Resten der Organoborane geeignet. Unter Stickstoff-Austritt erfolgt Wanderung der Organo-Reste vom B- zum N-Atom. Dies wurde bei der Umlagerung der Azido-diorgano-borane (Bd. XIII/3b, S. 117 ff.) bereits beobachtet[2,3]; z.B. (vgl. Bd. XIII/3b, S. 279, 335):

$$(H_5C_6)_2B{-}N_3 \xrightarrow[-N_2]{\nabla} \{H_5C_6B{-}NC_6H_5\}$$

Vom Triethylboran wird in siedendem Xylol eine Ethyl-Gruppe auf Organoazide übertragen. Nach Protolyse erhält man Ethyl-organo-amine[4]:

$$(H_5C_2)_3B \quad + \quad R{-}N_3 \xrightarrow[-N_2]{\text{Xylol}, \nabla} \xrightarrow{+H_2O} H_5C_2{-}NH{-}R$$

$R = C_4H_9,\ CH_2CH(CH_3)_2;\ CH(CH_3)C_2H_5,\ C_5H_9,\ C_6H_{11};\ C_6H_5$

Die Reaktionen verlaufen über Lewisbase-Trialkylborane (vgl. Bd. XIII/3b, S. 424). Zwischenstufen freier Nitrene spielen offensichtlich keine Rolle.

Auch Chlor-dialkyl-borane eignen sich zur Alkylierung des α-N-Atoms der Organoazide. In Toluol werden aus Chlor-dialkyl-boran mit Organoazid bei $\approx 50°$ nach quantitativem Stickstoff-Austritt und Hydrolyse Alkyl-organo-amine in Ausbeuten von 70–80% erhalten[5]:

$$R^1_2B{-}Cl \quad + \quad R^2{-}N_3 \xrightarrow[-N_2]{\text{Toluol}, 50°} \xrightarrow{+H_2O} R^1{-}NH{-}R^2$$

$R^1 = C_4H_9,\ CH_2CH(CH_3)_2;\ CH(CH_3)C_2H_5,\ C_5H_9,\ C_6H_{11}$
$R^2 = C_4H_9;\ C_6H_{11};\ C_6H_5$

Alkyl-dichlor-borane reagieren entsprechend[6,7]. Der ausgetauschte Alkyl-Rest behält seine Konfiguration bei[6].

$$\text{(2-}CH_3\text{-cyclopentyl)}{-}BCl_2 \quad + \quad N_3{-}C_6H_{11} \xrightarrow[-N_2]{\text{Benzol}, 25-80°} \xrightarrow[-NaCl]{+NaOH/H_2O} \text{(2-}CH_3\text{-cyclopentyl)}{-}NH{-}C_6H_{11}$$

---

[1] T. Kudo u. A. Nose, Yakugaku Zasshi **95**, 753 (1975); C.A. **83**, 97435 (1975).
[2] P.I. Paetzold, Ang. Ch. **74**, 506 (1962); engl.: **1**, 515.
[3] P.I. Paetzold, Z. anorg. Ch. **326**, 64 (1963).
[4] A. Suzuki, S. Sono, M. Itoh, H.C. Brown u. M.M. Midland, Am. Soc. **93**, 4329 (1971).
[5] H.C. Brown, M.M. Midland u. A.B. Levy, Am. Soc. **94**, 2114 (1972).
[6] H.C. Brown, M.M. Midland u. A.B. Levy, Am. Soc. **95**, 2394 (1973).
[7] A.B. Levy u. H.C. Brown, Am. Soc. **95**, 4067 (1973).

Dichlor-phenyl-boran reagiert mit Arylaziden unter Phenyl-Wanderung. Die anschließende Hydrolyse liefert N-Arylaniline[1,2]:

$$H_5C_6-BCl_2 + Ar-N_3 \xrightarrow[-N_2]{} \xrightarrow{+H_2O} H_5C_6-NHAr$$

α_3) *Tertiäre Amine*

Die Umwandlung von Organobor-Verbindungen in tert. Amine gelingt z.B. mit N-Chlor-alkylaminen. Aus Tributylboran erhält man mit N-Chlor-dimethylamin in alkalisch-wäßriger Tetrahydrofuran-Lösung in Gegenwart von Galvinoxyl[3] über ionische Zwischen-Verbindungen *Butyl-dimethyl-amin*. Ohne Radikalfänger wird Chlorbutan als Produkt von Radikal-Zwischenstufen gebildet[4]:

$$B(C_4H_9)_3 + Cl-N(CH_3)_2 \xrightarrow{H_2O/THF} \begin{cases} \xrightarrow[-(H_9C_4)_2BCl]{Galvinoxyl} H_9C_4-N(CH_3)_2 \\ \xrightarrow[-(H_9C_4)_2B-N(CH_3)_2]{} H_9C_4-Cl \end{cases}$$

Mit N-Chlor-dialkylaminen (N-Chlordiethylamin, 1-Chlorpiperidin) erhält man aus Trialkylboranen 30–50% Chloralkane infolge homolytischer N–Cl-Spaltung[4–7].

1-Boraadamantan reagiert mit Dichlor-ethyl-amin in Dichlormethan bei –50° bis –70°. Nach Erwärmen auf +20° und Oxidation mit alkalisch-wäßrigem Dihydrogenperoxid wird *3-Ethyl-7-hydroxymethyl-3-azabicyclo[3.3.1]nonan* (57,5%) gewonnen[8]:

$$\text{1-Boraadamantan} + H_5C_2NCl_2 \xrightarrow[CH_2Cl_2]{<-50°} \xrightarrow{+20°} \xrightarrow{+HOO^-} \text{3-Ethyl-7-hydroxymethyl-3-azabicyclo[3.3.1]nonan } (N-C_2H_5,\ CH_2OH)$$

1-Alkyl- und 1-Arylaziridine sind als tert. Amine aus Dichlor-organo-boranen mit 2-Jodalkylaziden präparativ gut zugänglich[9]. Aus Dichlor-phenyl-boran erhält man z.B. mit *trans*-1-Azido-2-jod-cyclohexan nach Versetzen mit Base *1-Phenyl-7-azabicyclo [4.1.0]heptan* (≈70%)[9]:

$$H_5C_6-BCl_2 + \text{trans-1-Azido-2-jod-cyclohexan} \xrightarrow[-N_2]{Benzol\ \Delta,\ 80°} \xrightarrow[-KJ\ \{-Cl_2BOH\}]{+KOH} \text{7-Azabicyclo[4.1.0]heptan-}N-C_6H_5$$

---

[1] H.C. Brown u. N. Ravindran, Am. Soc. **95**, 2396 (1973).
[2] R. Leardini u. P. Zanirato, Chem. Commun. **1983**, 396.
[3] P.D. Bartlett u. T. Funahashi, Am. Soc. **84**, 2596 (1962).
[4] A.G. Davies, S.C.W. Hook u. B.P. Roberts, J. Organometal. Chem. **23**, C 11 (1970).
[5] J.G. Sharefkin u H.C. Banks, J. Org. Chem. **30**, 4313 (1965).
[6] A.G. Davies, S.C.W. Hook u. B.P. Roberts, J. Organometal. Chem. **22**, C 37 (1970).
[7] G.W. Kabalka, G.W. McCollum u. S.A. Kunda, J. Org. Chem. **49**, 1656 (1984).
[8] B.M. Mikhailov u. E.A. Shagova, J. Organometal. Chem. **258**, 131 (1983).
[9] A.B. Levy u. H.C. Brown, Am. Soc. **95**, 4067 (1973).

Entsprechend sind 1-Alkyl- und 1-Cycloalkyl-7-azabicyclo[4.1.0]heptane (80–90%) zugänglich[1]. Mit offenkettigen Organoaziden (1-Azido-2-jod-hexan, 2-Jodethylazid) kann man aus Dichlor-organo-boranen stereospezifisch 1-Organoaziridine herstellen[1]:

$$R{-}BCl_2 + H_3C(H)C(N_3){-}C(H)(J)CH_3 \xrightarrow{-N_2} \xrightarrow[\substack{-LiJ \\ \{-Cl_2BC_4H_9\}}]{+LiC_4H_9} \text{1-R-2,3-dimethylaziridin}$$

R = C_6H_{13}; $CH(CH_3)C_4H_9$, C_5H_9, C_6H_{11}; C_6H_5

α_4) *N-Organocarbonsäureamide*

Bestimmte N-Organocarbonsäureamide lassen sich aus Organobor-Verbindungen mit Kupfer(II)-phthalimid gewinnen; z.B. aus Aryl-dihydroxy-boranen (Bd. XIII/3a, S. 618f.)[2,3]:

$$2\,R{-}B(OH)_2 + Cu[\text{N-Phthalimid}]_2 \longrightarrow 2\,R{-}N(\text{Phthalimid})$$

R: C_6H_5; $H_3CO{-}C_6H_4{-}$; $H_5C_6CH{=}CH{-}$; Ferrocenyl

α_5) *N-Organohydroxylamine*

N-Alkylhydroxylamine können mit Nitrosylschwefelsäure aus Trialkylboranen gewonnen werden. Tricyclohexylboran reagiert bei 80–90° mit Nitrosylschwefelsäure zu Nitrosocyclohexan, aus dem mit weiterem Tricyclohexylboran nach Hydrolyse vorwiegend *N-Cyclohexylhydroxylamin* gebildet wird[4]:

$$(H_{11}C_6)_3B \xrightarrow{+ON{-}OSO_2OH} H_{11}C_6{-}NH{-}OH$$

α_6) *N-Organosulfonamide*

Mit wasserfreiem Chloramin-T [Natrium-Verbindung des N-Chlortoluolsulfonsäureamids] läßt sich in Tetrahydrofuran bei 55–60° eine Alkyl-Gruppe der Trialkylborane in Dialkyl-sulfonamido-borane überführen, die nach Hydrolyse N-Alkyl- bzw. N-Cycloalkyltoluolsulfonamide (70–85%) liefern[5]:

$$R_3B + Na{-}N(Cl){-}SO_2Ar \xrightarrow[-NaCl]{THF} R_2B{-}N(R){-}SO_2Ar \xrightarrow[-R_2B{-}ONa]{+NaOH} R{-}HN{-}SO_2Ar$$

R = C_6H_{13} (84%), C_8H_{17} (80%); C_5H_9 (74%), C_6H_{11} (72%); $CH_2C_6H_5$ (69%)
Ar = 4-$CH_3C_6H_4$

---

[1] A.B. Levy u. H.C. Brown, Am. Soc. **95**, 4067 (1973).
[2] S.R. Mirviss, Am. Soc. **82**, 3051 (1961).
[3] A.N. Nesmeyanov, V.A. Sazonova, A.V. Gerasimenko u. G.G. Medvedeva, Izv. Akad. SSSR **1962**, 2073; engl.: 1980; C.A. **58**, 9133 (1963).
[4] S.J. Brois, Tetrahedron Letters **1964**, 345.
[5] V.B. Jigajinni, A. Pelter u. K. Smith, Tetrahedron Letters **1978**, 181.

α_7) *Organoazide*

Die Übertragung von Azido-Gruppen auf aliphatische B-Organo-Reste erfolgt mit Eisen(III)-azid [aus Natriumazid (3 mol)/Eisen(III)-sulfat (1,5 mol)/Methanol]. Aus Trialkyl- bzw. Tricycloalkyl-boranen (1 mol) erhält man in Tetrahydrofuran mit dem Reagenz nach Zusatz von alkalisch-wäßrigem Dihydrogenperoxid (≈2 mol) über Radikal-Zwischenstufen Azidoalkane bzw. Azidocycloalkane (≈60–100%)[1]:

$$R_3B + N_3^- + H_2O_2 \xrightarrow[- R_2BOH]{Fe^{3+}} RN_3 + HO^-$$

R	C_3H_7,	C_4H_9,	C_6H_{13},	C_8H_{17};	$CH(CH_3)C_2H_5$,	C_5H_9
[%]	57	56	85	75	100	100

Mit Blei(IV)-acetat (2 mol)/Azido-trimethyl-silan (4 mol) in Dichlormethan werden ein bis zwei Alkyl-Reste der Trialkylborane (2 mol) in Azidoalkane (und Essigsäurealkylester) umgewandelt[2].

2. Organo-Phosphor-Verbindungen

Die Phosphinodeborylierung von Organobor-Verbindungen liefert Triorganophosphane und Triorganophosphinoxide.

Alkyl-diphenyl-phosphan-oxide erhält man aus Trioctyl- oder Tricyclohexyl-boran mit Chlor-diphenyl-phosphan in siedendem Tetrahydrofuran oder Dibutylether nach Luftzutritt[3,4]:

$$R_3B + Cl-P(C_6H_5)_2 \xrightarrow[-Cl-BR_2]{Ether;\ 2\,Stdn.} \xrightarrow{+1/2\ O_2} R-\underset{\underset{O}{\|}}{P}(C_6H_5)_2$$

$R = C_8H_{17}$ (> 50%); C_6H_{11} (48%)

Die Übertragung von Organo-Resten vom B- auf das P-Atom gelingt auch aus bestimmten Tetraorganoboraten mit Chlor-diphenyl-phosphan. Natrium-(1,3-heptadiinyl)-triethyl-borat liefert neben dem Hauptprodukt (vgl. Bd. XIII/3b, S. 472) in ~11%iger Ausbeute *Diphenyl-(1,3-heptadiinyl)-phosphan*[5]:

$$Na^+[(H_5C_2)_3B-C{\equiv}C-C{\equiv}C-C_3H_7]^- + Cl-P(C_6H_5)_2 \xrightarrow[-NaCl,\ -B(C_2H_5)_3]{(H_5C_2)_2O} (H_5C_6)_2P-C{\equiv}C-C{\equiv}C-C_3H_7$$

3. Organo-Antimon-Verbindungen

Stibiodeborylierungen sind bisher kaum bekannt[6–8]. Bei der Herstellung von Dibutylfluor-boran aus Tributylboran mit Antimon(III)-fluorid[6] sollten sich Butylantimon-Verbindungen bilden, die allerdings nicht nachgewiesen wurden[6].

---

[1] A. Suzuki, M. Ishidaya u. M. Tabata, Synthesis **1976**, 687.
[2] Y. Masuda, M. Hoshi u. A. Arase, Bl. chem. Soc. Japan **57**, 1026 (1984).
[3] P.M. Draper, T.H. Chan u. D.N. Harpp, Tetrahedron Letters **1970**, 1687.
[4] s. ds. Handb., Bd. XIII/3b, S. 467 (1983).
[5] R. Köster u. G. Seidel, Mülheim a.d. Ruhr. unveröffentlicht 1978/79.
vgl. ds. Handb., Bd. XIII/3b, S. 472 (1983).
[6] E.J. DeWitt, J. Org. Chem. **26**, 4156 (1961).
[7] s. ds. Handb., Bd. XIII/3a, S. 387 (1982).
[8] K. Ziegler u. O.-W. Steudel, A. **652**, 1 (1962).

Aus Natrium-tetraethylborat läßt sich in wäßriger Lösung durch Elektrolyse zwischen Antimon-Anode und Quecksilber-Kathode in mäßigen Ausbeuten (≈50%) *Triethylantimon* gewinnen. Die Stromdichte muß möglichst gering (≤0,4 A/dm²) gehalten werden[1]:

$$3\,Na^+[B(C_2H_5)_4]^- + Sb \xrightarrow[-3\,Na(Hg)_x,\ -3\,B(C_2H_5)_3]{+Hg_x} Sb(C_2H_5)_3$$

4. Organo-Bismut-Verbindungen

Triorganobismut-Verbindungen sind mit Bismutmetall durch elektrochemische Oxidation aus Tetraorganoboraten zugänglich. *Triethylbismut* erhält man an der Quecksilber-Kathode in hoher Ausbeute (94%) aus Bismut (Anode) mit Natrium-tetraethylborat in wäßriger Lösung bei einer Stromdichte von 3,5 A/dm² und 1,8 V:[1]

$$3\,Na^+[B(C_2H_5)_4]^- + Bi \xrightarrow[-3\,Na(Hg)_x,\ -3\,B(C_2H_5)_3]{Hg_x} Bi(C_2H_5)_3$$

f) Organo-Element(IV)-Verbindungen

1. Organo-Silicium-Verbindungen

Tetraorganosilane lassen sich mit Halogen-triorgano-silanen durch Übertragung eines B-Organo-Rests der Tetraorganoborate gewinnen. Aus Natrium-1-alkinyl-trialkylboraten erhält man mit Chlor-trimethyl-silan z.T. 1-Alkinyl-trimethyl-silan (vgl. Bd. XIII/3a, S. 201)[2,3]:

$$Na^+[R^1_3B-C\equiv C-R^2]^- + Cl-Si(CH_3)_3 \xrightarrow[-NaCl,\ -R^1_3B]{} (H_3C)_3Si-C\equiv C-R^2$$

$R^1 = C_2H_5, C_3H_7$
$R^2 = CH_3$[2], C_2H_5[2]; $Si(CH_3)_3$[3]

Auch 1,3-Alkadiinyl-Reste werden aufs Silicium-Atom übertragen[4]; z.B.:

$$Na^+[(H_5C_2)_3B-C\equiv C-C\equiv C-C_3H_7]^- + Cl-Si(CH_3)_3 \xrightarrow[-NaCl,\ -B(C_2H_5)_3]{} (H_3C)_3Si-C\equiv C-C\equiv C-C_3H_7 \quad 69\%$$

2. Organo-Zinn-Verbindungen

B-Organo-Reste lassen sich mittelbar auf Zinn-Atome transferieren. Aus Tetrakis(dimethoxyboryl)methan erhält man mit Lithiummethanolat ein Produkt, das mit Chlor-triphenyl-stannan *Tris(dimethoxyboryl)-triphenylstannyl-methan* liefert[5,6]:

$$[(H_3CO)_2B]_4C \xrightarrow[-B(OCH_3)_3]{+LiOCH_3} \xrightarrow[-LiCl]{+Cl-Sn(C_6H_5)_3} [(H_3CO)_2B]_3C-Sn(C_6H_5)_3$$

Aus Trialkylboranen erhält man mit 1-Alkinylstannanen olefinische stannylierte Triorganoborane (vgl. Bd. XIII/3a, S. 306ff.), aus denen durch Protolyse stannylierte Alkene

---

[1] K. Ziegler u. O.-W. Steudel, A. **652**, 1 (1962).
[2] P. Binger u. R. Köster, Synthesis **1973**, 309.
[3] R. Köster u. L.A. Hagelee, Synthesis **1976**, 118.
[4] R. Köster u. G. Seidel, Mülheim a.d. Ruhr, unveröffentlicht, 1978/79.
[5] D.S. Matteson u. G.L. Larson, Am. Soc. **91**, 6541 (1969).
[6] s. ds. Handb., Bd. XIII/3a, S. 717, 729 (1982).

erhalten werden können. Dabei handelt es sich jedoch nicht um Stannodeborylierungen. Auch die Reaktionen der 1-Alkinyl-trialkyl-borate mit Chlor-triorgano-stannanen, die zu stannylierten Triorganoboranen (vgl. Bd. XIII/3a, S. 311) führen, gehören nicht zu den Umwandlungen im hier besprochenen Sinn.

3. Organo-Blei-Verbindungen[1]

Die Reaktion des Triethylborans mit Blei(II)-oxid in alkalisch-wäßriger Lösung liefert bei 80° *Tetraethylblei* (≈40%)[2,3]:

$$4(H_5C_2)_3B + 6\,PbO + 4\,NaOH + 6\,H_2O \xrightarrow[-4\,[B(OH)_4]^-]{-3\,Pb} 3\,Pb(C_2H_5)_4$$

Trihexylboran reagiert mit Blei(II)-naphthenat in siedendem 1,2-Dimethoxyethan unter Bildung von *Tetrahexylblei* (≈18%)[2].

Die Substitution der Dimethoxyboryl-Reste des Tetrakis(dimethoxyboryl)methans durch Triorganoblei-Reste erfolgt mit Chlor-triphenyl-blei wie bei der Stannylierung (vgl. S. 360) über die Lithium-Verbindung[4]:

$$C[B(OCH_3)_2]_4 \xrightarrow[-B(OCH_3)_3]{+LiOCH_3} \xrightarrow[-LiCl]{+Cl-Pb(C_6H_5)_3} (H_5C_6)_3Pb-C[B(OCH_3)_2]_3$$

$$(H_5C_6)_3Pb-C[B(OCH_3)_2]_3 \xrightarrow[-H_9C_4-B(OCH_3)_2]{+LiC_4H_9} \xrightarrow[-LiCl]{+Cl-Pb(C_6H_5)_3} [(H_5C_6)_3Pb]_2C[B(OCH_3)_2]_2$$

25%

Natrium-tetraethylborat reagiert in wäßriger Lösung mit Blei(II)-chlorid unter Bildung von *Tetraethylblei* (91%)[3]. Die elektrochemische Übertragung einer Ethyl-Gruppe des Natriumtetraethylborats auf das Blei-Atom verläuft in wäßriger Lösung zwischen Blei-Anode und Quecksilber-Kathode glatt[5]; z.B.:

$$Na^+\,[B(C_2H_5)_4]^- + 1/4\,Pb \xrightarrow[-B(C_2H_5)_3,\ -Na(Hg)]{e^-\,(H_2O)} 1/4\,Pb(C_2H_5)_4$$

Aus Natrium-tetramethylborat erhält man elektrochemisch *Tetramethylblei* (78%)[5].

g) Organo-Element(III)-Verbindungen

1. Organo-Aluminium-Verbindungen

α) Triorganoaluminium-Verbindungen

Die Herstellung von Triorganoaluminium-Verbindungen aus den vielfach leichter zugänglichen Triorganoboranen hat präparative Bedeutung[6,7]. Der Substituentenaustausch zwischen Bor- und Aluminium-Atom der Triorganoelement-Verbindungen erfolgt i. allg.

---

[1] s. ds. Handb., Bd. XIII/7, S. 27 (1975).
[2] J.B. Honeycutt u. J.M. Riddle, Am. Soc. **82**, 3051 (1960).
[3] US-P. 2950301 (1960), Ethyl Corp., Erf.: J.M. Riddle; C.A. **55**, 3434 (1961).
[4] D.S. Matteson u. G.L. Larson, Am. Soc. **91**, 6541 (1969).
[5] K. Ziegler u. O.-W. Steudel, A. **652**, 1 (1962).
[6] s. ds. Handb., Bd. XIII/2a, S. 55, 168, 175 (1970); Bd. XIII/3a, S. 36–37 (1982).
[7] R. Köster u. G. Bruno, A. 629, 89 (1960).

spontan und rasch bei ≈20°[1–6]. Mit Triethylaluminium wird leichtflüchtiges Triethylboran (Kp: 94°) gebildet.

Organobor-Verbindungen, vor allem 1-Alkenyl- und Arylborane, lassen sich mit Triethylaluminium in Triorganoaluminium-Verbindungen umwandeln[1–9]:

$$2\ BR_3 + [(H_5C_2)_3Al]_2 \longrightarrow (R_3Al)_2 + 2\ B(C_2H_5)_3$$

R = C_4H_9[1]; C_6H_{11}[1], C_3H_5[5]; CO–Hal–Alkyl[8]; $CH_2C_6H_5$[1]; C_6H_5[1], 1-Naphthyl[1], $CH_2CH(CH_3)CH(CH_3)C(CH_3)_3$[9]

Auch cyclische Organoaluminium-Verbindungen mit Al–C_{aryl}-Bindung sind gut zugänglich[3, 6, 10]:

$$2\ \text{(1-Ethyl-3-methyl-benzoborol)} + [Al(C_2H_5)_3]_2 \xrightarrow{-2\ B(C_2H_5)_3} \text{(dimeres cyclisches Ethyl-aluminium-Derivat; } H_5C_2, C_2H_5, CH_3, H_3C)$$

Triallylboran reagiert mit der dreifachen Menge Trimethylaluminium unter Bildung von *Allyl-dimethyl-aluminium*[11, 12]:

$$B(CH_2-CH=CH_2)_3 + 3/2\ [(H_3C)_3Al]_2 \xrightarrow{-B(CH_3)_3} 3/2\ [H_2C=CH-CH_2-Al(CH_3)_2]_2$$

Die Konfiguration am C–2-Atom bleibt beim Austausch erhalten[13].

Tetraorganoaluminate sind aus Triorganoboranen mit Tetraethylaluminat unter Organo-Rest-Austausch zugänglich; z.B.[3]:

$$\text{(1-Ethyl-3-methyl-benzoborol; } C_2H_5, CH_3) + Na^+[Al(C_2H_5)_4]^- \xrightarrow{-B(C_2H_5)_3} Na^+\left[\text{(Benzoaluminol; } H_5C_2, C_2H_5, CH_3)\right]^-$$

Aus Tetraorganoboraten erhält man mit Triethylaluminium unter Abspalten von Triethylboran z.B. Magnesium-bis(tetraorganoaluminate)[14]:

[1] R. Köster u. G. Bruno, A. **629**, 89 (1960).
[2] R. Köster, Ang. Ch. **71**, 520 (1959).
[3] R. Köster u. G. Benedikt, Ang. Ch. **74**, 589 (1962); engl.: **1**, 507.
[4] DBP 1057600 (1958), Studienges. Kohle mbH, Erf.: R. Köster; C.A. **55**, 6439 (1961).
[5] P. Binger u. R. Köster, Ang. Ch. **74**, 652 (1962); engl.: **1**, 508.
[6] R. Köster, Chimia **23**, 196 (1969).
[7] L. I. Zakharkin u. O. Y. Okhlobystin, Izv. Akad. SSSR **1959**, 181; C: A. **53**, 15958 (1959); Ž. obšč. Chim. **30**, 2134 (1960); C. A. **55**, 9319 (1961).
[8] US.P. 3354192 (1963), Nat. Distillers Chem. Corp., Erf.: C. E. Frank u. J. H. Murib; C. A. **68**, 13164 (1968).
[9] G. Giacomelli, R. Menicagli, A. M. Caporusso u. L. Lardicci, J. Org. Chem. **43**, 1790 (1978).
[10] J. J. Eisch u. W. C. Kaska, Am. Soc. **84**, 1501 (1962).
[11] A. Stefani, Helv. **56**, 1192 (1973).
[12] A. Stefani u. P. Pino, Helv. **55**, 1110 (1972).
[13] L. Lardicci, G. P. Giacomelli u. L. De Bernardi, J. Organometal. Chem. **39**, 245 (1972).
[14] R. Köster u. G. W. Rotermund, Mülheim a. d. Ruhr, unveröffentlichte Resultate, 1963.

$$Mg\left[(C_8H_8)_2B\right]_2 + [Al(C_2H_5)_3]_2 \xrightarrow{-2B(C_2H_5)_3} Mg\left[(C_8H_8)_2Al\right]_2$$

β) Organoaluminium-Wasserstoff-Verbindungen

Einzelne Methyl-Reste des Trimethylborans reagieren mit Lithium-tetrahydroaluminat unter Methyl/Hydrid-Austausch[1]:

$$(H_3C)_3B \quad + \quad Li[AlH_4] \xrightarrow{-Li[H_3BCH_3]} 1/2\ [(H_3C)_2AlH]_2$$

γ) Organoaluminium-Stickstoff-Verbindungen

B-Organo-Reste von Organobor-Stickstoff-Verbindungen lassen sich aufs Aluminium-Atom übertragen. Aus 4,5-Diethyl-1,2,2,3-tetramethyl-2,5-dihydro-1,2,5-azasilaborol erhält man mit Triethylaluminium dimeres *4,5-Diethyl-1,2,2,3-tetramethyl-2,5-dihydro-1,2,5-azasilaaluminol*[2]:

$$\text{(Azasilaborol)} + 1/2\ [Al(C_2H_5)_3]_2 \xrightarrow{-B(C_2H_5)_3} 1/2\ [\text{(Azasilaaluminol)}]_2$$

δ) Lewisbase-Organoaluminium-Verbindungen

Die Übertragung der Organo-Reste vom B- auf Al-Atome gelingt auch mit Lewisbase-Organoaluminium-Verbindungen. Die Diethylboryl-Gruppe des 2,5-Dihydro-1,2-azoniaborats wird z.B. mit Triethylaluminium gegen die Diethylaluminyl-Gruppierung ausgetauscht[3]:

$$\text{(Azoniaborat)} + 1/2\ [Al(C_2H_5)_3]_2 \xrightarrow{-B(C_2H_5)_3} \text{(Azoniaaluminat)}$$

2. Organo-Thallium-Verbindungen[4]

Die Umwandlung von Aryl-dihydroxy-boranen mit Thallium(III)-chlorid liefert Aryl-dichlor-thallium-Verbindungen[5–9].

---

[1] T. WARTIK u. H.I. SCHLESINGER, Am. Soc. **75**, 835 (1953).
[2] R. KÖSTER u. G. SEIDEL, Mülheim a.d. Ruhr, unveröffentlicht, 1983.
[3] P. BINGER u. R. KÖSTER, B. **108**, 395 (1975).
[4] s. ds. Handb., Bd. XIII/4, S. 377, 383 (1970).
[5] F. CHALLENGER u. B. PARKER, Soc. **1931**, 1462.
[6] F. CHALLENGER u. O.V. RICHARDS, Soc. **1934**, 405.
[7] S.S. MAMETKIN, N.N. MEL'NIKOV u. G.P. GRATSCHEWA, Ž. obšč. Chim. **5**, 1455 (1935); C. **1936**, II, 1528.
[8] N.N. MEL'NIKOV u. M.S. ROTHITSKAYA, Ž. obšč. Chim. **8**, 1768 (1938); C.A. **33**, 4970 (1939).
[9] A.N. NESMEYANOV, A.E. BORISOV u. M.A. OSIPOVA, Doklady Akad. SSSR **169**, 602 (1966); engl.: 730; C.A. **65**, 15411 (1966).

Aus zwei mol Aryl-dihydroxy-boran erhält man mit einem mol Thallium(III)-bromid[1] Diarylthalliumhalogenide (60–70%)[2,3]:

$$2\,Ar{-}B(OH)_2 + TlCl_3 + 2\,H_2O \longrightarrow Ar_2TlCl + 2\,HCl + 2\,B(OH)_3$$

Ar = 4-Cl–C_6H_4[2]; CH=CH–C_6H_5[3]

h) Organo-Element(II)-Verbindungen

1. Organo-Erdalkalimetall-Verbindungen

α) Organo-Beryllium-Verbindungen

Diorganoberyllium-Verbindungen[4] werden aus aliphatischen oder aromatischen Triorganoboranen mit Diethylberyllium unter Ethyl/Organo-Rest-Austausch gewonnen. Nach Abdestillieren des leicht flüchtigen Triethylborans erhält man die Diorganoberyllium-Verbindungen z.T. in guten Ausbeuten[5–7]:

$$2\,R_3B + 3\,Be(C_2H_5)_2 \longrightarrow 3\,R_2Be + 2\,B(C_2H_5)_3$$

R = C_3H_7[6], $CH_2CH(CH_3)_2$[6], $CH_2C(CH_3)_3$[6]; $CH_2Si(CH_3)_3$[6]; C_6H_5[5,7], 3-$CH_3C_6H_4$[7], 2-$CH_3C_6H_4$[7], 2,5-$(CH_3)_2C_6H_3$[7], 4-ClC_6H_4[7]

Zum Austausch von Alkyl-Resten benötigt man keine Lösungsmittel[5]. Zur Gewinnung von Diarylberyllium-Verbindungen erhitzt man in Arenen zum Sieden. Beim Abdestillieren des Triethylborans lassen sich die Reaktionen nach wenigen Stdn. vervollständigen[5].

β) Organo-Magnesium-Verbindungen

Organomagnesium-Verbindungen[8] wie z.B. Diorgano- oder Halogen-organo-magnesium-Verbindungen lassen sich mit Dialkylmagnesium-Verbindungen oder Alkylmagnesiumhalogeniden aus Triorganoboranen herstellen[6,9–12]:

$$2\,BR^1_3 + 3\,MgR^2_2 \rightleftharpoons 3\,R^1_2Mg + 2\,BR^2_3$$

z.B.: $R^1 = C_{22}H_{45}$; C_6H_5
$R^2 = C_2H_5$, C_3H_7

Der Alkyl-Austausch verläuft stufenweise über gemischte Trialkylborane. Prim.-Alkyl-Reste lösen sich vom Bor-Atom wesentlich leichter ab als sek.-Alkyl-Reste.

1-Alkenyl-Gruppen lassen sich rascher als Alkyl-Reste vom Bor-Atom aufs Magnesium-Atom übertragen. Mit Ethylmagnesiumbromid reagiert Diethyl-(1-ethyl-2-me-

---

[1] S.S. MAMETKIN, N.N. MEL'NIKOV u. G.P. GRATSCHEWA, Ž. obšč. Chim. **5**, 1455 (1935); C. **1936**, II, 1528.
[2] N.N. MEL'NIKOV u. M.S. ROTHITSKAYA, Ž. obšč. Chim. **8**, 1768 (1938); C.A. **33**, 4970 (1939).
[3] V.A. SAZONOVA u. N.Y. KRONROD, Ž. obšč. Chim. **26**, 1876 (1956); C.A. **51**, 4980 (1957).
[4] s. ds. Handb., Bd. XIII/2a, S. 20–21 (1973).
[5] R. KÖSTER, Chimia **23**, 196 (1969); aus unveröffentlichten Versuchen von R. KÖSTER u. W. SCHÜSSLER, Mülheim a.d. Ruhr, 1967–1968.
[6] G.E. COATES u. B.R. FRANCIS, Soc. [A] 1971, 1308.
[7] G.E. COATES u. R.C. SRIVASTAVA, Soc. [Dalton] **1972**, 1541.
[8] s. ds. Handb., Bd. XIII/2a, S. 205 (1973).
[9] DBP 1154110 (1960) ≡ Fr.P. 1330718 (1961), K. Ziegler, Erf.: K. ZIEGLER, R. KÖSTER u. W. GRIMME; C.A. **60**, 545 (1964).
[10] US.P. 3028319 (1960), Ethyl Corp., Erf.: P. KOBETZ u. R.C. PINKERTON; C.A. **57**, 11231 (1962).
[11] L.I. ZAKHARKIN u. O.Y. OKHLOBYSTIN, Ž. obšč. Chim. **30**, 2134 (1960).
[12] R. KÖSTER u. P. BINGER, Mülheim a.d. Ruhr, unveröffentlicht 1970.

thyl-1-propenyl)-boran (vgl. Bd. XIII/3a, S. 201) in Diethylether in ≈70%iger Ausbeute unter Bildung von *1-Ethyl-2-methyl-1-propenylmagnesiumbromid*. Entsprechend ist *2-Methyl-1-propyl-1-propenylmagnesiumbromid* zugänglich[1]:

$$(H_5C_2)_2B-\underset{|}{\overset{R}{C}}=C(CH_3)_2 \quad + \quad H_5C_2-MgBr \xrightarrow{(H_5C_2)_2O} BrMg-\overset{R}{C}=C(CH_3)_2$$

$R = C_2H_5,\ C_3H_7$

2. Organo-Element(II B)-Verbindungen

Organo-Verbindungen des Zinks, Cadmiums und des Quecksilbers sind aus Organobor-Verbindungen präparativ zugänglich.

α) Organo-Zink-Verbindungen

Diorganozink-Verbindungen[2] lassen sich durch Übertragung von B-Organo-Resten herstellen[3,4]. Zwischenstufen des Austauschs sind Mischassoziate[1] von Triorganobor- und Diorganozink-Verbindung[3-5]:

$$2\,R^1_3B \quad + \quad 3\,R^2_2Zn \rightleftharpoons 3\,R^1_2Zn \quad + \quad 2\,R^2_3B$$

$R^1 = CH_2C_6H_5$; Aryl; Alkenyl
$R^2 = CH_3,\ C_2H_5$

Mit olefinischen Triorganoboranen BR_3 mit R = Allyl[4], 2-Methylallyl[5], 2-Butenyl[6] oder mit Triarylboranen mit R = 1-Naphthyl[4] oder 2-Methylphenyl[4] sowie mit Tribenzylboran[4] lassen sich sämtliche Organo-Reste vom B- auf das Zn-Atom übertragen. Man verwendet Dimethylzink[3] und Diethylzink[4,5].

β) Organo-Cadmium-Verbindungen

Diorganocadmium-Verbindungen[7] erhält man aus Tri-2-alkenyl-boranen mit Dimethylcadmium ohne Lösungsmittel bei −10° in hohen Ausbeuten (z.B. *Diallylcadmium*; ≈100%)[6,8]:

$$2\,B(CH_2-CH=CH_2)_3 \quad + \quad 3\,Cd(CH_3)_2 \xrightarrow[-2\,B(CH_3)_3]{-10°\ \text{bis}\ -20°} 3\,Cd(CH_2-CH=CH_2)_2$$

Di-2-butenylcadmium ist in ≈70%iger Ausbeute zugänglich[8].

---

[1] R. KÖSTER u. P. BINGER, Mülheim a.d. Ruhr, unveröffentlicht 1970.
[2] s. ds. Handb., Bd. XIII/2a, S. 618–620 (1973); Bd. XIII/3a, S. 36 (1982).
[3] L.I. ZAKHARKIN u. O.Y. OKHLOBYSTIN, Ž. obšč. Chim. **30**, 2134 (1960); C.A. **55**, 9319 (1961).
[4] K.-H. THIELE u. P. ZDUNNEK, J. Organometal. Chem. **4**, 10 (1965).
[5] K.-H. THIELE, G. ENGELHARDT, J. KÖHLER u. M. ARNSTEDT, J. Organometal. Chem. **9**, 385 (1967).
[6] D. ABENHAIM, E. HENRY-BASCH u. P. FREON, Bl. **1969**, 4038.
[7] s. ds. Handb., Bd. XIII/2a, S. 880–881 (1973).
[8] K.-H. THIELE u. J. KÖHLER, J. Organometal. Chem. **7**, 365 (1967).

γ) Organo-Quecksilber-Verbindungen

Die Umwandlung von Triorganoboranen zu den präparativ wichtigen quecksilberorganischen Verbindungen[1–4] (Mercurideborylierung) gelingt mit Quecksilber(II)-chlorid in alkalisch-wäßriger Lösung[1], mit Quecksilber(II)-acetat in Tetrahydrofuran[2] oder auch mit Quecksilber(II)-oxid in Wasser[3]. Die Anzahl der übertragbaren Reste hängt vom Stoffpaar, den Reaktionsbedingungen und der Art der Organo-Reste ab. Man erhält

ⓐ Diorganoquecksilber-Verbindungen
ⓑ Halogen-organo-quecksilber-Verbindungen
ⓒ Organooxy-organo-quecksilber-Verbindungen und
ⓓ Acyloxy-organo-quecksilber-Verbindungen

γ₁) *Diorganoquecksilber-Verbindungen*

γγ₁) Aliphatische Diorganoquecksilber-Verbindungen

Sämtliche Alkyl-Reste der Trialkylborane werden in alkalisch-wäßriger Lösung oder in wasserfreiem Diethylether auf das Quecksilber-Atom des Quecksilber(II)-chlorids übertragen. Man gewinnt Dialkylquecksilber-Verbindungen[5,6]:

$$2\ R_3B + 3\ HgCl_2 + 8\ NaOH \longrightarrow 3\ R_2Hg + 2\ Na^+[B(OH)_4]^- + 6\ NaCl$$

R = C_2H_5 (95%), C_6H_{13} (55%)

Aus Alkalimetall-tetraalkyl-boraten erhält man mit Quecksilber(II)-Salzen in alkalisch-wäßriger Lösung Dialkylquecksilber-Verbindungen[7]:

$$2\ Na^+[BR_4]^- + HgCl_2 \xrightarrow{NaOH} R_2Hg + 2\ BR_3 + 2\ NaCl$$

R = C_2H_5

Diethylquecksilber läßt sich auch elektrochemisch aus Natriumtetraethylborat in wäßriger Lösung zwischen Quecksilber-Elektroden gewinnen[8].

Die Einwirkung von Quecksilber(II)-acetat auf Trialkylborane in 1,2-Dimethoxyethan[6] oder Tetrahydrofuran[9] liefert bei ≈20° Dialkylquecksilber-Verbindungen[6,9]:

$$R_3B + Hg(OCOCH_3)_2 \xrightarrow[\approx 20°]{THF} R_2Hg + R_2B(OCOCH_3)$$

R = C_2H_5[9], C_4H_9[6], $CH_2CH(CH_3)_2$[6]; $CH_2CH(CH_3)C_3H_7$[6], $C_{10}H_{21}$[6], $CH_2CH_2C(CH_3)_3$[6], $CH_2CH(C_6H_5)_2$, $-CH_2$ (Pinanyl, mit CH_3, CH_3)

Außerdem werden Alkylquecksilberacetate (vgl. S. 372) gebildet. Der dritte Alkyl-Rest der Trialkylborane reagiert vergleichsweise langsam[6,10–12].

---

[1] s. ds. Handb., Bd. XIII/2b, S. 76, 79 (1974); Bd. XIII/3a, S. 139 (1982).
[2] s. ds. Handb., Bd. XIII/2b, S. 77–79 (1974).
[3] s. ds. Handb., Bd. XIII/2b, S. 79 (1974).
[4] R.C. LAROCK, Heteroc. Sendai **18**, 397 (1982).
[5] J.B. HONEYCUTT u. J.M. RIDDLE, Am. Soc. **82**, 3051 (1960).
[6] J.B. HONEYCUTT u. J.M. RIDDLE, Am. Soc. **81**, 2593 (1959).
[7] J.B. HONEYCUTT u. J.M. RIDDLE, Am. Soc. **83**, 369 (1961).
[8] K. ZIEGLER u. O.-W. STEUDEL, A. **652**, 1 (1962).
[9] J.D. BUHLER u. H.C. BROWN, J. Organometal. Chem. **40**, 265 (1972).
vgl. ds. Handb., Bd. XIII/2b, S. 79 (1974).
[10] R.C. LAROCK u. H.C. BROWN, Am. Soc. **92**, 2467 (1970).
[11] R.C. LAROCK u. H.C. BROWN, J. Organometal. Chem. **26**, 35 (1971).
[12] J.J. TUFARIELLO u. M.M. HOVEY, Chem. Commun. **1970**, 372.

Aus Dicyclohexyl-[2-(4-subst.-furanosyl)ethyl]-boranen lassen sich bei ~25° mit Quecksilber(II)-acetat die entsprechenden Diorganoquecksilber-Verbindungen gewinnen[1,2]; z.B.[2]:

$$\text{Furanosyl-}CH_2CH_2\text{-}B(C_6H_{11})_2 + 1/2\ Hg(OCOCH_3)_2 \xrightarrow{THF;\ 25°\ 1,5\ Stdn.} [\text{Furanosyl-}CH_2CH_2]_2Hg$$

$R = OSO_2CH_3$

$\gamma\gamma_2$) Aromatische Diorganoquecksilber-Verbindungen

Mit Methylquecksilber-jodid[3] bzw. -perchlorat[4,5] erhält man aus Dihydroxy-phenylboran in alkoholischer Natronlauge unter Übertragung der Phenyl-Gruppe *Methyl-phenyl-quecksilber*[3–5]:

$$H_5C_6{-}B(OH)_2 + H_3CHg{-}Hal + NaOH \xrightarrow[-NaHal]{H_5C_2OH} H_5C_6{-}HgCH_3 + B(OH)_3$$

Hal = J[4], ClO_4[5,6]

Mit Quecksilber(II)-oxid werden Aryl-dihydroxy-borane in alkalisch-wäßriger Lösung dearyliert[6,7]:

$$4\ Ar{-}B(OH)_2 + 2\ HgO + 2\ NaOH \xrightarrow[-H_2O]{} 2\ Ar_2Hg + Na_2B_4O_7$$

$Ar = C_6H_5$

Aus Dihydroxy-phenyl-boran erhält man mit Quecksilber(II)-nitrat in Gegenwart von Natriumacetat in wäßriger Lösung quantitativ *Diphenylquecksilber* (F: 125°)[8]:

$$2\ H_5C_6{-}B(OH)_2 + Hg(NO_3)_2 \xrightarrow{NaOCOCH_3/H_2O} Hg(C_6H_5)_2$$

Aus Alkalimetall-tetraphenylboraten erhält man mit Quecksilber(II)-hydroxid *Diphenylquecksilber*[9].

γ_2) *Organoquecksilberhalogenide*

$\gamma\gamma_1$) Aliphatische Organoquecksilberhalogenide

Tri-sek.-alkylborane reagieren bei ≈20° mit Quecksilber(II)-chlorid in Gegenwart von Natriummethanolat in Methanol/Tetrahydrofuran unter Bildung von sek.-Alkylquecksilberchloriden[10]:

---

[1] L.D. Hall u. J.-R. Neeser, Chem. Commun. **1982**, 887.
[2] J.-R. Neeser, L.D. Hall u. J.A. Balatoni, Helv. **66**, 1018 (1983).
[3] R.C. Freidlina, K.A. Kocheshkov u. A.N. Nesmeyanov, Ž. obšč. Chim. **5**, 1171 (1935); vgl. B. **68**, 565 (1935).
[4] H.G. Kuivila u. T.C. Müller, Am. Soc. **84**, 377 (1962).
[5] K. Torssell, Acta chem. scand. **13**, 115 (1959).
[6] Hinweis auf vermutete Reaktion vgl.: A.N. Nesmejanow u. K.A. Kozeschkow, B. **67**, 317 (1934).
[7] F. Challenger u. L.V. Richards, Soc. **1934**, 405.
[8] Z. Holzbecher, Chem. Listy **46**, 17 (1952); C.A. **46**, 10998 (1952).
[9] R. Montequi, A. Doadrio u. C. Serrano, Publs. inst. quim. „Alonso Barba" (Madrid) **10**, 183 (1956); C.A. **51**, 11906 (1957).
[10] R.C. Larock, J. Organometal. Chem. **67**, 353 (1974).

$$R_3B + 2\ HgCl_2 + 2\ NaOCH_3 \xrightarrow[-2\ NaCl,\ -R-B(OCH_3)_2]{HOCH_3} 2\ R-HgCl$$

R = $CH(CH_3)C_2H_5$, C_5H_9, C_6H_{11},

Die zweite Alkyl-Gruppe wird deutlich langsamer ausgetauscht als der erste Alkyl-Rest[1].

Aliphatische Organoquecksilberchloride erhält man auch aus Trialkylboranen mit Quecksilber(II)-acetat in Tetrahydrofuran nach Zugabe einer wäßrigen Natriumchlorid-Lösung[2]:

$$BR_3 + 3\ Hg(OCOCH_3)_2 \xrightarrow{THF} 3\ RHgOCOCH_3 + B(OCOCH_3)_3$$

$$3\ R-HgOCOCH_3 + 3\ NaCl \xrightarrow{H_2O} 3\ R-HgCl + 3\ NaOCOCH_3$$

R = C_4H_9, $CH_2CH(CH_3)_2$, C_6H_{13}, $C_{12}H_{35}$, $CH_2CH(CH_3)C_6H_5$, $CH_2CH_2C(CH_3)_3$,

$-CH_2$ (CH_3, CH_3) ; CH_2CH_2- ; $(CH_2)_{10}COOCH_3$

Prim.-Alkylborane reagieren mit Quecksilber(II)-Salzen rascher als sek.-Alkyl-borane[2-4], zu deren beschleunigter Übertragung besser vom Quecksilber(II)-benzoat in Tetrahydrofuran ausgegangen wird[3]. Die elektrophile Substitution am prim.-Alkyl-Rest kann mit Inversion der Konfiguration am C-Atom verbunden sein. Beispielsweise wird aus *erythro*-Alkylboranen mit Quecksilber(II)-acetat/Natriumchlorid *threo*-Alkylquecksilberchlorid gebildet[5].

Die Stereochemie der Mercurideborylierung des (R)-(–)-Dibutyloxy-1-phenyl-ethyl-borans mit Quecksilber(II)-chlorid in Wasser/Glycerin/Aceton unter Zusatz von Natriumacetat und Natriumchlorid verläuft bevorzugt unter Retention. Man erhält das allerdings leicht racemisierende *(R)–(+)–1-Phenylethylquecksilberchlorid*[6]:

$$H-C(C_6H_5)(CH_3)-B(OC_4H_9)_2 + HgCl_2 \xrightarrow[-NaCl,\ -(H_9C_4O)_2BOCOCH_3]{+NaOCOCH_3/H_2O} H-C(C_6H_5)(CH_3)-HgCl$$

Aus Tri-sek.-alkyl-boranen werden mit Quecksilber(I)-alkanolaten in Alkohol zwei bis drei Alkyl-Reste vom B- auf das Hg-Atom übertragen. Quecksilber(I)-tert.-butanolat in tert.-Butanol ist ein Reagenz für Mercurodeborylierungen[7]:

$$R^1_3B + 2\ Hg_2Cl_2 + 2\ KOR^2 \xrightarrow[-2\ KCl]{HOR^2} 2\ R^1-HgCl + 2\ Hg + R^1-B(OR^2)_2$$

R^1 = C_5H_9, C_6H_{11}
R^2 = $C(CH_3)_3$

---

[1] R.C. Larock, J. Organometal. Chem. **67**, 353 (1974).
[2] R.C. Larock u. H.C. Brown, Am. Soc. **92**, 2467 (1970).
[3] R.C. Larock u. H.C. Brown, J. Organometal. Chem. **26**, 35 (1971).
[4] s. ds. Handb., Bd. XIII/2b, S. 77 (1974).
[5] D.F. Bergbreiter u. D.P. Rainville, J. Organometal. Chem. **121**, 19 (1976).
[6] D.S. Matteson u. R.A. Bowie, Am. Soc. **87**, 2587 (1964).
[7] R.C. Larock, J. Organometal. Chem. **72**, 35 (1974).

Die Reaktionen verlaufen vermutlich über freie Radikal-Zwischenstufen: Im Gegensatz zur Reaktion mit Quecksilber(II)-Salzen (vgl. S. 368) werden sek.-Alkyl-Reste rascher übertragen als prim.-Alkyl-Reste[1,2].

Aus 1,1-Bis(diorganooxyboryl)alkanen bilden sich in alkalisch-methanolischer Lösung mit Quecksilber(II)-chlorid Bis(chlorquecksilber)alkane[2]:

$$[(H_3CO)_2B]_2CHR \xrightarrow{+2\ HgCl_2\ /\ 2\ NaOH} (ClHg)_2CHR$$

$R^1 = C_4H_9,\ C_5H_{11},\ C_9H_{19},\ CH_2C(CH_3)_3;\ CH_2C_6H_5$

Aus 1,1-Bis(dihydroxyboryl)ethan wird mit Quecksilber(II)-oxid in alkalisch-wäßriger Lösung polymeres Ethylenquecksilber gewonnen, das mit Quecksilber(II)-chlorid in Diglyme bei ≈150° zum *1,1-Bis(chlorquecksilber)ethan* reagiert[2,3]:

$$H_3CCH[B(OH)_2]_2 + HgO \xrightarrow{OH^-} 1/n\left\{\left[H_3C\underset{|}{C}HHg-\right]_n\right\} \xrightarrow[Diglyme]{+HgCl_2} H_3CCH(HgCl)_2$$

Läßt man 1,1-Bis(dihydroxyboryl)ethan unmittelbar mit Quecksilber(II)-chlorid in wäßrigem Alkalimetallhydroxid reagieren, wird Ethen abgespalten (vgl. S. 218, 220)[2,3].

$\gamma\gamma_2$) Aromatische Organoquecksilber-Verbindungen

Die Übertragung von B-Aryl-Resten auf Quecksilber-Atome[4] erfolgt vergleichsweise glatt unter Bildung von Arylquecksilberhalogeniden oder Diarylquecksilber-Verbindungen (vgl. S. 367). Der Aryl-Austausch erlaubt die quantitative Bestimmung von B-Aryl-Gruppen mit Hilfe von Quecksilber(II)-chlorid in wäßriger Lösung (vgl. S. 388)[5]: Triphenylboran reagiert mit Quecksilber(II)-chlorid in wäßriger Lösung unter Übertragung sämtlicher B-Phenyl-Reste auf das Quecksilber. *Phenylquecksilberchlorid* wird gebildet[5]:

$$(H_5C_6)_3B + 3\ HgCl_2 + 3\ H_2O \longrightarrow 3\ H_5C_6-HgCl + B(OH)_3 + 3\ HCl$$

Aus Tetraphenyldiboroxan erhält man mit Quecksilber(II)-chlorid in wäßriger Lösung ebenfalls Phenylquecksilberchlorid[6,7]:

$$[(H_5C_6)_2B]_2O + 4\ HgCl_2 + 5\ H_2O \longrightarrow 4\ H_5C_6-HgCl + 2\ B(OH)_3 + 4\ HCl$$

Entsprechend reagieren Diaryl-hydroxy-borane mit Quecksilber(II)-chlorid:[5,8–11]

$$Ar_2BOH + 2\ HgCl_2 + 2\ H_2O \longrightarrow 2\ Ar-HgCl + B(OH)_3 + 2\ HCl$$

[1] R.C. Larock, J. Organometal. Chem. **72**, 35 (1974).
[2] R.C. Larock, J. Organometal. Chem. **61**, 27 (1973).
[3] D.S. Matteson u. J.G. Shdo, J. Org. Chem. **29**, 2742 (1964).
[4] s. ds. Handb., Bd. XIII/2b, S. 76–81 (1974).
[5] G. Wittig, G. Keicher, A. Rückert u. P. Raff, A. **563**, 110 (1949).
[6] R. Neu, B. **87**, 802 (1954).
[7] B. Neu, B. **88**, 1761 (1955).
[8] A. Michaelis, B. **27**, 244 (1894).
[9] W. König u. N. Scharrenbeck, J. pr. **128**, 153 (1930).
[10] K. Torssell, Acta chem. scand. **9**, 239 (1955).
[11] K. Torssell, Acta chem. scand. **13**, 115 (1959).

Auch Aryl-dihydroxy-borane werden mit Quecksilber(II)chlorid in wäßriger Lösung in Arylquecksilberchloride übergeführt[1–8]:

$$Ar{-}B(OH)_2 + HgCl_2 + H_2O \longrightarrow Ar{-}HgCl + B(OH)_3 + HCl$$

Ar = C_6H_5[1,7,8], 2-CH_3–C_6H_4[2], 3-CH_3–C_6H_4[2,3], 4-CH_3–C_6H_4[2,3]
2-Cl–C_6H_4[1], 4-Br–C_6H_4[1], COOH–C_6H_4[3,4], CH_2–C_6H_5[5],
CH = CH–C_6H_5[6], 1-,2-Naphthyl[4], CH_2–CH_2–C_6H_5[6]

Heteroatomhaltige Aryl-Reste wie z.B. der 2-Furyl-[9], der 2-Thienyl-[10] oder der Ferrocenyl-Rest[11] lassen sich vom Bor- aufs Quecksilber-Atom übertragen. Auch Cymantrenyl-Reste [$H_5C_5Mn(CO)_3$] können so in wäßriger Lösung ausgetauscht werden[7].

Der Ersatz von Bor-Atomen durch Quecksilber-Atome gelingt auch beim 1,3-Dihydroxy-1,3-(naphthalin-1,8-diyl)-diboroxan (vgl. Bd. XIII/3a, S. 825) mit Quecksilber(II)-chlorid in Ethanol[8]:

HO–B–O–B–OH (1,8-Naphthalin) + 2 $HgCl_2$ $\xrightarrow{H_5C_2OH}$ ClHg HgCl (1,8-Naphthalin)

56%

Aus Alkalimetall-tetraarylboraten [oder aus Chrom-tetraphenylborat[12]] werden mit Quecksilber(II)-chlorid in neutraler wäßriger Lösung Arylquecksilberchloride gebildet[13–16]:

$$Na^+[BAr_4]^- + HgCl_2 \xrightarrow[-BAr_3]{H_2O} Ar{-}HgCl + NaCl$$

$\gamma\gamma_3$) Olefinische Organoquecksilber-Verbindungen

Die Übertragung von 1-Alkenyl-Resten vom B- auf das Hg-Atom verläuft mit Quecksilber(II)-acetat/Natriumchlorid in wäßriger Lösung bei 0° rascher als bei den Alkyl-Resten. Aus Dicyclohexyl-subst.-vinyl-boranen erhält man in >85%igen Ausbeuten unter

---

[1] A. Michaelis, B. **15**, 180 (1882).
[2] R.L. Letsinger u. S.H. Dandegaonker, Am. Soc. **81**, 498 (1958).
[3] F.R. Bean u. J.R. Johnson, Am. Soc. **54**, 4451 (1932).
[4] A. Michaelis, A. **315**, 19 (1901).
[5] E. Khotinsky u. M. Melamed, J. pr. **42**, 3090 (1909).
[6] V.A. Sazonova u. N. Yu. Kronrod, Ž. obšč. Chim. **26**, 1876 (1956); C.A. **51**, 4980 (1957).
[7] A.N. Nesmeyanov, E.N. Kolobova, Yu. V. Makarov u. K.N. Ansimov, Izv. Akad. SSSR **1969**, 1992; C: A. **72**, 21761 (1970).
[8] R.L. Letsinger, J.M. Smith, J. Gilpin u. D.B. McLean, J. Org. Chem. **30**, 807 (1964).
[9] D.S. Matteson u. R.A. Bowie, Am. Soc. **87**, 2587 (1965).
[10] J.R. Johnson, M.G. van Campen u. O. Grummitt, Am. Soc. **60**, 111 (1938).
[11] A.N. Nesmeyanov, V.A. Sazonova u. V.N. Drozd, Doklady Akad. SSSR **126**, 1004 (1959); C.A. **54**, 6673 (1960).
[12] A.A. Koksharova, G.G. Petukhov u. S.F. Zhil'tsov, Ž. obšč. Chim. **40**, 2446 (1970); engl.: 2431; C.A. **75**, 20463 (1971).
[13] G. Wittig, G. Keicher, A. Rückert u. P. Raff, A. **563**, 110 (1949).
[14] G. Wittig u. W. Herwig, B. **88**, 962 (1955).
[15] A.N. Nesmeyanov, V.A. Sazonova u. G.S. Liberman, Izv. Akad. SSSR **1955**, 48; C.A. **50**, 1644 (1956).
[16] vgl. ds. Handb., Bd. XIII/2b, S. 80 (1974).

Retention der C=C-Konfiguration 1-Alkenylquecksilberchloride[1-4]:

$$(H_{11}C_6)_2B-C(R^2)=C(H)-R^1 + Hg(OCOCH_3)_2 \xrightarrow[-NaOCOCH_3,\ -(H_{11}C_6)_2BOCOCH_3]{+NaCl / H_2O} R^1(H)C=C(R^2)HgCl$$

$R^1 = C_2H_5, C_3H_7; C_6H_{11}; C(CH_3)_3; C_6H_5$
$R^2 = H; C_2H_5$

Metallisches Quecksilber wird wegen der gleichzeitig verlaufenden Kupplungs-Reaktion (vgl. Organo-Organo-Verbindungen S. 264) in kleiner Menge gebildet[1].

2-(1-Alkenyl)-1,3,2-benzodioxaborole reagieren in Tetrahydrofuran mit Quecksilber(II)-acetat nach Zugabe von wäßriger Kochsalz-Lösung bei 0° in hohen Ausbeuten unter Übertragung des Alkenyl-Rests, dessen Konfiguration erhalten bleibt[2,3]:

$$C_6H_4O_2B-C(R^2)=C(H)-R^1 + Hg(OCOCH_3)_2 \xrightarrow[-C_6H_4O_2B-OCOCH_3]{+NaCl / H_2O} ClHg-C(R^2)=C(H)-R^1 + NaOCOCH_3$$

$R^1 = C_2H_5, C_3H_7; (CH_2)_3Cl; C_6H_{11}; C(CH_3)_3$
$R^2 = H; CH_3, C_2H_5$

γ_3) *Organoquecksilberacetate*

Aus Trialkylboranen erhält man mit Quecksilber(II)-acetat nach mehrstündigem Erwärmen in siedendem Tetrahydrofuran Alkylquecksilberacetate[5-7]:

$$R_3B + 3Hg(OCOCH_3)_2 \xrightarrow[-B(OCOCH_3)_3]{THF} 3RHg-OCOCH_3$$

$R = C_6H_{13}; CH_2CH_2C_6H_5; -CH_2CH_2-$(Cyclohex-3-enyl)

Prim. Alkyl-Gruppen werden deutlich rascher vom B- auf das Hg-Atom übertragen als sek.-Alkyl-Gruppen. Für diese gilt die Reaktivitätsreihe:

Cyclopentyl > Cyclohexyl > 2-Butyl > Bicyclo[2.2.1]heptyl

Selektive Desalkylierungen gemischter Trialkylborane sind möglich[5,6].

---

[1] R.C. LAROCK u. H. C. BROWN, J. Organometal. Chem. **36**, 1 (1972).
[2] R.C. LAROCK, S.K. GUPTA u. H.C. BROWN, Am. Soc. **94**, 4371 (1972).
[3] R. PAPPO u. P.W. COLLINS, Tetrahedron Letters **1972**, 2627.
[4] s. ds. Handb., Bd. XIII/2b, S. 80f. (1974).
[5] R.C. LAROCK u. H.C. BROWN, Am. Soc. **92**, 2467 (1970).
[6] R.C. LAROCK u. H.C. BROWN, J. Organometal. Chem. **26**, 35 (1971).
[7] s. ds. Handb., Bd XIII/2b, S. 76 (1974); Bd XIII/3a, S. 782 (1982).

Die Mercurideborylierung der Organo-Reste erfolgt in Abhängigkeit von der Art des Übergangszustands[1-3] unter Retention[4,5-7] oder unter Inversion[1,8-10] der Konfiguration des Organo-Rests.

Dihydroxy-organo-borane tauschen ihre Organo-Reste mit Quecksilber(II)-Verbindungen aus[8,9,11-15]. Aus Dihydroxy-octyl-boran erhält man mit Quecksilber(II)-acetat beim kurzen Erwärmen in Eisessig auf 90–100° in 81%iger Ausbeute *Octylquecksilberacetat*[12]:

$$2\ H_{17}C_8{-}B(OH)_2 + 2\ Hg(OCOCH_3)_2 \xrightarrow[\{-2\ (HO)_2BOCOCH_3\}]{H_3CCOOH} 2\ H_{17}C_8{-}HgOCOCH_3$$

Entsprechend lassen sich Dihydroxy-(2-methylpropyl)-[13] und Dihydroxy-(bicyclo[2.2.1]hept-2-en-5-yl)-boran[8,9,15] umwandeln.

Tetrakis(dimethoxyboryl)methan reagiert mit Quecksilber(II)-acetat in abs. Ethanol in hoher Ausbeute zum *Tetrakis(acetoxymercuri)methan*[12].

i) Organo-Element(I)-Verbindungen

1. Organo-Lithium-Verbindungen

Die Übertragung der Organo-Reste vom Bor- aufs Lithium-Atom führt in zahlreichen Fällen zu neuen lithiumhaltigen Organobor-Verbindungen, wie z.B. zu lithiumhaltigen Triorganoboranen (vgl. Bd. XIII/3a, S. 313)[16]:

$$[(\text{B-bicyclo})\,CHCH_2R^1]_2 + Li{-}R^2 \xrightarrow[-R^2B(\text{bicyclo})]{} (\text{bicyclo})B{-}CH(Li)CH_2R^1$$

$R^1 = C_3H_7;\ CH(CH_3)_2;\ C(CH_3)_3$
$R^2 = CH_3$

Lithiumhaltige Diorganooxy-organo-borane (vgl. Bd. XIII/3a, S. 717, 729) sind entsprechend zugänglich[17]. Borfreie Organolithium-Verbindungen sind mit Butyllithium zu gewinnen; z.B. aus Cyclopentadienyl-diethyl-boran in Hexan[18]:

$$(H_5C_2)_2B{-}C_5H_5 + LiC_4H_9 \xrightarrow[-(H_5C_2)_2BC_4H_9]{} LiC_5H_5$$

[1] D.E. Bergbreiter u. D.P. Rainville, J. Organometal. Chem. **121**, 19 (1976).
[2] D.S. Matteson u. P.G. Allies, Am. Soc. **92**, 1801 (1970).
[3] D.S. Matteson u. P.G. Allies, J. Organometal. Chem. **54**, 35 (1973).
[4] R.C. Larock u. H.C. Brown, Am. Soc. **92**, 2467 (1970).
[5] R.C. Larock u. H.C. Brown, J. Organometal. Chem. **26**, 35 (1971).
[6] D.S. Matteson u. R.A. Bowie, Am. Soc. **87**, 2587 (1965).
[7] L. Lardicci, T.P. Giacomelli u, L. DeBernardi, J. Organometal. Chem. **39**, 245 (1972).
[8] D.S. Matteson u. M.L. Talbot, Am. Soc. **89**, 1119 (1967).
[9] D.S. Matteson u. M.L. Talbot, Am. Soc. **89**, 1123 (1967).
[10] D.S. Matteson u. J.O. Waldbillig, Am. Soc. **86**, 3778 (1964).
[11] A.Y. Borisov, Izv. Akad. SSSR **1951**, 402; C.A. **46**, 2995 (1952).
[12] D.S. Matteson, R.B. Castle u. G.L. Larson, Am. Soc. **92**, 231 (1970).
[13] K. Torssell, Acta chem. scand. **13**, 115 (1959).
[14] V.A. Sazonova u. Ya. Konrod, Ž. obšč. Chim. **26**, 1876 (1956); C.A. **51**, 4980 (1957).
[15] D.S. Matteson u. J.O. Waldbillig, Am. Soc. **85**, 1019 (1963).
[16] G. Zweifel, R.P. Fisher u. A. Hornig, Synthesis **1973**, 37.
[17] D.S. Matteson, R.A. Davis u. L.A. Hagelee, J. Organometal. Chem. **69**, 45 (1974).
[18] H. Grundke u. P.I. Paetzold, B. **104**, 1136 (1971).

Aus 2-[Bis(phenylthio)methyl]-1,3,2-dioxaborolan ist der Bis(phenylthio)methyl-Rest aufs Lithium-Atom leicht zu übertragen[1]:

$$\text{(1,3,2-Dioxaborolan-2-yl)}-CH(SC_6H_5)_2 + H_9C_4Li \xrightarrow[-H_9C_4-B(OCH_2CH_2O)]{} Li-CH(SC_6H_5)_2$$

2. Organo-Natrium-Verbindungen

Natrium-cyclopentadienylid (≈50%) erhält man aus Pyridin-1,3-Cyclopentadienyl-diethyl-boran (vgl. Bd. XIII/3b, S. 461) mit Natrium-hydro-triethyl-borat (vgl. Bd. XIIII/3b, S. 806) in Diethylether[2]:

$$Py^{\oplus}-B^{\ominus}(C_2H_5)_2-C_5H_5 + Na[HB(C_2H_5)_3] \xrightarrow[-B(C_2H_5)_3,\ -Py-HB(C_2H_5)_2]{(H_5C_2)_2O} Na^+C_5H_5^-$$

k) Organo-Übergangsmetall-Verbindungen

Organobor-Verbindungen sind auch schon zur Gewinnung bestimmter Organo-Übergangsmetall-Verbindungen (z.B. des Ti, V, W, Fe, Pt) verwendet worden.

1. Organo-Element(IVA)-Verbindungen

Die Umwandlung bestimmter Triorganoborane mit Tetraorganotitan-Verbindungen führt zu neuen Tetraorganotitan-Verbindungen. Benzyl-, Phenyl- und Allyl-Reste lassen sich vom Bor- aufs Titan-Atom übertragen. Man verwendet Tetramethyltitan und erhält durch Methyl/Organo-Austausch leicht flüchtiges Trimethylboran.

Aus Tribenzylboran sind mit Tetramethyltitan in Diethylether bei –78° *Methyl-tribenzyl-* oder *Tetrabenzyl-titan* (als Diethyletherat) zugänglich[3,4]. Triphenylboran liefert *Dimethyl-diphenyl-titan*[3]:

$$2(H_5C_6)_3B + 3(H_3C)_4Ti \xrightarrow[-2\,B(CH_3)_3]{(H_5C_2)_2O,\ -50°} 3(H_3C)_2Ti(C_6H_5)_2$$

Triallylboran reagiert in Diethylether bei –50° mit Tetramethyltitan unter Bildung von *η^1-Allyl-trimethyl-titan*[5]:

$$B(CH_2-CH=CH_2)_3 + 3(H_3C)_4Ti \xrightarrow[-B(CH_3)_3]{(H_5C_2)_2O,\ -50°} 3\,H_2C=CH-CH_2-Ti(CH_3)_3$$

2. Organo-Element(VA)-Verbindungen

Auf das Vanadium-Atom des Vanadium(IV)-chlorids läßt sich von Triallylboran eine Allyl-Gruppe übertragen[6]:

$$B(CH_2-CH=CH_2)_3 + 3VCl_4 \xrightarrow[-BCl_3]{} 3H_2C=CH-CH_2-VCl_3$$

---

[1] A. Mendoza u. D.S. Matteson, J. Org. Chem. **44**, 1352 (1979).
[2] H. Grundke u. P.I. Paetzold, B. **104**, 1136 (1971).
[3] P. Zdunneck u. K.-H. Thiele, J. Organometal. Chem. **22**, 659 (1970).
[4] s. ds. Handb., Bd. XIII/7, S. 286f., 306 (1975).
[5] M. Panse u. K.-H. Thiele, Z. anorg. Ch. **485**, 7 (1982).
[6] K.-H. Thiele u. S. Wagner, J. Organometal. Chem. **20**, 825 (1969).

3. Organo-Element(VIA)-Verbindungen

Mit Trialkylboranen wird auch Wolfram(VI)-chlorid alkyliert. In Diethylether erhält man bei −30° bis −40° Alkylwolframpentachloride[1,2]:

$$R_3B \quad + \quad 3\,WCl_6 \xrightarrow[-\,BCl_3]{(H_5C_2)_2O,\ \leq -30°,\ 10-12\,Stde.} 3\,R{-}WCl_5$$

$R = C_2H_5, C_4H_9$

4. Organo-Element(VIII)-Verbindungen

α) Organo-Eisen-Verbindungen

Bestimmte B-Organo-Reste lassen sich vom Bor- aufs Eisen-Atom übertragen. Beispielsweise reagieren 1,3-Cyclopentadienyl-dialkyl-borane mit Eisen(II)-chlorid in Tetrahydrofuran bei ≈20° langsam unter Bildung von *Ferrocen*[3]; z.B.:

$$2\,(H_5C_2)_2B{-}C_5H_5 \quad + \quad FeCl_2 \xrightarrow[-2\,(H_5C_2)_2B{-}Cl]{THF,\ \approx 20°} Fe(C_5H_5)_2$$

In Gegenwart von Basen [z.B. von Trialkylamin] erfolgt die Deborylierung wesentlich rascher[3].

β) Organo-Platin-Verbindungen

Phenyl-Reste lassen sich vom Bor- aufs Platin-Atom übertragen. Dihydroxy-phenylboran reagiert mit Platin(IV)-chlorwasserstoffsäure unter Bildung anionischer σ-Phenylkomplex-Verbindungen des Platin(IV)[4]. Man setzt in Trifluoressigsäure nach Zugabe von wenig Wasser um und isoliert das Ammonium-Salz in ≈15%iger Ausbeute als Additions-Verbindung an Aceton:

$$[H_5C_6{-}PtCl_4NH_3]^-\,NH_4^+\,[OC(CH_3)_2]$$

Aus Natrium-tetraphenylborat erhält man die σ-Phenyl-Platin(IV)-Verbindung zu 7%[4].

---

[1] W. Grahlert u. K.-H. Thiele, Z. anorg. Ch. **383**, 144 (1971).
[2] s. ds. Handb., Bd. XIII/7, S. 490 (1975).
[3] H. Grundke u. P.I. Paetzold, B. **104**, 1136 (1971).
[4] G.B. Shul'pin, P. Lederer u. G.V. Nizova, Ž. obšč. Chim. **52**, 1428 (1982); engl.: 1262; C.A. **97**, 163228 (1982).

C. Anwendungen von Organobor-Verbindungen

(eine Übersicht)*

zusammengestellt von

ROLAND KÖSTER

Max-Planck-Institut für Kohlenforschung, Mülheim a. d. Ruhr

Organobor-Verbindungen, die als Modell-Verbindungen in vieler Hinsicht sehr nützlich sind, lassen sich auch als z. T. spezifisch wirksame Hilfsstoffe in der organischen Synthese und in der Analytik verwenden. Vier verschiedene Anwendungsbereiche sind derzeit erkennbar.

I. Organobor-Verbindungen zur Stofftrennung, -reinigung und -stabilisierung

a) Stofftrennungen

1. Ungesättigte Kohlenwasserstoffe

Alken/Alken:
R. KÖSTER, G. GRIASNOV, W. LARBIG u. P. BINGER, *Organische Borverbindungen durch Hydroborierung olefinischer Kohlenwasserstoffe mit Alkyldiboranen,* A. **672**, 1–34 (1964); mit Diorgano-hydro-boranen.

Propin/1,2-Propadien:
P. BINGER, G. BENEDIKT, G. W. ROTERMUND u. R. KÖSTER, *Alkalimetall-alkyl-1-alkinylboranate*, A. **717**, 21–40 (1968); mit Natrium-hydro-triethyl-borat.

Alken/Alkin:
C. A. BROWN u. R. A. COLEMAN, *Selective hydroboration of double bonds in the presence of triple bonds by 9-borabicyclo[3.3.1]nonane. New route to acetylenic organoboranes and alcohols,* J. Org. Chem. **44**, 2328–2329 (1979).

2. C-Hydroxy-Verbindungen

H. C. BROWN u. G. ZWEIFEL, *n-Butylboronic acid as a convenient reagent for the separation of isomeric cis/trans-cycloalkanediols,* J. Org. Chem. **27**, 4708–4709 (1962).
K. RESKE u. H. SCHOTT, *Säulenchromatographische Trennung von Neutral-Zuckern an einem dihydroxyboryl-substituierten Polymeren*, Ang. Ch. **85**, 412–413 (1973); engl.: **12**, 417–418.
R. KÖSTER u. W. V. DAHLHOFF, *Applications of Ethylboron Compounds in Carbohydrate Chemistry*, Synthetic Methods for Carbohydrates, ACS Symp. Ser. Nr. **39**, 1–21 (1977).
R. KÖSTER, *Organoboranes in Synthesis and Analysis*, Pure Appl. Chem. **49**, 765–789 (1977); Trennung von Polyhydroxyalkanen, Monosacchariden und Stärkebestandteilen über O-Diethylboryl- und O-Ethylborandiyl-Derivate.
H. CARLSOHN u. M. HARTMANN, *Synthesen und Eigenschaften mit Boronsäure modifizierter Polymere*, Acta Polymerica **30**, 420–425 (1979); Trennung von Zucker, kohlenhydrathaltigen Naturstoffen und Polyhydroxy-Verbindungen über polymerverkettete O-Organoborandiyl-Derivate.
A. SARHAN, *Racemattrennung der Mandelsäure an Polymeren mit chiralen Hohlräumen; Über die Synthese geeigneter Polymere mit Phenylboronsäuren als Haftgruppe,* Makromol. Chem. Rapid Commun. **3**, 489–493 (1982).

3. Amine

E. HOHAUS, *Zur dünnschicht-chromatographischen Trennung und fluorimetrischen Bestimmung primärer Amine nach der Derivatisierung zu Salicylaldehydazomethin-diphenyl-borchelaten*, Fres. **310**, 70–76 (1982).

b) Stoffreinigungen (z. B. Entwässerung)

R. KÖSTER, K.-L. AMEN, H. BELLUT u. W. FENZL, *Diäthylborylierungen und Wasserbestimmungen mit „aktiviertem" Triäthylboran*, Ang. Ch. **83**, 805–807 (1971); engl.: **10**, 748–750.

---
* Literatur nur auszugsweise zitiert.

M. Dizdaroglu, C. von Sonntag, D. Schulte-Frohlinde u. W. V. Dahlhoff, *Notiz über die Darstellung von 5-Desoxylactobionsäure auf strahlenchemischem Wege:* A. **1973**, 1592–1594.
R. Köster u. W. Fenzl, *Quantitative Bestimmung von Wasser in Salzhydraten*, A. **1974**, 69–100.
W. V. Dahlhoff u. R. Köster, *The separation and purification of polyhydroxy compounds via O-ethylboron derivatives*, Chem. Soc., Carbohydrate Group, Aberdeen 1979.

c) Stoffstabilisierungen mit Organobor-Verbindungen

W. Fenzl, H. Kosfeld u. R. Köster, *2,2-Dialkylvinyloxy-diorganyl-borane aus Aldehyden und Organylboranen,* A. **1976**, 1370–1379; zur Stabilisierung von Enol-Verbindungen.
R. Köster, W. Fenzl u. F. J. Levelt, *Diethyl-subst.-vinylamino-borane aus Triethylboran und N-Alkylketiminen*, A. **1981**, 734–747; zur Stabilisierung von Enamin-Verbindungen.

II. Anwendung von Organobor-Verbindungen zur Stoffumwandlung

a) Organobor-Verbindungen als Reagenzien zur Synthese organischer Verbindungen

1. Isomerisierung ungesättigter Kohlenwasserstoffe (thermisch und katalysiert)

R. Köster, *Umwandlungen bororganischer Verbindungen in der Hitze*, Ang. Ch. **75**, 1079–1090 (1963); engl.: **3**, 174–185.
s. ds. Handb. Bd. V/1b, S. 636, 653, 1028 (1972).
s. ds. Handb. Bd. XIII/3c, S. 216ff.

2. (Regio-, stereo- und enantioselektive) B-Substitution durch verschiedene Elemente und Elementgruppierungen in B-Organo-Resten

Literatur s. ds. Handb. XIII/3c, S. 642, 643, 644 (1984).

α) Reduktionen über Organobor-Verbindungen (Einführung von H- und D-Atomen)

s. ds. Handb. XIII/3c, S. 229–254 (1984).
M. M. Midland, *Asymmetric syntheses via boranes: Chiral allenic boranes and trialkylboranes reducing agents*, Aspect. Mech. Organometal. Chem. [Proc. Sympo.] **1978**, 207–228.
R. Köster u. W. V. Dahlhoff, *Polyhydroxyether und Anhydroaldite aus Sacchariden mit als Katalysatoren wirksamen Hydro-organo-boranen*, Mülheim a.d. Ruhr, seit 1979.
H. C. Brown, P. K. Jadhav u. A. K. Mandal, *Asymmetric Synthesis via chiral organoborane reagents*, Tetrahedron **27**, 3547–3594 (1981).
M. M. Midland, *Reductions with chiral boron reagents* in J. D. Morrison, *Asymmetric Synthesis* **2** A, 45–69, Academic Press, New York 1983.
M. M. Midland, A. Tramontano, A. Kazubski, R. S. Graham, D. J. S. Tsai u. D. B. Cardin, *Asymmetric reductions of propargyl ketones*, Tetrahedron **40**, 1371–1380 (1984).

α_1) Optische Induktion (z. B. zu Alkenolen)

R. W. Hoffmann u. T. Herold, *Stereoselektive Synthese von Alkoholen; Optisch aktive Homoallylalkohole durch Addition chiraler Boronsäureester an Aldehyde,* B. **114**, 375–383 (1981).
R. W. Hoffmann u. H.-J. Zeiß, *Stereoselective Synthesis of alcohols: Diastereoselective Synthesis of β-methylhomoallyl alcohols via crotylboronates*, J. Org. Chem. **46**, 1309–1314 (1981).
H. C. Brown u. P. K. Jadhav, *Asymmetric hydroboration* in J. D. Morrison, *Asymmetric Synthesis* **2** A, 1–43 (1983), Academic Press, New York 1983.

α_2) Reduktive Carbenoidisierung (z. B. zu Ketonen)

H. C. Brown, P. K. Jadhav u. M. C. Desai, *General synthesis of chiral borinic acid esters, Asymmetric Synthesis of acyclic Ketones via asymmetric hydroboration-carbenoidation*, Am. Soc.: **104**, 6844–6846 (1982).

β) Einführung von Heteroatomen (Hal, O, S, Se, N, P, Metalle) an C-Atome über Organobor-Verbindungen

s. ds. Handb. Bd. XIII/3c, S. 314–374 (1984); 314ff. (Chlor), 317ff. (Brom), 324ff. (Jod), 328ff. (Sauerstoff), 349 (Schwefel), 351 (Selen), 353ff. (Stickstoff), 359 (Phosphor) und 361ff. (Metalle).

3. C–C-Verknüpfungen über Organobor-Verbindungen

α) *über Alkyl- und Allylbor-Verbindungen*

(vgl. Carbodeborylierungen und Carboborierungen in Bibliographie auf S. 274 bis 313)

β) *über Vinyloxy- bzw. Vinylamino-borane*

(vgl. XIII/3a, S. 521ff. bzw. XIII/3b, S. 13f.)

R. Köster u. W. Fenzl, *Addition substituierter Vinyloxyborane an Nitrile*, Ang. Ch. **80**, 756–758 (1968); engl.: **7**, 735–737.

W. Fenzl u. R. Köster, *An der Vinylgruppe substituierte Diethyl-vinyloxy-borane aus Ketonen und Triethylboran durch katalysierte Enolyse*, A. **1975**, 1322–1338; Addition an Aldehyde, S. 1330–1332.

R. Köster u. A.-A. Pourzal, *Kondensationsprodukte von Alkyl-phenyl-ketonen*, Synthesis **1973**, 674–676.

D. A. Evans, J. Bartroli u. T. L. Shih, *Enantioselective aldol condensations. 2. Erythro-selective chiral aldol condensations via boron enolates*, Am. Soc. **103**, 2127–2129 (1981).

R. Köster, W. Fenzl u. F. J. Levelt, *Diethyl-subst.-vinylamino-borane aus Triethylboran und N-Alkylketiminen*, A. **1981**, 734–747; Addition an Aldehyde, S. 736–737.

S. Masamune, W. Choy, F. A. J. Kerdesky u. B. Imperiali, *Stereoselective aldol condensations. Use of chiral boron enolates*, Am. Soc. **103**, 1566–1568 (1981).

A. P. Meyers u. Y. Yamamoto, *Stereoselective in the aldol reaction. The use of chiral and achiral oxazolines as their boron azaenolates*, Tetrahedron **40**, 2309–2315 (1984).

γ) *über Organoborate*

(vgl. Bibliographie S. 643, vgl. XIII/3a, S. 201ff.)

H. Jäger u. G. Hesse, *Über die Existenz der „Bor-Ylide"*, B. **95**, 345–349 (1962).

P. Binger u. R. Köster, *Synthesen von und mit Alkinylboranaten*, Tetrahedron Letters **1965**, 1901–1906.

G. M. L. Cragg u. K. R. Koch, *Organoborates in organic synthesis: The use of alkenyl-, alkynyl-, and cyanoborates as synthetic intermediates*, Chem. Soc. Rev. **6**, 393–412 (1977).

A. Pelter, *Carbon-Carbon bond formation involving boron reagents*, Chem. Soc. Rev. **11**, 191–225 (1982).

A. Suzuki, *Some aspects of organic synthesis using Organoborates*, Top. Curr. Chem. **112**, 67–115 (1983).

2. Organobor-Verbindungen als Katalysator-Komponenten

α) *Polymerisation (Alken-Polymere)*

S. Iwabuchi, K. Kojima, T. Nakahira u. H. Hosoya, *Über die alternierende Copolymerisation von 4-Propenylbrenzcatechin-Derivaten mit Maleinsäureanhydrid durch Tributylboran*, Makromol. Ch. **177**, 1643–1652 (1976).

T. Sato, N. Fukumura u. T. Otsu, *Vinyl polymerization initiated by triphenylboron*, Makromol. Ch. **184**, 431–442 (1983).

G. Wulff u. J. Holm, *Chirality of polyvinyl compounds 2. An asymmetric copolymerization*, Macromolecules **15**, 1255–1261 (1982); Verwendung von O-(4-Vinylphenylborandiyl)-Derivaten des D-Mannits.

β) *Oligomerisationen (N-Heteroaren-Synthesen)*

H. Bönnemann, W. Brijoux, R. Brinkmann u. W. Meurers, *Steuerung der katalytischen Pyridinsynthese aus Alkinen und Nitrilen durch η^6-Borinatoliganden am Cobalt*, Helv. **67**, 1616–1624 (1984).

b) Organobor-Verbindungen als Hilfsstoffe in der Synthese organischer Verbindungen

1. als Schutzgruppen

R. J. Ferrier, *Applications of phenylboronic acid in carbohydrate chemistry*, Methods Carbohydr. Chem. **6**, 419–426 (1972).

R. J. Ferrier, *Carbohydrate Boronates*, Advan. Carbohydr. Chem. and Biochem. **35**, 31–80 (1979).

K. M. Taba u. W. V. Dahlhoff, *A new silylation method via diethylboryl ethers and esters*, Synthesis **1982**, 652–653.

s. ds. Handb. Bd. VI/1b, *Schutzgruppen der alkoholischen Hydroxy-Funktion*, 765ff. (1984).

2. als Schutz- und Lenkungsgruppen

R. KÖSTER u. W. V. DAHLHOFF, *Applications of Ethylboron compounds in carbohydrate chemistry*, Synthetic methods for carbohydrates, ACS Symp. Ser. Nr. **39**, 1–21 (1977).
W. V. DAHLHOFF u. R. KÖSTER, *Some new O-Ethylboron assisted carbohydrate transformations*, Heteroc. Sendai **18**, 421–449 (1982).
W. V. DAHLHOFF, A. GEISHEIMER, G. SCHROTH u. R. MYNOTT, *β-D-Manno-furanosides: Highly Stereoselective Syntheses and NMR characterization*, Z. Naturf. **39b**, 1004–1010 (1984).

3. als Schutz-, Lenkungs- und Reaktivgruppen

R. KÖSTER u. W. V. DAHLHOFF, *Katalysierte (gelenkte) BH-Reduktionen von Vollacetalen incl. O-Ethylborgeschützter Saccharide*, Mülheim a.d. Ruhr, seit 1979.
W. V. DAHLHOFF u. R. KÖSTER, *Einfache, neue Herstellungsmethode für 2-Desoxy-aldehydo-hexosen*, Ang. Ch. **92**, 553–555 (1980); engl.: **19**, 548–550.
R. KÖSTER, P. IDELMANN u. W. V. DAHLHOFF, *Quantitative preparation of D-gluco-hexodialdose from Sodium D-glucuronate or D-glucuronic acid*, Synthesis **1982**, 650–652.

III. Organobor-Verbindungen zur Stoffcharakterisierung (Chemische Analytik)

a) Triethylboran

Mit Pivalinsäure aktiviertes Triethylboran ist ein Reagenz zur volumetrischen Bestimmung H-acider Gruppen (Ethanzahl EZ):

R. KÖSTER u. W. FENZL, *Quantitative Bestimmung von Wasser in Salzhydraten*, A. **1974**, 69–100.
R. KÖSTER, K.-L. AMEN u. W. V. DAHLHOFF, *O-Dialkylborylierungen von Sacchariden und Polyolen*, A. **1975**, 752–788.
s. ds. Handb. XIII/3a, S. 509 (1982).

b) Diethyl-pivaloyloxy-boran

Diethyl-(2,2-dimethylpropanoyloxy)-boran dient als Reagenz zur volumetrischen Bestimmung H-acider Gruppen (Pivalatzahl PZ):
s. ds. Handb. XIII/3a, S. 580.

c) Diorgano-hydro-borane

Herstellung von Diorgano-hydro-boranen, s. ds. Handb. XIII/3a, S. 330 u. 333.
Diethyl-hydro-boran, Dipropyl-hydro-boran und Bis(9-borabicyclo[3.3.1]nonan) sind Reagenzien zur Bestimmung von H-aciden Gruppen und von Reduktionsäquivalenten (Hydridzahl HZ und Hydridzahl-BBN HZ_{BBN}):

R. KÖSTER u. L. SYNORADZKI, *Herstellung von O-Diorganoboryl-Derivaten einiger (Organo)-Phosphor-Säuren*, B. **117**, 2850–2862 (1984); Definition und Anwendung der Kennzahlen EZ, PZ, HZ und HZ_{BBN} mit Hilfe von Organobor-Reagenzien, S. 2862.

d) Tetraarylborate

Herstellung von Tetraarylboraten s. ds. Handb., Bd. XIII/3b, S. 763ff.

G. WITTIG, G. KEICHER, A. RÜCKERT u. P. RAFF, *Alkalimetall-triphenyl-borhydride*, A **563**, 110–126 (1949).
H. FLASCHKA u. A. J. BARNARD, jr., *Tetraphenylboron as an analytical reagent*, Advan. Anal. Chem. Instrum. **1**, 1–103 (1961).
Gmelin, 8. Aufl., **33**/8, *The analytical chemistry of the tetraphenylborate ion*, 191–197 (1976).
A. BAUMANN u. M. JURAS, *Natrium-triphenylcyanoborat-Cäsignost – ein Reagenz zur Rubidiumtrennung*, Mikrochim. Acta, Suppl. **1979** I, 61–64.

IV. Organobor-Verbindungen in Biochemie, Pharmazie und Therapie

W. KLIEGEL, *Bor in Biologie, Medizin und Pharmazie*, Springer-Verlag, Heidelberg 1980.

D. Analytik der Organobor-Verbindungen

bearbeitet von

BERND WRACKMEYER
Institut für Anorganische Chemie
der Universität München

und

ROLAND KÖSTER
Max-Planck-Institut für Kohlenforschung
Mülheim an der Ruhr

Die „Analytik" bringt eine Zusammenstellung[1] der wichtigsten Methoden zur Trennung und Charakterisierung von Organobor-Verbindungen für den präparativ arbeitenden Chemiker. Während der letzten drei Jahrzehnte haben chromatographische Trennverfahren und spektroskopische Nachweis- und Identifizierungsmethoden z.T. sprunghaft einen hohen technischen Entwicklungsstand erreicht. Es ist daher unumgänglich, die wichtigsten Analysenmethoden für die verschiedenen Organobor-Stoffklassen in einem separaten, relativ umfangreichen Kapitel zu beschreiben. Die analytischen Bände dieses Handbuchs sind zudem nicht mehr auf dem neuesten Entwicklungsstand und behandeln außerdem nicht die speziellen Verfahren zur Kennzeichnung bororganischer Verbindungen.

Aus der Vielzahl der verfügbaren analytischen Methoden mußte eine Auswahl getroffen werden. Dabei standen die Methoden im Vordergrund, die sich für alle Organobor-Verbindungen als nützlich erwiesen haben, während andere Methoden, die nur für bestimmte Verbindungsklassen oder für spezielle Fragestellungen von Bedeutung sind, wenig Berücksichtigung finden konnten [wie z.B. Ultraviolett (UV)-, Photoelektronen (PE)-, ESCA-Spektroskopie, Spektrophotometrie allgemein, Dipolmoment-Messungen sowie elektrochemische Methoden und chiroptische (Polarimetrie, Circulardichroismus CD, optische Rotationsdispersion ORD) Verfahren]. Selbst bei dieser Einschränkung konnten Anwendung und Aussage der Analysenmethoden oft nur exemplarisch gezeigt werden.

Die Kernresonanzspektroskopie bildet den Schwerpunkt der nachfolgend zusammengestellten Analysenmethoden. Die NMR-Methode dient zunächst der Strukturaufklärung hergestellter Verbindungen in Lösung. Demnächst wird die NMR-Spektroskopie auch für die Untersuchung von Verbindungen im festen Zustand weiterentwickelt sein. Die NMR-Spektroskopie setzt man aber auch zur Überprüfung bekannter Reaktionen sowie zur Auffindung und Erforschung neuer Reaktionswege und -verläufe ein. Nach einer stürmischen Entwicklungs- und Ausbauphase sind heute die Kernresonanzgeräte und -ausrüstungen soweit perfektioniert, daß ihre Nutzung routinemäßig unmittelbar mit dem chemischen Experiment gekoppelt werden kann. Dies hat zur Folge, daß viele Reaktionen zunächst im „NMR-Maßstab" durchgeführt und mit Hilfe der NMR-Spektroskopie verfolgt werden. Dabei zeichnet sich ab, daß die „gekoppelte" Arbeitsweise zu überraschenden präparativen Neuentwicklungen führt. Hierzu gehören Charakterisierung und Isolierung von Zwischenstufen, die bei konventioneller Arbeitstechnik gar nicht oder nur zufällig entdeckt würden.

Im Anschluß an die Erörterung allgemeiner Trennverfahren und der chemischen sowie vor allem der spektroskopischen Analytik werden die Analysenmethoden für die einzelnen Klassen von Organobor-Verbindungen in der Reihenfolge besprochen, wie sie im Herstellungsteil (XIII/3a bis XIII/3c) behandelt wurden.

---

[1] Literatur berücksichtigt bis Ende 1983, z.T. bis Mitte 1984

I. Allgemeine Analysenmethoden von Organobor-Verbindungen

a) Trennmethoden

Thermische und protolytische Zersetzlichkeit der Organobor-Verbindungen sind für die Durchführbarkeit von Trennverfahren der Stoffklasse viel entscheidender als ihre Empfindlichkeit gegenüber Sauerstoff, der i. allg. leichter ausgeschlossen werden kann als Spuren H-acider Verbindungen[1].

1. Destillations- und Kristallisationsmethoden

Für die Borchemie von allgemeiner Bedeutung sind Trennverfahren zur Herstellung borisotopenreiner Verbindungen. Die fraktionierende Destillation von Dimethylether-Trifluorboranen kann dabei mit Erfolg eingesetzt werden[2]. Das Verfahren beruht auf den unterschiedlichen Dissoziationskonstanten für $(H_3C)_2O{-}^{10}BF_3$ und $(H_3C)_2O{-}^{11}BF_3$. Das schwere Borisotop wird als „leichter flüchtige Komponente" abgenommen. Andere $^{10}B/^{11}B$-Isotopentrennmethoden sind von weit geringerer Bedeutung; z. B. Austauschreaktionen von Natriummetaborat und Trimethoxyboran[3].

Eine große Zahl flüchtiger Organobor-Verbindungen läßt sich unter Vermeidung zu hoher Temperaturen unzersetzt destillieren. Da z.B. Trialkylborane i. allg. bis $\approx 120°$ stabil sind, können sie unter Atmosphärendruck oder i. Vak. destillativ getrennt werden. Eventuell anwesende $>$BH-Borane, die den Substituentenaustausch (vgl. XIII/3a, S. 187f.) katalysieren, werden durch Zugabe eines höher siedenden Alkens vor der Destillation abgefangen. Die Zusammensetzung von Organobor-Verbindungsgemischen sollte zuvor stets mit den verschiedensten analytischen Methoden und auch gaschromatographisch (vgl. S. 381) ermittelt werden.

Kristallisationen bororganischer Verbindungen führt man i. allg. in protonenfreien Lösungsmitteln unter Luftausschluß durch. Zum Zentrifugieren oder zum Umfüllen der festen Stoffe werden die für Organoaluminium-Verbindungen beschriebenen Geräte oder Apparaturen verwendet[1,4].

2. Chromatographische Analysenmethoden von Organobor-Verbindungen*

Die Gas- und Flüssigkeitschromatographie von Organobor-Verbindungen dient der qualitativen und quantitativen Analyse, also der Trennung und Identifizierung der Komponenten von Mischungen flüchtiger Organoborane mit 3- bis 6fach koordinierten Bor-Atomen. Die Analysenproben können auch mit borfreien Verbindungen vermischt sein. Zu eindeutigen und unverfälschten Ergebnissen führen die chromatographischen Analysen allerdings nur, wenn keine autoxidierbaren, protolyseempfindlichen oder thermisch labilen Verbindungstypen vorhanden sind. Gute Kenntnisse über die Chemie der zu trennenden Verbindungen sind unbedingt erforderlich. Außerdem muß durch zuverlässige Identifizierungs- bzw. Charakterisierungsmethoden gewährleistet sein, daß die erhaltenen chromato-

---

[1] vgl. ds. Handb. Bd. XIII/4, S. 19ff. (1970).
[2] V.A. Kaminskii, A.T. Karamyan u. G.L. Partsakhashvili, At. Energy **23**, 244 (1967); C.A. **68**, 74336 (1968).
[3] P. Turq u. M. Chemla, C.r. [C] **263**, 749 (1966).
[4] K. Ziegler, H.-G. Gellert, H. Martin, K. Nagel u. J. Schneider, A. **589**, 91 (108ff.) (1954).
*) Beitrag von Dr. Gerhard Schomburg, Chromatographische Abteilung im Max-Planck-Institut für Kohlenforschung, Mülheim an der Ruhr 1984.

graphischen Peaks wirklich von den in der Originalmischung vorhandenen Verbindungen herrühren[1-4].

α) Anwendungsbereiche chromatographischer Methoden für Organobor-Verbindungen

Die Anwendbarkeit chromatographischer Methoden[5,6] auf Organobor-Verbindungen hängt in erster Linie von deren Eigenschaften ab. Die thermische Stabilität und chemische Reaktivität der flüchtigen Organobor-Verbindungen bestimmen in hohem Maß die Ergebnisse der chromatographischen Trennung.

Thermische Stabilität: Die Temperaturbeständigkeit der niedermolekularen, nichtassoziierten Organobor-Verbindungen ($KZ_B = 3$) ist i. allg. ausreichend, um gaschromatographische Trennverfahren anwenden zu können. Höhermolekulare, aliphatische Triorganoborane mit C-Zahl-Resten $\gtrsim 6$ sind wegen Dehydroborierung (vgl. Bd. XIII/3a, S. 322) vielfach nicht thermostabil genug, um sie einwandfrei trennen zu können: Das Auftreten der katalytisch für den Organorest-Austausch wirksamen >BH-Funktionen führt zu Komplikationen. Verschiedene, insbesondere cyclische Lewisbase-Organobor-Verbindungen (vgl. Bd. XIII/3b, S. 424) sind für chromatographische Trennungen meist thermisch stabil genug. Durch Temperaturerhöhung kommt es vielfach zu chemischen Reaktionen der Organobor-Verbindungen mit der stationären Phase, insbesondere mit den SiOH (Silanol)-Gruppen auf der Trägeroberfläche oder mit Verunreinigungen aus dem Trägergas. Die Protolyse der thermisch labilen Organoborane erfolgt dann nicht nur an den >BR- oder >BH-Bindungen sondern zusätzlich auch an verschiedenen >B-Heteroatom-Bindungen.

Chemische Resistenz: Die Reaktivitäten der Organobor-Verbindungen gegenüber molekularem Sauerstoff und gegenüber H-aciden Gruppen sind für die Anwendung chromatographischer Systeme voneinander zu unterscheiden.

Der Sauerstoff der Luft läßt sich aus den gaschromatographischen Trennsystemen relativ leicht ausschließen. Auch die Trägergase müssen allerdings frei von Sauerstoff sein. Das chromatographische System ist sorgfältig abzudichten. Dabei muß außerdem berücksichtigt werden, daß Sauerstoff auch gegen den Druck des Trägergases in das System diffundiert.

Entsprechende Vorsichtsmaßnahmen wie gegen das Einschleppen von Sauerstoff gelten auch gegen das Eindringen von Wasserdampf aus der Atmosphäre in die chromatographischen Apparaturen. Darüberhinaus stören den Trennvorgang kleinste Wasser-Anteile und vor allem auch H-acide Funktionen, die in der Säule, d. h. der stationären sowie der mobilen Phase des chromatographischen Systems vorhanden sein können. Anschluß- und Verbindungsstücke im Gerät müssen daher dicht sein, denn bei längerer Zufuhr werden protolytisch wirksame Stoffe in relativ hoher Konzentration auf den großen Oberflächen adsorbiert.

Trotz der kleinen Wasserdampf-Konzentration in Trägergasen hoher Qualität (< 1 ppm) ist deren Trocknung mit Filtern unumgänglich. Diese müssen möglichst unmittelbar vor dem Säuleneingang angebracht werden, da vergleichsweise große Gas-Volumina während des Trennvorgangs an der kleinen Probenmenge vorbeiströmen.

---

[1] G. Schomburg, R. Köster u. D. Henneberg, Fres. **170**, 285 (1959).
[2] G. Schomburg, R. Köster u. D. Henneberg, Mitteilungsblatt Chem. Ges. DDR Sonderheft 1960 – Analytische Chemie, 269–284; VB: Mitteilungsbl. Chem. Ges. DDR **6**, 163 (1959).
[3] R. Köster u. G. Schomburg, Ang. Ch. **72**, 567 (1960).
[4] G. Schomburg, in M. van Swaay, Gaschromatography **1962**, 292–304, Butterworths London 1962; VB: Ang. Ch. **74**, 757 (1962); engl.: **1**, 558.
[5] G. Schomburg, *Gaschromatographie*, Verlag Chemie, Weinheim/Bergstraße 1977.
[6] L. Rohrschneider, *Grundlagen chromatographischer Trennverfahren*, Ullmann **5**, 92–115 (1980).

Die stationäre Phase kann von der Säulenherstellung her außer Wasser auch andere H-acide Verbindungen enthalten. Auf den heute verwendeten Oberflächen aus Glas oder aus geschmolzenem, synthetischem SiO_2 hohen Reinheitsgrads (fused silica FS) befinden sich Silanol-Funktionen ($\geqq$SiOH), die trotz vorangegangener Oberflächenbehandlung (Desaktivierung, Derivatisierung) und Belegung mit der stationären Flüssigkeit nicht beseitigt werden oder sich auch bei langer Benutzung der Säule wieder zurückbilden.

Auch im präparativen Maßstab ($> \mu g$) lassen sich zur Identifizierung (s. u.) reine oder angereicherte Mischungskomponenten von Organobor-Verbindungen isolieren. Trotz Berücksichtigung der erwähnten Vorsichtsmaßregeln erzielt man für die thermisch und chemisch unterschiedlich reaktiven Stoffklassen voneinander stark abweichende Ergebnisse. Auf S. 383f. sind die Organobor-Verbindungen zusammengestellt, die sich bei Beachtung der angegebenen Bedingungen gaschromatographisch erfolgreich trennen lassen.

β) Chromatographische Trennsysteme

Man verwendet speziell hergerichtete und chromatographisch optimierte Apparaturen[1], die bei möglichst nicht zu hohen Temperaturen eingesetzt werden können.

β_1) *Säulentechnologie für die Chromatographie der Organobor-Verbindungen*

Sehr wichtig ist, daß bei Verwendung von Kapillarsäulen besser desaktivierte, porenfreie Oberflächen zur Verfügung stehen und daß die Arbeitstemperaturen in der Kapillarsäule viel niedriger gehalten werden können, da der Gehalt an stationärer Phase sehr viel kleiner ist als derjenige von gepackten Säulen. Das Phasenverhältnis $\beta = V_G/V_L$ [V_G = Gasvolumen der Säule; V_L = Volumen der stationären Flüssigkeit] ist sehr hoch. Die Säule ist als Kernstück des chromatographischen Systems der Ort, an dem sich die Probe während des gesamten Trennvorgangs aufhält. Die Säulenoberflächen müssen daher besonders sorgfältig von adsorbierten Verbindungen oder von oberflächig gebundenen funktionellen Gruppen befreit werden. Nur dann können Organobor-Verbindungen chromatographiert werden. Erfahrungsgemäß eignen sich vor allem unpolare sowie schwach polare Organopolysiloxan-Phasen [Organo-Rest = Methyl-, Phenyl-, Vinyl- und Carboranyl-Gruppen (Dexsil)] auf Glas- oder kondensierten Silicium-Sauerstoff- [sog. fused silica (FS)]-Oberflächen (aus hochreinem Siliciumdioxid) von Kapillaren. Kapillarsäulen mit Siloxanen als stationärer Phase haben i. allg. durch verschiedene Verfahren desaktivierte innere Oberflächen [z. B. durch Hochtemperatursilianierung (PSD[2], D_4[2], Persilylierung[3])], wodurch vor allem störende Silanolgruppen entfernt werden.

Folgende Gründe sprechen für die Verwendung von apolaren, vorzugsweise von Polysiloxan-Phasen:

Die Desaktivierung des Untergrunds führt zu Trägeroberflächen, auf denen sich wenig oder keine protolytisch wirksamen Silanol-Gruppen mehr befinden.

Apolare Phasen mit kurzen Retentionszeiten für polare Verbindungen erlauben relativ niedrige Arbeitstemperaturen. Bei sehr schwacher intermolekularer Wechselwirkung zwischen dem polaren gelösten Stoff (Organobor-Verbindung) und der apolaren stationären Phase, entsprechend kurzer Verweilzeit der zu trennenden Komponente in der Säule, können Säulen mit dicken Filmen der stationären Flüssigkeit verwendet werden, die bei der Säulenherstellung chemisch durch Vernetzung bzw. Immobilisierung mit der Oberfläche stabilisiert werden.

---

[1] L. Rohrschneider, *Gas-Chromatographie*, Ullmann **5**, 117–148 (1980).

[2] G. Schomburg, H. Husmann, S. Ruthe u. M Herraiz, Chromatographia **15**, 599 (1982); PSD = **P**olysiloxan-**D**egradation; D_4 = Tetrameres Dimethylsiloxan; Persilylierung mit $(H_3C)_3$Si-X-Verbindungen.

[3] G. Schomburg, A. Deege, J. Köhler u. U. Bien-Vogelsang, J. Chromatog. **282**, 27 (1983).

Polare stationäre Flüssigkeiten wie z. B. Polyethylenglykol, Polyester u. a. verursachen unabhängig von der Polarität der zu trennenden Stoffe häufig zu lange Retentionszeiten und/oder zu hohe Temperaturen in der Trennsäule. Polare stationäre Phasen sind schwierig von reaktiven Protonen zu befreien. Die Oxidation sowie andere chemische und thermische Zersetzungen solcher Phasen und Systeme können ebenfalls zu protonenaktiven Verbindungen führen.
Die Temperaturbeständigkeit der polaren stationären Flüssigkeiten ist generell geringer als die der Polysiloxane.
Auch bereits desaktivierte Säulen müssen vor dem Einsatz zur Trennung protolyseempfindlicher Verbindungen „konditioniert" werden. Zu Beginn einer Trennserie von Organobor-Verbindungen kommt es meist zu chemischen Reaktionen in der Säule. Durch mehrmaliges Einführen größerer Probenmengen muß dann die Säule „gesättigt" werden. Man befreit das chromatographische System mit der Probe selbst von reaktiven Zentren. Die nicht sehr dauerhafte Desaktivierung sollte i. allg. täglich wiederholt werden. Die Prozedur kann natürlich auch mit Organobor-Verbindungen erfolgen, die reaktiver als die Organobor-Probe sind. Besonders geeignet sind flüchtige Alkyldiborane(6) verschiedener Molekulargröße bzw. Flüchtigkeit. Die borspezifische Desaktivierung sollte möglichst bei höherer Temperatur erfolgen als die analytische Trennung. Silylierungs-Reagenzien, wie sie zur Derivatisierung von hydroxylhaltigen Verbindungen verwendet werden, sind für die „Konditionierung" in der Chromatographie von Organobor-Verbindungen nicht immer geeignet.

β_2) *Gaschromatographie (GC)*[1] *der Organobor-Verbindungen*

Die Probe muß auch außerhalb des Geräts unter Schutzgas gehandhabt werden. Vor allem sind molekularer Sauerstoff, Wasserdampf sowie andere protonenaktive Verbindungen strikt auszuschließen. Die üblichen Mikroliterspritzen (5–10 μl Volumen) sind geeignet, wenn

die Führung des Kolbens im Spritzenzylinder (durch häufige Benutzung) nicht undicht wurde,
die Spitze der Spritznadel bei der Probenaufgabe mit der Luft (Sauerstoff) nicht in Kontakt kommt,
die abgemessenen Probenvolumina in der Spritze nicht zu klein sind,
nach dem Aufziehen der Probe in die Spritze eine Schutzgasblase (Argon, Reinststickstoff) zum Schutz der Probe nachgezogen wird,
bei sehr reaktionsfähigen Verbindungen die Öffnung der Spritzennadel nicht mit der Atmosphäre in Berührung kommt, wozu z. B. eine Schutzgasschleuse[2] verwendet werden kann.

Das chromatographische System, bestehend aus Probenaufgabevorrichtung, Säule, Detektor und Verbindungsleitungen, soll vollkommen frei von Verbindungen mit H-aciden Funktionen sein. Diese können zuweilen auch aus Proben von vorangegangenen Trennungen stammen. Daher sollen andere chemische Verbindungen möglichst nicht in die chromatographischen Systeme eingebracht werden, in denen die reaktiven Organoborane getrennt werden. Die Apparaturen müssen besonders sorgfältig gedichtet sein, um das Eindringen von Sauerstoff und Wasserdampf aus der Luft in das System – auch gegen den Trägergasdruck! – zu vermeiden. Schläuche aus normalem Gummi oder aus Teflon (z. B. „teflon shrinking tubing") eignen sich nicht. „Swagelock®"-Verschraubung und ähnliche Anschlußtechniken werden schnell unbrauchbar, falls sie häufig gelöst oder angezogen wurden. Dies gilt vor allem, wenn der Dichtring aus Metall und nicht aus speziellen Kunststoffen (z. B. Vespel®) besteht.

Kapillarsäulen[3–6] sind in der Anwendung wegen ihrer außerordentlich hohen Effizienz den gepackten Säulen generell überlegen. Dies beruht auf dem minimalen Gehalt an

---

[1] L. Rohrschneider, *Gas-Chromatographie*, Ullmann **5**, 117–148 (1980).
[2] K. Ziegler, H.-G. Gellert, H. Martin, K. Nagel u. J. Schneider, A. **589**, 91 (119) (1954).
[3] G. Schomburg, MPI für Kohlenforschung, Mülheim a.d. Ruhr, Kaiser-Wilhelm-Platz 1, Begleittext für GDCh-Fortbildungskurse – Selbstverlag, 1983.
[4] G. Schomburg, R. Dielmann, H. Borwitzky u, H. Husmann, J. Chromatog. **167**, 337 (1978).
[5] G. Schomburg, H. Husmann u. F. Weeke, Chem. Rundschau **32**, Nr. 50, 13 (1979).
[6] G. Schomburg, H. Husmann, F. Weeke, H. Borwitzky u. H. Behlau, J. High Resol. Chromatogr. Chromatogr. Comm. **2**, 461 (1979).

stationärer Flüssigkeit, den optimal desaktivierten Oberflächen und der bei Einsatz von Dihydrogen als Trägergas besonders tiefen Arbeitstemperatur. Auch für Trennungen von Verbindungen mit geringem Dampfdruck lassen sich Kapillarsäulen mit Vorteil anwenden. Insgesamt ergeben sich für die Kapillarsäulen-Gaschromatographie hervorragende Möglichkeiten zur Trennung komponentenreicher Gemische von z. B. Isomeren. Die Probenaufgabe kann mit den üblichen Techniken erfolgen, bei thermolabilen Verbindungen vorzugsweise mit kalten Injektionsverfahren (z. B. „on column"-Injektion)[1–6].

Die Trägergase müssen frei von Sauerstoff und Wasserdampf sein. Reste dieser Gase lassen sich durch spezielle Filter am Trägergaseingang des Geräts oder besser am Säuleneingang entfernen.

Zur präparativen gaschromatographischen Trennung sind im Vergleich zur analytischen Chromatographie hoch belastbare, somit gepackte Säulen mit relativ großem Gehalt an stationärer Flüssigkeit erforderlich. Dadurch kann nur eine beschränkte Trenneffizienz erzielt werden. Die zu langen Retentionszeiten in Säulen mit zu hohem Gehalt an stationärer Flüssigkeit müssen durch Anwendung relativ hoher Arbeitstemperaturen verkürzt werden. Ansonsten wird der Zeitaufwand für die Trennung zu groß. Hierdurch wird natürlich der Anwendungsbereich der präparativen GC eingeschränkt, da thermolabile Verbindungen solchen Trennungen nicht mehr zugänglich sind.

β_3) *Flüssigkeitschromatographie (LC)*[7] *der Organobor-Verbindungen*[8]

Die Aussichten für eine vorteilhafte Anwendung der Flüssigkeitschromatographie (LC)[9, 10] auf protolyse-empfindliche Verbindungen sind trotz der niedrigen Arbeitstemperaturen deutlich schlechter als für die GC. Die mobile Phase und die Trägermaterialien sowie die Oberflächen der stationären Phase sind wesentlich schwieriger H-acidfrei zu erhalten. Die in der sog. Umkehrphasen-LC verwendeten, protonenhaltigen Lösungsmittel (z. B. Methanol, Acetonitril, THF und deren Gemische mit Wasser) lassen sich als mobile Phasen in der LC von Organobor-Verbindungen i. allg. nicht verwenden.

Aber auch die auf SiO_2-Basis hergestellten stationären Phasen sind nur schwer von restlichen SiOH-Gruppen zu befreien. Organische Polymerphasen, die keine SiOH-Gruppen enthalten, werden hierzu in Zukunft wohl eingesetzt werden müssen. Für Trennungen vom exklusionschromatographischen Typ[11] wurden Träger auf polymerchemischer Basis bereits erfolgreich für hydrolyseempfindliche Stoffe verwendet. Natürlich müssen dazu auch protonenfreie Lösungsmittel eingesetzt werden.

γ) Identifizierung chromatographisch getrennter Organobor-Verbindungen

Aus den erhaltenen Chromatogrammen der thermisch und chemisch oft sehr labilen Organobor-Verbindungen dürfen keineswegs voreilige Schlüsse über qualitative oder gar quantitative Zusammensetzungen von Mischungen gezogen werden. Zuvor muß durch eine unabhängige Identifizierungsmethode sichergestellt sein, daß die chromatographischen Peaks den in der Analysen-Probe vorhandenen Verbindungen entsprechen.

Bei langsamer thermischer oder chemischer Umwandlung im GC-System kann man aus der veränderten Peakform (z. B. einem charakteristischen tailing) Rückschlüsse auf die

---

[1] G. Schomburg, H. Behlau, R. Dielmann, F. Weeke u. H. Husmann, J. Chromatogr. **142**, 87 (1977).
[2] G. Schomburg, H. Husmann u. R. Rittmann, J. Chromatog. **204**, 85 (1981).
[3] G. Schomburg, *Sampling-Systems in Capillary Gas Chromatography*, Proc. 4. Int. Symp. Hindelang 1981, S. 371, A 921.
[4] G. Schomburg, H. Husmann u. F. Schulz, J. High Resol. Chromatogr. Chromatogr. Comm. **5**, 565 (1982).
[5] G. Schomburg, Labor, Juli **1983**, 702–712.
[6] G. Schomburg, H. Husmann, H. Behlau u. F. Schulz, J. Chromatog. **279**, 251 (1983).
[7] J. Asshauer u. H. Ullner, *Flüssigkeits-Chromatographie*, Ullmann **5**, 149–182 (1980).
[8] G. Schomburg, Mülheim a. d. Ruhr, unveröffentlicht 1982–1984.
[9] G. Schomburg, A. Deege, J. Köhler u. U. Bien-Vogelsang, J. Chromatog. **282**, 27 (1983).
[10] L. Rohrschneider, *Gas-Chromatographie*, Ullmann **5**, 117–148 (1980).
[11] T. Provder, *Size Exclusion Chromatography*, ACS Symposium Series Nr. 245 (1984).

Veränderung der Verbindungen während der Trennung ziehen. Bei raschen Umwandlungen im Probenaufgabe-System oder im Säulenanfang gelingt das nicht, da scheinbar normal aussehende Chromatogramme eines bisweilen total veränderten Gemisches aufgenommen wurden.

Die Ermittlung der Identität, der Zusammensetzung oder der Struktur bekannter und nicht bekannter Organobor-Verbindungen erfolgt nach der chromatographischen Trennung vor allem mit der Massenspektrometrie. Außerdem können die Infrarotspektroskopie und auch die Kernresonanzspektroskopie zur Identifizierung herangezogen werden. Man verwendet direkte Kopplungen (on-line) mit dem gaschromatographischen System. Sog. off-line-Kopplungen erfordern für die Übertragung der meist chemisch labilen Verbindungen in nicht geschlossenen Apparaturen sehr sorgfältige spezielle Arbeitstechniken.

Die on-line GC/MS-Kombinationsmethode oder die massenspektrometrische Analyse der Probe liefern i. allg. sichere Kontrollmessungen für die Identität der GC-Peaks. Besonders zuverlässig wird die massenspektrometrische Identifizierung, wenn Serien von MS-Spektren während der Elution des GC-Peaks aufgenommen werden.

Die atmosphäre-empfindlichen Organoborane verbleiben von der Probenaufgabe an bis zur Identifizierung in einem geschlossenen System, in dem sie bei sorgfältiger Abdichtung und Verwendung desaktivierter Phasen chemisch nicht angegriffen werden.

δ) Quantitative Chromatographie von Organobor-Verbindungen

Korrekte quantitative GC-Analysenergebnisse[1] von Mischungen mit chemisch oder thermisch labilen Organobor-Verbindungen sind nur sehr schwierig zu erhalten. Sorgfältige Konditionierungs- und wiederholte Kontroll-Messungen sind zur Ermittlung statistischer und systematischer Fehler unbedingt notwendig. Die Eichfaktoren von jedem Verbindungstyp müssen mit dem Flammenionisations-(FID)- oder mit dem Wärmeleitfähigkeits-(WLD)-Detektor gesondert aufgenommen werden. Die Eichfaktoren für Triethylboran, Tetraethyldiboroxan und Triethylboroxin im Gemisch wurden bestimmt[2].

ε) Praktische Beispiele der Chromatographie von Organobor-Verbindungen

ε_1) *Allgemeine Bemerkungen*

ⓐ Verwendete Säulentypen: Bis ≈ 1974 gepackte Säulen, seit 1977 ausschließlich Kapillarsäulen (Alkaliglas, ∅ ≈ 0,25 mm), seit 1980 auch aus „fused silica" (FS); Trägergas He: O_2-frei [Oxisorb], H_2O-frei [Molekularsieb]. Vorbehandeln der Kapillaren-Oberfläche: Ätzen (PSD-Desaktivierung).

ⓑ Bedingungen: Apolare stationäre Phasen (OH-frei) OV-1, OV-101, SF-96, DC-200, SE-30, $[(H_3C)_2Si\langle]$; SE-54 $[(H_3C)(H_2C{=}CH)Si\langle]$. Konditionierung: Erhitzen auf Arbeitstemp.; Organobor-Sättigung mit der Probe selbst oder mit Triethylboran; E = Temp. des Einspritzblocks; S = Temp. der Säule beim Trennvorgang.
Empirische Temp.-Programme mit 6–10°/Min.

ⓒ Reaktivitäts-Stufen (RSt):
[1] = ohne Vorbehandeln der Säule gut trennbar
[2] = nach Vorbehandeln gut trennbar

ε_2) *Chromatographische Trennungen von Organobor-Verbindungen*

Folgende Organobor-Verbindungen konnten bisher chromatographisch erfolgreich getrennt werden [Erklärungen s. unter ε_1)]:

---
[1] G. Schomburg, H. Husmann, F. Schulz, G. Teller u. M. Bender, J. Chromatog. **279**, 259 (1983).
[2] G. Schomburg, Mülheim a. d. Ruhr, unveröffentlicht 1982–1984.

① Offenkettige und cyclische aliphatische[1-11] sowie aromatische[11-13] Triorganoborane (XIII/3a, S. 13ff.) in gepackten Säulen (Füllung: Chromosorb, SF-96; E = 110–180°; S = 40–222°)[1-11] und neuerdings (seit 1977) in Kapillarsäulen (KS) mit Dexsil OV-1, SF-96; E = 100–150°; RSt [1]. Olefinische und Trimethylsilyloxy-haltige Triorganoborane lassen sich in kurzen KS trennen, wenn die Oberfläche (OV-1, -101, SF-54) zuvor mit $[(H_5C_2)_2B\text{-}]_2O$ gesättigt wird (E = 150°, S = 130°; RSt [2])[14,15].

② Bestimmte offenkettige und cyclische Organobor-Wasserstoff-Verbindungen (XIII/3a, S. 321ff.) lassen sich in gepackten Säulen[5] und vor allem in KS (Dexsil 300, OV-1, SF-96; E = 200°; S = 80–200°) trennen[14].

③ Organobor-Halogen-Verbindungen (XIII/3a, S. 378ff.) sind i. allg. nur nach Vorbehandeln des Trennsystems mit dem Probengemisch, mit Triethylboran oder mit SILYL-991 (Macherey-Nagel + Co, 5160 Düren, BRD) trennbar (KS: Dexsil 300, SF-96, OV-1, -101; E = 120°, S = 60–150°; RSt [2]).

④ Organobor-Sauerstoff-Verbindungen: Offenkettige Diorganobor-Sauerstoff-Verbindungen (XIII/3a, S. 489ff.) sind wegen Protolyse i. allg. nicht zu chromatographieren. In jedem Fall muß die Trennsäule vorbehandelt werden[11,12,14]. Cyclische Organobor-Sauerstoff-Sauerstoff-Verbindungen (XIII/3a, S. 616ff.) der verschiedensten Typen (5-, 6-Ringe mit alkoholischen bzw. acetalischen Sauerstoffunktionen[16-21], Organodiboroxane[16] (XIII/3a, S. 810ff.), Triorganoboroxine[11,12,22] (XIII/3a, S. 832ff.) sind gaschromatographisch mit KS gut trennbare Verbindungen; Bedingungen (RSt [1]): Dexsil 300, OV-101; E = 150–200°, S = 60–250°.

⑤ Organobor-Stickstoff-Verbindungen (XIII/3b, S. 1ff.): Getrennt wurden nach Vorbehandeln mit Triethylboran in gepackten Säulen (20 m, SE-30; E = 150°, S = 60–150°) z. B. *9-Dimethylamino-9-borabicyclo*[*3.3.1*]*nonan*[12,14]. In KS (SF-96, SE-54) konnten cyclische Amino-diorgano-borane getrennt werden[12].

⑥ Lewisbase-Organoborane: Mit gepackten Säulen Trennung von cyclischen O-Lewisbase-Triorganoboranen (XIII/3b, S. 426ff.)[15], P-Lewisbase-Triorganoboranen (XIII/3b, S. 466ff.)[15]. Mit gepackten Säulen[23] und mit KS[18] Trennung von Carbonyl-Diorgano-organooxy-boranen (XIII/3b, S. 534ff.); 20 m KS, S-54; E = 280°, S = 80–300°, 10 Min.

⑦ Organobor-Übergangsmetall-π-Komplexe (XIII/3c, S. 74): LC-Trennung von (isomeren) Tricarbonyleisen-π-Hexaalkyl-Δ^3-1,2,5-azasilaborolinen in Heptan[24].
Bedingungen: LiChrosorb® Si 60 (5 μm); L = 150 mm, ∅4,4 mm; ≈ 20°; Heptan, RI-Detektion (RI = **R**efractive **I**ndex).

---

[1] G. Schomburg, R. Köster u. D. Henneberg, Fres. **170**, 285 (1959).
[2] G. Schomburg, R. Köster u. D. Henneberg, Mitteilungsblatt Chem. Ges. DDR **6**, 163 (1959).
[3] R. Köster u. G. Schomburg, Ang. Ch. **72**, 567 (1960).
[4] R. Köster u. W. Larbig, Ang. Ch. **73**, 620 (1961).
[5] G. Schomburg, Gas Chromatography **1962**, 292, Butterworths, London 1962.
[6] R. Köster, Ang. Ch. **75**, 1079 (1963); engl.: **3**, 174 (1964).
[7] R. Köster, Progr. Boron Chem. **1**, 289 (1964).
[8] R. Köster, Adv. Organometallic Chem. **2**, 257 (1964).
[9] G.W. Rotermund u. R. Köster, A. **686**, 153 (1965).
[10] R. Köster, W. Larbig u. G.W. Rotermund, A. **682**, 21 (1965).
[11] R. Köster u. J. Serwatowski, Mülheim a.d. Ruhr, unveröffentlicht 1982–1984.
[12] R. Köster u. G. Seidel, Mülheim a.d. Ruhr, unveröffentlicht 1980–1984.
[13] R. Köster u. W. Fenzl, A. **702**, 197 (1967).
[14] G. Schomburg u. Mitarbeiter, Mülheim a.d. Ruhr, unveröffentlicht 1977–1984.
[15] P. Binger u. R. Köster, Synthesis **1974**, 350.
[16] G. Schomburg u. W.V. Dahlhoff, Mülheim a.d. Ruhr, unveröffentlicht 1980–1983.
[17] W. Fenzl, W.V. Dahlhoff u. R. Köster, A. **1980**, 1176; W.V. Dahlhoff, W. Fenzl u. R. Köster, Imeboron IV, Salt Lake City, Abstr. of Papers S. 72/73 (1979).
[18] G. Schomburg u. K.M. Taba, Mülheim a.d. Ruhr, unveröffentlicht 1983.
[19] W.V. Dahlhoff u. R. Köster, J. Org. Chem. **42**, 3151 (1977).
[20] P. Idelmann, Mülheim a.d. Ruhr, Dissertation Universität Bochum 1980, S. 150.
[21] W.V. Dahlhoff u. G. Schomburg, Mülheim a.d. Ruhr, unveröffentlicht 1983–1984.
[22] M. Yalpani, F. Sagheb u. G. Schomburg, Mülheim a.d. Ruhr, unveröffentlicht 1983.
[23] R. Köster u. G.W. Rotermund, A. **689**, 40 (1965).
[24] G. Schomburg u. A. Deege, Mülheim a.d. Ruhr, unveröffentlicht 1982.

⑧ B-Organocarborane: Getrennt wurden in gepackten Säulen bzw. in KS die B-alkylierten *closo*-1,5-Dicarbapentaborane(5) (XIII/3c, S. 161)[1-3], *closo*-2,4-Dicarbaheptaborane(7) (XIII/3c, S. 173)[2,4-6], *closo*-Dicarbaoctaborane(8)[6], *closo*-Dicarbadodecaborane(12)[7,8], *nido*-Monocarbahexaborane(29)[2,4,9], *nido*-2,3,4,5-Tetracarbahexaborane(6) (XIII/3c, S. 157)[10,11] und Tetracarbadecaborane(10) (XIII/3c, S. 177)[12].
Allg. Bedingungen: 50 m KS, OV-1, E = 200–250°, S = 80–250°; (RSt [1]).

ε_3) *Chromatographisch bisher nicht trennbare Organobor-Verbindungen*

Folgende Organobor-Verbindungen ließen sich bisher gaschromatographisch aus verschiedenen Gründen nicht trennen:

ⓐ O-Diethylboryl-Derivate der Oligo- und Polyhydroxyalkane wegen Protolyse der O-Diethylboryl-Reste[13].
ⓑ Azidoglykoside mit O-Ethylborandiyl-Schutzgruppen wegen thermischer Zersetzung der Azido-Gruppen[14].
ⓒ Gleichgewichtsgemische von O-Ethylborandiyl-Derivaten der Polyhydroxyalkane (z. B. Threit, Xylit, Glucit)[15] und der Monosaccharide (z. B. Lyxose)[14] lassen sich nicht trennen.
ⓓ O-Tributylstannyl-Derivate von O-Ethylborandiyl-monosacchariden wegen Protolyse der Stannyl-Gruppe[16].

b) Chemische Analysenmethoden

1. Qualitative Verfahren

Kleine bis kleinste Mengen an Bor in Organobor-Verbindungen erkennt man visuell rasch und leicht durch die charakteristische grüne Flammenfärbung[17] des Trimethoxyborans, das beim Ansäuern mit Schwefelsäure in Gegenwart von Methanol gebildet wird. Verschiedene Alkyl- und insbesondere Arylborane müssen hierfür allerdings zunächst mit alkalisch-wäßrigem Dihydrogenperoxid oxidiert werden. Auch Bor in hochmolekularen, schwer flüchtigen Verbindungen läßt sich mit der Methode qualitativ nachweisen[17-19].

Der Aufschluß von Organobor-Verbindungen mit Triethylaluminium liefert i. allg. leicht flüchtiges, an der Luft selbstentzündliches Triethylboran, das mit grüngesäumter Flamme

[1] R. Köster, H.-J. Horstschäfer u. P. Binger, Ang. Ch. **78**, 777 (1966); engl.: **5**, 730.
[2] R. Köster, G. Benedikt u. M. A. Grassberger, A. **719**, 187 (1968).
[3] R. Köster, H.-J. Horstschäfer, P. Binger u. P. K. Mattschei, A. **1975**, 1339.
[4] R. Köster u. M. A. Grassberger, Ang. Ch. **78**, 590 (1966); engl.: **5**, 580.
[5] R. Köster, M. A. Grassberger, E. G. Hoffmann u. G. W. Rotermund, Tetrahedron Letters **1966**, 905.
[6] A. P. Fung, E. W. Distefano, K. Fuller, G. Siwapinyoyos, T. Onak u. R. E. Williams, Inorg. Chem. **18**, 372 (1979).
[7] G. Zheng u. M. Jones jr., Am. Soc. **105**, 6487 (1983).
[8] J. Plešek, Z. Plzák, J. Stuchlík u. S. Heřmánek, Collect. czech. chem. Commun. **46**, 1748 (1981); C. A. **96**, 52354 (1982).
[9] M. A. Grassberger, E. G. Hoffmann, G. Schomburg u. R. Köster, Am. Soc. **90**, 56 (1968).
[10] G. Schomburg et al., Mülheim a. d. Ruhr, unveröffentlicht 1977–1984.
[11] P. Binger u. R. Köster, Synthesis **1974**, 350.
[12] R. Köster, F. Sagheb, G. Seidel u. G. Schomburg, Mülheim a. d. Ruhr, unveröffentlicht 1983–1984.
[13] G. Schomburg u. W. V. Dahlhoff, Mülheim a. d. Ruhr, unveröffentlicht 1980–1983.
[14] W. V. Dahlhoff u. G. Schomburg, Mülheim a. d. Ruhr, unveröffentlicht 1983–1984.
[15] W. Fenzl, W. V. Dahlhoff u. R. Köster, A. **1980**, 1176;
W. V. Dahlhoff, W. Fenzl u. R. Köster, Imeboron IV, Salt Lake City, Abstr. of Papers S. 72/73 (1979).
[16] G. Schomburg u. K. M. Taba, Mülheim a. d. Ruhr, unveröffentlicht 1983.
[17] G. Wünsch u. F. Umland, *Trennung durch Destillation von Borsäuremethylester*, S. 19–30, in W. Fresenius u. G. Jander, *Handbuch der Analytischen Chemie* Bd. III a α 1 (Elemente der Dritten Hauptgruppe, Bor), 2. Aufl., Springer-Verlag, Berlin u. Heidelberg 1971.
[18] s. ds. Handb., Bd. II, S. 25 ff. (qualitativ), S. 206–209 (quantitativ) (1953).
[19] USSR P. 1057847 (1982/1983), Inst. of Solid State Physics, Academy of Sciences, Erf.: G. F. Telegin u. S. S. Grazuliene; C. A. **100**, 114246 (1984).

brennt. Für Organoborate und für Organocarborane ist die Methode allerdings nicht allgemein anwendbar.

Organobor-Wasserstoff-Verbindungen lassen sich mit Wasser oder mit Alkoholen durch Reaktion bei ≈ 20° nachweisen: Man erfaßt qualitativ das entweichende, bei ≈ −180° (Kühlfalle mit flüssigem N_2) nicht kondensierbare Gas (Dihydrogen).

Aus bestimmten Organobor-Stickstoff-Verbindungen können Ammoniak oder leicht flüchtige primäre sowie sekundäre Amine (z. B. Methylamine) beim Erhitzen mit einem schwer flüchtigen primären Amin abgespalten, ausgetrieben und qualitativ (oder quantitativ) erfaßt werden.

2. Quantitative Verfahren

Der Substituentenaustausch von Organobor-Verbindungen mit Triethylaluminium[1] läßt sich zur quantitativen Bor-Bestimmung verwenden.

Das aus dem Organoboran durch kurzes Erwärmen auf ≦ 100° im großen Überschuß von Triethylaluminium freigesetzte Triethylboran (Kp_{760}: 95°) wird i. Vak. in eine gut gekühlte Vorlage (≦ −78°) praktisch quantitativ einkondensiert, ausgewogen und eventuell gaschromatographisch analysiert. Durch Protolyse bzw. Deuterolyse der als Rückstand gewonnenen Organoaluminium-Verbindungen können zusätzlich Zusammensetzung und Struktur der Kohlenwasserstoff-Reste von Organoboranen gaschromatographisch, spektroskopisch und massenspektroskopisch identifiziert werden[2].

Zur quantitativen Bor-Bestimmung lassen sich BC-freie, offenkettige Borane mit Hydro-, Halogen-, Alkoxy- oder Amino-Resten am Bor-Atom durch Hydrolyse i. allg. bei 20–100° in Borsäure überführen und nach Mannit-Zugabe titrieren[3]. Cyclische Triorganooxy-borane oder Aminoborane werden mit kochender verdünnter Schwefelsäure hydrolysiert.

Organobor-Verbindungen müssen i. allg. vor der Mannit-Titration (s. S. 387) oxidativ aufgeschlossen werden[4–6].

α) Aufschlußmethoden

Mit Dihydrogenperoxid[4,5]: Die >BC-Bindungen nahezu sämtlicher Organobor-Verbindungen lassen sich in alkalisch-wäßriger Lösung mit Dihydrogenperoxid zu >BO-Gruppierungen oxidieren (vgl. S. 331 f.), die zu Borsäure hydrolysiert werden.

Beispiel: Eine Glaskirsche (250–300 mg Probe) wird in 20 *ml* 0,1 N Natronlauge und 2 *ml* 30%igem Dihydrogenperoxid vorsichtig mit Hilfe eines am Ende eingekerbten Glasstabs zerdrückt. Man läßt den Glasstab im Kolben stehen, gibt 2 mal ≈ 5 *ml* 30%iges Dihydrogenperoxid zu und kocht jeweils ≈ 1 Stde. zum Rückfluß.

Mit konz. Schwefelsäure/Selen/Kupfersulfat[6]:
Der Aufschluß wird mit konzentrierter Schwefelsäure in Gegenwart von Selen-Pulver unter Zusatz von Kupfersulfat durchgeführt, falls Organopolyborane oder Organocarborane in Borsäure übergeführt werden sollen. Bei dem Aufschluß werden auch die Organo-Reste vollständig oxidiert, was man an der Aufhellung der Aufschlußlösungen erkennt.

Beispiel: Die Einwaage (≈ 100 mg) wird in einem 500-*ml*- Quarzkolben mit ≈ 50 mg Aufschluß-Reagenz [≈ 30 mg Kupfersulfat/Kaliumsulfat (Gew.-Verhältnis 3 : 1) sowie ≈ 20 mg Selen-Pulver] vermischt, mit 7 *ml* konz. Schwefelsäure übergossen und dann so lange zum Rückfluß (Luftkühler!) erhitzt, bis sich die zunächst dunkelfarbige Lösung wieder aufgehellt hat (≈ 30 Min.). Nach Abkühlen gießt man das Gemisch

---

[1] R. Köster u. G. Bruno, A. **629**, 89 (1960).
[2] R. Köster u. K. Iwasaki, Advan. Chem. Ser. **42**, 148, 155 (1964).
[3] G. Wünsch u. F. Umland, *Aufschlußverfahren*, in Fresenius-Jander, *Handbuch der Analytischen Chemie*, Bd. IIIa α1 (Bor), S. 13ff., Springer-Verlag, Heidelberg · Berlin 1971.
[4] J. R. Johnson u. M. G. van Campen, jr., Am. Soc. **60**, 121 (1938).
[5] H. R. Snyder, J. A. Kuck u. J. R. Johnson, Am. Soc. **60**, 110 (1938).
[6] R. C. Rittner u. R. Culmo, Anal. Chem. **35**, 1268 (1963).

in 5 *ml* kohlendioxid-freies destilliertes Wasser, spült den Quarzkolben mehrmals mit insgesamt ≈ 100 *ml* destilliertem Wasser aus und bestimmt die Borsäure nach Neutralisation (pH = 7,1) und Mannit-Zusatz durch Titration mit 0,1 n Natronlauge.

Weitere, sehr spezielle Aufschluß-Varianten[1], z.B. zur Vorbereitung von quantitativen Bestimmungen des Bors, Kohlenstoffs und Wasserstoffs in Organoboranen[2] oder Organodecaboranen[3] sind in der Literatur beschrieben[4,5].

β) Borsäure-Titration

Die quantitative Bestimmung des Bors erfolgt als Borsäure acidimetrisch (eventuell nach Aufschluß). Man titriert die in wäßriger Lösung nach Zusatz von Mannit (~ 4fach molarer Überschuß) entstandene einbasische starke Säure mit Natron- oder Kalilauge[6].

Die Titration der ~ 0,1 M Borsäure-Lösungen wird unter Standardbedingungen mit 0,1 N Natronlauge bzw. Kalilauge in Gegenwart von ≧ 4 mol Mannit pro mol Borsäure gegen Phenolphthalein (farblos → rot bei pH = 8,2–10)[7] oder besser Bromkresolpurpur (gelb → purpur bei pH = 5,2–6,8)[8] vorgenommen.

Die Indikation der Borsäure-Titration kann auch potentiometrisch erfolgen[9]. Hierzu wird die wäßrige Lösung zwischen Glas- und Kalomelelektrode mittels eines pH-Meßgerätes unter Anschluß eines (Digital)schreibers titriert. Der Vorlauf und vor allem der Endpunkt der Titration sind stets von der Vorbehandlung (z.B. Aufschluß) der Organoboran-Probe abhängig. Nach einem alkalisch-wäßrigen Dihydogenperoxid-Aufschluß wird auf den empirisch gefundenen pH-Endwert von 5,5, nach schwefelsaurem Kupfer(II)-sulfat/Selen-Aufschluß wegen der vorhandenen Salze auf den pH-Endwert von 7,1 titriert.

Borsäure-Titration: Die Einwaage (aus dem Aufschluß) wird in destilliertem Wasser, ggf. in 1 N Schwefelsäure gelöst. Man stellt die Lösung auf den pH-Wert = 5,5 bzw. 7,1 ein (potentiometrisch, Indikator) und läßt dann so lange Mannit-Lösung zutropfen, bis der pH-Wert der Lösung konstant bleibt. Anschließend wird mit 0,1 N Kalilauge auf pH = 5,5 bzw. 7,1 zurücktitriert. – Den Mannit gibt man am besten als Lösung (≈ 160 g Mannit pro 1 *l* Wasser) zu und stellt mit 0,1 N Kalilauge auf pH = 5,5 ein.

γ) Quantitative Bestimmung funktioneller Gruppen am Bor-Atom

γ_1) *BC-Bindungen*

$\gamma\gamma_1$) Benzopersäure-Methode

Die BC-Bindungen aliphatischer Organobor-Verbindungen werden mit Benzopersäure in Chloroform oder in Chlorbenzol bei 20° vollständig zu BOC-Gruppierungen oxidiert (vgl. S. 334)[10]:

$$\rangle B{-}R + H_5C_6{-}CO{-}OOH \longrightarrow \rangle B{-}OR + H_5C_6{-}CO{-}OH$$

Die Reaktion wird zur quantitativen Bestimmung von B–C-Bindungen (z.B. Trialkylboranen) verwendet, wenn keine Hydro- sowie Aryl-borane zugegen sind.

---

[1] G. Wünsch u. F. Umland, *Borbestimmung in speziellen Materialien*, in Fresenius-Jander, *Handbuch der Analytischen Chemie*, Bd. IIIa α1 (Bor), S. 161ff., Springer-Verlag, Heidelberg · Berlin 1971.
[2] R.C. Rittner u. R. Culmo, Anal. Chem. **34**, 673 (1962); C.A. **57**, 1548 (1962).
[3] I. Dustan u. J.V. Griffiths, Anal. Chem. **33**, 1598 (1961); C.A. **56**, 4102 (1962).
[4] R.D. Strahm u. M.F. Hawthorne, Anal. Chem. **32**, 530 (1960).
[5] R.H. Pierson, Anal. Chem. **34**, 1642 (1962).
[6] G. Wünsch u. F. Umland, *Titration als komplexe Borsäure*, in Fresenius-Jander, *Handbuch der Analytischen Chemie*, Bd. IIIa α1 (Bor), S. 60ff., Springer-Verlag, Berlin · Heidelberg, 1971.
[7] G. Jørgensen, Fres. **42**, 121 (1903).
[8] H. Schäfer u. A. Sieverts, Fres. **121**, 170 (1941).
[9] G. Wünsch u. F. Umland, *Titration gegen Indikatoren*, in Fresenius-Jander, *Handbuch der Analytischen Chemie*, Bd. IIIa α1 (Bor), S. 72–77, Springer-Verlag, Berlin · Heidelberg 1971.
[10] J.R. Johnson u. M.G. van Campen, jr., Am. Soc. **60**, 121 (1938).

Bestimmung von BC-Bindungen mit Benzopersäure[1]: Die Glaskirsche mit der Einwaage ($\approx$ 50–100 mg) wird in Schutzgas-Atmosphäre und bei Eiswasser-Kühlung in einem 250 *ml* Kolben unter einer bestimmten Menge (20 *ml*) Lösung von Benzopersäure[2] in Chlorbenzol vorsichtig zerstört (am Ende abgeflachter, eingekerbter Glasstab). Man läßt die Reaktionslösung und eine Benzopersäure-Lösung (Blindprobe) 3 Stdn. bei $\approx 20°$ stehen. Nach Zugabe von 10 *ml* Eisessig, 10 *ml* 10%iger Kaliumjodid-Lösung und $\approx$ 50 *ml* Wasser wird entstandenes Jod mit 0,1 n $Na_2S_2O_3$-Lösung (Stärke-Indikation) titriert. Aus der Differenz mit dem Blindwert $\Delta\,(ml) = Vol_{Probe} - Vol_{Blindprobe}$ ergibt sich der BC-Gehalt:

$$\%\ B_C = \frac{\Delta\,(ml)}{\text{Einwaage}} \cdot 18{,}01$$

$\gamma\gamma_2$) Quecksilber(II)-chlorid-Methode

Arylborane sowie in Wasser lösliche Arylborate reagieren mit Quecksilber(II)-chlorid unter Aryl/Chlor-Austausch (vgl. S. 369f.). In wäßriger Lösung bildet sich infolge BCl-Hydrolyse Salzsäure[3]:

$$\rangle B{-}Aryl \xrightarrow[-\,Aryl\,HgCl]{+\,HgCl_2} \rangle B{-}Cl \xrightarrow[-\,HCl]{+\,H_2O} \rangle B{-}OH$$

Die Reaktion eignet sich i.allg. zur selektiven quantitativen Bestimmung von BC_{aryl}- neben BC_{alkyl}-Bindungen. Das pro mol BC_{aryl}-Bindung entstehende mol Chlorwasserstoff kann unmittelbar acidimetrisch bestimmt werden.

Auch leicht hydrolysierbare Gruppen am Bor-Atom wie z. B. Alkoxy- oder Amino-Reste haben praktisch keinen Einfluß auf die Ergebnisse. Hydroborane müssen vor Zugabe des Quecksilber(II)-chlorids quantitativ hydrolysiert werden, da abgeschiedenes metallisches Quecksilber die Bestimmung stört.

Diglyme eignet sich gut als Lösungsmittel[4]. Das ursprünglich empfohlene Methanol/Wasser-Gemisch (95 : 5) kann BC_{aryl}-Bindungen protolysieren.

Um die Protolyse der BC_{aryl}-Bindungen durch den entstehenden Chlorwasserstoff zu vermeiden, wird die Lösung des Organoborans in Diglyme mit wäßriger Kalilauge versetzt. Empfehlenswert ist auch die Zugabe von Alkalimetallhalogenid (Natriumchlorid, -jodid) zur Bestimmungslösung, um Arylquecksilber-chlorid zu komplexieren.

Bestimmung von BC-Bindungen mit Quecksilber(II)chlorid[3]: Man löst unter Schutzgas die Einwaage (400–500 mg) in 10 *ml* Diglyme[4] (100 *ml* Kolben). Nach Zugabe von 20 *ml* wäßr. 0,1 N Kalilauge gibt man 2,7 g Quecksilber(II)-chlorid und 2,7 g Natriumchlorid zu. Nach kurzem Umschwenken unter Schutzgas (15 Min.) wird die überschüssige Kalilauge mit 0,1 N Schwefelsäure auf pH = 5,5 zurücktitriert (Mikrobürette); Indikator: Bromkresolpurpur, Potentiometrie oder Polarometrie[5–7].

---

[1] J.R. Johnson u. M.G. van Campen, jr., Am. Soc. **60**, 121 (1938).
[2] G. Braun, Org. Synth., Coll. Vol. I, 431–4 (1948).
[3] G. Wittig, G. Keicher, A. Rückert u. P. Raff, A. **563**, 120 (1949).
[4] R. Köster u. M. Laube, Mülheim a.d. Ruhr, unveröffentlicht 1962.
[5] A. Heyrovsky, Fres. **173**, 301 (1960).
[6] A. Heyrovsky, Collect. czech. chem. Commun. **26**, 1305 (1961); C.A. **55**, 21984 (1961).
[7] G. Wünsch u. F. Umland, *Bestimmung von Phenylborsäuren*, in Fresenius-Jander, *Handbuch der Analytischen Chemie*, Bd. IIIa α1 (Bor), S. 171ff., Springer-Verlag, Berlin u. Heidelberg 1971.

$\gamma\gamma_3$) Amin-N-oxid-Methoden

Sämtliche BC-Bindungen zahlreicher Organobor-Verbindungen lassen sich mit wasserfreiem Trimethylamin-N-oxid glatt und vollständig oxidieren[1]. Pro BC-Bindung wird 1 mol Trimethylamin freigesetzt[2]:

$$\rangle B-R \xrightarrow{+ON(CH_3)_3} \rangle B-OR \quad + \quad N(CH_3)_3$$

Die Reaktion ist zur quantitativen Bestimmung von BC-Bindungen in Organoboranen hervorragend geeignet. Verlauf und Endpunkt der Oxidation des Organoborans lassen sich durch kontinuierliche acidimetrische Titration des i. allg. leicht austreibbaren Trimethylamins bestimmen. Bei Triorganoboranen setzt die Redoxreaktion meist um $\lesssim 20°$ ein. B–C-Bindungen der Trialkyl-, Trialkenyl- und Triaryl-borane werden i. allg. unterhalb 100° quantitativ oxidiert. 1-Alkinyl-Gruppen am Bor-Atom reagieren nicht mit Trimethylamin-N-oxid.

Als Verdünnungsmittel verwendet man Benzol oder Toluol. In der Siedehitze ist die Oxidation rasch ($\leqq$ 1 Stde.) beendet. Siedendes Xylol sollte nur in Ausnahmefällen eingesetzt werden, da sich das Trimethylamin-N-oxid $\geqq$ 140° merklich zersetzt.

Da die BC-Bestimmungen mit Trialkylamin-N-oxid von Hydroboranen gestört werden, zerstört man diese vor der N-Oxid-Zugabe quantitativ z. B. durch Alkoholyse oder Hydroborierung.

Auch Halogenborane können stören, da Trimethylamin durch starke Lewissäuren in der Reaktionslösung gebunden wird. Man behilft sich durch Zugabe von Pyridinbasen[2].

Bestimmte BN-Bindungen der Amino-organo-borane werden von Trimethylamin-N-oxid oxidiert, so daß die Methode bei Organobor-Stickstoff-Verbindungen nur bedingt anwendbar ist. BC-Bindungen von Organobor(1+)-Salzen lassen sich i. allg. mit Trimethylamin-N-oxid quantitativ bestimmen. BC-Bindungen von Organoboraten reagieren dagegen i. allg. nicht unmittelbar mit dem N-Oxid, ebenso nicht die BC-Bindungen bestimmter Organocarborane.

Bestimmung von BC-Bindungen mit Trimethylamin-N-oxid[2]**:** Unter Schutzgas wird die Einwaage (Flüssigkeiten in kleinen abgeschmolzenen Ampullen; feste Stoffe in mit Schliffstopfen versehenen Kleinstgefäßen) von ≈ 0,5 mmol Organoboran im Siedekolben der Abb. 2 (S. 390) mit ≈ 10 *ml* Toluol (oder Benzol) gelöst. Man gibt ≈ 1 g wasserfreies Trimethylamin-N-oxid [in der bereits verschlossenen Apparatur] aus einem schwenkbaren Vorratsgefäß zu. Unter Rühren wird 1 Stde. zum Sieden erhitzt, das Trimethylamin mit Inertgas in eine Vorlage (0,1 N Schwefelsäure) geleitet und anschließend mit 0,1 N Natronlauge gegen Methylrot titriert.

$$\%\ B_C = \frac{ml(0{,}1\ N\ H_2SO_4) \cdot 36}{mg\ (Einwaage)}$$

$\gamma\gamma_4$) Protolyse-Methoden

Natrium-1-alkinyl-trialkyl-borate reagieren mit Wasser unter quantitativer Abspaltung von 1-Alkin[3,4]:

$$Na[R_3B-C{\equiv}C-R^1] \xrightarrow{+H_2O} R^1-C{\equiv}CH \quad + \quad Na[R_3B-OH]$$

[1] R. KÖSTER u. Y. MORITA, Ang. Ch. **78**, 589 (1966); engl.: **5**, 580.
[2] R. KÖSTER u. Y. MORITA, A. **704**, 70 (1967).
[3] P. BINGER, G. BENEDIKT, G.W. ROTERMUND u. R. KÖSTER, A. **717**, 21 (1968).
[4] P. BINGER u. R. KÖSTER, Inorg. Synth. **15**, 136 (1974).

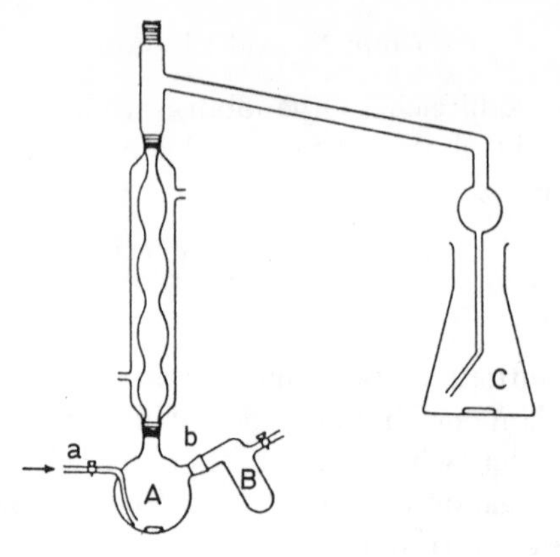

Abb. 2. Apparatur zur Bestimmung von BC-Bindungen der Organobor-Verbindungen mit Trimethyl-amin-*N*-oxid[1].
A = Reaktionsgefäß (≈ 25 *ml*) mit Magnetrührer und eingeschmolzenem Gaseinleitungsrohr a sowie Ansatz b für B
B = schwenkbares Vorratsgefäß für Trimethylamin-*N*-oxid
C = Vorlage mit 0,1 N bzw. 0,01 N Schwefelsäure mit Magnetrührer

Die gasvolumetrische Methode kann bei der Abspaltung von Acetylen, Propin und 1-Butin (R = H, CH_3, C_2H_5) zur Reinheitsüberprüfung der 1-Alkinylborate dienen. Beim Ansäuern werden zusätzlich die Alkyl-Gruppen als Alkan abgespalten, ferner tritt elektrophile Addition am C^2 des 1-Alkinyl-Rests ein. So erhält man z. B. aus *Natrium-1-propinyl-triethyl-borat* mit 5 N Schwefelsäure nur ≈ 0,2 mol Propin, mit Wasser vom pH = 7 dagegen genau 1 mol Propin.

Alkalimetall-tetraalkylborate reagieren im sauren Medium ebenfalls unter Abspaltung von Alkan; zur Vervollständigung der Reaktion muß kurz aufgekocht werden. In der Regel erhält man wenig mehr als 1 mol Alkan, z. B. aus *Natrium-tetrapropylborat* mit 5 N Schwefelsäure ~ 1,1 mol Propan. Die Protolyse ist als quantitative Bestimmungsmethode daher nur bedingt geeignet.

γ_2) *BH-Bindungen*

>BH-Bindungen von Organobor-Wasserstoff-Verbindungen lassen sich mit Protolyse-Reagenzien gasvolumetrisch als Dihydrogen bestimmen. Alkyldiborane(6) (XIII/3a, S. 321) reagieren mit Wasser oder Alkohol (z. B. 2-Ethylhexanol) bei 20 bis 50°; z. B.[2]:

$$(H_7C_3)_2B{-}H \; + \; H{-}OR \longrightarrow H_2\uparrow \; + \; (H_7C_3)_2BOR$$

$R = CH_2CH(C_2H_5)C_4H_9$

1,2:1,2-Bis(butan-1,4-diyl)diborane(6) (vgl. XIII/3a, S. 322f.) sowie bestimmte Lewisbase-Hydro-organo-borane (XIII/3b, S. 473ff.) spalten mit den Protolyse-Reagenzien erst oberhalb ≈ 100° Dihydrogen ab. Bei Verwendung von verdünnter Schwefelsäure können oberhalb ≈ 70° auch Alkane aus Alkyl-Resten freigesetzt werden. Die ⋟BH-Bindungen der Alkalimetall-alkyl-hydro-borate (vgl. XIII/3b, S. 798ff.) reagieren mit Wasser bzw. mit verdünnter Schwefelsäure unter Wasserstoff-Abspaltung. Bereits bei ≈ 20° lassen sich die BH-Bindungen der Alkalimetall-hydro-trialkyl-borate (XIII/3b, S. 805) quantitativ als Di-

[1] R. Köster u. Y. Morita, A. **704**, 70 (1967).
[2] R. Köster, A. **618**, 31 (1958).

hydrogen volumetrisch bestimmen; z. B.[1]:

$$\mathrm{Na[(H_5C_2)_3BH]} + \mathrm{H_2O} \xrightarrow{\approx 20^\circ} \mathrm{H_2}\uparrow + \mathrm{Na[(H_5C_2)_3BOH]}$$

Die gegen Protolyse stabileren Dialkyl-dihydro- und Alkyl-trihydro-borate zersetzt man mit verdünnter Schwefelsäure bei möglichst tiefer Temperatur ($\lesssim 50^\circ$)[2]. Alkane im Gas werden durch Ausfrieren in einer Kühlfalle ($\approx -160^\circ$) quantitativ abgetrennt[3].

Bestimmung der >BH-Bindungen[4]: Zur Einwaage [50–300 mg Alkyldiboran(6)] fügt man in einer abgeschlossenen Apparatur[5] ≈ 2 *ml* Wasser oder ≈ 5 *ml* 2-Ethylhexanol (bzw. 2–5 *ml* 5 N Schwefelsäure). Bereits bei ≈ 20° entwickelt sich das Dihydrogen. Die Reaktion wird durch Erhitzen auf 50–60° (bzw. ≈ 100°) vervollständigt. Das Gasvolumen in der angeschlossenen Gasbürette wird abgelesen (evtl. nach Umkondensieren durch eine zwischengeschaltete –160°-Falle):

$$‰\ \mathrm{H_B} = \frac{Nml(\mathrm{H_2}) \cdot 10{,}08}{\text{mg (Einwaage)}}$$

γ₃) BHal-Bindungen

Die Fluoranalyse in Alkyl-fluor-boranen läßt sich i. allg. acidimetrisch durchführen. Man hydrolysiert die Verbindung in 0,1 N Natronlauge und titriert anschließend mit 0,1 N Schwefelsäure zurück[5]. Alle anderen Fluor-Bestimmungsmethoden erfordern relativ aufwendige Prozeduren wie z.B. den Aufschluß mit Glasgrieß und Säure[6].

Die am Bor-Atom gebundenen Halogene Chlor, Brom und Jod der Halogen-organoborane (vgl. XIII/3a, S. 378) können mit Hilfe der üblichen Methoden meist komplikationslos quantitativ bestimmt werden. Vielfach genügt die acidimetrische Titration nach Hydrolyse, falls keine störenden Begleitstoffe vorhanden sind. Die Jod-Bestimmung in Alkyl-jod-boranen mit Dihydrogenperoxid/Phosphorsäure läßt sich mit der N-Oxid-Bestimmungsmethode für BC-Bindungen kombinieren[5].

γ₄) BO-Bindungen

Die quantitative chemische Direktbestimmung von BO-Bindungen in Organobor-Sauerstoff-Verbindungen ist nicht möglich. Mittelbar kann man jedoch sämtliche BO-Anteile in Organo-organooxy-boranen als Differenz des Gesamtbor-Gehalts und des BC-Gehalts (z. B. mit Trimethylamin-N-oxid)[7] erfassen. Bei autoxidierten Triorganoboranen läßt sich auch die Kombination von $(H_3C)_3NO$/PyO-Oxidation anwenden[7]. B-Hydroxy-Gruppen bestimmt man zusätzlich mit aktiviertem Triethylboran[4].

Die Säurestärke substituierter Aryl-dihydroxy-borane ist vom arylständigen Substituenten abhängig[8].

γ₅) BN-Bindungen

Der Amin-Gehalt der Amino-diorgano-borane (vgl. XIII/3b, S. 6ff.) läßt sich leicht ermitteln, wenn Amino- oder Methyl-amino-Reste vorliegen, die man mit einem schwer flüchtigen primären Amin als Ammoniak oder Methylamin verflüchtigen kann. Die Trimethylamin-N-oxid-Methode ist zur Bestimmung von BC-Bindungen nur anwendbar, wenn die Reaktion der vorliegenden BN-Bindung mit dem Reagenz getestet wurde[7].

---

[1] P. Binger, G. Benedikt, G.W. Rotermund u. R. Köster, A. **717**, 21 (1968).
[2] R. Köster u. G. Seidel, Inorg. Synth. **22**, 198 (1983).
[3] R. Köster u. W. Schüssler, Mülheim a.d. Ruhr, praktische Erfahrungen seit 1965.
[4] R. Köster u. W. Fenzl, A. **1974**, 69.
[5] R. Köster u. M.A. Grassberger, A. **719**, 169 (1968).
[6] G. Pietzka u. P. Ehrlich, Ang. Ch. **65**, 131 (1953).
[7] R. Köster u. Y. Morita, A. **704**, 70 (1967); Ang. Ch. **78**, 589 (1966); engl.: **5**, 580.
[8] C.G. Clear u. G.E.K. Brand, J. Org. Chem. **2**, 522 (1938).

γ_6) *BB-Bindungen*

In Gegenwart von BC-Bindungen lassen sich Bor-Bor-Bindungen von Diboran(4)-Verbindungen spezifisch nicht nachweisen. Die Reduktion von Ag^+-Ionen zum Silber-Metall ist eine qualitative Methode. – Die bereits bei − 100° quantitativ verlaufende Addition der BB-Bindung von Tetrahalogendiboranen(4) B_2Hal_4 (Hal = Cl, Br) an Ethen ist für Organodiborane(4) als quantitative Bestimmungsmethode noch nicht erprobt. – BB-Bindungen reagieren mit verdünnter Natronlauge (5 N) bei 60–100° unter Dihydrogen-Entwicklung nach:

$$>B-B< \; + \; 2\,NaOH \longrightarrow H_2\uparrow + 2\,NaOB<$$

Die BB-Bindungsäquivalente werden volumetrisch bestimmt. Auf die Reinheit von Bor-Bor-Verbindungen kann mit den Resultaten der H_2-Bestimmung allerdings nicht geschlossen werden.

γ_7) *BSi- und BSn-Bindungen*

Chemische Nachweis- und Bestimmungsmethoden für BSi- und BSn-Bindungen in Gegenwart von BC-Bindungen gibt es bisher nicht. IR- und NMR-spektroskopische Identifizierungen sind daher die einzig möglichen Analysenverfahren.

γ_8) *Quantitative Bestimmung von Elementen und borfernen funktionellen Gruppen in Organobor-Verbindungen*

Die quantitativen Bestimmungen der in Organobor-Verbindungen vorhandenen Elemente gelingt im wesentlichen mit Hilfe konventioneller Methoden. Bei der Bestimmung von Kohlenstoff und Wasserstoff durch Verbrennungsanalyse schließt man vorteilhaft in Gegenwart von Vanadium(V)-oxid auf. Chlor, Brom und Jod können (nach entsprechendem Naßaufschluß) z. B. nach Volhard bestimmt werden. Metalle erfaßt man am besten mit der Röntgenfluoreszenzmethode bzw. der Flammenabsorptionsanalyse.

Quantitative Analysen borferner Funktionen können durch Organoborane gestört werden, z.B. die Bestimmung von C=C-Bindungen mit Hilfe von Benzopersäure. B–C- und B–H-Bindungen müssen zuvor mit geeigneten Reagenzien protolytisch oxidativ zerstört werden. Zu weiteren Einzelheiten der Bestimmung funktioneller Gruppen vgl. ds. Handb., Bd. II.

Eine den besonderen Verhältnissen angepaßte, vereinfachte quantitative Bestimmung von Alkalimetallen ist für die Alkalimetall-organoborate (vgl. XIII/3b, S. 749) ausgearbeitet worden. Natrium- und Kalium-organooxy-triorgano-borate sowie -hydro-triorgano-borate lassen sich bereits ≈ 20° mit Wasser zersetzen:

$$M[R_3BX] \; + \; H_2O \xrightarrow[-\,HX]{-\,BR_3} MOH$$

M = Na, K
X = OR, H
R = Alkyl; Aryl; $C\equiv C-R^1$

Das gebildete Alkalimetallhydroxid kann acidimetrisch erfaßt werden. Die entstehenden Triorganoborane stören i. allg. nicht. Hydrolysestabilere Alkalimetall-organoborate werden vorteilhaft mit überschüssiger 0,1 N Schwefelsäure zersetzt und durch Rücktitration bestimmt.

Mit 2,2-Dimethylpropansäure (Pivalinsäure) aktiviertes Triethylboran[1] eignet sich zur quantitativen Bestimmung von Hydroxy-Gruppen, z.B. von Hydroxy-organo-boranen oder von borfernen Hydroxyl-Gruppen. Man mißt das freigesetzte Ethan volumetrisch[2,3]; z.B.:

$$R_2B{-}OH + (H_5C_2)_3B \xrightarrow{Kat.} C_2H_6\uparrow + R_2B{-}O{-}B(C_2H_5)_2$$

c) Spektroskopische Methoden

1. IR- und Raman-Spektroskopie[4]

IR- und Raman-Spektroskopie haben für die Analytik der Organobor-Verbindungen nur in speziellen Fällen Bedeutung, da die ν_{BC}-Absorptionsbanden nicht charakteristisch sind. Leicht zu identifizieren sind jedoch ν_{BH}- (und auch die ν_{BH_2B})-Absorptionsbanden für Hydro-organo-borane bzw. für die Dimeren [Organodiborane(6)] und für Hydro-organo-borate. Sie dienen sowohl als Nachweis für die Entstehung solcher Organobor-Verbindungen als auch zur Reaktionskontrolle bei der Umwandlung dieser Produkte.

Die Zuordnung läßt sich mit den Schwingungsspektren der an den Bor-Atomen deuterierten Verbindungen absichern[5].

Oft ermöglicht auch die Gegenwart von ^{10}B-Schulterbanden die Zuordnung, z.B. ν_{BN} in Amino-organo-boranen[6]. Darüberhinaus gelingt die Identifizierung von C=C- und C≡C-Bindungen oder anderer funktioneller Gruppen in Organobor-Verbindungen mit Hilfe der Schwingungsspektroskopie.

2. Massenspektrometrie

Die Analyse flüchtiger Organobor-Verbindungen mit Hilfe der Massenspektrometrie[7,8] ist von großer Bedeutung. Es lassen sich Molmassen, Bruttoformeln – z.T. auch in Gemischen – von Verbindungen bestimmen. Hochauflösungs-Massenspektren liefern die genauen Summenformeln (Bestimmung der C,B-Zahlen) von Organobor-Verbindungen. Die B-Zahl folgt bereits aus dem $^{10}B/^{11}B$-Isotopenmuster bei Normalaufnahmen. Die Zerfallspektren geben oft Hinweise auf funktionelle Gruppen und die Zerfallswege lassen sich am Auftreten metastabiler Peaks verfolgen.

Verläßliche quantitative Aussagen über Verbindungsgemische sind ohne umfangreiches Vergleichsmaterial nicht möglich. Dies folgt aus der unterschiedlichen Nachweisgrenze einzelner Verbindungen. Organobor-Verbindungen mit intensiven charakteristischen Molekül- oder Bruchstückmassen (z.B. cyclische Triorganoborane, Tetraorganodiboroxane) können im Gemisch mit Verbindungen sein, die wenig intensive und nicht charakteristische Zerfallsmassen zeigen (z.B. offenkettige Trialkylborane).

---

[1] R. Köster u. W. Fenzl, A. **1974**, 69.
[2] R. Köster, K.-L. Amen u. W.V. Dahlhoff, A. **1975**, 752.
[3] R. Köster, W. Fenzl u. G. Seidel, A. **1975**, 352.
[4] B. Schrader, *Infrarot- und Ramanspektrometrie*, Ullmann **5**, 303–372 (1980).
[5] W.J. Lehmann, C.O. Wilson jr., J.F. Ditter u. I. Shapiro, Advan. Chem. Ser. **32**, 139 (1961).
[6] K. Niedenzu u. J.W. Dawson, *Boron-Nitrogen Compounds*, Springer-Verlag, Heidelberg · Berlin 1965.
[7] D. Henneberg, *Massenspektrometrie*, Ullmann **5**, 577–604 (1980).
[8] J.M. Miller u. G.L. Wilson, *Some Applications of Mass Spectroscopy in Inorganic and Organometallic Chemistry*, Advan. Inorg. Chem. Radiochem. **18**, 229–285 (1976).
Main Group Organometallic Compounds, S. 250f.
Rearrangements, S. 257ff.: $B(C_6H_5)_3$, $B(C_6F_5)_3$
Rearrangements in BN- and BO-Heterocycles, S. 262f.
Negative Ions, S. 268: $C_2B_4H_6$
High-Resolution Studies, S. 268ff.: $^{10}B^{11}B$-Verteilung
Metastable-Ion Techniques, S. 270.
Coupled GC and MS, S. 236ff.: $R_3N_3B_3Hal_3$
Handling Air- and Moisture-Sensitive Compounds, S. 237ff.

Die Kombination der Massenspektrometrie mit der Gaschromatographie (s. XIII/3c, S. 383) (GC/MS) ist eine wichtige analytische Methode zur Identifizierung von Organobor-Verbindungen[1]. Generell kann die Massenspektrometrie als erste Orientierungshilfe bei der Untersuchung flüchtiger Organobor-Verbindungen dienen. In jedem Fall ist die Oxidations- und besonders auch die Protolyse-Empfindlichkeit (z. B. Hydroxylhaut an den Wänden des Einlaßteils) der Mehrzahl bororganischer Substanzen zu beachten, um Fehlinterpretationen zu vermeiden.

3. Kernresonanzspektroskopische Analysenmethoden

Der heutige Entwicklungsstand der NMR-Spektroskopie räumt dieser Methode eine bevorzugte Stellung in der Analytik von Organobor-Verbindungen ein. Die Möglichkeit zur bequemen Messung verschiedener Kerne (s. Tab. 38, S. 395) führt in vergleichsweise kurzer Zeit zu einer Vielzahl qualitativer, halbquantitativer, und – bei geeigneten Bedingungen – quantitativer Informationen. Zudem genügen bei den modernen NMR-Spektrometern mg-Mengen von Verbindungen mit natürlicher Isotopenverteilung (Anreicherung z. B. bei ^{17}O günstig, vgl. S. 414), um in wenigen Minuten ^{1}H- oder ^{11}B-, und in wenigen Stunden auch ^{13}C-NMR-Spektren zu erhalten. Die Fortschritte auf dem hardware-Bereich der Spektrometer erlauben einmal die Durchführung komplizierter Pulsfolgen (die z. B. zur Strukturaufklärung von Organo-Resten sehr hilfreich sind) und zum anderen die Speicherung und schnelle Verarbeitung großer Datenmengen.

Die Ermittlung möglichst vieler verschiedener NMR-Parameter (chemische Verschiebungen: z. B. δ^{1}H, δ^{11}B, δ^{13}C, δ^{14}N etc.; Kopplungskonstanten J(BH), J(CB), J(SnC) etc.; Relaxationszeiten $T_{Q(^{11}B)}$, etc.) führt zu konsistenten Aussagen. Diese betreffen nicht nur die Identifizierung einer neuen Substanz oder eines Gemisches, sondern auch die Diskussion der Bindungsverhältnisse, der Struktur und der Reaktivität.

Besonders attraktiv ist die NMR-Spektroskopie als Instrument zur Untersuchung dynamischer Prozesse (Reaktionsablauf, Gleichgewichtseinstellung, Konformationsanalyse). Dies wird deutlich, wenn man den großen Temperaturbereich (≈ -150 bis $+200°$) bedenkt, in dem mit den meisten NMR-Geräten Messungen durchgeführt werden können.

Die Zukunft läßt erwarten, daß auch die Festkörper-NMR-Spektroskopie[2,3] ihren Platz in der Organobor-Chemie einnimmt.

α) ^{1}H-NMR-Spektroskopie von Organobor-Verbindungen

Die ^{1}H-NMR-Spektroskopie dient besonders der Identifizierung von bor- oder heteroatomgebundenen Organo-Resten. Die Gesetzmäßigkeiten der Kernresonanz-Spektroskopie[4,5] für Aufspaltungsmuster (Multiplizität) als Folge von Spin-Spin Kopp-

---

[1] J. M. Miller u. G. L. Wilson, *Some Applications of Mass Spectroscopy in Inorganic and Organometallic Chemistry*, Advan. Inorg. Chem. Radiochem. **18**, 229–285 (1976).
Main Group Organometallic Compounds, S. 250 f.
Rearrangements, S. 257 ff.: $B(C_6H_5)_3$, $B(C_6F_5)_3$
Rearrangements in BN- and BO-Heterocycles, S. 262 f.
Negative Ions, S. 268: $C_2B_4H_6$
High-Resolution Studies, S. 268 ff.: ^{10}B^{11}B-Verteilung
Metastable-Ion Techniques, S. 270.
Coupled GC and MS, S. 236 ff.: $R_3N_3B_3Hal_3$
Handling Air- and Moisture-Sensitive Compounds, S. 237 ff.

[2] M. Mehring, *High Resolution NMR in Solids*, Springer-Verlag, Berlin 1983.

[3] T. M. Duncan, Am. Soc. **106**, 2270 (1984); ^{13}C-NMR von Borcarbid.

[4] J. W. Emsley, J. Feeney u. L. H. Sutcliffe, *High Resolution Nuclear Magnetic Resonance*, Pergamon, Oxford 1965.

[5] H. Günther, *NMR Spektroskopie*, Georg Thieme Verlag, Stuttgart 1983.

Tab. 38: Magnetische Kern-Eigenschaften einiger in Organobor-Verbindungen gebundener Nucleide[1]

Kern	natürliche Häufigkeit (%)	Kernspin (I)	Magneto-gyrisches Verhältnis (rad. $S^{-1}T^{-1}$)	Rel. Empfindlichkeit D^C (bezogen auf ^{13}C)[2]	Resonanzfrequenzen bei 2,3010 T (MHz)	Elektr. Quadrupol-Moment Q ($10^{-28} m^2$)	Chemische Verschiebungen bezogen auf
^{1}H	99,98	1/2	2,676 10^8	5,68 · 10^3	100,00	—	$(H_3C)_4Si$
^{6}Li	7,42	1	3,9366 10^7	3,58	14,72	–0,0008	Li^+
^{7}Li	92,58	3/2	1,0398 10^8	1,54 · 10^3	38,86	–0,045	Li^+
^{9}Be	100,00	3/2	–3,7594 10^7	78,8	14,05	0,052	Be^{2+}
^{10}B	18,83	3	2,875 10^7	22,1	10,53	0,111	$(H_5C_2)_2O–BF_3$
^{11}B	81,17	3/2	8,582 10^7	7,54 · 10^2	32,08	0,0355	$(H_5C_2)_2O–BF_3$
^{13}C	1,11	1/2	6,725 10^7	1,00	25,14	—	$(H_3C)_4Si$
^{14}N	99,64	1	1,933 10^7	5,69	7,22	0,02	NO_3^-
^{15}N	0,36	1/2	–2,711 10^7	2,19 · 10^{-2}	10,13	—	NO_3^-
^{17}O	0,037	5/2	–3,628 10^7	6,11 · 10^{-2}	12,71	–0,004	H_2O
^{19}F	100,00	1/2	2,517 10^8	4,73 · 10^3	94,08	—	$FCCl_3$
^{27}Al	100,00	5/2	6,9706	1,17 · 10^3	26,06	0,149	$[Al(H_2O)_6]^{3+}$
^{29}Si	4,70	1/2	–5,314 10^7	2,09	19,87	—	$(H_3C)_4Si$
^{31}P	100,00	1/2	1,082 10^8	3,77 · 10^2	40,48	—	H_3PO_4 (85%)
^{33}S	0,76	3/2	2,051 10^7	9,73 · 10^{-2}	7,67	–0,064	SO_4^{2-}
^{35}Cl	75,53	3/2	2,621 10^7	20,2	9,60	–0,0797	Cl^-
^{77}Se	7,58	1/2	5,109 10^7	2,98	19,10	—	$(H_3C)_2Se$
^{119}Sn	8,58	1/2	–9,971 10^7	25,2	37,27	—	$(H_3C)_4Sn$
^{207}Pb	21,10	1/2	5,59 10^7	11,8	20,90	—	$(H_3C)_4Pb$

[1] R. K. Harris u. B. E. Mann, *NMR and the Periodic Table*, Academic Press, London, 1978.
[2] Der direkte Vergleich der D^C-Werte für Kerne mit I = ½ untereinander, sowie mit D^C für Kerne mit I ≥ 1 setzt gleiche Relaxationszeiten (T_1, T_2) für diese Kerne voraus.

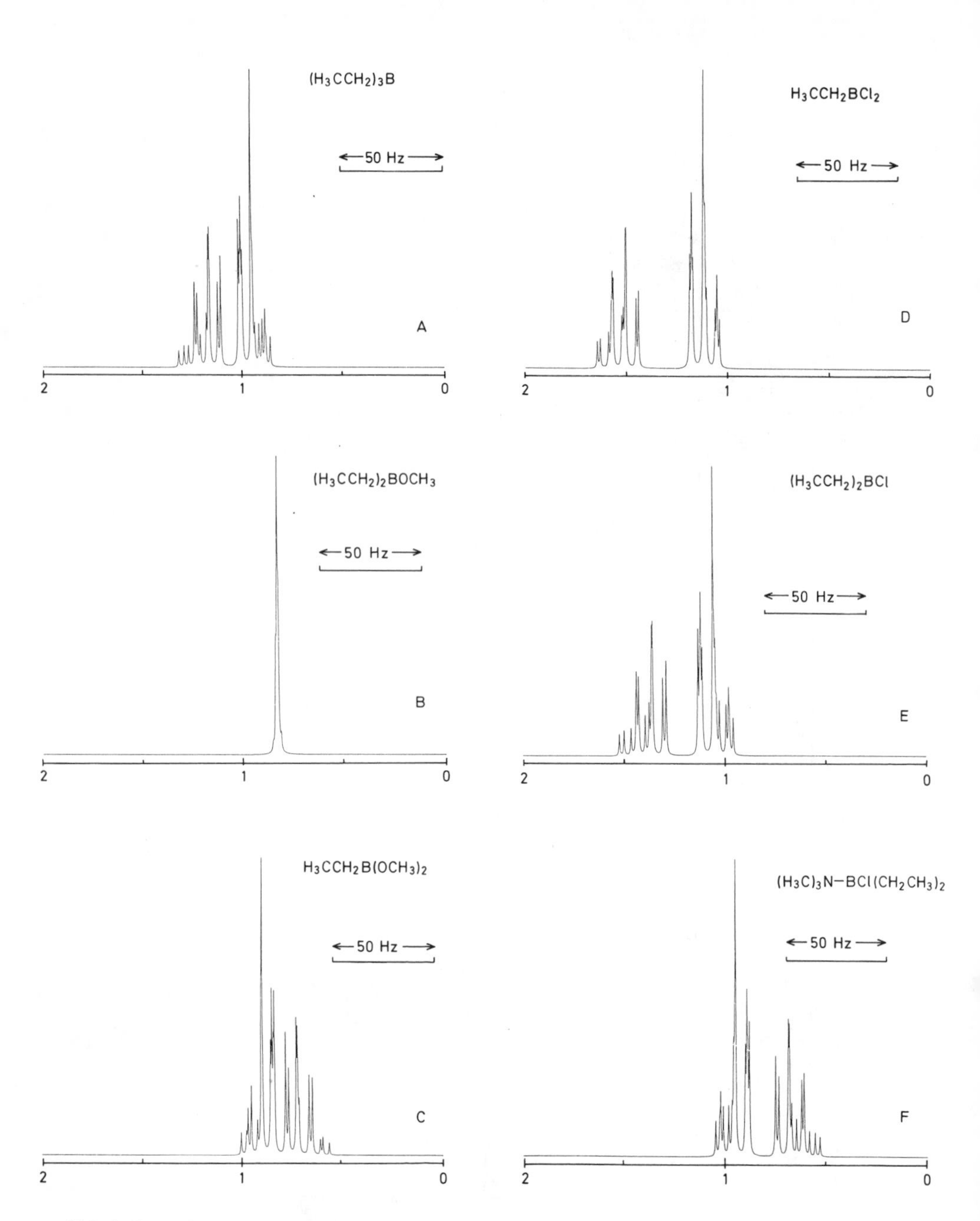

Abb. 3. Berechnete (Programm PANIC, BRUKER) 100 MHz-^{1}H-NMR-Spektren der B-Ethyl-Gruppe von Ethylbor-Verbindungen [experimentelle δ^1H-Werte und Kopplungskonstanten $^3J(HH)$][1]. Eine Linienbreite von 0,5 Hz wurde gewählt. In der Praxis sind ^{1}H-Resonanzen infolge partiell relaxierter skalarer Kopplungen $^nJ(BH)$ (n = 2,3) merklich breiter.

[1] H. Nöth u. H. Vahrenkamp, J. Organometal. Chem. **12**, 23 (1968).

lungskonstanten und für integrale Intensitäten der ^{1}H-Resonanzen als Maß für die relative Zahl von Wasserstoff-Atomen behalten natürlich ihre Gültigkeit. Damit sind indirekte Strukturinformationen zugänglich. Dynamische Prozesse wie z. B. inter- und intramolekulare Austauschreaktionen bzw. Umlagerungen können untersucht werden. Eine quantitative Auswertung der ^{1}H-NMR-Spektren zur Bestimmung von Substanzgemischen ist möglich.

Das Bor-Atom in Organobor-Verbindungen nimmt Einfluß auf die chemischen Verschiebungen δ^1H. Für gesättigte Organo-Reste wird meist eine Verschiebung der ^{1}H-Resonanzen zu niedrigeren Frequenzen (höherem Feld) bezüglich vergleichbarer organischer Verbindungen gefunden. Dies kann als Folge des elektropositiven Charakters des Bor-Atoms interpretiert werden[1,2]. Ein gutes Beispiel hierfür ist die Erscheinungsform der ^{1}H-Resonanzen von B-Ethyl-Gruppen als Funktion der KZ_B (Abb. 3, S. 396). Bei $KZ_B = 3$ werden die typischen Spektren für A_2B_3-Spinsysteme mit $^3J(HCCH) \leqslant \Delta\nu(^1H_{CH_2-CH_3})$ beobachtet, und manchmal, ebenso wie für $KZ_B = 4$, bedingt der erhöhte elektropositive Charakter des Bor-Kerns eine zufällige Isochronie der Methylen- und Methyl-Protonen ($^3J(HCCH) \gg \Delta\nu(^1H_{CH_2-CH_3})$), so daß dann im ^{1}H-NMR-Spektrum ein Singulett für die B-Ethyl-Gruppe erscheint. In Ethylboran-Addukten und in Ethylboraten findet man i. allg. sogar die Resonanz der BCH_2-Gruppe bei niedrigeren Frequenzen als die der Methyl-Gruppe (s. S. 396, Abb. 3).

Die ^{1}H-Resonanzen ungesättigter Organo-Reste werden von mehreren gegenläufigen Effekten beeinflußt[3]. Darum ist auch kein konsistenter Trend der δ^1H-Werte in entsprechenden Organobor-Verbindungen festzustellen.

Die kernmagnetischen Eigenschaften der Bor-Isotope, ^{10}B, ^{11}B (s. Tab. 38) bewirken in Organobor-Verbindungen i. allg. nur eine Verbreiterung der ^{1}H-Resonanzen als Folge der partiell relaxierten skalaren Kopplungen $^nJ(BH)$. Die erhöhte Symmetrie der Umgebung der Bor-Atome, etwa in Organoboraten, bewirkt dagegen eine Verlangsamung der Quadrupolrelaxation und oftmals können Kopplungen $^nJ(BH)$ ($n = 2,3$) direkt beobachtet werden (s. S. 553).

Die ^{1}H-Resonanzen von Wasserstoff-Atomen, die direkt ans Bor-Atom gebunden sind (endständige oder Brückenwasserstoff-Atome), werden, von wenigen Ausnahmen (z. B. $[BH_4]^-$) abgesehen, nur mit Schwierigkeiten als sehr breite intensitätsschwache Signale beobachtet. Dies ist wiederum eine Folge der Quadrupolnatur der B-Kerne, die zur partiellen Relaxation der Kopplungen $^1J(BH)$ Anlaß gibt.

Besonders nützlich für die ^{1}H-NMR-Untersuchungen von Organobor-Verbindungen sind in jedem Fall selektive heteronukleare Entkopplungsexperimente ^{1}H-{^{11}B}[4,5]. Die Aufschärfung von ^{1}H-Resonanzen bei Einstrahlung bestimmter ^{11}B-Frequenzen dient somit zur Korrelation von ^{1}H- mit den zugehörigen ^{11}B-Resonanzen. Dies kann sehr nützlich sein für die Untersuchung von Mischungen z. B. aus Organoboranen oder -boraten, für die weder das ^{1}H- noch das ^{11}B-NMR-Spektrum allein die Zusammengehörigkeit von ^{1}H- und ^{11}B-Resonanzen aufzeigen. Sind mehrere verschiedene B-Kerne im Molekül, führen selektive ^{1}H-{^{11}B}-Experimente verläßlich zur gegenseitigen Zuordnung von ^{1}H- und ^{11}B-Resonanzen[6,7].

---

[1] H. Spiesecke u. W. G. Schneider, J. Chem. Physics **35**, 722 (1961).
[2] H. Nöth u. H. Vahrenkamp, J. Organometal. Chem. **12**, 23 (1968).
[3] J. W. Emsley, J. Feeney u. L. H. Sutcliffe, *High Resolution Nuclear Magnetic Resonance*, Pergamon Press, Oxford 1965.
[4] V. V. Negrebetskii, V. S. Bogdanov, A. V. Kessenikh, P. V. Petrovskii, Yu. N. Bubnov u. B. M. Mikhailov, Ž. obšč. Chim., **44**, 1882 (1974); engl.: 1849; C. A. **81**, 168741 (1974).
[5] W. McFarlane, B. Wrackmeyer und H. Nöth, B. **108**, 3831 (1975).
[6] T. Onak u. W. Jarvis, J. Magn. Reson. **33**, 649 (1979).
[7] W. Jarvis, W. Inman, B. Powell, E. Wan DiStefano u. T. Onak, J. Magn. Reson. **43**, 302 (1981).

Heteronukleare Tripelresonanzexperimente ^{1}H-{^{1}H, ^{11}B}[1] können sehr zur Vereinfachung von ^{1}H-NMR-Spektren von Organobor-Verbindungen beitragen. Schließlich lassen sich ^{1}H-{^{11}B, ^{13}C}-Tripelresonanzexperimente benutzen, um über die Beobachtung der ^{13}C-Satelliten–Signale im ^{1}H-NMR-Spektrum die exakten ^{13}C-chemischen Verschiebungen zu ermitteln[2]. Dieses Verfahren ist jedoch aufgrund der heute verfügbaren Methoden für die direkte Beobachtung der ^{13}C-Resonanzen überholt.

Weiterhin stehen zur Strukturaufklärung der bor- oder heteroatomgebundenen Organo-Reste zahlreiche ^{1}H-NMR-Experimente zur Verfügung. Diese beruhen auf ^{1}H-^{1}H-Dipol-Wechselwirkungen [Kern-Overhauser-Effekt (NOE)-Differenz-Spektroskopie[3], Magnetisierungs-Transfer (MT)-Differenz-Spektroskopie[4]] oder auf ^{1}H-^{1}H-skalaren Wechselwirkungen [J-aufgelöste 2D-^{1}H-NMR-Spektren[5], homoskalar-[6,7] und heteroskalar-korrelierte ^{1}H-2D-NMR-Spektren[6,8–10]]. Gemeinsam mit der ^{11}B-Entkopplung stellen solche Messungen ein beachtliches analytisches Potential dar.

β) ^{11}B-NMR-Spektroskopie von Organobor-Verbindungen

Die apparative Entwicklung der NMR-Spektroskopie in den letzten 15 Jahren mit der Einführung von **P**uls-**F**ourier-**T**ransform (PFT) NMR-Spektrometer und dem Einsatz supraleitender Magnete mit sehr hohen Feldstärken (4,7 bis 11,75 T) hat auch für die NMR-Spektroskopie der Bor-Isotope ^{10}B und ^{11}B große Fortschritte gebracht.

Die insgesamt günstigeren kernmagnetischen Eigenschaften und die größere natürliche Häufigkeit des ^{11}B-Isotops gegenüber dem ^{10}B-Isotop (s. Tab. 38) führen dazu, daß bevorzugt die ^{11}B-NMR-Spektren aufgenommen werden. Lediglich für bestimmte mechanistische Untersuchungen (^{10}B-Markierung), zur Ermittlung von Kopplungskonstanten J(BB) (wenn die ^{11}B-Kerne isochron sind), und zur Aufklärung von Relaxationsmechanismen (der Quotient der Relaxationszeiten $T_{1(^{10}B)}/T_{2(^{11}B)}$ und $T_{2(^{10}B)}/T_{2(^{11}B)}$ sollte 1,53 betragen, wenn die Quadrupol-Relaxation der dominierende Mechanismus ist: $T_{Q(^{10}B)}/T_{Q(^{11}B)} = 1{,}53$) wird die ergänzende Information aus ^{10}B-NMR-Spektren benötigt.

Grundsätzlich bereitet die Aufnahme der ^{11}B-NMR-Spektren keine Schwierigkeiten. Die kurzen Relaxationszeiten $T_{1(^{11}B)} = T_{2(^{11}B)} = T_{Q(^{11}B)}$ ($\approx 10^{-4}$ bis $2 \cdot 10^{-1}$) als Folge des Quadrupolmoments ermöglichen die Verwendung eines relativ starken Beobachtungsfeldes im CW-Betrieb (ohne Sättigung befürchten zu müssen), oder, bei PFT NMR-Spektrometern, eine hohe Pulswiederholungsrate ($\sim$ 5–10 90° Pulse/s). Es ist darum eine Vielzahl von ^{11}B-NMR-Parametern bekannt[11–13] und die Identifizierung neuer Organobor-Verbindungen wird durch den Vergleich der ^{11}B-NMR-Daten erleichtert. Eine quantitative Auswertung der ^{11}B-Resonanzsignale sehr verdünnter Proben (< 0,01 M) ist erschwert, da sich unter diesen Bedingungen die breiten ^{11}B-Resonanzen des borathaltigen Glases im Probenkopf (bzw. im Meßrohr) bei der Integration störend bemerkbar machen.

---

[1] J.D. Kennedy u. B. Wrackmeyer, J. Magn. Reson. **38**, 529 (1980); vgl. auch Abb. 10 (S. 442).
[2] W. McFarlane, B. Wrackmeyer und H. Nöth, B. **108**, 3831 (1975).
[3] J.H. Noggle u. R.E. Schirmer, *The Nuclear Overhauser Effect. Chemical Applications*, Academic Press, New York 1971.
[4] S. Forsén u. R.A. Hoffmann, J. Chem. Physics **39**, 2892 (1963); Progr. NMR Spectrosc., **1**, 173 (1966).
[5] W.P. Aue, J. Karhan u. R.R. Ernst, J. Chem. Physics **64**, 4226 (1976).
[6] A. Bax, *Two-Dimensional NMR in Liquids*, Delft University Press, D. Reidel, Dordrecht 1982.
[7] W.P. Aue, E. Bartholdi u. R.R. Ernst, J. Chem. Physics **64**, 2229 (1976).
[8] R. Benn u. H. Günther, Ang. Ch. **95**, 381 (1983); engl.: **22**, 390.
[9] D.C. Finster, W.C. Hutton u. R.N. Grimes, Am. Soc. **102**, 400 (1980).
[10] I.J. Colquhoun u. W. McFarlane, Soc. [Dalton] **1981**, 2014.
[11] H. Nöth u. B. Wrackmeyer, *Nuclear Magnetic Resonance Spectroscopy of Boron Compounds* (NMR, Grundlagen und Fortschritte Bd. 14), Springer Verlag, Heidelberg · Berlin 1978.
[12] L.J. Todd u. A.R. Siedle, Progr. NMR Spectrosc. **13**, 87–176 (1979).
[13] A.R. Siedle, Ann. Rep. NMR Spectr. **12**, 177 (1982).

β_1) *Relaxation*

Das Quadrupolmoment der Bor-Atome bedingt, entsprechend der Größe des elektrischen Feldgradienten am B-Kern (als Funktion der Symmetrie der Ladungsverteilung um die Bor-Atome), i. allg. breite Resonanzsignale ($h_{1/2} = (\pi T_{Q(^{11}B)})^{-1}$; für $T_{Q(^{11}B)} = 2 \cdot 10^{-1}$ bis 10^{-4} s beträgt $h_{1/2}$ = 1,5 bis > 3000 Hz). Eine Aufschärfung der ^{11}B-Resonanzen kann erreicht werden

ⓐ durch Beseitigung partiell relaxierter BH Spin-Spin Kopplungen (^{1}H-Breitband-Entkopplung)
ⓑ durch Erhöhung der Meßtemperatur, wobei die Quadrupolrelaxation infolge der Verkürzung der effektiven Korrelationszeit $\tau_{c(^{11}B)}$ langsamer wird ($\tau_{c(^{11}B)} \sim T_{Q(^{11}B)}^{-1}$). Dies kommt einer Abnahme der Viskosität gleich und kann z. T. auch durch Verdünnung oder durch die Wahl eines entsprechenden Lösungsmittels erzielt werden.

Aufgrund der breiten ^{11}B-Resonanzen kommt es zu Problemen bei Signal-Überlappungen, die i. allg. nicht allein mit den erwähnten Möglichkeiten zur Signalaufschärfung zu lösen sind. Eine große Hilfe birgt die Messung der ^{11}B-NMR-Spektren bei möglichst hoher Feldstärke. Zum anderen bietet sich bei Verwendung von PFT NMR-Spektrometern an, unterschiedliche Relaxationszeiten von ^{11}B-Kernen auszunutzen, um das eine oder andere ^{11}B-NMR-Signal zu eliminieren[1-3].

Die ^{11}B-NMR-Spektren liefern also Informationen über Relaxationszeiten: $T_{Q(^{11}B)}$ für Bor-Atome mit $KZ_B = \geqslant 4$ sind meist länger als $T_{Q(^{11}B)}$ für B-Kerne mit $KZ_B = 3$ bei vergleichbarem Molekulargewicht. Besonders bei $KZ_B = 3$ verkürzt sich $T_{Q(^{11}B)}$ signifikant mit zunehmender Molekülgröße (Korrelationszeit $\tau_{c(^{11}B)}$ nimmt zu), verbunden mit der Zunahme der Linienbreite der ^{11}B-Resonanzen. Der Vergleich von Linienbreiten der ^{11}B-Resonanzen kann daher auch zur Identifizierung von Organobor-Verbindungen dienen (vgl. S. 464).

β_2) *Chemische Verschiebungen $\delta^{11}B$*

Chemische Verschiebungen δ^{11}B nehmen einen Bereich von ≈ 250 ppm ein[4-6]. Zahlreiche Schwerpunkte liegen zwischen δ^{11}B +90 bis −60 ppm relativ zu externem $(H_5C_2)_2O-BF_3$, wobei positive Vorzeichen eine Verschiebung der ^{11}B-Resonanz zu höherer Frequenz (tieferem Feld) bezüglich der ^{11}B-Resonanz von $(H_5C_2)_2O-BF_3$ kennzeichnen (bei den meisten Arbeiten nach 1976). Abb. 5 (S. 401) zeigt die Erwartungsbereiche für δ^{11}B-Werte trigonaler Borane R_2BX und RBX_2 in Abhängigkeit von der Art und der Zahl der Substituenten am Bor-Atom. Daraus ist offenkundig, daß in vielen Fällen, trotz z. T. beachtlicher Linienbreiten der ^{11}B-Resonanzsignale, die gewünschte Information über den Ablauf einer Reaktion oder über die Reinheit einer Verbindung (z. B. die typische Verunreinigung von R_3B mit R_2BOR : Δ^{11}B ≈ 30 ppm für R = Alkyl) bequem zugänglich ist. Besonders auffällig ist die Verschiebung der ^{11}B-Resonanzen zu niedrigeren Frequenzen beim Übergang von Bor-Atomen mit KZ = 3 zu KZ ⩾ 4. In Abb. 4 (S. 400) sind die δ^{11}B-Bereiche für Triorganoborane und Tetraorganoborate im Detail gezeigt.

---

[1] E. Fukushima u. S. B. W. Roeder, *Experimental Pulse NMR*, Addison-Wesley, Reading, Mass. 1981, S. 177.
[2] R. R. Rietz u. R. Schaeffer, Am. Soc. **95**, 4580 (1973).
[3] E. J. Stampf, A. R. Garber, J. D. Odom u. P. D. Ellis, Inorg. Chem. **14**, 2446 (1975).
[4] H. Nöth u. B. Wrackmeyer, *Nuclear Magnetic Resonance Spectroscopy of Boron Compounds* (NMR, Grundlagen und Fortschritte, Bd. 14), Springer-Verlag, Heidelberg · Berlin 1978.
[5] L. J. Todd u. A. R. Siedle, Progr. NMR Spectrosc. **13**, 87–176 (1979).
[6] A. R. Siedle, Ann. Rep. NMR Spectr. **12**, 177 (1982).

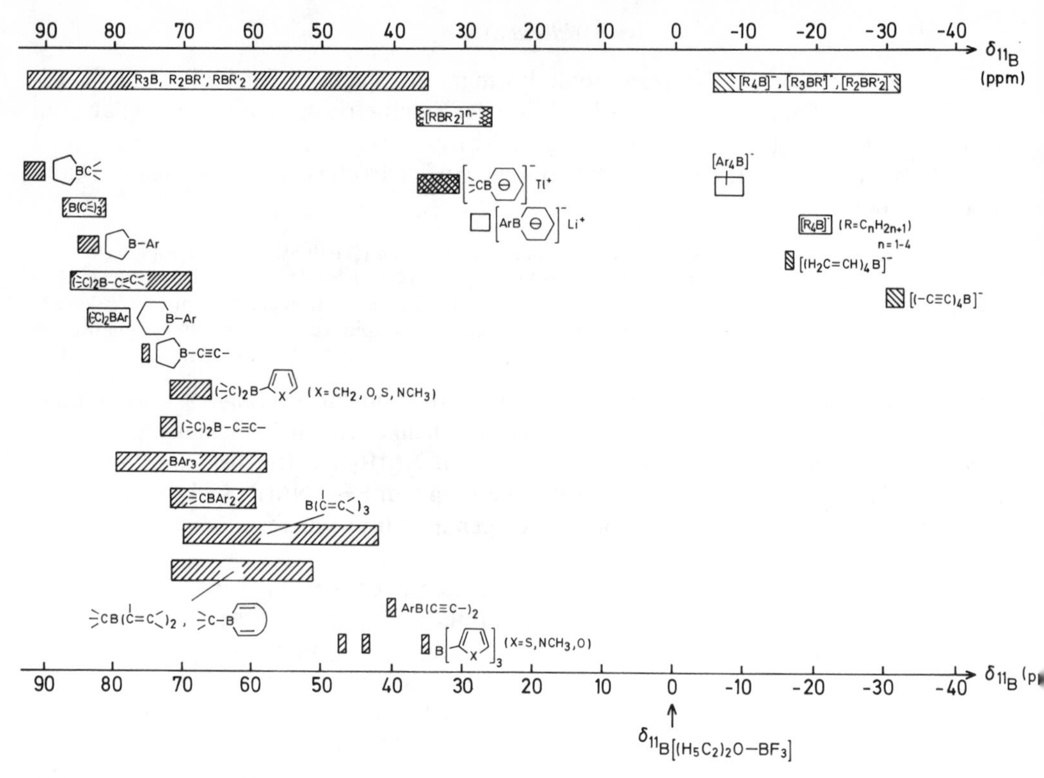

Abb. 4. Bereiche der δ^{11}B-Werte für Triorganoborane und Tetraorganoborate

Die unterschiedlichen δ^{11}B-Werte bieten sich besonders zur Untersuchung von Reaktionsmechanismen (Erkennung von Zwischenstufen) und von dynamischen Prozessen an. So finden sich zahlreiche Beispiele für Monomer-Dimer-Gleichgewichte, z. B. für Aminoborane[1]. Die Bildung und Dissoziation von Donor-Akzeptor-Komplexen kann geklärt werden. Temperaturabhängigkeit[2] und sterische Faktoren[3] sind selbst bei schwachen Donor-Akzeptor-Wechselwirkungen mittels ^{11}B-NMR zu studieren.

Neben einer Vielzahl von theoretischen Ansätzen gibt es zahlreiche Versuche, die magnetische Abschirmung des Bor-Atoms in Beziehung mit chemischen Erfahrungen zu bringen[4]. Einsichtig ist das Konzept der Annahme von (pp)π-Bindungen zwischen dem zwei- oder dreibindigen Bor-Atom und geeigneten Liganden. Dabei ergibt sich mit zunehmender Zahl solcher Liganden am trigonalen Bor-Atom eine erhöhte Abschirmung des B-Kerns. Für zahlreiche trigonale Borane besteht eine ungefähr lineare Beziehung zwischen der magnetischen Abschirmung der ^{11}B-Kerne und der berechneten (CNDO/2) Bor-π-Elektronendichte q_B^π [5]. Vom Standpunkt der Theorie chemischer Verschiebungen muß dies jedoch mit Vorsicht betrachtet werden.

[1] H. Nöth u. V. Vahrenkamp, B. **100**, 3353 (1967).
[2] B. Wrackmeyer, J. Organometal. Chem. **177**, 313 (1976).
[3] R. Contreras u. B. Wrackmeyer, Z. Naturf. **35b**, 1229 (1980).
[4] H. Nöth u. B. Wrackmeyer, *Nuclear Magnetic Resonance Spectroscopy of Boron Compounds* (NMR, Grundlagen und Fortschritte Bd. 14), Springer-Verlag, Heidelberg · Berlin 1978.
[5] J. Kroner, D. Nölle u. H. Nöth, Z. Naturf. **28b**, 416 (1973).

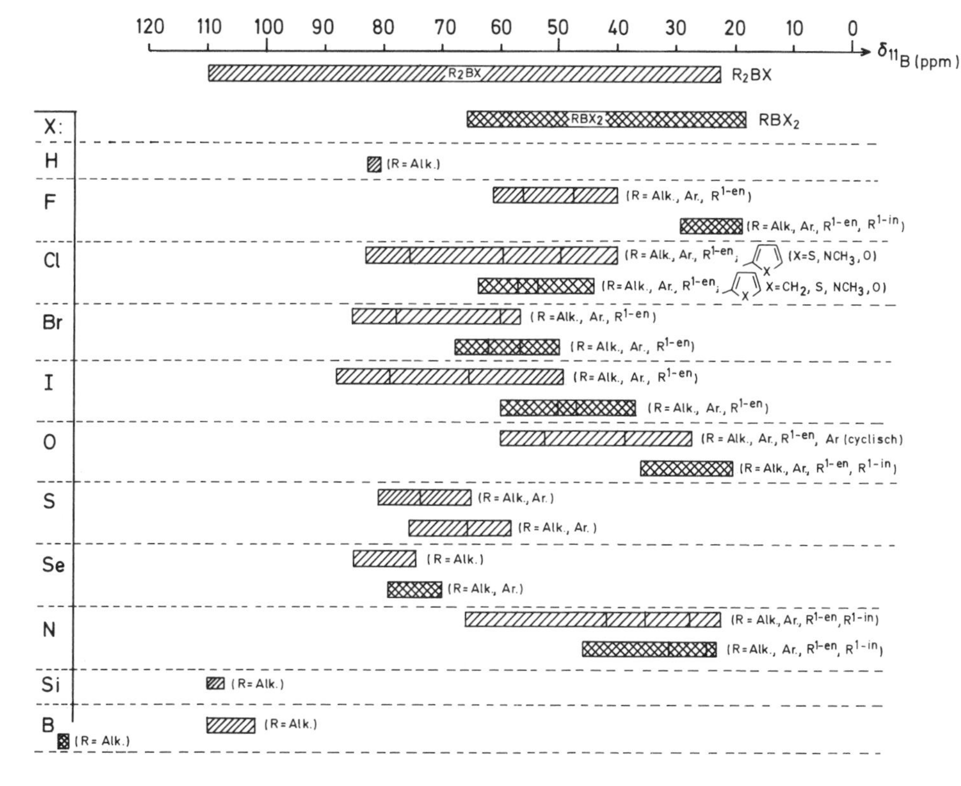

Abb. 5. Änderung der δ^{11}B-Werte in Verbindungen R_2BX ▨ und RBX_2 ▩

X = H; Hal; Chalk; N, Si; B

Es gilt zu berücksichtigen, daß die experimentell ermittelte ^{11}B-magnetische Abschirmung [$\sigma_{^{11}B}$] eine gemittelte Größe ist, die sich aus den Tensorkomponenten σ_{xx}, σ_{yy}, σ_{zz} zusammensetzt. Berechnungen für Borane zeigen[1] (in Übereinstimmung mit ^{13}C-NMR-Experimenten an trigonalen Kohlenstoff-Verbindungen), daß die beste Abschirmung in der Richtung senkrecht zur Molekülebene erfolgt. Dies steht im Einklang mit energiereichen $\sigma \leftrightarrow \sigma^*$ (z. B. $\sigma_x \leftrightarrow \sigma_y^*$) Übergängen, die wenig zum paramagnetischen Term, $\sigma^p_{^{11}B}$, der Abschirmkonstante, $\sigma_{^{11}B}$, beitragen, die Abschirmung des ^{11}B-Kerns also nur geringfügig ändern. Aus der σ-Elektronenverteilung in der Molekülebene resultieren jedoch paramagnetisch wirksame Beiträge infolge energiearmer Übergänge $\sigma \leftrightarrow \pi$ oder $\sigma \leftrightarrow \pi^*$, wobei π oder π^* für das leere oder teilweise besetzte Bor-2pz-Orbital stehen. Der relative Einfluß dieser Übergänge wird von der Elektronegativität aller Substituenten am Bor-Atom kontrolliert und von der Besetzung des 2pz-Orbitals. Dieses Modell erlaubt eine befriedigendere Erklärung vieler Trends von δ^{11}B-Werten trigonaler Borane[2] im Vergleich zur Annahme, daß π-Bindungseffekte dominant sind.

Lineare Beziehungen zwischen δ^{11}B und q_B^π sind daher eher zufällig[1,2] für bestimmte Verbindungsklassen und besitzen keine allgemeine Gültigkeit.

Die komplexe Abhängigkeit der magnetischen Abschirmung von zahlreichen unterschiedlichen Einflüssen verbietet auch eine befriedigend lineare Korrelation zwischen der berechneten Gesamtelektronendichte am Bor-Atom, q_B^{tot}, und den experimentellen δ^{11}B-Werten. Hierbei sind Wertepaare für Organobor-Verbindungen mit $KZ_B = 2{,}3$ und für die Organoborate für $KZ_B = 4$ besonders abweichend, während δ^{11}B-Werte für Diboran(6)-Derivate, zahlreiche Polyborane und Carborane gut mit q_B^{tot} korrelierbar sind[3].

[1] K. A. K. Ebraheem u. G. A. Webb, Org. Magn. Res. **10**, 258 (1977).
[2] B. Wrackmeyer, Universität München, unveröffentlicht 1983.
[3] J. Kroner u. B. Wrackmeyer, Soc. [Faraday Trans. II] **72**, 2283 (1976).

β_3) Kopplungskonstanten J(BEl) mit Übersichtstabellen

Spin-Spin-Kopplungskonstanten zwischen Bor-Kernen und anderen Elementen, J(BEl), können wichtige Informationen über die Verteilung der Elektronendichte am Bor-Atom vermitteln (vgl. Tab. 39). Die Ermittlung von J(BEl) kann entweder über das ^{11}B- oder über das El-NMR-Spektrum erfolgen. Bei El mit geringer natürlicher Häufigkeit (z. B. El = ^{13}C, ^{15}N, ^{29}Si etc.) ist es oft vorteilhaft, die El-NMR-Spektren heranzuziehen. Dies gilt insbesondere dann, wenn die Zuordnung von Satellitensignalen im ^{11}B-NMR-Spektrum aufgrund der Linienbreite des ^{11}B-Resonanzsignals unsicher wird. Die zuverlässige Beobachtung von Satellitensignalen geringer Intensität verdanken wir der PFT-Technik bei scharfen ^{11}B-NMR-Signalen (z. B. ^{1}J(CB) in Organoboraten und ^{1}J(SiB) in Silylorganoboraten[1]). Eine weitere Möglichkeit bietet die Differenzbildung von ^{11}B-NMR-Spektren aus Doppelresonanzexperimenten ^{11}B{^{13}C}, wobei die ^{13}C-Frequenz alternierend weit „off resonance" und exakt „on resonance" gewählt wird[2].

Kopplungskonstanten zwischen Bor-Atomen und anderen Kernen über mehr als eine Bindung sind im ^{11}B-NMR-Spektrum selten zu beobachten. Ihre direkte Ermittlung ist meist auf Organobor-Verbindungen beschränkt, in denen sich das Bor-Atom in hochsymmetrischer Umgebung befindet. Selbst wenn die effiziente Quadrupolrelaxation der ^{11}B-Kerne zur partiellen Entkopplung führt, d. h. die Kopplung J(BEl) ist nicht mehr aufgelöst im ^{11}B- oder El-NMR-Spektrum zu beobachten, lassen sich noch wichtige Strukturinformationen aus den Linienbreiten (s. S. 419, 451) oder mit Hilfe von 2D-NMR-Techniken ermitteln. So kann z. B. die Kopplung ^{1}J(^{11}B^{11}B) in homoskalar-korrelierten 2D-NMR-Experimenten benutzt werden, um die Verknüpfung von Bor-Atomen in Polyboranen, Carboranen, Metalla-boranen und Metalla-Carboranen zu belegen[3-5].

Die An- oder Abwesenheit von Kopplungen, z. B. ^{1}J(BH), erlaubt wichtige Schlüsse auf den Verlauf von Austauschprozessen[6], wobei zwischen intra- und intermolekularem Austausch leicht unterschieden werden kann.

Die Vermittlung der Spin-Spin-Kopplungen zwischen direkt gebundenen Kernen wird hauptsächlich durch den Fermi-Kontakt-Term beschrieben[7]. Hierin spielen die s-Valenzelektronendichten, $S^2_{El}(O)$, und die wechselseitige Polarisierbarkeit $\Pi_{El,El}$ die entscheidende Rolle. Der Term $\Pi_{El,El}$ wird oft durch den Ausdruck $p^2{}_{sEl \cdot sEl} \Delta E^{-1}$ ersetzt[4], wobei ΔE die mittlere Anregungsenergie für elektronische Zustände und P^2 den „s-Charakter" der El – El-Bindung darstellen. Diese Vereinfachung scheint anwendbar für die leichteren Kerne der 1.–4. Hauptgruppe, und besonders für deren Wasserstoff-Verbindungen. So findet man, von wenigen struktur-bedingten Ausnahmen abgesehen, positive Vorzeichen für die reduzierten Kopplungskonstanten ^{1}K(ElEl) {$^{1}K = (4\pi^2/h) \cdot [^{1}J(ElEl)/\gamma_{El} \cdot \gamma_{El}]$}, wobei El = B, C, Si, Sn bzw. H.

Die lineare Beziehung zwischen den Werten ^{1}J(BH) und dem berechneten „s-Charakter" der BH-Bindung passen in dieses Konzept[8]. Ebenso ändern sich die Kopplungskonstanten ^{1}J(CB) (Tab. 39, S. 404) qualitativ den Erwartungen entsprechend[9], d. h. man findet eine Zunahme von ^{1}J(CB) bei Änderung der formalen Hybridisierung des Kohlenstoffs von sp^3 nach sp^2 und sp, ebenso wie bei Änderung der formalen Hybridisierung des Bor-Atoms von sp^3 in Organoboraten nach sp^2 in Organoboranen. Ähnliche Beziehungen findet man für ^{1}J(BB), wobei der Unterschied von Mehrzentren-Bindungen zu Zweizentren-Bindungen besonders deutlich ist (Tab. 39, S. 404).

---

[1] W. Biffar, Dissertation, Universität München 1981.
[2] B. Wrackmeyer, Universität München, unveröffentlichte Ergebnisse 1982.
[3] T. L. Venable, W. C. Hutton u. R. N. Grimes, Am. Soc. **104**, 4716 (1982).
[4] T. L. Venable, W. C. Hutton u. R. N. Grimes, Am. Soc. **106**, 29 (1984).
[5] R. Köster, G. Seidel u. B. Wrackmeyer, Ang. Ch. **96**, 520 (1984); engl.: **23**, 512.
[6] H. Beall u. C. H. Bushweller, Chem. Reviews **73**, 465 (1973).
[7] J. A. Pople u. D. P. Santry, Mol. Phys. **8**, 1 (1964).
[8] J. Kroner u. B. Wrackmeyer, Soc. [Faraday Trans. II] **72**, 2283 (1976).
[9] B. Wrackmeyer, Progr. NMR Spectrosc. **12**, 227 (1979).

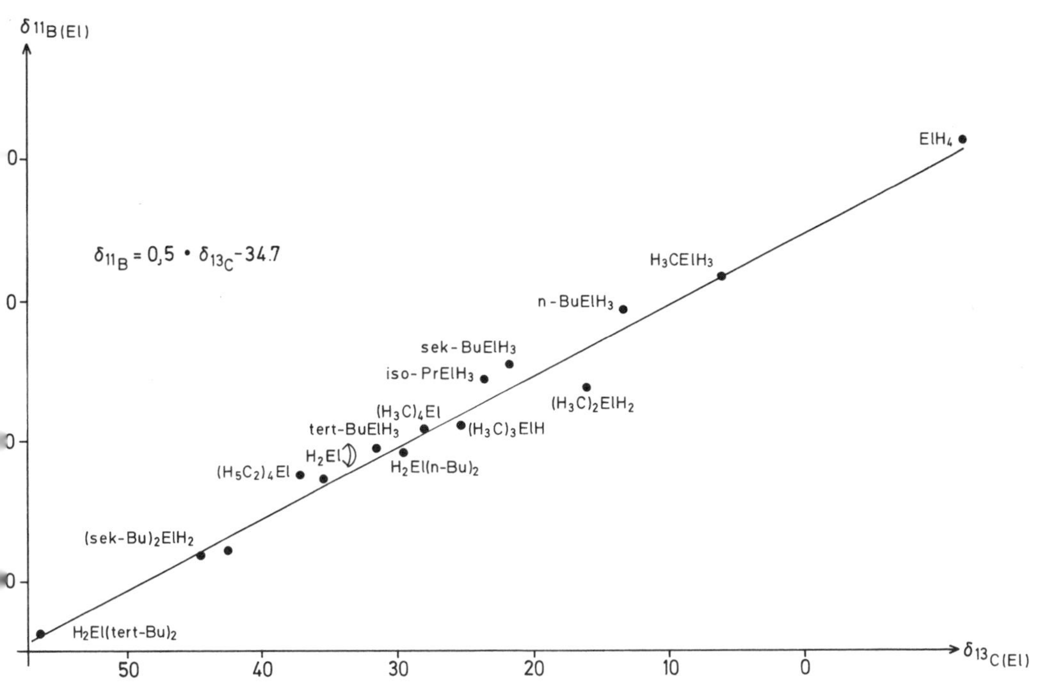

Abb. 6. Korrelation zwischen δ^{11}B-Werten für Organoborate und δ^{13}C analoge Alkane

β_4) *Vergleiche mit NMR-Parametern anderer Kerne*

Für die richtige Einordnung von NMR-Parametern, speziell von chemischen Verschiebungen und Kopplungskonstanten, bieten sich Vergleiche mit den Daten für isoelektronische und, vermutlich, isostrukturelle Verbindungen an. Abb. 6 zeigt die lineare Korrelation zwischen δ^{11}B von Organoboraten und δ^{13}C analoger Alkane. Dagegen gibt es z. T. gleichlaufende, z. T. aber auch abweichende Trends für δ^{11}B trigonaler Borane und $\delta^{13}C^+$ isoelektronischer Carbokationen[1].

Die Abweichungen sind eine Folge der unterschiedlichen Polarität der σ-Bindungen $>\overset{+}{C}-C$ und $>B-C$ und verdeutlichen zudem die viel größere π-Akzeptorfähigkeit des trigonalen Kohlenstoffs $>\overset{+}{C}-$ im Vergleich zum trigonalen Bor-Atom. Auch der Vergleich von B–El und C–El Kopplungskonstanten zeigt ähnliches Verhalten[2–6], jedoch auch einige signifikante Unterschiede. Diese fallen besonders auf beim Vergleich von $^1J(CC)$ in $(CH_3)_3\overset{+}{C}$ mit $^1J(CB)$ in $(CH_3)_3B$[2].

Ferner findet man für $^1J(CB)$ in Organoboraten (s. Tab. 39, S. 404) einen viel größeren Bereich als für $^1J(CC)$ in isoelektronischen Alkanen. Hier wird die, im Vergleich zu Kohlenstoff, größere Polarisierbarkeit des Bor-Atoms erkennbar, die auch für den relativ großen Bereich der Werte $^1J(BH)$ in Boraten (verglichen mit $^1J(CH)$ in Alkanen) verantwortlich ist.

---

[1] B. Wrackmeyer, Z. Naturf. **35b**, 439 (1980).
[2] B. Wrackmeyer, Progr. NMR Spectrosc. **12**, 227 (1979).
[3] H. Fussstetter, H. Nöth, B. Wrackmeyer u. W. McFarlane, B. **110**, 3172 (1977).
[4] J. D. Kennedy, W. McFarlane. G. S. Pyne u. B. Wrackmeyer, Soc. [Dalton Trans.] **1975**, 386.
[5] J. D. Kennedy, W. McFarlane u. B. Wrackmeyer, Inorg. Chem. **15**, 1299 (1976).
[6] B. Wrackmeyer, Z. Naturf. **37b**, 788 (1982).

Tab. 39: Übersicht repräsentativer Kopplungskonstanten[a] $^1J(^{11}BEl)$ in (Organo)-Borverbindungen

Verbindung oder Verbindungstyp	El	$^1J(BEl)$ (Hz)	Literatur
$(HC_3)_3B$	C	+ 45–52	1
$(H_3C)_2B–CH=CH_2$	(CH=)C	≥ 75,0	2
$(H_3C)_2B–C\equiv C–CH_3$	(C≡)C	≥ 110	3
$(H_3C)_2BH_2BH_2$	C	≥ 61,3	1
$(H_3C)_2B–F$	C	≥ 70,0	4
$(H_3C)_2B–Cl$	C	≥ 65,0	4
H_3CBF_2	C	≥ 95,0	4
$H_3C–BJ_2$	C	≥ 70	4
$(H_3C)_2B–OCH_3$	C	≥ 64,0	5
$H_3C–B(OCH_3)_2$	C	≥ 76,0	5
$(H_3C–BO)_3$	C	≥ 78,0	4
$(H_3C)_2B–SCH_3$	C	≥ 50,0	5
$(H_3C)_2B–N(CH_3)_2$	C	≥ 54,0	5
$(HC\equiv C)_2B–N(C_2H_5)_2$	C	≥ + 132	1
$H_3CB[N(CH_3)_2]_2$	C	≥ 59,0	5
$H_3C–C\equiv C–B[N(CH_3)_2]_2$	C	≥ 135	1
$(H_3C)_3B–NH_3$	C	48,8	4
$H_3B–C\equiv O$	C	30,2	1
$[(CH_3)_4B]^-$	C	+ 39,4	6
$[(C_6H_5)_4B]^-$	C	49,5	1
$[(H_5C_6–C\equiv C)_4B]^-$	C	70,0	3
$[\ BH_2]^-$	C	41,0	7
$[H_9C_4–BH_3]^-$	C	48,0	8
$(H_3C)_2CH-BH_3]^-$	C	49,5	8
$(H_3C)_3C–BH_3]^-$	C	50,0	8
$[H_5C_6–CH_2BH_3]^-$	C	43,3	8
$[H_5C_6–BH_3]^-$	C	56,6	8
$[N\equiv C–BH_3]^-$	C	53,0	1
$1–CH_3B_5H_8$	C	+ 73,1	6
$2–CH_3B_5H_8$	C	63,0	1
$1,5-C_2B_3H_5$	C	18,0	1
$1,3,4,6-(CH_3)_4-2,3,4,5-C_4B_2H_2$			
$(B(1)CH_3)$	C	≥ 81,0	9
$(B(6)CH_3)$	C	≥ 76,0	
$(B(6)C(2))$	C	≥ 59,0	
$1,5–(CH_3)_2–2,3,4–(C_2H_5)_3–1,5–C_2B_3$			
(BCH_2)	C	≥ 78,0	10
$(BC(1))$	C	~ 20,0	
R_2BH (R = Alkyl)	H	114	11

Verbindung oder Verbindungstyp	El	$^1J(BEl)$ (Hz)	Literatur
B–H–B (Brücke)	H	30– 50	11
B–H (endständig)	H	120–170	11
Alkyl-$BHNR_2$	H	100–120	11
$O–H_2B–R$	H	100–110	12
Alkyl-$BH_2–S(CH_3)_2$	H	102–106	12
$[Alkyl_3BH]^-$	H	66– 68	7
$[Alkyl_2BH_2]^-$	H	66– 68	7
$[AlkylBH_3]^-$	H	70– 72	7
$2,3,4,5–C_4B_2H_6$ (basal)	H	143	13
$2,3,4,5–C_4B_2H_6$ (apical)	H	202	13
$1,5–C_2B_3H_5$	H	189	13
$1,6–C_2B_4H_6$	H	188	13
andere Carborane, Polyborane, und Metalloborane	H	140–200	13
$(H_3C)_2B–F$	F	119,0	11
$(H_2C=CH)_2B–F$	F	104,0	11
$H_3C–BF_2$	F	76,0	11
$F_2B–CH_2–BF_2$	F	69,0	14
$H_5C_6–BF_2$	F	62,0	11
$H_3C–BFCl$	F	100,0	11
$H_3C–BFBr$	F	93,0	11
$H_5C_6–BFBr$	F	92,0	11
$H_3C–BFOCH_3$	F	85,0	11
$[H_3C–BN(CH_3)_2]F]_2$	F	72,0	11
$[(H_3C)_2NBF_2]_2$	F	42,0	11
$[(H_3C)_2NBF_2]_2$	F	42,0	11
$[(H_3C)_2NBF_2]_2$	F	42,0	11
$Py–BF(C_2H_5)_2$	F	77,0	11
$Py–BF_2(C_4H_9)$	F	58,0	11
$1–F–2,4–C_2B_5H_6$	F	70,0	14
$3–F–2,4–C_2B_5H_6$	F	37,5	14
$H_3N–B(CH_3)_3$	^{15}N	> 5	4
$(H_3C)_2B–NH_2$	^{15}N	≥ 30	4
$(H_3C)_2B–NHCH_3$	^{15}N	≥ 22	4
$(H_3C)_2B–{}^{15}NHC_6H_5$	^{15}N	< 10	15
$[(H_3C)_2B]_3N$	^{15}N	< 10	15
$H_3C–B(NHCH_3)_2$	^{15}N	≥ 33	4
$B(NHCH_3)_3$	^{15}N	≥ 45	16
$[(H_3C)_2B–P(CH_3)_2]_3$	P	65,7	11

[a] Zur Originalliteratur vgl. auch [1,11,13]; Bei Angabe des Vorzeichens wurde dieses ermittelt und gilt mit großer Wahrscheinlichkeit auch für die anderen Werte $^1J(BEl)$ [^{29}Si oder ^{119}Sn besitzen ein negatives gyromagnetisches Verhältnis Γ, die reduzierten Kopplungskonstanten $^1K(SiB)$, bzw. $^1K(SnB)$ haben daher positives Vorzeichen]. Die Angabe wie z. B. ≥ 78 bedeutet, daß J(BEl) aus einem partiell relaxierten 1 : 1 : 1 : 1 Quartett im El-NMR-Spektrum ermittelt wurde.

[1] B. Wrackmeyer, Progr. NMR Spectrosc. **12**, 227 (1979).
[2] J.D. Odom, T.F. Moore, S.A. Johnston u. J.P. Durig, J. Mol. Structure **54**, 49 (1979).
[3] B. Wrackmeyer, Z. Naturf. **37b**, 788 (1981).
[4] B. Wrackmeyer, Universität München, unveröffentlicht 1983.
[5] W. McFarlane, B. Wrackmeyer u. H. Nöth, B. **108**, 3831 (1975).
[6] A.J. Zozulin, H.J. Jakobsen, T.F. Moore, A.R. Garber u. J.D. Odom, J. Magn. Reson. **41**, 458 (1980).
[7] W. Biffar, Dissertation, Universität München 1981.
[8] D. Sedlak, Dissertation, Universität München 1982.
[9] H.-O. Berger, H. Nöth u. B. Wrackmeyer, B. **112**, 2884 (1979).
[10] R. Köster u. B. Wrackmeyer, Z. Naturf. **36b**, 704 (1981).
[11] H. Nöth u. B. Wrackmeyer, *Nuclear Magnetic Resonance Spectroscopy of Boron Compounds* (NMR, Grundlagen und Fortschritte Bd. 14), Springer-Verlag, Heidelberg · Berlin 1978.
[12] R. Contreras u. B. Wrackmeyer, Spectrochim. Acta **38A**, 941 (1982).
[13] L.J. Todd u. A.R. Siedle, Progr. NMR Spectrosc. **13**, 87–176 (1979).
[14] N.J. Maraschin u. R.J. Lagow, Inorg. Chem. **14**, 1855 (1975).
[15] H. Fussstetter, H. Nöth, B. Wrackmeyer u. W. McFarlane, B. **110**, 3172 (1977).
[16] B. Wrackmeyer, J. Magn. Reson. **43**, 174 (1983).

Tab. 39 (Fortsetzung)

Verbindung oder Verbindungstyp	El	^1J(BEl) (Hz)	Literatur	Verbindung oder Verbindungstyp		El	^1J(BEl) (Hz)	Literatur
$(H_2C=CH)_3B{-}P(CH_3)_3$	P	47,0	1	$[(H_3C)_3SnBH_3]^-$		Sn	− 554,0	4
$H_5C_2{-}BH_2{-}P(CH_3)_2[N(CH_3)_2]$	P	64,0	1	$[(H_3C)_2N]_2B{-}B[N(CH_3)_2]_2$		B	≥ 75,0	6
$H_5C_2{-}BH_2{-}P(CH_3)_2[N(CH_3)_2]$	P	64,0	1	$O{\equiv}C{-}B_3H_7$		B	≥ 11,0	1
$H_5C_2{-}BH_2{-}P[N(CH_3)_2]_3$	P	91,0	1	$1{-}CH_3{-}B_5H_8$	[B(1)B(5)]	B	+ 18,9	7
$[(CH_3)_2B{-}CH_2{-}P(CH_3)_2]_2$	P	55,4	1	$2,3{-}C_2B_4H_8$	[B(1)B(5)]	B	≥ 25,0	1
$[(H_3C)_3SiB(CH_3)_3]^-$	Si	74,0	2		[B(1)B(4)]	B	≥ 12,0	1
$\{[H_3C)_3Si]_2B(CH_3)_2\}^-$	Si	67,0	2	$2{-}CB_5H_9$	[B(1)B(4)]	B	≥ 18,0	1
$\{[(H_3C)_3Si]_3BCH_3\}^-$	Si	53,0	2		[B(1)B(3)]	B	≥ 9,0	1
$(H_3C)_3Sn{-}B[N(CH_3)_2]_2$	Sn	− 953,0	3, 4	$2,4{-}C_2B_5H_7$	[B(1)B(5)]	B	≥ 15,0	1
$(H_3C)_3Sn{-}B[N(CH_3)CH_2]_2$	Sn	− 920,0	4, 5		[B(1)B(3)]	B	≥ 5,0	1
$[(H_3C)_3Sn]_2B{-}N(CH_3)_2$	Sn	− 657,0	4	$1,5'{-}(2,4{-}C_2B_5H_6)_2$	[B(1)B(5')]	B	≥ 109,0	8,9

Es gibt nur wenige δ^{27}Al-Werte für Organoaluminium-Verbindungen, die sich mit den δ^{11}B-Werten entsprechender Borane vergleichen lassen. Festzustellen ist, daß auch die Abschirmung des ^{27}Al-Kerns mit der Koordinationszahl zunimmt[10]. So gilt für monomere Aluminium-Verbindungen, daß die ^{27}Al-Resonanz von R_3Al bei sehr hoher Frequenz liegt (δ^{27}Al (R = tert.-Butyl) + 281 ppm[11], vgl. δ^{11}B $\{[(H_3C)_3C]_3B\}$ + 83,1 ppm[1]), relativ zu $Al(NR_2)_3$ (δ^{27}Al [R = $CH(CH_3)_2$] + 140 ppm[11], vgl. δ^{11}B ($B(NR_2)_3$ ~ + 27 bis + 31 ppm[1]).

Auch die Größe der Kopplungskonstanten ^1J(AlH) oder ^1J(AlC)[12] entspricht den Erwartungen (ausgehend von ^1J(BH) und ^1J(CB)), berücksichtigt man die Erhöhung der s-Valenzelektronendichte für das Aluminium- im Vergleich zum Bor-Atom.

γ) ^{13}C-NMR-Spektroskopie von Organobor-Verbindungen

Die zentrale Stellung des C-Atoms in der organischen und metallorganischen Chemie war und ist eine wichtige Triebkraft für die Entwicklung der **P**uls-**F**ourier-**T**ransform (PFT) NMR-Spektroskopie. Erst diese Technik erlaubt die routinemäßige Messung von ^{13}C-NMR-Spektren, auch von verdünnten Lösungen bis hin zur Reinheitskontrolle von Produkten. Die geringe natürliche Häufigkeit des ^{13}C-Isotops und dessen vergleichsweise geringe Empfindlichkeit für das NMR-Experiment (s. Tab. 38, S. 395) bergen dennoch eine Reihe von Problemen, die durch die Nachbarschaft des Kohlenstoffs zu Bor-Atomen z. T. noch größer werden. Die ^{13}C-NMR-Spektren gestatten einen direkten „Blick" auf das organische Gerüst des zu untersuchenden Moleküls. Die hieraus resultierende Fülle von Strukturinformationen rechtfertigt den, verglichen etwa mit ^{1}H- oder ^{11}B-NMR-Spektren, höheren zeitlichen Aufwand, der zur Aufnahme von ^{13}C-NMR-Spektren erforderlich sein kann.

---

[1] H. Nöth u. B. Wrackmeyer, *NMR Spectroscopy of Boron Compounds, Grundlagen und Fortschritte*, Bd. **14**, Springer-Verlag, Berlin · Heidelberg 1978.
[2] W. Biffar u. H. Nöth, B. **115**, (1982).
[3] J.D. Kennedy, W. McFarlane, G.S. Pyne u. B. Wrackmeyer, Soc. [Dalton Trans.] **1975**, 386.
[4] W. Biffar, H. Nöth, H. Pommerening, R. Schwerthöffer, W. Storch u. B. Wrackmeyer, B. **114**, 49 (1981).
[5] J.D. Kennedy, W. McFarlane u. B. Wrackmeyer, Inorg. Chem. **15**, 1299 (1976).
[6] F. Bachmann, H. Nöth, H. Pommerening, B. Wrackmeyer u. T. Wirthlin, J. Magn. Reson. **34**, 237 (1979).
[7] A.J. Zozulin, H.J. Jakobsen, T.F. Moore, A.R. Garber u. J.D. Odom, J. Magn. Reson. **41**, 458 (1980).
[8] R.J. Astheimer, J.S. Plotkin u. L.G. Sneddon, Chem. Commun. **1979**, 1108.
[9] J.J. Anderson, R.J. Astheimer, J.D. Odon u. L.G. Sneddon, Am. Soc. **106**, 2275 (1984).
[10] R. Benn, A. Rufinska, H. Lehmkuhl, E. Janssen u. C. Krüger, Ang. Ch. **95**, 808 (1983); engl.: **22**, 779.
[11] P. Wolfgardt, Dissertation, Universität München 1975.
[12] J.F. Hinton u. R.W. Briggs in R.K. Harrison u. B.E. Mann, *NMR and the Periodic Table*, S. 279f., Academic Press, London 1978.

Die Aufnahme der ^{13}C-NMR-Spektren[1,2,3] und deren Interpretation erfolgt bei Organobor-Verbindungen[4] weitgehend analog zu anderen organischen oder metallorganischen Verbindungen[3–7].

γ_1) *Experimentelle Probleme*

Das Hauptproblem bei der ^{13}C-NMR-Spektroskopie von Organobor-Verbindungen besteht in der Messung der ^{13}C-Resonanzen der C-Atome in unmittelbarer Nachbarschaft zu den Quadrupolkernen ^{11}B bzw. ^{10}B. In Abb. 7 (S. 407) erkennt man, daß je nach Relaxationszeit $T_{Q(^{11}B)}$ für den borgebundenen Kohlenstoff sehr unterschiedliche ^{13}C-Resonanzsignale erhalten werden können:

Ein relativ scharfes ^{13}C-NMR-Signal für $T_{Q(^{11}B)} < 3 \cdot 10^{-4}$ s (d.h. die ^{11}B-Resonanz ist sehr breit: $h_{1/2} > 1000$ Hz), und ein merklich verbreitertes ^{13}C-NMR-Signal ($T_{Q(^{11}B)}$ $\sim 2 \cdot 10^{-3}$ bis $3 \cdot 10^{-4}$ s, d.h. $h_{1/2}(^{11}B) \approx 150-1000$ Hz). Wird $T_{Q(^{11}B)}$ noch länger, d.h. das Produkt $2\pi \cdot J(CB) \cdot T_{Q(^{11}B)} > 1$, baut sich das 1 : 1 : 1 : 1 Quartett auf: Anfangs ist nur ein „Dublett" sichtbar ($2\pi \cdot J(CB) \cdot T_{Q(^{11}B)} < 2$), dann erscheint ein „Dublett vom Dublett" ($2\pi \cdot J(CB) \cdot T_{Q(^{11}B)} \approx 3$), das schließlich in das 1 : 1 : 1 : 1 Quartett mit äquidistanten Linien übergeht ($2\pi \cdot J(CB) \cdot T_{Q(^{11}B)} > 7$).

Hinzu kommt bei experimentellen Spektren, daß infolge der Gegenwart von ≈ 20% ^{10}B mit I = 3 auch ein Multiplett entsprechend $J(C^{10}B)$ auftritt. Da $J(C^{10}B) \approx 1/3\, J(C^{11}B)$, ist die Gesamtbreite dieses Multipletts kleiner als die Aufspaltung für $^1J(C^{11}B)$. Bei der Aufspaltung des ^{13}C-Resonanzsignals durch $C^{11}B$-Kopplung in Richtung des 1 : 1 : 1 : 1 Quartetts wird für die inneren Linien eine höhere Intensität beobachtet, da die Intensitäten der nicht aufgelösten Signale für $C^{10}B$-Kopplungen sich zusätzlich addieren. Der ^{10}B-Isotopeneffekt auf die Lage der ^{13}C-Resonanz (ohnehin < 0,5 Hz) ist für diese Betrachtungen zu vernachlässigen. Wie Abb. 7 (S. 407) zeigt, kann die Größe von $^1J(CB)$ bereits recht zuverlässig aus der Separierung der Signale des „Dubletts" ermittelt werden, da die beiden Signale den inneren Linien des 1 : 1 : 1 : 1 Quartetts entsprechen und ihre Position nur noch geringfügig ändern.

In Anbetracht der Größe der Kopplungskonstanten $^1J(CB)$ (vgl. Tab. 39) kommt es in ungünstigen Fällen [wenn $2\pi \cdot J(CB) \cdot T_{Q(^{11}B)} \approx 0,5$ bis < 1] zu sehr breiten, folglich intensitätsschwachen und strukturlosen ^{13}C-Resonanzsignalen, die sich kaum vom gewöhnlichen Rausch des ^{13}C-NMR-Spektrums abheben. Besonders schwierig wird die Beobachtung solcher Resonanzen immer dann, wenn es sich um quarternäre C-Atome handelt [d.h. oft ist der erwünschte Kern-Overhauser-Effekt (NOE) gering, und gleichzeitig ist die longitudinale Relaxationszeit $T_{1(^{13}C)}$ sehr lang, wodurch bei gleicher Pulslänge die optimale Pulswiederholungsrate gesenkt wird]. Wie aus Tab. 39 hervorgeht, sind zahlreiche Werte $^1J(CB)$ für verschiedene Umgebungen von C- und B-Atomen bekannt, so daß auch für neue Verbindungen der Erwartungsbereich für J(CB) feststeht. Die Information über die Relaxationszeit $T_{Q(^{11}B)}$ ergibt sich meistens recht genau aus der Linienbreite des ^{11}B-NMR-Signals. Mit Hilfe des Produkts $2\pi \cdot J(CB) \cdot T_{Q(^{11}B)}$ (s. Abb. 7, S. 407) läßt sich dann leicht vorhersagen, was man für die ^{13}C-Resonanz von borgebundenen Kohlenstoffen zu erwarten hat. Bei-

---

[1] M. L. MARTIN, G. J. MARTIN u. J. J. DELPUECH, *Practical NMR Spectroscopy*, Heyden, London 1980.
[2] E. FUSKUSHIMA u. S. B. W. ROEDER, *Experimental Pulse NMR*, Addison-Wesley, Reading, Mass. 1981.
[3] F. W. WEHRLI u. T. WIRTHLIN, *Interpretation of Carbon-13 NMR Spectra*, Heyden, London 1976.
[4] B. WRACKMEYER, Progr. NMR Spectrosc. **12**, 227 (1979).
[5] J. B. STOTHERS, *Carbon-13 NMR*, Academic Press, New York 1972.
[6] H.-O. KALINOWSKI, S. BERGER u. S. BRAUN, *^{13}C-NMR Spektroskopie*, Georg Thieme Verlag, Stuttgart 1984.
[7] B. E. MANN u. B. F. TAYLOR, *^{13}C NMR Data for Organometallic Compounds*, Academic Press, New York 1981.

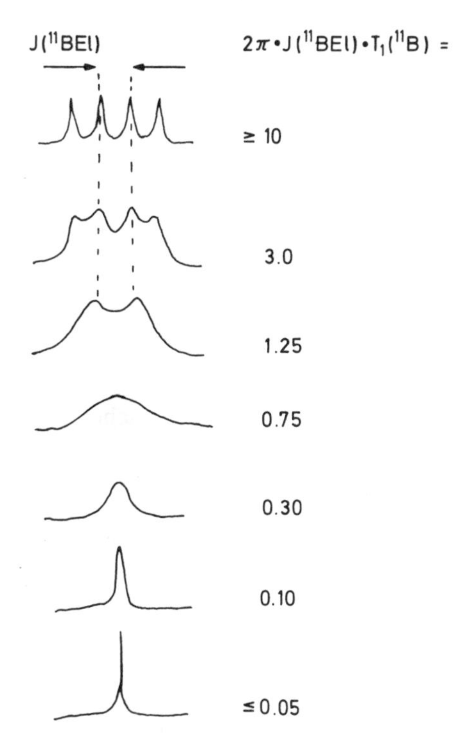

Abb. 7. Errechnete Linienform[1] der Resonanzsignale eines Kerns mit I = 1/2, gekoppelt mit einem Kern I = 3/2, in Abhängigkeit der Größe der Kopplungskonstante und/oder der longitudinalen Relaxationszeit des Kerns, I = 3/2.

spielsweise wird für $H_5C_6-BCl_2$ ein extrem breites intensitätsschwaches ^{13}C-NMR-Signal für den ipso-Kohlenstoff vorausgesagt: Bei normalen Aufnahmebedingungen für ^{13}C-NMR-Spektren ist dieses Signal selbst bei Verwendung konzentrierter Proben bei vertretbarem Zeitaufwand nicht zu lokalisieren.

Von diesen Fakten ausgehend, stehen mehrere Wege offen, die ^{13}C-NMR-Spektren von Organobor-Verbindungen zu registrieren.

ⓐ Entweder die C – B-Kopplung wird teilweise oder vollständig unterdrückt, um die schnellere Auffindung der B – ^{13}C-Resonanz zu ermöglichen,

ⓑ oder man wählt die Aufnahmebedingungen so, daß die Größe der Kopplungskonstanten J(CB) bestimmt werden kann.

Für die Unterdrückung der CB-Kopplung stehen drei Methoden zur Verfügung[2]:

① Messung des ^{13}C-NMR-Spektrums bei tiefer Temperatur oder
② in viskosem Medium (beides beschleunigt die Quadrupolrelaxation verkürzt also $T_{Q(^{11}B)}$), und
③ die sicherste Methode, Entkopplung von ^{11}B durch Einstrahlung der ^{11}B-Resonanzfrequenz (wofür allerdings ein entsprechend modifizierter ^{13}C-Probenkopf erforderlich ist).

Die ^{11}B-Entkopplung erlaubt bei Substanzgemischen die selektive Zuordnung von B-^{13}C-Resonanzen zu den jeweiligen ^{11}B-Resonanzen.

[1] A. Abragam, *The Principles of Nuclear Magnetism*, Oxford University Press, London 1961.
[2] B. Wrackmeyer. Progr. NMR Spectrosc. **12**, 227 (1979).

Die Messung der ^{13}C-NMR-Spektren bei erhöhter Temperatur kann dazu dienen, die Quadrupolrelaxation der ^{11}B-Kerne soweit zu verlangsamen ($T_{Q(^{11}B)}$ nimmt zu), daß die B-^{13}C-Resonanz den Linienformen der Abb. 7 (S. 407) entspricht, und somit die Bestimmung der Größe von J(CB) möglich wird. Um hierbei gute Ergebnisse zu erhalten, muß auch berücksichtigt werden, daß sich die longitudinalen Relaxationszeiten $T_{1(^{13}C)}$ mit steigender Temperatur je nach Relaxationsmechanismus verkürzen (z. B. Spin-Rotation-Relaxation) oder verlängern (z. B. Dipol-Dipol-Relaxation) können. Häufig nimmt $T_{1(^{13}C)}$ mit steigender Temperatur zu, d. h. bei konstanter Pulslänge muß die Pulswiederholungsrate verringert werden.

γ_2) *Chemische Verschiebungen* δ^{13}C

Die δ^{13}C-Werte für Organobor-Verbindungen[1] fügen sich zwanglos in den bekannten Bereich der δ^{13}C-Werte organischer und metallorganischer Verbindungen ein[2]. Lösungsmittel haben keinen entscheidenden Einfluß auf δ^{13}C (wenn keine Änderung der KZ_B erfolgt).

Das primäre Interesse gilt dem Einfluß des Bor-Atoms auf die magnetische Abschirmung des ^{13}C-Kerns. Wie erwähnt, sind die B^{13}C-Resonanzen aufgrund ihrer Linienbreite sicher zu identifizieren. Dagegen müssen die ^{13}C-Resonanzen für C-Atome, die um mehr als eine Bindung vom Bor getrennt sind, i. allg. auf konventionelle Art[3] zugeordnet werden, können in ihren δ^{13}C-Werten jedoch auch charakteristische Merkmale für die Anwesenheit und die Art der Bindung des B-Kerns aufweisen.

Für Alkylborane $R_{3-n}BX_n$ (X = Heteroelement) findet man einen Zusammenhang zwischen den ^{13}C-Resonanzen borgebundener C-Atome und der Abschirmung der Bor-Atome. Es ergibt sich eine ungefähr lineare Korrelation zwischen δ^{13}C (BC) und δ^{11}B (R = CH_3[4], C_2H_5[5]). Hinzu kommen sterische Effekte, wie z. B. die bessere Abschirmung des B^{13}C-Kohlenstoffs, wenn das Bor-Atom Glied eines Fünfrings ist (im Vergleich zu größeren Ringen oder offenkettigen Organobor-Verbindungen), unabhängig von der Natur der übrigen borgebundenen Elemente[1].

In Aryl- und Alkenyl-boranen findet sich keine lineare Beziehung zwischen δ^{13}C (BC) und δ^{11}B, da hier die Lage der B^{13}C-Resonanz aus σ- und π-CB-Wechselwirkungen zu verstehen ist. Die Änderung der ^{13}C-Resonanzfrequenz der para-C-Atome in Phenylboranen ist eine Funktion der π-Akzeptorstärke der Boryl-Gruppe[6]. Auch die Verschiebung des ^{13}C-Signals des zum Bor-Atom β-ständigen C-Atoms in Alkenylboranen ($>B-\overset{\alpha}{C}=\overset{\beta}{C}<$) zu höheren Frequenzen im Vergleich zu Lewisbase-Alkenylboranen ist mit CB(pp) π-Bindungsanteilen vereinbar[7,8].

Diese Befunde unterstützen auch die Deutung der δ^{11}B-Werte (vgl. S. 403) von Aryl-, Heteroaryl-, Alkenyl- und Alkinylboranen[9-11]. Die (pp) π-Wechselwirkungen lassen sich nur mit Hilfe eines möglichst umfangreichen Datensatzes deuten[11-13].

---

[1] B. Wrackmeyer, Progr. NMR Spectrosc. **12**, 227 (1979).
[2] B. E. Mann u. B. F. Taylor, *^{13}C-NMR-Data for Organometallic Compounds*, Academic Press, New York 1981.
[3] F. W. Wehrli u. T. Wirthlin, *Interpretation of Carbon-13 NMR Spectra*, Heyden, London 1976.
[4] W. McFarlane, H. Nöth u. B. Wrackmeyer, B. **108**, 3831 (1975).
[5] H. Nöth u. B. Wrackmeyer, B. **114**, 1150 (1981).
[6] J. D. Odom, T. F. Moore, R. Goetze, H. Nöth u. B. Wrackmeyer, J. Organometal. Chem. **173**, 15 (1979).
[7] L. W. Hall. J. D. Odom u. P. D. Ellis, Am. Soc. **97**, 4527 (1975).
[8] H.-O. Berger, H. Nöth u. B. Wrackmeyer, B. **112**, 2866 (1979).
[9] B. Wrackmeyer u. H. Nöth, B. **109**, 1075 (1976).
[10] B. Wrackmeyer, u. H. Nöth, B. **110**, 1086 (1977).
[11] B. Wrackmeyer, Z. Naturf. **37b**, 788 (1982).
[12] B. Wrackmeyer, Z. Naturf. **35b**, 439 (1980).
[13] R. Goetze, H. Nöth, H. Pommerening, D. Sedlak u. B. Wrackmeyer, B. **114**, 1884 (1981).

γ_3) *Kopplungskonstanten*

Aufgelöste Kopplungen $^{n}J(CB)$ (n > 1) sind bisher nur in Organoboraten beobachtet worden. Generell gilt:

$$|^{3}J(CB)| > |^{2}J(CB)|$$

Die Kopplungskonstanten $^{1}J(CH)$ in Organobor-Verbindungen zeigen im Vergleich mit den $^{1}J(CH)$ anderer metallorganischer Verbindungen[1,2] den elektropositiven Charakter des Bor-Atoms, der sich durch Art und Zahl der Substituenten am Bor-Atom steuern läßt. In Alkylboranen findet man CH-Kopplungskonstanten des borgebundenen C-Atoms bei 106–121 Hz. In Alkanen liegt $^{1}J(CH)$ bei 125–130 Hz (vgl. Tab. 40).

Tab. 40: Repräsentative Kopplungskonstanten $^{1}J(^{13}C^{1}H)$ in Organobor-Verbindungen

Verbindung	$^{1}J(CH)$ Hz	Literatur
$(H_3C)_3B$	113–114	3
$(H_3C)_2BOCH_3$	115,5	4
$H_3C{-}B(OCH_3)_2$	117,0	4
$(H_3C)_2B{-}N(CH_3)_2$	114,5	4
$H_3C{-}B[N(CH_3)_2]_2$	115,0	4
$H_3N{-}B(CH_3)_3$	110	5
$[(H_3C)_4B]^-$	110	6
$[(H_5C_2)_4B]^-$	108 (BCH_2)	7
	120,7 (CH_3)	
1,2–$(CH_3)_2B_5H_7$	120,8 (B(1)CH_3)	8
	120,0 (B(2)CH_3)	8
1,5-$C_2B_3H_5$	192,0	9
1,5-$(CH_3)_2$–2,3,4-$(C_2H_5)_3$–1,5-C_2B_3	117,5 (BCH_2)	10
1,3,4,6-$(CH_3)_4$–2,3,4,5-$C_4B_2H_2$	119,5 (B(1)CH_3)	11
	117,5 (B(6)CH_3)	
	161,0 (C(2)H)	
1,2,3,4,5–$(CH_3)_5$–6–C_2H_5–2,3,4,5–C_4B_2	1119,1 (B(1)CH_3)	12
	116,2 (B(6)CH_3)	
1,7–$C_2B_{10}H_{12}$	184,0	13
$[CHB_{11}H_{11}]^-$	163,0	13

In Tab. 40 sind auch die Werte $^{1}J(CH) \approx 150-192$ Hz[1] für die Gerüst-C-Atome einiger Carborane enthalten. Es besteht eine weitgehend lineare Beziehung zwischen $^{1}J(CH)$ und $^{1}J(BH)$ isoelektronischer Verbindungen[3,14], in die sich auch die Wertepaare $^{1}J(CH)/^{1}J(BH)$ für $[CHB_{11}H_{11}]^-/[B_{12}H_{12}]^-$ einbeziehen lassen. Sind die Kohlenstoffe um mehr als eine Bindung vom B-Kern getrennt, treten im Vergleich zu organischen Verbindungen i.allg. keine großen Unterschiede für $^{1}J(CH)$ auf.

---

[1] J.B. Stothers, *Carbon-13 NMR*, Academic Press, New York 1972.
[2] B.E. Mann u. B.F. Taylor, *^{13}C-NMR-Data for Organometallic Compounds*, Academic Press, New York 1981.
[3] B. Wrackmeyer, Progr. NMR Spectrosc. **12**, 227 (1979).
[4] W. McFarlane, H. Nöth u. B. Wrackmeyer, B. **108**, 3831 (1975).
[5] C.W. Heitsch, Inorg. Chem. **4**, 1019 (1965).
[6] V.V. Negrebetskii, V.S. Bogdanov, A.V. Kessenikh, P.V. Petrovskii, Y.N. Bubnov u. B.M. Mikhailov, Ž. obšč. Chim. **44**, 1882 (1974); engl.: 1849; C.A. **81**, 169741 (1974).
[7] B. Wrackmeyer, Universität München, unveröffentlicht 1983; s. Abb. 7 (S. 407).
[8] T. Onak u. E. Wan, J. Magn. Reson. **14**, 66 (1974).
[9] T. Onak u. E. Wan, Soc. [Dalton Trans.] **1974**, 665.
[10] R. Köster u. B. Wrackmeyer, Z. Naturf. **36b**, 704 (1981).
[11] H.-O. Berger, H. Nöth u. B. Wrackmeyer, B. **112**, 2884 (1979).
[12] B. Wrackmeyer, Z. Naturf. **37b**, 412 (1982).
[13] A.O. Clouse, D. Doddrell, S.B. Kahl u. L.J. Todd, Chem. Commun. **1969**, 729.
[14] T. Onak, J.B. Leach, S. Anderson, M.J. Frisch u. D. Marynick, J. Magn. Reson. **23**, 237 (1976).

γ_4) Bevorzugte Einsatzgebiete der ^{13}C-NMR-Spektroskopie in der Organobor-Chemie

Aufgrund der im Vergleich zu den ^{1}H-NMR-Spektren großen Einfachheit der ^{13}C-NMR-Spektren ist die ^{13}C-NMR-Spektroskopie ein Instrument zur Reinheitskontrolle von Produkten, z. B. aus 1,2 : 1,2-Bis(tetramethylen)diboran(6) mit 3-Methyl-1,3-butadien (s. u.). Das 200 MHz ^{1}H-NMR-Spektrum liefert zwar wichtige Strukturhinweise, die zuverlässige Unterscheidung von anderen möglichen Isomeren gelingt jedoch erst mit Hilfe des ^{13}C-NMR-Spektrums unter Zuhilfenahme von ^{13}C{^{1}H,^{11}B}-Experimenten[1] (vgl. Abb. 8, S. 433).

Die modernen PFT-NMR-Spektrometer erlauben bei geeigneter Aufnahmetechnik auch eine quantitative Auswertung der ^{13}C-NMR-Spektren. Reine Organoborate wie z. B. $[R_3BR']^-$ oder Gemische $[R_{4-n}BR'_n]^-$ lassen sich mit Hilfe der ^{13}C-NMR-Spektroskopie zuverlässiger identifizieren als mit ^{1}H-, ^{11}B-NMR- oder IR-Daten[2].

Komplexe, nicht deutbare ^{1}H-NMR-Spektren erhält man oft bei dynamischen Prozessen. Auch die ^{11}B-NMR-Spektren sind hierbei (Rotationsbarrieren, intramolekularer Austausch oder Inversionsvorgänge) nicht hilfreich, falls keine BH-Bindungen betroffen sind und die elektronische Absättigung des Bor-Atoms konstant bleibt. Dann bietet die ^{13}C-NMR-Spektroskopie große Vorteile, da

① die NMR-Spektren (mit ^{1}H-Breitband-Entkopplung) einfach sind
② die fraglichen ^{13}C-Resonanzsignale i. allg. gut getrennt sind
③ die magnetische Abschirmung des ^{13}C-Kerns sehr empfindlich auf geringe Änderungen der Umgebung des Kohlenstoff-Atoms anspricht.

Einige Beispiele hierfür sind:

Beweise für die Stabilität der Konfiguration von *Pyridin-9-Borabicyclo*[*3.3.1*]*nonan*[3]:

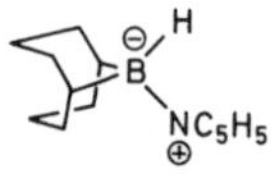

Beleg für Sechsring-Konformationen von 3-Borabicyclo[3.3.1]nonan-Derivaten[4]:

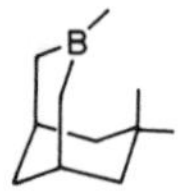

Nachweis von insgesamt drei verschiedenen reversiblen Austauschprozessen (NH/OH-Austausch, Konfigurationsumkehr am Stickstoff, intramolekularer Substituenten-Austausch am Bor-Atom) im *2,2-Diphenyl-3-(3-hydroxypropyl)-1,3,2-oxazoniaboratolidin*[5]:

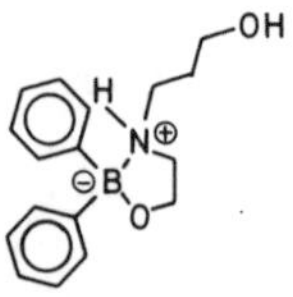

[1] R. Contreras u. B. Wrackmeyer, J. Organometal. Chem. **205**, 15 (1981).
[2] E. Negishi, M. J. Idacavage, K.-W. Chiu, T. Yoshida, A. Abramovitch, M. E. Goettel, A. Silveira, jr. u. H. D. Bretherick, Soc. [Perkin II] **1978**, 1225.
[3] H. C. Brown u. J. A. Soderquist, J. Org. Chem. **45**, 846 (1980).
[4] M. E. Gurskii, A. S. Shashkov u. B. M. Mikhailov, J. Organometal. Chem. **199**, 171 (1980).
[5] H. Kessler, G. Zimmermann, H. Fietze u. H. Möhrle, B. **111**, 2605 (1978).

Untersuchung der Rotationsbarriere der B–N Bindung in Dialkylamino-phenyl-boranen[1], sowie der B–C, B–N, B–O und B–S Bindung in Dimesitylboryl-Verbindungen[2].
Aus der Kombination von Relaxationszeitmessungen für die Quadrupolkerne ^{10}B, ^{11}B ($T_1 = T_2 = T_Q$) und für ^{13}C ($T_{1(^{13}C)}$) sollten sich Informationen über das dynamische Verhalten des gesamten Moleküls, sowie seiner mehr oder weniger beweglichen Bausteine ergeben.

δ) NMR-Spektroskopie anderer Kerne als ^{1}H, ^{11}B, ^{13}C in Organobor-Verbindungen

Außer den Informationen über die Zusammensetzung einer Organobor-Verbindung mit Hilfe der ^{1}H-, ^{11}B- und ^{13}C-NMR-Daten lassen sich wesentliche Strukturaufschlüsse oft auch durch die Messung der NMR-Parameter anderer im Molekül befindlicher Kerne (z.B. ^{14}N, ^{17}O, ^{19}F, ^{29}Si, ^{31}P, ^{119}Sn) erzielen. Dadurch wird entweder die unmittelbare Umgebung des Bor-Atoms besser beschrieben oder die Struktur des bor- bzw. heteroatom-gebundenen Organo-Restes zusätzlich analysiert.

$δ_1$) *^{6}Li- und ^{7}Li-NMR-Spektroskopie*

Die wenigen Arbeiten über ^{7}Li-NMR von Metallaten (bisher keine ^{6}Li-NMR-Daten) der 3. Hauptgruppe[3] zeigen, daß damit vor allem das Lösungsverhalten von Organoboraten untersucht werden kann, etwa im Hinblick auf Ionenpaar-Bildung oder auf Lösungsmittel-separierte Ionenpaare. In Anbetracht der Löslichkeit vieler Lithium-Organoborate sind Li-NMR-Studien vielversprechend.
Besondere Erwähnung verdient das ^{6}Li-Isotop, das zwar nur 7,42% natürliche Häufigkeit und eine geringere NMR-Empfindlichkeit als das ^{7}Li-Isotop besitzt, jedoch das kleinste bekannte Quadrupolmoment aufweist. ^{6}Li-Relaxationszeitmessungen haben gezeigt, daß anstelle der effizienten Quadrupolrelaxation ein merklicher Anteil weniger wirksamer Dipol-Dipol-Relaxation auftritt, auch bei geringer Symmetrie der Umgebung des ^{6}Li-Kerns (im Gegensatz zu ^{7}Li)[4]. Die ^{6}Li-NMR-Spektroskopie ist daher bei hohen Ansprüchen auf Auflösung (Spin-Spin Kopplungen, oder überlappende Resonanzsignale) der ^{7}Li-NMR-Spektroskopie vorzuziehen.
Neben den chemischen Verschiebungen δLi, sollte die vergleichende Betrachtung der Relaxationszeiten der Quadrupol-Kerne ^{6}Li, ^{7}Li, ^{10}B, ^{11}B in Lithium-organoboraten von besonderem Interesse sein.

$δ_2$) *^{9}Be-NMR-Spektroskopie*

Der ^{9}Be-Kern eignet sich trotz seines Quadrupolmoments (vgl. Tab. 38, S. 395) gut für NMR-Messungen[4]. Für eine Reihe von Berylla-boranen sind ^{9}Be-NMR-Parameter bekannt, die die Informationen aus ^{1}H- und ^{11}B-NMR-Spektren bestätigen und ergänzen[5]. Die vorliegenden $\delta\,^{9}Be$-Daten[5-7] lassen darauf schließen, daß die magnetische Abschirmung des ^{9}Be-Kerns, ähnlich wie beim Bor-Atom, von der Koordinationszahl (KZ_{Be}) abhängt, und bei $KZ_{Be} = 2$, z.T. auch bei $KZ_{Be} = 3$ auf π-Bindungseffekte anspricht.
Berylliumhaltige Organobor-Verbindungen wurden noch nicht untersucht.

---

[1] R.H. Cragg u. T.J. Miller, J. Organometal. Chem. **232**, 201 (1982).
[2] N.M.D. Brown, F. Davidson u. J.W. Wilson, J. Organometal. Chem. **210**, 1 (1981).
[3] R.J. Hogan, P.A. Scherr, A.T. Weibel u. J.P. Oliver, J. Organometal. Chem. **85**, 265 (1975).
[4] F.W. Wehrli, J. Magn. Reson. **30**, 193 (1978).
[5] D.F. Gaines, K.M. Coleson u. D.F. Hillenbrand, J. Magn. Reson. **44**, 84 (1981).
[6] R.A. Kovar u. G.L. Morgan, Am. Soc. **92**, 5067 (1970).
[7] H. Nöth u. D. Schlosser, Inorg. Chem. **22**, 2700 (1983).

δ_3) *^{14}N- und ^{15}N-NMR-Spektroskopie*

Die Stickstoff-Isotope ^{14}N und ^{15}N haben den Kernspin I = 1 bzw. I = 1/2. Die natürliche Häufigkeit des ^{15}N-Isotops (0,37%) ist sehr klein. Das Quadrupolmoment des ^{14}N-Kerns bedingt bereits bei einem relativ kleinen elektrischen Feldgradienten am Stickstoff-Atom breite ^{14}N-Resonanzsignale.

Die Schwierigkeiten bei der Aufnahme von NMR-Spektren für Kerne mit I = 1/2 und geringer natürlicher Häufigkeit in Nachbarschaft zu den Quadrupol-Kernen ^{10}B, ^{11}B (s. ^{13}C-NMR, S. 406) sind beträchtlich. ^{15}N-NMR-Messungen an Organobor-Stickstoffverbindungen mit ^{15}N in natürlicher Häufigkeit sind sehr zeitaufwendig, selbst wenn mit hohen Konzentrationen gearbeitet wird[1]. Die Anwendung von ^{1}H-Polarisations Transfer Experimenten [INEPT[2, 3], DEPT[4]] verbessert die Situation im Fall von B–NH-Gruppierungen. Infolge der kurzen transversalen Relaxationszeiten $T_{2(^1H)}$, $T_{2(^{15}N)}$ (skalare Relaxation zweiter Art) ist die einfachste INEPT Pulssequenz zu bevorzugen[5]. Ist die Kopplung $^{1}J(^{15}N^{11}B)$ klein (vgl. Tab. 39, S. 404) oder die Quadrupolrelaxationszeit $T_{Q(^{11}B)}$ sehr kurz, erhält man auch bei mäßiger Konzentration der Proben ($\approx$ 5–10%) innerhalb von 2–3 Stdn. auswertbare Spektren.

$\delta\delta_1$) ^{14}N-Resonanzsignale

Die teilweise sehr breiten ^{14}N-Resonanzsignale und die relativ geringe Empfindlichkeit des ^{14}N-Kerns für das NMR-Experiment sind für die Aufnahme von ^{14}N-NMR-Spektren problematisch. Bei Verwendung der CW-Technik kann oft ein sehr starkes Beobachtungsfeld eingesetzt werden. Das Problem besteht besonders in dem schlechten Signal/Rausch (S/N) Verhältnis, das bei breiten ^{14}N-Signalen ($h_{1/2}$ > 400 Hz) in einem Durchgang symptomatisch ist. Hierbei hilft die Addition der Spektren, so daß in $\approx$ 10–15 Min. recht brauchbare Spektren erhalten werden.

Die Aufnahme der ^{14}N-NMR-Spektren mit PFT-NMR-Spektrometern kann Schwierigkeiten bereiten, wenn die Geräte nur für hochauflösende NMR-Spektroskopie eingerichtet sind. Hier liegt die ^{14}N-Resonanzfrequenz i.allg. in einem Bereich, für den der 90°-Puls relativ lang ist, und zudem das sogenannte „acoustic ringing"[6, 7] auftritt. Je länger der 90°-Puls, umso schlechter wird das S/N-Verhältnis besonders bei breiten Resonanzen, und umso größer wird der Zeitaufwand für die Messung. Der Effekt des „acoustic ringing" verursacht eine sinus-förmige Basislinie im transformierten Spektrum, welche die Auffindung breiter Signale, die Bestimmung natürlicher Linienbreiten, und zumeist auch die korrekte Justierung der Phase erschwert. Die Unterdrückung dieses Effekts ist bei breiten ^{14}N-Resonanzen ($h_{1/2}$ > 500 Hz) und bei Feldstärken < 9,4 T sehr schwierig. Für ^{14}N-Resonanzen mit $h_{1/2}$ < 1000 Hz empfiehlt es sich, eine größere Anzahl an Durchgängen in Kauf zu nehmen (10–40 Pulse/s sind ohne weiteres möglich), und dafür eine Wartezeit von $\approx$ 50–80 μs zwischen Ende des Pulses und Beginn der Datensammlung einzuführen. In dieser Zeit klingt die Induktion, hervorgerufen durch das „acoustic ringing", weitgehend ab, während der FID (**F**ree **I**nduction **D**ecay) der ^{14}N-Resonanz zumindest teilweise noch erhalten ist. Vorsicht ist hierbei geboten, wenn mehrere ^{14}N-Signale zu erwarten sind, da deren gegenseitige Phasenbeziehung gestört sein kann. Verschiedene Pulssequenzen wurden vorgeschlagen, um das „acoustic ringing" zu eliminieren, von denen die „Drei Puls" Sequenz $[(\frac{\pi}{2}(+)\pi-\tau-\frac{\pi}{2}(-)]$ am erfolgreichsten erscheint[8].

---

[1] J.W. Layton, K. Niedenzu u. L. Smith, Z. anorg. Ch., **495**, 52 (1982).
[2] G.R. Morris u. R. Freeman, Am. Soc. **101**, 760 (1979).
[3] O.W. Sørensen u. R.R. Ernst, J. Magn. Reson. **51**, 477 (1983).
[4] D.T. Pegg, D.M. Doddrell u. M.R. Bendall, J. Chem. Physics **77**, 2745 (1982).
[5] B. Wrackmeyer, J. Magn. Reson. **54**, 174 (1983).
[6] M.L. Buess u. G.L. Petersen, Rev. scient. Instruments **49**, 1151 (1978).
[7] E. Fuskushima u. S.B.W. Roeder, J. Magn. Res. **33**, 199 (1979).
[8] D. Canet, J. Brondeau, J.P. Marchal u. B. Robin-Lherbier, Org. Magn. Res. **20**, 51 (1982).

$\delta\delta_2$) Chemische Verschiebungen $\delta^{14}N$

Die magnetische Abschirmung der ^{14}N-Kerne in Organobor-Stickstoff-Verbindungen läßt sich mit den Trends für andere Stickstoffverbindungen[1-3] in Einklang bringen. Während die δ^{14}N-Werte in Amin-Organoboranen(4) vorwiegend von sterischen und induktiven Effekten bestimmt werden (vergleichbar mit δ^{13}C-Werten isoelektronischer und isosterer Alkane), nehmen in Amino-organo-boranen(3) BN-(pp)π-Wechselwirkungen zusätzlich Einfluß auf die δ^{14}N-Werte. Somit dienen δ^{11}B- und δ^{14}N-Werte gemeinsam zur Abschätzung von π-Bindungseffekten in Organobor-Verbindungen des Typs R – B(N⟨)X[4].

Auch wenn der ^{14}N-Kern um mehr als eine Bindung vom Bor-Atom getrennt ist, können die δ^{14}N-Werte (pp)π-Bindungsänderungen anzeigen, zu denen das trigonale Bor-Atom beiträgt. So zeigt die sinkende Abschirmung des ^{14}N-Kerns des Pyrrol-Rings in folgender Reihe den zunehmenden Abfluß von π-Elektronendichte aus dem heteroaromatischen System in 1-Methyl-2-boryl-pyrrolen an[5]:

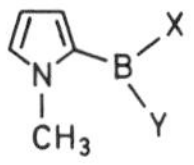

X B Y N CH₃

X =	$N(CH_3)_2$	$N(CH_3)_2$	C_2H_5	Cl
Y =	$N(CH_3)_2$	CH_3	C_2H_5	Cl
δ^{14}N = (Pyrrol-NCH$_3$)	−226	−223	−210	−206

Da auch die δ^{13}C(3,5)-Werte[6] in analoger Weise auf die Änderung der Substituenten am Bor ansprechen, und die δ^{11}B-Werte qualitativ die BC(pp)π-Wechselwirkungen anzeigen[5], ergibt sich ein konsistentes Bild.

$\delta\delta_3$) Kopplungskonstanten

Kopplungskonstanten ^{1}J(NB) (vgl. Tab. 39, S. 404) in Organobor-Stickstoff-Verbindungen sind oft sehr klein[7] und wurden bisher nur vereinzelt beobachtet[8]. In ^{15}N-markierten Borazinen ermittelte man die Werte ^{1}J(NH)[9], deren Größe (76–79 Hz) im Bereich für andere Aminoborane[8] liegt.

$\delta\delta_4$) Grenzen der ^{14}N-NMR-Spektroskopie und Einsatz der ^{15}N-NMR-Spektroskopie

Solange es darum geht, ein einziges ^{14}N-Resonanzsignal oder mehrere weit getrennte ^{14}N-Signale zu messen, sind die Ergebnisse der ^{14}N-NMR-Spektroskopie unter Berücksichtigung des geringen Zeitaufwands (min) voll ausreichend. Breite Resonanzsignale verhindern jedoch oft die getrennte Beobachtung von ^{14}N-Resonanzen, wodurch wichtige Strukturinformationen verloren gehen, z. B. bei den bis zu drei verschiedenen N-Atome enthaltenden 1,3,4,2,5-Triazadiborolidinen (vgl. XIII/3b, S. 314ff.), für die nur ein extrem breites ^{14}N-Signal gefunden wird[10].

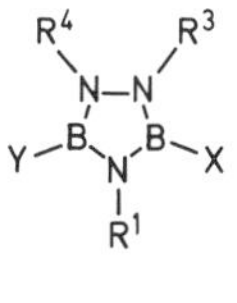

R⁴ R³ N–N Y–B B–X N R¹

[1] M. WITANOWSKI u. G. A. WEBB, *Nitrogen NMR*, Plenum Press, London 1973.
[2] G. J. MARTIN, M. L. MARTIN u. J.-P. GOUESNARD, *^{15}N-NMR Spectroscopy, NMR Principles and Progress*, Bd. 18, Springer-Verlag, Berlin 1981.
[3] M. WITANOWSKI, L. STEFANIAK u. G. A. WEBB, Ann. Rep. NMR Spectr. **11 B**, 1 (1981).
[4] Gmelin, 8. Aufl., **23**/5, 197ff. (1976).
[5] B. WRACKMEYER u. H. NÖTH, B. **109**, 1075 (1976).
[6] J. D. ODOM, T. F. MOORE, R. GOETZE, H. NÖTH u. B. WRACKMEYER, J. Organometal. Chem. **173**, 15 (1979).
[7] H. FUSSSTETTER, H. NÖTH, B. WRACKMEYER u. W. MCFARLANE, B. **110**, 3172 (1977).
[8] B. WRACKMEYER, Universität München, unveröffentlicht 1983.
[9] L. J. TURBINI u. L. F. PORTER, Org. Magn. Res. **6**, 456 (1974).
[10] D. NÖLLE, H. NÖTH u. W. WINTERSTEIN, Z. anorg. Ch. **496**, 235 (1974).

Trotz der vielen bekannten $\delta^{14}N$-Werte bleibt für die ^{15}N-NMR-Spektroskopie von Bor-Stickstoff-Verbindungen noch viel zu tun. Die Verwendung modifizierter Probenköpfe zur Aufnahme von ^{15}N-NMR-Spektren bei gleichzeitiger ^{1}H- und ^{11}B-Entkopplung (siehe ^{13}C-NMR, S. 407) bietet sich als beste Lösung für die auftretenden experimentellen Probleme an.

δ_4) ^{17}O-*NMR-Spektroskopie*

Die geringe natürliche ^{17}O-Häufigkeit (0,037%) und das Quadrupolmoment des ^{17}O-Kerns lassen ^{17}O-NMR-Spektroskopie in einem ungünstigen Licht erscheinen. Die schnelle Relaxation der ^{17}O-Kerne erlaubt jedoch bei Benutzung von PFT-NMR-Spektrometern, vorzugsweise mit möglichst hoher Feldstärke, die Aufnahme einer großen Anzahl von Durchgängen in kurzer Zeit ($\approx$ 50–100 90°-Pulse/s). Darum ist auch ohne ^{17}O-Anreicherung die schnelle Messung der ^{17}O-NMR-Spektren vieler Sauerstoff-Verbindungen möglich[1]. Auch die Einführung einer Wartezeit von $\approx 30\ \mu s$ zwischen Ende des Pulses und Beginn der Datensammlung ist zu empfehlen (siehe ^{14}N-NMR, S. 412), um störende Verzerrungen der Basislinie zu vermeiden. Vor der Fourier-Transformation ist es günstig, die Anzahl der Datenpunkte durch „zero-filling" zu erhöhen und den FID mit einer doppelt exponentiellen Gauss-Funktion (e^{at-bt^2}, a und b sind vom Benutzer zu wählen) zu multiplizieren, für ein gutes S/N-Verhältnis ohne viel Verlust an Auflösung[2]. Die Linienbreiten der Resonanzen aus derartig modifizierten FID's weichen allerdings von den natürlichen Linienbreiten $h_{1/2}$ ab.

Zahlreiche Organobor-Sauerstoff-Verbindungen wurden mit Hilfe der ^{17}O-NMR-Spektroskopie untersucht[3,4]. Die beobachteten Trends stützen die Annahme von BO(pp)π-Wechselwirkungen zwischen trigonalen Bor-Atomen und dem Sauerstoff-Atom.

Spin-Spin-Kopplungen J(OB) sind noch nicht beobachtet worden. Die Linienform und die Breite des ^{17}O-Resonanzsignals von $[B(OCH_3)_4]^-$ läßt vermuten, daß sich in Boraten die OB-Kopplung bei Wahl geeigneter Meßbedingungen (hohe Temperatur, ^{17}O-Anreicherung) ermitteln läßt[5].

Die ^{17}O-NMR-Spektroskopie ist eine wertvolle Bereicherung für die Untersuchung entsprechender Organobor-Verbindungen. Grenzen der Messung für ^{17}O in natürlicher Häufigkeit infolge zu hoher Linienbreiten $h_{1/2}$ dürften für Bor-Sauerstoff-Verbindungen bei einem Molekulargewicht von > 400 (Feldstärke $\leqslant 9{,}4$ T) oder > 300 (Feldstärke $\leqslant 4{,}7$ T) liegen. ^{17}O-Anreicherung kann hier weiterhelfen, wie überhaupt das gezielte Arbeiten mit ^{17}O-angereicherten Verbindungen in Verein mit der ^{17}O-NMR-Spektroskopie für mechanistische Untersuchungen von Interesse ist.

δ_5) ^{19}F-*NMR-Spektroskopie*

Der kernmagnetischen Eigenschaften des Fluor-Atoms (s. Tab. 38, S. 395) zeigen, daß die Aufnahme von ^{19}F-NMR-Spektren ohne Schwierigkeiten erfolgt. Für die Mehrzahl der Kopplungskonstanten $^{1}J(FB)$ wird ein negatives Vorzeichen angenommen. Gegenwärtig gibt es kein einfaches Modell, um Größe und Änderungen von J(FB) zu interpretieren.

Die Schwierigkeiten, $\delta^{19}F$-Werte und Kopplungskonstanten J(FX) mit chemischen Erfahrungen in Einklang zu bringen, bedeuten, daß ^{19}F-NMR-Daten bisher hauptsächlich zur Substanzidentifizierung dienten. In Anbetracht der vielen bereits vorliegenden oder leicht zu ermittelnden Daten ist zu erwarten, daß sich hier bald ein Wandel vollzieht. Gera-

[1] J. P. Kintzinger, *Oxygen NMR, NMR Basic Principles and Progress*, Bd. **17**, Springer-Verlag, Berlin 1981.
[2] I. P. Gerothanassis. J. Lauterwein u. N. Sheppard, J. Magn. Reson. **48**, 431 (1982).
[3] W. Biffar, H. Nöth, H. Pommerening u. B. Wrackmeyer, B. **113**, 333 (1980).
[4] B. Wrackmeyer u. R. Köster, B. **115**, 2022 (1982).
[5] B. Wrackmeyer, Universität München, unveröffentlichte Messungen 1982.

de im Hinblick auf die zunehmende Zahl von ^{13}C- und ^{19}F-NMR-Daten fluorierter organischer Verbindungen ist der Vergleich mit den entsprechenden Organobor-Fluor-Verbindungen besonders attraktiv.

δ_6) *^{27}Al-NMR-Spektroskopie*

^{27}Al-NMR-Spektren (vgl. S. 405) sind ohne Schwierigkeiten aufzunehmen. Aufgrund des vergleichsweise großen Quadrupolmoments des ^{27}Al-Kerns (vgl. Tab. 38, S. 395) sind die ^{27}Al-Resonanzsignale sehr breit, wenn die Symmetrie der Umgebung des Aluminium-Atoms gestört ist. Diese „Nachteile" können in wichtige Informationen umgesetzt werden. Hierin liegt die bisherige Anwendung der ^{27}Al-NMR-Spektroskopie von Organobor-Verbindungen.

Amino-organo-borane bilden mit Aluminiumtrihalogeniden ($AlHal_3$) (z. B. Hal = Cl,Br) Addukte, wie sich mit Hilfe von ^{1}H-, ^{11}B-, ^{13}C-, ^{14}N- und ^{27}Al-NMR-Messungen leicht nachweisen läßt[1–3]. Wenn am Bor-Atom noch ein Halogen-Atom gebunden ist, besteht die Möglichkeit der Bildung eines Ionenpaares, welches in Lösung dissoziiert:

$$R{-}B(Cl){-}N\langle \; + \; AlCl_3 \longrightarrow [R{-}B{=}N\langle]^+ \; + \; [AlCl_4]^-$$

Neben anderen physikalischen Methoden bietet sich zum Nachweis die ^{27}Al-NMR-Messung besonders an, da die symmetrische Umgebung des Al-Kerns in $[AlHal_4]^-$ zu einem sehr scharfen ^{27}Al-Resonanzsignal führt, im Gegensatz zu den breiten ^{27}Al-Signalen ($h_{1/2} > 100$ Hz) in den $AlHal_3$-Addukten[4].

δ_7) *^{29}Si-NMR-Spektroskopie*

Der große Zeitaufwand für die Aufnahme von ^{29}Si-NMR-Spektren mit konventioneller PFT-Technik[5] (als Folge des negativen gyromagnetischen Verhältnisses $\gamma_{^{29}Si}$ und langer longitudinaler Relaxationszeiten $T_{1(^{29}Si)}$) hat den Einsatz der ^{29}-Si-NMR-Spektroskopie zur Untersuchung von Organobor-Verbindungen bisher behindert. Es sind darum nur wenige ^{29}Si-NMR-Daten bekannt, entweder für borgebundene Si-Kerne[6,7] oder für heteroatomgebundenes Silizium[8,9].

Besonders nützlich kann die ^{29}Si-NMR-Spektroskopie zur Untersuchung von Heterocyclen eingesetzt werden, da sowohl δ^{29}Si als auch z. B. Si – C-Kopplungen merklich von den Bindungswinkeln am Si-Atom beeinflußt werden[5,9].

---

[1] K. ANTON, Dissertation, Universität München 1982.
[2] K. ANTON, P. KONRAD u. H. NÖTH, B. **117**, 863 (1984).
[3] K. ANTON, C. EURINGER u. H. NÖTH, B. **117**, 1222 (1984).
[4] H. NÖTH, R. STAUDIGL u. H.-U. WAGNER, Inorg. Chem. **21**, 706 (1982).
[5] H. MARSMANN, *^{29}Si-NMR Spectroscopic Results, NMR Basic Principles and Progress*, Bd. **17**, Springer-Verlag, Berlin 1981.
[6] H. FUSSSTETTER, H. NÖTH, B. WRACKMEYER u. W. MCFARLANE, B. **110**, 3172 (1977).
[7] W. BIFFAR u. H. NÖTH, B. **115**, 934 (1982).
[8] W. BIFFAR, Dissertation, Universität München 1981.
[9] R. KÖSTER, G. SEIDEL u. B. WRACKMEYER, unveröffentlicht 1982.

Es wird erwartet, daß die Anzahl der ^{29}Si-NMR-Daten schnell wächst, da sich mit Hilfe verschiedener Techniken des ^{1}H-Spin-Polarisations-Transfers[1-3] der Zeitbedarf für die Aufnahme vieler ^{29}Si-NMR-Spektren entscheidend reduziert.

δ_8) ^{31}*P-NMR-Spektroskopie*

^{31}P-NMR-Spektren lassen sich mit Hilfe der PFT-Technik bequem registrieren. Zusammen mit ^{1}H-, ^{11}B-, ^{19}F-NMR ist die ^{31}P-NMR-Spektroskopie vorwiegend zur Substanz-Charakterisierung von Organobor-Verbindungen eingesetzt worden.

Die ^{31}P{^{1}H}-Resonanzen können z.B. gut zur Bestimmung von Gleichgewichtsgemischen *cis/trans*-isomerer dimerer Diorgano-(phenylphosphinolyloxy)-borane[4] und von stereoisomeren 4,6-disubstituierten 2,5-Diphenyl-1,3,5,2-dioxaphosphaborinanen[5] in Lösung verwendet werden. Sowohl das ^{11}B- (Dublett-Aufspaltung) als auch das ^{31}P-NMR-Spektrum (1 : 1 : 1 : 1 Quartett oder sehr breites Signal) in Phosphan-Boran-Addukten (⋛B–P⋚) oder in Phospinoboranen (>B–P<) zeigt die Gegenwart einer P–B-Bindung an. Dies ist wichtig für die Untersuchung dynamischer Prozesse, die unter Spaltung der P–B-Bindung verlaufen.

Die Verschiebung der ^{31}P-Resonanzen von Phosphan-Boranen gegenüber den freien Phosphanen entspricht den Befunden bei der Phosphonium-Salzbildung[6,7]. Einige δ^{31}P-Werte von Amino-organo-boranen mit P–B-Bindung[8,9] und P–N-Bindung[10-14] sind bekannt, doch fehlt es an systematischen Untersuchungen und geeignetem Vergleichsmaterial.

Eine Vielzahl von Daten findet sich für die Kopplungskonstanten ^{1}J(PB), deren Vorzeichen für das trigonale Bor-[3] und für das vierfach koordinierte Bor-Atom[15,16] als positiv bestimmt wurden. Die Werte J(PB) umfassen einen Bereich von ca. 200 Hz. Noch immer ist kein allgemeingültiges Konzept zur Interpretation von Trend und Größe aller P–B-Kopplungen verfügbar.

δ_9) ^{33}*S-NMR-Spektroskopie*

Die Daten in Tab. 38 zeigen den ^{33}S-Kern als denkbar ungeeignet für die NMR-Spektroskopie. Dies findet seinen Niederschlag in der spärlichen Literatur über ^{33}S-NMR organischer Verbindungen[17-20]. Nur bei tretraedrischer oder oktaedrischer Umgebung des ^{33}S-Kerns werden mäßig breite Signale gefunden.

---

[1] D.M. Dodrell, D.T. Pegg, W. Brooks u. M.R. Bendall, Am. Soc. **103**, 727 (1981).
[2] B.J. Helmer u. R.J. West, Organometallics **1**, 877 (1982).
[3] D.M. Dodrell, D.T. Pegg u. M.R. Bendall, J. Magn. Reson. **48**, 323 (1982).
[4] L. Synoradzki, R. Mynott, A. Jiang, C. Krüger, Y.-H. Tsay u. R. Köster, B. **117**, 2863 (1984).
[5] B.A. Arbuzov, O.A. Erastov, G.N. Nikonov, I.P. Romanova, R.P. Arshinova u. O.V. Ovodova, Izv. Akad. SSSR **1983**, 2535; engl.: 2281; C.A. **101**, 23589 (1984).
[6] V. Mark, C.H. Crutchfield u. J.R. van Wazer, in *Topics in Phosphorus Chemistry*, Bd. **5**, Wiley, New York 1967.
[7] G. Müller, Dissertation, Technische Universität München 1980.
[8] H. Fussstetter, H. Nöth, B. Wrackmeyer u. W. McFarlane, B. **110**, 3172 (1977).
[9] N.S. Sze, Dissertation, Universität München 1975.
[10] R. Köster, G. Seidel u. B. Wrackmeyer, unveröffentlicht 1982.
[11] H. Nöth u. W. Tinhof, B. **107**, 3806 (1974).
[12] H. Nöth u. W. Storch, B. **110**, 2607 (1977).
[13] K. Barlos, H. Nöth, B. Wrackmeyer u. W. McFarlane, Soc. [Dalton Trans.] **1979**, 801.
[14] H. Nöth u. W. Storch, B. **117**, 2140 (1984).
[15] R.W. Rudolph u. C.W. Schultz, Am. Soc. **93**, 6821 (1971).
[16] H.C.E. McFarlane, W. McFarlane u. D.S. Rycroft, Soc. [Faraday Trans. II] **68**, 1300 (1972).
[17] H.L. Retcofsky u. R.A. Friedel, Am. Soc. **94**, 6579 (1972).
[18] R. Faure, E.J. Vincent, J.M. Ruiz u. L. Léna, Org. Magn. Res. **15**, 401 (1981).
[19] D.L. Harris u. S.A. Evans, jr., J. Org. Chem. **47**, 3355 (1982).
[20] R. Annunziata u. G. Barbarella, Org. Magn. Res. **22**, 250 (1984).

Messungen an Organobor-Schwefel-Verbindungen des Typs $(CH_3)_{3-n}B(SCH_3)_n$ (n = 1,2,3) bestätigen diesen Sachverhalt. Es werden extrem breite ^{33}S-Resonanzsignale (ungefähre Linienbreiten $h_{1/2} > 2000$ Hz) beobachtet[1]. Die magnetische Abschirmung des ^{33}S-Kerns bleibt innerhalb der Fehlergrenze der Messung weitgehend konstant.

δ_{10}) *^{35}Cl- und ^{37}Cl-NMR-Spektroskopie*

Obwohl der ^{37}Cl-Kern aufgrund des kleineren Quadrupolmoments etwas schärfere Resonanzen liefert, spricht die etwas höhere Meßfrequenz und die größere natürliche Häufigkeit für das ^{35}Cl-Isotop (s. Tab. 38, S. 395). ^{35}Cl-NMR-Messungen von kovalenten Chloriden mit PFT-Geräten sind aufgrund der großen Linienbreiten ($h_{1/2}$ meist > 2000 Hz) schwierig (vgl. ^{14}N-NMR, S. 412ff.).

Neben einer Reihe anderer kovalenter Chloride[2,3] sind die ^{35}Cl-NMR-Spektren von Chlorboranen aufgenommen worden[4]. Die δ^{35}Cl-Werte lassen sich mit BCl(pp)π-Wechselwirkungen vereinbaren, die jedoch viel schwächer sind als BF(pp)π-Bindungsanteile in entsprechenden Fluorboranen. Dies trifft besonders auf die δ^{35}Cl- und δ^{19}F-Werte für $R_{3-n}BHal_n$ (n = 1–3) zu. Dagegen stimmen die δHal-Werte der Aminohalogen-borane im Trend wieder überein, da der Stickstoff offensichtlich die elektronische Absättigung des Bor-Atoms weitgehend übernimmt. Dies steht auch im Einklang mit den ^{14}N-NMR-Resultaten.

	$BHal_3$	H_3CBHal_2	$(H_3C)_2BHal$	$[(H_3C)_2N]_2BHal$	Hal–B(N–CH$_3$)$_2$ (cyclisch, H$_3$C–N, N–CH$_3$)
δ^{35}Cl	300	288	244	162	71
δ^{19}F	−131	−73	−21	−134	−168

Mögliche weitere Anwendungen der ^{35}Cl-NMR-Spektroskopie liegen in der Untersuchung von Austauschreaktionen zwischen kovalent gebundenem und ionischem Chlorid[2,5].

δ_{11}) *^{77}Se-NMR-Spektroskopie*

Mit Hilfe von PFT-Spektrometern ist die Messung von ^{77}Se-NMR-Spektren nicht problematisch. Hinzu kommt, daß mit Ausnutzung des ^{1}H-Spin-Polarisations-Transfer[6–8] die ^{77}Se-NMR-Spektroskopie von Organo-Selen-Verbindungen noch attraktiver wird[9].

Dennoch gibt es bisher nur wenige ^{77}Se-NMR-Daten für Bor-Selen-Verbindungen. Diese wurden mit ^{1}H-{^{77}Se}-Doppelresonanzexperimenten ermittelt, wobei die ^{77}Se-Satellitensignale von der CH_3Se-Gruppe im ^{1}H-NMR-Spektrum bei Einstrahlung der ^{77}Se-Resonanzfrequenz beobachtet wurden[10]. Direkte Messungen haben diese Resultate inzwischen bestätigt[1].

---

[1] B. Wrackmeyer, Universität München, unveröffentlicht 1981.
[2] B. Lindman u. S. Forsén, *Chlorine, Bromine and Iodine NMR, NMR Basic Principles and Progress*, Vol. **12**, Springer-Verlag, Heidelberg · Berlin 1976.
[3] K. Barlos, J. Kroner, H. Nöth u. B. Wrackmeyer, B. **113**, 3716 (1980).
[4] K. Barlos, J. Kroner, H. Nöth u. B. Wrackmeyer, B. **110**, 2774 (1977).
[5] S.F. Lincoln, A.C. Sandercock u. D.R. Stranks, Austral. J. Chem. **28**, 1901 (1975).
[6] D.M. Dodrell, D.T. Pegg, W. Brooks u. M.R. Bendall, Am. Soc. **103**, 727 (1981).
[7] B.J. Helmer u. R.J. West, Organometallics **1**, 877 (1982).
[8] D.M. Dodrell, D.T. Pegg u. M.R. Bendall, J. Magn. Reson. **48**, 323 (1982).
[9] H.C.E. McFarlane u. W. McFarlane, in R.K. Harris u. B.E. Mann, *NMR and the Periodic Table*, Academic Press, London 1978.
[10] H. Fussstetter, H. Nöth, B. Wrackmeyer u. W. McFarlane, B. **110**, 3172 (1977).

δ_{12}) ^{119}*Sn-NMR-Spektroskopie*

Von den drei Sn-Isotopen (^{119}Sn, ^{117}Sn, ^{115}Sn) mit I = 1/2 wird i. allg. das ^{119}Sn-Isotop aufgrund seiner größeren natürlichen Häufigkeit (8,58%) (^{117}Sn 7,61%, ^{115}Sn 0,35%) und der höheren Meßfrequenz dem ^{117}Sn-Isotop vorgezogen. Die Messung der ^{119}Sn-NMR-Spektren kann entweder indirekt erfolgen (z. B. ^{1}H-{^{119}Sn}-INDOR), oder direkt mit der PFT-Technik. Zu beachten ist das negative Vorzeichen von $\gamma_{^{119}Sn}$ (negativer Kern-Overhauser-Effekt (NOE) bei Dipol-Dipol-Relaxation), besonders, wenn in größeren Molekülen der Beitrag der Spin-Rotation zur Relaxation des ^{119}Sn-Kerns gering wird. Dann sollte bei direkter Messung durch entsprechende Anwendung der ^{1}H-Entkopplung der NOE unterdrückt werden. In vielen Fällen ist jedoch ^{1}H-Spin-Polarisations-Transfer möglich, wodurch die Meßzeit noch erheblich verkürzt werden kann[1-3]. In der Regel lassen sich ^{119}Sn-NMR-Spektren auch mäßig konzentrierter Lösungen in kurzer Zeit (wenige Minuten) aufnehmen und sind für die Untersuchung zinnhaltiger Organobor-Verbindungen sehr hilfreich.

Die Gegenwart der SnB-Bindung ist schnell mit Hilfe von ^{1}H-{^{119}Sn}-INDOR Spektren zu überprüfen, da die ^{119}Sn-Resonanz infolge der großen Werte ^{1}J(SnB) (500–1000 Hz) als breites 1 : 1 : 1 : 1 Quartett erscheint[4,5]. Dies ist auch mit direkten ^{119}Sn-NMR-Messungen zu bestätigen[6] und folgt i. allg. auch aus den $^{117/119}$Sn-Satelliten im ^{11}B-NMR-Spektrum.

δ_{13}) *Weitere Kerne für NMR-Messungen von Organobor-Verbindungen*

Die fortschreitende Entwicklung der Organobor-Chemie und der NMR-Spektroskopie läßt erwarten, daß bald die NMR-Parameter weiterer Kerne zur Untersuchung und Charakterisierung von Organobor-Verbindungen in größerer Zahl bekannt werden.

Für die Hauptgruppenelemente bieten sich noch besonders ^{125}Te und ^{207}Pb[7,8] als Kerne mit I = 1/2 an. Die Anzahl der Verbindungen, in denen Organobor-Verbindungen als Komplex-Liganden für Übergangsmetalle fungieren nimmt ständig zu. Es ist darum zu erwarten, daß die Messung der Resonanzen dieser Metalle angestrebt wird. Interessante Kandidaten hierfür sind ^{51}V, ^{55}Mn, ^{59}Co[9], ^{91}Zr, ^{93}Nb, ^{95}Mo, ^{99}Ru als Quadrupolkerne, sowie ^{57}Fe, ^{103}Rh[9], ^{107}Ag, ^{109}Ag, ^{111}Cd, ^{113}Cd, ^{183}W, ^{195}Pt[10,11], ^{199}Hg[10] als Kerne mit I = 1/2. Viele dieser Kerne lassen sich ohne große Probleme direkt mittels PFT-NMR-Spektrometern mit Multikern-Einheit messen[12].

ε) Strukturanalysen[13]

Kristall- und Molekülstruktur-Untersuchungen wurden an zahlreichen Organobor-Verbindungen mit Hilfe der Beugung von Röntgenstrahlen oder von Elektronen durchgeführt[14].

---

[1] D. M. Dodrell, D. T. Pegg, W. Brooks u. M. R. Bendall, Am. Soc. **103**, 727 (1981).
[2] B. J. Helmer u. R. J. West, Organometallics **1**, 877 (1982).
[3] D. M. Dodrell, D. T. Pegg u. M. R. Bendall, J. Magn. Res. **48**, 323 (1982).
[4] H. Fussstetter, H. Nöth, B. Wrackmeyer u. W. McFarlane, B. **110**, 3172 (1977).
[5] J. D. Kennedy, W. McFarlane, G. S. Pyne u. B. Wrackmeyer, Soc. [Dalton Trans.] **1975**, 386.
[6] W. Biffar, H. Nöth, H. Pommerening, R. Schwerthöffer, W. Storch u. B. Wrackmeyer, B. **114**, 49 (1981).
[7] B. Wrackmeyer, Universität München, unveröffentlicht 1982.
[8] J. D. Kennedy, W. McFarlane u. B. Wrackmeyer, Inorg. Chem. **15**, 1299 (1976).
[9] R. Köster, G. Seidel u. B. Wrackmeyer, unveröffentlicht 1982.
[10] B. Wrackmeyer u. A. Sebald, Universität München, unveröffentlicht 1982.
[11] A. Sebald, Dissertation, Universität München 1983.
[12] C. Brevard u. P. Granger, *Handbook of High Resolution Multinuclear NMR*, Wiley, New York 1981.
[13] E. F. Paulus, *Strukturanalyse durch Beugung an Kristallen*, Ullmann **5**, 235–268 (1980).
[14] M. I. Bruce, *Index of Structures Determined by Diffraction Methods*, in G. Wilkinson, F. G. A. Stone u. E. W. Abel, Comprehensive Organometallic Chemistry **9**, 1244–1261 (1982).

Die meisten Einkristallstrukturanalysen lassen sich heute mit Hilfe rechnergesteuerter Diffraktometer innerhalb weniger Tage vervollständigen. Die Methode ist zur Molekülstruktur-Bestimmung in Bezug auf die Sicherheit der gewonnenen Ergebnisse allen anderen Methoden überlegen. Man erhält jedoch keine wesentlichen Informationen über das chemische Verhalten der Moleküle in Lösung, da das „Röntgenmikroskop" nur das Molekül im festen Zustand erfaßt. Eine gewisse Schwierigkeit bei der Röntgenstrukturanalyse ist die Bewältigung des Phasenproblems, sogar für relativ einfache Kristallstrukturen. Hier ist individuelles Geschick des Kristallographen auch bei Zugang zu hochentwickelten Rechnerprogrammen bisweilen noch notwendig.

Die Methode liefert Atomabstände und Atomwinkel der Moleküle im festen Kristallverband. Auch viele Fragen der Molekülzusammensetzung von Organobor-Verbindungen sind, falls geeignetes kristallines Material vorliegt, nur mit der Röntgenstrukturanalyse einwandfrei entscheidbar.

II. Analytik spezieller Organobor-Verbindungen

a) Organobor-Verbindungen mit zweifach koordiniertem Bor-Atom

Weitere Organobor-Verbindungen mit 2fach koordinierten Bor-Atomen die im Bd. XIII/3a, S. 4ff., noch nicht berücksichtigt werden konnten, sind inzwischen präparativ zugänglich. Es liegen auch charakterisierende Daten dieser neuen Organoborane(2) vor.

1. IR- und Ramanspektroskopische Daten

Die Bor-Kohlenstoff-Doppelbindung im *2,2-Bis(trimethylsilyl)-1-tert.-butyl-3-tert.-butylboryliden-boriran* [Boriran-2-ylidenboran(2)]

$(H_3C)_3Si$
$(H_3C)_3Si-C^2-C^3=B^4-C(CH_3)_3$
B^1
$C(CH_3)_3$

läßt sich im Raman-Spektrum durch die $\nu_{(^{11}B=C)}$- bzw. $\nu_{(^{10}B=C)}$-Banden bei 1675 und 1715 cm^{-1} (im Intensitätsverhältnis 4 : 1) charakterisieren[1]. – Die Valenzschwingungen $\nu_{(^{11}B\equiv N)}$ und $\nu_{(^{10}B=N)}$ des *tert.-Butyl-tert.-butyliminoborans(2)* findet man bei 2018 bzw. 2072 cm^{-1} [2].

2. Kernresonanzspektroskopische Methoden

Definierte Diorganobor(2)-Verbindungen ohne Heteroatome am Bor-Atom sind seit 1983 bekannt[1]. Die Charakterisierung erfolgt vor allem durch die ^{11}B- und ^{13}C-NMR-Spektren.

Das ^{11}B-Signal (34 ppm) des *3,3-Bis(trimethylsilyl)boriran-2-yliden-boran(2)* spaltet bei $-11°$ in zwei ^{11}B-Signale (+ 52, + 18) auf, von denen die Hochfeldresonanz dem zweifach koordinierten Bor-Atom zugeordnet wurde[1].

Der Vergleich der $\delta^{11}B$-Werte mit Alkyl-alkylimino-boranen[2] ist jedoch nicht korrekt, da nur in letzteren eine symmetriebedingte Aufhebung von Beiträgen zu σ_p erfolgt. Eher bietet sich der Vergleich zu den isoelektronischen Amino-organo-bor(1+)-kationen ($KZ_B = 2$) an (s. S. 420). Aufgrund dieses Vergleichs müßte die Zuordnung anders sein. Für die Beiträge kleiner Ringe zur magnetischen Abschirmung der ^{11}B-Kerne

[1] H. KLUSIK u. A. BERNDT, Ang. Ch. **95**, 895 (1983); engl.: **22**, 877.
[2] P. PAETZOLD, C. v. PLOTHO, G. SCHMID, R. BOESE, B. SCHRADER, D. BOUGEARD, U. PFEIFFER, R. GLEITER u. W. SCHÄFER, B. **117**, 1089 (1984).

gibt es noch zuwenig Beispiele, um allein mit $\delta^{11}B$-Werten eine Zuordnung zu treffen. Abzusichern wäre die Zuordnung mittels $^{13}C\{^{11}B\}$-Experimenten, wobei das $[(H_3C)_3Si]_2{}^{13}C$-Resonanzsignal beobachtet werden muß bei selektiver Einstrahlung der ^{11}B-Frequenz für $\delta^{11}B = 52$ oder 18.

47,7 kJ/mol

Die wegen der ^{11}B-Kopplung verbreiterten ^{13}C-Signale des C_2B_2-Gerüsts findet man unter Kühlung (− 40°) bei $\delta^{13}C = 115{,}2$ und 25,0 ppm im Bereich für dreifach-(sp^2)- und vierfach koordinierte (sp^3) C-Atome, während bei − 90° die B-tert.-Butyl-Gruppen je zwei $^{13}C(BC)$ ($\delta^{13}C$ 23,3; 17,6) und $^{13}C(CH_3)$ ($\delta^{13}C$ 31,6; 30,7)-Resonanzen liefern[1].

Bei den verbesserten Synthesen zahlreicher Organo-organoimino-borane(2)[2−8] werden die reaktiven Verbindungen entweder durch Umsetzung abgefangen[4−7] oder auch als Monomere in Lösung NMR-sprektroskopisch identifiziert[3,8].

Die NMR-spektroskopische Charakterisierung der Alkyl-alkylimino-borane erfolgt am besten über ^{11}B-NMR-Spektren. Für die Monomeren wird hierbei im Gegensatz zu den Oligomeren eine gute magnetische Abschirmung des ^{11}B-Kerns gefunden (≈ 40 ppm bei niedrigerer Frequenz)[3−8]:

$$R-B\equiv N-C(CH_3)_3$$

R	$\delta^{11}B$	$\delta^{14}N$
C_2H_5	3,3	− 251
C_3H_7	2,9	− 250
C_4H_9	2,3	− 250
$C(CH_3)_3$	2,4	− 254

Die gute Abschirmung des ^{11}B-Kerns belegt die lineare Struktur, da nur dann eine symmetriebedingte Aufhebung bestimmter Beiträge zum paramagnetischen Term, σ_p, der Abschirmkonstante, σ, erfolgt. Dies entspricht im Grunde den Befunden für $\delta^{13}C$ von Alkinen[8].

Die ^{13}C-Signale der beiden an das B- und N-Atom des *tert.-Butyl-tert.-butylimino-borans(2)* gebundenen C-Atome erscheinen bei $\delta = +13{,}6$ (C_B) bzw. bei $\delta = +47{,}2$ ppn (C_N)[8]. Ebenso finden sich die $\delta^{14}N$-Werte in einem Bereich, den man für Nitrilium-Kationen kennt.

Amino-organo-bor(1+)-Kationen mit 2fach koordinierten Bor-Atomen sind mittels ^1H-, ^{11}B-, ^{13}C- und ^{27}Al-NMR-Spektren charakterisiert worden[9,10]:

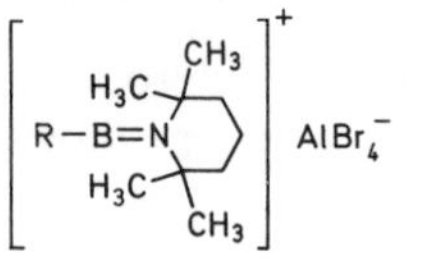

$AlBr_4^-$

R	$\delta^{11}B$
CH_3	59,6
C_6H_5	56,0

[1] H. Klusik u. A. Berndt, Ang. Ch. **95**, 895 (1983); engl.: **22**, 877.
[2] P. Paetzold, A. Richter, T. Thijssen u. S. Würtenberg, B. **112**, 3811 (1979).
[3] P. Paetzold u. C. von Plotho, B. **115**, 2819 (1982).
[4] P. Paetzold u. T. von Bennigsen-Mackiewicz, B. **114**, 298 (1981).
[5] W. Pieper, D. Schmitz u. P. Paetzold, B. **114**, 3801 (1981).
[6] P. Paetzold u. R. Truppat, B. **116**, 1531 (1983).
[7] P. Paetzold, C. von Plotho, E. Niecke u. R. Rüger, B. **116**, 1678 (1983).
[8] P. Paetzold, C. von Plotho, G. Schmid, R. Boese, B. Schrader, D. Bougeard, U. Pfeiffer, R. Gleiter u. W. Schäfer, B. **117**, 1089 (1984).
[9] R. Staudigl, Dissertation, Universität München 1981.
[10] H. Nöth, R. Staudigl u. H.-U. Wagner, Inorg. Chem. **21**, 716 (1982).

Die ^{11}B-Resonanzen sind gegenüber den Organo-organoimino-boranen(2) sehr stark zu höheren Frequenzen verschoben. Die Ursachen hierfür sind ⓐ in der gewinkelten Struktur am N-Atom und ⓑ in der positiven Ladung zu suchen. Letzteres wird für R = C_6H_5 deutlich, wenn die $\delta^{13}C$-Resonanzen des Phenyl-Rings mit entsprechenden Werten neutraler Bor-Verbindungen verglichen werden[1,2]:

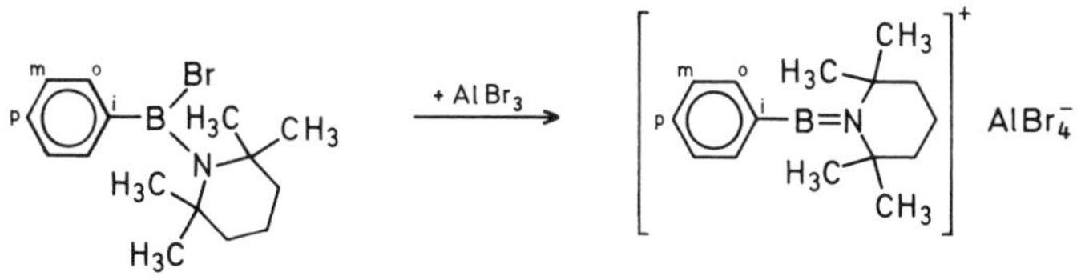

$\delta^{13}C$:		$\Delta^{13}C$		
C(o)	132,0	9,4	C(o)	141,4
C(m)	127,2	3,5	C(m)	130,7
C(p)	128,5	13,8	C(p)	142,3

Dabei ist besonders die Verschiebung der $^{13}C_{(p)}$-Resonanzen im Kation um 13,8 ppm zu höheren Frequenzen indikativ für Beiträge der Grenzstruktur:

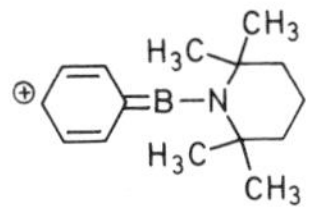

Die lineare Struktur am B-Atom ergibt sich z. B. auch aus dem $\delta^{13}C(BCH_3)$-Wert bei 4,2 ppm. In entsprechenden Carbokationen (z. B. $CH_3-C{\equiv}O^{\oplus}$, $\delta^{13}C(CH_3) = 5{,}5$) findet man ähnliche Werte[1,2].

3. Molekülstrukturanalysen

Die Analyse des Mikrowellen-Spektrums von *Methyl-sulfido-boran*[3] CH_3BS (aus Dimethyldisulfan und kristallinem Bor bei hoher Temperatur) ergibt

$$d_{BS} = 1{,}6022 \pm 0{,}036 Å$$

Die Struktur des *tert.-Butyl-(tert.-butylimino)-borans* wurde durch Röntgenstrahlbeugung bestimmt[4]. Das Molekül

$$(H_3C)_3C-\overset{\ominus}{B}{\equiv}\overset{\oplus}{N}-C(CH_3)_3$$

hat lineare CBNC-Kettenstruktur (d_{BN} = 1,258 Å) mit zwei ekliptisch angeordneten tert.-Butyl-Gruppen[4].

[1] R. STAUDIGL, Dissertation, Universität München 1981.
[2] H. NÖTH, R. STAUDIGL u. H.-U. WAGNER, Inorg. Chem. **21**, 716 (1982).
[3] C. KIRBY, H.W. KROTO u. M.J. TAYLOR, Soc. [Chem. Commun.] **1978**, 19.
[4] P. PAETZOLD, C. VON PLOTHO, G. SCHMID, R. BOESE, B. SCHRADER, D. BOUGEARD, U. PFEIFFER, R. GLEITER u. S. SCHÄFER, B. **117**, 1089 (1984).

b) Organobor-Verbindungen mit dreifach koordinierten Bor-Atomen

Zur Kennzeichnung der verschiedenen Typen meist flüchtiger, offenkettiger und cyclischer Organobor-Verbindungen mit 3fach koordinierten Bor-Atomen (XIII/3a, S. 13ff.; XIII/3b, S. 1–423) werden heute vor allem kernresonanzspektroskopische Methoden verwendet. Weitere Hinweise über die Zusammensetzung von Gemischen erhält man i.allg. mit Hilfe der Massenspektrometrie. Die gaschromatographische Trennung aliphatischer, BH-freier Triorganoborane hat sich bewährt (vgl. S. 383–384). IR-, Raman- und UV-spektroskopische Daten dienen zur Identifizierung funktioneller Gruppen wie BH-, C=C- oder C≡C-Bindungen. Zahlreiche Molekülstrukturbestimmungen sind mit Elektronenbeugungen in der Gasphase und mit Röntgenstrahlen an Proben im festen Zustand bereits durchgeführt worden.

1. Triorganoborane

Triorganoborane haben ähnliche physikalische Eigenschaften wie die entsprechenden Kohlenwasserstoffe. Chemisch sind die Verbindungen allerdings autoxidationsempfindlich, so daß bei allen Trenn- und Identifizierungsmethoden strikter Luftausschluß notwendig ist. Auch protolysierende Verbindungen müssen bei der Handhabung der Triorganoborane ausgeschlossen sein. Die thermische Belastbarkeit der Triorganoborane ist unterschiedlich. Thermisch relativ empfindlich sind Trialkylborane, die nach Dehydroborierung irreversibel weiterreagieren.

α) Trennmethoden

Die für Kohlenwasserstoffe angewandten Trennmethoden der Destillation bzw. Extraktion lassen sich auf Borkohlenwasserstoffe übertragen. Chromatographische wie insbesondere gaschromatische Trennungen sind bei Luft- und Feuchtigkeitsausschluß vielfach gut zur Trennung geeignet (vgl. S. 383f.)[1–4]. Die Temperaturen dürfen allerdings je nach Verweilzeit nicht zu hoch liegen, da die Trennungen sonst durch Dehydroborierungen gestört werden. Gaschromatographische Untersuchungen sind bei Triorganoboranen mit Siedepunkten bis zu ≈ 200° möglich. Es bereitet keinerlei Schwierigkeiten, bororganische Vielstoffgemische GC-analytisch zu trennen. Die präparative Trennung durch Destillation an einer Kolonne wird allerdings schon problematisch, wenn die Temperatur im Sumpf über 120° ansteigt.

Trialkylborane mit Alkyl-Resten C_nH_{2n+1} (n = 1–4) lassen sich i.allg. gaschromatographisch glatt trennen. Triorganoborane mit isomeren Organo-Gruppen wie z.B. Propyl- und Isopropyl-Gruppen bzw. isomere Triorganoborane mit verschiedenen Organo-Resten wie z.B. Diethyl-methyl- oder Dimethyl-propyl-borane können gaschromatographisch problemlos getrennt[1,2] und massenspektrometrisch[5] leicht nachgewiesen werden. Auch einfache Alkandiyl-alkyl-borane lassen sich ohne Schwierigkeiten nebeneinander nachweisen[3,4,6–10].

---

[1] G. Schomburg, R. Köster u. D. Henneberg, Fres. **170**, 285 (1959).
[2] G. Schomburg, R. Köster u. D. Henneberg, Mitteilungsblatt Chem. Ges. DDR, Sonderheft Analyt. Chem. 1960.
[3] R. Köster, Progr. Boron Chem. **1**, 289 (1964).
[4] R. Köster, Adv. Organometallic Chem. **2**, 257 (1964).
[5] D. Henneberg, H. Damen u. R. Köster, A. **640**, 52 (1961).
[6] R. Köster u. G. Schomburg, Ang. Ch. **72**, 567 (1960).
[7] R. Köster, Ang. Ch. **75**, 1029 (1963); engl.: **3**, 174 (1964).
[8] R. Köster u. W. Larbig, Ang. Ch. **73**, 620 (1961).
[9] R. Köster, W. Larbig u. G.W. Rotermund, A. **682**, 21 (1965).
[10] G. Schomburg, Gas Chromatogr. Internat. Symp. **4**, 292 (1962); C.A. **59**, 87718 (1963).

Olefinische Triorganoborane wie z. B. Alkyl-vinyl-borane sind ebenfalls gaschromatographisch getrennt worden[1-4].

β) IR-, Raman- und UV-Spektren

Aliphatische Triorganoborane lassen sich in Gemischen mit Hilfe der IR- und Ramanspektren i. allg. nur schlecht identifizieren, da keine spezifischen Absorptionsbanden im leicht deutbaren Spektrenbereich auftreten. Von zahlreichen offenkettigen und cyclischen, reinen aliphatischen Triorganoboranen (*Trimethyl-*[5], *Tripropyl-*[6], *Cyclopropyl-dimethyl-boran*[7], *cis/trans-Perhydro-9b-boraphenalene*[8,9], *Tribornylbor*-Verbindungen[10]) liegen aber charakterisierende IR-Spektren sowie vollständige Schwingungsanalysen vor. Die erste Identifizierung des Centrobor II (*ccc-Perhydro-9b-boraphenalen*) erfolgte 1962 mit Hilfe des IR-Spektrums[8].

Die IR-Spektroskopie eignet sich zum Verfolgen von Reaktionen der Trialkylborane, z. B. mit Dihydrogen unter Druck zu Alkyl-hydro-boranen (Auftreten von BH-Banden unter Hydrierung)[11], beim Erhitzen (Auftreten von >BH-Banden unter Dehydroborierung)[12] oder mit ungesättigten Kohlenwasserstoffen (Veränderung der C=C-Bande)[12].

Aromatische Triorganoborane werden UV-spektroskopisch gekennzeichnet. Die UV-Spektren der gelben 9-Organo-9-borafluorene (ν_{max} = 24700–25800 cm^{-1}) sind für die Art des Substituenten in 9-Stellung charakteristisch[13]. Subst.-benzylborane lassen sich durch ihre UV-Spektren in Abhängigkeit vom Arylsubstituenten kennzeichnen[14]. Die IR-Spektren der 1-Organo-3-methyl-1-boraindane sind deutlich strukturiert[9].

Die UV-Spektren sind zur Charakterisierung von Übergangsmetall-1-organoborin-π-Komplexen (vgl. S. 566) und von metallhaltigen Triorganobor-Verbindungen (XIII/3a, S. 314) verwendet worden[15,16]; z. B.:

Tl^+ $[RB(C_5H_5)]^-$ [15] Li^+ $[H_5C_6-B(C_{12}H_8)]^-$ [16]

---

[1] C. D. Good, Dissertation Abstr. **22**, 2976 (1962); C. A. **57**, 2238 (1962).
[2] C. D. Good u. D. M. Ritter, J. Chem. Eng. Data **7**, 416 (1962).
[3] C. D. Good u. D. M. Ritter, Am. Soc. **84**, 1162 (1962).
[4] P. Binger, G. Benedikt, G. W. Rotermund u. R. Köster, A. **717**, 21, 32 (1968).
[5] L. J. Bellamy, *The IR-Spectra of Complex Molecules*, 2. Aufl., Methuen, London u. Wiley, New York 1958.
[6] H.-J. Horstschäfer, Mülheim a. d. Ruhr, Dissertation, Technische Hochschule Aachen 1967.
[7] J. D. Odom, S. V. Saari, A. B. Nease, Z. Szafran u. J. R. Durig, J. Raman Spectrosc. **12**, 111 (1982); C. A. **97**, 55863 (1982).
[8] G. W. Rotermund u. R. Köster, A. **686**, 153 (1965).
[9] R. Köster, Progr. Boron Chem. **1**, 289 (1964).
[10] V. Dimitrov u. K.-H. Thiele, Z. anorg. Ch. **494**, 144 (1982).
[11] R. Köster, G. Bruno u. P. Binger, A. **644**, 1 (1961).
[12] R. Köster, A. **618**, 31 (1958).
[13] R. Köster, G. Benedikt, W. Fenzl u. K. Reinert, A. **702**, 197 (1967).
[14] B. G. Ramsey, N. K. Griffith u. H. von Willigan, J. Chem. Physics **57**, 86 (1972).
[15] G. E. Herberich, H. J. Becker u. C. Engelke, J. Organometal. Chem. **153**, 265 (1978).
[16] P. Jutzi, Ang. Ch. **84**, 28 (1972); engl.: **11**, 53.

γ) Massenspektren von Triorganoboranen

Die Massenspektren sind zur Identifizierung aliphatischer und ungesättigter Triorganoborane in Gemischen meist gut geeignet. Empfehlenswert ist bei offenkettigen Triorganoboranen wegen der i.allg. nur intensitätsschwachen Molekülpeaks ($\lesssim 1\%$ der TI) eine vorangegangene gaschromatographische Trennung[1]. Cyclische Triorganoborane liefern vergleichsweise intensitätsstarke Molekülpeaks. Die Zahl der Bor-Atome und die Zerfallsspektren[2, 3] der Triorganoborane sind weitere wichtige Hinweise zur Identifizierung der Triorganoborane mit Hilfe der Massenspektren (vgl. Tab. 41, S. 425).

Die Massenspektren verschiedener ungesättigter kleiner Organobor-Ringe (*1-tert.-Butylborirene*[4], *1,3-Di-tert.-butyl-1,3-diboretene*[5, 6]) sind zur Strukturermittlung oder zur weitergehenden Kennzeichnung herangezogen worden.

δ) Kernresonanzspektroskopische Methoden

δ_1) ^{1}H-NMR-Spektren von Triorganoboranen

Mit wenigen Ausnahmen (z.B. Methyl- oder tert.-Butyl-Gruppen) erscheinen die ^{1}H-NMR-Spektren borgebundener Alkylgruppen als komplexe Multipletts wie in Alkanen[7–11]. Die Lage und Erscheinung der ^{1}H-Resonanzen für Alkyl-Protonen, die um 2 oder 3 Bindungen vom Bor getrennt sind, ändert sich signifikant durch Komplexierung des Triorganoborans mit Lewisbasen[9]. Hierdurch wird oft eine Zuordnung der Signale ermöglicht.

Die ^{1}H-NMR-Spektren ungesättigter Triorganoborane sind für die Strukturaufklärung aufschlußreich, da i.allg. die Unterscheidung isomerer Verbindungen gelingt; z.B. 3-Butenyl-[12], 1-Alkinyl-dialkyl-[13], Cyclopentadienyl-[14, 15], substituierte Vinyl-[16, 17], andere Alkenyl-borane[18, 19] und Allyl-borane[20, 21].

Im Fall der 1-Hexenyl-diorgano-borane mit Chiralitätszentrum im Organo-Rest findet man für die RR und die SS-Diastereomeren ein $^1H_{(a)}$-Resonanzsignal, das sich deutlich von der $^1H_{(a)}$-Resonanz der *meso*(RS)-Form unterscheidet[22] (S. 426):

---

[1] G. Schomburg, R. Köster u. D. Henneberg, Fres. **170**, 285 (1959).
[2] F.M. McLafferty, F.D. Nachod u. W.D. Phillips, *Determination of Organic structures by physical methods*, Vol. **2**, S.93, Academic Press, New York 1962.
[3] G. Schmid u. L. Weber, Z. Naturf. **26b**, 944 (1971).
[4] C. Pues u. A. Berndt, Ang. Ch. **96**, 306 (1984); engl.: **23**, 313.
[5] S.M. van der Kerk, P.H.M. Budzelaar, A. van der Kerk-van Hoof, G.J.M van der Kerk u. P. v. R. Schleyer, Ang. Ch. **95**, 61 (1983); engl.: **22**, 48.
[6] R. Wehrmann, C. Pues, H. Klusik u. A. Berndt, Ang. Ch. **96**, 372 (1984); engl.: **23**, 372.
[7] P.L. Corio, *Structure of High Resolution Nuclear Magnetic Resonance Spectra*, Academic Press, New York 1966.
[8] E.J. Stampf u. J.D. Odom, J. Organometal. Chem. **131**, 171 (1977).
[9] H. Nöth u. H. Vahrenkamp, J. Organometal. Chem. **12**, 23 (1968).
[10] D.J. Saturnino, M. Yamanchi, W.R. Clayton, R.W. Nelson u. S.G. Shore, Am. Soc. **97**, 6063 (1975).
[11] R. Contreras u. B. Wrackmeyer, J. Organometal. Chem. **205**, 15 (1981).
[12] R. Köster, S. Arora u. P. Binger, Ang. Ch. **81**, 186 (1969); engl.: **8**, 205.
[13] R. Köster, H.-J. Horstschäfer u. P. Binger, A. **717**, 1 (1968).
[14] H. Grundke u. P.I. Paetzold, B. **104**, 1136 (1971).
[15] P. Jutzi u. A. Seufert, J. Organometal. Chem. **169**, 357 (1979).
[16] R. Köster u. L.A. Hagelee, Synthesis **1976**, 118.
[17] L.A. Hagelee u. R. Köster, Synth. React. Inorg. Metal-org. Chem. **7**, 53 (1977).
[18] V.S. Bogdanov, A.V. Kessenikh, V.V. Negrebetskii u. A.Ya. Shchteinshneider, Ž. strukt. Chim. **13**, 226 (1972); engl.: 209; C.A. **77**, 41102 (1972).
[19] L.W. Hall, J.D. Odom u. P.D. Ellis, J. Organometal. Chem. **97**, 145 (1975).
[20] B.M. Mikhailov, V.V. Negrebetskii, V.S. Bogdanov, A.v. Kessenikh, Yu.N. Bubnov, T.K. Baryshnikova u. V.N. Smirnov, Ž. obšč. Chim. **44**, 1878 (1974); engl.: 1844; C.A. **81**, 151270 (1974).
[21] G.W. Kramer u. H.C. Brown, J. Organometal. Chem. **132**, 9 (1977).
[22] H. Yatagai, Y. Yamamoto u. K. Maruyama, J. Org. Chem. **44**, 2566 (1979).

Tab. 41: Massenspektren von Triorganoboranen

Triorganoboran	Aussage der Untersuchung	Literatur
Trimethylboran	Spektrum	1–3
	Isotopenstudien (^{10}B, D)	4–6
	Spektrum und Erscheinungspotential, Elektroneneinfang-Studien	7, 8, 27
	^{13}C-Indikation der CH_3-Wanderung	9
	^{12}C, ^{13}C-Isotopie	10–13
Triethylboran	Spektrum	1, 3, 14
	Diskussion des Zerfalls	15
	Spektrum und Erscheinungspotential	16
Gemischte Trialkylborane (Methyl, Ethyl, Propyl, Isopropyl)	Charakterisierung nach GC-Trennung, Spektrum, D-Isotopierung	17, 18
	Identifizierung von Pyrolyseprodukten der BR_3	19, 27
Trinorbornylborane	Molekülpeak, Hauptbruchstückmassen	29
Methyl-vinyl-borane	Spektren	1
Dimethyl-hetero-methyl-borane	Charakterisierung, Zerfallsdiskussion	20
Perhydro-9^b-bora-phenalene (isomere)	Spektren	21
1-Alkinyl-alkyl-borane Diethyl-(subst.-vinyl)-borane	Hauptbruchstückmassen	22
4-Alkyl-3-borahomo-adamantane	Hauptbruchstückmassen	23–26 28
Dialkyl-(3-pyridyl)-borane Alkyl = C_2H_5, C_4H_9	Molekülpeaks	30

[1] C.D. Good u. D.M. Ritter, J. Chem, Eng. Data **7**, 416 (1962).
[2] R.W. Law u. J.L. Margrave, J. Chem. Physics **25**, 1086 (1956).
[3] Manufacturing Chemists Assoc. Research Project, Catalogue of Mass. Spec. Data.
[4] V.H. Dibeler u. F.H. Mohler, J. Res. Bur. Stand. **45**, 441 (1950).
[5] V.H. Dibeler, F.H. Mohler u. H. de Hemptinne, J. Res. Bur. Stand. **53**, 107 (1954).
[6] W.H. McFadden u. A.L. Wahrhaftig, Am. Soc. **78**, 1572 (1956).
[7] F. Glockling u. R.G. Stafford, Soc. [A] **1971**, 1761.
[8] W.J. Lehmann, C.O. Wilson u. I. Shapiro, J. Inorg. & Nuclear Chem. **11**, 91 (1959).
[9] B.C. Tollin, R. Schaeffer u. H.J. Svec, J. Inorg. & Nuclear Chem. **4**, 273 (1957).
[10] O. Bereck, J.W. Otoos, D.P. Stevenson u. C.D. Wagner, J. Chem. Physics **16**, 255 (1948).
[11] O.A. Schaeffer, J. Chem. Physics **18**, 1501 (1950).
[12] O.A. Schaeffer, J. Chem. Physics **23**, 1305, 1309 (1955).
[13] D.P. Stevenson, J. Chem. Physics **19**, 17 (1951).
[14] M.F. Lappert, J.B. Pedley, P.N.K. Riley u. A. Tweedale, Chem. Commun. **1966**, 788.
[15] F.M. McLafferty, F.D. Nachod u. W.D. Phillips, *Determination of Organic Structures by Physical methods*, Vol. **2**, S. 93, Academic Press, New York 1962.
[16] S.G. Katalnikov, A.V. Dubrovin u. L.A. Kuzmina, Abh. dtsch. Akad. Wiss. Berlin K.I. Chem. Geol. Biol. **1964**, 339: C.A. **67**, 7678u (1967).
[17] D. Henneberg, H. Damen u. R. Köster, A. **640**, 52 (1961).
[18] R. Köster, W. Larbig u. G.W. Rotermund, A. **682**, 21 (1965).
[19] G. Schmid u. L. Weber, Z. Naturf. **26b**, 994 (1971).
[20] G.W. Rotermund u. R. Köster, A. **686**, 153 (1965).
[21] R. Köster, H.-J. Horstschäfer u. P. Binger, A. **717**, 1 (1968).
[22] P. Binger, G. Benedikt, G.W. Rotermund u. R. Köster, A. **717**, 21 (1968).
[23] P. Binger u. R. Köster, Synthesis **1973**, 309.
[24] R. Köster u. L.A. Hagelee, Synthesis **1976**, 118.
[25] L.A. Hagelee u. R. Köster, Synth. React. Inorg. Metal-org. Chem. **7**, 53 (1977).
[26] R. Köster, G. Benedikt, W. Fenzl u. K. Reinert, A. **702**, 197 (1967).
[27] J.R. Bews u. Ch. Glidewell, J. Mol. Structure **90**, 151 (1982).
[28] M.E. Gurskii, D.G. Pershin u. B.M. Mikhailov, J. Organometal. Chem. **260**, 17 (1984).
[29] V. Dimitrov, K.-H. Thiele u. A. Zschunke, Z. anorg. Ch. **494**, 144 (1982).
[30] M. Terashima, H. Kakini, M. Ishikura u. K. Kamata, Chem. Pharm. Bull. (Tokyo) **31**, 4573 (1983); C.A. **100**, 174886 (1984).

```
H9C4     H
    \   /
     C=C
    /   \
H(a)     BR2
```

Falls andere Faktoren als Beiträge zur Linienbreite olefinischer ^{1}H-Resonanzen ausgeschlossen werden können (z. B. durch ^{1}H{^{1}H}Doppelresonanz, um long range Kopplungen zu beseitigen) gibt die relative Linienbreite Auskunft über die Stellung der olefinischen Protonen (trans, cis oder geminal) relativ zum Bor-Atom in Alkenylboranen[1]. Dabei gilt:

$$^{3}J(BH)_{(trans)} > {}^{3}J(BH)_{(cis)} > {}^{2}J(BH)_{(gem.)}$$

entsprechend der Abnahme der Linienbreite der ^{1}H-Resonanzen für olefinische Protonen in gleicher Richtung. Die Verbreiterung der ^{1}H-Resonanzen aufgrund skalarer Relaxation zweiter Art infolge der skalaren Kopplung zum Quadrupolkern ^{11}B ist leicht mit Hilfe von heteronuklearen Doppelresonanz-Experimenten ^{1}H{^{11}B} nachzuweisen[2].

In Phenylboranen erscheinen i. allg. die ortho-^{1}H-Resonanzen als Multiplett bei höchsten Frequenzen, während die meta- und para-^{1}H-Resonanzen meist als ein Multiplett erscheinen (bei 60 bis 100 MHz). Die ortho-Stellung folgt aus der Linienbreite infolge skalarer Kopplung ^{3}J(BH), wie sich aus ^{1}H{^{11}B}-Experimenten ergibt[3].

In heteroatomhaltigen Triorganoboranen nehmen Heteroatome in bekannter Form Einfluß auf die ^{1}H-NMR-Spektren[4, 5]. Der spezifische Effekt, den Heteroatome auf die magnetische Abschirmung benachbarter H-Atome ausüben, erleichtert dann oft die Zuordnung des ^{1}H-NMR-Spektrums und die Strukturaufklärung, z. B. α-substituierter Trimethylborane[6] oder Heteroarylborane[7]. Übergangsmetallhaltige Triorganoborane (mit borferner Addition des Metalls an das Triorganoboran) ergeben ebenfalls charakteristische ^{1}H-NMR-Spektren; z. B. Tricarbonylchrom-η^{6}-Phenylboran-Komplexe[8, 9], Ferrocenyl-[10 – 12] und Cymantrenyl-borane[10, 11] oder η^{5}-Dimethylborylcyclopentadienyl-Titan(IV)-Komplexe[13].

δ_2) *^{11}B-NMR-Spektren von Triorganoboranen*

Die magnetische Abschirmung der Boratome in aliphatischen Triorganoboranen ist gering (vgl. Abb. 4, S. 400). Dies entspricht ⓐ der trigonal planaren Umgebung der Boratome und ⓑ der damit verbundenen Möglichkeit der Zirkulation von Ladungsdichte zwischen σ-Orbitalen und den unbesetzten, oder unterbesetzten π-Orbitalen[14]. Unterschiedliche Alkylgruppen (mit Ausnahme von R = Cyclopropyl, Benzyl) in offenkettigen Trialkylboranen nehmen keinen signifikanten Einfluß auf die chemische Verschiebung δ^{11}B (δ^{11}B + 82 bis + 88)[14].

---

[1] V. S. Bogdanov, A. V. Kessenikh, V. V. Negrebetskii u. A. Ya. Shchteinshneider, Ž. strukt. Chim. **13**, 226 (1972); engl.: 209; C. A. **77**, 41102 (1972).
[2] H.-O. Berger, H. Nöth u. B. Wrackmeyer, B. **112**, 2866 (1979).
[3] B. Wrackmeyer, Universität München, unveröffentlicht 1977.
[4] J. W. Emsley, J. Feeney u. L. H. Sutcliffe, *High Resolution Nucelar Magnetic Resonance*, Pergamon, Oxford 1965;
[5] H. Günther, *NMR Spektroskopie*, Georg Thieme Verlag, Stuttgart 1983.
[6] J. Rathke u. R. Schaeffer, Inorg. Chem. **11**, 1150 (1972).
[7] B. Wrackmeyer u. H. Nöth, B. **109**, 1075 (1976).
[8] J. Deberitz, K. Dirscherl u. H. Nöth, B. **106**, 2783 (1973).
[9] R. Goetze u. H. Nöth, J. Organometal. Chem. **145**, 151 (1978).
[10] W. Ruf, Th. Renk u. W. Siebert, Z. Naturf. **31 b**, 1028 (1976).
[11] Th. Renk, W. Ruf u. W. Siebert, J. Organometal. Chem. **120**, 1 (1976).
[12] G. E. Herberich u. B. Hessner, J. Organometal. Chem. **161**, 836 (1978).
[13] P. Jutzi u. A. Seufert, J. Organometal. Chem. **169**, 373 (1979).
[14] H. Nöth u. B. Wrackmeyer, *NMR-Spectroscopy of Boron Compounds*, Bd. **14** *NMR, Grundlagen und Fortschritte* (*^{11}B-NMR-Spektroskopie*). Springer-Verlag, Heidelberg · Berlin 1978.

Während in cyclischen Trialkylboranen die ^{11}B-Resonanzen von 1-Alkylborinanen den offenkettigen Verbindungen entsprechen, finden sich die ^{11}B-Resonanzen der 1-Alkylborolane bei merklich höherer Frequenz ($\delta^{11}B$ + 90 bis + 93)[1]. Dies scheint ein generelles Phänomen für Bor-Atome in Fünfringen zu sein und hängt offenbar mit dem Bindungswinkel < 120° am Bor-Atom zusammen[1]. Für 1-Alkylborirane ($\delta^{11}B \approx 80$)[2] gibt es noch zu wenig Beispiele, um den Effekt der Ringgröße unabhängig von Substituenten zu diskutieren. Die relativ gute Abschirmung der Bor-Atome in Hexaboraadamantanen[3-5] ($\delta^{11}B$ 63 bis 67 ppm, vgl. $\delta^{11}B$ für $[(C_2H_5)_2B]_3CH$ 82,0[4]) ist bemerkenswert. Die Struktur dieser Verbindungen[6] zeigt eine deutliche Abweichung von der trigonal planaren Umgebung der Bor-Atome.

Aufgrund des relativ engen Bereichs der $\delta^{11}B$-Werte sind verschiedene Trialkylborane im Gemisch nur schwer mit Hilfe der ^{11}B-NMR-Spektroskopie zu identifizieren. In Lösungsmitteln mit schwachen Donor-Eigenschaften (Ether, Thioether) beobachtet man jedoch unterschiedlich starke Komplexierung der trigonalen Bor-Atome, verbunden mit einer mehr oder weniger großen Verschiebung der ^{11}B-Resonanzen zu niedrigeren Frequenzen. So gelingt in Dimethylsulfan die Unterscheidung der isomeren 3 : 2-Hydroborierungsprodukte von 1,3-Butadien oder Isopren[7]:

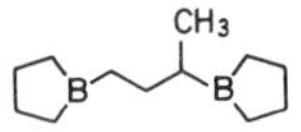

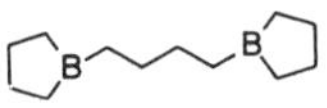

Verhältnis ≈ 70 : 30

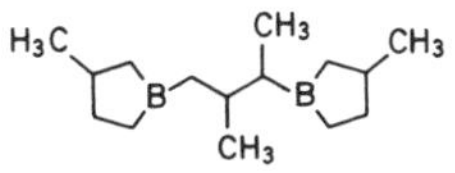

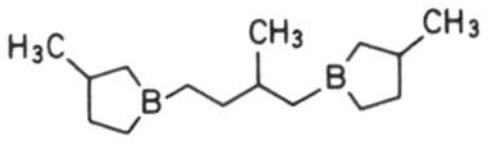

Verhältnis ≈ 35 : 65

In olefinischen Triorganoboranen werden die $\delta^{11}B$-Werte im Vergleich zu Trialkylboranen hauptsächlich von drei Faktoren beinflußt:

ⓐ Position der C=C-Bindung relativ zum B-Atom
ⓑ Anzahl der borgebundenen Olefin-Reste
ⓒ Sterische Verhältnisse

Ist die C=C-Bindung benachbart zum B-Atom, in 1-Alkenylboranen, so nimmt die Abschirmung des B-Atoms mit der Anzahl der Alkenyl-Gruppen merklich zu. In Gegenwart sperriger Gruppen sowohl am Bor-Atom als auch an der C=C-Bindung wird eine geringere Verschiebung der ^{11}B-Resonanzen zu niedrigeren Frequenzen gefunden. Die Abnahme von BC(pp)π-Wechselwirkungen ist hierfür eine einleuchtende Erklärung[1]:

	$(H_2C=CH)_3B$	$\{H_2C=C[CH(CH_3)_2]\}_3B$
$\delta^{11}B$	+ 56,4[8]	+ 68,9[9]

[1] H. Nöth u. B. Wrackmeyer, *NMR Spectroscopy of Boron Compunds*, Bd. **14** *NMR, Grundlagen und Fortschritte* (*^{11}B-NMR-Spektroskopie*). Springer-Verlag, Heidelberg · Berlin 1978.
[2] vgl. C. Pues u. A. Berndt, Ang. Ch. **96**, 306 (1984); engl.: **23**, 313.
[3] M.P. Brown, A.K. Holliday u. G. Way, Soc. [Dalton Trans.], **1975**, 148.
[4] R. Köster, H.J. Horstschäfer, P. Binger u. P.K. Mattschei, A. **1975**, 1339.
[5] R. Köster u. G. Seidel, *1,3,5,7-Tetramethyl-2,4,6,8,9,10-hexaethyl-2,4,6,8,9,10-hexaboraadamantan*: $\delta^{11}B$: 65 ppm, Mülheim a.d. Ruhr 1984.
[6] I. Rayment u. A.M.M. Shearer, Soc. [Dalton Trans.] **1977**, 136.
[7] R. Contreras u. B. Wrackmeyer, Z. Naturf. **35b**, 1229 (1980).
[8] J.D. Odom, L.W. Hall, Inorg. Chem. **13**, 170 (1974).
[9] V.S. Bogdanov, A.V. Kessenikh, V.V. Negrebetskii u. A. Ya. Shchteinshneider, Ž. strukt. Chim. **13**, 226 (1972); engl.: 209; C.A. **77**, 41102 (1972).

Die erhöhte Besetzung des B-2pz-Orbitals z. B. in 1,4-Dihydroborinen im Vergleich zu nichtcyclischen Dialkenyl-organo-boranen zeigt, daß der Ringschluß einen viel größeren Einfluß auf die δ^{11}B-Werte nimmt als im Fall der Trialkylborane[1]:

δ^{11}B: + 52,8[2] 58,3[3] 56,5[3] + 64,4[4]

Bemerkenswert sind die Substituenteneinflüsse der Gruppen in 4-Stellung in den 1,4-Dihydroborinen. Es ist zu erwarten, daß Methyl-Gruppen in 4-Stellung die planare Einstellung des Rings stören und damit die Besetzung des B-2pz-Orbitals verringern.

In 1-tert.-Butylborirenen ist mit einer signifikanten π-Delokalisierung zu rechnen, die sich auch in der Verschiebung der ^{11}B-Resonanzen zu niedrigeren Frequenzen widerspiegelt[5]. Dagegen bedarf die Zuordnung der δ^{11}B-Werte für die Spiro-Verbindung mit einem Boriran- und einem Boreten-Ring[6] noch der Absicherung durch geeignete ^{13}C{^{11}B}-Experimente:

δ^{11}B: + 43 (+ 72)[5] (+ 83)[6] + 34,5[6]

Die ^{11}B-Resonanzen von Triallylboranen gegenüber Trialkylboranen sind geringfügig zu niedrigeren Frequenzen verschoben, besonders merklich für Verbindungen mit permanenter Allylumlagerung:

$(H_2C{=}CH{-}CH_2)_3B$ $[H_2C{=}C(CH_3){-}CH_2]_3B$

δ^{11}B: + 80,2[7] 84,0[8]

Ist die C=C-Bindung um mehr als zwei Bindungen vom B-Atom getrennt, ist i. allg. kein signifikanter Einfluß auf die ^{11}B-Werte feststellbar[1].

In acetylenischen Triorganoboranen werden die δ^{11}B-Resonanzen gegenüber Trialkylboranen und olefinischen Triorganoboranen zu niedrigeren Frequenzen verschoben, wenn die C≡C-Bindung zum B-Atom benachbart ist[1, 9–12]. Als ein Grund wird neben BC(pp)π-Wechselwirkungen der diamagnetische Anisotropieeffekt der C≡C-Bindung (3–4 ppm pro -C≡C-Einheit) angegeben[10].

---

[1] H. Nöth u. B. Wrackmeyer, *NMR-Sprectroscopy of Boron Compounds*, Bd. **14**, *NMR, Grundlagen und Fortschritte* (*^{11}B-NMR-Spektroskopie*). Springer-Verlag, Heidelberg · Berlin 1978.
[2] A. J. Ashe III, E. Meyers, P. Shu u. T. von Lehman, Am. Soc. **97**, 6865 (1975).
[3] A. J. Ashe III, S. T. Abu-Orabi, O. Eisenstein u. H. F. Sandford, J. Org. Chem. **48**, 901 (1983).
[4] C. D. Good u. D. M. Ritter, Am. Soc. **84**, 1162 (1962).
[5] C. Pues u. A. Berndt, Ang. Ch. **96**, 306 (1984); engl.: **23**, 313.
[6] R. Wehrmann, H. Klusik u. A. Berndt, Ang. Ch. **96**, 369 (1984); engl.: **23**, 369.
[7] V. S. Bogdanov, Yu. N. Bubnov, M. N. Bochkareva u. B. M. Mikhailov, Doklady Akad. SSSR **201**, 1328 (1971); C. A. **78**, 28965 (1973).
[8] M. A. Grassberger u. R. Köster, Mülheim a. d. Ruhr, unveröffentlicht 1968.
[9] R. Köster, H. J. Horstschäfer u. P. Binger, A. **717**, 1 (1968).
[10] B. Wrackmeyer u. H. Nöth, B. **110**, 1086 (1977).
[11] H. C. Brown u. J. A. Sinclair, J. Organometal. Chem. **131**, 163 (1977).
[12] H. C. Brown, D. Basavaiah u. N. G. Bhat, Organometallics **2**, 1468 (1983); *Ethyl-[(E)-1-hexenyl]-(1-pentinyl)-boran*: δ^{11}B 62,0.

Die chemischen Verschiebungen δ^{11}B aromatischer Triorganoborane sind ähnlich interpretierbar wie die Daten olefinischer Triorganoborane (C=C-Bindung benachbart zum B-Atom). Die zunehmende Verdrillung des Aromaten gegen die BC_3-Ebene als Folge sterischer Hinderung bedingt eine Verschiebung der ^{11}B-Resonanzen zu höheren Frequenzen, wie der Vergleich zwischen Alkyl-diphenyl- und -dimesityl-boranen zeigt:

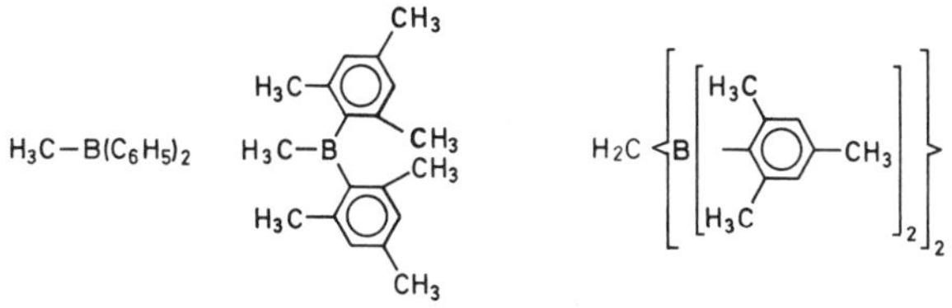

$H_3C-B(C_6H_5)_2$ $H_3C-B(C_6H_2(CH_3)_3)_2$ $H_2C\{B[C_6H_2(CH_3)_3]_2\}_2$

δ^{11}B: 70,6[1] 84,4[2] 80,0[3]

Erwartungsgemäß wirkt sich der Ringschluß günstig auf BC(pp)-π-Wechselwirkungen aus, kenntlich z. B. an der Verschiebung der ^{11}B-Resonanz zu niedrigeren Frequenzen in 9-Phenyl-9,10-dihydro-9-boraanthracen[4] gegenüber Triphenylboran[5]:

$B(C_6H_5)_3$

δ^{11}B: 58,0[4] 68,0[5]

Die BC(pp)π-Wechselwirkung wurde für *1-Phenylborinan* erstmals mit optischer Detektion der magnetischen Resonanz (ODMR) nachgewiesen[6]. Für die 1-Phenylborolane kann man auf ähnliche BC(pp)π-Bindungsanteile schließen, da auch hier die sterische Hinderung für eine koplanare Einstellung des Phenyl-Rings zur BC_3-Ebene gering ist. Der vergleichsweise geringe Abschirmungsgewinn des B-Atoms im 1-Alkyl-1-boraindan (wo die koplanare Einstellung erzwungen ist) gegenüber dem *1-Phenylborolan* deutet jedoch darauf hin, daß diese BC(pp)π-Wechselwirkungen nur schwach sind. In gleicher Richtung läßt sich der geringe Abschirmungsverlust der Bor-Atome in 1,4-Bis(borolanyl)benzol gegenüber 1-Phenylborolan interpretieren[5].

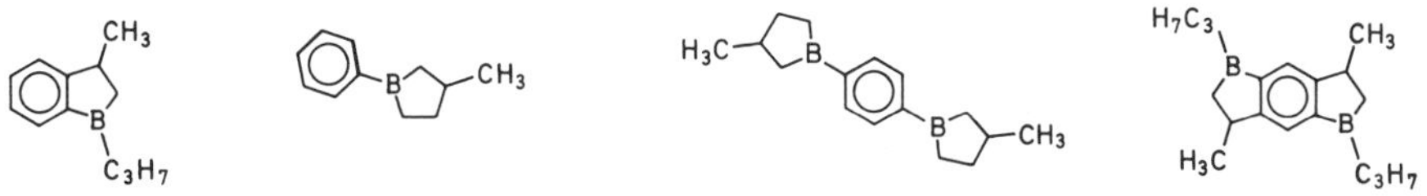

δ^{11}B: 82,6[5] 84,5[5] 86,4[5] 83,4[5]

Heteroatomhaltige Triorganoborane sind ^{11}B-NMR-spektroskopisch bisher nicht systematisch untersucht. Da oft auch die Frage nach intra- oder intermolekularer Assoziation offen bleibt, ist ein spezifischer α- oder β-Effekt des jeweiligen Heteroelementes nur in wenigen Fällen zu diskutieren. Besonders bei Heteroatomen wie Sauerstoff, Schwefel, Stickstoff oder Phosphor muß mit Assoziation gerechnet werden. Dies zeigt die Verschiebung der ^{11}B-Resonanzen zu niedrigen Frequenzen für repräsentative Beispiele (in Klammern die δ^{11}B-Werte, in denen die funktionelle Gruppe durch Wasserstoff oder einen Alkyl-Rest ersetzt ist):

---

[1] B. Wrackmeyer u. H. Nöth, B. **109**, 1075 (1970).
[2] N. M. D. Brown, F. Davidson u. J. W. Wilson, J. Organometal. Chem. **185**, 277 (1980); **209**, 1 (1981).
[3] M. V. Garad u. J. W. Wilson, J. Chem. Research (S) **1982**, 132.
[4] P. Jutzi, Ang. Ch. **84**, 28 (1972); engl.: **11**, 53 (1972).
[5] J. D. Odom. T. F. Moore, R. Goetze, H. Nöth u. B. Wrackmeyer, J. Organometal. Chem. **173**, 15 (1979).
[6] C. Bräuchle, F. W. Deeg u. J. Voitländer, J. Chem. Physics **53**, 373 (1980).

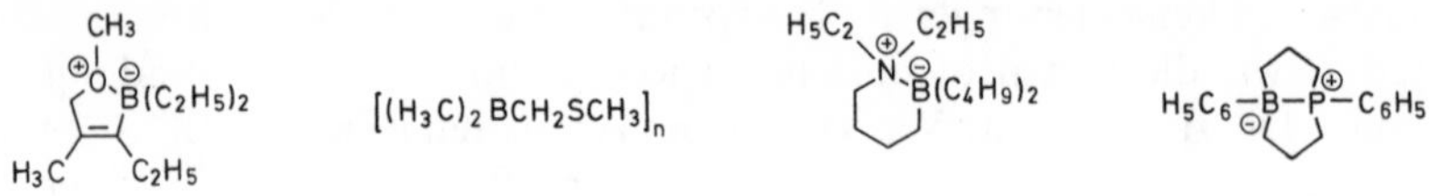

		$[(H_3C)_2BCH_2SCH_3]_n$		
$\delta^{11}B$:	25,0[1] (75,7)	−4,0[2] (86,0)	6,0[3] (86,5)	−4,7[4] (77,5)

Es muß jedoch in vielen Fällen damit gerechnet werden, daß es sich um Gleichgewichte handelt, abhängig von Temperatur und/oder Konzentration, so daß ein einzelner $\delta^{11}B$-Wert unter definierten Bedingungen höchstens ein Indiz hierfür darstellt.

In Perfluorvinylboranen ist die ^{11}B-Resonanz gegenüber Vinylboranen zu niedrigeren Frequenzen verschoben, z. B.:

	$(H_2C{=}CH)_3B$	$(F_2C{=}CF)_3B$
$\delta^{11}B$:	56,4[5]	46,1[6]

Die Fluor-Substituenten nehmen primär Einfluß auf die σ-Bindungssphäre und erhöhen damit gleichzeitig die π-Akzeptorstärke des trigonalen B-Atoms. Hinzu kommen weitere Substituenteneffekte der Fluor-Atome, die sich jedoch mangels Vergleichsdaten für partiell fluorierte Triorganoborane nicht abschätzen lassen.

Bemerkenswert sind die unterschiedlichen $\delta^{11}B$-Werte in 2-Furyl-, 2-Thienyl- und 1-Methyl-2-pyrrolylboranen, wie sie sich z. B. für die folgende Serie im Vergleich zu Triphenylboran ergeben:

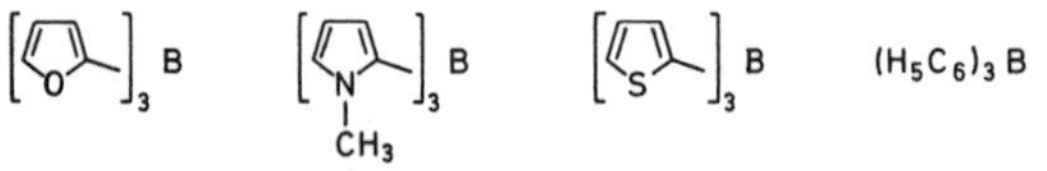

				$(H_5C_6)_3B$
$\delta^{11}B$:[7]	35,0	44,3	47,3	68,0

Neben der höheren π-Elektronendichte und der geringeren sterischen Hinderung der 5-Ring-Heteroaromaten im Vergleich zum Phenyl-Ring spielt sicher auch die stärkere Polarisierung der σ-Bindungssphäre (hervorgerufen durch die elektronegativen Heteroatome) eine Rolle.

Im Einklang mit den Vorstellungen über die Abstufung der BC(pp)π-Wechselwirkungen steht auch der Befund, daß das Bor-Atom in 3-Thienylboranen geringer abgeschirmt ist als in 2-Thienylboranen:

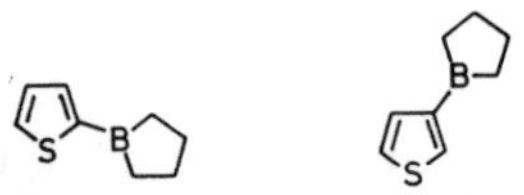

$\delta^{11}B$:	76,0[7]	79,0[7]

Die ^{11}B-Resonanz des 4-Butyl-2,6-diphenyl-4H-1,4-thiaborins liegt im Bereich anderer B-Alkyl-1-bora-4-heteroatom-2,5-cyclohexadiene:

[1] P. BINGER u. R. KÖSTER, Synthesis **1974**, 350.
[2] J. RATHKE u. R. SCHAEFFER, Inorg. Chem. **11**, 1150 (1972).
[3] V. S. BOGDANOV, V. G. KISELEV u. A. D. NAUMOV, L. S. VASILÉV, V. P. DMITRIKOV, V. A. DOROKHOV u. B. M. MIKHAILOV, Ž. obšč. Chim. **42**, 1547 (1972); engl.: 1539; C. A. **77**, 139370 (1972).
[4] G. B. BUTLER u. G. L. STATTON, Am. Soc. **86**, 5045 (1964).
[5] J. D. ODOM u. L. W. HALL, Inorg. Chem. **13**, 170 (1974).
[6] E. J. STAMPF u. J. D. ODOM, J. Organometal. Chem. **108**, 1 (1976).
[7] B. WRACKMEYER u. H. NÖTH, B. **109**, 1075 (1976).

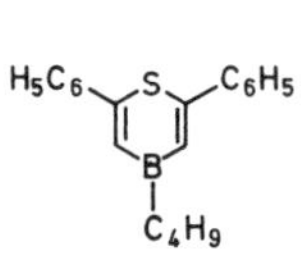

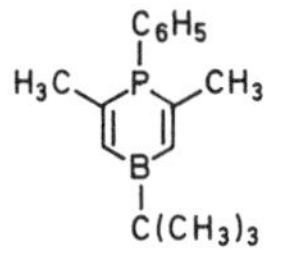

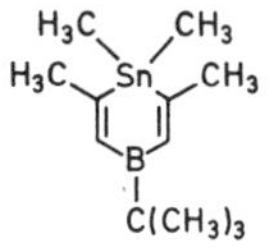

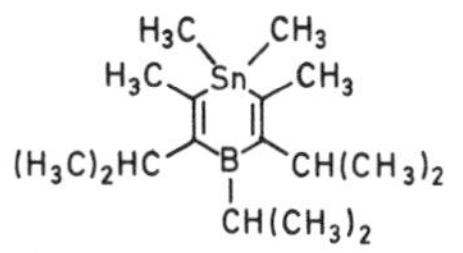

δ^{11}B: 66,8[1] 57,2[2] 61,9[3] 73,1[4]

Dabei muß angenommen werden, daß das Heteroelement, Substituenten am Heteroelement und an den Ringkohlenstoff-Atomen die Struktur und π-Elektronen-Verteilung des Rings beeinflussen. Bezieht man nämlich das 1-Methyl-1,4-dihydro-borin mit ein (δ^{11}B 52,8[5]), so ergibt sich ein Bereich von ca. 20 ppm für 1-Alkyl-1,.x-dihydro-borine.

Stehen Trialkylsilyl- oder Trialkylstannyl-Gruppen am borgebundenen Kohlenstoff, so beobachtet man im Vergleich zu den heteroatomfreien Triorganoboranen i. allg. eine Verschiebung der ^{11}B-Resonanzen zu niedrigeren Frequenzen[6–9].

Wird dagegen im Boriren R = tert.-Butyl gegen die Trimethylstannyl-Gruppe ersetzt, verschiebt sich die ^{11}B-Resonanz zu höheren Frequenzen[10]:

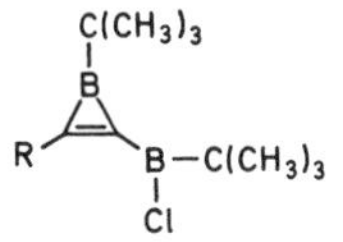

	δ^{11}B [10]	
R	BC_3	C_2BCl
$(CH_3)_3C$	43	72
$(CH_3)_3Sn$	49	73

In zinnhaltigen offenkettigen Alkenyl-dialkyl-boranen kann zwischen cis- und trans-Stellung der Stannylgruppe relativ zur Borylgruppe mit Hilfe von ^{11}B-NMR unterschieden werden[11], z. B.:

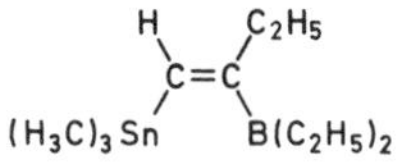

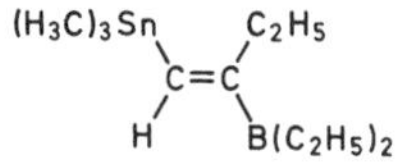

δ^{11}B: 85,5[11] 79,5[11]

Die ^{11}B-NMR-Daten alkalimetallhaltiger Triorganoborane, z. B. den 1-Organo-borinaten deuten auf den Einfluß von Lösungsmitteln und/oder wechselseitiger Polarisierung der Ionen hin. Dies zeigt der Vergleich von Lithium- mit Thallium-borinaten:

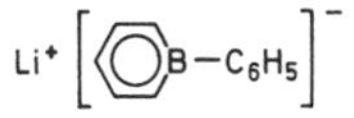

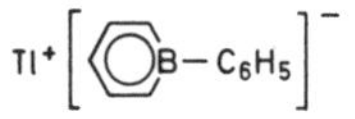

δ^{11}B: 27,0[12] (THF) 33,8[13] (DMSO)

[1] C. Habben, W. Maringgele u. A. Meller, Z. Naturf. **37b**, 43 (1982).
[2] H.-O. Berger u. H. Nöth, J. Organometal. Chem. **250**, 33 (1983).
[3] H.-O. Berger, H. Nöth u. B. Wrackmeyer, B. **112**, 2866 (1979).
[4] L. Killian u. B. Wrackmeyer, J. Organometal. Chem. **132**, 213 (1977).
[5] A.J. Ashe, III, E. Meyers, P. Shu u. T. von Lehman, Am. Soc. **97**, 6865 (1975).
[6] H. Nöth, H. Vahrenkamp u. B. Wrackmeyer, Universität München, unveröffentlicht 1976.
[7] B. Wrackmeyer, Revs. Silicon, Germanium, Tin, Lead Compds. **6**, 75 (1982).
[8] B. Wrackmeyer, C. Bihlmayer u. M. Schilling, B. **116**, 3182 (1983).
[9] B. Wrackmeyer, Organometallics **3**, 1 (1984).
[10] C. Pues u. A. Berndt, Ang. Ch. **96**, 306 (1984); engl.: **23**, 313.
[11] B. Wrackmeyer, Revs. Silicon, Germanium, Tin, Lead Compds. **6**, 75 (1982).
[12] A.J. Ashe III u. P. Shu, Am. Soc. **93**, 1804 (1971).
[13] G.E. Herberich, H.J. Becker u. C. Engelke, J. Organometal. Chem. **153**, 265 (1978).

Dies ist auch für Borol-Dianionen zu erwarten, von denen bisher nur das Pentaphenyl-Derivat beschrieben ist[1]:

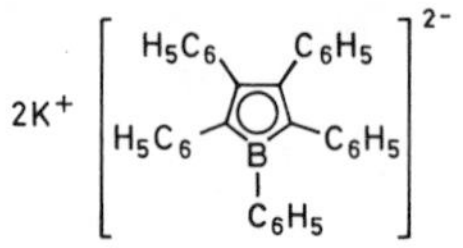

$\delta^{11}B$ (THF): 29,0[1]

Eine Anzahl von ^{11}B-NMR-Daten übergangsmetallhaltiger Triorganoborane (mit borfern π-gebundener Ligand-Gruppierung) ist bekannt. Die $\delta^{11}B$-Werte finden sich im Bereich für Alkenyl- und Arylborane. Die folgende Abstufung der π-Rückbindung zum Bor-Atom steht in Übereinstimmung mit der chemischen Erfahrung:

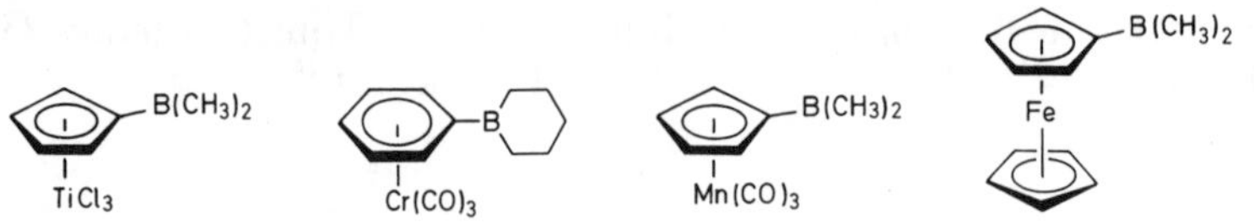

$\delta^{11}B$: 74,3[2] 73,2[3] 72,0[4] 71,6[4]

Die vergleichsweise geringe Abschirmung der Bor-Atome spricht gegen eine direkte Metall-Bor-Bindung unter Erhöhung von KZ_B (s. S. 572ff.).

δ_3) ^{13}C-*NMR-Spektren von Triorganoboranen*

Die chemischen Verschiebungen $\delta^{13}C$ aliphatischer Triorganoborane unterliegen den von Alkanen her bekannten Einflüssen aus Kettenlänge, Verzweigung und Ringschluß[5] (vgl. Tab. 42, S. 435).

Da die ^{13}C-NMR-Spektren bei ^1H-Entkopplung meist einfach sind (noch übersichtlicher bei gleichzeitiger ^{11}B-Entkopplung, vgl. Abb. 8, S. 433) ergeben sich bei Trialkylboranen oft Vorteile gegenüber den ^1H-NMR-Spektren. Dies gilt besonders bei der Untersuchung von Gemischen verschiedener Trialkylborane (vgl. S. 433).

Aromatische Triorganoborane sind für die ^{13}C-NMR-Spektroskopie im Hinblick auf BC(pp)π-Bindungsanteile von Interesse. Solche π-Wechselwirkungen müssen zwar als schwach eingestuft werden, jedoch bieten sich die $\delta^{13}C$-Werte entsprechender aromatischer Kohlenstoffatome als extrem empfindliches Nachweiskriterium an.

Beispiele hierfür sind die Resonanzen der para-C-Atome in Phenylboranen[6], deren Abschirmung zwischen 2,5–4,0 ppm geringer ist als in Benzol, entsprechend einer Verschiebung von π-Elektronendichte zum B-Atom (vgl. Tab. 43, S. 436). Sterische Effekte sind zu berücksichtigen, wie aus dem Vergleich von $\delta^{13}C$(para) in Phenylboranen mit $\delta^{13}C$(para) in entsprechenden Mesitylboranen[7–9] folgt. Die stärkere Verdrillung der Mesitylreste gegen die BC_3-Ebene verhindert mögliche BC(pp)π-Wechselwirkungen. Dies ergibt sich aus der Konstanz der $\delta^{13}C$(para)-Werte in Mesitylboranen.

[1] G. E. Herberich, B. Buller, B. Hessner u. W. Oschmann, J. Organometal. Chem. **195**, 253 (1980).
[2] P. Jutzi u. A. Seufert, J. Organometal. Chem. **169**, 373 (1979).
[3] R. Goetze u. H. Nöth, J. Organometal. Chem. **145**, 151 (1978).
[4] T. Renk, W. Ruf u. W. Siebert, J. Organometal. Chem. **120**, 1 (1976).
[5] B. Wrackmeyer, Progr. NMR Spectroscopy **12**, 227 (1979).
[6] J. D. Odom, T. F. Moore, R. Goetze, H. Nöth u. B. Wrackmeyer, J. Organometal. Chem. **173**, 15 (1979).
[7] N. M. D. Brown, F. Davidson u. J. W. Wilson, J. Organometal. Chem. **185**, 277 (1980).
[8] N. M. D. Brown, F. Davidson u. J. W. Wilson, J. Organometal. Chem. **209**, 1 (1981).
[9] M. V. Garad u. J. W. Wilson, J. Chem. Res. (S), **1982**, 132.

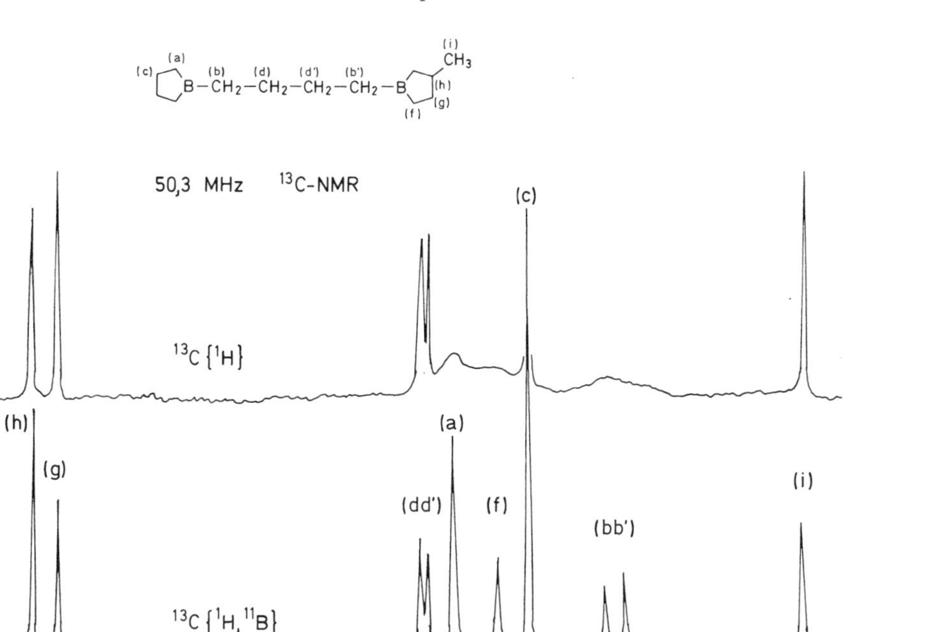

Abb. 8: 50,3 MHz ^{13}C-NMR-Spektrum von 1-(1-Borolanyl)-4-(3-methyl-1-borolanyl)-butan[1] (C_6D_6, 27°) mit ^{1}H-Breitenbandentkopplung (oberes Spektrum) und gleichzeitiger ^{1}H- und ^{11}B-Entkopplung (unteres Spektrum). Die ^{13}C-Resonanzen (e,a,f,bb') sind nun eindeutig zu identifizieren und sichern den Strukturvorschlag.

Die Übersichtlichkeit der ^{1}H-entkoppelten ^{13}C-NMR-Spektren führt zu neuen Informationen, die etwa im Fall der 1,5-Dibora-s-indacen-Derivate die Identifizierung des Isomerengemischs ermöglichte[2]:

Auch bei ^{13}C-NMR-Daten olefinischer Triorganoborane[3–6] steht neben der Charakterisierung der Verbindungen die Diskussion der Bindungsverhältnisse im Vordergrund. Die Allyl-Umlagerung in *Triallyl-* und in *Tris(2-methylallyl)boran* ist mittels ^{1}H-{^{13}C}-Doppelresonanzmessungen nachgewiesen worden[3]. Direkte ^{13}C-NMR-Messungen führen zu analogen Ergebnissen[4]. Wenn keine Allyl-Umlagerung erfolgt, finden sich die ^{13}C-Resonanzen der olefinischen C-Atome im Erwartungsbereich, kaum beeinflußt durch den Diorganoboryl-Rest:

[1] R. Contreras u. B. Wrackmeyer, J. Organometal. Chem. **205**, 15 (1981).
[2] J.D. Odom, T.F. Moore, R. Goetze, H. Nöth u. B. Wrackmeyer, J. Organometal. Chem. **173**, 15 (1979).
[3] B.M. Mikhailov, V.V. Negrebetskii, V.S. Bogdanov, A.V. Kessenikh, Yu.N. Bubnov, T.K. Baryshnikova u. V.N. Smirnov, Ž. obšč. Chim., **44**, 1878 (1974); engl.: 1844; C.A. **81**, 151270 (1974).
[4] Y. Yamamoto, H. Yatagai, Y. Noruta, K. Maruyama u. T. Okamoto, Tetrahedron Letters **1980**, 3599.
[5] N.M.D. Brown, F. Davidson u. J.W. Wilson, J. Organometal. Chem. **209**, 1 (1981); **185**, 277 (1980).
[6] L.W. Hall, J.D. Odom u. P.D. Ellis, Am. Soc. **97**, 4527 (1975).

$(H_2C{=}CH{-}CH_2)_2B{-}CH_2{-}CH{=}CH_2$ $\qquad [H_3C{-}C_6H_2(CH_3)_2]_2B{-}CH_2{-}CH{=}CH_2$

$\delta^{13}C$[1]: 34,8; 131,8; 114,8 $\qquad$ 40,4; 135,8; 114,0

Ist der Olefin-Rest benachbart zum trigonalen Bor-Atom, stellt sich wie bei den Arylboranen die Frage nach $BC(pp)\pi$-Wechselwirkungen. Die ^{13}C-Resonanz des β-C-Atoms in Vinylboranen[2-6] ist gegenüber Ethen um $\approx 13-17$ ppm zu höheren Frequenzen verschoben, entsprechend einer Verminderung der π-Elektronendichte. Dennoch sind auch hier $BC(pp)\pi$-Bindungsanteile nur gering, wie der kleine Bereich der $\delta^{13}C(\beta)$-Werte zeigt:

	$(H_3C)_2B{-}\overset{\alpha}{C}H{=}\overset{\beta}{C}H_2$	$H_3C{-}B(\overset{\alpha}{C}H{=}\overset{\beta}{C}H_2)_2$	$B(\overset{\alpha}{C}H{=}\overset{\beta}{C}H_2)_3$	$[H_3C{-}C_6H_2(CH_3)_2]_2B{-}\overset{\alpha}{C}H{=}\overset{\beta}{C}H_2$
$\delta^{13}C(\beta)$:	135,9[3]	135,9[4]	138,0[2]	139,4[6]

Die vergleichsweise geringe $BC(pp)\pi$-Wechselwirkung (relativ zu $CC(pp)\pi$-Bindungsanteilen in isoelektronischen Carbokationen) folgt auch aus den bekannten ^{13}C-NMR-Daten acetylenischer Triorganoborane. So wird zwar die ^{13}C-Resonanz des $C(\beta)$-Atoms in Dimesityl-phenylethinyl-boran signifikant zu höheren Frequenzen verschoben, der mesomere Effekt wirkt sich jedoch nur geringfügig auf den Phenylrest aus, wie aus den $\delta^{13}C$(para)-Werten geschlossen werden darf[6,7]:

	$[H_3C{-}C_6H_2(CH_3)_2]_2B{-}\overset{\alpha}{C}{\equiv}\overset{\beta}{C}{-}C_6H_5$	$(H_5C_6)_2\overset{\oplus}{C}{-}\overset{\alpha}{C}{\equiv}\overset{\beta}{C}{-}C_6H_5$	$H{-}\overset{\alpha}{C}{\equiv}\overset{\beta}{C}{-}C_6H_5$
$\delta^{13}C(\beta$, para):	126,9[6]; 129,7[6]	159,1[8]; 137,6[8]	86,4[6]; 128,7[6]

^{13}C-NMR-Parameter heteroatomhaltiger Triorganoborane ermöglichen es, den wechselseitigen Einfluß des Bor- und des Hetero-Atoms auf die Bindungsverhältnisse zu überprüfen. Beispiele hierfür finden sich in den $\delta^{13}C$-Werten der 2-Furyl-, 2-Thienyl- und 1-Methyl-2-pyrrolyl-borane[9], die die leichtere Polarisierbarkeit (im Vergleich zum C_6H_5-Rest) der 5-Ringheteroaromaten durch die Diorganoborylgruppe belegen ($\Delta^{13}C$ zu höheren Frequenzen relativ zu Thiophen, bzw. Benzol):

	2-Thienyl-borolan (C5)	Phenyl-borolan (Cp)
$\delta^{13}C$[9] [ppm]:	136,2 [C(5)]	132,4 (Cpara)
$\Delta^{13}C$:	(10,6)	(3,9)

---

[1] B. M. Mikhailov, V. V. Negrebetskii, V. S. Bogdanov, A. V. Kessenikh, Yu. N. Bubnov, T. K. Baryshnikova u. V. N. Smirnov, Ž. obšč. Chim. **44**, 1878 (1974); engl.: 1844; C. A. **81**, 151270 (1974).
[2] L. W. Hall, J. D. Odom u. P. D. Ellis, Am. Soc. **97**, 4527 (1975).
[3] J. D. Odom, T. F. Moore, S. A. Johnston u. J. R. Durig, J. Mol. Structure **54**, 49 (1979).
[4] J. R. Durig, S. A. Johnston, T. F. Moore u. J. D. Odom, J. Mol. Structure **72**, 85 (1981).
[5] C. D. Blue u. D. J. Nelson, J. Org. Chem. **48**, 4538 (1983).
[6] N. M. D. Brown, F. Davidson u. J. W. Wilson, J. Organometal. Chem. **209**, 1 (1981); **185**, 277 (1980).
[7] B. Wrackmeyer, Z. Naturf. **37b**, 788 (1982).
[8] G. A. Olah, R. J. Spear, P. W. Westerman u. J. M. Denis, Am. Soc. **96**, 5855 (1974).
[9] J. D. Odom, T. F. Moore, R. Goetze, H. Nöth u. B. Wrackmeyer, J. Organometal. Chem. **173**, 15 (1979).

Die δ^{13}C-Werte in Tab. 44 (S. 436) zeigen, daß die Resonanz des borgebundenen Alken-C-Atoms ($C_{(\alpha)}$) kaum von verschiedenen Trimethylelement-Gruppen (E = Si, Sn, Pb) beeinflußt wird, daß jedoch eine zunehmende Verschiebung der $C_{(\beta)}$)-Resonanz zu höherer Frequenz mit steigendem Radius von E eintritt. Die Analyse dieser δ^{13}C-Werte offenbart jedoch einen Trend, der nicht von der Gegenwart der Boryl-Gruppe abhängt, da ganz analoge Abhängigkeiten in Propenyl- und Isopropenyl-Trimethylelement-Verbindungen auftreten[1].

Meist sind BC(pp)π-Bindungsanteile in entsprechenden cyclischen Verbindungen stärker ausgeprägt. In dieser Hinsicht wurden die ^{13}C-Resonanzen der olefinischen Kohlenstoffe in 1,4-Dihydro-1,4-borastanninen interpretiert[2].

Die ^{13}C-NMR-Daten von Thallium-1-phenylborinaten lassen den Borinat-Rest als mesomeren Donor gegenüber der Phenyl-Gruppe erscheinen[3,4]:

Tl^+ [B– C]$^-$ B– C

δ^{13}C(para): 125,8[3] 131,9[4]

Tab. 42: δ^{13}C-Werte von Trialkylboranen

Verbindung	Herst. XIII/3a, S.	δ^{13}C (1)	(2)	(3)	(4)	Lösungsmittel	Literatur
$B(CH_3)_3$	111	14,8				C_6H_6	5
$(H_3C)_2B–CH_2CH_3$	46	11,8 (CH_3) 21,6 (CH_2)	 6,1			C_6D_6	5
$H_3C–B(CH_2CH_3)_2$	46	7,7 (CH_3) 19,7 (CH_2)	 6,1			C_6D_6	5
$B(C_2H_5)_3$	148	19,8	8,5			–	5,6
$B(CH_2CH_2CH_3)_3$	148	31,1	18,1	17,6		–	5
$B[CH(CH_3)_2]_3$	134	20,5	17,8			–	5
$B(CH_2CH_2CH_2CH_3)_3$	97	27,8	27,0	26,2	14,1	–	5
$B[CH_2CH(CH_3)_2]_3$	135	31,4	20,2	20,4		C_6D_6	7
$B[CH(CH_3)CH_2CH_3]_3$	135	29,7	26,4 26,0 } (CH_2) 25,6 14,8 14,6 } (CH_3) 14,4	14,3 14,1 } 14,0		C_6D_6	7
$B[C(CH_3)_3]_3$	113	30,3	31,5			$CDCl_3$	5
B–CH_3	102	12,4 (CH_3)	33,6	23,7		C_6D_6	7
B–CH_2CH_3	102	20,3 (CH_2) 31,4 (CH)	8,2 (CH_3) 33,5 (CH_2)	 23,7		C_6D_6	6
B–$CH(CH_3)_2$	102	24,5 (CH $^iC_3$) 30,4 (CH)	17,4 (CH_3) 33,7 (CH_2)	 23,8		C_6D_6	7
B–$C(CH_3)_3$	–	28,9 (C) 29,0 (CH)	26,1 (CH_3) 33,9 (CH_2)	 23,5		C_6D_6	7

[1] T.N. Mitchell u. H.C. Marsmann, Org. Magn. Res. **15**, 263 (1981).
[2] H.-O. Berger, H. Nöth u. B. Wrackmeyer, B. **112**, 2866 (1979).
[3] G.E. Herberich, H.J. Becker u. C. Engelke, J. Organometal. Chem. **153**, 265 (1978).
[4] J.D. Odom, T.F. Moore, R. Goetze, H. Nöth u. B. Wrackmeyer, J. Organometal. Chem. **173**, 15 (1979).
[5] B. Wrackmeyer, Progr. NMR Spectrosc. **12**, 227 (1979).
[6] B. Wrackmeyer, Spectrosc. Int. J. **1**, 201 (1982); C.A. **99**, 53890 (1983); [J($^{13}C^{13}C$) für B-Ethyl: 33,0 Hz].
[7] B. Wrackmeyer, Universität München, unveröffentlicht 1981.

Tab. 43: $\delta\,^{13}C$-Werte einiger Phenylborane

o m i p	Herst. XIII/3a, S.	C(i)	C(o)	C(m)	C(p)	C(1)	C(2)	C(3)	C(4)	C(5)	Lösungs-mittel	Literatur
B	158	140,7	133,6	127,6	131,9	23,4	24,4	28,2			$CDCl_3$	1
B	156 159	138,7	134,7 134,8	128,1 128,2	132,8 133,0	29,2	34,2	23,5			$CDCl_3$ $CDCl_3$	2 3
B	158	138,1	136,5	127,7	132,4	26,4	27,4				$CDCl_3$	1
H_3C B	–	138,3	136,4	127,8	132,5	35,7 25,4	36,1 (CH) 35,6 (CH_2)	22,4			$CDCl_3$	1
$(H_5C_6)_2B$	169 ff.	143,3	138,4	127,3	131,1						$CDCl_3$	1
$[2,4,6\text{-}(CH_3)_3C_6H_2]_2B$	167	145,9	136,2	127,9	131,9	141,7	140,7	128,6 23,4 (CH_3)	138,6	21,1	$CDCl_3$	4

Tab. 44: ^{13}C–NMR-Daten $[J(El^{13}C)]$ von Trimethylelementalkenyl-diethyl-boranen

	Herst. XIII/3a, S.	$\delta\,^{13}C(\alpha)$	$\delta\,^{13}C(\beta)$	$\delta\,^{13}C(B\text{–}CH_2CH_3)$		$\delta\,^{13}C(CH_2CH_3)$		$\delta\,^{13}C(CH_3)$	$\delta\,^{13}C(ECH_3)$
$H_3C\text{–}CH_2$, CH_3, α, β, C=C, $(H_3CCH_2)_2B$, $El(CH_3)_3$									
El = Si[5]	299	161,7	130,4 (70,9)	21,3	9,5	22,5	12,9	15,4	–0,8 (51,2)
El = Sn[5,6]	307	163,0	133,5 (540,0)	21,8	8,9	23,1 (83,0)	13,6	19,7 (66,0)	–8,6 (320,0)
El = Pb[6]	–	161,1	140,9 (536,0)	22,0	9,0	24,0 (143,0)	14,1	22,2 (130,6)	– 1,5 (183,0)
$C(CH_3)_3$, B, α, β, $(H_3C)_3El$, C=C, B, $C(CH_3)_3$, Cl						$\delta\,^{13}(CH_3)$		$\delta\,^{13}C(C)$	
El = Sn[7]	–	215,3 (–35°)	183,8	–		28,7 27,5		25,2 18,4	– 8,9
El = C[7] (zum Vergleich)	–	186,6	184,3			29,3 28,9 27,5		34,8 25,5 18,0	–

Ähnliche Effekte werden auch für lithiumhaltige Triorganoborane beschrieben, in denen Mesityl-Reste als mesomere Akzeptoren fungieren[8]:

[1] J. D. Odom, T. F. Moore, R. Goetze, H. Nöth u. B. Wrackmeyer, J. Organometal. Chem. **173**, 15 (1979).
[2] B. Wrackmeyer, Universität München, unveröffentlicht 1983.
[3] B. G. Ramsey u. K. Longmuir, J. Org. Chem. **45**, 1322 (1980).
[4] N. M. D. Brown, F. Davidson u. J. W. Wilson, J. Organometal. Chem. **209**, 1 (1981).
[5] B. Wrackmeyer, Universität München, unveröffentlicht 1983.
[6] B. Wrackmeyer, Spectrosc. Int. J. **1**, 201 (1982).
[7] C. Pues u. A. Berndt, Ang. Ch. **96**, 306 (1984); engl.: **23**, 313.
[8] M. V. Garad u. J. W. Wilson, J. Chem. Res. (S) **1982**, 132.

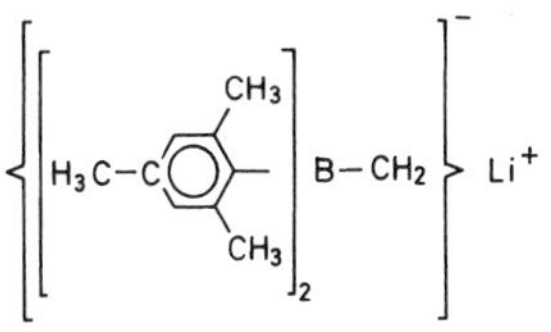

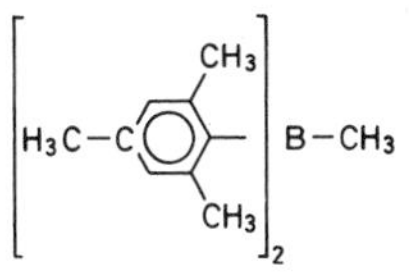

$\delta^{13}C(para)$[1] 131,4 138,7

Übergangsmetallhaltige Triorganoborane sind bisher nur sporadisch mittels ^{13}C-NMR untersucht worden[2-5], so daß noch keine systematischen Abhängigkeiten zu diskutieren sind. Neben den Übergangsmetall-spezifischen Einflüssen auf ^{13}C-NMR-Parameter sind von der Seite des Bors ähnliche Effekte zu erwarten, die auch bei anderen heteroatomhaltigen Triorganoboranen offenkundig sind.

δ_4) NMR-Spektren anderer Kerne als ^{1}H, ^{11}B, ^{13}C

Abgesehen von wenigen ^{14}N-[6] und ^{19}F-NMR-Daten[7] sind hauptsächlich ^{119}Sn-NMR-Daten von Organo-stannylorgano-boranen[8-12] bekannt. Die $\delta\,^{119}Sn$-Werte sind indikativ für Ringgröße und Struktur, wobei die ^{119}Sn-Resonanz für 5-Ringe signifikant bei höheren Frequenzen als für 6-Ringe gefunden wird:

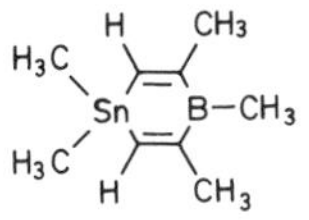

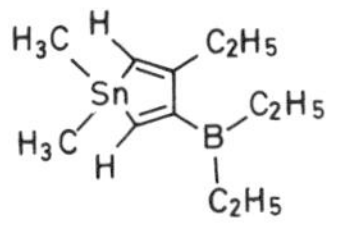

$\delta\,^{119}Sn$: −157,6[8] +19,5[10]

Interessante Hinweise auf die Stereochemie lassen sich aus den Linienbreiten der ^{119}Sn-Resonanzen ermitteln. Da in Analogie zu $^{3}J(^{119}Sn^{13}C)$ gilt

$$^{3}J(^{119}Sn^{11}B)_{trans} > {}^{3}J(^{119}Sn^{11}B)_{cis},$$

lassen sich die ^{119}Sn-Resonanzen von *E/Z*-Isomeren zuordnen. Die partiell relaxierte skalare Kopplung $^{3}J(^{119}Sn^{11}B)$ wird im Fall der *cis*-Stellung von Stannyl- und Boryl-Gruppe zu einer schärferen ^{119}Sn-Resonanz Anlaß geben als bei *trans*-Stellung. Dies wurde unabhängig bewiesen[9,13,14] und läßt somit im Fall von *1,1-Bis(trimethylstannyl)-2-diethylboryl-1-penten* die eindeutige Zuordnung der ^{119}Sn-Resonanzen zu[15] (vgl. Abb. 9, S. 438).

---

[1] M. V. GARAD u. J. W. WILSON, J. Chem. Res. (S) **1982**, 132.
[2] T. RENK, W. RUF u. W. SIEBERT, J. Organometal. Chem. **149**, 141 (1978).
[3] A. SEBALD u. B. WRACKMEYER, Chem. Commun. **1983**, 309; **1983**, 1293 (Pt-haltige Triorganoborane).
[4] A. SEBALD, Dissertation, Universität München 1983 (Pt-haltige Triorganoborane).
[5] P. GALOW, A. SEBALD u. B. WRACKMEYER, J. Organometal. Chem. **259**, 253 (1983) (Co-haltige Triorganoborane).
[6] B. WRACKMEYER u. H. NÖTH, B. **109**, 1075 (1976).
[7] E. J. STAMPF u. J. D. ODOM, J. Organometal. Chem. **108**, 1 (1976).
[8] H.-O. BERGER, H. NÖTH u. B. WRACKMEYER, B. **112**, 2866 (1976).
[9] B. WRACKMEYER, Rev. Silicon, Germanium, Tin and Lead Compounds **6**, 75 (1982).
[10] L. KILLIAN u. B. WRACKMEYER, J. Organometal. Chem. **132**, 213 (1977).
[11] B. WRACKMEYER, Organometallics **3**, 1 (1984).
[12] S. KERSCHL u. B. WRACKMEYER, Z. Naturf. **39b**, 1037 (1984).
[13] B. WRACKMEYER, J. Organometal. Chem. **205**, 1 (1981).
[14] C. BIHLMAYER u. B. WRACKMEYER, Z. Naturf. **36b**, 1625 (1981).
[15] B. WRACKMEYER, C. BIHLMAYER u. M. SCHILLING, B. **116**, 3182 (1983).

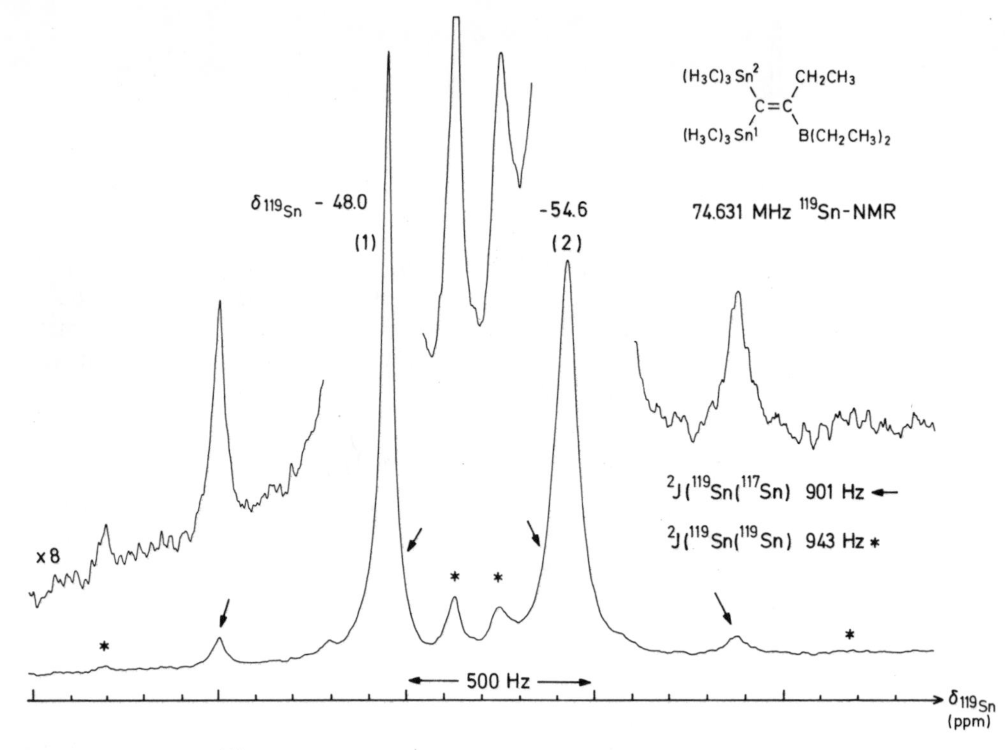

Abb. 9: 74,631 MHz ^{119}Sn-NMR-Spektrum von *1,1-Bis(trimethylstannyl)-2-diethylboryl-1-buten* (C_6D_6, 27°)[1]; die unterschiedliche Linienbreite ist die Folge der *cis*- [scharfes Signal (1)] und *trans*-Stellung [breites Signal (2)] der Stannyl- relativ zur Diethylboryl-Gruppe. Die ^{117}Sn(↓) und ^{119}Sn-Satelliten(*) belegen, daß es sich hier *nicht* um ein Gemisch zweier Verbindungen handelt.

ε) Molekülstrukturanalysen

Für verschiedene aliphatische (z. B. I, II), aromatische (z. B. III, IV) Triorganoborane und das heteroatomsubstituierte Dialkyl-vinyl-boran V ist die Geometrie der Atom-Anordnungen ermittelt worden.

I: *2,4,6,8,9,10-Hexamethyl-2,4,6,8,9,10-hexaboraadamantan*[2] (Bd. XIII/3 a, S. 27) mit C_4B_6-Gerüst:

R = CH_3; R^1 = H

Gerüst-Atome
d_{CC} = 2,67(1) Å
d_{CB} = 1,57(1) Å
d_{BB} = 2,48(1) Å
$d_{BB'}$ = 3,51(1) Å

∢ $_{CBC}$ = 120(2)°
∢ $_{BCB}$ = 105(1)°

II: *2,4,6,8,9,10-Hexaethyl-1,3,5,7-tetramethyl-2,4,6,8,9,10-hexaboraadamantan*[3] [im Vergleich zu I aufgeweitetes[4] C_4B_6-Gerüst]:

R = C_2H_5; R^1 = CH_3

Gerüst-Atome
d_{CC} = 2,74(1) Å
d_{CB} = 1,58(1) Å
d_{BB} = 2,49(1) Å
$d_{BB'}$ = 3,52(1) Å

∢ $_{CBC}$ = 119,7(5)°
∢ $_{BCB}$ = 104(2)°

---

[1] B. WRACKMEYER, C. BIHLMAYER u. M. SCHILLING, B. **116**, 3182 (1983).

[2] I. RAYMENT u. H. M. M. SHEARER, Soc. [Dalton Trans.] **1977**, 136.

[3] Herstellung von II: R. KÖSTER u. G. SEIDEL, Mülheim a. d. Ruhr 1984; Röntgenstrukturanalyse von II: C. KRÜGER, Mülheim a. d. Ruhr 1984.

[4] R. KÖSTER, Mülheim a. d. Ruhr 1984: Lediglich die C···C-Abstände im C_4B_6-Gerüst sind für II[3] signifikant länger als für I[2] ($\Delta d_{CC} \approx 0{,}07$ Å), was sich in der thermischen Instabilität von II (Valenzisomerisierung zum C_4B_6-Carboran)[5] widerspiegelt.

[5] R. KÖSTER, G. SEIDEL u. B. WRACKMEYER, unveröffentlicht 1984.

III: *Triphenylboran* (Bd. XIII/3a, S. 173) mit Verdrillung der Phenyl-Reste[1]:

$d_{BC} = 1{,}585(1)$ Å $\sphericalangle_{CBC} = 120°$
$\sphericalangle\ C_6H_5/C_6H_5$-Ebene = 54,4°

IV: *Trimesitylboran* in Propeller-Konformation (mit ≈ 45° Verdrillung)[2]:

$d_{BC} = 1{,}580(4)$ Å $\sphericalangle_{CBC} = 120{,}9°$

V: [*3-(Dicyclohexylphosphanyl)propyl-ethyl-vinyl-boran*]-*ethen-nickel* (Bd. XIII/3a, S. 320)[3]:

$H_{11}C_6$ C_6H_{11} P Ni B C_2H_5

$d_{NiB} = 2{,}508(4)$ Å
$d_{NiCC_2H_4} = 2{,}006;\ 2{,}016$ Å
$d_{NiP} = 2{,}191$ Å

2. Organobor-Wasserstoff-Verbindungen

α) Trenn- und Reinigungsverfahren

Organodiborane(6) (Bd. XIII/3a, S. 321 ff.) stehen als Dimere mit den monomeren Hydro-organo-boranen(3) im Gleichgewicht, dessen Einstellgeschwindigkeit von der Art und Zahl der Organo-Reste abhängt. Bei genügend tiefer Temperatur lassen sich Alkyldiborane(6) durch fraktionierende Kondensation oder durch Destillation voneinander trennen; z. B. Methyldiborane(6) < – 20°[4]. Entsprechend gelingt die Trennung fester Organodiborane(6) durch fraktionierende Kristallisation; z. B. beim *trans*-1,2-Diphenyldiboran(6) bei ≈ 20°[5].

Soweit Organodiborane(6) nicht dissoziieren, gelingt auch ihre gaschromatographische Trennung in gepackten Säulen; z. B. von Methyldiboranen[6–10], *cis/trans*-1,2-Dimethyldiboranen[11], 1,2-Alkan-1,4-diyldiboranen(6) oder von 1,2 : 1,2-Bis(alkan-1,4-diyl)diboranen(6)[6–8, 12, 13].

Die bicyclischen, dissoziationsstabilen 1,2 : 1,2-Bis(alkan-1,4-diyl)diborane(6) lassen sich von Organobor-Verbindungen mit dreifach koordinierten Bor-Atomen auf chemischem Weg trennen: Man oxidiert bei ≈ 20° mit alkalisch-wäßrigem Dihydrogenperoxid und erhält nach Abtrennen der Borsäure und der Alkohol-Produkte aus der lipophilen Phase die reinen 1,2 : 1,2-Bis(alkan-1,4-diyl)diborane(6)[14].

β) Chemische Analysenmethoden

Chemische Analysenmethoden eignen sich besonders gut zur quantitativen Bestimmung der Bruttozusammensetzung von Organodiboranen(6). Durch Protolyse werden BH_t- und BH_b-Bindungen der offenkettigen Derivate sowie der cyclischen 1,1 : 2,2-Bis(alkandiyl)-diborane(6) mittels Gasvolumetrie quantitativ erfaßt. Mit Wasser oder Alkohol reagieren

---

[1] F. Zettler, H. D. Hausen u. H. Hess, J. Organometal. Chem. **72**, 157 (1974).
[2] J. F. Blount, P. Finocchiaro, D. Gust u. K. Mislow, Am. Soc. **95**, 7019 (1973).
[3] B. L. Barnett, D. Brauer, C. Krüger u. Y.-H. Tsay, *Structural properties of mono and diolefin nickel complexes*, Amer. Cryst. Assoc., Winter Meeting, Abstr. of Papers D 7, S. 42 (1973).
[4] H. I. Schlesinger u. A. O. Walker, Am. Soc. **57**, 621 (1935).
[5] E. Wiberg, J. E. F. Evans u. H. Nöth, Z. Naturf. **13b**, 263 (1958).
[6] G. Schomburg, R. Köster u. D. Henneberg, Fres. **170**, 285 (1959).
[7] G. Schomburg, R. Köster u. D. Henneberg, Chem. Ges. DDR Analyt. Chem. Mitteilungsblatt Sonderheft 1960, 269; Mitteilungsblatt Chem. Ges. DDR **6**, 163 (1959).
[8] G. Schomburg, in M. van Swaay, *Gaschromatography* **1962**, 292–304, Butterworths, London 1962.
[9] G. R. Seely, J. P. Oliver u. D. M. Ritter, Anal. Chem. **31**, 1993 (1959).
[10] L. van Alten, G. R. Seely, J. P. Oliver u. D. M. Ritter, Advan. Chem. Ser. **32**, 107 (1961).
[11] D. A. Kohler, Dissertation Abstr. Int. B. **37**, 2229 (1976); C. A. **86**, 121 410 (1976).
[12] R. Köster, Adv. Organometallic Chem. **2**, 257 (1964).
[13] R. Köster, Progr. Boron Chem. **1**, 289 (1964).
[14] R. Köster, Ann. N. Y. Acad. Sci. **159**, 73 (1969).

i. allg. sämtliche >BH-Bindungen der offenkettigen Verbindungen bereits bei ≈ 20 bis max. 50° unter Dihydrogen-Abspaltung:

$$>BH + H_2O \longrightarrow H_2 + >BOH$$

1,2 : 1,2-Bis(alkandiyl)diborane(6)[1-3] müssen dagegen mit den Protolysemitteln (z. B. 2-Ethylhexanol) auf 100–120° erhitzt werden, um sämtliche BH-Bindungen quantitativ zu bestimmen. Infolgedessen lassen sich die stabilen Organodiborane(6) von den leicht hydrolysierbaren Verbindungen unterscheiden. Eine zweifelsfreie Zuordnung bzw. Differenzierung offenkettiger Alkyldiborane(6) mittels Methanolyse[4-6] ist wegen des zu raschen Alkyl/Hydrogen-Austauschs zumindest bei ≈ 20° nicht ohne große Fehler möglich[7]. Die Zusammensetzung von Gemischen kann nur bei Temperaturen < – 10° bestimmt werden, da dann die Austauschgleichgewichte weitgehend eingefroren sind. Ansonsten erfaßt man immer nur die Bruttozusammensetzung der offenkettigen Organodiborane(6).

Die quantitative Bestimmung von B–C-Bindungen erfolgt durch Oxidation mit Trimethylamin-N-oxid, nachdem die Probe in einem höhersiedenden Alken wie z. B. in 2-Phenylpropen bzw. Vinylcyclohexen (Hydroborierung) erhitzt wurde. Der separat durch Protolyse bestimmte H_B-Wert wird vom erhaltenen C_B-Wert abgezogen[8].

γ) IR- und Ramanspektroskopie

IR-spektroskopisch[1] lassen sich qualitative sowie halbquantitative Bestimmungen von hochalkylierten Diboranen(6) bzw. Alkyl-hydro-boran(3)-Monomeren nebeneinander durchführen. Die intensivste Absorptionsbande ist der antisymmetrischen Schwingung „in-phase" der BH_2B-Brückenbindung zuzuordnen. Diese Frequenz gehört zu den vier BH_2B-Grundschwingungen[9] und tritt im ansonsten absorptionsfreien Bereich von 1520–1610 cm^{-1} auf[10, 11] (ν_{BHt} = 2500–2600 cm^{-1}). Ihre Lage ist von der Art, Zahl und der Verteilung der B-Substituenten des Organodiborans(6) abhängig. Die verschiedenen Methyldiborane(6) sind schwingungsspektroskopisch eingehend untersucht worden[1, 9-20].

---

[1] Gmelin, 8. Aufl., **45**/14, 155 ff. (1977).
[2] R. Köster, Progr. Boron Chem. **1**, 289 (1964).
[3] R. Köster, Adv. Organometallic Chem. **2**, 257 (1964).
[4] D. J. Pasto, V. Balasubramaniyan u. P. W. Wojtkowski, Inorg. Chem. **8**, 594 (1969).
[5] H. C. Brown, A. Tsukamoto u. D. B. Bigley, Am. Soc. **82**, 4703 (1960).
[6] H. c. Brown u. G. Zweifel, Am. Soc. **82**, 4708 (1960).
[7] R. Köster, G. Griasnow, W. Larbig u. P. Binger, A. **672**, 1 (1964).
[8] R. Köster u. Y. Morita, A. **704**, 70 (1967).
[9] W. J. Lehmann, C. O. Wilson u. I. Shapiro, J. Chem. Physics **32**, 1088 (1960).
[10] W. J. Lehmann u. I. Shapiro, Spectrochim. Acta **17**, 396 (1961).
[11] W. J. Lehmann, C. O. Wilson u. I. Shapiro, J. Chem. Physics **34**, 783 (1961).
[12] D. J. Pasto u. J. L. Miesel, Am. Soc. **84**, 4991 (1962); IR: *1,1-Dimethyldiboran(6)*; ν_{BH_t} = 2494, 2571 cm^{-1}.
[13] J. J. Ritter u. T. D. Coyle, Soc. A **1970**, 1303; IR: *Trimethyldiboran(6)*; ν_{BH_t} = 2506 cm^{-1}; *Tetramethyldiboran(6)*.
[14] A. Rosen u. M. Zeldin, J. Organometal. Chem. **31**, 319 (1971); IR: *cis/trans-1,2-Dimethyldiboran*; ν_{BH_t} = 2519 cm^{-1}.
[15] J. Rathke u. R. Schaeffer, Inorg. Chem. **11**, 1150 (1972); IR: *Monomethyldiboran(6)*; ν_{BH_t} = 2513 cm^{-1}.
[16] Abhängigkeit der ν_{BH_2} von der Art und Zahl der B-Organo-Reste: T. Onak, *Vibrational Spectroscopy of Organodiboranes*, in *Organoborane Chemistry*, S. 190–192; Academic Press, New York · London 1975.
[17] R. E. Penn u. L. W. Bixton, J. Chem. Physics **67**, 831 (1977); *Monomethyldiboran(6)*-Mikrowellenspektrum.
[18] D. F. Eggers jr., D. A. Kohler u. D. M. Ritter, Spectrochim. Acta **34** A, 731 (1978); C. A. **90**, 136881 (1979); *Methyldiboran(6)*.
[19] C. W. Chiu, A. B. Burg u. R. A. Beaudet, J. Chem. Physics **78**, I 3562 (1983); *1,1-Dimethyldiboran(6)*-Mikrowellenspektrum.
[20] D. D. Keeports, Dissertation Abstr. Int. B **43**, 1861 (1962): C. A. **98**, 43397 (1983); Schwingungsspektrum des *Monomethyldiborans(6)*.

Verschiedene Reaktionen lassen sich durch das Auftreten oder Verschwinden der BH_2B-Absorptionsbande im Bereich von 1500 bis 1600 cm^{-1} verfolgen; z. B.:

Dehydroborierungen bei der Destillation von Trialkylboranen mit langkettigen Alkylresten (XIII/3a, S. 322)[1].
Dehydroborierungen bei der Pyrolyse von Cycloalkylboranen (XIII/3a, S. 324)[2].
H-Wanderungen vom α-C- zum B-Atom bei der Enthalogenierung von Alkyl-halogen-boranen (XIII/3a, S. 340)[3,4].
BC-Hydrierungen mit Dihydrogen unter Druck (XIII/3a, S. 325, 353)[5].
Hydrogen/Organo-Austauschreaktionen (XIII/3a, S. 333ff.).
Hydroborierungen ungesättigter Kohlenwasserstoffe (XIII/3a, S. 331f., 335).

Der H/D-Austausch am Bor-Atom führt zu BHDB-Brückenbindungen[6]. Bei den ursprünglich als Bis-borolanen[7,8] gekennzeichneten 1,2 : 1,2-Bis(butan-1,4-diyl)diboranen[9] werden folgende intensive IR-Absorptionsbanden beobachtet[8]:

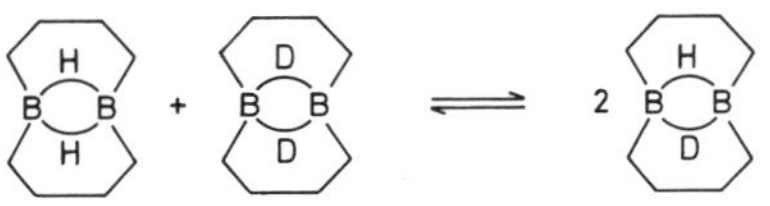

ν [cm^{-1}]: 1612 1180 1655; 1205

Die IR-Absorptionsbande der BH_2B-Brücke von Aryldiboranen(6) liegt im Bereich von 1535–1550 cm^{-1} [5,10–12].

Das Verschwinden der IR-Absorptionsbande der BH_2B-Brücke (1567 cm^{-1})[7,13] des Bis(9-borabicyclo[3.3.1]nonans) läßt sich bei der Hydroborierung von Alkenen quantitativ verfolgen[14–16].

δ) Massenspektren

Die Massenspektren offenkettiger Alkyldiborane(6) [Methyldiborane(6), Ethyldiborane(6)][17,18] und cyclischer Organodiborane(6) {z. B. 2,2'-Biphenyldiyldiborane(6)[19], Bis-9-borabicyclo[3.3.1]nonan[20]} sind gemessen worden.

---

[1] R. KÖSTER, A. **618**, 31 (1958).
[2] R. KÖSTER, W. LARBIG u. G. W. ROTERMUND, A. **682**, 21 (1965); *9-Cyclooctylboran-9-borabicyclo[3.3.1]nonan.*
[3] R. KÖSTER u. G. BENEDIKT, Ang. Ch. **75**, 346 (1963); engl.: **2**, 219; *1,2-Butan-1,4-diyl-diborane(6).*
[4] R. KÖSTER, G. BENEDIKT u. M. A. GRASSBERGER, A. **719**, 187 (1968).
[5] R. KÖSTER, G. BRUNO u. P. BINGER, A. **644**, 1 (1961); *Ethyl-, Propyl-, Cyclohexyl-, Phenyl-diborane(6).*
[6] R. KÖSTER u. K. IWASAKI, Advan. Chem. Ser. **42**, 148 (1964).
[7] R. KÖSTER, Ang. Ch. **72**, 626 (1960); *Butan-1,4-diyl-diborane(6)*; ν_{BH2B} = 1575, 1610 cm^{-1}.
[8] R. KÖSTER, Progr. Boron Chem. **1**, 338 (1964).
[9] E. BREUER u. H. C. BROWN, Am. Soc. **91**, 4164 (1969); *1,2 : 1,2-Bis(butan-1,4-diyl)diborane(6).*
[10] E. WIBERG, J. E. F. EVANS u. H. NÖTH, Z. Naturf. **13b**, 263 (1958); *trans-1,2-Diphenyldiboran(6)*; vgl. XIII/3a, S. 367.
[11] R. KÖSTER u. K. REINERT, Ang. Ch. **71**, 521 (1959); *Bis(1-alkyl-1-boraindane)* und *Bis(1-alkyl-1-boratetraline)*; vgl. XIII/3a, S. 329f., 334f.
[12] R. KÖSTER u. H.-G. WILLEMSEN, A. **1974**, 1843; *Biphenyl-2,2'-diyldiborane(6)*; vgl. ds. Handb. XIII/3a, S. 329f., 351, 362, 327.
[13] R. KÖSTER u. G. SEIDEL, A. **1977**, 1837.
[14] K. K. WANG u. H. C. BROWN, J. Org. Chem. **45**, 5303 (1980).
[15] D. J. NELSON u. H. C. BROWN, Am. Soc. **104**, 4907 (1982).
[16] D. J. NELSON, C. D. BLUE u. H. C. BROWN, Am. Soc. **104**, 4913 (1982).
[17] I. SHAPIRO, C. O. WILSON, J. F. DITTER u. W. J. LEHMANN, Advan. Chem. Ser. **32**, 127 (1961).
[18] C. O. WILSON u. I. SHAPIRO, Anal. Chem. **32**, 78 (1960).
[19] R. KÖSTER u. H.-G. WILLEMSEN, A. **1974**, 1843; *1,2 : 1,2-Bis(2,2'biphenyldiyl)diboran(6)*: m/z 328 (M^+, B_2), 164 (B_1).
[20] R. KÖSTER u. G. SEIDEL, A. **1977**, 1837; S. 1842: m/z 244 (M^+, 19%, B_2), 122 (72%, B_1), 94 (Basispeak).

ε) Kernresonanzspektroskopie der Organobor-Wasserstoff-Verbindungen

ε_1) ^1H-*NMR-Spektren*

Die ^{1}H-NMR-Parameter der Organo-Reste in Organodiboranen(6) sind gut vergleichbar – abgesehen von geringen Abweichungen der $\delta\,^1$H(BCH)-Werte – mit den entsprechenden Daten der Triorganoborane. Gezielte Informationen über Kopplungskonstanten ^nJ(HH) und exakte $\delta\,^1$H-Werte der borgebundenen Wasserstoffe (vgl. Tab. 45, S. 444) sind am besten aus ^{1}H{^{11}B} – Doppelresonanzexperimenten (vgl. Abb. 10, 11) zugänglich[1,2].

Von anderen stabilen Organodiboranen(6), wie etwa von *1,2-Diethyl-1,2-(2,2'-biphenyldiyl)-*, *1,2-(2,2'-Biphenyldiyl)-* oder von *1,2 : 1,2-Bis(2,2'-biphenyldiyl)diboran(6)* sind lediglich die $\delta\,^1$H-Werte der Alkyl- bzw. der Aryl-Gruppen bestimmt worden[3].

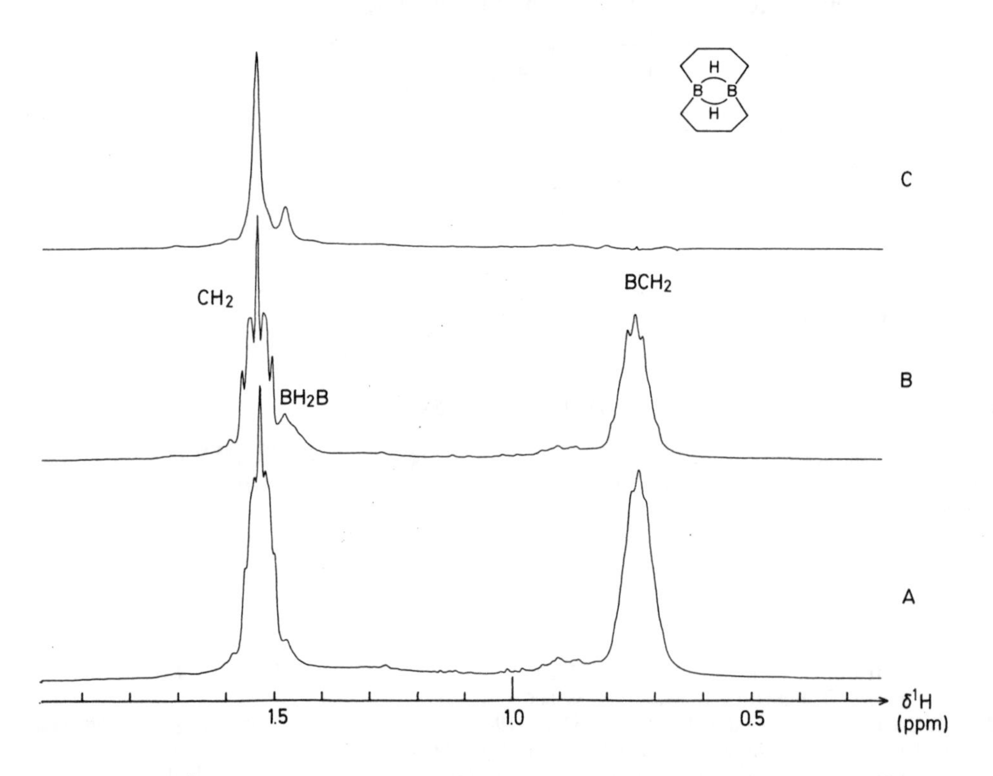

Abb. 10: 200 MHz ^{1}H-NMR-Spektren von 1,2 : 1,2-Bis(1,4-butandiyl)diboran(6) in C_6D_6, 27°[4]

A: Normales ^{1}H-NMR Spektrum
B: ^{1}H{^{11}B}-NMR Spektrum: Aufschärfung der ^{1}H-Resonanzen BH_2B
C: ^{1}H{^{1}H, ^{11}B}-NMR Spektrum: Homonukleare Entkopplung der BCH_2-Protonen führt zur Aufschärfung der anderen CH_2-^{1}H-Resonanzen und zur Aufschärfung der BH_2B-^{1}H-Resonanzen.

[1] H.H. Lindner u. T. Onak, Am. Soc. **88**, 1890 (1966).
[2] J.B. Leach, C.B. Ungermann u. T. Onak, J. Magn. Res. **6**, 74 (1972).
[3] R. Köster u. H.-G. Willemsen, A. **1974**, 1843.
[4] B. Wrackmeyer, Universität München, unveröffentlicht 1983.

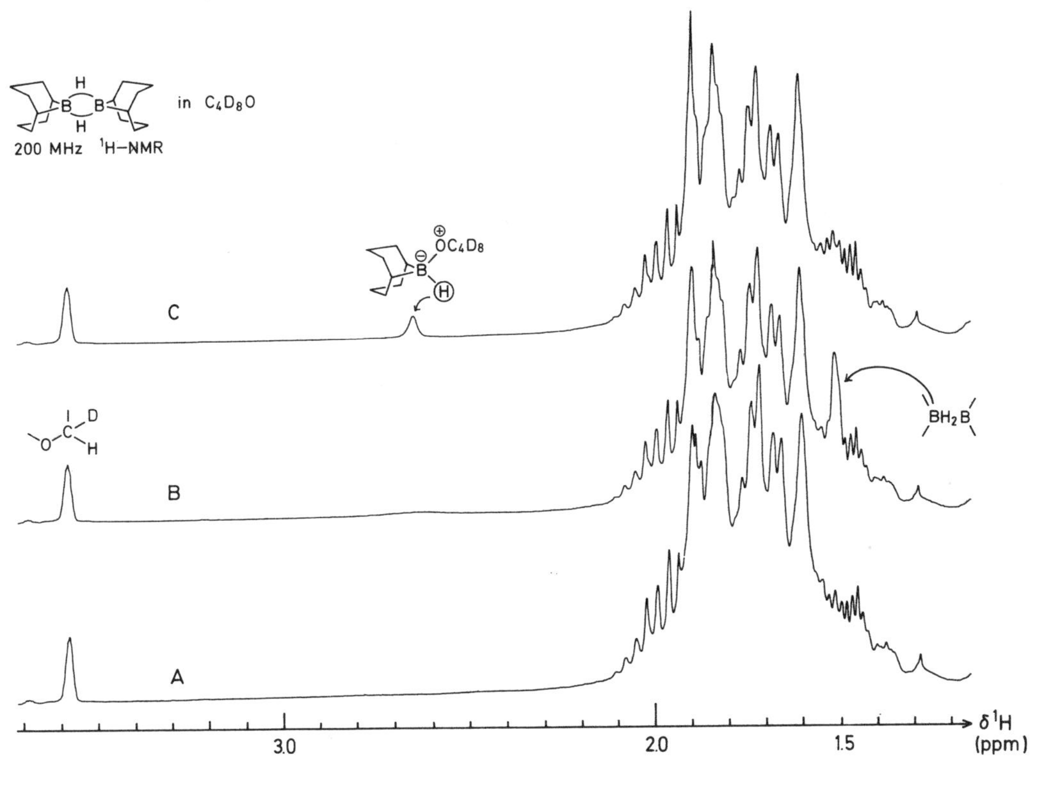

Abb. 11: 200 MHz ^{1}H-NMR-Spektren von Bis(9-borabicyclo[3.3.1]nonan) inTHF-d_8[1].

A: Normales ^{1}H-NMR-Spektrum.
B: $^{1}H\{^{11}B\}$-NMR-Spektrum; eingestrahlt wurde die ^{11}B-Resonanzfrequenz des Diboran(6)-Derivates und die ^{1}H-Resonanzen der BH_2B-Protonen werden aufgeschärft.
C: $^{1}H\{^{11}B\}$-NMR-Spektrum; eingestrahlt wurde die ^{11}B-Resonanzfrequenz des Tetrahydrofuran-9-Borabicyclo[3.3.1]nonan, wobei die Resonanz des BH-Protons leicht zu beobachten ist.

ε_2) *^{11}B-NMR-Spektren der Organobor-Wasserstoff-Verbindungen*

Die nützlichste physikalische Analysenmethode für Diorgano-hydro-borane und Dihydro-organo-borane ist die ^{11}B-NMR-Spektroskopie[2-11]. Folgende Argumente sind anzuführen:

① zwischen monomeren Diorgano-hydro-boranen ($KZ_B = 3$) und den verschiedenen Organodiboranen(6) ($KZ_B > 3$) ist aufgrund der $\delta^{11}B$-Werte leicht zu unterscheiden.
② Kopplungen $^{1}J(^{11}B^{1}H)$ geben Auskunft über Gegenwart und Anzahl von terminalen und/oder Brücken-Wasserstoff-Atomen.

---

[1] B. Wrackmeyer, Universität München, unveröffentlicht 1983.
[2] R.E. Williams, H.D. Fisher u. C.O. Wilson, J. phys. Chem. **64**, 1583 (1960).
[3] H.H. Lindner u. T. Onak, Am. Soc. **88**, 1890 (1966).
[4] D.J. Pasto, V. Balasubramaniyan u. P.W. Wojtkowski, Inorg. Chem. **3**, 594 (1969).
[5] B. Wrackmeyer, J. Organometal. Chem. **117**, 313 (1976).
[6] R. Contreras u. B. Wrackmeyer, Z. Naturf. **35b**, 1229 (1980).
[7] R. Contreras u. B. Wrackmeyer, Z. Naturf. **35b**, 1236 (1980).
[8] R. Contreras u. B. Wrackmeyer, Spectrochim Acta **38A**, 941 (1982).
[9] R. Köster u. H.-G. Willemsen, A. **1974**, 1843.
[10] J. Kroner u. B. Wrackmeyer, Soc. [Faraday Trans. II] **72**, 2283 (1976).
[11] R. Köster u. G. Seidel, A. **1977**, 1837.

Tab. 45: δ ^{1}H-Werte und Kopplungskonstanten [Hz] in aliphatischen Organodiboranen(6)

Verbindung	Herst. XIII/3a, S.	$^1H(Alkyl)$	$H_{(b)}$	$H_{(t)}$	$^2J(H_{(b)}H_{(t)})$	$^3J(H_{(b)}BCH)$	$^3J(H_{(t)}BCH)$	$^3J(^{11}BH_{(b)})$	$^1J(^{11}BH_{(t)})$	Literatur
$H_2BH_2BH_2$	80 f.	—	–0,49	4,01	7,5	—	—	46,2	133,0	1
$H_3C–HBH_2BH_2$	377	0,53	–0,09	3,40 (BH) 4,60 (BH_2)	—	3,2	5,0	45,0	129,0 (BH) 129,0 (BH_2)	1 2
$H_5C_2–HBH_2BH_2$	377	1,0 (CH_2) 1,0 (CH_3)	–0,15	4,4 (BH) 3,85 (BH_2)	—	—	—	46,0	132,0 (BH) 134,0 (BH_2)	1 2
$(H_3C)_2BH_2BH_2$	376	0,52	0,45	3,26	8,7	2,4	—	—	128,0	1
$(H_5C_2)_2BH_2BH_2$	-	1,03 (CH_2) 1,03 (CH_3)	–0,10	3,46	—	—	—	37,0	133,0	2
$H_3C–HBH_2BH–CH_3$	363	0,36	0,27	3,98	—	—	—	44,0	129,0	1
$H_5C_2–HBH_2BH–C_2H_5$	362 372 f.	1,0 (CH_2) 1,0 (CH_3)	0,30	4,02	—	—	—	41	129,0	2
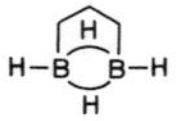	365	1,03 (BCH_2) 1,50 (CH_2)	0,30	4,23	—	—	—	41	130	2
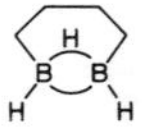	365	0,98 (BCH_2) 1,60 (CH_2)	—	—	—	—	—	40	130	3, 4
$(H_3C)_2BH_2BH–CH_3$	356	0,3 $(CH_3)_2$ 0,40, 0,41 (CH_3)	0,73	3,76	8,0	3,45 $(CH_3)_2$ 2,65, 2,95 (CH_3)	5,3	40–45	126,0	1
$(H_3C)_2BH_2B(CH_3)_2$	341	0,34	1,1	—	—	3,0	—	40	—	1, 4
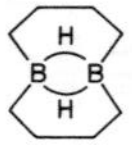	340	0,74 (BCH_2) 1,54 (CH_2)	1,48	—	—	—	—	42	—	4
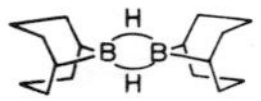	329 346	1,4–2,1 (BCH, CH_2)	1,52	—	—	—	—	42	—	4

[1] J. B. LEACH, C. B. UNGERMANN u. T. ONAK, J. Magn. Reson. **6**, 74 (1972).
[2] H. H. LINDNER u. T. ONAK, Am. Soc. **88**, 1890 (1966).
[3] H. G. WEISS, W. J. LEHMANN u. I. SHAPIRO, Am. Soc. **84**, 3840 (1962).
[4] B. WRACKMEYER, Universität München, unveröffentlicht 1983.

③ Adduktbildung monomerer Diorgano-hydro-borane oder Spaltung der Organodiborane(6) in Gegenwart geeigneter Lewisbasen, z. B. Tetrahydrofuran oder Dimethylsulfid (als gebräuchliche Lösungsmittel für die Umsetzung von Organobor-Wasserstoff-Verbindungen) läßt sich bequem anhand der ^{11}B-NMR-Parameter nachweisen[1-7].

Von großem Vorteil sind PFT-NMR-Spektrometer mit hohen Feldstärken, um in Verdünnung messen und überlappende ^{11}B-Resonanzsignale getrennt beobachten zu können.

In Tab. 46, S. 446 sind die ^{11}B-Resonanzen zahlreicher Organodiborane(6)[1-8] zusammengestellt, gemeinsam mit den δ^{11}B-Werten von Tetrahydrofuran- bzw. Dimethylsulfid-Boran-Addukten (vgl. S. 527ff.). Diese Daten sollen zeigen, mit welchen ^{11}B-Resonanzsignalen (neben den ^{11}B-Resonanzen für Triorganoborane) in Donor-Lösungsmitteln zu rechnen ist, wenn Organobor-Wasserstoff-Verbindungen hergestellt oder umgesetzt werden.

Die δ^{11}B-Werte der Organodiborane(6) lassen sich linear mit berechneten Gesamtladungsdichten an den Boratomen korrelieren[9]. Dies zeigt auch, daß über die BH_2B-Brücke Ladung vermittelt werden kann, entsprechend der Akzeptor- bzw. Donorfähigkeit der beiden Boran(3)-Einheiten[7].

ε_3) ^{13}*C-NMR-Spektren*

Die ^{13}C-NMR-Daten von Organodiboranen(6) (Tab. 47, S. 447) haben bisher wenig Beachtung gefunden[10], da es nur wenig hinreichend stabile Verbindungen gibt. Zur Analyse von Gemischen sind oft ^{13}C{^{1}H, ^{11}B}-Tripelresonanzexperimente erforderlich. Beispiele für die Anwendung der ^{13}C-NMR-Spektroskopie zur weiterführenden Information sind z. B. die Spektren der Gemische der thermisch stabilen Isomeren von 1,2 : 1,2-Bis(2-methyl-1,4-butandiyl)diboranen(6)[11]

CH3 CH3
H H
B B B B
H H
H3C CH3

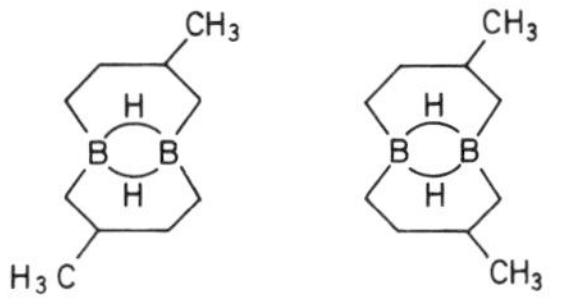

oder von 1,2 : 1,2-Bis(1-methyl-1,4-butandiyl)diboranen(6)[11]:

H CH3 H CH3
B B B B
H3C H H CH3

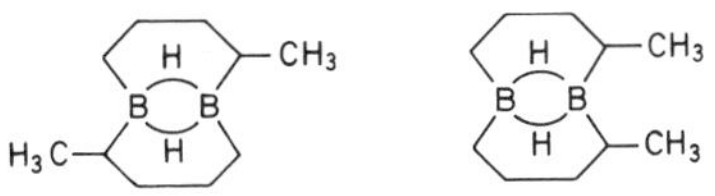

Bei der Herstellung treten die Isomeren i. allg. als äquimolares Gemisch auf[11].

---

[1] R.E. Williams, H.D. Fisher u. C.O. Wilson, J. phys. Chem. **64**, 1583 (1960).
[2] H.H. Lindner u. T. Onak, Am. Soc. **88**, 1890 (1966).
[3] D.J. Pasto, V. Balasubramaniyan u. P.W. Wojtkowski, Inorg. Chem. **3**, 594 (1969).
[4] B. Wrackmeyer, J. Organometal. Chem. **117**, 313 (1976).
[5] R. Contreras u. B. Wrackmeyer, Z. Naturf. **35b**, 1229 (1980).
[6] R. Contreras u. B. Wrackmeyer, Z. Naturf. **35b**, 1236 (1980).
[7] R. Contreras u. B. Wrackmeyer, Spectrochim. Acta **38A**, 941 (1982).
[8] R. Köster u. H.-G. Willemsen, A. **1974**, 1843.
[9] J. Kroner u. B. Wrackmeyer, Soc. [Faraday Trans. II] **72**, 2283 (1976).
[10] B. Wrackmeyer, Progr. NMR Spectrosc. **12**, 227 (1979).
[11] B. Wrackmeyer, Universität München, unveröffentlicht 1982.

Tab. 46: δ ^{11}B-Werte von Organodiboranen(6) und (zum Vergleich) von einigen Lewisbase-Hydro-organo-boranen[a] (vgl. S. 528)

Verbindung	R:	H	CH_3	C_2H_5	C_3H_7	$CH(CH_3)_2$	C_4H_9	$CH_2CH(CH_3)_2$	$CH(CH_3)C_2H_5$	$C(CH_3)_3$	C_6H_{11}	C_6H_{13}[b]	$(CH_2)_3$	$(CH_2)_4$		C_6H_5	
$R_2BH_2BR_2$	(1,2)	17.7[c]	25.0	28.4	28.5	30.2	28.0	28.2	30.8	—	30.6	—[d]	—	28.5	28.0	—	
(1) (2) R_2BH_2BHR	(1)	17.7	31.7	34.5	33.6	37.2	33.7	33.0	37.0	—	35.0	—	—	—	36.0[e]	—	—
	(2)	17.7	15.5	16.9	17.2	17.8	16.8	17.9	18.0	—	17.0	—	—	—	13.3	—	—
(1) (2) $RHBH_2BHR$	(1,2)	17.7	21.9	23.0	23.0	23.9	22.8	23.0	23.9	24.3	23.0	24.3	21.8	22.7	—	—	12.8[f]
(1) (2) $R_2BH_2BH_2$	(1)	17.7	38.8	41.4	40.3	44.2	40.6	39.3	43.6	44.1	42.4	—	—	42.5	43.1	—	—
	(2)	17.7	4.4	3.6	4.5	3.2	3.7	5.2	3.5	4.8	3.8	—	—	1.6	1.6	—	—
(1) (2) $RHBH_2BH_2$	(1)	17.7	26.7[g]	29.5[h]	28.7[h]	—	—	—	—	—	—	—	—	—	—	—	—
	(2)	17.7	8.8	10.0	9.4	—	—	—	—	—	—	—	—	—	—	—	—
H_8C_4O–R_2BH		– 0.6	—	—	—	—	—	—	—	29.5[i]	19.4[i]	—	—	17.4[k]	14.0[l]	12.3	—
H_8C_4O–RBH_2		– 0.6	—	—	—	—	9.7	9.9	11.0	12.0	9.7	12.6	—	—	—	8.4	—
$(H_3C)_2S$–R_2BH		–19.6	—	3.6[m]	2.0[m]	–4.0[m]	1.7	1.0	—	—	7.7	—	—	0.6		1.4	—
$(H_3C)_2S$–RBH_2		–19.6	–10.4	–6.6	–8.0	–3.6	–7.7	–8.8	–4.6	–1.0	–4.6	–1.5	—	—	—	–8.1	—

[a] Wenn nicht anders vermerkt, sind die δ ^{11}B-Werte der Literatur[1] entnommen und gelten für Lösungen in THF oder Dimethylsulfan.
[b] $(CH_3)_2CH$–$C(CH_3)_2$.
[c] Mittelwert aus verschiedenen Messungen[2].
[d] Monomer, δ $^{11}B = 81,1$
[e] BHR : $R_3 = CH_3$
[f] Lit.[3], in Xylol bei 100°
[g] Lit.[4]
[h] Lit.[5]
[i] ^{11}B-Resonanz verschiebt sich mit steigender Temp. zu höheren Frequenzen
[k] Lit.[6]
[l] Lit.[7]
[m] Austausch mit $R_2BH_2BH_2$

[1] R. Contreras u. B. Wrackmeyer, Spectrochim. Acta **38 A**, 941 (1982).
[2] H. Nöth u. B. Wrackmeyer, *NMR Spectroscopy of Boron Compounds*, Bd. **14**, *NMR, Grundlagen und Fortschritte*, Springer-Verlag, Heidelberg · Berlin 1978.
[3] R. Köster u. H.-G. Willemsen, A. **1974**, 1843.
[4] R. E. Williams, H. D. Fischer u. C. O. Wilson, J. phys. Chem. **64**, 1583 (1960).
[5] H. H. Lindner u. T. Onak, Am. Soc. **88**, 1890 (1966).
[6] R. Contreras u. B. Wrackmeyer, Z. Naturf. **35b**, 1229 (1980).
[7] R. Contreras u. B. Wrackmeyer, Z. Naturf. **35b**, 1236 (1980).

Im Fall der diastereomeren 1,2 : 1,2-Bis[2,3-dimethyl-1,4-butandiyl]diborane(6) zeigen temperaturabhängige ^{13}C-NMR-Spektren, daß 6-Ringe mit axialer und equatorialer Stellung der Methylgruppen bei Raumtemperatur schnell invertieren [$\Delta G^{\#}$ (Koaleszens) $= 49{,}0 \pm 1{,}0$ kJ/mol]. Die ^{13}C-Resonanzen der 6-Ringe der 1,2 : 1,2-Bis(methyl-1,4-butandiyl)diborane(6) mit ausschließlich equatorialen Methylgruppen zeigen dagegen zwischen + 90 und − 65° keine Veränderung[1]:

Tab. 47: δ ^{13}C-Werte von Organodiboranen(6)

Verbindung	Herst. XIII/3a, S.	C(1)	C(2)	C(3)	Literatur
$(CH_3)_2BH_2BH_2$	376	9,7			2
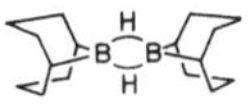 (Bis-9-borabicyclo[3.3.1]nonan)	329 346	21,5	33,6	24,6	3
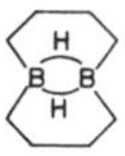 (1,2:1,2-Bis(1,4-butandiyl)diboran(6))	334	17,1	27,6		4
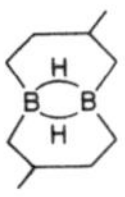 (Bis(methyl-butandiyl)diboran(6), Isomer 1) } als 1:1-Gemisch		15,3 15,4 } BCH_2CH_2 15,5	34,8 34,9 } CH_2	25,3 25,7 } CH_3	1
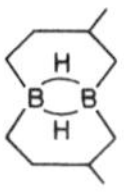 (Bis(methyl-butandiyl)diboran(6), Isomer 2) } als 1:1-Gemisch	339 vgl. 322	25,3 25,4 } BCH_2CH 25,5	32,1 32,9 } CH		1

ζ) Molekülstrukturanalysen von Organodiboranen(6)

Die Röntgenstrukturanalysen von je einem 1,1 : 2,2- und 1,2 : 1,2-Tetraorganodiboran(6) liegen vor:

ⓐ *1,1 : 2,2-Bis(cyclooctan-1,5-diyl)diboran(6) (Bis-9-borabicyclo[3.3.1]nonan)*[5]:

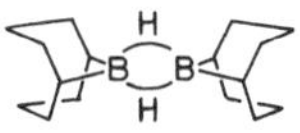

$d_{BC} = 1{,}567(2)$ Å $\sphericalangle_{CBC} = 111{,}8(3)°$
$d_{BH_b} = 1{,}25(2)$ Å $\sphericalangle_{BHB} = 94(2)°$
$d_{BB} = 1{,}818(3)$ Å $\sphericalangle_{HBH} = 86(2)°$

ⓑ *1,2;1,2-Bis(biphenylyl-2,2'-diyl)diboran*[6]:

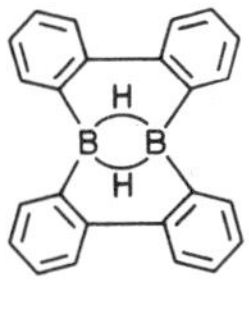

$d_{BC} = 1{,}569(3)$ Å $\sphericalangle_{CBC} = 131{,}4(3)°$
$d_{BH_b} = 1{,}25(2)$ Å $\sphericalangle_{BHB} = 90{,}5(2)°$
$d_{BB} = 1{,}779(2)$ Å $\sphericalangle_{HBH} = 89{,}3$

[1] B. Wrackmeyer, Universität München, unveröffentlicht 1982.
[2] L. W. Hall, D. W. Lowman, P. D. Ellis u. J. D. Odom, Inorg. Chem. **14**, 580 (1975).
[3] R. Köster u. G. Seidel, A. **1977**, 1837.
[4] B. Wrackmeyer, Progr. NMR Spectrosc. **12**, 227 (1979).
[5] D. J. Brauer u. C. Krüger, Acta crystallogr. B. **29**, 1684 (1973).
[6] R. Köster u. H.-G. Willemsen, A. **1974**, 1843.

3. Organobor-Halogen-Verbindungen

Quantitative Bestimmungen von Organobor-Halogen-Verbindungen (vgl. XIII/3a, S. 378ff.) und deren Gemische lassen sich mit Hilfe einfacher chemischer Methoden durchführen. Darüberhinaus werden IR- und vor allem NMR-spektroskopische Methoden angewandt. Die Massenspektrometrie ist zur quantitativen Bestimmung der Halogen- und Bor-Atome besonders gut geeignet.

α) Chemische Analysenmethoden

Bor-Halogen-Bindungen der meisten Organobor-Halogen-Verbindungen (XIII/3a, S. 378ff.) werden zur quantitativen Analyse in wäßriger Lösung protolytisch gespalten. Nur in Ausnahmefällen sind Aufschlüsse besonderer Art[1,2] notwendig.

Die quantitative Fluor-Bestimmung der Alkyl-fluor-borane führt man nach Protolyse acidimetrisch mit 0,1 N Natronlauge und Rücktitration mit 0,1 N Schwefelsäure durch[3]. In wäßriger Lösung freigesetztes Hydrogenchlorid oder Hydrogenbromid lassen sich acidimetrisch quantitativ erfassen[3]. Chlorid und Bromid werden auch maßanalytisch nach Volhard bestimmt[3]. Nahezu sämtliche BC-Bindungen der Halogen-organo-borane oxidiert man mit wasserfreiem Trimethylamin-N-oxid[4]. Allerdings muß auf Salz- und Komplexsalz-Bildung geachtet werden, wodurch reduziertes Trimethylamin-N-oxid als Trimethylamin gebunden wird. Die Bestimmungen werden deshalb mit einem großen N-Oxid-Überschuß durchgeführt. Außerdem setzt man eine schwer flüchtige Pyridinbase wie z.B. 4-Benzylpyridin den Reaktionsmischungen zu[4]. Der genaue Jod-Gehalt der Dialkyl-jod-borane läßt sich nach Oxidation der Organobor-Verbindungen mit wasserfreiem Trimethylamin-N-oxid in Toluol (BC-Bestimmung)[4] mit Hilfe von Dihydrogenperoxid/Phosphorsäure[5] titrieren[3].

β) IR-Spektroskopische Daten[6]

Zahlreiche IR-Spektren offenkettiger[7-13] und cyclischer[14] aliphatischer Halogen-organo-borane sind gemessen worden. Auch olefinische[13-19] und acetylenische[20] Halogen-organo-borane wurden IR- und Raman-spektroskopisch gekennzeichnet. Die $\nu_{C=C}$ der Dihalogen-vinyl-borane liegt in Abhängigkeit vom Halogen bei 1610–1680 cm^{-1}, die der $\nu_{C\equiv C}$ bei 2080–2110 cm^{-1} [13-19].

---

[1] G. Pietzka u. P. Ehrlich, Ang. Ch. **65**, 131 (1953).
[2] F. Seel, E. Steigner u. I. Burger, Ang. Ch. **76**, 532 (1964); engl.: **3**, 424.
[3] R. Köster u. M.A. Grassberger, A. **719**, 169 (1968).
[4] R. Köster u. Y. Morita, A. **704**, 70 (1967).
[5] E. Winterstein u. E. Herzfeld, in W. Fresenius u. G. Jander, *Handbuch der Analytischen Chemie III. Quantitative Analyse* Bd. VIIαβ, *Elemente der VII. Hauptgruppe II*, S. 571, Springer-Verlag, Berlin 1967.
[6] Gmelin, 8. Aufl., **34**/9, 107ff. (1976).
[7] W.J. Jones u. N. Sheppard, Pr. roy. Soc. A **304**, 139 (1968); C.A. **68**, 91371 (1968); *Difluor-methyl-boran.*
[8] D.F. Shriver, J.F. Jackovitz u. M.J. Biallas, Spectrochim. Acta **23A**, 1469 (1968); *1,2-Bis(dihalogenboryl)ethane*; Halogen = Fluor, Chlor.
[9] W. Haubold u. J. Weidlein, Z. anorg. Ch. **420**, 251 (1976); Gasförmige und flüssige *Alkyl- und Aryl-halogen-borane* (Halogen: F, Cl, Br).
[10] W. Haubold u. K. Stanzl, B. **111**, 2108 (1978); *1-Dichlorboryl-1-(dichlorboryl-methyl)cyclopropan.*
[11] W. Haubold u. U. Kraatz, B. **112**, 1083 (1979); *1,2-Bis(chlor-methyl-boryl)ethan*; XIII/3a, S. 399.
[12] W. Schabacher u. J. Goubeau, Z. anorg. Ch. **294**, 183 (1958); *Brom-methyl-borane*; XIII/3a, S. 407.
[13] W. Haubold u. A. Gemmler, Z. anorg. Ch. **446**, 45 (1978); *Methyl-* und *Ethyl-jod-borane.*
[14] A. Finch, P.J. Hendsa u. E.J. Pearn, Spectrochim. Acta **18**, 51 (1962); *1-Chlorborolan.*
[15] J.R. Durig, R.O. Carter u. J.D. Odom, Inorg. Chem. **13**, 701 (1974); *Difluor-vinyl-boran.*
[16] J.R. Durig, L.W. Hall, R.O. Carter, C.J. Wurrey, V.F. Kalasinsky u. J.D. Odom, J. phys. Chem. **80**, 1188 (1976); isotope *Difluor-vinyl-borane.*
[17] T.D. Coyle, S.L. Stafford u. F.G.A. Stone, Soc. **1961**, 3103; *Dichlor-vinyl-boran.*
[18] K. Niedenzu u. W. Sawodny, Z. anorg. Ch. **344**, 179 (1966); *Dibrom-vinyl-boran.*
[19] K. Kienberger, Dissertation, Universität Würzburg 1976; *(Z)-Dijod-(1-ethyl-2-jod-1-butenyl)-boran.*
[20] M. Burke, J.J. Ritter u. W.J. Lafferty, Spectrochim. Acta **A 30**, 993 (1974); *Difluor- und Dichlor-ethinyl-boran.*

Ansonsten werden wegen der natürlichen Isotopenverhältnisse ($^{10}B/^{11}B$; $^{35}Cl/^{37}Cl$; $^{79}Br/^{81}Br$) bei Halogen-organo-boranen i. allg. breite Absorptionsbanden registriert[1].

γ) Massenspektren

Halogen-organo-borane liefern fast ausnahmslos Massenspektren[2] mit dem Molekül-Ion[3]. Die Peakgruppen setzen sich aus einer Vielzahl von Einzelspitzen zusammen, da Isotopenpaare ($^{10}B/^{11}B$; $^{35}Cl/Cl$; $^{79}Br/^{81}Br$) vorliegen[3-9].

Aus den Appearence-Potentialen von z. B. *Difluor-organo-boranen*[10], *Dichlor-ethyl-* (10,80 eV), *Chlor-diethyl-* (10,28 eV)[11,12] und *Dichlor-phenyl-boran*[13-15] konnten die BC-Dissoziationsenergien bestimmt werden. In bestimmten Fällen dient die Massenspektrometrie zur Identifizierung von im Gemisch in kleinen Konzentrationen auftretenden Verbindungen; z. B. *Tetrakis[difluorboryl]methan*[16].

δ) Kernresonanzspektroskopie

Zur Charakterisierung der Organobor-Halogen-Verbindungen mit dreifach koordinierten Bor-Atomen werden vor allem die Kernresonanzspektren herangezogen.

$δ_1$) *^{1}H-NMR-Spektren*

Die $δ^1$H-Werte der aliphatischen Diorgano-halogen-borane und Organo-dihalogen-borane[17] entsprechen den Werten analog substituierter Alkane. Die Abschi mung der Protonen am borgebundenen Kohlenstoff nimmt mit zunehmendem Atomradius des Halogens ab (vgl. Tab. 48, S. 451 für Methyl- und Ethyl-halogen-borane), was mit der Gruppenelektronegativität (z. B. einer H_3CBHal-Gruppe) und, besonders im Fall der schweren Halogene, mit Nachbargruppen-Anisotropie-Effekten[18] erklärt wird[17].

Die ^{1}H-NMR-Spektren der Halogen-phenyl-borane[19-22] ohne vollständige und korrekte Analyse des komplexen A_2B_2C-Spinsystems ergeben:

---

[1] J. C. Lockhart, Soc. [A] **1966**, 1552.
[2] Gmelin, 8. Aufl., **34**/9, 103f. (1976).
[3] R. H. Cragg u. A. F. Weston, J. Organometal. Chem. **67**, 161 (1974).
[4] J. E. Dobson, P. M. Tucker, R. Schaeffer u. F. G. A. Stone, Chem. Commun. **1968**, 452; vgl. a. Lit.[16].
[5] J. J. Ritter, T. D. Coyle u. J. M. Belama, Chem. Commun. **1969**, 908; *Difluor-ethinyl-boran.*
[6] P. Jutzi u. A. Seufert, Ang. Ch. **89**, 44 (1977); engl.: **16**, 41; *Dichlor-(pentamethylcyclopentadienyl)-boran.*
[7] K. Kienberger, Dissertation Universität Würzburg 1976; *(E)-Dijod-(1-ethyl-2-jod-1-butenyl)-boran.*
[8] R. Köster u. M. A. Grassberger, A. **719**, 169 (1968); *1-Fluor-3-methyl-borolan.*
[9] R.-J. Binnewirtz, H. Klingenberger, R. Welte u. P. Paetzold, B. **116** (1983); *(Z/E)-1-(Halogen-phenyl-boryl)-2-trimethylsilyl-1-phenyl-1-hexene* u. a. Verbindungen (Halogen = Chlor, Brom).
[10] W. C. Steele, L. D. Nichols u. F. G. A. Stone, Am. Soc. **84**, 1154 (1962).
[11] M. F. Lappert, J. B. Pedley, P. N. K. Riley u. A. Tweedale, Chem. Commun. **1966**, 768.
[12] M. F. Lappert, M. R. Litzow, P. N. K. Riley, T. R. Spalding u. A. Tweedale, Soc. [A] **1970**, 2320.
[13] J. C. Lockhart u. P. Kelly, Intern. J. Mass. Spectrom. Ion Phys. **1**, 209 (1968).
[14] vgl. a. M. Nadler u. R. F. Porter, Inorg. Chem. **6**, 1739 (1967).
[15] L. H. Long, Inorg. Chem. **15**, 1 (1972).
[16] J. E. Dobson, P. M. Tucker. G. A. Francis u. R. Schaeffer, Soc. [A] **1969**, 1882.
[17] H. Nöth u. H. Vahrenkamp, J. Organometal. Chem. **12**, 23 (1968).
[18] H. Spiessecke u. W. G. Schneider, J. Chem. Physics **35**, 722 (1961).
[19] W. Siebert, M. Schmidt u. E. Gast, J. Organometal. Chem. **20**, 29 (1969).
[20] M. Wieber u. W. Kunzel, Z. anorg. Ch. **403**, 107 (1974).
[21] F. C. Nahm, E. F. Rothgery u. K. Niedenzu, J. Organometal. Chem. **35**, 9 (1972).
[22] B. G. Ramsey u. K. Longmuir, J. Org. Chem. **45**, 1322 (1980).

① Die Abschirmung der ortho-H-Atome der $(H_5C_6)_2BHal$ ist höher als die der $H_5C_6BHal_2$. Dies dient als Kriterium der Reinheitskontrolle bereits im 60 MHz-^{1}H-NMR-Spektrum[1]

② $\delta\,^1H_{ortho} > \delta\,^1H_{meta\text{-}para}$.

③ Weiterhin findet man die ^{1}H-Resonanzen der ortho-Wasserstoffatome der $H_5C_6BHal_2$ wegen partiell relaxierter skalarer Kopplung $^3J(^{11}B^1H)$ merklich verbreitert. Dies fällt bei den Verbindungen $(H_5C_6)_2BHal$ weniger auf[2]. Letzteres ist die unmittelbare Konsequenz der schnelleren Quadrupolrelaxation des ^{11}B-Kerns in $(H_5C_6)_2BHal$, kenntlich an den großen Linienbreiten ($h_{1/2} >$ 500 Hz) der ^{11}B-Resonanzen.

Für olefinische Halogen-organo-borane treffen die Anmerkungen für die olefinischen Triorganoborane (vgl. S. 424) zu. Die Stereochemie der Haloborierung von Alkinen[3,4] läßt sich mit ^{1}H-NMR-Spektroskopie untersuchen. ^{1}H-NMR-Spektren sind für die Strukturermittlung und für die Untersuchung des dynamischen Verhaltens von Cyclopentadienyl-halogen-boranen[5], 1,4-Bis(dihalogenoboryl)-cyclopentadienen[6] und (Pentamethylcyclopentadienyl)-halogen-boranen[7] von Bedeutung:

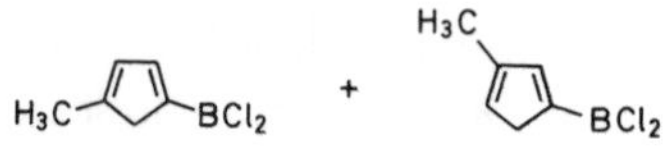

Verhältnis[5]: 70 : 30

Ähnlich wie bei den Halogen-trimethylsilylcyclopentadienyl-boranen[5] lassen die ^{1}H-NMR-Spektren [δ^1H, J(HH)] den Ort der Substitution in Halogen-heteroaryl-boranen erkennen[8].

In Halogen-metallocenyl-boranen ist die Zuordnung der ^{1}H-Werte des borylsubstituierten Rings nicht ohne weiteres zu treffen[9–11]. Für Ferrocenyl-halogen-organo-borane ist die Rotation um die Ferrocenyl-Bor-Bindung langsam genug, um eine weitere Multiplett-Aufspaltung im ^{1}H-NMR-Spektrum zu beobachten.

Dabei werden die aufgespaltenen ^{1}H-Signale den Protonen H^2 und H^5 zugeordnet. Da die ^{1}H-Resonanz (H^2, H^5) für Hal = Cl, Br, J bei niedrigeren Frequenzen liegt als für H^3, H^4, ergibt sich für Halogen-ferrocenyl-borane eine andere Abfolge der ^{1}H-Signale als in Cymantrenyl-, Methylcymantrenyl-halogen-boranen[9,10] sowie in η^5-Dihalogenoborylcyclopentadienyl-titantrichloriden[11].

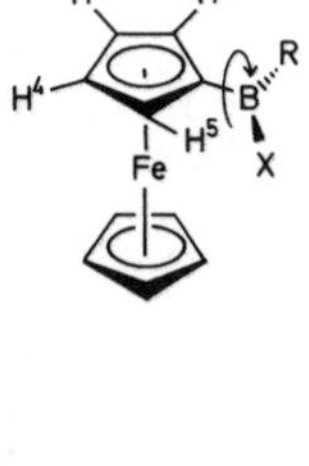

[1] W. Siebert, M. Schmidt u. E. Gast, J. Organometal. Chem. **20**, 29 (1969).
[2] M. Wieber u. W. Kunzel, Z. anorg. Ch. **403**, 107 (1974).
[3] J.R. Blackborow, J. Organometal. Chem. **128**, 161 (1977).
[4] R.-J. Binnewirtz, H. Klingenberger, R. Welte u. P. Paetzold, B. **116**, 1271 (1983).
[5] P. Jutzi u. A. Seufert, J. Organometal. Chem. **169**, 327 (1979).
[6] P. Jutzi u. A. Seufert, J. Organometal. Chem. **169**, 357 (1979).
[7] P. Jutzi u. A. Seufert, B. **112**, 2481 (1979).
[8] B. Wrackmeyer u. H. Nöth, B. **109**, 1075 (1976).
[9] T. Renk, W. Ruf u. W. Siebert, J. Organometal. Chem. **120**, 1 (1976).
[10] W. Ruf, T. Renk u. W. Siebert, Z. Naturf. **31b**, 1028 (1976).
[11] P. Jutzi u. A. Seufert, J. Organometal. Chem. **169**, 373 (1979).

Tab. 48: δ^1H-Werte [a] für Halogen-methyl- und -ethyl-borane[1]

R	Hal	δ^1H (R_2BHal)	δ^1H($RBHal_2$)
CH_3	F	0,49	0,48
CH_3	Cl	1,00	1,21
CH_3	Br	1,14	1,42
CH_3	I	1,34	1,66
C_2H_5	F	0,92; 0,92 (CH_3)	0,93; 0,93 (CH_3)
C_2H_5	Cl	1,38; 1,05	1,53; 1,12
C_2H_5	Br	1,43; 1,08	1,58; 1,16
C_2H_5	I	1,48; 1,11	1,59; 1,15

[a] in CCl_4, Referenz: internes $(CH_3)_4Si$

δ_2) ^{11}*B-NMR-Spektren*

Die ^{11}B-NMR-Spektroskopie von Organobor-Halogen-Verbindungen gibt Auskunft, ob Verbindungen R_2BHal und/oder $RBHal_2$ vorliegen (vgl. Abb. 5, S. 401; Tab. 49, S. 452). Für viele repräsentative Organo-Reste R liegt ein vollständiger ^{11}B-NMR-Datensatz der R_2BHal und $RBHal_2$-Verbindungen vor (Hal = F, Cl, Br, J)[2].

Die Interpretation der δ^{11}B-Werte ist trotz der großen Zahl verfügbarer Daten nicht eindeutig, da die klare Separierung verschiedener Beiträge zur magnetischen Abschirmung des ^{11}B-Kerns kaum möglich ist. So wird mit zunehmender π-Elektronendichte am Boratom auch eine bessere Abschirmung des ^{11}B-Kerns gefunden[3], etwa im Fall der Organobor-Fluor-Verbindungen. Die hohe Elektronegativität der Fluor-Atome führt zu einer Absenkung der Energie der BCσ-Orbitale[4]. Damit vermindert sich die Zirkulation von Ladung aus σ- in unterbesetzte π-Orbitale. Es resultiert eine absolute Abnahme des paramagnetischen Terms der Abschirmkonstante σ und somit eine bessere Abschirmung des ^{11}B-Kerns. Da beide Effekte in gleicher Richtung wirken, ist die Abschätzung von BF(pp)π-Wechselwirkungen aufgrund der δ^{11}B-Werte allein nicht möglich. Soweit die Organo-Reste dazu in der Lage sind, wird durch schwache BC(pp)π-Wechselwirkungen die Abschirmung der Bor-Atome auch in den Fluor-organo-boranen weiter erhöht. Verschiedene Alkyl-Reste beeinflussen die Lage der ^{11}B-Resonanzen für R_2BF und RBF_2 nur geringfügig.

Bei den Organobor-Chlor-Verbindungen sind BCl(pp)π-Bindungsanteile geringer als bei den BF-Verbindungen:

Die geringere Besetzung des B-2p_z-Orbitals und die erleichterte Zirkulation von Ladung ($\sigma \leftrightarrow \pi$) infolge der geringeren Elektronegativität des Chlors (vgl. mit Fluor) bedingt eine merklich geringere Abschirmung der Bor-Atome in den Organobor-Chlor-Verbindungen R_2BCl und $RBCl_2$. Die relative Erhöhung der Abschirmung der Bor-Atome beim Übergang von R = Alkyl zu R = Phenyl, Vinyl, etc. ist bei den R_2BCl- und $RBCl_2$-Verbindungen größer als bei den R_2BF- und RBF_2-Verbindungen.

Die δ^{11}B-Werte der Organobor-Brom- und Jod-Verbindungen werden nicht mehr von BX(pp) π-Wechselwirkungen sondern neben σ-Bindungseffekten auch von Nachbargruppen-Anisotropie-Effekten[5] (im Rahmen der Atom-Lokal-Term Näherung) der schweren Halogene bestimmt. Der Abschirmungsgewinn des ^{11}B-Kerns mit zunehmender Zahl von Brom- bzw. Jod-Atomen ist im Rahmen der „Atom-plus-Ligand Lokal-Term Nähe-

[1] H. Nöth u. H. Vahrenkamp, J. Organometal. Chem. **12**, 23 (1968).
[2] H. Nöth u. B. Wrackmeyer, *NMR Spectroscopy of Boron Compounds*, Bd. **14**, *NMR, Grundlagen und Fortschritte*, Springer-Verlag, Heidelberg · Berlin 1978.
[3] J. Kroner, D. Nölle u. H. Nöth, Z. Naturf. **28b**, 416 (1973).
[4] H.-O. Berger, J. Kroner u. H. Nöth, B. **109**, 2266 (1976).
[5] H. Spiessecke u. W.G. Schneider, J. Chem. Physics **35**, 722 (1961).

Tab. 49: $\delta\,^{11}B$-Daten von Organobor-Halogen-Verbindungen[a]

Verb.	CH_3	C_2H_5	C_3H_7	$CH(CH_3)_2$	C_4H_9 (C_6H_{13})	$C(CH_3)_3$	$(CH_2)_4$		C_6H_5	$CH=CH_2$	C_3H_5		$CF=CF_2$	$H_5C_5FeC_5H_4$	$(CO)_3MnC_5H_4$
R_2BF	59,0	59,6	61,5	—	60,0	57,5[b]	—		47,4	42,4	—	—	—	—	—
R_2BCl	77,2	78,0	77,2[c]	77,5	77,0	77,7[b]	82,6	82.0[d] 78.6[e]	61.0[p] 62,0[h]	56.7 60.1	— —	74,2[f]	49,9	—	—
R_2BBr	78,8	81,9	78,8[c]	—	(82,0)[o]	82,4[b]	85,2[g]	82,2[e]	69,1	—	—	—	57,0	—	—
R_2BJ	79,1	84,4	79,1[c]	—	—	87,7	—	84,2[e]				—	—	—	—
RBF_2	28,2	28,7	—	—	28,2[c]	29,9[b]	—	—	25,5	22,6	28,3	23,3[i]	21,8	27,9	24,9
$RBCl_2$	62,3	63,4	62,3[c]	63,3	63,8	—	—	—	55,0	52,4	59,4	51,0 48,9[k] 59,9[l]	31,3	50,5	50,6
$RBBr_2$	62,5	65,6	62,5[c]	—	(64)[o]	67,8[b]	—	—	56,1	54,7	—	59,5[l]	49,6	46,7	49,2
RBJ_2	50,5	55,9	50,5[c]	—	—	60,0[b]	—	—	48,2	—	—	—	—	26,1	31,7

[a] Daten aus Lit.[1] wenn nicht anders vermerkt
[b] Lit.[2]
[c] Lit.[3]
[d] Lit.[4]
[e] Lit.[5]
[f] $[(H_3C)_5C_5]_2BCl$; Lit.[6]
[g] H_3C … B–Br
[h] B. Wrackmeyer, Universität München, unveröffentlicht 1982.
[i] Lit.[7] F_2B … BF_2
[k] $(CH_3C_5H_4)BX_2$, Lit.[8]
[l] $[(H_3C)_5C_5]$-BX_2, Lit.[9]
[m] Lit.[10]
[n] Cl_2B–$C[C(CH_3)_3]=C[C(CH_3)_3]$–$BCl_2$; $\delta_{11B}(C_6D_6)$: 56,8, Lit.[10]
[o] Lit.[11]
[p] Br … B–Cl $\delta\,^{11}B(C_6D_6)$[12]: 70,4

[1] H. NÖTH u. B. WRACKMEYER, *NMR Spectroscopy of Boron Compounds*, Bd. **14**, *NMR Grundlagen und Fortschritte*, Springer-Verlag, Heidelberg · Berlin 1978.
[2] H. BAUER u. H. NÖTH, Universität München, unveröffentlicht 1983.
[3] J.-P. COSTES, G. CROS u. J.-P. LAURENT, Canad. J. Chem. **54**, 2996 (1976).
[4] G. W. KRAMER u. H.C. BROWN, J. Organometal. Chem. **73**, 1 (1974).
[5] H.C. BROWN u. S.U. KULKARNI, J. Organometal. Chem. **168**, 281 (1979).
[6] P. JUTZI u. A. SEUFERT, J. Organometal. Chem. **161**, C5 (1978).
[7] P. JUTZI u. A. SEUFERT, J. Organometal. Chem. **169**, 357 (1979).
[8] P. JUTZI u. A. SEUFERT, J. Organometal. Chem. **169**, 327 (1979).
[9] P. JUTZI u. A. SEUFERT, B. **112**, 2481 (1979).
[10] M. HILDENBRAND, H. PRITZKOW, U. ZENNECK u. W. SIEBERT, Ang. Ch. **96**, 371 (1984); engl.: **23**, 371.
[11] H.C. BROWN, D. BASAVAIAH u. N.G. BHATT, Organometallics **2**, 1309 (1983).
[12] R. KÖSTER u. G. SEIDEL, Mülheim a.d. Ruhr, unveröffentlicht 1980.

rung“[1,2] als Folge der größeren Zunahme des diamagnetischen Terms σ_d^{AL} im Vergleich zum paramagnetischen Term σ_p^{AL} zu verstehen. Dies ist ein Effekt, der auch als „normale“ Halogenabhängigkeit der chemischen Verschiebung eines Kerns bezeichnet werden kann. Dieser Einfluß von „schweren Kernen“, insbesondere von Jod-Atomen, wird einer Elektron Spin-Bahn Wechselwirkung zugeschrieben, die ihren Ursprung am schweren Kern hat[3].

In jedem Konzept zur Erklärung der Abschirmung kommt dem BHal-Abstand große Bedeutung zu. Bei Vergrößerung der BHal-Bindungslänge nimmt die Abschirmung des ^{11}B-Kerns ab.

Diese Überlegung wird durch die δ^{11}B-Daten der R_2BHal- und RBHal$_2$-Verbindungen (Hal = Br, J) bestätigt (Tab. 49, S. 452). Während für Hal = F, Cl kaum ein Einfluß der verschiedenen Alkyl-Reste auf δ^{11}B nachzuweisen ist, findet man für Hal = Br, J einen beachtlichen Bereich von fast 10 ppm der δ^{11}B-Werte (z. B. RBJ$_2$) für R = CH_3 bis $C(CH_3)_3$. Organo-Reste R = CH = CH_2, C_6H_5 etc. erhöhen die Abschirmung des ^{11}B-Kerns im Vergleich zu R = Alkyl. Der relative Abschirmungsgewinn ist jedoch geringer als in den entsprechenden R_2BCl- und $RBCl_2$-Verbindungen.

δ_3) *^{13}C-NMR-Spektren*

Die ^{13}C-NMR-Parameter für zahlreiche Alkylbor-Halogen-Verbindungen sind in Tab. 50 (S. 455) zusammengestellt. Die δ^{13}C-Werte zeigen eine ähnliche Abfolge wie die zugehörigen δ^1H-Daten (vgl. Tab. 48, S. 451). Die beobachteten Änderungen der magnetischen Abschirmung der borgebundenen C-Atome (BC) (z. B. δ^{13}C in CH_3BF_2 gegenüber CH_3BJ_2: $\Delta\delta^{13}$C 39 ppm) sind das komplexe Resultat der Änderung der Elektronegativität, von Nachbargruppen-Anisotropie-Effekten und von BHal σ- und π-Wechselwirkungen. Ein ungefähr linearer Zusammenhang zwischen δ^{13}C(BC) und δ^{11}B[4,5] ist hilfreich zur Vorhersage der Lage der ^{13}C-Resonanzen, die aufgrund ihrer Linienbreite [partiell relaxierte skalare Kopplung $^1J(^{13}C^{11}B)$] nicht immer einfach zu finden sind (s. S. 406).

In Alkenyl-, Alkendiyl-, Aryl- und Heteroaryl-halogen-boranen findet sich im Trend eine Übereinstimmung zwischen den δ^{13}C(β)-Werten der Halogen-vinyl-borane[6] und den δ^{13}C(para)-Werten der Halogen-phenyl-borane[7]:

	$\overset{\beta}{}\ \ \overset{\alpha}{}$ $(H_2C{=}CH)_2BHal$	$\overset{\beta}{}\ \ \overset{\alpha}{}$ $H_2C{=}CH{-}BHal_2$	$(H_3C)_3C(Cl_2B)C{=}C(BCl_2)C(CH_3)_3$	$(H_5C_6)_2BHal$	$H_5C_6{-}BHal_2$
Hal	δ^{13}C(β)[6]	δ^{13}C(β)[6]		$\delta^{13}C_{(para)}$[9]	$\delta^{13}C_{(para)}$[10]
F	140,9	145,0	–	–	136,3[10]
Cl	141,2	145,3	155[8]	133,0	136,8[10]
Br	142,0	146,0	–	133,4	137,7[10]
J	–	–		–	138,7[10]

^{13}C-Daten sind nützliche Parameter zur Identifizierung und Zuordnung verschiedenartig substituierter 2-Alkyl-1,1-bis[boryl]-2-chlor-ethene[11].

---

[1] J. MASON, Adv. Inorg. Chem. Radiochem. **18**, 197 (1976).
[2] J. MASON, Adv. Inorg. Chem. Radiochem. **22**, 199 (1979).
[3] A.A. CHEREMISIN u. P.V. SCHASTNEV, J. Magn. Reson. **40**, 459 (1980).
[4] W. MCFARLANE, H. NÖTH u. B. WRACKMEYER, B. **108**, 3831 (1975).
[5] H. NÖTH u. B. WRACKMEYER, B. **114**, 1150 (1981).
[6] L.W. HALL, J.D. ODOM u. P.D. ELLIS, Am. Soc. **97**, 4527 (1975).
[7] B. WRACKMEYER, Progr. NMR Spectrosc. **12**, 227 (1979).
[8] M. HILDENBRAND, H. PRITZKOW, U. ZENNECK u. W. SIEBERT, Ang. Ch. **96**, 371 (1984); engl.: **23**, 371.
[9] B.R. GRAGG, W.J. LAYTON u. K. NIEDENZU, J. Organometal. Chem. **132**, 29 (1977).
[10] J.D. ODOM, T.F. MOORE, R. GOETZE, H. NÖTH u. B. WRACKMEYER, J. Organometal. Chem. **173**, 25 (1979).
[11] H. KLUSIK, C. PUES u. A. BERNDT, Z. Naturf. **39b**, 1042 (1984).

Auch für die Cyclopentadiendiyl-halogen-borane sind die $\delta^{13}C(\beta)$-Werte instruktiv[1,2], wie $\Delta^{13}C_{(2,3)}$-Werte relativ zum Cyclopentadien zeigen:

Hal_2B–C_5H_4–$BHal_2$

	$\delta^{13}C_{(2,3)}$	
Hal =	Br	J
	154,3	154,7
	(20,9)	(21,3)

Tab. 51 (S. 455) enthält $\delta^{13}C$-Werte verschiedener Aryl- und Heteroatom-haltiger Organo-halogen-borane. Erwartungsgemäß findet man den geringsten Einfluß der Boryl-Gruppe für den ^{13}C-Kern in meta-Stellung. Sonst gilt:

$$\delta^{13}C_{(ortho)} > \delta^{13}C_{(para)}$$

$\delta^{13}C_{(ipso)}$ nimmt einen sehr großen Bereich ein[3,4]. Für die Halogen-organo-borane findet man für die ^{13}C(BC)-Resonanz eine sehr ähnliche Abstufung für Alkyl- und Phenyl-halogen-borane (vgl. Tab. 50, 51; S. 455). Änderungen der $^{13}C_{(ipso)}$-Resonanz von Phenylboranen sind als empfindliches Kriterium für BC(pp)π-Wechselwirkungen interpretiert worden[1]. Dies scheint in Anbetracht der zahlreichen verschiedenen Einflüsse auf $\delta^{13}C_{(ipso)}$ nicht gerechtfertigt.

Die verfügbaren ^{13}C-NMR-Daten von Halogen-metallocenyl-boranen[5–7] lassen noch keine klaren Trends erkennen. Für die BCl_2-Gruppe sind Daten für Verbindungen verschiedener Metalle bekannt:

	$C_5H_5FeC_5H_4BCl_2$ [5]	$Fe(C_5H_4BCl_2)_2$ [6]	$(CO)_3MnC_5H_4BCl_2$ [5]	$Cl_3TiC_5H_4BCl_2$ [7]
$\delta^{13}C(2,5)$:	76,2	77,7	87,6	130,0
$\delta^{13}C(3,4)$:	77,3	78,7	91,0	126,9

Betrachtet man die geringen Differenzen $\Delta^{13}C(2,5)(3,4)$ als ein Maß für die Störung des aromatischen π-Systems durch den Boryl-Liganden, so legt dies den Schluß auf schwache BC(pp)-π-Wechselwirkungen nahe. In Ferrocenyl-Carbokationen[8–10] sind die $\Delta^{13}C(2,5)(3,4)$-Werte viel größer (> 10 ppm), entsprechend der stärkeren Beteiligung fulvenartiger Strukturen.

δ_4) ^{19}F-*NMR-Spektren*

Die $\delta^{19}F$-Werte von Fluor-organo-boranen[11] dienen zur Unterscheidung zwischen R_2BF- und RBF_2-Verbindungen (vgl. Tab. 52, S. 457). Zudem ergibt sich, daß die Fluor-Atome für R = Vinyl, Aryl besser abgeschirmt sind als für R = Alkyl. In den Derivaten RBFHal (Hal = Cl, Br) zeigen die $\delta^{19}F$-Werte qualitativ, daß π-Bindungsanteile hauptsächlich in der BF-Bindung zu suchen sind, da z. B. in RBFHal für Hal = Cl ähnliche $\delta^{19}F$-Werte resultieren wie für R_2BF. Eine mehr quantitative Analyse der $\delta^{19}F$-Werte im Hinblick auf BF(pp)π-Wechselwirkungen steht noch aus.

---

[1] P. Jutzi u. A. Seufert, J. Organometal. Chem. **169**, 357 (1979).
[2] P. Jutzi u. A. Seufert, J. Organometal. Chem. **169**, 327 (1979).
[3] R.H. Cragg u. T.J. Miller, J. Organometal. Chem. **241**, 289 (1983).
[4] J.D. Odom, T.F. Moore, R. Goetze, H. Nöth u. B. Wrackmeyer, J. Organometal. Chem. **173**, 15 (1979).
[5] T. Renk, W. Ruf u. W. Siebert, J. Organometal. Chem. **120**, 1 (1976).
[6] W. Ruf, T. Renk u. W. Siebert, Z. Naturf. **31b**, 1028 (1976).
[7] P. Jutzi u. A. Seufert, J. Organometal. Chem. **169**, 373 (1980).
[8] A.A. Koridze, P.V. Petrovskii, S.P. Gubin u. E.I. Fedin, J. Organometal. Chem. **93**, C26 (1975).
[9] A.A. Koridze, N.M. Aslakhova, P.V. Petrovskii u. A.I. Lutsenko, Doklady Adad. SSSR **242**, 117 (1978); engl.: 416; C.A. **90**, 5748 (1979).
[10] C.R. Jablonski, J. Organometal. Chem. **174**, C3 (1979).
[11] J.W. Emsley u. L. Phillips, Progr. NMR Spectrosc. **7**, 495ff. (1971).

Tab. 50: δ^{13}C-Werte und Kopplungskonstanten $^{1}J(^{13}C^{11}B)$ [Hz] für Alkyl-halogen-borane

Verbindung	Herst. XIII/3a,S.	^{13}C(1)	^{13}C(2)	^{13}C(3)	^{13}C(4)	^{13}C(5)	^{13}C(6)	$J(^{13}C^{11}B)$	Lösungsmittel	Literatur
$(H_3C)_2BF$	423	7,0						≥ 78 ± 5	—	1
$[(H_3C)_3C]_2BF$	-	24,4	26,6					—	—	2
$(H_3C)_2BCl$	404, 423	14,1						≥ 65 ± 4	$CDCl_3$	1
$(H_5C_2)_2BCl$	387, 404	20,9	8,3					—	$CDCl_3$	3
$[(H_3C)_2CH]_2BCl$	406	24,5	17,8					—	$CDCl_3$	1
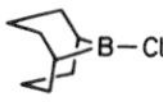 B–Cl	405	34,8	34,3	23,2				—	C_6D_6	1
$[(H_3C)_3C]_2BCl$	vgl. 387	29,5	28,5					—		2
$(H_{13}C_6)_2BCl$	vgl. 387	30,4	26,0	33,4	33,4	24,1	15,4	—	C_6D_6	4
$(H_3C)_2BBr$	408, 413	15,5							C_6D_6	5
$(H_5C_2)_2BBr$	408	23,7	9,2					—	$CDCl_3$	1
$[(H_3C)_3C]_2BBr$	-	30,4	28,1					—		2
$H_3C–BF_2$	474	–4,0						≥ 98 ± 10	—	1
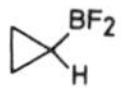 BF_2 / H	446	4,7	4,7					—	$CDCl_3$	6
$H_3C–BBr_2$	452, 456	20,8								5
$H_5C_2–BBr_2$	456	29,1	10,4					—	$CDCl_3$	1
$H_3C–BJ_2$	458	35,7						≥ 70 ± 4	C_6D_6	1

Tab. 51: δ^{13}C-Werte von Aryl- und Heteroaryl-halogen-boranen
(Werte in Klammern sind Δ^{13}C-Werte relativ zu Benzol, Biphenyl, Thiophen)

Verbindung	Herst. XIII/3a,S.	^{13}C(1)	^{13}C(2)	^{13}C(3)	^{13}C(4)	^{13}C(5)	^{13}C(6)	Lösungsmittel	Literatur
$H_5C_6–BF_2$	435, 474	124,0 (–4,5)	136,3 (+7,8)	128,3 (–0,2)	134,0 (+ 5,5)	128,3 (– 0,2)	136,3 (+ 7,8)	$CDCl_3$	7
$H_5C_6–BCl_2$	447, 472	134,0 (+ 5,5)	136,8 (+ 8,3)	128,0 (– 0,5)	134,9 (+ 6,4)	128,0 (– 0,5)	136,8 (+ 8,3)	$CDCl_3$	7
1,4-$(BCl_2)_2C_6H_4$	471	139,1 (+ 10,6)	135,7 (+ 7,2)	135,7 (+ 7,2)	139,1 (10,6)	135,7 (+ 7,2)	135,7 (+ 7,2)	$CDCl_3$	7
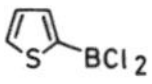 S BCl_2	—	—	139,1 (+ 13,5)	143,0 (+ 15,6)	129,6 (+ 2,2)	140,2 (+ 14,6)	—	$CDCl_3$	7
$H_5C_6–BBr_2$	462	137,3 (+ 8,8)	137,7 (+ 9,2)	128,1 (– 0,4)	135,2 (+ 6,7)	128,1 (– 0,4)	137,7 (+ 9,2)	$CDCl_3$	7
$H_5C_6–BJ_2$	444	143,4 (+ 14,9)	138,7 (+ 10,2)	128,1 (– 0,4)	135,1 (+ 6,6)	128,1 (– 0,4)	138,7 (+ 10,2)	$CDCl_3$	7
$(H_5C_6)_2BCl$	406	— (–)	137,0 (+ 8,5)	127,9 (– 0,6)	133,0 (+ 4,5)	127,9 (– 0,6)	137,0 (+ 8,5)	CH_2Cl_2	8
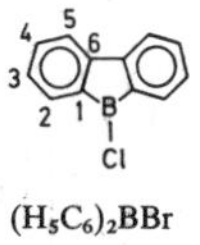 4 5 6 3 2 1 B Cl	408	138,5 (+11,1)	135,3 (+ 6,4)	128,7 (+ 1,3)	132,9 (+ 4,0)	119,9 (– 7,5)	153,5 (+ 11,9)	C_6D_6	9
$(H_5C_6)_2BBr$	422	139,2 (+ 10,7)	137,9 (+ 9,4)	128,1 (– 0,4)	133,4 (+ 4,9)	128,1 (– 0,4)	137,9 (+ 9,4)	CH_2Cl_2	8

[1] B. WRACKMEYER, Universität München, unveröffentlicht 1982.
[2] H. PRIGGE, Dissertation, Universität München 1983.
[3] R. KÖSTER u. R. MYNOTT, Mülheim a.d. Ruhr, unveröffentlicht 1978.
[4] Y. YAMAMOTO u. I. MORITANI, J. Org. Chem. **40**, 3434 (1974).
[5] B. WRACKMEYER, Progr. NMR Spectrosc. **12**, 227 (1979).
[6] J.D. ODOM, Z. SZAFRAN, S.A. JOHNSTON, Y.S. LIND u. J.R. DURIG, Am. Soc. **102**, 7173 (1980).
[7] J.D. ODOM, T.F. MOORE, R. GOETZE, H. NÖTH u. B. WRACKMEYER, J. Organometal. Chem. **173**, 15 (1979).
[8] B.R. GRAGG, W.J. LAYTON u. K. NIEDENZU, J. Organometal. Chem. **132**, 29 (1977).
[9] B. WRACKMEYER u. R. KÖSTER, unveröffentlicht 1981.

Auch die Werte $^1J(^{19}F^{11}B)$[1] sind im Hinblick auf BF(pp)π-Bindungen kaum direkt zu werten. Eine qualitative Einordnung der Werte ergibt sich aus dem Befund, daß das Vorzeichen von $^1J(^{19}F^{11}B)$ in HBF_2 negativ ist[2] [in Analogie zu allen bekannten Werten $^1J(^{19}F^{13}C)$]. Vorausgesetzt, daß der Fermi-Kontakt-Term der maßgebliche Kopplungsmechanismus ist[3,4], bringt der ^{11}B-Kern im Vergleich zum ^{13}C-Kern mehr positive Anteile ein, wie auch die absolut kleineren Werte $^1J(^{19}F^{11}B)$ im Vergleich zu den $^1J(^{19}F^{13}C)$-Werten zeigen.

Das negative Vorzeichen von $^1J(^{19}F^{11}B)$ beruht auf dem kleinen Valenz-s-Überlappungsintegral der BF-Bindung. Die Abnahme der Polarisierung der BF-Bindung bedingt eine Zunahme des Valenz-s-Überlappungsintegrals. Daraus folgt, daß $^1J(^{19}F^{11}B)$ weniger stark negativ wird und letztlich sehr klein oder sogar ein positives Vorzeichen annehmen kann [wie für $^1J(^{19}F^{11}B)$ in BF_3 aufgrund einer Korrelation zwischen $^1J(^{19}F^{11}B)$ und $\delta^{19}F$ postuliert[5]].

Bemerkenswert ist, daß sich auch eine Übereinstimmung im Trend für $^1J(^{19}F^{11}B)$ in Fluor-organo-boranen (vgl. Tab. 39, S. 404f.) und für $^1J(^{19}F^{13}C)$ in entsprechenden Carbokationen[6] ergibt:

	$^1J(^{19}F^{11}B)$	$^1J(^{19}F^{13}C)$	
$(H_3C)_2BF$	122	420	$(H_3C)_2C^{\oplus}F$
$(H_5C_2)_2BF$	125	429,1	$(H_5C_2)_2C^{\oplus}F$
H_5C_6–BF_2	58	178,2	H_5C_6–$C^{\oplus}F_2$

δ_5) *^{35}Cl-NMR-Spektren*

Die kernmagnetischen Eigenschaften der Chlor-Isotope ^{35}Cl und ^{37}Cl schränken die Nutzung der ^{35}Cl oder ^{37}Cl-NMR-Spektroskopie als analytische Methode zur Untersuchung von kovalenten Chloriden sehr ein. Die δ^{35}Cl-Daten von Chlor-organo-boranen[7] werden hauptsächlich zur Diskussion von BCl(pp)π-Wechselwirkungen herangezogen. Danach erfolgt die Änderung der δ^{35}Cl- und δ^{19}F-Werte in den Reihen $R_{3-n}BX_n$ (n = 1,2,3; X = F, Cl) nicht analog (vgl. S. 417 u. Tab. 52, S. 457). Die BCl(pp)π-Bindungsanteile sind offensichtlich um vieles geringer als die BF(pp)π-Wechselwirkungen.

4. Organobor-Sauerstoff-Verbindungen

α) Trennmethoden

Offenkettige und cyclische Diorganooxy-organoborane (XIII/3a, S. 652ff.) haben vielfach definierte Siedepunkte. Die Verbindungen lassen sich i.allg. fraktionierend destillieren[8].

Fünf- und sechsgliedrige Ringverbindungen mit O-Ethylborandiyl-[9], mit O-Butylborandiyl-[10], mit O-Vinylborandiyl-[11] oder mit O-Phenylborandiyl-Resten[12] lassen sich ohne Zersetzung gaschromatographieren (vgl. S. 384) und vielfach auch sehr gut voneinander trennen. Die GC-Trennung mit anschließender massenspektrometrischer Identifizierung wurde erfolgreich z.B. auf O-Organoborandiyl-Derivate von Aminoalkendiolen (Sphingo-

[1] J.W. Emsley, L. Phillips u. V. Wray, Progr. NMR Spectrosc. **10**, 85, 622ff. (1977).
[2] E.B. Whipple, T.H. Brown, T.C. Farrar u. T.D. Coyle, J. Chem. Physics **43**, 1841 (1965).
[3] J.A. Pople u. D.P. Santry, Mol. Phys. **8**, 1 (1964).
[4] C.J. Jameson u. H.S. Gotowsky, J. Chem. Physics **51**, 2790 (1969).
[5] S.A. Fieldhouse u. I.R. Peat, J. phys. Chem. **73**, 275 (1969).
[6] R.J. Spear, D.A. Forsyth u. G.A. Olah, Am. Soc. **98**, 2493 (1976).
[7] K. Barlos, J. Kroner, H. Nöth u. B. Wrackmeyer, B. **110**, 2774 (1977).
[8] Gmelin, 8. Aufl., **48**/16, 198–204, 207–210, 214–218; 221 (1978).
[9] G. Schomburg, W.V. Dahlhoff u. R. Köster, Mülheim a.d. Ruhr, unveröffentlicht seit 1975.
[10] P.J. Wood u. I.R. Siddiqui, Carbohyd. Res. **19**, 283 (1971); C.A. **75**, 151999 (1971).
[11] US.P. 3219682 (1962/1965), US Borax & Chem. Corp., Erf.: W.G. Woods u. R.O. Schaeffer; C.A. **64**, 3595 (1966).
[12] D. Barnes, W.G. Henderson, E.F. Mooney u. P.C. Luden, J. Inorg. & Nuclear Chem. **33**, 2799 (1971); C.A. **75**, 139883 (1971).

Tab. 52: ^{19}F-NMR-Daten von Fluor-organo-boranen und $\delta\,^{35}Cl$-Werte einiger Chlor-organo-borane zum Vergleich

Verbindung	Herst. XIII/3a, S.	$\delta\,^{19}F^{a}$	$\delta\,^{35}Cl^{b}$	$^{1}J(^{19}F^{11}B)^{c}$	Literatur
H_5C_2–$BHal_2$	469, 487	–74,6	280	81,0	1
H_7C_3–BF_2	438, 486	–72,8		81,0	1
H_9C_4–$BHal_2$	469	–73,7	300	80,0	2
$CH_2(BF_2)_2$	vgl. 470	–83,0		69,0	3
H_5C_3–BF_2	446	–94,2			4
		–87,6		72,0	5
BF_2 / CH_2–BF_2 (Cyclopropan-Derivat)	476	–90,5, –75,8		68,0	6
H_5C_6–$BHal_2$	439	–92,0	200	58	7, 8
H_2C=CH–$BHal_2$	446	–88,9	220	67	1, 7
H_3C–$BFCl$	–	–24,3		101	9
H_5C_2–$BFCl$	–	–30,2		95	9
H_5C_6–$BFCl$	–	–51,5		breit	9
				93,0	10
H_3C–$BFBr$	–	–6,5		113	9
H_5C_2–$BFBr$	–	–12,7		115	9
H_3C, CH_3 / F–B, B–F / H_3C, CH_3 (Ringverbindung)	vgl. 396	–67,8			11, 12
$(H_3C)_2BF$	423	–20,0	244	122	1, 7
$(H_5C_2)_2BF$	423, 430	–30,9	232	125,0	13, 14
$(H_9C_4)_2BF$	430	–32,5	–	116	13, 15

[a] gegen $CFCl_3$ (extern oder intern)
[b] gegen Cl^- (ges. Lösung von NaCl in H_2O), Daten von Lit. [16]
[c] mit Ausnahme von BF_3 gilt mit großer Wahrscheinlichkeit für alle Werte $^{1}J(^{19}F^{11}B)$ ein negatives Vorzeichen.

sine) angewandt[17]. Auch die Derivate von Polyalkoholen bzw. Monosacchariden mit z. B. zwei O-Methylborandiyl[18]-, O-Ethylborandiyl[19]-, O-Butylborandiyl[18, 20]- sowie O-Phenylborandiyl[7]-Resten sind z. T. in Glaskapillarsäulen[21] voneinander getrennt worden.

β) Chemische Analysenmethoden

Die Reinheit offenkettiger und cyclischer Diorgano-hydroxy-borane (XIII/3a, S. 492ff.) und der i. allg. festen Dihydroxy-organo-borane[22] (XIII/3a, S. 617ff.) läßt sich mit Hilfe

[1] T.C. Coyle u. F.G.A. Stone, Am. Soc. **82**, 6223 (1960).
[2] J.P. Tuchagues, J.P. Laurent u. G. Comenges, Bl. **1967**, 4160.
[3] N.J. Maraschin u. R.J. Lagow, Inorg. Chem. **14**, 1855 (1975).
[4] J.D. Odom, Z. Szafran, S.A. Johnston, Y.S. Li u. J.R. Durig, Am. Soc. **102**, 7173 (1980).
[5] A.H. Cowley u. T.A. Furtsch, Am. Soc. **91**, 39 (1969).
[6] W. Haubold u. K. Stanzl, B. **111**, 2108 (1978).
[7] T.C. Coyle u. F.G.A. Stone, Soc. **1961**, 3103.
[8] H. Nöth u. H. Vahrenkamp, J. Organometal. Chem. **11**, 399 (1968).
[9] W. Haubold u. J. Weidlein, Z. anorg. Ch. **420**, 251 (1976).
[10] S.S. Krishnamurthy, M.F. Lappert u. J.B. Pedley, Soc. [Dalton Trans.] **1975**, 1214.
[11] P.L. Timms, Am. Soc. **90**, 4585 (1968).
[12] P.S. Madren, A. Modinos, P.L. Timms u. P. Woodward, Soc. [Dalton Trans.] **1975**, 1272.
[13] J.P. Tuchagues u. J.P. Laurent, Bl. **1969**, 385.
[14] J.P. Tuchagues u. J.P. Laurent, Bl. **1971**, 4247.
[15] J.P. Costes, G. Cros u. J.P. Laurent, Canad. J. Chem. **54**, 2996 (1976).
[16] K. Barlos, J. Kroner, H. Nöth u. B. Wrackmeyer, B. **110**, 2774 (1977).
[17] S.J. Gaskell u. C.J. Brooks, J. Chromatog. **112**, 415 (1976); C.A. **85**, 63113 (1976).
[18] C.J.W. Brooks, Proc. Biochem. **9**, 25 (1974); C.A. **84**, 173371 (1976).
[19] G. Schomburg, W.V. Dahlhoff u. R. Köster, Mülheim a.d. Ruhr, unveröffentlicht seit 1975.
[20] F. Eisenberg jr., Carbohyd. Res. **19**, 135 (1971).
[21] P.J. Wood u. I.R. Siddiqui, Carbohyd. Res. **19**, 283 (1971); C.A. **75**, 151999 (1971).
[22] Gmelin, 8. Aufl., **48**/16, 171, 174 (1977).

chemischer Methoden bestimmen. Die Hydroxy-Gruppen erfaßt man quantitativ mit aktiviertem Triethylboran[1,2]. Die BC-Bindungen werden mit Hilfe von Trimethylamin-N-oxid quantitativ oxidiert[3].

Die i. allg. festen, assoziierten Acyloxy-diorgano-borane[4,5] (XIII/3a, S. 577) und das flüssige *Diethyl-(2,2-dimethylpropanoyloxy)-boran*[6] haben Hydrid-Zahlen[7,8] HZ = 2: Mit Propyldiboran(6) werden die Verbindungen somit bei ≈ 130° bis zur Alkohol-Stufe reduziert[9]. Arylbor-Gruppen lassen sich auch mit Quecksilber(II)chlorid quantitativ bestimmen[10].

γ) IR-Spektren

Die OH-Valenzschwingungen der Diorgano-hydroxy-borane (XIII/3a, S. 492ff.) und der Dihydroxy-organo-borane können (XIII/3a, S. 617ff.) IR-spektroskopisch leicht nachgewiesen werden[11]; z. B.

Dimethyl-hydroxy-boran (ν_{OH} = 3620, 3600, 3400 cm^{-1})[12,13]
Dihydroxy-ethyl-boran (ν_{OH} ≈ 3400 cm^{-1}, ν_{BO} ≈ 1390 cm^{-1})[14]

Die C=C-Absorptionsbanden in Diorgano-vinyloxy-boranen liegen abhängig von Substitutionsart und -grad und von der Molekülstruktur im Bereich von ≈ 1640 bis ≈ 1690 cm^{-1} [15–19]. Endständige C=C-Bindungen von Allyloxy-diorgano-boranen absorbieren bei ≈ 1645 cm^{-1} [20], die H_2C=-Gruppe bei 3080 cm^{-1}. Die C≡C-Valenzschwingung der 3-Alkinyloxy-diorgano-borane liegt bei ≈ 2110 cm^{-1}, die $\nu_{\equiv CH}$ bei ≈ 3290 cm^{-1} [20]. Die C=O-Gruppe der B-Acyloxy-Gruppierung[13,21] absorbiert bei ≈ 1750 cm^{-1} [z. B. Diethyl-(2,2-dimethylpropanoyloxy)-boran][22]. Die $\nu_{CO...B}$ der dimeren Acyloxy-diorgano-borane findet man bei ≈ 1600 cm^{-1} [21–23].

Die Absorptionsbanden der NH-Funktionen findet man bei ν_{NH_2} = 3080 cm^{-1} bzw. ν_{NH_2} = 1592–1594 cm^{-1} [24].

Die dimeren Diorgano-(phenylphosphinoyloxy)-borane mit verschiedenen $(POBO)_2$-Achtring-Strukturen im festen Zustand (vgl. S. 474) haben in Lösung POB-Absorptionsbanden bei 1140 bis 1200 cm^{-1}, die in Pyridin auf ≈ 1210 cm^{-1} kurzwellig verschoben werden. Die ν_{PH} findet man bei ≈ 2400 cm^{-1} [8].

---

1 R. Köster, W. Fenzl u. G. Seidel, A. **1975**, 352.
2 R. Köster, K.-L. Amen u. W. V. Dahlhoff, A. **1975**, 752.
3 R. Köster u. Y. Morita, A. **704**, 70 (1967).
4 Gmelin, 8. Aufl., **48**/16, 166–167 (1977); dort ältere Literatur.
5 R. Köster, H. Bellut u. W. Fenzl, A. **1974**, 54.
6 R. Köster u. G. Seidel, Inorg. Synth. **22**, 185 (1983).
7 vgl. W. V. Dahlhoff u. R. Köster, J. Org. Chem. **42**, 3151 (1977); dort S. 3155.
8 R. Köster u. L. Synoradzki, B. **117**, 2850 (1984).
9 R. Köster u. W. Schüssler, Mülheim a. d. Ruhr, unveröffentlicht 1975.
10 G. Wittig, G. Keicher, A. Rückert u. P. Raff, A. **563**, 129 (1949).
11 J. Goubeau u. J. W. Ewers, Z. physik. Chem. **25**, 276 (1960).
12 W. Fenzl u. R. Köster, Inorg. Synth. **22**, 193 (1983).
13 R. Köster, H. Bellut u. W. Fenzl, A. **1974**, 54.
14 R. Köster u. P. Idelmann, Mülheim a. d. Ruhr, unveröffentlicht 1982.
15 W. Fenzl u. R. Köster, A. **1975**, 1322.
16 W. Fenzl, R. Köster u. H.-J. Zimmermann, A. **1975**, 2201.
17 R. Köster, H.-J. Zimmermann u. W. Fenzl, A. **1976**, 1116.
18 W. Fenzl u. R. Köster, Ang. Ch. **83**, 807 (1971); engl.: **10**, 750.
19 P. Binger, Ang. Ch. **79**, 57 (1967); engl.: **6**, 84.
20 Gmelin **48**/16, 146ff. (1977).
21 L. A. Duncanson, W. Gerrard, M. F. Lappert, H. Pyszora u. R. Shafferman, Soc. **1958**, 3652.
22 R. Köster u. W. Fenzl, Inorg. Synth. **22**, 196 (1983).
23 P. Idelmann, G. Müller. W. R. Scheidt, W. Schüssler, K. Seevogel u. R. Köster, Ang. Ch. **96**, 145 (1984); engl.: **23**, 153.
24 R. Köster u. E. Rothgery, A. **1974**, 112.

Die koordinativ assoziierten C=O-Banden der festen, thermochromen 2,6-Dialkyl-4,8-dioxo-1,3,5,7-tetraoxa-2,6-dibora-octaline findet man in der kalten Form bei 1630 und 1545 cm^{-1}, in der heißen Form bei 1780 und 1733 cm^{-1} [1].

Die ν_{BO} des *Tetramethyldiboroxans* liegen bei ≈ 1405 cm^{-1} [2], die des *Trimethylboroxins* bei 1384 cm^{-1} [3]. BC-Valenzschwingungen des Tetramethyldiboroxans findet man bei $\nu_{BC(asym.)}$ = 1135 cm^{-1} bzw. $\nu_{BC(yym.)}$ = 730 cm^{-1} [2]. Die entsprechenden Absorptionsbanden des Trimethylboroxins liegen bei 1226 bzw. 783 cm^{-1} [3].

δ) Massenspektren

Die Massenspektren zahlreicher Typen von Organobor-Sauerstoff-Verbindungen sind untersucht worden. Molekülpeaks treten i.allg. nur bei den cyclischen Verbindungen in relativ hoher Intensität auf. Massenspektrometrisch gekennzeichnet wurden z.B.:

Diorgano-Sauerstoff-Verbindungen

ⓐ Diorgano-organooxy-borane (XIII/3a, S. 503ff.)
mit aliphatischen Organo-Resten am Bor-Atom
offenkettig[4-9], cyclisch[10,11]
mit aromatischen Organo-Resten am Bor-Atom
offenkettig[12,13]
mit heteroatomhaltigen Organo-Resten am Bor-Atom
[Si-Atom[14]]

ⓑ Acyloxy-diorgano-borane (XIII/3a, S. 577ff.)
Carbonsäure-Derivate[5,15]
Carbonsäureamid-Derivate[16]

ⓒ Diorgano-organoelementoxy-borane (XIII/3a, S. 587ff.)
Element = N[17,18] (XIII/3a, S. 592)
Element = P[19] (XIII/3a, S. 596)

Organobor-Sauerstoff-Sauerstoff-Verbindungen

ⓓ Dihydroxy-organo-borane (XIII/3a, S. 617ff.)
offenkettig[20]

---

[1] M. YALPANI u. R. KÖSTER, B. **116**, 3332 (1983).
[2] G.F. LANTHIER u. W.A.G. GRAHAM, Canad. J. Chem. **47**, 569 (1969).
[3] D.W. WEBSTER u. L. BARTON, Org. Prep. & Proced. **3**, 191 (1971).
[4] W. FENZL, R. KÖSTER u. H.J. ZIMMERMANN, A. **1975**, 2201.
[5] W. FENZL, H. KOSFELD u. R. KÖSTER, A. **1976**, 1370.
[6] R. KÖSTER, H.-J. ZIMMERMANN u. W. FENZL, A. **1976**, 1116.
[7] R. KÖSTER, K.-L. AMEN u. W.V. DAHLHOFF, A. **1975**, 752.
[8] R. KÖSTER, W. FENZL u. G. SEIDEL, A. **1975**, 352.
[9] W. FENZL u. R. KÖSTER, Inorg. Synth. **22**, 190 (1983).
[10] P. BINGER, Ang. Ch. **79**, 57 (1967); engl.: **6**, 84.
[11] R. KÖSTER u. A.A. POURZAL, Synthesis **1973**, 674.
[12] H. STAAB u. B. MEISSNER, A. **753**, 80 (1971).
[13] F. DAVIDSON u. J.W. WILSON, Org. Mass Spectrometry **16**, 467 (1981).
[14] C. EABORN, M.N. EL-KHALI, N. RETTA u. J.D. SMITH, J. Organometal. Chem. **249**, 23 (1983).
[15] R. KÖSTER, H. BELLUT u. W. FENZL, A. **1974**, 54.
[16] R. KÖSTER u. E. ROTHGERY, A. **1974**, 112.
[17] J.R. JENNINGS u. K. WADE, Soc. **1967**, 1333.
[18] O.P. SHITOV, S.L. IOFFE, L.M. LEONT'EVA u. V.A. TARTAKOVSKII, Ž. obšč. Chim. **43**, 1127 (1973); engl.: 1118; C.A. **79**, 66429 (1973).
[19] R. KÖSTER u. L. SYNORADZKI, B. **117**, 2850 (1984).
[20] R.H. CRAGG, J.F.J. TODD u. A.F. WESTON, Org. Mass Spectrometry **1972**, 1077.

ⓔ Diorganooxy-organo-borane (XIII/3a, S. 652ff.)
mit aliphatischem B-Organo-Rest
offenkettig[1,2], cyclisch[3-9]
mit aromatischem B-Organo-Rest
offenkettig[10], cyclisch[11-18]

ⓕ Di(1-oxyorganooxy)-organo-borane (XIII/3a, S. 794ff.)
cyclisch[19,20]

ⓖ Acyloxy-oxy-organo-borane (XIII/3a, S. 803ff.)
cyclisch[20-22]

Organobor-Sauerstoff-Bor-Verbindungen

ⓗ Organodiboroxane (XIII/3a, S. 810ff.)
offenkettig[23-25], cyclisch[26]

ⓘ Organoboroxine (XIII/3a, S. 832ff.)
aliphatisch[20,27,28], aromatisch[28-31]

ε) Kernresonanz-Spektroskopie

ε_1) *^{1}H-NMR-Spektren der Organobor-Sauerstoff-Verbindungen*

Die ^{1}H-NMR-Spektren der borgebundenen Organo-Reste in Alkylbor-Sauerstoff-Verbindungen sind im Typ mit entsprechend substituierten Alkanen (bei Ersatz des Bor-

[1] W.V. Dahlhoff u. R. Köster, A. **1975**, 1625.
[2] W. Fenzl u. R. Köster, A. **1978**, 1030.
[3] M. Cagnoasso u. P.A. Biondi, Anal. Biochem. **71**, 597 (1976); C.A. **84**, 176065 (1976).
[4] W.V. Dahlhoff u. R. Köster, A. **1975**, 1914.
[5] W.V. Dahlhoff u. R. Köster, A. **1975**, 1926.
[6] W.V. Dahlhoff, W. Schüssler u. R. Köster, A. **1976**, 387.
[7] W.V. Dahlhoff u. R. Köster, J. Org. Chem. **41**, 2316 (1976).
[8] J. Wiecko u. W.R. Sherman, Am. Soc. **101**, 979 (1979).
[9] J.W. Brooks, W.J. Cole, H.B. McIntyre u. G.M. Brown, Proc. of the Symp. on the Analysis of Steroids, Eger, Ungarn 1981; C.A. **98**, 198538 (1983).
[10] C. Conbe, M.J.S. Dewar, R. Golden, F. Maseles u. P. Rona, Soc. [D] **1971**, 1522.
[11] R.H. Cragg u. J.F.J. Todd, Chem. Commun. **1970**, 386.
[12] I.R. McKinley u. H. Weigel, Soc. [D] **1970**, 1022.
[13] I.R. McKinley u. H. Weigel, Chem. Commun. **1972**, 1051.
[14] C.J.W. Brooks u. I. Maclean, J. Chromatog. **9**, 18 (1971).
[15] C.J.W. Brooks u. J. Watson, Chem. Commun. **1967**, 952.
[16] S.J. Shaw, Tetrahedron Letters **1968**, 3033.
[17] C. Longstoff u. M.w. Rose, Org. Mass Spectrometry **17**, 508 (1982).
[18] J. Bartulin, M. Zarraga, H. Zunza u. H. Mansilla, Bol. Soc. Chil. Quim. **27**, 230–231 (1982); C.A. **97**, 82279 (1983).
[19] M. Yalpani, R. Köster u. G. Wilke, B. **116**, 1336 (1983).
[20] M. Yalpani, W. Schmöller u. D. Henneberg, Z. Naturf. **39b**, im Druck (1984); MS-Untersuchungen über die O-Ethylborandiylisierung von C-Dihydroxy-Verbindungen mit ^{10}B- und/oder ^{18}O-angereicherten Triethylboroxinen.
[21] W. Fenzl, Mülheim a.d. Ruhr, unveröffentlicht 1978; verschieden substituierte 2-Ethyl-4-oxo-1,3,2-dioxaborolane; MS: Charakteristische Bruchstückmassen: $(M–CO_2)^+$.
[22] M. Yalpani u. R. Köster, B. **116**, 332 (1983).
[23] R. Köster, H. Bellut u. W. Fenzl, A. **1974**, 54.
[24] G.F. Lanthier u. W.A.G. Graham, Canad. J. Chem. **47**, 569 (1969).
[25] S. Gronowitz, P. Casane u. B. Yan-Tor, Acta chem. scand. **33**, 2927 (1969).
[26] L. Baron u. G.T. Bolm, Soc. [D] **1971**, 77.
[27] W.J. Lehmann, C.O. Wilson u. I. Shapiro, J. Inorg. & Nuclear Chem. **21**, 25 (1961).
[28] C.J.W. Brooks, D.J. Harvey u. B.S. Middleditsch, Org. Mass Spectrometry **3**, 231 (1970).
[29] R.H. Gragg, J.F.J. Todd u. A.F. Weston, Org. Mass Spectrometry **1972**, 1077.
[30] E.W. Post, C.R. Cooks u. J.C. Kotz, Inorg. Chem. **9**, 1670 (1970).
[31] S.E. Breuer u. F.A. Broster, Tetrahedron Letters **1972**, 2193.

Atoms durch eine CH-Gruppe) vergleichbar. Dies bedeutet, daß die Spektren sehr komplex sein können [mit Ausnahme z. B. von R = CH_3, $C(CH_3)_3$][1,2]. Die Aufnahme der ^{1}H-NMR Spektren bei hohen Feldstärken ist daher von großem Vorteil. Abb. 12 zeigt, daß trotz der komplexen ^{1}H-NMR-Spektren der C_2H_5B-Gruppierung eine unterschiedliche Umgebung des B-Atoms nachzuweisen ist; z. B. bei 2-Ethyl-1,3,2-dioxaborolanen bzw. 2-Ethyl-1,3,2-dioxaborinanen im 400 MHz-Spektrum[1].

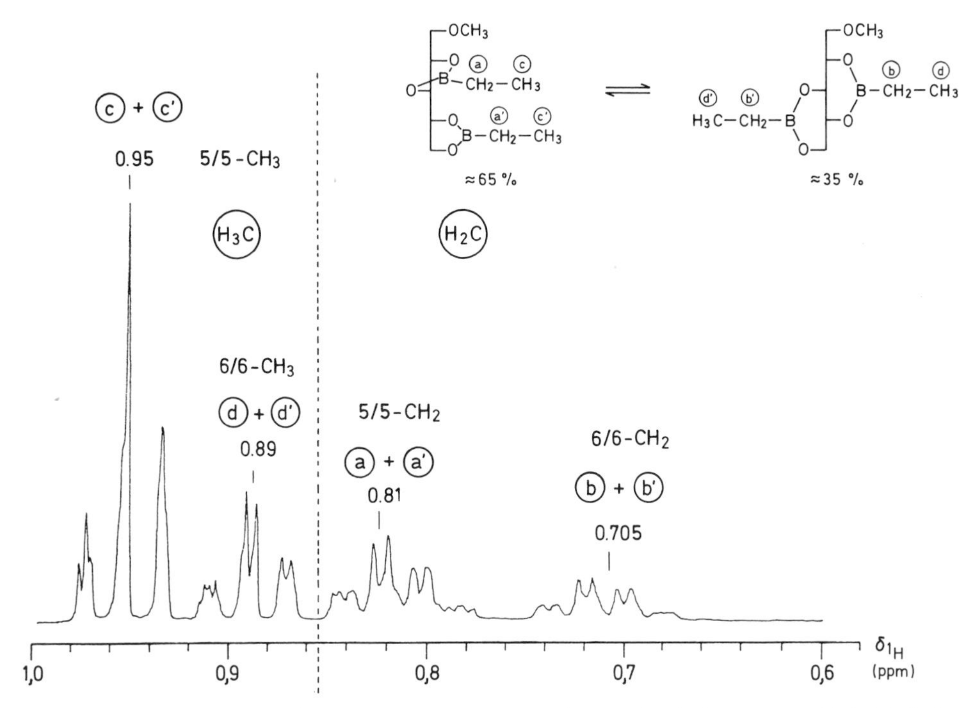

Abb. 12: Gespreiztes 400 MHz-^{1}H-NMR-Spektrum (300 K)[3] eines Gemischs von *1-O-Methyl-2,4 : 3,5-di-O-ethylborandiyl-D-xylit* (≈ 65%)[2]: Bei hohem Feld lassen sich jeweils die CH_2- und CH_3-Gruppen der B-Ethyl-Reste von 5- und 6-gliedrigen 2-Ethyl-1,3,2-dioxaboracycloalkanen ^{1}H-NMR-spektroskopisch unterscheiden.

Die ^{1}H-NMR-Spektroskopie der Organobor-Sauerstoff-Verbindungen bietet sich besonders zur Reinheitskontrolle[1-5] an. Falls charakteristische Signale zu identifizieren sind, treten diese entweder als Singuletts oder als Teil eines definierten Spinsystems auf. Dafür ist es unwesentlich, ob diese Resonanz aus dem RB-Teil oder dem OR-Teil des Moleküls stammt. Zusammen mit den relativen integralen Signalintensitäten ergibt sich oft die gewünschte Information über Zusammensetzung und Reinheit der Verbindung. Zahlreiche Anwendungen finden sich daher bei Untersuchungen der Struktur borylierter Alkanpoly-

[1] W. V. Dahlhoff, R. Köster u. R. Benn, Mülheim a. d. Ruhr, unveröffentlicht 1982; Beispiel: Isomeren-Gleichgewichtsgemisch von *O,O'-Bis(ethylborandiyl)-O^1-methyl-xylit*[2].

[2] vgl. W. Fenzl, W. V. Dahlhoff u. R. Köster, A. **1980**, 1176.

[3] R. Benn, Max-Planck-Institut für Kohlenforschung, Mülheim a. d. Ruhr 1982.

[4] R. Köster, H. Bellut u. W. Fenzl, A. **1974**, 54.

[5] R. Köster, W. Fenzl u. G. Seidel, A. **1975**, 352.

ole oder der Kohlehydrate[1-9], bzw. von Alkenylbor-Derivaten[10-15]. Ebenso bieten sich ^{1}H-NMR-Messungen für dynamische Studien an, z. B. zur Untersuchung der Rotation um die BO Bindung[16-18]. Die Konformationsanalyse aufgrund der δ^1H-Werte und der Kopplungskonstanten J(HH) kann sowohl für die Organobor-Gruppierung[19] als auch für die OR-Gruppierung[20,21] von Bedeutung sein.

Weiterhin hat die ^{1}H-NMR-Spektroskopie zur Untersuchung von Reaktionsmechanismen Bedeutung. Die Autoxidation von Trialkylboranen wurde untersucht und aus den CIDNP-Effekten[22] konnte die Natur des Radikal-Mechanismus abgeleitet werden (vgl. S. 329f.)[23,24].

ε_2) ^{11}*B-NMR-Spektren*

Die ^{11}B-Resonanzen von Diorgano- und Monoorganobor-Sauerstoff-Verbindungen unterscheiden sich

① signifikant von den Werten für Triorganoborane (vgl. Abb. 5, S. 401), und es gibt auch

② signifikante Unterschiede für δ^{11}B von R_2BO- und RB(O-)$_2$-Verbindungen (vgl. Tab. 54, S. 465 u. Tab. 56, S. 467).

Dies ermöglicht oft den Einsatz der ^{11}B-NMR-Spektroskopie zur schnellen Überprüfung der Reinheit. Die präparative Bedeutung der Organobor-Sauerstoff-Verbindungen findet auch im ^{11}B-NMR-Datenmaterial ihren Niederschlag[25]. Die δ^{11}B-Werte nehmen je nach Umgebung des Bor-Atoms einen Bereich von $\approx$ 60 ppm ein. Sie sind indikativ für die Struktur der Verbindungen im Hinblick auf die Zahl und Art der Organo-Gruppen am Bor, auf den Rest am Sauerstoff-Atom, auf sterische Effekte (Ringgröße) sowie auf inter- und intramolekulare Assoziationsphänomene.

Auch bei der Interpretation der δ^{11}B-Werte für Organobor-Sauerstoff-Verbindungen müssen neben BO(pp)π-Bindungsanteilen Änderungen der σ-Bindungssphäre berücksichtigt werden (vgl. R_2BF, RBF_2, S. 452). Unterschiedliche Alkyl-Gruppen in Dialkyl-

---

[1] W. V. Dahlhoff u. R. Köster, A. **1975**, 1914.
[2] W. V. Dahlhoff u. R. Köster, A. **1975**, 1926.
[3] W. V. Dahlhoff u. R. Köster, A. **1975**, 1625.
[4] P. J. Wood u. I. R. Siddiqui, Carbohyd. Res. **36**, 247 (1974).
[5] W. V. Dahlhoff u. R. Köster, J. Org. Chem. **42**, 3151 (1977).
[6] R. Köster, Pure Appl. Chem. **49**, 765 (1977).
[7] R. Köster u. W. V. Dahlhoff, A. **1976**, 1975.
[8] W. V. Dahlhoff u. R. Köster, J. Org. Chem. **41**, 2316 (1976).
[9] W. V. Dahlhoff, W. Schüssler u. R. Köster, A. **1976**, 187.
[10] V. S. Bogdanov, A. V. Kessenikh, V. V. Negrebetskii u. Ya. Shchteinshneider, Ž. strukt. Chim. **13**, 226 (1972); engl.: 209; C. A. **77**, 41102 (1972).
[11] V. Negrebetskii, V. S. Bogdanov, A. V. Kessenikh, P. V. Petrovskii, Yu. N. Bubnov u. B. M. Mikhailov, Ž. obšč. Chim. **44**, 1882 (1974); engl.: 1849; C. A. **81**, 168741 (1974).
[12] P. Binger, Ang. Ch. **79**, 57 (1967); engl.: **8**, 84.
[13] G. Menz u. B. Wrackmeyer, Z. Naturf. **32b**, 1400 (1977).
[14] H. O. Berger, H. Nöth u. B. Wrackmeyer, B. **112**, 2866 (1979).
[15] J. Edwin, Dissertation, Universität Marburg 1979.
[16] B. Meissner u. H. A. Staab, A. **753**, 92 (1971).
[17] P. Finocchiaro, D. Gast u. K. Mislow, Am. Soc. **95**, 7029 (1973).
[18] N. M. D. Brown, F. Davidson u. J. W. Wilson, J. Organometal. Chem. **210**, 1 (1981).
[19] M. E. Gursky, A. S. Shashkov u. B. M. Mikhailov, J. Organometal. Chem. **199**, 171 (1980).
[20] F. A. Davis, I. J. Turchi, B. E. Maryanoff u. R. O. Hutchins, J. Org. Chem. **37**, 1583 (1972).
[21] A. I. Greu u. V. V. Kuznetsov, Vopr. Stereokhim. **1978**, 55; C. A. **91**, 38785 (1979).
[22] C. Richard u. P. Granger, in P. Diehl, E. Fluck u. R. Kosfeld, *NMR Basic Principles and Progress*, Vol. 8, Springer-Verlag, Berlin 1974.
[23] H. Friebolin u. R. Rensch, Org. Magn. Res. **8**, 576 (1976).
[24] R. Huschens, R. Rensch u. H. Friebolin, B. **114**, 3581 (1981).
[25] H. Nöth u. B. Wrackmeyer, *NMR-Spectroscopy of Boron Compounds*, Bd. **14**, *NMR, Grundlagen und Fortschritte* (^{11}*B-NMR-Spektroskopie*), Springer-Verlag, Heidelberg · Berlin 1978.

Tab.53: ^{1}H-NMR-Daten einiger Organo-oxy-borane[1]

Verbindung	Herst. XIII/3a S.	δ^{1}H (RB)	δ^{1}H (OR)	Lösungsmittel	Literatur
$(H_3C)_2B–OH$	vgl. 493	0,38	—	CCl_4	1
$(H_5C_2)_2B–OH$	494	0,9	5,85 (OH)	$CDCl_3$	2
$(H_3C)_2B–OCH_3$	vgl. 507	0,32	3,63	CCl_4	1
$(H_5C_2)_2B–OCH_3$	510	0,83; 0,85	3,65	CCl_4	1, 3
$[(H_3C)_3C]_2B–OCH_3$	545	1,01	3,78	CH_2Cl_2	4
$H_3CO–B\langle\rangle B–OCH_3$	514	6,84	3,80		5
$(H_5C_2)_2B–O–CO–C(CH_3)_3$	580	0,87	1,22	unverdünnt	6
$[\ \rangle BOP(=O)(C_6H_5)H]_2$	598	$BC^{\alpha}–H$ *trans:* 1,17 *cis:* 0,82; 1,33	*trans* / *cis* PH: 7,62 / 7,57 $O–C_6H_5$: 7,81 / 7,70	$CDCl_3$	7
$H_5C_2–B(OH)_2$	633[a]	0,9 $\delta_{1H(OH)}$ = 7,04 (br)	—	$(D_3C)_2SO$	8
$H_3C–B(OCH_3)_2$	677	0,17	3,50	CCl_4	1
$H_5C_2–B(OCH_3)_2$	719	0,69; 0,89	3,50	CCl_4	1
$H_5C_6–B(OCH_3)_2$	696	7,40 (o); 7,15 (m); 7,15 (p)	3,76	$CDCl_3$	9
(Cyclopentadienyl)–$B(OCH_3)_2$	vgl. 750	6,95, 6,46; 6,54	2,89	CCl_4	10
$B(OCH_3)_2$–(Cyclopentadienyl)		6,80; 6,29; 6,29	2,96	CCl_4	10
$(H_3CBO)_3$	848	0,38	—	CCl_4	1
$(H_5C_2BO)_3$	838, 848	0,90; 0,98	—	C_6D_{12}	11

[a] vgl. Bd. XIII/3c, S. 474

bor-Sauerstoff-Verbindungen haben bei gleichbleibendem Alkoxy-Rest geringen Einfluß auf die δ^{11}B-Werte (Tab. 54, S. 465). Die beste Abschirmung des ^{11}B-Kerns bedingen die tert.-C_4H_9-Gruppen, während das B-Atom im Borolan-Ring die geringste Abschirmung hat (vgl. Trialkylborane, S. 427). Dazwischen liegen die 1,2-Oxaborolane und die B-Alkoxy-9-borabicyclo[3.3.1]nonane sowie die übrigen Dialkylbor-Sauerstoff-Verbindungen. Die Abschirmung des Bor-Atoms in den Dialkyl-hydroxy-boranen ist meist etwas geringer als in den entsprechenden Methoxy-Derivaten.

Die ^{11}B-NMR-spektroskopische Untersuchung eines Gemisches von Organobor-Sauerstoff-Sauerstoff-Verbindungen, das aus verschiedenen O^1BRO^2-Verbindungen (XIII/3a, S. 792ff.) besteht, kann z. B. bei unterschiedlicher Ringgröße schon bei geringer Feldstärke (32,1 MHz) getrennte ^{11}B-Signale ergeben, wenn geeignete Verdünnungsmittel wie z. B. 2,2-Dimethylbutan verwendet werden. So gelingt die Trennung der ^{11}B-Resonanzen von *2-Ethyl-1,3,2-dioxaborolan* (34,5 ppm) und *2-Ethyl-1,3,2-dioxaborinan* (30,5 ppm)[12]. Zur besseren Signalaufspaltung empfiehlt es sich, die Messung bei möglichst hohen Feldstärken (vgl. Abb. 13, S. 464) durchzuführen[13].

---

[1] H. Nöth u. H. Vahrenkamp, J. Organometal. Chem. **12**, 23 (1968).
[2] W. Fenzl u. R. Köster, Inorg. Synth. **22**, 193 (1983).
[3] W. Fenzl u. R. Köster, Inorg. Synth. **22**, 190 (1983).
[4] H. Prigge, Dissertation, Universität München 1983.
[5] G. E. Herberich u. B. Hessner, J. Organometal. Chem. **161**, C 36 (1978).
[6] R. Köster u. G. Seidel, Inorg. Synth. **22**, 185 (1983).
[7] L. Synoradzki, R. Mynott, A. Jiang, C. Krüger, Y.-H. Tsay u. R. Köster, B. **117**, 2863 (1984).
[8] R. Köster u. P. Idelmann, Mülheim a. d. Ruhr, unveröffentlicht 1982.
[9] B. G. Ramsey u. K. Longmuir, J. Org. Chem. **45**, 1322 (1980).
[10] B. M. Mikhailov, T. K. Baryshnikova u. V. S. Bogdanov, Doklady Akad. SSSR **202**, 358 (1972); engl.: 45; C. A. **76**, 14094 (1972).
[11] R. Köster u. R. Benn, Mülheim a. d. Ruhr, unveröffentlicht 1983.
[12] W. V. Dahlhoff u. R. Köster, A. **1975**, 1625.
[13] R. Köster, A. Sporzynski u. R. Benn, Mülheim a. d. Ruhr, unveröffentlicht 1982.

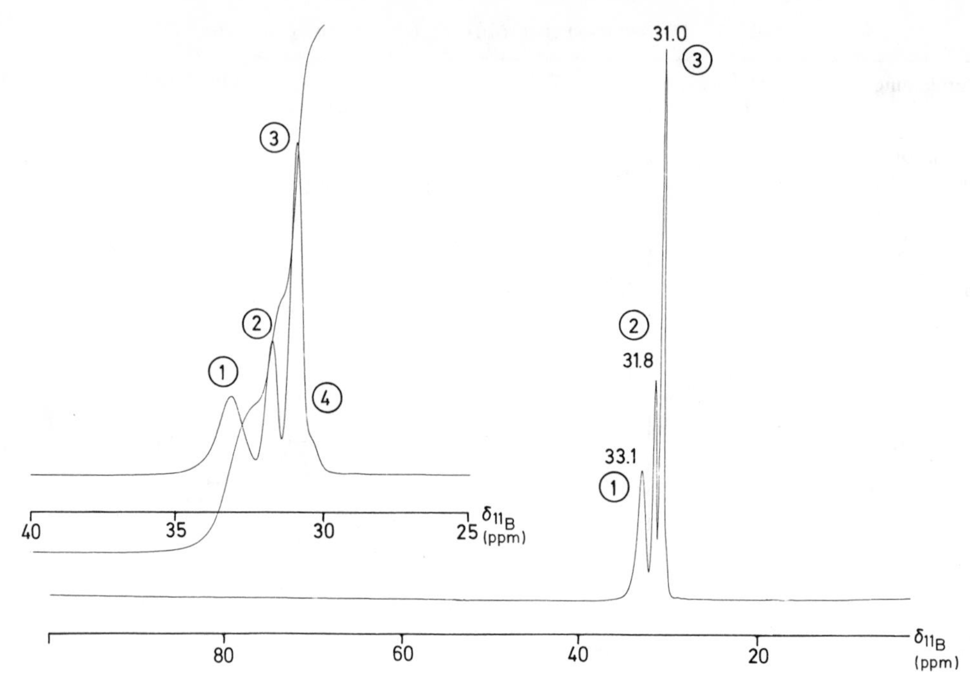

Abb. 13: 128,4 MHz ^{11}B-NMR-Spektrum[1] eines Gemischs von drei verschiedenen Ethylbor-Sauerstoff-Sauerstoff-Verbindungen[2]:
① *Triethylboroxin*
② *Ethoxy-ethyl-hydroxy-boran*
③ *Diethoxy-ethyl-boran*
④ Verbindung(en) des Typs $H_5C_2B(OR)OB(C_2H_5)$ mit $R = H$ oder C_2H_5.
Bei der hohen Feldstärke (9.4 T) sind die ^{11}B-Resonanzen der $H_5C_2BO_2$-Gruppierungen als getrennte Signale sichtbar und lassen sich quantitativ auswerten. Die relativen Linienbreiten $h_{\frac{1}{2}}$ (vgl. S. 399) führen bei Berücksichtigung der Molekülgrößen ① > ③ > ② zur gleichen Zuordnung.

Organo-Reste, die zu BC(pp)π-Wechselwirkungen befähigt sind (z.B. C_6H_5, C=C, C≡C) bewirken in Abhängigkeit von sterischen Gegebenheiten eine Verschiebung der ^{11}B-Resonanz zu niedrigeren Frequenzen (höherem Feld); vgl. auch Triorganoborane, S. 427.

Acyloxy-diorgano-borane[3], Dialkyl-sulfonyloxy-borane, Dialkyl-organo-aminoxy-borane und Dialkyl-phosphoroxy-borane[4] etc. sind oft inter- oder intramolekular assoziiert, wie die δ^{11}B-Werte zeigen bzw. aus ihrer Temperaturabhängigkeit hervorgeht; z.B.[3]:

$(H_5C_2)_2BOCOC(CH_3)_3$ (unverdünnt): δ^{11}B(20°) 38,0 ($h_{1/2} = 240$ Hz); (84°) 54,6 ($h_{1/2} = 75$ Hz)][3].

Im Fall der Diorgano-trifluorsulfonyloxy-borane sind die δ^{11}B-Werte nicht von der Temp. abhängig[5]:

$(H_9C_4)_2BOSO_2CF_3$: δ^{11}B 63,0 ppm von + 25° bis + 130° in Xylol.

[1] R. Benn, Max-Planck-Institut für Kohlenforschung, Mülheim a.d. Ruhr 1983.
[2] R. Köster u. A. Sporzynski, Mülheim a.d. Ruhr, unveröffentlicht 1983.
[3] R. Köster u. G. Seidel, Inorg. Synth. **22**, 185 (1983).
[4] L. Synoradzki, R. Mynott, A. Jiang, C. Krüger, Y.-H. Tsag u. R. Köster, B. **117**, 2863 (1984).
[5] C.K. Narula u. B. Wrackmeyer, Universität München, unveröffentlicht 1983.

Tab. 54: δ^{11}B-Werte für Diorganobor-Sauerstoff-Verbindungen

Verbindung	Herst. XIII/3a, S.	δ^{11}B	Lösungsmittel	Literatur
$(H_3C)_2B-OH$	–	54,6		1
		53,0	H_2O	2
$(H_5C_2)_2B-OH$	497	55,5	$CDCl_3$	3
H_3C B–OH H_5C_2	–	55,3		4
B–OH	495	58,8	$CDCl_3$	5
$(H_3C)_2B-OCH_3$	545	53,0	—	6
$(H_3C)_2B-OC(CH_3)_3$	vgl. 510	50,8		7
$(H_3C)_2B-OCH_2Br$	–	57,6	CCl_4	8
$(H_3C)_2B-OSi(CH_3)_3$	vgl. 600	51,6		7
H_3C $B-OCH_3$ H_5C_2	–	53,8		4
$(H_5C_2)_2B-OCH_3$	510	53,6		6,9,10
$(H_5C_2)_2B-OC(CH_3)_3$	510, 536	52,0		6
$B-OCH_3$	vgl. 514	60,8	C_6D_6	5
O $B-C_2H_5$	539, 551	57,0	C_7D_8	5
$B-OCH_3$	513, 536	56,3	C_6D_6	5
$B-OC(CH_3)_3$	536	55,7	C_7D_8	5
$B-OSi(CH_3)_3$	600	58,9	C_6D_6	5
$[(H_3C)_3C]_2B-OCH_3$	–	51,0	CH_2Cl_2/C_6D_6	11
$[(H_3C)_3C]_2B-OC(CH_3)_3$	–	49,9	C_6D_6	11
$[(H_3C)_3C]_2B-OSi(CH_3)_3$	vgl. 600	52,8	C_6D_6	11
$(H_5C_6-CH_2)_2B-OC_4H_9$	–	49,8		12
$(H_5C_6)_2B-OC_2H_5$	vgl. 544	45,1		13
$(H_5C_6)_2B-OCH_2Br$	–	46,5	CCl_4	8
$[H_3C-C_6H_2(CH_3)_2]_2B-OR$	672	51 ± 2	$CDCl_3$	14
$(H_2C=CH-CH_2)_2B-OCH_3$	vgl. 511	50,0		15
$(H_3C)_2C$ O B C_2H_5 H_5C_2 C_2H_5	568	49,3	Neohexan	16
$(H_3C)_2Si$ O B C_2H_5 H_3C C_2H_5	601	50,4	C_7D_8	16
H_3CO-B $B-OCH_3$	514	35,0		17
H_3C $(H_3C)_2Sn$ $B-OCH_3$ H_3C	565	38,3	$CDCl_3$	18

Die δ^{11}B-Werte der Halogen-organo-oxy-borane (Tab. 55, S. 466) finden sich ungefähr auf halbem Weg zwischen δ^{11}B für $RB(O-)_2$ und $RBHal_2$. Die Berechnung der δ^{11}B-Werte über paarweise additive Parameter liefert für die Alkoxy- und Halogen-borane befriedigend genaue Werte[19, 20].

---

[1] J.E. de Moor u. G.P. van der Keelen, J. Organometal. Chem. **6**, 235 (1966).
[2] K. Maier, Dissertation, Universität Marburg 1971.
[3] W. Fenzl u. R. Köster, Inorg. Synth. **22**, 193 (1983).
[4] J. Rathke u. R. Schaeffer, Inorg. Chem. **11**, 2590 (1972).
[5] B. Wrackmeyer u. R. Köster, B. **115**, 2022 (1982).
[6] H. Nöth u. H. Vahrenkamp, B. **99**, 1049 (1966).
[7] I. Kronawitter u. H. Nöth, B. **105**, 242 (1972).
[8] R. Geltinger, Dissertation, Universität München 1974.
[9] W.V. Dahlhoff u. R. Köster, A. **1975**, 1625.
[10] W. Fenzl u. R. Köster, Inorg. Synth. **22**, 190 (1983).
[11] H. Prigge, Dissertation, Universität München 1983.
[12] P. Paetzold, Technische Hochschule Aachen, unveröffentlicht 1975.
[13] C.S. Cundy u. H. Nöth, J. Organometal. Chem. **30**, 135 (1971).
[14] N.M.D. Brown, F. Davidson, R. McMullan u. J.W. Wilson, J. Organometal. Chem. **193**, 271 (1983).
[15] B.M. Mikhailov, Yu.N. Bubnov u. V.S. Bogdanov, Ž. obšč. Chim. **45**, 333 (1975); engl.: 319; C.A. **82**, 111345 (1975).
[16] R. Köster, G. Seidel u. B. Wrackmeyer, unveröffentlicht 1983.
[17] G.E. Herberich u. B. Hessner, J. Organometal. Chem. **161**, C36 (1978).
[18] H.-O. Berger, H. Nöth u. B. Wrackmeyer, B. **112**, 2866 (1979).
[19] B.F. Spielvogel, W.R. Nutt u. R.A. Izydore, Am. Soc. **97**, 1609 (1975).
[20] nicht generell anzuwenden.

Tab. 55: δ ¹¹B-Werte von Halogen-Organo-oxy-boranen

Verbindung	Herst. XIII/3a, S.	$\delta^{11}B$	Lösungsmittel	Literatur	Verbindung	Herst. XIII/3a, S.	$\delta^{11}B$	Lösungsmittel	Literatur
$H_3C-B(F)-OCH_3$	vgl. 611	29,7[a]	Ether oder Pentan	[1]	$H_5C_6-B(Cl)-OCH_3$	vgl. 613	37,7	CCl_4	[3]
$H_3C-B(Cl)-OCH_3$	vgl. 613	42,0	Ether oder Pentan	[2]	$H_5C_6-B(Br)-OCH_3$	–	39,4	CCl_4	[3]
$H_5C_2-B(F)-OC(CH_3)_3$	vgl. 611	25,9	Ether oder Pentan	[2]	$H_5C_6-B(Br)-OCH_2Br$	–	40,9	CCl_4	[4]
$H_5C_2-B(Cl)-OCH_3$	vgl. 614	42,0	Ether oder Pentan	[2]	$F_5C_6-B(Cl)-OCH_3$	–	35,6	C_6H_5Cl	[3]

[a] $^1J(^{11}B^{19}F)$ 85 Hz; $\delta^{19}F = -86{,}0$

Bei den Monoorganobor-Sauerstoff-Sauerstoff-Verbindungen treten im Grunde ganz analoge Einflüsse auf $\delta^{11}B$ in Erscheinung wie bei den Diorganobor-Sauerstoff-Verbindungen. Ein Unterschied ergibt sich aus der erhöhten Lewis-Acidität des Bors, derzufolge intermolekulare Assoziationseffekte stärker in den Vordergrund treten können[5].

Der Einfluß der Ringgröße *(1,3,2-Dioxaborolan* oder *1,3,2-Dioxaborinan)* auf $\delta^{11}B$ (s. Tab. 56, S. 467) ist von analytischem Interesse für die Aufklärung der Struktur borylierter Alkanpolyole und Kohlenhydrate[6].

Substituenten am Sauerstoff-Atom, die mit dem trigonalen Boratom um die π-Elektronendichte des Sauerstoffs konkurrieren können, führen zur Entschirmung des ^{11}B-Kerns, z. B.:

$H_5C_2-B(O-CH_2-CH_2-O)$ $\qquad$ $H_5C_2-B(O-CH_2-C(=O)-O)$

$\delta^{11}B$:[7] 34,5 $\qquad$ 38,6

Ein ^{11}B-Resonanzsignal bei 1,1 ppm wird z. B. für das Carbanion (vgl. XIII/3a, S. 729) beobachtet[8]:

$\{C[B(O-CH_2CH_2CH_2-O)]_3\}^- Li^+$

$\delta^{11}B$: 1,1

Dies könnte auf Selbstassoziation beruhen, während für andere Carbanionen Ar_2BCHR^- (Ar = Mesityl) des dreifach koordinierten Bor-Atoms (vgl. XIII/3a, S. 313f.) die $\delta^{11}B$-Werte bei 41–42 ppm zu finden sind[9].

[1] H. Vahrenkamp, Dissertation, Universität München 1967.
[2] H. Nöth u. H. Vahrenkamp, B. **99**, 1049 (1966).
[3] P. Paetzold, Technische Hochschule Aachen, unveröffentlicht 1975.
[4] R. Geltinger, Dissertation, Universität München 1974.
[5] E. F. Mooney u. P. H. Winson, Chem. Commun. **1967**, 341.
[6] W. V. Dahlhoff u. R. Köster, A. **1975**, 1926.
[7] B. Wrackmeyer u. R. Köster, B. **115**, 2022 (1982).
[8] D. S. Matteson u. L. A. Hagelee, J. Organometal. Chem. **93**, 21 (1975).
[9] M. V. Garad, A. Pelter, B. Singaram u. J. W. Wilson, Tetrahedron Letters **1983**, 637.

Intramolekulare Koordination des B-Atoms findet man i. allg. für cyclische Borsäureester aus Monoalkylbor-Verbindung und Diethanolamin[1]. Mit dem Thexyl-Rest am Bor-Atom und einer Methylgruppe am Stickstoff-Atom findet man ein Gleichgewicht zwischen den Spezies mit dreibindigem und vierbindigem Bor[2], während für R = C_6H_5 nur dreibindiges Bor vorliegt[2].

$$(H_3C)_2CH(CH_3)_2C\text{–}B(\text{–O–})_2N\text{–}R \rightleftharpoons (H_3C)_2CH(CH_3)_2C\text{–}B(\text{O})_2\;\;N\text{–}R$$

R = CH_3 δ^{11}B: 23,9 bis 17,3 (+ 40 bis − 40°)
R = C_6H_5 δ^{11}B: 30,5

Die Abschirmung der ^{11}B-Kerne in Triorganoboroxinen (Tab. 56) ist für ein B : O-Verhältnis von 1 : 1 sehr gut, entsprechend der Möglichkeit zur Delokalisierung von π-Elektronendichte über den Ring. Bemerkenswert ist der abschirmende Einfluß der C_6F_5-Gruppe (vgl. auch $CF_2{=}CF$ bei R_2B-Hal-, $RBHal_2$-Verbindungen).

Tab. 56: $\delta\,^{11}$B-Werte für einige Monoorganobor-Sauerstoff-Sauerstoff-Verbindungen

Verbindung	Herst. Bd. XIII/3a, S.	δ^{11}B	Lösungsmittel	Literatur
$H_3C\text{–}B(OH)_2$	643	31,9	H_2O	3
$H_5C_2\text{–}B(OH)_2$	633	32,5	$(D_3C)_2SO$	4
$H_{11}C_6\text{–}B(OH)_2$	621	31,3 ($h^1/_2$ = 525 Hz)	H_2O	5
$H_5C_6\text{–}B(OH)_2$	619, 651	28,4	C_2H_5OH	6, 7
$(H_3C)_3C\text{–}CH_2(H)C{=}C(H)B(OH)_2$	vgl. 626/627	27,1	H_2O	5
$H_3C\text{–}B(OCH_3)_2$	677	29,5		8
$H_3C\text{–}B[OCH(CH_3)_2]_2$	–	30,3	unverdünnt	9
$H_3C\text{–}B[OC(CH_3)_3]_2$	–	28,4		10
$H_3C\text{–}B(OCH_2Br)_2$	–	32,5	CCl_4	11
$H_3C\text{–}B(O)_2$ (Ring)	vgl. 702	34,9		12
$H_5C_2B(OCH_3)_2$	719	31,5		8, 13
$H_5C_2\text{–}B[OC(CH_3)_3]_2$	–	29,2		8
$H_5C_2\text{–}B(O)_2$(Ring)$\sim(CH_3)_{0\text{-}4}$	656, 683/684/688 763	34–35	C_6D_6 (Neohexan)	13, 14
$H_5C_2\text{–}B(O)_2$(Ring)$(CH_3)_{0\text{-}4}$	vgl. 676, 748 763	30,5–31,5	C_6D_6 (Neohexan)	13, 14
$H_5C_6\text{–}CH_2\text{–}B(OC_4H_9)_2$	vgl. 698	29,4		15
$H_5C_6\text{–}CH_2\text{–}B(O)_2$ (Ring)	702	33,4	CCl_4	15

[1] R. Csuk, H. Hönig u. C. Romanin, M. **113**, 1025 (1982).
[2] R. Contreras, C. Garcia, T. Mancilla u. B. Wrackmeyer, J. Organometal. Chem. **246**, 213 (1983).
[3] J. E. de Moor u. G. P. van der Keelen, J. Organometal. Chem. **6**, 235 (1966).
[4] R. Köster u. P. Idelmann, Mülheim a. d. Ruhr, unveröffentlicht 1982.
[5] H. C. Brown, N. G. Bhat u. V. Somayaji, Organometallics **2**, 1311 (1983).
[6] H. C. Beachel u. D. W. Beistel, Inorg. Chem. **3**, 1028 (1964).
[7] M. J. S. Dewar u. R. Jones, Am. Soc. **89**, 2408, 4251 (1967).
[8] H. Nöth u. H. Vahrenkamp, B. **99**, 1049 (1966).
[9] H. C. Brown u. T. E. Cole, Organometallics **2**, 1316 (1983).
[10] I. Kronawitter u. H. Nöth, B. **105**, 242 (1972).
[11] R. Geltinger, Dissertation, Universität München 1974.
[12] S. G. Shore, J. L. Christ u. D. R. Long, Soc. [Dalton Trans.] **1972**, 1123.
[13] W. V. Dahlhoff u. R. Köster, A. **1975**, 1625.
[14] B. Wrackmeyer u. R. Köster, B. **115**, 2022 (1982).
[15] P. Paetzold, Technische Hochschule Aachen, unveröffentlicht 1981.

Tab. 56 (Fortsetzung)

Verbindung	Herst. XIII/3a, S.	$\delta^{11}B$	Lösungsmittel	Literatur
$H_5C_6-CH_2-B(O)_2C_6H_4$	vgl. 704 f.	34,9	CCl_4	1
$H_5C_6-B(OCH_3)_2$	vgl. 671	28,6	C_6H_6	2
$H_5C_6-B[OSi(CH_3)_3]_2$	788	26,0	CCl_4	1
$H_5C_6-B(OCH_2Br)_2$	–	31,0	CCl_4	3
$H_5C_6-B(O)_2C_2H_4$	vgl. 674	31,2	CH_3CN	4, 5
$H_5C_6-B(O)_2C_6H_4$	674, 677	31,9	CS_2	6
$H_5C_6-B(O)_2(CH_2)_2CH-CH_3$	vgl. 676	26,4–27,0	CH_3CN	4, 5
$H_2C=CH-CH_2-B(OCH_3)_2$	vgl. 757	29,5		7
$H_2C=CH-B(OC_4H_9)_2$	744	25,8		8
$C_5H_7-B(OCH_3)_2$	–	25,0		9
$HC\equiv C-B(OCH_3)_2$	vgl. 750	21,6		10
$[(H_3C)_3Si]_3C-B(OCH_3)_2$	–	31,0	CCl_4	11
$Cr(CO)_3C_6H_5B(OCH_3)_2$	–	26,1	C_6H_6	2
$C_5H_5FeC_5H_4B(OC_2H_5)_2$	639	29,6	CS_2	12
$Mn(CO)_3C_5H_3(CH_3)B(OC_2H_5)_2$	–	26,0	CS_2	12
$(H_5C_2B)_4O_8$-Käfig (4 × $B-C_2H_5$)	776	37,1	Neohexan	13
$H_3C-B[OSi(CH_3)_3]_2$	787	29,6		14

Die $\delta^{11}B$-Werte der Tetraorganodiboroxane (s. Tab. 57, S. 469) unterscheiden sich i. allg. nicht signifikant von anderen Verbindungen R_2BOR' oder R_2BOH (R, R' = Organo-Rest)[15]. Dies kann als Folge des großen Bindungswinkels BOB $\gg 120°$[16] angesehen werden, wodurch beide Boratome an der Sauerstoff-π-Elektronendichte partizipieren. Die ^{11}B-

[1] P. Paetzold, Technische Hochschule Aachen, unveröffentlicht 1981.
[2] R. Goetze u. H. Nöth, J. Organometal. Chem. **145**, 151 (1978).
[3] R. Geltinger, Dissertation, Universität München 1974.
[4] R. H. Cragg u. J. C. Lockhart, J. Organometal. Chem. **31**, 2282 (1969).
[5] F. A. Davis, I. J. Turchi, B. E. Hutchins, J. Org. Chem. **37**, 1583 (1972).
[6] F. A. Davis, M. J. S. Dewar u. R. Jones, Am. Soc. **90**, 706 (1968).
[7] B. M. Mikhailov, Yu. N. Bubnov u. V. S. Bogdanov, Ž. obšč. Chim. **45**, 333 (1975); engl.: 319; C. A. **82**, 111345 (1975).
[8] V. S. Bogdanov, A. V. Kessenikh, V. V. Negrebetskii u. A. Ya. Shchteinshneider, Ž. strukt. Chim. **13**, 226 (1972); engl.: 209; C. A. **77**, 41102 (1972).
[9] B. M. Mikhailov, T. K. Baryshnikova u. V. S. Bogdanov, Doklady Akad. SSSR **202**, 358 (1972); engl.: 45; C. A. **76**, 14094 (1972).
[10] W. G. Woods u. P. L. Strong, J. Organometal. Chem. **7**, 371 (1967).
[11] C. Eaborn, M. N. El-Kheli, N. Retta u. J. D. Smith, J. Organometal. Chem. **249**, 23 (1983).
[12] T. Renk, W. Ruf u. W. Siebert, J. Organometal. Chem. **120**, 1 (1976).
[13] M. Yalpani, R. Köster u. G. Wilke, B. **116**, 1336 (1983).
[14] I. Kronawitter u. H. Nöth, B. **105**, 242 (1972).
[15] H. Nöth u. B. Wrackmeyer, *NMR-Spectroscopy of Boron Compounds*, Bd. **14** NMR, *Grundlagen und Fortschritte* (*^{11}B-NMR-Spektroskopie*). Springer-Verlag, Heidelberg · Berlin 1978.
[16] C. J. Cardin, H. E. Parge u. J. W. Wilson, J. Chem. Res. (S) **1983**, 93, (M) **1983**, 0801; ∡ BOB in *Tetramesityldiboroxan* = 165,5°.

Resonanzen der Triorganoboroxine findet man ebenfalls im Erwartungsbereich für OBRO-Verbindungen bei 33–30 (Alkyl, Aryl) bzw. 28 (Vinyl) oder 20 ppm (C_6F_5); vgl. Tab. 57.

Tab. 57: δ^{11}B-Werte von Organodiboroxanen und Triorganoboroxinen

Verbindung	Herst. XIII/3a, S.	δ^{11}B	Lösungsmittel	Literatur	Verbindung	Herst. XIII/3a, S.	δ^{11}B	Lösungsmittel	Literatur
$[(H_3C)_2B]_2O$	813	52,0	–	1	$(H_3C)_3C$–…–$C(CH_3)_3$ (H_5C_2, C_2H_5)	829, 831	8,0	$CDCl_3$	7
$[(H_5C_2)_2B]_2O$	814, 819	53,3	–	2					
$[\ldots B]_2O$	816/819	59,3	C_6D_6	3					
$[(H_5C_6)_2B]_2O$	817, 822	46,0		4	$(H_3C–BO)_3$	835, 848	33,2	–	8
$[(H_2C=CH)_2B]_2O$	–	39,0	–	5	$(H_5C_2–BO)_3$	838, 848	33,5	C_6D_6	3
					$[(H_3C)_2CH–BO]_3$	–	33,6		4
					$(H_9C_4–BO)_3$	840, 848	32,5		9
$[\ldots B]_2O$	vgl. 822	38,9		6	$(H_5C_6–BO)_3$	836, 851	30,4	C_6D_6	3
					$(H_2C=CH–BO)_3$	vgl. 839, 841	28,0	–	5
					$(F_5C_6–BO)_3$	–	20,1	C_7D_8	4

ε_3) *^{13}C-NMR-Spektren der Organobor-Sauerstoff-Verbindungen*

Die ^{13}C-NMR-Spektroskopie von Organobor-Sauerstoff-Verbindungen erweist sich als nützliche Analysenmethode zur Feststellung der Reinheit, Zusammensetzung und Struktur. Sieht man von dem breiten ^{13}C-Resonanzsignal des borgebundenen Kohlenstoffs ab, so erscheinen die übrigen ^{13}C-Resonanzen an ihrem gewohnten Platz[10] (s. Tab. 58, S. 471) und können mit Hilfe der Fülle des aus der organischen Chemie bekannten Datenmaterials[11] zugeordnet werden. Die Differenzierung der *cis/trans*-isomeren *4-Acetyl-4,5-dimethyl-2-ethyl-1,3,2-dioxaborolane* I und II gelingt unter Zuhilfenahme der Δ^{13}C sämtlicher 2-Ethyl-4,5-oligomethyl-1,3,2-dioxaborolane[12]:

I   II

δ^{13}C(ppm)	C^4	C^5	$(CH_3)^4$	$(CH_3)^5$	C(C=O)	CH_3(C=O)
I	88,7	77,2	19,3	17,5	210	24,5
II	89,6	82,4	25,0	18,4	210	27,5

[1] H. Vahrenkamp, Dissertation, Universität München 1967.
[2] W. Fenzl u. R. Köster, Inorg. Synth. **22**, 188 (1983).
[3] B. Wrackmeyer u. R. Köster, B. **115**, 2022 (1982).
[4] P. Paetzold, Technische Hochschule Aachen, Privatmitteilung 1975.
[5] J. D. Odom, A. J. Zozulin, S. A. Johnston, J. R. Durig, S. Riethmiller u. E. J. Stampf, J. Organometal. Chem. **201**, 351 (1980).
[6] A. T. Jeffries III, u. S. Gronowitz, Chem. Scripta **4**, 183 (1973); C. A. **80**, 27312 (1974).
[7] R. Köster u. W. Fenzl, Inorg. Synth. **22**, 196 (1983).
[8] J. E. de Moor u. G. P. van der Keelen, J. Organometal. Chem. **6**, 235 (1966).
[9] V. A. Dorokhov, L. I. Lavrinovich, I. P. Yakovlev u. B. M. Mikhailov, Ž. obšč. Chim. **41**, 2501 (1971); C. A. **76**, 140935 (1972).
[10] B. Wrackmeyer, Progress NMR Spectrosc. **12**, 227 (1979).
[11] W. Bremser, B. Franke u. H. Wagner, *Chemical Shift Ranges in Carbon-13 NMR-Spectroscopy*, Verlag Chemie, Weinheim 1982.
[12] W. Fenzl u. R. Mynott, Mülheim a. d. Ruhr, unveröffentlicht 1975; W. Fenzl, Imeboron, III. Ettal 1976; vgl. ds. Handb. XIII/3a, S. 554f. (1982).

Zur Identifizierung, wie zur Reinheitsbestimmung der O-Organoborandiyl-Derivate von Polyhydroxy-Verbindungen, sowie von Sacchariden sind die ^{13}C-NMR-Spektren von großem analytischem Wert[1–6]. Im Fall des *1-O-Acetyl-di-O-ethylborandiyl-xylits* liegen z. B. zwei Isomere im Gleichgewicht nebeneinander deren Zuordnung aufgrund der ^{13}C-NMR-Spektren möglich ist[2]:

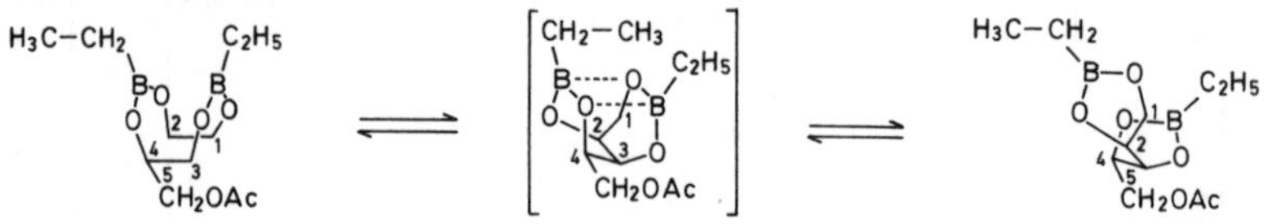

^{13}C-NMR (20,1 MHz; C_6D_6)

	2,3 : 4,5-Isomer	Ac = $COCH_3$	2,4 : 3,5-Isomer
C^1	63,7		65,7
C^2	71,0		76,2
C^3	67,4		79,7
C^4	66,1		77,2
C^5	65,3		67,0
$(CH_2)_B$	~6,7		~2,5

Auch die ^{13}C-NMR-Daten der Diorganobor-Sauerstoff-Verbindungen aus der Methanolyse von Produkten der Umsetzung des THF-BH_3 mit Trimethyl-vinyl-silan erleichtern die Strukturzuordnung; z. B.[7]:

Dynamische ^{13}C-NMR-Messungen erlauben die Beobachtung gehinderter Rotation um die BO-Bindung. Dabei ist dies im Fall eines *3-Methoxy-3-borabicyclo*[*3.3.1*]*nonan*-Derivates erstmals für Alkoxy-dialkyl-borane gelungen[8] (S. 472, oben), während die Untersuchung von Dimesityl-phenoxy-boran mit ^{13}C-NMR[9,10] die Unterscheidung verschiedener Rotationsprozesse um die BC- und BO-Bindungen erlaubt. Der Schluß, daß die BS(pp)π- größer als die BO(pp)π-Wechselwirkung ist, scheint jedoch auf der Basis der vorhandenen Daten nicht ohne weiteres akzeptierbar zu sein (vgl. Organobor-Schwefel-Verbindungen, S. 478). Um die Frage nach BO(pp)π-Bindungsanteilen geht es auch bei der ^{13}C-NMR-Untersuchung von benzanellierten Heteroborolenen[11]. Hierbei resultiert, daß der Benzo-Ring in Benzo-1,3,2-dioxaborolanen sehr effektiv mit dem trigonalen Bor-Atom um die π-Elektronendichte der O-Atome konkurriert.

---

[1] W. Fenzl u. R. Mynott, Mülheim a. d. Ruhr, unveröffentlicht 1975.
[2] W. Fenzl, W. V. Dahlhoff u. R. Köster, A. **1980**, 1176.
[3] W. V. Dahlhoff u. R. Köster, J. Org. Chem. **42**, 3151 (1977).
[4] R. Köster u. W. V. Dahlhoff, A. **1976**, 1925.
[5] M. G. Edelev, T. M. Filippova, V. N. Robos, I. K. Shmygrev, A. S. Guseva, S. G. Verenikina u. A. M. Yurkevich, Ž. obšč. Chim. **44**, 2321 (1974); engl.: 2276; C. A. **82**, 73320 (1975).
[6] R. Köster, P. Idelmann u. W. V. Dahlhoff, Synthesis **1982**, 650.
[7] J. A. Soderquist u. H. C. Brown, J. Org. Chem. **45**, 3571 (1980).
[8] M. E. Gurskii, A. S. Shashkov u. B. M. Mikhailov, J. Organometal. Chem. **199**, 171 (1980).
[9] N. M. D. Brown, F. Davidson, R. McMullan u. J. W. Wilson, J. Organometal. Chem. **193**, 271 (1980).
[10] N. M. D. Brown, F. Davidson u. J. W. Wilson, J. Organometal. Chem. **210**, 1 (1981).
[11] R. Goetze, H. Nöth, H. Pommerening, D. Sedlak u. B. Wrackmeyer, B. **114**, 1884 (1981).

Tab. 58: ^{13}C-NMR-Daten einiger Alkylbor-Sauerstoff-Verbindungen

Verbindung	Herst. XIII/3a, S.	$\delta^{13}C$ (BR)	$^1J(BC)$ Hz	$\delta^{13}C$ (OR)	Lösungsmittel	Literatur
$(C_2H_5)_2B{-}OH$	497	12,5 (br.) 7,2	—	—	$CDCl_3$	1
$(H_3C)_2B{-}OCH_3$	vgl. 507	6,3	64	52,9	C_6D_6	2
$(H_5C_2)_2B{-}OCH_3$	510	12,0; 7,8	67	53,5	$CDCl_3$	3,4
$(H_5C_2)_2B{-}OSO_2CF_3$	vgl. 590	14,1; 6,5	—	118,4		5
$(H_5C_2)_2B{-}O{-}CH_2$–(O,B,O-Ring)–$B{-}C_2H_5$	686	12,1; 7,8 3,8; 8,0	—	67,6; 67,1 (OCH_2) 76,3 (OCH)	C_6D_6	6
$[(H_3C)_3C]_2B{-}OCH_3$	vgl. 509	24,4; 28,6	—	55,1	$CDCl_3$	7
$(H_{13}C_6)_2B{-}OCH_3$		21,3; 25,5; 34,0 33,4; 24,1; 15,3	—	53,8	C_6D_6	8
(Ring)$B{-}OCH_3$	vgl. 626	17,0; 25,7	65	55,8	$CDCl_3$	9
(Bicyclus)$B{-}OH$	495	26,7; 33,3; 23,1	60	—	$CDCl_3$	9
(Bicyclus)$B{-}OCH_3$	513, 536	23,7; 33,5; 24,5	—	53,1	C_6D_6	9
(Bicyclus)$B{-}OC_2H_5$	-	24,6; 33,6; 23,7	—	61,3; 18,0	C_6D_6	9
(Bicyclus)$B{-}OC(CH_3)_3$	536	26,6; 33,4; 23,4	—	74,2; 31,1	C_7D_8	9
(O-Ring)$B{-}C_2H_5$	539, 551	10,0; 8,1 (C_2H_5)	70	—	C_7D_8	9
(Bicyclus)$B{-}OSi(CH_3)_3$	600	28,0; 34,0; 23,9	—	1,9	C_7D_8	9
$(H_5C_2)_2B{-}O{-}B(C_2H_5)_2$	814, 819	14,3 (br); 7,5	—	—	$CDCl_3$	10
$(H_5C_2)_2B{-}OCO{-}C(CH_3)_3$	580	15,2; 7,75	—	40,0; 27,2	unverdünnt	11
$H_3C{-}B(OCH_3)_2$	677	2,0	76	51,6	C_6H_6	2
$H_5C_2{-}B(OCH_3)_2$	719	4,5; 7,0	85	50,6	$CDCl_3$	3
$H_5C_2{-}B[OC(CH_3)_3]_2$	-	10,7; 9,0	—	72,3; 30,4	C_6D_6	3
$(H_3C)_3C{-}B(OCH_3)_2$	-	18,9; 27,8	78	51,8	C_6D_6	7
$H_5C_2{-}B$(O,O-Fünfring)	656	2,5; 7,3 2,9; 8,1	80 —	65,6 65,9	C_6D_6 C_6D_6	3 3
$H_5C_2{-}B$(O,O-Sechsring)	676, 748 763	7,3; 7,9 8,6; 8,6	72 —	61,7; 28,0 62,4; 29,0	C_7D_8 C_6D_6	9 12
$H_5C_2{-}B$(O,O-Ring mit CH_3, CH_3)	vgl. 725	2,9; 7,9	90	135,2; 10,6	C_7D_8	9
$H_5C_2{-}B$(O,O-Ring mit =O)	806 f.	3,9; 6,7	93	65,3; 175,0	C_7D_8	9
$H_5C_2{-}B$(O,O-Spiro-Ring,O,O)$B{-}C_2H_5$	661	7,1; 7,9	—	64,7; 36,3	C_6D_6	9
$(H_3C{-}BO)_3$	835, 848	–1,2	75	—	CCl_4/C_6D_6	9
$(H_5C_2{-}BO)_3$	838, 848	8,0; 7,3	—	—	C_6D_6	9

[1] W. FENZL u. R. KÖSTER, Inorg. Synth. **22**, 193 (1983).
[2] W. MCFARLANE, B. WRACKMEYER u. H. NÖTH, B. **108**, 3831 (1975).
[3] B. WRACKMEYER, Universität München, unveröffentlicht 1980.
[4] W. FENZL u. R. KÖSTER, Inorg. Synth. **22**, 190 (1983).
[5] D.A. EVANS, J.V. NELSON, E. VOGEL u. T.R. TABER, Am. Soc. **103**, 3099 (1981).
[6] W.V. DAHLHOFF u. R. KÖSTER, A. **1975**, 1914.
[7] H. PRIGGE, Dissertation, Universität München 1983.
[8] Y. YAMAMOTO u. I. MORITANI, J. Org. Chem. **40**, 3434 (1975).
[9] B. WRACKMEYER, Universität München, u. R. KÖSTER, Max-Planck-Institut für Kohlenforschung, Mülheim a.d. Ruhr, unveröffentlicht 1981.
[10] W. FENZL u. R. KÖSTER, Inorg. Synth. **22**, 188 (1983).
[11] R. KÖSTER u. G. SEIDEL, Inorg. Synth. **22**, 185 (1983).
[12] W.V. DAHLHOFF u. R. KÖSTER, A. **1975**, 1625.

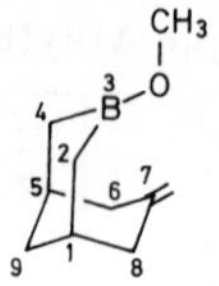

Gehinderte Rotation um die B–O-Bindung

Aufspaltung der ^{13}C-Resonanzen von $C_{(2,4)}$, $C_{(1,5)}$, $C_{(6,8)}$ bei $-88°$ [1]

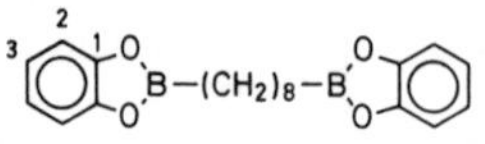

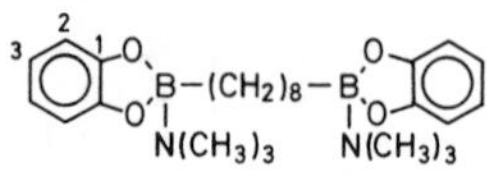

$\delta^{13}C$ [2,3]	C(1)	C(2)	C(3)
$B-(CH_2)_8-B$	148,8	112,5	122,7
$N(CH_3)_3$-Addukt	152,1	109,6	119,5

Der Vergleich mit $\delta^{13}C(2,3)$ im Trimethylamin-Addukt zeigt, daß die mesomere Wechselwirkung der Sauerstoffatome mit dem Benzo-System nur wenig durch das Bor mit $KZ_B = 3$ gestört wird.

ε₄) ^{17}O-*NMR-Spektren der Organobor-Sauerstoff-Verbindungen*

Die Untersuchung von Organobor-Sauerstoff-Verbindungen mit ^{17}O-NMR-Spektroskopie[4,5] hat wichtige Argumente für BO(pp)π-Wechselwirkungen geliefert (vgl. Tab. 59, S. 474). Dies ergab sich z.B. aus dem Vergleich der $\delta^{17}O$-Werte cyclischer 1,2-Oxaborolane, 1,3,2-Dioxaborolane[5] mit den $\delta^{17}O$-Werten entsprechender offenkettiger Borane[4] und der Gegenüberstellung der $\delta^{17}O$-Werte von Ethern und Acetalen[6]:

	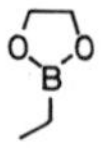	$\Delta^{17}O$	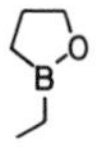		$\Delta^{17}O$	
$\delta^{17}O$:	77,5	+84,3	161,8	33,0	−19,0	14,0
	51,0	+44,0	95,0	3,0	−25,5	−22,5
	$H_3C-B(OCH_3)_2$		$(H_3C)_2B-OCH_3$	$CH_2(OCH_3)_2$		$H_5C_2OCH_3$

In gleicher Weise (d.h. mit BO(pp)π-Bindungsanteilen) muß die merkliche Verschiebung der ^{17}O-Resonanz zu höheren Frequenzen in Tetraalkyldiboroxanen im Vergleich zu anderen Dialkylbor-Sauerstoff-Verbindungen interpretiert werden; z.B.[5]:

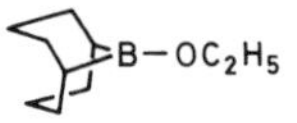

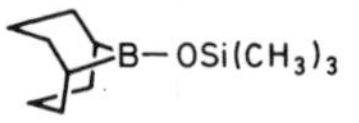

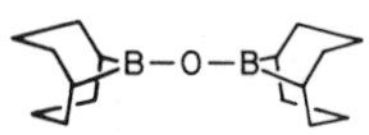

	$B-OC_2H_5$	$B-OSi(CH_3)_3$	$B-O-B$
$\delta^{17}O$ [5]:	127,5	132,0	204,3

Auch die $\delta^{17}O$-Werte für *2-Ethyl-4-oxo-1,3,2-dioxaborolan* (vgl. Abb. 14, S. 473) sind nur mit der Berücksichtigung aller drei Grenzstrukturen mit Ladungstrennung vereinbar[5]:

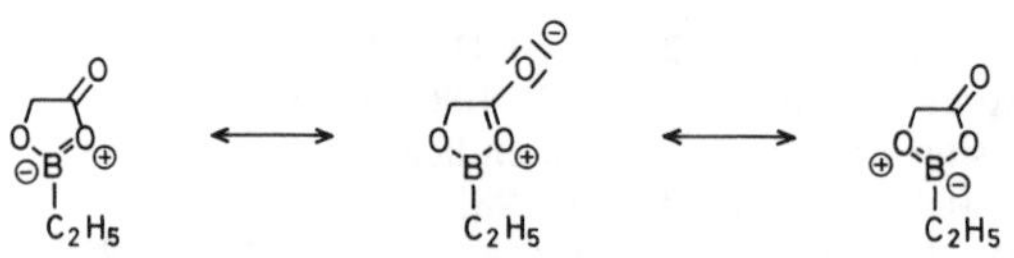

---

[1] M.E. Gurskii, A.S. Shashkov u. B.M. Mikhailov, J. Organometal. Chem. **199**, 171 (1980).
[2] R. Goetze, H. Nöth, H. Pommerening, D. Sedlak u. B. Wrackmeyer, B. **114**, 1884 (1981).
[3] D. Sedlak, Dissertation, Universität München 1982.
[4] W. Biffar, H. Nöth, H. Pommerening u. B. Wrackmeyer, B. **113**, 333 (1980).
[5] B. Wrackmeyer u. R. Köster, B. **115**, 2022 (1982).
[6] J.P. Kintzinger, *Oxygen NMR*, in P. Diehl, E. Fluck u. R. Kosfeld, *NMR-Basic Principles and Progress*, Bd. **17**, Springer-Verlag, Heidelberg · Berlin 1981.

Nachdem auch erste δ^{17}O-Werte von Carboxonium-Ionen verfügbar sind[1] und starke CO(pp)π-Wechselwirkungen außer Frage stehen, bestätigt die trendmäßige Übereinstimmung der δ^{17}O-Werte auch die Existenz der BO(pp)π-Bindungsanteile:

		Δ^{17}O	
	$(H_3C)_2B-OCH_3$		$H_3C-B(OCH_3)_2$
δ^{17}O:	95,0	44,0	51,0
	310,3	111,2	199,1
	$(H_3C)_2\overset{\oplus}{C}-OH$		$H_3C-\overset{\oplus}{C}(OH)_2$

Besonders die Differenz Δ^{17}O der chemischen Verschiebungen zeigt, daß die CO-π-Bindungen viel stärker als die BO-π-Bindungen sind. Auch die lineare Korrelation der δ^{17}O-Werte für Oxy-borane und Carbonsäureester, Carbonsäureanhydride und Kohlensäurediester[2] belegt ähnliche B–O- und C–O-Bindungsverhältnisse für diese Systeme. In wasserfreier Lösung von Dialkyl-hydroxy-boranen beobachtet man, besonders leicht bei ^{17}O-Anreicherung, die Kopplung $^1J(^{17}O^1H)$, z.B. für *9-Hydroxy-9-borabicyclo[3.3.1]nonan*[3] (zum Vergleich auch den Wert für ein Carbokation[1]).

	$^1J(^{17}O^1H)$ [Hz]
(9-Borabicyclo[3.3.1]nonyl)B–OH	74,0[3]
$(CH_3)_2\overset{\oplus}{C}-OH$	74,0[1]

Wie Abb. 14[2] zeigt, lassen sich die ^{17}O-NMR-Spektren für relativ kleine Moleküle in verhältnismäßig kurzer Zeit auch für ^{17}O in natürlicher Häufigkeit erhalten. Die ^{17}O-NMR Spektroskopie ^{17}O-angereicherter Proben birgt dagegen noch ein großes Potential zur Untersuchung und eindeutigen Aufklärung von Reaktionsmechanismen[4].

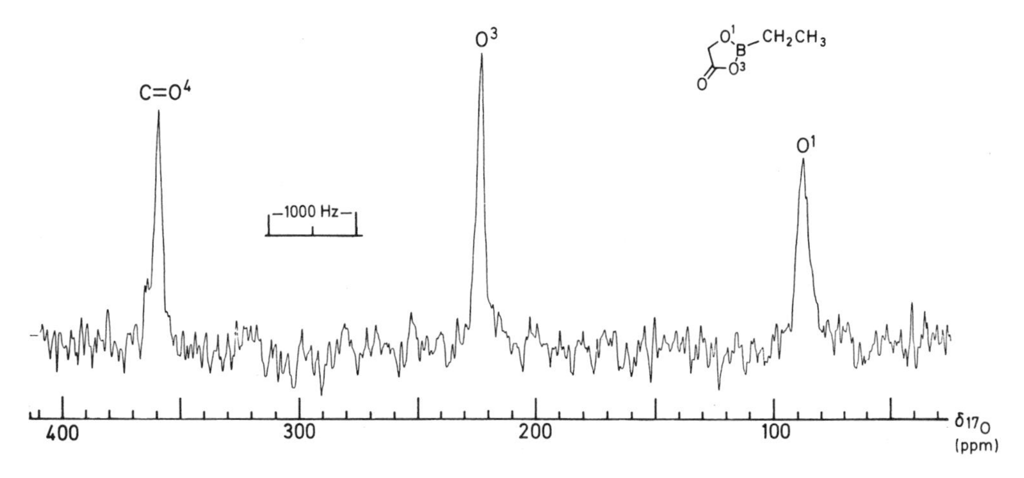

Abb. 14: 27,1 MHz ^{17}O-NMR-Spektrum (natürliche ^{17}O-Häufigkeit) von *2-Ethyl-4-oxo-1,3,2-dioxaborolan* ($\approx$ 60% Toluol-D_8, 80°); Aufnahmezeit ca. 10 Min. Die Unterscheidung der ^{17}O-Resonanzen O(3) und C=O(4) belegt, daß unter den Meßbedingungen der Platzwechsel dieser Sauerstoff-Atome langsam relativ zur NMR-Zeitskala ist (im Gegensatz zu offenkettigen Verbindungen!)[2].

---

[1] G. A. Olah, A. L. Bernier u. G. K. S. Prakash, Am. Soc. **104**, 2373 (1982).
[2] B. Wrackmeyer u. R. Köster, B. **115**, 2022 (1982).
[3] R. Köster u. J. Serwatowski, Mülheim a.d. Ruhr, unveröffentlicht 1984.
[4] R. Köster u. R. Benn, Mülheim a.d. Ruhr, unveröffentlicht 1981/1982.

Tab. 59: $\delta\,^{17}O$-Werte von Organobor-Sauerstoff-Verbindungen

Verbindung	Herst. XIII/3a, S.	$\delta\,^{17}O$	Lösungsmittel	Literatur
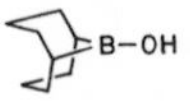	495	120	$CDCl_3$	1, 2
$(H_3C)_2B{-}OCH_3$	593, 536	95,0	C_6D_6	3
$(H_5C_2)_2B{-}OCH_3$	510	93,0	C_6D_6	4, 5
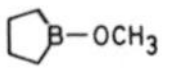	vgl. 514	97,0	C_6D_6	3
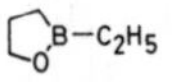	vgl. 539, 551	161,8	C_7D_8	1
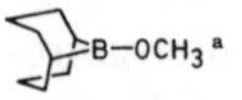 [a]	513, 536	90,0	C_6D_6	3
$(H_5C_2)_2B{-}O{-}B(C_2H_5)_2$	814, 819	223		3, 6
$H_5C_2{-}B(OH)_2$ [F: 90°!]	633	94,5	THF-d_8	7
$H_5C_2{-}B(OCH_3)_2$	719	51,0	C_6D_6	3
$H_3C{-}B(OCH_3)_2$ [b]	677	50,0	C_6D_6	3
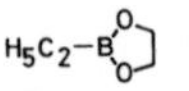	vgl. 656	77,5	C_6D_6	3
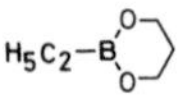	vgl. 676	78,0	C_7D_8	1
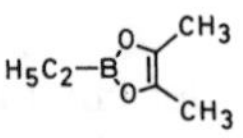	vgl. 725	181,0	C_7D_8	1
$(H_3C{-}BO)_3$	835	182,0	$CDCl_3/CCl_4$	3
$(H_5C_2{-}BO)_3$	838	145,0	C_6D_6	1
$(H_5C_6{-}BO)_3$	836	128,0	C_6D_6	1
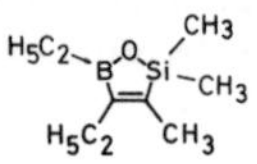	601	134,6	C_7D_8	8

[a] $\delta\,^{17}O$ für andere Oxy-Gruppen OR^3: R = C_2H_5 127,5; $(H_3C)_2CH$ 155,0; $C(CH_3)_3$ 176,0; $(CH_3)_3Si$ 132,0; BC_8H_{14} 204,3

[b] $\delta\,^{17}O$ für andere Oxy-Gruppen OR^3: R = C_2H_5 85,0, $CH(CH_3)_2$ 114,0; $C(CH_3)$ 128,0[3]

ζ) Molekülstrukturanalysen

Strukturanalysen von Organobor-Sauerstoff-Verbindungen[9] mit Elektronen- oder Röntgenstrahl-Beugung ergaben Atomabstände und -Winkel z. B. in Tetraorganodiboroxanen [*Tetramethyldiboroxan* (Elektronenbeugung)[10], *Tetramesityldiboroxan* (Röntgenstrahlbeugung)[11], *Bis(dibenzoborepinyl)oxid*[12]] oder in dimeren Diorgano-phosphoroxy-boranen[13], die im festen Zustand als [>PO(B<)O]$_2$-Achtring mit Wannen- oder Halbsessel-Konfiguration auftreten.

Zahlreiche O,O-Arylborandiyl-Derivate von Polyalkoholen und von Sacchariden wurden gemessen[14–16]. Auch die Struktur eines O,O'-Ethylborandiyl-Derivats ist bekannt[17]. Das thermochrome *2,6-Diethyl-4,8-dioxo-1,3,5,7-tetraoxa-2,6-dibora-octalin*-Molekül ist im Kristallverband der „kalten" und „heißen" Form vermessen worden (vgl. I, S. 475)[18]. Vom Trimethylboroxin liegt eine Strukturanalyse durch Elektronenbeugung in der Gasphase vor[19]. Die Struktur von *5-Acetyl-4-(4-bromphenyl)-6,6-dimethyl-2-ethyl-1,3,2-dioxaborinan*, einem Produkt der Vinyloxyboran-Addition an 4-Brombenzaldehyd (vgl. XIII/3a, S. 554f.), ist gemessen worden (vgl. II, S. 475)[20].

---

[1] B. Wrackmeyer u. R. Köster, B. **115**, 2022 (1982).
[2] R. Köster u. J. Serwatowski, Mülheim a.d. Ruhr, unveröffentlicht 1984.
[3] W. Biffar, H. Nöth, H. Pommerening u. B. Wrackmeyer, B. **113**, 333 (1980).
[4] B. Wrackmeyer, Universität München, unveröffentlicht 1983.
[5] W. Fenzl u. R. Köster, Inorg. Synth. **22**, 190 (1983).
[6] W. Fenzl u. R. Köster, Inorg. Synth. **22**, 188 (1983).
[7] R. Köster u. P. Idelmann, Mülheim a.d. Ruhr, unveröffentlicht 1982.
[8] R. Köster, G. Seidel, Mülheim a.d. Ruhr, u. B. Wrackmeyer, Universität München, unveröffentlicht 1982.
[9] M.I. Bruce, *Index of Structures Determined by Diffraction Methods*, Comprehensive Organometallic Chem. **9**, 1244–1261 (Boron), Pergamon Press 1982.
[10] G. Gundersen u. H. Vahrenkamp, J. Mol. Structure **33**, 97 (1976).
[11] C.J. Cardin, H.E. Parge u. J.W. Wilson, J. Chem. Res. (S) **1983**, 83.
[12] I. Cynkier u. N. Furmanova, Cryst. Struct. Commun. **9**, 307 (1980).
[13] L. Synoradzki, R. Mynott, A. Jiang, C. Krüger, Y.-H. Tsay u. R. Köster, B. **117**, 2863 (1984).
[14] S.J. Rettig u. J. Trotter, Canad. J. Chem. **55**, 3071 (1977).
[15] A.H.-J. Wang u. I.C. Paul, Am. Soc. **98**, 4613 (1976).
[16] A. Gupta, A. Kirfel, G. Will u. G. Wulff, Acta crystallogr., Sect. B. **33**, 637 (1977).
[17] R. Köster u. W.V. Dahlhoff, A. **1976**, 1925.
[18] M. Yalpani, R. Boese u. D. Bläser, B. **116**, 3338 (1983).
[19] S.H. Bauer u. J.Y. Beach, Am. Soc. **63**, 1394 (1961).
[20] W. Fenzl, C. Krüger u. R. Köster, Mülheim a.d. Ruhr, unveröffentlicht 1978.

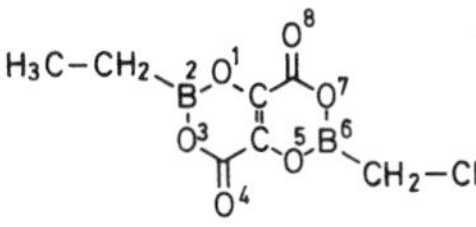

I[1]

	Heiße Form (+40°)	Kalte Form (−30°)	≈Δd
Intramolekulare Abstände (Å) und Winkel (°)[1]			
$^{d}BC_{CH_2}$	1,535(14) Å	1,561(7) Å	+0,026 Å
$^{d}BO^{1}$	1,396(10)	1,460(5)	+0,06
$^{d}BO^{3}$	1,401(11)	1,531(5)	+0,13
$^{d}C{=}C$	1,364(15)	1,339(7)	−0,02
$^{d}CO^{1}$	1,396(10)	1,351(5)	−0,045
$^{d}CO^{3}$	1,365(10)	1,273(5)	−0,092
$^{d}CO^{4}$	1,200(10)	1,271(5)	+0,071
$^{d}CC_{CO}$	1,449(11)	1,454(5)	+0,005
			Δ°
∢ $O^{1}BO^{3}$	119,0(7)°	110,4(3)°	8,6°
∢ $O^{1}BC$	120,8(7)	111,4(4)	9,4°
∢ $O^{3}BC$	120,1(8)	115,0(3)	5,1°
∢ Ebene (OBO)/CH_2	≈180	132,6	47,4°
Intermolekulare Abstände (Å) und Winkel (°)[1]			
$^{d}B^{2}O^{4}_{C=O}$	2,84 Å	1,56 Å	−1,28
^{d}Molekül-/Molekülebene	3,13	4,25	+1,12

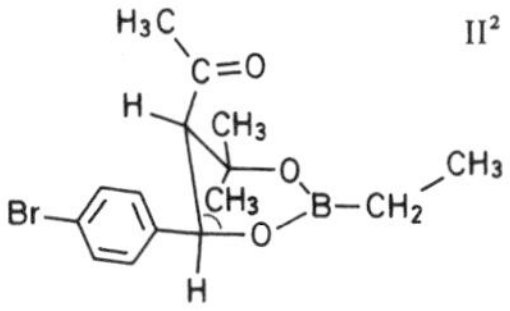

II[2]

$^{d}BC = 1{,}58(1)$ Å
$^{d}BO = 1{,}39(1)$ Å
$^{d}O_{C=O}B = 2{,}845(35)$ Å
∢ OBO = 123,8(7)°
∢ OBC = 119,9(7)°; 116,3(7)°
∢ COBOC-Ebene/CCC-Ebene = 129,0(15)°

5. Organobor-Schwefel-Verbindungen

α) Chemische Analytik

Die BS-Bindungen der Organobor-Schwefel-Verbindungen sind protolytisch leicht spaltbar. Aus offenkettigen Organo-thioboranen lassen sich daher mit Hydrogenhalogeniden, Wasser, Alkoholen oder Aminen leicht Schwefelwasserstoff oder Organosulfide freisetzen. Cyclische Organobor-Schwefel-Verbindungen reagieren vielfach entsprechend.

Chromatographische Methoden zur Trennung offenkettiger Organo-thio-borane sind wegen deren Protolyselabilität i. allg. nicht anwendbar. Cyclische Organobor-Schwefel-Verbindungen sollten sich bei Verwendung geeigneter Trennsäulen jedoch zumindest qualitativ trennen lassen.

β) Schwingungsspektren

IR- und Raman-Daten für verschiedene offenkettige Organo-thio-borane sind in der Literatur zusammengestellt[3,4].

[1] M. YALPANI, R. BOESE u. D. BLÄSER, B. **116**, 3338 (1983).
[2] W. FENZL, C. KRÜGER u. R. KÖSTER, Mülheim a. d. Ruhr, unveröffentlicht 1978.
[3] H. VAHRENKAMP, J. Organometal. Chem. **28**, 181 (1971).
[4] Gmelin, 8. Aufl., **19**/3, S. 27, 40 (1975).

Die SH-Valenzschwingungen der Hydrothio-organo-borane (XIII/3a, S. 854ff.) findet man bei 2565–2590 cm^{-1}. Die wenig intensive C=C-Valenzschwingung der Organo-2,5-dihydro-1,2,5-thiadiborole liegt im Bereich um 1530 cm^{-1}; z.B.[1,2]:

	J–B(S)B–J, H_5C_2 C_2H_5	H_3C–B(S)B–J, H_5C_2 C_2H_5	H_3C–B(S)B–CH_3, H_5C_2 C_2H_5
$\nu_{C=C}$ [cm^{-1}]	1536	1527	1535

Die $\nu_{C=C}$ der substituierten Δ^4-1,3,2-Dithiaborolene findet man im Bereich von 1510–1590 cm^{-1} [3].

γ) Massenspektren

Einzelheiten zu den Massenspektren offenkettiger und cyclischer Organobor-Schwefel-Verbindungen (vgl. Tab. 60) sind der Originalliteratur zu entnehmen[1,3–8].

Tab. 60: Massenspektren von Organo-thioboranen

Verbindung	Aussage der Untersuchung	Literatur
Diphenyl-organothio-borane	Diskussion: Tropylium-Ion-Bildung	4
Bis(organothio)-phenyl-borane	Diskussion: Tropylium-Ion-Bildung	4
2-Phenyl-1,3,2-dithiaborolan	Diskussion des Zerfalls, Tropylium-Ion-Bildung	5 6
5-Methyl-2-phenyl-1,3,2-dithiaborolan	Diskussion des Zerfalls	7
Triphenylborthiin	Diskussion des Zerfalls	8
2,5-Derivate des Δ^3-1,2,5-Thiadiborolens	Molekülpeak und Hauptbruchstückmassen (Intensitäten)	1
Derivate des Δ^4-1,3,2-Dithiaborolens und 1,3,2-Dithiaborolans	Molekülpeak, Basispeak	3

Offenkettige Phenyl-organo-organothio-borane bilden beim Zerfall im Massenspektrum Tropylium-Ionen[4–6]. Die Massenspektren cyclischer Organobor-Schwefel-Verbindungen haben i.allg. Molekülpeaks mit relativ hohen Intensitäten. Dimere werden nicht beobachtet[1].

δ) Kernresonanzspektroskopie

δ_1) *^{1}H-NMR-Spektren der Organobor-Schwefel-Verbindungen*

Die ^{1}H-Resonanzen der Organo-Reste am B- bzw. S-Atom, eignen sich in Analogie zu den entsprechenden Sauerstoff-Derivaten zur Identifizierung der Organobor-Schwefel-

[1] W. Siebert, R. Full, J. Edwin u. K. Kinberger, B. **111**, 823 (1978); vgl. Gmelin **19**/3, 18–19 (1975).
[2] K. Kinberger, Dissertation, Universität Würzburg 1976.
[3] C. Habben, W. Maringgele u. A. Meller, Z. Naturf. **37b**, 43 (1982).
[4] R.H. Cragg, J.P.N. Husband u. A.F. Weston, J. Inorg. & Nuclear Chem. **35**, 3685 (1973).
[5] R.H. Cragg, G. Lawson u. J.F.J. Todd, Soc. [Dalton] **1972**, 878.
[6] R.H. Cragg, D.A. Gallagher, J.P.N. Husband, G. Lawson u. J.F.J. Todd, Chem. Commun. **1970**, 1562.
[7] R.H. Cragg, J.P.N. Husband u. A.F. Weston, Soc. [Dalton] **1973**, 568.
[8] R.H. Cragg u. A.F. Weston, J. Organometal. Chem. **67**, 161 (206) (1974); Chem. Commun. **1974**, 22.

Verbindungen[1–8]. Die δ^1H-Werte der Protonen am borgebundenen C-Atom (Tab. 61) nehmen für R_2BX- und auch für $RB(X-)_2$ in der Reihe X = O, S, Se (vgl. S. 463, 482) zu. In Dimesitylbor-Schwefel-Verbindungen mit Arylthio-Gruppen lassen bereits die ^1H-NMR-Spektren den Schluß auf eine gehinderte Rotation um die B–S Bindung zu[7].

Heteronukleare Doppelresonanz-Experimente $^1H\{^{11}B\}$ für die XCH_3-Gruppen zeigen, daß in CH_2Cl_2 bei 20° nur im Fall X = Se ein rascher intermolekularer Austausch der $SeCH_3$-Gruppen erfolgt[9].

Tab. 61: δ^1H-Werte von Methylbor-Schwefel-Verbindungen

Verbindung	Herst. XIII/3a, S.	δ^1H (RB)	δ^1H (RS)	Lösungsmittel	Literatur
$(H_3C)_2B-SCH_3$	861	0,78	2,16	CCl_4	10
		0,68	2,12	CH_2Cl_2	11
$(H_3C)_2B-S_n-B(CH_3)_2$ (n = 1,2 > 2)	864, 882	0,99			10, 12
$(H_3C)_2B-SAs(CH_3)_2$	865	0,91	1,34	CCl_4	10
$(H_3C)_2B-SSi(CH_3)_3$	–	0,92	0,39		13
$(H_3C)_2B-SSn(CH_3)_3$	865	0,90	0,49	CCl_4	10
H_3C B S B CH_3	882	1,08 (BCH_3) 1,58 (BCH_2)	—		4
H_3C B S B CH_3 H_5C_2 C_2H_5	883	0,99 (BCH_3) 2,30 (CH_2), 0,87 (CH_3)	— —		3
$H_3C-B(SCH_3)_2$	–	0,63	1,98	CH_2Cl_2	11
$H_3C-B[SSi(CH_3)_3]_2$	–	1,06	0,46		13
CH_3 B S S	–	0,92	3,12	CH_2Cl_2	11
H_3C B S B CH_3 S S	888	1,20	1,20	CH_2Cl_2	14
CH_3 B S S	876	1,17	6,76	CH_2Cl_2	5

δ_2) ^{11}*B-NMR-Spektren*

Die ^{11}B-Resonanzen für Organobor-Schwefel-Verbindungen[15] (Tab. 62, S. 478) finden sich bei signifikant höheren Frequenzen (tieferem Feld) als bei entsprechenden Sauerstoff-Derivaten (vgl. a. $\delta^{11}B$ von Organobor-Halogen-Verbindungen, S. 451). Die geringe Abschirmung des ^{11}B-Kerns in Nachbarschaft zum Schwefel ist

[1] A.B. Burg u. F.M. Graber, Am. Soc. **78**, 1523 (1956).
[2] J.P. Bounet, C. Jouglar u. J.P. Laurent, Bl. **1970**, 2089.
[3] W. Siebert, R. Full, J. Edwin u. K. Kinberger, B. **111**, 823 (1978).
[4] W. Haubold u. U. Kraatz, B. **112**, 1083 (1979).
[5] R. Goetze u. H. Nöth, Z. Naturf. **35b**, 1212 (1980).
[6] C. Habben. W. Maringgele u. A. Meller, Z. Naturf. **37b**, 43 (1982).
[7] F. Davidson u. J.W. Wilson, J. Organometal. Chem. **204**, 147 (1981).
[8] M. Noltemeyer, G.M. Sheldrick, C. Habben u. A. Meller, Z. Naturf. **38b**, 1182 (1983).
[9] W. McFarlane, H. Nöth u. B. Wrackmeyer, B. **108**, 3831 (1975).
[10] H. Vahrenkamp, J. Organometal. Chem. **28**, 167 (1971).
[11] U. Schuchardt, Dissertation, Universität München 1973.
[12] F. Riegel, Dissertation, Universität Würzburg 1973.
[13] K. Hennemuth, A. Meller u. M. Wojnowska, Z. anorg. Ch. **489**, 47 (1982).
[14] D. Nölle, Dissertation, Universität München 1975.
[15] H. Nöth u. B. Wrackmeyer, *NMR-Spectroscopy of Boron Compounds*, Bd. **14** NMR, *Grundlagen und Fortschritte* (^{11}*B-NMR-Spektroskopie*), Springer-Verlag, Berlin · Heidelberg 1978.

ⓐ auf die leichtere Anregbarkeit der σ-Elektronen und
ⓑ auf die schwächere Besetzung von π-Orbitalen infolge unzureichender BS(pp)π-Wechselwirkungen

zurückzuführen.

Organo-Reste am B-Atom, die zu CB(pp)π-Wechselwirkungen befähigt sind, erhöhen die Abschirmung des ^{11}B-Kerns in gewohnter Weise[1]; z. B.:

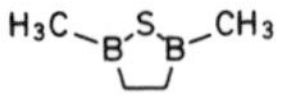

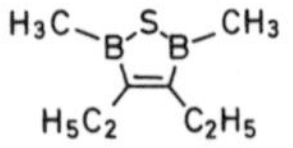

	H_3C–B(S)B–CH_3 (Ring)	H_3C–B(S)B–CH_3 mit H_5C_2, C_2H_5
δ^{11}B:	86,0[2]	66,0[3]

In Borolanen findet sich die ^{11}B-Resonanz aufgrund der unterschiedlichen Bindungswinkel am Bor-Atom bei höheren Frequenzen im Vergleich zu analogen offenkettigen Verbindungen. Die erhöhte Abschirmung des ^{11}B-Kerns in 1,3,2-Dithiaborolenen wird darum auf verstärkte Delokalisierung von π-Elektronendichte im BS_2C_2-System zurückgeführt[4,5].

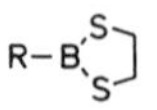

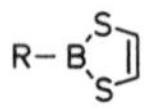

		R–B(S)(S) (gesättigt)	R–B(S)(S) (ungesättigt)
δ^{11}B:	R = CH_3	69,6[5]	61,5[4]
	R = C_6H_5	66,2[5]	59,1[4]

Wo Vergleichswerte vorliegen, finden sich die δ^{11}B-Werte der Organobor-Schwefel-Halogen- und Organobor-Schwefel-Sauerstoff-Verbindungen recht genau in der Mitte zwischen δ^{11}B für RBX_2 (X = Halogen, O–) und $RB(S-)_2$. Dies stützt die Annahme schwacher BS(pp)π-Wechselwirkungen, besonders im Vergleich zu BO(pp)π-Bindungsanteilen.

δ_3) ^{13}C-NMR-Spektren

Systematisch untersucht wurden bisher nur die Dimesitylbor-Schwefel-Verbindungen[6]. Aus diesen und anderen ^{13}C-NMR-Daten[7] geht hervor (vgl. Tab. 63, S. 480), daß die ^{13}C-NMR-Spektroskopie ebenso wie bei Organobor-Sauerstoff-Verbindungen ein ausgezeichnetes Instrument zur Reinheitskontrolle und zur Strukturaufklärung ist.

Der Frage nach BS(pp)π-Wechselwirkungen wurde in den Dimesitylbor-Schwefel-Verbindungen mit Hilfe dynamischer ^{13}C-NMR-Messungen nachgegangen[8]. Es ist fragwürdig, ob die π-Bindungsordnung π-BS > π-BO sein soll, da neuere analoge Untersuchungen für Dimesitylbor-Selen-Verbindungen[9] ergeben haben, daß dann auch gelten würde π-BSe > π-BO. Dieser Befund ist nach allen anderen Informationen (z. B. nach δ^{11}B-Daten, S. 479, 483) nicht haltbar. Auf eine sehr schwache BS(pp)π-Wechselwirkung (und auch auf eine schwache CS(pp)π-Wechselwirkung) muß auch aus den ^{13}C-NMR-Daten der benzannellierten Dithioborolene geschlossen werden[5]. Dabei ergibt sich, daß die δ^{13}C(3,4)-Werte weitgehend unabhängig von den Substituenten am Bor-Atom sind[5].

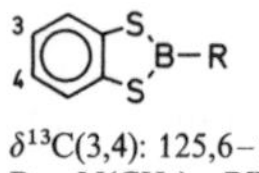

δ^{13}C(3,4): 125,6–125,9
R = $N(CH_3)_2$, $B[N(CH_3)_2]$, –B(S)(S)-Benzo, CH_3, C_6H_5

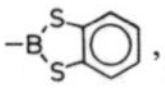

[1] H. Nöth u. B. Wrackmeyer, *NMR-Spectroscopy of Boron Compounds*, Bd. **14**, *NMR, Grundlagen und Fortschritte* (*^{11}B-NMR-Spektroskopie*), Springer-Verlag, Berlin · Heidelberg 1978.
[2] W. Haubold u. U. Kraatz, B. **112**, 1083 (1979).
[3] W. Siebert, R. Full, C. Krüger u. Y. H. Tsay, Z. Naturf. **31 b**, 203 (1976).
[4] R. Goetze u. H. Nöth, Z. Naturf. **35 b**, 1212 (1980).
[5] R. Goetze, H. Nöth, H. Pommerening, D. Sedlak u. B. Wrackmeyer, B. **114**, 1884 (1981).
[6] F. Davidson u. J. W. Wilson, J. Organometal. Chem. **204**, 197 (1981).
[7] B. Wrackmeyer, Progr. NMR Spectrosc. **12**, 227 (1979).
[8] N. M. D. Brown, F. Davidson u. J. W. Wilson, J. Organometal. Chem. **210**, 1 (1981).
[9] R. I. Baxter, R. J. M. Sands u. J. W. Wilson, J. chem. Res. (S) **1983**, 94.

Tab. 62: $\delta\,^{11}$B-Werte von Organobor-Schwefel-Verbindungen

Verbindung	Herst. XIII/3a, S.	$\delta\,^{11}$B	Lösungsmittel	Literatur
$(H_3C)_2B$–SH	856	75,5		1
$(H_3C)_2B$–SCH_3	858	73,6		1
$(H_3C)_2B$–SC_6H_5	859	74,3		1
$(H_3C)_2B$–SCF_3	–	75,4		2
$(H_3C)_2B$–S–$B(CH_3)_2$	882	78,7		1
$(H_3C)_2B$–S–S–$B(CH_3)_2$	864	75,4		1
		72,4		3
$(H_3C)_2B$–$SAs(CH_3)_2$	865	76,3		1
$(H_3C)_2B$–$SSi(CH_3)_3$	–	77,1		4
$(H_3C)_2B$–$SSn(CH_3)_3$	865	77,8		1
$(H_5C_2)_2B$–SCH_3		75,4		5
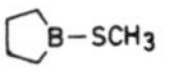 (cyclo-B)–SCH_3	vgl. 862	80,5	CH_2Cl_2	5
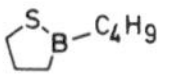 (S,B-Ring)–C_4H_9	858	80,0		6
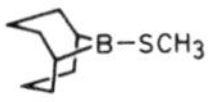 (bicyclo-B)–SCH_3	–	76,0	C_6H_6	7
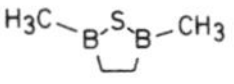 H_3C–B(S)B–CH_3 (Ring)	882	86,0	$CDCl_3$	8
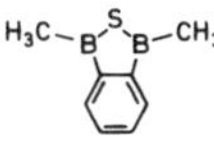 H_3C–B(S)B–CH_3 (benzo-Ring)	–	77,2	$CDCl_3$	9
$(H_5C_6)_2B$–SCH_3	860	67,0	CH_2Cl_2	10
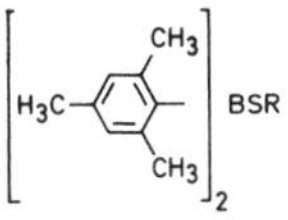 [H_3C–$C_6H_2(CH_3)_2$–]$_2$BSR	860	70–73	$CDCl_3$	11
$(H_2C{=}CH{-}CH_2)_2B$–SCH_3	–	68,5		12
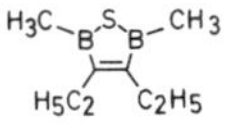 H_3C–B(S)B–CH_3 (H_5C_2, C_2H_5)	883	66,0	$CDCl_3$	13
H_3C–$B(SCH_3)_2$	–	66,3	C_6H_6	14
H_3C–$B(SCF_3)_2$	874	66,7		2
H_3C–$B[SSi(CH_3)_3]_2$	–	70,5		4
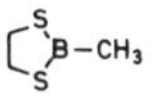 (S,S-Ring)B–CH_3	–	69,6	CH_2Cl_2	10

Verbindung	Herst. XIII/3a, S.	$\delta\,^{11}$B	Lösungsmittel	Literatur
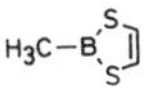 H_3C–B(S,S-Ring)	876	61,5	CH_2Cl_2	15
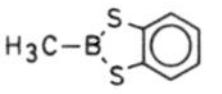 H_3C–B(S,S-benzo-Ring)	–	62,2	CH_2Cl_2	16
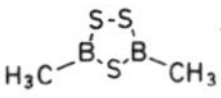 H_3C–B(S-S)(S)B–CH_3	888	70,6		17
H_5C_6–$B(SCH_3)_2$		65,0	CH_2Cl_2	10
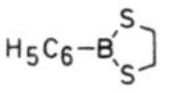 H_5C_6–B(S,S-Ring)	875	66,2	CH_2Cl_2	5
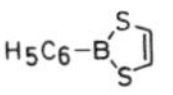 H_5C_6–B(S,S-Ring)	875	59,1	CH_2Cl_2	15
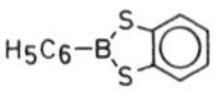 H_5C_6–B(S,S-benzo-Ring)	–	59,8	CH_2Cl_2	16
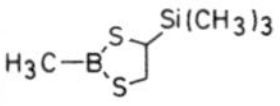 H_3C–B(S,S-Ring)–$Si(CH_3)_3$	–	70	CH_2Cl_2	18
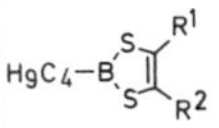 H_9C_4–B(S,S-Ring)(R^1, R^2); R^1,R^2: H; Alkyl; Aryl	–	59–62	CH_2Cl_2	18
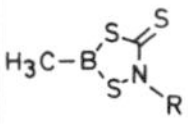 H_3C–B(S,S,N-Ring, =S, N–R) (assoziiert?); R = Alkyl	–	53–54	CH_2Cl_2	18
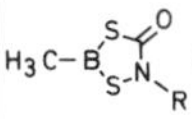 H_3C–B(S,S,N-Ring, =O, N–R) (assoziiert?)	–	51	CH_2Cl_2	18
$(H_9C_4$–$BS)_3$	889	68,4	–	5
$(H_5C_6$–$BS)_3$	889	58,3	CH_2Cl_2	10
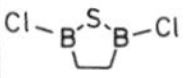 Cl–B(S)B–Cl (Ring)	884	72,5	$CDCl_3$	8
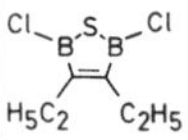 Cl–B(S)B–Cl (H_5C_2, C_2H_5)	vgl. 884	66,4	CCl_4	19

[1] H. VAHRENKAMP, J. Organometal. Chem. **28**, 167 (1971).
[2] A. HAAS u. M. HÄBERLEIN, Z. anorg. Ch. **427**, 97 (1976).
[3] W. SIEBERT, E. GAST u. M. SCHMIDT, J. Organometal. Chem. **23**, 329 (1970).
[4] K. HENNEMUTH, A. MELLER u. M. MOJOWSKA, Z. anorg. Ch. **489**, 47 (1982).
[5] H. NÖTH, H. VAHRENKAMP u. B. WRACKMEYER, unveröffentlicht 1978.
[6] V. A. DOROKHOV, O. G. BOLDYREVA u. B. M. MIKHAILOV, Izv. Akad. SSSR **1971**, 191; engl.: 176; C. A. **75**, 36197 (1971).
[7] W. BIFFAR, Dissertation, Universität München 1981.
[8] W. HAUBOLD u. U. KRAATZ, B. **112**, 1083 (1979).
[9] W. SIEBERT, G. AUGUSTIN, R. FULL, C. KRÜGER u. Y. H. TSAY, Ang. Ch. **87**, 286 (1975); engl.: **14**, 262.
[10] U. SCHUCHARDT, Dissertation, Universität München 1973.
[11] F. DAVIDSON u. J. W. WILSON, J. Organometal. Chem. **204**, 147 (1981).
[12] B. M. MIKHAILOV, YU. N. BUBNOV u. V. S. BOGDANOV, Ž. obšč. Chim. **45**, 324 (1975); engl.: 311; C. A. **82**, 111344 (1975).
[13] W. SIEBERT, R. FULL, C. KRÜGER u. Y.-H. TSAY, Z. Naturf. **31b**, 203 (1976).
[14] H. NÖTH u. U. SCHUCHARDT, B. **107**, 3104 (1974).
[15] R. GOETZE u. H. NÖTH, Z. Naturf. **35b**, 1212 (1980).
[16] R. GOETZE, H. NÖTH, H. POMMERENING, D. SEDLAK u. B. WRACKMEYER, B. **114**, 1884 (1981).
[17] M. SCHMIDT u. W. SIEBERT, B. **102**, 2752 (1969).
[18] C. HABBEN, W. MARINGGELE u. A. MELLER, Z. Naturf. **37b**, 43 (1982).
[19] W. SIEBERT, R. FULL, J. EDWIN u. K. KINBERGER, B. **111**, 823 (1978).

Tab. 62 (Fortsetzung)

Verbindung	Herst. XIII/3a, S.	$\delta^{11}B$	Lösungsmittel	Literatur	Verbindung	Herst. XIII/3a, S.	$\delta^{11}B$	Lösungsmittel	Literatur
Cl–B(S)B–Cl (benzo)	884	65,7	CS_2	1	J–B(S)B–J, H_5C_2 C_2H_5	884	52,5[a]	CCl_4	4
Br–B(S)B–Br, H_5C_2 C_2H_5	–	66,1	CS_2	2	J–B(S)B–J (benzo)	885	64,3	CS_2	1
Br–B(S)B–Br (benzo)	884	67,2	CS_2	1	$H_3C-B(SCH_3)(OCH_3)$	vgl. 869 f.	48,5		5
					O–B–C_6H_5, S (Ring)	870	47,7		6
$H_5C_6B(SCH_3)J$	867	57,0		3	H_5C_2O–B(S)B–OC_2H_5, H_5C_2 C_2H_5	886	47,6	CCl_4	7

[a] $\delta^{11}B$-Wert verändert sich mit der Konzentration, vgl. die Kristallstruktur[8]

Tab. 63: $\delta^{13}C$-Werte von Organobor-Schwefel-Verbindungen

Verbindung	Herst. XIII/3a, S.	$\delta^{13}C$ (RB)	$J(^{13}C^{11}B)$	^{13}C (SR)	Lösungsmittel	Literatur
$(H_3C)_2B-SCH_3$	861	9,9	50,0	12,1	C_6H_6	9
$H_3C-(B-SCH_3)_2$	–	7,2	64,0	12,5	C_6H_6	9
H_3C–B(S–S)(S)B–CH_3	888	4,2	66,0	—	$CDCl_3$	10
S–B–CH_3, S (Ring)	872	–0,9	54,0	127,6	$CDCl_3$	11
$H_5C_6B(SCH_3)_2$	875	138,0 (i); 131,1 (o) 127,6 (m), 129,0 (p)	—	12,7	$CDCl_3$	12
S–B–C_6H_5, S (Ring)	875	132,6 (i); 134,4 (o) 127,4 (n); 131,4 (p)	—	37,6	$CDCl_3$	12
S–B–C_6H_5, S (Ring, ungesättigt)	875	132,7 (i); 133,9 (o) 128,1 (m); 130,8 (p)	—	127,2	$CDCl_3$	11, 12

[1] B. Asgarouladi, R. Full, K.J. Schaper u. W. Siebert, B. **107**, 34 (1974).
[2] W. Siebert, Ch. Z. **98**, 479 (1974).
[3] H. Nöth, H. Vahrenkamp u. B. Wrackmeyer, unveröffentlicht 1978.
[4] W. Siebert, R. Full, T. Renk u. A. Ospici, Z. anorg. Ch. **418**, 273 (1975).
[5] H. Vahrenkamp, Dissertation, Universität München 1967
[6] E.F. Mooney u. M.G. Anderson, Ann. Rep. NMR Spectr. **2**, 219 (1969).
[7] W. Siebert, R. Full, J. Edwin u. K. Kinberger, B. **111**, 823 (1978).
[8] F. Zettler, H. Hess, W. Siebert u. R. Full, Z. anorg. Ch. **420**, 285 (1976).
[9] W. McFarlane, B. Wrackmeyer u. H. Nöth, B. **108**, 3831 (1975).
[10] B. Wrackmeyer, Universität München, unveröffentlicht 1981.
[11] R. Goetze u. H. Nöth, Z. Naturf. **35b**, 1212 (1980).
[12] J.D. Odom, T.F. Moore, R. Goetze, H. Nöth u. B. Wrackmeyer, J. Organometal. Chem. **173**, 15 (1979).

ε) Molekülstrukturanalysen

Von nur wenigen Organobor-Schwefel-Verbindungen sind bisher Molekülstrukturuntersuchungen mit Hilfe der Elektronen-[1–3] und Röntgenstrahl-[4]Beugung durchgeführt worden; z. B.:

$(H_3C)_2B{-}S{-}S{-}B(CH_3)_2$ [1]	$J{-}B^1{-}S^2{-}B^3{-}J$ (Ring mit $C^4(C_2H_5){=}C^5(C_2H_5)$) [4]	$H_3C{-}B(SCH_3)_2$ [2]	$H_3C{-}B{-}S{-}B{-}CH_3$ (Ring mit S–S) [3]
d_{BS} = 1,805(5)Å d_{SS} = 2,078(4)Å d_{BC} = 1,573(5)Å	d_{B^1S} = 1,83(2)Å d_{B^3S} = 1,94(2)Å $d_{B^1C^4}$ = 1,555(30)Å $d_{B^3C^5}$ = 1,605(30)Å d_{BJ} = 2,13(2)Å	d_{BS} = 1,796(7)Å d_{BC} = 1,567(10)Å	d_{BS_B} = 1,803(3)Å d_{BS_S} = 1,803(3)Å d_{BC} = 1,569(5)Å d_{SS} = 2,076(3)Å
∢ BSS = 105,3(4)° ∢ SBC¹ = 114,0(6)° ∢ SBC² = 123,4(4)°	∢ B¹SB³ = 89,8° ∢ SB³C⁴ = 107,2° ∢ B⁵C⁴C⁵ = 116,2° ∢ C⁴C⁵B¹ = 111,5° ∢ CBS = 115,1°	∢ BSC¹ = 104,5(10)° ∢ BS²C = 106,2(14)° ∢ SBC¹ = 116,4(4)° ∢ SBC² = 124,4(4)°	∢ BSB = 101,6(4)° ∢ SBS = 117,7(2)° ∢ BSS = 101,5(4)° ∢ SBC = 122,8(16)°

6. Organobor-Selen-Verbindungen

α) Chemische Analysenmethoden

Mit Protolyse-Reagenzien lassen sich aus Organobor-Selen-Verbindungen i. allg. leicht Dihydroselenid bzw. Dihydrodiselenan oder Organoselenide abspalten. Die Verbindungen werden nach den üblichen Methoden identifiziert bzw. quantitativ bestimmt[5, 6]. Die thermische Instabilität der Organobor-diselen- und -triselen-Verbindungen läßt sich zur Analyse verwenden. Oberhalb 130° bilden sich elementares Selen und Organoboran, die getrennt erfaßt werden können[7].

β) IR- und Massenspektren

Die Valenzschwingung der SeH-Bindung liegt bei ν_{SeH} = 2310–2315 cm^{-1}. Die weiteren IR-Daten der Organobor-Selen-Verbindungen sind nicht besonders charakteristisch[5].

Die Massenspektren der Organobor-Selen-Verbindungen sind noch nicht systematisch untersucht. Tetraphenyl-1,3,2-diboraselenan hat keinen M^+-Peak, die Bruchstückmassen $(M-BR_2)^+$ und BR_2^+ treten auf[6–8].

---

[1] R. Johansen, H. M. Seip u. W. Siebert, Acta chem. scand. A **29**, 644 (1975).
[2] S. Lindøy, H. M. Seip u. R. Seip, Acta chem. scand. A **30**, 54 (1976).
[3] H. M. Seip, R. Seip u. W. Siebert, Acta. chem. scand. **27**, 15 (1973).
[4] F. Zettler, H. Hess, W. Siebert u. R. Full, Z. anorg. Ch. **420**, 285 (1976).
[5] Gmelin, 8. Auf., **19**/3, 83 ff. (1975).
[6] E. Gast, Dissertation, Universität Würzburg 1969.
[7] F. Riegel, Dissertation, Universität Würzburg 1973.
[8] W. Siebert, F. Riegel, E. Gast u. M. Schmidt, unveröffentlicht 1975.

γ) Kernresonanzspektroskopische Daten

Daten aus ^{1}H-NMR-Spektren[1-4] (Tab. 64), ^{11}B-NMR-Spektren[3,5,6] (Tab. 65) und ^{13}C-NMR-Spektren[3,6] von Organobor-Selen-Verbindungen sind in Tab. 65, 66 (S. 483) zusammengestellt. Systematisch untersucht wurden die ^{13}C-NMR-Spektren der Dimesityl-organoseleno-borane[6].

Nach den ^{13}C-NMR-Daten soll die π-Bindungsordnung π_{BSe} größer sein als die π_{BO}, was jedoch aufgrund der ^{11}B-Resonanzen nicht haltbar ist. Vielmehr ist die Abschirmung des ^{11}B-Kerns in den Selen-Derivaten noch geringer als in den Schwefel-Verbindungen. Die ^{11}B-Resonanzen findet man daher signifikant tieffeldverschoben gegenüber den Organobor-Sauerstoff- und z.T. auch deutlich gegenüber den Organobor-Schwefel-Verbindungen.

Tab. 64: δ ^{1}H-Werte von Methylbor-Selen-Verbindungen in Kohlenstoffdisulfid[4]

Verbindung	Herst. XIII/3a, S.	δ ^{1}H (RB)	δ ^{1}H (RSe)
$(H_3C)_2B–SeCH_3$	892	0,93	2,05
$(H_3C)_2BSe_2B(CH_3)_2$	893	1,10	1,10
$H_3C–(BSeCH_3)_2$	894	1,26	2,31
Se–Se / H_3C–B⟨Se⟩B–CH_3 (Ring)	897	1,41	–

Tab. 65: δ ^{11}B-Werte von Organobor-Selen-Verbindungen

Verbindung	Herst. XIII/3a, S.	δ ^{11}B	Lösungsmittel	Literatur
$(H_3C)_2B–SeCH_3$	892	79,4	CS_2	5
$[2,4,6(CH_3)_3C_6H_2]_2B–SeCH_3$	–	79,5	$CDCl_3$	6
$(H_3C)_2B–Se–Se–B(CH_3)_2$	893	79,7	CS_2	5
$H_3C–B(SeCH_3)_2$	894	73,0	CH_2Cl_2	6
Se–Se / H_3C–B⟨Se⟩B–CH_3 (Ring)	897	77,2	CS_2	5
$H_5C_6–B(SeCH_3)_2$	894	70,3	CS_2	5
Se–Se / H_5C_6–B⟨Se⟩B–C_6H_5 (Ring)	897	71,7	CS_2	5
$(H_5C_6BSe)_3$	897	73,2	CS_2	5

7. Organobor-Stickstoff-Verbindungen

α) Trennmethoden

Die destillative Trennung offenkettiger und vor allem cyclischer Organobor-Stickstoff-Verbindungen ist i. allg. unproblematisch, da die meisten Verbindungen thermisch stabil sind. Vielfach sind allerdings die Siedepunktsunterschiede homologer Amino-diorgano-

[1] W. Siebert, Ch. Z. **98**, 479 (1974).
[2] W. Siebert u. A. Ospici, B. **105**, 454 (1972).
[3] W. McFarlane, B. Wrackmeyer u. H. Nöth, B. **108**, 3831 (1975).
[4] Gmelin, 8. Aufl. **19**/3, 87ff. (1975).
[5] H. Nöth, H. Vahrenkamp u. B. Wrackmeyer, Universität München, unveröffentlicht 1977.
[6] R.I. Baxter, R.J.M. Sands u. J.W. Wilson, J. Chem. Res. (S) **1983**, 94.

Tab. 66: δ ^{13}C-Werte von Organobor-Selen-Verbindungen

Verbindungen	Herst. XIII/3a, S.	$\delta^{13}C$ RB		$\delta^{13}C$ SeR	Lösungs-mittel	Lite-ratur
$H_3C-B(SeCH_3)_2$	894		9,2	3,6	C_6H_6	1
$[4-H_3C-2,6-(CH_3)_2C_6H_2]_2BSeCH_3$	—	i	—	—		
		o	140,5/138,1	—		
		m	129,1/128,3	—	$CDCl_3$	
		p	138,9/138,1	—	(307 K)	2
		4–CH_3	21,0/—	—		
		2(6)–CH_3	24,0/22,2	—		
$[4-H_3C-2,6-(CH_3)_2C_6H_2]_2BSeC_6H_5$	—	i	—	—		
		o	140,2/138,6	—		
		m	128,9/127,9	—	$CDCl_3$	
		p	138,9/138,1	—	(307 K)	2
		4–CH_3	21,0	—		
		2(6)–CH_3	23,9/22,6	—		

borane sehr klein. Es empfiehlt sich dann, chromatographische Trennverfahren anzuwenden.

Die gaschromatographische Trennung von Methylborazinen[3,4] oder Ethylborazinen[5,6] gelingt z. B. in Squalan- bzw. Carbowax-Säulen.

β) Chemische Analysenmethoden

B-Amino-Reste der Organobor-Stickstoff-Verbindungen lassen sich protolytisch vom Bor-Atom i. allg. leicht abspalten und bei genügend großer Flüchtigkeit des Amins nach Austreiben acidimetrisch quantitativ erfassen[7].

Borferne NH-Gruppen primärer und sekundärer Amino-Reste (nicht Aminoborane!) bestimmt man mit aktiviertem Triethylboran (EZ)[8,9] oder mit Propyldiboran (HZ)[10] bzw. Bis-9-borabicyclo[3.3.1]nonan in Mesitylen (HZ_{BBN})[9]. ⪾BH-Bindungen der Organobor-Stickstoff-Verbindungen werden mit Alkohol oder besser mit verdünnter wäßriger Schwefelsäure durch Gasvolumetrie quantitativ erfaßt. Hierbei muß allerdings auf die Alkan-Abspaltung aus Alkyl-Resten geachtet werden (Ausfrieren der Alkane mit zwischengeschalteter $-160°$-Falle).

Die quantitative BC-Bestimmung der BC-Bindungen von Organobor-Stickstoff-Verbindungen mit Trimethylamin-N-oxid verläuft glatt, wird jedoch durch die N-Oxid-Oxidation bestimmter BN-Bindungen gestört[11].

---

[1] W. McFarlane, B. Wrackmeyer u. H. Nöth, B. **108**, 3831 (1975).
[2] R. I. Baxter, R. J. M. Sands u. J. W. Wilson, J. Chem. Res. (S) **1983**, 94.
[3] C. S. G. Phillips, P. Powell, J. A. Senlyen u. P. L. Timms, Fres. **197**, 202 (1963).
[4] J. A. Semlyen u. C. S. G. Phillips, J. Chromatog. **18**, 1 (1965).
[5] P. M. Kuznesof, T. E. Stafford u. D. F. Shriver, J. phys. Chem. **71**, 1939 (1967).
[6] P. Powell, J. A. Semlyen, R. E. Blofeld u. C. S. G. Phillips, Soc. **1964**, 280.
[7] s. ds. Handb. Bd. II/764 ff. (1953).
[8] EZ = Ethanzahl; vgl. R. Köster u. W. Fenzl, A. **1974**, 69.
[9] HZ_{BBN} = Hydridzahl-BBN; vgl. R. Köster u. L. Synoradzki, B. **117**, 2850 (1984).
[10] HZ = Hydridzahl; vgl. W. V. Dahlhoff u. R. Köster, J. Org. Chem. **42**, 3151 (1977).
[11] R. Köster u. Y. Morita, A. **704**, 70 (1967).

γ) Schwingungs- und Elektronen-Spektren

Charakteristisch für alle Infrarotspektren der Organobor-Stickstoff-Verbindungen ist eine breite, intensive Bande im Bereich von 1350–1550 cm^{-1} mit einer kurzwelligen Schulter[1–8], die man im Falle einfacher Derivate der ^{11}BN- bzw. der ^{10}BN-Valenzschwingung zuordnet. Allerdings ist diese Bande nicht immer leicht von Deformationsschwingungen der Kohlenwasserstoff-Reste zu unterscheiden. Bei Anwesenheit einer NH-Gruppe tritt ferner ihre charakteristische Valenzschwingung (3300–3500 cm^{-1}) auf[5,6,9–13].

Die IR-Spektren der Diorgano-imino-borane[14] geben Auskünfte über den Assoziationsgrad der Verbindungen durch die Faustregel[15–18]:

$\nu_{C=N}$: 1600–1700 cm^{-1} (Dimer) und $\nu_{C=N}$: $\gtrsim$ 1750 cm^{-1} (Monomer).

Die $\nu_{C=N}$ der monomeren Halogenalkyliden-halogen-organo-borane liegen bei 1800–1850 cm^{-1} [19,20]. Die BN-Valenzschwingungen cyclischer Diamino-organo-borane[21] findet man bei $\approx$ 1350 cm^{-1} bis $\approx$ 1550 cm^{-1}; z.B. beim *2-Methyl-1,3,2-diazaborinan*[22,23].

Für B-Organoborazine liegen die höchstfrequenten BN-Ringschwingungen (mit $^{10}B^{14}N$-Isotopenschulter) in Abhängigkeit von den N-Substituenten im Bereich von $\approx$ 1400 bis 1485 cm^{-1} [24].

Die NH-Valenzschwingung der offenkettigen und cyclischen Diamino-organo-borane[21] findet man bei 3300–3500 cm^{-1}; z.B. *1(3-Aminopropyl)-2-phenyl-1,3,2-diazaborinan*[25], Mesitylamino-pentafluorphenyl-borane[26], Amino-amino-phenyl-borane[27].

---

[1] H.J. Becher, Z. anorg. Ch. **289**, 262 (1957); *Dialkyl-pyrrolo-(indolo)-borane; Amino-dimethyl-boran.*
[2] H. Bellut u. R. Köster, A. **738**, 86 (1970); *Dialkyl-pyrrolo-(indolo)-borane; Amino-dimethyl-boran.*
[3] R. Köster, H. Bellut u. S. Hattori, A. **720**, 1 (1968); *Dialkyl-pyrrolo-(indolo)-borane.*
[4] R. Köster, H. Bellut, S. Hattori u. L. Weber, A. **720**, 32 (1968); *Dialkyl-piperidino-borane, Piperidino-borolane.*
[5] H.J. Becher u. G. Goubeau, Z. anorg. Ch. **268**, 133 (1952); *Dimethyl-methylamino-boran.*
[6] H.J. Becher, Spectrochim. Acta **19**, 575 (1963); *Dimethyl-methylamino-boran.*
[7] H.J. Becher u. H.T. Baechle, Advan. Chem. Ser. **42**, 71 (1964); *Amino-dimethyl-boran.*
[8] H. Nöth, W. Regnet, H. Riehl u. R. Standfest, B. **104**, 722 (1971); *Bis[diphenylboryl]hydrazin* bzw. *-1-methylhydrazin.*
[9] A.N. Nikitina, J.P. Jakolev, N.S. Fegotov u. B.M. Mikhailov, Ž. prikl. Spektr. **6**, 232 (1967); C.A. **67**, 68981 (1967). *Diphenyl-methylamino-boran.*
[10] R. Köster u. K. Iwasaki, Advan. Chem. Ser. **42**, 148 (1964); *Diphenyl-methylamino-boran.*
[11] G.E. Coates u. J.G. Livingstone, Soc. **1961**, 1000; *Amino-diphenyl-boran.*
[12] R. Köster u. G. Seidel, A. **1977**, 1837; *Bis-* und *Tris-[9-borabicyclo[3.3.1]nonyl-(9)]-amin; 9-Amino-9-borabicyclo[3.3.0]nonan(dimer).*
[13] B.M. Mikhailov, V.A. Dorokhov, V.S. Bogdanov, I.P. Yakolev u. A.D. Naumov, Doklady Akad. SSSR **194**, 595 (1970); engl.: 680; C.A. **74**, 36759 (1971); 2,2,4,4-Tetraalkyl-3,5-dihydro-1,3,5,2,4-oxadiazoniadiboratine.
[14] Gmelin, 8. Aufl., **22**/4, 223, 236ff. (1975).
[15] A. Meller u. W. Maringgele, M. **99**, 2504 (1968); *(Dibrommethylenamino)-dimethyl-boran* (monomer, dimer).
[16] J.E. Lloyd u. K. Wade, Soc. **1964**, 1649; *cis-* und *trans-Bis[ethylidenamino]-dimethyl-boran.*
[17] B.I. Tikhomirov, A.L. Yakubchik, L.N. Mikhaiova u. Z.A. Matveeva, Ž. obšč. Chim. **38**, 192 (1968); C.A. **69**, 67445 (1968); *Benzylidenamino-diethyl-boran* (dimer).
[18] M.R. Collies, M.F. Lappert, R. Snaith u. K. Wade, Soc. [Dalton Trans.] **1972**, 370; *(1-tert.-Butyl-2,2-dimethyl-propylidenamino)-diphenyl-boran.*
[19] A. Meller u. W. Maringgele, M. **102**, 121 (1971).
[20] A. Meller u. W. Maringgele, M. **99**, 2504 (1968).
[21] Gmelin, 8. Aufl., **13**/1, S. 152ff. (1974); **13**/1, 316ff. (1974); **22**/4, 71ff. (1975).
[22] J.W. Dawson, P. Fritz u. K. Niedenzu, J. Organometal. Chem. **5**, 211 (1966).
[23] K. Niedenzu, J.W. Dawson u. P. Fritz, Z. anorg. Ch. **342**, 297 (1966).
[24] Gmelin, 8. Aufl., **23**/5, 150ff. (1975); **51**/17, 72ff. (1978).
[25] K. Niedenzu u. P. Fritz, Z. anorg. Ch. **340**, 329 (1965).
[26] J.G. Morse u. W.K. Glanville, Inorg. Chem. **23**, 11 (1984).
[27] R.H. Cragg u. T.J. Miller, J. Organometal. Chem. **255**, 143 (1983).

Die drei NH-Valenzschwingungen der Dialkyl-hydrazino-borane[1-3] liegen im Bereich von 3250–3450 cm^{-1}. Die charakteristische NH_2-Deformationsschwingungsbande der Diorgano-hydrazino-borane findet man um 1600 cm^{-1} (z.B. 1608 cm^{-1} beim *Dibutyl-hydrazino-boran*)[4].

Die BH-Valenzschwingungen cyclischer Amino-hydro-organo-borane[5-7] oder dimerer Alkylidenamino-hydro-organo-borane[8] absorbieren bei 2300–2400 cm^{-1}.

Die BC-Kippschwingungen in Organoborazinen liegen bei ≈ 900 cm^{-1}. Die inneren Schwingungen der Organo-Reste (ν_{CC}) von B-Organoborazinen koppeln nicht mit den Schwingungen des Borazin-Gerüsts[9,10].

UV[11-14]- und PE[15]-Spektren haben für die Analyse laufender Untersuchungen an Organobor-Stickstoff-Verbindungen vergleichsweise nur geringe Bedeutung.

δ) Massenspektren

Die dimeren Alkylidenamino-diorgano-borane (XIII/3b, S. 81 ff.) haben intensive Molekülpeaks des Monomeren, die z.T. auch Basispeak sind; z.B.:

Benzylidenamino-bis-[2,4,6-trimethylphenyl]-boran[16]
Bis[2,4,6-trimethylphenyl]-(diphenylmethylenamino)-boran[16]
Diphenyl-(2,2,2-trifluor-1-difluormethyl-ethylidenamino)-boran (auch kryoskopisch monomer)[17]
Dimethyl-(diphenylmethylenamino)-boran[18]

Der Zerfall von 2-Phenyl-1,3,2-oxazaborolidinen im Massenspektrometer führt zu Borepinylium- und anderen Bor-Kationen[19]. Die Organobor-Cyclen mit RB(O)N-Gruppierung sind massenspektrometrisch charakterisiert worden[20-25].

---

[1] H. Nöth, B. **104**, 558 (1971); *Dimethyl-* bzw. *Diphenyl-(2,2-dimethylhydrazino)-boran*.
[2] H. Nöth, W. Regnet, H. Riehl u. R. Standfest, B. **104**, 722 (1971); *Bis[diphenylboryl]hydrazin* bzw. *-1-methylhydrazin*.
[3] H. Nöth u. W. Regnet, Advan. Chem. Ser. **42**, 166 (1964); *Diphenyl-hydrazino-boran*.
[4] Gmelin, 8. Aufl., **22**/4, 254ff. (1975).
[5] R. Köster, K. Iwasaki, S. Hattori u. Y. Morita, A. **720**, 23 (1968).
[6] J.P. Bonnet u. J.P. Laurent, J. Inorg. & Nuclear Chem. **32**, 3449 (1970).
[7] V.A. Dorokhov, O.G. Boldyreva u. B.M. Mikhailov, Ž. obšč. Chim. **40**, 1528 (1970); C.A. **75**, 36188 (1971).
[8] M.F. Hawthorne, Tetrahedron **17**, 117 (1962).
[9] A. Meller u. R. Schlegel, M. **96**, 1209 (1969).
[10] J. Boukeau u. H. Keller, Z. anorg. Ch. **272**, 303 (1953).
[11] M.J.S. Dewar, Progr. Boron Chem. **1**, 235 (1964).
[12] R. Hemming u. D.G. Johnston, Soc. **1964**, 466.
[13] S. Gronowitz u. A. Maltesson, Acta chem. scand. **25**, 2435 (1971).
[14] S. Gronowitz u. I. Ander, Chem. Scripta **22**, 55 (1983).
[15] Gmelin, 8. Aufl., **23**/5, 170ff. (1975).
[16] C. Summerford u. K. Wade, Soc. A **1970**, 2010.
[17] K. Niedenzu, C.D. Miller u. F.C. Nahm, Tetrahedron Letters **1970**, 2441.
[18] J. Pattison u. K. Wade, Soc. [A] **1967**, 1098.
[19] R.H. Cragg u. A.F. Weston, Soc. [Dalton Trans.] **1975**, 93.
R.H. Cragg, J.F.J. Todd, R.B. Turner u. A.F. Weston, Chem. Commun. **1972**, 206.
[20] G.M. Anthony, C.J.W. Brooks u. B.S. Middleditch, J. Pharm. Pharmacol. **22**, 205 (1970); C.A. **72**, 93353 (1970).
[21] C.J.W. Brooks, B.S. Middleditch u. G.H. Anthony, Org. Mass Spectrom. **2**, 1023 (1969).
[22] F.A. Davis, M.J.S. Dewar, R. Jones u. S.D. Worley, Am. Soc. **91**, 2094 (1969).
[23] J.C. Kotz, R.J. Van den Zanden u. R.G. Cooks, Chem. Commun. **1970**, 923.
[24] R.C. Dougherty, Tetrahedron **24**, 6755 (1968).
[25] S. Gronowitz u. A. Bugge, Acta chem. scand. **19**, 1271 (1965).

Die Kennzeichnung offenkettiger und cyclischer Diamino-organo-borane wurde massenspektrometrisch in breitem Umfang durchgeführt[1-3].

Asymmetrisch substituierte B-Organoborazine lassen sich massenspektrometrisch gut identifizieren. Dies gilt auch für polycyclische Borazin-Derivate[4]. B-Organoborazine haben i.allg. wenig intensive Molekülpeaks. Entscheidend ist das gefundene $^{10}B/^{11}B$-Isotopenmuster für drei Bor-Atome (vgl. S. 393). Hydrobor-Gruppen schränken die Anwendbarkeit der Isotopenmuster zur sicheren Identifizierung der B-Zahl ein [Überlagerung von $(M-H)^+$- und $(M-2H)^+$-Peak][5,6]. Die B-Organo-Reste werden im Massenspektrum deutlich leichter als N-Organo-Reste abgespalten[7]. $(M-R_B)^+$ ist daher meist Basispeak der B-Organoborazine. In Zweifelsfällen muß zur Identifizierung von B-Zahl und Zusammensetzung der Organoborazine die Hochauflösungs-Massenspektrometrie herangezogen werden. Die i. allg. selten auftretenden doppelt geladenen Bruchstückionen treten bei Konjugation mehrerer Ringe auf[8,9]. Zur Massenspektrometrie der B-Organoborazine werden folgende Daten aufgeführt:

2,4,6-Trimethylborazin[10,11]	Ionisierungspotential, M^+ (2,7%), $(M-1)^+$
2,4,6-Tris[chlormethyl]borazin[12]	M^+ $(M-CH_2Cl)^+$ = Basispeak
2,4,6-Tris[dichlormethyl]borazin[13]	M^+ $(M-Cl)^+$ $(M-CHCl_2)^+$ Gesamtspektrum
Hexamethylborazin[11-14]	M^+ $(M-H)$ $(M-CH_3)^+$ (100%) $(M-2CH_3)^+$ $(M-3CH_3)^+$ (3%) $(2M/3)^+$ (27%), $(2M/3-CH_3)^+$ (37%); Ionisierungspotential = 8,77 eV

ε) Kernresonanzspektroskopie

ε_1) *^{1}H-NMR-Spektren von Organobor-Stickstoff-Verbindungen*

Die ^{1}H-NMR-Spektroskopie von Organobor-Stickstoff-Verbindungen liefert Informationen über die Zusammensetzung und Struktur des Organo-Restes am Bor (Einschränkung: siehe z. B. Triorganoborane, S. 424 und Organobor-Sauerstoff-Verbindungen, S. 460) und gegebenenfalls über die Substituenten am Stickstoff (vgl. Tab. 67, 68, S. 488ff.). Auch hier gilt, daß der konsequente Einsatz moderner NMR-Geräte mit hoher Feldstärke sowie geeignete Möglichkeiten für Homo- und Heteroentkopplungen die ^{1}H-NMR-Spektroskopie zu einem sehr wertvollen analytischen Instrument werden lassen. Hinzu kommt, daß die ^{1}H-NMR-Spektroskopie schon frühzeitig (nach der IR-Spektroskopie)[15] für die Bestim-

---

[1] Gmelin, 8. Aufl., **13**/1, 162f., 243f. (1974).
[2] Gmelin, 8. Aufl., **23**/5, 39–45, 52–56 (1975).
[3] R.H. Cragg, M. Nazery u. A.F. Weston, J. Organometal. Chem. **263**, 261 (1984).
[4] Gmelin, 8. Aufl., **51**/17, 4 (1978); dort auf S. 10/11 einschlägige Literatur.
[5] H. Kienitz, *Massenspektrometrie*, S. 266f., Verlag Chemie, Weinheim/Bergstraße 1968.
[6] J.M. Miller u. G.L. Wilson, Inorg. Chem. **13**, 498 (1974).
[7] L.A. Melcher, J.L. Adcock, G.A. Anderson u. J.J. Lagowski, Inorg. Chem. **12**, 601 (1973).
[8] R. Köster, K. Iwasaki, S. Hattori u. Y. Morita, A. **720**, 23 (1968).
[9] A. Meller u. G. Beer, M. **104**, 1055 (1973).
[10] E.D. Loughran, C.L. Mader u. W.E. McQuistion, U.S. Atom Energy Comm. LA-2368 (1960); C.A. **54**, 12795 (1960).
[11] P.M. Kuznesof, F.E. Stafford u. D.F. Shriver, J. phys. Chem. **71**, 1939 (1967).
[12] W. Sneddon, Adv. Mass. Spectrometry **2**, 456 (1961).
[13] A. Meller u. A. Ossko, M. **99**, 1217 (1968).
[14] L.A. Melcher, J.L. Adcock, G.A. Anderson u. J.J. Lagowski, Inorg. Chem. **12**, 601 (1973).
[15] H. Baechle, H.J. Becher, H. Beyer, W.S. Brey, J.W. Dawson, M.Z. Fuller II u. K. Niedenzu, Inorg. Chem. **2**, 1065 (1963).
K. Niedenzu u. J.W. Dawson, *Boron-Nitrogen Compounds, Anorganische und Allgemeine Chemie in Einzeldarstellungen*, Bd. **VI**, 48–52, Springer-Verlag, Heidelberg · Berlin 1965.

mung der Rotationsbarriere um die B–N-Bindung eingesetzt wurde[1–7]. Die signifikanten BN(pp)π-Wechselwirkungen führen zu einer Hinderung der Rotation um die B–N-Bindung. Die freie Aktivierungsenergie $\Delta G^{\#}$ (ca. 40–100 kJ/Mol) dieses Prozesses ist so groß, daß bei ausreichender Differenz der chemischen Verschiebung der Protonen der Organylgruppen am Bor- oder am Stickstoffatom getrennte ^{1}H-Resonanzen beobachtet werden können.

R, R' B⇌N R^1, R^2 — R^1, R B⇌N R^2, R

Grundsätzlich müssen neben den BN(pp)π-Wechselwirkungen natürlich auch sterische Effekte berücksichtigt werden, die eine gegenseitig planare Einstellung der >B- und >N-Ebenen stabilisieren oder auch destabilisieren können. Das Absinken der B–N-Rotationsbarriere beim Übergang von offenkettigen Monoamino- zu Bis(amino)organoboranen deutet jedoch darauf hin, daß die B–N-Rotationsbarriere primär von π-Wechselwirkungen beeinflußt wird.

Die ^{1}H(NH)-Resonanzen in Alkylaminoboranen finden sich mit zunehmender Organo-Substitution am B-Atom bei höheren Frequenzen[8]. Die ^{1}H(NH)-Resonanzen in Borazinen sind ebenfalls bei relativ hohen Frequenzen[9] (δ^1H ~ 4–5,6 ppm). Substituenteneffekte für δ^1H in Benzol- und Borazin-Derivaten sind jedoch nicht vollkommen analog[9,10]. Aus der Temperaturabhängigkeit der ^{1}H-Resonanzen der NH-Protonen kann auf Wasserstoffbrükken-Bindungen (inter- oder intramolekular) geschlossen werden, wie etwa im Fall der 2,2-Dimethylhydrazinoborane[8]. So findet man für *Bis-(2,2-dimethylhydrazino)-methyl-boran* entsprechend des Strukturvorschlags zwei ^{1}H-Resonanzen für die unterschiedlichen NH-Protonen[8].

Messungen mit Hilfe der PFT-Technik haben ergeben, daß ^{15}N-Satelliten nur für die ^{1}H-(NH^a)-Resonanz bei niedrigen Frequenzen zu sehen sind. Da der zweite NH^b-Wasserstoff über eine intramolekulare Wasserstoffbrücke an einen ^{14}N-Kern (I = 1) gebunden ist, sind für seine ^{1}H-Resonanz keine ^{15}N-Satelliten zu beobachten[11]. Damit wird auch die Zuordnung der ^{1}H(NH)-Resonanzen[8] bestätigt.

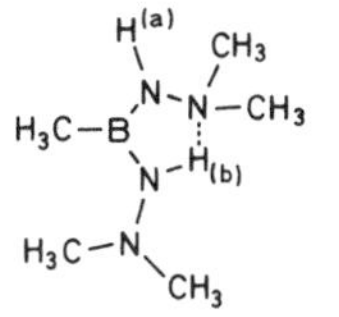

H$^{(a)}$, CH$_3$, N, N–CH$_3$, H$_3$C–B, N–H$_{(b)}$, H$_3$C–N, CH$_3$

$\delta^1H^a = 3{,}05$; $^1J(^{15}NH) = 79{,}2$ Hz
$\delta^1H^b = 4{,}13$,

In Verbindungen des Typs $RBN(CH_3)_2X$ (X = Halogen, OR, SR) (vgl. Tab. 69, S. 490) findet man allgemein zwei ^{1}H-NMR-Signale für die CH_3-Gruppen.

[1] H. Beall u. C.H. Bushweller, Chem. Reviews **73**, 465 (1973), und dort zitierte Lit.
[2] K. Scott u. W.S. Brey, jr., Inorg. Chem. **8**, 1703 (1969).
[3] D. Imbery, A. Jaeschke u. H. Friebolin, Org. Magn. Res. **2**, 271 (1970).
[4] M.J.S. Dewar u. P. Rona, Am. Soc. **91**, 2259 (1969).
[5] P.A. Barfield, M.F. Lappert u. J. Lee, Soc. [A] **1968**, 554.
[6] H. Friebolin, R. Rensch u. H. Wendel, Org. Magn. Res. **8**, 287 (1976).
[7] Y.F. Beswick, P. Wisian-Neilson u. R.H. Neilson, J. Inorg. & Nuclear Chem. **43**, 2639 (1981).
[8] H. Nöth, B. **104**, 558 (1971).
[9] L.J. Turbini u. R.F. Porter. Org. Magn. Res. **6**, 456 (1974).
[10] C. Beaumelou, M. Pasdeloup u. J.P. Laurent, Org. Magn. Res. **5**, 585 (1974).
[11] B. Wrackmeyer, Universität München, unveröffentlicht 1983.

Tab. 67: $\delta\,^1H$-Werte einiger Diorganobor-Stickstoff-Verbindungen

Verbindungen	Herst. XIII/3b, S.	$\delta\,^1H$ (RB)	$\delta\,^1H$ (NR)	Lösungsmittel	Literatur
$(H_3C)_2B-N(CH_3)_2$	21	0,25 (s)	2,75 (s)	CCl_4	1
$(H_3C)_2B-NCH_3C_6H_5$		0,22 (s); 0,51 (s)	3,03 (s) 6,86–7,43 (m)	—	2
$(H_3C)_2B-N$ (Ring)	–	0,25 (s)	3,22 (m); 1,70 (m)	CH_2Cl_2	2
$(H_3C)_2B-N$ (Ring)	–	0,29 (s)	4,33 (s); 5,69 (s)	CH_2Cl_2	2
$(H_3C)_2B-N$ (Ring)	vgl. 12	0,86 (s)	7,17 (m); 6,35 (m)	CH_2Cl_2	2
$(H_3C)_2B-NHN(CH_3)_2$	110	0,09 (s); 0,30 (s)	4,5 (s) (NH); 2,36 (s)	CCl_4	3
$(H_3C)_2B-NCH_3P(CH_3)_2$	vgl. 116	0,47 (s)	2,74 (d); 1,14 (d)	CH_2Cl_2	4
$(H_3C)_2B-NCH_3Si(CH_3)_3$	vgl. 120	0,43	2,67 (s); 0,27 (s)	CH_2Cl_2	5
$(H_3C)_2B-N[Sn(CH_3)_3]_2$	vgl. 123	0,30 (s)	0,26 (s)	CH_2Cl_2	6
$(H_3C)_2B-NCH_3HgCH_3$	–	0,27 (s); 0,33 (s)	3,05 (s); 0,65 (s)	—	7
$[(H_3C)_2B]_2N-CH_3$	vgl. 294	0,57 (s)	2,87 (s)	CCl_4	1
CH_3; H_3C-B N $B-CH_3$ (Ring)	299	0,53 (s) (BCH_3) 0,91 (s) (BCH_2)	2,86 (s)	$CDCl_3$	8
$[(H_3C)_2B]_3N$	vgl. 381	0,59 (s)	—	CH_2Cl_2	6
$(H_5C_2)_2B-N(CH_3)_2$	vgl. 20	0,78 (m); 0,82 (m)	2,75 (s)	CCl_4	1
$[(H_5C_2)_2B]_2NCH_3$	294	0,98 (m)M 0,91 (m)	2,85 (s)	CCl_4	1
$[(H_3C)_3C]_2B-N(CH_3)_2$	50	1,10 (s)	2,82 (s)	CH_2Cl_2	9
$(H_5C_6)_2B-N(CH_3)_2$	42	7,21–7,24	2,89 (s)	CCl_4	10
N (1) (2) B (3) (4) (Ring)	55	7,31 (m) (4) 7,66 (m) (3)	8,03 (m) (1) 6,72 (m) (2)		11
$(H_3C)_2Sn$ (Ring) $B-N(C_2H_5)_2$ (2) (3)	53	7,21 (d) (3) 0,17 (s) ($SnCH_3$) 7,26 (d) (2)	3,30 (q), 1,13 (t)	$CDCl_3$	12
$(HC\equiv C)_2B-N(CH_3)_2$	vgl. 72	2,72 (s)	2,78(s)	CH_2Cl_2	13

Mit zunehmenden BX(pp)π-Wechselwirkungen nimmt die freie Aktivierungsenergie $\Delta G^{\#}$ für die Rotation um die B–N-Bindung ab[14]. Für R = CH_3 und X = SCH_3 läßt sich $\Delta G^{\#}$ (Koaleszenz, 78°) zu 78,5 kJ/M bestimmen[15]. Dieser Wert entspricht Monoaminoboranen und spricht gegen merkliche BS(pp)π-Bindungsanteile (vgl. Organobor-Schwefel-Verbindungen, S. 477).

[1] H. NÖTH u. H. VAHRENKAMP, J. Organometal. Chem. **12**, 23 (1968).
[2] B. WRACKMEYER, Dissertation, Universität München 1973.
[3] H. NÖTH, B. **104**, 558 (1971).
[4] H. NÖTH u. W. STORCH, B. **110**, 2607 (1977).
[5] K. BARLOS, Dissertation, Universität München 1977.
[6] W. STORCH u. H. NÖTH, B. **110**, 1636 (1977).
[7] H. FUSSSTETTER u. H. NÖTH, B. **113**, 791 (1980).
[8] W. HAUBOLD u. U. KRAATZ, B. **112**, 1083 (1979).
[9] H. PRIGGE, Dissertation, Universität München 1983.
[10] H.J. BECHER u. H.T. BAECHLE, B. **98**, 2159 (1965).
[11] M.J.S. DEWAR u. R. JONES, Am. Soc. **90**, 2137 (1968).
[12] H.-O. BERGER, H. NÖTH u. B. WRACKMEYER, B. **112**, 2866 (1979).
[13] B. WRACKMEYER, Universität München, unveröffentlicht 1975.
[14] H. BEALL u. C.H. BUSHWELLER, Chem. Reviews **73**, 465 (1973), und dort zitierte Lit.
[15] B. WRACKMEYER, Universität München, unveröffentlicht 1971.

Tab. 68: $\delta\,^1H$-Werte einiger Organobor-Stickstoff-Stickstoff-Verbindungen

Verbindung	Herst. XIII/3b, S.	$\delta\,^1H$ (RB)	$\delta\,^1H$ (RN und andere)	Lösungsmittel	Literatur
$H_3C-B[N(CH_3)_2]_2$	220, 246	0,12 (s)	2,65	CCl_4	1
$H_3C-B[N\langle\rangle]_2$ (Ring)	vgl. 235	0,20 (s)	3,22 (m); 1,70 (m)	CH_2Cl_2	2
$H_3C-B[N\langle\rangle]_2$ (Ring, ungesättigt)	vgl. 249	1,13 (s)	7,18 (m); 6,39 (m)	CH_2Cl_2	2
$H_3C-B(NH-CH_3)_2$		0,00 (s)	2,52	CCl_4	1
$H_3C-B[NH-N(CH_3)_2]_2$	vgl. 271	0,02 (s)	3,05 (s); 4,13 (s) (NH)	CCl_4	3
$H_3C-B[N(CH_3)-Si(CH_3)_3]_2$			2,28 (NCH_3)		4
$[H_3C(H_3C)_2N\,B]_2NH$	316	0,24 (s)	2,69	CCl_4	1
$H_5C_2-B[N(CH_3)_2]_2$	220	0,68 (m); 0,85 (m)	2,65 (s)	CCl_4	1
$H_5C_6-B[N(CH_3)_2]_2$	221, 229	7,23 (m)	2,60 (s)	CH_2Cl_2	4, 5
$HC\equiv C-B[N(C_2H_5)_2]_2$	vgl. 247 f.	2,39 (s)	3,11 (q), 1,05 (t)		5
(2-Furyl)$-B[N(CH_3)_2]_2$		6,56 (m) (3); 6,36 (m) (4), 7,56 (m) (5)	2,70 (s)	CH_2Cl_2	2, 6
$H_3C-B[N(CH_3)CH_2CH_2N(CH_3)]$ (Ring)	238	0,04	3,07 (s) (NCH_2) 2,58 (s) (NCH_3)	Neopentan	7
$H_3C-B[N(CH_3)CH_2CH_2CH_2N(CH_3)]$ (Ring)	vgl. 240	0,17	2,73 (m) (NCH_2) 2,55 (s) (NCH_3) 1,77 (m) (CH_2)	$CDCl_3$	7
$H_3C-B[N(CH_3)-N(CH_3)]B(CH_3)-N(CH_3)$ (Ring)	316	0,32 (s)	2,80 (s) (NCH_3) 3,00 (s) ($NNCH_3$)	CH_2Cl_2	8, 9
$H_3C-B[N(CH_3)-N(CH_3)]_2B-CH_3$ (Ring)	276	0,10 (s)	2,72 (s)	CH_2Cl_2	10
$H_3C-B[N(CH_3)-N=N-N(CH_3)]$ (Ring)	280	0,49 (s)	3,45 (s)	$CDCl_3$	11
$H_3C-B[N(CH_3)-Si(CH_3)_2-Si(CH_3)_2-N(CH_3)]$ (Ring)	vgl. 283	0,37 (s)	2,59 (s) (NCH_3) 0,15 (s) ($SiCH_3$)	–	12

[1] H. Nöth u. H. Vahrenkamp, J. Organometal. Chem. **12**, 23 (1968).
[2] B. Wrackmeyer, Dissertation, Universität München 1973.
[3] H. Nöth, B. **104**, 558 (1971).
[4] R. Goetze, Dissertation, Universität München 1976.
[5] B. Wrackmeyer, Universität München, unveröffentlicht 1977.
[6] B. Wrackmeyer u. H. Nöth, B. **109**, 1075 (1976).
[7] K. Niedenzu, K.-O. Müller, W.J. Layton u. L. Komosowski, Z. anorg. Ch. **439**, 112 (1978).
[8] D. Nölle, Dissertation, Universität München 1975.
[9] D. Nölle, H. Nöth u. W. Winterstein, Z. anorg. Ch. **406**, 235 (1974).
[10] D. Nölle, H. Nöth u. W. Winterstein, B. **111**, 2465 (1978).
[11] J.B. Leach u. J.H. Morris, J. Organometal. Chem. **13**, 313 (1968).
[12] I. Geisler u. H. Nöth, Chem. Commun. **1969**, 775.

Tab. 68 (Fortsetzung)

Verbindung	Herst. XIII/3b, S.	$\delta\,^1H$ (RB)	$\delta\,^1H$ (RN und andere)	Lösungsmittel	Literatur
$(H_3C-BNH)_3$	340, 355	0,25 (s)		CCl_4	[1]
$(H_3C-BNCH_3)_3$	340	0,46 (s)	2,86 (s)	CCl_4	[1]
$(H_3C-BNC_6H_5)_3$	356	–0,11 (s)		CCl_4	[2]
$(H_5C_2-BNH)_3$	342, 360	0,81 (m) 0,96 (m)		CCl_4	[1]
$(H_5C_2-BNCH_3)_3$	355	1,00 (m), 1,00 (m)	2,93 (s)	CCl_4	[1]
$(H_3C-BN-1-C_{10}H_7)_3$	–	–0,42		CS_2	[3]

Tab. 69: $\delta\,^1H$-Werte einiger Organobor-Element-Stickstoff-Verbindungen

Verbindung	Herst. XIII/3b, S.	$\delta\,^1H$ (RB)	$\delta\,^1H$ (RN und andere)	Lösungsmittel	Literatur
$H_3C-B(N(CH_3)_2)F$	147	0,23 (s)	2,62 (s)	CCl_4	[1]
$H_3C-B(N(CH_3)_2)Cl$	147, 149	0,59 (s)	2,84 (s); 2,90 (s)	CCl_4	[1]
$H_5C_6-B(N(CH_3)_2)Cl$	141	7,33 (m)	2,85 (s); 3,09 (s)	CCl_4	[4]
Cl–B(–N(CH_3)–)B–Cl (Ring)	vgl. 304	1,27 (s)	2,93 (s)	$CDCl_3$	[5]
$H_3C-B(N(CH_3)_2)Br$	147	0,74 (s)	2,86 (s); 2,97 (s)	CCl_4	[1]
$H_3C-B(N(CH_3)_2)J$	–	0,96 (s)	2,95 (s); 3,13 (s)	CCl_4	[1]
$H_3C-B(N(CH_3)_2)OCH_3$	171	0,17 (s)	2,55 (s); 2,59 (s) (NCH_3) 3,47 (s) (OCH_3)	CCl_4	[1]
$H_5C_6-B(N(CH_3)_2)OCH_3$	171	7,27 (m)	2,65 (s) (NCH_3) 3,38 (s) (OCH_3)		[4]
$H_3C-B(N(CH_3)_2)SCH_3$	vgl. 205	0,48 (s)	2,70 (s) 2,79 (s) (NCH_3) 2,00 (s) (SCH_3)	CCl_4	[1]
$(H_3C)_2N$–B(S)B–$N(CH_3)_2$, C=C(H_5C_2)(C_2H_5) (Ring)	211	2,40 (q) (CH_2) 0,99 (t) (CH_3)	3,02	$CDCl_3$	[6]

[1] H. Nöth u. H. Vahrenkamp, J. Organometal. Chem. **12**, 13 (1968).
[2] K. Ita, H. Watanabe u. M. Kubo, J. Chem. Physics **34**, 1043 (1961).
[3] A. Rizzo u. B. Frange, J. Organometal. Chem. **76**, 1 (1974).
[4] P.A. Barfield, M.F. Lappert u. J. Lee, Soc. [A] **1968**, 554.
[5] W. Haubold u. U. Kraatz, B. **112**, 1083 (1979).
[6] W. Siebert, R. Full, J. Edwin u. K. Kinberger, B. **111**, 823 (1978).

ε₂) ^{11}*B-NMR-Spektren der Organobor-Stickstoff-Verbindungen*

Die ^{11}B-NMR-Spektroskopie (vgl. Tab. 70–77, S. 493–502) ist in vielfacher Hinsicht eine wichtige analytische Methode zur Untersuchung von Organobor-Stickstoff-Verbindungen[1,2]:

① die δ^{11}B-Werte dienen zur Festlegung der Anzahl der Organo-Reste am Bor-Atom
② die Dimerisation oder die Assoziation geeigneter Aminoborane ist aufgrund der unterschiedlichen δ^{11}B-Werte für ^{11}B-Kerne mit $KZ_B = 3$ und $KZ_B = 4$ leicht nachzuweisen und in Abhängigkeit von der Temperatur zu verfolgen
③ mit Hilfe der Halbhöhenbreiten h½ [Hz] von Monoorganobor-Stickstoff-Verbindungen kann zwischen oligomeren (breite ^{11}B-Resonanzen) oder monomeren Einheiten (relativ scharfe ^{11}B-Resonanzen) unterschieden werden [z. B. $(RBNR')_n$, n = 2,3,4, und $RB(NHR')_2$, die z. T. ähnliche δ^{11}B-Werte besitzen]
④ die Lage der ^{11}B-Resonanzen ermöglicht Rückschlüsse auf die Beanspruchung des freien Elektronenpaars am Stickstoff in BN(pp)π-Wechselwirkungen (die Analogie zwischen der >B–N< Bindung einerseits und der >C=C< -Bindung oder der >C–N< -Bindung in Carbokationen andererseits regt zu einem intensiven Studium der Substituenteneffekte an[3])

Mit den Daten in Tab. 70 (S. 493) lassen sich diese Argumente überprüfen.

In **Diorganobor-Stickstoff-Verbindungen** wird die planare Einstellung auch bei sperrigen Resten am Bor- oder am Stickstoff-Atom angestrebt; jedoch werden Einflüsse sterischer **und** elektronischer Natur von den δ^{11}B-Werten gut angezeigt, da nur eine BN-Bindung vorliegt. In **Bis(amino)-organo-boranen** hingegen wird meist nur ein relativ kleiner Bereich der δ^{11}B-Werte beobachtet. Oft genügt eine gemeinsame Verdrillung der Aminogruppen, um sterischem Zwang auszuweichen, oder effektive BN(pp)π-Bindungsanteile kommen bevorzugt nur in einer BN-Bindung zum Tragen. Diese Verhältnisse lassen sich am Beispiel der δ^{11}B-Werte der Aluminiumtrichlorid-Addukte an Dimethylaminoboranen demonstrieren[4]:

	$(H_3C)_2B-N(CH_3)_2$	Δ^{11}B	$(H_3C)_2B-\overset{\ominus}{AlCl_3}$–$\overset{\oplus}{N}(CH_3)_2$	$H_3C-B[N(CH_3)_2]_2$	Δ^{11}B	$H_3C-B(N(CH_3)_2)-\overset{\oplus}{N}(CH_3)_2-\overset{\ominus}{AlCl_3}$
δ^{11}B:	45,0	29,3	74,3	34,0	4,5	38,5

Hier führt im Monoaminoboran die Aufhebung der einzigen BN(pp)π-Wechselwirkung zu einem empfindlichen Abschirmungsverlust des ^{11}B-Kerns ($\Delta^{11}B = 29,3$), während im Bis(amino)boran der Effekt der Adduktbildung an einem Stickstoff-Atom von der zweiten Dimethylamino-Gruppe weitgehend aufgefangen wird, kenntlich am relativ kleinen Δ^{11}B-Wert.

Die δ^{11}B-Werte von Organobor-Stickstoff-Verbindungen sind indikativ, wenn Substituenten am Stickstoff mit dem trigonalen Bor-Atom um die N-π-Elektronendichte konkurrieren. In der Regel führt dies zu einem Abschirmungsverlust des ^{11}B-Kerns, wobei es jedoch sehr wichtig ist, mesomere und induktive Effekte so weit wie möglich voneinander abzugrenzen. So erscheint die Feststellung zulässig, daß die Funktion eines Stickstoff-Atoms zum Aufbau eines heteroaromatischen Systems (z. B. in Pyrroloboranen[5]), die Nachbarschaft des Stickstoffs zu Aryl-Gruppen (in N-Arylaminoboranen[6]), zu Carboxy-

---

[1] H. Nöth in Gmelin, 8. Aufl., **23**/5, 197–277 (1975).
[2] H. Nöth u. B. Wrackmeyer, *NMR-Spectroscopy of Boron Compounds*, Bd. **14**, *NMR, Grundlagen und Fortschritte* (^{11}*B-NMR-Spektroskopie*), Springer-Verlag, Heidelberg · Berlin 1978.
[3] W. Biffar, H. Nöth, H. Pommerening, R. Schwerthöffer, W. Storch u. B. Wrackmeyer, B. **114**, 49 (1981).
[4] K. Anton, P. Konrad u. H. Nöth, B. **117**, 863 (1984).
[5] H. Nöth u. B. Wrackmeyer, B. **106**, 1145 (1973).
[6] J. Casanova u. M. Geisel, Inorg. Chem. **13**, 1783 (1974).

Gruppen (in N-Acylamino-boranen[1–3]) oder zu Sulfonyl-Gruppen (in N-Sulfonylamino-boranen[4,5]) überwiegend einen mesomeren Abzug von π-Elektronendichte aus der BN-Bindung bedingt. Dies gilt auch für die Situation in Diboryl- und Triboryl-aminen[6–11], wo die verfügbare π-Elektronendichte zwischen zwei bzw. drei trigonalen Boratomen aufgeteilt wird:

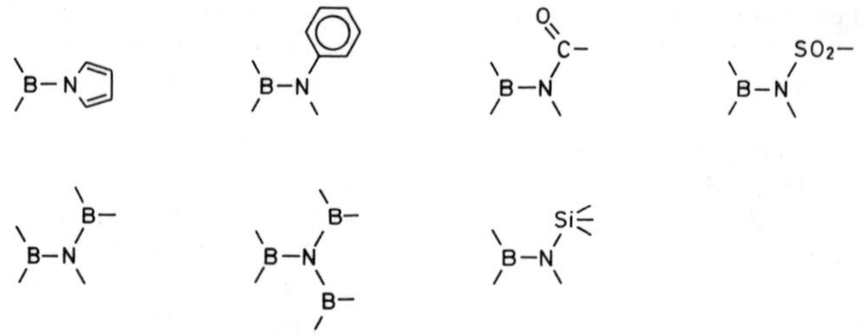

Schwieriger zu beurteilen ist diese Frage im Fall der N-Silylaminoborane[12,13]. Dort können schwache SiN-π-Wechselwirkungen diskutiert werden und gleichzeitig mindern elektropositive Substituenten [z. B. $Si(CH_3)_3$-Gruppen] die π-Akzeptorfähigkeit des Bors. Hier hilft der Vergleich mit den $\delta^{11}B$-Werten der entsprechenden N-Stannylaminoborane, wobei SnN-π-Bindungsanteile als vernachlässigbar klein und σ-Bindungseffekte als dominant angesehen werden. Danach ist ein Teil der verminderten Abschirmung des ^{11}B-Kerns auf SiN-π-Wechselwirkungen zurückzuführen[14].

Die Einbeziehung des N- und/oder des B-Atoms in ein relativ starres cyclisches System trägt zur Optimierung von BN(pp)π-Wechselwirkungen bei (siehe auch bei B-Organoborazinen, S. 495) und kann, wo möglich, gleichzeitig über schwache BC(pp)π-Bindungsanteile die Abschirmung des ^{11}B-Kerns merklich verbessern[15–21]; z. B.:

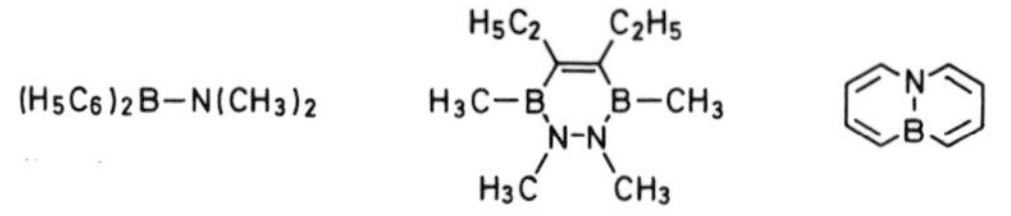

$(H_5C_6)_2B{-}N(CH_3)_2$

$\delta^{11}B$:	41,8[21]	33,8[18]	28,4[15,16]

[1] V. A. Dorokhov, L. I. Lavrinovich, I. P. Yakovlev u. B. M. Mikhailov, Ž. obšč. Chim. **41**, 2501 (1971); engl.: 1063; C. A. **76**, 140935 (1972).
[2] W. Maringgele u. A. Meller, Z. anorg. Ch. **443**, 148 (1978).
[3] W. Maringgele u. A. Meller, Z. anorg. Ch. **445**, 107 (1978).
[4] B. Wrackmeyer, Dissertation, Universität München 1973.
[5] W. Maringgele u. A. Meller, Z. Naturf. **34b**, 969 (1979).
[6] H. Nöth u. H. Vahrenkamp, J. Organometal. Chem. **16**, 357 (1969).
[7] H. Nöth u. W. Storch, B. **109**, 884 (1976).
[8] R. Köster u. G. Seidel, A. **1977**, 1837.
[9] K. Barlos, H. Christl u. H. Nöth, A. **1976**, 2272.
[10] W. Storch u. H. Nöth, B. **110**, 1636 (1977).
[11] K. Jonás, H. Nöth u. W. Storch, B. **110**, 2783 (1977).
[12] H. Nöth, W. Tinhof u. B. Wrackmeyer, B. **107**, 518 (1974).
[13] K. Barlos, G. Hübler, H. Nöth, P. Wanninger, N. Wiberg u. B. Wrackmeyer, J. Magn. Res. **31**, 363 (1978).
[14] W. Biffar, H. Nöth, H. Pommerening, R. Schwerthöffer, W. Storch u. B. Wrackmeyer, B. **114**, 49 (1981).
[15] F. A. Davis, M. J. S. Dewar, R. Jones u. S. D. Worley, Am. Soc. **91**, 2094 (1969).
[16] F. A. Davis, M. J. S. Dewar u. R. Jones, Am. Soc. **90**, 706 (1968).
[17] B. M. Mikhailov u. M. E. Kuimova, J. Organometal. Chem. **116**, 123 (1976).
[18] W. Siebert u. R. Full, Ang. Ch. **88**, 55 (1976); engl.: **15**, 45.
[19] B. Wrackmeyer u. H. Nöth, Z. Naturf. **29b**, 564 (1974).
[20] H.-O. Berger, H. Nöth u. B. Wrackmeyer, B. **112**, 2866 (1979).
[21] W. Beck, W. Becher, H. Nöth u. B. Wrackmeyer, B. **105**, 2883 (1972).

Tab. 70: $\delta\,^{11}B$- und $\delta\,^{14}N$-Werte einiger Diorganobor-Stickstoff-Verbindungen

Verbindung	Herst. XIII/3b, S.	$\delta\,^{11}B$	Lösungsmittel	Literatur	$\delta\,^{14}N$	Lösungsmittel	Literatur
$(H_3C)_2B{-}N(CH_3)_2$	21	45,0	CH_2Cl_2/C_6D_6	1	–296	CH_2Cl_2/C_6D_6	2
$(H_3C)_2B{-}\overset{\oplus}{N}(CH_3)_2{-}\overset{\ominus}{Al}Cl_3$	—	74,3	CH_2Cl_2/C_6D_6	2	–337	CH_2Cl_2/C_6D_6	2
$(H_3C)_2B{-}N(C_2H_5)_2$	vgl. 13	44,9	—	1	–259	—	4
$(H_3C)_2B{-}N[CH(CH_3)_2]_2$	vgl. 13	44,0	—	3	–231	—	3
$(H_3C)_2B{-}N(CH_3)(C_6H_5)$	14	46,5	—	4	–272	—	4
$(H_3C)_2B{-}N(C_6H_5)_2$	vgl. 20	49,6	CCl_4	5	—		
$(H_3C)_2B{-}N$(Pyrrolyl)	12, vgl. 80	56,2	CH_2Cl_2	6	–182	CH_2Cl_2	6
$(H_3C)_2B{-}N$(Carbazolyl)	68	58,5	CH_2Cl_2	6	–207	CH_2Cl_2	6
$(H_3C)_2B{-}N{=}C(C_6H_5)_2$	82 vgl. 84	32,5 7,0 (Dimer)	CH_2Cl_2	7	—		
$(H_3C)_2B{-}N{=}C(CF_3)_2$		46,3	—	8	—		
$(H_3C)_2B{-}NHCH_3$	vgl. 19f.	45,7 –1,0 (Dimer)	—	9	–289	—	4
$(H_3C)_2B{-}NHC_6H_5$	vgl. 29	48,0	—	4	–255	—	4
$(H_3C)_2B{-}NH_2$	vgl. 75	47,1 –3,0 (Dimer)	—	9	—		
$(H_3C)_2B{-}N(CH_3)SO_2CH_3$	vgl. 104	54,0	CH_2Cl_2	3	–254	CH_2Cl_2	4
$(H_3C)_2B{-}NHN(CH_3)_2$	107	45,5	—	10	–217 (NH) –309 (NCH_3)	—	4
$(H_3C)_2B{-}N(CH_3)P(CH_3)_2$	116	53,0	—	11	–276	C_6H_6	11
$(H_3C)_2B{-}N(CH_3)P(S)(CH_3)_2$	116	55,0	CH_2Cl_2	12	—		
$(H_3C)_2B{-}N(CH_3)Si(CH_3)_3$	121	51,4	—	13	–278	—	13
$(H_3C)_2B{-}N[Si(CH_3)_3]_2$	vgl. 118	59,5	—	13	–281		13
$(H_3C)_2B{-}N[Sn(CH_3)_3]_2$	vgl. 122	53,4	CH_2Cl_2	14, 15	–272	CH_2Cl_2	14
$[(H_3C)_2B]_2NCH_3$	294	58,5	—	16	–253	—	17
$[(H_3C)_2B]_2NH$	294	56,1	—	16	–250	—	17
$[(H_3C)_2B]_2NSn(CH_3)_3$	vgl. 295	58,4	CH_2Cl_2	14	–222	CH_2Cl_2	14
$[(H_3C)_2B]_3N$	381	61,5	CH_2Cl_2	14	–185	CH_2Cl_2	14
$(H_3C)_2BN(CH_3)Li$	124	44,0	$(C_2H_5)_2O$	18	—		
$(H_5C_2)_2B{-}N(CH_3)_2$	vgl. 20	45,7	—	1	–302	—	4
$[(H_3C)_3C]_2B{-}N(CH_3)_2$	50	49,9	CH_2Cl_2	19	–296	CH_2Cl_2	19
$[(H_3C)_3C]_2B{-}NH_2$	48	48,7	CH_2Cl_2	19	–298	CH_2Cl_2	19

[1] H. Nöth u. H. Vahrenkamp, B. **99**, 1049 (1966).
[2] K. Anton, P. Konrad u. H. Nöth, B. **117**, 863 (1984).
[3] B. Wrackmeyer, Dissertation, Universität München 1973.
[4] W. Becker, W. Beck, H. Nöth u. B. Wrackmeyer, B. **105**, 2883 (1972).
[5] J. Casanova u. M. Geisel, Inorg. Chem. **13**, 2783 (1974).
[6] H. Nöth u. B. Wrackmeyer, B. **106**, 1145 (1973).
[7] R. Schroen, Dissertation, Universität Marburg 1969.
[8] D. P. Emerich, L. Komorowski, J. Lipinski, F. C. Nahm u. K. Niedenzu, Z. anorg. Ch. **468**, 444 (1980).
[9] H. Nöth u. H. Vahrenkamp, B. **100**, 3353 (1967).
[10] H. Nöth, B. **104**, 558 (1971).
[11] H. Nöth u. W. Storch, B. **110**, 2607 (1977).
[12] H. Nöth, D. Reiner u. W. Storch, B. **106**, 1509 (1973).
[13] H. Nöth, W. Tinhof u. B. Wrackmeyer, B. **107**, 518 (1974).
[14] W. Storch u. H. Nöth, B. **110**, 1636 (1977).
[15] W. Biffar, H. Nöth, H. Pommerening, R. Schwerthöffer, W. Storch u. B. Wrackmeyer, B. **114**, 49 (1981).
[16] H. Nöth u. H. Vahrenkamp , J. Organometal. Chem. **16**, 357 (1969).
[17] H. Nöth u. W. Storch, B. **109**, 884 (1976).
[18] H. Fussstetter, R. Kroll u. H. Nöth, B. **110**, 3829 (1977).
[19] H. Prigge, Dissertation, Universität München 1983.

Tab. 70 (1. Fortsetzung)

Verbindung	Herst. XIII/3b, S.	$\delta^{11}B$	Lösungsmittel	Literatur	$\delta^{14}N$	Lösungsmittel	Literatur
B–N(CH₃)₂ (cyclisch)	32	51,3	CH_2Cl_2	[1]	−296	CH_2Cl_2	[1]
B–N(CH₃)₂ (bicyclisch)	vgl. 20	47,0	C_6D_6	[2]	—		
[B]₂ NH (bicyclisch)	299	60,3	THF	[3]	−249	CH_2Cl_2	[3]
[B]₃ N (bicyclisch)	382	67,0	THF	[3]	−210	CH_2Cl_2	[3]
N/B-Bicyclus	78	42,9	$CHCl_3$	[4]	—		
$(H_5C_6)_2B–N(CH_3)_2$	27	41,8	C_6H_6	[5]	−257	C_6H_6	[5]
[2,4,6-(CH_3)₃C_6H_2]₂ B–NRR'		43–49	$CDCl_3$	[6]	—		
$(H_2C{=}CH)_2B–N(CH_3)_2$	vgl. 72	37,0	—	[7]	—		
N(CH₃)₂–B, (H₃C)₃C–C(2e)C–C(CH₃)₃, B–N(CH₃)₂	—	33,0	C_6D_6	[8]	—		
N/B-Bicyclus (aromatisch)	55	28,4	Hexan	[4, 9]	—		
C(CH₃)₃–N, B–CH₃ (Ring)	79	41,0	C_6D_6	[10]	−239	C_6D_6	[11]
C₆H₅–P, H₃C, CH₃, B–N(C₂H₅)₂ (Ring)	53	32,7	CH_2Cl_2	[12]	—		
Si(CH₃)₃–N, B–CH₃ (Ring)	122	38,5	—	[13]	—		
CH₃–N, H₃C–B, Si(CH₃)₂, H₃C, CH₃ (Ring)	vgl. 123	46,5	Toluol-d_8	[14]	−292	Toluol-d_8	[14]

[1] H. NÖTH u. B. WRACKMEYER, B. **114**, 1150 (1981).
[2] H. NÖTH u. R. STAUDIGL, Z. anorg. Ch. **481**, 41 (1981).
[3] R. KÖSTER u. G. SEIDEL, A. **1977**, 1837.
[4] F.A. DAVIS, M.J.S. DEWAR, R. JONES u. S.D. WORLEY, Am. Soc. **91**, 2094 (1969).
[5] W. BECKER, W. BECK, H. NÖTH u. B. WRACKMEYER, B. **105**, 2883 (1972).
[6] N.M.D. BROWN, F. DAVIDSON u. J.W. WILSON, J. Organometal. Chem. **192**, 133 (1980).
[7] B. WRACKMEYER u. H. NÖTH, B. **109**, 1075 (1976).
[8] M. HILDENBRAND, H. PRITZKOW, H. ZENNECK u. W. SIEBERT, Ang. Ch. **96**, 371 (1984); engl.: **23**, 371.
[9] F.A. DAVIS, M.J.S. DEWAR u. R. JONES, Am. Soc. **90**, 706 (1968).
[10] J. SCHULZE, R. BOESE u. G. SCHMID, B. **114**, 1297 (1981).
[11] B. WRACKMEYER (Universität München) u. G. SCHMID (Universität Essen), unveröffentlicht 1983.
[12] H.-O. BERGER u. H. NÖTH, J. Organometal. Chem. **250**, 33 (1983).
[13] S. AMIRKHALILI, R. BOESE, U. HÖHNER, D. KAMPMANN, G. SCHMID u. P. RADEMACHER, B. **115**, 732 (1982).
[14] R. KÖSTER, G. SEIDEL u. B. WRACKMEYER, unveröffentlicht 1982.

Tab. 70 (2. Fortsetzung)

Verbindung	Herst. XIII/3b, S.	$\delta\,^{11}B$	Lösungsmittel	Literatur	$\delta\,^{14}N$	Lösungsmittel	Literatur
(Borol)B–N[Si(CH_3)_3]_2	—	≈26		1	—		
$(H_3C)_2B$–$N[Si(CH_3)_3]_2$	vgl. 118	57,7		2	—		
$(HC{\equiv}C)_2B$–$N(CH_3)_2$	vgl. 72	22,0	CH_2Cl_2	3	—		
$Si(CH_3)_3$-N, B-CH_3 (Ring, ⊖) Li^+	vgl. 124	29,5	THF	4	—		

Die Ringgröße ist hier ebenso wie bei anderen Organobor-Verbindungen mit $KZ_B = 3$ für den δ^{11}B-Wert von Bedeutung (vgl. Triorganoborane, S. 427). In Borolanen ist die Abschirmung des ^{11}B-Kerns i. allg. etwas geringer als in Borinanen oder vergleichbaren offenkettigen Verbindungen (in Abwesenheit sterisch anspruchsvoller Gruppen):

	$(H_5C_2)_2B$–$N(CH_3)_2$	(Borolan)B–$N(CH_3)_2$	(Bicyclus)B–$N(CH_3)_2$
δ^{11}B:	45,7[5]	51,3[6]	47,0[7]

In Organobor-Stickstoff-Element-Verbindungen treten BN(pp)π-Bindungsanteile besonders zu Tage. Die δ^{11}B-Werte geben dabei nur Auskunft über die Summe dieser Wechselwirkungen[8], wobei jedoch bereits offenkundig wird (vgl. Tab. 71, 72, S. 496f.), daß Cl, Br, J, SCH_3 oder SH sehr schwache π-Donoren sind (im Gegensatz zu F, OR). Ist eine Silyl- oder Stannyl-Gruppe ans Bor-Atom gebunden, wird ein Abschirmungsverlust des ^{11}B-Kerns gegenüber Amino-diorgano-boranen beobachtet[2, 9]. Dies kann als Folge des elektropositiven Charakters solcher Substituenten interpretiert werden, da sie die π-Akzeptorstärke des Bors herabsetzen. Damit wird auch die Zirkulation von σ-Elektronendichte in unterbesetzte π-Orbitale erleichtert[2] (gleichbedeutend mit einer absoluten Zunahme des paramagnetischen Terms σ_p der Abschirmkonstante).

Die δ^{11}B-Werte von B–Organoborazinen (vgl. S. 498) deuten auf die Delokalisierung der Stickstoff-π-Elektronendichte hin, berücksichtigt man das B : N-Verhältnis (1 : 1) und vergleicht mit den δ^{11}B-Werten für Amino-diorgano-borane (Tab. 70, S. 493ff.):

	$(H_3C)_2B$–$N(CH_3)_2$	Hexamethylborazin (H_3C–B, N–CH_3)
δ^{11}B:	44,6[5]	35,8[5]

---

[1] C. Habben u. A. Meller, B. **117**, 2531 (1984).
[2] W. Biffar, H. Nöth, H. Pommerening, R. Schwerthöffer, W. Storch u. B. Wrackmeyer, B. **114**, 49 (1981).
[3] B. Wrackmeyer u. H. Nöth, B. **110**, 1086 (1977).
[4] S. Amirkhalili, R. Boese, U. Höhner, D. Kampmann, G. Schmid u. P. Rademacher, B. **115**, 732 (1982).
[5] H. Nöth u. H. Vahrenkamp, B. **99**, 1049 (1969).
[6] H. Nöth u. B. Wrackmeyer, B. **114**, 1150 (1981).
[7] H. Nöth u. R. Staudigl, Z. anorg. Ch. **481**, 41 (1981).
[8] H. Nöth u. B. Wrackmeyer, B. **106**, 1145 (1973).
[9] R. Schwerthöffer, Dissertation, Universität München 1974.

Tab. 71: δ ^{11}B- und δ ^{14}N-Werte offenkettiger Organobor-Stickstoff-Element-Verbindungen

Verbindung	Herst. XIII/3b, S.	δ ^{11}B	Lösungsmittel	Literatur	δ ^{14}N	Lösungsmittel	Literatur
$H_3C-B(N(CH_3)_2)(H)$	vgl. 130	42,8 (J(BH) 120,0)	—	[1]			
$H_3C-B(N(CH_3)_2)(F)$	142, 147	31,6 7,0 (Dimer)	—	[2]	(δ ^{19}F: –104,0)		[3]
$H_3C-B(N(CH_3)_2)(Cl)$	149	38,5 10,1 (Dimer)		[2,4]	—		
$H_3C-B(N(CH_3)_2)(Br)$	147–150	37,8 10,5 (Dimer)		[2]	—		
$H_3C-B(N[Si(CH_3)_3]_2)(Br)$	156	48,8	CH_2Cl_2	[5]	–276	CH_2Cl_2	[5]
$H_3C-B(N(CH_3)_2)(J)$		34,7	C_6H_6	[3]	—		
$H_3C-B(N(CH_3)_2)(OCH_3)$	171	31,8	—	[4]	–320	—	[6]
$H_3C-B(NHCH(CH_3)_2)(SCH_3)$	vgl. 207	42,2	CH_2Cl_2	[7,8]	–264	CH_2Cl_2	[7,8]
$H_3C-B(N(CH_3)_2)(SCH_3)$	vgl. 205 f.	43,6	—	[6]	–292	—	[6]
$(H_3C)_3C-B(N(C_2H_5)_2)(Sn(CH_3)_3)$	vgl. 402	50,2	—	[9]	—		
$H_3C-B(N(CH_3)_3)(Si(CH_3)_3)$	vgl. 401	56,0	—	[9]	—		

Hierfür bieten die planaren Sechsringe die besten Voraussetzungen. Im übrigen findet man z. T. die bekannten Substituenteneffekte auf $\delta^{11}B$ für Reste am Bor- und am Stickstoff-Atom wieder. Eine exakte Analyse aller verfügbaren Daten[10, 11] steht aus mehreren Gründen noch aus:

[1] W. HAUBOLD u. R. SCHAEFFER, B. **104**, 513 (1971).
[2] H. NÖTH u. H. VAHRENKAMP, B. **100**, 3353 (1967).
[3] H. VAHRENKAMP, Dissertation, Universität München 1967.
[4] H. NÖTH u. H. VAHRENKAMP, B. **99**, 1049 (1969).
[5] H. NÖTH, W. TINHOF u. B. WRACKMEYER, B. **107**, 518 (1974).
[6] H. NÖTH u. B. WRACKMEYER, B. **106**, 1145 (1973).
[7] D. NÖLLE, H. NÖTH u. T. TAEGER, B. **110**, 1643 (1977).
[8] T. TAEGER, Dissertation, Universität München 1977.
[9] R. SCHWERTHÖFFER, Dissertation, Universität München 1974.
[10] Gmelin, 8. Aufl., **23**/5, 197–274 (1975).
[11] H. NÖTH u. B. WRACKMEYER, *NMR-Spectroscopy of Boron Compounds*, Bd. **14** *NMR, Grundlagen und Fortschritte* (^{11}B*-NMR-Spektroskopie*), 188 ff., Springer-Verlag, Heidelberg · Berlin 1978.

Tab. 72: $\delta\,^{11}B$ und $\delta\,^{14}N$-Werte cyclischer Organobor-Stickstoff-Element-Verbindungen

Verbindung	Herst. XIII/3b, S.	$\delta\,^{11}B$	Lösungsmittel	Literatur	$\delta\,^{14}N$	Lösungsmittel	Literatur
C_3H_7 N B–Cl	146	38,7 10,0 (Dimer)	—	1	—		
CH_3 Cl–B N $Si(CH_3)_2$ H_5C_2 CH_3	—	38,7 7,5 (Dimer)	Toluol-d_8	2	–292	Toluol-d_8	2
CH_3 Cl–B N B–Cl	vgl. 304	54,0	$CDCl_3$	3	—		
O B–CH_3 N H	160	34,4	CH_2Cl_2	4	—		
O B–CH_3 N O CH_3	—	35,3	CH_2Cl_2	5	—		
CH_3 H_5C_2O–B N $Si(CH_3)_2$ H_5C_2 CH_3	195	29,6	Toluol-d_8	6	–323	Toluol-d_8	6
CH_3 H_5C_2–O–O–B N $Si(CH_3)_2$ H_5C_2 CH_3	195	30,0	Toluol-d_8	6	–325	Toluol-d_8	6
S B–CH_3 N C_6H_5	vgl. 208	46,8	CH_2Cl_2	7	—		
S B–CH_3 N H	vgl. 204	45,1	CH_2Cl_2	4	—		
H_5C_6 S S B H_5C_6 $N(C_2H_5)_2$	—	43,8	CH_2Cl_2	8	—		
S B–$N(C_2H_5)_2$ S	—	48,0	CH_2Cl_2	8	—		

ⓐ Die ^{11}B-Resonanzen von B-Organoborazinen sind i. allg. relativ breit, und exakte Messungen von $\delta^{11}B$-Werten unter standardisierten Bedingungen liegen nicht vor.

ⓑ Die Messungen an den im Hinblick auf mesomere und induktive Effekte besonders interessanten unsymmetrisch substituierten Borazinen[9–12] sollten mit modernen NMR-Geräten bei möglichst hoher Feldstärke wiederholt werden, um überlappende Resonanzen aufzulösen und genaue $\delta^{11}B$-Werte zu ermitteln.

[1] B. M. MIKHAILOV, V. A. DOROKHOV, N. V. MOSTOVOI, O. G. DOLDYREVA u. M. N. BOCHKAREVA, Ž. obšč. Chim. **40**, 1817 (1970); C. A. **74**, 42403 (1971).
[2] R. KÖSTER, G. SEIDEL u. B. WRACKMEYER, unveröffentlicht 1982.
[3] W. HAUBOLD u. U. KRAATZ, B. **112**, 1083 (1979).
[4] R. GOETZE, H. NÖTH, H. POMMERENING, D. SEDLAK u. B. WRACKMEYER, B. **114**, 1884 (1981).
[5] C. HABBEN, W. MARINGGELE u. A. MELLER, Z. Naturf. **37b**, 43 (1982).
[6] R. KÖSTER u. G. SEIDEL, Ang. Ch. **96**, 146 (1984); engl.: **23**, 155.
[7] U. SCHUCHARDT, Dissertation, Universität München 1973.
[8] M. NOLTEMEYER, G. M. SHELDRICK, C. HABBEN u. A. MELLER, Z. Naturf. **38b**, 1182 (1983); [Korrektur von C. HABBEN, W. MARINGGELE u. A. MELLER, Z. Naturf. **37b**, 43 (1982)].
[9] O. T. BEACHLEY, jr., Inorg. Chem. **8**, 981 (1969).
[10] O. T. BEACHLEY, jr., Am. Soc. **92**, 5372 (1970).
[11] O. T. BEACHLEY, jr., Am. Soc. **93**, 5066 (1971).
[12] O. T. BEACHLEY, jr., Am. Soc. **94**, 4223 (1972).

Tab. 73: $\delta^{11}B$- und $\delta^{14}N$-Werte einiger Organobor-Stickstoff-Stickstoff-Verbindungen

Verbindung	Herst. XIII/3b, S.	$\delta^{11}B$	Lösungsmittel	Literatur	$\delta^{14}N$	Lösungsmittel	Literatur
$H_3C{-}B[N(CH_3)_2]_2$	219, 245	34,0	Toluol-d_8	1, 2	–337	Toluol-d_8	2, 3
$H_3C{-}B[N(C_2H_5)_2]_2$	246	33,8	—	1	–296	—	3
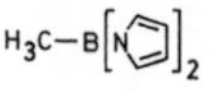 $H_3C{-}B[N(C_4H_4)]_2$ (Pyrrolyl)	vgl. 249	34,8	—	4	–203	—	4
$H_3C{-}B(NHCH_3)_2$	220	31,7	—	3	–351	—	3
$H_3C{-}B[NHN(CH_3)_2]_2$	278	30,8	C_6H_6	5	–248 (NH)	—	3
	vgl. 285				–314 (NCH_3)		
$H_3C{-}B[NCH_3Si(CH_3)_3]_2$		41,2	—	6	–301	—	6
$H_3C{-}B[NCH_3B(CH_3)_2]_2$	vgl. 339 f.	36,5 (CH_3B)	CH_2Cl_2	7	—		
		61,3 $(CH_3)_2B$					
$H_5C_2{-}B[N(CH_3)_2]_2$	220	34,2	—	1	–337	—	3
$(H_3C)_3C{-}B[N(CH_3)_2]_2$	231	36,4	—	8	–338	—	8
$H_5C_6{-}B[N(CH_3)_2]_2$	221, 246	32,4	C_6H_6	1	–282	C_6H_6	3
$H_5C_6{-}B(NHCH_3)_2$	221	30,4	–	3	–314	—	3
$(CO)_3Cr{-}C_6H_5B[N(CH_3)_2]_2$	vgl. 241	31,6	$CDCl_3$	9	—		
$H_5C_5FeC_5H_4{-}B[N(CH_3)_2]_2$	221	32,2	C_6H_6	10	—		
		33,3		11			
$CH_2{=}CH{-}B[N(CH_3)_2]_2$	219	30,2	—	12	—		
$CH_3{-}C{\equiv}C{-}B[N(CH_3)_2]_2$	247	23,8	C_6H_6	13	–323	C_6H_6	13
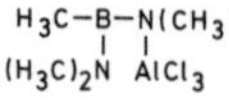 $H_3C{-}B(N(CH_3)_2){-}N(CH_3)_2{\cdot}AlCl_3$, i.e. $H_3C{-}B{-}N(CH_3)_2$ with $(H_3C)_2N$ on B and $AlCl_3$ on N	—	38,5	Toluol-d_8	2	–356	Toluol-d_8	2
					–280		

Der Vergleich der $\delta^{11}B$-Werte von B-Organoborazinen mit den $\delta^{11}B$-Werten verschiedener „Hetero"-B-Organoborazine zeigt, daß sich die Abschirmung des vergleichbaren ^{11}B-Kerns bei Ersatz einer RB- oder einer NR-Einheit erwartungsgemäß ändert, z. B. bei den Verbindungen I bis V:

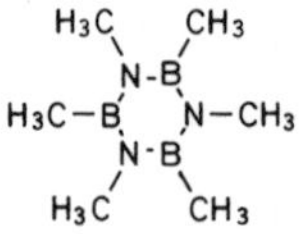

	I	II
$\delta^{11}B$:	35,8[1]	39,3[14]; 48,2[14]

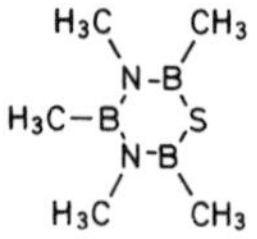

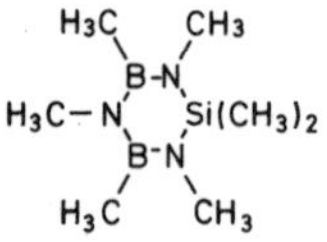

	III	IV	V ($AlCl_4^-$)
$\delta^{11}B$:	37,4[15]	37,0[16]	38,6[16]

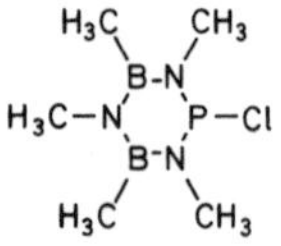

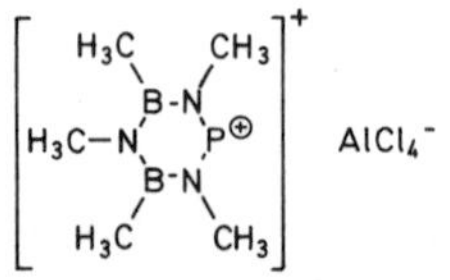

[1] H. Nöth u. H. Vahrenkamp, B. **99**, 1049 (1966).
[2] K. Anton, P. Konrad u. H. Nöth, B. **117**, 863 (1984).
[3] W. Becker, W. Beck, H. Nöth u. B. Wrackmeyer, B. **105**, 2883 (1972).
[4] H. Nöth u. B. Wrackmeyer, B. **106**, 1145 (1973).
[5] H. Nöth, B. **104**, 558 (1971).
[6] H. Nöth, W. Tinhof u. B. Wrackmeyer, B. **107**, 518 (1974).
[7] W. Storch, Dissertation, Universität München 1974.
[8] B. Wrackmeyer. Dissertation, Universität München 1973.
[9] R. Goetze u. H. Nöth, J. Organometal. Chem. **145**, 151 (1978).
[10] J.C. Kotz u. E.W. Post, Inorg. Chem. **9**, 1661 (1970).
[11] T. Renk, W. Ruf u. W. Siebert, J. Organometal. Chem. **120**, 1 (1976).
[12] B. Wrackmeyer u. H. Nöth, B. **109**, 1075 (1976).
[13] B. Wrackmeyer u. H. Nöth, B. **110**, 1086 (1977).
[14] D. Nölle, Dissertation, Universität München 1975.
[15] K. Barlos, Dissertation, Universität München 1977.
[16] K. Barlos, H. Nöth, B. Wrackmeyer u. W. McFarlane, Soc. [Dalton Trans.] **1979**, 801.

Tab. 74: $\delta\,^{11}B$- und $\delta\,^{14}N$-Werte cyclischer Organobor-Stickstoff-Stickstoff-Verbindungen

Verbindung	Herst. XIII/3b, S.	$\delta\,^{11}B$	Lösungsmittel	Literatur	$\delta\,^{14}N$	Literatur
CH_3, N, B–CH_3, N, CH_3	vgl. 238	31,6 32,4	— —	1 2	–313	2
CH_3, N, B–CH_3, N, CH_3	240	29,2	—	1	—	
$C(CH_3)_3$, N, B–CH_3, N, $C(CH_3)_3$	253	26,2	$CDCl_3$	3	—	
CH_3, N, B–CH_3, N, CH_3	vgl. 248	31,1	$CDCl_3$	4	—	
CH_3, H_2C, N, N–CH_3, H_3C–C, N, N, B–CH_3, CH_3	—	28,0	CH_2Cl_2	5, 6	—	
CH_3, H_3C–B, N, N–CH_3, H_3C–N, N, B–CH_3, CH_3	274	32,2		6	–280	6
H_3C, H_3C–B, N–N, N–N, H_3C	280	26,8	—	7	—	
H_3C, N–N–CH_3, H_3C–B, N–P–CH_3, H_3C	282	31,4	CH_2Cl_2	8	—	
H_3C, CH_3, N–N, H_3C–B, N, $Si(CH_3)_2$, CH_3	288	33,8	CH_2Cl_2	9	—	

[1] E. B. BRADLEY, R. H. HERBER, P. J. BUSSE u. K. NIEDENZU, J. Organometal. Chem. **52**, 297 (1973).
[2] H. NÖTH u. B. WRACKMEYER, B. **106**, 1145 (1973).
[3] G. SCHMID u. J. SCHULZE, Ang. Ch. **89**, 258 (1977); engl.: **16**, 249.
[4] R. GOETZE, H. NÖTH, H. POMMERENING, D. SEDLAK u. B. WRACKMEYER, B. **114**, 1884 (1981).
[5] D. NÖLLE u. H. NÖTH, B. **111**, 469 (1978).
[6] H. NÖTH, W. WINTERSTEIN, W. KAIM u. H. BOCK, B. **112**, 2494 (1979).
[7] J. B. LEACH u. J. H. MORRIS, J. Organometal. Chem. **13**, 313 (1969).
[8] K. BARLOS u. H. NÖTH, Z. Naturf. **35b**, 407 (1980).
[9] K. BARLOS, Dissertation, Universität München 1977.

Tab. 74 (Fortsetzung)

Verbindung	Herst. XIII/3b, S.	δ ^{11}B	Lösungsmittel	Literatur	δ ^{14}N	Literatur
H_3C–B(N(CH_3)Si(CH_3)$_2$)$_2$ (Ring: H_3C, H_3C–B, N–Si(CH_3)$_2$, N–Si(CH_3)$_2$, H_3C)	vgl. 283	38,2	—	1	–305	2
H_3C–B(N(C(CH_3)$_3$))$_2$Si(CH_3)$_2$	vgl. 284	36,4	—	3	–263	3
[H_3C–B(N(Si(CH_3)$_3$))$_2$Sn]$_2$	290	43,5	Pentan	4	—	
Ring: N(CH_3)–B–C_6H_5, N–CH_3	vgl. 223	32,2		5		
Ring (ungesättigt): N(CH_3)–B–C_6H_5, N–CH_3	242	25,8		5	–253	6
Ring (sechsgliedrig): N(CH_3)–B–C_6H_5, N–CH_3	vgl. 218	29,5	C_6H_6	7	—	
Ring: N(CH_3)–B–C≡N, N–CH_3	vgl. 248	24,9	C_6H_6	8	–310 (C_6H_6)	8
Ring: N(CH_3)–B–C≡C–CH_3, N–CH_3	249	21,1 20,8	CH_2Cl_2 CH_2Cl_2	9 10	–95(CN) –296(NCH_3)	10

Im Bor-Schwefel-Derivat II (S. 498) wird die geringe π-Rückbindungsfähigkeit des Schwefels angezeigt, sowohl durch den geringen Abschirmungsverlust des ^{11}B-Kerns in CBN_2-Einheit als auch durch die signifikante Verschiebung der ^{11}B-Resonanz zu höheren Frequenzen für die beiden CB(N)S-Einheiten im Vergleich zum Hexamethylborazin I (vgl. S. 498). Im *Heptamethyl-1,3,5,2,4,6-triazasiladiborin* III (S. 498) ist die Lage der ^{11}B-Resonanz ganz im Erwartungsbereich. Vergleicht man mit einem offenkettigen Derivat VI, fin-

[1] I. Geisler u. H. Nöth, Chem. Commun. **1969**, 775.
[2] H. Nöth, W. Tinhof u. B. Wrackmeyer, B. **107**, 518 (1974).
[3] W. Storch, W. Jackstiess, H. Nöth u. G. Winter, Ang. Ch. **89**, 494 (1977); engl.: **16**, 478.
[4] H. Fussstetter u. H. Nöth, B. **112**, 3672 (1979).
[5] K. Niedenzu u. J.S. Merriam, Z. anorg. Ch. **406**, 251 (1974).
[6] J. Kroner, H. Nöth u. K. Niedenzu, J. Organometal. Chem. **71**, 165 (1974).
[7] F.A. Davis, I.J. Turchi, B.E. Maryanoff u. R.O. Hutchins, J. Org. Chem. **37**, 1583 (1972).
[8] B. Wrackmeyer u. H. Nöth, B. **110**, 1086 (1977).
[9] H. Meller, W. Maringgele u. K. Sicher, J. Organometal. Chem. **141**, 249 (1977).
[10] R. Geltinger, Dissertation, Universität München 1974.

det man einen Abschirmungsgewinn (3,4 ppm) als Folge der günstigen sterischen Verhältnisse für BN(pp)π-Wechselwirkungen im Sechsring:

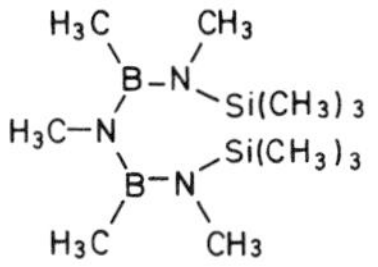

```
       H3C    CH3
          \   /
          B-N
         /    \Si(CH3)3
   H3C-N
         \    /Si(CH3)3
          B-N
         /   \
       H3C    CH3
```

VI

$\delta^{11}B = 41,1$[1]

Der geringe Abschirmungsverlust der ^{11}B-Kerne in *2-Chlor-1,3,4,5,6-pentamethyl-1,3,5,2,4,6-triazaphosphadiborin* IV (gegenüber Hexamethylborazin I) verstärkt sich in dem Kation V (S. 498), entsprechend einer Übernahme von N-π-Elektronendichte durch den Phosphor[2].

Tab. 75: δ ^{11}B- und δ ^{14}N-Werte von Amino-organo-1,3,2-diboroxanen und Amino-organo-1,3,2-diborathianen

Verbindung	Herst. XIII/3a, S.	δ ^{11}B	Lösungsmittel	Literatur	δ ^{14}N	Lösungsmittel	Literatur
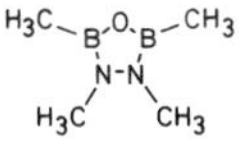 H_3C–B(–O–)B–CH_3; N–N; H_3C, CH_3	200	31,5	CH_2Cl_2	3			
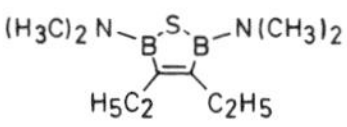 $(H_3C)_2N$–B(–S–)B–$N(CH_3)_2$; C=C; H_5C_2, C_2H_5	211	42,0	$CDCl_3$	4	—		
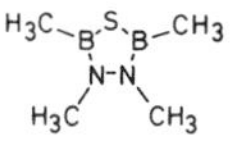 H_3C–B(–S–)B–CH_3; N–N; H_3C, CH_3	212	39,3	CH_2Cl_2	3, 5	–245	CH_2Cl_2	3

ε_3) ^{13}C*-NMR-Spektren der Organobor-Stickstoff-Verbindungen*

^{13}C-NMR-Parameter von Organobor-Stickstoff-Verbindungen (Tab. 78–81, S. 507ff.) sind von Bedeutung für die Strukturaufklärung, für die Charakterisierung der Organo-Reste am Bor und am Stickstoff, für die Untersuchung dynamischer Prozesse und für die Diskussion der Bindungsverhältnisse (im Zusammenhang mit den ^{11}B- und ^{14}N-NMR-Parametern).

Die ^{13}C-Resonanzen bor- und stickstoffgebundener C-Atome von Alkyl-Gruppen reflektieren sterische Effekte analog zu Alkenen[6]. Das bedeutet, daß sich zahlreiche, aus der Untersuchung rein organischer Verbindungen ermittelte Substituenteneffekte[7, 8] für die Zuordnung von ^{13}C-Resonanzen verwenden lassen. Sterische Einflüsse sind auch maßgeblich für den großen Bereich der ^{13}C-ipso-Resonanzen in Amino-phenyl-boranen[9].

[1] H. Nöth u. M. Sprague, J. Organometal. Chem. **22**, 11 (1970).
[2] K. Barlos, H. Nöth, B. Wrackmeyer u. W. McFarlane, Soc. [Dalton Trans.] **1979**, 801.
[3] D. Nölle u. H. Nöth, Z. Naturf. **27b**, 1425 (1972).
[4] W. Siebert, R. Full, J. Edwin u. K. Kinberger, B. **111**, 823 (1978).
[5] H. Nöth u. R. Staudigl, B. **115**, 1555 (1982).
[6] H. Nöth u. B. Wrackmeyer, B. **114**, 1150 (1981).
[7] W. Bremser, B. Franke u. H. Wagner, *Chemical Shift Ranges in Carbon-13 NMR-Spectroscopy*, Verlag Chemie, Weinheim 1982.
[8] H.-O. Kalinowski, S. Berger u. S. Braun, *^{13}C-NMR Spektroskopie*, Georg Thieme Verlag, Stuttgart 1984.
[9] R. H. Cragg u. T. J. Miller, J. Organometal. Chem. **241**, 289 (1983).

Tab. 76: $\delta\,^{11}B$- und $\delta\,^{14}N$-Werte offenkettiger und cyclischer Organo-1,3,2-diborazane

Verbindung	Herst. XIII/3b, S.	$\delta\,^{11}B$	Lösungs-mittel	Lite-ratur	$\delta\,^{14}N$	Lösungs-mittel	Lite-ratur
$[Br(H_3C)B]_2NCH_3$	vgl. 304	52,0	CH_2Cl_2	1	–225	CH_2Cl_2	1
$[Br(H_3C)B]_2NSi(CH_3)_3$	304	50,0	CH_2Cl_2	2	–219	CH_2Cl_2	2
$[(H_3CO)(H_3C)B]_2NSi(CH_3)_3$	306	38,3	CH_2Cl_2	2	–264	CH_2Cl_2	2
$[(H_3CS)(H_3C)B]_2NSi(CH_3)_3$	307	55,8	CH_2Cl_2	2	–243	CH_2Cl_2	2
C(CH3)3 N H3C–B B–CH3 N C(CH3)3	335	42,0	—	3	–267	—	3
H3C CH3 N-N H3C–B N B–CH3 CH3	316	31,3	CH_2Cl_2	4, 5	–265		5
O-O H3C–B N B–CH3 Si(CH3)3	306	38,3	CH_2Cl_2	6	–266	CH_2Cl_2	6
S-S H3C–B N B–CH3 CH3	307	54,2	CH_2Cl_2	7, 8	–226	CH_2Cl_2	8

Tab. 77: $\delta\,^{11}B$- und $\delta\,^{14}N$-Werte einiger B-Organoborazine

Verbindung	Herst. XIII/3b, S.	$\delta\,^{11}B$	Lösungs-mittel	Lite-ratur	$\delta\,^{14}N$	Lösungs mittel	Lite-ratur
$(H_3C{-}BNCH_3)_3$	340	35,9	—	9	–275	CH_2Cl_2	10
$(H_3C{-}BNH)_3$	355	34,5	—	9	–290	CH_2Cl_2	10
$(H_5C_2{-}BNCH_3)_3$	355	36,6	—	9	–275	$(C_2H_5)_2O$	10
$(H_5C_2{-}BNCH_3)_3$	355	35,5	C_6H_6	10	–291	C_6H_6	10
$[(H_3C)_3C{-}BNH]_3$	360	37,0	—	11	—		
$(H_5C_6{-}CH_2{-}BNH)_3$	360	37,0	—	11	—		
$(H_5C_6{-}BNCH_3)_3$	340, 352	36,7	$CDCl_3$	12	—		
$(H_5C_6{-}BNH)_3$	358	33,8	CH_2Cl_2	10	–268	CH_2Cl_2	10
$(H_2C{=}CH{-}BNH)_3$	356	31,8	—	13	—		
$(N{\equiv}C{-}BNC_2H_5)_3$	vgl. 359	24,0	CH_2Cl_2	10	–240 (BN) –108 (C≡N)	CH_2Cl_2	10
$[(H_3C)_2CHBNC(CH_3)_3]_3$	217, 343	30,1	$CDCl_3$	14	–244	$CDCl_3$	14
H3C CH3 (a) N-B⊕ CH3 H3C–B (b)N N-B AlBr3 ⊖ H3C CH3	—	37,1 (a) 42,9 (b)	Toluol-d_8	15	—		
H3C CH3 (a) N-B⊕ CH3 H3C–B (b)N N-B GaCl3 ⊖ H3C CH3	—	41,5 (a,b) gemittelt	Toluol-d_8	16	—		

[1] K. Barlos, Dissertation, Universität München 1977.
[2] K. Barlos, H. Christl u. H. Nöth, A. **1976**, 2272.
[3] W. Storch, W. Jackstiess, H. Nöth u. G. Winter, Ang. Ch. **89**, 494 (1977); engl.: **16**, 478; $\delta\,^{11}B = 38{,}5$ ist die Resonanz des Achtrings $[H_3CBNC(CH_3)_3]_4$, der mit dem Vierring im Gleichgewicht steht; W. Storch, T. Franz u. H. Nöth, Universität München, unveröffentlicht 1984.
[4] D. Nölle, H. Nöth u. W. Winterstein, Z. anorg. Ch. **406**, 235 (1974).
[5] H. Nöth, W. Reichenbach u. W. Winterstein, B. **110**, 2158 (1977).
[6] K. Barlos, D. Nölle u. H. Nöth, Z. Naturf. **32b**, 1005 (1977).
[7] H. Nöth u. R. Staudigl, B. **115**, 1555 (1982).
[8] D. Nölle, Dissertation, Universität München 1975.
[9] H. Nöth u. H. Vahrenkamp, B. **99**, 1049 (1960).
[10] B. Wrackmeyer u. H. Nöth, B. **109**, 3480 (1976).
[11] M.F. Hawthorne, Am. Soc. **83**, 833 (1961).
[12] H. Nöth u. B. Wrackmeyer, B. **114**, 1150 (1981).
[13] P. Fritz, K. Niedenzu u. J.W. Dawson, Inorg. Chem. **3**, 626 (1964).
[14] P. Paetzold, C. v. Plotho, G. Schmid u. R. Boese, Z. Naturf. **39b**, 1069 (1984); im festen Zustand als Dewar-Borazin charakterisiert.
[15] K. Anton, H. Fussstetter u. H. Nöth, B. **114**, 2723 (1981).
[16] K. Anton u. H. Nöth, B. **115**, 2668 (1982).

Folgende Beispiele ⓐ bis ⓔ werden für die Anwendung der ^{13}C-NMR-Spektroskopie zur Strukturaufklärung genannt:

ⓐ ^{13}C-NMR-Messungen an Diethyl-(subst.-vinylamino)-boranen aus Triethylboran und N-Alkyl-ketiminen zeigen die Gegenwart von Z/E-Isomeren an[1]:

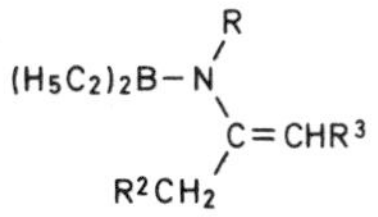

ⓑ Die Struktur von Dimethylamino-[1-(methoxyvinyloxy)alkyl]-boranen folgt zwingend aus den ^{13}C-NMR-Spektren[2]:

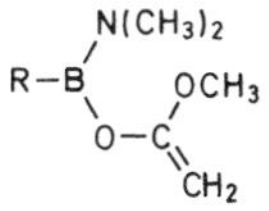

ⓒ Die ^{13}C-NMR-Spektren monomerer Diorgano-imino-borane lassen auf eine lineare Struktur der BNC-Einheit schließen, da für die CF_3-Gruppen am C-Atom nur ein ^{13}C-Resonanzsignal gefunden wird[3]:

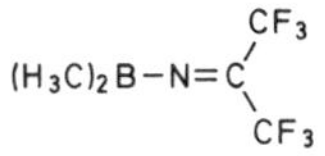

ⓓ Aus den ^{13}C-NMR-Spektren von 1,3,5,2,4,6-Triazaphosphadiborinen I und 1,2,4,3,5-Triazaphosphaborolidinen II ist die Größe der Kopplungskonstanten $^{2}J(^{31}PN^{13}C)$ indikativ für die Konformation[4]:

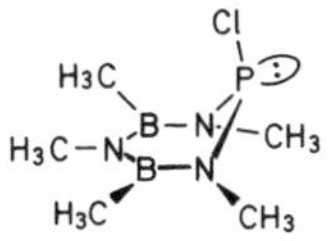

I 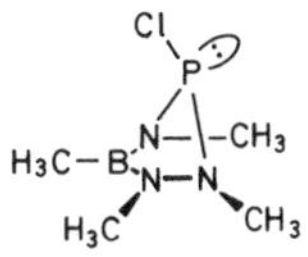 II

ⓔ Die ^{13}C-NMR-Daten ergänzen und bekräftigen die Aussagen der ^{1}H- und ^{11}B-NMR-Untersuchungen, daß die Komplexierung von Benzo-1,2,3,6-diazadiborinen mit der $(CO)_3M$-Gruppe (M = Cr, Mo, W) am Benzo-Ring stattfindet[5] [Verschiebung der $^{13}C_{(Benzo)}$-Resonanzen zu niedrigen Frequenzen (um ≈ 26–34 ppm)]:

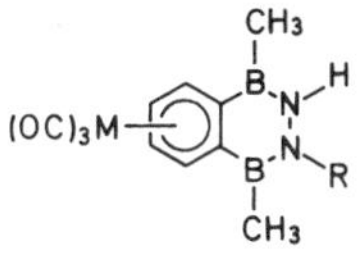

In der Regel sind ^{13}C-Resonanzen verschiedener C-Atome größeren Unterschieden unterworfen als vergleichbare ^{1}H-Resonanzen. Für die Untersuchung **dynamischer Systeme** ergeben sich damit für die ^{13}C-NMR-Spektroskopie zahlreiche Anwendungsmöglichkeiten, die besonders auch für die Amino-organo-borane und Aminoborane selbst[6–10]

[1] R. Köster, W. Fenzl u. F.J. Levelt, A. **1981**, 734.
[2] P. Paetzold u. H.-P. Biermann, B. **110**, 3678 (1977).
[3] B.R. Gragg u. K. Niedenzu, Synth. React. Inorg. Metal-org. Chem. **6**, 275 (1976).
[4] K. Barlos, H. Nöth, B. Wrackmeyer u. W. McFarlane, Soc. [Dalton Trans.] **1979**, 801.
[5] H. Schmidt u. W. Siebert, J. Organometal. Chem. **155**, 157 (1978).
[6] B. Wrackmeyer, Progr. NMR Spectrosc. **12**, 227 (1979).
[7] K.K. Curry u. J.W. Gilje, Am. Soc. **100**, 1442 (1978).
[8] N.M.D. Brown, F. Davidson u. J.W. Wilson, J. Organometal. Chem. **192**, 133 (1980).
[9] N.M.D. Brown, F. Davidson u. J.W. Wilson, J. Organometal. Chem. **210**, 1 (1981).
[10] C. Brown, R.H. Cragg, T.J. Miller u. D.O.N. Smith, J. Organometal. Chem. **244**, 209 (1983).

von großem Interesse sind (vgl. ^{1}H-NMR S. 394, 486). So findet man z. B. auch im 200 MHz-^{1}H-NMR-Spektrum für *Dimethyl-methylamino-boran* bei 20° keine Aufspaltung der ^{1}H-Resonanzen für die BCH_3-Gruppen[1], obwohl angenommen werden muß, daß sich der Wert für $\Delta G^{\#}$ (Koaleszenz) für die Rotation um die BN-Bindung in Analogie zu anderen Amino-diorgano-boranen in der Größenordnung von 75 kJ/M bewegt. Dagegen zeigt das ^{13}C-NMR-Spektrum in Abb. 15, daß die unterschiedlichen $^{13}C(BCH_3)$-Signale gut getrennt zu beobachten sind [sogar trotz der Kopplung $^{1}J(^{13}C^{11}B)$][1].

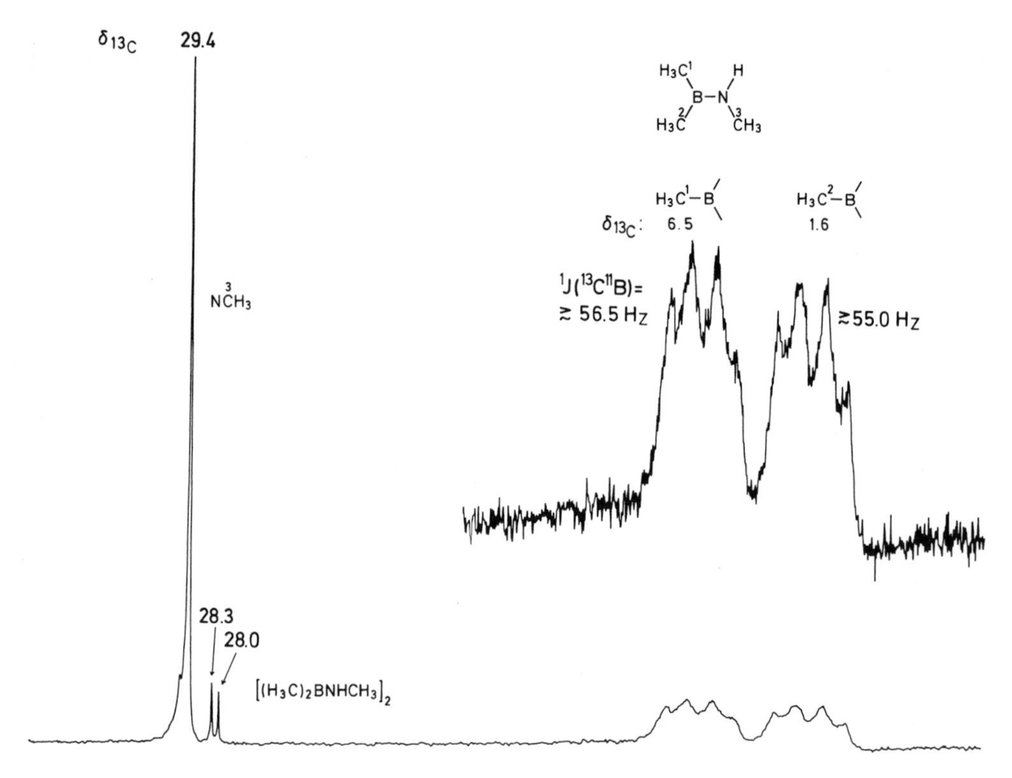

Abb. 15. 50,3 MHz $^{13}C\{^{1}H\}$NMR-Spektrum von *Dimethyl-methylamino-boran* in C_6D_6, 27°[1]

Immer, wenn die ^{1}H-NMR-Spektren infolge Signalüberlappung und Kopplungen J(HH) unübersichtlich werden, bietet sich die ^{13}C-NMR-Spektroskopie für dynamische Untersuchungen an. Dies trifft etwa für Phenyl- und auch für zahlreiche Alkyl-Gruppen zu[2–5]. So findet man z. B. in der folgenden Reihe eine ähnliche Abfolge der $\Delta G^{\#}$-Werte für verschiedene Reste X; dabei ist $\Delta G^{\#}$ für die Diisopropylamino-Serie jeweils um 6–15 kJ/M geringer als für die Dimethylamino-Serie ($\Delta G^{\#}_{(Koaleszenz)}$ in kJ/M)[5]:

[1] B. Wrackmeyer, Universität München, unveröffentlicht 1983.
[2] R. H. Cragg u. T. J. Miller, J. Organometal. Chem. **217**, 283 (1981).
[3] C. Brown, R. H. Cragg, T. J. Miller u. D. O. N. Smith, J. Organometal. Chem. **217**, 139 (1981).
[4] R. H. Cragg u. T. J. Miller, J. Organometal. Chem. **232**, 201 (1982).
[5] C. Brown, R. H. Cragg, T. J. Miller u. D. O. N. Smith, J. Organometal. Chem. **244**, 209 (1983).

	X: F	Cl	Br	OCH_3	SC_2H_5
$H_5C_6-B(N(CH_3)_2)X$	79,8	81,1	84,0	66,5	78,6
$H_5C_6-B(N[CH(CH_3)_2]_2)X$	70,0	71,1	69,0	60,4	70,6

Weiterhin fällt auf, daß

$$\Delta G^{\#}(X = SC_2H_5) > \Delta G^{\#}(X = OCH_3),$$

im Einklang mit der Annahme geringer BS- und signifikanter BO-(pp)π-Wechselwirkungen ist (vgl. Organobor-Sauerstoff-Verbindungen, S. 470, Organobor-Schwefel-Verbindungen, S. 478).

Sind andere Kerne mit I = ½ im Molekül, so kann deren Kopplung mit ^{13}C indikativ für Struktur und dynamisches Verhalten sein.

Dies wurde im Fall des *Bis(trimethylstannyl)amino-dimethyl-borans* demonstriert, wo bei gehinderter Rotation um die BN-Bindung unterschiedliche Kopplungskonstanten für $^3J(^{119}Sn^{13}C)_{trans}$ und $^3J(^{119}Sn^{13}C)_{cis}$ zu erwarten sind[1]:

$(H_3C)_2B-N(Sn(CH_3)_3)_2$

$^3J(^{119}Sn^{13}C)_{trans} = 48,4$ Hz
$^3J(^{119}Sn^{13}C)_{cis} = 33,0$ Hz

Im ^{1}H, ^{11}B-entkoppelten 50,3 MHz-^{13}C-NMR-Spektrum werden demnach zwei Sätze von $^{117/119}$Sn-Satellitensignalen für die $^{13}C(BCH_3)$-Resonanzen gefordert und bei $-60°$ auch gefunden. Der $\Delta G^{\#}$-Wert (Koaleszenz) von 52 kJ/Mol[2] für die Rotation um die BN-Bindung ist klein für Amino-diorgano-borane [z. B. $\Delta G^{\#}$ $((CH_3)_2BNCH_3Si(CH_3)_3) = 70,5$ kJ/Mol[2]]. Er entspricht jedoch den Vorstellungen über die Schwächung der BN-Bindung in Gegenwart elektropositiver Substituenten am N-Atom (vgl. S. 492) und ist sogar geringfügig größer als $\Delta G^{\#}$ für *Methyl-phenyl-(2,2,5,5-tetramethyl-1,2,5-azadisilalidin-1-yl)-boran* (42 kJ/Mol[3]; ermittelt aus den ^{1}H-NMR-Daten der CH_3Si-Gruppen):

[Strukturformel: Azadisilalidin-Ring mit $Si(CH_3)_2$-Gruppen, N–B(C_6H_5)(CH_3)]

Aufgrund des reichhaltigen Vergleichsmaterials bieten sich ^{13}C-chemische Verschiebungen in π-Systemen als empfindliche Sonden an. Zusammen mit den δ^{11}B-Werten ist dann eine realistischere Einschätzung von BC- und/oder BX-(pp)-π-Wechselwirkungen möglich. Auch hierfür sollen einige Beispiele stellvertretend genannt werden:

Die Änderung von BC(pp)-π-Bindungsanteilen aufgrund verschiedener B-Substituenten zeigt sich besonders in der $^{13}C_{(para)}$-Resonanz in Phenylboranen. Man findet eine befriedigend lineare Beziehung zwischen $\delta^{13}C_{(para)}$ in Phenylboranen und $\delta^{13}C_{(para)}$ in Phenylcarbokationen[4]. Erwartungsgemäß sind die $^{13}C_{(para)}$-Resonanzen in Phenylbor-Stickstoff-Verbindungen bei niedriger Frequenz, da in der Hauptsache BN-(pp)π-Bindungsanteile zum Tragen kommen[4,5].

---

[1] W. Biffar, H. Nöth, H. Pommerening, R. Schwerthöffer, W. Storch u. B. Wrackmeyer, B. **114**, 49 (1981).
[2] B. Wrackmeyer, Universität München, unveröffentlicht 1983.
[3] Y. F. Beswick, P. Wisian-Neilson u. R. H. Neilson, J. Inorg. & Nuclear Chem. **43**, 2639 (1981).
[4] J. D. Odom, T. F. Moore, R. Goetze, H. Nöth u. B. Wrackmeyer, J. Organometal. Chem. **173**, 15 (1979).
[5] R. H. Cragg u. T. J. Miller, J. Organometal. Chem. **241**, 289 (1983).

Wird im Δ^3-1,2,5-Azasilaborolin-System (XIII/3b, S. 123) das Elektronenpaar am N-Atom blockiert, etwa durch Adduktbildung mit $AlCl_3$, so wird die Resonanz des olefinischen C-Atoms $^{13}C^{(3)}$ um 15,4 ppm zu höheren Frequenzen verschoben. Dies ist vereinbar mit verstärkten BC-(pp)-π-Wechselwirkungen im Aluminiumtrichlorid-Addukt[1].

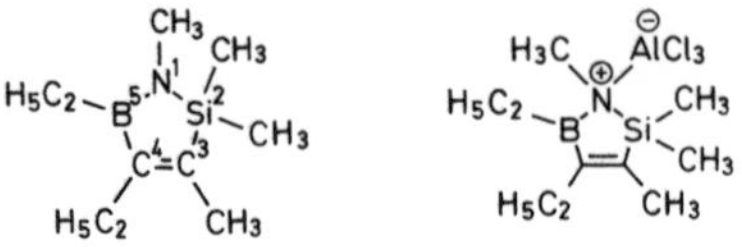

$\delta^{13}C(3)$: 149,3 164,7

Mesomere Wechselwirkungen zwischen Amino-Gruppen und aromatischen π-Systemen bewirken eine signifikante Erhöhung der π-Elektronendichte des para-ständigen C-Atoms, erkennbar auch an der vergleichsweise guten Abschirmung dieses ^{13}C-Kerns[2]. Um sowohl für diese Effekte als auch für BN(pp)π-Bindungsanteile beste Voraussetzungen zu schaffen, wurden u.a. 1,3,2-Benzodiazaborole ^{13}C-NMR spektroskopisch untersucht[3] (vgl. Tab. 80, S. 508). Dabei ergibt sich, daß das trigonale B-Atom nur ein schwacher π-Akzeptor ist, mit dem der Benzo-Rest gut konkurrieren kann. Instruktiv ist in diesem Zusammenhang wieder der Vergleich mit den isoelektronischen und isostrukturellen Carbokationen, der dem carbokationischen Zentrum C^+ eine, im Vergleich zum Bor-Atom, ungleich größere π-Akzeptorstärke zuweist[3] (vgl. die $\delta^{13}C^{(2,3)}$-Werte):

$\delta^{13}C$:	C(1)	C(2)	C(3)	C(1)	C(2)	C(3)
	136,8	110,7	119,1	133,2	116,6	129,2

ε_4) ^{14}N- und ^{15}N-NMR-Spektren der Organobor-Stickstoff-Verbindungen

$\varepsilon\varepsilon_1$) ^{14}N-NMR-Spektren

Trotz der ungünstigen kernmagnetischen Eigenschaften des ^{14}N-Kerns (s. S. 395, Tab. 38) ist die ^{14}N-NMR-Spektroskopie eine attraktive analytische Methode zur Untersuchung von Organobor-Stickstoff-Verbindungen geworden[4]. Dabei liefern die $\delta^{14}N$-Werte (vgl. Tab. 70–77, S. 493ff., 496–502) wichtige Argumente für die Diskussion von BN(pp)π-Wechselwirkungen und sind somit als nützliche Ergänzung zu $\delta^{11}B$-[5,6] und z.T. auch zu den $\delta^{13}C$-Werten zu betrachten. Da der Einfluß verschiedener Substituenten (Alkyl, Phenyl, etc.) am N-Atom auf $\delta^{14}N$ in den Amino-organo-boranen aus den $\delta^{14}N$- oder $\delta^{15}N$-Werten entsprechender Amine[7,8] bekannt ist, lassen sich Änderungen der $\delta^{14}N$-Werte direkt auf

[1] R. Köster, G. Seidel u. B. Wrackmeyer, unveröffentlicht 1982.
[2] D.E. Ewing, Org. Magn. Reson. **12**, 499 (1979); $\delta^{13}C$-Werte monosubstituierter Benzole.
[3] R. Goetze, H. Nöth, H. Pommerening, D. Sedlak u. B. Wrackmeyer, B. **114**, 1884 (1981).
[4] Gmelin, 8. Aufl., **23**/5, 197–277 (1975).
[5] W. Beck, W. Becker, H. Nöth u. B. Wrackmeyer, B. **105**, 2883 (1972).
[6] H. Nöth u. B. Wrackmeyer, B. **106**, 1145 (1973).
[7] G.J. Martin, M.L. Martin u. J.P. Gouesnard, *^{15}N-NMR-Spectroscopy*, in P. Diehl, E. Fluck, R. Kosfeld, *NMR-Basic Principles and Progress*, Vol. **18**, Springer-Verlag, Berlin 1981.
[8] M. Witanowski, L. Stefaniak u. G.A. Webb, Ann. Rep. NMR Spectr. **11A**, 1 (1981).

Tab. 78: ^{13}C-NMR-Daten einiger Diorganobor-Stickstoff-Verbindungen

Verbindung	Herst. XIII/3b, S.	$\delta^{13}C$ (RB)	$J(^{13}C^{11}B)$ [Hz]	$\delta^{13}C$ (NR)	Lösungs-mittel	Lite-ratur
$(H_3C)_2B-N(CH_3)_2$	21	4,0 3,0	≥ 54,0	39,0	C_6H_6	1 2
$(H_3C)_2B-N(C_2H_5)_2$	vgl. 18	4,5	≥ 60,0[3]	43,0; 15,8	$CDCl_3$	4
(a)H_3C, (b)H_3C > B–N(CH_3)H	vgl. 13	1,7 (a) 6,9 (b)	≥ 55,0[3] ≥ 56,5[3]	29,6	C_6D_6	4
$(H_3C)_2B-NH_2$	vgl. 42	5,6	≥ 63,0[3]	—	C_6D_6	4
$(H_3C)_2B-N{=}C(CF_3)_2$	vgl. 82	3,2	—	130,0, 117,0	$CDCl_3$	5, 6
$(H_3C)_2B-N[Si(CH_3)_3]_2$	vgl. 120 f.	9,5	—	1,8	C_6D_6	4
$(H_3C)_2B-N[Sn(CH_3)_3]_2$	vgl. 122	12,7	—	−2,3	Toluol-d_8	7
$[(H_3C)_2B]_2NCH_3$	vgl. 295 f.	12,0	—	29,7		1
$(H_5C_2)_2B-N(CH_3)_2$	vgl. 21	10,4 (BCH_2) 8,6	≥ 58,0[3]	38,8	$CDCl_3$	4
$(H_5C_2)_2B$–N(Pyrrolyl)	12, 80	11,9 (BCH_2) 8,6	—	124,1; 113,6	$CDCl_3$	3
(Borolan)B–$N(CH_3)_2$	32	17,2 (BCH_2) 7,6	≥ 60,0[3]	40,5	$CDCl_3$	4
$[(H_3C)_3C]_2B-N(CH_3)_2$		24,8 (BC) 31,3	—	44,0	$CDCl_3$	4
$(H_5C_6)_2B-N(CH_3)_2$	vgl. 32	143,1 (i) 133,7 (o) 127,4 (m) 127,9 (p)	—	41,7	$CDCl_3$	1, 8, 9
1-$C(CH_3)_3$-2-CH_3-1,2-Azaborolin	79	2,4 (BCH_3) 137,7 (BCH=)	≥ 68,0 ≥ 75,0	146,6 (CH=) 50,1 (CH_2) 52,9 (C) 31,3 (CH_3)	C_6D_6	10
H_3C–B, N(CH_3), $Si(CH_3)_2$, H_3C, CH_3 (Ring)	vgl. 123	−1,0 (BCH_3) 153,2 (C=)	≥ 68,0 ≥ 80,0	149,5 (C=) 28,6 (NCH_3) 13,3 ($BCCH_3$) 15,1 ($SiCCH_3$) −3,7 ($SiCH_3$)	Toluol-d_8	11
$(H_3C)_2Sn$(Ring)$B-N(C_2H_5)_2$	53	151,5 (BC) 152,9; −8,2	—	45,1; 18,2	$CDCl_3$	12
$(H_3C-C{\equiv}C)_2B-N(C_2H_5)_2$	68 f.	85,0 (BC) 102,5; 4,5	—	44,0; 15,6	C_6D_6	13

[1] B. Wrackmeyer, Progr. NMR Spectrosc. **12**, 227 (1979).
[2] B. A. Amero u. E. P. Schram, Inorg. Chem. **15**, 2842 (1976).
[3] B. Wrackmeyer, Universität München, unveröffentlicht 1980.
[4] H. Nöth u. B. Wrackmeyer, B. **114**, 1150 (1981).
[5] B. R. Gragg u. K. Niedenzu, Synth. React. Inorg. Metal-org. Chem. **6**, 275 (1976).
[6] D. P. Emerich, L. Komorowski, J. Lipinski, F. C. Nahm u. K. Niedenzu, Z. anorg. Ch. **468**, 44 (1980).
[7] W. Biffar, H. Nöth, H. Pommerening, R. Schwerthöffer, W. Storch u. B. Wrackmeyer, B. **114**, 49 (1981).
[8] B. R. Gragg, W. J. Layton u. K. Niedenzu, J. Organometal. Chem. **132**, 29 (1977).
[9] C. Brown, R. H. Cragg, T. J. Miller u. D. O. N. Smith, J. Organometal. Chem. **217**, 139 (1981).
[10] G. Schmid u. B. Wrackmeyer, unveröffentlicht 1983.
[11] R. Köster, G. Seidel u. B. Wrackmeyer, unveröffentlicht 1982.
[12] H.-O. Berger, H. Nöth u. B. Wrackmeyer, B. **112**, 2866 (1979).
[13] P. Galow u. B. Wrackmeyer, Universität München, unveröffentlicht 1983.

Tab. 79: ^{13}C–NMR-Daten einiger Organobor-Stickstoff-Element-Verbindungen

Verbindung	Herst. XIII/3b, S.	δ ^{13}C (RB)	δ ^{13}C (NR)	Lösungsmittel	Literatur
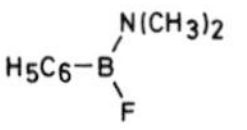 $H_5C_6-B(N(CH_3)_2)F$	148	— (i) 133,5 (o) 127,7 (m) 129,5 (p)	38,1; 35,9	$CDCl_3$	1
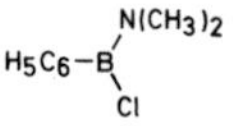 $H_5C_6-B(N(CH_3)_2)Cl$	148	137,0 (i) 132,6 (o) 127,3 (m) 128,7 (p)	40,3; 37,7	$CDCl_3$	2, 3
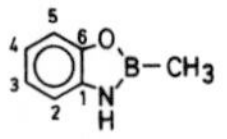 (Ring: O, N–H, B–CH_3; Positionen 1–6)	160	–5,5	149,9 (1); 110,0 (2) 121,9 (3) 119,8 (4); 112,0 (5) 136,6 (6)	$CDCl_3$	4
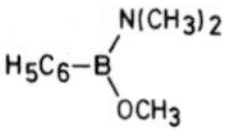 $H_5C_6-B(N(CH_3)_2)OCH_3$	171	136,7 (i) 132,0 (o) 127,8 (m) 127,8 (p)	37,9; 34,6	$CDCl_3$	5
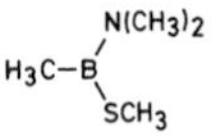 $H_3C-B(N(CH_3)_2)SCH_3$	vgl. 209	2,7		C_6D_6	6
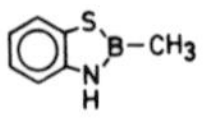 (Ring: S, N–H, B–CH_3)	vgl. 204, 209	–2,5	145,7 (1); 113,1 (2) 125,8 (3); 121,0 (4) 124,7 (5); 129,3 (6)	$CDCl_3$	4

Tab. 80: ^{13}C-NMR-Daten einiger Monoorganobor-Stickstoff-Stickstoff-Verbindungen

Verbindung	Herst. XIII/3b, S.	δ ^{13}C (RB)	J(^{13}C^{11}B) [Hz]	δ ^{13}C (NR)	Lösungsmittel	Literatur
$H_3C-B[N(CH_3)_2]_2$	219	–1,0	59	40,5	C_6H_6	7, 8
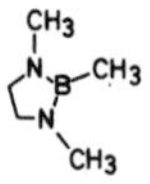 (Ring: CH_3–N, B–CH_3, N–CH_3)	238	–5,0	62	51,6 (NCH_2) 33,8 (NCH_3)	C_6D_6	9, 10
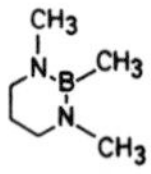 (Ring: CH_3–N, B–CH_3, N–CH_3)	240	–2,5	—	48,8 (NCH_2) 38,5 (NCH_3); 27,0	$CDCl_3$	11
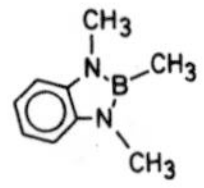 (Ring: CH_3–N, B–CH_3, N–CH_3, Benzo)	vgl. 239	–6,9	—	29,0 (NCH_3) 138,5 (1); 107,4 (2) 118,5 (3)	$CDCl_3$	4
$(H_3C)_3C-B[N(CH_3)_2]_2$	vgl. 211	22,9 (BC) 31,3	—	42,2	C_6D_6	6

[1] R.H. Cragg u. T.J. Miller, J. Organometal. Chem. **145**, 17 (1978).
[2] J.D. Odom, T.F. Moore, R. Goetze, H. Nöth u. B. Wrackmeyer, J. Organometal. Chem. **173**, 15 (1979).
[3] R.H. Cragg u. T.J. Miller, J. Organometal. Chem. **232**, 201 (1982).
[4] R. Goetze, H. Nöth, H. Pommerening, D. Sedlak u. B. Wrackmeyer, B. **114**, 1884 (1981).
[5] R.H. Cragg u. T.J. Miller, J. Organometal. Chem. **235**, 135 (1982).
[6] B. Wrackmeyer, Universität München, unveröffentlicht 1983.
[7] W. McFarlane, B. Wrackmeyer u. H. Nöth, B. **108**, 3831 (1975).
[8] J.D. Kennedy, W. McFarlane, G.S. Pyne u. B. Wrackmeyer, Soc. [Dalton Trans.] **1975**, 386.
[9] K. Anton, H. Nöth u. H. Pommerening, B. **117**, 2479 (1984).
[10] K. Anton, Dissertation, Universität München 1982.
[11] K. Niedenzu, K.-D. Müller, W.J. Layton u. L. Komorowski, Z. anorg. Ch. **439**, 112 (1978).

Tab. 80 (Fortsetzung)

Verbindung	Herst. XIII/3b, S.	$\delta\,^{13}C$ (RB)	$J(^{13}C^{11}B)$ [Hz]	$\delta\,^{13}C$ (NR)	Lösungsmittel	Literatur
CH_3, N, B–$C(CH_3)_3$, N, CH_3	vgl. 223	17,7 (BC) 29,5	—	52,9 (NCH_2) 35,7 (NCH_3)	$CDCl_3$	1
CH_3, N, B–$C(CH_3)_3$, N, CH_3	242	17,6 (BC)	—	117,9 (NC=) 35,1	$CDCl_3$	1
H_5C_2–B[N⟨⟩]$_2$	vgl. 249, 253	9,6 (BCH_2) 9,5	—	125,2; 113,4	$CDCl_3$	2
H_3C, CH_3, N-N, H_3C–B, N, B–CH_3, CH_3	316	–6,5	—	29,3 (NCH_3) 30,8 ($NNCH_3$)	$CDCl_3$	3
H_3C–B[NHN$(CH_3)_2$]$_2$	271	–3,2	73,0	51,4; 50,6	C_6D_6	2
H_3C–B[$NCH_3Si(CH_3)_3$]$_2$	285	5,0	—	33,7 (NCH_3) 0,5 ($SiCH_3$)	$CDCl_3$	2
H_5C_6–B[N$(CH_3)_2$]$_2$	236	141,7 (i), 134,8 (o), 127,1 (m), 127,2 (p)	—	40,8	$CDCl_3$	4
CH_3, N, B–C_6H_5, N, CH_3	238	133,9 (i) 132,9 (o) 127,5 (m) 127,9 (p)	—	51,2 (NCH_2) 34,1 (NCH_3)	$CDCl_3$	4
H_5C_6–B(NCH_3–NCH_3)$_2$B–C_6H_5	277	138,0 (i) 134,2 (o) 127,5 (m) 128,6 (p)	—	36,1	$CDCl_3$	4
HC≡C–B[N$(C_2H_5)_2$]$_2$	vgl. 247	94,3 (BC) 90,9 90,6 (BC)	—	44,1; 16,7	C_6D_6	5
CH_3, N, B–C≡C–C_6H_5, N, CH_3	vgl. 247	105,2 123,2 (i) 131,7 (o) 127,9 (m) 128,1 (p)	—	51,4 (NCH_2) 34,0 (NCH_3)	C_6D_6	6
CH_3, H_3C, N, B–C≡C–B, N, CH_3, H_3C	–	110,0	—	52,0 (NCH_2) 34,2 (NCH_3)	C_6D_6	5
S–B[N$(CH_3)_2$]$_2$	–	139,2 (2) 128,0 (3) 127,4 (4) 132,6 (5)	—	41,1	$CDCl_3$	4
CH_3, N, B–C≡C–N$(C_2H_5)_2$, N, CH_3	vgl. 247	63,1 (BC) 108,9 49,0 (NCH_2) 13,7 (CH_3)	120,0	52,5 (NCH_2) 35,1 (NCH_3)	C_6D_6	7

[1] K. Niedenzu, K.-D. Müller, W. J. Layton u. L. Komorowski, Z. anorg. Ch. **439**, 112 (1978).
[2] B. Wrackmeyer, Universität München, unveröffentlicht 1983.
[3] H. Nöth, W. Winterstein, W. Kaim u. H. Bock, B. **112**, 2494 (1979).
[4] J. D. Odom, T. F. Moore, R. Goetze, H. Nöth u. B. Wrackmeyer, J. Organometal. Chem. **173**, 15 (1979).
[5] B. Wrackmeyer, Progr. NMR Spectrosc. **12**, 279 (1979).
[6] B. Wrackmeyer, Z. Naturf. **37b**, 788 (1982).
[7] H.-O. Berger, H. Nöth u. B. Wrackmeyer, J. Organometal. Chem. **145**, 17 (1978).

Tab. 81: ^{13}C-NMR-Daten einiger Organo-1,3,2-diborazane, -borazine und Organobor-Stickstoff-Verbindungen mit verzweigten (BN)-Gruppierungen

Verbindung	Herst. XIII/3b, S.	$\delta^{13}C$ (RB)	$\delta^{13}C$ (NR)	Lösungsmittel	Literatur
[(Bicyclo)B]NH]$_2$	299	28,5 (BCH) 34,5; 24,2	—	C_6D_6	[1]
(Strukturformel)	vgl. 301	0,7 0,7	147,0 (1) 133,4 (2) 130,3 (3) 126,5 (4) 127,6 (5) 125,3 (6) 18,3 (7) 17,0 (8)	$CDCl_3$	[2]
$(H_3C–BNH)_3$	355	1,7	—	C_6D_6	[3]
$(H_5C_2–BNH)_3$	342	10,0 (BCH$_2$) 9,0	—	C_6D_6	[3]
$(H_3C–BNCH_3)_3$	340	0,0	34,5	C_6D_6	[3]
$(H_5C_6–BNCH_3)_3$	352	140,4 (i) 130,8 (o) 127,8 (m) 127,1 (p)	36,4	$CDCl_3$	[3]
$(H_5C_6–BNH)_3$	358	138,0 (i) 133,3 (o) 127,6 (m) 129,6 (p)	—	$CDCl_3$	[3,4]
[(Bicyclo)B]N]$_3$	382	30,5 (BCH) 33,8; 23,3	—	C_6D_6	[1]

die Nachbarschaft des trigonalen B-Atoms zurückführen. Der Einfluß der Delokalisierung der π-Elektronendichte am N-Atom in unbesetzte p_z-Orbitale der Bor-Atome auf die Abschirmung des ^{14}N-Kerns läßt sich mit der folgenden Serie von Verbindungen gut aufzeigen:

	$B[N(CH_3)_2]_3$	$H_3C–B[N(CH_3)_2]_2$	$(H_3C)_2BN(CH_3)_2$
$\delta^{14}N$:	– 365,0[5]	– 340,0[5]	– 296,0[5]

	$(H_3CBNCH_3)_3$	$[(H_3C)_2B]NCH_3$	$[(H_3C)_2B]_3N$
$\delta^{14}N$	– 275,0[6]	– 249,0[7]	– 185,0[8]

Die Abschirmung der ^{14}N-Kerne nimmt ab, wenn sich die Möglichkeiten zur Delokalisierung der π-Elektronendichte verbessern. Dieser Trend entspricht den Befunden für Car-

[1] R. Köster u. G. Seidel, A. **1977**, 1837.
[2] S. Alloud, H. Bitar, M. El Mouthadi u. B. Frange, J. Organometal. Chem. **248**, 123 (1983).
[3] H. Nöth u. B. Wrackmeyer, B. **114**, 1150 (1981).
[4] J. D. Odom, T. F. Moore, R. Goetze, H. Nöth u. B. Wrackmeyer, J. Organometal. Chem. **173**, 15 (1979).
[5] W. Beck, W. Becker, H. Nöth u. B. Wrackmeyer, B. **105**, 2883 (1972).
[6] B. Wrackmeyer u. H. Nöth, B. **109**, 3480 (1976).
[7] H. Nöth u. W. Storch, B. **109**, 884 (1976).
[8] W. Storch u. H. Nöth, B. **110**, 1636 (1977).

bokationen[1], soweit die $\delta^{14}N$- bzw. $\delta^{15}N$-Werte vergleichbarer Verbindungen bekannt sind[2]:

	$\overset{\oplus}{C}[N(CH_3)_2]_3$	$\overset{\oplus}{C}[N(CH_3)_2]_2$	$H_2\overset{\oplus}{C}N(CH_3)_2$
$\delta^{15}N$:	−305,4	−275,9	−156,5

Der größere Bereich der $\delta^{15}N$-Werte der Carbokationen ($\approx$ 150 ppm) im Vergleich zu den $\delta^{14}N$-Werten entsprechender Aminoborane ($\approx$ 70 ppm) deutet auf die größere π-Akzeptorstärke des carbokationischen Zentrums C^+ hin (vgl. auch ^{17}O-NMR, S. 473).

Wird das N-Elektronenpaar zur Adduktbildung benutzt (z. B. mit $AlCl_3$, $AlBr_3$, $GaCl_3$), erhöht sich die Abschirmung dieses ^{14}N-Kerns[3–5], z. B.:

	$(H_3C)_2B{-}N(CH_3)_2$	$(H_3C)_2B{-}\overset{\oplus}{N}(CH_3)_2{-}\overset{\ominus}{A}lCl_3$
$\delta^{14}N$:	−296,0	−337,0

Im Fall von Bis(amino)-organo-boranen erhöht sich die Abschirmung des Addukt-Stickstoffatoms, während die des anderen ^{14}N-Kerns geringer wird[3,4], z. B.:

	$H_3C{-}B[N(CH_3)_2]_2$	$H_3C{-}B[\overset{\oplus}{N}(CH_3)_2\overset{\ominus}{A}lCl_3]$ (a) $[N(CH_3)_2]$ (b)	$H_3C{-}B(N(CH_3))_2$ (Ring, N–CH_3)	$Cl_3\overset{\ominus}{Al}{-}\overset{\oplus}{N}(CH_3)$ (a), $H_3C{-}B$, $N{-}CH_3$ (b) (Ring)
$\delta^{14}N$:	−337,0	−356,0 (a) −280,0 (b)	−317,0	−337,0 (a) −274,0 (b)

Insbesondere die Verringerung der Abschirmung von ^{14}N(b) belegt, daß die $\delta^{14}N$-Werte Informationen komplementär zu den $\delta^{11}B$-Werten liefern. Aus den $\delta^{11}B$-Werten[3,4] ist zu entnehmen (s. S. 491), daß der Stickstoff N(b) bemüht ist, das π-Elektronen-Defizit infolge der Adduktbildung am N(a) auszugleichen.

$\varepsilon\varepsilon_2$) ^{15}N-NMR-Spektren

Erste ^{15}N-NMR-Messungen (^{15}N in natürlicher Häufigkeit, s. Tab. 38, S. 395) an Bor-Stickstoff-Verbindungen[6] mit Hilfe von ^1H-Spin-Polarisations-Transfer (INEPT, DEPT) haben gezeigt, daß die ^{15}N-Resonanzen infolge partiell relaxierter $^{15}N^{11}B$-Kopplungen stark verbreitert sind. Der Zeitaufwand für diese Untersuchungen ist sehr groß (im Vergleich zu anderen Methoden wie ^1H-, ^{11}B- oder ^{13}C-NMR), so daß hier auch in Zukunft keine Routinemessungen zu erwarten sind. Abb. 16 (S. 512) zeigt das ^{15}N-NMR-Spektrum[7] des Gemisches aus monomerem und dimerem Amino-dimethyl-boran. Die Kopplungskonstante $^1J(^{15}N^{11}B)$ im Monomeren ist relativ groß und wird nur unvollständig ausgemittelt, während $^1J(^{15}N^{11}B)$ im Dimeren sehr klein ist.

---

[1] H. Nöth u. B. Wrackmeyer, B. **107**, 3089 (1974).
[2] G. J. Martin, M. L. Martin u. J. P. Gouesnard, *^{15}N-NMR-Spectroscopy*, in P. Diehl, E. Fluck, R. Kosfeld, *NMR-Basic Principles and Progress*, Vol. **18**, Springer-Verlag, Berlin 1981.
[3] K. Anton, Dissertation, Universität München 1982.
[4] K. Anton, P. Konrad u. H. Nöth, B. **117**, 863 (1984).
vgl. K. Anton, H. Nöth u. H. Pommerening, B. **117**, 2479 (1984).
[5] R. Köster, G. Seidel u. B. Wrackmeyer, unveröffentlicht 1982.
[6] B. Wrackmeyer, J. Magn. Res. **54**, 174 (1983).
[7] B. Wrackmeyer, Universität München, unveröffentlicht 1983.

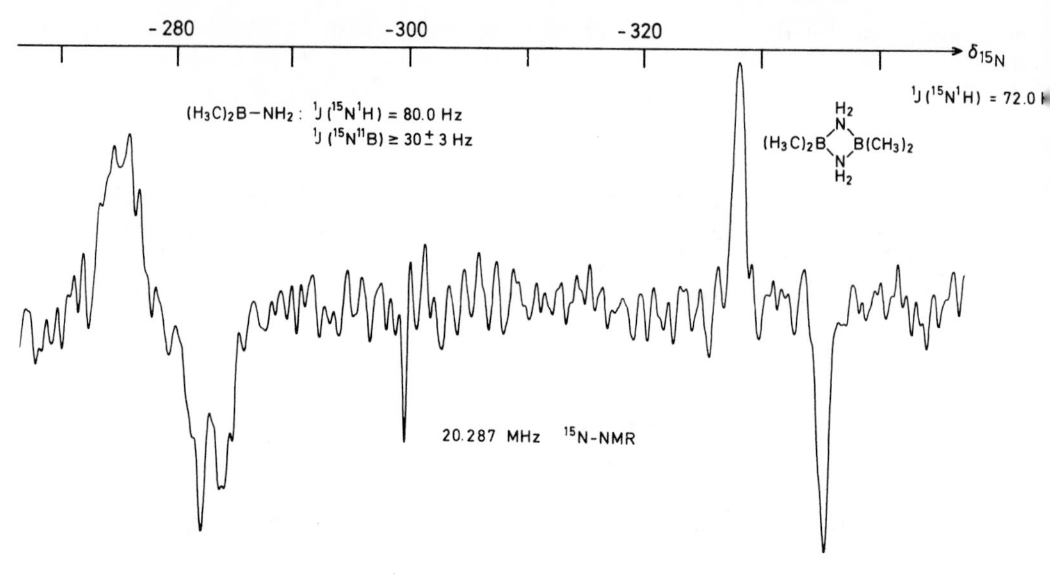

Abb. 16. 20,287 MHZ ^{15}N-NMR Spektrum (natürliche ^{15}N-Häufigkeit) von Amino-dimethyl-boran in C_6D_6 (≈ 25%, 27°)[1]. 7200 Durchgänge der INEPT Pulssequenz [$\pi/2_x$ (^{1}H)-t/2-π_y (^{1}H), π_y (^{15}N)-t/2-$\pi/2_{\pm y}$ (^{1}H), $\pi/2$ (^{15}N); t = 0,5/J(^{15}N^{1}H)]; dabei wird die mittlere Komponente der zu erwartenden Tripletts gelöscht.

ε_5) *^{29}Si-NMR-Spektren*

Die ^{29}Si-NMR-Spektroskopie von Organobor-Stickstoff-Verbindungen kann zur Strukturaufklärung und zur Diskussion der Bindungsverhältnisse nützlich sein. Aufgrund der δ^{29}Si-Werte läßt sich leicht zwischen den isomeren 5- und 6-Ringen unterscheiden[2]:

δ^{29}Si[2]: + 10,1 − 2,7 − 6,4

Die ^{29}Si-Resonanzen in den ungesättigten C_2BNSi-Fünfringen liegen bei Ersatz der B-Ethyl-Gruppe durch den B-Ethoxy- bzw. B-Ethylperoxy-Rest voneinander getrennt[3]:

δ^{29}Si: + 13,6 + 9,65 + 12,95

Mit Einsatz von Spin-Polarisations-Transfer-Techniken wird die ^{29}Si-NMR-Spektroskopie zu einem wertvollen analytischen Instrument in der Chemie der N-Silylaminoborane.

---

[1] B. WRACKMEYER, Universität München, unveröffentlicht, 1983.
[2] R. KÖSTER. G. SEIDEL u. B. WRACKMEYER, unveröffentlicht 1982.
[3] R. KÖSTER u. G. SEIDEL, Ang. Ch. **96**, 146 (1984); engl.: **23**, 155.

ε_6) ^{31}*P-NMR-Spektren*

Die ^{31}P-NMR-Spektren entsprechender N-funktioneller Amino-organo-borane können zur Charakterisierung der Verbindungen verwendet werden. Untersucht wurden (Thiophosphorylamino)-(I)[1], (Thiophosphinylamino)-(II)[1,2] und (Phosphinoamino)-organo-borane[2-5] (z.B. III):

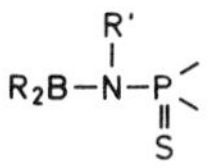

$R_2B-N(R')-P(=S)<$ — I

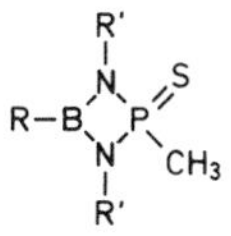

$R-B(N(R'))_2P(=S)CH_3$ — II

$R-B(N(R'))_2P-CH_3$ — III

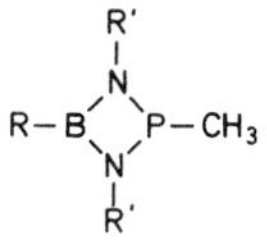

Dabei wurde festgestellt, daß die Einführung einer R_2B-Gruppe in ein Thiophosphorylamid I und II die Abschirmung des ^{31}P-Kerns vermindert[1]. Dagegen wird bei den (Phosphinoamino)-diorgano-boranen ein Abschirmungsgewinn für den ^{31}P-Kern gefunden ($\approx$ 11–13 ppm), wenn in Dimethylamino-diorgano-phosphanen eine CH_3-Gruppe am N-Atom durch eine R_2B-Gruppe ersetzt wird.

^{31}P-NMR-Daten wurden zur Charakterisierung von 4-Dialkylamino-1-phospha-4-bora-2,5-cyclohexadienen (1,4-Dihydro-1,4-phosphaborine) angewendet[6].

ε_7) ^{119}*Sn-NMR-Spektren*

^{119}Sn-NMR-Spektren von Organobor-Stickstoff-Verbindungen liefern ebenfalls wichtige Informationen. In einem 1-Diethyl-amino-1-bora-4-stanna-2,5-cyclohexadien (1,4-Dihydro-1,4-borastannine) wurde erstmals die Kopplung $^3J(^{119}Sn^{11}B)$ beobachtet[7]:

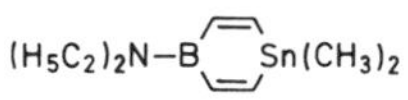

$(H_5C_2)_2N-B\langle\rangle Sn(CH_3)_2$

δ^{119}Sn: –160; $^3J(^{119}Sn^{11}B)$ = 80,0 Hz

Die δ^{119}Sn-Werte sind indikativ für die Stannacyclohexadien-Struktur, unabhängig von der Gegenwart des Boratoms in 1-Stellung[7].

Die δ^{119}Sn-NMR-Parameter verschiedener N-Stannylaminoborane wurden ermittelt[8-11]. Die magnetische Abschirmung der ^{119}Sn-Kerne ist i. allg. höher als in anderen Stannylaminen[9-11]. Für den routinemäßigen Einsatz der ^{119}Sn-NMR-Daten fehlt es hier noch an Vergleichswerten.

ζ) Molekülstrukturanalysen

Zahlreiche Röntgenstrukturanalysen verschiedener typischer Vertreter von Organobor-Stickstoff-Verbindungen sind durchgeführt worden; z.B.:

---

[1] H. Nöth, D. Reiner u. W. Storch, B. **106**, 1508 (1973).
[2] H. Nöth u. W. Storch, B. **110**, 2607 (1977).
[3] W. Storch, W. Jackstiess, H. Nöth u. G. Winter, Ang. Ch. **89**, 494 (1977); engl.: **16**, 478.
[4] A.H. Cowley, J.E. Kilduff u. J.C. Wilburn, Am. Soc. **103**, 1575 (1981).
[5] R. Köster. G. Seidel u. B. Wrackmeyer, unveröffentlicht 1982.
[6] H.-O. Berger u. H. Nöth, J. Organometal. Chem. **250**, 33 (1983).
[7] H.-O. Berger, H. Nöth u. B. Wrackmeyer, B. **112**, 2866 (1979).
[8] H. Fussstetter u. H. Nöth, B. **112**, 3672 (1979).
[9] W. Biffar, H. Nöth, H. Pommerening, R. Schwerthöffer, W. Storch u. B. Wrackmeyer, B. **114**, 49 (1981).
[10] R. Köster, G. Seidel u. B. Wrackmeyer, unveröffentlicht 1982.
[11] W. Biffar, T. Gasparis-Ebeling, H. Nöth, W. Storch u. B. Wrackmeyer, J. Magn. Reson., **44**, 54 (1981).

1,3-Bis(dimethylamino)-2,4-di-tert.-butyl-1,3-diboret[1]:

$d_{CC} = 1,81$ Å $d_{BC} = 1,50-1,51$ Å $\sphericalangle_{BCB} = 91,8°; 91,6°$
$d_{BB} = 2,16$ Å $d_{BN} = 1,415-1,404$ Å $\sphericalangle_{CBC} = 74,2°$

Dimeres *Benzylidenamino-dimethyl-boran*[2]:

$d_{BN} = 1,59$ Å $\sphericalangle_{BNB} = 87°$
$d_{NC} = 1,27$ Å $\sphericalangle_{NBN} = 93°$

4,5-Diethyl-2,2,3-trimethyl-1-(tricarbonylchromphenyl)-2,5-dihydro-1,2,5-azasilaborol[3]:

$d_{BN} = 1,439(7)$ Å $\sphericalangle_{BNSi} = 110,0(1)°$
$d_{BC} = 1,61(5)$ Å $\sphericalangle_{NBCRing} = 118,0(8)°$

2,4,6-Trimethylborazin[4]:

$d_{BN} = 1,39$ Å $\sphericalangle_{BNB} = 119,8°$
$d_{BC} = 1,52$ Å $\sphericalangle_{NBN} = 120,8°$

Bis(9-borabicyclo[3.3.1]nonyl)-(3-brom-1-boraindanyl)-amin[5]:

$d_{NB^1} = 1,457(7)$ Å $\sphericalangle_{B^3NB^1} = 114,3°$
$d_{NB^2} = 1,438(7)$ Å $\sphericalangle_{B^1NB^2} = 116,3°$
$d_{NB^3} = 1,436(7)$ Å $\sphericalangle_{B^2NB^3} = 129,4°$

1,2-μ²-Tetrakis(4,5-diethyl-2,2,3-trimethyl-2,5-dihydro-1,2,5-azasilaborol-1-yl)dieisen[3]:

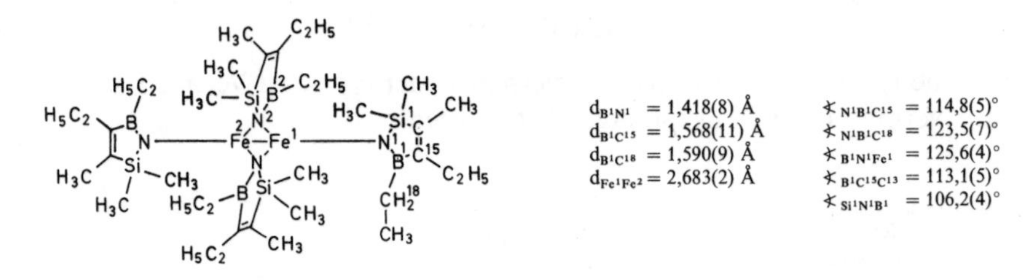

$d_{B^1N^1} = 1,418(8)$ Å $\sphericalangle_{N^1B^1C^{15}} = 114,8(5)°$
$d_{B^1C^{15}} = 1,568(11)$ Å $\sphericalangle_{N^1B^1C^{18}} = 123,5(7)°$
$d_{B^1C^{18}} = 1,590(9)$ Å $\sphericalangle_{B^1N^1Fe^1} = 125,6(4)°$
$d_{Fe^1Fe^2} = 2,683(2)$ Å $\sphericalangle_{B^1C^{15}C^{13}} = 113,1(5)°$
$\sphericalangle_{Si^1N^1B^1} = 106,2(4)°$

[1] M. Hildenbrand, H. Pritzkow, U. Zenneck u. W. Siebert, Ang. Ch. **96**, 371 (1984); engl.: **23**, 371.
[2] J.R. Jennings, R. Snaith, M.M. Mahmoud, S.C. Wallwork, S.J. Bryan, J. Halfpenny, E.A. Petch u. K. Wade, J. Organometal. Chem. **249**, C1 (1983).
[3] R. Köster, G. Seidel, C. Krüger u. G. Müller, Mülheim a.d. Ruhr, unveröffentlicht 1983.
[4] K. Anzenhofer, Mol. Phys. **11**, 495 (1966).
[5] R. Köster, G. Seidel, C. Krüger u. Y.-H. Tsay, Mülheim a.d. Ruhr, unveröffentlicht 1978.
[6] R. Boese, Universität Essen, unveröffentlicht 1981.
vgl. ds. Handb., Bd. XIII/3b, 126 (1983).

8. Organobor-Phosphor- und Arsen-Verbindungen

α) IR-Spektren[1]

Die BP-Valenzschwingungen der assoziierten Dialkyl-diorganophosphino-borane liegen im Bereich von 700–750 cm^{-1} für die dimeren[2] und von 550–650 cm^{-1} für die trimeren Verbindungen (z.B. trimere Dialkyl-dimethylphosphino-boran)[3].

β) Massenspektren

Die Massenspektren der dimeren Dialkyl-dialkylphosphino-borane haben Molekülpeaks geringer Intensität (7–11%). Hauptbruchstückmassen sind $(M-PR_2)^+$. Der Molekülpeak des dimeren Diethylphosphino-diphenyl-borans ist äußerst klein (≈ 0,2%); Basispeak ist $(H_5C_6)_2B^+$[4].

γ) NMR-Spektroskopie von Organobor-Phosphor- und Arsen-Verbindungen

Vermutlich liegen alle bisher untersuchten Organobor-Phosphor- und -Arsen-Verbindungen (Bd. XIII/3b, S. 386ff.) assoziiert vor. Dies ergibt sich konsistent aus den verfügbaren NMR-Parametern[4–6]. Besonders vorteilhaft (da rasch zu erhalten) und übersichtlich sind hierbei die ^{11}B-NMR-Spektren, da die hohe Abschirmung des ^{11}B-Kerns deutlich $KZ_B = 4$ anzeigt.

	$[(H_3C)_2B-P(CH_3)_2]_2$[4]	$[(H_3C)_2B-P(CH_3)_2]_3$[5]	$[(H_3C)_2B-As(CH_3)_2]_3$[6]
$\delta^{11}B$:	−14,5	−21,8	−13,8
$J(^{31}P^{11}B)$ [Hz]:	59,9	65,7	–

Bei den Organobor-Phosphor-Verbindungen ergeben sich infolge ^{31}P-^{11}B-Kopplung aus der Aufspaltung der ^{11}B-Resonanzen weitere Informationen[5].

9. Organobor-Element(IV)-Verbindungen

Die IR-Absorption der BSi-Valenzschwingung verschiedener Organobor-Silicium-Verbindungen mit dreifach koordiniertem B-Atom (Bd. XIII/3b, S. 400f.) findet man im Bereich von ≈ 500 cm^{-1} [7–9]; z.B.[8,9]:

	B-$Si(C_6H_5)_3$ (Boriren mit 2,3-Bis-$Si(CH_3)_3$; $(H_3C)_3Si$, $Si(CH_3)_3$)	$H-B(Si(C_6H_5)_3)-C(CH_3)(C_2H_5)-C_2H_5$	$Si(C_6H_5)_3$-B (1,2-Oxaborinan)	$(H_5C_6)_3Si-B(R)-Si(C_6H_5)_3$, R = CH_3	$(H_5C_6)_3Si-B(R)-Si(C_6H_5)_3$, R = 2,4,6-$(CH_3)_3C_6H_2$
ν_{BSi} [cm^{-1}]:	505	515	512	480/512	512/530
sichtbar (nm)	450[5]				

^1H-, ^{11}B- und ^{13}C-NMR-Spektren der Organobor-Silizium- und Zinn-Verbindungen werden zu deren Charakterisierung verwendet. Am besten sind die $\delta^{11}B$-Werte für den Nachweis der Verbindungen geeignet. I. allg. erfolgt eine Verschiebung der ^{11}B-Resonanzen um ca. 20 ppm zu höheren Frequenzen, wenn in Triorganoboranen eine BC- durch eine BSi-Bindung ersetzt wird[9]:

---

[1] Gmelin, 8. Aufl., **19**/3, 109 (1975).
[2] H. Nöth u. W. Schrägle, B. **98**, 352 (1965).
[3] J.R. Durig, M.A. Sens, V.F. Kalasinsky u. J.D. Odom, J. Raman Spectroscopy **5**, 391 (1976).
[4] E. Sattler, Universität Karlsruhe, unveröffentlicht, Privatmitteilung 1982.
[5] M.A. Sens, J.D. Odom u. M.H. Goodrow, Inorg. Chem. **15**, 2825 (1976).
[6] R. Goetze u. H. Nöth, Z. Naturf. **30b**, 875 (1975).
[7] H. Nöth u. G. Höllerer, B. **99**, 2197 (1966).
[8] B. Pachaly u. R. West, Ang. Ch. **96**, 444 (1984); engl.: **23**, 454.
[9] W. Biffar, Dissertation, Universität München 1981.

$[(H_3C)_3Si]_3Si-BR_2$

$\delta^{11}B$ [1]	R	R
108,6	CH_3	CH_3
107,3	$C(CH_3)_3$	$C(CH_3)_3$
109,8		

Dies ist eine Folge des elektropositiven Charakters der Silyl-Gruppe (vgl. Organobor-Bor-Verbindungen).

Im Vergleich zu den $\delta^{11}B$-Werten der gesicherten Organobor-Silizium-Verbindungen finden sich die ^{11}B-Resonanzen von Organobor-Zinn-Verbindungen[2,3] [z. B. *Diphenyl-trimethylstannyl-boran*, etc.[3]) nicht im Erwartungsbereich. Die $\delta^{11}B$-Werte ($\approx$ 68,0) sind identisch mit $\delta^{11}B$ für Triphenylboran, so daß der Nachweis dieser BSn-Bindungen NMR-spektroskopisch nicht gesichert ist.

10. Organobor-Bor-Verbindungen

α) Massenspektren

Die Fragmentierung in den Massenspektren verschiedener tert.-Butyl-methoxy-diborane(4) und des *Tri-tert.-butyl-methyl-diborans(4)* wurde untersucht[4]. Charakteristisch ist die B—B-Spaltung. Die Molekülpeaks sind vorhanden, jedoch in geringer Intensität.

β) NMR-Spektren

Die ^1H-NMR-Spektren von Organobor-Bor-Verbindungen [Diboran(4)-Derivaten] ähneln in vieler Hinsicht den Spektren entsprechender Boran(3)-Derivate. Die ^1H-NMR-Spektroskopie ist daher nur wenig brauchbar zum sicheren Nachweis der B—B-Bindung. Dies gilt auch für viele ^{13}C-NMR-Daten, da

ⓐ oft Vergleichsdaten fehlen und
ⓑ die Resonanz des borgebundenen C-Atoms nicht immer leicht zugänglich ist (vgl. S. 406).

Wertvoll kann die ^{13}C-NMR-Spektroskopie zur Untersuchung von Konformationen und Rotationsbarrieren, z. B. um die BN-Bindung sein, aufgrund der relativ großen Unterschiede der ^{13}C-Resonanzen; z. B.:

$(H_3C)_2N-B(R)-B(R)-N(CH_3)_2$ (cis / trans)

R	$C(CH_3)_3$ [5]	C_2H_5 [6]	C_6H_5 [7]
$\delta^{13}C(cis)$	46,8	44,7	44,6
$\delta^{13}C(trans)$	39,9	37,7	39,8
$\delta^{13}C(R)$	21,6	13,2	145,9(i)
	29,9	10,0	131,0(o)
			127,3(m)
			126,2(p)

[1] W. Biffar, Dissertation, Universität München 1981.
[2] H. Nöth, H. Schäfer u. G. Schmid, Ang. Ch. **81**, 530 (1969); engl.: **8**, 515.
[3] H. Nöth, H. Schäfer u. G. Schmid, Z. Naturf. **26b**, 497 (1971).
[4] H. Nöth u. H. Pommerening, B. **114**, 3044 (1981).
[5] W. Biffar, H. Nöth, H. Pommerening, R. Schwerthöffer, W. Storch u. B. Wrackmeyer, B. **114**, 49 (1981).
[6] B. Wrackmeyer, Universität München, unveröffentlicht 1979.
[7] F. Dirscherl, H. Nöth u. B. Wrackmeyer, Universität München, unveröffentlicht 1982.

Die ^{11}B-NMR-Spektroskopie ist für die Analytik der Organobor-Bor-Verbindungen die leistungsfähigste Methode, wie aus den $\delta^{11}B$-Werten (vgl. Tab. 82, S. 518; Abb. 5, S. 401) hervorgeht. Neben der chemischen Verschiebung $\delta^{11}B$ ist die Linienbreite h½ der ^{11}B-Resonanzen indikativ: Man findet für die Organodiboran(4)-Derivate stets merklich größere Linienbreiten h½ im Vergleich zu Boran(3)-Verbindungen ähnlichen Molekulargewichts. Sind die beiden Bor-Atome unterschiedlich substituiert, trägt auch die nicht aufgelöste Kopplung $^{1}J(^{11}B^{11}B)$ merklich zur Linienbreite bei (vgl. Tab. 39, S. 404f.).

Die Verschiebung der ^{11}B-Resonanzen zu höheren Frequenzen (tieferem Feld) beim Ersatz einer Organo-Gruppe am Bor-Atom durch eine Boryl-Gruppe ist eine Folge des elektropositiven Charakters des Boryl-Substituenten. Hierdurch wird die π-Akzeptorfähigkeit des benachbarten Bor-Atoms herabgesetzt, und gleichzeitig wird die Anregbarkeit von σ-Elektronen zu $\sigma \leftrightarrow \pi$-Übergängen erleichtert. Diese tragen maßgeblich zum paramagnetischen Term σ_p der Abschirmung trigonal planar umgebener Kerne bei. Einen Beleg für diese qualitative Deutung der Änderung der $\delta^{11}B$-Werte liefert der Vergleich der folgenden $\delta^{11}B$-Werte:

	$[(H_3C)_3C]_3B$	$[(H_3C)_3C]_4B_2$	$[(H_3C)_3C]_4B_4$
$\delta^{11}B$:	83,1	≈ 105,0	135,1
$\Delta^{11}B$:	5,4	20,3	50,1
$\delta^{11}B$:	77,7	84,3	85,0
	$[(H_3C)_3C]_2BCl$	$[(H_3C)_3C]_2B_2Cl_2$	B_4Cl_4

Der relative Abschirmungsgewinn des ^{11}B-Kerns bei der Substitution einer tert.-Butyl-Gruppe durch Chlor in Monoboran(3)-, Diboran(4)- und Tetraboran(4)-Derivaten nimmt in dieser Reihenfolge sehr stark zu (vgl. die $\Delta^{11}B$-Werte). Da BCl-(pp)π-Wechselwirkungen als sehr schwach eingestuft werden müssen (vgl. ^{35}Cl-NMR, S. 417, 456), ist die relative Zunahme der Abschirmung der ^{11}B-Kerne hauptsächlich auf den elektronegativen Charakter des Chlors zurückzuführen, der die Auswirkungen der BB-Bindungen auf $\delta^{11}B$ kompensiert.

Der gleiche Trend besteht für die Methoxy- und Methylthio-Gruppen. In den Dimethylamino-Diboran(4)-Derivaten wird für die ^{11}B-Kerne beinahe die Abschirmung der Monoboran-Verbindungen erreicht:

	$[(H_3C)_3C]_2B-OCH_3$	$[(H_3C)_3C]_2B-SCH_3$	$[(H_3C)_3C]_2B-N(CH_3)_2$
$\delta^{11}B$:	51,0[1]	76,6[2]	49,9[1]
	63,7[3]	87,5[4]	54,8[4]
	$[(H_3C)_3C]_2B_2(OCH_3)_2$	$[(H_3C)_3C]_2B_2(SCH_3)_2$	$[(H_3C)_3C]_2B_2[N(CH_3)_2]_2$

11. Organobor-σ-Metall-Verbindungen

Bisher gibt es noch keine eindeutigen NMR-spektroskopischen Belege für Organobor-σ-Metall-Bindungen. In Anbetracht des heute verfügbaren Datenmaterials über ^{11}B-chemische Verschiebungen trigonaler Borverbindungen erscheinen die wenigen ^{11}B-Resonanzen, die für Organobor-σ-Metall-Verbindungen mitgeteilt wurden[5,6], bei zu niedrigen Frequenzen (vgl. etwa $\delta^{13}C$ von Carben-Komplexen im Sinne der Beziehung zwischen $\delta^{11}B$ und $\delta^{13}C$ isoelektronischer Verbindungen). Die $\delta^{11}B$-Werte sind eher mit verschiedenen Oxidationsprodukten des Triphenylborans (z.B. Tetraphenyldiboroxan, Diphenyl-phenoxy- bzw. Diphenoxy-phenyl-boran) vereinbar.

[1] H. Prigge, Dissertation, Universität München 1983.
[2] T. Taeger, Dissertation, Universität München 1977.
[3] W. Biffar, H. Nöth u. H. Pommerening, Ang. Ch. **92**, 63 (1980); engl.: **19**, 56.
[4] H. Pommerening, Dissertation, Universität München 1979.
[5] G. Schmid u. H. Nöth, B. **100**, 2899 (1967).
[6] G. Schmid, Ang. Ch. **82**, 920 (1970); engl. **9**, 819.

Tab. 82: δ ^{11}B-Werte von Organobor-Bor-Verbindungen

Verbindung	Herst. XIII/3b, S.	δ ^{11}B	Lösungsmittel	Literatur
$(H_5C_2)_4B_2$	—	105,5	Pentan	1
$[(H_3C)_2CH]_4B_2$	—	104,7	Pentan	1
$[(H_3C)_3C]_2B-B(CH_3)C(CH_3)_3$	406	103,0	—	1
$[(H_3C)_3C]_2B-B(CH_2C(CH_3)_3)C(CH_3)_3$	406	104,0		2
$(H_3C)_3C(H_5C_2)B-B(C_2H_5)C(CH_3)_3$	406	105,7	Pentan	1
$(H_3C)_3C((H_3C)_3C-CH_2)B-B(CH_2-C(CH_3)_3)C(CH_3)_3$	406	104,0		2
$H_3C(Cl)B-B(Cl)CH_3$	—	91,0	—	3
$(H_3C)_3C(Cl)B-B(Cl)C(CH_3)_3$	407	84,3	$CDCl_3$	4
$(H_3C)_3C(Br)B-B(Br)C(CH_3)_3$	407	88,0	$CDCl_3$	4
$(H_3C)_3C(J)B-B(J)C(CH_3)_3$	—	89,4	$CDCl_3$	5
$[(H_3C)_3C]_2B-B(OCH_3)C(CH_3)_3$	407	105,5; 64,7 106,0; 65,0	$CDCl_3$	4 2
$(H_3C)_3C(H_3CO)B-B(OCH_3)C(CH_3)_3$	407	63,7 69,0	$CDCl_3$	4 2
$(H_3C)_3C(H_3CS)B-B(SCH_3)C(CH_3)_3$	—	87,5	$CDCl_3$	5
$H_3C((H_3C)_2N)B-B(N(CH_3)_2)CH_3$	409	51,1		6
$H_9C_4((H_3C)_2N)B-B(N(CH_3)_2)C_4H_9$	408	52,9		6
$H_9C_4((H_3C)_2N)B-B(N(CH_3)_2)C_4H_9$	409f.	50,9		6
$(H_3C)_3C((H_3C)_2N)B-B(N(CH_3)_2)C(CH_3)_3$	vgl. 409	54,8	$CDCl_3$	5
$H_5C_6((H_3C)_2N)B-B(N(CH_3)_2)C_6H_5$	409	49,1	$CDCl_3$	7
$[(H_3C)_3C]_2B^{(a)}-B^{(b)}(Si(CH_3)_3)C(CH_3)_3$	407	102,0 (a) 126,9 (b)	C_6D_6	4
$[(H_3C)_3C]_4B_4$		135,1		8
$(H_5C_2)_2B_4Cl_2$	vgl. 410	125,0 (BC_2H_5) 94,9 (BCl)		8
$H_5C_2-B_4Cl_3$		120,0 (BC_2H_5) 89,6 (BCl)		8

12. Radikalische Organobor-Verbindungen mit dreifach koordiniertem Bor-Atom

Die ESR-Spektren radikalischer Pyridinbase-Diorganobor-Verbindungen sind fein strukturiert[9–11]. Die langlebigen Radikal-Anionen von verschiedenen Triorganoboranen mit ausgewählten Alkyl-Gruppen und von bestimmten Alkyldiboran(4)-Verbindungen haben charakteristische ESR-Kopplungskonstanten[12, 13].

[1] H. NÖTH u. H. POMMERENING, B. **114**, 3044 (1981).
[2] K. SCHLÜTER u. A. BERNDT, Ang. Ch. **92**, 63 (1980); engl.: **19**, 56.
[3] P. L. TIMMS, Chem. Commun. **1968**, 1525.
[4] W. BIFFAR, H. NÖTH u. H. POMMERENING, Ang. Ch. **92**, 63 (1980); engl.: **19**, 56.
[5] H. POMMERENING, Dissertation, Universität München 1979.
[6] H. NÖTH u. H. VAHRENKAMP, B. **99**, 1049 (1966).
[7] F. DIERSCHERL u. H. NÖTH, Universität München, unveröffentlicht 1982.
[8] T. DAVAN u. J. A. MORRISON, Chem. Commun. **1981**, 250.
[9] R. KÖSTER, G. BENEDIKT u. H. W. SCHRÖTTER, Ang. Ch. **76**, 649 (1964); engl.: **3**, 514.
[10] R. KÖSTER, H. BELLUT u. E. ZIEGLER, Ang. Ch. **79**, 241 (1967); engl. **6**, 255.
[11] R. KÖSTER, H. BELLUT, G. BENEDIKT u. E. ZIEGLER, A. **724**, 34 (1969).
[12] A. BERNDT, H. KLUSIK u. K. SCHLÜTER, J. Organometal. Chem. **222**, C25 (1981); dort ältere Literatur.
[13] A. BERNDT u. H. KLUSIK, Ang. Ch. **93**, 903 (1981); engl.: **20**, 870.

13. Lewisbase-Organobor(3)-Verbindungen

Die in Band XIII/3b auf S. 414 noch nicht erwähnte Verbindungsklasse ist erstmals bei der Diskussion des UV-Spektrums der *Dimethylsulfan-9-Boraanthracen* erwähnt worden[1]. Auf dem Weg zu neutralen Diorganoboranen(2) wurden inzwischen kristalline Lewisbase-2-Boranaphthaline (Lewisbase Do = Pyridin, Triethylamin) hergestellt. Die $\delta^{11}B$-Werte der Addukte finden sich im typischen Bereich für Bor-Verbindungen mit $KZ_{(B)} = 3$[2].

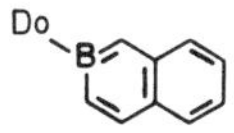

Do–B (2-Boranaphthalin)

Do	$\delta^{11}B$
C_5H_5N	33,0
$(H_5C_2)_3N$	34,7

14. Zwitterionische Organobor(3)-Verbindungen

Die in Band XIII/3b auf S. 414 stehende Bemerkung „Zwitterionische Organobor(3)-Verbindungen sind nicht bekannt" muß korrigiert werden. [Dialkylborylalkyliden]-triphenyl-phosphorane wurden inzwischen hergestellt und mit Hilfe der Massenspektren, der ^{11}B- und der ^{31}P-NMR-Daten charakterisiert[3]:

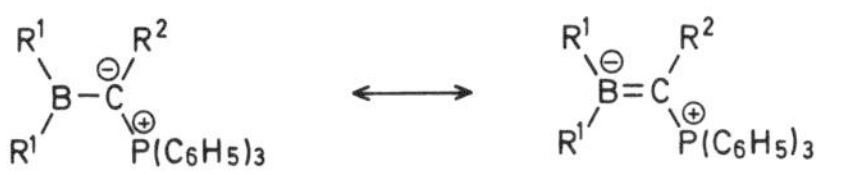

$$R^1_2B-C^{\ominus}(R^2)-P^{\oplus}(C_6H_5)_3 \longleftrightarrow R^1_2B^{\ominus}=C(R^2)-P^{\oplus}(C_6H_5)_3$$

R^1: C_5H_{11}, C_5H_9, C_6H_{11}
R^2: CH_3, C_2H_5; C_6H_5

$\delta_{^{11}B}$*: 51–58 ppm ($h_{1/2} \approx$ 350–430 Hz)
$\delta_{^{31}P}$: 20–26 ppm

* gemessen in C_6D_6 (20°) und Toluol-d_8 (80°)[3].

c) Organobor-Verbindungen mit vierfach koordinierten Bor-Atomen

1. Lewisbase-Organoborane

α) Lewisbase-Triorganobor-Verbindungen

α_1) *Trennmethoden und chemische Analysen*

Destillative und chromatographische Trennungen der thermisch und protolytisch i. allg. stabilen intramolekularen Lewisbase-Triorganoborane (Bd. XIII/3b, S. 426ff.) sind meist gut möglich. Beispielsweise lassen sich die (*Z*/*E*)-isomeren Diethyl-(2-dimethylamino-1-ethyl-1-propyl)-borane gaschromatographisch voneinander trennen[4].

Die Gleichgewichte offenkettiger Lewisbase-Triorganoborane können zur Isotopentrennung verwendet werden. Der sekundäre **D**euterisierungs- **G**leichgewichts-**I**sotopen-**E**ffekt (D-GIE) beim System $(H_3C)_3N/B(CH_3)_3/B(CD_3)_3$[5] oder der primäre **B**or-**G**leichgewichts-**I**sotopen-**E**ffekt (B-GIE) beim System Diethylether/$^{10}BF_3$/$^{11}BF_3$[6] spielt für die destillative Trennung der Verbindungen eine wichtige Rolle.

---

[1] P. Jutzi, Ang. Ch. **84**, 28 (1972); engl.: **11**, 53.
[2] P. Paetzold u. N. Finke, Technische Hochschule Aachen, persönliche Mitteilung 1983.
[3] H.-J. Bestmann u. T. Arenz, Ang. Ch. **96**, 363 (1984); engl.: **23**, 381.
[4] P. Binger u. R. Köster, B. **108**, 397 (1975).
[5] P. Love, R. W. Taft, jr. u. T. Wartik, Tetrahedron **5**, 116 (1959).
[6] V. A. Kaminskii, A. T. Karamyan u. G. L. Partsakhashvili, At. Energy **23**, 244 (1967); C. A. **68**, 74336 (1968).

α_2) *Schwingungsspektren*

C=C-[1-3] und C≡C[4]-Bindungen lassen sich in offenkettigen oder cyclischen Lewisbase-Triorganoboranen IR-sepktroskopisch i. allg. leicht nachweisen; z. B. bei folgenden Verbindungen:

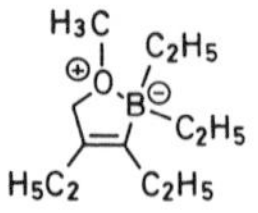

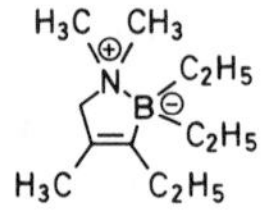

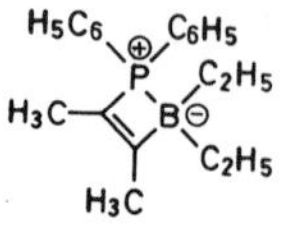

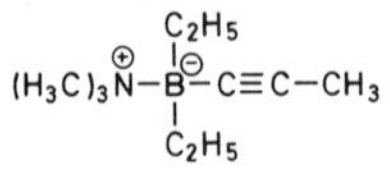

$\nu_{C=C}$ (cm^{-1}):	1640[1]	1636[2]	1585[3]	$\nu_{C\equiv C}$ (cm^{-1}): 2175[4]

Die C≡N-Valenzschwingung des Benzonitrils (2296 cm^{-1}) ist in der Additionsverbindung mit 1-Bora-adamantan (2232 cm^{-1}) um ca. 60 cm^{-1} zu niedrigeren Frequenzen verschoben[5].

α_3) *Massenspektren*

Cyclische Lewisbase-Triorganoborane haben vielfach Massenspektren mit Molekülpeaks[1-3,5,6]; z. B. das Dimer des 5/4-Methylphenyl-3-bora-4-aza-1,1-dihomoadamant-4-en[5]. Außerdem treten fast immer Bruchstückmassen m/z $(M-R)^+$ auf [R = B-Organo-Rest].

α_4) *Kernresonanzspektroskopie von Lewisbase-Triorganobor-Verbindungen*

$\alpha\alpha_1$) ^{1}H-NMR-Spektren

Die ^{1}H-NMR-Spektroskopie ist für den Nachweis der Zusammensetzung und Struktur von Lewisbase-Triorganobor-Verbindungen nützlich[7-23]. Dies betrifft sowohl die ^{1}H-Resonanzen der Organo-Gruppen am B-Atom (i. allg. sind die δ^1H(BCH)-Werte merklich kleiner als in den Triorganoboranen und das Erscheinungsbild von Multiplett-Aufspaltung, z. B. Ethyl-Gruppen, ändert sich entsprechend zu den neuen δ^1H-Werten) als auch die ^{1}H-Resonanzen, soweit vorhanden, für die Lewisbase. Daraus folgt, daß sich auch Austauschprozesse[12,18,19,24], z. B. dissoziativer Austausch bei Überschuß des Triorgano-

---

[1] P. Binger u. R. Köster, Synthesis **1974**, 350.
[2] P. Binger u. R. Köster, B. **108**, 395 (1975).
[3] P. Binger u. R. Köster, J. Organometal. Chem. **73**, 205 (1974).
[4] R. Köster, H.-J. Horstschäfer u. P. Binger, A. **717**, 1 (1968).
[5] B. M. Mikhailov u. T. K. Baryshnikova, J. Organometal. Chem. **260**, 25 (1984).
[6] J. J. Eisch, N. K. Hota u. S. Kozima, Am. Soc. **91**, 4575 (1969).
[7] T. D. Coyle u. F. G. A. Stone, Am. Soc. **83**, 4138 (1961); N-Lewisbasen.
[8] O. Ohashi, Y. Kurita, T. Totani, H. Watanabe, T. Nakagawa u. M. Kubo, Bl. Chem. Soc. Japan **35**, 1317 (1962); N-Lewisbasen.
[9] J. G. Verkade, R. W. King u. C. W. Heitsch, Inorg. Chem. **3**, 884 (1964); P-Lewisbasen.
[10] S. Bresadola, G. Carraro, C. Pecile u. A. Turco, Tetrahedron Letters **1964**, 3185; N-Lewisbasen.
[11] C. W. Heitsch, Inorg. Chem. **4**, 1019 (1965); N-Lewisbasen.
[12] A. H. Cowley u. J. L. Mills, Am. Soc. **91**, 2911 (1969); N–P-Lewisbasen.
[13] L. K. Petersen u. G. L. Wilson, Canad. J. Chem. **49**, 3171 (1971); N-Lewisbasen.
[14] B. M. Mikhailov, V. V. Negrebetskii, V. S. Bogdanov, A. V. Kessenikh, Yu. N. Bubnov, T. K. Baryshnikova u. V. N. Smirnov, Ž. obšč. Chim. **44**, 1878 (1974); engl.: 1844; C. A. **81**, 151270 (1974); N-Lewisbasen.
[15] P. Binger u. R. Köster, Synthesis, **1974**, 350; O-Lewisbase.
[16] P. Binger u. R. Köster, J. Organometal. Chem. **73**, 205 (1974); P-Lewisbasen.
[17] P. Binger u. R. Köster, B. **108**, 397 (1975); N-Lewisbasen.
[18] J. P. Costes, G. Cros u. J. P. Laurent, J. Chim. Phys. **73**, 16 (1976); N-Lewisbasen.
[19] K. J. Alford, E. O. Bishop u. J. D. Smith, Soc. [Dalton Trans.] **1976**, 920; P-Lewisbasen.
[20] A. S. Fletcher, W. E. Paget, K. Smith, K. Swaminathan, J. H. Beynon, R. P. Morgan, M. Bozorgzadeh u. M. J. Haley, Chem. Commun. **1979**, 347; O-Lewisbasen.
[21] H. C. Brown u. J. A. Soderquist, J. Org. Chem. **45**, 846 (1980); N-Lewisbasen.
[22] B. M. Mikhailov, Soviet Scientific Rev., Sect. B, Chem. Rev. **2**, 283 (1980).
[23] E. Kalbarczyk u. S. Pasynkiewicz, J. Organometal. Chem. **262**, 11 (1984).
[24] A. Storr u. B. S. Thomas, Canad. J. Chem. **48**, 3667 (1970); N-Lewisbasen.

borans oder der Lewisbase (Bd. XIII/3b, S. 436), anhand der δ^{1}H-Werte und/oder verschiedener Aufspaltungen aufgrund von Spin-Spin-Kopplungen, mit Hilfe der ^{1}H-NMR-Spektroskopie untersuchen lassen.

$\alpha\alpha_2$) ^{11}B-NMR-Spektren von Lewisbase-Triorganoboranen

Die ^{11}B-NMR-Spektroskopie liefert schnell und zuverlässig Informationen über die σ-Donor-Akzeptor-Wechselwirkungen. Das Kriterium für solche Wechselwirkungen ist in jedem Fall die Verschiebung der ^{11}B-Resonanz zu niedrigeren Frequenzen (höherem Feld) im Vergleich zum freien Triorganoboran[1]. Bei schwachen Wechselwirkungen (vgl. auch ^{11}B-NMR von Triorganoboranen, S. 427) sind die δ^{11}B-Werte temperatur- und konzentrationsabhängig[2,3] (für die Temperaturabhängigkeit vgl. Abb. 17).

Sind verschiedene Donor-Atome zugegen, bieten sich die chemischen Verschiebungen δ^{11}B für die Zuordnung an, oder, falls es sich um ein stabiles Phosphan-Boran handelt, sollte eine PB-Spin-Spin-Kopplung zu beobachten sein[1]. In Tab. 83 (S. 522ff.) finden sich charakteristische ^{11}B-NMR-Parameter. Typisch ist, daß die ^{11}B-Kerne in den Addukten mit Gruppe V-Ligand-Atomen (N, P) besser abgeschirmt sind als mit Gruppe VI-Ligand-Atomen (O, S). Innerhalb einer Gruppe sind die ^{11}B-Resonanzen der Sulfan- und Phosphan-Triorganoborane bei niedrigeren Frequenzen als in O- und N-Triorganoboranen[1].

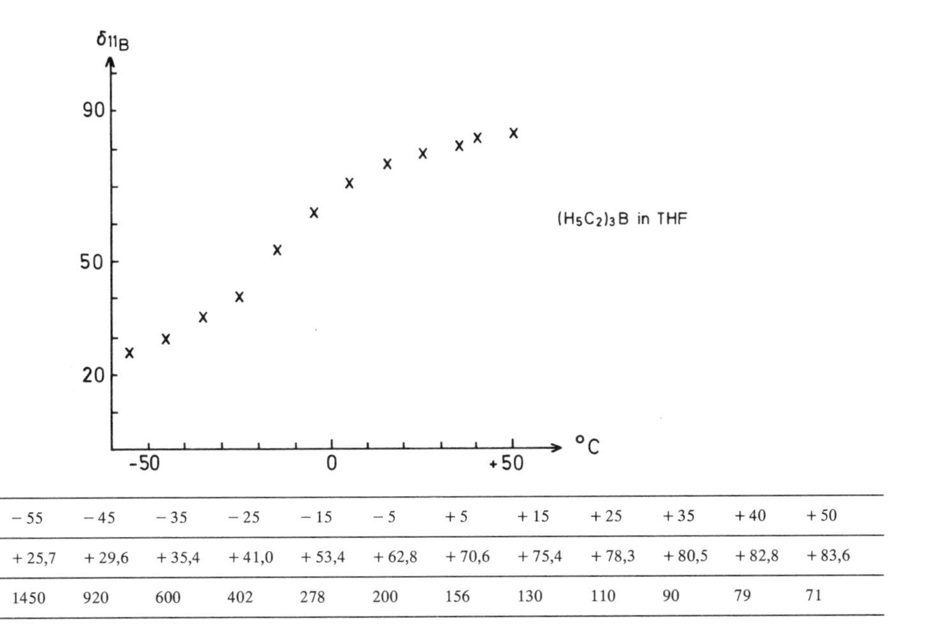

T [°C]	−55	−45	−35	−25	−15	−5	+5	+15	+25	+35	+40	+50
δ^{11}B:	+25,7	+29,6	+35,4	+41,0	+53,4	+62,8	+70,6	+75,4	+78,3	+80,5	+82,8	+83,6
$h^{1/2}$ [Hz]:	1450	920	600	402	278	200	156	130	110	90	79	71

Abb. 17: Graphische Darstellung der Temperaturabhängigkeit der chemischen Verschiebung δ^{11}B von Triethylboran in Tetrahydrofuran im Sinne des Gleichgewichts[2]:

$$(H_5C_2)_3B + THF \rightleftharpoons THF{-}B(C_2H_5)_3$$

[1] H. Nöth u. B. Wrackmeyer, *NMR-Spectroscopy of Boron Compounds*, Bd. **14** NMR, *Grundlagen und Fortschritt* (*^{11}B-NMR-Spektroskopie*). Springer-Verlag, Heidelberg · Berlin 1978.

[2] B. Wrackmeyer, J. Organometal. Chem. **117**, 313 (1976).

[3] R. Contreras u. B. Wrackmeyer, Z. Naturf. **35b**, 1229 (1980).

Die δ^{11}B-Werte sind außerdem abhängig von der Substitution am Donor-Atom und am Bor-Atom, wobei sowohl der Einfluß von O-, N-, S-, P-Element-Bindungen als auch die Substitutionseffekte (H, CH_3, C_2H_5 etc. an Bor- oder Donor-Atom) den Befunden für δ^{13}C-Werte isoelektronischer Alkane entsprechen[1-4].

Tab. 83: δ^{11}B-Werte von Lewisbase-Triorganoboranen

Verbindung		Herst. XIII/3b, S.	δ^{11}B	Lösungsmittel	Literatur
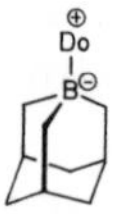	Do = $O(C_2H_5)_2$	427	15,6	$(H_5C_2)_2O$	5,6
	Do = $H_3CCOOC_2H_5$	—	15,0		
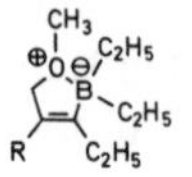	R = CH_3	429	25,0	—	7
	R = C_2H_5	429	24,7	—	7
	R = $Si(CH_3)_3$	430	23,2	Neohexan	8
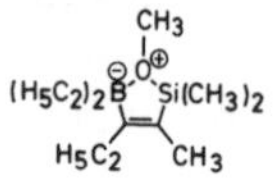	X = CH_3		21,2	Neohexan	9
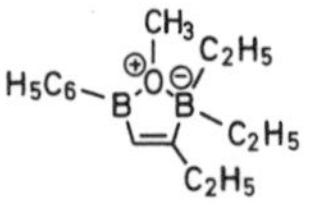		430	25,3 (a) 46,4 (b)	CH_2Cl_2	10
$[(H_3C)_2B–CH_2–SCH_3]_n$		XIII/3a, S. 281	–4,0	$CHCl_3$	11
Do–$B(CH_3)_3$	Do = H_3N	435	–8,7	CH_2Cl_2	4
	H_3CNH_2	436	–5,5	Monoylyme	4
	$(H_3C)_2NH$	vgl. 436	–4,3	CH_2Cl_2	4
	$(H_3C)_3N$	—	0,1	CH_2Cl_2	4
	Pyridin	vgl. 454	0,0	CH_2Cl_2	4
	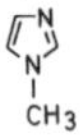 N-Methylimidazol (CH_3)	vgl. 435 f.	–5,2	CH_2Cl_2	4
Do–$B(C_2H_5)_3$	Do = H_3N	435	–3,1	—	4
	H_3CNH_2	vgl. 436	–2,2	—	4
	$(H_3C)_2NH$	vgl. 436	–1,2	—	12
	$N(CH_3)_3$	—	4,3	—	4
	Pyridin	vgl. 453	2,2	$(H_5C_2)_2O$	4
	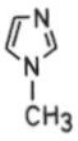 N-Methylimidazol (CH_3)	vgl. 454	–3,2	CH_2Cl_2	4
$H_3N–B[C(CH_3)_3]_3$		vgl. 435 f.	–2,5	CH_2Cl_2	13

[1] H. NÖTH u. B. WRACKMEYER, *NMR-Spectroscopy of Boron Compounds*, Bd. **14** *NMR, Grundlagen und Fortschritte* (*^{11}B-NMR-Spektroskopie*), Springer-Verlag, Heidelberg · Berlin 1978.
[2] B. F. SPIELVOGEL u. J. M. PURSER, Am. Soc. **89**, 5294 (1967).
[3] J. M. PURSER u. B. F. SPIELVOGEL, Inorg. Chem. **7**, 2156 (1968).
[4] H. NÖTH u. B. WRACKMEYER, B. **107**, 3070 (1974).
[5] B. M. MIKAHILOV u. V. N. SMIRNOV, Izv. Akad. SSSR **1974**, 1137; engl.: 1079; C. A. **81**, 49716 (1974).
[6] B. M. MIKAHILOV, Soviet Scientific Revs., Sect. B., Chem. Revs. **2**, 283 (1980); C. A. **94**, 47381 (1981).
[7] P. BINGER u. R. KÖSTER, Synthesis **1974**, 350.
[8] L. A. HAGELEE u. R. KÖSTER, Synth. React. Inorg. Metal-org. Chem. **7**, 53 (1977).
[9] R. KÖSTER u. G. SEIDEL, Mülheim a. d. Ruhr, unveröffentlicht 1983.
[10] G. MENZ u. B. WRACKMEYER, Z. Naturf. **32b**, 1400 (1977).
[11] J. RATHKE u. R. SCHAEFFER, Inorg. Chem. **11**, 1150 (1972).
[12] H. NÖTH u. H. VAHRENKAMP, B. **99**, 1049 (1966).
[13] H. NÖTH u. T. TAEGER, J. Organometal. Chem. **142**, 281 (1977).

Tab. 83 (1. Fortsetzung)

Verbindung		Herst. XIII/3b, S.	$\delta^{11}B$	Lösungsmittel	Literatur
$[(H_3C)_2B\text{–}CH_2NH_2]_2$			0,3		1
$^{\ominus}B\text{-}N^{\oplus}$ (Käfig)		444	9,4	CCl_4	2
$^{\ominus}B(C_2H_5)\text{–}N^{\oplus}$ (Pyridin)		vgl. 453 f.	1,4	$CDCl_3$	3
$Do^{\oplus}\text{–}B^{\ominus}$ (Adamantan)	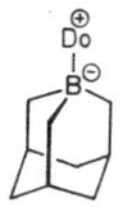 Do = Pyridin	457 ff.	–4,1		4, 5
	Do = $H_5C_6\text{–}CN$	vgl. 465	–9,1	CCl_4	6
$C_5H_5N^{\oplus}\text{–}B^{\ominus}(C_6H_5)_3$		vgl. 453	3,9		7
$(H_3C)_3N\text{–}B(CH_2\text{–}CH{=}CH_2)_3$		vgl. 437 f.	3,2		8
$Do\text{–}B(CH{=}CH_2)_3$	Do = H_3N	vgl. 435 ff.	–9,5		9
	Do = $(H_3C)_3N$	vgl 437 f.	–3,0		9
H_3C, CH_3, $N^{\oplus}$, $B^{\ominus}$, R, R, H_3C, R (Ring)	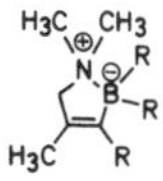 R = CH_3	448	4,7	—	10
	R = C_2H_5		7,0	—	10
$Do\text{–}B(CH_3)_3$	Do = $(H_3C)_3P$	vgl. 467	–12,3		11
	Do = $P(O)_3$-Käfig		–14,0		12
$[(H_3C)_2B\text{–}CH_2P(CH_3)_2]_2$		XIII/3a, S. 290	–19,0 J(PB) = 55,4		13
$H_5C_6\overset{\oplus}{P}\text{–}\overset{\ominus}{B}\text{–}C_6H_5$ (bicyclisch)		471	–4,7		14
$(H_3C)_3P\text{–}B(CH{=}CH_2)_3$		vgl. 466	–17,5 J(PB) = 47,0		9
H_5C_2, CH_3; $(H_5C_2)_2\overset{\ominus}{B}\text{–}\overset{\oplus}{P}(C_2H_5)_2$		472	9,0		15

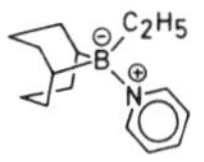

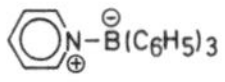

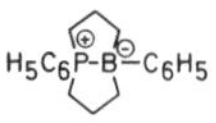

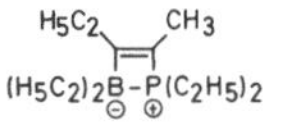

[1] R. SCHAEFFER u. L.J. TODD, Am. Soc. **87**, 488 (1965).
[2] N.N. GREENWOOD, J.H. MORRIS u. J.C. WRIGHT, Soc. **1964**, 4753.
[3] H.C. BROWN u. J.A. SODERQUIST, J. Org. Chem. **45**, 846 (1980).
[4] B.M. MIKHAILOV, Soviet Scientific Rev., Sect. B., Chem. Rev. **2**, 283 (1980).
[5] B.M. MIKHAILOV u. V.N. SMIRNOV, Izv. Akad. SSSR **1972**, 1672; C.A. **77**, 152252 (1972).
[6] B.M. MIKHAILOV u. T.K. BARYSHNIKOVA, J. Organometal. Chem. **260**, 25 (1984).
[7] T. WIZEMAN, H. MUELLER, D. SEYBOLD u. K. DEHNICKE, J. Organometal. Chem. **20**, 211 (1969).
[8] V.S. BOGDANOV, T.K. BARYSHNIKOVA, V.G. KISELEV u. B.M. MIKHAILOV, Ž. obšč. Chim. **41**, 1533 (1971); C.A. **75**, 133612 (1971).
[9] L.W. HALL, J.D. ODOM u. P.D. ELLIS, Am. Soc. **97**, 4527 (1979).
[10] P. BINGER u. R. KÖSTER, B. **108**, 395 (1975).
[11] J.P. TUCHAGUES u. J.P. LAURENT, Bl. **1971**, 4246.
[12] J.G. VERKADE, R.W. KING u. C.W. HEITSCH, Inorg. Chem. **3**, 884 (1964).
[13] J. RATHKE u. R. SCHAEFFER, Inorg. Chem. **11**, 1150 (1972).
[14] G.B. BUTLER u. G.L. STATTON, Am. Soc. **86**, 5045 (1964).
[15] P. BINGER u. R. KÖSTER, J. Organometal. Chem. **73**, 205 (1974).

Tab. 83 (2. Fortsetzung)

Verbindung			Herst. XIII/3b, S.	$\delta^{11}B$	Lösungsmittel	Literatur
	R^1	R^2				
	CH_3	CH_3	—	−12,7	THF	[1]
	CH_3	C_6H_5	—	−13,5	$CDCl_3$	[1]
	C_6H_5	CH_3	—	−12,3	$CDCl_3$	[1]
$[(H_3C)_2B–CH_2As(CH_3)_2]_n$			(XIII/3a, S. 290)	−6,1		[2]

αα₃) ^{13}C-NMR-Spektren von Lewisbase-Triorganoboranen

Die ^{13}C-NMR-Spektroskopie ist bisher nicht häufig zur Untersuchung von Lewisbase-Triorganoboranen eingesetzt worden. Die Ergebnisse sind jedoch vielversprechend im Hinblick auf Ermittlung der Struktur und für die Diskussion der Bindungsverhältnisse[3]. So liefern z. B. die $\delta^{13}C(1,5,9)$-Daten von *7α-Methoxymethyl-3-methyl-3-borabicyclo [3.3.1]nonan* Richtwerte für die Sessel-Sessel-Form solcher bicyclischer Verbindungen[4]:

$\delta^{11}B$: + 35,9

$\delta^{13}C$ (− 70°)[4]

C(1,5)	C(2,4)	C(6,8)	C(7)	C(9)	OCH_2
27,9	28,8	37,5	32,4	36,7	83,5

OCH_3	BCH_3
61,4	11,3

^{13}C-NMR-Spektren von 9-Organoborabicyclo[3.3.1]nonan-Addukten sind geeignet, die Bildung eines Komplexes stabiler Konfiguration nachzuweisen. So findet sich im Fall R = Alkyl[5] nur ein Satz ^{13}C-Resonanzen für den Bicyclus, während für den 3,3-Dimethyl-1-butinyl-Rest je zwei ^{13}C-Resonanzen für C(1,5), C(3,7) und C(2,4,6,8) auftreten[6]:

Dies zeigt, daß die Konfigurationsumkehr bezüglich der NMR-Zeitskala für R = Alkyl schnell und für R = 1-Alkinyl vergleichsweise langsam erfolgt. In dem Addukt mit intramolekularer BN-Koordination treten zwei ^{13}C-Resonanzen für die diastereotopen NCH_3-Gruppen auf. Die zu erwartenden unterschiedlichen ^{13}C-Resonanzen für die Kohlenstoffatome C(2,4) und C(6,8) des 9-Borabicyclo[3.3.1]nonan-Gerüstes wurden jedoch nicht beobachtet[7]:

[1] R. Köster u. G. Seidel, Mülheim a.d. Ruhr, unveröffentlicht 1983.
[2] J. Rathke u. R. Schaeffer, Inorg. Chem. **11**, 1150 (1972).
[3] B. Wrackmeyer, Progr. NMR Spectrosc. **12**, 227 (1979).
[4] M. E. Gurskii, A. S. Shashkov u. B. M. Mikhailov, Izv. Akad. SSSR **1981**, 341; engl.: 264; C. A. **95**, 24124 (1981).
[5] H. C. Brown u. J. A. Soderquist, J. Org. Chem. **45**, 846 (1980).
[6] B. Wrackmeyer u. P. Galow, Universität München, unveröffentlicht 1982.
[7] E. Kalbarczyk u. S. Pasynkiewicz, J. Organometal. Chem. **262**, 11 (1984).

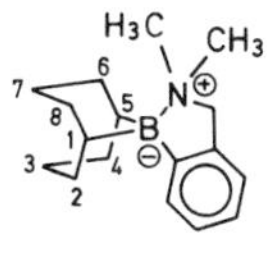

	$\delta^{13}C^1$:
(NCH_3)	49,2; 30,7
(NCH_2)	69,9
C(2,4,6,8)	34,0
C(3,7)	24,0

Aufgrund des ^{13}C-NMR-Spektrums wird für den $C^{(4)}$-Substituent des Pyridin-4-Chlor-1-boroadamantans in $CDCl_3$-Lösung die axiale Position gefordert[2]:

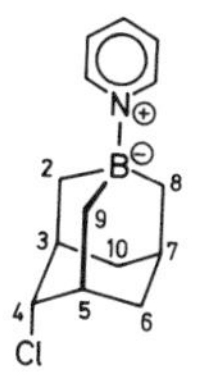

	$\delta^{13}C$
$C^{2,9}$	32,8
$C^{3,5}$	39,9
C^4	73,2
$C^{6,10}$	33,1
C^7	31,8
C^8	32,8

Die δ^{13}C-Werte in Addukten des Trivinyl-($\delta^{13}C_{(\beta)}$) und Triphenyl-borans-($\delta^{13}C_{(para)}$) sind gegenüber den freien Triorganoboranen signifikant zu niedrigen Frequenzen verschoben (Δ^{13}C), entsprechend der Aufhebung möglicher BC(pp) π-Wechselwirkungen für Bor-Atome mit $KZ_B = 4$; z. B.:

	$(H_3C)_3\overset{\oplus}{N}-\overset{\ominus}{B}(\overset{\alpha}{C}H=\overset{\beta}{C}H_2)_3$	$C_5H_5\overset{\oplus}{N}-\overset{\ominus}{B}(C_6H_5)_3$
$\delta^{13}C$:	124,4(C_β)[3]	125,3(C_{para})[4]
$\Delta^{13}C$:	− 13,6	− 6,2

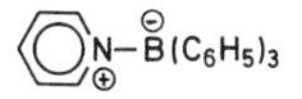

Für die δ^{13}C-Werte der borgebundenen Alkyl-Reste in Lewisbase-Trialkylboranen[5−7] ist zu erwarten, daß Substituenteneffekte analog zu vergleichbaren Kohlenwasserstoffen auftreten, z. B.:

	$H_3\overset{\oplus}{N}-\overset{\ominus}{B}(CH_3)_3$	$(H_3C)_2\overset{\oplus}{N}H-\overset{\ominus}{B}(CH_3)_3$
$\delta^{13}C(BC)$[8]	11,3	8,3
$\delta^{13}C(CCH_3)$	31,3	27,0
	$H_3C-C(CH_3)_3$	$(H_3C)_2CH-C(CH_3)_3$

α_5) *Molekülstrukturanalysen*

Von zahlreichen Lewisbase-Triorganoboranen sind die Strukturen durch Röntgenstrahlbeugung im festen Zustand gesichert; z. B.:

Cyclisches Hydrazon-Triorganoboran *3,4-Dihydro-3,4,4-trimethyl-4,3-borazaroisochinolin*[9]:

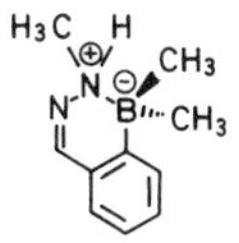

d_{BN} = 1,645(4) Å
d_{BCaryl} = 1,624(4) Å
d_{NN} = 1,463(3) Å

∢ $C_{aryl}BN$ = 102,0(2)°
∢ $C_{aryl}BC_{CH_3}$ = 113,7(3)°

[1] E. Kalbarczyk u. S. Pasynkiewicz, J. Organometal. Chem. **262**, 11 (1984).
[2] B. M. Mikhailov u. K. L. Cherkasova, J. Organometal. Chem. **246**, 9 (1983).
[3] L. W. Hall, J. D. Odom u. P. D. Ellis, Am. Soc. **97**, 4527 (1975).
[4] B. R. Gragg, W. J. Layton u. K. Niedenzu, J. Organometal. Chem. **132**, 29 (1977).
[5] V. V. Negrebetskii, V. S. Bogdanov, A. V. Kessenikh, P. V. Petrovskii, Yu. N. Bubnov u. B. M. Mikhailov, Ž. obšč. Chim. **44**, 1882 (1974); engl.: 1849; C. A. **81**, 168741 (1974).
[6] W. McFarlane, B. Wrackmeyer u. H. Nöth, B. **108**, 3831 (1975).
[7] H. Nöth u. T. Taeger, J. Organometal. Chem. **142**, 281 (1977).
[8] B. Wrackmeyer, Universität München, unveröffentlicht 1982.
[9] C. Svensson, Acta crystallogr., Sect. B **32**, 3341 (1976).

Offenkettiges und cyclisches Imin-Triorganoboran

N-(2,2-Dimethylpropyliden)-N-(2,2'bipyridyl-ethyl-nickel)-Triethylboran[1]:

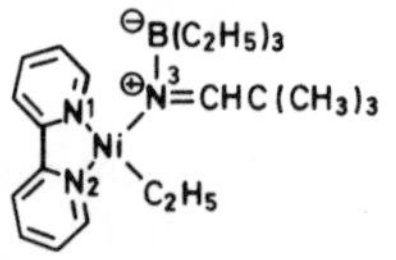

d_{BN^3} = 1,655(8) Å ∢ BN^3Ni = 113,3°
d_{NiN^3} = 1,882(5) Å ∢ BN^3C = 116,9°

4,4-Diethyl-1-isopropyl-2-phenyl-5-phenylimino-1,3,4-azaazoniaborata-Δ^2-cyclopenten[2]:

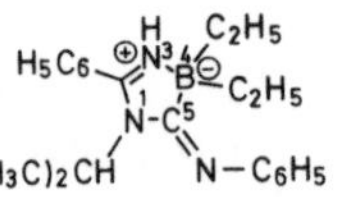

$d_{N^1C^2}$ = 1,350 Å r_{C^5B} = 1,648 Å
$d_{N^1C^5}$ = 1,441 Å r_{N^3B} = 1,589 Å

Cyclische Phosphan-Triorganoborane

1,1,2,2,3-Pentaphenyl-4-trimethylsilyl-1,2-phosphonia-borat-3-en[3]:

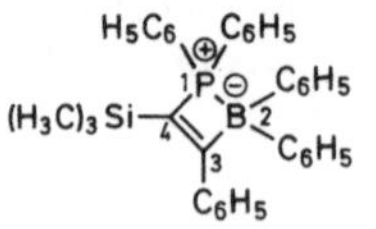

d_{PB} = 2,107 Å; ∢ $_{PBC^3}$ = 77,2°
d_{BC^3} = 1,651 Å ∢ $_{BC^3C^4}$ = 109,4°
$d_{C^3C^4}$ = 1,367 Å ∢ $_{C^3C^4P}$ = 95,5°
d_{C^4P} = 1,807 Å ∢ $_{C^4PB}$ = 77,8°

3,3-(Cyclooctan-1,5-diyl)-2,2-diphenyl-4,5,6-triethyl-1,2,3,6-oxaphosphoniaborataboratin[4]:

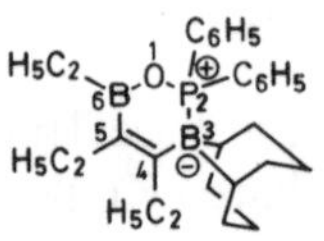

d_{OP} = 1,620(1) Å ∢ $_{OPB^3}$ = 102,8(1)°
d_{PB^3} = 2,013(2) Å ∢ $_{OPB^3C^4}$ = 94,5(1)°
$d_{B^3C^4}$ = 1,61(7) Å ∢ $_{C^5B^6O}$ = 118,0(2)°
$d_{C^4C^5}$ = 1,357(3) Å ∢ $_{B^6OP}$ = 120,2(1)°
$d_{C^5C^6}$ = 1,558(3) Å
d_{B^6O} = 1,402(3) Å

β) Lewisbase-Organobor-Wasserstoff-Verbindungen

β_1) *Chemische Analysenmethoden*

Die quantitative Bestimmung von BH-Bindungen in Lewisbase-Hydro-organo-boranen (Bd. XIII/3b, S. 473ff.) gelingt i. allg. mittels Acidolyse oberhalb 100°. Das entstehende Dihydrogen wird volumetrisch erfaßt (vgl. S. 390f.).

β_2) *IR- und Massenspektren*

Die BH-Valenzschwingung der Lewisbase-Hydro-organo-borane liegt im Bereich von ca. 2200 bis 2500 cm^{-1} [5-8]; z. B. mit C≡N-Brückenligand[8]:

---

[1] H. Hoberg, V. Götz u. C. Krüger, J. Organometal. Chem. **169**, 219 (1979).
vgl. ds. Handb., Bd. XIII/3b, S. 464 (1983).

[2] V. A. Dorokhov, L. G. Vorontsova, M. G. Kurella, O. S. Chizhov u. B. M. Mikhailov, Izv. Akad. SSSR **1982**, 2370; engl.: 2087; C. A. **98**, 126181 (1983).

[3] L. A. Hagelee u. R. Köster, Synth. React. Inorg. Metal-org. Chem. **7**, 53 (1977).
vgl. ds. Handb., Bd. XIII/3b, 472 (1983).

[4] R. Köster, G. Seidel u. G. Müller, Mülheim a. d. Ruhr, unveröffentlicht 1983.

[5] R. Köster, G. Griasnow, W. Larbig u. P. Binger, A. **672**, 1 (1964); *Triethylamin-Dipropyl-hydro-boran.*

[6] N. E. Miller u. E. L. Muetterties, Inorg. Chem. **3**, 1196 (1964).

[7] R. Köster u. G. Seidel, A. **1977**, 1837; Dimeres *9-Amino-9-borabicyclo[3.3.1]nonan.*

[8] B. Györi, J. Emri u. I. Fehér, J. Organometal. Chem. **255**, 17 (1983).

$(H_3C)_2\overset{\oplus}{S}-\overset{\ominus}{B}H_2-C\equiv N$

$\nu_{BH} = 2248;\ 2216\ cm^{-1}$
$\nu_{C\equiv N} = 2295\ cm^{-1}$

$(H_2B-CN)_n$[1]

$\nu_{BH} = 2440;\ 2475\ cm^{-1}$
$\nu_{C\equiv N} = 2298\ cm^{-1}$

Die Massenspektren der cyclischen Amin-Hydro-organo-borane enthalten i.allg. hohe Molekülpeak-Intensitäten bzw. $(M-1)^+$-Peaks[2-4].

β_3) *Kernresonanzspektroskopie von Lewisbase-Organobor-Wasserstoff-Verbindungen*

$\beta\beta_1$) ^{1}H-NMR-Spektren

Die Addukte von Organobor-Wasserstoff-Verbindungen sind mit Hilfe der ^{1}H-NMR-Spektroskopie charakterisierbar[5-13], wobei jedoch der Einsatz heteronuklearer Doppelresonanz-Experimente $^{1}H\{^{11}B\}$ zu wünschen ist (vgl. ^{1}H-NMR von Organobor-Wasserstoff-Verbindungen, S. 442f., Abb. 10, 11, S. 442f.). Obwohl bisher keine systematischen Untersuchungen vorliegen, ist zu erwarten, daß sich für δ^{1}H-Werte und für Kopplungskonstanten J(HH) (in cyclischen und offenkettigen Verbindungen) parallele Trends zu bekannten organischen Verbindungen finden.

$\beta\beta_2$) ^{11}B-NMR-Spektren

Die ^{11}B-Resonanzen im typischen Bereich für B-Atome mit $KZ_B = 4$ zeigen die Komplexbildung an. Die Multiplizität des ^{11}B-Resonanzsignals belegt die Gegenwart einer RBH_2- oder R_2BH-Gruppe[14]. Charakteristische δ^{11}B-Werte für O- und S-Lewisbasen[15-18] finden sich in Tab. 84 (S. 528) (^{11}B-NMR von Organobor-Wasserstoff-Verbindungen). Die Abfolge der δ^{11}B-Werte in Abhängigkeit vom Donor-Atom ist analog zu den Lewisbase-Triorganoboranen bzw. zu isoelektronischen Kohlenwasserstoffen. Dies gilt auch für den Einfluß verschiedener Organoreste am Bor- oder am Donor-Atom. In Tab. 84 (S. 528) sind einige δ^{11}B-Daten für O-, S-, N-, P-Liganden zusammengestellt.

Die Unterscheidung zwischen Organoboran-Addukten und μ-Amino-μ-hydro-organodiboranen(6) ist aufgrund der δ^{11}B-Werte nicht einfach, jedoch ist über die Kopplungskonstanten $^{1}J(^{11}B^{1}H)$ und über die Multiplizität der ^{11}B-Resonanzen eine Zuordnung zu treffen. Interessant ist in diesem Zusammenhang die Temperaturabhängigkeit des ^{11}B-NMR-

---

[1] B. Györi, J. Emri u. I. Fehér, J. Organometal. Chem. **255**, 17 (1983).
[2] J.C. Catlin u. H.R. Snyder, J. Org. Chem. **34**, 1664 (1979).
[3] B.R. Gragg u. G.E. Rsychkewitsch, Am. Soc. **96**, 4717 (1974); N-Lewisbasen.
[4] T.H. Hseu u. L.A. Larsen, Inorg. Chem. **14**, 330 (1975).
[5] E.F. Mooney u. M.A. Quaseem, J. Inorg. & Nuclear Chem. **30**, 1439 (1968); N-Lewisbasen.
[6] H.C. Brown, B. Singaram u. U.J.R. Schwier, Inorg. Chem. **18**, 51 (1979); N-Lewisbasen.
[7] N.E. Miller u. E.L. Muetterties, Inorg. Chem. **3**, 1196 (1964); N-Lewisbasen.
[8] S.U. Kulkarni u. H.C. Brown, J. Org. Chem. **44**, 1747 (1979); O-Lewisbasen.
[9] P. Wisian-Neilson, M.K. Das u. B.F. Spielvogel, Inorg. Chem. **17**, 2327 (1978); N-Lewisbasen.
[10] N.E. Miller, J. Organometal. Chem. **137**, 131 (1977); N-Lewisbasen.
[11] D. Sedlak, Dissertation, Universität München 1982; S-, N-Lewisbasen.
[12] M. Baboulène, J.-J. Torregrosa, V. Spéziale u. A. Lattes, Bl. II, **1980**, 565.
[13] H. Nöth u. D. Sedlak, B. **116**, 1479 (1983); S-Lewisbasen.
[14] H. Nöth u. B. Wrackmeyer, *NMR-Spectroscopy of Boron Compounds*, Bd. **14** *NMR, Grundlagen und Fortschritte* (*^{11}B-NMR-Spektroskopie*), Springer-Verlag, Heidelberg · Berlin 1978.
[15] R. Contreras u. B. Wrackmeyer, Z. Naturf. **35b**, 1229 (1980); O-, S-Lewisbasen.
[16] R. Contreras u. B. Wrackmeyer, Z. Naturf. **35b**, 1236 (1980); O-Lewisbasen.
[17] J.A. Soderquist u. H.C. Brown, J. Org. Chem. **46**, 4599 (1981); O-, S-, N-Lewisbasen.
[18] R. Contreras u. B. Wrackmeyer, Spectrochim. Acta A, **38**, 941 (1982).

Spektrums von *μ-Dimethylamino-μ-hydro-methyl-diboran(6)*[1]. Bei 20° (19,3 MHz ^{11}B-NMR) ist der Austausch des Brücken-H-Atoms mit den terminalen H-Atomen der BH_2-Gruppe rasch, so daß nur ein Quartett beobachtet wird. Bei − 55° hingegen ist der Austausch langsam (bezüglich der NMR-Zeitskala), und es wird anstelle des Quartetts ein Dublett vom Triplett beobachtet ($^1J(BH_t) > {}^1J(BH\mu)$). Für die CH_3BH-Gruppe wird im gleichen Temperaturintervall nur ein Dublett gefunden, d.h. $^1J(B(a)H\mu)$ ist sehr klein und die BHB-Brückenbindung ist merklich asymmetrisch.

		$^1J(^{11}B^1H)$
$\delta^{11}B(a)$:	− 10,0	126 (d)
$\delta^{11}B(b)$:	− 14,8	97 (q)

Eine nicht-verbrückte Struktur, wie vorgeschlagen[1], erscheint aufgrund der Konstanz der $\delta^{11}B$-Werte unwahrscheinlich.

Tab. 84: ^{11}B-NMR-Parameter von (O-, S-, N-, P-) Lewisbase-Organobor-Wasserstoff-Verbindungen

Verbindung	Herst. XIII/3b, S.	$\delta^{11}B$	$^1J(^{11}B^1H)$ (Hz)	Lösungsmittel	Literatur
	vgl. 475	13,9 14,0	≈ 90 100	THF THF	2 3
	475	18,8	–	Toluol-d_8	4
	vgl. 476	3,9	107	$(H_3C)_2S$	2
A	vgl. 485	−13,6	105	$CDCl_3$	5
B	vgl. 485	−17,2	105		
$(H_3C)_3N–BH_2–C(CH_3)_3$	vgl. 488	3,1			6
$(H_3C)_3N–BH_2–(CH_2)_4–BH_2–N(CH_3)_3$	vgl. 487	−1,1	95,0	C_6D_6	7
	vgl. 477	2,0	88,0	1,4-Dioxan	8

[1] J. Dobson u. R. Schaeffer, Inorg. Chem. **9**, 2183 (1970).
[2] J.A. Soderquist u. H.C. Brown, J. Org. Chem. **46**, 4599 (1981).
[3] R. Contreras u. B. Wrackmeyer, Z. Naturf. **35b**, 1236 (1980).
[4] P. Idelmann, G. Müller, W.R. Scheidt, W. Schüssler u. R. Köster, Ang. Ch. **96**, 145 (1984); engl.: **23**, 153.
[5] H. Nöth u. D. Sedlak, B. **116**, 1479 (1983).
[6] D.E. Walmsley, W.L. Budde u. M.F. Hawthorne, Am. Soc. **93**, 3150 (1971).
[7] D. Sedlak, Dissertation, Universität München 1982.
[8] D.E. Young u. S.G. Shore, Am. Soc. **91**, 3497 (1969).

Tab. 84 (Fortsetzung)

Verbindung	Herst. XIII/3b, S.	δ^{11}B	$^1J(^{11}B^1H)$ (Hz)	Lösungsmittel	Literatur
$(H_3C)_2\overset{\oplus}{N}H-\overset{\ominus}{B}H\ \overset{\ominus}{B}H-\overset{\oplus}{N}H(CH_3)_2$	477	−1,8	84,0	$(CH_3)_2NH$	[1]
$H_3C\overset{\oplus}{N}H_2-\overset{\ominus}{B}H\ \overset{\ominus}{B}H-\overset{\oplus}{N}H_2CH_3$	vgl. 477	−5,2	81,0	CH_3NH_2	[1]
$(H_3C)_3N-BH_2-CH_2SCH_3$	vgl. 485	−3,9	99,0	$CDCl_3$	[2]
$[(H_3C)_3N-BH_2-CH_2S(CH_3)_2]^+J^-$	vgl. 696	−7,6	97,5	D_2O	[2]
$[(H_3C)_2N-CH_2-BH_2]_2$	718	−9,2 −8,4	98,0 93 ± 5		[3] [4]
$(H_3C)_2N-(CH_2)_2-N(CH_3)_2-BH_2R$	491				
R = 2,4,4-$(CH_3)_3$-3-pentyl		−1,7			[5]
R = Thexyl		−1,4			[5]
R = Isopinocampheyl		2,2			[5]
$R_2BH-NH_2-(CH_2)_2-NH_2-BR_2H$	478				
R = Cyclohexyl		−1,6			[6]
R = Siamyl		−4,5			[6]
R = Isopinocampheyl		−7,7			[6]
$(H_3C)_3N-BH_2-C\equiv N$	501	−14,9	108,0		[7]
$O(CH_2CH_2)_2\overset{\oplus}{N}(H)-\overset{\ominus}{B}H_2-C\equiv N$	vgl. 501	−20,5	98,5	C_2H_5OH	[7]
$C_5H_5\overset{\oplus}{N}-\overset{\ominus}{B}H_2-C_6H_5$	504	−3,3	103,0	CH_2Cl_2	[8]
$[H_2B-CN]_5$	—	−28,0	109,0		[9]
$(H_3C)_2NP(CH_3)_2-BH_2-C_2H_5$		−37,0	92,0 64,0 (J(PB))		[10]
$[(H_3C)_2N]_3P-BH_2-C_2H_5$	vgl. 506	−29,0	91,0 91,0 (J(PB))		[11]
$\overset{\ominus}{B}-\overset{\oplus}{N}H_2-\overset{\ominus}{B}$, $\overset{\oplus}{H}$-Brücke	674	−2,8	—		[12]
$\overset{\ominus}{B}-\overset{\oplus}{N}(CH_3)_2-\overset{\ominus}{B}$, $\overset{\oplus}{H}$-Brücke	—	−4,8	—	THF	[13]
$C_5H_5\overset{\oplus}{N}-\overset{\ominus}{B}H$	480	−0,7	88	$CDCl_3$	[14]

[1] D.E. Young u. S.G. Shore, Am. Soc. **91**, 3497 (1969).
[2] D. Sedlak, Dissertation, Universität München 1982.
[3] N.E. Miller u. E.L. Muetterties, Inorg. Chem. **3**, 1196 (1964).
[4] T.H. Hsen u. L.A. Larson, Inorg. Chem. **14**, 330 (1975).
[5] H.C. Brown, B. Singaram u. J.R. Schwier, Inorg. Chem. **18**, 51 (1979).
[6] H.C. Brown u. B. Singaram, Inorg. Chem. **18**, 53 (1979).
[7] C. Weidig, S.S. Uppal u. H.C. Kelly, Inorg. Chem. **13**, 1763 (1974).
[8] E.F. Mooney u. M.A. Qaseem, J. Inorg. & Nuclear Chem. **30**, 1439 (1968).
[9] B.F. Spielvogel, R.F. Bratton u. C.G. Moreland, Am. Soc. **94**, 8597 (1972).
[10] J.P. Laurent u. G. Jugie, J. Inorg. & Nuclear Chem. **31**, 1353 (1969).
[11] C. Schmulbach u. J. Ahmed, Inorg. Chem. **8**, 1414 (1969).
[12] R. Köster u. G. Seidel, A. **1977**, 1837.
[13] H. Nöth u. R. Staudigl, Z. anorg. Ch. **481**, 41 (1981).
[14] J.A. Soderquist u. H.C. Brown, J. Org. Chem. **46**, 4599 (1981).

ββ₃) ^{13}C-NMR-Spektren von Lewisbase-Organobor-Wasserstoff-Verbindungen

Bisher sind nur einige Lewisbase-9-Borabicyclo[3.3.1]nonane mittels ^{13}C-NMR untersucht worden[1-4]. Es ist zu erwarten, daß in künftigen Untersuchungen von Lewisbase-Organobor-Wasserstoff-Verbindungen das Potential der ^{13}C-NMR-Spektroskopie stärker ausgeschöpft wird.

β₄) *Molekülstrukturanalysen*

Röntgenstrukturbestimmungen verschiedener Lewisbase-Organobor-Wasserstoff-Verbindungen sind durchgeführt worden; z.B.:

Mischassoziat von *9-(2,2-Dimethylpropanoyloxy)-9-borabicyclo[3.3.1]nonan* und *9-Borabicyclo[3.3.1] nonan*[5]:

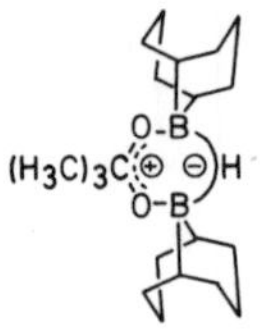

d_{BC} = 1,581(5) Å
d_{BH_b} = 1,34(5) Å (Mittelwert) $\sphericalangle_{BHB}$ = 138(3)° (Mittelwert)
d_{BO} = 1,519(8) Å $\sphericalangle_{OCO}$ = 121,2(3)°
d_{BB} = 2,501(6) Å

1,4-Dimethyl-1,4,2,5-dithioniadiboratinan[6]:

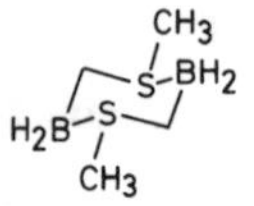

d_{BS} = 1,951(2) Å
d_{BC} = 1,612(3) Å

$\sphericalangle_{SBC}$ = 102,3(1)°
$\sphericalangle_{BCS}$ = 110,0(1)°
$\sphericalangle_{CSC}$ = 104,3(1)°
$\sphericalangle_{HBH}$ = 110,0(16)°

μ-Amino-μ-Hydro-1,1 : 2,2-bis(cyclooctan-1,5-diyl)diboran(6) (vgl. S. 447, 547)[7]:

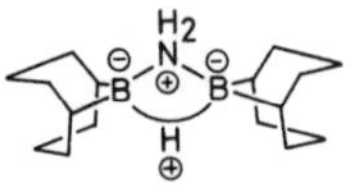

d_{BH_b} = 1,28 Å; 1,36 Å
d_{BN_b} = 1,563 Å
d_{BB} = 1,967(4) Å

$\sphericalangle_{B^1H_bB^2}$ = 97°
$\sphericalangle_{B^1N_bB^2}$ = 78°

Dimeres *Dihydro-dimethylamino-boran*[8]:

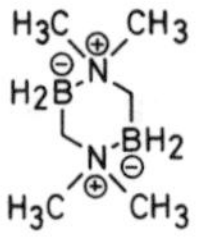

d_{BN} = 1,615 Å
d_{BC} = 1,608 Å
d_{NC} = 1,511 Å

$\sphericalangle_{NBC}$ = 110,6°
$\sphericalangle_{BNC}$ = 108,2°

---

[1] R. Köster u. G. Seidel, A. **1977**, 1837; N-Lewisbasen.
[2] H.C. Brown u. J.A. Soderquist, J. Org. Chem. **45**, 846 (1980); N-Lewisbasen.
[3] H.C. Brown u. K.K. Wang, J. Org. Chem. **45**, 1748 (1980); N-Lewisbasen.
[4] D. Sedlak, Dissertation, Universität München 1982; S-N-Lewisbasen.
[5] P. Idelmann, G. Müller, W.R. Scheidt, W. Schüssler u. R. Köster, Ang. Ch. **96**, 145 (1984); engl.: **23**, 153.
[6] H. Nöth u. D. Sedlak, B. **116**, 1479 (1983).
[7] R. Köster u. G. Seidel, A. **1977**, 1837; vgl. Bd. XIII/3b, 674 (1983); Röntgenstrukturanalyse von C. Krüger, Mülheim a.d. Ruhr 1976.
[8] T.H. Hseu u. L.A. Larsen, Inorg. Chem. **14**, 330 (1975).

γ) Lewisbase-Organobor-Halogen-Verbindungen

γ₁) *Schwingungsspektren*

Die IR-Spektroskopie von Lewisbase-Halogen-organo-boranen[1] hat vor allem für die Kennzeichnung der sog. Lewisbase-Organo-pseudohalogen-borane (Pseudohalogen = Azido-Gruppe; vgl. S. 543) Bedeutung.

γ₂) *Kernresonanzspektroskopie*

γγ₁) ^{1}H-NMR-Spektren

Die ^{1}H-NMR-Spektren von Lewisbase-Organobor-Halogen-Verbindungen ermöglichen Rückschlüsse auf Zusammensetzung, Struktur und dynamisches Verhalten. Beispiele hierfür sind Pyridinbase-Chlor-diorgano-borane ($R = C_2H_5$, C_3H_7)[2], Dimethylsulfid-9-Halogen-9-borabicyclo[3.3.1]nonane[3], Dimethylsulfid-2,6-Dichlor-2,6-diboraadamantan[4], Dimethylselenid-Halogen-organo-borane[5-8],

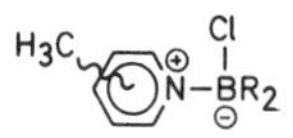

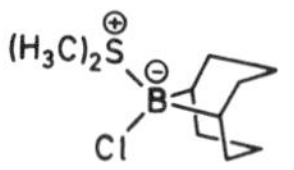

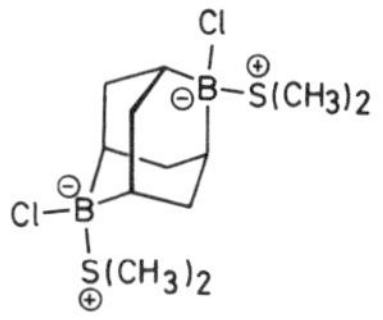

Trimethylamin-Fluor(chlor)-ethylborane[9] und zahlreiche Lewisbase-Brom-methyl-borane (Lewisbase = Trimethylamin, Trimethylphosphan, Pyridin)[10]. Der Einfluß der Komplexbildung am B-Atom auf dynamische Prozesse wird am Beispiel des *Trimethylamin-Dichlor-pentamethylcyclopentadienyl-borans* deutlich. Das ^{1}H-NMR-Spektrum zeigt bis 100° ein statisches Verhalten an, während im freien Boran die BCl_2-Gruppe bereits bei 20° schnell (nach der NMR-Zeitskala) um den Ring wandert[11].

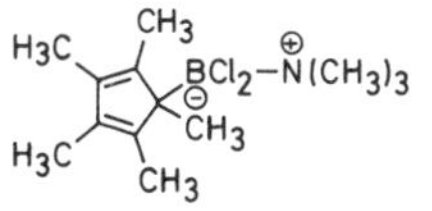

δ^1H			
H(1)	H(2,5)	H(3,4)	H(6)
1,22(s)	2,07(s)	1,85(s)	2,75(s)

Die δ^1H-Werte der NCH_3-gruppen in Trimethylamin-Thexyl-boranen sind merklich verschieden[12]:

	$\delta^1H(NCH_3)$
$(H_3C)_3N$-ThexylBCl$_2$	2,83
$(H_3C)_3N$-ThexylBHCl	2,65
$(H_3C)_3N$-ThexylBH$_2$	2,51

Thexyl = $C(CH_3)_2CH(CH_3)_2$

[1] Gmelin, 8. Aufl., **22**/4, 260ff. (1975).
[2] R. Köster, H. Bellut, G. Benedikt u. E. Ziegler, A. **724**, 34 (1969).
[3] H.C. Brown u. S.U. Kulkarni, J. Organometal. Chem. **168**, 281 (1979).
[4] S.U. Kulkarni u. H.C. Brown, J. Organometal. Chem. **44**, 1747 (1979).
[5] Gmelin, 8. Aufl., **19**/3, 90ff. (1975).
[6] F. Riegel, Dissertation, Universität Würzburg 1973.
[7] A. Ospici, Dissertation, Universität Würzburg 1971.
[8] W. Siebert u. F. Riegel, B. **108**, 724 (1975).
[9] H. Nöth u. H. Vahrenkamp, J. Organometal. Chem. **12**, 23 (1968).
[10] D.R. Martin u. P.H. Nguyen, J. Inorg. & Nuclear Chem. **40**, 1289 (1978).
[11] P. Jutzi u. A. Seufert, Ang. Ch. **89**, 44 (1977); engl.: **16**, 41.
[12] H.C. Brown u. J.A. Sikorski, Organometallics **1**, 28 (1982).

$\gamma\gamma_2$) ^{11}B-NMR-Spektren

Die δ^{11}B-Werte im Bereich für tetrakoordinierte Bor-Atome (vgl. Abb. 4, S. 400) sind charakteristisch für Lewisbase-Organobor-Halogen-Verbindungen. Neben dem Donor-Atom und (in geringem Maße) der Organo-Gruppe am Bor nehmen die verschiedenen Halogen-Atome z.T. typischen Einfluß auf die Abschirmung der ^{11}B-Kerne[1]. Die Änderung der δ^{11}B-Werte in Abhängigkeit vom Donor-Atom (O-, S-, N-, P-, As-) entspricht dabei den Befunden für Lewisbase-Triorganoborane (S. 521 ff.), während die Halogen-Abhängigkeit der δ^{11}B-Werte sehr gut mit den δ^{13}C-Werten entsprechend substituierter Kohlenwasserstoffe zu vergleichen ist[2].

Da keine vollständige Reihe der δ^{11}B-Werte für Lewisbase-Organobor-Halogen-Verbindungen mit einem Minimum an sterischer Hinderung vorliegt, soll der Einfluß von Cl, Br, J auf die Abschirmung der ^{11}B-Kerne am Beispiel der Dimethylsulfid-Dihydro-monohalogen-borane in Dichlormethan gezeigt werden[3]:

$(H_3C)_2S-HalBH_2$

δ^{11}B	Hal
− 6,7	Cl
− 10,5	Br
− 20,5	J

$(H_3C)_2S-B(Hal)$ (9-Borabicyclo[3.3.1]nonan)

δ^{11}B	Hal
+ 18,5	Cl
+ 12,8	Br
+ 12,4	J

Die entsprechenden Dimethylsulfid-9-Halogen-9-borabicyclo[3.3.1]nonane[4] weisen für Hal = Cl, Br den analogen Gang der δ^{11}B-Werte auf, während für Hal = J anzunehmen ist, daß in Lösung bereits merkliche Anteile des freien Borans vorliegen.

Große Abweichungen der δ^{11}B-Werte von den Erwartungsbereichen deuten auf eine andere Struktur (z.B. Boronium-Salze), partielle Dissoziation im Fall sterischer Hinderung oder auf Folgereaktionen (z.B. Ether-Spaltung) hin. In Tab. 85 (S. 533) sind einige δ^{11}B-Werte zusammengestellt.

Als Beispiel für den Wert der ^{11}B-NMR-Spektroskopie mag die Untersuchung des unerwartet komplexen Ether-Chlor-thexyl-boran-Systems gelten[4]. Chlor-thexyl-boran disproportioniert in Diethylether zu Dichloro-thexyl-boran und 1,2-Dithexyldiboran(6). Die folgenden ^{11}B-NMR-Daten wurden hierbei zugänglich[4]:

Do-ThexylB(Hal)H	δ^{11}B	J(BH) Hz
$(H_3C)_3N-ThexylBCl_2$	14,3	–
$(H_5C_2)_2O-ThexylBHCl$	17,7	145,0
(THF)O–ThexylBHCl	13,1	133,0
$(H_3C)_2S-ThexylBHCl$	6,9	128,0
$(H_3C)_3N-ThexylBHCl$	8,9	120,0

Den sterischen Anspruch des Thexyl-Restes verdeutlicht der Befund, daß Dichlor-thexyl-boran kein Addukt mit Diethylether (δ^{11}B: 65,2 ohne Lösungsmittel und 64,9 in Diethylether) und nur ein partiell dissoziiertes Addukt mit Dimethylsulfid (δ^{11}B: 42,5) bildet[4].

[1] H. Nöth u. B. Wrackmeyer, *NMR-Spectroscopy of Boron Compounds*, Bd. **14** *NMR, Grundlagen und Fortschritte* (*^{11}B-NMR-Spektroskopie*), Springer-Verlag, Heidelberg · Berlin 1978.
[2] B.F. Spielvogel u. J.M. Purser, Am. Soc. **93**, 4418 (1971).
[3] H.C. Brown u. S.U. Kulkarni, J. Org. Chem. **44**, 2422 (1979).
[4] H.C. Brown u. J.A. Sikorski, Organometallics **1**, 28 (1982).

Tab. 85: δ^{11}B-Werte von Lewisbase-Organobor-Halogen-Verbindungen

Verbindung	Herst. XIII/3b, S.	δ^{11}B	Lösungs-mittel	Lite-ratur
$(H_5C_2)_2O–BrB(C_6H_5)_2$	vgl. 511	33,4		1
$(H_3C)_2S–Cl_2BC_6H_5$	vgl. 523 f.	9,1		2
$(H_3C)_2S–Br_2BC_6H_5$	524	2,1		2
$(H_3C)_2S–J_2BC_6H_5$	—	–17,6		2
$(H_3C)_2\overset{\oplus}{S}–Hal\overset{\ominus}{B}$< Hal = Cl	512	18,5	$CDCl_3$	3
Hal = Br		12,8	$CDCl_3$	3
Hal = J		12,1	$CDCl_3$	3
Cl–$\overset{\ominus}{B}$–$\overset{\oplus}{S}(CH_3)_2$ / Cl–$\overset{\ominus}{B}$–$\overset{\oplus}{S}(CH_3)_2$	514	13,9		4
$(H_3C)_3N–F_2BC_2H_5$	vgl. 524 ff.	6,7 [J(FB) 65 Hz]	$CHCl_3$	5
$(H_3C)_3N–FB(C_2H_5)_2$	vgl. 515 ff.	10,3		5
		10,1 [J(FB) 67 Hz]		6
$(H_3C)_3N–F_2BCH{=}CH_2$	vgl. 524 ff.	3,9 [J(FB) 58,5 Hz]		7
$(H_3C)_3N–Cl_2BC_2H_5$		12,4	$CHCl_3$	5
$(H_3C)_3N–Cl_2BC_6H_5$		10,9		8
$(H_3C)_3N–Cl_2BCH{=}CH_2$		8,7		7
$(H_3C)_3N–Br_2BCH{=}CH_2$		–5,7		7
$(H_3C)_3N–BrB(CH{=}CH_2)_2$	vgl. 516	6,0		7
H_3C, CH_3, $\overset{\oplus}{N}$, $\overset{\ominus}{B}$–Cl, C_2H_5, H_5C_2, C_2H_5	517	14,2		9
$Py\overset{\oplus}{N}–F_2\overset{\ominus}{B}C_4H_9$	vgl. 527	7,2 [J(FB)=58 Hz]	CCl_4	6
$Py\overset{\oplus}{N}–F\overset{\ominus}{B}(C_2H_5)_2$	vgl. 517 f.	9,7 [J(FB)=77 Hz]	CCl_4	6
$Py\overset{\oplus}{N}–Cl_2\overset{\ominus}{B}C_4H_9$	vgl. 527 f.	11,9	CH_2Cl_2	10
$Py\overset{\oplus}{N}–Cl_2\overset{\ominus}{B}C_6H_5$		10,6	CH_2Cl_2	10
$Py\overset{\oplus}{N}–Br_2\overset{\ominus}{B}CH_3$		2,8	Toluol	11
$Py\overset{\oplus}{N}–Br\overset{\ominus}{B}(CH_3)_2$	vgl. 517 f.	6,5	Toluol	11
$C_6H_{10}{=}\overset{\oplus}{N}$, $\overset{\ominus}{B}$, H_9C_4, Cl	518	9,6		12
$(H_3C)_3P–F_2BC_4H_9$	vgl. 528	9,5	CH_2Cl_2	13

[1] C.S. Cundy u. H. Nöth, J. Organometal. Chem. **30**, 135 (1971); vermutlich partiell dissoziiert.
[2] M. Schmidt u. F.R. Rittig, B. **103**, 3343 (1970).
[3] H.C. Brown u. S.U. Kulkarni, J. Organometal. Chem. **168**, 281 (1979).
[4] S.U. Kulkarni u. H.C. Brown, J. Org. Chem. **44**, 1747 (1979).
[5] H. Nöth u. H. Vahrenkamp, B. **99**, 1049 (1966).
[6] J.P. Tuchagues u. J.P. Laurent, Bl. **1969**, 385.
[7] L.W. Hall, J.D. Odom u. P.D. Ellis, Am. Soc. **97**, 4527 (1975).
[8] J.C. Kotz u. E.W. Post, Inorg. Chem. **9**, 1661 (1970).
[9] P. Binger u. R. Köster, B. **108**, 395 (1975).
[10] E.F. Mooney u. M.A. Quaseem, Spectrochim. Acta A **24**, 969 (1968).
[11] H. Nöth u. B. Wrackmeyer, *NMR-Spectroscopy of Boron Compounds*, Bd. **14** *NMR, Grundlagen und Fortschritte* (*^{11}B-NMR-Spektroskopie*), S. 326, Springer-Verlag, Heidelberg · Berlin 1978.
[12] V.A. Dorokhov, O.G. Boldyreva, V.S. Bogdanov u. B.M. Mikhailov, Ž. obšč. Chim. **42**, 1558 (1972); engl.: 1550; C.A. **77**, 126731 (1972).
[13] J.P. Tuchagues u. J.P. Laurent, Bl. **1971**, 4246.

Tab. 85 (Fortsetzung)

Verbindung	Herst. XIII/3b, S.	$\delta^{11}B$	Lösungs-mittel	Lite-ratur
$(H_3C)_3P{-}FB(C_2H_5)_2$	vgl. 518 f.	7,5	CH_2Cl_2	1
$(H_3C)_3P{-}FB(C_4H_9)_2$	—	19,0	CH_2Cl_2	1
$(H_5C_6)_3P{-}ClB(C_6H_5)_2$	—	2,2		2
$(H_5C_6)_3P{-}Br_2BCH_3$	vgl. 528 f.	–4,9		3
$(H_5C_6)_3P{-}BrB(CH_3)_2$	vgl. 518 f.	–1,1		3
$(H_5C_6)_3P{-}BrB(C_6H_5)_2$	—	0,0		4
$(H_5C_6)_3As{-}Cl_2BC_6H_5$	—	12,4	THF	5
$(H_5C_6)_3As{-}Br_2BCH_3$	—	12,7	THF	5
$(H_5C_6)_3As{-}BrB(C_6H_5)_2$	—	26,8	C_6H_6	5
$(H_5C_6)_2AsH{-}Br_2BCH_3$	—	4,1	C_6H_6	5
$[(H_3C)_2As{-}B(CH_3)Br]_3$	vgl. 397	9,3	C_6D_6	6

$\gamma\gamma_3$) ^{13}C-NMR-Spektren

Nur wenige ^{13}C-NMR-Daten von Lewisbase-Organobor-Halogen-Verbindungen sind bisher bestimmt worden[7, 8]. Es ergibt sich jedoch eine Fülle von Anwendungsmöglichkeiten, entsprechend den Befunden für andere Lewisbase-Organobor-Verbindungen.

Die $^{13}C_{(\beta)}$-Resonanzen in Trimethylamin-Halogen-vinyl-boranen sind relativ konstant (127,4–128,9) und gegenüber den freien Boranen merklich zu niedrigen Frequenzen verschoben (vgl. S. 453)[7]. Die Inversion am Bor-Atom in *Trimethylamin-9-Chlor-9-borabicyclo*[*3.3.1*]*nonan* ist langsam (relativ zur NMR-Zeitskala), wie die Verdoppelung der ^{13}C(2,4,6,8)- und der ^{13}C(3,7)-Resonanzen belegt[8] (vgl. S. 524).

δ) Lewisbase-Organobor-Sauerstoff-Verbindungen

δ_1) *Chemische Analysenmethoden*

Cyclische Lewisbase-Diorgano-oxyanooxy-borane wie z. B. (2-Aminoethoxy)-diaryl-borane werden von Hydrogenbromid in Wasser gespalten; z. B.[9]:

$$2\ (\text{cycl. (2-Aminoethoxy)-diaryl-boran, } \ominus B \leftarrow \overset{\oplus}{N}H) + 2\,HBr + H_2O \xrightarrow{\text{Erhitzen}} [\text{Diaryl-}B{-}]_2O + 2\,[H_3NCH_2CH_2OH]^+\,Br^-$$

Darauf beruht eine Titrationsmethode für (2-Aminoethoxy)-diaryl-borane (XIII/3b, S. 543 ff.). In wäßrigem Aceton reagieren die Verbindungen rascher als in wäßrigem Methanol[10].

Die flüssigen Acetylacetonato-dialkyl-borane (XIII/3b, S. 543 ff.) sind gegen Erhitzen und gegen Protolyse relativ stabil. Die Verbindungen lassen sich z. B. gaschromatographisch von Begleitstoffen trennen[11].

---

[1] J. P. TUCHAGUES u. J. P. LAURENT, Bl. **1971**, 4246; *Trimethylphosphan-Dibutyl-fluor-boran* ist partiell dissoziiert.
[2] H. B. KUHNEN, Dissertation, Universität Marburg 1969.
[3] K. MAIER, Dissertation, Universität Marburg 1971.
[4] H. SCHÄFER, Dissertation, Universität Marburg 1969.
[5] R. GOETZE u. H. NÖTH, Z. Naturf. **30b**, 343 (1975); $(H_5C_6)_3As{-}BrB(C_6H_5)_2$ partiell dissoziiert.
[6] R. GOETZE u. H. NÖTH, Z. Naturf. **30b**, 875 (1975).
[7] L. W. HALL, J. D. ODOM u. P. D. ELLIS, Am. Soc. **97**, 4527 (1975); N-Lewisbasen.
[8] H. C. BROWN u. J. A. SODERQUIST, J. Org. Chem. **48**, 846 (1980); N-Lewisbasen.
[9] R. L. LETSINGER u. I. SKOOG, Am. Soc. **77**, 5176 (1955).
[10] H. K. ZIMMERMAN, D. W. MÜLLER u. W. F. SEMMELROGGE, jr., A. **655**, 54 (1962).
[11] W. FENZL, H. KOSFELD u. R. KÖSTER, A. **1976**, 1370.

δ_2) *IR- und UV-Spektren*

Acetylacetonato-diorgano-borane (XIII/3b, S. 534ff.) sind durch CO-Valenzschwingungen im Bereich von 1530 bis 1590 cm^{-1} gekennzeichnet[1]. Im UV-Spektrum beobachtet man in Abhängigkeit vom B-Organo-Rest breite Absorptionsbanden mit ν_{max} = 31200–28800 cm^{-1} ($\varepsilon \approx$ 4,7 bis 1,3 · 10^{-3}) mit Bandenfüßen bis 21000 cm^{-1} [1].

Die NH_2- und NH-Valenzschwingungen der Amin-Acyloxy-diorgano-borane (XIII/3b, S. 375ff.) liegen bei ≈ 3200 cm^{-1}; z.B. tert.-Butylamin-Acyloxy-diethyl-borane[2]. Die IR- und UV-Spektren weiterer cyclischer Lewisbase-Diorgano-oxy-borane findet man in der Originalliteratur[3–9]; z.B. auch cyclische Imin-Diphenyl-organooxy-borane[10–12] (vgl. XIII/3b, S. 558ff.).

Die IR-Absorptionsbanden 1145, 1010 und 918 cm^{-1} geben deutliche Hinweise auf die monofunktionell gebundene Perchlorat-Gruppe im 2-Perchlorato-2,4,6-triphenyl-4H-1,3,2-oxaoxoniaboratin (vgl. XIII/3b, S. 417)[8]:

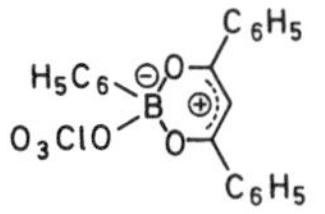

Die $\nu_{CO...B}$-Bande bei 1552, 1499 cm^{-1} tritt in Mischassoziaten der Acyloxy-diorgano-borane mit Diorgano-hydro-boranen auf[9]:

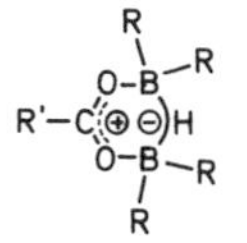

δ_3) *Massenspektren*

Offenkettige Lewisbase-Diorgano-oxy-borane haben i.allg. keinen Molekülpeak. Höchste Masse im Massenspektrum der Acetylacetonato-dialkyl-borane ist $^m/_z$ $(M-R)^+$. Beim cyclischen Acetylacetonato-(butan-1,4-diyl)-boran tritt als intensivste Masse der Molekülpeak M^+ auf[13]. Auch bei Ammoniak- und bei verschiedenen prim. Amin-(2,2-Dimethylpropanoyloxy)-boranen tritt keine Molekülmasse M^+, sondern

[1] R. Köster u. G.W. Rotermund, A. **689**, 40 (1965).
vgl. R. Boese, R. Köster u. M. Yalpani, B. **117**, i.Druck (1984).
[2] E. Rothgery u. R. Köster, A. **1974**, 101.
[3] I. Bally, A. Arsene, M. Roman, M. Paraschiv, E. Romas u. A.T. Balaban, Rev. Roumaine Chim. **13**, 1225 (1968).
[4] J.M. Richey, Dissertation Abstr. B. **1969**, 29, 3251; C.A. **71**, 39046 (1969).
[5] I. Bally, E. Ciornei u. A.T. Balaban, Rev. Roumaine Chim. **13**, 1507 (1968); C.A. **71**, 3418 (1969).
[6] K. Hartke, A. Kohl u. T. Kämpchen, B. **116**, 2653 (1983); cyclische Keton-Diphenyl-organooxy-borane.
[7] G.H.L. Nefkens u. B. Zeranenburg, Tetrahedron **39**, 2995 (1983); cyclische Amin-Acetoxy-diorgano-borane.
[8] C.K. Narula u. H. Nöth, Z. Naturf. **38b**, 1161 (1983).
[9] P. Idelmann, G. Müller, W.R. Scheidt, W. Schüssler, K. Seevogel u. R. Köster, Ang. Ch. **96**, 145 (1984); engl.: **23**, 153.
[10] R. Allmann, E. Hohaus u. S. Olejnik, Z. Naturf. **37b**, 1450 (1982).
[11] E. Hohaus, Z. anorg. Ch. **506**, 185 (1983).
[12] E. Hohaus, Fres. **315**, 696 (1983).
[13] R. Köster u. G.W. Rotermund, A. **689**, 40 (1965).

$(M-R)^+$ auf[1]. Die Massenspektren cyclischer Imin-Diorgano-organoxy-borane sind eingehend untersucht worden; z. B.[2-5]:

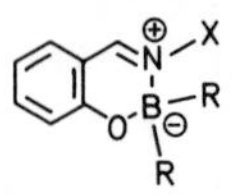

Auch Massenspektren von Lewisbase-Dioxy-organo-boranen (z. B. I)[6] oder von cyclischen Lewisbase-Organodiboroxanen (z. B. II)[7] sind gemessen worden:

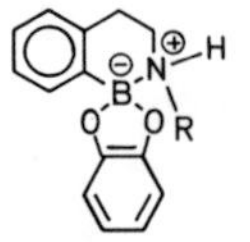

I 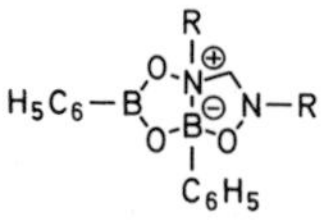 II

R = CH_3, C_2H_5, C_3H_7, $CH(CH_3)_2$, C_6H_{11}, $CH_2C_6H_5$

δ_4) *Kernresonanzspektroskopie von Lewisbase-Organobor-Sauerstoff-Verbindungen*

$\delta\delta_1$) ^{1}H-NMR-Spektren

Die ^{1}H-NMR-Spektroskopie wird in gewohnter Weise [δ^1H, J(HH)] zur Untersuchung von Lewisbase-Organobor-Sauerstoff-Verbindungen eingesetzt. Zahlreiche cyclische Lewisbase-Diorgano- und Lewisbase-Organo-oxy-borane wurden untersucht. Hervorzuheben sind Acetylacetonato-diorgano-borane[8-10], andere Diketonato-organo-borane[10], Verbindungen mit Sechsringstruktur und N-Donor-Atomen[11-16].

Ebenso wurden zahlreiche Additionsverbindungen offenkettiger Diorgano-oxy-borane mit Hilfe von ^{1}H-NMR charakterisiert[1, 17-19].

---

[1] E. Rothgery u. R. Köster, A. **1974**, 101.
[2] E. Hohaus u. W. Riepe, Z. Naturf. **29b**, 663 (1974).
[3] E. Hohaus, K. D. Klöppel, B. Paschold u. H.-R. Schulten, Z. anorg. Ch. **493**, 41 (1982).
[4] E. Hohaus, W. Riepe u. H. F. Gruetzmacher, Org. Mass. Spectrom. **18**, 359 (1983); C. A. **100**, 6605 (1984).
[5] E. Hohaus u. W. Riepe, Fres. **316**, 472 (1983).
[6] J. C. Catlin u. H. R. Snyder, J. Org. Chem. **34**, 1664 (1969).
[7] W. Kliegel, J. Organometal. Chem. **253**, 9 (1983).
[8] L. H. Toporcer, R. E. Dessy u. S. I. E. Green, Inorg. Chem. **4**, 1649 (1965).
[9] J. P. Costes, G. Cros u. J. P. Laurent, Synth. React. Inorg. Metal-org. Chem. **11**, 383 (1981).
[10] M. E. Gurskii, A. S. Shashkov u. B. M. Mikhailov, Izv. Akad. SSSR **1981**, 341; engl.: 264; C. A. **95**, 24124 (1981).
[11] M. J. S. Dewar u. R. C. Dougherty, Tetrahedron Letters **1964**, 907.
[12] M. F. Hawthorne u. M. Reintjes, J. Org. Chem. **30**, 3851 (1965).
[13] R. Köster u. W. Fenzl, Ang. Ch. **80**, 756 (1968); engl.: **7**, 735.
[14] B. M. Mikhailov u. V. A. Dorokhov, Izv. Akad. SSSR **1970**, 1446; engl.: 1373; C. A. **74**, 53881 (1971).
[15] E. Hohaus, M. **111**, 863 (1980).
[16] E. Hohaus, Fres. **315**, 696 (1983).
[17] E. Rothgery u. R. Köster, A. **1974**, 112.
[18] V. S. Bogdanov, V. G. Kiselev, A. D. Vasil'ev, D. P. Dmitrikov, V. A. Dorokhov u. B. M. Mikhailov, Ž. obšč. Chim. **42**, 1547 (1972); engl.: 1537; C. A. **77**, 139370 (1972).
[19] M. N. Bochkareva, V. A. Dorokhov, O. G. Boldyreva, V. S. Bodganov u. B. M. Mikhailov, Ž. obšč. Chim. **45**, 780 (1975); engl.: 768; C. A. **83**, 77887 (1975).

Für Diarylbor-salicyclidenaminato-Chelate wird anstelle der schnellen Öffnung und Schließung der BN-Bindung ein planares Boratom ($KZ_B = 4$) im Übergangszustand für die Enantiotopomerisation vorgeschlagen[1]. Die Beweisführung aufgrund der ^{1}H-NMR-Daten ist jedoch nicht überzeugend:

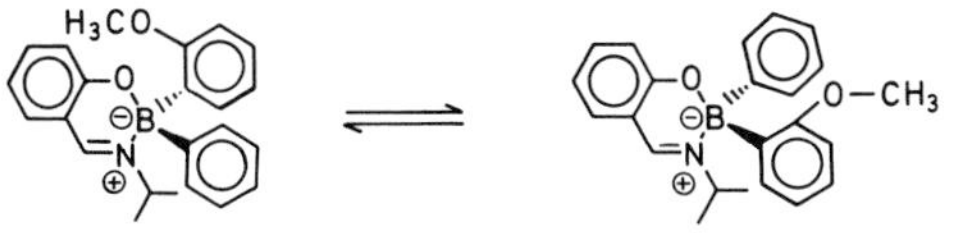

$\delta\delta_2$) ^{11}B-NMR-Spektren von Lewisbase-Organobor-Sauerstoff-Verbindungen

Der wichtigste Einsatzbereich der ^{11}B-NMR-Spektroskopie für Lewisbase-Organobor-Sauerstoff-Verbindungen besteht in dem Nachweis der $KZ_{(B)} = 4$[2] und in der Untersuchung dynamischer Prozesse mit ^{11}B-NMR-Messungen bei variabler Temperatur[3-6].

I. allg. erlauben die δ^{11}B-Werte (vgl. Tab. 86, S. 539) keinen eindeutigen Schluß auf die Struktur, z. B. ob O- oder N-Koordination vorliegt. Die Struktur zahlreicher Diphenylbor-Chelate folgt aus der Summe spektroskopischer Daten mit Unterstützung der δ^{11}B-Werte, z. B.[7]:

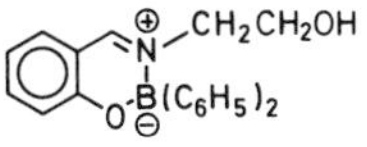

δ^{11}B: +4,4

Es ist zu erwarten, daß die δ^{11}B-Werte ähnlichen Substituenteneffekten unterliegen wie vergleichbare δ^{13}C-Werte isostruktureller Verbindungen. Ein gezielter Vergleich unter Ausnutzung des gewaltigen Datensatzes für ^{13}C-NMR-Parameter könnte eine Zuordnung ermöglichen, wofür systematische Vergleiche jedoch noch ausstehen.

Tetraorganodiboroxane geben mit Lewisbasen (Do) 1 : 1 Addukte, für die in Lösung meist ein schneller Austausch der Lewisbase zwischen den Boratomen erfolgt[8,9].

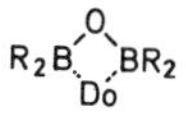

R	Do	δ^{11}B	Lösungsmittel
C_2H_5	Pyridin	30,7[8]	-
C_2H_5	Chinuclidin	29,0[8]	C_6H_6
R_2 = 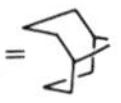	Pyridin	29,6[8]	
$CH=CH_2$	$(H_3C)_3N$	20,4[9]	
$CH=CH_2$	$(H_3C)_3P$	18,3[9]	

[1] M. S. Korobov, L. E. Nivorozhkin, L. E. Konstantinovsky u. V. I. Minkin, Chem. Commun. **1982**, 169.

[2] H. Nöth u. B. Wrackmeyer, *NMR-Spectroscopy of Boron Compounds*, Bd. **14** *NMR, Grundlagen und Fortschritte* (*^{11}B-NMR-Spektroskopie*), Springer-Verlag, Heidelberg · Berlin 1978.

[3] B. M. Mikhailov, V. S. Bogdanov, L. S. Vasil'ev, V. A. Dorokhov, V. P. Dmitrikov, V. G. Kiselev u. A. D. Naumov, Izv. Akad. SSSR, **1970**, 1677; engl.: 1519; C. A. **74**, 41 541 (1971).

[4] L. S. Vasil'ev, V. P. Dmitrikov, V. S. Bogdanov u. B. M. Mikhailov, Ž. obšč. Chim., **42**, 1318 (1972); engl.: 1313; C. A. **77**, 114472a (1972).

[5] V. S. Bogdanov, V. G. Kiselev, A. D. Naumov, L. S. Vasil'ev, V. P. Dmitrikov, V. A. Dorokhov u. B. M. Mikhailov, Ž. obšč. Chim., **42**, 1547 (1972); engl.: 1539; C. A. **77**, 139370 (1972).

[6] R. Contreras, C. Garcia, T. Mancilla u. B. Wrackmeyer, J. Organometal. Chem. **246**, 213 (1983).

[7] E. Hohaus, Z. anorg. Ch. **506**, 185 (1983).

[8] R. Köster u. J. Serwatowski, Mülheim a. d. Ruhr, unveröffentlicht 1982–1984.

[9] J. D. Odom, A. J. Zozulin, S. A. Johnston, J. R. Durig, S. Riethmiller u. E. J. Stampf, J. Organometal. Chem. **201**, 352 (1980).

Messungen bei tiefer Temperatur haben bei Tetravinyldiboroxan-Addukten keine Aufspaltung der ^{11}B-Resonanzen in ein Signal für vierbindiges und ein Signal für dreibindiges Bor ergeben[1]. Dagegen gelingt bei den Amin-Addukten von Triorganoboroxinen der Nachweis der 1 : 1-Adduktbildung mittels ^{11}B-NMR bei tiefer Temperatur[2] und damit die Sicherung der Struktur, die auch mit Röntgenstrukturanalyse bestätigt werden konnte[2].

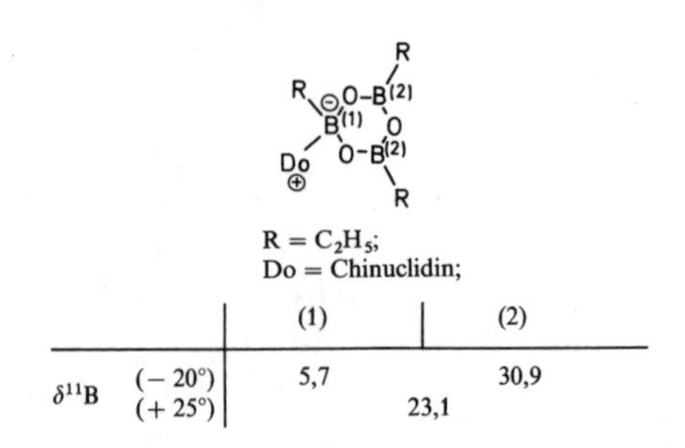

R = C_2H_5;
Do = Chinuclidin;

		(1)		(2)
δ^{11}B	(− 20°)	5,7		30,9
	(+ 25°)		23,1	

$\delta\delta_3$) ^{13}C-NMR-Spektren von Lewisbase-Organobor-Sauerstoff-Verbindungen

^{13}C-NMR-Messungen eignen sich vorzüglich zur Festlegung der Struktur[3−8] und zur Untersuchung dynamischer Prozesse in Lewisbase-Organobor-Sauerstoff-Verbindungen[9,10]; z. B.:

$\Delta G^{*}_{(\text{koal.})}$ [kJ/M]: 40 bis 54
R = R^1 = CH_3
R = CH_3, R^1 = H, R^2 = C_6H_5

$\delta\delta_4$) ^{17}O-NMR-Spektren von Lewisbase-Organobor-Sauerstoff-Verbindungen

Bisweilen lassen sich ^{17}O-NMR-spektroskopisch (im Gleichgewicht) auch 2 : 1-Addukte nachweisen, z. B. für die Stoffpaare *Pyridin* bzw. *Chinuclidin/Tetraethyldiboroxan* und *Pyridin* bzw. *Chinuclidin/1,1 : 2,2-Bis(cyclooctan-1,5-diyl)-1,3,2-diboroxan* (^{17}O-NMR-Messungen: Δ^{17}O ≈ 30−60 ppm nach hohem Feld)[11].

---

[1] J. D. Odom, A. J. Zozulin, S. A. Johnston, J. R. Durig, S. Riethmiller u. E. J. Stampf, J. Organometal. Chem. **201**, 352 (1980).
[2] M. Yalpani u. R. Boese, B. **116**, 3347 (1983).
[3] E. Hohaus, M. **111**, 863 (1980).
[4] E. Hohaus, Z. anorg. Ch. **484**, 41 (1982); **506**, 185 (1983).
[5] M. E. Gurskii, A. S. Shashkov u. B. M. Mikhailov, Izv. Akad. SSSR **1981**, 341; engl.: 264; C. A. **95**, 24124 (1981).
[6] J. P. Costes, G. Cros u. J. P. Laurent, Synth. React. Inorg. Metal-org. Chem. **11**, 383 (1981).
[7] J. D. Odom, T. F. Moore, R. Goetze, H. Nöth u. B. Wrackmeyer, J. Organometal. Chem. **173**, 15 (1979).
[8] R. Csuk, H. Hönig u. C. Romanin, M. **113**, 1025 (1982).
[9] H. Kessler, G. Zimmermann, H. Tietze u. H. Möhrle, B. **111**, 2605 (1978).
[10] T. Burgemeister, R. Grobe-Einsler, R. Grotstollen, A. Mannschreck u. G. Wulff, B. **114**, 3403 (1981).
[11] R. Köster u. J. Serwatowski, Mülheim a. d. Ruhr, unveröffentlicht 1982−1984.

Tab. 86: $\delta\,^{11}$B-Werte für Lewisbase-Organobor-Sauerstoff-Verbindungen

Verbindung		Herst. XIII/3b, S.	$\delta\,^{11}$B	Lösungsmittel	Literatur
Lewisbase – Diorganobor-Sauerstoff-Verbindungen					
[Strukturformel]	R, R = CH_3	535 ff.	13,0		1
	C_2H_5		14,7	C_6H_6	2
	C_3H_7		14,0	$CHCl_3$	3
	C_5H_{11}/F		8,5		1
	C_3H_7/Cl		11,3	$CHCl_3$	3
	C_3H_7/OC_6H_5		8,6	CH_2Cl_2	4
[Strukturformel]	X = ClO_4 [a]	vgl. 615	8,1	CH_2Cl_2	5
			5,6	CH_3CN	5
	OSO_2CF_3	533	8,6	CH_2Cl_2	5
[Strukturformel]		vgl. XIII/3a, S. 550	17,5	C_6H_6	7
[Strukturformel]		733 ff.	6,3	C_6H_6	8
$[H_3C(H)C{=}N(O)OB(C_2H_5)_2]_2$		XIII/3a, S. 593	12,5		9
[Strukturformel]		vgl. 531 f.	1,0	Aceton	10
[Strukturformel]		vgl. 532	8,0		11
[Strukturformel]	R,R = C_2H_5	566	14,4	C_6H_6	2
	[Strukturformel]	vgl. 561	14,0		12
	C_6H_5	565, 568	13,1	C_6H_6	8

[a] In Lit.[6] wird für die gleichen Verbindungen $\delta\,^{11}$B von + 26 bis + 29 ppm angegeben; vermutlich handelt es sich um Hydrolyseprodukte; die früher postulierten kationischen Strukturen[6] (vgl. XIII/3b, 419) sind nicht korrekt.

[1] S. L. Ioffe, L. M. Leont'eva, L. M. Makarenkova, A. L. Blyumenfel'd, V. F. Tsyaterikov u. V. A. Tartakovskii, Izv. Akad. SSSR **1975**, 1146; engl.: 1053; C. A. **83**, 97448 (1975).
[2] C. H. Toporcer, R. E. Dessy u. S. I. E. Green, Inorg. Chem. **4**, 1649 (1965).
[3] J.-P. Costes, G. Cros u. J. P. Laurent, Synth. React. Inorg. Metal-org. Chem. **11**, 383 (1981).
[4] B. M. Mikhailov, V. A. Dorokhov u. V. I. Seredenko, Ž. obšč. Chim. **43**, 1949 (1973); engl.: 1932; C. A. **80**, 3566 (1974).
[5] C. Narula u. H. Nöth, Z. Naturf. **38b**, 1161 (1983); vgl. ds. Handb. XIII/3b, 419 (1983) (Korrektur).
[6] I. Bally u. A. T. Balaban, Rev. Roumaine Chim. **15**, 635 (1970).
[7] B. M. Mikhailov, L. S. Vasil'ev u. V. V. Veselovskii, Izv. Akad. SSSR **1980**, 1106; engl.: 813; C. A. **93**, 114589 (1980).
[8] E. Hohaus u. W. Riepe, Z. Naturf. **28b**, 440 (1973).
[9] O. P. Shitov, L. M. Leont'eva, S. L. Ioffe, B. N. Khasanov, V. M. Novikov, A. U. Stepanyants u. V. A. Tartakovskii, Izv. Akad. SSSR **1974**, 2782; engl.: 2684; C. A. **82**, 125430 (1975).
[10] F. A. Davis, M. J. S. Dewar, R. Jones u. S. D. Worley, Am. Soc. **91**, 2094 (1969).
[11] V. S. Bogdanov, V. G. Kiselev, A. D. Naumov, L. S. Vasil'ev, V. P. Dmitrikov, V. A. Dorokhov u. B. M. Mikhailov, Ž. obšč. Chim. **42**, 1547 (1972); engl.: 1539; C. A. **77**, 139370 (1972).
[12] N. Farfan u. R. Contreras, Nouv. J. Chim. **6**, 269 (1982).

Tab. 86 (Fortsetzung)

Verbindung		Herst. XIII/3b, S.	$\delta^{11}B$	Lösungsmittel	Literatur
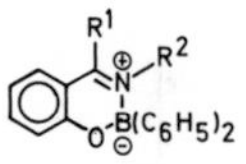	R^1/R^2 = H/H	565	3,3	1,4-Dioxan	1
	H/C_2H_5		5,1	1,4-Dioxan	1
	H/C_6H_5		6,0	C_6H_6	1
	CH_3/OH		6,1	C_6H_6	2
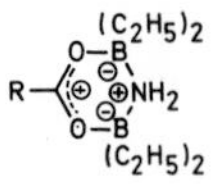	R = CH_3	—	3,3		3
	$C(CH_3)_3$	677	5,0	$CHCl_3$	4
$(H_3C)_3CNH_2$–$B(C_2H_5)_2OCOC(CH_3)_3$		vgl. 574 ff.	8,0	$CHCl_3$	4
		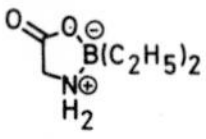 576	9,0	CH_3CN	5
		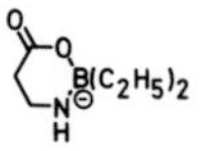 576	4,0	CH_3CN	5
		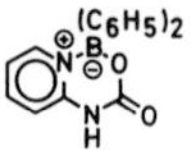 584	3,0	THF	6
Lewisbase-Monoorganobor-Sauerstoff-Sauerstoff-Verbindungen					
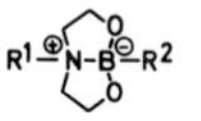	R^1/R^2 = H/Thexyl	605	14,0	THF	7
	CH_3/Thexyl		17,3	THF/–40°	7
	H/C_6H_5		10,7	DMSO-d_6	8
	CH_3/C_6H_5		12,2	DMSO-d_6	8
	$C(CH_3)_3/C_6H_5$		14,4	DMSO-d_6	8
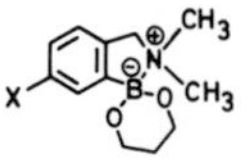	X = OCH_3	608	11,6		9, 10
	$N(CH_3)_2$		12,5		9, 10
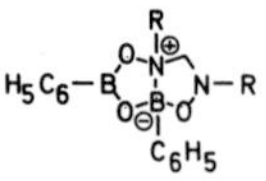	R = CH_3	vgl. 623	21,8 (1 Peak)		11
	C_6H_{11}		22 (1 Peak)		11
Do-$[(H_5C_2BO)_3]_n$	Do / n				
	$(H_5C_2)_3N$ / 1	vgl. 629	23,9		12
	/ 2	vgl. 629	26,2		12
	/ 1	629	23,1 (27°)		12
			30,9; 5,7 (~ 2 : 1)		12
	Pyridin / 1	629	20,5		12

[1] E. Hohaus u. W. Riepe, Z. Naturf. **29b**, 663 (1974).
[2] E. Hohaus, Z. anorg. Ch. **484**, 41 (1982).
[3] V. A. Dorokhov u. B. M. Mikhailov, Izv. Akad. SSSR **1970**, 1804; engl.: 1698; C. A. **74**, 125767 (1971).
[4] E. Rothgery u. R. Köster, A. **1974**, 101.
[5] E. Rothgery u. R. Köster, A. **1974**, 112.
[6] B. R. Gragg u. K. Niedenzu, J. Organometal. Chem. **117**, 1 (1976).
[7] R. Contreras, C. Garcia, T. Mancilla u. B. Wrackmeyer, J. Organometal. Chem. **246**, 213 (1983).
[8] R. Csuk, H. Hönig u. C. Romanin, M. **113**, 1025 (1982).
[9] M. Lauer u. G. Wulff, J. Organometal. Chem. **256**, 1 (1983).
[10] M. Lauer, H. Böhnke, R. Grotstollen, M. Salehnia u. G. Wulff, B. **117**, im Druck (1984).
[11] W. Kliegel, J. Organometal. Chem. **253**, 9 (1983).
[12] M. Yalpani u. R. Boese, B. **116**, 3347 (1983).

δ_5) *Molekülstrukturanalysen*

Zahlreiche Röntgenstrukturbestimmungen von Lewisbase-Organobor-Sauerstoff-Verbindungen liegen vor; z. B.:

Carbonyl-Diorgano-organooxy-borane (vgl. XIII/3b, S. 530, 541)[1, 2]:

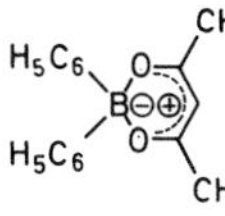

	[1]	[2]	[1]
d_{CO} (Å):	1,284(2); 1,286(2)	1,270(4); 1,270(4)	1,307(2); 1,310(2)
d_{BO} (Å):	1,541(2); 1,534(2)	1,549(7); 1,557(6)	1,557(2); 1,537(2)
$\sphericalangle_{OBO}$ (°):	106,94(11)	106,1(3)	98,36(11)
$\sphericalangle_{CBC}$ (°):	117,42(12)	109,6(3)	117,60(13)

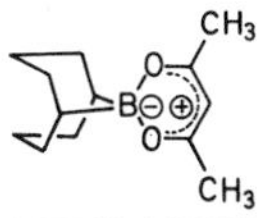

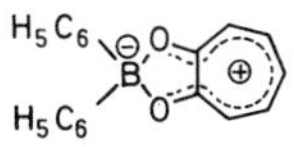

Amin-Diorgano-organooxy-borane (vgl. XIII/3b, S. 544 f.)[3, 4]:

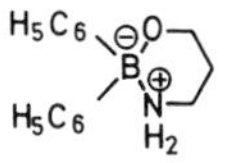

	[3]	[3]	[3]
d_{BO} (Å):	1,437	1,418	1,492
d_{BN} (Å):	1,643	1,691	1,690
$\sphericalangle_{OBN}$ (°):	104,88(14)	98,23(12)	97,82(15)

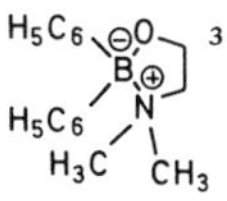

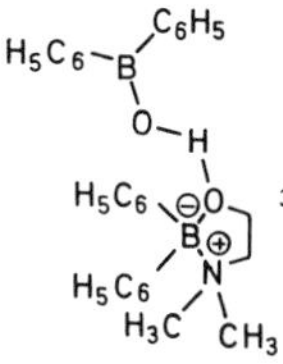

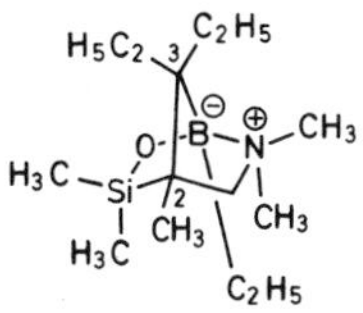

[4]
$d_{BC^3} = 1,668(4)$ Å
$d_{BO} = 1,486(3)$ Å
$d_{BN} = 1,720(3)$ Å
$\sphericalangle_{BOSi} = 111,6(1)°$
$\sphericalangle_{OBC^3} = 105,8(2)°$
$\sphericalangle_{OBN} = 103,1(2)°$
$\sphericalangle_{BC^3C^2} = 93,8(2)°$

Lewisbase-Halogen-organo-organooxy-borane (vgl. XIII/3b, S. 593)[5]:

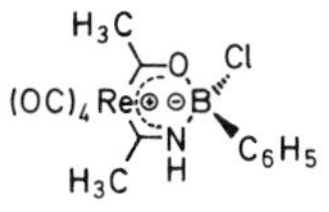

$d_{BC} = 1,60(2)$ Å
$d_{BO} = 1,51(2)$
$d_{BN} = 1,49(2)$
$d_{BCl} = 1,88(2)$
$\sphericalangle_{OBN} = 113,2(8)°$
$\sphericalangle_{CReC_{ring}} = 85,4(3)°$

Lewisbase-Diorganooxy-organo-borane (vgl. XIII/3b, S. 619)[6]:

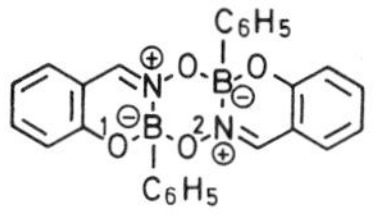

$d_{BC} = 1,598(2)$
$d_{BO} = 1,469(2)$
$d_{BN} = 1,602(2)$
$\sphericalangle_{NBO^1} = 104,6°$
$\sphericalangle_{BO^2N} = 110,3°$
$\sphericalangle_{O^1BO^2} = 109,7$

Lewisbase-Organo-1,3,2-diboroxane (vgl. XIII/3b, S. 621 ff.)[4]:

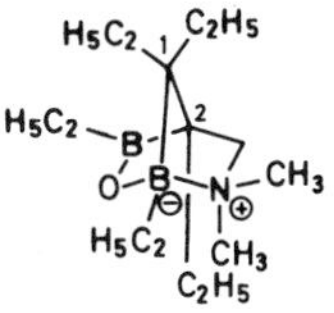

$d_{B^1C^1} = 1,658(5)$ Å
$d_{BO} = 1,42(10)$ Å
$d_{B^1N} = 1,703(4)$ Å
$\sphericalangle_{OBN} = 101,4(2)°$
$\sphericalangle_{B^1C^1O} = 36,5(1)°$
$\sphericalangle_{B^1OB^2} = 107,8(2)°$
$\sphericalangle_{BC^1C^2} = 91,2(2)°$

[1] S. J. RETTIG u. J. TROTTER, Canad. J. Chem. **60**, 2957 (1982); C. A. **98**, 44609 (1983).
[2] R. BOESE, R. KÖSTER u. M. YALPANI, B. **117**, im Druck (1984).
[3] S. J. RETTIG u. J. TROTTER, Canad. J. Chem. **61**, 2334 (1983); C. A. **99**, 185388 (1983).
[4] R. KÖSTER, G. SEIDEL u. G. MÜLLER, Mülheim a. d. Ruhr, unveröffentlicht 1983.
[5] P. G. LENHERT, C. M. LUKEHART u. K. SRINIVASAN, Inorg. Chem. **23**, 438 (1984).
[6] S. J. RETTIG u. J. TROTTER, Canad. J. Chem. **61**, 206 (1983).

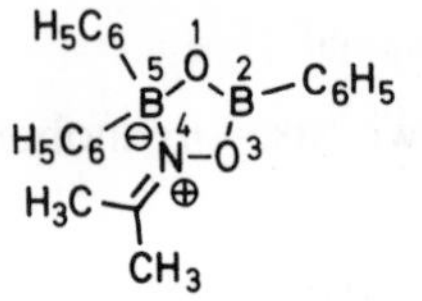

$d_{O^1B^2} = 1{,}322(4)$ Å, $d_{B^2O^3} = 1{,}412(4)$ Å, $d_{O^3N} = 1{,}408(3)$ Å, $d_{NB^5} = 1{,}665(4)$ Å, $d_{B^5O^1} = 1{,}489(4)$ Å [1]

$\sphericalangle_{O^1B^2O^3} = 114{,}5(3)°$, $\sphericalangle_{B^2O^3N} = 106{,}6(3)°$, $\sphericalangle_{O^3NB^5} = 108{,}4(2)°$, $\sphericalangle_{NB^5O^1} = 97{,}2(2)°$, $\sphericalangle_{B^5O^1B^2} = 113{,}2(3)°$

1,4-Diaminobenzol-Bis(Triphenylboroxin) (vgl. XIII/3b, S. 629ff.) mit zwei 1,4-Diaminobenzol-Solvatmolekülen[2]:

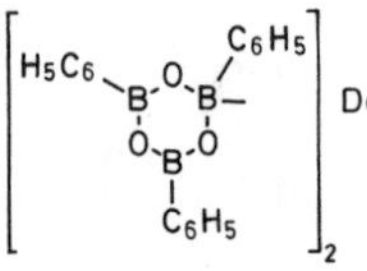

$[(H_5C_6)_3B_3O_3 \cdot Do]_2$

$d_{BN} = 1{,}663(8)$ Å
$d_{BO} = 1{,}350(9)$ bis $1{,}472(8)$ Å

$\sphericalangle_{OBN} = 103{,}3-105{,}7°$

Do: 1,2-Diaminobenzol

ε) Lewisbase-Organobor-Schwefel-Verbindungen

Es gibt keine systematischen NMR-Untersuchungen von Lewisbase-Organobor-Schwefel-Verbindungen. ^{1}H-NMR-Spektren lassen sich in gewohnter Weise zur Charakterisierung heranziehen[3–5].

Sehr aussagekräftig ist die ^{11}B-NMR-Spektroskopie, die mit den typischen δ^{11}B-Werten für $KZ_{(B)} = 4$ Informationen über die Adduktbildung gibt. I. allg. findet man die ^{11}B-Resonanzen in den Addukten um $\approx 50-60$ ppm gegenüber den freien Thioboranen (vgl. Tab. 62, S. 479) zu niedrigeren Frequenzen verschoben[5,6]. Kleinere Werte Δ^{11}B deuten auf ein Dissoziations-Gleichgewicht hin, z. B.[7]:

$(H_5C_6)_2\overset{\oplus}{P}CH_3-\overset{\ominus}{B}(CH_3)_2SCH_3$

δ^{11}B: 40,6
Δ^{11}B: 33,4

Schneller Austausch des Dimethylsulfids zwischen den beiden B-Atomen im Benzothiadiborolen wird angezeigt durch den kleinen Δ^{11}B-Wert und durch die Beobachtung eines ^{11}B-Resonanzsignals im 1 : 1-Verhältnis Lewisbase/Boran[8]:

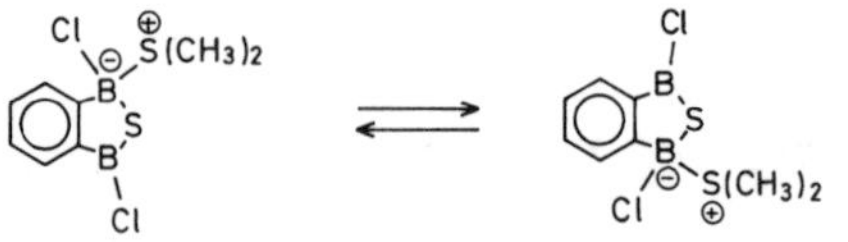

δ^{11}B: 36,6
Δ^{11}B: 29,1

ζ) Lewisbase-Organobor-Stickstoff-Verbindungen

ζ₁) *Schwingungsspektren*

IR-, Raman- und UV-Spektren werden zur Charakterisierung von Lewisbase-Aminodiorgano-boranen verwendet[9]. Außer den offenkettigen Verbindungen wie z. B. den Amin-

[1] W. Kliegel, D. Nanninga, S. J. Rettig u. J. Trotter, Canad. J. Chem. **61**, 2329 (1983).
[2] M. Yalpani u. R. Boese, B. **116**, 3347 (1983).
[3] H. Nöth u. P. Schweizer, B. **102**, 161 (1969).
[4] W. Siebert, Habilitationsschrift, Universität Würzburg, 1971; vgl. Gmelin, **19**/3, 51 ff. (1975).
[5] H. Nöth u. U. Schuchardt, B. **107**, 3104 (1974).
[6] V. S. Bogdanov, V. G. Kiselev, A. D. Naumov, L. S. Vasil'ev, V. P. Dmitrikov, V. A. Dorokhov u. B. M. Mikhailov, Ž. obšč. Chim. **42**, 1547 (1972); engl.: 1539; C. A. **77**, 139370 (1972).
[7] H. Vahrenkamp, J. Organometal. Chem. **28**, 167 (1971).
[8] B. Asgarouladi, R. Full, K. J. Schaper u. W. Siebert, B. **107**, 34 (1974).
[9] Gmelin, 8. Aufl., **19**/3, 169ff. (1975); **22**/4, 265ff. (1975).

Azido-diorgano-boranen[1-3] sind vor allem verschiedene Typen cyclischer Amin- und Imin-Amino-diorgano-borane[4-6] gekennzeichnet worden.

ν_{as} (N_3) = 2130 cm^{-1} *Trimethylamin-Azido-dimethyl-boran*[1]
ν_{as} (N_3) = 2120 cm^{-1} *Pyridin-Azido-butyl-phenyl-boran*[2]
ν_{as} (N_3) = 2120 cm^{-1} *Pyridin-Azido-diaryl-borane*[3]
(Bd. XIII/3b, S. 114f.).

2,2,8,8-Tetraethyl-1-aza-3-azonia-2-borata-tricyclo[7.3.0.0^{3,7}]dodeca-3^7,5,9,11-tetraen[4]
(Bd. XIII/3b, S. 647)
IR- und UV-Absorptionsbanden[4]

4,8-Dimethyl-2,2,6,6-tetraphenyl-3,7-diaza,1,5-diazonia-2,6-diborata-bicyclo[3.3.0]octa-1^8,4-dien
IR-Spektrum[5] (Bd. XIII/3b, S. 656f.)

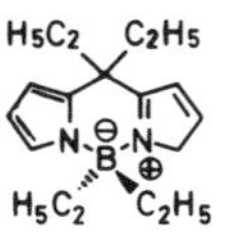

2,2,5,11-Tetraethyl-4,6,10,12-tetramethyl-1-aza-3-azonia-3-borata-tricyclo[7.3.0.0^{3,7}]dodeca-3,5,7,9,11-pentaen
UV-Fluoreszenz-Spektrum[6]

ζ_2) *Massenspektren*

Die Massenspektren cyclischer Lewisbase-Amino-diorgano-borane geben oft erste Auskünfte über neue Heterocyclen. Falls im Spektrum der Molekülpeak M^+ selbst nicht auftritt, ist meist die Bruchstückmasse $(M-R)^+$ durch Abspaltung eines B-Organo-Rests intensitätsstark vertreten; z.B. beim *2,2,6,6-Tetraethyl-3,7-dioxonia-1,5-diaza-2,6-diborata-bicyclo[3.3.0]octa-3,7-dien*[7,8] und beim *2,2,8,8-Tetraethyl-1-aza-3-azonia-2-borata-tricyclo[7.3.0.0^{3,7}]dodeca-3^7,5,9,11-tetraen* [(MG = 270), Bruchstückmasse 241 (270−29)][4].

ζ_3) *Kernresonanzspektroskopie*

$\zeta\zeta_1$) ¹H-NMR-Spektren

δ^1H-Werte und Kopplungskonstanten ^nJ(HH) lassen sich in gewohnter Weise für die Strukturzuordnung von Lewisbase-Organobor-Stickstoff-Verbindungen einsetzen[4,5,8-10], Dies ist in Abb. 18 (S. 544) an einem repräsentativen Beispiel gezeigt.

---

[1] P.I. Paetzold u. H.J. Hansen, Z. anorg. Ch. **345**, 79 (1966).
[2] P.I. Paetzold, P.P. Habereder, G. Maier u. M. Sandner, in P.I. Paetzold, Fortschr. chem. Forsch. **8**, 437 (1967).
[3] P.I. Paetzold, P.P. Habereder u. R. Müllbauer, J. Organometal. Chem. **7**, 45 (1967).
[4] H. Bellut, C.D. Miller u. R. Köster, Synth. React. Inorg. Metal-org. Chem. **1**, 83 (1971), s. ds. Handb., Bd. XIII/3b, S. 647.
[5] T.-T. Wang u. K. Niedenzu, J. Organometal. Chem. **35**, 231 (1975), s. ds. Handb., Bd. XIII/3b, S. 656–657.
[6] A.R. Holzwarth, H. Lehner, S.E. Braslavsky u. K. Schaffner, A. **1978**, 2002.
[7] E. Brehm, A. Haag, G. Hesse u. H. Witte, A. **737**, 70 (1970).
[8] A. Haag u. H. Baudisch, Tetrahedron Letters **1973**, 401.
[9] W. Weber, Dissertation, Universität Mainz 1979.
[10] V.A. Dorokhov, L.I. Lavrinowich, A.S. Shashkov u. B.M. Mikhailov, Izv. Akad. SSSR **1981**, 1371; engl.: 1097; C.A. **96**, 20145 (1982).

Sind die ^{1}H-NMR-Spektren sehr unübersichtlich, helfen heute zweidimensionale NMR-Techniken[1] für die Zuordnung. Dies wurde bereits im Fall verschiedener Pyrazol-Derivate des Bors demonstriert[2], z. B.:

$\zeta\zeta_2$) ^{11}B-NMR-Spektren

Die $KZ_B = 4$ wird zuverlässig anhand der chemischen Verschiebungen δ^{11}B (vgl. Abb. 4, S. 400) nachgewiesen[3]. Dies gilt für die zahlreichen dimeren Aminoborane (vgl. Tab. 70, S. 493) wie auch allgemein für Lewisbase-Organobor-Stickstoff-Verbindungen (vgl. Tab. 87, S. 545). Wie bei den entsprechenden Organobor-Sauerstoff-Derivaten gibt die Temperaturabhängigkeit der δ^{11}B-Werte Hinweise auf dynamische Prozesse. Die Anzahl der vorliegenden δ^{11}B-Werte ist jedoch nicht ausreichend, um Konformation, Bindungsstärke etc. zu diskutieren.

Austauschprozesse können mit ^{10}B-markierten Verbindungen studiert werden, wie z. B. in der Reaktion zwischen Tetraethylpyrazobol und $^{10}BBr_3$. Dort läßt sich aufgrund der ^{10}B-

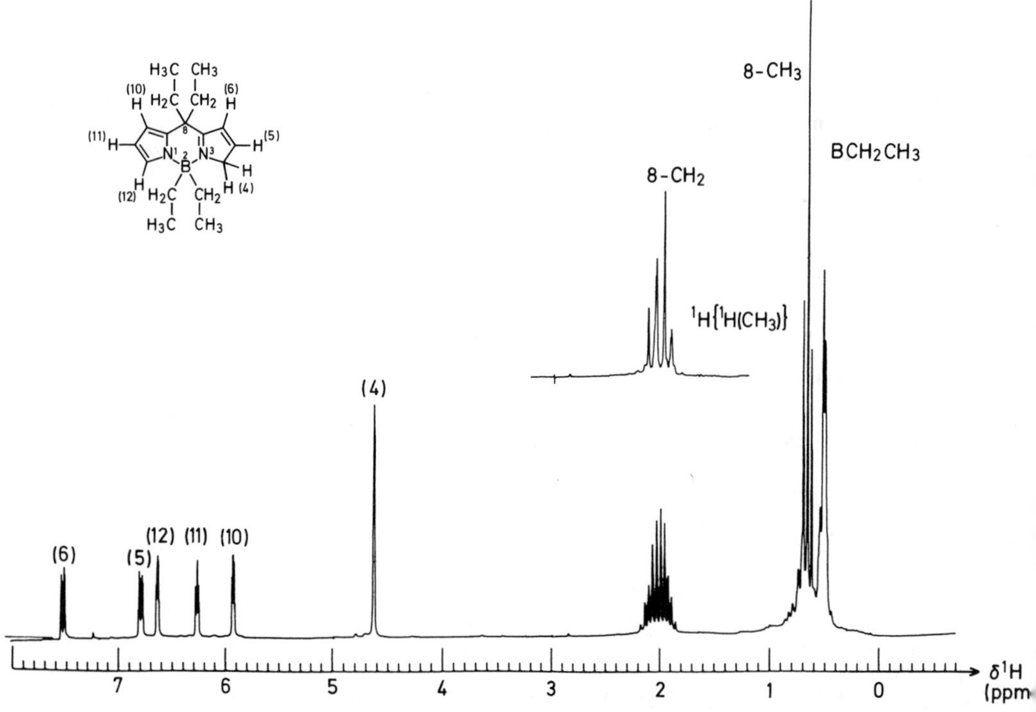

Abb. 18: 200 MHz-^{1}H-NMR-Spektrum von *2,2,8,8-Tetraethyl-1-aza-3-azonia-2-borata-tricyclo*[7.3.0.0^{3,7}] *dodeca-3^{7},5,9,11-tetraen* (5% in $CDCl_3$) (Herstellung: vgl. Bd. XIII/3b, S. 647f.). Die Aufspaltung der 8-CH_2-Protonen in ein AB-System folgt aus ihrer Diastereotopie[4].

[1] R. Benn u. H. Günther, Ang. Ch. **95**, 381 (1983); engl.: **22**, 390; (Übersicht über moderne Pulsfolgen).
[2] W. J. Layton, K. Niedenzu u. S. L. Smith, Z. anorg. Ch. **495**, 52 (1982).
[3] H. Nöth u. B. Wrackmeyer, *NMR-Spectroscopy of Boron Compounds*, Bd. **14** *NMR, Grundlagen und Fortschritte* (^{11}*B-NMR-Spektroskopie*), Springer-Verlag, Heidelberg · Berlin 1978.
[4] B. Wrackmeyer, Universität München, unveröffentlicht 1979.

und ^{11}B-NMR-Spektren ein „exocyclischer" Austausch postulieren sowie das folgende Gleichgewicht[1]:

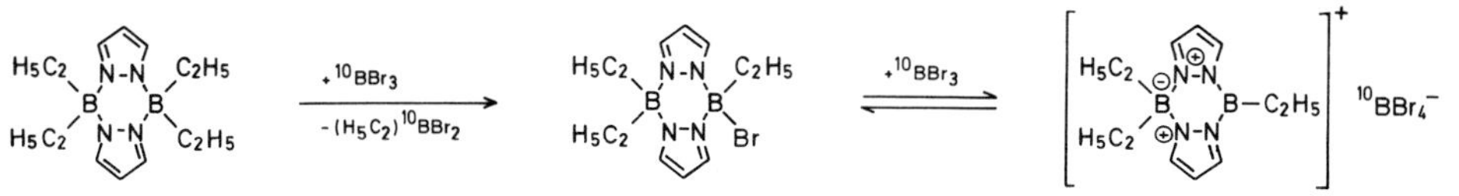

$$(H_5C_2)_2B(\mu\text{-}pz)_2B(C_2H_5)_2 \xrightarrow[-(H_5C_2)^{10}BBr_2]{+^{10}BBr_3} (H_5C_2)_2B(\mu\text{-}pz)_2B(C_2H_5)Br \underset{}{\overset{+^{10}BBr_3}{\rightleftharpoons}} [(H_5C_2)_2B(\mu\text{-}pz)_2B\text{-}C_2H_5]^+ \; {}^{10}BBr_4^-$$

Tab. 87: δ ^{11}B-Werte von Lewisbase-Organobor-Stickstoff-Verbindungen

Verbindung	Herst. XIII/3b, S.	δ ^{11}B	Lösungsmittel	Literatur	Verbindung	Herst. XIII/3b, S.	δ ^{11}B	Lösungsmittel	Literatur
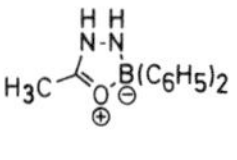 H H / N-N / H_3C–C–O–$\overset{\ominus}{B}(C_6H_5)_2$ (⊕)	641	15,5	CCl_4	2	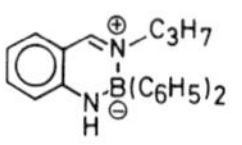 ⊕N–C_3H_7 / N–$\overset{\ominus}{B}(C_6H_5)_2$ / H	646	0,1	C_6H_6	6
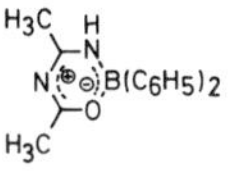 H_3C, H / N / N ⊕ ⊖ $B(C_6H_5)_2$ / O / H_3C	650f.	4,8	C_6H_6	3	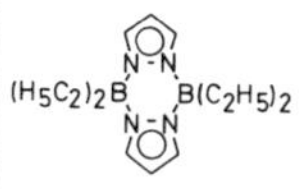 $(H_5C_2)_2B$(N-N)$_2B(C_2H_5)_2$	644, 649	2,2 2,5 Austauschreaktionen mit $^{10}BBr_3$		7 8 1
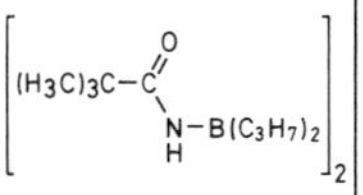 $[(H_3C)_3C$–C(=O)–N(H)–$B(C_3H_7)_2]_2$	89f.	0,0		4					
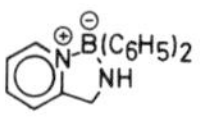 ⊕N–$\overset{\ominus}{B}(C_6H_5)_2$ / NH	90f., 643	−2,5		5	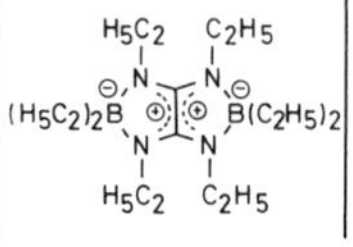 H_5C_2, C_2H_5 / ⊖N, N⊖ / $(H_5C_2)_2B$ ⊖ ⊕ $B(C_2H_5)_2$ / N, N / H_5C_2, C_2H_5	653	8,0		9

ζζ$_3$) ^{13}C-NMR-Spektren

Die Anwendung der ^{13}C-NMR-Spektroskopie zur Charakterisierung von Lewisbase-Organobor-Stickstoff-Verbindungen ist bisher auf wenige Beispiele beschränkt. Zahlreiche ^{13}C-NMR-Daten liegen für Pyrazoloborane vor[8, 10, 11]. Die Umlagerung eines Aminoborans in ein Chelat wurde mittels ^{13}C-NMR nachgewiesen[12]:

[1] K. Niedenzu u. H. Nöth, B. **116**, 1132 (1983).
[2] H. Nöth, W. Regnet, H. Riehl u. R. Standfest, B. **104**, 722 (1971).
[3] V. A. Dorokhov, L. I. Lavrinovich, M. N. Bochkareva, V. S. Bogdanov u. B. M. Mikhailov, Ž. obšč. Chim. **43**, 1115 (1973); engl.: 1106; C. A. **79**, 66436 (1973).
[4] V. A. Dorokhov, L. I. Lavrinovich, I. P. Yakovlev u. B. M. Mikhailov, Ž. obšč. Chim. **41**, 2501 (1971); C. A. **76**, 140935 (1972).
[5] K. Niedenzu u. R. B. Read, Z. anorg. Ch. **473**, 139 (1981).
[6] E. Hohaus, Dissertation, Universität Münster 1970.
[7] S. Trofimenko, Am. Soc. **89**, 3165 (1967).
[8] W. J. Layton, K. Niedenzu u. S. L. Smith, Z. anorg. Ch. **495**, 52 (1982).
[9] S. Trofimenko, Am. Soc. **89**, 7014 (1967).
[10] C. E. May, K. Niedenzu u. S. Trofimenko, Z. Naturf. **33b**, 220 (1978).
[11] K. Niedenzu, S. S. Seelig u. W. Weber, Z. anorg. Ch. **483**, 51 (1981).
[12] V. A. Dorokhov, L. I. Lavrinovich, A. S. Shashkov u. B. M. Mikhailov, Izv. Akad. SSSR **1981**, 1371; engl.: 1097; C. A. **96**, 20145 (1982).

$\xrightarrow{>100\,°C}$

$\delta^{13}C$(2,2′)	155,3	156,0
(3,3′)	110,9	121,4
(4,4′)	138,0	138,4
(5,5′)	113,5	112,9
(6,6′)	143,5	138,5

Abb. 19 zeigt ein typisches Beispiel für die Aussagekraft der ^{13}C-NMR-Spektroskopie. Die Zuordnung konnte aufgrund des bekannten ^{1}H-NMR-Spektrums (s. S. 544) und eines entsprechenden ^{13}C-{^{1}H-off resonance}-Experiments getroffen werden. Auffallend ist das deutlich verbreiterte ^{13}C-Resonanzsignal für die BCH_2-Kohlenstoff-Atome[1].

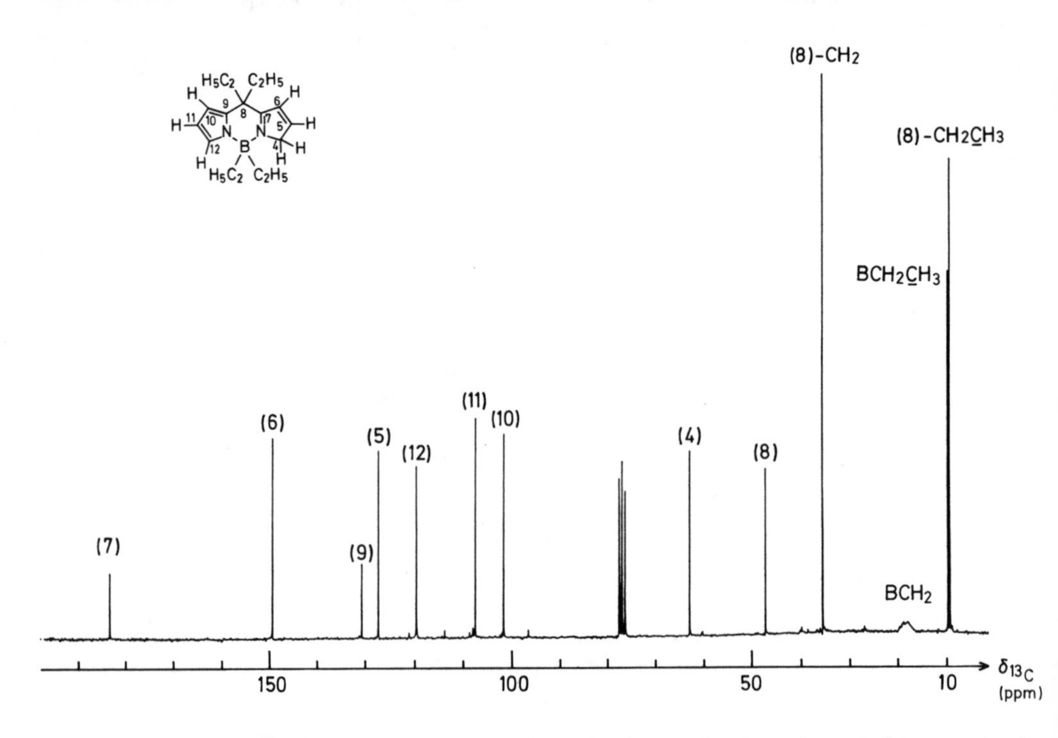

Abb. 19: 50,3 MHz $^{13}C\{^{1}H\text{-}\}$-NMR-Spektrum des *2,2,8,8-Tetraethyl-1-aza-3-azonia-2-borata-tricyclo* [*7.3.0.0*^{3,7}]*dodeca-3*^{7}*,5,9,11-tetraen* (5% in $CDCl_3$) (Herstellung: vgl. XIII/3b, S. 647 f.). Die Zuordnung erfolgt aus $^{13}C\{^{1}H$-off resonance}-Experimenten entsprechend dem ^{1}H-NMR-Spektrum in Abb. 18 (S. 544).

Die ^{13}C-NMR-Spektren einiger dimerer Aminoborane, z. B. Dimer von *9-Amino-9-borabicyclo*[*3.3.1*]*nonan*[2], sind indikativ für die Struktur. Besonders leicht lassen sich verschiedene Isomere mit ^{13}C-NMR-Messungen nachweisen, wie im Fall des dimeren Dimethylamino-brom-methyl-borans gezeigt[3]:

---

[1] B. Wrackmeyer u. R. Köster, unveröffentlicht 1983.
[2] R. Köster u. G. Seidel, A. **1977**, 1837.
[3] B. Wrackmeyer, Universität München, unveröffentlicht 1979.

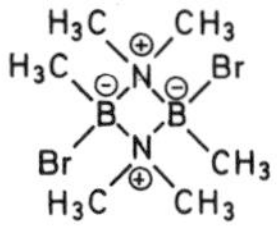

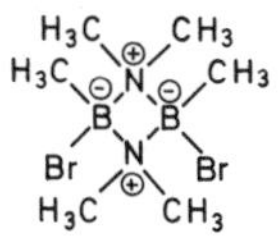

$\delta^{13}C(BC)$:	9,4	10,9
$\delta^{13}C(NC)$:	47,3	53,0; 41,8

Die beiden Isomeren liegen im Verhältnis 1 : 1 vor.

ζ_4) *Molekülstrukturanalysen*

Molekülstrukturanalysen verschiedenartiger Lewisbase-Organobor-Stickstoff-Verbindungen liegen bereits vor; z.B.:

Bis(9-amino-9-borabicyclo[3.3.1]nonan)[1]:

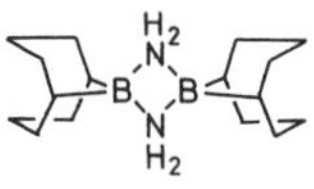

d_{BB} = 2,294(6) Å ∢ $_{BNB}$ = 89,6(3)°
d_{BN} = 1,628(5) Å ∢ $_{NBN}$ = 90,4(3)°

vgl. Amino-9-borabicyclo[3.3.1]nonan-9-Borabicyclo[3.3.1]nonan auf S. 530[1].

4,8-Diphenyl-4,8-di-1-pyrazolyl-pyrazobol[2]:

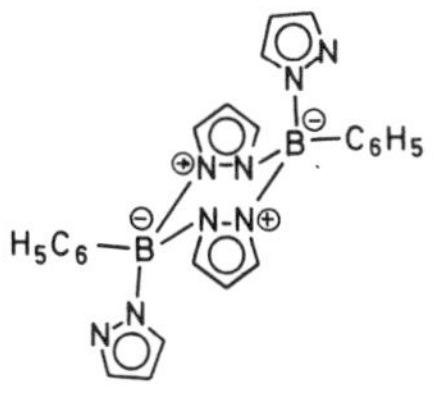

d_{BN^1} = 1,559 Å ∢ $_{NBN}$ = 106,3°
d_{BN^2} = 1,571 Å ∢ $_{CBN}$ = 109,8°

η) Lewisbase-Organobor-Phosphor- und -Arsen-Verbindungen

Zu den im Herstellungsteil nicht besprochenen Verbindungen (vgl. XIII/3b, S. 679) gehören im weiteren Sinn die über BP- oder BAs-Bindungen assozierten dimeren und trimeren Organophosphino- bzw. arsino-borane (vgl. XIII/3b, S. 386ff.; S. 397). Die Strukturen

---

[1] R. Köster u. G. Seidel, A. **1977**, 1837; C. Krüger, Mülheim a.d. Ruhr, unveröffentlicht 1977, vgl. ds. Handb., Bd. XIII/3b, 674 (1983).
[2] K. Niedenzu u. H. Nöth, B. **116**, 1132 (1983).

verschiedener Verbindungen[1, 2] sind bestimmt worden. Inzwischen konnte eine Röntgenstrukturanalyse des dimeren (PB)[2]-*4,5-Diethyl-1-phenyl-2,2,3-trimethyl-2,5-dihydro-1,2,5-phosphasilaborols* angefertigt werden[3]:

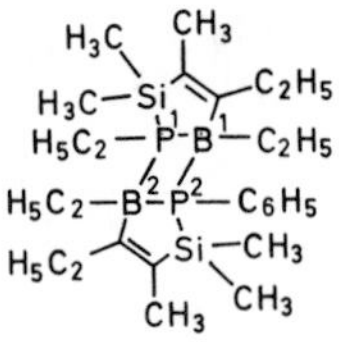

$d_{P^1B^1}$ = 2,028(3) Å
$d_{P^1B^2}$ = 2,054(3) Å
$d_{BC_{Vinyl}}$ = 1,613(4) Å

∢ $_{B^1P^1B^2}$ = 91,9(1)°
∢ $_{P^1B^1P^2}$ = 88,1(1)°

2. Kationische Organobor(4)-Verbindungen

α) IR-Spektren

Die IR-Spektren der Bis(amino)-diorgano-bor(1+)-Salze sind im Vergleich mit den freien Aminen oder den Organobor-Verbindungen ohne besondere Kennzeichen[4–11].

NH-Valenzschwingungen liegen im Bereich von 3380 bis 2800 cm^{-1}, die ν_{BN}-Absorption findet man bei ≈ 1480 bis ≈ 1400 cm^{-1} [8, 9].

β) Kernresonanzspektroskopie

Aus den ^{1}H-NMR-Spektren der kationischen Organobor(4)-Verbindungen ergeben sich in gewohnter Weise wichtige Strukturinformationen bei der Auswertung von δ^1H-Werten, Kopplungskonstanten und relativen Intensitäten[9, 12, 13]. Die δ^{11}B-Werte sind indikativ für die $KZ_B = 4$[14], wobei die δ^{11}B-Werte i. allg. in einem engen Bereich von ca. +6 bis +14 ppm zu finden sind. Fungiert der Phosphor als Donor, finden sich die ^{11}B-Resonanzen bei niedrigen Frequenzen, z. B.:

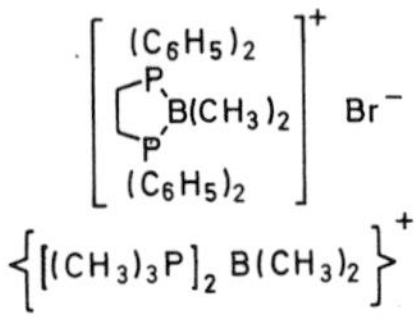

	δ^{11}B:
$[(C_6H_5)_2P-CH_2-P(C_6H_5)_2B(CH_3)_2]^+ Br^-$	− 14,5[15]
$\{[(CH_3)_3P]_2B(CH_3)_2\}^+ Br^-$	− 21,7[16]

[1] *Tris-[dimethyl-dimethylphosphino-boran]*:
M. A. Sens, J. D. Odom u. M. H. Goodrow, Inorg. Chem. **15**, 2825 (1976).
[2] *Tris[dimethyl-dimethylarsino-boran]*: R. Goetze u. H. Nöth, Z. Naturf. **30b**, 875 (1975).
[3] R. Köster, G. Seidel u. G. Müller, Mülheim a. d. Ruhr, unveröffentlicht 1983.
[4] Gmelin, 8. Aufl., **37**/10, 141 (1976).
[5] J. Goubeau u. A. Zappel, Z. anorg. Ch. **279**, 38 (1955).
[6] J. M. Davidson u. C. M. French, Soc. **1962**, 3364.
[7] G. E. Coates u. D. Ridley, Soc. **1964**, 166.
[8] I. Y. Ismail u. C. D. Schmulbach, Inorg. Chem. **8**, 1411 (1969).
[9] H. Nöth, S. Lukas u. P. Schweizer, B. **98**, 962 (1965).
[10] P. C. Moews u. R. W. Parry, Inorg. Chem. **5**, 1552 (1966).
[11] G. Müller, D. Neugebauer, W. Geike, F. H. Köhler, J. Pebler u. H. Schmidbaur, Organometallics **2**, 257 (1983).
[12] J. E. Douglass, G. M. Roehring u. O. Ma, J. Organometal. Chem. **8**, 421 (1967).
[13] H. Nöth u. U. Schuchardt, B. **107**, 3104 (1974).
[14] H. Nöth u. B. Wrackmeyer, *NMR-Spectroscopy of Boron Compounds*, Bd. **14** *NMR, Grundlagen und Fortschritte* (*^{11}B-NMR-Spektroskopie*), Springer-Verlag, Heidelberg · Berlin 1978.
[15] K. Maier, Dissertation, Universität Marburg 1971.
[16] G. Müller, Dissertation, Technische Universität München 1980.

^{13}C-NMR-Daten wurden bisher kaum bestimmt[1,2], obwohl diese Methode sicherlich entscheidend zur Charakterisierung der kationischen Organobor(4)-Verbindungen beitragen kann. Dies gilt auch für ^{31}P-NMR-Daten[1,2], die noch nicht systematisch analysiert wurden.

3. Zwitterionische Organobor(4)-Verbindungen

α) IR-Spektren

Die C=N-Valenzschwingungen der >C=NOB< -Gruppierungen verschiedenartiger zwitterionischer Organobor(4)-Verbindungen (Bd. XIII/3b, S. 702ff.) mit 5-[3], 6-[4,5] oder 7[6]-gliedrigem Ring findet man im Bereich von 1610 bis 1660 cm^{-1} [1-4]. In den Bis(α-dioximato)nickel(II)-Komplexen kann die Bande $\nu_{C=N}$ zur Unterscheidung borhaltiger und borfreier Verbindungen herangezogen werden[7]:

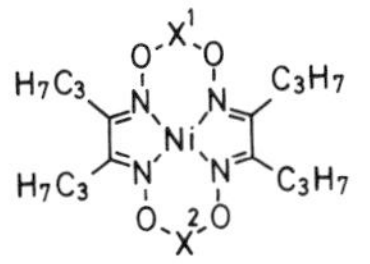

X^1	X^2	$\nu_{C=N}$ [cm^{-1}]
H	H	1545
BF_2	H	1595
BF_2	BF_2	1615
FBC_6H_5	FBC_6H_5	1600, 1610
$B(C_4H_9)_2$	$B(C_4H_9)_2$	1585

β) Kernresonanzspektroskopie

NMR-spektroskopische Untersuchungen dienen zur Charakterisierung von zwitterionischen Verbindungen. Dies zeigen z.B. ^{1}H-NMR-Spektren von 1,1-Dimethyl-1,3-azoniaboratetan(I)[8] oder anderen heterocyclischen Organobor-Betainen (z.B. II)[9,10]:

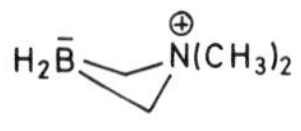

I

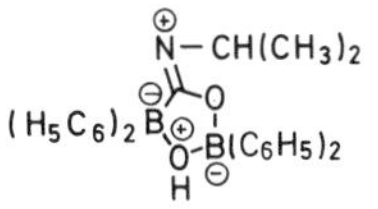

II

Zahlreiche (Triorganophosphonioorgano)-triorgano-borate (Bd. XIII/3b, S. 706ff.) sind mit Hilfe der NMR-Spektroskopie eindeutig charakterisiert worden[1,11,12], wobei besonders die ^{11}B- und ^{31}P-NMR-Spektren geeignet sind:

---

[1] G. MÜLLER, Dissertation, Technische Universität München 1980.
[2] G. MÜLLER, D. NEUGEBAUER, W. GEIKE, F.H. KÖHLER, J. PEKLER u. H. SCHMIDBAUR, Organometallics **2**, 257 (1983).
[3] W. KLIEGEL u. D. NANNINGA, B. **116**, 2616 (1983).
[4] W. KLIEGEL, Tetrahedron Letters **1969**, 223.
[5] W. KLIEGEL u. D. NANNINGA, J. Organometal. Chem. **247**, 247 (1983).
[6] W. KLIEGEL u. D. NANNINGA, J. Organometal. Chem. **243**, 373 (1983).
[7] M.L. BOWERS u. C.L. HILL, Inorg. Chim. Acta **72**, 149 (1983).
[8] G.F. WARNOCK u. N.E. MILLER, Inorg. Chem. **18**, 3620 (1979).
[9] A.S. FLETCHER, W.E. PAGET, K. SMITH, K. SWAMINATHAN, J.H. BEYNON, R.P. MORGAN, M. BOZORGZADEK u. M.J. HALEY, Chem. Commun. **1979**, 347.
[10] A.S. FLETCHER, W.E. PAGET u. K. SMITH, Heteroc. Sendai **18**, 107 (1982); C.A. **96**, 217904 (1982).
[11] E. FLUCK, A. BAYHA u. G. HECKMANN, Z. anorg. Ch. **421**, 1 (1976).
[12] E. SATTLER, Universität Karlsruhe, unveröffentlicht 1982.

	Herst. XIII/3b, S.	$\delta^{11}B$	$\delta^{31}P$	J(BH)
$(H_3C)_3\overset{\oplus}{P}-CH_2\overset{\ominus}{B}H_3$ [1]	vgl. 718	−31,1	27,8	85,5
$(H_3C)_3\overset{\oplus}{P}-CH_2\overset{\ominus}{B}F_3$ [2]	—	2,9		53,0 ($J(^{19}F^{11}B)$)
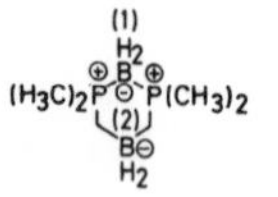 (1) H_2 ⊕B⊕ $(H_3C)_2P$⊖$P(CH_3)_2$ (2) B⊖ H_2	—	−33,8(1) −24,2(2)	−5,2	93,0 87,6
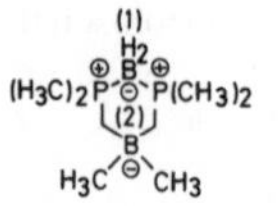 (1) H_2 ⊕B⊕ $(H_3C)_2P$⊖$P(CH_3)_2$ (2) B ⊖ H_3C CH_3 [1]	vgl. 470	−34,4(1) −16,6(2)	−6,8	93,0 –
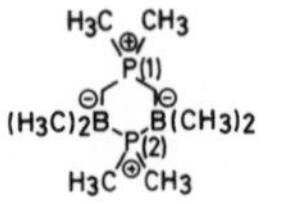 H_3C CH_3 ⊕ P(1) ⊖ ⊖ $(H_3C)_2B$ $B(CH_3)_2$ P(2) ⊕ H_3C CH_3 [3]	vgl. 709	−19,8	24,3(1) −38,5(2)	–

γ) Molekülstrukturanalysen

Strukturanalysen wurden mit metallfreien[4, 5] und metallhaltigen, zwitterionischen Organobor(4)-Verbindungen (vgl. XIII/3b, S. 748) durchgeführt; z. B.[6, 7]:

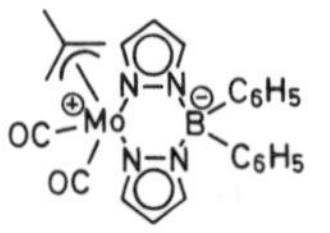

OC–⊕Mo(OC)(N–N)(N–N)⊖B$(C_6H_5)_2$

d_{BC} = 1,60(2) Å; d_{BN^1} = 1,569 Å; d_{BN^2} = 1,575 Å; d_{MoN} = 2,19(1) Å, 2,26(1) Å

∢ NBN = 105,6(9)°; ∢ NBC = 107,1(9)°, 108,3(9); ∢ NMoN = 80,3°

Der Winkel α zwischen der N_4-Ebene und der NBN-Fläche beträgt 128°, zwischen der N_4-Ebene und der NMoN-Fläche 138,75° [6, 7]. Außerdem werden Strukturdaten einer Chrom-Verbindung mit zwei Diethylboryl-Gruppen angegeben[7]:

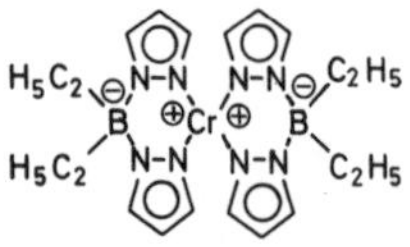

$(H_5C_2)_2$⊖B(N–N)(N–N)⊕Cr⊕(N–N)(N–N)B⊖$(C_2H_5)_2$

d_{CrN} = 2,058(4); 2,061(4) Å; d_{BN} = 1,587(9) Å

∢ NBN = 103,3(5)°; ∢ NBC = 109,6(5)°; ∢ BNN = 120,5(5)°; ∢ CrNN = 121,8(3)°

4. Anionische Organobor(4)-Verbindungen

α) Tetraorgano- und Hydro-organo-borate

α_1) *Chemische Methoden*

Einzelne Alkyl-Gruppen der Alkalimetall-tetraalkylborate (Bd. XIII/3b, S. 750) werden in Wasser als Alkan abgespalten. Aus 1 mol Natrium-tetraalkylborat bildet sich bei der Hydrolyse ≈ 1 mol Ethan[8]. 1-Alkinyl-Reste sind aus Alkalimetall-1-alkinyl-trialkyl-boraten mit Wasser ($p_H \approx 7$) i. allg. als 1-Alkin abspaltbar. Propin und 1-Butin lassen sich dann volumetrisch bestimmen[9]. Entsprechend erfaßt man die BH-Anteile von Alkalimetall-hydro-organo-boraten, z. B. von Alkalimetall-hydro-trialkyl-boraten[9] und Alkalime-

[1] G. Müller, Dissertation, Technische Universität München 1980.
[2] E. Fluck, A. Bayha u. G. Heckmann, Z. anorg. Ch. **421**, 1 (1976).
[3] E. Sattler, Universität Karlsruhe, unveröffentlicht 1982.
[4] W. Kliegel, D. Nanninga, S. J. Rettig u. J. Trotter, Canad. J. Chem. **62**, 845 (1984).
[5] W. Kliegel, H.-W. Motzkus, S. J. Rettig u. J. Trotter, Canad. J. Chem. **62**, 838 (1984).
[6] F. A. Cotton, B. A. Frenz u. C. A. Murillo, Am. Soc. **97**, 2118 (1975).
[7] F. A. Cotton u. G. N. Mott, Inorg. Chem. **22**, 1136 (1983).
[8] P. Binger u. R. Köster, Inorg. Synth. **15**, 136 (1974).
[9] P. Binger, G. Benedikt, G. W. Rotermund u. R. Köster, A. **717**, 21 (1968).

tall-(cyclooctan-1,5-diyl)-dihydro-boraten (Bd. XIII/3b, S. 800)[1]. Man verwendet verdünnte Säure, z. B.:

$$Na^{+}\left[C_8H_{14}BH_2\right]^{-} + 2\,H_2O \xrightarrow{H^{+}} 2\,H_2 + Na^{+}\left[C_8H_{14}B(OH)_2\right]^{-}$$

Cyan-trihydro-borat (XIII/3b, S. 325) reagiert z. B. als Kalium-Salz mit wäßrigem Hydrogenchlorid unter Abspalten von Dihydrogen und Hydrogencyanid:

$$[H_3BCN]^{-} + 3H_2O + H^{+} \xrightarrow[-B(OH)_3]{(HCl)} 3H_2 + HCN$$

Dihydrogen läßt sich volumetrisch bestimmen[2]. Mit Jod erhält man aus Kalium-cyan-trihydro-borat Dihydrogen und Jodcyan.

$$2K[H_3BCN] + 5J_2 \xrightarrow[-BJ_3,\ -2KJ]{} 3H_2 + 2JCN$$

Die Reaktion kann durch Thiosulfat-Titration quantitativ verfolgt werden[2].

α_2) IR-Spektren

Alkalimetall-tetraalkyl- (Bd. XIII/3b, S. 750) und -tetraaryl-borate (Bd. XIII/3b, S. 764) sind IR-spektroskopisch durch besondere Absorptionsbanden im linienarmen Bereich nicht ohne weiteres zu identifizieren. Im Ramanspektrum (Laser-Linie: 5,145 Å) der *Lithium-cyclooctan-1,5-diyl-dialkyl-borate* treten vor allem die Gerüstschwingungen des cyclischen Kohlenwasserstoffs in den Bereichen 1400–1500, 780–1075 und 250–570 auf[3].

Die IR-Spektren von *Tetraphenylboraten* charakterisieren i. allg. die borfernen Funktionen im Anion[4] oder im Kation[5-8].

Die IR-Absorptionsbande für die 1-Allenyl-Gruppe[3] der Alkalimetall-subst.-allenyl-triethyl-borate findet man bei 1905–1915 cm^{-1}.

Die IR-Spektren der Alkalimetall-1-alkinyl-triorgano-borate (Bd. XIII/3b, S. 774) sind gekennzeichnet durch die C≡C-Valenzschwingung im Bereich von ≈ 1980–∼2160 cm^{-1} [9-12]. Bei 1-Ethinyl-triorgano-boraten tritt zusätzlich die Bande $\nu_{\equiv C-H} = 3260\ cm^{-1}$ auf[10]. Charakteristische Absorptionsbanden der Kalium-tetraethinyl-borate sind[13]:

$$\nu_{\equiv C-H} = 3255,\quad \nu_{C\equiv CH} = 3090,\quad \nu_{C\equiv C} = 2050,\quad \nu_{B-C\equiv} = 920,\quad \delta_{C\equiv CH} = 805 \quad \text{und} \quad \delta_{\equiv CH} = 668\ cm^{-1}.$$

---

[1] R. KÖSTER u. G. SEIDEL, Inorg. Synth. **22**, 198 (1983).
[2] J. R. BERSCHEID jr. u. K. F. PURCELL, Inorg. Chem. **9**, 624 (1970).
[3] R. KÖSTER u. G. SEIDEL, Mülheim a. d. Ruhr, unveröffentlicht 1977–1978.
[4] J. T. VANDEBERG, C. E. MOORE u. F. P. CASSARETTO, Spectrochim. Acta A. **27**, 501 (1971); C. A. **75**, 12911 (1975).
[5] K. KISS-EROSS, L. ERDEY u. I. BUZAS, Talanta **17**, 129 (1970); C. A. **74**, 134642 (1971).
[6] K. KISS-EROSS u. L. ERDEY, 3. Proc. Anal. Chem. Conf. **2**, 47 (1970); C. A. 74, 38071 (1971).
[7] R. J. HAINES u. A. L. DU PREEZ, Am. Soc. **93**, 2820 (1971).
[8] K. KISS-EROSS, I. BUZAS u. L. ERDEY, Magyar kem. Lapja **26**, 93 (1971); C. A. **74**, 134641 (1971).
[9] P. BINGER u. R. KÖSTER, Tetrahedron Letters **1965**, 1901.
[10] P. BINGER, G. BENEDIKT, G. W. ROTERMUND u. R. KÖSTER, A. **717**, 21 (1968).
[11] R. KÖSTER u. L. A. HAGELEE, Synthesis **1976**, 118.
[12] L. A. HAGELEE u. R. KÖSTER, Synth. React. Inorg. Metal-org. Chem. **7**, 53 (1977).
[13] YU. N. SHEVCHENKO, N. I. YASHINA, R. A. SVITSYN u. N. V. EGOROVA, Ž. obšč. Chim. **52**, 2560 (1982); engl.: 2261; C. A. **98**, 107470 (1983).

Für Alkalimetall-cyano-triorgano-borate (Bd. XIII/3b, S. 786) liegt die C≡N-Absorptionsbande bei ≈ 2150 cm^{-1}; z. B. Kalium-cyano-triethyl-borat ($\nu_{C \equiv N}$ = 2150 cm^{-1}) und -cyan-(cyclooctan-1,5-diyl)-borat ($\nu_{C \equiv N}$ = 2145 cm^{-1}) sowie für das Kalium-Salz in THF bei 2150 cm^{-1}, so daß folgende Strukturen zu erwarten sind[1]:

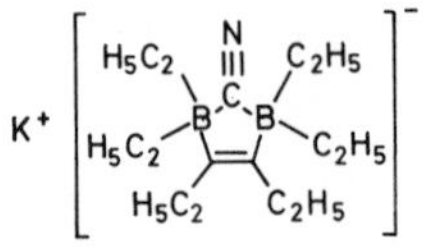

$K^+ [(H_5C_2)_2C{=}C(C_2H_5)_2 \; (H_5C_2)_2B{-}C{\equiv}N{-}B(C_2H_5)_2]^-$

Die breite BHB-Bande der Kalium-Salze in THF bei 1680 (R = C_2H_5) bzw. 1700 cm^{-1} (R = C_6H_5) kommt vermutlich den folgenden Anionen zu[1]:

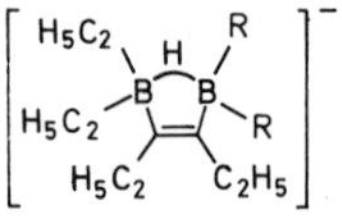

$[(H_5C_2)_2C{=}C(C_2H_5)_2 \; (H_5C_2)_2B{-}H{-}BR_2]^-$

Alkalimetall-hydro-triorgano-borate(1−) (Bd. XIII/3b, S. 798) weisen im absorptionsarmen Bereich von 1800–≈ 2200 cm^{-1} eine unterschiedlich breite BH-Bande auf[2–5]. Die Verbindungen können dadurch i. allg. identifiziert werden.

Die Bandenbreite ist entweder auf eine H-Brückenbindung zwischen Metall und Bor-Atom[2–4] oder aber auf 2 : 1-Assoziate zwischen Triorganoboran und Alkalimetallhydrid[4] zurückzuführen; z. B.:

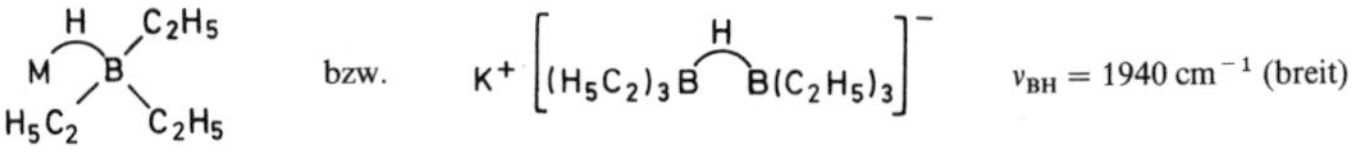

$M{-}H{-}B(C_2H_5)_3$ bzw. $K^+ [(H_5C_2)_3B{-}H{-}B(C_2H_5)_3]^-$ ν_{BH} = 1940 cm^{-1} (breit)

Die Alkalimetall-(cyclooctan-1,5-diyl)-9-ethyl-9-hydro-borate haben BH-Absorptionsbanden bei 1975 cm^{-1} (K-Salz in KBr) bzw. bei ≈ 1870 cm^{-1} (Li-Salz als Bis-Tetrahydrofuranat)[5]. Die Bande ν_{OH} des entsprechenden 9-Hydroxy-Natrium-Salzes liegt bei 3620 cm^{-1} (KBr)[5].

Die BH-Valenzschwingungen der Alkalimetall-cyclooctan-1,5-diyl-dihydroborate findet man bei 2085–2110 cm^{-1} [6].

Die BH-Valenzschwingungen der Monoorgano-trihydro-borate (Bd. XIII/3b, S. 800f.) liegen im Bereich von 2100–2200 cm^{-1} [7]; z. B. beim *Natrium-ethyl-trihydro-borat*[8]: ν_{BH} = 2160 cm^{-1}. Die IR-Spektren der Alkalimetall-alkoxycarbonyl-[2], -hydroxycarbonyl- und -dialkylaminocarbonyl[3–5]-trihydro-borate[9] (Bd. XIII/3b, S. 801) sind durch ν_{BH} ≈ 2200–2300 cm^{-1} gekennzeichnet[10]. Außerdem sind z. B. für Carboxylato-trihydro-borate(2–) [sog. Boranocarboxylate(2–)] folgende CO-Absorptionen charakteristisch[10]:

---

[1] R. Köster u. G. Seidel, Mülheim a. d. Ruhr, unveröffentlicht 1983.
[2] J. C. Bommer u. K. W. Morse, Am. Soc. **96**, 6222 (1974).
[3] J. C. Carter u. R. W. Parry, Am. Soc. **87**, 2354 (1965).
[4] B. D. Hoewe, L. J. Malone u. R. M. Manleg, Inorg. Chem. **10**, 930 (1971).
[5] M. J. Zetlmeisl u. L. J. Malone, Inorg. Chem. **11**, 1245 (1972).
[6] R. Köster u. G. Seidel, Inorg. Synth. **22**, 198, 201 (1983).
[7] R. Shinomoto, E. Gamp, N. M. Edelstein, D. H. Templeton u. A. Zalkin, Inorg. Chem. **22**, 2351 (1983); *Alkalimetall-methyl-trihydro-borate*.
[8] R. Köster u. G. Seidel, Mülheim a. d. Ruhr, unveröffentlicht 1976.
[9] Gmelin, 8. Aufl., **33**/8, 217ff. (1976).
[10] L. J. Malone u. R. W. Parry, Inorg. Chem. **6**, 817 (1967).

$$[H_3B{-}C(=O){-}X]^-$$

$\nu_{as}(CO) = 1450-1420\ cm^{-1}$
$= 1380-1370\ cm^{-1}$
$= 1655\ cm^{-1}$

X = OH, OR, NH_2, NHR, NR_2

Angaben über die IR-Spektren der Cyan-trihydro-borate (Bd. XIII/3b, S. 801) findet man in der Originalliteratur[1-3].

α_3) *Kernresonanzspektroskopie*

$\alpha\alpha_1$) ^{1}H-NMR-Spektren

Die Analyse der ^{1}H-NMR-Spektren von Tetraorganoboraten und Hydro-organo-boraten ermöglicht bei reinen Verbindungen oft die Identifizierung des Organorestes einschließlich funktioneller Gruppen[4-11]. Charakteristisch sind Kopplungskonstanten $^nJ(^{11}B^1H)$

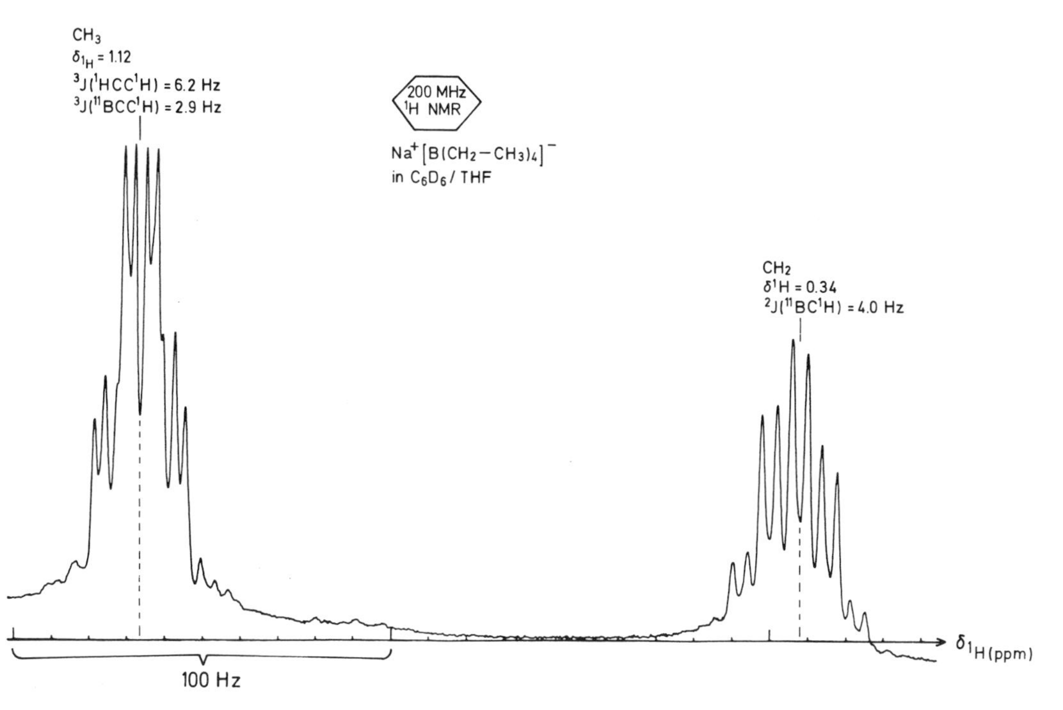

Abb. 20: 200 MHz ^{1}H-NMR-Spektrum von *Natrium-tetraethylborat* in THF/C_6D_6 bei 28° [11]. Bemerkenswert ist, daß es zur Umkehrung der gewohnten Abfolge von $\delta^1H(CH_2)$, $\delta^1H(CH_3)$ in B-Ethyl-Gruppen kommt; zusätzlich treten infolge der hohen Symmetrie am Bor-Atom die Kopplungen $^nJ(^{11}B^1H)$ (n = 2,3) auf, die sonst meist nur zur Verbreiterung der ^{1}H-Resonanzen beitragen.

[1] GMELIN, 8. Aufl., **33**/8, 217 ff. (1976).
[2] L.J. MALONE u. R.W. PARRY, Inorg. Chem. **6**, 817 (1967).
[3] S.J. LIPPARD u. P.S. WELCKER, Chem. Commun. **1970**, 515.
[4] M.A. GRASSBERGER u. R. KÖSTER, Ang. Ch. **81**, 261 (1969); engl.: **8**, 275.
[5] A.G. MASSEY, E.W. RANDALL u. D. SHAW, Spectrochim. Acta **21**, 263 (1965).
[6] R. KÖSTER u. G. SEIDEL, Mülheim a.d. Ruhr, unveröffentlicht 1980.
[7] E. NEGISHI, M.J. IDACAVAGE, K.-W. CHIU, T. YOSHIDA, A. ABRAMOVITCH, M.E. GOETTEL, A. SILVEIRA, jr. u. H.D. BRETHWICK, Soc. [Perkin II] **1978**, 1225.
[8] D. SEDLAK, Dissertation, Universität München 1982.
[9] W. BIFFAR, Dissertation, Universität München 1981.
[10] J.M. BURLITCH, J.H. BURK, M.E. LEONOWICZ u. R.E. HUGHES, Inorg. Chem. **18**, 1702 (1979).
[11] B. WRACKMEYER, Universität München, unveröffentlicht 1980.

Tab. 88: ^{1}H-NMR[$J(^{11}B^{1}H)$]Daten einiger Tetraorganoborate und Hydro-organo-borate

Verbindung	Herst. XIII/3b, S.	$\delta\,^{1}H$	Lösungsmittel	Literatur
$Li[(H_3C)_4B]$	—	–0,50 (4,0)	$(H_5C_2)_2O$	1
$Na[(H_5C_2)_4B]$	752 ff.	–0,34(CH_2) + 1,12 (CH_3) (4,0) (2,9)	THF, C_6D_6	2
$Na[(H_5C_6CH_2)_4B]$	757	1,51(CH_2); 7,05(C_6H_5) (5,5)	DMSO	3
$Na[(H_3C)_3BH]$	806	–0,29(CH_3)		4
$Na[(H_5C_2)_3BH]$	806	+ 0,14(CH_2) + 0,94(CH_3)		4
[Bicyclo-BH$_2$]$^-$ $Li^{\oplus}$	815	0,68(CH); 1,68(CH_2); 0,44(BH) (72,0)	THF-d_8	4
$Na^{\oplus}$	815	0,53(CH); 1,60(CH_2); 0,54(BH) (72,0)	THF-d_8	4
$K^{\oplus}$	816	0,49(CH); 1,66(CH_2); 0,67(BH) (74,0)	THF-d_8	4
$Li[(H_3C)_2CH–BH_3]$	vgl. 821 f.	1,3(CH); 1,42(CH_3); 0,52(BH) (74,0)	THF/C_6D_6	5
$Li[(H_3C)_3C–BH_3]$	—	1,0(CH_3); 0,50(BH) (3,5 (76,0)	THF/C_6D_6	5
$Li[H_5C_6CH_2–BH_3]$	—	1,74(CH_2); 6,7; 6,9; 7,02(C_6H_5); 0,40(BH) (78,0)	THF/C_6D_6	5
$Li[H_5C_6–BH_3]$	821	6,34, 6,68; 7,25(C_6H_5m, p, o); 0,11 (BH) (77,0)	THF/C_6D_6, TMEDA	5
$K[N{\equiv}C–BH_3]$	825	0,60(BH) (90,0)	D_2O	6

(n = 2,3) > 1 Hz, die bei symmetrischer Umgebung des ^{11}B-Kerns aufgelöst sind[2–4,7,8], sonst aber zur merklichen Signalverbreiterung beitragen (vgl. Abb. 20, S. 553).

Die Resonanzen der borgebundenen H-Atome sind infolge der Kopplungen $^{1}J(^{11}B^{1}H)$ ($\approx$ 65–80 Hz) und der Quadrupolrelaxation des ^{11}B-Kerns nur schwer auffindbar. $^{1}H\{^{11}B\}$-Entkopplungsexperimente erleichtern die Beobachtung (vgl. S. 442). In Tab. 88 sind einige charakteristische ^{1}H-NMR-Daten zusammengestellt.

Infolge der teilweise komplexen ^{1}H-NMR-Spektren[9] ist die ^{1}H-NMR-Spektroskopie zur Untersuchung von Gemischen, die besonders bei der Herstellung von Hydro-organo-boraten auftreten, nicht sehr geeignet.

Die ^{1}H-NMR-Spektren der Metall-tetrakis(methyl-trihydro-borate) [Metall = Zr, Th, U] (vgl. Bd. XIII/3 b, S. 828) unterscheiden sich wegen der ungleichen Zahl der H-Brücken und wegen des beim Uran auftretenden Paramagnetismus deutlich voneinander[10].

αα₂) ^{11}B-NMR-Spektren

Die ^{11}B-NMR-Spektroskopie ist eine äußerst empfindliche und aussagekräftige Methode, um Tetraorganoborate und Hydro-organo-borate auf Reinheit und dynamisches Ver-

[1] V. V. Negrebetskii, V. S. Bogdanov, A. V. Kessenikh, P. V. Petrovskii, Yu. N. Bubnov u. B. M. Mikhailov, Ž. obšč. Chim. **44**, 1882 (1974); engl.: 1849; C. A. **81**, 168741 (1974).
[2] B. Wrackmeyer, Universität München, unveröffentlicht 1980; vgl. Abb. 20, S. 553.
[3] M. A. Grassberger u. R. Köster, Ang. Ch. **81**, 201 (1969); engl.: **8**, 275.
[4] R. Köster u. G. Seidel, Inorg. Synth. **22**, 198 (1983).
[5] D. Sedlak, Dissertation, Universität München 1982.
[6] J. R. Berscheid, jr. u. K. F. Purcell, Inorg. Chem. **9**, 624 (1970).
[7] A. G. Massey, E. W. Randall u. D. Shaw, Spectrochim. Acta **21**, 263 (1965).
[8] R. Köster u. G. Seidel, Mülheim a. d Ruhr, unveröffentlicht 1980.
[9] D. J. Saturnino, M. Yamauchi, W. R. Clayton, R. W. Nelson u. S. G. Shore, Am. Soc. **97**, 6063 (1975).
[10] R. Shinomoto, E. Gamp, N. M. Edelstein, D. H. Templeton u. A. Zalkin, Inorg. Chem. **22**, 2351 (1983).

halten in Lösung zu untersuchen[1–13]. Dies betrifft z. B. die Gleichgewichtslagen

$$MR^1 + R_3B \rightleftharpoons M[R_3BR^1] \rightleftharpoons MR + R_2BR^1$$

$$M[R_3BH] + R_3^*B \rightleftharpoons M[R_3BHBR_3^*] \rightleftharpoons M[R_3^*BH] + R_3B$$

und besonders die Herstellung von reinen Dihydro-diorgano- und Trihydro-organo-boraten, die präparativ schwierig sein kann[10, 13].

Infolge der tetraedrischen Umgebung des Bor-Atoms und der vergleichbaren Elektronegativität der Substituenten resultiert auch bei unsymmetrisch substituierten Boraten nur ein kleiner elektrischer Feldgradient am ^{11}B-Kern. Deshalb sind die meisten ^{11}B-Resonanzen scharf. Geringe Unterschiede in der chemischen Umgebung der ^{11}B-Kerne führen zu verschiedenen δ^{11}B-Werten mit aufgelösten ^{11}B-Signalen in Gemischen. Empfehlenswert ist die Möglichkeit zur ^{1}H-Entkopplung sowohl für Tetraorganoborate als auch besonders für Hydro-organo-borate. In beiden Fällen werden Kopplungen $^nJ(^{11}B^1H)$ $(n \geqslant 1)$ beseitigt und somit wird eine weitere Aufschärfung der ^{11}B-Resonanzen erzielt. In den Hydro-organo-boraten ist $^1J(^{11}B^1H)$ ein Kriterium für die Charakterisierung [R_3BH^- (Dublett), $R_2BH_2^-$ (Triplett), RBH_3^- (Quartett)] der Substanz oder des Gemisches. Der Ursprung des beobachteten Aufspaltungsmusters ist dann mit ^{1}H-Entkopplung zweifelsfrei nachzuweisen, insbesondere wenn es sich um Gemische mit überlappenden Signalgruppen handelt. In Abb. 21 auf S. 558 ist ein Beispiel gegeben.

In Hydro-organo-boraten läßt die Abwesenheit von Signalaufspaltungen infolge $^1J(^{11}B^1H)$ auf Austauschprozesse schließen, z. B. mit Trialkylboranen[11, 12].

Die δ^{11}B-Werte (vgl. Tab. 89, S. 556ff.) folgen i. allg. den δ^{13}C-Werten isoelektronischer und isostruktureller Alkane[14–18]. Es werden daher Substituenteneffekte induktiver und sterischer Natur wirksam, wie sie im Fall der Alkane als α-, β-, γ-, δ-Effekte beschrieben sind[17, 18]. Eine Analyse dieser Effekte als Funktion der Bindungslängen und der Polarisation der Bindungen in Organoboraten und Alkanen steht noch aus. Wichtig ist, daß sich bei Verwendung bekannter ^{13}C-chemischer Verschiebungen von Alkanen, die δ^{11}B-Werte von Organoboraten mit einer Genauigkeit von ca. $\pm$ 2 ppm vorhersagen lassen (vgl. Abb. 6, S. 403).

Bemerkenswert ist der Bereich der Werte $^1J(^{11}B^1H)$ (60–83 Hz) im Vergleich zur Konstanz entsprechender Werte $^1J(^{13}C^1H)$ in Alkanen.

---

[1] H. Nöth u. B. Wrackmeyer, *NMR-Spectroscopy of Boron Compounds*, Bd. **14**, *NMR, Grundlagen und Fortschritte (^{11}B-NMR-Spektroskopie)*, Springer-Verlag, Heidelberg · Berlin 1978.
[2] R. J. Thompson u. J. C. Davis, jr., Inorg. Chem. **4**, 1464 (1965).
[3] D. E. Young u. S. G. Shore, Am. Soc. **91**, 3497 (1969).
[4] R. Köster u. G. Seidel, Mülheim a. d. Ruhr, unveröffentlicht 1976; Inorg. Synth. **22**, 198 (1983).
[5] H. C. Brown, A. Khuri u. S. Krishnamurthy, Am. Soc. **99**, 6237 (1977).
[6] H. C. Brown, J. L. Hubbard u. B. Singaram, J. Org. Chem. **44**, 5004 (1979).
[7] J. L. Hubbard u. G. W. Kramer, J. Organometal. Chem. **156**, 81 (1978).
[8] H. C. Brown, J. L. Hubbard u. B. Singaram, Tetrahedron **37**, 2359 (1981).
[9] J. A. Marsalla u. K. G. Caulton, Am. Soc. **104**, 2361 (1982).
[10] W. Biffar, H. Nöth u. D. Sedlak, Organometallics **2**, 579 (1983).
[11] H. C. Brown u. J. L. Hubbard, J. Org. Chem. **44**, 467 (1979).
[12] C. A. Brown, J. Organometal. Chem. **156**, C 17 (1978).
[13] H. C. Brown, J. S. Cha u. B. Nazer, Organometallics **3**, 774 (1984).
[14] B. F. Spielvogel u. J. M. Purser, Am. Soc. **89**, 5294 (1967).
[15] H. Nöth u. B. Wrackmeyer, B. **107**, 3070 (1974).
[16] W. Biffar, Dissertation, Universität München 1981.
[17] E. G. Paul u. D. M. Grant, Am. Soc. **86**, 2984 (1964).
[18] L. P. Lindeman u. J. Q. Adams, Anal. Chem. **43**, 1245 (1971).

Tab. 89: ^{11}B-NMR-Parameter ($^{1}J^{11}B^{1}H$ in Klammern) von Tetraorganoboraten und Hydro-organo-boraten $[R_{4-n}BH_n]^-$ (n = 0,1,2,3) (Herstellung s. Bd. XIII/3b, S. 749ff.)

R	δ ^{11}B			
	n = 0	1	2	3
CH_3	−20,7[1]	−21,0[1] (66,6)	−23,6[1] (66,6)	−31,4[1] (70,3)
C_2H_5	−17,5[2]	−12,9[3] (70,0)	−18,1[4] (60,0)	−29,6[4] (72,0)
	−17,8[5]	—	−17,4[5] (72,0)	—
C_3H_7	−17,5[2]			
$CH(CH_3)_2$	−15,4[6]			−23,3[6] (73,0)
C_4H_9	−17,6[2]	−14,4[1] (75,0)	−19,2[1] (70,0)	−29,0[1] (74,0)
$CH(CH_3)C_2H_5$	—	−6,7[1] (73,0)	−11,9[1] (74,0)	−25,4[1] (77,0)
$C(CH_3)_3$	—	−2,3[1] (83,0)	−6,4[1] (70,3)	−21,2[1] (77,7)
$CH_2CH=CH_2$	−16,8[2]			
C_6H_5	−6,7[7] −8,0[9]	−7,4[6] (76,2)	−15,2[8]	−26,0[6] (77,2)
$C\equiv C-C_6H_5$	−31,0[10, 11]			
CN	—	—	−42,2[12] (96,5)	−43,9[13] (90,0)
$C\equiv N-Cr(CO)_5$	—	—	—	42,1[14] (91,0)
$COO^{\ominus}$	—	—	—	−31,7[15] (81,0)
$OCOCH_3$	—	—	—	−33,5[16]

Tab. 90: ^{11}B-NMR-Parameter [$^{1}J^{11}B^{1}H$ in Klammern] von unsymmetrischen Tetraorganoboraten und -hydro-organo-boraten

Verbindung	Herst. XIII/3b, S.	δ ^{11}B	Lösungsmittel	Literatur
$Li[(H_3C)_3BC_4H_9]$	vgl. 751	−20,3	THF	17
$Li[(H_3C)_3B-C(CH_3)_3$	—	−17,5	THF	17
$Li[(H_3C)_2B[C(CH_3)_3]_2$	—	−14,1	THF	17
$Li[H_3C-B[C(CH_3)_3]_3$	—	−10,4	THF	17
$Li[\ldots B(CH_3)_2]$ 	vgl. 752	−19,2	THF	18

[1] W. Biffar, H. Nöth u. D. Sedlak, Organometallics **2**, 579 (1983); in THF, Li^+.
[2] R.J. Thompson u. J.C. Davis, jr., Inorg. Chem. **4**, 1464 (1965); in Diethylether, Li^+.
[3] H.C. Brown u. J.L. Hubbard, J. Org. Chem. **44**, 467 (1979); in THF, K^+.
[4] J. Ewerling u. H. Nöth, Z. Naturf. **25b**, 780 (1970); in Diethylether aus Ethylmagnesiumbromid mit Diboran(6).
[5] R. Köster u. G. Seidel, Mülheim a.d. Ruhr, unveröffentlicht 1976; in THF, Li^+.
[6] D. Sedlak, Dissertation, Universität München 1982; in Diethylether, Li^+.
[7] J.T. Vandeberg, C.E. Moore u. F.P. Cassaretto, Org. Magn. Res. **5**, 57 (1973); in Aceton, K^+.
[8] G.W. Kabalka, U. Sastry, K.A.R. Sastry, F.F. Knapp, jr., u. P.C. Srivastava, J. Organometal. Chem. **259**, 269 (1983); Li^+ in THF, Mischungen von $(Aryl)_{4-n}BH^-$.
[9] Y. Sasaki, M. Takizawa u. A.I. Popov, Kogyo Kogei Daigaku Kogakubu Kiyo **5**, 39–43 (1982); C.A. **99**, 22534 (1983); Na^+, in H_2O.
[10] W.D. Phillips, H.C. Miller u. E.L. Muetterties, Am. Soc. **81**, 4496 (1959).
[11] B. Wrackmeyer, Z. Naturf. **37b**, 788 (1982); in Deutero-trichlor-methan, $Li^+ \cdot 4$ THF.
[12] B. Wrackmeyer, Universität München, unveröffentlicht 1983; Li^+ in 1,4-Dioxan.
[13] R.C. Wade, E.A. Sullivan, J.R. Berscheid, jr. u. K.F. Purcell, Inorg. Chem. **9**, 2146 (1970); Na^+ in THF.
[14] R.B. King u. K.C. Nainan, J. Organometal. Chem. **65**, 71 (1974); $N(CH_3)_4^+$.
[15] L.J. Malone u. R.W. Parry, Inorg. Chem. **6**, 817 (1967); Na^+.
[16] B.F. Spielvogel, A.T. McPhail, J.A. Knight, C.G. Moreland, C.L. Gatchell u. K.W. Morse, Polyhedron **2**, 1345 (1983); Na^+ in THF.
[17] W. Biffar, Dissertation, Universität München 1981.
[18] J.L. Hubbard u. G.W. Kramer, J. Organometal. Chem. **156**, 81 (1978).

Tab. 90 (Fortsetzung)

Verbindung	Herst. XIII/3b, S.	$\delta^{11}B$	Lösungsmittel	Literatur
Li[$B(C_2H_5)_2$] 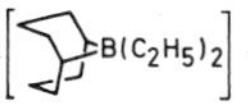	752	−17,8	THF	[1]
$Li[(H_{11}C_6)_2B(CH_3)_2]$	—	−17,8	THF	[2]
Li[CH_3 B] 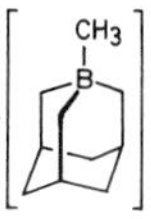	756	−20,3	$(H_5C_2)_2O$/THF (1:1)	[3]
Li[$B(C_6H_5)_2$] 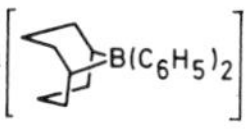	—	−14,2	THF	[2]
Li[$(H_9C_4)_2B$ CH_3 $Sn(CH_3)_2$ CH_3] 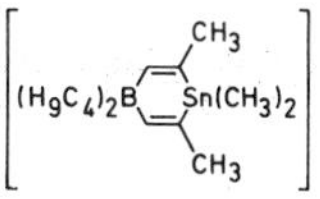	795	−16,9	C_6D_6	[4]
$Li[(H_5C_2)_3B{-}C{\equiv}CH]$	vgl. 778	−17,3	THF	[5]
$Na[(H_5C_2)_3B{-}C{\equiv}C{-}$] 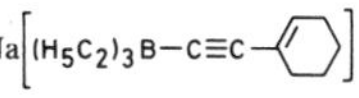	777	−17,9	THF	[1]
Li[$B(C{\equiv}C[C(CH_3)_3])_2$] 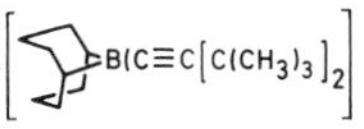	—	−22,7	THF/Hexan	[6]
$Na[(H_5C_6)_3B{-}C{\equiv}CC(CH_3){=}CH_2]$	783	−12,2	THF	[1]
$K[(H_5C_2)_3B{-}C{\equiv}N]$	791	−17,0	THF	[7]
K[B C_2H_5 C≡N] 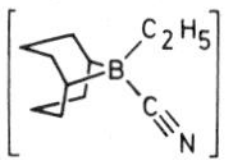	vgl. 791	−16,9	THF	[7]
2 K[B H $(CH_2)_4$ H B] 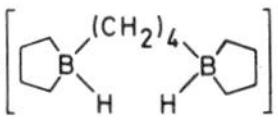	803	−13,7 (70,0)		[8]
Li[B CH_3 H] 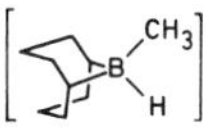	806	−16,0 (61,0)	THF	[2]
Li[$(H_{11}C_6)_2B$ CH_3 H] 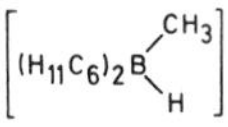	vgl. 808	−12,0 (60,0)	THF	[2]
Li[B C_6H_5 H] 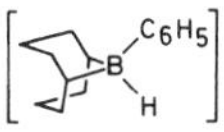	—	−13,9 (55,0)	THF	[2]
Li[B H C≡C $C(CH_3)_3$] 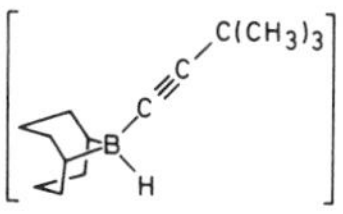	vgl. 813	−20,0 (66,0)	THF/Hexan	[6]
$Li\{[H_5C_2CH(CH_3)](H_9C_4)BH_2\}$	vgl. 817	−15,8 (69,0)	THF	[9]
$Li\{[H_5C_2CHCCH_3)][(H_3C)_3C]BH_2\}$	817	−13,4 (66,6)	THF	[9]

[1] R. Köster u. G. Seidel, Mülheim a.d. Ruhr, unveröffentlicht 1976.
[2] J.L. Hubbard u. G.W. Kramer, J. Organometal. Chem. **156**, 81 (1978).
[3] B.M. Mikhailov, M.E. Gurskii u. D.G. Pershin, J. Organometal. Chem. **246**, 19 (1983).
[4] H.-O. Berger, H. Nöth u. B. Wrackmeyer, B. **112**, 2866 (1979).
[5] M.M. Midland, J.A. Sinclair u. H.C. Brown, J. Org. Chem. **39**, 731 (1974).
[6] B. Wrackmeyer, Universität München, unveröffentlicht 1981; vgl. Abb. 21 (S. 558).
[7] R. Köster u. G. Seidel, Mülheim a.d. Ruhr, unveröffentlicht 1983.
[8] D.J. Saturnino, M. Yamauchi, W.R. Clayton, R.W. Nelson u. S.G. Shore, Am. Soc. **97**, 6063 (1975).
[9] W. Biffar, Dissertation, Universität München 1981.

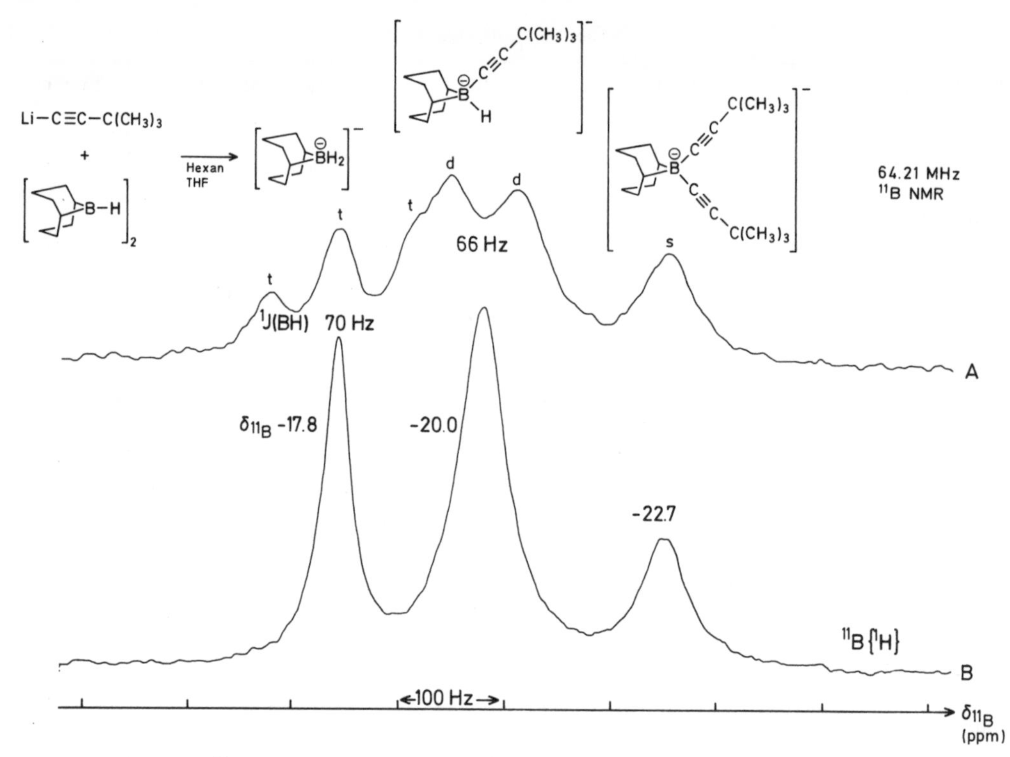

Abb. 21: 64,21 MHz ^{11}B-NMR-Spektrum der Reaktionslösung von *Bis(9-borabicyclo*[*3.3.1*]*nonan)* und *1-Lithium-3,3-dimethyl-1-butin* in Hexan/Tetrahydrofuran.

$\alpha\alpha_3$) ^{13}C-NMR-Spektren von Tetraorganoboraten und Hydro-organo-boraten

Die ^{13}C-NMR-Spektroskopie ist zur Charakterisierung von Tetraorgano- und Hydro-organo-boraten sehr gut geeignet[1−6]. Die borgebundenen Kohlenstoff-Atome liefern i. allg. intensitätsschwache verbreiterte ^{13}C-Resonanzen als Quartetts [$^1J(^{13}C^{11}B)$] (vgl. Abb. 22, S. 561]. Meist gilt

$$|^2J(^{13}CC^{11}B)| < |^3J(^{13}CCC^{11}B)| \leqslant |^1J(^{13}C^{11}B)|,$$

so daß sich die entsprechenden ^{13}C-Resonanzen durch unterschiedliche Linienbreiten auszeichnen. Für R = Alkyl bedingt $|^3J(^{13}CCC^{11}B)| \geqslant 3$ Hz eine merkliche Linienverbreiterung des zugehörigen ^{13}C-Resonanzsignals, was als Kriterium für die Zuordnung dienen kann.

In Tab. 91 (S. 559) finden sich einige charakteristische $\delta^{13}C$-Daten und Kopplungskonstanten $J(^{13}C^{11}B)$. Die $\delta^{13}C$-Werte für Organoborate lassen sich erwartungsgemäß gut mit den $\delta^{13}C$-Werten isoelektronischer und isostruktureller Alkane vergleichen. Dies ermöglicht die Voraussage von $\delta^{13}C$-Werten der Organoborate[1, 2, 7] unter Zuhilfenahme der bekannten $\delta^{13}C$-Werte für Alkane.

---

[1] B. Wrackmeyer, Progr. NMR Spectrosc. **12**, 227 (1979).
[2] D. J. Hart u. W. T. Ford, J. Org. Chem. **39**, 363 (1974).
[3] Y. Yamamoto, H. Toi u. S. I. Murahashi, Chem. Letters **1975**, 1199.
[4] E. Negishi, M. J. Idacavage, K.-W. Chin, T. Yoshida, A. Abramovitch, M. E. Goettel, A. Silveira, jr. u. H. D. Bretherick, Soc. [Perk in Trans. II] **1978**, 1225.
[5] Y. Yamamoto, H. Yatagai, Y. Naruta, K. Maruyama u. T. Okamoto, Tetrahedron Letters **1980**, 3599.
[6] B. Wrackmeyer, Z. Naturf. **37b**, 788 (1982).
[7] D. Sedlak, Dissertation, Universität München 1982.

Tab. 91: ^{13}C-NMR-Parameter für Tetraorgano- und Hydro-organo-borate

Verbindung	Herst. XIII/3b, S.	$\delta^{13}C$	$J(^{13}C^{11}B)$	Lösungsmittel	Literatur
$Li[B(CH_3)_4]$	—	6,2 13,3[b] —	22,0[a] 39,4 39,4	$(H_5C_2)_2O$ $H_3CO{-}CH_2{-}CH_2{-}OCH_3$ $(D_3C)_2CO$	1 2 3
$Na[B(C_2H_5)_4]$	752 ff.	17,6 (BCH_2) 11,7 (CH_3)	40,7 1,1	C_6D_6/C_4H_8O	4
$R_4N[(H_3C)_3B{-}C_6H_{13}]$	—	17,1; 17,3 (BCH_3)	39,7–40,8	$CDCl_3$	5
$R_4N[(H_5C_2)_3B{-}C_6H_{13}]$	758	18,5 (BCH_2) 11,7 (CH_3)	39,7–40,8 —	$CDCl_3$	5
$R_4N[(H_7C_3)_3B{-}C_6H_{13}]$	—	33,6 (BCH_2) 21,2 (CH_2) 20,5 (CH_3)	39,7–40,8 — 3,6–4,2	C_6D_6	5
$R_4N[(H_9C_4)_3B{-}C_6H_{13}]$	—	29,4 (BCH_2) 30,8 (CH_2) 29,0 (CH_2) 15,0 (CH_3)	39,7–40,8 — 3,6–4,2 —	C_6D_6	5
Li[(bicyclo)B$(C_4H_9)_2$]	756	29,2 (BCH_2) 29,2 (BCH)	— —	C_6D_6	6
$Na[B(C_6H_5)_4]$	768	164,8 (i) 138,8 (o) 129,8 (m) 125,8 (p)	49,5 ± 1,4 ± 2,2 0,5		7 8 8 9
$Li[B(C_6H_5)_4]$	764	(—) (i) 136,7 (o) 125,6 (m) 121,9 (p)		$(CD_3)_2CO$	10
$Li[(H_9C_4)_3B{-}C_6H_5]$	762	— (i) 133,5 (o) 125,2 (m) 120,2 (p)		$(CD_3)_2CO$	10
Li[$(H_9C_4)_2B$ (α, β; CH_3, CH_3) $Sn(CH_3)_2$]	795	168,8 (α) 145,2 (β) 27,7 (BCH_2) 30,0 (CH_2) 27,8 (CH_2) 14,6 (CH_2)	43,0 — 36,0 — — —	C_6D_6	11
$Li[B(C{\equiv}C{-}C_6H_5)_4]$	780	102,8 (B–C) 94,1 (C–) 125,7 (i) 131,5 (o) 127,8 (m) 126,7 (p)	70,0 14,0 — — — —	$CDCl_3$	12
K[(bicyclo)B(H)(H)]	816	24,4 (BCH) 36,5 (CH_2) 27,1 (CH_2)	40,0 — breit	$C_6D_6/H_3COCH_2CH_2OCH_3$	4

[a] Messung sollte wiederholt werden
[b] angegeben als –39,5 relativ zu $^{13}C(CH_3)$-Signal von 1,2-Dimethoxyethan.

[1] V. V. Negrebetskii, V. S. Bogdanov, A. V. Kessenikh, P. V. Petrovskii, Yu. N. Bubnov u. B. M. Mikhailov, Ž. obšč. Chim. **44**, 1882 (1974); engl.: 1844; C. A. **81**, 168741 (1974).
[2] M. Yanagisawa u. O. Yamamoto, Org. Magn. Res. **14**, 76 (1980).
[3] A. J. Zozulin, H. J. Jakobsen, T. F. Moore, A. R. Garber u. J. D. Odom, J. Magn. Reson. **41**, 458 (1980).
[4] B. Wrackmeyer, Universität München, unveröffentlicht 1981; vgl. Abb. 22, S. 561.
[5] D. J. Hart u. W. T. Ford, J. Org. Chem. **39**, 363 (1974).
[6] Y. Yamamoto, H. Toi u. S. I. Murahashi, Chem. Letters **1975**, 1199.
[7] F. J. Weigert u. J. D. Roberts, Am. Soc. **91**, 4940 (1969).
[8] A. J. Zozulin, H. J. Jakobsen, T. F. Morre, A. R. Garber u. J. D. Odom, J. Magn. Reson. **41**, 458 (1980).
[9] J. D. Odom, L. W. Hall u. P. D. Ellis, Org. Magn. Res. **6**, 360 (1974).
[10] E. Negishi, M. J. Idacavage, K.-W. Chin, T. Yoshida, A. Abramovitch, M. E. Goettel, A. Silveira, jr. u. H. D. Bretherick, Soc. [Perkin Trans. II] **1978**, 1225.
[11] H.-O. Berger, H. Nöth u. B. Wrackmeyer, B. **112**, 2866 (1979).
[12] B. Wrackmeyer, Z. Naturf. **37b**, 788 (1982).

Tab. 91 (Fortsetzung)

Verbindung	Herst. XIII/3b, S.	$\delta^{13}C$	$J(^{13}C^{11}B)$	Lösungsmittel	Literatur
$Li[(H_3C)_2CH{-}BH_3]$	vgl. 822	15,8 (BCH) 27,7 (CH_3)	49,5 —		1
$Li[H_9C_4{-}BH_3]$	vgl. 821	15,5 (BCH_2) 37,3 (CH_2) 26,7 (CH_2) 14,8 (CH_3)	48,0 — 2,0 —		1
$Li[(H_3C)_3C{-}BH_3]$	—	19,3 (BC) 35,0 (CH_3)	50,0 —		1, 2
$Li[H_5C_6{-}CH_2{-}BH_3]$	—	26,9 (BCH_2) 156,9 (i) 128,6 (o) 127,3 (m)	43,3 — 1,5 —	THF-d_8 TMEDA	1
$Li[(N{\equiv}C)_2BH_2]$	—	137,5	$\geq$ 68,0	THF-d_8	3
$Na[N{\equiv}C{-}BH_3]$	822, 829	145,4	53,0		4

Die Kopplungskonstante $^{1}J(^{13}C^{11}B)$ besitzt ein positives Vorzeichen, wie für $[B(CH_3)_4]^-$ bestimmt wurde[5,6]. Dies gilt sicherlich auch für alle anderen Organoborate. Nachdem der ursprüngliche Wert für $^{1}J(^{13}C^{11}B)$ in $[B(CH_3)_4]^-$[1] berichtigt wurde[6,7], finden sich die Werte für $^{1}J(^{13}C^{11}B)$ im Erwartungsbereich (Tab. 91, S. 559f.). Bemerkenswert ist der relativ große Bereich für $^{1}J(^{13}C^{11}B)$ in Trihydro-organo-boraten (39–50 Hz)[1,2,6–8], vergleicht man mit den Werten $^{1}J(^{13}C^{13}C)$ in Alkanen (33–37 Hz[9])[2]. Dies kann als Folge der größeren Polarisierbarkeit der BC-Bindung betrachtet werden und steht in Übereinstimmung mit dem vergleichsweise großen Bereich der Werte $^{1}J(^{11}B^{1}H)$ (vgl. S. 555).

α_4) *Molekülstrukturanalysen*

Lithium-tetramethylborat (cyclisches Tetramer) mit pentakoordinierten C-Atomen[10]:

d_{BC} = 1,74 Å d_{BC_b} = 1,51 Å d_{LiC_b} = 2,12 Å ∡ BCLi (Brücken) = 179,6°, 177,6°
d_{LiB} = 2,47 Å 1,59 Å 2,38 Å ∡ LiCB (Methylbrücken) = 75,6°

Ammonium-tetraethinylborat[11]:

d_{BC} = 1,592; 1,605 Å ∡ $_{CBC}$ = 110,2; 107,4°
d_{CC} = 1,195; 1,182 Å ∡ $_{CCB}$ = 179,7; 175,6°

---

[1] D. Sedlak, Dissertation, Universität München 1982.
[2] B. Wrackmeyer, Spectrosc. Int. J. **1**, 201 (1982).
[3] B. Wrackmeyer, Universität München, unveröffentlicht 1983.
[4] L. W. Hall, D. W. Lowman, P. D. Ellis u. J. D. Odom, Inorg. Chem. **14**, 580 (1975).
[5] V. V. Negrebetskii, V. S. Bogdanov, A. V. Kessenikh, P. V. Petrovskii, Yu. N. Bubnov u. B. M. Mikhailov, Ž. obšč. Chim. **44**, 1882 (1974); engl.: 1849; C. A. **81**, 168741 (1974).
[6] A. J. Zozulin, H. J. Jakobsen, T. F. Moore, A. R. Garber u. J. D. Odom, J. Magn. Reson. **41**, 458 (1980).
[7] M. Yanagisawa u. O. Yamamoto, Org. Magn. Reson. **14**, 76 (1980).
[8] B. Wrackmeyer, Progr. NMR Spectrosc. **12**, 227 (1979).
[9] V. Wray, Progr. NMR Spectrosc. **13**, 177 (1979).
[10] D. Groves, W. Rhine u. G. D.. Stucky, Am. Soc. **93**, 1553 (1971).
[11] A. I. Gusev, M. G. Los', A. F. Zhigach, R. A. Svitsin u. E. S. Sobolev, Ž. strukt. Chim. **17**, 537 (1976); engl.: 466; C. A. **85**, 169992 (1976).

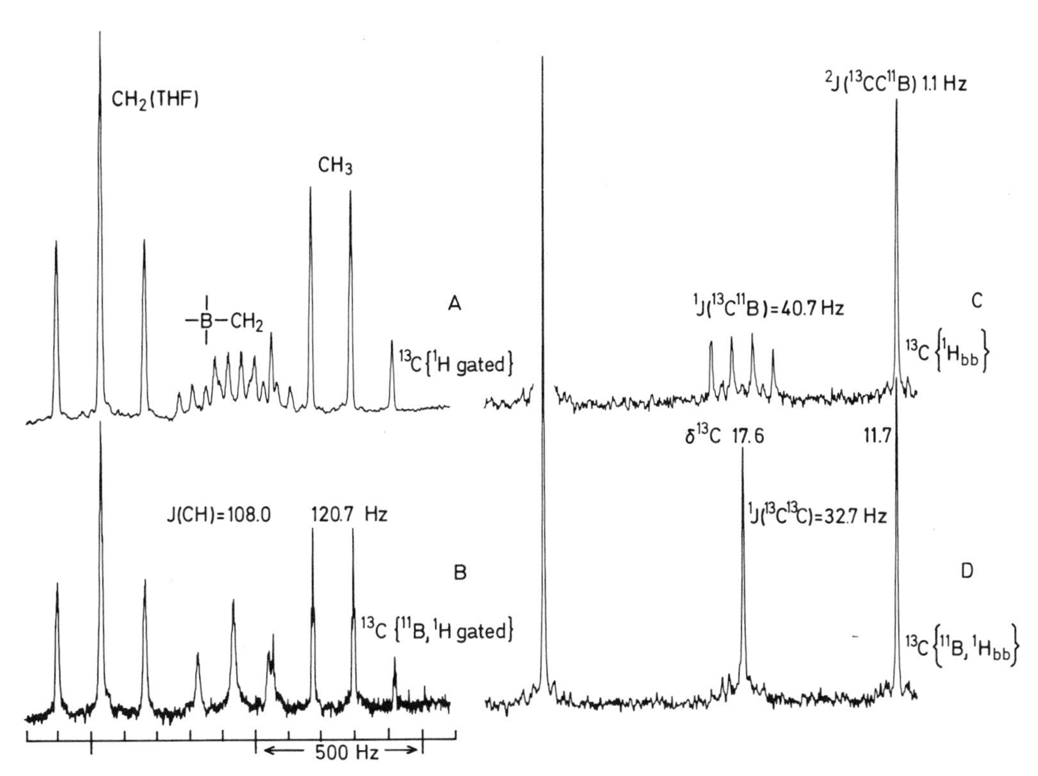

Abb. 22: 50,3 MHz-^{13}C-NMR-Spektren von *Natrium-tetraethylborat* in THF/C_6D_6 bei 28°; Zeitdauer pro Spektrum: ≈ 5 Min.[1]

A: ^{1}H-gekoppeltes Spektrum
B: ^{1}H-gekoppelt, jedoch ^{11}B-entkoppelt
C: ^{1}H-Breitband entkoppelt
D: ^{1}H- und ^{11}B-entkoppelt; nach ~ 4 Stdn. konnten auch die ^{13}C-Satelliten aufgefunden werden, so daß $^1J(^{13}C^{13}C)$ bestimmt werden konnte.

Metall-tetrakis(methyl-trihydro-borate) (Metall = Zr, Th, U, Np[2]).

Tetrabutylammonium-μ-hydro-[*1,2:1,2-bis(butan-1,4-diyl)*]*-1,2-dihydro-borat* mit BHB-Brücke[3]:

$(H_9C_4)_4N$ [HB–H–BH]

d_{BC} = 2,463 Å
$\sphericalangle_{BHB}$ = 138°
$\sphericalangle_{C_4\text{-Ebene BHB}}$ = 123,6°

β) Organoborate vom Typ $[R_{4-n}BX_n]^-$ mit n = 1 − 3 und X = Halogen, Sauerstoff, Stickstoff, Silicium

β_1) *Chemische Methoden*

Acide Wasserstoff-Atome in Hydroxy- und Amino-Gruppen lassen sich mit Hilfe von Organobor-Verbindungen quantitativ mittels Volumetrie bestimmen[4].

Die Reaktionen der am Borat-Bor-Atom gebundenen Funktionen gelingen i. allg. erst nach Zusatz einer Lewissäure wie z. B. von Chlor-dialkyl-boran; z. B.[5]:

---

[1] B. Wrackmeyer Universität München, unveröffentlicht 1981.
[2] R. Shinomoto, E. Gamp, N. M. Edelstein, D. A. Templeton u. A. Zalkin, Inorg. Chem. **22**, 2351 (1983).
[3] D. J. Saturnino, M. Yamaschi, W. R. Clayton, R. W. Nelson u. S. G. Shore, Am. Soc. **97**, 6063 (1975).
[4] R. Köster, H. Bellut u. W. Fenzl, A. **1974**, 54.
[5] R. Köster u. W. Fenzl, A. **1974**, 69; dort S. 80.

$$K^{+}\left[C_6H_4(COOH)(COOB(C_2H_5)_3)\right]^{-} + ClB(C_2H_5)_2 \xrightarrow[-KCl]{B(C_2H_5)_3} C_2H_6$$

β_2) *IR-Spektren*

Die IR-Spektren der verschiedenen Alkalimetall-organoborate vom Typ $[R_{4-n}BX_n]^-$ mit n = 1–3 und X = Hal-, O-, S-, N$<$ und Si$\leqslant$ haben z. T. leicht auffindbare, charakteristische Absorptionsbanden (gemessen in THF)(vgl. S. 551 f.); z. B.[1,2]:

Tab. 92: Charakteristische IR-(und Raman)-Frequenzen einiger Alkalimetall-element-organo-borate

Verbindung	Herst. XIII/3b, S.	Kennzeichnung	Literatur
$K^+[(H_5C_2)_3B-OH]^-$	834	$\nu_{OH} = 3610\ cm^{-1}$	1
$Na^+[C_8H_{14}B(OH)_2]^-$	842	$\nu_{OH} = 3650-3660\ cm^{-1}$	1
$Na^+[C_8H_{14}B(OH)H]^-$	–	$\nu_{OH} = 3650-3660\ cm^{-1}$ $\nu_{BH} = 1940\ cm^{-1}$	1
$K^+[C_8H_{14}B(H)OC(CH_3)_2CH(CH_3)_2]^-$	–	$\nu_{BH} = 2000\ cm^{-1}$ $\nu_{BO} = 1355\ cm^{-1}$	2
$Na^+[C_8H_{14}B(H)N(CH_3)_2]^-$	–	$\nu_{BH} \approx 2100\ cm^{-1}$	1
K^+ [H, H_5C_2, R, H_5C_2, R, H_5C_2, C_2H_5; B, O, B]$^-$	850	R = C_8H_{14} $\nu_{OH} = 3650, 3620, 3500\ cm^{-1}$ R = C_6H_5 $\nu_{OH} = 3640, \approx 3400\ cm^{-1}$	1
K^+ [H, H, H_5C_2, C_2H_5, H_5C_2, C_2H_5, H_5C_2, C_2H_5; B, N, B]$^-$	865	$\nu_{NH_2} = 3300, 3290\ cm^{-1}$	1
K^+ [H, H_5C_2, C_2H_5, C_2H_5, H_5C_2, C_2H_5; B, N, B]$^-$	865	$\nu_{NH} = 3390, 3350\ cm^{-1}$	1
Li^+ [H, R, H_5C_2, C_2H_5, H_5C_2, C_2H_5, H_5C_2, C_2H_5; B, N, B]$^-$	865	(sub-table) ν_{NH_2} / ν_{NH} R: H / CH_3 IR: 3360, 3300 (schw) / 3270 Raman: 3350, 3310 / 3290	1

[1] R. Köster u. G. Seidel, Mülheim a.d. Ruhr, unveröffentlicht 1976.
[2] H.C. Brown, J.S. Cha u. B. Nazer, J. Org. Chem. **49**, 2073 (1984).

Die Banden $\nu_{C=C}$ der ungesättigten Fünfringe liegen bei $\approx 1550\ cm^{-1}$ [1].

Die BH-Absorptionsbanden von *Natrium-acetoxy-trihydro-borat* und *Tris(diphenyl-methyl-phosphan) kupfer-acetoxy-trihydro-borat* findet man wie folgt[2]:

$Na^+[H_3BOCOCH_3]^-$: $\nu_{BH_t} = 2500, 2290, 2225\ cm^{-1}$
$[(H_5C_6)_2PCH_3]_3CuH_3BOCOCH_3$: $\nu_{BH_t} = 2291, 2221\ cm^{-1}$; $\nu_{BHCu} = 2060\ cm^{-1}$

Die IR-Spektren verschiedener Lithium-organo-trimethylsilyl-[3] und -organo-tris(trimethylsilyl[4]-borate sind der Originalliteratur[3,4] zu entnehmen (vgl. Bd. XIII/3b, S. 868ff.).

β_3) *Kernresonanzspektroskopie*

Halogen-organo-borate sind bisher nur unvollständig mit Hilfe von NMR-Parametern charakterisiert worden[5-7].

Dies gilt auch für Oxy-organo-borate, die hauptsächlich mittels ^{11}B-NMR-Spektroskopie untersucht wurden (Tab. 93, S. 564).

Amino-organo-borate wurden mittels ^1H- und ^{11}B-NMR-Messungen untersucht. Im ^1H-NMR-Spektrum sind die Resonanzen der NH-Protonen bei extrem niedrigen Frequenzen zu finden[1]:

$M[R_3B\text{–}NH_2]$

M	BR_3	$\delta\,^1H(NH_2)$	Lösungsmittel
Li	$B(C_2H_5)_3$	–1,28	C_6D_6
Na	$B(C_2H_5)_3$	–1,01	C_6D_6
Na	$B[CH(CH_3)_2]_3$	–1,14	C_6D_6
Na	(bicyclisch) $B-C_2H_5$	–0,82	C_6D_6
Na	$B(C_6H_5)_3$	+1,50	THF-d_8

Die $\delta^{11}B$-Werte[1] belegen die $KZ_{(B)} = 4$ (s. Tab. 94, S. 565). Die Halbhöhenbreiten h½ sind in THF erwartungsgemäß geringer als in Toluol oder Benzol, entsprechend der besseren Solvatation der Kationen[1].

Die ^{11}B-Resonanzen für die Lithium-amino-organo-borate sind dabei allgemein breiter als für M = Na, K. Dies kann als Hinweis auf die stärkere Assoziation zwischen dem Li^+-Kation und dem Amin-triorganoborat-Anion bewertet werden[1].

Zahlreiche Organo-pyrazolo-borate wurden mittels NMR-Spektroskopie charakterisiert[8-11].

---

[1] R. KÖSTER u. G. SEIDEL, Mülheim a.d. Ruhr, unveröffentlicht 1976.
[2] P.G. EGAN u. K.W. MORSE, Polyhedron **1**, 299 (1982); C.A. **97**, 229063 (1982).
[3] W. BIFFAR u. H. NÖTH, B. **115**, 934 (1982).
[4] W. BIFFAR u. H. NÖTH, Z. Naturf. **36b**, 1509 (1981).
[5] J.R. BLACKBOROW u. J.C. LOCKHART, Soc.[A] **1971**, 1343; $\delta^{11}B$ für *Dichloro-diphenyl-borat* (11,0); *Phenyl-trichloro-borat* (9,7).
[6] H. LANDESMANN u. R.E. WILLIAMS, Am. Soc. **83**, 2663 (1961); $\delta^{11}B$ für *Cyano-trichloro-borat* (5,0); *Dichloro-dicyano-borat* (–0,6); *Chloro-tricyano-borat* (–4,5); (diese Messungen sollten wiederholt werden).
[7] S. BROWNSTEIN u. G. LATREMOUILLE, Canad. J. Chem. **56**, 2764 (1978); $\delta^{19}F$ und $J(^{19}F^{11}B)$ für $BF_n(CN)_{3-n}$.
[8] S. TROFIMENKO, Am. Soc. **89**, 3170 (1967); Chem. Reviews **72**, 497 (1972); *Poly-1-pyrazolylborate*.
[9] J.P. JESSON, J. Chem. Physics **47**, 582 (1967); $\delta^{11}B\,[RBpyr_3]_2Zn$: R = C_4H_9 (–1,1), C_6H_5 (–1,4).
[10] D.L. WHITE u. J.W. FALLER, Am. Soc. **104**, 1548 (1982) (^1H-NMR von $[RBpyr_3]^-$-Komplexen, dia- und paramagnetisch; R = C_6H_5, 4-BrC_6H_5).
[11] D.L. REGER u. M.E. TARQUINI, Inorg. Chem. **21**, 840 (1982); ^1H- und ^{13}C-NMR von $[RBpyr_3]^-$-Komplexen; R = $CH(CH_3)_2$, C_4H_9.

Die Zusammensetzung von Organo-silyl-boraten läßt sich besonders gut aufgrund der ^{11}B-NMR-Spektren bestimmen[1–3]. Dabei ist der δ^{11}B-Wert nützlich und die Größe $^{1}J(^{29}Si^{11}B)$; beide Parameter sind u.a. eine Funktion der Anzahl der borgebundenen Silylgruppen (s. Tab. 95, S. 566). Die δ^{11}B-Werte entsprechen den Befunden für δ^{13}C vergleichbarer Silylalkane[3,4], d.h. mit zunehmender Zahl der Silylgruppen nimmt die Abschirmung des B-Atoms zu. Die Abnahme der Kopplungskonstante $|J(^{29}Si^{11}B)|$ (γ^{29}Si ist negativ) in gleicher Richtung folgt ebenfalls dem Trend analoger Kopplungskonstanten $^{1}J(^{29}Si^{13}C)$[4]

Tab. 93: δ^{11}B-Werte von Organo-oxy-boraten

Verbindung	Herst. XIII/3b, S.	δ^{11}B	Lösungsmittel	Literatur
$K^+[(H_5C_2)_3B{-}OH]^-$	834	−1,5	C_6H_6	5
$K^+[(H_3C)_3B{-}OCH_3]^-$	835	−1,0	CH_3OH	6
Na^+ [OCH$_3$–B (Adamantan-Gerüst)]$^-$	–	−3,0	THF	7
K^+ [9-BBN: B(H)–OC(CH$_3$)$_2$CH(CH$_3$)$_2$]$^-$	–	−2,8	THF	8
K^+ [9-BBN: B(OH)(OH)]$^-$	842	3,1	THF	5
$K^+[(H_3C)_2B(OCH_3)_2]^-$	843	14,4[a]	CH_3OH	6
Na^+ [H$_3$C–(bicyclo)–B(OCH$_3$)(OCH$_3$)]$^-$	–	6,0	THF	7
Li^+ [H$_3$C–(bicyclo)–B(OCH$_3$)(OCH$_3$)]$^-$	–	15,5	H_3COH/THF (2:3)	7
Na^+ [9-BBN: B(OCHO)(OCHO)]$^-$	846	8,0	THF	5
K^+ [H$_{13}$C$_6$, HO–B (Ring mit O, CH$_3$)]$^-$	–	9,0		9
$K^+[H_3C{-}B(OCH_3)_3]^-$	849	6,0	CH_3OH	6
Na^+ [H$_5$C$_2$, C$_2$H$_5$; (H$_5$C$_2$)$_2$B–O(CH$_3$)–B(C$_2$H$_5$)$_2$]$^-$	850	8,8	THF	5

[a] möglicherweise liegen merkliche Anteile von R_2BOCH_3 im Gleichgewicht vor

1 W. Biffar u. H. Nöth, B. **115**, 934 (1982); ^{1}H-, ^{11}B-, ^{13}C-, ^{29}Si-NMR.
2 W. Biffar u. H. Nöth, Z. Naturf. **36b**, 1509 (1981) (^{11}B-NMR).
3 W. Biffar, Dissertation, Universität München 1981.
4 B. Wrackmeyer u. W. Biffar, Z. Naturf. **34b**, 1270 (1979); ^{13}C-NMR-Parameter verschiedener Alkylsilane.
5 R. Köster u. G. Seidel, Mülheim a.d. Ruhr, unveröffentlicht 1976.
6 H. Nöth u. W. Biffar, Universität München, unveröffentlicht 1976.
7 B.M. Mikhailov, M.E. Gurskii u. D.G. Pershin, J. Organometal. Chem. **246**, 19 (1983).
8 H.C. Brown, J.S. Cha u. B. Nazer, J. Org. Chem. **49**, 2073 (1984).
9 L.S. Vasil'ev, M.M. Vartanyan, V.S. Bogdanov, V.G. Kiselev u. B.M. Mikhailov, Ž. obšč. Chim. **42**, 1540 (1972); engl.: 1533; C.A. **77**, 140202 (1972).

Tab. 94: $\delta\,^{11}$B-Werte von Amino-organo-boraten von Organo-phosphino-boraten

Verbindung	Herst. XIII/3b, S.	$\delta\,^{11}$B	Lösungsmittel	Literatur
$M[(H_5C_2)_3B{-}NH_2]^-$	852	−9,8	Toluol	1
	858	−10,4	C_6D_6	1
Li [(bicyclisch)B(C_2H_5)(NH_2)]	856	−10,6	C_6D_6	1
$M\{[(H_5C_6)_3B{-}NH_2]{-}(C_2H_5)_2O\}$	857	K −6,8	THF	1
	857	Li −6,0	THF	1
	857	Na −6,6	THF	1
M [$(H_5C_2)_2B$–N(H)–$Si(CH_3)_2$; H_5C_2, CH_3]	857	Na −2,2	THF	2
	857	K −2,7	THF	2
M [$(H_5C_2)_2B$–NH_2–$B(C_2H_5)_2$; H_5C_2, C_2H_5]	865	Li −4,6	C_6H_6	2
		Na −2,8	THF	2
		Na −3,3	C_6H_6	2
		K −2,8	THF	2
		K −4,0	C_6H_6	2
K [$(H_5C_2)_2B^{(1)}$–N(H)–$^{(2)}BC_2H_5$; H_5C_2, C_2H_5]	865	−4,6 (1) 42,0 (2)	THF	2
$Li[(H_5C_2)_3B{-}P(C_6H_5)_2]$	866	−8,1 −6,4	THF	2
Li_2 [H_5C_2, H_5C_2–B–P(C_6H_5)–B–C_2H_5, C_2H_5; H_5C_2, C_2H_5]	866	−6,4	THF	2

und entspricht einer Verminderung des SiC-s-Überlappungsintegrals infolge der Häufung elektropositiver Substituenten und/oder der Zunahme der SiC-Bindungslänge aufgrund sterischer Hinderung. In Lit.[3] wurde nicht beachtet, daß die reduzierte Kopplungskonstante $^1K(^{29}Si^{11}B)$ positiv ist. Der Schluß auf eine Zunahme des s-Anteils in der SiB-Bindung mit steigender Zahl von Silylgruppen ist daher nicht korrekt.

d) Organobor-Verbindungen mit vier- bis sechsfach koordinierten Bor-Atomen

1. Organobor-(Ligand)Übergangsmetall-π-Komplexe

α) Übergangsmetall-Triorganobor- und (Organobor-Wasserstoff)-π-Komplexe

α_1) *Trennung und chemische Analysen*

Chromatographische Methoden sind zur Trennung von Übergangsmetall-Organobor-π-Komplexen (S. 378ff.) i. allg. gut anwendbar. Außer der Säulenchromatographie haben sich analytische Verfahren der Gas- und Flüssigkeitschromatographie bewährt.

[1] R. KÖSTER und G. SEIDEL, Mülheim a.d. Ruhr, unveröffentlicht 1976.
[2] R. KÖSTER und G. SEIDEL, Mülheim a.d. Ruhr, unveröffentlicht 1980.
[3] W. BIFFAR u. H. NÖTH, B. **115**, 934 (1982).

Tab. 95: ^{11}B-NMR-Parameter von Organo-silyl-boraten

Verbindung	Herst. XIII/3b, S.	$\delta^{11}B$	$J(^{29}Si^{11}B)$	Lösungsmittel	Literatur
$Li^+[(H_3C)_3B{-}Si(CH_3)_3]^-$	867	−28,5	74,0	C_6D_6	1
$Li^+[(H_5C_2)_3B{-}Si(CH_3)_3]^-$	867	−23,7	—	C_6D_6	1
Li^+ [(bicyclisch)B(CH3)Si(CH3)3]$^-$	869	−23,0	—	C_6D_6	1
$Li^+\{(H_3C)_3B{-}Si[Si(CH_3)_3]_3\}^-$	869	−17,9	—	Toluol	2
Li^+ [(bicyclisch)B(CH3)Si[Si(CH3)3]3]$^-$	869	−8,9	—	Toluol	2
$Li^+\{(H_3C)_2B[Si(CH_3)_3]_2\}^-$	870	−36,9	67,0	C_6D_6	1
Li^+ [(cyclisch)B(Si(CH3)3)2]$^-$	–	−31,2	—	C_6D_6	1
Li^+ [(bicyclisch)B(Si(CH3)3)2]$^-$	870	−25,3 −45,4	—	C_6d_6	1
$Li^+\{H_3C{-}B[Si(CH_3)_3]_3\}^-$	871		53,0	C_6D_6	1

Die zur Bestimmung des BC- oder BH-Gehalts übergangsmetallfreier Organobor-Verbindungen angewandten Analysenmethoden lassen sich in Gegenwart von Ligand-Übergangsmetall-Komplexen i. allg. nicht anwenden. Man ist daher verstärkt auf die spektroskopischen Methoden angewiesen.

α_2) *IR-Spektren*

Die IR-Spektren der (Ligand)Übergangsmetall-(1-organoborin)-π-Komplexe[3] (S. 13ff.) sind i. allg. durch intensive Absorptionsbanden im Bereich von 1200–1500 cm^{-1} gekennzeichnet. Diese sind allerdings analytisch kaum verwertbar. CO-Valenzschwingungen der Metallcarbonyle (1900–2100 cm^{-1}) lassen sich in gewohnter Weise interpretieren[4–6], wie z. B. beim *Tricarbonyl-(η^6-1-phenylborin)-mangan* (1960, 1974, 2039 cm^{-1}), was auf einen im Vergleich zum Cyclopentadienyl-Liganden stärkeren Akzeptor hinweist[7].

α_3) *Massenspektren*

Als brauchbare analytische Identifizierung neuer Übergangsmetall-Organobor-π-Komplexe dient die massenspektrometrische Messung. Zahlreiche Übergangsmetall-(1-organoborin)-π-Komplexe haben relativ intensive Molekülpeaks, die teilweise auch Basispeaks sind[3, 7, 8]; z. B.:

	Hauptmassen
Cyclopentadienyl-(1-methylborin)-eisen[3]	M^+ (100%)
(1-Phenylborin)(1-phenyl-1,4-dihydroborin)-cobalt[7]	M^+ (77%), $(M-1)^+$ (94%), $(M-80)^+$ (100%)
(1,5-Cyclooctadien)-(1-phenylborin)-rhodium[8]	M^+ (100%)

[1] W. Biffar u. H. Nöth, B. **115**, 934 (1982).
[2] W. Biffar u. H. Nöth, Z. Naturf. **36b**, 1509 (1981).
[3] G. E. Herberich u. W. Koch, B. **110**, 816 (1977).
[4] I. I. Lapkin, G. A. Yuzhakova u. R. P. Drovneva, Ž. obšč. Chim. **48**, 713 (1978); engl.: 653; C. A. **89**, 43 547 (1978).
[5] G. E. Herberich u. B. Hessner, J. Organometal. Chem. **161**, C 36 (1978).
[6] U. Koelle, W.-D. H. Beiersdorf u. G. E. Herberich, J. Organometal. Chem. **152**, 7 (1978).
[7] G. E. Herberich u. H. J. Becker, Ang. Ch. **85**, 817 (1973); engl.: **12**, 764.
[8] G. E. Herberich, H. J. Becker u. C. Engelke, J. Organometal. Chem. **153**, 265 (1978).

Die Abspaltung von Kohlenmonoxid aus Carbonyl-Übergangsmetall-Triorganobor-π-Komplexen im Massenspektrum ist charakteristisch[1-4]. Trotzdem treten Molekülpeaks auf; z. B. beim Tricarbonyl-phenyl-borin-mangan (M^{+}, 42%)[5] oder beim Tricarbonyl-(4-methyl-1-phenyl-borin)-rhodium (M^{+}, 100%)[6].

α_4) *Kernresonanzspektroskopie von Übergangsmetall-Triorganobor- und -(Organobor-Wasserstoff)*-π-Komplexen

$\alpha\alpha_1$) ^{1}H-NMR-Spektren

Die ^{1}H-NMR-Spektroskopie vermag wichtige Informationen bezüglich der Zusammensetzung, Art und Ort der π-Bindung zwischen Übergangsmetall und Triorganoboran oder Organobor-Wasserstoff-Verbindung zu liefern. Dabei sind neben Kopplungskonstanten $^{n}J(^{1}H^{1}H)$ insbesondere die chemischen Verschiebungen $\delta^{1}H$ von Protonen wichtig, die direkt an Kohlenstoff-Atome gebunden sind, welche an der Metall-Ligand-π-Bindung beteiligt sind. Im allg. ist eine Verschiebung solcher ^{1}H-Resonanzen zu niedrigeren Frequenzen (höherem Feld) im Vergleich zu den freien Liganden indikativ für die Komplexbildung (vgl. Tab. 96, S. 569 für einige repräsentative Beispiele). Die verschiedenen Gründe für diesen Effekt sind theoretisch nicht vollständig geklärt.

Auch die ^{1}H-Resonanzen von Gruppen, die nicht direkt an der Metall-Ligand-Bindung teilnehmen, sind instruktiv. Beispiele hierfür sind die $Fe(CO)_3$- oder C_5H_5Co-Komplexe von *4,4-Dimethyl-1-phenyl-1,4-dihydro-borin*[7], für die im Fall des freien Liganden ein ^{1}H-Resonanzsignal für die 4,4-Methyl-Gruppen auftritt, während im Komplex die exo- und endo-Methylgruppe zu zwei ^{1}H-Resonanzen führt[1]:

	H_5C_6–B (4,4-Dimethyl-1,4-dihydro-borin, CH_3, CH_3)	$Fe(CO)_3$-Komplex	CoC_5H_5-Komplex
$\delta^{1}H(CH_3)$	1,03	1,45 (*endo*) 0,65 (*exo*)	1,34 (*endo*) 0,51 (*exo*)

Der hieraus resultierende Strukturvorschlag wurde im Fall des 4-Sila-Derivates *(Tricarbonyleisen-1,1-dimethyl-4-phenyl-1,4-dihydro-1,4-silaborin)* röntgenographisch bestätigt[7].

Die Struktur von *(η^4-1,5-Cyclooctadien)-(1-4-η^4-1-phenyl-5,6,7-trihydro-boratepin)-rhodium* wurde hauptsächlich aufgrund der weitgehenden Analyse des komplizierten ^{1}H-NMR-Spektrums vorgeschagen[8]:

H_5C_6–B (2, 3, 4) Rh(COD)

$\delta^{1}H$: 5,49(2); 5,87(3); 4,02(4)
$^{3}J(H(2)H(3))$: 9,5 Hz
$^{J}J(H(3)H(4))$: 8,0 Hz

[1] G. E. HERBERICH, J. HENGESBACH, U. KÖLLE, G. HUTTNER u. A. FRANK, Ang. Ch. **88**, 450 (1976); engl.: **15**, 433.
[2] G. E. HERBERICH, J. HENGESBACH, U. KÖLLE u. W. OSCHMANN, Ang. Ch. **89**, 43 (1977); engl.: **16**, 42.
[3] U. KÖLLE, W.-D. H. BEIERSDORF u. G. E. HERBERICH, J. Organometal. Chem. **152**, 7 (1978).
[4] G. E. HERBERICH u. B. HESSNER, J. Organometal. Chem. **161**, C 36 (1978).
[5] G. E. HERBERICH u. K. CARSTEN, J. Organometal. Chem. **144**, C 1 (1978).
[6] G. E. HERBERICH, C. ENGELKE u. W. PAHLMANN, B. **112**, 607 (1979).
[7] G. E. HERBERICH, E. BAUER, J. HENGESBACH, U. KÖLLE, G. HUTTNER u. H. LORENZ, B. **110**, 760 (1977).
[8] G. E. HERBERICH, J. HENGESBACH u. U. KÖLLE, B. **110**, 1171 (1977).

Als drittes Beispiel sei die Diastereotopie der Methylen-Protonen von Ethyl-Gruppen genannt, die etwa in *(η^5-Cyclopentadienyl)-(η^5-1,3,4,5-tetraethyl-2-methyl-1,3-diborolenyl)-nickel* auftritt[1]:

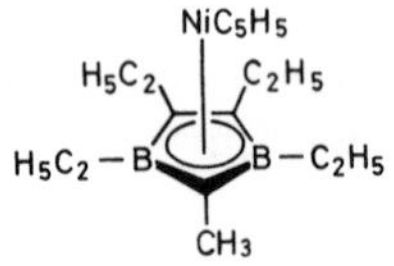

δ^1H (C(4,5)CH_2) 1,3 (Multiplett)

Die ungewöhnliche Bindung zwischen dem 1,3-Diborolen-System als η^4- oder η^5-Ligand und der C_5H_5Co-Einheit wird durch die ^{1}H-Resonanz des singulären Protons bei sehr niedriger Frequenz angezeigt[2]:

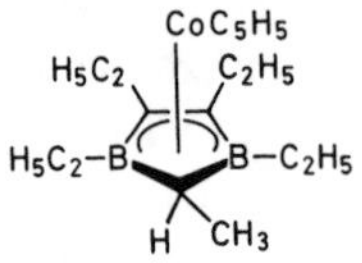

δ^1H (CH) −8,37 (Quartett)

Tab. 96: ^{1}H-NMR-Daten einiger Übergangsmetall-1-Organo- bzw. 1-Hydro-1-borin-π-Komplexe; [in () die Δ ^{1}H-Werte relativ zu Lithium-1-phenylborinat]

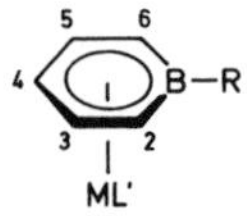

ML′	R	δH(2,6)	δH(3,5)	δH(4)	δ H(R)	Lösungsmittel	Literatur
$Mn(CO)_3$	C_6H_5	4,97 (1,62)	6,36 (1,2)	5,89 (0,08)	8,0; 7,5	Aceton-d_6	3
FeC_5H_5	CH_3	4,45	5,05	4,98	1,18	C_6D_6	4
FeC_5H_5	C_6H_5	5,0 (1,59)	5,66 (1,90)	5,66 (0,31)	8,07; 7,51	Aceton-d_6	4
$Fe(CH_3C_6H_5)$	CH_3	4,98	6,13	6,47	0,85	Aceton-D_6	4
FeL	CH_3	4,30	5,30	5,30	0,69	$CDCl_3$	5
FeL	$C(CH_3)_3$	4,35	5,4	5,6	1,15	$CDCl_3$	5
FeL	C_6H_5	4,79 (1,80)	4,41–4,66 (3,5,6)		7,82; 7, 39	$CDCl_3$	5
FeL	H	4,63	4,87 (3,5,4)		4,63		6
CoL^+	C_6H_5	5,89 (0,70)	6,80 (3,5,4)		7,9; 7,6	CD_3CN	7
$Co(CO)_2$	C_6H_5	6,19 (0,40)	6,65 (0,91)	5,64 (0,33)	7,9; 7,4	Aceton-d_6	8
$Co[C_5(CH_3)_5]^+$	C_6H_5	5,84 (0,75)	6,46 (1,10)	6,36 (–0,40)	7,82; 7,42	CD_3CN	7
Rh(COD)	C_6H_5	5,96 (0,63)	6,32 (1,24)	4,98 60,99)	7,7; 7,2	$CDCl_3$	9
$Ir\grave{C}_5(CH_3)_5]^+$	C_6H_5	5,87 (0,72)	6,42 (3,5,4)		7,81; 7,45	CD_3CN	7
$Pt(CH_3)_3$	C_6H_5	5,91 (0,68)	6,83 (0,73)	6,24 (−0,27)	7,32; 7,46	$CDCl_3$/ CD_2Cl_2	10

[1] W. Siebert u. M. Bochmann, Ang. Ch. **89**, 483 (1977); engl.: **16**, 468.
[2] W. Siebert, J. Edwin u. H. Pritzkow, Ang. Ch. **94**, 147 (1982); engl.: **21**, 148.
[3] G. E. Herberich u. H. J. Becker, Ang. Ch. **85**, 817 (1973); engl.: **12**, 764.
[4] G. E. Herberich u. K. Carsten, J. Organometal. Chem. **144**, C1 (1978).
[5] A. J. Ashe, III, E. Meyers, P. Shu, T. von Lehmann u. J. Bastide, Am. Soc. **97**, 6865 (1975).
[6] A. J. Ashe, III, W. Butler u. H. F. Sandford, Am. Soc. **101**, 7066 (1979).
[7] G. E. Herberich, C. Engelke u. W. Pahlmann, B. **112**, 607 (1979).
[8] G. E. Herberich u. H. J. Becker, Z. Naturf. **29b**, 439 (1974).
[9] G. E. Herberich u. H. J. Becker, Ang. Ch. **87**, 196 (1975); engl.: **14**, 184.
[10] G. E. Herberich, H. J. Becker, K. Carsten, C. Engelke u. W. Koch, B. **109**, 2382 (1976).

Tab. 97: Ausgewählte ^{1}H-NMR-Daten von Übergangsmetall-Triorganobor- und (Organobor-Wasserstoff)-π-Komplexen (in Klammern die Δ ^{1}H-Werte zu den freien Liganden) (formal neutrale Organoborane)

Verbindung	Herst. XIII/3c, S.	δ ^{1}H-Signale (Zuordnung) (Δ ^{1}H-Werte zum freien Liganden)				Lösungsmittel	Literatur
Neutrale π-Komplexe mit offenkettigen Organobor-Verbindungen							
$[C_5(CH_3)_5]Rh[\eta^5–(H_2C=CH)_2B–CH_3]$	35	3,42 (BCH =)	2,78 (= CH_2-syn)	1,70 (C = CH-anti)	0,8 (S) (BCH_3)	C_6D_6	1
$[C_5(CH_3)_5]Rh[\eta^5–(H_2C=CH)_2B–C_6H_5]$	35	3,96 (BCH =)	2,90 (= CH_2-syn)	1,90 (= CH-anti)	8,0, 7,35 (BC_6H_5)	C_6D_6	1
Neutrale π-Komplexe mit cyclischen Organobor-Verbindungen							
mit einem Bor-Atom im Ring							
L'M$[\eta^5–(H_3C)_2C(CH=CH)_2B–C_6H_5]$							
L'M = $(OC)_3Fe$	9	4.30 (BCH =) (2,46)	3.50 (= CH) (3,43)		7,8, 7,26 (BC_6H_5)	CCl_4	2
L'M = H_5C_5Co	9	3,86 (BCH =) (2,90)	3,10 (= CH) (3,83)		8,13, 7,35 (BC_6H_5)	C_6D_6	2
L'M$[\eta^5–(CH_2)_2(CH=CH)_2BC_6H_5]$							
L'M = $(OC)_4Cr$	vgl. 12	3,88 (BCH =) (2,92)	4,58 (= CH) (2,62)			$CDCl_3$	3
= $(OC)_4Mo$	vgl. 12	4,58 (BCH =)	5,31 (= CH) (2,22)	(1,89)		$CDCl_3$	3
= $(OC)_4W$	vgl. 12	4,40 (BCH =) (2,40)	4,64 (= CH) (2,56)			$CDCl_3$	3
= $(OC)(H_5C_6)Mn$	vgl. 10	3,67 (BCH =) (3,13)	3,44 (= CH) (3,76)			$CDCl_3$	3
= $(OC)_3Fe$	vgl. 10	4,67 (BCH =) (2,13)	3,90 (=CH) (3,30)		8,15, 7,47 (BC_6H_5)	C_6D_6	2
$M[\eta^5-(CH_3)_2C(CH=CH)_2BC_6H_5]_2$							
M = Ni	27	4,41, 5,49 (BCH =) (2,35) (1,27)	4,11, 5,51 (= CH) (2,82) (1,42)		8,09, 7,41 (BC_6H_5)	C_6D_6	3–5
M = Pd	30 f.	5,10, 6,33 (BCH =) (1,66) (0,43)	4,72, 5,72 (= CH) (2,21) (1,21)		7,72, 7,34 (BC_6H_5)	$CDCl_3$	4, 5
M = Pt	30	4,40, 5,38 (BCH =) (2,36) (1,38)	3,80, 5,02 (=CH) (3,13) (1,91)		7,94, 7,48 (BC_6H_5)	Toluol	4, 5

[1] G.E. HERBERICH u. G. PAMPALONI, J. Organometal. Chem. **240**, 121 (1982).
[2] G.E. HERBERICH, E. BAUER, J. HENGESBACH, U. KÖLLE, G. HUTTNER u. H. LORENZ, B. **110**, 760 (1977).
[3] U. KÖLLE, W.-D.H. BEIERSDORF u. G.E. HERBERICH, J. Organometal. Chem. **152**, 7 (1978).
[4] G.E. HERBERICH, M. THÖNNESSEN u. D. SCHMITZ, J. Organometal. Chem. **191**, 27 (1980).
[5] M. THÖNNESSEN, Dissertation, Technische Hochschule Aachen 1978.

Tab. 97 (Fortsetzung)

Verbindung		Herst. XIII/3c, S.	δ ^{1}H-Signale (Zuordnung) (Δ ^{1}H-Werte zum freien Liganden)				Lösungs-mittel	Literatur
mit zwei Bor-Atomen im Ring								
L'M [η^6–RB(CH=CH)$_2$BR]								
L'M	R							
H_5C_5Co	CH_3	23	4,82 (BCH=)			0,58 (BCH_3)	CS_2	[1]
	H	—	5,15 (BCH=)			(BH) nicht beobachtet	CS_2	[1]
LNi	CH_3	vgl. 22	5,63 (BCH=)			0,28 (BCH_3)	CS_2	[1]
$[(H_3C)_5C_5]Rh$	CH_3	—	4,38 (BCH=)			0,35 (BCH_3)	CS_2	
	H	—	4,78 (BCH=)			(BH) nicht beobachtet	CS_2	[1]
kationischer π-Komplex mit cyclischen Organobor-Verbindungen								
$[C_5(CH_3)_5]\ Rh_2[\eta^6–CH_3B(CH=CH)_2BCH_3]^{2+}$		49	5,76 (BCH=)			0,91 (BCH_3)	CD_3NO_2	[2]

[1] G. E. Herberich u. B. Hessner, B. **15**, 3115 (1982).

[2] E. Herberich, B. Hessner, G. Huttner u. L. Zsolnai, Ang. Ch. **93**, 471 (1981); engl.: **20**, 472.

αα₂) ^{11}B-NMR-Spektren

Von direkten Strukturbestimmungen abgesehen, stammt eine wichtige Information über Metall-Bor-Wechselwirkungen von der ^{11}B-NMR Spektroskopie. Ein großer Vorteil ist hierbei, daß diese Information i. allg. schnell zu erhalten ist und bereits für Reaktionslösungen ermittelt werden kann. Bezüglich der bekannten oder zu erwartenden (im Fall von Verbindungen, die bisher nicht hergestellt werden konnten, z. B. *1,4-Dimethyl-1,4-dihydro-1,4-diborin*) ^{11}B-Resonanzen der freien Liganden findet man eine signifikante Verschiebung zu niedrigeren Frequenzen (höherem Feld) (vgl. Tab. 98, S. 574f.). Die Δ^{11}B-Werte betragen bei Einsatz neutraler Triorganoborane (Tab. 98) zwischen 20 bis > 40 ppm (wenn das Triorganoboran als Brücke zwischen zwei Metallen fungiert)[1-4]; z. B.:

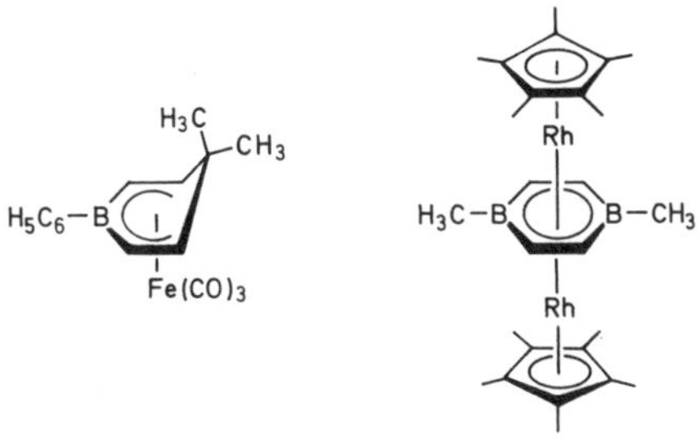

H₃C, CH₃, H₅C₆–B, Fe(CO)₃ | H₃C–B, B–CH₃, Rh, Rh

δ^{11}B:	26,4[1]	8,0[2]
Δ^{11}B:	27,3[1]	≈ 45,0[5]

Wenn die δ^{11}B-Werte anionischer Triorganoborane (vgl. Tab. 99, S. 576) als Vergleich dienen (z. B. bei Borin-π-Komplexen) liegen die Δ^{11}B-Werte je nach Metall und anderen Gegebenheiten zwischen 2 und 15 ppm, z. B:

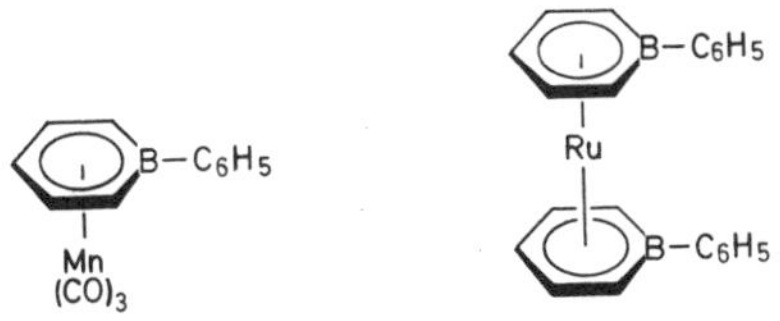

B–C₆H₅, Mn(CO)₃ | B–C₆H₅, Ru, B–C₆H₅

δ^{11}B:	24,6[6]	14,4[5]
Δ^{11}B:	2,4[7]	12,6[6]

Obwohl es bisher keinen befriedigenden quantitativen theoretischen Ansatz zur Erklärung der hier beobachteten Änderungen der magnetischen Abschirmung der ^{11}B-Kerne gibt (dies trifft auch auf die ^{13}C-Kerne in analogen π-Komplexen zu!), sind mehrere einleuchtende qualitative Argumente zu nennen.

[1] G. E. Herberich, E. Bauer, J. Hengesbach, U. Kölle, G. Huttner u. H. Lorenz, B. **110**, 760 (1977).
[2] G. E. Herberich, B. Hessner, G. Huttner u. L. Zsolnai, Ang. Ch. **93**, 471 (1981); engl.: **20**, 472.
[3] Der δ^{11}B-Wert von *1-Methyl-1,4-dihydro-borin* (52,8[4]) wurde zur Differenzbildung verwendet.
[4] A. J. Ashe, III, E. Meyers, P. Shu, T. von Lehmann u. J. Bastide, Am. Soc. **97**, 6865 (1975).
[5] G. E. Herberich, H. J. Becker, K. Carsten, C. Engelke u. W. Koch, B. **109**, 2382 (1976).
[6] G. E. Herberich u. H.-J. Becker, Ang. Ch. **85**, 817 (1973); engl.: **12**, 764.
[7] A. J. Ashe, III u. P. Shu, Am. Soc. **93**, 1804 (1971).

Die Erhöhung der Koordinationszahl $KZ_{(B)}$ von 3 auf 4 bzw. 5 beim Übergang vom Ligand zum π-Komplex läßt sich mit folgenden Metall-Organoboran-Wechselwirkungen beschreiben (die x,y-Ebene ist identisch mit der BC_3-Ebene):

ⓐ Abgabe von Metall $d_{x^2-y^2}$ und d_{xy}-Elektronendichte in unbesetzte Ligand-Orbitale
ⓑ Abgabe von Ligand-π-Elektronendichte in Metall d_{xz}- und d_{yz}-Orbitale
ⓒ Abgabe von Ligand-σ-Elektronendichte in unbesetzte Metall s- und p-Orbitale

Hierbei ist ⓐ zunehmend von Bedeutung z. B. in der Reihe $C_5H_5 < HBC_5H_5 < C_6H_6$, wie sich aus MO-Berechnungen[1-3] und elektrochemischen Untersuchungen[4,5] ergibt. Es folgt ⓑ, wobei sich die Reihenfolge $C_5H_5 > HBC_5H_5 > C_6H_6$ umkehrt[1-3], während der Beitrag von ⓒ innerhalb einer Verbindungsklasse relativ konstant sein dürfte.

Für die magnetische Abschirmung der ^{11}B-Kerne lassen sich hieraus mehrere Effekte ableiten:

Die Besetzung von Ligand-π*-Orbitalen oder allgemein Ligand-Akzeptor-Orbitalen führt zu einer Verminderung des paramagnetischen Terms σ_p der Abschirmkonstanten und damit zu erhöhter Abschirmung. Gleichzeitig kann jedoch die Abgabe von Ligand-π-Elektronendichte zum Metall (abhängig u. a. vom Metall) die Abschirmung vermindern. Dies bedeutet, daß zwei gegenläufige Effekte auftreten. Die Situation wird weiterhin dadurch kompliziert, daß in Lösung unter isotropen Verhältnissen die experimentelle Abschirmkonstante σ als gemittelter Wert nur einen Bruchteil der verfügbaren Information enthält. Festkörper-^{13}C-NMR-Spektren an einigen aromatischen metallorganischen Komplexen[6] und Metall-Sandwich-Verbindungen[7] haben ergeben, daß Änderungen der isotropen Abschirmkonstante σ hauptsächlich auf Änderungen der Anisotropie der chemischen Verschiebung $\Delta\sigma = \sigma_{33}\text{-}1/2\,(\sigma_{11} + \sigma_{22})$ beruhen. Für eine qualitative Betrachtung sollen σ_{33}, σ_{11} und σ_{22} der z, x und y-Achse des Laboratoriumskoordinatensystems entsprechen. Damit betrachten wir für σ_{11} die π- und σ-Elektronendichte z. B. in einer BC-Bindung, für σ_{22} (in der Ringebene, senkrecht zur BC-Bindung) die Magnetfeld-induzierte Mischung von π-Elektronen mit σ-Elektronen außerhalb der BC-Bindung, und für σ_{33} (senkrecht zur Ringebene) alle Elektronen in den σ-Anteilen innerhalb und außerhalb der BC-Bindung. Daraus ist in Übereinstimmung mit MO-Modellen zu schließen, daß der Hauptanteil der Änderung des isotropen σ-Wertes auf Wechsel in den σ_{11}- und σ_{22}-Beiträgen zurückzuführen ist, also eine Folge der Metall-Ligand-π-Wechselwirkungen ist. Für C_5H_5-Metall-Komplexe wird damit der grobe Trend bestätigt, daß mit zunehmend ionischer Bindung eine Entschirmung der C_5H_5-Kohlenstoffatome gefunden wird[7], eine Beobachtung, die sich mit gebührender Vorsicht (eingedenk der groben Vereinfachungen) z. B. auf die $\delta^{11}B$-Werte von Organobor-π-Metallverbindungen übertragen lassen sollte. Dies erklärt auch die vergleichsweise geringe Verschiebungsdifferenz $\Delta^{11}B$ der Organoborine ($\Delta^{11}B = \delta^{11}B$ (Ligand)-$\delta^{11}B$ (Übergangsmetall-π-Komplex) im Vergleich etwa zu den $\Delta^{11}B$-Werten für (η^5-Di-1-alkenylboran)metall-Komplexe. In den „freien" Organoborinen sind infolge der bestehenden Verteilung der π-Elektronendichte wesentlich geringere Änderungen in σ_{11} und σ_{22} bei der Komplexbildung zu erwarten als in den ausgesprochenen Elektronenmangel-Verbindungen, wie sie z. B. im Fall der Di-1-alkenylborane vorliegen.

Eine Gegenüberstellung von $\delta^{11}B$-Werten der B-Phenylborin-Komplexe und der $\delta^{13}C$-Werte von Cyclopentadienyl-Verbindungen zeigt, daß sich die aufgrund der Elektronenzahl zu fordernde Analogie zwischen $[C_5H_5]$- und $[C_5H_5BR]^-$- auch in der NMR-Spektroskopie widerspiegelt. Dies zeigt die Korrelation $\delta^{11}B/\delta^{13}C$ in Abb. 23 (S. 573). Mit Ausnahme der Osmium-Derivate ergibt sich eine befriedigende Übereinstimmung der Trends für $\delta^{11}B$ und $\delta^{13}C$.

Ein anderer Ansatz zur Einordnung der $\delta^{11}B$-Werte in bekannte Konzepte beruht auf dem Vergleich der $\delta^{11}B$- und $\delta^{13}C$-Werte isoelektronischer und isostruktureller Verbindun-

[1] D.W. Clack u. K.D. Warren, Inorg. Chem. **18**, 513 (1979) [MO-Berechnungen $M(HBC_5H_5)_2$].
[2] D.W. Clack u. K.D. Warren, J. Organometal. Chem. **208**, 183 (1981) [MO-Berechnungen $M(HBC_5H_5)_2$].
[3] M.C. Böhm, M. Eckert-Maksic, R. Gleiter, G.E. Herberich u. B. Hessner, B. **115**, 754 (1982); [MO-Berechnungen und PE-Spektrum von $\eta^6-CH_3B(CH=CH)_2BCH_3$-Komplexen].
[4] U. Kölle, J. Organometal. Chem. **157**, 327 (1978).
[5] U. Kölle, J. Organometal. Chem. **152**, 225 (1978).
[6] M.M. Maricq, J.S. Waugh, J.L. Fletcher u. M.J.M. McGlinchey, Am. Soc. **100**, 6902 (1978).
[7] D.E. Wemmer u. A. Pines, Am. Soc. **103**, 34 (1981).

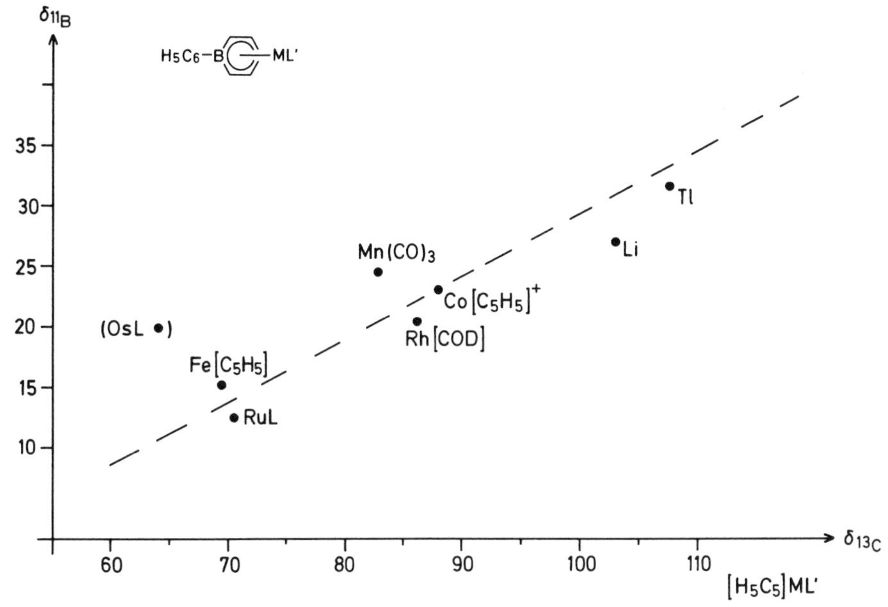

Abb. 23: Korrelation von δ^{11}B-Werten[1–6] der 1-Phenyl-1-borin-Metall-π-Komplexe mit δ^{13}C-Werten[7] von Cyclopentadienyl-Metall-π-Komplexen: $\delta^{11}B = 0{,}52 \times \delta^{13}C - 23$.

gen[8]. In diesem Zusammenhang ist z. B. der Vergleich angebracht zwischen δ^{11}B und $\delta^{13}C^+$ (in Alkenylboranen und Alkenyl-Carbokationen und ihren Übergangsmetall-π-Komplexen) sowie etwa zwischen δ^{11}B- und δ^{13}C (in Borinen und Arenen und ihren Übergangsmetall-π-Komplexen); z. B.:

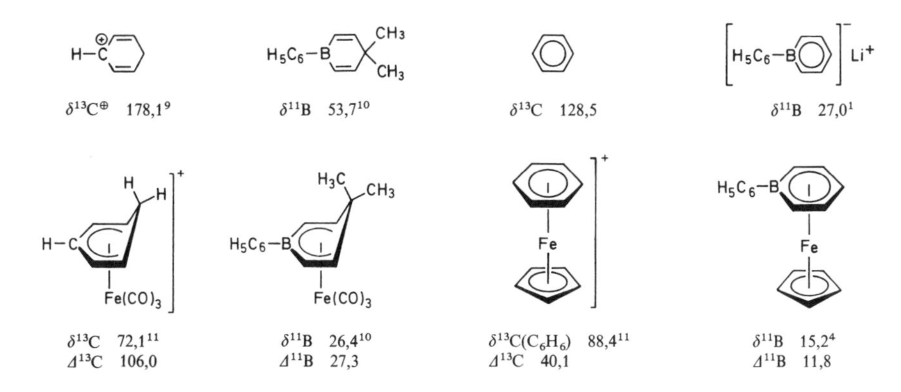

[1] A. J. Ashe, III u. P. Shu, Am. Soc. **93**, 1804 (1971).
[2] G. E. Herberich, H. J. Becker u. C. Engelke, J. Organometal. Chem. **153**, 265 (1978).
[3] G. E. Herberich u. H. J. Becker, Ang. Ch. **85**, 817 (1973); engl. **12**, 764.
[4] G. E. Herberich u. K. Carsten, J. Organometal. Chem. **144**, C 1 (1978).
[5] G. E. Herberich, G. Greiss u. H. F. Heil, Ang. Ch. **82**, 838 (1970); engl. **9**, 805.
[6] G. E. Herberich, H. J. Becker, K. Carsten, C. Engelke u. W. Koch, B. **109**, 2382 (1976).
[7] B. E. Mann u. B. F. Taylor, *^{13}C-NMR-Data for Organometallic Compounds*, Academic Press, London 1981, S. 219ff.
[8] B. Wrackmeyer, Z. Naturf. **35b**, 439 (1980).
[9] G. A. Olah, J. S. Staral, G. Asencio, G. Liang, D. A. Forsyth u. G. D. Mateescu, Am. Soc. **100**, 6299 (1978).
[10] G. E. Herberich, E. Bauer, J. Hengesbach, U. Kölle, G. Huttner u. H. Lorenz, B. **110**, 760 (1977).
[11] B. E. Mann u. B. F. Taylor, *^{13}C-NMR Data for Organometallic Compounds*, Academic Press, London 1981.

Eine positive Ladung am Metall führt zu mäßiger Entschirmung des ^{11}B-Kerns (vgl. die δ^{11}B-Daten von 1-Phenyl-1-borin-π-Komplexen in Tab. 98). Bemerkenswert ist die erhöhte Abschirmung des ^{11}B-Kerns, wenn der Triorganoboran-Ligand zwei Metalle verbrückt (vgl. Tab. 100, S. 577). Soweit Vergleichswerte herangezogen werden können, beträgt der Abschirmungsgewinn Δ^{11}B gegenüber ähnlichen terminalen Liganden bei gleichen Metallen ca. 8–16 ppm.

Tab. 98: δ^{11}B-Werte von Triorganobor- und Organobor-Wasserstoff-Übergangsmetall-π-Komplexen (formal neutrale Organoborane, δ^{11}B-Werte)

Verbindung		Herst. XIII/3c, S.	δ^{11}B	Δ^{11}B	Lösungsmittel	Literatur
ML'[$(CH_2)_2(CH=CH)_2BC_6H_5$]						
ML'						
$Cr(CO)_4$		12	29,7	24,9	$CDCl_3$	1
$Mo(CO)_4$		12	28,3	26,3	$CDCl_3$	1
$W(CO)_4$		12	27,2	27,4	$CDCl_3$	1
Mn(CO)Cp		—	26,5	28,1	$CDCl_3$	1
$Fe(CO)_3$		—	27,3	27,3	$(C_2H_5)_2O$	2
NiL		29 f.	28,3	26,3	C_6D_6	3, 4
PdL		—	28,0	26,6	$CDCl_3$	3, 4
PtL		30	27,0	27,6	$CDCl_3$	3, 4
L'M[η^5-$CH_2(CH=CH)_2BC_6H_5$]						
ML'						
CoC_5H_5		23	21,6	27,4	CCl_4	5
Co[$C_5H_5BC_6H_5$]		—	20,9 (ein Signal)	28,1	C_6D_6	5
Rh[$C_5(CH_3)_5$]		—	17,3	31,7	CCl_4	5
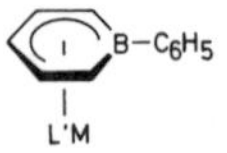 [Borin-Ring B–C_6H_5, an L'M gebunden]						
ML'						
Co[C_5H_5]		—	17,7	—	CCl_4	5
Co[$C_5H_5BC_6H_5$]		34	20,5 (ein Signal)		C_6D_6	5
L'M[$(H_3C)_2El(CH=CH)_2BC_6H_5$] = L'ML						
ML'	El					
$Fe(CO)_3$	C	9	26,4	27,3	C_6D_6	2
$Fe(CO)_3$	Si	9	22,0	30,7	C_6D_6	2
Co[C_5H_5]	C	9, 20	32,0	21,7	C_6D_6	2
Ni[COD]	Si	12	30,9	21,8	C_6D_6	3, 4
NiL	C	27	25,3	28,4	C_6D_6	3, 4
NiL	Si	27	24,7	28,0	C_6D_6	3, 4
PdL	C	30	20,6	33,1	$CDCl_3$	3, 4
PdL	Si	30	21,8	30,9	C_6D_6	3, 4
PtL	C	—	19,5	34,2	$CDCl_3$	3, 4
PtL	Si	—	21,4	31,3	Toluol-d_8	3, 4

[1] U. KÖLLE, W.-D.H. BEIERSDORF u. G.E. HERBERICH, J. Organometal. Chem. **152**, 7 (1978).
[2] G.E. HERBERICH, E. BAUER, J. HENGESBACH, U. KÖLLE, G. HUTTNER u. H. LORENZ, B. **110**, 760 (1977).
[3] G.E. HERBERICH, M. THÖNNESSEN u. D. SCHMITZ, J. Organometal. Chem. **151**, 27 (1980).
[4] M. THÖNNESSEN, Dissertation, Technische Hochschule Aachen 1978.
[5] G.E. HERBERICH, C. ENGELKE u. W. PAHLMANN, B. **112**, 607 (1979).

Tab. 98 (Fortsetzung)

Verbindung	Herst. XIII/3c, S.	δ^{11}B	Δ^{11}B	Lösungsmittel	Literatur
$[C_5(CH_3)_5]$ Rh$[\eta^5$-$(H_2C=CH)_2BCH_3]$	9	23,6	40,8	C_6D_6	1
$[C_5(CH_3)_5]$ Rh$[\eta^5$-$(H_2C=CH)_2BC_6H_5]$	9	21,3	—	C_6D_6	1
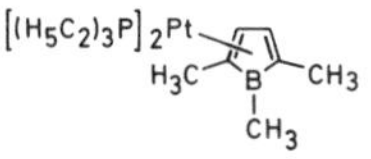 $[(H_5C_2)_3P]_2$Pt–(2,5-dimethyl-1-methylborol; H_3C, CH_3, B–CH_3)	12	19,5	—	Toluol-d_8	2
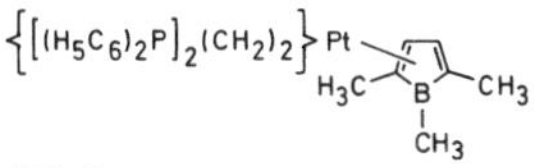 $\{[(H_5C_6)_2P]_2(CH_2)_2\}$Pt–(2,5-dimethyl-1-methylborol; H_3C, CH_3, B–CH_3)	—	18,0	—	CD_2Cl_2	2
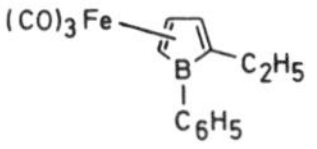 $(CO)_3$Fe–(borol; C_2H_5, B–C_6H_5)	10	19,6	—		3
ML'$[(C_6H_5)_5C_4B]$; ML' =					
$Fe(CO)_3$	8	17 ± 2	38 ± 5	CD_2Cl_2	3, 4
CoC_5H_5		17 ± 2	38 ± 5	CD_2Cl_2	4
$Ni(CO)_2$	8	24 ± 23	31 ± 5	CD_2Cl_2	3, 4
Pt(COD)		16 ± 2	39 ± 5	CD_2Cl_2	4
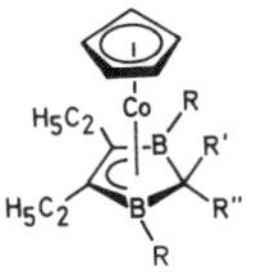 C_5H_5Co–(1,3-diborolyl; H_5C_2, H_5C_2, B–R, R', R''); R / R' / R'' =					
C_2H_5 / CH_3 / H	22	27,5	41,0		5
CH_3 / H / H		27,3			
C_2H_5 / CH_3 / CH_3		42,0		C_6D_6	
CH_3 / CH_3 / CH_3		41,6			
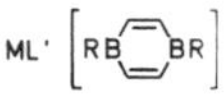 ML' [RB(1,4-diborin)BR]; ML' / R =					
CoC_5H_5 / CH_3	23	24,0	—	CS_2	6
C_6H_5	—	22,0	—	CS_2	6
$C_5H_4FeC_5H_5$	—	21,0	19,9	CS_2	6
H	—	17,2 $^1J(^{11}B^1H)$ 125,0 Hz	—	CS_2	6
NiL / CH_3	35	32,0	—	CS_2	6
NiL / C_6H_5	—	27,0	—	CS_2	6
$Ni(CO)_2$ / $C_5H_4FeC_5H_5$	22	31,0	9,9	Toluol-d_8	7
$Rh[C_5(CH_3)_5]$ / CH_3	—	19,0	—	CS_2	6
$Rh[C_5(CH_3)_5]$ / C_6H_5	—	18,0	—	CS_2	6
$Rh[C_5(CH_3)_5]$ / H	—	14,5 $^1J(^{11}B^1H)$ 119 Hz	—	CS_2	6
ML' [(borol)B–C_6H_5]					
ML' = $Ru(CO)_3$	—	21,0	—	Aceton-d_6	8
ML' = RuC_6H_6	8	13,5	—	Aceton-d_6	8
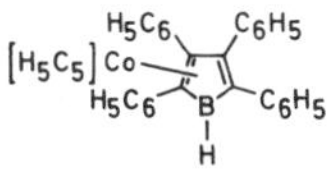 $[H_5C_5]$Co–(borol; H_5C_6, C_6H_5, H_5C_6, C_6H_5, B–H)	—	17,0	—		9

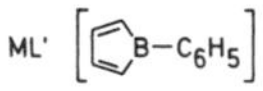

[1] G. E. Herberich u. G. Pampaloni, J. Organometal. Chem. **240**, 121 (1982).
[2] A. Sebald u. B. Wrackmeyer, Universität München, unveröffentlicht 1982.
A. Sebald, Dissertation, Universität München 1983.
[3] G. E. Herberich, J. Hengesbach, U. Kölle u. W. Oschmann, Ang. Ch. **89**, 43 (1977); engl.: **16**, 42.
[4] G. E. Herberich, B. Buller, B. Hessner u. W. Oschmann, J. Organometal. Chem. **195**, 253 (1980).
[5] W. Siebert, J. Edwin u. H. Pritzkow, Ang. Ch. **94**, 147 (1982); engl.: **21**, 148.
J. Edwin, M. C. Böhm, N. Chester, D. M. Hoffman, R. Hoffmann, H. Pritzkow, W. Siebert, K. Stumpf u. H. Wadepohl, Organometallics **2**, 1666 (1983).
[6] G. E. Herberich u. B. Hessner, B. **115**, 3115 (1982).
[7] G. E. Herberich u. B. Hessner, J. Organometal. Chem. **161**, C36 (1978).
[8] G. E. Herberich, B. Hessner, W. Boveleth, H. Lüthe, R. Saive u. L. Zelenka, Ang. Ch. **95**, 1024 (1983); Suppl. **1983**, 1503; engl.: **22**, 996.
[9] D. B. Palladino u. T. P. Fehlner, Organometallics **2**, 1692 (1983).

Tab. 99: $\delta^{11}B$-Werte von Triorganobor- und (Organobor-Wasserstoff)-Übergangsmetall-π-Komplexen (formal anionische Organoborane, $\Delta^{11}B$)

Verbindung	ML'	R¹	R²	Herst. XIII/3c, S.	$\delta^{11}B$ ($^1J^{11}B^1H$)	$\Delta^{11}B$	Lösungsmittel	Literatur
ML' [R²-Borinin-B–R¹]	$V(CO)_4$	CH_3	H	—	28,7	—	C_6D_6	1
	$V(CO)_4$	C_6H_5	H	—	26,0	—	Aceton-d_6	1
	$Mn(CO)_3$	C_6H_5	H	17	24,6	2,4	Aceton-d_6	2
	$Mn(CO)_3$	CH_3	H	17	26,8	—	Aceton-d_6	3
	$Mn(CO)_3$	C_6H_5	4-CH_3	10	22,7	—		4
	$Mn(CO)_3$	CH_3	2-$COCH_3$	15	30,0	—	CD_2Cl_2	3
	$Re(CO)_3$	C_6H_5	4-CH_3	10	22,4	—		4
	$Fe(C_5H_5)$	CH_3	H	18	18,9	—		5
	$Fe(C_5H_5)$	C_6H_5	H	18	15,2	11,8		5
	FeL	CH_3	H	31	20,5	—	$CDCl_3$	6
	FeL	$C(CH_3)_3$	H	—	24,6	—	$CDCl_3$	6
	FeL	C_6H_5	H	31, 33	14,4	12,6	$CDCl_3$	6
	FeL	C_6H_5	4-CH_3	32	15,5	—		4
	FeL	H	H	50	13,6 (129,4)	—		7
	$Co(CO)_2$	C_6H_5	H	18	20,4	6,6		8
	Co [Norbornadien]	C_6H_5	H	16, 20	21,2	5,8	C_6D_6	9
	Co(COD)	C_6H_5	H	20	20,9	6,1	C_6D_6	9
	RuL	CH_3	H	31	12,4	—	$CDCl_3$	10
	RuL	C_6H_5	H	31	14,4	12,6	C_6D_6	10
	Rh(COD)	CH_3	H	19	23,5	—	C_6D_6	10
	Rh(COD)	C_6H_5	H	19	20,9	6,1	C_6D_6	10
	OsL	C_6H_5	H	31, 33	19,8	7,2	$CDCl_3$	10
	$Pt(CH_3)_3$	C_6H_5	H	19	24,4	2,6	C_6D_6	10
{ML' [Borinin-B–C_6H_5]}⁺	ML'							
	$Fe^+(C_6H_5CH_3)$			26	22,7	4,3		5
	$Co^+(C_5H_5)$			24 f.	23,3	3,7	Aceton-d_6	11
	Co^+L			36	24,3	2,7	CD_3CN	12
	$Ru^+(C_6H_6)$			24	18,2	8,8	Aceton-d_6	12
	$Rh^+[C_5(CH_3)_5]$			24	21,3	5,7	CD_3CN	12
	$Ir^+[C_5(CH_3)_5]$			24	17,7	9,3	CD_3CN	12
[COD] Rh–(1-C_6H_5-Borepin)				11	35,0	—	$CDCl_3$	13
ML' [$(H_5C_2)_2$, $(C_2H_5)_2$, CH_3-Diboracyclopentadienyl]	ML'							
	$Sn[Co(C_5H_5)]_2$			47	13,0	—	C_6D_6	14
	$Ni(C_5H_5)$			21	35,3	—	C_6D_6	15
	$Pd(C_5H_5)$			23	37,0	—	C_6D_6	16
	$Pt(C_5H_5)$			23	29,0	—	C_6D_6	16
	PtL			29	48,0	—	C_6D_6	16
	$[PtL]^{2-}$			—	23,0	—	THF-d_8	16

[1] G. E. Herberich, W. Boveleth, B. Hessner, W. Koch, E. Raabe u. D. Schmitz, J. Organometal. Chem. **265**, 225 (1984).
[2] G. E. Herberich u. H. J. Becker, Ang. Ch. **85**, 817 (1973); engl.: **12**, 764.
[3] G. E. Herberich, B. Hessner u. T. T. Kho, J. Organometal. Chem. **197**, 1 (1980).
[4] G. E. Herberich u. E. Bauer, B. **110**, 1167 (1977).
[5] G. E. Herberich u. K. Carsten, J. Organometal. Chem. **144**, C1 (1978).
[6] A. J. Ashe, III, E. Meyers, P. Shu, T. von Lehmann u. J. Bastide, Am. Soc. **97**, 6865 (1975).
[7] A. J. Ashe, III, W. Butler u. H. F. Sandford, Am. Soc. **101**, 7066 (1979).
[8] G. E. Herberich u. H. J. Becker, Z. Naturf. **29b**, 439 (1974).
[9] G. E. Herberich, W. Koch u. H. Lueken, J. Organometal. Chem. **160**, 17 (1978).
[10] G. E. Herberich, H. J. Becker, K. Carsten, C. Engelke u. W. Koch, B. **109**, 2382 (1976).
[11] G. E. Herberich u. G. Greiss, B. **105**, 3413 (1972).
[12] G. E. Herberich, C. Engelke u. W. Pahlmann, B. **112**, 607 (1979).
[13] G. E. Herberich, J. Hengesbach u. U. Kölle, B. **110**, 1171 (1977).
[14] H. Wadepohl, H. Pritzkow u. W. Siebert, Organometallics, **2**, 1899 (1983).
[15] W. Siebert u. M. Bochmann, Ang. Ch. **89**, 483 (1977); engl.: **16**, 468.
[16] H. Wadepohl u. W. Siebert, Z. Naturf. **39b**, 50 (1984).

Tab. 100: $\delta\,^{11}B$-Werte für Triorganobor-Übergangsmetall-π-Komplexe (formal neutrale oder anionische Triorganoborane als Brücken-Liganden)

Verbindung	Herst. XIII/3c, S.	$\delta\,^{11}B$	Lösungsmittel	Literatur
$[Mn(CO)_3]_2$ $(C_6H_5B\text{-Ring}\text{-}C_2H_5)$	38	17,6	C_6D_6	[1]
$[Fe(C_5H_5)]_2$ $(C_6H_5B\text{-Ring}\text{-}C_2H_5)$	39	4,0	$CDCl_3$	[2]
$\{[(C_4H_4B^{(a)}\text{-}C_6H_5)Rh]_2(C_6H_5B^{(b)}\text{-Ring})\}$	39	19,1 (a) 10,3 (b)	CD_2Cl_2	[3]
$\{[Rh(C_5(CH_3)_5)]_2\ H_3C\text{-}B(C_4H_4)B\text{-}CH_3\}^{2+}$	49	8,0	CD_3NO_2	[4]
$[Fe(C_5H_5)][Co(C_5H_5)]$ $(C_2H_5B,\ H_5C_2,\ CH_3,\ B,\ H_5C_2,\ C_2H_5\text{-Ring})$	43	19,6	CS_2	[5]
$[Ni(C_5H_5)]_2$ $(C_2H_5B,\ H_5C_2,\ CH_3,\ B,\ H_5C_2,\ C_2H_5\text{-Ring})$	42	7,0	THF-d_8	[6]
$\{[Co(C_5H_5)]_2Co[(CH_3B,\ H_5C_2,\ CH_3,\ B,\ H_5C_2,\ CH_3\text{-Ring})]_2\}$	46	18,3	CD_2Cl_2	[7]
$[Co(C_5H_5)(C_2H_5B,\ H_5C_2,\ CH_3,\ B,\ H_5C_2,\ C_2H_5\text{-Ring})]_2[Ni(CO)_2]$	47	14,8	C_6D_6	[8]

$\alpha\alpha_3$) ^{13}C-NMR-Spektren

Im Gegensatz zur ^{11}B-NMR-Spektroskopie ist die ^{13}C-NMR-Spektroskopie zur Untersuchung der Organobor-Übergangsmetall-π-Komplexe nur in wenigen Fällen zum Einsatz

[1] G. E. HERBERICH, J. HENGESBACH, U. KÖLLE, G. HUTTNER u. A. FRANK, Ang. Ch. **88**, 450 (1976); engl.: **15**, 433.
[2] G. E. HERBERICH, J. HENGESBACH, G. HUTTNER, A. FRANK u. U. SCHUBERT, J. Organometal. Chem. **246**, 141 (1983).
[3] G. E. HERBERICH, B. HESSNER, W. BOVELETH, H. LÜTHE, R. SAIVE u. L. ZELENKA, Ang. Ch. **95**, 1024 (1983); Suppl. **1983**, 1503; engl.: **22**, 996.
[4] G. E. HERBERICH, B. HESSNER, G. HUTTNER u. L. ZSOLNAI, Ang. Ch. **93**, 471 (1981); engl.: **20**, 472.
[5] W. SIEBERT u. M. BOCHMANN, Ang. Ch. **89**, 895 (1977); engl.: **16**, 857.
[6] F. H. KÖHLER, U. ZENNECK, J. EDWIN u. W. SIEBERT, J. Organometal. Chem. **208**, 137 (1981).
[7] W. SIEBERT, J. EDWIN, H. WADEPOHL u. H. PRITZKOW, Ang. Ch. **94**, 148 (1982); engl.: **21**, 149.
[8] M. W. WHITELY, H. PRITZKOW, U. ZENNECK u. W. SIEBERT, Ang. Ch. **94**, 464 (1982); engl.: **21**, 453.

gelangt[1−7]. Das Potential dieser Methode für die Strukturanalyse und für die Diskussion der Bindungsverhältnisse wird in Zukunft sicherlich verstärkt Berücksichtigung finden.

Indikativ für die π-Bindung zum Metall ist (wie für ^{11}B-Kerne) der Abschirmungsgewinn der ^{13}C-Kerne, die in die Metall-Ligand Bindung einbezogen sind (für die Gründe siehe ^{11}B-NMR, S. 572). Dies wird etwa am Beispiel der Tetracarbonyl-Übergangsmetall-1-Phenyl-4,5-dihydroborepin-π-Komplexe deutlich[8]:

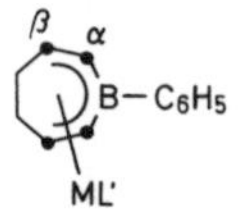

β α B−C6H5 ML'

ML'	$\delta^{13}C_{(\alpha)}$	$\Delta^{13}C_{(\alpha)}$	$\Delta^{13}C_{(\beta)}$	$\delta^{13}C_{(\beta)}$
$Cr(CO)_4$	91,3	44,6	43,9	112,8
$Mo(CO)_4$	93,3	42,6	48,3	108,4
$W(CO)_4$	89,2	46,7	56,2	100,5

Die dynamischen Prozesse in

$$M[\eta^5(CH_3)_2C(C^{\alpha}H=C^{\beta}H)_2BC_6H_5)]_2$$

(M = Pd, Pt) sind auch im ^{13}C-NMR-Spektrum[3,8] [bei 20° ein breites Signal für $^{13}C(\alpha, \alpha')$ und $^{13}C(\beta, \beta')$ infolge schneller Rotation der Ringe über M] zu verfolgen und unterstützen damit die Aussagen der ^{1}H-NMR-Spektren[8].

Die relativ kleine Kopplungskonstante $^{1}J(^{13}C^{1}H^{2}) \approx 80,0$ im Komplex I läßt, wie die extremen $\delta^{1}H^{2}$-Werte (s. S. 568) auf eine ungewöhnliche Bindungssituation des Kohlenstoffs schließen[9,10]:

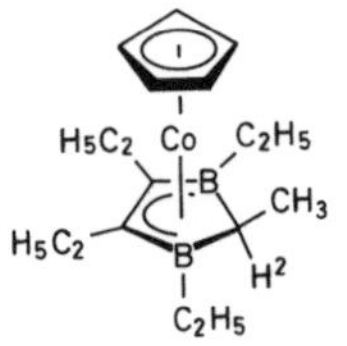

H5C2 Co C2H5 B CH3 H5C2 B H2 C2H5

I

$^{1}J(^{13}C^{1}H^{2}) \approx 80$ Hz

Für die 1-Organo-1-borin-Metall-Verbindungen ist der Vergleich der δ^{13}C-Werte des $[Mn(CO)_3]$-Derivates I[4] und des Tl-Derivates II[11] instruktiv.

[1] U. Kölle, W.D.H. Beiersdorf u. G.E. Herberich, J. Organometal. Chem. **152**, 7 (1978).
[2] G.E. Herberich u. M. Thönnessen, J. Organometal. Chem. **177**, 357 (1979).
[3] M. Thönnessen, Dissertation, Technische Hochschule Aachen 1978.
[4] G.E. Herberich, B. Hessner u. T.T. Kho, J. Organometal. Chem. **197**, 1 (1980).
[5] F.H. Köhler, U. Zenneck, J. Edwin u. W. Siebert, J. Organometal. Chem. **208**, 137 (1981).
[6] G.E. Herberich, J. Hengesbach, G. Huttner, A. Frank u. U. Schubert, J. Organometal. Chem. **246**, 141 (1983).
[7] A. Sebald u. B. Wrackmeyer, Universität München, unveröffentlicht 1983.
[8] G.E. Herberich, M. Thönnessen u. D. Schmitz, J. Organometal. Chem. **191**, 27 (1980).
[9] W. Siebert, J. Edwin u. H. Pritzkow, Ang. Ch. **94**, 147 (1982); engl.: **21**, 148.
[10] J. Edwin, M.C. Böhm, N. Chester, D.M. Hoffman, R. Hoffmann, H. Pritzkow, W. Siebert, K. Stumpf u. H. Wadepohl, Organometallics **2**, 1666 (1983).
[11] G.E. Herberich, H.J. Becker u. C. Engelke, J. Organometal. Chem. **153**, 265 (1978).

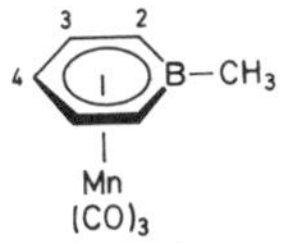

I 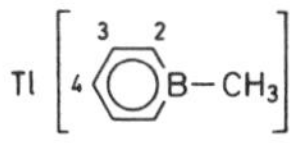 II

	δ^{13}C (I)	Δ^{13}C	δ^{13}C (II)
C(2)	93,2	38,7	131,9
C(3)	110,9	24,3	135,2
C(4)	83,4	27,3	110,7
CH_3(B)	1,0	3,1	4,1

Die korrekte Zuordnung der ^{1}H-Resonanzen in *μ-(2-Ethyl-1-phenylborol)-bis(tricarbonylmangan)* ist mit Hilfe selektiver ^{1}H-Entkopplung im ^{13}C-NMR-Spektrum gelungen[1].

In dem Bis(triethylphosphan)platin-Borol-π-Komplex gelingt die Strukturaufklärung neben ^{1}H-, ^{11}B-, ^{31}P- und ^{195}Pt-NMR zuverlässig mit Hilfe von ^{13}C-NMR gemeinsam mit ^{13}C{^{1}H-,^{11}B} heteronuklearen Tripelresonanzmessungen[2].

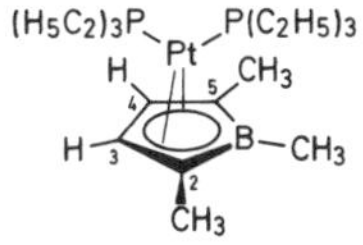

	$\delta^{13}C^{2}$	$J(^{195}Pt^{13}C)^{2}$
C(2,5)	108,1	62,0
C(3,4)	90,0	24,4

Bemerkenswert ist der Unterschied der $J(^{195}Pt^{13}C)$-Werte, die hier erstmals für (Ligand)-Platin-Triorganoboran-π-Komplexe ermittelt wurden. Das dynamische Verhalten [Rotation der $(C_2H_5)_3P)_2$Pt-Einheit] ist im ^{1}H-, ^{31}P- und im ^{13}C-NMR-Spektrum des Platin-Borol-Komplexes zu verfolgen. Bei Temperaturen $< 10°$ wird für die ^{13}C-Atome $C^{(3,4)}$ ein Dublett [$J(^{31}P^{13}C) = 4{,}9$ Hz] beobachtet, während bei Raumtemperatur nur ein Singulett auftritt.

Mit Hilfe des ^{13}C-NMR-Spektrums des diamagnetischen Anions gelingt die Zuordnung der ^{13}C-Resonanzen im *para*magnetischen neutralen 33-Valenzelektronen-Tripeldecker-sandwich[3]:

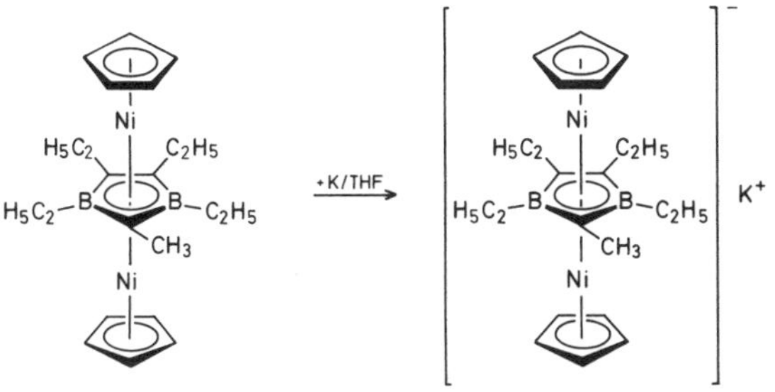

+K/THF

	ppm	ppm
δ^{11}B(1,3)	18	7,0
δ^{13}C(2)	–	64,5
δ^{13}C(4,5)	736,4	80,0
$\delta^{13}C(C_5H_5)$	358,6	86,3

---

[1] G. E. Herberich, J. Hengesbach, G. Huttner, A. Frank u. U. Schubert, J. Organometal. Chem. **246**, 141 (1983).

[2] A. Sebald u. B. Wrackmeyer, Universität München, unveröffentlicht 1982.

[3] F. H. Köhler, U. Zenneck, J. Edwin u. W. Siebert, J. Organometal. Chem. **208**, 137 (1981).

Dabei entspricht die Richtung der paramagnetischen Verschiebungen (zu höherer Frequenz) den MO-Modellen; die Größe der Shifts, insbesondere des δ^{11}B-Wertes, ist jedoch bisher nicht zu interpretieren[1].

α_5) *Molekülstrukturanalysen*

Zahlreiche Röntgenstrukturanalysen der (Ligand)Übergangsmetall-Triorganobor-π-Komplexe sind durchgeführt worden[2]. An dieser Stelle kann nur eine kleine Auswahl zusammengestellt werden.

Bis(1-methylborin)cobalt[3] (XIII/3c, S. 32):

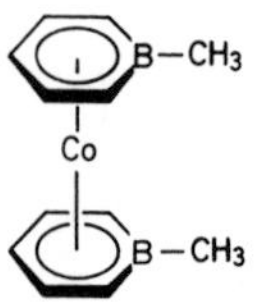

d_{CoB} = 2,283(5) Å
d_{BC} = 1,505(8) Å
$d_{CoC^{2-6}}$ = 2,075(5)–2,222(5) Å

(2-Ethyl-1-phenylborol)-bis[(cyclopentadienyl)eisen][4] (XIII/3c, S. 39):

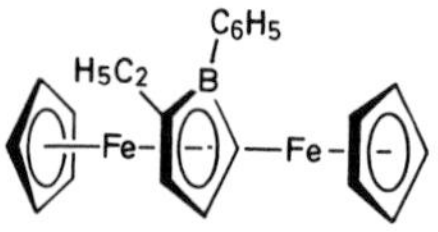

d_{FeFe} = 3,268(3) Å
d_{BC^2} = 1,650(2) Å
d_{C^5B} = 1,510(2) Å
d_{Fe^1B} = 2,180(2) Å
d_{Fe^2B} = 2,110(2) Å

(η^5-Cyclopentadienyl)cobalt-1,3,4,5-tetraethyl-2-methyl-1,3-diborolen[5] (XIII/3c, S. 22):

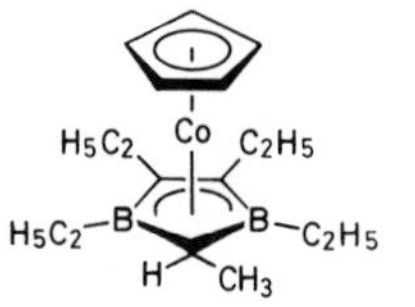

d_{CoB} = 2,057(2) Å
d_{CoC^2} = 2,042(2) Å
$d_{CoC^{4,5}}$ = 2,020–2,040(2) Å

$\sphericalangle_{CCoB}$ = 173,5(2)°
$\sphericalangle_{CCoC}$ = 175,5(2)°
$\sphericalangle_{BCB}$ = 107,3(3)°
$\sphericalangle_{CBC}$ = 103,6(1)°

Bis[cyclopentadienylcobalt-(η^5-4,5-diethyl-1,3-dimethyl-1,3-diborolenyl)]zinn[6] (XIII/3c, S. 47):

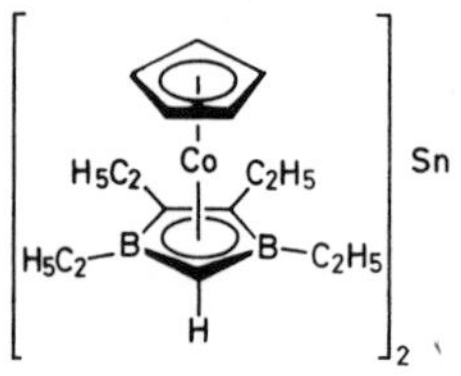

d_{SnB} = 2,59; 2,71 Å
d_{SnC} = 2,43 Å

$\sphericalangle_{\text{Ebene } C_3B_2/\text{Ebene } C_3B_2} \approx 113°$

[1] F.H. Köhler, U. Zenneck, J. Edwin u. W. Siebert, J. Organometal. Chem. **208**, 137 (1981).
[2] M.I. Bruce, *Index of Structures Determined by Diffraction Methods*, Comprehensive Organometallic Chem. **9**, 1244–1261 (1982).
[3] G. Huttner, B. Krieg u. W. Gartzke, B. **105**, 3424 (1972).
[4] G.E. Herberich, J. Hengesbach, G. Huttner, A. Frank u. U. Schubert, J. Organometal. Chem. **246**, 141 (1983).
[5] J. Edwin, M.C. Böhm, N. Chester, D.M. Hoffman, R. Hoffmann, H. Pritzkow, W. Siebert, K. Stumpf u. H. Wadepohl, Organometallics **2**, 1666 (1983).
[6] H. Wadepohl, H. Pritzkow u. W. Siebert, Organometallics **2**, 1899 (1983).

β) Übergangsmetall-(Organobor-Element)-π-Komplexe [Element = Halogen, Sauerstoff, Schwefel, Stickstoff und Bor]

β_1) *IR-Spektren*

Die C=O-Valenzschwingungen der Carbonyl-Liganden von Carbonyl-Übergangsmetall-π-Organobor-Element-Verbindungen liegen im Bereich von 1700–2250 cm^{-1} [1,2]. Endständige CO-Liganden (*cis/trans:* 1950/80 cm^{-1}) lassen sich von Brücken-CO-Liganden (vgl. S. 17, 82) unterscheiden. Langwellige Verschiebung von $\nu_{(CO)_t}$ tritt bei Schwächung der Metall-C-Bindung ein[3]. Die CO-Absorptionen der Carbonyl-Metall-Organoborazine liegen zwischen 1850 und 1980 cm^{-1} [4].

C=C-Valenzschwingungen der 1,2,5-Thiadiborolene werden bei Übergangsmetall-π-Komplexierung nach niederen Frequenzen verschoben; z. B.[1]:

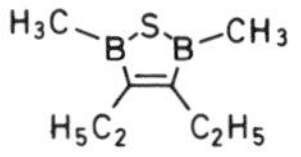

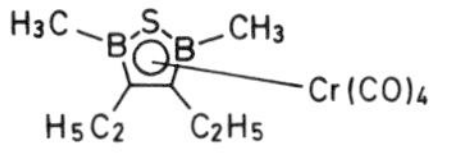

$\nu_{C=C}$ [cm^{-1}]: 1536 (1,2,5-Thiadiborolen, H_3C/CH_3 an B, H_5C_2/C_2H_5 an C); 1471 (dessen $Cr(CO)_4$-Komplex)

Die BN-Bande des Tricarbonylchrom-Hexamethylborazins liegt bei 1374 cm^{-1} [1,4].

β_2) Massenspektren

Die Massenspektren der (Ligand)Übergangsmetall-(Organobor-Element)-π-Komplexe sind durch Molekülpeaks und/oder charakteristische Bruchstückmassen gekennzeichnet.

Beim Sandwichkomplex *Bis(1,4-dimethoxy-1,4-diborin)nickel* treten z. B. die Molekülmasse M^+ (92% rel. Int.) und der Basispeak $(M\text{-Ligand})^+$ auf[5].

Carbonyl-Übergangsmetall-(Organobor-Element)-π-Komplexe spalten im Massenspektrum meist bevorzugt die CO-Liganden ab. Beispielsweise sind beim *Tetracarbonyl-(4,5-Diethyl-1,3-dimethyl-1,2,5-thiadiborolen)*chrom die Bruchstückmassen $(M - nCO)^+$ mit n = 1 bis 4 vorhanden, $(M - 4\ CO)^+$ ist Basispeak[6].

Die Massenspektren von Übergangsmetall-(Organobor-Stickstoff)-π-Komplexen haben vielfach intensive Molekülpeaks; z. B. *Tricarbonyl(η^4-4,5-Diethyl-1,2,2,3-tetramethyl-1,2,5-azasilaborolin)eisen*[7] und *Bis(2-methyl-1-trimethylsilyl-1,2-azaborolinyl)eisen*[8]. Die massenspektrometrische Analyse von Ligand-Übergangsmetall-(Amino-diorgano-boranen) kann auch nützliche Hinweise auf die Assoziation der Verbindung liefern; z. B. beim *π-Allyl-nickel-(Dimethyl-dimethylamino-boran)*[9].

Bei Ligand-Übergangsmetall-(η^6-Organoborazinen) treten nur schwache Molekülpeaks auf, da die CO-Abspaltungen gegenüber der Fragmentierung am Borazin bevorzugt sind[10–12].

---

[1] K. KINBERGER, Dissertation, Universität Würzburg 1976.
[2] Zahlreiche Publikationen über Carbonyl-Übergangsmetall-Organobor-Element-π-Komplexe (Element = Schwefel, Stickstoff); vgl. Bibliographie S. 635f.
[3] J. SCHULZE, R. BOESE u. G. SCHMID, B. **117**, im Druck (1984).
[4] H. WERNER, R. PRINZ u. E. DECKELMANN, B. **102**, 95 (1969).
[5] G. E. HERBERICH u. B. HESSNER, J. Organometal. Chem. **161**, C 36 (1978).
[6] K. KINBERGER, Dissertation, Universität Marburg 1976.
[7] R. KÖSTER, G. SEIDEL, S. AMIRKHALILI, R. BOESE u. G. SCHMID, B. **115**, 738 (1982).
[8] S. AMIRKHALILI, U. HÖHNER u. G. SCHMID, Ang. Ch. **94**, 84 (1982); engl.: **21**, 68; Suppl. **1982**, 50.
[9] G. SCHMID, B. **103**, 528 (1970).
[10] M. SCOTTI u. H. WERNER, J. Organometal. Chem. **81**, C 17 (1974); Helv. **57**, 1234 (1974).
[11] J. L. ADCOCK u. J. J. LAGOWSKI, Inorg. Chem. **12**, 2533 (1973).
[12] J. L. ADCOCK, Dissertation Abstr. B. **32**, 5669 (1972); C. A. **77**, 55761 (1972).

β_3) *Kernresonanzspektroskopie*

$\beta\beta_1$) ^{1}H-NMR-Spektren

Die ^{1}H-NMR-Spektren leisten wertvolle Hilfe bei der Strukturaufklärung und Reinheitskontrolle von Übergangsmetall(Organobor-Element)-π-Komplexen. I. allg. gelten die gleichen Argumente wie für die entsprechenden Triorganobor-Übergangsmetall-π-Komplexe (siehe dort, S. 567). Hinzu kommt, daß in zahlreichen Beispielen die ^{1}H-NMR-Signale der Reste am Element (z. B. OR, SR, NR) zur eindeutigen Identifizierung und zur Überprüfung der Reinheit einer neuen Verbindung verwendet werden können. So wird der Einsatz der ^{1}H-NMR-Spektroskopie für die Analyse des Organo-Restes am Bor-Atom oder am Heteroatom (auch am Metall) routinemäßig durchgeführt.

Die Struktur des ersten Beispiels für ein Übergangsmetall-π-Divinylboran-Derivat wurde aufgrund des ^{1}H-NMR-Spektrums zugeordnet[1,2]:

H1 H2 H1' H5' B—OCH2C6H5 H5 H4 Fe(CO)3

	$H^{1,5}$	$H^{1',5'}$	$H^{2,4}$
δ^1H:	0,80	2,18	3,74

Von diesem Verbindungstyp sind inzwischen zahlreiche weitere offenkettige [mit ML′ = $Co(C_5H_5)$[3] oder $Ru(CO)_3$[4] und Cl am B-Atom, oder ML′ = $Rh[C_5(CH_3)_5]$ und der CH_3O-Gruppe am Bor-Atom[4]] und cyclische η^6-Ligand-Metall-π-Komplexe mit Hilfe von ^{1}H-NMR charakterisiert worden; z. B.[3]:

Co X—B B—X

δ^1H(CH=):	5,1	4,24	3,80
X	Cl	OCH_3	$N(CH_3)_2$

Die Struktur des *Tricarbonyleisen*-Komplexes I (S. 53) ist mit ^{1}H-NMR-Daten belegt worden[5]:

H4 H5 H3 H6 Fe(CO)3 H7 B H2 OCH3

I

	H^2	H^3	H^4	H^5	H^6 (*exo*)	H^7 (*endo*)
δ^1H:	1,94(d)	5,45(dd)	4,75(dd)	2,81(dd)	0,72(d)	1,20(dd)

Die Röntgenstrukturanalyse eines Bis(allyl)nickel-Komplexes bestätigt die aufgrund der ^{1}H-NMR-Daten geforderte Zusammensetzung und Struktur[6,7] (s. S. 586):

---

[1] G. E. Herberich u. H. Müller, Ang. Ch. **83**, 1020 (1971); engl.: **10**, 937.
[2] G. E. Herberich, E. A. Mintz u. H. Müller, J. Organometal. Chem. **187**, 17 (1980).
[3] G. E. Herberich u. B. Hessner, B. **115**, 3115 (1982).
[4] G. E. Herberich u. G. Pampaloni, J. Organometal. Chem. **240**, 121 (1982).
[5] A. J. Ashe, III, W. Butler u. H. F. Sandford, Am. Soc. **101**, 7066 (1979).
[6] J. Edwin, W. Siebert u. C. Krüger, J. Organometal. Chem. **215**, 255 (1981).
[7] J. Edwin, Dissertation, Universität Marburg 1979.

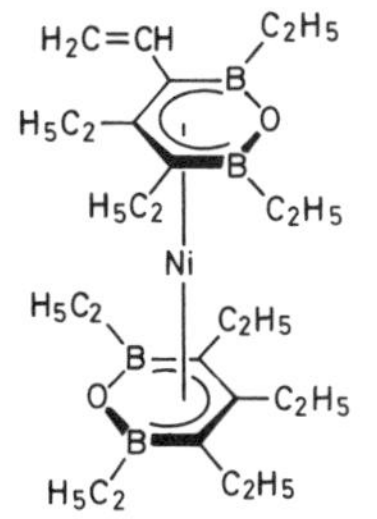

In den zahlreichen 1,2,5-Thiadiborolen-Metall-π-Komplexen sind die ^{1}H-NMR-Daten (δ^1H-Werte, Kopplungskonstanten und Natur der Spin-Systeme) indikativ für die Komplexbildung, z. B.[1–7]:

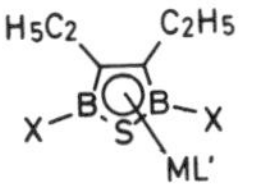

(S. 59) 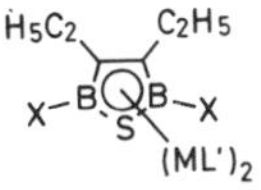 (S. 64) 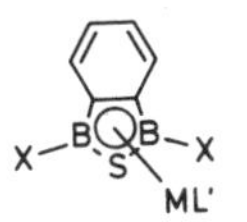 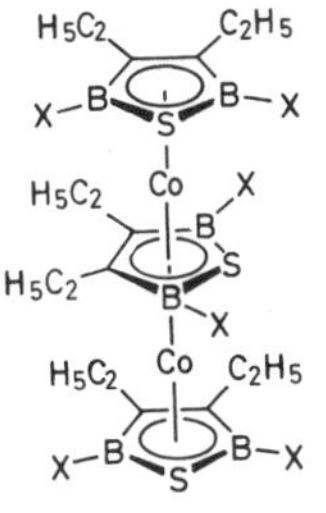 (S. 67) ML' = $Mn(CO)_3$
X = CH_3

Auch bei den Bis(η-1,2-azaborolinyl)eisen-Komplexen (vgl. S. 79) werden die Rückschlüsse aus den ^{1}H-NMR-Spektren durch Röntgenstrukturanalysen bestätigt, indem sich die δ^1H-Werte für gleich- (B–N/B–N) oder gegenläufig (B–N/N–B) am Metallatom koordinierte 1,2-Azaborolinyl-Ringe unterscheiden[8–11], z. B.:

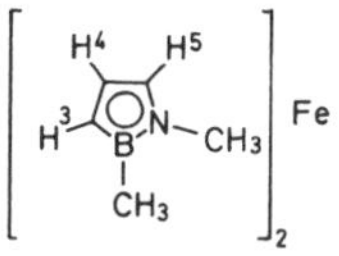

(vgl. S. 81)

	H^3	H^4	H^5	NCH_3	BCH_3
δ^1H (B–N/B–N)	3,08(d)	4,20(d)	4,73(s)	2,16(s)	0,80(s)
δ^1H (B–N/N–B)	3,28(d)	4,00(d)	4,44(s)	2,48(s)	0,66(s)

^{1}H-NMR-Spektren unterstützen die Strukturvorschläge für verschiedene 1,2,5-Azasilaborolin-Metall-π-Komplexe I–IV, gemeinsam mit den ^{11}B-, ^{13}C-, ^{29}Si-NMR-Parametern (siehe dort); Röntgenstrukturanalysen[12, 13] (vgl. S. 592f.) bestätigen diese Vorstellungen[12, 14]:

[1] K. KINBERGER u. W. SIEBERT, B. **111**, 356 (1978).
[2] W. SIEBERT, R. FULL, C. KRÜGER u. Y.-H. TSAY, Z. Naturf. **31b**, 203 (1976).
[3] W. SIEBERT, R. FULL, J. EDWIN, K. KINBERGER u. C. KRÜGER, J. Organometal. Chem. **131**, 1 (1977).
[4] W. SIEBERT u. K. KINBERGER, Ang. Ch. **88**, 451 (1976); engl.: **15**, 434.
[5] W. SIEBERT u. W. ROTHERMEL, Ang. Ch. **89**, 346 (1977); engl.: **16**, 333.
[6] W. SIEBERT, C. BÖHLE, C. KRÜGER u. Y.-H. TSAY, Ang. Ch. **90**, 558 (1978); engl.: **17**, 527.
[7] W. SIEBERT, G. AUGUSTIN, R. FULL, C. KRÜGER u. Y.-H. TSAY, Ang. Ch. **87**, 286 (1975); engl.: **14**, 262.
[8] S. AMIRKHALILI, R. BOESE, U. HÖHNER, D. KAMPMANN, G. SCHMID u. P. RADEMACHER, B. **115**, 732 (1982).
[9] G. SCHMID, S. AMIRKHALILI, U. HÖHNER, D. KAMPMANN u. R. BOESE, B. **115**, 3830 (1982).
[10] G. SCHMID, U. HÖHNER, D. KAMPMANN, D. ZAIKA u. R. BOESE, B. **116**, 951 (1983).
[11] G. SCHMID u. R. BOESE, Z. Naturf. **38b**, 485 (1983).
[12] R. KÖSTER, G. SEIDEL, S. AMIRKHALILI, R. BOESE u. G. SCHMID, B. **115**, 738 (1982).
[13] C. KRÜGER u. A. CHIANG, Mülheim a. d. Ruhr, unveröffentlicht 1982.
[14] R. KÖSTER u. G. SEIDEL, Ang. Ch. **94**, 225 (1982); engl.: **21**, 207.

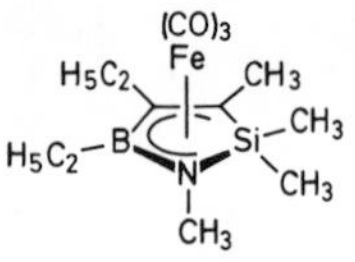

I (S. 74)

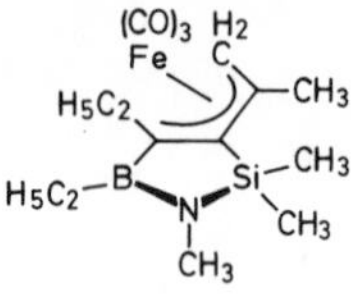

II (S. 74)

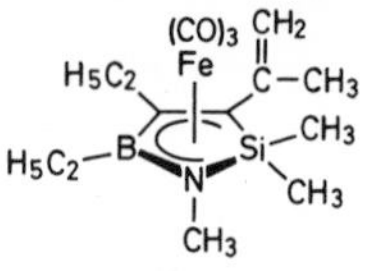

III (S. 74)

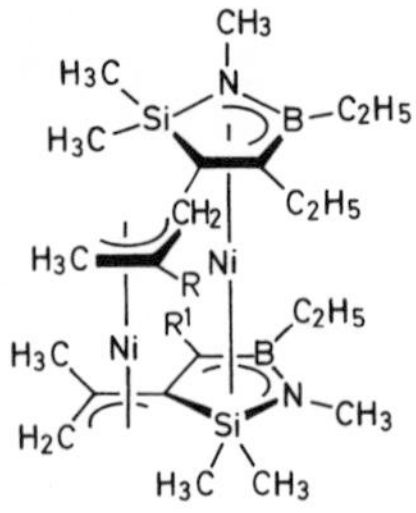

$R = CH_3$
$R^1 = C_2H_5$

IV (S. 79)

Dabei finden sich z. B. getrennte ^1H-Resonanzen für die $Si(CH_3)_2$-Gruppen (*exo, endo*), und die Methylen-Protonen (CCH_2CH_3) sind diastereotop im Einklang mit der Beobachtung eines ABM_3-Spin-Systems[1].

Die ^1H-NMR-Spektren von Hexaorganoborazin-Metall-π-Komplexen (XIII/3c, S. 87ff.) belegen die Struktur. Die Analogie zu Hexaalkylbenzol-Komplexen resultiert aus der analogen Verschiebung der Ligand-Alkyl-^1H-Resonanzen (Δ^1H) zu niedrigeren Frequenzen relativ zum freien Liganden[2-5], z. B.:

	$[(H_3C)_3B_3N_3(CH_3)_3]Cr(CO)_3$		$[C_6(CH_3)_6]Cr(CO)_3$ (zum Vergleich)
	BCH_3	NCH_3	CCH_3
δ^1H:	0,41	2,34	1,70
Δ^1H:	0,05	0,41	0,38

ββ₂) ^{11}B-NMR-Spektren

Die ^{11}B-NMR-Parameter liefern wichtige Hinweise auf die Gegenwart von Organobor-Übergangsmetall-π-Komplexen. Hierbei sind besonders die Verschiebung der ^{11}B-Resonanzen (Tab. 101, S. 585) zu niedrigeren Frequenzen (höherem Feld) im Vergleich mit den freien Organoboranen kennzeichnend, wie bereits auf S. 572 diskutiert wurde. Sind andere Elemente als C oder H am B-Atom gebunden, gilt es primär zu unterscheiden, ob diese Elemente an der Ligand-Metall-π-Bindung unmittelbar beteiligt sind (z. B. beim S-Atom in 1,2,5-Thiadiborolen-π-Komplexen oder beim Stickstoff in Borazin-π-Komplexen), oder ob es sich lediglich um Substituenten handelt (z. B. Halogene, Methoxy-Gruppen, etc.), deren Funktion (bezüglich der magnetischen Abschirmung des ^{11}B-Kerns) im Komplex jedoch anders sein kann als in der freien Organobor-Verbindung.

Der Rückschluß von $\Delta^{11}B$-Werten auf Lewis-Acidität und Akzeptorvermögen der Boratome gegenüber Metall-Elektronendichte ist schon deshalb nicht direkt ratsam. Der Vergleich mit den $\delta^{11}B$-Werten für die Triorganobor-Metall-π-Komplexe (Tab. 100, S. 577) lehrt, daß sich die Bereiche der $\delta^{11}B$-Werte unabhängig vom Element am Boratom sehr ähneln. Dies unterstützt das Argument, daß neben spezifischen Metall-Bor-π-Bindungsanteilen hauptsächlich Änderungen in der Symmetrie der Umgebung des ^{11}B-Kerns (und damit Änderung in der Anisotropie der chemischen Verschiebung) für die beobachteten $\delta^{11}B$-Werte wesentlich sind. Erst eine Analyse der Festkörper-NMR-Spektren bezüglich der Anisotropie der chemischen Verschiebung kann hier zu genaueren Aussagen führen.

[1] R. Köster, G. Seidel, S. Amirkhalili, R. Boese u. G. Schmid, B. **115**, 738 (1982).
[2] H. Werner, R. Prinz u. E. Deckelmann, B. **102**, 95 (1969).
[3] M. Scotti u. H. Werner, J. Organometal. Chem. **81**, C17 (1974).
[4] M. Scotti u. H. Werner, Helv. **57**, 1234 (1974).
[5] J. L. Adcock u. J. J. Lagowski, Inorg. Chem. **12**, 2533 (1973).

Die Erhöhung der $KZ_{(B)}$ auf $\geqslant 4$ in den Polydecker-π-Komplexen hat, ebenso wie bei den Triorganobor-Metall-π-Komplexen, eine erhöhte magnetische Abschirmung der ^{11}B-Kerne zur Folge.

Die Δ^{11}B-Werte werden geringer, wenn im trigonalen Boran die Abschirmung des ^{11}B-Kerns infolge von (pp)π-Wechselwirkungen bereits relativ gut ist. Dies kann zu falschen Schlüssen verleiten, wie im Fall des *Tricarbonyleisen-1-Methoxy-1,2-dihydro-1-borin*-Komplexes, für den die Autoren Metall-Bor-Wechselwirkungen ausschließen[1]. Die Begründung, daß der δ^{11}B-Wert des Metall-π-Komplexes (38,8) gegenüber dem 1-Methoxy-1,4-dihydroborin fast unverändert ist (δ^{11}B: 38,1) ist nicht korrekt. Als Vergleichswert muß der δ^{11}B-Wert von 1-Methoxy-1,2-dihydro-borin verwendet werden, der sich aus Vergleichsverbindungen[2,3] zu $\approx$ 50,0 ppm abschätzen läßt. Damit resultiert ein Δ^{11}B-Wert von $\approx$ 11 ppm.

Da für eine große Zahl der π-Komplexe in Tab. 101 auch Röntgenstrukturanalysen vorliegen, darf der Zusammenhang zwischen δ^{11}B-Werten und Metall-Bor-Wechselwirkung als gesichert angesehen werden. Für relativ kleine Δ^{11}B-Werte (z.B. für die Bis(1,2,4,3,5-Triazadiborolidinyl-Eisen-Komplexe[4]) werden aber noch direkte Strukturinformationen zum Nachweis der π-Bindung benötigt (vgl. S. 571 ff.).

Die δ^{11}B-Werte der Cobalt-Polyboran-π-Komplexe (vgl. S. 589) sind von Interesse, da ja nun Vergleichswerte für Tetraalkyldiboran(4) und Tetraalkyltetraboran(4) bekannt sind (siehe S. 518). Berücksichtigt man den Substituenteneffekt Alkyl/H auf δ^{11}B, so ergeben sich geschätzte Δ^{11}B-Werte relativ zu dem unbekannten freien Liganden um $\approx$ 70 ppm, im Einklang mit vergleichbaren Werten (vgl. S. 571) und der Brückenstellung der C_2B_3-Ringe.

Tab. 101: δ^{11}B-Werte von Übergangsmetall-(Organobor-Element)-π-Komplexen

Verbindung			Herst. XIII/3c, S.	δ^{11}B	Δ^{11}B	Lösungsmittel	Literatur
ML' [H_3C CH_3 / FB BF / H_3C CH_3]			51 f.				
	ML' = $Fe(CO)_3$		—	22,7	17,5	C_6H_6	5
	CoC_5H_5		—	23,1	17,1	C_6H_6	5
	$Ni(CO)_2$		—	24,9	15,3	C_6H_6	5
	Ni(COD)		—	22,0	18,2	C_6H_6	5
	NiL		—	21,7	18,5	C_6H_6	5
ML'[η^5-$(H_2C{=}CH)_2BX$]	ML'	X					
	$Ru(CO)_3$	Cl	—	27,7	29,0	C_6D_6	6
	$Rh[C_5(CH_3)_5]$	OCH_3	53	25,7	—	C_6D_6	6
ML' [X–B⟨ring⟩B–X]	ML'	X	vgl. 54				
	$Co[C_5H_5]$	Cl	—	24,0	—	CS_2	7
	$Co[C_5H_5]$	OCH_3	—	27,0	8,0	CS_2	7
	$Rh[C_5(CH_3)_5]$	OCH_3	—	24,0	-	CS_2	7
	$Co[C_5H_5]$	$N(CH_3)_2$	—	22,0	13,0	CS_2	7

[1] A.J. Ashe, III, W. Butler u. H.F. Sandford, Am. Soc. **101**, 7066 (1979).
[2] H. Nöth u. B. Wrackmeyer, *NMR-Spectroscopy of Boron Compounds*, Bd. **14** *NMR, Grundlagen und Fortschritte* (*^{11}B-NMR-Spektroskopie*), Springer-Verlag, Heidelberg · Berlin 1978.
[3] B.M. Mikhailov u. K.L. Cherkasova, Ž.obšč. Chim. **42**, 138 (1972); engl.: 133; C.A. **77**, 62062 (1972).
[4] H. Nöth u. W. Regnet, Z. anorg. Ch. **352**, 1 (1967).
[5] P.S. Madren, A. Modinos, P.L. Timms u. P. Woodward, Soc. [Dalton Trans.] **1975**, 1272.
[6] G.E. Herberich u. G. Pampaloni, J. Organometal. Chem. **240**, 121 (1982).
[7] G.E. Herberich u. B. Hessner, B. **115**, 3115 (1982).

Tab. 101 (1. Fortsetzung)

Verbindung	ML′	X	Herst. XIII/3c, S.	$\delta^{11}B$	$\Delta^{11}B$	Lösungsmittel	Literatur
Fe(CO)$_3$–[C_5H_6B–OCH_3]			53	38,8	—		1
Ni-Komplex (2 × $H_2C{=}CH$, H_5C_2, C_2H_5, B, O, B)			54	41,4	9,0	C_6D_6	2
ML′[H_5C_2, C_2H_5, X–B, S, B–X]	Cr(CO)$_4$	CH_3	—	33,0	33,0	$CDCl_3$	3
	LCr(CO)$_2$	CH_3	—	38,8	27,2	$CDCl_3$	3
			58	26,0	40,0	$CDCl_3$	
	Mo(CO)$_4$	CH_3	—	33,3	32,7	$CDCl_3$	3
	LMo(CO)$_2$	CH_3	—	39,3	26,7	$CDCl_3$	3
			—	28,0	38,0	$CDCl_3$	
	[Mn(CO)$_3$]$_2$	CH_3	64	22,5	43,5	$CDCl_3$	4
	Fe(CO)$_3$	CH_3	57	27,8	38,2	C_6D_6	5
	Fe(CO)$_3$	H	—	16,1 J($^{11}B^1H$) 150 Hz	—	$CDCl_3$	5
	Fe(CO)$_3$	Cl	—	26,5	39,9	$CDCl_3$	5
	Fe(CO)$_3$	Br	—	23,5	41,9	$CDCl_3$	5
	Fe(CO)$_3$	J	—	13,2	52,8	$CDCl_3$	5
	Fe(CO)$_3$	OC_2H_5	—	27,3	20,3	$CDCl_3$	5
	Fe(CO)$_3$	SCH_3	—	32,0	33,8	$CDCl_3$	5
	Fe(CO)$_3$	N(CH_3)$_2$	—	26,7	15,3	$CDCl_3$	5
	[Fe(C_5H_5)]$_2$	CH_3	64	12,2	54,2	CS_2	6
	Mn(CO)$_3$Fe(C_5H_5)	CH_3	59, 64	18,0	48,0	CS_2	7
	Co(C_5H_5)	CH_3	59	26,8	39,2	$CDCl_3$	5
	Ni(CO)$_2$	CH_3	—	38,3	27,7	$CDCl_3$	8
	NiL	CH_3	59	37,0	29,0	$CDCl_3$	8
	[CoL]$_2$	CH_3	—	14,0 (Brücke)	52,0	CS_2	9
				30,0	36,0		
Fe(CO)$_3$[H_3C–B, S, B–CH_3, Benzo]			—	26,4	51,8	$CDCl_3$	10
Cr(CO)$_5$[(H_3C)$_2$BSCH$_3$]			—	72,9	0,7	C_6H_6	11
				74,3	–0,7	C_6H_{12}	11

[1] A. J. Ashe, III, W. Butler u. H. F. Sandford, Am. Soc. **101**, 7066 (1979).
[2] J. Edwin, W. Siebert u. C. Krüger, J. Organometal. Chem. **215**, 255 (1981).
[3] K. Kinberger u. W. Siebert, B. **111**, 356 (1978).
[4] W. Siebert u. K. Kinberger, Ang. Ch. **88**, 451 (1976); engl.: **15**, 434.
[5] W. Siebert, R. Full, J. Edwin u. K. Kinberger, J. Organometal. Chem. **131**, 1 (1977).
[6] W. Siebert, T. Renk, K. Kinberger, M. Bochmann u. C. Krüger, Ang. Ch. **88**, 850 (1976); engl.: **15**, 779.
[7] W. Siebert, C. Böhle, C. Krüger u. Y.-H. Tsay, Ang. Ch. **90**, 558 (1978); engl.: **17**, 527.
[8] W. Siebert, R. Full, C. Krüger u. Y.-H. Tsay, Z. Naturf. **31b**, 203 (1976).
[9] W. Siebert u. W. Rothermel, Ang. Ch. **89**, 346 (1977); engl.: **16**, 333.
[10] W. Siebert, G. Augustin, R. Full, C. Krüger u. Y.-H. Tsay, Ang. Ch. **87**, 286 (1975); engl.: **14**, 262.
[11] W. Ehrl u. H. Vahrenkamp, B. **103**, 3563 (1970).

Tab. 101 (2. Fortsetzung)

Verbindung		Herst. XIII/3c, S.	δ^{11}B	Δ^{11}B	Lösungsmittel	Literatur
$Fe(CO)_3[H_3C{-}B(SCH_3)_2]$		—	34,2	33,6	C_6H_6	1
$Cr(CO)_3$ [H_5C_2, C_2H_5; $H_3C{-}B$, $B{-}CH_3$; N–N; H_3C, CH_3]		75	23,4	10,4	C_6H_6	2, 3
ML′ [H_5C_2, CH_3; $H_5C_2{-}B$, $Si{-}CH_3$; N, CH_3; CH_3]	ML′					
	$Cr(CO)_4$	—	21,1	22,4	Toluol-d_8	4
	$Fe(CO)_3$	74	18,2	25,3	Toluol-d_8	5
	$Co(C_5H_5)$	75	18,8	24,7	Toluol-d_8	5
	NiL	78	25,0	18,5	Toluol-d_8	5
	$Rh(C_2H_4)$	80	18,2	25,3	C_6D_6	4
			22,9	20,6	C_6D_6	4
$Co(C_5H_5)$ [N–$C(CH_3)_3$; B; CH_3]		75	31			5
ML′ [H_2C; H_5C_2, CH_3; $H_5C_2{-}B$, $Si{-}CH_3$; N, CH_3; CH_3]	ML′					
	$Fe(CO)_3$	74	4 – 1 { 50,3 (Dien-Komplex); 18,2 (En-BN-Komplex) }	−4,3; 27,8	} Toluol-d_8	6; 7
			50,3 (Dien-Komplex)	−4,3	Toluol-d_8	3
	$Co(C_5H_5)$	—	19,1 (En-BN-Komplex)	26,9		4
	NiL	79	26,4 (η^3 und η^4-gebunden)	19,6	C_6D_6	7
	$Rh(C_5H_5)$	—	85 — 15 { 49,4 (Dienkomplex); 18,6 (En-BN-Komplex) }	−3,4; 27,4	Toluol-d_8	7
$Ni(C_3H_5)[(H_3C)_2B{-}N(CH_3)_2]$		—	32,5	12,1		8
$Fe(CO)_3$ [$H_2C{=}CH$; $B{-}Br$; $(H_3C)_2N$]		83	27,2	7,2		8
$Co(C_5H_5)$ [H_5C_2, CH_3; $H_5C_2O{-}B$, $Si{-}CH_3$; N, CH_3; CH_3]		83	18,6	11,0	Toluol-d_8	4

[1] H. NÖTH u. U. SCHUCHARDT, Z. anorg. Ch. **418**, 97 (1975).
[2] W. SIEBERT u. R. FULL, Ang. Ch. **88**, 55 (1976); engl.: **15**, 45.
[3] W. SIEBERT, R. FULL, H. SCHMIDT, J. v. SEYERL, M. HALSTENBERG u. G. HUTTNER, J. Organometal. Chem. **191**, 15 (1980).
[4] R. KÖSTER, G. SEIDEL u. B. WRACKMEYER, unveröffentlicht 1982.
[5] G. SCHMID, U. HÖHNER u. D. KAMPMANN, Z. Naturf. **38b**, 1094 (1983).
[6] R. KÖSTER, G. SEIDEL, S. AMIRKHALILI, R. BOESE u. G. SCHMID, B. **115**, 7381 (1982).
[7] R. Köster u. G. SEIDEL, Ang. Ch. **94**, 225 (1982); engl.: **21**, 207.
[8] G. SCHMID, B. **103**, 528 (1970).

Tab. 101 (3. Fortsetzung)

Verbindung	Herst. XIII/3c, S.	$\delta^{11}B$	$\Delta^{11}B$	Lösungsmittel	Literatur
$Fe(CO)_3\{H_3C{-}B[N(CH_3)_2]_2\}$	85	20,0	13,5		1
$PdCl_2\{H_3C{-}B[N(CH_3)_2]_2\}$	85	9,4	24,1	C_6H_6	2
$Cr(CO)_3$ [$(H_3C)_3C{-}N$(Ring)$N{-}C(CH_3)_3$, B–CH_3]	86	18,3	7,9	$CDCl_3$	3
$Cr(CO)_3[R^1_3B_3N_3R^2_3]$ R¹ / R²					
CH_3 / CH_3	88	24,3	8,1	C_6D_6	4
C_2H_5 / CH_3	89	25,0	7,7	C_6D_6	4
C_2H_5 / C_2H_5	—	28,0	7,7	CD_2Cl_2	5
$M(CO)_4\{\eta^4{-}[H_9C_4{-}BN{-}C(CH_3)_3]_2\}$					
M = Cr	85	16,7	26,3	$CDCl_3$	6
M = W	85	19,5	23,5	$CDCl_3$	6
ML′ [(Ring)B, N–R^2, B–R^1] — ML′ / R¹ / R²					
$Mo(CO)_2(C_3H_5)$ / CH_3 / $C(CH_3)_3$	73	24	2	Toluol-d_8	7
$Mn(CO)_3$ / CH_3 / $C(CH_3)_3$	76	19,0	7,5	C_6D_6	7
FeL / CH_3 / H	81	13,0	—	Toluol-D_8	8
FeL / CH_3 / CH_3		13,0	—	Toluol-d_8	8
FeL / CH_3 / C_2H_5		13,0		C_6D_6	8
FeL / CH_3 / $C(CH_3)_3$		13,2 (B–N/B–N)	13,3	C_6D_6	9
		11,9 (B–N/N–B)	14,6	C_6D_6	9
FeL / CH_3 / $Si(CH_3)_3$	79	22,0	7,5	C_6D_6	9, 10
CoL / CH_3 / CH_3	79	23,0	—	THF–d_8	11
NiL / CH_3 / $C(CH_3)_3$	79	27,0 (B–N/B–N) (B–N/N–B)	–0,5	THF-d_8	12
$Fe(CO)_2$ / CH_3 / $C(CH_3)_3$	73	22,0 (*cis* + *trans*)	4,5	Toluol	13
$Fe(CO)_2J$ / CH_3 / $C(CH_3)_3$	76	20,0	6,5	Petrolether	13
$(CH_3)_3SiFe(CO)_2$ / CH_3 / $C(CH_3)_3$	77	21,0	5,5	Petrolether	13
Ru $[C_6(CH_3)_6]$ [(Ring)B–$N[CH(CH_3)_2]_2$]	80	22,0	26,0	$CDCl_3$	14

[1] G. Schmid, B. **103**, 528 (1970).
[2] G. Schmid u. L. Weber, Z. Naturf. **25b**, 1083 (1970).
[3] G. Schmid u. J. Schulze, Ang. Ch. **89**, 258 (1977); engl.: **16**, 249.
[4] H. Werner, R. Prinz u. E. Deckelmann, B. **102**, 95 (1969).
[5] G. Hunter, W.S. Wadsworth jr. u. K. Mislow, Organometallics **1**, 968 (1982).
[6] K. Delpy, D. Schmitz u. P. Paetzold, B. **116**, 2994 (1983).
[7] G. Schmid, U. Höhner, D. Kampmann, F. Schmidt, D. Bläser u. R. Boese, B. **117**, 672 (1984).
[8] G. Schmid, U. Höhner, D. Kampmann, D. Zaika u. R. Boese, B. **116**, 951 (1983).
[9] G. Schmid, S. Amirkhalili, U. Höhner, D. Kampmann u. R. Boese, B. **115**, 3830 (1982).
[10] S. Amirkhalili, U. Höhner, D. Kampmann u. R. Boese, B. **115**, 732 (1982).
[11] G. Schmid, U. Höhner, D. Kampmann, D. Zaika u. R. Boese, J. Organometal. Chem. (im Druck) (1984).
[12] G. Schmid, D. Kampmann, U. Höhner, D. Bläser u. R. Boese, B. **117**, 1052 (1984).
[13] J. Schulze u. G. Schmid, J. Organometal. Chem. **193**, 83 (1980).
[14] G.E. Herberich u. H. Ohst, Z. Naturf. **38b**, 1388 (1983).

Tab. 101 (4. Fortsetzung)

Verbindung		Herst. XIII/3c, S.	$\delta^{11}B$	$\Delta^{11}B$	Lösungsmittel	Literatur
Fe[(R)B(N–CH_3)B(N–CH_3)(R)]_2	R = CH_3	(XIII/3b S. 320)	28,5	6,0	C_6H_6	1, 2
	R = C_6H_5		26,8	9,4		2, 3
$[Co(C_5H_5)]_2$ [HB(C_3H_3)BH–B–H]		90	5,7 (BC)	—	$CDCl_3$	4
			53,3 (B)	—		
$[Co(C_5H_5)]_2$ [HB–BH, B–H]		91	21,2 (B_2C)	—	$CDCl_3$	4
			12,0 (BC_2)	—		

$\beta\beta_3$) ^{13}C-NMR-Spektren

Trotz der großen Aussagekraft der ^{13}C-NMR-Spektroskopie liegen bisher keine systematischen Untersuchungen an Übergangsmetall-(Organobor-Element)-π-Komplexen vor. Verschiedentlich wird erwähnt, daß ^{13}C-NMR-Daten ermittelt wurden[5] oder die Strukturvorschläge stützen[6, 7].

Die ^{13}C-NMR-Daten einiger η^4-1,2,5-Azasilaborolin-Übergangsmetall-π-Komplexe wurden ermittelt[8, 9] (vgl. Tab. 102, S. 590). Die ^{13}C-Resonanzen der olefinischen C-Atome werden dabei signifikant zu niedrigeren Frequenzen (höherem Feld) verschoben. Die Zuordnung der ^{13}C-Resonanzen für die *exo-*, bzw. *endo*-CH_3-Gruppen am Silicium-Atom kann erst aufgrund der Kopplungskonstante $^1J(^{29}Si^{13}C)$ vorgenommen werden[9]:

$$|^1J(^{29}Si^{13}C_{endo})| > |^1J(^{29}Si^{13}C_{exo})|$$

Dies revidiert die zunächst vorgeschlagene Zuordnung[8].

Die Kristallstruktur von *Tricarbonylchrom-Hexaethylborazin*[10] zeigt, daß die Carbonyl-Gruppen auf Deckung mit den Bor-Atomen stehen und daß von den drei NCH_2CH_3-Gruppen zwei CH_3-Gruppen in Richtung des Metalls zeigen.

In Lösung kann angenommen werden, daß die Stellung der Carbonyl-Gruppen und der B-Atome bleibt, die der Ethyl-Gruppen jedoch variabel ist. Der Nachweis hierfür wurde mit Hilfe temperaturabhängiger ^{13}C-NMR-Messungen geführt[11]. Hieraus ergab sich, daß neben der im Kristall gefundenen Struktur (A) hauptsächlich noch die Struktur (B) mit nur einer terminalen CH_3-Gruppe in Richtung des Metalls beteiligt ist, wobei die Umwandlung der beiden Konformeren eine Aktivierungsenergie $\Delta G^{\#} = 43,5$ kJ/M erfordert.

A ⇌ (43,5 kJ/M) B

Die kleineren gefüllten Kreise stellen die Carbonyl-Gruppen dar, und die größeren gefüllten Kreise deuten Methyl-Gruppen an, die in Richtung des Chrom-Atoms zeigen.

[1] R. GOETZE, Dissertation, Universität München 1976.
[2] D. NÖLLE, Dissertation, Universität München 1975; $\delta^{11}B$ von L^-Li^+.
[3] H. NÖTH u. W. REGNET, Z. anorg. Ch. **352**, 1 (1967).
[4] R. WEISS u. R.N. GRIMES, Am. Soc. **99**, 1036 (1977).
[5] W. SIEBERT, R. FULL, J. EDWIN, K. KINBERGER u. C. KRÜGER, J. Organometal. Chem. **131**, 2 (1977).
[6] J. EDWIN, W. SIEBERT u. C. KRÜGER, J. Organometal. Chem. **215**, 255 (1981).
[7] R. KÖSTER u. G. SEIDEL, Ang. Ch. **94**, 225 (1982); engl.: **21**, 207.
[8] R. KÖSTER, G. SEIDEL, S. AMIRKHALILI, R. BOESE u. G. SCHMID, B. **115**, 738 (1982).
[9] R. KÖSTER, G. SEIDEL u. B. WRACKMEYER, unveröffentlicht 1982.
[10] G. HUTTNER u. B. KRIEG, B. **105**, 3437 (1972).
[11] G. HUNTER, W.S. WADSWORTH jr. u. K. MISLOW, Organometallics **1**, 968 (1982).

In den Bis(1,2-Azaborolinyl)eisen-Komplexen[1] sind im Vergleich zum Cyclopentadienyl-Liganden je zwei C-Atome durch die BN-Gruppe ersetzt. Dadurch sind die Verbindungen mit den Ferrocenen verwandt. Der Verlust der D_{5h}-Symmetrie (im Vergleich zum C_5H_5-Ring) bedingt, daß die 1,2-Azaborolinyl-Ringe gleich- (B—N/B—N) oder gegenläufig (B—N/N—B) koordiniert sein können. Dies haben ^{1}H-NMR-Untersuchungen (s. S. 582) gemeinsam mit Röntgenstrukturuntersuchungen demonstriert. Wie Abb. 24 (S. 591) zeigt, führen ^{13}C-NMR-Messungen zu analogen Ergebnissen, insbesondere wenn heteronukleare Tripelresonanzexperimente $^{13}C\{^{11}B,^1H\}$ eingesetzt werden[2].

Ähnlich wie auf anderen Gebieten bietet die Einfachheit der ^{13}C-NMR-Spektren immer dann große Vorteile, wenn ^{1}H-NMR-Spektren aufgrund zahlreicher Kopplungen und/oder geringerer Verschiebungsdifferenzen der ^{1}H-Resonanzen unübersichtlich werden. Wenn die Kohlenstoff-Atome, wie hier, neben Heteroatomen, Bor und Stickstoff, auch am Metall gebunden sind, sind die δ^{13}C-Daten auch für die Diskussion der Bindungsverhältnisse von Interesse.

Tab. 102: ^{13}C-NMR Daten[3] einiger Hexaalkyl-η^3-1,2,5-azasilaborolin-Übergangsmetall-π-Komplexe ($\Delta\,^{13}$C in (), relativ zum freien Liganden)

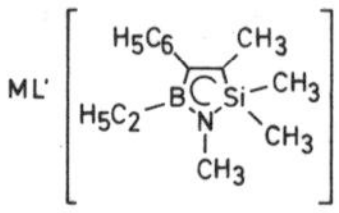

ML'	$\delta\,^{13}C(3)$ (SiC=)	$\delta\,^{13}C(4)$ (BC=)	$\delta\,^{13}C_{exo}$	$^1J(^{29}Si^{13}C)$	$\delta\,^{13}C_{endo}$	$^1J(^{29}Si^{13}C)$
$Cr(CO)_4$	104,2 (45,1)	115,2 (43,8)	3,6 (87,6)	50,6	−2,8 (−1,2)	59,5
$Fe(CO)_3$	66,2 (83,1)	103,6 (55,4)	3,8 (−7,8)	47,8	−4,6 (0,6)	57,8
$Co(C_5H_5)$	50,4 (98,9)	94,1 (64,9)	3,1 (−7,1)	44,9	−2,7 (−1,3)	58,3
$Rh(C_5H_5)$	57,1 (92,2)	96,0 (63,0)	4,0 (0,0)	43,3	−1,9 (−2,1)	58,1
NiL	82,0 (67,3)	111,2 (47,8)	0,7 (−4,7)	44,2	−3,1 (−0,9)	53,4

$\beta\beta_4$) Heteroelement-NMR-Spektren

i_1) ^{14}N-NMR-Spektren

Der ^{14}N-Kern erfährt [ebenso wie die Kerne ^{11}B oder ^{13}C] bei direkter Beteiligung an der Metall-Ligand-π-Bindung [$\delta^{14}N(LML')$] eine erhöhte Abschirmung $\Delta^{14}N$ gegenüber dem freien Liganden [$\delta^{14}N(L)$] (vgl. S. 493 f.). Beispiele hierfür liefern die ^{14}N-NMR-Messungen an den 4,5-Diethyl-1,2,3-tetramethyl-η^3-1,2,5-Azasilaborolin-Metall-π-Komplexen (vgl. S. 75, 78)[3]:

ML'	$Cr(CO)_4$	$Fe(CO)_3$	$Co(C_5H_5)$	$Rh(C_5H_5)$	NiL
$\delta\,^{14}N(LML')$	−358	−372	−395	−367	−342
$\Delta\,^{14}N = (\delta\,^{14}N(L) - \delta\,^{14}N(LML')$	68	82	105	77	52

[1] G. Schmid, U. Höhner, D. Kampmann, D. Zaika u. R. Boese, B. **116**, 951 (1983).
[2] B. Wrackmeyer u. G. Schmid, unveröffentlicht 1983.
[3] R. Köster, G. Seidel u. B. Wrackmeyer, unveröffentlicht 1982.

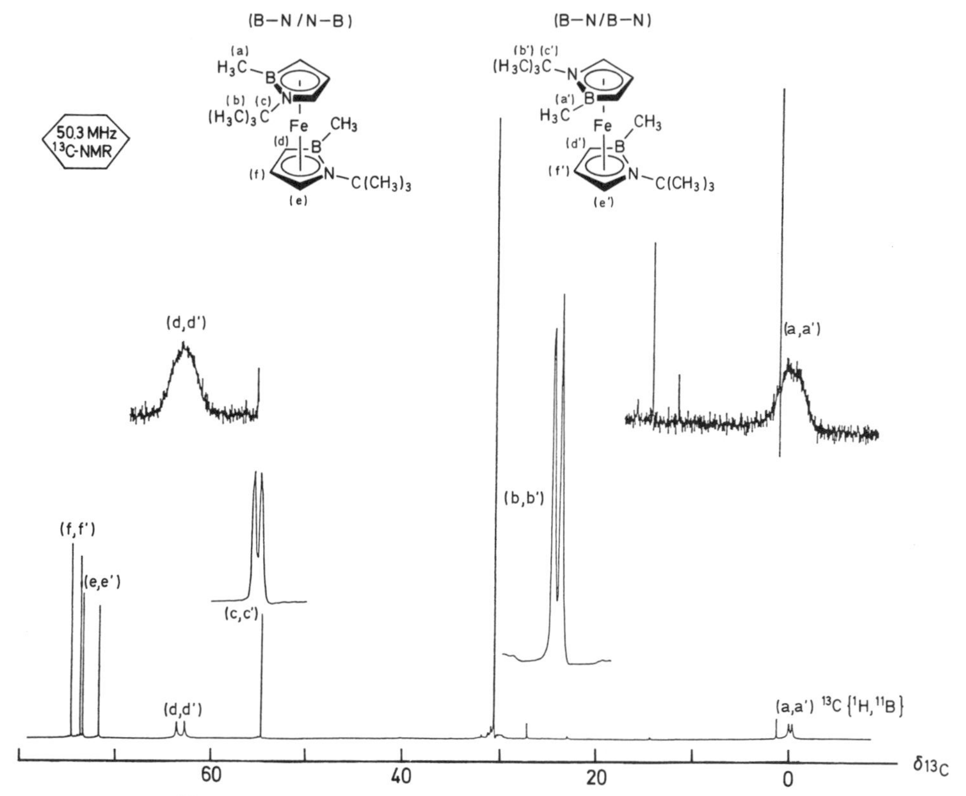

Abb. 24: 50,3 MHz-^{13}C-NMR-Spektren eines 1 : 1-Gemisches der beiden isomeren (B–N/B–N und B–N/N–B) *Bis[1-tert.-butyl-2-methyl-η^5-1,2-azaborolinyl]eisen-π*-Komplexe (vgl. S. 79ff.). Das durchgezogene Spektrum ist ^{1}H- und ^{11}B-entkoppelt; die ^{13}C-Resonanzen der tert.-Butyl-Gruppen (c,c'; b,b') sind gedehnt gezeigt, und die breiten ^{13}C-Resonanzen borgebundener Kohlenstoffe sind abgebildet (d,d'; a,a') vom einfachen ^{1}H-entkoppelten ^{13}C-NMR-Spektrum.

Auch für die ^{14}N-Kerne in *Tricarbonylchrom-Hexamethylborazin* ist die ^{14}N-Resonanz im Vergleich zum Borazin um 47 ppm zu niedrigeren Frequenzen (höherem Feld) verschoben[1]. In *Tetracarbonyl-η^4-(2,4-dibutyl-1,3-di-tert.-butyl-1,3,2,4-diazadiboretidin)-chrom* beträgt der Abschirmungsgewinn Δ^{14}N gegenüber dem freien Liganden (vgl. S. 502) ebenfalls 47 ppm[2]:

[H_9C_4–B(N–C(CH$_3$)$_3$)$_2$B–C_4H_9] Cr(CO)$_4$ δ^{14}N: −301; Δ^{14}N: 47

i$_2$) ^{17}O-NMR-Spektren

Ähnlich wie die δ^{14}N- und die δ^{19}F-Werte finden sich die ^{17}O-Resonanzen im Übergangsmetall-π-Komplex bei niedrigeren Frequenzen[3]:

Co[C$_5$H$_5$] [H_5C_2OB / N–CH$_3$ / Si(CH$_3$)$_2$ / H_5C_2 / CH$_3$] δ^{17}O: 27,0 (vgl. S. 83); Δ^{17}O: 44,0

[1] H. WERNER, R. PRINZ u. E. DECKELMANN, B. **102**, 95 (1969).
[2] K. DELPY, D. SCHMITZ u. P. PAETZOLD, B. **116**, 2994 (1983).
[3] R. KÖSTER, G. SEIDEL u. B. WRACKMEYER, unveröffentlicht 1982.

i_3) ^{19}F-NMR-Spektren

Die δ^{19}F-Werte in den Metall-π-Komplexen von 1,4-Difluoro-1,4-diborin[1] und in Fluoro-Derivaten komplexierter 1,2,5-Thiadiborolene[2] entsprechen den δ^{19}F-Werten für Organobor-Fluor-Verbindungen mit $KZ_{(B)} = 4$ (δ^{19}F: 140–160).

β_4) Molekülstrukturanalysen

Eine große Zahl von Röntgenstrukturanalysen der Übergangsmetall-Organobor-Element)-π-Komplexe (Element = Sauerstoff-, Schwefel- oder Stickstoff-Gruppierung) wurde durchgeführt[3]. Nachfolgend sind einige Beispiele zusammengestellt.

Bis(1-methoxyborin)cobalt (XIII/3c, S. 54)[4]:

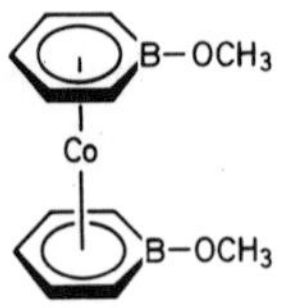

$d_{BCo} = 2,348$ Å
$d_{CoC} = 2,248(5); 2,164(6); 2,057(6)$ Å
$d_{CC} = 1,40$ Å
$d_{BO} = 1,395(7)$ Å
$d_{BC} = 1,523(8)$ Å

Bis[tricarbonylmangan-μ,η-(4-diethyl-2,5-dimethyl-2,5-dihydro-1,2,5-thiaborol)]eisen (*trans*-orientierte Ringe) (XIII/3c, S. 59)[5]:

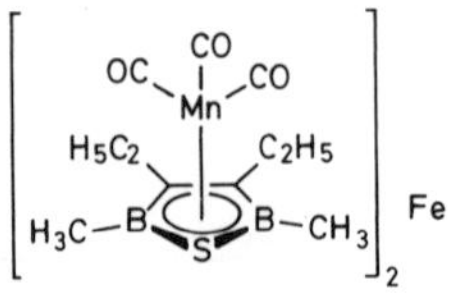

$d_{BS} = 1,928(7)$ Å
$d_{BC} = 1,544(9)$ Å
$d_{CC} = 1,477(9)$ Å
$d_{FeMn} = 3,408(1)$ Å
3,391(1) Å

Bis[1-tert.-butyl-2-methyl-η⁵-(1,2-azaborolinyl)]cobalt (XIII/3c, S. 79)[6]:

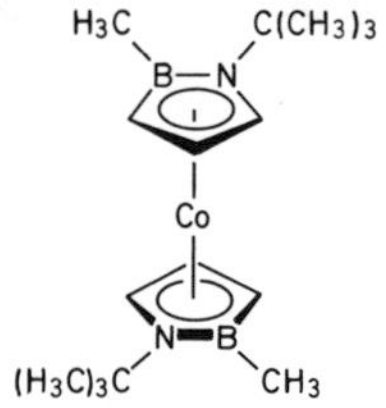

mit gleichläufigen Ringen	mit gegenläufigen Ringen
[B–N/B–N]	[B–N/N–B]
$d_{CoN} = 2,221(4); 2,245(3)$	$d_{CoN} = 2,204(8); 2,18(1)$; 2,223(8); 2,20(1)
$d_{CoB} = 2,245(6); 2,240(6)$	$d_{CoB} = 2,23(2); 2,21(2)$; 2,21(2); 2,15(2)
$d_{NB} = 1,465(8); 1,458(7)$	$d_{NB} = 1,47(2); 1,41(2)$; 1,48(2); 1,38(2)

[1] P.S. Madren, A. Modinos, P.L. Timms u. P. Woodward, Soc. [Dalton Trans.] **1975**, 1272.
[2] W. Siebert, R. Full, J. Edwin, K. Kinberger u. C. Krüger, J. Organometal. Chem. **131**, 1 (1977).
[3] M.I. Bruce, *Index of Structures Determined by Diffraction Methods*, Comprehensive Organometallic Chem. **9**, 1244–1261 (1982).
[4] G. Huttner u. B. Krieg, Ang. Ch. **84**, 29 (1972); engl.: **11**, 42.
[5] W. Siebert, C. Böhle, C. Krüger u. Y.-H. Tsay, Ang. Ch. **90**, 558 (1978); engl.: **17**, 527.
[6] G. Schmid u. R. Boese, Z. Naturf. **38b**, 485 (1983).

Bis[ethen-η⁴-(4,5-diethyl-2,2,3-trimethyl-1,2,5-azasilaborolin-1-yl]dirhodium[1]:

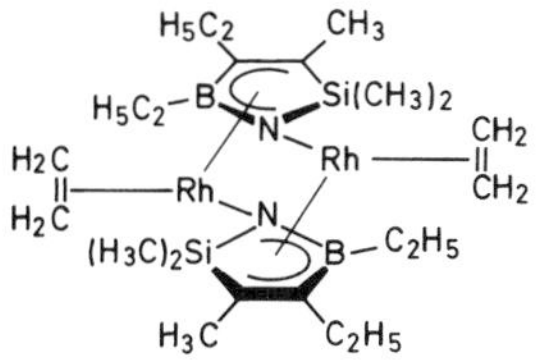

d_{RhRh} = 3,12 Å
d_{BRh} = 2,260(5) Å
$d_{RhN\sigma}$ = 2,10 Å
$d_{RhN\pi}$ = 2,14 Å

$\sphericalangle_{RhNRh}$ = 95°
$\sphericalangle_{NRhN}$ = 85°

Isomere des *Chlor-η²-ethen-η⁴(4,5-diethyl-2,2,3-trimethyl-1,2,5-azasilaborolin)iridium*[1]:

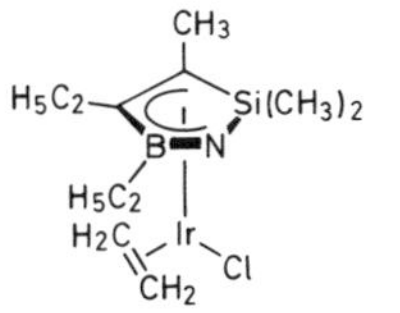

$d_{Ir^1B^1}$ = 2,269(6) Å
$d_{Ir^2B^2}$ = 2,183(5) Å

$\sphericalangle_{N^1Ir^1B^1}$ = 119,1°
$\sphericalangle_{N^2Ir^2B^2}$ = 158,5°

Tricarbonyl-(η⁶-hexaethylborazin)chrom mit gewelltem $(BN)_3$-Ring[2]:

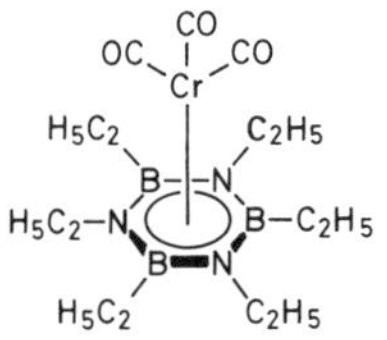

d_{CrB} = 2,31(2) Å
d_{CrN} = 2,21(3) Å
d_{BN} = 1,46(1) Å

2. Kondensierte Organobor-Verbindungen

α) Organopolyborane

Zur Kennzeichnung von Organopolyboranen (XIII/3c, S. 92ff.) werden neben den IR- und Massenspektren vor allem die ^1H- und ^{11}B-NMR-Spektren sowie die ^{13}C-NMR-Spektren herangezogen.

Vielfach müssen zunächst allerdings chromatographische Methoden zur Trennung der Verbindungsgemische angewendet werden. Niedermolekulare Organopolyborane sind i.allg. gaschromatographisch leicht zu trennen. Die Hochleistungs-Flüssigkeitschromatographie erlaubt z.B. die Trennung von Isomeren; z.B. von 5- und *6-(3-Fluorbenzyl)decaboranen*(14) an Silica-Gel mit Heptan/Dichlormethan als mobiler Phase[3].

α₁) *IR-Spektren*

Charakteristisch für die an den Bor-Atomen partiell alkylierten Poyborane sind deren BH- und BH_2-Absorptionsbanden im Bereich von ≈ 2450 bis ≈ 2600 cm^{-1}. Die BHB-Brückenbindung absorbiert bei ≈ 1730–1820 cm^{-1}; z.B.:

Methyltetraborane(10)[4,5]	*2-Benzylpentaboran(9)*[7]	*Methylpentaboran(11)*[5]
Chlor-methyl-pentaborane(4)[6]	*2-Alkenylpentaborane(9)*[8]	*Methylhexaboran(12)*[5]

[1] R. KÖSTER, G. SEIDEL u. C. KRÜGER, Mülheim a.d. Ruhr, unveröffentlicht 1983.
[2] G. HUTTNER u. B. KRIEG, Ang. Ch. **83**, 541 (1971); engl.: **10**, 512; B. **105**, 3437 (1972).
[3] Z. PLZÁK u. B. ŠTÍBR, J. Chromatog. **151**, 363 (1978); C.A. **89**, 16305 (1978); dort ältere Literatur.
[4] I.S. JAWORIWSKY, J.R. LONG, L. BARTON u. S.G. SHORE, Inorg. Chem. **18**, 56 (1979).
[5] W.R. DEEVER u. D.M. RITTER, Inorg. Chem. **8**, 2461 (1969).
[6] P.M. TÜCKER, T. ONAK u. J.B. LEACH, Inorg. Chem. **9**, 1430 (1970).
[7] D.F. GAINES u. M.W. JØRGENSON, Inorg. Chem. **19**, 1398 (1980).
[8] R. WILCZYINSKI u. L.G. SNEDDON, Inorg. Chem. **20**, 3955 (1981).

Die Valenzschwingungen der B-Methyl-Gruppen findet man als intensive Banden bei $\nu = 2940-3060\ cm^{-1}$, die CH_3-Deformationsschwingungen bei $\delta_{CH} = 1320-1330\ cm^{-1}$ [1,2]. Die CH-Valenzschwingungen der $=C\lessgtr^{H}_{H}$-Gruppierung des *2-Vinylpentaborans(9)* liegt bei $3080\ cm^{-1}$, die $\nu_{C=C}$ bei $1600\ cm^{-1}$ [3].

α_2) *Massenspektren*

Die B-Zahl der Organopolyborane läßt sich wie bei den Polyboranen[4,5] meist schon aus den Normal-Massenspektren [Isotopenmuster $(^{10}B^{11}B)_x$ mit x = 2–10] komplikationslos bestimmen[6–10]. In Zweifelsfällen verwendet man besser die Hochauflösungs-Massenspektrometrie. Außerdem erhält man massenspektrometrisch meist eindeutige Hinweise auf die Molmasse der Verbindung. Homologe von Organopolyboranen lassen sich verhältnismäßig leicht erkennen.

α_3) *Kernresonanzspektroskopie*

$\alpha\alpha_1$) ^1H-NMR-Spektren

Die ^1H-NMR-Spektren von Organopolyboranen unterscheiden sich von den Spektren der Grundkörper hauptsächlich durch die ^1H-Resonanzen des Organorestes. Diese lassen sich im Gegensatz zu den [infolge $^1J(^{11}B^1H)$] breiten ^1H-Resonanzen leicht identifizieren und routinemäßig zuordnen. Für relevante ^1H-NMR-Daten wird auf einen Übersichtsartikel verwiesen[11]. Zweidimensionale (2D) NMR-Spektroskopie bietet sich für die Zukunft an, um komplexe ^1H- und ^{11}B-NMR-Spektren gegenseitig zuzuordnen (heteroskalar-korrelierte 2D-NMR-Experimente)[12,13]. Oft genügen für diesen Zweck bereits einfache $^1H\{^{11}B\}$ selektive heteronukleare Doppelresonanzexperimente[3].

$\alpha\alpha_2$) ^{11}B-NMR-Spektren

Die ^{11}B-NMR-Spektren der Organopolyborane ähneln den Grundkörpern[11,14,15], wie aus Tab. 103 (S. 596) hervorgeht. Der Ersatz eines terminalen Wasserstoff-Atoms gegen einen Organorest am Bor-Atom führt zu einer Entschirmung dieses ^{11}B-Kerns zwischen 8–16 ppm. Die ^{11}B-Resonanzen anderer Boratome des Polyeders werden nur wenig beeinflußt. Die Zuordnung der ^{11}B-Resonanz des organo-substituierten Bor-Atoms folgt aus der Abwesenheit der terminalen $^{11}B^1H$-Kopplung. Die Verknüpfung der ^{11}B-Kerne untereinander

---

[1] I.S. JAWORIWSKY, J.R. LONG, L. BARTON u. S.G. SHORE, Inorg. Chem. **18**, 56 (1979).
[2] W.R. DEEVER u. D.M. RITTER, Inorg. Chem. **8**, 2461 (1969).
[3] R. WILCZYNSKI u. L.G. SNEDDON, Inorg. Chem. **20**, 3955 (1981); ($2-RB_5H_8$).
[4] R.M. ADAMS, Boranes, *Mass Spectra in Boron, Metallo-Boron Compounds and Boranes*, S. 533–537, Interscience Publ., New York 1964.
[5] J.F. DITTER, F.J. GERHART u. R.E. WILLIAMS, Advan. Chem. Ser. **72**, 191 (1968).
R.E. WILLIAMS, Progr. Boron Chem. **2**, 81 (1970).
[6] T. DAVAN u. J.A. MORRISON, Chem. Commun. **1981**, 250; Alkyl-chlor-tetraborane(4) [Alkyl = Ethyl, tert.-Butyl].
[7] W.R. DEEVER u. D.M. RITTER, Inorg. Chem. **8**, 2461 (1969); *Methyltetraboran(10)*.
[8] C.A. LUTZ u. D.M. RITTER, Canad. J. Chem. **41**, 1344 (1963); *Dimethyltetraboran(10), Methylpentaborane(9)*.
[9] J.A. HEPPERT u. D.F. GAINES, Inorg. Chem. **21**, 4117 (1982); 2-Arylpentaborane(9).
[10] D. SAULYS u. J.A. MORRISON, Inorg. Chem. **19**, 3057 (1980); Alkyl-boran-nonaborane(9).
[11] L.J. TODD u. A.R. SIEDLE, Progr. NMR Spectrosc. **13**, 87 (1979).
[12] D.C. FINSTER, W.C. HUTTON u. R.N. GRIMES, Am. Soc. **102**, 400 (1980).
[13] I.J. COLQUHOUN u. W. MCFARLANE, Soc. [Dalton Trans.] **1981**, 2014.
[14] G.R. EATON u. W.N. LIPSCOMB, *NMR Studies of Boron Hydrides and Related Compounds*, Benjamin, New York 1969.
[15] L.J. TODD u. A.R. SIEDLE, Progr. NMR Spectrosc. **13**, 87 (1979).

ander wurde hier erstmals mit $^{11}B\{^{11}B\}$-Experimenten[1] nachgewiesen und kann heute sicherer mit homoskalar-korrelierten ^{11}B-2D-NMR-Spektren[2,3] belegt werden.

$\alpha\alpha_3$) ^{13}C-NMR-Spektren

Die meisten der verfügbaren ^{13}C-NMR-Daten von Organopolyboranen finden sich gemeinsam mit den ^{13}C-NMR-Daten anderer Organoborane in einem Übersichtsartikel[4]. Von Bedeutung für die Diskussion der Bindungsverhältnisse in Polyboranen sind Kopplungskonstanten, z. B. $^1J(^{13}C^{11}B)$, zwischen Bor- und terminalen Kohlenstoff-Atomen, sowie zwischen den Bor-Atomen des Polyeders [$J(^{11}B^{11}B)$]. Die Größe beider Kopplungskonstanten sollte maßgeblich von der Elektronendichte zwischen den beteiligten Kernen bestimmt werden. Diese Annahme findet große Unterstützung durch die Bestimmung positiver Vorzeichen [($^{13}C\{^1H,{}^{11}B\}$) heteronukleare Tripelresonanz-Experimente] für $^1J(^{13}C^{11}B)$ und $^1J(^{11}B^{11}B)$ in 1-Methylpentaboran(9)[5]. Damit erhält die lineare Abhängigkeit zwischen $^1J(^{11}B^{11}B)$ und der berechneten s-Elektronendichte[6] eine weitere experimentelle Bestätigung.

Der $\delta^{13}C_{para}$-Wert (δ^{13}C 128,4) für 2-Phenylpentaboran(9)[7] zeigt an, daß der 2-B_5H_8-Rest keinen merklichen mesomeren Effekt ausübt.

α) Molekülstrukturanalysen

Mit Hilfe von Röntgenstrahlbeugung wurden die Strukturen folgender Organopolyborane ermittelt:

2,3-Dimethylpentaboran(9)[8]:

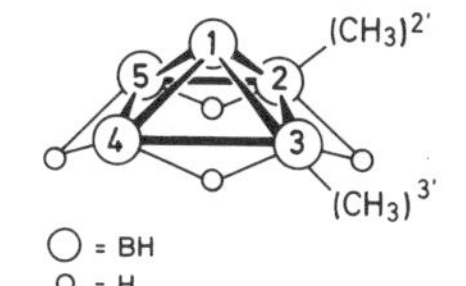

$r_{B^2C^{2'}} = 1{,}578$ Å
$r_{B^2B^3} = 1{,}807$ Å
$r_{B^1B^2} = 1{,}66$ Å

$\sphericalangle_{B^1B^2C^{2'}} = 135°$
$\sphericalangle_{B^2B^1B^3} = 66{,}5°$

Die Methyl-Substitution bewirkt praktisch keine Abstandsänderung im Pentaboran(9)-Gerüst[8,9].

1-Ethyldecaboran(14)[10]:

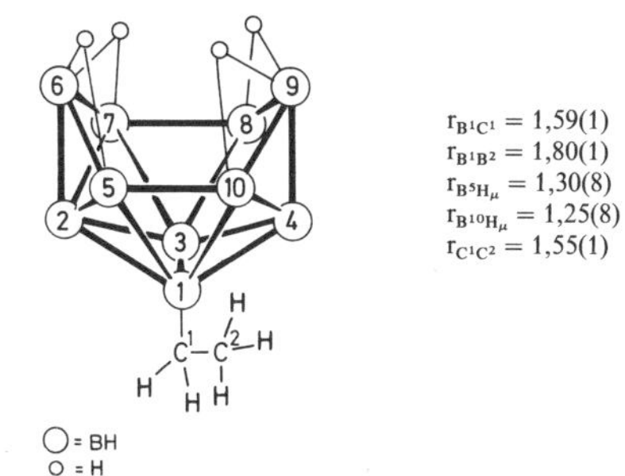

$r_{B^1C^1} = 1{,}59(1)$
$r_{B^1B^2} = 1{,}80(1)$
$r_{B^5H_\mu} = 1{,}30(8)$
$r_{B^{10}H_\mu} = 1{,}25(8)$
$r_{C^1C^2} = 1{,}55(1)$

---

[1] R.F. SPRECHER u. J.C. CARTER, Am. Soc. **95**, 2369 (1973).
[2] T.L. VENABLE, W.C. HUTTON u. R.N. GRIMES, Am. Soc. **106**, 29 (1984).
[3] D. REED, J. Chem. Res. (S) **1984**, 198.
[4] B. WRACKMEYER, Progr. NMR Spectrosc. **12**, 227 (1979).
[5] A.J. ZOZULIN, H.J. JAKOBSEN, T.F. MOORE, A.R. GARBER u. J.D. ODOM, J. Magn. Res. **41**, 458 (1980).
[6] J. KRONER u. B. WRACKMEYER, Soc. [Faraday Trans. II] **72**, 2283 (1976).
[7] J.A. HEPPERT u. D.F. GAINES, Inorg. Chem. **21**, 4117 (1982); $^{13}C\{^1H\}$-NMR von 2-Arylpentaboranen(9).
[8] T.P. ONAK, L.B. FRIEDMAN, J.A. HARTSUCK u. W.N. LIPSCOMB, Am. Soc. **98**, 3439 (1966).
[9] L.B. FRIEDMAN u. W.N. LIPSCOMB, Inorg. Chem. **5**, 1752 (1966).
vgl. Gmelin, **54**/20, 38f. (1979).
[10] A. PERLOFF, Acta crystallogr. **17**, 332 (1964).
vgl. Gmelin, **54**/20, 145ff. (1979).

Tab. 103: $\delta\,^{11}B[J(^{11}B^{1}H)]$-Werte einiger Polyborane und Organopolyborane

Verbindung	Herst. XIII/3c, S.	$\delta^{11}B$				Bedingungen, Lösungsmittel	Literatur
$OC{-}B_3H_7$	121	−56,3 (1) (124)	−8,8 (2,3) (127)			$CFCl_3$	1
$\mathbf{B_4H_{10}}$ $1\text{-}CH_3{-}B_4H_9$	—	−41,8 (1,3) −29,0 (1) −41,4 (3)	−6,9 (2,4) −4,7 (2,4) (129) (161)			−30°, $CHCl_3$	2
$OC{-}B_4H_8$	123	−58,0 (1)	0,0 (3) (120)	−0,2 (2,4) (132)		−20°, Pentan	3
$\mathbf{B_5H_9}$	—	−53,1 (1) (178)	−13,4 (2,3,4,5) (162)	–		–	4
$1\text{-}CH_3{-}B_5H_8$	98	−45,3 (1)	−13,3 (167)			–	4
$2\text{-}CH_3{-}B_5H_8$	102	−51,5 (1) (176)	+ 1,6 (2)	−13,5 (3,5) (169)	−19,1 (4) (165)	–	4
$1,2\text{-}(CH_3)_2B_5H_7$		−43,6 (1)	+ 1,1 (2)	−13,2 (3,5) (158)	−17,6 (4) (160)	–	4
$2,3\text{-}(CH_3)_2B_5H_7$	104	−50,0 (1) (168)	+ 0,4 (2,3)	−19,5 (4,5) (160)		–	4
$1,2,3\text{-}(CH_3)_3B_5H_6$	104	−42,5 (1)	+ 0,3 (2,3)	−18,2 (4,5) (156)		–	4
$2,3,4\text{-}(CH_3)_3B_5H_6$	—	−48,3 (1) (166)	−5,2 (2,4)	−0,3 (3)	−19,3 (156)	–	4
$2\text{-}H_2C{=}CH{-}B_5H_8$	—	−50,4 (1) (176)	−0,7 (2)	−13,8 (3,5) (147)	−17,9 (144)	C_6D_6	5
$2\text{-}(H_2C{=}CH{-}CH_2){-}B_5H_8$	100 f.	−51,1 (1) (171)	+ 0,4 (2)	−15,2 (3,5) (153)	−18,4 (138)	C_6D_6	5
2-(*trans*–$H_3C_3{-}CH{=}CH){-}B_5H_8$	100 f.	−51,2 (1) (176)	0,0 (2)	−14,2 (3,5) (156)	−18,7 (153)	C_6D_6	5
2-(*cis*–$H_3C{-}CH{=}CCH_3){-}B_5H_8$	100 f.	−50,9 (174)	3,2 (2)	−14,4 (3,5) (160)	−18,6	C_6D_6	5
1-(*trans*–$H_5C_2{-}CH{=}CH){-}B_5H_8$	100 f.	−45,2 (1)	−12,8 (2,3,4,5) (166)				6
2-(*trans*-$H_5C_2{-}CH{=}CH){-}B_5H_8$	100 f.	−51,6 (1) (165)	1,2 (2)	−13,5 (3,5) (153)	−18,2 (161)		6
2-(*trans*-$H_3C{-}CH{=}CH{-}CH_2){-}B_5H_8$	100 f.	−51,6 (1) (165)	2,5 (2)	−13,5 (3,5) (153)	−18,2 (161)		6

[1] R. T. Paine u. R. W. Parry, Inorg. Chem. **11**, 268 (1972).
[2] I. S. Jaworiwsky, J. R. Long, L. Barton u. S. G. Shore, Inorg. Chem. **18**, 56 (1979).
[3] E. J. Stampf, A. R. Garber, J. D. Odom u. P. D. Ellis, Inorg. Chem. **14**, 2446 (1975); Mischung aus zwei Isomeren; anderes Isomer: −58,0(1); 3,6(3); 3,1(2,4).
[4] P. M. Tucker, T. Onak u. J. B. Leach, Inorg. Chem. **9**, 1430 (1970).
[5] R. Wilczynski u. L. G. Sneddon, Inorg. Chem. **20**, 3955 (1981).
[6] T. Davan, E. G. Corcovan, jr. u. L. G. Sneddon, Organometallics **2**, 1693 (1983).

Tab. 103 (Fortsetzung)

Verbindung	Herst. XIII/3c, S.	δ^{11}B				Bedingungen, Lösungsmittel	Literatur
$2\text{-}C_6H_5\text{–}B_5H_8$	vgl. 104	−51,3 (1) (172)	0,6 (2)	−14,8 (3,5) (158)	−18,6 (4) (166)	C_6D_6 oder CD_2Cl_2	1
$\mu[(CH_3)_2B]\text{–}B_5H_8$	106	−33,3 (1)	−4,4	−10,4	+96,5[$B(CH_3)_2$]		2
$\mathbf{B_5H_{11}}$	—	−55,3 (1) (152)	+7,4 (2,5) (127)	+0,5 (3,4)			3
$3\text{-}CH_3\text{–}B_5H_{10}$	107	−52,0 (1) (142)	−2,4 (2) (127)	+20,4 (3)	−7,8 (4) +8,8 (5)	CH_2Cl_2, −30°	4
$\mathbf{B_6H_{10}}$	—	−51,8 (1) (155) −51,8 (1)	+14,1 (2,3,4,5,5,6) (158) +18,6	 −6,5		20° −95°	5
$2\text{-}CH_3\text{–}B_6H_9$	108	−49,9 (152)	+30,4 (2)	+6,8 (150)	+18,0 (157)		6
$2,3\text{-}(CH_3)_2\text{–}B_6H_8$	109	−48,4 (152)	+20,2 (2,3)	+13,1 (152)	+17,8 (160)		6
$\mathbf{B_6H_{12}}$	—	+7,9 (1,4) (133)	−22,6 (2,5) (158)	+22,6 (3,6) (156)		$CHCl_3$, −20°	4
$3\text{-}CH_3\text{–}B_6H_{11}$	109	+20,5 (6) (150) −19,1 (2 oder 5) (162)	+9,8 (1 oder 4) (124) −24,0 (5 oder 2 (151)	+6,2 (4 oder 1) (114) 35,2 (3)		$CHCl_3$, −20°	4
$\mathbf{B_{10}H_{14}}$	—	+11,3 (1,3) (136) +9,7 (6,9) (159)	−35,8 (2,4) (159)	+0,7 (5,7,8,10) (165)			7
$6\text{-}CH_3\text{–}B_{10}H_{13}$	115, 117	^{11}B-{^{11}B}-Experimente					8
$6\text{-}(H_5C_6\text{–}CH_2)\text{–}B_{10}H_{13}$	118	+10,6 (1,3,9) −33,3, −37,7 (2,4) (155) (155)	+1,3,−1,1 (5,7,8,10) (150) (150)				9
$6\text{-}C_6H_5\text{–}B_{10}H_{13}$	118	+10,5 (1,3,9) −31,9, −37,7 (2,4) (155) (150)	+1,3, −4,1 (5,7,8,10) (155) (150) +23,1 (6)				9

[1] J. A. HEPPERT u. D. F. GAINES, Inorg. Chem. **21**, 4117 (1982).
[2] D. F. GAINES u. T. V. IORNS, Am. Soc. **92**, 4571 (1970).
[3] J. B. LEACH, T. ONAK, J. SPIELMAN, R. R. RIETZ, R. SCHAEFFER u. L. G. SNEDDON, Inorg. Chem. **9**, 2170 (1970).
[4] I. S. JAWORIWSKY, J. R. LONG, L. BARTON u. S. G. SHORE, Inorg. Chem. **18**, 56 (1979).
[5] V. T. BRICE, H. D. JOHNSON u. S. G. SHORE, Am. Soc. **95**, 6629 (1973).
[6] H. D. JOHNSON, V. T. BRICE u. S. G. SHORE, Inorg. Chem. **12**, 689 (1973).
[7] G. R. EATON u. W. N. LIPSCOMB, *NMR Studies of Boron Hydrides and Related Compounds*, Benjamin, New York 1969.
[8] R. F. SPECHER u. J. C. CARTER, Am. Soc. **95**, 2369 (1973); ^{11}B-NMR-Spektren abgebildet, keine δ^{11}B-Werte.
[9] A. R. SIEDLE, D. MCDOWELL u. L. J. TODD, Inorg. Chem. **13**, 2735 (1974).

Durch Elektronenbeugung wurden die Strukturen von *1*- und *2-Methylpentaboran(9)* bestimmt[1]:

$r_{B^1C} = 1{,}595$ Å $\quad r_{B^2C} = 1{,}592$ Å ($\pm 0{,}005$)

β) Lewisbase-Organopolyborane

Kernresonanzspektroskopische Daten von Lewisbase-Polyboranen (Bd. XIII/3c, S. 211ff.) sind bekannt[2,3]. Im Fall der B-Organo-Derivate werden die ^{11}B-NMR-Daten zum Vergleich benutzt, z.B.[4]:

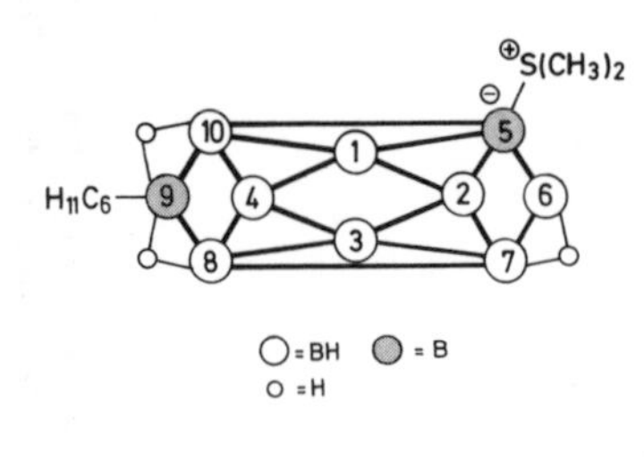

^{11}B-NMR {^{1}H} 28,875 MHz

$\delta_{^{11}B}$	Intensität	J_{BH} (Hz)
+ 19,3	1,3	
+ 11,5	1,3	
+ 4,7	1,3	146
− 0,5	1,3	146
− 5,1	1,3	144
− 13,5	1,3	130
− 30,9	1	150
− 40,7	1	148

^{13}C-NMR-Daten ergänzen die Information[4].

γ) Organopolyborate

Zusammensetzung und Struktur von Organopolyboraten (Bd. XIII/3c, S. 128ff.) in Lösung lassen sich meist bequem mit ^{11}B-NMR-Spektren aufklären, insbesondere wenn auch die dynamischen Verhältnisse Berücksichtigung finden. In Tab. 104 (S. 599) sind ^{11}B-NMR-Daten von Organopolyboraten und von entsprechenden Grundkörpern zusammengestellt. Zuordnungen der Resonanzen ergeben sich meist sicher aus dem Vergleich beider Datensätze. Bei ungeklärter Struktur ist anzunehmen, daß künftig ^{11}B-2D-NMR-Messungen[5] weitere Informationen zugänglich machen.

δ) B-Organo-Heteropolyborane

δ_1) *IR-Spektren*

Die IR-Spektren der Organo-*nido*-6-thiaborane (vgl. Bd. XIII/3c, S. 152) sind durch ν_{BH_t}-Schwingungen bei $\approx 2530-2600$ cm^{-1} und durch ν_{BHB}-Brückenschwingungen im Bereich von 2040–1940 cm^{-1} gekennzeichnet; z.B. beim *6-Thia-nido-decaboran(11)* 6-SB_9H_{11} bei 1920–1950 cm^{-1} [6,7]. 1-Alkenylthiaborane haben C=C-Valenzschwingungen bei 1590–1615 cm^{-1} [2]; z.B. *3-[9-(6-Thia-nido-decaboranyl)]-3-hexen*[7]: 1610 cm^{-1}.

δ_2) *Massenspektren*

Die Massenspektren der Organo-6-thia-*nido*-decaborane(11) sind durch ≈ 20 : 1-Relationen für die Molekülpeaks mit den natürlichen Schwefel-Isotopen [^{32}S : ^{34}S = 22,5 : 1] gekennzeichnet; z.B.[6,7]:

9-Ethyl-6-thia-nido-decaboran(11): m/z 170 u. 172
9-Cyclohexyl-6-thia-nido-decaboran(11): m/z 224 u. 226

---

[1] J.D. Wieser, D.C. Moody, J.C. Hoffman, R.C. Hildebrandt u. R. Schaeffer, Am. Soc. **97**, 1074 (1975).
[2] L.J. Todd u. A.R. Siedle, Progr. NMR Spectrosc. **13**, 87 (1979).
[3] A.R. Siedle, Ann. Rep. NMR Spectrosc. **12**, 177 (1982).
[4] E.I. Tolpin, E. Mizusawa, D.S. Becker u. J. Venzel, Inorg. Chem. **19**, 1182 (1980).
[5] T.L. Venable, W.C. Hutton u. R.N. Grimes, Am. Soc. **106**, 29 (1984).
[6] B.J. Meneghelli, M. Bower, N. Canter u. R.W. Rudolph, Am. Soc. **102**, 4355 (1980).
[7] B.J. Meneghelli u. R.W. Rudolph, Am. Soc. **100**, 4626 (1978).

Tab. 104: ^{11}B–NMR-Daten von Organopolyboraten und Grundkörpern

Verbindung	δ^{11}B-Werte (mit B-Position) und $^1J(^{11}B^1H)$ in ()				Bedingungen, Lösungsmittel	Literatur
$[B_3H_8]^-$	–29,8 (35,0)				+ 30 °C, $CDCl_3$	1
$[B_3H_7CN]^-$	–34,9 (1) (40,0)	–8,2 (2,3) (40,0)			+ 30°, CD_3CN	1
	–36,8	–10,2			+ 30°, $CDCl_3$	1
$[B_4H_9]^-NH_4^+$	–54,4 (101) (1 : 2 . 1 Verhältnis)	–10,2 (99)	+ 0,8 (113)		–90°, $(CH_3)_2O$	2
$[B_5H_8]^-\ N(C_4H_9)_4^+$	–52,6 (1) (152)	–16,3 (2,3,4,5) (135)			THF	3
$[1\text{-}CH_3\text{–}B_5H_7]^-K^+$	–44,0 (1)	–16,2 (2,3,4,5) (127)			THF	4
$[2\text{-}CH_3\text{–}B_5H_7]^-K^+$	–50,4 (1) (148)	–2,5 (2)	–16,9 (3,5)	–22,5 (4)	THF	4
$[B_6H_9]^-Li^+$	–50,0 (1) (142)	+ 9,0(2,3,4,5,6) (107)			$(H_5C_2)_2O$	5
$[2\text{-}CH_3\text{–}B_6H_8]^-K^+$	–48,0 (1) (133)	–6,1 (4,5)	+ 18,6 (3,6)	+ 32,5 (2)	0°, $(CD_3)_2O$	6
$[Mg(THF)_2]^{2+}$	–46,5 (1) (142)	–4,2 (4,5)	+ 17,7 (3,6)	+ 32,7 (2)	25°, CD_2Cl_2, $CDCl_3$	6
$[B_7H_7]^{2-}$	zwei Dubletts im Verhältnis 5 : 2					7
$[B_8H_8]^{2-}\ 2Na^+$	–22,2 –3,6 (128) (128) (2 : 4 : 2 Verhältnis)	+ 9,5 (128)			–32°, $H_3CO\text{–}(CH_2)_2\text{–}OCH_3$	8
	+ 6,8				+ 46°	8
$[B_{10}H_{10}]^{2-}\ 2K^+$	–28,7 (2–9) (125)	–0,7 (1,10) (139)			CD_3CN	9
	–29,9 (2–9)	–1,0 (1,10)			CD_3CN	10
$[B_{10}H_{13}]^-\ [(C_2H_5)_3NH]^+$	–35,2 (2,4) (150) + 2,5 (1 oder 3) (135)	–5,0 (3 oder 1 und 5,7,8,10) (135) + 6,8 (6,9) (140)			CH_3CN	11
$[6\text{-}C_6H_5CH_2\text{–}B_{10}H_{12}]^-\ [(C_2H_5)_3NH]^+$	–35,8, –33,8 (2,4) + 1,9(1 oder 3)	+ 16,5 (6)	–4,4, + 8,8(9)	–6,5(3 oder 1 und 5,7,8,10)	CH_3CN	11
$[B_{10}H_{14}]^{2-}2Cs^+$	–41,6 (1,3) (135)	–36,0(6,9) (100)	–22,4 (5,7,8,10) (140)	–7,4(2,4) (140)	H_2O	12, 13

δ_3) *Kernresonanzspektroskopie*

Die ^{11}B-NMR-Daten der Grundkörper (vgl. Tab. 103, S. 595f.) lassen sich verwenden, um die B-Organo-Derivate zu charakterisieren, wie z. B. die Hydroborierungsprodukte von

[1] G. B. JACOBSEN, J. H. MORRIS u. D. REED, J. Chem. Research (S) **1983**, 42; (M) **1983**, 0401.
[2] R. J. REMMEL, H. D. JOHNSON, I. S. JAWORISKY u. S. G. SHORE, Am. Soc. **97**, 5395 (1975).
[3] N. N. GREENWOOD u. J. STAVES, J. Inorg. & Nuclear Chem. **40**, 5 (1978).
[4] V. T. PRICE u. S. G. SHORE, Inorg. Chem. **12**, 309 (1973).
[5] H. D. JOHNSON, R. A. GEANANGEL u. S. G. SHORE, Inorg. Chem. **9**, 908 (1970).
[6] R. J. REMMEL, D. L. DENTON, J. B. LEACH, M. A. TOFT u. S. G. SHORE, Inorg. Chem. **20**, 1270 (1981).
[7] E. L. MUETTERTIES, E. HOEL, C. G. SALENTINE u. M. F. HAWTHORNE, Inorg. Chem. **14**, 950 (1975); keine δ^{11}B, J(BH)-Werte angegeben. Kationen Cs^+, Na^+, $(H_9C_4)_4N^+$, $(H_5C_6)_3PCH_3^+$.
[8] E. L. MUETTERTIES, R. J. WIERSEMA u. M. F. HAWTHORNE, Am. Soc. **95**, 7520 (1973).
[9] W. PREETZ, H.-G. SREBNY u. H. C. MARSMANN, Z. Naturf. **39b**, 6 (1984).
[10] YU. L. GOFT, YU. A. USTYNYAK, A. A. BORISENKO u. N. T. KUZNETSOV, Z. neorg. Chim. **28**, 2234 (1983); engl.: 1266.
[11] A. R. SIEDLE, G. M. BODNER u. L. J. TODD, J. Inorg. & Nuclear Chem. **33**, 367 (1971).
[12] W. N. LIPSCOMB, R. J. WIERSEMA u. M. F. HAWTHORNE, Inorg. Chem. **11**, 651 (1972); Rb-Salz.
[13] T. L. VENABLE, W. C. HUTTON u. R. N. GRIMES, Am. Soc. **106**, 29 (1984); gesicherte Zuordnung im Cs-Salz mittels ^{11}B-2D-NMR.

8-Thia-nido-decaboran(11)[1-3] (vgl. Tab. 105). ^{1}H- und ^{13}C-NMR-Daten[2] werden in gewohnter Weise angewandt.

Tab. 105: ^{11}B-NMR-Werte für Grundkörper und B-Organo-hetero-polyborane

Verbindung	$\delta\,^{11}B$-Werte mit B-Positionen und $^{1}J(^{11}B^{1}H)$ in ()			Lösungsmittel	Literatur
closo-1-S-B_9H_9	−17,6(6,7,8,9) (152)	−4,8 (2,3,4,5) (178)	+74,5 (10) (171)		4, 5
nido-8-S-B_9H_{11}	−30,7 (4) (180) +6,8 (1,3 oder 5,7) (150) +24,9 (5,7, oder 1,3) (170)	−21,5 (2) (160) +17,3 (9) (170)	−10,1 (8,10) (145)	C_6D_6	2
9-C_2H_5-*nido*-8-S-B_9H_{11}	−31,8 (4) (177) +4,6 (1,3 oder 5,7) +24,0 (5,7 oder 1,3) (171)	−18,5 (2) (171) +33,5 (9)	−13,3 (8,10) (171)	C_6D_6	2

ε) (Ligand)Übergangsmetall-Organopolyboran-π-Komplexe

Bisher wurden hauptsächlich die Polyborane selbst als Liganden in Übergangsmetall-π-Komplexen (vgl. XIII/3c, S. 155ff.) eingesetzt[6, 7]. Die Zuordnung der ^{11}B-Resonanzen in polyedrischen Cobaltaboranen erfolgt bei den B-Organoderivaten durch Vergleich mit den Daten der Grundkörper, z. B.[8]:

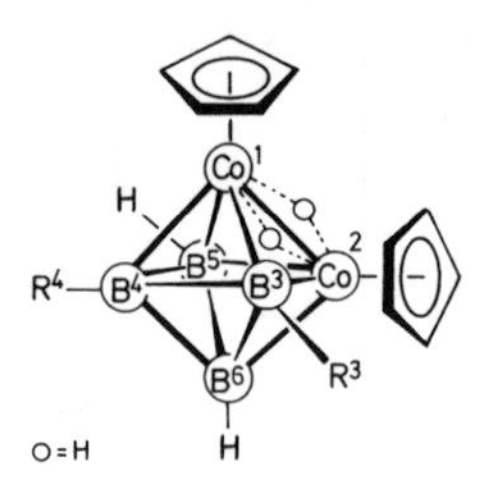

$\delta\,^{11}B$ und $^{1}J(^{11}B^{1}H)$ in ()

R^3	R^4	3	4	5	6
H	H	19,4 (146)	61,1 (151)	19,4 (146)	61,1 (151)
C_5H_9	H	39,2 (–)	59,3 (149)	18,7 (122)	59,3 (149)
H	C_5H_9	17,7 (129)	76,2 (–)	17,7 (129)	55,9 (142)

[1] B. J. Meneghelli u. R. W. Rudolph, Am. Soc. **100**, 4626 (1978).
[2] B. J. Meneghelli, M. Bower, N. Canter u. R. W. Rudolph, Am. Soc. **102**, 4355 (1980).
[3] N. Canter, C. G. Overberger u. R. W. Rudolph, Organometallics **2**, 569 (1983).
[4] W. R. Pretzer u. R. W. Rudolph, Am. Soc. **95**, 931 (1973).
[5] W. R. Pretzer u. R. W. Rudolph, Chem. Commun. **1974**, 629.
[6] L. J. Todd u. A. R. Siedle, Progr. NMR Spectrosc. **13**, 87 (1979).
[7] A. R. Siedle, Ann. Rep. NMR Spectrosc. **12**, 177 (1982).
[8] V. R. Miller u. R. N. Grimes, Am. Soc. **99**, 5646 (1977).

ζ) B-Organocarborane

ζ_1) *Trennung und chemische Analyse*

Zahlreiche B-Organocar(ba)borane des *closo-* und *nido-*Typs (Bd. XIII/3c, S. 156ff.) sind thermisch bis ≈ 300° stabil. Die thermische Belastung der Verbindungen bei der fraktionierenden Destillation ist daher i. allg. möglich. Wegen der vielfach nur geringen Siedepunktsdifferenzen bevorzugt man jedoch chromatographische Trennmethoden, zumal die meisten B-Organocarborane gegenüber Sauerstoff und protonenhaltigen Verbindungen stabil sind[1, 2].

Verschiedene unzersetzt destillierbare B-Organocarborane wurden gaschromatographisch erfolgreich getrennt; z. B.:

Vom ***closo*-Typ**:

B-Triorgano-1,5-dicarba-*closo*-pentaborane(5)[3] [Organo-Rest = Ethyl, Propyl]; z. B. mit Säulen von 5 mm ∅, 2 m Länge, gefüllt mit 7‰ Apiezon auf Embacel[3]

B-Oligoorgano-2,4-dicarba-*closo*-heptaborane(7)[2, 4, 5] [Organo-Rest = Methyl, Ethyl]
B-Oligomethyl-dicarba-*closo*-octaborane(8)[6]
Isomere B-(Ethoxycarbonylmethyl)-1,2-dicarba-*closo*-dodecaborane(12)[7]

Vom ***nido*-Typ**:
B-Oligoethyl-2-carba-*nido*-hexaborane(9)[2, 4, 8]
B-Diorgano-2,3,4,5-tetracarba-*nido*-hexaborane(6)[9, 10]
B-Hexaorgano-tetracarba-*nido*-decaborane(10)[11]

Es ist empfehlenswert, die Gemische der B-Organocarborane mit Organoboranen vor der Destillation bzw. der chromatographischen Trennung zu oxidieren[2, 5]. Dadurch werden die Organoborane in protolysierbare Verbindungen übergeführt und lassen sich abtrennen. Dihydrogenperoxid in wäßrig-alkalischer oder auch in schwefelsaurer Lösung hat sich für die Reinigung der B-Organo-*closo*-carborane bewährt[2, 4, 8]. Wasserfreies Trimethylamin-N-oxid in siedendem Toluol[12] verwendet man zur Oxidation von Organoboranen bei den Reagenz-resistenten B-Alkyl-tetracarbahexaboranen(6)[9, 10].

Der H/D-Austausch kann zur Identifizierung von *closo-* und/oder *nido-*B-Organocarboranen angewandt werden; z. B. bei isomeren Hexaalkyl-monohydro-2,4-dicarba-closo-heptaboranen(7)[2]: Bis ≈ 120° tauschen lediglich die H_t gegen D_t aus[8, 13].

Der Austausch von Organo-Substituenten der B-Organocarborane mit Hilfe von Triethylaluminium läßt sich zum Nachweis bestimmter B-Organo-Reste anwenden. Die entstandenen Deuteroalkane[2] identifiziert man nach Deuterolyse (+ Dideuterooxid) massenspektrometrisch.

---

[1] R. KÖSTER u. M. A. GRASSBERGER, Ang. Ch. **79**, 197–219 (1967); vgl. 210ff.; engl.: **6**, 218.
[2] R. KÖSTER, G. BENEDIKT u. M. A. GRASSBERGER, A. **719**, 187 (1968).
[3] R. KÖSTER, H.-J. HORSTSCHÄFER, P. BINGER u. P. K. MATTSCHEI, A. **1975**, 1339.
[4] R. KÖSTER u. M. A. GRASSBERGER, Ang. Ch. **78**, 590 (1966); engl.: **5**, 580.
[5] R. KÖSTER, M. A. GRASSBERGER, E. G. HOFFMANN u. G. W. ROTERMUND, Tetrahedron Letters **1966**, 903.
[6] A. P. FUNG, E. WAN DISTEFANO, K. FULLER, G. SIWAPINYOYOS, T. ONAK u. R. W. WILLIAMS, Inorg. Chem. **18**, 372 (1979).
[7] G. ZHENG u. M. JONES jr., Am. Soc. **105**, 6487 (1983).
[8] M. A. GRASSBERGER, E. G. HOFFMANN, G. SCHOMBURG u. R. KÖSTER, Am. Soc. **90**, 56 (1968).
[9] P. BINGER, Tetrahedron Letters **1966**, 2675.
[10] P. BINGER, Ang. Ch. **80**, 288 (1968); engl.: **7**, 286.
[11] R. KÖSTER, G. SEIDEL u. G. SCHOMBURG, Mülheim a. d. Ruhr, unveröffentlicht 1984; vgl. Ang. Ch. **94**, 520 (1984); engl.: **23**, 512.
[12] R. KÖSTER u. Y. MORITA, A. **704**, 70 (1967).
[13] J. A. HEPPERT u. D. F. GAINES, Inorg. Chem. **22**, 3155 (1983); H/D-Austausch beim Pentaboran(9).

ζ_2) *IR-Spektren*

IR- und Raman-spektroskopisch lassen sich BH- bzw. BH_2B-freie Organocarborane mit aliphatischen Resten nur mit Hilfe der in Gegenwart von Organo-Resten wenig charakteristischen CH-Valenzschwingungen am Gerüst [Bereich von 2700–3600 cm^{-1}] oder der Clustergerüst-Schwingungen [1200–800 cm^{-1}] kennzeichnen.

Zusammensetzung und Struktur der B-Organo-*nido*-carborane lassen sich durch BH_bB-Absorptionen bei 1750–1850 cm^{-1} und BH_t-Absorptionen bei 2500 cm^{-1} kennzeichnen[1, 2]; z. B.:

2-Methyl-1,3,4,5,6-pentaethyl-nido-2-carbahexaboran(9) [1]: ν_{BHB} = 1750, 1800 und 1845 cm^{-1} [1]; ν_{BH_t} = 2540 cm^{-1} [1]

Auch bei B-Organo-*closo*-carboranen findet man die BH_t-Valenzschwingungen im Bereich von 2400 bis 2650 cm^{-1}; z. B.:

B-Alkyl-2,4-dicarba-closo-heptaborane(7) [2]: ν_{BH} = 2570 cm^{-1}

Die isomeren Dicarba-*closo*-dodecaborane lassen sich durch die Lage der BH- und CH-Absorptionen unterscheiden; z. B.[3–9]:

1,2-Dicarba-closo-dodecaboran: ν_{BH} = 2605 cm^{-1} [4–8] ν_{CH} = 3080 cm^{-1} [3]
1,7-Dicarba-closo-dodecaboran: ν_{BH} = 2613 cm^{-1} [7, 9] ν_{CH} = 3070 cm^{-1} [3]

Lage und Aufspaltung der BH- und CH-Banden sind temperatur- und substituentenabhängig.

Die Absorptionen der B–CH_3-Deformationsschwingungen von B-Methyl-Gruppen liegen bei 1260–1320 cm^{-1} [10, 11]. Die C=C-Valenzschwingungen von (Alk-1-enyl)-dicarba-*closo*-oligoboranen $(R_{en})_nB_xC_2H_{x-n}$ (x = 3–5; n = 1–5) findet man bei 1625–1635 cm^{-1} [12].

Die IR- und Raman-Spektren der Carborane sind im Bereich von ≈ 1200–800 cm^{-1} durch Gerüstschwingungen gekennzeichnet; z. B. 1,5-Dicarba-*closo*-pentaborane(5)[13], 2,4-Dicarba-*closo*-heptaborane(7)[14]. Die Gerüstschwingungen geben Hinweise auf gerüstisomere Carborane; z. B. Dicarba-*closo*-dodecaborane(12)[15], von denen allerdings bisher nur

[1] M. A. Grassberger, E. G. Hoffmann, G. Schomburg u. R. Köster, Am. Soc. **90**, 56 (1968).
[2] R. Köster, G. Benedikt u. M. A. Grassberger, A. **719**, 187 (1968).
[3] T. P. Klimova, L. A. Gribov u. V. I. Stanko, Opt. i. Spektrokopiya **36**, 1112 (1974); engl.: 650; C. A. **81**, 83869 (1974).
[4] B. Bartet, R. Fregmann, D. Gandolfo, F. Mathey, G. Rabilloud, J. Rossarie u. B. Sillou, C. r. **279**, 283 (1974).
[5] L. E. Vinogradova, L. A. Leites, V. V. Gedymin, V. N. Kalinin u. L. I. Zakharkin, Izv. Akad. SSSR **1973**, 2817; C. A. **80**, 95049 (1974).
[6] L. I. Zakharkin u. V. N. Kalinin, Izv. Akad. SSSR **1968**, 1423; engl.: 2755; C. A. **69**, 77300 (1968).
[7] L. I. Zakharkin, V. N. Kalinin u. V. V. Gedymin, Tetrahedron **27**, 1317 (1971); Ž. obšč. Chim. **43**, 1974 (1973); engl.: 1956; C. A. **80**, 14985 (1974); Synth. React. Inorg. Metal-org. Chem. **1**, 45 (1971).
[8] L. I. Zakharkin, V. N. Kalinin, V. V. Gedymin u. G. S. Dzarasova. J. Organometal. Chem. **23**, 303 (1970).
[9] V. F. Mironov, V. I. Grigos, S. Ya. Pechurina, A. F. Zhigach u. V. N. Sirgatskaya, Doklady Akad. SSSR **210**, 601 (1973); engl.: 421; C. A. **79**, 42587 (1973).
[10] R. N. Grimes, Am. Soc. **88**, 1070, 1895 (1966).
[11] R. N. Grimes, J. Organometal. Chem. **8**, 45 (1967).
[12] R. Wilczynski u. L. G. Sneddon, Inorg. Chem. **21**, 506 (1982).
[13] R. Köster, H.-J. Horstschäfer, P. Binger u. P. K. Mattschei, A. **1975**, 1339.
[14] R. Köster, M. A. Grassberger, E. G. Hoffmann u. G. W. Rotermund, Tetrahedron Letters **1966**, 905.
[15] Gmelin, 8. Aufl., **43**/12, 24 (1977).

wenige Organo-Derivate bekannt sind; z. B. B-Acyl-dicarba-*closo*-dodecaborane(12)[1,2] oder B-Silylalkyl-dicarba-*closo*-dodecaborane(12)[3].

Die Raman-Spektren der 1,2-, 1,7- und 1,12-Dicarba-*closo*-dodecaborane(12) unterscheiden sich vor allem im Bereich von 1000–1200 cm^{-1} [4].

Die UV-Spektren der drei isomeren Dicarba-*closo*-dodecaborane(12) und ihre C-Organo-Derivate haben Absorptionen im Bereich von 240–270 nm[5-7].

ζ_3) *Massenspektren*

Die Massenspektren incl. der hochaufgelösten MS-Spektren geben i. allg. erste verläßliche Auskünfte über die Zusammensetzung des Carborans und oft auch über dessen Gerüst (C- und B-Zahl), falls die chemische Synthese hierüber bestimmte Vermutungen zuläßt. Zur Analyse von Verbindungsgemischen liefert die Methode ausgezeichnete Ergebnisse[8-10]. Aus dem Molekülpeak und seiner B-Zahl sowie dem Zerfallsspektrum sind oftmals schon weitreichende Indizien für die vorliegende Verbindungsklasse zu entnehmen[11-13]. Die Hochauflösungsmassenspektrometrie[9,14] dient zur Bestimmung der Summenformel[15] und präzisiert damit die Zuordnung der Spektren. Vielfach wird ein Verbindungsgemisch auch in Kombination mit der Gaschromatographie analysiert[11,12,16,17]. Massenspektren von Organo-dicarba-*closo*-dodecaboranen sind bisher nur wenige bekannt[18,19].

Die Zuordnung der Organocarborane zum *closo*- oder *nido*-Typ läßt sich massenspektrometrisch i. allg. nicht ohne weiteres durchführen. Beispielsweise treten im Massenspektrum des Decaethyltetracarbadecaborans(10) praktisch keine Bruchstückmassen $(M-15)^+$ und $(M-29)^+$ auf; dominierende, d. h. stabilste Ionen des vollalkylierten Tetracarbadecaborans(10) sind die Isotopenmassen der Molekülpeak-Gruppe[20].

---

[1] L. I. Zakharkin, V. N. Kalinin u. V. V. Gedymin, Ž. obšč. Chim. **43**, 1974 (1973); engl.: 1956; C. A. **80**, 14985 (1974).

[2] L. I. Zakharkin u. I. V. Pisareva, Izv. Akad. SSSR **1978**, 1950; engl.: 1721; C. A. **89**, 197629 (1978).

[3] V. F. Mironov, V. I. Grigos, S. Ya. Pechurina, A. F. Zhigach u. V. N. Sirgatskaya, Doklady Akad. SSSR **210**, 601 (1973); engl.: 421; C. A. **79**, 42587 (1973).

[4] S. S. Bukalov, L. A. Leites u. V. T. Aleksanyan, Izv. Akad. SSSR **1968**, 929; engl.: 896; C. A. **69**, 23450 (1968).

[5] J. R. Wright u. T. J. Klingen, J. Inorg. & Nuclear Chem. **32**, 2853 (1970).

[6] L. A. Leites, L. E. Vinogradova, V. N. Kalinin u. L. I. Zakharkin, Izv. Akad. SSSR **1970**, 2596; engl.: 2437; C. A. **74**, 87022 (1971).

[7] L. I. Zakharkin, N. N. Kalinin u. A. P. Snyakin, Ž. obšč. Chim. **41**, 1516 (1971); C. A. **75**, 151240 (1971).

[8] R. Köster, H.-J. Horstschäfer, P. Binger u. P. K. Mattschei, A. **1975**, 1339.

[9] R. Köster, G. Benedikt u. M. A. Grassberger, A. **719**, 187 (1968).

[10] R. Köster u. M. A. Grassberger, Ang. Ch. **79**, 197 (1967); engl.: **6**, 218.

[11] R. Köster u. M. A. Grassberger, Ang. Ch. **78**, 590 (1966); engl.: **5**, 580.

[12] R. Köster, H.-J. Horstschäfer u. P. Binger, Ang. Ch. **78**, 777 (1966); engl.: **5**, 730.

[13] P. Binger, Tetrahedron Letters **1966**, 2675.

[14] R. Köster u. G. W. Rotermund, Tetrahedron Letters **1965**, 777.

[15] D. Henneberg, Fres. **205**, 124 (1964).

[16] M. A. Grassberger, E. G. Hoffmann, G. Schomburg u. R. Köster, Am. Soc. **90**, 56 (1968).

[17] J. Plešek, Z. Plzák, J. Stuchlík u. S. Heřmánek, Collect. czech. chem. Commun. **46**, 1748 (1981); C. A. **96**, 52354 (1982); Massenzahlen von B-Alkyl-1,2-dicarba-closo-carboranen(12).

[18] V. N. Bochkarev, A. N. Polivanov, S. Y. Pecharina u. V. I. Grigos, Ž. obšč. Chim. **43**, 681 (1973); engl.: 678; C. A. **79**, 17666 (1973); *B-(Trimethylsilylmethyl)-1,2-dicarba-closo-dodecaboran(12)*.

[19] V. N. Bochkarev, A. N. Polivanov, V. I. Grigos u. S. Y. Pecharina, Ž. obšč. Chim. **43**, 2407 (1973); engl.: 2393; C. A. **80**, 69863 (1974); *B-(Trimethylsilylmethyl)-1,7-* und *-1,12-dicarba-closo-dodecaboran(12)*.

[20] R. Köster, G. Seidel u. B. Wrackmeyer, Ang. Ch. **96**, 520 (1984); engl.: **23**, 512; *Decaethyltetracarbadecaboran(10)*.

ζ_4) *Kernresonanzspektroskopie von B-Organocarboranen*

$\zeta\zeta_1$) ^{1}H-NMR-Spektren

Die ^{1}H-NMR-Spektroskopie von B-Organocarboranen[1-21] erlaubt i. allg.
① die Identifizierung des B-Organo-Restes und
② die Reinheitskontrolle, d. h. evtl. Stellungsisomere
zu erkennen. Für weitere Daten wird auf eine Übersicht verwiesen[22].

$\zeta\zeta_2$) ^{11}B-NMR-Spektren von B-Organocarboranen

Die Charakterisierung zahlreicher B-Organocarborane gelingt i. allg. mit Hilfe der ^{11}B-NMR-Spektroskopie, besonders wenn die Daten mit Zuordnung für die Grundkörper[22-26] vorhanden sind (vgl. Tab. 106, S. 606). Die Substitution am Bor-Atom wird angezeigt durch die Entschirmung des ^{11}B-Kerns (7–16 ppm) und durch das Fehlen von J(BH). Die Organo-Substitution am Bor-Atom nimmt nur in den Derivaten von *closo*-1,5-$C_2B_3H_5$ signifikanten Einfluß auf die δ^{11}B-Werte unsubstituierter Bor-Atome. Somit kann man i. allg. aus den δ^{11}B-Werten des B-Organocarborans schließen, daß eine zum Grundkörper analoge Struktur vorliegt (vgl. etwa die δ^{11}B-Werte für die *nido*-2,3,4,5-Tetracarbahexaborane(6), Tab. 106 (S. 606).

Die δ^{11}B-Werte allein sind oft ein unzureichendes Kriterium zur Strukturvoraussage. Zwar sind aus Anzahl und Intensitätsverhältnis der ^{11}B-Resonanzen Rückschlüsse auf Symmetrie oder dynamisches Verhalten möglich, aber die Zuordnung der ^{11}B-Resonanzen

---

[1] R. Köster u. M. A. Grassberger, Ang. Ch. **79**, 197 (1967); engl.: **6**, 218; (RB_xC_y).
[2] P. Binger, Ang. Ch. **80**, 288 (1968); engl.: **7**, 286; (RB_2C_4).
[3] H.-O. Berger, H. Nöth u. B. Wrackmeyer, B. **112**, 2884 (1979); (RB_2C_4).
[4] R. Köster, H.-J. Horstschäfer, P. Binger u. K. Mattschei, A. **1975**, 1339; (RB_3C_2).
[5] J. B. Leach, G. Oates, S. Tang u. T. Onak, Soc. [Dalton Trans.] **1975**, 1018; (RB_3C_2, RB_5C).
[6] R. C. Dobbie, E. W. DiStefano, M. Black, J. B. Leach u. T. Onak, J. Organometal. Chem. **114**, 233 (1976); (RB_3C_2).
[7] R. N. Grimes, Am. Soc. **88**, 1895 (1966); (RB_4C_2, RB_3C_2).
[8] R. Wilczynski u. L. G. Sneddon, Inorg. Chem. **21**, 506 (1982); (RB_4C_2).
[9] W. Siebert u. M. E. M. El-Essawi, B. **112**, 1480 (1979); (RB_4C_4).
[10] M. A. Grassberger, E. G. Hoffmann, G. Schomburg u. R. Köster, Am. Soc. **90**, 56 (1968); (CRB_5C).
[11] R. Köster, M. A. Grassberger, E. G. Hoffmann u. G. W. Rotermund, Tetrahedron Letters **1966**, 905; (RB_5C_2).
[12] R. Köster, G. Benedikt u. M. A. Grassberger, A. **719**, 187 (1968); (RB_5C_2).
[13] J. F. Ditter, E. B. Klusmann, R. E. Williams u. T. Onak, Inorg. Chem. **15**, 1063 (1976); (RB_5C_2).
[14a] T. Onak, A. P. Fung, G. Siwapiyoyos u. J. B. Leach, Inorg. Chem. **18**, 2878 (1979); (RB_5C_2).
[14b] G. Siwapinyoyos u. I. Onak, Inorg. Chem. **21**, 156 (1982); ($RClB_5C_2$).
[15a] A. P. Fung, E. W. DiStefano, K. Fuller, G. Siwapinyoyos, T. Onak u. R. E. Williams, Inorg. Chem. **18**, 372 (1979); (RB_6C_2).
[15b] R. Köster, G. Seidel u. B. Wrackmeyer, Ang. Ch. **96**, 520 (1984); (RB_6C_4).
[16] G. B. Dunks u. M. F. Hawthorne, Inorg. Chem. **9**, 893 (1970); (RB_7C_2).
[17] J. E. Crook, N. N. Greenwood, J. D. Kennedy u. W. S. McDonald, Chem. Commun. **1981**, 933; (RB_8Ir).
[18] D. A. Owen u. M. F. Hawthorne, Am. Soc. **91**, 6002 (1969); ($RB_9C_2^-$).
[19] M. F. Hawthorne u. P. A. Wegner, Am. Soc. **87**, 4392 (1965); ($RB_{10}C_2$).
[20] M. F. Hawthorne u. P. A. Wegner, Am. Soc. **90**, 896 (1968); ($RB_{10}C_2$).
[21] J. Plešek, Z. Plzák, J. Stuchlík u. S. Heřmánek, Collect. czech. chem. Commun. **46**, 1748 (1981); ($RB_{10}C_2$); C. A. **96**, 52354 (1982).
[22] L. J. Todd u. A. R. Siedle, Progr. NMR Spectrosc. **13**, 87 (1979).
[23] G. R. Eaton u. W. N. Lipscomb, *NMR Studies of Boron Hydrides and Related Compounds*, Benjamin, New York 1969.
[24] R. N. Grimes, *Carboranes*, Academic Press, New York 1970.
[25] Gmelin, **15**/2, 248–288 (1974), auch in 6, 11, 12.
[26] A. R. Siedle, Ann. Rep. NMR Spectrosc. **12**, 177 (1982).

ist nicht immer eindeutig[1]. Alle Hetero-Gerüstatome stören die Gerüstelektronen-Verteilung im Vergleich zu den entsprechenden Polyboranen. Damit werden dem polyedrischen System geänderte Bindungsverhältnisse aufgezwungen, die zum Teil charakteristisch für Art und Anzahl der Heteroatome sind. In Carboranen macht sich dies insofern bemerkbar, daß speziell für die kohlenstoffreichen Systeme auch klassische Strukturen mit „normalen" 2e2z-Bindungen in Frage kommen. Beispiele hierfür sind 1,4-Dihydro-1,4-diborine im Vergleich zum *nido*-2,3,4,5-Tetracarbahexaboran(6)$^{2-5}$ und die Umwandlung von peralkylierten Hexaboraadamantanen in peralkylierte C_4B_6-Carborane[6] (vgl. Tab. 106, S. 606ff.). Zur prinzipiellen Unterscheidung der klassischen Strukturen von den Carboran-Strukturen dienen die δ^{11}B-Werte. Wichtig für die Untersuchung der Carborane werden zunehmend homoskalar-korrelierte 2D-^{11}B-NMR-Experimente[1], die oft den Nachweis der Verknüpfung der ^{11}B-Kerne untereinander erlauben. Diese Methode wurde auch für das Decaethyl-C_4B_6–Carboran eingesetzt und führte zu einer teilweisen Aufklärung der Gerüststruktur[6] (vgl. S. 609). In Abb. 25 ist ein 1-D-^{11}B-NMR-Spektrum gezeigt, das den sechs Bor-Atomen des C_4B_6-Carborans vier verschiedene Umgebungen zuweist.

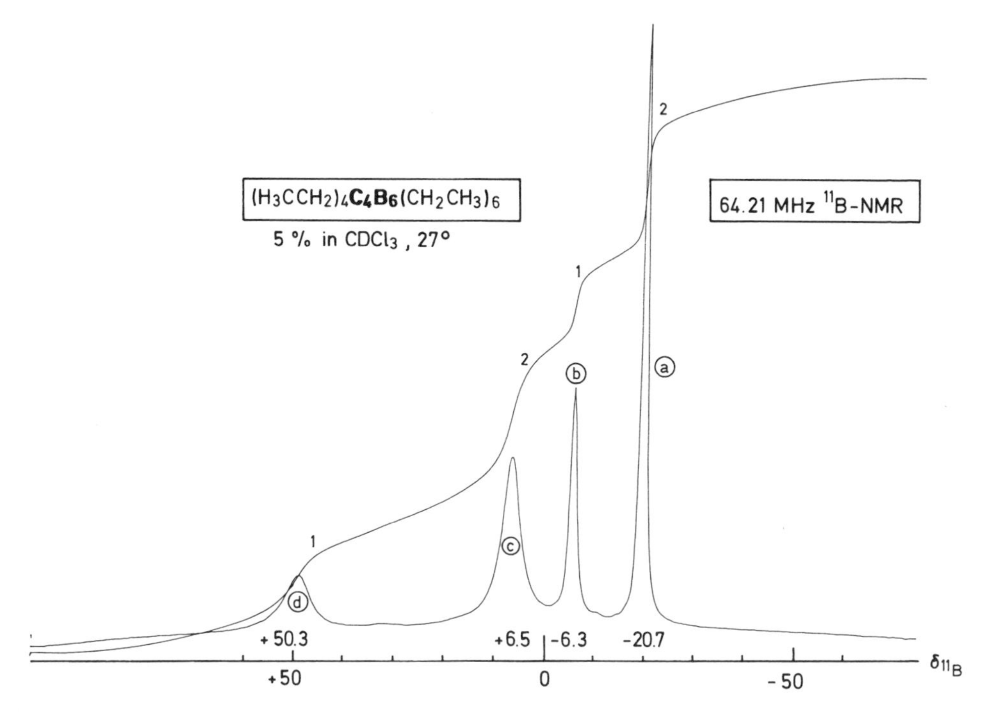

Abb. 25: 64,21 MHz ^{11}B-NMR-Spektrum von *Decaethyltetracarbadecaboran*(10)[6] in $CDCl_3$ (5%) bei 27° [7].

[1] T. L. VENABLE, W. C. HUTTON u. R. N. GRIMES, Am. Soc. **106**, 29 (1984) und dort zitierte Literatur.
[2] P. BINGER, Tetrahedron Letters **1966**, 2675.
[3] R. KÖSTER u. M. A. GRASSBERGER, Ang. Ch. **79**, 197 (1967); engl.: **3**, 218.
[4] B. WRACKMEYER, Z. Naturf. **37b**, 412 (1982).
[5] S. M. VAN DER KERK, P. H. M. BUDZELAAR, A. L. M. VAN EEKEREN u. G. J. M. VAN DER KERK, Polyhedron **3**, 271 (1984).
[6] R. KÖSTER, G. SEIDEL u. B. WRACKMEYER, Ang. Ch. **96**, 520 (1984); engl.: **23**, 512.
[7] B. WRACKMEYER, Universität München 1984.

Tab. 106: ^{11}B-NMR-Daten von B-Organocarboranen und Grundkörpern

Verbindung	Herst. XIII/3c, S.	$\delta\,^{11}$B-Werte mit B-Position und $^{1}J(^{11}B^{1}H)$ in ()			Lösungsmittel, Bedingungen	Literatur
2,3,4,5–$C_4B_2H_6$	—	−60,8 (1)	+ 10,4 (6)			1
		(202)	(144)			
1,3,4,6–$(CH_3)_4$–2,3,4,5–$C_4B_2H_2$	—	−45,5 (1)	+ 19,3 (6)		$CDCl_3$	2
1,2,4,6–$(CH_3)_4$–2,3,4,5–$C_4B_2H_2$	—	−46,2 (1)	+ 19,3 (6)		$CDCl_3$	3
1,2,3,4,5–$(CH_3)_5$–6–C_2H_5–2,3,4,5–C_4B_2	—	−44,3 (1)	+ 18,6 (6)		$CDCl_3$	3
1,3,4,6–$(C_2H_5)_4$–2,5–$(CH_3)_2$–2,3,4,5–C_4B_2	158	−44,3 (1)	+ 18,4 66)		$CDCl_3$	3,
1,2,4,6–$(C_2H_5)_4$–3,5–$(CH_3)_2$–2,3,4,5–C_4B_2	158	−44,4 (1)	+ 18,4 (6)		$CDCl_3$	3,
$(C_2H_5)_6$–2,3,4,5–C_4B_2	159	−44,4 (1)	+ 18,6 (6)		$CDCl_3$	3,
1,2,5–$(CH_3)_3$–3,4,6-$[CH(CH_3)_2]_3$–2,3,4,5–C_4B_2	—	−44,9 (1)	+ 19,9 (6)		$CDCl_3$	3
1,2,4–$(CH_3)_3$–3,5,6–(iso–$C_3H_7)_3$–2,3,4,5–C_4B_2	—	−44,2 (1)	+ 17,8 66)		$CDCl_3$	3
1,3,4–$(C_2H_5)_3$–6–C_6H_5–2,3,4,5–$C_4B_2H_2$	—	−43,6 (1)	+ 18,6 (6)		$CDCl_3$	5
1,3,4–$(C_2H_5)_3$–6–Br–2,3,4,5–$C_4B_2H_2$	—	−44,7 (1)	+ 13,9 (6)		$CDCl_3$	6
1,5–$C_2B_3H_5$	—	+ 1,4 (189)			–	7
2–CH_3–1,5–$C_2B_3H_4$	164	+ 8,8 (2)	+ 7,0 (184)		–	8
2,3–$(CH_3)_2$–1,5–$C_2B_3H_3$	165	+ 12,8(2,3)	+ 10,8		–	8
			(170)			
2,3,4–$(CH_3)_3$–1,5–$C_2B_3H_2$	160	+ 16,3			–	8
2,3,4–$(C_2H_5)_3$–1,5–$C_2B_3H_2$	160	+ 18,1			–	9
2,3,4–$(C_2H_5)_3$–1,5$(CH_3)_2$–1,5–C_2B_3	163	+ 13,8			$CDCl_3$	10
$(C_2H_5)_5$–1,5–C_2B_3	163	+ 13,9			$CDCl_3$	10
2,3,4–$(C_3H_7)_3$–1,5–$(C_2H_5)_2$–1,5–C_2B_3	163	+ 13,3			$CDCl_3$	9, 1
2,3,4–(C_2H_5)–1,5–$(C_7H_{15})_2$–1,5–C_2B_3	163	+ 13,0			–	9
2–CH_3–1–SiH_3–1,5–$C_2B_3H_3$	—	+ 12,8 (2)	+ 10,9 (3,4)		–	11
			(185)			
1,2–$C_2B_4H_6$	—	− 1,6 (3)	− 15,3 (4)		–	12
		(185)	(162)			
1,6–$C_2B_4H_6$	—	− 18.7			–	13
		(188)				
2,3–$C_2B_4H_8$	—	−53,3 (1)	−2,0 (4,6)	0,0 (5)	C_6D_6, 80°	14
		(179)	(159,7)	(165)		
$(H_3C)_4C_4B_4H_4$	—	− 12,5	− 11,7		CD_2Cl_2	15
		(195)	(155)			
		(1 : 1 Verhältnis)				
$(H_5C_2)_4C_4B_4(CH_3)_4$	169	− 6,3			CS_2	16

[1a] T. Onak u. G. T. F. Wong, Am. Soc. **92**, 5226 (1970).
[1b] V. R. Miller u. R. N. Grimes, Inorg. Chem. **11**, 862 (1972).
[2] H.-O. Berger, H. Nöth u. B. Wrackmeyer, B. **112**, 2884 (1979).
[3] B. Wrackmeyer, Z. Naturf. **37b**, 412 (1982).
[4] P. Binger, Tetrahedron Letters **1966**, 2675.
[5] L. Killian u. B. Wrackmeyer, J. Organometal. Chem. **132**, 213 (1977).
[6] B. Wrackmeyer, Universität München, unveröffentlicht 1978.
[7] R. N. Grimes, Am. Soc. **88**, 1895 (1966).
T. Onak u. E. Wan, Soc. [Dalton Trans.] 1974, 665.
[8] R. C. Dobbie, E. Wan DiStefano, M. Black, J. B. Leach u. T. Onak, J. Organometal. Chem. **114**, 233 (1976).
[9] R. Köster, H.-J. Horstschäfer, P. Binger u. P. K. Mattschei, A. **1975**, 1339.
[10] R. Köster u. B. Wrackmeyer, Z. Naturf. **36b**, 704 (1981).
[11] J. B. Leach, G. Oates, S. Tang u. T. Onak, Soc. [Dalton Trans.] **1975**, 1018.
[12] T. Onak, R. P. Drake u. G. B. Dunks, Inorg. Chem. **3**, 1686 (1964).
[13] T. Onak, F. J. Gerhart u. R. E. Williams, Am. Soc. **85**, 3378 (1963).
[14] J. W. Akitt u. C. G. Savory, J. Magn. Reson. **17**, 122 (1975).
[15] T. P. Fehlner, Am. Soc. **99**, 8355 (1977).
[16] W. Siebert u. M. E. El-Essawi, B. **112**, 1480 (1979); aufgrund des ^{1}H-NMR-Spektrums würden zwei unterschiedliche ^{11}B-Resonanzen erwartet.

Tab. 106 (1. Fortsetzung)

Verbindung	Herst. XIII/3c, S.	$\delta\,^{11}$B-Werte mit B-Position und $^1J(^{11}B^1H)$ in ()					Lösungsmittel, Bedingungen	Literatur
B_5H_7	—	−19,0 (186) (2 : 2 : 1 Verhältnis)	−9,8 (168)	+2,7 (176)				1
H_3–1–CB_5H_7	vgl. 171	−17,6 (2 : 2 : 1 Verhältnis)	−7,9	−4,6			−30°	1
H_3–1–CB_5H_6	—	−17,8 (4) (178)	−12,5 (3,5) (173)	−3,5 (2)	+4,0 (6) (173)		+110°	2
B_5H_9	vgl. 171/172	851,9 61) (160) (1 : 2 : 2 Verhältnis)	−4,2 (4,5) (164)	+16,6 (3,6) (161)			—	3
$_2H_5$–2–CB_5H_9	—	−47,3 (1) (160)	−1,7 (4,5) (152)	+17,5 (3,6) (161)			—	4
$C_2B_5H_7$	172	−23,5 (1,7)	+2,0 (5,6)	+5,0 (3)			—	5
H_3–2,4–$C_2B_5H_6$		−18,8 (1,7) (179)	+5,4 (5,6) (170)	+8,2 (3) (179)			—	6
H_3–2,4–$C_2B_5H_6$	176	−11,6 (1)	−27,1 (7) (182)	+4,0 (5,6) (166)	+8,3 (3) (183)		—	7
H_3–2,4–$C_2B_5H_6$	176	−20,7 (1,7) (178)	+4,0 (5,6) (166)	+14,1 (3)			—	7
H_3–2,4–$C_2B_5H_6$	176	−20,6 (1,7) (176)	+11,2 (5)	+2,7 (6) (169)	+6,8 (3) (182)		—	7
$(CH_3)_2$–2,4–$C_2B_5H_5$	175	−12,0 (1)	−27,1 (7) (196)	+3,2 (5,6) (167)	+14,0 (3)		—	7
$(CH_3)_2$–2,4–$C_2B_5H_5$	175	−12,0 (1)	−27,1 (7) (186)	+10,6 (5)	+3,2 (6) (167)	+7,2 (3) (176)	—	7
$(CH_3)_2$–2,4–$C_2B_5H_5$	175	−20,4 (1,7) (186)	+10,6 (5)	+1,4 bis	+3,2 (6)	+12,8 (3)	—	7
$(CH_3)_2$–2,4–$C_2B_5H_5$	176	−20,4 (1,7) (177)	+9,6 (5,6)	+5,3 (3) (177)			—	7
5–$(CH_3)_3$–2,4–$C_2B_5H_4$	175	−10,7 (1)	−25,2 (7) (176)	+10,4 (5)	+3,2 (6)	+13,9 (3)	—	7
7–$(CH_3)_3$–2,4–$C_2B_5H_4$	175	−16,9 (1,7)	+3,2 (5,6)	+15,3 (3)			—	7
5–$(CH_3)_3$–2,4–$C_2B_5H_4$	175	−10,5 61)	−25,2 (7) (175)	+9,6 (5,6)	+6,7 (3) (173)		—	7
7–$(CH_3)_3$–2,4–$C_2B_5H_4$	175	−16,9 (1,8)	+10,4 (5)	+3,2 (6)	+10,4 (3)		—	7
–$(CH_3)_3$–2,4–$C_2B_5H_4$	175	−19,2 (1,7) (177)	+10,4 (5,6)	+13,9 (3)			—	7
5,6–$(CH_3)_4$–2,4–$C_2B_5H_3$	175	−12,6 (1)	−25,4 (7)	+9,3 (5,6)	+11,2 (3)		—	7
5,7–$(CH_3)_4$–2,4–$C_2B_5H_3$	175	−17,7 (1,7)	+11,2 (5)	−0,9 (6)	+11,2 (3)		—	7
,7–$(CH_3)_4$–2,4–$C_2B_5H_3$	176	−16,0 (1,7)	+9,8 (5,6) (180)	+7,8 (3)			—	7
$_3)_4$–2,4–$C_2B_5H_3$	176	−12,1 (1,7) (170)	+5,2 (5) (150)	+10,6 (4,6) (150)			—	8
$_4B_6(CH_3)_6$	(XIII/3a, S. 27)	63,2 (Hexaboraadamantan-Struktur)					—	9
$_4B_6(C_2H_5)_6$	(XIII/3a, S. 20)	67,0 (Hexaboraadamantan-Struktur)					CCl_4	10

[1] G. L. McKnown, P. P. Don u. R. A. Beaudet, Chem. Commun. **1974**, 765; Spektren sind temperaturabhängig.
[2] J. B. Leach, G. Oates, S. Tang u. T. Onak, Soc. [Dalton Trans.] **1975**, 1018.
[3] E. Groszek, J. B. Leach, G. T. F. Wong, C. Ungermann u. T. Onak, Inorg. Chem. **10**, 2770 (1971).
[4] T. Onak, P. Mattschei u. E. Groszek, Soc. [A] **1969**, 1990.
[5] R. Warren, D. Paquin, T. Onak, G. B. Dunks u. J. R. Spielman, Inorg. Chem. **9**, 2285 (1970).
[6] R. R. Olson u. R. N. Grimes, Am. Soc. **92**, 5072 (1970).
[7] T. Onak, A. P. Fung, G. Siwapinyoyos u. J. B. Leach, Inorg. Chem. **18**, 2878 (1979).
[8] R. R. Rietz u. R. Schaeffer, Am. Soc. **93**, 1263 (1971).
[9] M. P. Brown, A. K. Holliday u. G. Way, Soc. [Dalton Trans.] **1975**, 148.
[10] R. Köster, H.-J. Horstschäfer, P. Binger u. P. K. Mattschei, A. **1975**, 1339.

Tab. 106 (2. Fortsetzung)

Verbindung	Herst. XIII/3c, S.	$\delta\,^{11}$B-Werte mit B-Position und $^{1}J(^{11}B^{1}H)$ in ()					Lösungsmittel	Li ra
$(H_3C)_4C_4B_6(C_2H_5)_6$	—	65,0 (Hexaboraadamantan-Struktur)					C_7D_8	1
$(H_3C)_4C_4B_6(C_2H_5)_6$	vgl. 178	−21,1	−7,8	+ 6,7	+ 51,2 (Carboran-Struktur)		C_7D_8	1
		(2 : 1 : 2 : 1 Verhältnis)						
$(H_5C_2)_4C_4B_6(C_2H_5)_6$	178	−20,7	−6,3	+ 6,5	+ 50,3 (Carboran-Struktur)			2
		(2 : 1 : 2 : 1 Verhältnis)						
$C_2B_7H_9$	—	+ 7,9 (3,4) (176)	+ 15,5 (2,5,6,8)	+ 30,6 (9) (164)				3
$8\text{-}CH_3\text{–}C_2B_7H_8$	179	+ 8,6 (3,4) (176)	+ 15,0 (2,5,6,8) (167)	+ 40,7 (9)				3
$8\text{-}C_2H_5\text{–}C_2B_7H_8$	179	+ 7,9 (3,4) (174)	+ 14,9 (2,5,6,8) (164)	+ 43,6 (9)				3
$C_2B_8H_{10}$	—	−25,4 (162)	−19,3 (185)	−8,5 (170)	+ 38,4 (178)		Pentan	4
		−26,9 (165)	−21,1 (184)	−10,2 (165)	+ 34,8 (166)		Aceton	5
		(4 : 2 : 1 : 1 Verhältnis)						
$(CH_3)_2C_2B_8H_8$	180	−23,2 (175)	−20,7 (182)	−14,2 (175)	−5,3 (165)	+32,0 (168)	Pentan	4
		(2 : 2 : 2 : 1 : 1 Verhältnis)						
$(H_3C)_4C_4B_8H_8$ (zwei Isomere in Lösung)	—	−29,5	−22,4	−9,2	−8,4			6
		(2 : 2 : 2 : 2 Verhältnis)						
		−11,0 (148)	−2,4 (150)					
		(2 : 6 Verhältnis)						
$1,2\text{–}C_2B_{10}H_{12}$	—	−14,3 (3,6)	−12,9 (4,5,7,11)	−8,2 (8,10)	−1,2 (9,12)		Hexan	8
$1,7\text{–}C_2B_{10}H_{12}$	—	−16,4 (2,3)	−12,5 (4,6,8,11)	−9,4 (9,10)	−5,7 (5,12)		Hexan	8
$1,12\text{–}C_2B_{10}H_{12}$	—	−15,1 (160)						9

ζζ₃) ^{13}C-NMR-Spektren von B-Organocarboranen

Bisher wurden nur drei B-Organocarboran-Typen systematisch mit Hilfe von ^{13}C-NMR untersucht: *nido*-2,3,4,5-Tetracarbahexaboran(6)-Derivate[10, 11], peralkylierte *closo*-1,5-Dicarbapentaboran(5)-Derivate[12], *Decaethyltetracarbadecaboran(10)*[13].

Zahlreiche andere Carborane wurden untersucht[14, 15], jedoch ohne B-Organo-Reste. Die vorliegenden Resultate[10−15] zeigen, daß die ^{13}C-NMR-Spektroskopie wichtige Informationen bezüglich Struktur (Isomere[11]) und Bindungsverhältnisse liefern kann. Dies gilt einmal für die δ^{13}C-Werte (z. B. die Polyeder-Kohlenstoff-Atome: Abhängigkeit von der

[1] R. Köster u. G. Seidel, Mülheim a.d. Ruhr, unveröffentlicht 1984.
[2] R. Köster, G. Seidel u. B. Wrackmeyer, Ang. Ch. **96**, 520 (1984); engl.: **23**, 512; vgl. Abb. 25.
[3] G. B. Dunks u. M. F. Hawthorne, Inorg. Chem. **9**, 893 (1970).
[4] R. R. Rietz, R. Schaeffer u. R. Walter, J. Organometal. Chem. **63**, 1 (1973).
[5] J. Plešek u. S. Heřmánek, Collect. czech. chem. Commun. **39**, 821 (1974); C. A. **81**, 25714 (1974).
[6] W. M. Maxwell, V. R. Miller u. R. N. Grimes, Am. Soc. **96**, 7116 (1974); Inorg. Chem. **15**, 1343 (1976).
[7] R. N. Grimes, Advan. Inorg. Chem. Radiochem. **26**, 78–81 (1983).
[8] T. L. Venable, W. C. Hutton u. R. N. Grimes, Am. Soc. **106**, 29 (1984).
[9] G. D. Vickers, H. Agahigian, E. A. Pier u. H. Schroeder, Inorg. Chem. **5**, 693 (1966).
[10] H.-O. Berger, H. Nöth u. B. Wrackmeyer, B. **112**, 2884 (1979).
[11] B. Wrackmeyer, Z. Naturf. **37b**, 412 (1982).
[12] R. Köster u. B. Wrackmeyer, Z. Naturf. **36b**, 704 (1981).
[13] R. Köster, G. Seidel u. B. Wrackmeyer, Ang. Ch. **96**, 520 (1984); engl.: **23**, 512. vgl. Abb. 26, S. 609.
[14] L. J. Todd, Pure Appl. Chem. **30**, 587 (1972).
[15] B. Wrackmeyer, Progr. NMR Spectrosc. **12**, 227 (1979).

$KZ_{(C)}$[1], Vergleich mit isoelektronischen rein organischen oder anderen metallorganischen Analoga[2,3]) als auch für Kopplungskonstanten $J(^{13}C^{11}B)$ (Kriterium für Bindungsordnung[2-4]; vgl. auch mit $^{1}J(^{11}B^{11}B)$, S. 405). Da die Empfindlichkeit moderner Instrumente auch die Messung von $^{1}J(^{13}C^{13}C)$ in natürlicher Häufigkeit zuläßt, bietet sich damit ein weiterer Parameter an, wie bereits in mehreren Beispielen gezeigt[3,4].

Äußerst hilfreich für die Messung und Zuordnung der ^{13}C-NMR-Spektren sind selektive ^{11}B-Entkopplungsexperimente[3-6] neben der routinemäßigen ^{1}H-Entkopplung ($^{13}C\{^{1}H,^{11}B\}$), wie in Abb. 26, 27 demonstriert.

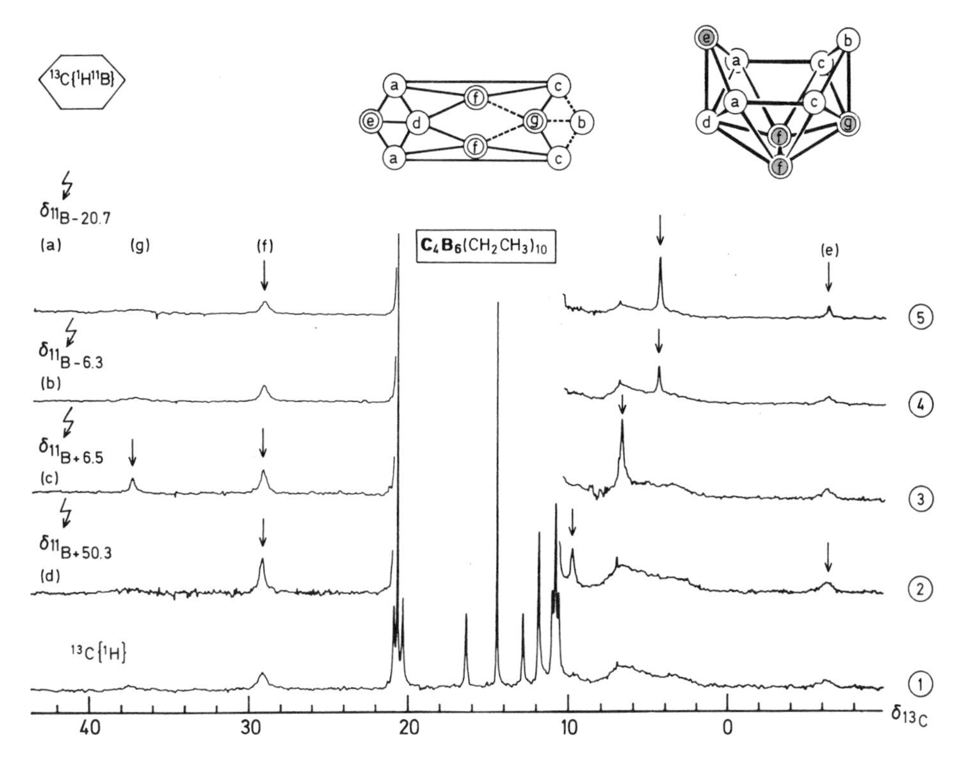

Abb. 26: ^{13}C-NMR-Spektren von *Decaethyltetracarbadecaboran(10)*[5] in $CDCl_3$ mit vier verschiedenen selektiven ^{11}B-Entkopplungen, entsprechend den ^{11}B-Resonanzen in Abb. 25, bei gleichzeitiger ^{1}H-Breitband-entkopplung ($^{13}C\{^{11}B,^{1}H\}$)[6].

① Normales $^{13}C\{^{1}H\}$-NMR-Spektrum zeigt die breiten Resonanzen der Gerüstkohlenstoffe (e), (f) und (g) sowie die breiten ^{13}C-Resonanzen der BCH_2-Kohlenstoffe zwischen ca. 2 bis 10 ppm

② Entkopplung der ^{11}B-Resonanz bei $\delta^{11}B$ + 50,3; Effekte deutlich für BCH_2, und $C_{(f)}$ sowie schwach für $C_{(e)}$

③ Entkopplung der ^{11}B-Resonanzen bei $\delta^{11}B$ + 6,5; Effekte deutlich bei BCH_2, $C_{(g)}$ und schwach bei $C_{(f)}$

④ Entkopplung der ^{11}B-Resonanz bei $\delta^{11}B$ − 6,3; Effekt nur deutlich bei BCH_2

⑤ Entkopplung der ^{11}B-Resonanzen bei $\delta^{11}B$ − 20,7; Effekt deutlich bei BCH_2, $C_{(e)}$ und schwach bei $C_{(f)}$.

Daraus resultiert (zusammen mit einem 2D-^{11}B-NMR-Experiment, s. S. 605) die Verknüpfung (durchgezogene Linien) und die aufgrund der Anzahl und relativen Intensitäten der ^{13}C- und ^{11}B-Resonanzen (s. Abb. 25, S. 605) angenommene Verknüpfung für Bor-Atom (b). Damit ist die vom Decaboran(14) abgeleitete *nido*-Struktur am besten vereinbar.

---

[1] L.J. Todd, Pure Appl. Chem. **30**, 587 (1972).
[2] H.-O. Berger, H. Nöth u. B. Wrackmeyer, B. **112**, 2884 (1979).
[3] B. Wrackmeyer, Z. Naturf. **37b**, 412 (1982).
[4] R. Köster u. B. Wrackmeyer, Z. Naturf. **36b**, 704 (1981).
[5] R. Köster, G. Seidel u. B. Wrackmeyer, Ang. Ch. **96**, 520 (1984); engl.: **23**, 512.
[6] B. Wrackmeyer, Universität München 1984.

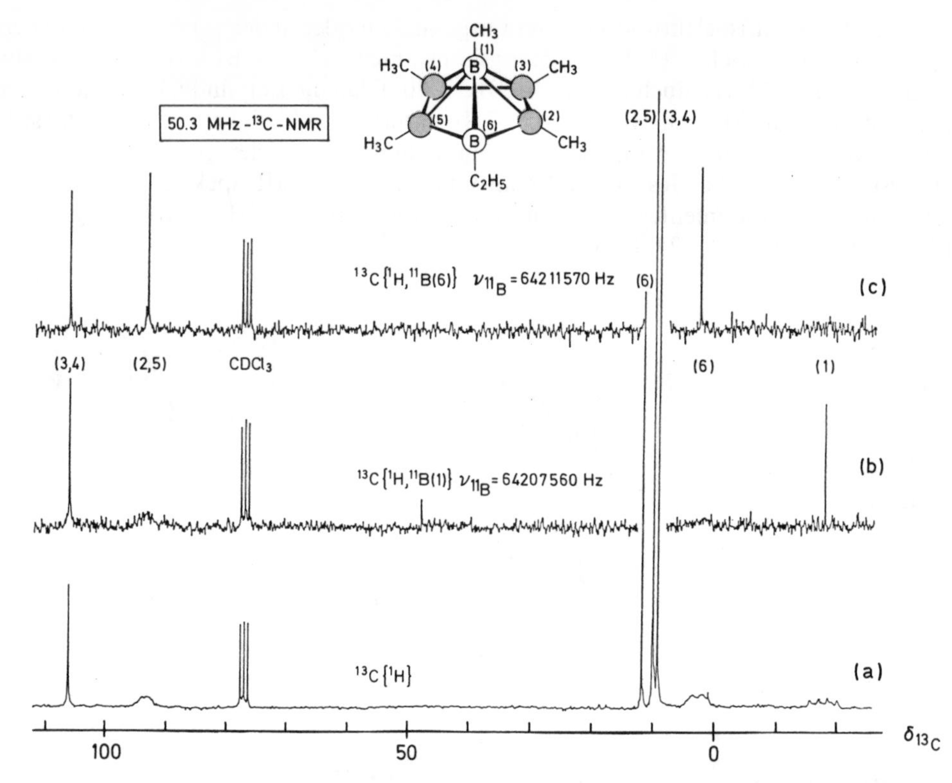

Abb. 27: ^{13}C-NMR-Spektren von *6-Ethyl-1,2,3,4,5-pentamethyl-2,3,4,5-tetracarba-nido-hexaboran(6)* mit unterschiedlichen Entkopplungsvorgängen[1].

(a) Normales ^{1}H-Breitband entkoppeltes ^{13}C-NMR-Spektrum; für die borgebundenen Alkyl-Kohlenstoff-Atome finden sich breite intensitätsschwache Signale, ebenso für die borgebundenen Gerüst-Kohlenstoff-Atome (C(2,5)).

(b) Zusätzliche selektive Einstrahlung der $^{11}B(1)$-Resonanzfrequenz führt nur zur Aufschärfung des „Quartetts" bei niedrigster Frequenz (CH_3-Gruppe aufgrund des nicht abgebildeten ^{1}H-gekoppelten Spektrums), während für die Gerüst-Kohlenstoff-Atome C(2,5) ein breites Signal bleibt.

(c) Zusätzliche selektive Einstrahlung der $^{11}B(6)$-Resonanzfrequenz führt zur Aufschärfung des zweiten breiten ^{13}C-Resonanzsignals (CH_2-Gruppe aufgrund des nicht abgebildeten ^{1}H-gekoppelten Spektrums) und zur Aufschärfung der $^{13}C(2,5)$-Resonanzen.

ζ5) *Molekülstrukturanalysen*

Wenig Strukturbestimmungen von B-Organocarborane sind bisher durchgeführt worden; z. B. von: *Hexamethyl-tetracarba-nido-hexaboran(6)* mit Elektronenbeugung in der Gasphase[2]:

$d_{B^1B^6}$ 1,886(3) Å $\quad$ $d_{B^1C^3}$ = 1,697(15) Å $\quad$ $d_{C^2C^3}$ = 1,436(8) Å

$d_{B^1C^2}$ = 1,709(3) Å $\quad$ $d_{B^6C^2}$ = 1,541(7) Å $\quad$ $d_{C^3C^4}$ = 1,424(7) Å

[1] B. Wrackmeyer, Z. Naturf. **37b**, 412 (1982).
[2] J. Haase, Z. Naturf. **28a**, 785 (1973).

η) Ionische B-Organocarboran-Verbindungen

η₁) *Kationische B-Organocarboran-Verbindungen*

1-(Pentamethylcyclopentadienyl)-2,3,4,5,6-pentamethyl-pentacarba-nido-hexaboran(1+)*-tetrachlorborat (1−)*[1] hat in D_3CCN ein Signal $\delta^{11}B$ −44,1:

Die ^{11}B-Resonanzen der entsprechenden 1-Halogen-Derivate liegen im Bereich von $\delta^{11}B$ −40 bis −50[2].

η₂) *Anionische Organocarboran-Verbindungen*

B-Organocarborate sind kaum beschrieben worden[3]. Bei der Reaktion der Pentaalkyl-1,5-dicarba-*closo*-pentaborane(5) mit metallischem Kalium in Tetrahydrofuran bilden sich anionische Verbindungen, deren ^{11}B-Signale von der Verteilung der C- und B-Atome im Gerüst abhängen. Vermutlich handelt es sich um isomere Pentaalkyl-dicarba-*nido*-pentaborate(2−); z.B.:

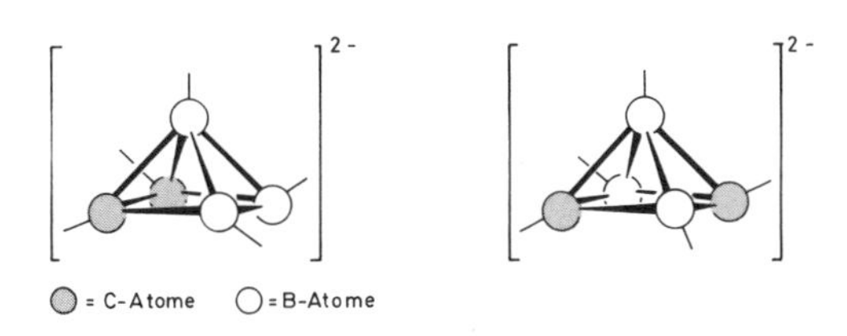

$\delta^{11}B$ [*all-Ethyl*-Verbindung]: −15, −37
[*C-Methyl, B-Ethyl*]: −10, −24, −37

---

[1] P. Jutzi u. A. Seufert, J. Organometal. Chem. **101**, C 5 (1978).
[2] P. Jutzi, A. Seufert u. W. Buchner, B. **112**, 2481 (1979).
[3] R. Köster, G. Seidel u. B. Wrackmeyer, Ang. Ch. **96**, 520 (1984); engl.: **23**, 512.

D. Bibliographie der Organobor-Verbindungen

(Abschnittsweise chronologisch geordnet)

bearbeitet von

ROLAND KÖSTER

Max-Planck-Institut für Kohlenforschung
Mülheim an der Ruhr

Abkürzungsliste häufig zitierter Werke:

Beilstein: *Beilsteins Handbuch der Organischen Chemie*, 4. Aufl., Berlin: Springer-Verlag seit 1918.
3. EW **7**. = 3. Ergänzungswerk, Bd. 7
Gmelin: *Gmelins Handbuch der Anorganischen Chemie*, 8. Aufl., Weinheim: Verlag Chemie seit 1922; Springer-Verlag seit 1974.
EB. = Ergänzungsband
Kirk-Othmer: Kirk u. Othmer, *Encyclopedia of Chemical Technology*, 3. Aufl. (seit 1978) bei Wiley, New York.
Ullmann: *Ullmanns Encyklopädie der Technischen Chemie*, 4. Aufl., 24 Bde. (1972–1983), Verlag Chemie, Weinheim/Bergstraße.

I. Historische Bearbeitung, allgemeine Eigenschaften, Standardliteratur und tabellarische Zusammenstellungen von Organobor-Verbindungen

Erste Mitteilung über Organobor-Verbindungen:

E. FRANKLAND u. D. F. DUPPA, *On Boric Ethide* (eingereicht am 7.7.1860), Pr. roy. Soc. **10**, 568–570 (1860); *Vorläufige Notiz über Boräthyl*, A. **115**, 319 (1860).

a) Übersichten

Beilstein, 4. Aufl., **4**, *C-Bor-Verbindungen*, 2. EW, 641–642 (1922).
A. STOCK, *Hydrides of Boron and Silicon – Reactions with Organic Substances*, in *Hydrides of Boron and Silicon*, S. 150, Cornell University Press, Ithaka 1933 (Neudruck 1957).
E. KRAUSE u. A. VON GROSSE, *Die Chemie der metall-organischen Verbindungen, Bor*, 194–219.
Originalausgabe: Verlag von Gebrüder Borntraeger, Berlin 1937;
Photo-Lithoprint Reproduction, Edward Brothers Inc. Publ., Ann Arbor, Michigan 1943;
Weitere Nachdrucke der Ausgabe von 1937: Dr. M. Sändig oHG, Wiesbaden 1965.
Beilstein, 4. Aufl., 2. EW **3** und **4**, *C-Bor-Verbindungen*, 1022–1023 (1942).
F. RUNGE, *Borverbindungen*, S. 633–634, in *Organo-Metallverbindungen – Die organische Synthese mit Hilfe von Organometallverbindungen*, Wissenschaftliche Verlagsgesellschaft m.b.H., Stuttgart 1944.
J. GOUBEAU, *Bor-Verbindungen*, in W. KLEMM, FIAT Final Report 1939–1946, **23**, 215–238, Dieterich'sche Verlagsbuchhandlung, Wiesbaden 1948.
Kirk-Othmer, 1. Aufl., **2**, *Boron Hydrides*, 593–600 (1948).
D. T. HURD, *Chemistry of the Hydrides – The Hydrides of the Group III Elements – Boron – The Reactions of Diborane with Hydrocarbons*, 86–88 (*Alken-Hydroborierung und Aren-Borylierung*), J. Wiley & Sons, Inc., New York; Chapman & Hall, Ltd., London 1952.
Kirk-Othmer, 1. Aufl., **9**, *Compounds of Group III; Metal: Boron*, 629 (1952).
Ullmann, 3. Aufl., **4**, *Organische Borverbindungen*, 605–612 (1953).
Gmelin, 8. Aufl., Bor-EB. System Nr. 13, *Organobor-Verbindungen*, 215–227, 235–253 (Lit. bis Ende 1949) (1954).

G. E. Coates, *Group III – Boron*, in *Organo-Metallic Compounds*, 1. Aufl., 55–72, 102–104, Methuen & Co. Ltd., London; J. Wiley & Sons, Inc., New York 1956.
M. F. Lappert, *Organic Compounds of Boron*, Chem. Reviews **56**, 959–1064 (1956).
E. Wiberg, *Neuere Entwicklungslinien der Borchemie*, Experientia Suppl. **7**, 183–212 (1957).
R. M. Adams, *Organoboron Compounds*, Advan. Chem. Ser. **23**, 87–101 (1959).
B. M. Mikhailov, *Organic Compounds of Boron*, Uspechi Chim. **28**, 1450–1487 (1959); C. A. **54**, 9712 (1960).
H. C. Brown, *Organoboranes*, in *Organometallic Chemistry*, ACS Monogr. Ser. **147**, 150–193, Reinhold Publ. Corp., New York 1960.
G. E. Coates, *Group III, Boron*, in *Organo-Metallic Compounds*, 2. Aufl., 88–126, Methuen & Co. Ltd., London; J. Wiley & Sons Inc., New York 1960.
H. D. Kaesz u. F. G. A. Stone, *Vinyl Compounds of Boron*, in H. Zeiss, *Organometallic Chemistry*, ACS Monogr. Ser. **147**, 103–113, Reinhold Publ. Corp., New York 1960.
Kirk-Othmer, 1. Aufl., 2. Suppl., *Boron Compounds*, 109–126 (1960).
S. H. Bauer, *Kinetics and Mechanism for Acid-Base Reactions Involving Boranes*, in R. F. Gould, *Borax to Boranes*, Advan. Chem. Ser. **32**, 88–106 (1961).
W. Gerrard, *The Organic Chemistry of Boron*, Academic Press, New York 1961.
R. F. Gould, *Borax to Boranes*, Advan. Chem. Ser. **32**, 1 ff. (1961).
W. L. Ruigh, W. R. Dunnavant, F. C. Gunderloy jr., N. G. Steinberg, M. Sedlak u. A. D. Olin, *Research on Boron Polymers*, in R. F. Gould, *Borax to Boranes*, Advan. Chem. Ser. **32**, 241–246 (1961).
F. G. A. Stone, *Chemical Reactivity of the Boron Hydrides and Related Compounds*, Adv. Inorg. Chem. Radiochem. **2**, 279–313 (1961).
H. C. Brown, *Hydroboration*, W. A. Benjamin Inc., New York 1962.
P. M. Maitlis, *Heterocyclic Organic Boron Compounds*, Chem. Reviews **62**, 223–245 (1962).
Beilstein, 4. Aufl., 3. EW, **4**/2, *C-Bor-Verbindungen*, 1955–1968 (1963).
Houben-Weyl, 4. Aufl., VI/2, *Organische Derivate der Borsäuren*, 171–324 (1963).
W. N. Lipscomb, *Boron Hydrides*, W. A. Benjamin, Inc., New York · Amsterdam 1963.
R. M. Adams, *Boron, Metallo-Boron Compounds and Boranes*, Interscience Publ., New York 1964.
Kirk-Othmer, 2. Aufl., **3**, *Organic Boron Compounds*, 707–737 (1964).
R. Köster, *Heterocyclic Organoboranes*, Adv. Organometallic Chem. **2**, 257–324 (1964).
R. Köster, *Organoboron Heterocycles*, Progr. Boron Chem. **1**, 289–344 (1964).
H. Steinberg u. A. L. McCloskey, Progr. Boron Chem. **1**, 1–462 (1964).
J. C. Lockhart, *Redistribution and exchange reactions in Groups IIB–VIIB*, Chem. Reviews **65**, 131–151 (1965).
H. Steinberg u. R. J. Brotherton, *Organoboron Chemistry*, **2**, J. Wiley & Sons (Interscience), New York 1966.
G. E. Coates u. K. Wade, *The Main Group Elements*, in G. E. Coates, M. L. H. Green u. K. Wade, *Organometallic Compounds*, 3. Aufl., **1**, 177–295, Methuen & Co., Ltd., London 1967.
R. L. Hughes, I. C. Smith u. E. W. Lawless, in R. T. Holzmann, *Production of the Boranes and Related Research*, Academic Press, New York 1967.
M. F. Lappert, *Boron-carbon compounds*, in E. L. Muetterties, *The Chemistry of Boron and its Compounds*, 443–616, J. Wiley & Sons, Inc., New York 1967.
H. C. Miller u. E. L. Muetterties, *Boron Compounds*, Inorg. Synth. **10**, 81–128 (1967).
E. L. Muetterties, *The Chemistry of Boron and Its Compounds*, J. Wiley & Sons, New York 1967.
E. L. Muetterties, *General introduction to boron chemistry*, in *The Chemistry of Boron and Its Compounds*, 1–24, J. Wiley & Sons, Inc., New York 1967.
A. N. Nesmeyanov u. R. A. Sokolik, *Organoboron compounds*, in A. N. Nesmeyanov u. K. A. Kocheshkov, *Methods of elemento-organic Chemistry* **1**, 1–362, North-Holland Publ. Comp., Amsterdam 1967.
K. Moedritzer, *Redistribution Equilibria of Organometallic Compounds – Group III – Boron*, 206–214, Academic Press, New York 1968.
E. L. Muetterties u. W. H. Knoth, *Polyhedral Boranes*, Marcel Dekker, Inc., New York 1968.
H. C. Brown, *Organoborane-carbon monoxide reactions. A new versatile approach to the synthesis of carbon structures*, Accounts Chem. Res. **2**, 65–72 (1969).
R. Köster, *Redistribution reactions of organoboranes and organoalanes*, Ann. N. Y. Acad. Sci. **159**, 73–88 (1969).
R. Köster, *Organoborane in der präparativen Chemie*, Chimia **23**, 196–199 (1969).
R. J. Brotherton u. H. Steinberg, Progr. Boron Chem. **3**, 1–370 (1970).
J. C. Lockhart, *Redistribution Reactions – Group III, Boron*, 77–93, Academic Press, New York 1970.
D. S. Matteson, *Neighboring-group Effects of Boron in Organoboron Compounds*, Progr. Boron Chem. **3**, 117–176 (1970).
H. C. Brown, *The Versatile Organoboranes*, Chem. Britain **7**, 458–465 (1971).
M. Grassberger, *Organische Borverbindungen*, Chemische Taschenbücher **15**, Verlag Chemie, Weinheim 1971.

K. Moedritzer, *The redistribution reaction*, Organometallic Reactions **2**, 1–115 (1971).
H.C. Brown, *Boranes in Organic Chemistry*, Cornell University Press., Ithaca, London 1972.
R.H. Cragg, *Aspects of Boron Chemistry*, in M.F. Lappert, Inorganic Chemistry Series One **1**, 185–220 (1972).
A.G. Davies u. B.P. Roberts, *Bimolecular Homolytic Substitution at a Metal Center*, Accounts Chem. Res. **5**, 387–392 (1972).
K. Niedenzu, *Boron*, in B.J. Aylett, Inorganic Chemistry Series One **4**, 73–103 (1972).
G.M.L. Cragg, *Organoboranes in Organic Synthesis*, Marcel Dekker, New York 1973.
L.P. Hanson, *Organoboron Technology*, Chemical Technology Review **16**, 1ff. (1973).
L.P. Hanson, *Organoboron compounds – Products and uses* in *Organoboron Technology*, Chemical Technology Review **16**, 74–112 (1973).
W.N. Lipscomb, *Three-Center Bonds in Electron-Deficient Compounds. The Localized Molecular Orbital Approach*, Accounts Chem. Res. **6**, 257–262 (1973).
Beilstein, 4. Aufl., 3. EW **16**/2, *C-Bor-Verbindungen*, 1271–1288 (1974).
D.S. Matteson, *Polar 1,2-Additions and Eliminations*, in *Organometallic Reaction Mechanisms of the Nontransition Elements*, 195–252, Academic Press, New York 1974.
H. Nöth, *New results and aspects of boron chemistry*, Pure Appl. Chem. **4**, 13–23 (1974).
Ullmann, 8. Aufl., **8**, *Borane und Organobor-Verbindungen*, 649–656 (1974).
H.C. Brown, *Footsteps on the borane trail*, J. Organometal. Chem. **100**, 3–16 (1975).
H.C. Brown, *Organic Syntheses via Boranes*, J. Wiley & Sons, New York 1975.
Houben-Weyl, 4. Aufl., IV/5b, *Photochemie von Organobor-Verbindungen*, 1399–1406 (1975).
K. Niedenzu, *Organo-derivatives of boron*, in B.J. Aylett, Inorg. Chem. Series Two **4**, 41–80 (1975).
T. Onak, *Organoborane Chemistry*, Academic Press, New York 1975.
P. Paetzold, *Neues vom Bor und seinen Verbindungen*, Chemie in unserer Zeit **9**, 67–78 (1975).
Methodicum Chimicum, **7**, *Nichtionische Bor-Verbindungen*, 111–163, Thieme Verlag, Stuttgart 1976.
B.M. Mikhailov u. Y.N. Bubnov, *Bororganische Verbindungen in der organischen Synthese* (russ.), Verlag Nauka, Moskau 1977.
H. Nöth, *Boron Chemistry* – **3**, IUPAC, 3. Int. Meeting on Boron Chemistry, München-Ettal 1976, Pergamon Press, Oxford 1977.
H. Nöth u. B. Wrackmeyer, *Nuclear Magnetic Spectroscopy of Boron Compounds*, Springer-Verlag, Heidelberg 1978.
Kirk-Othmer, 3. Aufl., **4**, *Boron Compounds*, 67–201 (1979).
A. Pelter u. K. Smith, *Organic Boron Compounds*, Comprehensive Organic Chemistry **3**, 689–913 (1979).
V.V. Ramana Rao, *Organoboranes in Organic Synthesis*, Indian J. Chem. **6**, 17–21 (1979).
Kirk-Othmer, 3. Aufl., **12**, *Hydroboration*, 793–826 (1980).
W. Kliegel, *Bor in Biologie, Medizin und Pharmazie*, Springer-Verlag, Berlin · Heidelberg 1980.
B.M. Mikhailov, *Boraheterocycles from Allylboranes*, Sov. Scientific Reviews, Sect. B, Chem. Reviews **2**, 283–355 (1980).
R.W. Parry u. G. Kodama, *Boron Chemistry* – **4**, IUPAC, 4. Int. Meeting on Boron Chemistry, Salt Lake City 1979, Pergamon Press, Oxford 1980.
A. Pelter, *Rearrangements Involving Boron*, in P. de Mayo, *Rearrangements in Ground and Excited States* **2**, 95–147 (1980).
Y.N. Bubnov, *Use of Organoboron Compounds in Synthesis*, Khimiya Nashimi Glazami **1981**, 237–254 (russ.); C.A. **97**, 55860 (1982).
J.J. Eisch, *Specific Preparations of Nontransition-Metal Organometallic Compounds – Compounds of Group III A (Boron)*, Organometallic Syntheses **2**, 121–136 (1981).
R.F. Porter u. L.J. Turbini, *Photochemistry of Boron Compounds*, Topics in Current Chemistry **96**, 1–42 (1981).
H.C. Brown, *Organoboron compounds in Organic Synthesis – an introductory Survey*, Comprehensive Organometallic Chemistry **7**, 111–142 (1982).
J.H. Morris, *Boron in Ring Systems*, Comprehensive Organometallic Chemistry **1**, 311–380 (1982).
J.D. Odon, *Non-cyclic-three and four coordinated boron compounds*, Comprehensive Organometallic Chemistry **1**, 253–310 (1982).
B. Wrackmeyer, *Alkynyl Tin(IV) Compounds – Versatile Reagents to form New Carbon-Carbon-Bonds in Organoboration Reactions*, Revs. Silicon, Germanium,Tin, Lead Compounds **6**, 75–148 (1982).

b) Zur Handhabung luft- und feuchtigkeitsempfindlicher Verbindungen nebst Sicherheitsbestimmungen

A. Stock, *High-Vacuum Methods and Apparatus*, in *Hydrides of Boron and Silicon*, 173–214, Cornell University Press, Ithaka, New York 1933; Neudruck 1957.
K. Ziegler, H.-G. Gellert, H. Martin, K. Nagel u. J. Schneider, *Reaktionen der Aluminium-Wasserstoff-Bindung mit Olefinen*, A. **589**, 91–121 (1954).

D. F. SHRIVER, *The Manipulation of Air-Sensitive Compounds*, McGraw Hill, New York 1969.
Houben-Weyl, XIII/4, *Allgemeine Eigenschaften und Handhabung aluminium-organischer Verbindungen*, 19–21 (1970).
Houben-Weyl, *Sicherheitsbestimmungen und Handhabungsvorschriften (mit aluminiumorganischen Verbindungen)*, XIII/4, 312–313 (1970).
G. W. KRAMER, A. B. LEVY u. M. M. MIDLAND, *Laboratory Operations with Air-Sensitive Substances*, in H. C. BROWN, *Organic Syntheses via Boranes*, 191–261, J. Wiley & Sons, New York 1975.
G. W. KRAMER, A. B. LEVY u. M. M. MIDLAND, *Sources of Technical Literature – Reagents, Equipment*, in H. C. BROWN, *Organic Syntheses via Boranes*, 263–264, J. Wiley & Sons, New York 1975.
W. HAUBOLD, *Stock'sche Hochvakuumtechnik.*, Chem. Exp. Didakt. **2**, 343–346 (1976).
Callery Chemical Company, Division of Mine Safety Appliances Company, *Trialkylboranes, Technical & Handling Bulletin*, 1978.
Ethyl Corporation, *Handling Procedures for Aluminium Alkyls and other Organometallics*, 1978.
Texas Alkyls Inc., Stauffer Chemical Company, *Triethylborane, Triisobutylborane*, 1978.
J. J. EISCH, *General Experimental Techniques in the Organometallic Chemistry of Nontransition Metals*, Organometallic Syntheses **2**, 1–84 (1981).
Schering, A. G., Industriechemikalien, *Triaethylbor – Handhabung und Sicherheitsratschläge –*, Merkblätter 1981.

II. Herstellung von Organobor-Verbindungen

a) Organobor-Verbindungen mit zweifach koordinierten Bor-Atomen

H. NÖTH, *Monomeric Boronimides*, in *Some Recent Developments in Boron-Nitrogen Chemistry*, Progr. Boron Chem. **3**, 299–303 (1970).
P. PAETZOLD, G. WEBER, R. REINARDS, H. FENRICH u. K.-H. SOCKEL, *Untersuchungen über monomere Boroxide*, Forschungsberichte des Landes Nordrhein-Westfalen Nr. 2476, Westdeutscher Verlag, Opladen 1975.
Gmelin, 8. Aufl., 2. EB. **1**, $F_5C_6B{=}NC(CH_3)_3$, 407–408, 422 (1983).

b) Organobor-Verbindungen mit dreifach koordinierten Bor-Atomen

1. Triorganoborane

α) Allgemein

E. KRAUSEU. A. VON GROSSE, *Die Chemie der Metallorganischen Verbindungen, Bor*, 194–219, Borntraeger, Berlin 1937.
Gmelin, 8. Aufl., Bor EB., System-Nr. 13, *Triorganobor-Verbindungen*, 215–220, *Boralkyle*, 215–219, *Boraryle*, 219–220 (Literatur bis Ende 1949) (1954).
W. GERRARD, *The Attachment of Three Hydrocarbon Groups to Boron*, in *The Organic Chemistry of Boron*, 92–107, Academic Press, London · New York 1961.
G. E. COATES u. K. WADE, *Properties and reactions of the organoboranes*, in G. E. COATES, M. L. H. GREEN u. K. WADE, *Organometallic Compounds* **1**, 192–231, Methuen & Co., New York u. London 1967.
M. F. LAPPERT, *Boron-Carbon Compounds*, in E. L. MUETTERTIES, *The Chemistry of Boron and Its Compounds*, J. Wiley & Sons, New York 1967.
A. N. NESMEYANOV u. R. A. SOKOLIK, *Synthesis of Organoboron Compounds via Organic Compounds of Lithium, Sodium, Magnesium, Zinc, Cadmium and Aluminium*, in A. N. NESMEYANOV u. K. A. KOCHESHKOV, *Methods of elemento-organic chemistry* **1**, 20–89, North-Holland Publ. Comp., Amsterdam 1967.
L. P. HANSON, *Organoboron Compounds – hydrocarbon derivatives*, in *Organoboron Technology*, Chemical Technology Review **16**, 3–40 (1973).
P. I. PAETZOLD u. H. GRUNDKE, *Umlagerungen in der Organobor-Chemie*, Synthesis **1973**, 635–660.
K. SMITH, *Preparation of Organoboranes: Reagents for Organic Synthesis*, Chem. Soc. Rev. **3**, 443–465 (1974).
H. C. BROWN, *Organic Syntheses via Boranes*, J. Wiley & Sons, New York 1975.
T. ONAK, *Organoborane Chemistry*, Academic Press, New York 1975.
R. KÖSTER u. K. NIEDENZU, *Triorganylborane*, in F. KORTE, H. ZIMMERMANN u. K. NIEDENZU, *Methodicum Chimicum*, **7**, 151–156, Thieme Verlag, Stuttgart 1976.
A. PELTER u. K. SMITH, *Triorganylboranes*, in D. BARTON u. W. D. OLLIS sowie D. N. JONES, Comprehensive Organic Chemistry **3**, 791–881, Pergamon Press, Oxford 1979.
A. PELTER, *Rearrangements involving Boron*, in P. DE MAYO, *Rearrangements in Ground and Excited States* **2**, 95–147 (1980).

β) Aliphatische Triorganoborane

β_1) *Historisches*

Herstellung von Trialkylboranen

aus Triethoxyboran mit Dialkylzink-Verbindungen:
E. Frankland u. D.F. Duppa, Pr. roy. Soc, **10**, 568 (1860).
E. Frankland u. D.F. Duppa, A. **115**, 319 (1860); **124**, 129 (1862).
E. Frankland, Soc. **15**, 363 (1862).

aus Triethoxyboran mit Methylmagnesium-jodid:
E. Khotinsky u. M. Melamed, B. **42**, 3090 (1909).

aus Diethylether-Trifluorboran mit Propylmagnesium-chlorid:
E. Krause u. R. Nitsche, B. **54**, 2784 (1921).

aus Hydroboranen:
A. Stock, *Some Oberservations on the Alkyls of Boron*, in *Hydrides of Boron and Silicon*, 99–101, Cornell University Press, Ithaka · New York 1933; Neudruck 1957.

aus Diboran mit Alkenen wie Isobuten, Ethen (erste Hydroborierungen):
D.T. Hurd, Am. Soc. **70**, 2053 (1948).

Übersichten:

E. Krause u. A. von Grosse, *Die Chemie der Metallorganischen Verbindungen, Bor – Aliphatische Verbindungen (Bor-alphyle)*, 194–196, Borntraeger, Berlin 1937.
G.E. Coates, *Boron-Alkyl derivatives of...*, in *Organo-Metallic Compounds*, 1. Aufl., 94–100, Methuen & Co. Ltd., London; J. Wiley & Sons, Inc., New York 1960.
S.L. Clark, J.R. Jones u. H. Stange, *Synthesis of Boron-Carbon-Ring Compounds*, Advan. Chem. Ser. **32**, 221–227 (1961).
H. Jenkner, *Alkylierungen mit Aluminiumalkylen*, Ch. Z. **86**, 527–532 (1962).
R. Köster, *Umwandlungen bororganischer Verbindungen in der Hitze*, Ang. Ch. **75**, 1079–1090 (1963); engl.: **3**, 174–185 (1964).
G. Zweifel u. H.C. Brown, *Hydration of olefins, dienes und acetylenes via hydroboration*, Org. Reactions **13**, 1–54 (1963).
R. Köster, *Heterocyclic Organoboranes*, Adv. Organometallic Chem. **2**, 257–324 (1964).
R. Köster, *Organoboron Heterocycles*, Progr. Boron Chem. **1**, 289–344 (1964).
A.N. Nesmeyanov u. R.A. Sokolik, *Transalkylation of Organoboron Compounds*, in A.N. Nesmeyanov u. K.A. Kocheshkov, *Methods of elemento-organic chemistry* **1**, 197–200; *Synthesis of Organoboron Compounds via Organic Compounds of Lithium, Sodium, Magnesium, Zinc, Cadmium and Aluminium*, 21–89; *Synthesis of Organoboron Compounds via the Addition of Boron Hydrides and Halides to Unsaturated Compounds*, 96–143, North-Holland Publ. Comp., Amsterdam 1967.
R. Köster, *Redistribution Reactions of Organoboranes and Organoalanes*, Ann. N.Y. Acad. Sci. **159**, 73–88 (1969).
H.C. Brown u. E. Negishi, *The Cyclic Hydroboration of Dienes – a Simple Convenient Route to Heterocyclic Organoboranes*, Pure Appl. Chem. **29**, 527–545 (1972).
B.M. Mikhailov u. V.N. Smirnov, *Synthesis of diamondlike systems employing allylboranes*, Izv. Akad. SSSR **1974**, 1137–1153; engl.: 1079; C.A. **81**, 49716 (1974).
E. Neghishi, S.U. Kulkarni u. H.C. Brown, *Organoborane Heterocycles via Cyclic Hydroboration of Dienes*, Heteroc. Sendai **5**, 883–904 (1976).
H.C. Brown u. E. Negishi, *Boraheterocycles via Cyclic Hydroboration*, Tetrahedron **33**, 2331–2357 (1977).
B.M. Mikhailov, *The Chemistry of Boron-Cage Compounds (1-Boraadamantan)*, Pure Appl. Chem. **52**, 691–704 (1980).
B.M. Mikhailov, *Boraheterocycles from Allylboranes*, Sov. Scientific Rev. Sect. B, Chem. Rev. **2**, 283–355 (1980); C.A. **94**, 47381 (1981).
E. Negishi, *Aliphatic Organoboron Compounds*, Comprehensive Organometallic Chemistry **7**, 265–301 (1982).
B.M. Mikhailov, *Vielflächige Bor-Verbindungen, 1-Boraadamantan* ⟨*Polyhedral boron compounds*⟩, Izv. Akad. SSSR **1984**, 225–242; C.A. **100**, 174869 (1984).

γ) Aromatische Triorganoborane

E. KRAUSE u. A. VON GROSSE, *Die Chemie der metall-organischen Verbindungen, Bor-aryle*, 201–204, Borntraeger, Berlin 1937.
G. E. COATES, *Boron-Aryl derivatives of...*, in *Organo-Metallic Compounds*, 2. Aufl., 109–113, Methuen & Co. Ltd., London; J. Wiley & Sons, Inc., New York 1960.
R. M. WASHBURN, F. A. BILLIG, M. BLOOM, C. F. ALBRIGHT u. E. LEVENS, *Organoboron Compounds, Aromatic compounds*, in R. F. GOULD, *Borax to Boranes*, Advan. Chem. Ser. **32**, 208–220 (1961).
P. M. MAITLIS, *Heterocyclic Organic Boron Compounds*, Chem. Reviews **62**, 223–245 (1962).
A. N. NESMEYANOV u. R. A. SOKOLIK, *Synthesis of Organoboron Compounds via Organic Compounds of Lithium, Sodium, Magnesium, Zinc, Cadmium and Aluminium*, in A. N. NESMEYANOV u. K. A. KOCHESHKOV, *Methods of elemento-organic chemistry* **1**, 21–89, North-Holland Publ. Comp., Amsterdam 1967.
J. J. EISCH, *Rearrangements of unsaturated Organoboron and Organoaluminum Compounds*, Adv. Organometallic Chem. **16**, 67–109 (1977).
R. F. PORTER u. L. J. TURBINI, *Photochemistry of Boron Compounds*, Topics in Current Chemistry **96**, 1–42 (1981).
E. NEGISHI, *Arylboron Compounds*, Comprehensive Organometallic Chemistry **7**, 323–336 (1982).

δ) Ungesättigte Triorganoborane

A. N. NESMEYANOV u. R. A. SOKOLIK, *Synthesis of Organoboron Compounds via Organic Compounds of Lithium, Sodium, Magnesium, Zinc, Cadmium and Aluminium*, in A. N. NESMEYANOV u. K. A. KOCHESHKOV, *Methods of elemento-organic chemistry* **1**, 21–89, North-Holland Publ. Comp., Amsterdam 1967.
B. M. MIKHAILOV, *Allylboron compounds*, Organometal. Chem. Rev. A **8**, 1–65 (1972).
B. M. MIKHAILOV, *Synthesis and Reactions of Allylboranes*, Intra-Sci. Chem. Rep. **7**, 191–201 (1973).
B. M. MIKHAILOV, *Reactions of Allylboranes with unsaturated Compounds*, Pure Appl. Chem. **46**, 505–523 (1974).
B. M. MIKHAILOV, *Methods of Synthesis and Properties of Allylboranes*, Uspechi Chim. **45**, 1102–1135 (1976); Russian Chem. Reviews **45**, 557–572 (1976); C. A. **85**, 108687 (1976).
J. J. EISCH, *Rearrangements of unsaturated Organoboron and Organoaluminum Compounds*, Adv. Organometallic Chem. **16**, 67–109 (1977).
R. KÖSTER, *Organoboranes in Synthesis and Analysis*, Pure Appl. Chem. **49**, 765–789 (1977).
W. SIEBERT, *Syntheses and Reactions of Cyclic Diboraethene Compounds*, in R. W. PARRY u. G. KODAMA, *Boron Chemistry* – **4**, 81–94, Pergamon Press, Oxford 1979.
B. M. MIKHAILOV, *Boraheterocycles from Allylboranes*, Sov. Scientific Rev. Sect. B,Chem. Rev. **2**, 283–355 (1980); C. A. **94**, 47381 (1981).
H. C. BROWN u. J. B. CAMPBELL jr., *Recent Developments in the Hydroboration of Acetylenes*, Prepr. Div. Pet. Chem., Am. Chem. Soc. **24**, 185–193 (1979); C. A. **94**, 156590 (1981).
H. C. BROWN, *The Rich Chemistry of Vinylic Organoboranes*, in B. M. TROST u. C. R. HUTCHINSON, *Organic Synthesis Today and Tomorrow*, 3. IUPAC Symp., Madison, USA, Juni 1980, 121–137; C. A. **95**, 43204 (1981).
E. NEGISHI, *Alkenylboron Compounds*, Comprehensive Organometallic Chemistry **7**, 303–322 (1982).
E. NEGISHI, *Miscellaneous Organoboron Compounds*, Comprehensive Organometallic Chemistry **7**, 349–363 (1982).
E. NEGISHI, *Alkynylboron Compounds*, Comprehensive Organometallic Chemistry **7**, 337–347 (1982).

ε) Heteroatomhaltige Triorganoborane

D. S. MATTESON, *Mechanisms of Electrophilic Displacement of Metals at Saturated Carbon*, Organometal. Chem. Rev. A **4**, 263–305 (1969).
R. KÖSTER, *Organoboranes in Synthesis and Analysis*, Pure Appl. Chem. **49**, 765–789 (1977).
B. M. MIKHAILOV, *Boraheterocycles from Allylboranes*, Sov. Scientific Rev. Sect. B, Chem. Rev. **2**, 283–355 (1980); C. A. **94**, 47381 (1981).
B. WRACKMEYER, *Alkynyl Tin(IV) Compounds – Versatile reagents to form new carbon-carbon-bonds in organoboration reactions*, Revs. Silicon, Germanium, Tin, Lead Compounds **6**, 75–148 (1982).

2. Organobor-Wasserstoff-Verbindungen

α) Historisches

Erste Synthesen offenkettiger Organodiborane(6):

H. I. SCHLESINGER u. A. O. WALKER, Am. Soc. **57**, 621–625 (1935); *Methyldiborane(6)*; vgl. ds. Handb. XIII/3a, 363 (1982).
H. I. SCHLESINGER, L. HORVITZ u. A. B. BURG, Am. Soc. **58**, 407–409 (1936); *Ethyl-* und *Propyldiborane(6)*; vgl. ds. Handb. XIII/3a, 363 (1982).
E. WIBERG, J. E. F. EVANS u. H. NÖTH, Z. Naturf. **13b**, 263–264 (1958); *trans-1,2-Diphenyldiboran(6)*; vgl. ds. Handb. XIII/3a, 364 (1982).

Erste Synthesen cyclischer aliphatischer und aromatischer Organodiborane(6):

R. KÖSTER u. K. REINERT, Ang. Ch. **71**, 521 (1959); *1-Boraindane* und *1-Boratetraline*; vgl. ds. Handb. XIII/3a, 325 (1982).
R. KÖSTER, Ang. Ch. **72**, 626 (1960); *Bis-9-borabicyclo[3.3.1]nonan* und andere; vgl. ds. Handb. XIII/3a, 329f. (1982).

β) Übersichten

E. KRAUSE u. A. VON GROSSE, *Die Chemie der metall-organischen Verbindungen, Alphyl-bor-wasserstoffe*, 196–197, Borntraeger, Berlin 1937.
Gmelin, 8. Aufl., Bor EB., System-Nr. 13, *Organobor-Wasserstoff-Verbindungen*, 220–222, *Methyldiborane*, 220–222 (Literatur bis Ende 1949) (1954).
G. E. COATES, *Diborane and trialkylboranes*, in *Organo-Metallic Compounds*, 1. Aufl., 55–59, Methuen & Co. Ltd., London 1956.
G. E. COATES, *Alkylboron hydrides*, in *Organo-Metallic-Compounds*, 2. Aufl., 97–98, Methuen & Co. Ltd., London 1960.
L. VAN ALTEN, G. R. SEELY, J. OLIVER u. D. M. RITTER, *Kinetics and Equilibria in the Alkylation of Diborane*, in R. F. GOULD, *Borax to Boranes*, Advan. Chem. Ser. **32**, 107–114 (1961).
W. GERRARD, *The Organic Chemistry of Boron, Hydrido-compounds of Boron*, 118–160, Academic Press, London · New York 1961.
H. C. BROWN, *Hydroboration*, W. A. Benjamin, Inc., New York 1962.
B. M. MIKHAILOV, *The Chemistry of Diborane*, Uspechi Chim. **31**, 417–445 (1962); Russian Chem. Reviews **31**, 207–224 (1962); C. A. **57**, 4276 (1962).
W. N. LIPSCOMB, *Boron Hydrides*, W. A. Benjamin Inc., New York 1963.
G. ZWEIFEL u. H. C. BROWN, *Hydration of Olefins, Dienes, and Acetylenes via Hydroboration*, Org. Reactions **13**, 1–54 (1963).
R. M. ADAMS u. A. R. SIEDLE, *The Hydroboron Ions (Ionic Boron Hydrides)*, in R. M. ADAMS, *Boron, Metallo-Boron Compounds and Boranes*, 373–506, Interscience Publ., New York · London · Sydney 1964.
R. KÖSTER, *Heterocyclic Organoboranes*, Adv. Organometallic Chem. **2**, 257–324 (1964).
R. Köster, *Organoboron Heterocycles*, Progr. Boron Chem. **1**, 289–344 (1964).
T. ONAK, *Carboranes and Organo-substituted Boron Hydrides*, Adv. Organometallic Chem. **3**, 263–363 (1966).
G. E. COATES u. K. WADE, *Organoboron hydrides*, in *The Main Group Elements, Organometallic Compounds*, 3. Aufl., **1**, 231–246, Methuen & Co. Ltd., London 1967.
R. L. HUGHES, I. C. SMITH u. E. W. LAWLESS, *Preparation and Properties of Alkylboranes* in R. T. HOLZMANN, *Production of the Boranes and Related Research*, 135–145, Academic Press, New York 1967.
M. F. LAPPERT, *Boron-Carbon Compounds*, in E. L. MUETTERTIES, *The Chemistry of Boron and its Compounds* 443–616, J. Wiley & Sons, New York 1967.
H. D. JOHNSON II u. S. G. SHORE, *Recent Developments in the Chemistry of the Lower Boron Hydrides*, Fortschr. chem. Forsch. **15**, 87–145 (1970).
A. SUZUKI, *Hydroboration and Chemistry of Organoboranes*, J. Synth. Org. Chem., Japan **28**, 288–308 (1970).
M. A. GRASSBERGER, *Organische Borverbindungen*, Chem. Taschenbücher **15**, Verlag Chemie, Weinheim 1971.
H. C. BROWN u. E. NEGISHI, *The Cyclic Hydroboration of Dienes – a Simple Convenient Route to Heterocyclic Organoboranes*, Pure Appl. Chem. **29**, 527–545 (1972).
H. C. BROWN, *Boranes in Organic Chemistry*, Adv. Organometallic Chem. **11**, 1–20 (1973).
G. M. L. CRAGG, *Organoboranes in Organic Synthesis*, Marcel Dekker Inc., New York 1973.
L. H. LONG, *The Reaction Chemistry of Diborane*, Advan. Inorg. Chem. Radiochem. **16**, 201–296 (1974).

E. Negishi u. H.C. Brown, *Thexylborane – A Highly Versatile Reagent for Organic Synthesis via Hydroboration*, Synthesis **1974**, 77–89.

T.P. Fehlner, *Gas Phase Reactions of Borane*, in E.L. Muetterties, *Boron Hydride Chemistry*, 175–196, Academic Press, New York 1975.

T. Onak, *Organodiboranes*, in *Organoborane Chemistry*, 164–192, Academic Press, New York 1975.

D.J. Pasto, *Solution Reactions of Borane and Substituted Boranes*, in E.L. Muetterties, *Boron Hydride Chemistry*, 197–222, Academic Press, New York 1975.

D.J. Pasto, *Solution Reactions of Borane and Substituted Boranes*, in E.L. Muetterties, *Boron Hydride Chemistry*, 197–239, Academic Press, New York 1975.

R. Köster u. K. Niedenzu, *Organyl- and Silyl-hydrido-borane*, in F. Korte, H. Zimmermann u. K. Niedenzu, *Methodicum Chimicum* **7**, 116–118, Thieme Verlag, Stuttgart 1976.

H.C. Brown u. C.F. Lane, *9-Borabicyclo[3.3.1]nonane, a Most Unusual Heterocyclic Dialkylborane*, Heteroc. Sendai **7**, 453-485 (1977).

Gmelin, 8. Aufl., **45**/14, *Einführung in die Chemie der Organyldiborane(6)*, 149–200 (1977).

Gmelin, 8. Aufl., **45**/14, *(Organyl)diboranes(6); Discussion of Individual Compounds*, 201–233 (1977).

Ullmann, 4. Aufl., **13**, *Hydride – Binäre und Komplexe Hydride der Bor-Gruppe*, 118–128 (1977).

A. Pelter u. K. Smith, *Boron-Hydrogen Compounds*, Comprehensive Organic Chemistry **3**, 695–790 (1979).

H.C. Brown u. S. Krishnamurthy, *Forty Years of Hydride Reductions*, Tetrahedron **35**, 567–607 (1979).

Ullmann, 4. Aufl., **17**, *Optisch aktive Verbindungen – Chemisch asymmetrische Synthese*, 456 (1979).

V.V.R. Rao, I. Mehrotra u. D. Devaprabhakara, *9-Borabicyclo[3.3.1]nonane: Preparation, Properties and Applications in Organic Synthesis*, J. sci. Ind. Research (India) **38**, 368–379 (1979); C.A. **92**, 42015 (1980).

H.C. Brown, K.K. Wang u. C.G. Scouten, *Hydroboration Kinetics: Unusual Kinetics for the reaction of 9-Borabicyclo[3.3.1]nonane with representative alkenes*, Pr. Nation. Acad. Sci. USA **77**, 698–702 (1980); C.A. **93**, 25479 (1980).

Kirk-Othmer, 3. Aufl., **12**, *Hydroborierung*, 793–826 (1980).

Ullmann, 4. Aufl., **20**, *Reduktion; Diboran, Borane, Boran-Addukte*, 137–138 (1981).

C. Aspisi, M. Bonato u. M. Follet, *Les Complexes du diborane et les organoboranes: leurs applications dans les réactions d'hydroboration et de réduction*, Informations Chimie **212**, 217–224 (1981); C.A. **95**, 60697 (1981).

W.C. Still, *Synthesis of Polyether Antibiotics, Adjacent and Remote Asymmetric Induction via Cyclic Hydroboration*, in B.M. Trost u. C.R. Hutchinson, *Organic Synthesis – Today and Tomorrow*, 139–143, Pergamon Press, Oxford 1981.

M. Zaidlewicz, *Hydroborating Agents*, Comprehensive Organometallic Chemistry **7**, 161–197 (1982).

H.C. Brown, *New Hydroborating Agents, Current Trends in Organic Synthesis*, IUPAC VIII, 247–268, 1983, Tokio, Pergamon Press, Oxford 1983.

J.C. Lockhart, *Rates and Mechanism of Reactions for Elements in Group I–III. – Hydroboration*, 255–258, Advan. Inorg. Bioinorg. Med. **1**, 217–268 (1982); C.A. **98**, 60517 (1983).

3. Organobor-Halogen-Verbindungen

Erste Notiz bzw. Herstellung:

E. Frankland, A. **124**, 129–157 (1862); *Chlor-diethyl-boran* aus Triethylboran mit Hydrogenchlorid.

A. Michaelis u. P. Becker, B. **13**, 58 (1880); *Aryl-dichlor-boran* aus Trichlorboran mit Arylquecksilber (auf S. 86, Anm. 2).

α) Übersichten

E. Krause u. A. von Grosse, *Die Chemie der metall-organischen Verbindungen, Aryl-bor-halogenide*, 205, Borntraeger, Berlin 1937.

Gmelin, 8. Aufl., Bor EB., System-Nr. 13, *Organobor-Halogen-Verbindungen*, 247–248; *Methylborhalogenide* (BMe_2X, $BMeX_2$), 247–248; weitere Alkylborhalogenide, 248 (Literatur bis Ende 1949) (1954).

M.F. Lappert, *Preparation of Alkyl (and Aryl)boron Dihalides and Dialkyl (and Diaryl)boron Halides*, in *Organic Compounds of Boron*, Chem. Reviews **56**, 1049–1051 (1956).

G.E. Coates, *Boron Halides*, in *Organo-Metallic Compounds*, 2. Aufl., 101–102, Methuen & Co. Ltd., London 1960.

W. Gerrard, *Direct formation of alkyl- or arylboron dihalides*, in *The Organic Chemistry of Boron*, 58–91, Academic Press, London · New York 1961.

C.E.H. Bawn u. A. Ledwith, *The Reactions of Diazoalkanes with Boron Compounds*, Progr. Boron Chem. **1**, 345–368 (1964).

K. Niedenzu, *Synthesis of Organohaloboranes*, Organometal. Chem. Rev. **1**, 305–329 (1966).

A. N. NESMEYANOV u. R. A. SOKOLIK, *Synthesis of Organoboron Compounds via Organic Compounds of Lithium, Sodium, Magnesium, Zinc, Cadmium and Aluminium*, in A. N. NESMEYANOV u. K. A. KOCHESHKOV, *Methods of elemento-organic chemistry* **1**, 20–89; *Synthesis of Organoboron Compounds via Organic Compounds of the heavy metals*, 90–95; *Synthesis of Organoboron Compounds by direct Boration of Organic Compounds*, 144–150; *Transalkylation of Organoboron Compounds*, 197–200; *Conversions of functional Groups of Organoboron Compounds*, 225–255; *Reactions of the Organic Substituents of Organoboron Compounds*, 296–310; North-Holland Publ. Comp., Amsterdam 1967.

G. URRY, *Boron halides*, in E. L. MUETTERTIES, *The Chemistry of Boron and its Compounds*, 325–375, J. Wiley & Sons, Inc., New York 1967.

Z. POLÍVKA u. M. FERLES, *Haloborylation of unsaturated compounds*, Chem. Listy **62**, 869–894 (1968); C. A. **70**, 20114 (1969).

T. D. COYLE u. J. J. RITTER, *Organometallic Aspects of Diboron Chemistry*, Adv. Organometallic Chem. **10**, 237–272 (1972).

K. SMITH, *Preparation of Organoboranes: Reagents for Organic Synthesis*, Chem. Soc. Rev. **3**, 443–465 (1974).

R. KÖSTER u. K. NIEDENZU, *Halogen-organyl-borane*, in F. KORTE, H. ZIMMERMANN u. K. NIEDENZU, *Methodicum Chimicum*, **7**, 123–127, Thieme Verlag, Stuttgart 1976.

Gmelin, 8. Aufl., **34**/9, *Allgemeine Einführung in die Chemie der (Organyl)halogenborane*, 93–114 (1976).

Gmelin, 8. Aufl., **34**/9, *(Organyl)dihalogenborane*, 145–257 (1976).

Gmelin, 8. Aufl., **34**/9, *(Diorganyl)halogenborane*, 258–332 (1976).

A. PELTER u. K. SMITH, *Boron-Halogen-Compounds*, Comprehensive Organic Chemistry **3**, 905–913 (1979).

Gmelin, 8. Aufl., Boron Compounds, 1st Suppl. **2**, *Diorgano-halogen-borane*, 337–347 (1980).

Gmelin, 8. Aufl., Boron Compounds, 1st Suppl. **2**, *Dihalogen-organo-borane*, 325–337 (1980).

H. C. BROWN u. S. U. KULKARNI, *Haloboranes and their alkyl derivatives*, J. Organometal. Chem. **239**, 23–41 (1982).

4. Organobor-Sauerstoff-Verbindungen

Erste Erwähnung bzw. Herstellung:

E. FRANKLAND, A. **124**, 129 (1862); *Ethyl-dihydroxy-boran* und *Diethoxy-ethyl-boran*.

E. FRANKLAND, Pr. roy. Soc. **25**, 165 (1876); A. MICHAELIS u. P. BECKER, B. **15**, 180 (1882); *Dihydroxy-phenyl-boran, Diethoxy-phenyl-boran* und *Phenylboroxid (Triphenylboroxin)*.

A. MICHAELIS u. M. BEHRENS, B. **27**, 244 (1894); *Tetraphenyldiboroxan*.

H. MEERWEIN, G. HINZ, H. MAJERT u. H. SÖHNKE, J. pr. Ch. **147**, 226 (1936); *Acetoxy-diethyl-boran*.

α) Allgemein

E. KRAUSE u. A. VON GROSSE, *Die Chemie der metall-organischen Verbindungen, Die Alphyl-borsäuren und ihre Derivate*, 199–201; *Die Aryl-borsäuren und ihre Derivate*, 211–217, Borntraeger, Berlin 1937.

Gmelin, 8. Aufl., Bor-EB., System-Nr. 13, *Organobor-Sauerstoff-Verbindungen*, 222–228; *Diorgano-hydroxy-borane*, 226–227; *Dihydroxy-organo-borane*, 224–226; *Triorganoboroxine*, 222–224 (1954).

G. E. COATES, *Alkyl and aryl boronic and borinic acids*, in *Organo-Metallic Compounds*, 1. Aufl., 70–72, Methuen & Co. Ltd., London 1956.

G. E. COATES, *Alkyl and aryl boronic and borinic acids*, in *Organo-Metallic Compounds*, 2. Aufl., 116–120, Methuen & Co. Ltd., London 1960.

W. GERRARD, *The Attachment of one (or two) Hydrocarbon-Groups to Boron*, in *The Organic Chemistry of Boron*, 58–91, Academic Press, London · New York 1961.

K. TORSSELL, *The Chemistry of Boronic and Borinic Acids*, Progr. Boron Chem. **1**, 369–415 (1964).

H. STEINBERG, *Boron-Oxygen and Boron-Sulfur Compounds*, in *Organoboron Chemistry*, **1**, Intersci. Publ., J. Wiley & Sons, New York 1964 (ohne BC-Verbindungen!).

G. E. COATES u. K. WADE, *Organoboron-oxygen compounds*, in *The Main Group Elements, Organometallic Compounds*, 3. Aufl., **1**, 246–258, Methuen & Co. Ltd., London 1967.

V. F. ROSS u. J. O. EDWARDS, *The Structural Chemistry of the Borates*, in E. L. MUETTERTIES, *The Chemistry of Boron and its Compounds*, 155–207, J. Wiley & Sons, Inc., New York 1967.

H. C. BROWN, *Organoborane – Carbon Monoxide Reactions. A New Versatile Approach to the Synthesis of Carbon Structures*, Accounts Chem. Res. **2**, 65–72 (1969).

R. KÖSTER u. K. NIEDENZU, *Chalkogen-organyl-borane*, in F. KORTE, H. ZIMMERMANN u. K. NIEDENZU, *Methodicium Chimicum* **7**, 133–137, Thieme Verlag, Stuttgart 1976.

R. KÖSTER, *Organoboranes in Synthesis and Analysis*, Pure Appl. Chem. **49**, 765–789 (1977).

A. PELTER u. K. SMITH, *Boron-Oxygen Compounds*, Comprehensive Organic Chemistry **3**, 915–924 (1979).

β) Diorganobor-Sauerstoff-Verbindungen

M. F. LAPPERT, *The Boronous Acids*, in *Organic Compounds of Boron*, Chem. Reviews **56**, 1007–1009; 1011–1016 (1956).
A. G. DAVIES, *Organoperoxyboranes*, Progr. Boron Chem. **1**, 265–288 (1964).
B. M. MIKHAILOV, *Allylboron Compounds*, Organometallic Chem. Rev. A **8**, 1–70 (1972).
L. P. HANSON, *Organoborane Compounds – boron-oxygen compounds*, in *Organoboron Technology*, Chemical Technology Review **16**, 46–51 (1973).
R. KÖSTER, *Organoboranes in Synthesis and Analysis*, Pure Appl. Chem. **49**, 765–789 (1977).
R. KÖSTER u. W. V. DAHLHOFF, *Applications of Ethylboron Compounds in Carbohydrate Chemistry*, in *Synthetic Methods for Carbohydrates*, ACS Symp. Ser. No. **39**, 1–21 (1977).
Gmelin, 8. Aufl., **48**/16, *(Hydroxy)diorganylboranes*, 126–133 (1977).
Gmelin, 8. Aufl., **48**/16, *(Organyloxy)diorganylboranes*, 134–152 (1977).

γ) Organobor-Sauerstoff-Sauerstoff-Verbindungen

M. F. LAPPERT, *Preparation of boronic acids and esters*, in *Organic Compounds of Boron*, Chem. Reviews **56**, 985–990 (1956).
R. M. WASHBURN, E. LEVENS, C. F. ALBRIGHT, F. A. BILLIG u. E. S. CERNAK, *Preparation, Properties, and Uses of Benzeneboronic Acid*, Advan. Chem. Ser. **23**, 102–128 (1959).
J. M. C. THOMPSON, *Boronic esters*, 63–70, *Boroxoles*, 70, *p-Vinylphenylboronic acid and related substances*, 70–71, *SiOB-containing polymers*, 71–75, *Other Boron-containing Polymers*, in *Developments in Inorganic Polymer Chemistry*, Elsevier Publ. Comp., Amsterdam 1962.
A. G. DAVIES, *Organoperoxyboranes*, Progr. Boron Chem. **1**, 265–288 (1964).
R. L. LETSINGER, *Chemistry of Areneboronic Acids with Neighboring Amine Groups*, Advan. Chem. Ser. **42**, 1–16 (1964).
K. TORSSELL, *The Chemistry of Boronic and Borinic Acids*, Progr. Boron Chem. **1**, 369–415 (1964).
D. S. MATTESON, *Organofunctional Boronic Esters*, Organometal. Chem. Rev. **1**, 1–25 (1966).
A. N. NESMEYANOV u. R. A. SOKOLIK, *Conversions of functional Groups of Organoboron Compounds*, in A. N. NESMEYANOV u. K. A. KOCHESHKOV, *Methods of elemento-organic chemistry*, **1**, 225–255, North-Holland Publ. Comp., Amsterdam 1967.
A. N. NESMEYANOV u. R. A. SOKOLIK, *Reactions of the Organic Substituents of Organoboron Compounds*, in A. N. NESMEYANOV u. K. A. KOCHESHKOV, *Methods of elemento-organic chemistry*, **1**, 296–310, North-Holland Publ. Comp., Amsterdam 1967.
J. S. BRIMACOMBE, A. HUSAIN, F. HUNEDY u. M. STACEY, *Syntheses of 6-Deoxy-2- and -3-O-Methyl-D-allose* and some *6-Deoxyhexopyranoside Phenylboronates*, Advan. Chem. Ser. **74**, 56–69 (1968).
B. SERAFINOWA, *Boronic Acids and their Derivatives*, Wiad. Chem. **22**, 819–839 (1968); C. A. **70**, 106584 (1969).
D. S. MATTESON, *Boronic Ester Neighboring Groups*, Accounts Chem. Res. **3**, 186–193 (1970).
R. J. FERRIER, *Applications of Phenylboronic Acid in Carbohydrate Chemistry*, Methods Carbohydr. Chem. **6**, 419–426 (1972).
D. I. MACDONALD, *Borate Esters*, in *The Carbohydrates Chemistry and Biochemistry*, 2. Aufl., Bd. I A, 267–268, Academic Press, New York 1972.
D. S. MATTESON, *Synthesis of α-Haloalkaneboronic Esters*, Intra-Sci. Chem. Rep. **7**, 147–153 (1973).
D. S. MATTESON, *Electrophilic Displacements Involving Neighboring Sites*, in *Organometallic Reaction Mechanisms of the Nontransition Elements*, 154–194, Academic Press, New York 1974.
D. S. MATTESON, *Methanetetraboronic and Methanetriboronic Esters as Synthetic Intermediates*, Synthesis **1975**, 147–158.
C. F. LANE u. G. W. KABALKA, *Catecholborane, a new Hydroboration Reagent*, Tetrahedron **32**, 981 (1976).
G. W. KABALKA, *Catecholborane in Organic Synthesis*. A Review; Org. Prep. & Proced. **9**, 131–147 (1977).
Gmelin, 8. Aufl., **48**/16, *Dihydroxy-organylboranes*, 167–196 (1977).
Gmelin, 8. Aufl., **48**/16, *(Diorganyloxy)organylboranes*, 196–221 (1977).
R. KÖSTER, *Organoboranes in Synthesis and Analysis*, Pure Appl. Chem. **49**, 765–789 (1977).
R. KÖSTER u. W. V. DAHLHOFF, *Applications of Ethylboron Compounds in Carbohydrate Chemistry*, in *Synthetic Methods for Carbohydrates*, ACS Symp. Ser. No. **39**, 1–21 (1977).
R. J. FERRIER, *Carbohydrate Boronates*, Adv. Carbohydr. Chem. and Biochem. **35**, 31–80 (1978).
A. PELTER u. K. SMITH, *Boron-Oxygen Compounds*, Comprehensive Organic Chemistry **3**, 915–924 (1979).
A. H. HAINES, *Deborination and deboronation*, in *The selective removal of protecting groups in carbohydrate chemistry*, Adv. Carbohydr. Chem. and Biochem. **39**, 53–55 (1981).
R. W. HOFFMANN, *Diastereogene Addition von Crotyl-Metall-Verbindungen an Aldehyde*, Ang. Ch. **94**, 569–580 (1982); engl.: **21**, 555.

W. V. Dahlhoff u. R. Köster, *Some new O-Ethylboron-assisted Carbohydrate Transformations*, Heteroc. Sendai **18**, 421–449 (1982).

δ) Organo-1,3,2-diboroxane

M. F. Lappert, *The Boronous Anhydrides*, Chem. Reviews **56**, 1009–1011 (1956).
Gmelin, 8. Aufl., **48**/16, *Tetraorganyldiboroxane*, 73–85, 94–97 (1977).
Gmelin, 8. Aufl., **48**/16, *1,2-Diorganyldiboroxane*, 85–89 (1977).
Gmelin, 8. Aufl., 2. EB. **1**, 286, 289 (1983).

ε) Organoboroxine

M. F. Lappert, *Boroxoles*, in *Organic Compounds of Boron*, Chem. Reviews **56**, 1004–1006 (1956).
G. E. Coates, *Boroxines*, in *Organo-Metallic Compounds*, 2. Aufl., 120–121, Methuen & Co. Ltd., London 1960.
R. N. Keller u. E. M. Vander Wall, *Boroxines – aryl and alkoxy derivatives*, in R. F. Gould, *Borax to Boranes*, Advan. Chem. Ser. **32**, 221–227 (1961).
Gmelin, 8. Aufl., **44**/13, *Triorganylboroxine*, 179–239 (1977).
Gmelin, 8. Aufl., 2. EB. **1**, *Triorganoboroxine*, 286–289 (1983).

5. Organobor-Schwefel- und -Selen-Verbindungen

α) Allgemein

W. Gerrard, *Certain Boron-Sulphur Compounds*, in *The Organic Chemistry of Boron*, 194–196, Academic Press, London · New York 1961.
R. H. Cragg u. M. F. Lappert, *Organic boron-sulphur compounds*, Organometal. Chem. Rev. **1**, 43–65 (1966).
G. E. Coates u. K. Wade, *Organobor-Sulphur compounds*, in *The Main Group Elements, Organometallic Compounds*, 3. Aufl., **1**, 284–286, Methuen & Co. Ltd., London 1967.
E. L. Muetterties, *Sulphur and Selenium Compounds of Boron*, in E. L. Muetterties, *The Chemistry of Boron and its Compounds*, 647–667, J. Wiley & Sons, Inc., New York 1967.
R. H. Cragg, *Chemistry of boron-sulfur Compounds for the period 1950–1967*, Quart. Rep. Sulfur Chem. **3**, Nr. 1, 2–80 (1968).
B. M. Mikhailov, *Sulphur-containing organic compounds of boron*, Uspechi Chim. **37**, 2121–2161 (1968); Russian Chem. Reviews **37**, 935–953 (1968).
B. M. Mikhailov, *Organic Boron-Sulfur Compounds*, Progr. Boron Chem. **3**, 313–370 (1970).
M. Schmidt u. W. Siebert, *Über einige Ergebnisse und Probleme aus der Bor-Schwefel-Chemie*, Allg. prakt. Chem. **22**, 263–268 (1971).
W. Siebert, *Bindungssysteme des Bors mit den Elementen Schwefel, Selen und Tellur*, Ch. Z. **98**, 479–486 (1974): vgl. A. Möllinger, *Themen zur Chemie des Bors*, 37–61, Hüthig Verlag, Heidelberg 1976.
A. Pelter u. K. Smith, *Boron-Sulphur Compounds*, Comprehensive Organic Chemistry **3**, 933–940 (1979).
Gmelin, 8. Aufl., Boron Compounds 1st Suppl. **3**, *(Organothio)-organylboranes*, 51–59; *(Hydrothio)diorganylborane* R_2BSH, 62–63; *Diborylsulfane*, 63–64; *Cyclo-1,3,5-trithia-2,4,6-triborane (borthiine)* $(RBS)_3$, 69–70; *Kohlenstoffhaltige BS-Heterocyclen*, 70–75; *Kohlenstoffhaltige BS-Heterocyclen mit weiteren Heteroatomen*, 75–77; *1,2,5-Thiadiborol-3-ene und verwandte Verbindungen*, 77–80 (Literatur bis 1977) (1981).

β) Organobor-Schwefel-Verbindungen

Erste Erwähnung:

E. Wiberg u. W. Sturm, Ang. Ch. **67**, 483 (1955); Z. Naturf. **10b**, 112 (1955); *Triorganoborthiine*; vgl. ds. Handb. XIII/3a, 889 (1982).

$β_1$) *Diorgano-thio-borane*

Gmelin, 8. Aufl., **19**/3, *Monothioborsäuren* [*Hydrothio-diorganoborane*], 16–19 (1975).

β_2) *Organobor-(Halogen- und -Sauerstoff)-Schwefel-Verbindungen*

Gmelin, 8. Aufl., **19**/3, *Halogen(organyl)(organothio)borane* [*Halogen-organo-organothio-borane*], 33–34 (1975).

β_3) *Organobor-Schwefel-Schwefel-Verbindungen*

Gmelin, 8. Aufl., **19**/3, *Dithioborsäuren* [*Dihydrothio-organoborane*], 20–21 (1975).
Gmelin, 8. Aufl., **19**/3, *Organylthio(organyl)borane* [*Organo-diorganothioborane*], 26–30 (1975).
Gmelin, 8. Aufl., **19**/3, *Borthiine*, 40 (1975).
Gmelin, 8. Aufl., **19**/3, *Diborylsulfane* [*Monoorganodithioborane*], 37–40 (1975).
Gmelin, 8. Aufl., **19**/3, *Monoborylsulfane* [*Diorganoborylsulfane und Tetraorganodiborathiane*], 36 (1975).
H. NÖTH, *Preparative and Mechanistic Studies on Simple and Heterocyclic Boron Compounds*, in R. W. PARRY u. G. KODAMA, Boron Chemistry – **4**, 109–118, Pergamon Press, Oxford · New York 1980.
W. SIEBERT, *Syntheses and Reactions of Cyclic Diboraethene Compounds*, in R.W. PARRY u. G. KODAMA, Boron Chemistry – **4**, 81–94, Pergamon Press, Oxford · New York 1980.

γ) Organobor-Selen-Verbindungen

Erste Erwähnung:

B. M. MIKHAILOV u. T. A. SHCHEGOLEVA, Izv. Akad. SSSR **1959**, 356; engl.: 331; C. A. **53**, 20041 (1959); *3,5-Dibutyl-1,2,4,3,5-triselenadiborolan*; vgl. ds. Handb. XIII/3a, 896 (1982).

Übersichten:

E. L. MUETTERTIES, *Sulfur and Selenium Compounds of Boron*, in E. L. MUETTERTIES, *The Chemistry of Boron and its Compounds*, 647–667, J. Wiley & Sons, Inc., New York 1967.
Gmelin, 8. Aufl., **19**/3, *Organylborselenide and cyclische Bor-Selen-Systeme* [*Organo-seleno-borane*], 82–91 (1975).
Gmelin, 8. Aufl., Boron Compounds, 1st. Suppl. **3**, *Das System Bor-Selen*, 92–101 (Literatur bis 1977) (1981).

6. Organobor-Stickstoff-Verbindungen

Erste Notiz und Herstellung:

H. I. SCHLESINGER, L. HORVITZ u. A. B. BURG, Am. Soc. **58**, 409 (1936); *Amino-dimethyl-boran, Methylborazine.*
E. WIBERG u. K. HERTWIG, Z. anorg. Ch. **255**, 141 (1947); *Chlor-methylamino-methyl-boran.*

α) Allgemeine Übersichten

Gmelin, 8. Aufl., Bor-EB., System-Nr. 13, *Organobor-Stickstoff-Verbindungen*, 239–247 (Literatur bis Ende 1949) (1954).
G. E. COATES, *'Internal' Co-ordination Compounds (RBN-Verbindungen)*, in *Organo-Metallic Compounds*, 1. Aufl., 64–66, Methuen & Co. Ltd., London 1956.
M. F. LAPPERT, *Preparation of aminoborines and derivatives*, S. 1041–1045; *Trialkylborons and aminodialkylborons*, 1051–1052, in *Organic Compounds of Boron*, Chem. Reviews **56**, 959–1064 (1956).
W. GERRARD, *Boron-Nitrogen Compounds*, 161–186; *Miscellaneous Ring Systems*, 197–208, in *The Organic Chemistry of Boron*, Academic Press, New York 1961.
M. F. LAPPERT, *Polymers containing Boron and Nitrogen*, in M. F. LAPPERT u. G. J. LEIGH, *Developments in Inorganic Polymer Chemistry*, 20–56, Elsevier, Amsterdam 1962.
K. NIEDENZU, *Boron-Nitrogen Chemistry*, Advan. Chem. Ser. **42**, 1–330 (1964); Berichte vom Int. Symp. Durham, N.C. USA, April 1963.
H. NÖTH, *Some recent Developments in Boron-Nitrogen Chemistry*, Progr. Boron Chem. **3**, 211–311 (1970).
Kirk-Othmer, 2. Aufl., **3**, *Boron Compounds, Boron Nitrogen*, 728–737 (1964).
K. NIEDENZU, *Neuere Entwicklungen in der Chemie der Aminoborane*, Ang. Ch. **76**, 168–175 (1964); engl.: **3**, 86.
K. NIEDENZU u. J. W. DAWSON, *Boron-Nitrogen Compounds*, Anorganische und allgemeine Chemie in Einzeldarstellungen, **6**, Springer-Verlag, Heidelberg 1965.

R.A. GEANANGEL u. S.G. SHORE, *Boron-Nitrogen Compounds*, in Preparative Inorganic Reactions **3**, 123–238, Intersci. Publ., New York 1966.

W. GERRARD, *Studies in Boron Chemistry: Organic Analogues of Heterocycles*, Chem. & Ind. **1966**, 832–840; C.A. **65**, 3895 (1966).

H. STEINBERG u. R.J. BROTHERTON, *Aminoboranes*, in *Organoboron Chemistry* **2**, 45–70, J. Wiley & Sons, Inc., New York 1966.

G.E. COATES u. K. WADE, *Organobor-Nitrogen Compounds*, in *The Main Group Elements, Organometallic compounds*, 3. Aufl., **1**, 258–286, Methuen & Co. Ltd., London 1967.

R.L. HUGHES, I.C. SMITH u. E.W. LAWLESS, *Boron-Nitrogen Chemistry*, in R.T. HOLZMANN, *Production of the Boranes and Related Research*, 232–249, Academic Press, New York 1967.

R.E. MARUCA, *Boron chemistry. The dipole moments of some dicarbaclovododecaboranes. Preparation and some reactions of unsymmetrically substituted borazines. The formation of borazanaphthalene and diborazinyl by electrical discharge through liquid borazine*, Dissertation Abstr. B **28** (1), 85–86 (1967); C.A. **68**, 13024 (1968).

K. NIEDENZU u. J.W. DAWSON, *The Chemistry of Boron-Nitrogen Compounds*, in E.L. MUETTERTIES, *The Chemistry of Boron and its Compounds*, 377–442, J. Wiley & Sons, Inc., New York 1967.

A. FINCH, J.B. LEACH u. J.H. MORRIS, *Boron-Nitrogen Ring Systems*, Organometal. Chem. Rev., Sect. A **4**, 1–45 (1969).

A. MELLER, *Preparative Aspects of Boron-Nitrogen Ring Compounds*, Fortschr. chem. Forsch. **15**, 146–190 (1970).

K. NIEDENZU u. C.D. MILLER, *1,3,2-Diazaboracycloalkanes*, Fortschr. chem. Forsch. **15**, 191–205 (1970).

H. NÖTH, *The Chemistry of Simple Boron-Nitrogen Compounds – Aminoboranes*, 249–284; *Unusual Oxidation States of Boron in BN Compounds*, 284–287; Progr. Boron Chem. **3**, 211–311 (1970).

H. NÖTH, *Über Hydride, Stickstoff- und Metall-Verbindungen des Bors sowie Phosphor-Stickstoff-Verbindungen*, in *„20 Jahre Fonds der Chemischen Industrie 1950–1970“*, 121–127 (1970); C.A. **76**, 67495 (1972).

L.P. HANSON, *Miscellaneous nitrogen compounds*, in *Organoboran Technology*, Chemical Technology Review **16**, 57–67 (1973).

R. JEFFERSON u. M.F. LAPPERT, *Chloroboration and Related Reactions of unsaturated Compounds*, Intra-Sci. Chem. Rep. **7**, 123–131 (1973).

K. NIEDENZU, *Neuere Untersuchungen an Bor-Stickstoff-Verbindungen*, Ch. Z. **98**, 487–493 (1974).

Kirk-Othmer, 3. Aufl., **4**, *Organic Boron-Nitrogen Compounds*, 188–201 (1978).

A. PELTER u. K. SMITH, *Boron-Nitrogen Compounds*, Comprehensive Organic Chemistry **3**, 925–932 (1979).

J.H. MORRIS, *Boron in Ring Systems*, Comprehensive Organometallic Chemistry **1**, 312–380 (1982).

β) Diorganobor-Stickstoff-Verbindungen

Gmelin, 8. Aufl., Bor-EB., System-Nr. 13, *Amino-diorgano-borane*, 239–240 (Literatur bis 1949) (1954).

R. KÖSTER u. K. IWASAKI, *New Compounds with Boron-Nitrogen Bonds*, Advan. Chem. Ser. **42**, 148–165 (1964).

H. NÖTH u. W. REGNET, *Preparation and Properties of Some Hydrazinoboranes*, Advan. Chem. Ser. **42**, 166–182 (1964).

M.J.S. DEWAR, *Heteroaromatic Boron Compounds*, Advan. Chem. Ser. **42**, 227–250 (1964).

M.J.S. DEWAR, *Heteroaromatic Boron Compounds*, Progr. Boron Chem. **1**, 235–262 (1964).

Y. NOMURA u. Y. TAKEUCHI, *Borazaro Compounds*, Yuki Gosei Kagaku Kyokai Shi **22**, 704–715 (1964); C.A. **61**, 16085 (1964).

K. NIEDENZU u. J.W. DAWSON, *Boron-Nitrogen Compounds*, in Anorganische und Allgemeine Chemie in Einzeldarstellungen, **6**, Springer-Verlag, Heidelberg 1965.

R.A. GEANANGEL u. S.G. SHORE, *Cyclic Compounds Containing Either the Amine-Borane linkage or Aminoborane Linkages*, 195–202; *Heteroaromatic Boron-Nitrogen Compounds*, 206–215, Preparativ Inorganic Reactions **3**, 123–238 (1966).

K. NIEDENZU, *1,2-Azaboracycloalkane*, in *Azaboracycloalkane*, Allg. prakt. Chem. **17**, 596–599 (1966).

H. STEINBERG u. J.R. BROTHERTON, *Organoboron Chemistry*, **2**, J. Wiley & Sons, Inc., New York 1966.

P. PAETZOLD, *Mechanismus der thermischen Borazid-Umlagerung*, 462–467, in *Darstellung, Eigenschaften und Zerfall von Boraziden*, Fortschr. chem. Forsch. **8**, 437–469 (1967).

Farbenf. Bayer, *Aminoborane – Borazane. Eigenschaften und Anwendungen* 1967.

J. CASANOVA jr., *The Reactions of Isonitriles with Boranes*, Organic Chemistry **20**, 109–131, Academic Press, New York 1971.

A. MELLER, *The Chemistry of Iminoboranes*, Fortschr. chem. Forsch. **25**, 37–76 (1972).

A. HAAG u. G. HESSE, *Reactions of Organoboranes with Cyanides and Isocyanides*, Intra-Sci. Chem. Rep. **7**, 105–121 (1973).

Gmelin, 8. Aufl., **13**/1, *Azaboracycloalkane*, 94–116 (verstreut) (1974).

Gmelin, 8. Aufl., **22**/4, *(Amino)diorganylborane*[*Amino-diorgano-borane*], 161–217 (1975).

Gmelin, 8. Aufl., **22**/4, *(Hydrazino)diorganylborane*, 254–259 (1975).
Gmelin, 8. Aufl., **22**/4, *(Azido)-diorganylborane*, 262–265 (1975).
Gmelin, 8. Aufl., **22**/4, *Verschiedene RBN-Heterocyclen*, 294–320 (1975).
Gmelin, 8. Aufl., **22**/4, *Imidoborane*, 245–248 (1975).
K. Niedenzu, *Neuere Untersuchungen an Bor-Stickstoff-Verbindungen*, Ch. Z. **98**, 487–493 (1974).
S. Gronowitz, *Recent work on aromatic boron-containing Heterocycles*, Lect. Heterocycl. Chem. **3**, 17–32 (1976); C.A. **85**, 123985 (1976).
A.J. Fritsch, *Borazaromatic Compounds*, in Special Topics in Heterocyclic Chemistry **30**, 381–440 (1977).
H. Wolter, *Cyclische Verbindungen mit Boratomen*, Prax. Naturwiss. Chem. **26**, 53–55 (1977); C.A. **87**, 23347 (1977)..
Gmelin, 8. Aufl., **46**/15, *Amin-Borane und verwandte Verbindungen*, 34–39 (verstreut) (1977).
Gmelin, Boron Compounds 1st Suppl. **2**, *Amino-diorgano-borane*, 163–174 (verstreut) (1980).
R.F. Porter u. L.J. Turbini, *Boron-Nitrogen Compounds*, in *Photochemistry of Boron Compounds*, 8–24, Topics in Current Chemistry **96**, 1–41 (1981); C.A. **95**, 15846 (1981).
J.H. Morris, *Rings Involving a Nitrogen Heteroatom Bonded to Boron in Addition to a Boron-Carbon Ring Bond (CBN-Rings)*, 337–349, in *Boron in Ring Systems*, Comprehensive Organometallic Chemistry **1**, 312–380 (1982).
Gmelin, 8. Aufl., EB. **1**, *Diorganobor-Stickstoff-Verbindungen*, 373, 381 (verstreut), 414–423 (1983).

γ) Organobor-Stickstoff-Wasserstoff-Verbindungen

K. Niedenzu, *Neuere Untersuchungen an Bor-Stickstoff-Verbindungen*, Ch. Z. **98**, 487–493 (1974).
Gmelin, 8. Aufl., **22**/4, *Amino(hydro)organylborane*, 146–149 (1975).
S. Gronowitz, *Recent Work on Aromatic Boron-containing Heterocycles*, Lect. Heterocycl. Chem. **3**, 17–32 (1976); C.A. **85**, 123985 (1976).

δ) Organobor-Stickstoff-Halogen-Verbindungen

Gmelin, 8. Aufl., Bor-EB., System-Nr. 13, *Chlor-methyl-methylamino-borane*, 247–253 (Literatur bis Ende 1949) (1954).
Gmelin, 8. Aufl., **22**/4, *Amino(halogen- und pseudohalogen)-organylborane*, 149–157 (1975).

ε) Organobor-Stickstoff-Sauerstoff-Verbindungen

Gmelin, 8. Aufl., Bor-EB., System-Nr. 13, *Hydroxy-methyl-methylamino-borane*, 246 (Literatur bis Ende 1949) (1954).
M.J.S. Dewar, *Heteroaromatic Boron Compounds*, vgl. 229, 230 usw., Advan. Chem. Ser. **42**, 227–250 (1964).
M.J.S. Dewar, *Heteroaromatic Boron Compounds*, Progr. Boron Chem. **1**, 235–262 (1964).
R.J. Brotherton u. A.L. McCloskey, *Hydrolyses of some Boron-Nitrogen Derivatives*, Advan. Chem. Ser. **42**, 131–138 (1964).
W. Gerrard, *Boron-Oxygen-Nitrogen Rings* 834, in *Studies in Boron Chemistry: Organic Analogues of Heterocycles*, Chem. & Ind. **1966**, 832–840.
I.B. Atkinson u. B.R. Currell, *Boron-Nitrogen Polymers*, Inorg. Macromol. Rev. **1**, 203–233 (1971); C.A. **74**, 64414 (1971).
Gmelin, 8. Aufl., **13**/1, *BNC-Heterocyclen mit RB(N)O-Verbindungen*, 191 (verstreut) (1974).
Gmelin, 8. Aufl., **22**/4, *Amino(organyloxy)organylborane, Amino-organo-oxy-borane*, 158–161 (1975).
S. Gronowitz, *Recent Work on Aromatic Boron-containing Heterocycles*, Lect. Heterocycl. Chem. **3**, 17–32 (1976); C.A. **85**, 123985 (1976).
A.J. Fritsch, *Borazaromatic Compounds*, in Special Topics in Heterocyclic Chemistry **30**, 381–440 (1977); C.A. **87**, 201607 (1977).
Gmelin, 8. Aufl., **48**/16, *Oxygen-Boron-Nitrogen Heterocycles*, 92–123 (verstreut) (1977).
H. Wolter, *Cyclische Verbindungen mit Boratomen*, Prax. Naturwiss. Chem. **26**, 53–55 (1977); C.A. **87**, 23347 (1977).
Gmelin, 8. Aufl., Boron Compounds, 1st Suppl. **2**, *Amino-organo-oxy-borane*, 172ff. (verstreut) (1980).
J.H. Morris, *Boron in Ring Systems, RB(N)-O-Verbindungen* (verstreut), Comprehensive Organometallic Chemistry **1**, 312–380 (1982).
Gmelin, 8. Aufl., 2. EB. **1**, *Organobor-Sauerstoff-Stickstoff-Verbindungen*, 455–456 (1983).

ζ) Organobor-Stickstoff-Schwefel-Verbindungen

Gmelin, 8. Aufl., Boron Compounds 1st. Suppl. **2**, *Amino-organo-thio-borane*, 179 u. verstreut (1980).
Gmelin, 8. Aufl., Boron Compounds 1st Suppl. **3**, *Organyl(organylthio)organylamino- oder -hydrazino-borane* 59; *Organyl(organylamino)hydrothioborane R_2N-BR-SH*, 63 *(Organylthio)di- und triborylamino- und -hydrazino-borane*, 64–65; *Thiaazaboracycloalkane*, 77 (Literatur bis 1977) (1981).

η) Organobor-Stickstoff-Stickstoff-Verbindungen

T.L. Heying u. H.D. Smith jr., *Some Reactions of Dialkylaminoborons*, Advan. Chem. Ser. **42**, 201–207 (1964).
R.J. Brotherton u. A.L. McCloskey, *Hydrolyses of some Boron-Nitrogen Derivatives*, Advan. Chem. Ser. **42**, 131–138 (1964).
R. Köster u. K. Iwasaki, *New Compounds with Boron-Nitrogen Bonds*, Advan. Chem. Ser. **42**, 148–165 (1964).
H. Nöth u. W. Regnet, *Preparation and Properties of Some Hydrazinoboranes*, Advan. Chem. Ser. **42**, 166–182 (1964).
M.J.S. Dewar, *Heteroaromatic Boron Compounds*, Advan. Chem. Ser. **42**, 227–250 (1964).
M.J.S. Dewar, *Heteroaromatic Boron Compounds*, Progr. Boron Chem. **1**, 235–262 (1964).
K. Niedenzu u. J.W. Dawson, *σ-Bonded Cyclic Systems of Boron and Nitrogen (other than Borazines)*, 126–132. – *Heterocyclic σ-Bonded Systems Containing Boron and Nitrogen*, 132–147, in *Boron-Nitrogen Compounds*, Anorganische und Allgemeine Chemie in Einzeldarstellungen, **6**, Springer-Verlag, Heidelberg 1965.
W. Gerrard, *Rings Containing NBO, NBN, BON, NBC* 835–837, in *Studies in Boron Chemistry: Organic Analogues of Heterocyclics*, Chem. & Ind. **1966**, 832–840.
K. Niedenzu, *1,3,2-Diazaboracycloalkane*, in *Azaboracycloalkane*, Allg. prakt. Chem. **17**, 596–599 (1966).
H. Steinberg u. R.J. Brotherton, *Miscellaneous Heterocyclic Boron-Nitrogen Compounds*, in *Organoboron Chemistry* **2**, 435–451, J. Wiley & Sons, New York 1966.
A. Meller, *Preparative Aspects of Boron-Nitrogen Ring Compounds*, Fortschr. chem. Forsch. **15**, 146–190 (1970); C.A. **74**, 119475 (1971).
Gmelin, 8. Aufl., **13**/1, *1,3,2-Diazaboracycloalkane*, 116–191 (1974).
K. Niedenzu, *Neuere Untersuchungen an Bor-Stickstoff-Verbindungen*, Ch. Z. **98**, 487–493 (1974).
Gmelin, 8. Aufl., **22**/4, *Bis(aminoborane XB(NRR')$_2$[Diamino-organoborane]*, 66–89 (1975).
Gmelin, 8. Aufl., **46**/15, *Cyclische Amino-diorgano-borane und Diamino-organo-borane* (verstreut), 34–39 (1977).
K. Niedenzu, *The Aminoboronation Reaction*, Pure Appl. Chem. **49**, 745–748 (1977).
M.F. Lappert, P.P. Power, A.R. Sanger u. R.C. Srivastava, *Amides of Boron, Aluminium and the Group 3B Metals: Synthesis, Physical Properties and Structures*, 68–234, in *Metal and Metalloid Amides*, Ellis Horwood Ltd., Chichester; J. Wiley & Sons, New York 1980.
Gmelin, 8. Aufl., Boron Compounds 1st Suppl. **2**, *Heteroelementhaltige Bor-Stickstoff-Cyclen*, 131–140 (1980).
L. Komorowski, *Chemie und Eigenschaften der 1,3,2-Diazaboracycloalkane*, (poln.), Wiad. Chem. **34**, 375–393 (1980); C.A. **94**, 139866 (1981).
J.H. Morris, *Rings Involving two Nitrogen Atoms bonded to Boron (NBN Rings containing Carbon)*, in *Boron in Ring Systems*, 354–357, Comprehensive Organometallic Chemistry **1**, 312–380 (1982).
Gmelin, 8. Aufl., 2. EB. **1**, *Organobor-Stickstoff-Stickstoff-Verbindungen*, 372–383 (verstreut), 395–402, 425–427 (verstreut) (1983).

ϑ) Diboryl- und Triboryl-amine (1,3,2-Diborazane)

R. Köster u. K. Iwasaki, *New Compounds with Boron-Nitrogen Bonds*, Advan. Chem. Ser. **42**, 148–165 (1964).
K. Niedenzu u. J.W. Dawson, *Aminoboranes*, in *Boron-Nitrogen Compounds*, Anorganische und Allgemeine Chemie in Einzeldarstellungen, **6**, 48–79, Springer-Verlag, Heidelberg 1965.
K. Niedenzu, *1,3,2-Diboraazacycloalkane*, Allg. prakt. Chem. **17**, 596–599 (1966).
R.A. Geanangel u. S.G. Shore, *Diborylamines and Triborylamines*, in *Boron-Nitrogen Compounds*, 215–218, Preparative Inorganic Reactions **3**, 123–238 (1966).
H. Nöth, *The Chemistry of Simple Boron-Nitrogen Compounds*, in *Some Recent Developments in Boron-Nitrogen Chemistry – Diborylamines* (287–291), *Triborylamines* (291–292), Progr. Boron Chem. **3**, 211–311 (1970).

A. MELLER, *Cyclic Systems of Alternating BN-Units*, (147–175), in *Preparative Aspects of Boron-Nitrogen Ring Compounds*, Fortschr. chem. Forsch. **15**, 146–190 (1970); C.A. **74**, 119475 (1971).
K. NIEDENZU u. C.D. MILLER, *1,3,2-Diazaboracycloalkanes*, in *New Results in Boron Chemistry*, Fortschr. chem. Forsch. **15**, 191–205 (1970).
Gmelin, 8. Aufl., **22**/4, *Triborylamine*, 288–289 (1975).
Gmelin, 8. Aufl., **22**/4, *Diborylamine* [*Bis-diorganoboryl-amine und Bis(diorganoboryl)-hydrazine*], 282–288 (1975).
Gmelin, 8. Aufl., Boron Compounds 1st Suppl. **2**, 124ff, 174, 179 (1980).
A. NECKEL, H. POLESAK u. P.G. PERKINS, *The Stabilities and Geometries of Triborylamines and of Compounds Containing the B_6 Moiety*, Inorg. Chim. Acta **70**, 255–259 (1983).
Gmelin, 8. Aufl., 2. EB. **1**, *1,3,2-Diborazane*, 394–395, 423, 427 (1983).

ι) B-Organoborazine

A. STOCK, $B_3N_3H_6$, in *Hydrides of Boron and Silicon*, 92–98, Cornell University Press, Ithaka, New York 1933; Neudruck 1957.
E. KRAUSE u. A. v. GROSSE, *B-Methyl-Derivate von Stocks* $B_3N_3H_6$, in *Die Chemie der metall-organischen Verbindungen*, 199, Borntraeger, Berlin 1937.
Gmelin, 8. Aufl., Bor EB., System-Nr. 13, *B-Organoborazine*, 241–245 (Literatur bis Ende 1949) (1954).
B.M. MIKHAILOV, *Borazole and its Derivatives*, Uspechi Chim. **29**, 972–992 (1960); Russian Chem. Reviews **29**, 459–469 (1960); C.A. **55**, 347 (1961).
J.C. SHELDON u. B.C. SMITH, *The Borazoles*, Quart. Rev. **14**, 200–219 (1960).
G.E. COATES, *Borazines*, in *Organo-Metallic Compounds*, 2. Aufl., 121–124, Methuen & Co. Ltd., London 1960.
L.F. HOHNSTEDT u. G.W. SCHAEFFER, *Borazine Chemistry*, Advan. Chem. Ser. **32**, 232–240 (1961).
E.K. MELLON jr. u. J.J. LAGOWSKI, *The Borazines*, Advan. Inorg. Chem. Radiochem. **5**, 259–305 (1963).
H. BEYER, H. JENNE, J.B. HYNES u. K. NIEDENZU, *Chemistry of B-fluorinated borazines*, Advan. Chem. Ser. **42**, 266–272 (1964).
Kirk-Othmer, 2. Aufl., **3**, *Borazines*, 729–932 (1964).
R.J. BROTHERTON u. A.L. MCCLOSKEY, *Hydrolyses of Some Boron-Nitrogen Derivatives*, Advan. Chem. Ser. **42**, 131–138 (1964).
A.W. LAUBENGAYER u. T. BEACHLEY jr., *The Formation and Behavior of Polycyclic Borazines*, Advan. Chem. Ser. **42**, 281–289 (1964).
D. SEYFERTH, H.P. KOGLER, W.R. FREYER, M. TAKAMIZAWA, H. YAMAZAKI u. Y. SATO, *Synthesis of B-Organofunctional Borazine Derivatives*, Advan. Chem. Ser. **42**, 259–265 (1964).
H.S. TURNER u. R.J. WARNE, *A New Boron-Nitrogen Ring System. The Tetrameric Borazynes*, Advan. Chem. Ser. **42**, 290–300 (1964).
V. GUTMANN u. A. MELLER, *Substitutionsreaktionen an Borazinen*, Öst. Chemiker-Ztg. **66**, 324–329 (1965).
K. NIEDENZU u. J.W. DAWSON, *The Borazines*, in *Boron-Nitrogen Compounds*, 85–126, Anorganische und Allgemeine Chemie in Einzeldarstellungen, **6**, Springer-Verlag, Heidelberg 1965.
R.A. GEANANGEL u. S.G. SHORE, *Borazines*, in *Boron-Nitrogen Compounds, Preparative Inorganic Reactions* **3**, 173–194, Wiley & Sons, Interscience, New York 1966.
W. GERRARD, *The Borazine (Borazole) Systems* (837–838), in *Studies in Boron Chemistry: Organic Analogues of Heterocycles*, Chem. & Ind. **1966**, 832–840.
H. STEINBERG u. R.J. BROTHERTON, *B-Trialkyl- and B-Triarylborazine*, 202–209; *B-Trialkyl-(or -aryl)-N-Trialkyl-(or -aryl)borazines*, 244–266; *Unsymmetrical Borazines*, 295–320; *Diborazines and Polyborazines*, 320–340; *Linear Boron-Nitrogen Polymers*, 542–547, in *Organoboron Chemistry* **2**, J. Wiley & Sons, Inc., New York 1966.
G.E. COATES u. K. WADE, *Borazines*, in *The Main Group Elements, Organometallic Compounds*, 3. Aufl., **1**, 267–272, Methuen & Co. Ltd., London 1967.
J.-C. ROSSO, *Le borazène et ses dérivés*, Chim. et Ind. **98**, 389–396 (1967).
A. MELLER, *Preparative Aspects of Boron-Nitrogen Ring Compounds, New Results in Boron Chemistry*, Fortschr. chem. Forsch. **15**, 146–190 (1970).
I.B. ATKINSON u. B.R. CURRELL, *Boron-Nitrogen Polymers*, Inorg. Macromol. Rev. **1**, 203–233 (1971); C.A. **74**, 64414 (1971).
L.P. HANSON, *Borazines*, in *Organoboron Technology*, Chemical Technology Review **16**, 51–57 (1973).
K. NIEDENZU, *Boron-Nitrogen Chemistry – Aminoboranes, Boron-Nitrogen-Carbon Heterocycles, Borazine Chemistry*, J. Organometal. Chem. **75**, 193–261 (1974).
Gmelin, 8. Aufl., **22**/4, *Borazines*, 321–349 (1975).
D.F. GAINES u. J. BORLIN, *Borazines*, in *E.L. Muetterties, Boron Hydride Chemistry*, 241–272, Academic Press, New York 1975.

G. A. Kline u. R. F. Porter, *Free-Radical Intermediates* in *The Photochemistry of Alkylborazines*, Inorg. Chem. **16**, 11–15 (1977).
Gmelin, 8. Aufl., **51**/17, *N-Triorganyl-B-triorganylborazine*, 129–159, 175–225 (verstreut) (1975).
Kirk-Othmer, 3. Aufl., **4**, *Borazines*, 195–201 (1978).
Gmelin, 8. Aufl., Boron Compounds 1st Suppl. **2**, *B-Triorganyl-N-triorganyl-borazines*, 115ff. (Literatur bis 1977) (1980).
Gmelin, 8. Aufl., 2. EB. **1**, *Triorganoborazine*, 388–394 (1983).

7. Organobor-Phosphor-Verbindungen

G. E. Coates, *Organo-phosphino-borane*, in *Organo-Metallic Compounds*, 2. Aufl., 108–109, Methuen & Co. Ltd., London 1960.
W. Gerrard, *Boron-Phosphorus Compounds*, in *The Organic Chemistry of Boron*, 187–193, Academic Press, New York 1961.
H. Steinberg u. R. J. Brotherton, *Boron-Phosphorus, Boron-Arsenic and Boron-Antimony Compounds*, in *Organoboron Chemistry* **2**, 479–515, John Wiley & Sons, Inc., New York 1966.
G. E. Coates u. K. Wade, *Organoboron-phosphorus compounds*, in *The Main Group Elements, Organometallic Compounds*, 3. Aufl., **1**, 286–289, Methuen & Co. Ltd., London 1967.
G. W. Parshall, *Boron-Phosphorus compounds*, in E. L. Muetterties, *The chemistry of boron and its compounds*, 617–646, J. Wiley & Sons, Inc., New York 1967.
L. P. Hanson, *Phosphinoborines*, in *Organoboron Technology*, Chemical Technology Review **16**, 41–45 (1973).
V. I. Spitzin, I. D. Colley, T. G. Sevastjanova u. E. M. Sadykova, *Anorganische Polymere mit Bor-Stickstoff- und Bor-Phosphor-Bindungen*, Z. **14**, 459–463 (1974). – Keine BC-Verbindungen.
Gmelin, 8. Aufl., **19**/3, *Phosphinoborane*, 106–117 (1975).

8. Organobor-Bor-verbindungen [Organodiborane(4)]

Gmelin, 8. Aufl., Bor-EB., System-Nr. 13, *Organodiborane*(4), 220; *Dibortetramethyl* $B_2(CH_3)_4$, 220 (Literatur bis Ende 1949) (1954).
W. Gerrard, *Reactions with Diboron Tetrachloride and -tetrafluoride*, in *The Organic Chemistry of Boron*, 213–217, Academic Press, New York 1961.
A. K. Holliday u. A. G. Massey, *Boron Subhalides and Related Compounds with Boron-Boron Bonds*, Chem. Reviews **62**, 303–318 (1962).
R. J. Brotherton, *The Chemistry of Compounds which Contain Boron-Boron Bonds*, Progr. Boron Chem. **1**, 1–81 (1964).
K. Niedenzu u. J. W. Dawson, *Amino Derivatives of Diborane(4)*, in *Boron-Nitrogen Compounds*, Anorganische und Allgemeine Chemie in Einzeldarstellungen, **6**, 79–84, Springer-Verlag, Heidelberg 1965.
G. E. Coates u. K. Wade, *Miscellaneous organoboron compounds*, in *The Main Group Elements, Organometallic Compounds*, 3. Aufl., **1**, 289–292, Methuen & Co. Ltd., London 1967.
G. Urry, *Methods of preparation of the diboron tetrahalides*, in E. L. Muetterties, *The chemistry of boron and its compounds*, 347–364, J. Wiley & Sons, Inc., New York 1967.
T. D. Coyle u. J. J. Ritter, *Organometallic Aspects of Diboron Chemistry*, Adv. Organometallic Chem. **10**, 237–272 (1972).
K. G. Hancock, A. K. Uriarte u. D. A. Dickinson, *Photochemistry of Tetrakis(dimethylamino)diborane(4)*, Am. Soc. **95**, 6980–6986 (1973).
P. L. Timms, *Chemistry of Boron and Silicon Subhalides*, Accounts Chem. Res. **6**, 118–123 (1973).
Gmelin, 8. Aufl., **22**/4, *Amino-organyl-diborane(4)*, 276–279 (1975).
A. G. Massey, *The Subhalides of Boron*, Advan. Inorg. Chem. Radiochem. **26**, 1–54 (1983).

9. Organobor-σ-Metall-Verbindungen

H. Nöth u. G. Schmid, *Koordinationsverbindungen mit Metall-Bor-Bindung*, J. pr. **17**, 610–618 (1966).
G. Schmid, *Metall-Bor-Verbindungen – Probleme und Aspekte*, Ang. Ch. **82**, 920–930 (1970); engl.: **9**, 819.
K. Niedenzu, *Boron-Metal Derivatives*, J. Organometal. Chem. **75**, 193–261 (1974).
K. B. Gilbert, S. K. Boocock u. S. G. Shore, *Units Containing one Boron Atom – Boryl Derivatives*, in *Compounds with Bonds between a Transition Metal and Boron*, 886–889, Comprehensive Organometallic Chemistry **6**, 879–945 (1982).
G. Schmid, *The Formation of the Group IIIB-IB and IIB Element Bond*, in J. J. Zuckerman, Inorganic Reactions and Methods, **4**/1, im Druck, Verlag Chemie, Weinheim 1983.

10. Ionische Organobor(3)-Verbindungen

H. Nöth, S. Weber, B. Rasthofer, C. Narula u. A. Konstantinov, *Chemistry of dicoordinate and tricoordinate boron cations*, Pure Appl. Chem. **55**, 1453–1461 (1983).

c) Organobor-Verbindungen mit vierfach koordinierten Bor-Atomen

W. B. Jensen, *The Lewis Acid-Base Concepts – An Overview*, J. Wiley & Sons, New York 1980.

1. Neutrale Lewisbase-Organoborane

α) Allgemein

Gmelin, 8. Aufl., Bor-EB., System-Nr. 13, *Verschiedene N-Basen-Organoborane*, 217–251 (verstreut) (Literatur bis Ende 1949) (1954).
G. E. Coates, *Alkyl derivatives of boron*, in *Organo-Metallic Compounds*, 1. Aufl., 56–66, Methuen & Co. Ltd., London 1956.
T. D. Coyle u. F. G. A. Stone, *Some Aspects of the Coordination Chemistry of Boron*, Progr. Boron Chem. **1**, 83–166 (1964).
K. Niedenzu u. J. W. Dawson, *Amine-Boranes and Related Structures*, in *Boron-Nitrogen Compounds*, Anorganische und Allgemeine Chemie in Einzeldarstellungen **6**, 8–41, Springer-Verlag, Heidelberg 1965.
G. E. Coates u. K. Wade, *Lewisbase-Organoborane*, in *The Main Group Elements, Organometallic Compounds*, 3. Aufl.,**1**, 200ff., 247ff., verstreut, Methuen & Co. Ltd., London 1967.
H. Nöth, *The Coordinate Boron-Nitrogen-Bond – Amine-Organoboranes*, 229–232; *B–N–N- and Pyrazabole Chemistry*, in *Some Recent Developments in Boron-Nitrogen Chemistry*, 296–299, Progr. Boron Chem. **3**, 211–311 (1970).
M. Grassberger, *Komplexsalze mit vierbindigem Bor*, in *Organische Borverbindungen*, Chem. Taschenbücher **15**, 89–98, Verlag Chemie, Weinheim 1971.
K. Niedenzu, *Neuere Untersuchungen an Bor-Stickstoff-Verbindungen*, Ch. Z. **98**, 487–493 (1974).
Gmelin, 8. Aufl., **37**/10, *Verbindungen mit vierfach koordiniertem Bor*, 1 ff. (verstreut) (1976).
J. D. Odom, *Organoborane Lewis Acid-Lewis Base Adducts*, 298–301, in *Non-cyclic Three and Four Coordinated Boron Compounds*, Comprehensive Organometallic Chemistry **1**, 254–310 (1982).
J. H. Morris, *Rings Involving a Nitrogen Heteroatom Bonded to Boron*, in *Addition to a Boron-Carbon Ring Bond (CBN Rings)*, 337–347, in *Boron in Ring Systems*, Comprehensive Organometallic Chemistry **1**, 312–380 (1982).

β) Lewisbase-Triorganobor-Verbindungen

E. Krause u. A. von Grosse, *Additonsverbindungen der Bor-aryle an Stickstoffbasen*, 206–207, *Additionsverbindungen der Bor-alphyle*, 198–199, in *Die Chemie der metall-organischen Verbindungen*, Borntraeger, Berlin 1937.
Gmelin, 8. Aufl., Bor-EB., System-Nr. 13, *N-Lewisbase-Triorganoborane*, 217–220, 237–238 (*N-Basen: Ammoniak, Amine, Pyridin*) (Literatur bis Ende 1949) (1954).
G. E. Coates, *Coordination Compounds of Boron*, in *Organo-Metallic Compounds*, 1. Aufl., 60–64, Methuen & Co. Ltd., London 1956.
M. F. Lappert, *Coordination compounds of Alkylborons and Arylborons*, in *Organic Compounds of Boron*, Chem. Reviews **56**, 1031–1034 (1956).
G. E. Coates, *Coordination Compounds of Boron*, in *Organo-Metallic Compounds*, 2. Aufl., 104–107, 114, Methuen & Co. Ltd., London 1960.
J. P. Oliver, *Addition Compounds –BF_3-Base and BR_3-Base Systems*, in *Fast Exchange Reactions of Group I, II and III Organometallic Compounds*, Adv. Organometallic Chem. **8**, 199–201 (1970).
J. Casanova jr., *Imin-Triorganoborane*, in *The Reaction of Isonitriles with Boranes*, Organic Chemistry **20**, 109–131 (1971).
A. Haag u. G. Hesse, *Reactions of Organoboranes with Cyanides and Isocyanides*, Intra-Sci. Chem. Rep. **7**, 105–121 (1973).
B. M. Mikhailov, *The Chemistry of Boron-cage Compounds*, Pure Appl. Chem. **52**, 691–704 (1980).
Gmelin, 8. Aufl., 2. EB. **1**, *Amin-Triorganoborane*, 442–444 (1983).

γ) Lewisbase-Organobor-Wasserstoff-Verbindungen

E. Krause u. A. von Grosse, *Additionsverbindungen der Bor-alphyle*, 198, in *Die Chemie der metallorganischen Verbindungen*, Borntraeger, Berlin 1937.
Gmelin, 8. Aufl., Bor-EB., System-Nr. 13, *N-Lewisbase-Hydro-methyl-borane* (*N-Basen: Ammoniak, Methylamine*), 222, 235–237 (Literatur bis Ende 1949) (1954).
Gmelin, 8. Aufl., **46**/15, *Amin-Addukte von (Monohydro)diorganylboranen*, 65–74 (1977).
Gmelin, 8. Aufl., **46**/15, *Addukte von Dihydropseudohalogenboranen* (BH_2CN-*Addukte*), 15–19 (1977).
Gmelin, 8. Aufl., **46**/15, *Amin-Addukte von Organyldihydroboranen*, 24–45 (Literatur 1950–1975) (1977).
B. F. Spielvogel, *Synthesis and Biological Activity of Boron Analogues of the α-Amino Acids and Related Compounds*; Boron Chemistry – **4** (IUPAC 1979), 119–129, Pergamon Press, Oxford 1980.
Gmelin, 8. Aufl., Boron Compounds, 1st Suppl. **2**, *Lewisbase-Cyano-dihydro-borane* (*Lewisbase: Amin, Imin*), 189–195 (Literatur bis 1977) (1980).
Gmelin, 8. Aufl., Boron Compounds, 1st Suppl. **2**, *Lewisbase-Diorgano-hydro-borane* (*Lewisbase: Amin, Imin*), 196–197 (Literatur bis 1977) (1980).
Gmelin, 8. Aufl., 2. EB. **1**, *Lewisbase-Dihydro-organo-borane*, 437, 440–442 (1983).

δ) Lewisbase-Organobor-Halogen-Verbindungen

Gmelin, 8. Aufl., Bor-EB., System-Nr. 13, *N-Lewisbase-Diorgano-halogen-borane*, 251–252; *N-Lewisbase-Dihalogen-organo-borane* [*Halogen: Fluor,Chlor; Organo-Rest: Methyl; N-Lewisbasen: Ammoniak, Methylamine, N-Dimethylanilin*], 251 (Literatur bis Ende 1949) (1954).
M. F. Lappert, *Properties of Alkyl (and Aryl)boron Dihalides and Dialkyl (and Diaryl)boron Halides, Physical constants of amine complexes*, 1055, in *Organic Compounds of Boron*, Chem. Reviews **56**, 959–1064.
Gmelin, 8. Aufl., **46**/15, *Amin-Addukte gemischter Trihalogenborane* (incl. Pseudohalogen), 165 (Literatur 1950–1975) (1977).
Gmelin, 8. Aufl., Boron Compounds, 1st Suppl. **2**, *Amin-Addukte von Cyano-dihalogen-boranen*, 207–208 (1980).

ε) Lewisbase-Organobor-Sauerstoff-Verbindungen

Gmelin, 8. Aufl., Bor-EB., System-Nr. 13, *N–Lewisbase-Triorganoboroxine*, 223 (Literatur bis Ende 1949) (1954).
M. Inatome u. L. P. Kuhn, *Reaction of Nitric Oxide with Tri-n-butylborane*, Advan. Chem. Ser. **42**, 183–191 (1964).
H. K. Zimmermann, *Relations between Structure and Coordination Stability in Boroxazolidines, N–Lewisbase-Diorgano-oxy-borane* (*Lewisbase: Amin*), Advan. Chem. Ser. **42**, 23–34 (1964).
W. Gerrard, *Boron-Oxygen-Nitrogen Rings*, 834–835, in *Studies in Boron Chemistry: Organic Analogous of Heterocyclics*, N–Lewisbase-Diorgano-organooxy-borane (Lewisbase: Amin, Imin), Chem. & Ind. **1966**, 832–840.
F. Umland u. E. Hohaus, *Untersuchungen über borhaltige Ringsysteme vom Chelattyp; N–Lewisbase-Diorgano-organooxy-borane* (*Lewisbase: Imin*); Forschungsberichte des Landes Nordrhein-Westfalen Nr. 2538 Fachgruppe Chemie, Westdeutscher Verlag, Opladen 1976.
Gmelin, 8. Aufl., **48**/16, *(Organyloxy)diorganylborane Chelates*, 153–167 (Literatur 1950–1975) (1977).
B. M. Mikhailov, *The Cyclic Coordination of Boron Compounds*, Pure Appl. Chem. **49**, 749–764 (1977).
Gmelin, 8. Aufl., **46**/15, *Monohydroborane mit NB-Donorbindung im Ring*, 72–74 (1977).
Gmelin, 8. Aufl., Boron Compounds, 1st Suppl. **1**, *Cyclische Pyridin-Diboryloxide*, 295 (1980).
Gmelin, 8. Aufl., Boron Compounds, 1st Suppl. **2**, *Cyclische Stickstoffaddukte von Dioxyorganylboranen*, 244–251 (1980).
W. Kliegel, *Borinsäuren und Derivate – Anwendungen in der Arznei- und Naturstoffchemie, Diorgano-organooxy-borane* (*Lewisbase: Amine, Imine*), 474–480; – *Biologische Wirkungen*, 481–489, in *Bor in Biologie, Medizin und Pharmazie*, Springer-Verlag, Berlin · Heidelberg · New York 1980.
Gmelin, 8. Aufl., 2. EB. **1**, *Lewisbase-Diorgano-oxy-borane*, 457–459 (1983).

ζ) Lewisbase-Organobor-Schwefel-Verbindungen

A. Haag u. G. Hesse, *Reactions of Organoboranes with Cyanides and Isocyanides; Lewisbase-Diorgano-organothio-borane*, (*Lewisbase: Imin*), Intra-Sci. Chem. Rep. **7**, 105–121 (1973).
Gmelin, 8. Aufl., **19**/3, *Bor-Schwefel Donor-Akzeptor-Verbindungen*, 51–74 (1975).
Gmelin, 8. Aufl., Boron Compounds, 1st Suppl. **3**, *Addukte aus Thioboranen und Aminen*, 89–90 (Literatur bis 1977) (1981).

η) Lewisbase-Organobor-Stickstoff-Verbindungen

M. F. Lappert, *Physical properties of aminoborines and derivatives*, 1042–1043, in *Organic Compounds of Boron*, Chem. Reviews **56**, 959–1064 (1956).
H. Nöth u. W. Regnet, *Preparation and Properties of Some Hydrazinoboranes*, Advan. Chem. Ser. **42**, 166–182 (1964).
H. Watanabe, K. Nagasawa, T. Totani, T. Yoshizaki u. T. Nakagawa, *Preparation and Structure of Tris(dialkylboryl-2-pyridylamino)borane*, Advan. Chem. Ser. **42**, 116–130 (1964).
S. Trofimenko, *Polypyrazolylborates, a New Class of Ligands*, Accounts Chem. Res. **4**, 17–22 (1971).
A. Haag u. G. Hesse, *Reactions of Organoboranes with Cyanides and Isocyanides*, Intra-Sci. Chem. Rep. **7**, 105–121 (1973).
Gmelin, 8. Aufl., **23**/5, *Bor-Pyrazol-Derivate und Spektroskopie trigonaler BN-Verbindungen*, 1–277 (1975).
Gmelin, 8. Aufl., 2. EB. **1**, *Lewisbase-Diorganobor-Stickstoff-Verbindungen*, 381–383, 445–449 (1983).

2. Ionische Organobor-Verbindungen mit vierfach koordinierten Bor-Atomen

α) Kationische Organobor-Verbindungen

G. E. Coates u. K. Wade, *Boronium Salts*, in *The Main Group Elements, Organometallic Compounds*, 3. Aufl., **1**, 265–267, Methuen & Co. Ltd., London 1967.
H. Nöth, *Amin-Boron Cations*, in *Some Recent Developments in Boron-Nitrogen Chemistry – Diorgano-bis(amine)boron cations*, 241–247, Progr. Boron Chem. **3**, 211–311 (1970).
H. D. Johnson, II u. S. G. Shore, *Recent Developments in the Chemistry of the lower Boron Hydrides – Boronium Ions*, Fortschr. chem. Forsch. **15**, 112–116 (1970).
O. P. Shitov, S. L. Ioffe, V. A. Tartakovskii u. S. S. Novikov, *Cationic Boron Complexes*, Uspechi Chim. **39**, 1913–1949 (1970); Russ. Chem. Reviews **39**, 905–922 (1970); C. A. **74**, 42396 (1971).
L. P. Hanson, *Organoboron Cations*, in *Organoboron Technology*, Chemical Technology Review **16**, 67–73 (1973).
G. E. Ryschkewitsch, *Boron Cations*, in E. L. Muetterties, *Boron Hydride Chemistry*, 223–239, Academic Press, New York 1975.
Gmelin, 8. Aufl., **37**/10, *Mono- and Diorganoboronium(1+) Salts*, 126–141 (1976).
J. D. Odom, *Organoboronium Ions*, 296, in *Non-cyclic Three and Four Coordinated Boron Compounds*, Comprehensive Organometallic Chemistry **1**, 254–310 (1982).
Gmelin, 8. Aufl., 2. EB. **1**, *Kationische Organobor(4)-Verbindungen*, 450 (1983).

β) Zwitterionische Organobor-Verbindungen

M. F. Lappert, *Tetracovalent boron complexes* (*Zwitterion aus Triphenylboran und 4-Dimethylaminophenyllithium*), 1037, in *Organic Compounds of Boron*, Chem. Reviews **56**, 959-1064 (1956).
H. Zimmer u. G. Singh, *Reactions of Triphenylphosphinimines with Boron Compounds, Certain Organometals, and Lewis acids*, Advan. Chem. Ser. **42**, 17–22 (1964).
W. Kliegel, *Bor-Stickstoff-Betaine*, Organometal. Chem. Rev. A **8**, 153–181 (1972).
A. Shaver, *Metal Complexes of Polypyrazolylborates: Recent Developments*, Organometal. Chem. Rev. **3**, 157–188 (1977).
Gmelin, 8. Aufl., Boron Compounds, 1st Suppl. **2**, *Verbindungen mit Betainstruktur*, 251–254 (1980).
D. A. Owen, A. Siegel, R. Lin, D. W. Slocum, B. Convay, M. Moronski u. S. Duraj, *Tetraphenylborate zwitterionic Transition Metal Complexes: Stable Homogeneous Catalysts*, Ann. N. Y. Acad. Sci. **333**, 90–100 (1980).
R. P. Hughes, *Rhodium-tetraphenylborat-π-Komplexe*, Comprehensive Organometallic Chem. **5**, 489–490 (1982).

γ) Anionische Organobor-Verbindungen mit vierfach koordinierten Boratomen

γ_1) *Anionische Tetraorganobor-Verbindungen*

Historisches (erste Tetraorganoborate):
H. I. Schlesinger u. H. C. Brown, *Metallo Borohydrides. III. Lithium Borohydride*, Am. Soc. **62**, 3429–3435 (1940); *Lithium-methyl-triethyl-borat*.

G. WITTIG, G. KEICHER u. P. RAFF, *Alkalimetall-triphenyl-borhydride*, A. **563**, 110–126 (1949); *Lithium-tetraphenylborat; Alkalimetall-hydro-triphenyl-borate.*

Übersichten:

Gmelin, 8. Aufl., Bor-EB., System-Nr. 13, *Tetraarylborate*, 220 (Literatur bis Ende 1949) (1954).
A. J. BARNARD jr., *Sodium tetraphenylboron*, 1949–1955, *A comprehensive bibliography*, Chemist-Analyst **44**, 104–107 (1955); C. A. **50**, 1516 (1956).
A. J. BARNARD jr. u. H. BÜECHL, *Sodium tetraphenylboron, 1956, A Bibliography*, Chemist-Analyst **46**, 16–17 (1957); C. A. **51**, 12734g (1957).
M. F. LAPPERT, *Tetracovalent boron complexes*, 1035–1039, in *Organic Compounds of Boron*, Chem. Reviews **56**, 959–1064 (1956).
G. WITTIG, *Komplexbildung und Reaktivität in der metallorganischen Chemie*, Ang. Ch. **70**, 65–71 (1958).
A. J. BARNARD jr. u. H. BÜECHL, *Sodium Tetraphenylboron*, 1958, *A Bibliography*, Chemist-Analyst **48**, 44–45, 49 (1959); C. A. **53**, 19671 (1959).
G. E. COATES, *Tetraorganoborates*, in *Organo-Metallic Compounds*, 2. Aufl., S. 111–116, Methuen & Co. Ltd., London 1960.
W. GERRARD, *Preparation of Lithium and Sodium Tetraphenylboron and other Tetraphenylborates*, in *The Organic Chemistry of Boron*, Appendix: 234–251, Academic Press, London · New York 1961.
G. WITTIG, *Über at-Komplexe als reaktionslenkende Zwischenprodukte*, in Arbeitsgemeinschaft für Forschung des Landes Nordrhein-Westfalen, Heft 160, 7–39, Westdeutscher Verlag, Köln · Opladen 1966.
W. TOCHTERMANN, *Struktur und Reaktionsweise organischer at-Komplexe*, Ang. Ch. **78**, 355–375 (1966); engl.: **5**, 351.
G. E. COATES u. K. WADE, *Triarylboranes with Alkalimetals*, in *The Main Group Elements, Organometallic Compounds*, 3. Aufl., **1**, 212–214, Methuen & Co. Ltd., London 1967.
A. N. NESMEYANOV u. R. A. SOKOLIK, *The Organic Compounds of Boron, Aluminium, Gallium, Indium and Thallium – Synthesis of MBR_4 compounds*, in *Methods of elemento-organic Chemistry* **1**, 72–74, verstreut, North-Holland Publ. Comp., Amsterdam 1967.
P. BINGER, G. BENEDIKT, G. W. ROTERMUND u. R. KÖSTER, *Alkalimetall-alkyl-1-alkinyl-boranate*, A. **717**, 21–40 (1968).
D. G. BORDEN, *Review of light-sensitive tetraarylborates*, Photographic Science and Engineering **16**, 300–312 (1972).
T. ONAK, *Four Coordinate Organoboranes*, in *Organoborane Chemistry*, 136–163, Academic Press, New York 1975.
R. KÖSTER: *Salzartige Bor-Verbindungen*, in F. KORTE, H. ZIMMER u. K. NIEDENZU, *Methodicum Chimicum*, **7**, 165–173, Thieme Verlag, Stuttgart 1976.
E. NEGISHI, *Chemistry of Organoborates*, J. Organometal. Chem. **108**, 281–324 (1976).
Gmelin, 8. Aufl., **33**/8, *Tetraorganylborate Ions*, 158–216 (1976).
G. M. L. CRAGG u. K. R. KOCH, *Organoborates in Organic Synthesis: The use of Alkenyl-, Alkynyl- and Cyano-borates as Synthetic Intermediates*, Chem. Soc. Rev. **6**, 393–412 (1977).
J. P. OLIVER, *Structures of Main Group Organometallic Compounds Containing Electron-Deficient Bridge Bonds, Lithium Alkyl-Group III Metalates*, 263–265, Adv. Organometallic Chem. **15**, 235–271 (1977).
A. PELTER u. J. SMITH, *Organoborate Salts*, Comprehensive Organic Chemistry **3**, 883–904 (1979).
W. KLIEGEL, *Tetraphenylborat(1-) und verwandte Verbindungen*, in *Bor in Biologie, Medizin und Pharmazie*, 781, Springer-Verlag, Berlin · Heidelberg · New York 1980.
M. M. MIDLAND u. D. C. MCDOWELL, *The Chemistry of Lithium alkynylorganoborates. Novel Routes to Acetylenes*, Prepr., Div. Pet. Chem., Am. Chem. Soc. **24**, 176–184 (1979); C. A. **94**, 156589 (1981).
A. PELTER, *Some Aspects of Organoborate Chemistry*, in *Boron Chemistry – 4*, 49–72, Pergamon Press, Oxford 1980.
Solubility Data of Tetraphenylborates of Na, K, Rb, Cs, NH_4, Ag, Tl(I), $(H_3C)_4N$, $(H_5C_2)_4N$, $(H_9C_4)_4N$, $(H_7C_3)_4N$; Tris-(o-phenanthrolin)-ruthenium; $(H_5C_6)_4As$, Solubility Data Ser. **18**, 4–222 (1981); C. A. **94**, 198355–198433 (1981).
J. D. ODOM, *Anionic Organoboranes*, 296–298, in *Non cyclic Three and Four Coordinated Boron Compounds*, Comprehensive Organometallic Chemistry **1**, 254–310 (1982).
A. SUZUKI, Fundam. Res. Organomet. Chem., Proc. China-Jpn.-U.S. Trilateral Semin. Organomet. Chem., 1980 (publ. 1982), 281–303; C. A. **97**, 127674 (1982).
A. SUZUKI, *Boron-synthethic applications of 4-coordinated organic boron compounds*, Kagaku, Zokan **1982**, 11–23; C. A. **97**, 161843 (1982).
A. SUZUKI, *Organoborates in New Synthetic Reactions*, Accounts Chem. Res. **15**, 178–184 (1982).

γ_2) *Anionische Organobor-Wasserstoff-Verbindungen*

Hydro-triorgano-borate

Gmelin, 8. Aufl., Bor-EB., System-Nr. 13, *Hydro-triphenyl-borat*, 220 (Literatur bis 1949) (1954).

M. F. LAPPERT, *Tetracovalent boron complexes*, 1035–1039, in *Organic Compounds of Boron*, Chem. Reviews **56**, 959–1064 (1956).
R. M. ADAMS u. A. R. SIEDLE, *The Hydroboron Ions (Ionic Boron Hydrides), Substituted Hydromonoborates-Trialkylhydroborates*, 462–463, in R. M. ADAMS, *Boron, Metallo-Boron Compounds and Boranes*, Interscience Publ., New York 1964.
G. E. COATES u. K. WADE, *Hydro-organo-borate*, in *Main Group Elements, Organometallic Compounds*, 3. Aufl., **1**, 233, Methuen & Co. Ltd., London 1967.
P. BINGER, G. BENEDIKT, G. W. ROTERMUND u. R. KÖSTER, *Alkalimetall-trialkylboranate*, in *Alkalimetall-alkyl-1-alkinyl-boranate*, 27–30, 37–39; A. **717**, 21–40 (1968).
J. A. GLADYSZ, *Trialkylborohydrides in Organometallic Synthesis*, Aldrichim. Acta **12**, Nr. 1, 13–18 (1979).
H. C. BROWN, „*Super Hydrides*“, Final Report U.S. Army Research Office 1976–1979, Grant-Nr. DAAG 2976 G 0218; C. A. **92**, 68730 (1980).
J. A. GLADYSZ, *Reaktion von Übergangsmetallcarbonylen mit R_3BH^--Verbindungen*, in *Transition Metal Formyl Complexes*, Adv. Organometallic Chem. **20**, 1 (1982).
H. C. BROWN, B. SINGARAM u. S. SINGARAM, *Investigations in the Synthesis of Alkyl-Substituted Borohydrides*, J. Organometal. Chem. **239**, 43–64 (1982).

Dihydro-diorgano-borate

R. M. ADAMS u. A. R. SIEDLE, *The Hydroboron Ions (Ionic Boron Hydrides), Substituted Hydromonoborates – Dialkyldihydroborates*, 463, in R. M. ADAMS, *Boron, Metallo-Boron Compounds and Boranes*, Interscience Publ., New York 1964.
H. C. BROWN, B. SINGARAM u. S. SINGARAM, *Investigations in the Synthesis of Alkyl-Substituted Borohydrides*, J. Organometal. Chem. **239**, 43–64 (1982).

Organo-trihydro-borate

M. F. LAPPERT, *Tetracovalent boron complexes*, 1035–1039, in *Organic Compounds of Boron*, Chem. Reviews **56**, 959–1064 (1956).
R. M. ADAMS u. A. R. SIEDLE, *The Hydroboron Ions (Ionic Boron Hydrides), Substituted Hydromonoborates – Alkyltrihydroborates*, 463–464, in R. M. ADAMS, *Boron, Metallo-Boron Compounds and Boranes*, Interscience Publ., New York 1964.
R. W. PARRY, C. E. NORDMAN, J. C. CARTER u. G. TERHAAR, *Amine Addition Compounds of H_3BCO and B_4H_8CO*, Advan. Chem. Ser. **42**, 302–311 (1964).
C. F. LANE, *Sodium Cyanoborohydride. Highly Selective Reducing Agent*, Aldrichimica Acta **8**, Nr. 1, 3–10 (1975).
C. F. LANE, *Sodium Cyanoborohydride – A highly selective reducing agent for organic-functional groups*, Synthesis **1975**, 135–146.
Gmelin, 8. Aufl., **33**/8, *Boranocarboxylate Ions*, 217–220 (1976).
B. F. SPIELVOGEL, *Synthesis and Biological Activity of Boron Analogues of the α-Amino Acids and Related Compounds*, in *Boron Chemistry* – **4**, 119–129, Pergamon Press, Oxford 1979.
R. O. HUTCHINGS u. N. R. NATALE, *Cyanoborohydride. Utility and Applications in Organic Synthesis.* A Review, Org. Prep. & Proced. **11**, 201–246 (1979).
H. C. BROWN, B. SINGARAM u. S. SINGARAM, *Investigations in the Synthesis of Alkyl-substituted Borohydrides*, J. Organometal. Chem. **239**, 43–64 (1982).
W. BIFFAR, H. NÖTH u. D. SEDLAK, *The Reaction of Organolithium Compounds with Borane Donors. Preparation and Isolation of Lithium Monoorganotrihydroborates*, Organometallics **2**, 579–585 (1983).
Gmelin, 8. Aufl., 2. EB. **1**, *Cyano-trihydro-borate*, 451 (1983).

γ_3) *Anionische Organobor-Halogen-Verbindungen*

D. L. FOWLER u. C. A KRAUS, Am. Soc. **62**, 1143–1144 (1940); *Tetraalkylammonium-fluor- und -hydro-triphenyl-borate.*
Gmelin, 8. Aufl., Bor-EB., System-Nr. 13, *Halogen-triphenyl-borat*, 220 (Literatur bis 1949) (1954).

γ_4) *Anionische Organobor-Sauerstoff-Verbindungen*

Erste Notizen:

E. FRANKLAND, A. **124**, 129 (1862); *Kalium-hydroxy-trimethyl-borat.*
H. MEERWEIN u. H. SÖNKE, J. pr. Ch. **147**, 251 (1936); *Natrium-diethyl-hydroxy-methoxy-borat.*

Übersichten:
E. KRAUSE u. A. VON GROSSE, *Additionsverbindungen der Bor-alphyle*, 199, *Trimethylboran und Alkalimetallhydride*, in *Die Chemie der metallorganischen Verbindungen*, Borntraeger, Berlin 1937.
Gmelin, 8. Aufl., Bor-EB., System-Nr. 13, *Hydroxy-triphenyl-borat*, 220 (Literatur bis 1949) (1954).
M. F. LAPPERT, *Tetracovalent boron complexes*, 1035–1039, in *Organic Compounds of Boron*, Chem. Reviews **56**, 959–1064 (1956).
Gmelin, 8. Aufl., **33**/8, *(Oxy)organylborate and some related Ions*, 141–149 (1976).
W. VOELTER, *Borat-Komplexe von Kohlenhydraten*, in *Themen zur Chemie des Bors*, 141–158, Hüthig-Verlag, Heidelberg 1976 (ohne BC-Verbindungen).

γ_5) *Anionische Organobor-Stickstoff-Verbindungen*

G. E. COATES, *Amino-organo-borate* in *Organo-Metallic Compounds*, 2. Aufl., 103, Methuen & Co. Ltd., London 1960.
S. TROFIMENKO, *Polypyrazolylborates, a New Class of Ligands*, Accounts Chem. Res. **4**, 17–22 (1971).
S. TROFIMENKO, *Some Recent Advances in Polypyrazolylborate Chemistry*, Advan. Chem. Ser. **150**, 289–301 (1976).
Gmelin, 8. Aufl., **33**/8, *Aminoborate Ions and Related Species*, 150–158 (1976).
A. SHAVER, *Metal Complexes of Polypyrazolylborates: Recent Developments*, Organometal. Chem. Rev. **3**, 157–188 (1977).
H. C. CLARK u. S. GOEL, *Rhodium(I) Derivatives of Diethylbispyrazolylborate*, J. Organometal. Chem. **165**, 383–389 (1979).
Gmelin, 8. Aufl., Boron Compounds, 1st Suppl. **2**, *Diamino-diorgano-borate und Organo-triamino-borate*, 218–228 (1980).
Gmelin, 8. Aufl., 2. EB. **1**, *Amino-triorgano-borate*, 452 (1983).

d) Organobor-Verbindungen mit vier- bis sechsfach koordinierten Bor-Atomen

1. (Ligand)Übergangsmetall-Organobor-π-Komplexe

Historisches:
H. NÖTH u. G. SCHMID, *Koordinationsverbindungen mit Metall-Bor-Bindung*, J. pr. **17**, 610–618 (1966).
R. PRINZ u. H. WERNER, *Hexamethylborazol-chromtricarbonyl*, Ang. Ch. **79**, 63 (1967); engl.: **6**, 91 (1967).
H. WERNER, R. PRINZ u. E. DECKELMANN, *Synthese und Eigenschaften von Hexaalkylborazol-chrom-tricarbonylen*, B. **102**, 95–103 (1969).
G. SCHMID, *Metall-Bor-Verbindungen – Probleme und Aspekte*, Ang. Ch. **82**, 920–930 (1970); engl.: **9**, 819 (1970).
K. DECKELMANN u. H. WERNER, *B,B,B-Trimethyl-N,N,N-triäthylborazin- und B,B,B-Triäthyl-N,N,N-trimethylborazin-molybdäntricarbonyl*, Helv. **54**, 2189–2193 (1971).
G. E. HERBERICH, *Auf dem Weg zum Borabenzol*, Chimia **26**, 475–477 (1972).

Übersichten:
K. NIEDENZU, *Boron-Metal Derivatives*, J. Organometal. Chem. **75**, 193–261 (1974).
D. F. GAINES u. J. BORLIN, *π-Type Complexes of Borazines*, in E. L. MUETTERTIES, *Boron Hydride Chemistry*, 261–262, Academic Press, New York 1975.
Gmelin, 8. Aufl., **19**/3, *Verbindungen mit Metall-Bindungen*, 159–184 (1975).
J. J. LAGOWSKI, *Metal Derivatives of the Borazines*, Coord. Chem. Rev. **22**, 185–194 (1977).
W. SIEBERT, *Tripeldecker-Komplexe mit Borheterocyclen als Liganden*, Nachr. Chem. Techn. Lab. **25**, 597–598 (1977).
P. L. TIMMS u. T. W. TURNEY, *Metal Atom Synthesis of Organometallic Compounds*, Adv. Organometallic Chem. **15**, 53–112 (1977).
L. W. HALL, G. J. ZIMMERMAN u. L. G. SNEDDON, *Metal atom synthesis of metalloborane clusters*, Chem. Commun. **1977**, 45–46.
Gmelin, 8. Aufl., **51**/17, *Metallkomplexe symmetrisch substituierter Borazine*, 168–174 (1978).
R. N. GRIMES, *Metal Sandwichs Complexes of Cyclic Planar and Pyramidal Ligands Containing Boron*, Coord. Chem. Rev. **28**, 47–96 (1979).
G. SCHMID, *Bór-Nitrogen egységet tartalmazó molekulár mint ligandumok atmenetifém-Komplexekben*, Kémiai Közlemények **53**, 11–22 (1980); Molecules containing boron – nitrogen units as ligands in transition metal complexes; C. A. **92**, 208151 (1980).

W. SIEBERT, *Boron Heterocycles as Ligands in Transition-Metal Chemistry*, Adv. Organometallic Chem. **18** 301–340 (1980).

W. SIEBERT, *Electron-Poor Boron Heterocycles as Ligands in Transition Metal Chemistry*, in A. MÜLLER u. E. DIEMANN, *Transition Metal Chemistry*, 157–172, Verlag Chemie, Weinheim 1981.

K.B. GILBERT, S.K. BOOCOCK u. S.G. SHORE, *Units Containing one Boron Atom – Acyclic Complexes of Group VIII metals*, 895–897, in *Compounds with Bonds between a Transition Metal and Boron*, Comprehensive Organometallic Chemistry **6**, 879–945 (1982).

G.E. HERBERICH, *Boron ring Systems as Ligands to Metals*, Comprehensive Organometallic Chemistry **1**, 381–411 (1982).

J. EDWIN, M. BOCHMANN, M.C. BÖHM, D.E. BRENNAN, W.E. GEIGER, C. KRÜGER, J. PEBLER, H. PRITZKOW, W. SIEBERT, W. SWIRIDOFF, H. WADEPOHL, J. WEISS u. U. ZENNECK, *Triple-Decker Sandwiches*, Am Soc. **105**, 2582–2598 (1983).

J. EDWIN, M.C. BÖHM, N. CHESTER, D.M. HOFFMAN, R. HOFFMANN, H. PRITZKOW, W. SIEBERT, K. STUMPF u. H. WADEPOHL, *Complexes with Interactions between Metals and Aliphatic Groups of Boron Compounds*, Organometallics **2**, 1666–1674 (1983).

G. SCHMID, *The formation of bonds to the group III B-(B, Al, Ga, In, Tl) to other metal elements*, in J.J. ZUCKERMAN, *Inorganic Reactions and Methods*, **4**/1, i. Druck, Verlag Chemie, Weinheim 1985.

2. Kondensierte Organobor-Verbindungen

Historisches über Polyborane

A. STOCK, *The Individual Hydrides of Boron*, in *Hydrides of Boron and Silicon*, 51–85, Cornell University Press, Ithaca, New York 1933; Neudruck 1957.

W.N. LIPSCOMB, *Boron Hydrides*, W.A. Benjamin, Inc., New York · Amsterdam, 1963.

R.M. ADAMS, *The Boranes or Boron Hydrides*, in *Boron, Metallo-Boron Compounds and Boranes*, 507–692, Interscience Publ., New York · London · Sydney 1964.

L. BARTON, *Systematization and Structures of the Boron Hydrides*, Topics Curr. Chem. **100**, 169–206 (1982).

α) B-Organopolyborane

U.S.-Patente, angemeldet im Jahr 1955: Literaturangaben vgl. ds. Handb. XIII/3c, 98–100, 112, 114–116 (1984).

B. FIGGIS u. J. WILLIAMS, *Alkylpentaborane(9)*, Spectrochim. Acta **15**, 331 (1959).

N.J. BLAY, I. DUNSTAN u. R.L. WILLIAMS, *Alkyl-pentaborane(9)* u. *-dekaborane(14)*, Soc. **1960**, 430.

R.L. WILLIAMS, I. DUNSTAN u. N.J. BLAY, *Alkyldekaborane(14)*, Soc. **1960**, 5006.

M.F. HAWTHORNE, *Decaborane – 14 and its Derivatives*, Adv. Inorg. Chem. Radiochem. **5**, 307–345 (1963).

G.W. CAMPBELL jr., *The Structures of the Boron Hydrides*, Progr. Boron Chem. **1**, 167–201 (1964).

T. ONAK, *Oligoborane Derivatives*, in *Carboranes and organo-substituted boron hydrides*, 294–306, Adv. Organometallic Chem. **3**, 263–363 (1965).

V.I. STANKO, YU.A. CHAPOVSKII, V.A. BRATTSEV u. L.I. ZAKHARKIN, *Chemistry of decaborane and its derivatives*, Uspechi Chim. **34**, 1011–1039 (1965); Russian Chem. Reviews **34**, 424–439 (1965); C.A. **63**, 9429 (1965).

G.E. COATES u. K. WADE, *Derivatives of higher Boranes*, in *The Main Group Elements, Organometallic Compounds*, 3. Aufl., **1**, 234–237, Methuen & Co. Ltd., London 1967.

R.L. HUGHES, I.C. SMITH u. E.W. LAWLESS, *Preparation and Properties of Alkylpolyboranes*, in R.T. HOLZMANN, *Production of the Boranes and Related Research*, 145–162, Academic Press, New York 1967.

H.D. JOHNSON, II u. S.G. SHORE, *Recent Developments in the Chemistry of the Lower Boron Hydrides, Triborane(7) Adducts*, 119–122; *Tetraborane(8) Adducts*, 122; *Tetraborane(10)*, 123–126; *Pentaborane(9)*, 126–135; *Pentaborane(11)*, 135–136; *Hexaborane(10)*, 136–137; *Hexaborane(12)*; 138; *Heptaborane*, 138; *Octaborane(12)*, 138–139; Fortschr. chem. Forsch. **15**, 87–145 (1970).

N.F. TRAVERS, *Boron Hydrides*, in H.J. EMELEUS, MTP International Review of Science, Vol. **1**, Main Group Elements Hydrogen and Group I–IV, 79–124, Butterworths, London and University Park Press, Baltimore 1972.

D.F. GAINES, *The Chemistry of Pentaborane(9)*, Accounts Chem. Res. **6**, 416–421 (1973).

L.P. HANSON, *Higher Boron Compounds*, in *Organoboron Technology*, 113–175, Chemical Technology Review **16** (1973).

T. ONAK, *Other Organopolyboranes (than Organodiboranes)*, in *Organoborane Chemistry*, 193–213, Academic Press , Inc., New York 1975.

S.G. SHORE, *Studies of the smaller Boron Hydrides and their Derivatives*, Pure Appl. Chem. **49**, 717–732 (1977).

Gmelin, 8. Aufl., **52**/18, *Organobor-Derivate des Triborans(7)*, 204, *Tetraborane Species*, 213–220 (1978).

Gmelin, 8. Aufl., **54**/20, *Organyl-Derivatives of Pentaborane(9)*, 32–41, *Derivatives of Hexaborane(10) and Related Compounds*, 68–71 (1979).

D. F. GAINES, *Recent Advances in the Chemistry of Pentaborane(9)*, in *Boron Chemistry* – **4**, 73–80, Pergamon Press, Oxford · New York 1979.

β) Carborane

Zur Geschichte der Entdeckung:

I. SHAPIRO, Erste massenspektrometrische Hinweise auf Carborane in 1953; vgl. Talanta **1964**, 211.

W. H. EBERHARDT, B. L. CRAWFORD jr. u. W. N. LIPSCOMB, *The Valence Structure of the Boron Hydrides*, J. Chem. Physics **22**, 989–1001 (1954). – Theoretische Vorhersage der Existenz von Carboranen.

H. C. LONGUET-HIGGINS u. M. DE V. ROBERTS, *The electronic structure of the borides MB_6*, Proc. Roy. Soc. (London), Ser. A. **224**, 336–347 (1954). – Theoretische Vorhersage der Existenz von Carboranen.

M. S. COHEN, E. DELANEY, M. FEIN, W. MITCHELL u. J. D. MANN, 14. Meeting Joint Army-Navy. Air Force Solid Propellant Group, Huntsville, Alabama, Mai 1958, **2**, 49–70.

R. E. WILLIAMS u. C. D. GOOD, *Compounds of the Organoborane Series $B_nC_2H_{n+2}$ from Pentaborane(9) and Acetylene: sym. Tri-boradimethyne $B_3C_2H_5$*, OMCC-HEF-111, 18.2.1958.

M. S. COHEN, S. TANNENBAUM u. W. MITCHELL, *High Performance Solid Rocket Propellants*, 31.10.1959, Reaction Motor Division, Report Nr. RMD 210–93, contract Nr. AF 33(616)-5639.

W. N. LIPSCOMB, *Extensions of the valence theory of boron compounds*, Proc. Natl. Acad. Sci. U.S. **47**, 1791–1795 (1961).

E. B. MOORE, L. L. LOHR jr. u. W. N. LIPSCOMB, *Molecular Orbitals in some boron compounds*, J. Chem. Physics **35**, 1329–1334 (1961).

R. HOFFMANN u. W. N. LIPSCOMB, *Theory of polyhedral molecules. I. Physical factorizations of the secular equation*, J. Chem. Physics **36**, 2179–2189 (1962).

Allgemeine Übersichten:

Zur Chemie der Carborane, Nachr. Chem. Techn. **12**, 95–96 (1964).

T. ONAK, *Carboranes*, in *Carboranes and Organo-substituted boron hydrides*, Adv. Organometallic Chem. **3**, 306–315 (1965).

M. F. HAWTHORNE, *Polyedrische Borane, Carborane und Metallcarborane*, Endeavour **25**, 146–153 (1966).

K. ISSLEIB, R. LINDNER u. A. TZSCHACH, *Carborane*, Z. **6**, 1–7 (1966).

W. N. LIPSCOMB, *Framework Rearrangement in Boranes and Carboranes*, Sci. **153**, 373–378 (1966).

G. E. COATES u. K. WADE, *The carboranes*, in *The Main Group Elements, Organometallic Compounds*, 3. Aufl., **1**, 237–246, Methuen & Co. Ltd., London 1967.

M. F. HAWTHORNE, *Boron hydrides*, in E. L. MUETTERTIES, *The chemistry of boron and its compounds*, 223–323, J. Wiley & Sons, Inc., New York 1967.

R. L. HUGHES, I. C. SMITH u. E. W. LAWLESS, *Preparation and Properties of Carboranes*, in R. T. HOLZMANN, *Production of Boranes and Related Research*, 163–184, Academic Press, New York 1967.

R. L. HUGHES, I. C. SMITH u. E. W. LAWLESS, *Physical Properties of the Carboranes*, in R. T. HOLZMANN, *Production of the Boranes and Related Research*, 417–431, Academic Press, New York 1967.

V. V. KORSHAK, I. G. SARISHVILI, A. F. ZHIGACH u. M. V. SOBOLEVSKII, *Polycarboranes*, Uspechi Chim. **36**, 2068–2089 (1967); Russian Chem. Reviews **36**, 903–912 (1967); C. A. **68**, 59891 (1968).

R. KÖSTER u. M. A. GRASSBERGER, *Strukturen und Synthesen von Carboranen*, Ang. Ch. **79**, 197–219 (1967); engl.: **6**, 218–240.

V. I. BREGADZE u. O. YU. OKHLOBYSTIN, *Organoelementary Derivatives of Boranes (Carboranes-10)*, Russ. Chem. Reviews **37**, 173–184 (1968); Uspechi Chim. **37**, 353–379 (1968); C. A. **69**, 2962 (1968).

J. F. DITTER, *High-Yield Synthesis of the smaller closo-Carboranes $C_2B_3H_5$, $C_2B_4H_6$ and $C_2B_5H_7$*, Inorg. Chem. **7**, 1748–1754 (1968).

E. K. MELLON, *Synthetic borane chemistry: a challenge to chemical theory*, Chemistry **41**, 8–15 (1968).

E. L. MUETTERTIES u. W. H. KNOTH, *Polyhedral Boranes*, Marcel Dekker, Inc., New York; E. Arnold, Publ. Ltd., London 1968.

E. L. MUETTERTIES u. W. H. KNOTH, *Miscellaneous Carborane Syntheses*, in *Polyhedral Boranes*, 94–95, Marcel Dekker, Inc., New York; E. Arnold, Publ. Ltd., London 1968.

I. BREGADZE u. O. YU. OKHLOBYSTIN, *Organoelement Derivatives of Boranes (Carboranes-10)*, Organometallic Chem. Rev. A **4**, 345–377 (1969).

K. NIEDENZU, *Carborane und die Bedeutung polyedrischer Strukturen in der Chemie des Bors*, Naturwiss. **56**, 305–308 (1969).

F. R. SCHOLER, *Synthesis, characterization, and chemistry of* [*carbadecaborane anions*] *$B_{10}H_{12}CH^-$, $B_{10}H_{10}CH^-$ and their derivatives*, Dissertation Abstr. Int. B **30**, 108 (1969); C. A. **72**, 111541 (1970).

R. N. GRIMES, *Carboranes*, in *Organometallic Chemistry*, A Series of Monographs, Academic Press, New York 1970.
T. L. HEYING, *Polymers Containing Clusters of Boron Atoms*, Progr. Boron Chem. **2**, 119–140 (1970).
J. D. ODOM u. R. SCHAEFFER, *Use of Isotopic Labels in the Study of Carboranes and Binary Compounds of Boron and Hydrogen*, Progr. Boron Chem. **2**, 141–172 (1970).
R. E. WILLIAMS, *Carboranes*, Progr. Boron Chem. **2**, 37–118 (1970).
M. GRASSBERGER, *Carborane*, in *Organische Borverbindungen*, Chem. Taschenbücher **15**, 99–112, Verlag Chemie, Weinheim 1971.
D. T. HAWORTH, *Chemistry of the Carboranes*, Endeavour **31**, 16–21 (1972); C. A. **76**, 25324 (1972).
E. L. MUETTERTIES, *Nido-Metalloboranes*, IUPAC, Boron Compounds, The Boron – **1**, Meeting 21–25 June 1971, Liblice. Prague, 585–595, Butterworths, London 1972.
R. E. WILLIAMS, *Carborane Polymers*, IUPAC-Meeting on Boron Compounds, June 1971, Liblice, Prague, 569–583, Butterworths, London 1972.
L. I. ZAKHARKIN, *Some Recent Advances in the Chemistry of Dicarba-closo-dodecaboranes(12), $B_{10}H_{10}C_2RR'$*, Pure Appl. Chem. **29**, 513–526 (1972).
H. BEALL u. C. H. BUSHWELLER, *Dynamical Processes in Boranes, Borane Complexes, Carboranes, and Related Compounds*, Chem. Reviews **73**, 465–486 (1973).
G. B. DUNKS u. M. F. HAWTHORNE, *The Non-Icosahedral Carboranes: Synthesis and Reactions*, Accounts Chem. Res. **6**, 124–131 (1973).
L. P. HANSON, *Carboranes*, in *Organoboron Technology*, Chemical Technology Review **16**, 176–330 (1973).
M. F. HAWTHORNE, K. P. CALLAHAN u. R. J. WIERSEMA, *Polyhedral Rearrangements Involving Five- and Six-Coordinate Carbon*, Tetrahedron **30**, 1795–1806 (1974).
M. S. GAUNT u. A. G. MASSEY, *Cage compounds of boron*, Education in Chemistry **11**, 118–121 (1974).
Gmelin, 8. Aufl., **15**/2, *Kleine nido-B-Organocarborane*, 139–160, *arachno-B-Organocarborane*, 161–164, *Kleine closo-Organocarborane*, 165–190 (1974).
J. PLEŠEK u. S. HEŘMÁNEK, *The Intermediate dicarba-nido-boranes*, Pure Appl. Chem. **39**, 431–454 (1974).
K. WADE, *Boranes. Rule-breakers become pattern-makers*, New Sci. **1974**, 615–617; C. A. **81**, 77994 (1974).
R. I. ZAKHARKIN, *Structure and properties of carboranes*, Vestn. Akad. Nauk SSSR **1974**, 16–22; C. A. **82**, 43488 (1975).
H. BEALL, *Icosahedral Carboranes*, in E. L. MUETTERTIES, *Boron Hydride Chemistry*, 302–347, Academic Press, New York 1975.
Gmelin, 8. Aufl., **27**/6, *Carborane* 2, 1 ff. (1975).
T. ONAK, *Carboranes*, in E. L. MUETTERTIES, *Boron Hydride Chemistry*, 349–382, Academic Press, New York 1975.
W. STUMPF, *Polymere aus Boranen und Carboranen*, Ch. Z. **99**, 416–421 (1975).
K. WADE, *The key to cluster shapes*, Chem. Brit. **11**, 177–183 (1975).
R. KÖSTER, *Carborane*, in F. KORTE, H. ZIMMERMANN u. N. NIEDENZU, *Methodicum Chimicum* **7**, 175–180 (1976).
K. WADE, *Structural and bonding patterns in cluster chemistry*, Advan. Inorg. Chem. Radiochem. **18**, 1–66 (1976).
R. E. WILLIAMS, *Coordination Number Pattern Recognition Theory of Carborane Structures*, Advan. Inorg. Chem. Radiochem. **18**, 67–142 (1976).
D. M. CAVAGNARO, *Carborane Chemistry*, A Bibliography with Abstracts 1964 – Sept., 1977; NTIS/PS-77/0825, Springfield, Va 22161 (USA).
Gmelin, 8. Aufl., **43**/12, *Carborane*, 1–152, *Borderivate C-subst. Carborane*, 78–84 (1977).
W. E. HILL, F. A. JOHNSON u. N. S. HOSMANE, *From Sodium Borohydride to 1,2-Dicarba-closo-dodecaboranes, Boron Chemistry* – **4**, 33–40, Pergamon Press, Oxford · New York 1979.
D. M. CAVAGNARO, *Carborane Chemistry* – A Bibliography with Abstracts, Report **1979**, Order No. NTI/S/PS-79/1049; C. A. **92**, 164017 (1980).
V. N. KALININ, *Studies in the field of boron-substituted functional derivatives of carbaboranes(12)*, Uspechi Chim. **49**, 2188–2212 (1980); Russian Chem. Reviews **49**, 1084–1096 (1980); C. A. **94**, 139864 (1982).
Gmelin, 8. Aufl., Boron Compounds, 2nd Suppl. **2**, *Carboranes (B-Organocarborane*, verstreut), 224–291 (1982).
J. C. LOCKHART, *Rates and Mechanism of Reaction for Elements in Groups I–III. – Free radical reactions at boron centres*, 261–262, in Adv. Inorg. Bioinorg. Med. **1**, 217–268 (1982); C. A. **98**, 60517 (1983).
R. N. GRIMES, *Carbon-Rich Carboranes and Their Metal Derivatives*, Advan. Inorg. Chem. Radiochem. **26**, 55–117 (1983).

γ) Heteropolyborane

J. L. LITTLE, *Chemistry of carbaphosphaboranes*, Dissertation Abstr. Int. B **30**, 106 (1969); C. A. **72**, 111542 (1970).
L. J. TODD, *Transition-Metal-Carborane Complexes*, Adv. Organometallic Chem. **8**, 87–113 (1970).

R. E. WILLIAMS, *Carboranes*, Progr. Boron Chem. **3**, 37–118 (1970).
F. R. SCHOLER u. L. J. TODD, *Polyhedral Boranes and Heteroatom Boranes*, in W. L. JOLLY, *Preparative Inorganic Reactions* **7**, 1–92, Wiley-Interscience, New York u. London 1971.
G. B. DUNKS u. M. F. HAWTHORNE, *closo-Heteroboranes Exclusive of Carboranes*, in E. L. MUETTERTIES, *Boron Hydride Chemistry*, 383–430, Academic Press, New York 1975.
P. A. WEGNER, *nido-Heteroboranes*, in E. L. MUETTERTIES, *Boron Hydride Chemistry*, 431–480, Academic Press, New York 1975.
R. W. RUDOLPH, *Boranes and Heteroboranes: A Paradigm for the Electron Requirements of Clusters?*, Accounts Chem. Res. **9**, 446–452 (1976).
B. ŠTÍBR, K. BAŠE, J. PLEŠEK, S. HEŘMÁNEK, J. DOLANSKÝ u. Z. JANOUŠEK, *nido-Heteroboranes*, Pure Appl. Chem. **49**, 803–811 (1977).
Gmelin, 8. Aufl., Boron Compounds, 1st Suppl. **3**, *Organisch-Substituierte Thiapolyborane*, 65–67 (1981).
Gmelin, 8. Aufl., Boron Compounds, 1st Suppl. **2**, *Carboranes (B-Organocarborane* verstreut), 105–255 (1981).

δ) Übergangsmetall-Polyboran-π-Komplexe

Gmelin, 8. Aufl., **19**/3, *Metallverbindungen höherer Borwasserstoffe*, 185–201 (1975).
D. F. GAINES, M. B. FISCHER, S. J. HILDEBRANDT, J. A. ULMAN u. J. W. LOTT, *Borane Anion Ligands - New Bonding Combinations with metals*, Advan. Chem. Ser. **150**, 311–317 (1976).
N. N. GREENWOOD u. J. D. KENNEDY, *Transition-Metal Derivatives of Nido-Boranes and Some Related Species*, in R. N. GRIMES, *Metal Interactions with Boron Clusters*, 43–118, Plenum Press, New York 1982.
N. N. GREENWOOD, *Metalloboranes 1983*, Pure Appl. Chem. **55**, 1415–1430 (1983).

ε) B-Organocarborane

Historisches:

US. P. 3092664 (1958/1963), Olin Mathieson Chem. Corp.; Erf.: S. L. CLARK u. D. J. MANGOLD; C. A. **59**, 11556 (1963).
T. L. HEYING, J. W. AGER jr., S. L. CLARK, D. J. MANGOLD, H. L. GOLDSTEIN, M. HILLMAN, R. J. POLAK u. J. W. SZYMANSKI, Inorg. Chem. **2**, 1089 (1963). – *B-Ethyl-1,2-dicarba-closo-dodecaborane(12)*.
R. KÖSTER u. G. W. ROTERMUND, *Ein am Bor alkyliertes Carboran-2,3*, Tetrahedron Letters **1964**, 1667–1670.
R. KÖSTER u. G. BENEDIKT, *Zur Bildung organischer Carborane*, Ang. Ch. **76**, 650 (1964); engl.: **3**, 515.
R. KÖSTER, *Heterocyclic Organoboranes with two or more Boron Atoms*, 318–321, Adv. Organometallic Chem. **2**, 257–324 (1964).

Übersichten:

R. KÖSTER u. M. A. GRASSBERGER, *Strukturen und Synthesen von Carboranen*, Ang. Ch. **79**, 197–219 (1967); engl.: **6**, 218–240.
R. N. GRIMES, *Organocarboranes, The small nido-Carboranes*, 23–31; *The small closo-Carboranes*, 32–44, in *Carboranes, Organometallic Chemistry*, A Series of Monographs, Academic Press, New York 1970.
Gmelin, 8. Aufl., **15**/2, *Kleine nido-B-Organocarborane*, 139–160, *arachno-B-Organocarborane*, 161–164, *kleine closo-Organocarborane*, 165–190 (1974).
R. KÖSTER, H.-J. HORSTSCHÄFER, P. BINGER u. P. K. MATTSCHEI, *Darstellung und Eigenschaften alkylierter 1,5-Dicarba-closo-pentaborane(5)*, A. **1975**, 1339–1356.

ζ) Übergangsmetall-Carboran-π-Komplexe

M. F. HAWTHORNE, *Polyhedrische Borane, Carborane und Metallcarborane*, Endeavour **25**, 146–153 (1966).
M. F. HAWTHORNE, *The Chemistry of the polyhedral Species derived from transitions metals and carboranes*, Accounts Chem. Res. **1**, 281–288 (1968).
L. J. TODD, *Transition Metal-Carborane Complexes*, Adv. Organometallic Chem. **8**, 87–115 (1970).
M. F. HAWTHORNE, *Recent developments in the chemistry of polyhedral complexes derived from metals and carboranes*, Pure Appl. Chem. **44**, 547–567 (1972).
M. F. HAWTHORNE u. G. B. DUNKS, *Metallocarboranes that Exhibit Novel Chemical Features*, Sci. **178**, 462–471 (1972).
E. L. MUETTERTIES, *Nido-Metalloboranes*, IUPAC, Boron Compounds, Meeting June 1971, Liblice bei Prag, 585–595, Butterworths, London 1972.
R. SNAITH u. K. WADE, *Carboranes and Metallocarboranes*, Inorganic Chemistry Series One **1**, 139–183 (1972).

K. P. CALLAHAN, W. J. EVANS u. M. F. HAWTHORNE, *Carboranes and Metallocarboranes*, Ann. N. Y. Acad. Sci. **239**, 88–99 (1974).
K. P. CALLAHAN u. M. F. HAWTHORNE, *New chemistry of metallocarboranes and metalloboranes*, Pure Appl. Chem. **39**, 475–495 (1974).
N. N. GREENWOOD u. I. M. WARD, *Metalloboranes and Metal-Boron Bonding*, Chem. Soc. Rev. **3**, 231–271 (1974).
R. N. GRIMES, *Recent studies of metalloboron cage compounds derived from the small carboranes*, Pure Appl. Chem. **39**, 455–474 (1974).
R. N. GRIMES, *Small Metalloboron Cage Compounds as Analogues of Metal Clusters, Unifying Concepts of Bonding*, Ann. N. Y. Acad. Sci. **239**, 180–192 (1974).
L. I. ZAKHARKIN u. V. N. KALININ, *Metallo carboranes*, Uspechi Chim. **43**, 1207–1240 (1974); Russian Chem. Reviews **43**, 551–573 (1974); C. A. **81**, 91599 (1974).
M. F. HAWTHORNE, *Perspectives in metallocarborane chemistry*, J. Organometal. Chem. **100**, 97–110 (1975).
R. SNAITH u. K. WADE, *Carboranes and Metallocarboranes*, Inorganic Chemistry Series Two, **1**, 95–134 (1975).
K. P. CALLAHAN u. M. F. HAWTHORNE, *Ten Years of Metallocarboranes*, Advan. Organometallic Chem. **14**, 145–186 (1976).
T. ONAK, *The Carbaboranes, including their Metal Complexes*, in E. W. ABEL u. F. G. A. STONE, *Organometallic Chemistry*, **5**, 67ff., The Chemical Society, London 1976.
L. J. TODD, *Metalloboranes with Ligand-Metal Single Bonds*, Advan. Chem. Ser. **150**, 302–310 (1976).
K. WADE, *Structural and Bonding Patterns in Cluster Chemistry*, Adv. Inorg. Chem. Radiochem. **18**, 1–66 (1976).
N. N. GREENWOOD, *The Synthesis, Structure and Chemical Reactions of Metalloboranes*, Pure Appl. Chem. **49**, 791–801 (1977).
R. N. GRIMES, *Reactions of Metallocarboranes, Organometallic Reactions and Syntheses* **6**, 63–221, Plenum Press, New York · London 1977.
R. N. GRIMES, *Structure and Stereochemistry in Metalloboron Cage Compounds*, Accounts Chem. Res. **11**, 420–427 (1978).
R. N. GRIMES, *Metal Sandwich Complexes of Cyclic Planar and Pyramidal Ligands Containing Boron*, Coord. Chem. Rev. **28**, 47–96 (1979).
E. V. LEONOVA, *Cobalt Complexes of Carbaboranes*, Uspechi Chim. **49**, 283–326 (1980); Russian Chem. Reviews **49**, 147–167 (1980); C. A. **92**, 198438 (1980).
M. F. HAWTHORNE, *Novel Metallocarborane Catalysts*, in A. MÜLLER u. E. DIEMANN, *Transition Metal Chemistry*, 299–306, Verlag Chemie, Weinheim 1981.
S. BRESADOLA, *closo-Carborane-Metal Complexes Containing Metal-Carbon and Metal-Boron σ-Bonds*, in R. N. GRIMES, *Metal Interactions with Boron Clusters*, 173–237, Plenum Press, New York 1982.
D. F. GAINES u. S. J. HILDEBRANDT, *Interactions of Metal Groups with the Octahydrotriborate(1-) Anion, $B_3H_8^-$*, in R. N. GRIMES, *Metal Interactions with Boron Clusters*, Plenum Press, New York 1982.
W. E. GEIGER jr., *Electrochemistry of Metallaboron Cage Compounds*, in R. N. GRIMES, *Metal Interactions with Boron Clusters*, Plenum Press, New York 1982.
N. N. GREENWOOD u. J. D. KENNEDY, *Transition-Metal Derivatives of Nido-Boranes and Some Related Species*, in R. N. GRIMES, *Metal Interactions with Boron Clusters*, Plenum Press, New York 1982.
R. N. GRIMES, *Metallacarboranes and metal-boron clusters in organometallic synthesis*, Pure Appl. Chem. **54**, 43–58 (1982).
R. N. GRIMES, *Metal Interactions with Boron Clusters*, in J. P. FACKLER, jr., *Modern Inorganic Chemistry*, Plenum Press, New York 1982.
C. E. HOUSECROFT u. T. P. FEHLNER, *Metalloboranes: Their relationships to metal-hydrocarbon complexes and clusters*, Adv. Organometallic Chem. **21**, 57–112 (1982).
M. E. O'NEILL u. K. WADE, *Structural and Bonding Features of Metallaboranes and Metallacarboranes*, in R. N. GRIMES, *Metal Interactions with Boron Clusters*, 1–41, Plenum Press, New York 1982.
L. J. TODD, *Metallaboron Cage Compounds of the Main Group Metals*, in R. N. GRIMES, *Metal Interactions with Boron Clusters*, 145–171, Plenum Press, New York 1982.
R. N. GRIMES, *The Role of Metals in Borane Clusters*, Accounts Chem. Res. **16**, 22–26 (1983).
R. N. GRIMES, *Carbon-Rich Carboranes and their Metal Derivatives*, Advan. Inorg. Chem. Radiochem. **26**, 55–117 (1983).

III. Umwandlung von Organobor-Verbindungen

a) Allgemein

M.F. LAPPERT, *Boron-carbon cleavage reactions (metal Salts)*, in *Organic Compounds of Boron*, Chem. Reviews **56**, 996–997 (1956).

G.E. COATES, *Reactions of the trialkylboranes*, in *Organo-Metallic-Compounds*, 2. Aufl., 100–101, Methuen & Co. Ltd., London 1960.

A.N. NESMEYANOV u. R.A. SOKOLIK, *Dealkylation and Dearylation of Organoboron Compounds*, in A.N. NESMEYANOV u. K.A. KOCHESHKOV, *Methods of elemento-organic chemistry* **1**, 201–223, North-Holland Publ. Comp., Amsterdam 1967.

G.E. COATES u. K. WADE, *Reactions of the trialkyl-boranes*, in *The Main Group Elements, Organometallic Compounds*, 3. Aufl., **1**, 196–198, Methuen & Co. Ltd., London 1967.

G.M.L. CRAGG, *Recent developments in the use of Organoboranes in Organic Synthesis*, J. Chem. Educ. **46**, 794–798 (1969).

A. SUZUKI, *Reactions using Organoboranes*, Kagaku No Ryoiki Zokan **89**, 213–233 (1970); C.A. **73**, 14886 (1970).

H.C. BROWN, *The Versatile Organoboranes*, Chem. Britain **7**, 458–465 (1971).

M. GRASSBERGER, *Organische Borverbindungen – Austausch von Liganden zwischen Bor- und Nichtmetallverbindungen*, Chem. Taschenbücher **15**, 22–37, Verlag Chemie, Weinheim 1971.

A. SUZUKI, *New Organic Synthesis by the use of Organoboranes.* Mainly on radical reactions, J. Synth. Org. Chem., Japan **29**, 995–1007 (1971); C.A. **76**, 99730 (1972).

Houben-Weyl, V/1b, *Addition von >BH u.a. an Olefine (incl. Umwandlungen)*, 960–962 (1972).

H.C. BROWN, *The Versatile Organoboranes*, in *Boranes in Organic Chemistry*, 301–342, Cornell University Press, Ithaka · London 1972.

H.C. BROWN, *Boranes in Organic Chemistry– The Versatile Organoboranes*, Adv. Organometallic Chem. **11**, 1–20 (1973).

H.C. BROWN, *Explorations in the Chemistry of Organoboranes*, Intra-Sci. Chem. Rep. **7**, 33–55 (1973).

G.M.L. CRAGG, *Synthesis of Functional Derivatives via Organoboranes; Organoboranes in Organic Synthesis*, 301–318, Marcel Dekker, Inc., New York 1973.

C.F. LANE, *Versatile Boranes*, Aldrichimica Acta **6**, 21–34 (1973).

A. PELTER, *Boron Derivatives as Selective Reagents for Organic Synthesis*, Chem. & Ind. **1973**, 206–210.

E. NEGISHI u. H.C. BROWN, *Thexylborane – a highly Versatile Reagent for Organic Synthesis via Hydroboration*, Synthesis **1974**, 77–89.

D.S. MATTESON, *Electrophilic Displacements Involving Neighboring Sites*, in *Organometallic Reaction Mechanisms of the Nontransition Elements*, 154–194, Academic Press, New York 1974.

J.W.F. BARAICK, *Het gebruik van enige alkylboranen in de organische Synthese*, Chemie en Technick **30**, 17–22 (1975).

H.C. BROWN, *Organoborane(3) Conversions: Survey*, 77–94; *Procedure*, 95–121, in *Organic Syntheses via Boranes*, J. Wiley & Sons, New York · London 1975.

T. ONAK, *Degradative Reagents for the Quantitative Analysis of Organoboron Compounds*, in *Organoborane Chemistry*, 223, Academic Press, New York 1975.

T. ONAK, *Uses and Applications of Organoboron Compounds*, in *Organoborane Chemistry*, 223–224, Academic Press, New York 1975.

E.-I. NEGHISHI, *Organoboron and organoaluminum compounds as unique nucleophiles in organic synthesis*, in D. SEYFERTH, *New Applications of Organometallic Reagents in Organic Synthesis*, J. Organometal. Chem. Library 1, 93–125 (1976).

Houben-Weyl, V/2a, *Anlagerung organischer Reste durch Umsetzung von 1-Alkinylboraten mit elektrophilen Reagentien*, 787–790 (1977).

G.M. L. CRAGG u. K.R. KOCH, *Organoborates in Organic Synthesis: The Use of Alkenyl-, Alkynyl-, and Cyano-borates as Synthetic Intermediates*, Chem. Soc. Rev. **6**, 393–412 (1977).

R. KÖSTER, *Organoboranes in Synthesis and Analysis*, Pure Appl. Chem. **49**, 765–789 (1977).

B.M. MIKHAILOV u. YU.N. BUBNOV, *Organoboron Compounds in Organic Synthesis*, Verlag Nauka, Moskau 1977.

Y. YAMAMOTO, *Highly selective synthetic organic reactions using organoboron compounds*, Kagaku (Kyoto) **32**, 94–103 (1977); C.A. **87**, 21658 (1977).

A. PELTER u. K. SMITH, *Organic Boron Compounds*, Comprehensive Organic Chemistry **3**, 791–940 (1979).

V.V. RAMANA RAO, *Organoborane in Organic Synthesis*, Indian J. Chem. Educ. **6**, 17–21 (1979); C.A. **93**, 71827 (1980).

Y. YAMAMOTO u. K. MARUYAMA, *Synthesis and Properties of Boron Compounds*, J. Synth. Org. Chem., Japan **37**, 1008–1016 (1979).

H. C. BROWN, *The rich chemistry of vinylic organoboranes*, Organic Synthesis today and tomorrow, 121–138 (1980).
YU. N. BUBNOV, *Use of organoboron compounds in synthesis*, Khimiya Nashimi Glazami, M. **1981**, 237–254 (russ.); C. A. **97**, 55860 (1982).
H. C. BROWN, *Organoboron Compounds in Organic Synthesis*, Comprehensive Organometallic Chemistry **7**, 111–142 (1982).
A. SUZUKI, *Organoborates in New Synthetic Reactions*, Accounts Chem. Res. **15**, 178–184 (1982).
M. ZAIDLEWICZ, *Hydroboration of Hydrocarbons*, Comprehensive Organometallic Chemistry **7**, 199–227, (1982).
M. ZAIDLEWICZ, *Hydroboration of Functional Derivatives of Alkenes*, Comprehensive Organometallic Chemistry **7**, 229–254 (1982).
G. W. KABALKA, *Incorporation of stable and radioactive isotopes via organoborane chemistry*, Accounts Chem. Res. **17**, 215–221 (1984).

b) Organo-Radikale aus Organobor-Verbindungen

H. C. BROWN, *Free-Radical Reaction of Organoboranes*, in *Boranes in Organic Chemistry*, 410–446, Cornell University Press, Ithaca · London 1972.
H. C. BROWN u. M. M. MIDLAND, *Organische Synthesen durch Verdrängung freier Radikalen aus Organoboranen*, Ang. Ch. **84**, 702–710 (1972); engl.: **11**, 692–700.
M. M. MIDLAND, *Free-Radical Reactions of Organoboranes in Organic Synthesis*, Intra-Sci. Chem. Rep. **7**, 65–71 (1973).
D. S. MATTESON, *Free-Radical and Photochemical Reactions – Oxidative Boron-Carbon Bond Cleavage and Related Reactions*, in *Organometallic Reaction Mechanisms of the Nontransition Elements*, 275–284, Academic Press, New York 1974.
E. NEGISHI, *Free radical reactions*, in *General discussions of the Organoboron Reactions*, Comprehensive Organometallic Chemistry **7**, 261 (1982).

c) 1,x-Eliminierungen von B-Organo-Resten

R. KÖSTER, *Darstellung von Bortrialkylen und ihre Reaktionen mit Olefinen*, A. **618**, 31–43 (1958).
M. V. BHATT, *Some synthetic applications of organoboranes*, Summer School Org. Chem. Shillony, Indien **1961**, 67–71; Publ. 1963; C. A. **64**, 6674 (1966).
R. KÖSTER, *Umwandlungen bororganischer Verbindungen in der Hitze*, Ang. Ch. **75**, 1079–1090 (1963); engl.: **3**, 174–185 (1964).
M. GRASSBERGER, *Organische Borverbindungen – 1,2-Eliminierungen von Bor-Element-Bindungen*, in Chem. Taschenbücher **15**, 65–74, Verlag Chemie, Weinheim 1971.
J. A. MARSHALL, *Diene Synthesis via Boronate Fragmentation*, Synthesis **1971**, 229–234.
G. ZWEIFEL, *Syntheses of Olefins, Allenes, 1,3-Dienes, and Enynes from Alkynes via the Hydroboration Reaction*, Intra-Sci. Chem. Rep. **7**, 181–189 (1973).
D. S. MATTESON, *Polar 1,2-Additions and Eliminations – Boron Halide Eliminations*, in *Organometallic Reaction Mechanisms of the Nontransition Elements*, 223–227, Academic Press, New York 1974.

d) Protodeborylierungen

D. J. FAULKNER, *Stereoselective Synthesis of trisubstituted Olefins*, Synthesis **1971**, 175–189.
B. M. MIKHAILOV, *Allylboron Compounds*, Organometal. Chem. Rev. A **8**, 1–65 (1972).
G. M. L. CRAGG, *Synthesis of lokaled Compounds (D-Derivatives)*, in *Organoboranes in Organic Synthesis*, 313–315, Marcel Dekker Inc., New York 1973.
B. M. MIKHAILOV, *Synthesis and Reactions of Allylboranes*, Intra-Sci. Chem. Rep. **7**, 191–201 (1973).
G. ZWEIFEL, *Syntheses of Olefins, Alkenes, 1,3-Dienes, and Enynes from Alkynes via the Hydroboration Reaction*, Intra-Sci. Chem. Rep. **7**, 181–190 (1973).
D. S. MATTESON, *Electrophilic Displacement of Metal Cations – Boron and Group IV Electrofuges*, in *Organometallic Reaction Mechanisms of the Nontransition Elements*, 126–133, Academic Press, New York 1974.
D. S. MATTESON, *Electrophilic Displacements – Neighboring Sites – Benzylmetal Compounds*, in *Organometallic Reaction Mechanisms of the Nontransition Elements*, 191–192, Academic Press, New York 1974.
K. AVASTHI, D. DEVAPRABHAKARA u. A. SUZUKI, *Non-Catalytic Hydrogenation via Organoboranes*, Organometal. Chem. Rev. **7**, 1–44 (1979).
H. C. BROWN u. S. KRISHNAMURTHY, *Forty Years of Hydride Reductions*, Tetrahedron **35**, 567–607 (1979).

e) Carbodeborylierungen und Carboborierungen

P. Binger u. R. Köster, *Synthesen von und mit Alkinylboranaten*, Tetrahedron Letters **1965**, 1901–1906; 1. Mitteilung über aufgebaute Alkene aus Alkinen via Organoborate.
M. W. Rathke, *Carbonylation and Amination of Organoboranes*, Dissertation Abstr. B. **28**, 2355 (1967); C. A. **68**, 95884 (1968).
L. T.-Ch. Lee, *Reaction of organoboranes with ylides*, Dissertation Abstr. B **29**, 1982–83 (1968); C. A. **70**, 78055 (1969).
H. C. Brown, *Organoborane – Carbon Monoxide Reactions. A New Versatile Approach to the Synthesis of Carbon Structures*, Accounts Chem. Res. **2**, 65–72 (1969).
A. Suzuki, *New Organic Synthesis by Means of Organoboranes*, J. Synth. Org. Chem., Japan **29**, 995–1007 (1971).
D. G. Borden, *Review of light-sensitive tetraarylborates*, Photographic Science and Engineering **16**, 300–312 (1972).
H. C. Brown, *Boranes in Organic Chemistry*, Cornell University Press, Ithaca 1972.
H. C. Brown u. M. M. Rogić, *Organoboranes as Alkylating and Arylating Agents*, Organometal. Chem. Synth. **1**, 305–327 (1972).
H. C. Brown, *The Reactions of Organoboranes with Carbon Monoxide*, in *Boranes in Organic Chemistry*, 343–371, Cornell University Press, Ithaca 1972.
H. C. Brown, *Organoboranes as Alkylating and Arylating Agents*, in *Boranes in Organic Chemistry*, 372–409, Cornell University Press, Ithaka 1972.
G. M. L. Cragg, *Synthesis of Carbon Chain and Rings*, in *Organoboranes in Organic Synthesis*, 249–300, Marcel Dekker Inc., New York 1973.
G. M. L. Cragg, *Synthesis of Aldehydes and Ketones*, in *Organoboranes in Organic Synthesis*, 9–15, Marcel Dekker Inc., New York 1973.
G. W. Kabalka, *1,4-Addition Reactions of Organoboranes*, Intra-Sci. Chem. Rep. **7**, 57–64 (1973).
M. M. Midland, *Free-Radical Reactions of Organoboranes in Organic Synthesis*, Intra-Sci. Chem. Rep. **7**, 65–71 (1973).
E. Neghishi, *Carbonylation of Organoboranes*, Intra-Sci. Chem. Rep. **7**, 81–94 (1973).
A. Pelter, *Studies in the Organic Chemistry of Boranes*, Intra-Sci. Chem. Rep. **7**, 73–79 (1973).
M. M. Rogić, *Reaction of Organoboranes with α-Halosubstituted Carbanions*, Intra-Sci. Chem. Rep. **7**, 155–167 (1973).
C. H. Snyder, *Coupling Reactions of Organoboranes*, Intra-Sci. Chem. Rep. **7**, 169–179 (1973).
J. J. Tufariello, *Reactions of organoboron compounds with ylides*, U. S. Nat. Tech. Inform. Serv., AD Rep. 1973, No. 772681/3GA, 25 S.; C. A. **81**, 25711 (1974).
H. C. Brown, *Carbon Bond Formation via Organoboranes: Survey*, 123–149; *Procedures*, 151–190; in *Organic Syntheses via Boranes*, J. Wiley & Sons, New York 1975.
E. Negishi, *Organoboranes and Organoborate Anions, New classes of electrophiles and nucleophiles in organic synthesis*, J. Chem. Educ. **52**, 159–165 (1975).
E. Negishi, *Chemistry of Organoborates*, J. Organometal. Chem. **108**, 281–324 (1976).
E.-I. Negishi, *Organoborates in Organic Synthesis: Organoboron and organoaluminium compounds as unique nucleophiles in organic synthesis*, in D. Seyferth, *New Applications of Organometallic Reagents in Organic Synthesis*, J. Organometallic Chemistry Library **1**, 93–125 (1976).
J. Weill-Raynal, *Formation of Carbon-Carbon Bonds by Using Organoboranes*, Synthesis **1976**, 633–651.
G. M. L. Cragg u. K. R. Koch, *Organoborates in Organic Synthesis: The Use of Alkenyl-, and Alkynyl- and Cyanoborates as Synthetic Intermediates*, Chem. Soc. Rev. **6**, 393–411 (1977).
R. Köster, *Organoboranes in Synthesis and Analysis*, Pure Appl. Chem. **49**, 765–789 (1977).
R. F. Porter u. L. J. Turbini, *Photochemistry of Boron Compounds*, Topics in Current Chemistry **96**, 1–41 (1981).
A. Pelter, *Carbon-Carbon Bond Formation Involving Boron Reagents*, Chem. Soc. Rev. **11**, 191–225 (1982).
A. Suzuki, *Synthetic applications of 4-coordinated organic boron compounds*, Kagaku, Zokan **1982**, 11–23; C. A. **97**, 161843 (1982).
A. Suzuki, *Organoborates in new Synthetic reactions*, Accounts Chem. Res. **15**, 178–184 (1982).
B. Wrackmeyer, *Alkynyl Tin(IV) compounds – versatile reagents to form new carbon-carbon-bonds in organoboration reactions*, Revs. Silicon, Germanium, Tin, Lead compounds **6**, 75–148 (1982).

f) Halodeborylierungen

G. M. L. Cragg, *Synthesis of Alkyl Halides*, in *Organoboranes in Organic Synthesis*, 301–306, Marcel Dekker Inc., New York 1973.
C. F. Lane, *Organic Synthesis via Bromination of Organoboranes*, Intra-Sci. Chem. Rep. **7**, 133–145 (1973).

g) Oxydeborylierungen

M. F. Lappert, *Oxidation of trialkylborons*, 985, *Preparation of boronic anhydrides*, 1004, *Oxidation of Alkylborons and Arylborons*, 1030–1031, in *Organic Compounds of Boron*, Chem. Reviews **56**, 957–1064 (1956).

G. Zweifel u. H. C. Brown, *Hydration of Olefines, Dienes and Acetylenes via Hydroboration*, Org. Reactions **13**, 1–53, 1963.

T. G. Brilkina u. V. A. Shushunov, *Progress in the Study of the Oxidation of Organometallic Compounds*, Russ. Chem. Reviews **35**, 613–622 (1966); C. A. **65**, 15411 (1966); Uspechi Chim. **35**, 1430–1447 (1966).

N. L. Weinberg u. H. R. Weinberg, *Electrochemical Oxidation of Organic Compounds*, Chem. Reviews **68**, 449–523 (1968).

W. G. Woods u. R. J. Brotherton, *Oxidations of Organic Substrates in the Presence of Boron Compounds*, Progr. Boron Chem. **3**, 1–15 (1970).

Yu. A. Alexandrov, *Some Advances in the Liquid-Phase Autoxidation of Organic Compounds of the Non-transitional elements*, J. Organometal. Chem. **55**, 1–40 (1973).

G. M. L. Cragg, *Oxidation of Organoboranes*, in *Organoboranes in Organic Synthesis*, 121–136, Marcel Dekker Inc., New York 1973.

G. M. L. Cragg, *Synthesis of Alcohols, Aldehydes and Ketones*, in *Organoboranes in Organic Synthesis*, 3–15, Marcel Dekker Inc., New York 1973.

G. M. L. Cragg, *Synthesis of Carboxylic-Acids and Derivatives*, in *Organoboranes in Organic Synthesis*, 15–16, Marcel Dekker Inc., New York 1973.

s. ds. Handb., Bd. VI/1a1, *Alkohole aus Alkenen durch Hydroborierung und anschließender Oxidation*, S. 494–554 (1979).

s. ds. Handb., Bd. VI/1a2, *Alkohole durch Aufbaureaktion mittels Organobor-Verbindungen*, S. 1463–1482 (1980).

H. C. Brown, P. K. Jadhav u. A. K. Mandal, *Asymmetric Syntheses via chiral organoborane reagents*, Tetrahedron **37**, 3547–3587 (1981).

M. Zaidlewicz, *Hydroboration of hydrocarbons*, Comprehensive Organometallic Chemistry **7**, 199–228 (1982); Alkohole, Diole, Aldehyde, Ketone.

M. Zaidlewicz, *Hydroboration of functional derivatives of alkenes*, Comprehensive Organometallic Chemistry **7**, 229–254 (1982); Alkohole, Diole, Ketone.

h) Sulfodeborylierungen

G. M. L. Cragg, *Synthesis of Sulfur Derivatives*, in *Organoboranes in Organic Synthesis*, 308–310, Marcel Dekker Inc., New York 1973.

i) Aminodeborylierungen

G. M. L. Cragg, *Synthesis of Nitrogen Derivatives*, in *Organoboranes in Organic Synthesis*, 306–308, Marcel Dekker Inc., New York 1973.

j) Metallodeborylierungen

G. M. L. Cragg, *Metallation Reactions*, in *Organoboranes in Organic Synthesis*, 310–313, Marcel Dekker Inc., New York 1973.

R. C. Larock, *Metallation Reactions of Organoboranes*, Intra-Sci. Chem. Rep. **7**, 95–104 (1973).

R. J. H. Clark, S. Moorhouse u. J. A. Stockwell, *Recent Advances in the Organometallic Chemistry of Titanium*, 229, Organometal. Chem. Rev. **3**, 223–310 (1977).

J. F. Normant u. A. Alexakis, *Carbometallation (C-Metallation) of Alkynes: Stereospecific Synthesis of Alkenyl Derivatives*, Synthesis **1981**, 841–867.

J. A. Soderquist, *Metallacycloalkanones via Organoboranes*, ACS 14th Central Regional Meeting, Midland, June 1982.

IV. Analytik von Organobor-Verbindungen

a) Chemische Methoden

A. Stock, *Hydrides of Boron and Silicon – Analytical Considerations*, 105–110, Cornell University Press, Ithaca 1933; Neudruck 1957.

E. K. Mellon, jr. u. J. J. Lagowski, *Physical Properties of Borazines*, in *The Borazines*, 279–300, Advan. Inorg. Chem. Radiochem. **5**, 259–305 (1963).

R. L. HUGHES, I. C. SMITH u. F. W. LAWLESS, *Separation and Purification (of Polyboranes, Alkylboranes)*, 185-198, in R. T. HOLZMANN, *Production of the Boranes and Related Research*, Academic Press, New York 1967.
R. L. HUGHES, I. C. SMITH u. F. W. LAWLESS, *Analytical Methods*, 199–231, in R. T. HOLZMANN, *Production of the Boranes and Related Research*, Academic Press, New York 1967.
A. N. NESMEYANOV u. R. A. SOKOLIK, *Analysis of Organoboron Compounds*, in A. N. NESMEYANOV u. K. A. KOCHESHKOV, *Methods of elementoorganic Chemistry* **1**, 357–362, North-Holland Publ. Comp., Amsterdam 1967.
E. DEBAL, R. LEVY u. S. PEYNOT, *Microdetermination of boron in organic and some inorganic compounds*, Bl. **1969**, 1779–1784.
A. FINCH u. P. J. GARDNER, *Thermochemistry of Boron Compounds; Trialkyl- and Triarylboranes:* 193–194; *Boronic and Borinic Acids and their Anhydrides:* 195–196; *Substituted Boron Halides:* 196–197; *Alkyloxyboranes:* 197–198; Progr. Boron Chem. **3**, 177–210 (1970).
J. D. ODOM u. R. SCHAEFFER, *Use of isotopic labels in the study of carboranes and binary compounds of boron and hydrogen*, Progr. Boron Chem. **2**, 141–172 (1970).
P. J. ELVING u. I. M. KOLTHOFF, *Characterization of Organometallic Compounds*, in Chemical Analysis **26**, 715–730 (1971).
Fresenius-Jander, Handbuch der Analytischen Chemie, IIIaα1 (Bor), *Aufschlußverfahren borhaltiger Verbindungen*, 13–18 (1971).
Fresenius-Jander, Handbuch der Analytischen Chemie, IIIaα1 (Bor), *Maßanalyse zur Borbestimmung*, 57–89 (1971).
Fresenius-Jander, Handbuch der Analytischen Chemie, IIIaα1 (Bor), *Flammenphotometrie* 127–145; *Atomabsorptionsphotometrie zur quantitativen Bestimmung von Borverbindungen*, 157–158 (1971).
Fresenius-Jander, Handbuch der Analytischen Chemie, XIIIaα1 (Bor), *Bestimmung spezieller Borverbindungen:* 171–176; *Phenylborane:* 171–173; *Borwasserstoffverbindungen:* 173–175; *Sonstige Borverbindungen:* 175–176 (1971).
A. MELLER, *Spectroscopic Studies on Iminoboranes*, 58–75, in *The Chemistry of Iminoboranes*, Fortschr. chem. Forsch. **26**, 37–76 (1972).
B. M. MIKHAILOV, *Allylboron Compounds*, Organometallic Chem. Rev. A, 1–65 (1972).
T. R. CROMPTON, *Chemical Analysis of Organometallic Compounds*, Elements of Groups I–III, **1**, 171–240, Academic Press, New York 1973.
W. SCHÖNINGER, *Bestimmung von Heteroatomen – Bor* in F. KORTE, *Methodicum Chimicum* **1**/1, 193 (1973).
G. W. KRAMER, A. B. LEVY u. M. M. MIDLAND, *Analysis of Boranes, Organoboranes and Organometallics*, in H. C. BROWN, *Organic Synthesis via Boranes*, 239–251, J. Wiley & Sons, New York 1975.
T. ONAK, *Analysis of Organoboron Compounds*, in *Organoborane Chemistry*, 222–223, Academic Press, New York 1975.
T. R. CROMPTON, *Analysis of Organoboron Compounds*, 596–600, in *The Chemistry of the Metal-Carbon Bond*, J. Wiley & Sons, Chichester · New York 1982.

b) Trennung von Organobor-Verbindungen

Houben-Weyl, 4. Aufl., **1**/1, *Destillieren und Rektifizieren*, 777–888 (1958).
G. SCHOMBURG, R. KÖSTER u. D. HENNEBERG, *Anwendung physikalisch-chemischer Methoden zur qualitativen und quantitativen Analyse. – Gaschromatographische Analyse von Trialkylboranen unter Einbeziehung massenspektrometrischer Messungen*, Fres. **170**, 285–301 (1959).
V. A. CHERNOPLEKOVA, V. M. SAKHAROV u. K. I. SAKODYNSKII, *Gas Chromatography of Organometallic Compounds of Groups I–IV of the Periodic System*, Uspechi Chim. **42**, 2274–2298 (1973); Russian Chem. Reviews **42**, 1063–1077 (1973); C. A. **80**, 103604 (1974).
N. T. IVANOVA u. L. A. FRANGULYAN, *Gas Chromatographic Analysis of Unstable Inorganic and Organo-Element Compounds*, Uspechi Chim. **46**, 345–375 (1977); Russian Chem. Reviews **46**, 171–183 (1977); C. A. **86**, 182341 (1977).
G. SCHOMBURG, *Gaschromatographie*, Verlag Chemie · Physik, Weinheim/Bergstraße 1977.
M. C. TEN NOEVER DE BRAUER, *Combined Gas Chromatography – Mass Spectrometry: A powerful tool in Analytical Chemistry*, J. Chromatog. **165**, 207–233 (1979).
T. R. CROMPTON, *Analysis of Organoboron Compounds – Gas chromatography*, 721–723, in *The Chemistry of the Metal-Carbon Bond*, John Wiley & Sons, Chichester · New York 1982.

c) IR-, Raman- und Photoelektronenspektroskopie von Organobor-Verbindungen

W. GERRARD, *The Infra-Red Spectra of Boron Compounds*, in *The Organic Chemistry of Boron*, 223–232, Academic Press, London 1961.

E. K. MELLON, jr. u. J. J. LAGOWSKI, *Infrared and Raman spectra of borazines,* Advan. Inorg. Chem. Radiochem. **5**, 294–299 (1963).
T. ONAK, *^{11}B–NMR, Infrared and Mass Spectra of Alkyldiboranes,* in *Carboranes and Organo-Substituted Boron-Hydrides*, 289–290, Academic Press, New York 1965.
G. E. COATES u. K. WADE, *Infrared Spectra of Organoboron Compounds,* in *The Main Group Elements, Organo-Metallic Compounds*, **1**, 3. Aufl., 292–293, Methuen & Co. Ltd., London 1967.
R. L. HUGHES, I. C. SMITH u. E. W. LAWLESS, *Infrared Spectra of boron compounds*, in R. T. HOLZMANN, *Production of the Boranes and Related Research*, 332–351; *Physical Properties of Boranes and their Derivatives*, 363–416; *Physical Properties of the Carboranes*, 417–431, Academic Press, New York 1967.
A. MELLER, *Infrarotspektren organischer Bor-Stickstoff-Verbindungen*, Organometal. Chem. Rev. **2**, 1–60 (1967).
S. R. STOBART, *Characteristic Vibrational Frequences of Compounds Containing Main-group Elements (Compounds containing B–H Bonds)*, in N. N. GREENWOOD, *Spectroscopic Properties of Inorganic and Organometallic Compounds*, **5**, 279ff., Chem. Soc. London 1972.
Gmelin, 8. Aufl., **23**/5, *IR- und Ramanspektren von Borverbindungen*, 57–169 (1975).
Gmelin, 8. Aufl., **23**/5, *Photoelektronen-Spektren von Borverbindungen*, 170–196 (1975).
H.-O. BERGER, J. KRONER u. H. NÖTH, *Die Bor-Halogen-Bindung in Methylhalogenboranen: Photoelektronenspektren und ab initro-Rechnungen*, B. **109**, 2266–2290 (1976).
F. UMLAND u. E. HOHAUS, *Untersuchungen über borhaltige Ringsysteme von Chelattyp* (*IR- und UV-Spektren*); Forschungsbericht des Landes Nordrhein-Westfalen Nr. 2538, Fachgruppe Chemie, Westdeutscher Verlag, Köln · Opladen 1976.
E. MASLOWSKY, *The Synthesis, Structure and Vibrational Spectra of Methylmetal Compounds*, Chem. Soc. Rev. **9**, 25–40 (1980).
Ullmann, 4. Aufl., **5**, *Interpretation der Infrarot- und Ramanspektren organischer Verbindungen*, 321–335 (1980).

d) Massenspektrometrie von Organobor-Verbindungen

D. HENNEBERG, H. DAMEN u. R. KÖSTER, *Massenspektren von niederen Trialkylboranen und ihre Diskussion*, A. **640**, 52–79 (1961).
W. SNEDDEN, *The mass spectra of some Borazoles*, Advan. Mass Spectrom. **2**, 456–474 (1963).
E. K. MELLON, jr. u. J. J. LAGOWSKI, *Mass Spectroscopy*, in *The borazines*, Advan. Inorg. Chem. Radiochem. **5**, 300 (1963).
J. F. DITTER, F. J. GERHART u. R. E. WILLIAMS, *Analysis of Boranes and Carboranes by Mass Spectrometry*, in *Mass Spectrometry in Inorganic Chemistry*, Advan. Chem. Ser. **72**, 191–210 (1968).
R. E. WILLIAMS, *Mass Spectroscopy*, in *Carboranes*, Progr. Boron Chem. **2**, 81–90 (1970).
M. I. BRUCE, *Organometallic and Co-ordination Compounds*, Mass Spectrometry **2**, 193–263 (1973).
R. H. CRAGG u. A. F. WESTON, *Mass Spectra of Boron Compounds*, J. Organometal. Chem. **67**, 161–210 (1974).
Gmelin, 8. Aufl., **23**/5, *Mass spectroscopic Data on Boron-Nitrogen Compounds*, 39–56 (1975).
J. M. MILLER u. G. L. WILSON, *Some Applications of Mass Spectroscopy in Inorganic and Organometallic Chemistry*, Advan. Inorg. Chem. Radiochem. **18**, 229–285 (1976).
Ullmann, 4. Aufl., **5**, *Massenspektrometrie*, 577–604 (1980).
T. R. SPALDING, *Mass spectrometry of Organometallic Compounds – Main Group Compounds, Alkylderivatives*, 927, in *The Chemistry of the Metall-Carbon Bond*, J. Wiley & Sons Ltd., New York 1982.
M. E. ROSE, C. LONGSTAFF u. P. D. G. DEAN, *Negative Ion Fast Atom Bombardment Mass Spectrometry, In situ Reactions of Boronic Acids with Triols and Related Compounds, Sugar and Nucleosides,* Biomedical Mass Spectrometry **10**, 512–527 (1983); C. A. **100**, 121506 (1984).

e) Kernresonanzspektroskopie von Organobor-Verbindungen

1. Allgemein

E. L. MUETTERTIES u. W. D. PHILLIPS, *The Use of Nuclear Magnetic Resonance in Inorganic Chemistry*, Advan. Inorg. Chem. Radiochem. **4**, 231–292 (1962).
M. L. MADDOX, S. L. STAFFORD u. H. D. KAESZ, *Applications of Nuclear Magnetic Resonance to the Study of Organometallic Compounds*, Adv. Organometallic Chem. **3**, 1–179 (1965).
H. BEALL u. C. H. BUSHWELLER, *Dynamical Processes in Boranes, Borane Complexes, Carboranes, and Related Compounds*, Chem. Reviews **73**, 465–486 (1973).
H. GLOTTER, K. H. HAUSSER, H. J. KELLER, D. C. LANKIN, J. LAVIE, K. MÖBIUS, K. H. SCHERZHANS, J. TODD u. H. ZIMMER, *Magnetische Resonanz-Methoden*, Methodicum Chimicum **1**/1, 324–418 (1973).

D. S. MATTESON, *Electrophilic Displacement: NMR Studies of Metal Exchange*, in *Organometallic Reaction Mechanisms of the Nontransition Elements*, 34–78, Academic Press, New York · London 1974.
B. E. MANN, *The Common Nuclei*, in R. K. HARRIS u. B. E. MANN, *NMR and the Periodic Table*, 87–93, 104 [^{10}B, ^{11}B, ^{13}C–NMR], Academic Press, London 1978.
H.-O. BERGER, H. NÖTH u. B. WRACKMEYER, *Kernresonanzspektroskopische Untersuchungen an 1-Hetero-4-Stanna-2,5-cyclohexadienen*, (^{1}H, ^{11}B, ^{13}C, ^{14}N, ^{29}Si, ^{31}P, ^{119}Sn), B. **112**, 2866–2883 (1979).
Ullmann, 4. Aufl., **5**, *Magnetische Kern- und Elektronenspinresonanz-Spektroskopie*, 381–422 (1980).
Ullmann, 4. Aufl., **5**, *NMR- und ESR-Spektroskopie – Chemische Verschiebung und Struktur*, 397–400 (1980); *Indirekte Spin-Spin-Kopplung und Struktur*, 400–402, (1980).
Ullmann, 4. Aufl., **5**, *NMR- und ESR-Spektroskopie – NMR-Untersuchungen an den Kernen ^{2}H, ^{11}B, ^{14}N, ^{15}N, ^{17}O, ^{19}F, ^{31}P*, 409–412 (1980).
J. A. DAVIES, *Multinuclear Magnetic resonance methods in the Study of Organometallic Compounds – Boron compounds*, 866–867, in F. R. HARTLEY u. S. PATIN, *The Chemistry of the Metal-Carbon Bond*, Bd. 1, J. Wiley & Sons Ltd., Chichester · New York 1982.
R. K. HARRIS, *NMR Spectroscopy*, Pitman, London 1983.
H. GÜNTHER, *NMR Spektroskopie*, Thieme Verlag, Stuttgart 1983.
D. J. CRAIK, *Substituent Effects on Nuclear Shielding*, Ann. Rep. NMR Spectrosc. **15**, 2–104 (1984).
P. E. HANSEN, *Isotope Effects on Nuclear Shielding*, Ann. Rep. NMR Spectrosc. **15**, 105–234 (1984).

2. ^{1}H- und ^{11}B-NMR-Spektroskopie

E. K. MELLON jr. u. J. J. LAGOWSKI, *Nuclear Resonance Spectra (of borazines)*, Advan. Inorg. Chem. Radiochem. **5**, 290–292 (1963).
R. SCHAEFFER, *NMR-Spectroscopy of Boron Compounds*, Progr. Boron Chem. **1**, 417–462 (1964).
M. L. MADDOX, S. L. STAFFORD u. H. D. KAESZ, *Tabellen über Alkyl-Derivate* S. 6, 17, 22, 32, *Fluoralkyl-Derivate* (27), *Phenyl-Derivate* (42) *und Perfluorvinyl-Derivate* (44) *der Borane*, in *Applications of NMR to the Study of Organometallic Compounds*, Adv. Organometallic Chem. **3**, 1–179 (1965).
K. NIEDENZU u. J. W. DAWSON, *^{11}B-NMR Spectroscopy of Boron – Nitrogen Compounds*, 154–158, in *Boron – Nitrogen Compounds*, Springer-Verlag, Heidelberg 1965.
R. E. WILLIAMS, K. M. HARMON u. J. R. SPIELMAN, *Zusammenhänge zwischen chemischer Verschiebung und Spin – Kopplungswerten bei ^{11}B–NMR von Borverbindungen*, AD 603782, 28 S (1964); C. A. **62**, 4800f. (1965).
J. E. DEMOOR u. P. VAN DER KELEN, *^{11}B–NMR und ^{1}H–NMR-Spektren trivalenter Borverbindungen*, J. Organometal. Chem. **6**, 235–241 (1966).
H. NÖTH u. H. VAHRENKAMP, *^{11}B-Kernresonanzspektren von Boranen mit Substituenten aus der ersten Achterperiode des Periodensystems*, B. **99**, 1049–1067 (1966).
H. NÖTH u. H. VAHRENKAMP, *NMR-spektroskopische Untersuchungen an Borverbindungen III. ^{1}H-NMR-Spektren von Methyl- und Äthylboranen*, J. Organometal. Chem. **12**, 23–36 (1968).
G. R. EATON u. W. N. LIPSCOMB, *NMR Studies of Boron Hydrides and Related Compounds*, (^{1}H-, ^{11}B-), Benjamin, New York 1969.
W. G. HENDERSON u. E. F. MOONEY, *Boron-11-Nuclear Magnetic Resonance Spectroscopy*, in Ann. Rev. NMR Spectroscopy **2**, 219–291 (1969); C. A. **71**, 130246 (1969).
R. E. WILLIAMS, *(^{11}B-)Nuclear Magnetic Resonance*, in *Carboranes*, Progr. Boron Chem. **2**, 90–106 (1970).
W. MCFARLANE, B. WRACKMEYER u. H. NÖTH, *Doppel- und Tripel-Resonanz-Messungen an einfachen Organoboranen (^{1}H, ^{11}B)*, B. **108**, 3831–3841 (1975).
Gmelin, 8. Aufl., **23**/5, *^{11}B- und ^{14}N-Kernresonanzspektroskopie von Bor-Stickstoff-Verbindungen mit dreifach koordiniertem Bor*, 197–277 (1975).
B. WRACKMEYER u. H. NÖTH, *^{11}B, ^{14}N- und ^{1}H-NMR*, B. **109**, 1075–1088 (1976).
H. FUSSSTETTER, H. NÖTH u. B. WRACKMEYER, *Indirekte Kern-Spin-Spin-Kopplungen zwischen ^{11}B und direkt borgebundenen Kernen*, B. **110**, 3172–3182 (1977).
W. L. SMITH, *Boron-11 NMR*, J. Chem. Education **54**, 469–473 (1977).
H. NÖTH u. B. WRACKMEYER, *NMR Spectroscopy of boron compounds*, NMR Grundlagen und Fortschritte **14**, Springer-Verlag, Heidelberg 1978.
J. P. COSTES, G. CROS u. J. P. LAURENT, *Les Reactions de redistribution dans la chimie du bore. Etude des Reactions de competition des groupements NMe_2, Cl, SMe, CMe, F sur des centres bore mono et difonctionels R_2B- et RB*, J. Organometal. Chem. **175**, 257–271 (1979).
L. J. TODD u. A. R. SIEDLE, *NMR Studies of Boranes, Carboranes and Hetero-Atom Boranes*, Progr. NMR Spectroscopy **13**, 87–176 (1979).
H. NÖTH, *Preparative and Mechanistic Studies on simple and heterocyclic boron Compounds*, in R. W. PARRY u. G. KODAMA, *Boron Chemistry – **4***, 109–118, Pergamon Press, Oxford 1980.

B. Wrackmeyer, *Vergleich zwischen ^{11}B- und ^{13}C-chemischen Verschiebungen dreifach koordinierter Borverbindungen und Carbenium-Ionen*, Z. Naturf. **35b**, 439–446 (1980).
H. Nöth, R. Staudigl u. T. Taeger, *Aufklärung von Substitutionsreaktionen mittels ^{10}B-Isotopenmarkierung: Umsetzung von Trithiadiborolanen $Y_2B_2C_3$ mit Borverbindungen BX_3*, B. **114**, 1157–1175 (1981).
R. Contreras u. B. Wrackmeyer, *Application of ^{11}B-NMR Spectroscopy to the Study of Hydroboration III. ^{11}B-NMR Study of exchange reactions to triorganyl boranes with borane in tetrahydrofurane and dimethylsulfide*, Spectrochim. Acta **38A**, 941–951 (1982).
A.R. Siedle, *^{11}B-NMR Spectroscopy*, Ann. Rep. NMR Spectroscopy **12**, 177–260 (1982).
R.G. Kidd, *Boron 11*, in P. Laszlo, *NMR of Newly Accessible Nuclei* **2**, 49–77, Academic Press, London · New York 1983.
J.A. Anderson, R.J. Astheimer, J.D. Odom u. L.G. Sneddon, *Use of nuclear magnetic resonance to investigate bonding interactions between quadrupolar Nuclei. Boron-boron spin-spin coupling constants in linked polyhedral borane and carborane cages*, Am. Soc. **106**, 2275–2283 (1984).

3. ^{13}C-NMR-Spektroskopie von Organobor-Verbindungen

W. McFarlane, B. Wrackmeyer u. H. Nöth, *Heteronucleare Doppel- und Tripel-Resonanz-Messungen ^1H-$\{^{11}B\}$, ^1H-$\{^{13}C\}$, $^1H\{^{11}B,^{13}C\}$ an einfachen Organoboranen*, B. **108**, 3831–3841 (1975).
J.D. Odom, T.F. Moore, R. Goetze, H. Nöth u. B. Wrackmeyer, *^{13}C Studies of Organoboranes: Phenylboranes and Boron-substituted Aromatic Heterocycles*, J. Organometal. Chem. **173**, 15–32 (1979).
B. Wrackmeyer, *Carbon-13 NMR Spectroscopy of Boron Compounds*, Progr. NMR Spectroscopy **12**, 227–259 (1979).
R. Goetze, H. Nöth, H. Pommerening, D. Sedlak u. B. Wrackmeyer, *^{11}B- und ^{13}C-NMR-Studien an benzanellierten Heteroborolenen*, B. **114**, 1884–1893 (1981).
R. Köster u. B. Wrackmeyer, *^{10}B-, ^{11}B-, ^{13}C-NMR-Untersuchungen von closo-Pentaalkyl-1,5-dicarbapentaboranes(5)*, Z. Naturf. **36b**, 704–707 (1981).
B.E. Mann u. B.F. Taylor, *^{13}C-NMR Data for Organometallic Compounds*, Academic Press, London · New York 1981; Bor-Verbindungen, 56–59, 90–92, 103–104, 114–115, 149, 182, 242, 259.
N. Nöth u. B. Wrackmeyer, *^{13}C-NMR-Studien an Monoaminoboranen und Borazinen*, B. **114**, 1150–1156 (1981).
B. Wrackmeyer, *^{13}C-NMR of the Tetrakis(phenylethynyl)borate Anion and of some Phenylethynyl Boranes*, Z. Naturf. **37b**, 788–789 (1982).
B. Wrackmeyer, *^{11}B- und ^{13}C-NMR-Spektroskopie von nido-Hexaalkyl-2,3,4,5-tetracarbahexaboranen(6)*, Z. Naturf. **37b**, 412–419 (1982).
R.H. Cragg u. T.J. Miller, *^{13}C-Studies of Phenylboranes*, J. Organometal. Chem. **241**, 289–300 (1983).
H.O. Kalinowski, S. Berger u. S. Braun, *^{13}C-NMR Spektroskopie*, Thieme Verlag, Stuttgart 1984.

4. ^{14}N-NMR-Spektroskopie

Gmelin, 8. Aufl., **23**/5, *^{11}B- und ^{14}N-NMR-Spektren von Bor-Stickstoff-Verbindungen mit dreifach koordiniertem Bor*, 197–277 (1975).
W. Biffar, H. Nöth, H. Pommerening, R. Schwerthöffer, W. Storch u. B. Wrackmeyer, *Eine Multikern-Untersuchung (^{11}B, ^{13}C, ^{14}N, ^{119}Sn) an B- und N-(Trimethylstannyl)aminoboranen und dem Trihydrido(trimethylstannyl)borat-Ion*, B. **114**, 49–60 (1981).
J. Mason, *N-NMR Spectroscopy in Inorganic, Organometallic, and Bioinorganic Chemistry*, Chem. Reviews **81**, 205–227 (1981).
K. Anton, P. Konrad u. H. Nöth, *Addukte von (Dimethylamino)boranen und Aluminium- und Galliumhalogeniden*, B. **117**, 863–874 (1984).

5. ^{15}N-NMR-Spektroskopie

G.J. Martin, M.L. Martin u. J.-P. Gouesnard, *^{15}N-NMR Spectroscopy*, in P. Diehl, E. Fluck, R. Kosfeld, NMR Basic Principles and Progress **18**, Springer-Verlag, Berlin · Heidelberg · New York 1981.

6. ^{17}O-NMR-Spektroskopie

W. Biffar, H. Nöth, H. Pommerening u. B. Wrackmeyer, *^{17}O-NMR-Studien an Organyloxyboranen, Organyloxy-diboranen(4), Dioxaborolanen und Boroxinen*, B. **113**, 333–341 (1980).
J.-P. Kintzinger, *Oxygen NMR-Characteristic Parameters and Applications*, in P. Diehl, E. Fluck u. R. Kosfeld, NMR Basic Principles and Progress **17**, 1–64, Springer-Verlag, Berlin · Heidelberg · New York 1981.

G. A. Olah, A. L. Berrier u. G. K. Surya Prakash, ^{17}*O-NMR Spectroscopic Study of Oxonium and Carboxonium Ions*, Am. Soc. **104**, 2373 (1982).
B. Wrackmeyer u. R. Köster, ^{17}*O-NMR-Untersuchungen an Organobor-Sauerstoff-Cyclen*, B. **115**, 2022–2034 (1982).

7. ^{19}F-NMR-Spektroskopie

J. W. Emsley u. L. Phillips, *Fluorine chemical Shifts*, Progr. NMR Spectroscopy **7**, 1–515; (Organo)bor-Verbindungen, 495ff. (1971).
J. W. Emsley, L. Phillips u. V. Wray, *Fluorine Coupling Constants*, Progr. NMR Spectroscopy **10**, 85–756 (1977), S. 623ff.

8. ^{29}Si-NMR-Spektroskopie

H. Marsmann, ^{29}*Si-NMR Spectroscopic Results; NMR*, in *Grundlagen und Fortschritte* **17**, 65–235, Springer-Verlag, Berlin · Heidelberg · New York 1981.
E. A. Williams, *Recent Advances in Silicon-29 NMR Spectroscopy*, Ann. Rep. NMR Spectrosc. **15**, 235–289 (1984).

9. ^{31}P-NMR-Spektroskopie

D. W. Meek u. T. J. Mazanec, *Determination of structural and dynamic aspects of organometallics and coordination chemistry by* ^{31}*P-NMR spectroscopy*, Accounts Chem. Res. **14**, 266–274 (1981).
D. G. Gorenstein, *Phosphorus-31 NMR-Principles and Applications*, Springer-Verlag, Berlin · Heidelberg · New York 1984.

10. ^{119}Sn-NMR-Spektroskopie

B. Wrackmeyer, *NMR Studies of the Organoboration Products*, in *Alkynyl Tin(IV) Compounds*, Revs. Silicon, Germanium, Tin, Lead Compounds **6**, 75, 128–140 (1982).
B. Wrackmeyer, ^{119}*Sn-NMR-Parameters*, Ann. Rep. NMR Spectrosc. **16**, i. Druck (1985).

f) Strukturanalyse von Organobor-Verbindungen durch Beugungsmethoden

A. Haaland, *Organometallic Compounds Studied by Gas-Phase Electron Diffraction*, Fortschr. chem. Forsch. **53**, 1–22 (1975).
J. P. Oliver, *Structures of Main Group Organometallic Compounds Containing electron-deficient bridge bonds. – Lithium Alkyl-Group III Metalates*, Adv. Organometallic Chem. **15**, 263–265 (1977).
Ullmann, 4. Aufl., **5**, *Strukturanalyse durch Beugung an Kristallen*, 235–268 (1980).
M. I. Bruce, *Index of Structures Determined by Diffraction Methods*, Comprehensive Organometallic Chemistry **9**, 1209–1520 (1982).

Tabellenregister

Zeichenerklärung zu den Tabellen

Organobor-Verbindungen

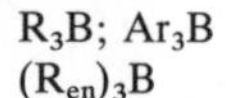

R_3B; Ar_3B	Triorganoboran, Triarylboran
$(R_{en})_3B$	Trialkenylboran
$R_2B{-}R_{dien}$	Alkadienyl-diorgano-boran
$Ar_2B{-}R$	Diaryl-organo-boran
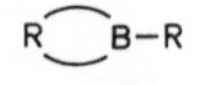	Organodiyl-organo-boran
	Cycloorganodiyl-organo-boran
	Organotriylboran
 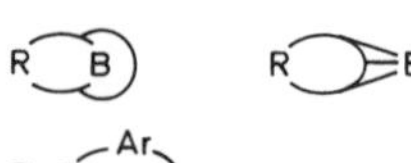	Cycloorganotriylborane
R–B(Ar)(R)	Aralkandiyl-organo-boran
$R_2B{-}R^{1\text{-}Br}$	1-Bromorgano-diorgano-boran
$Ar{-}B\frown Ar^{O_2}$	Aryl-dioxyarendiyl-boran
$R_{2\text{-}en}{-}B\frown R^{4'\text{-}Hal}_{3\text{-}en}$	Allyl-(4′-halogen-3-alkendiyl)-boran
$[LM\overset{\pi}{=}BR(R_{en})_2]^-$	Anionischer Ligand-Übergangsmetall-Organobor-Ligand-π-Komplex mit olefinischem B_1-Triorganobor-Ligand
$LM\overset{\pi}{=}B_2R_2(R_{en})_2$	Neutraler Ligand-Übergangsmetall-Organobor-Ligand-π-Komplex mit olefinischem B_2-Triorganobor-Ligand
$R^{Hal}\text{-}B_{10}H_{13}$	Organodecaboran(14) mit halogenhaltigem Organo-Rest
$H_2C_2B_3HR^{Si}(5)$	Organo-C_2B_3-carboran mit Si-haltigem Organo-Rest
$C_2B_{10}H_{11}R^{ML,O}$	Organo-C_2B_{10}-carboran mit O-haltigem Ligand-Übergangsmetall-Organo-Rest

Borfreie Verbindungen

En^X; $Dien^X$	Substituierte Alkene oder Alkadiene mit Funktion X (X = Hal, OR, CN usw.)
En-in	Alken-in
In	Alkin
En-Ar	Alkenylaren

Borfreie Reste bzw. Reaktanden

El^+; R^+	Elektrophil, kationischer Rest
$R^{1\text{-}Cl}$	Organo-Rest mit Chlor in 1-Position
$R_{5\text{-}en}$	Ungesättigter Rest mit C=C-Bindung zwischen C^5- und C^6-Atom
$R^{3\text{-}O}$	Gesättigter O-haltiger-Rest
$R^{2\text{-}O,\,3\text{-}Sn}_{1,3\text{-}dien}$	Alka-1,3-dienyl-Rest mit Sauerstoff-Funktion **am** C^2- und Zinn-Funktion **am** C^3-Atom
Hal^1_2	Zwei Halogen-Atome **in** Position 1
L–M, Cp–M	Ligand-Metall, Cyclopentadienyl-Metall

Abbildungsregister

Autorenregister

S (s.a. Z)

Sachregister

Wegen der Kompliziertheit vieler Verbindungen wurde das Sachregister nach Stammverbindungen geordnet. Entstehende Organobor-Verbindungen wurden grundsätzlich aufgenommen. Organobor-π-Metallkomplexe sind bei den betreffenden Metallen registriert, lediglich die Bis-π-Metallkomplexe sind unter den entsprechenden cyclischen Verbindungen zu finden. Substituenten werden in alphabetischer Reihenfolge unter Einbeziehung von Di-, Tri-, Tetra-, Bis-, Tris-... Per- usw. genannt. Dicarbonsäure-anhydride bzw. -imide sind als Substituenten, selten als zusätzliches Ringsystem registriert. Allen cyclischen und spirocyclischen Verbindungen sind Strukturformeln vorangestellt.

Die Verbindungen und Begriffe der Punkte A, B, F bis H sind alphabetisch geordnet. Bei der Einordnung der Verbindungen innerhalb der Punkte C–E hat der kleinste Ring Vorrang vor den größeren, der weniger komplizierte vor dem komplizierten, innerhalb des selben Ringsystems erfolgt die Einordnung nach Carbo, Monohetero (O, S, N usw.), Dihetero usw., sowie nach Oxidationsgrad; z.B. Cyclohexadien vor Benzol.

Fettgedruckte Seitenzahlen weisen auf Vorschriften hin, kursive auf die Überführung von Organobor-Verbindungen in andere.

A. Offenkettige Verbindungen

I. Verbindungen ohne Bor als Bezugsatom

II. mit Bor als Bezugsatom

23. Diborane(4)

26. Diborate(1−)

27. 2,4,1,3,5-Diboratriazan

28. Diborazane

B. Polyborane, -borate, Carborane, Carborate

○ = BH
● = CH
o = H

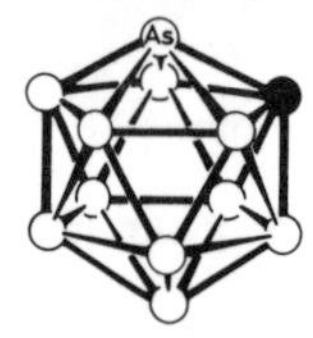

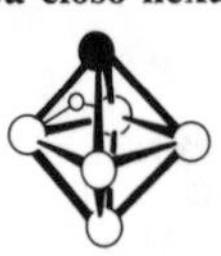

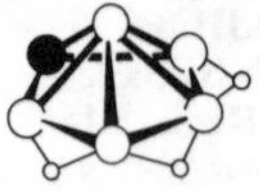

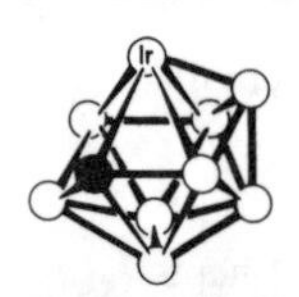

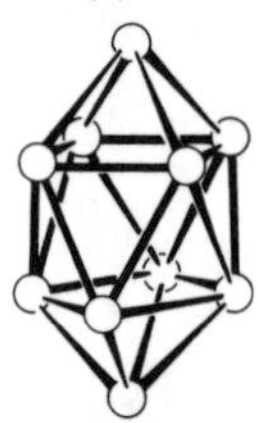

nido-Decaboran(12)

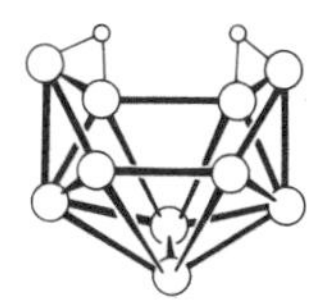

Decaboran(14)

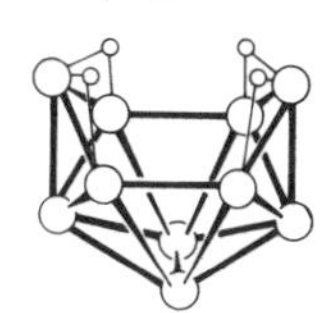

Decaborat(9)(−1)

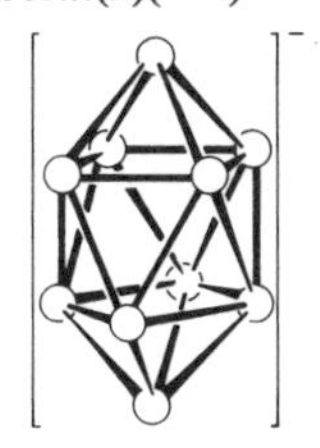

Decaborat(10)(2−)

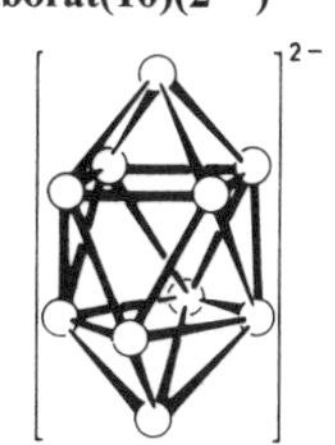

1,7-Dicarba-closo-dodecaboran(12) (m-Carboran)

Hexaboran(10)

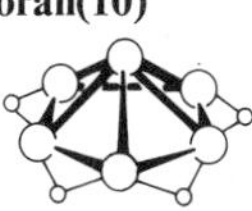

Hexaborat(1−)

1-Irida-decaboran(10)

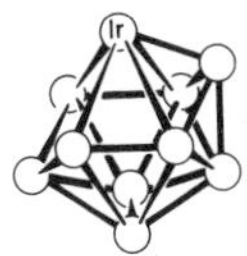

Nonaboran(9)

Nonaboran(13)

Pentaboran(9)

C. Cyclische Verbindungen

(bei π-Komplexen s. a. u. dem entsprechen Metall S. 762–775)

I. Monocyclische

Cyclopentan

Cyclopentadien

Thiophen

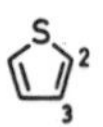

Stannol

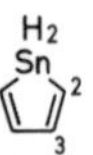

Borolan

1,2-Thiaborolan

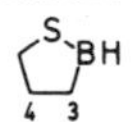

1,2-Thioniaboratolan

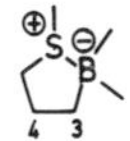

1H-Pyrazol

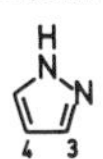

3H-Pyrazol

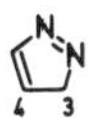

1,2-Azaborolidin

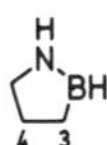

1,2-Azoniaborolidin(1+)

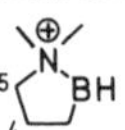

1,2-Azoniaboratolidin

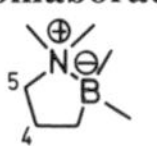

1H-1,3-Diborol

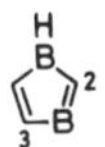

2H-1,3-Diboratol(1−)

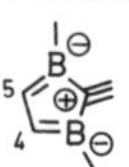

η^4-2H-1,3-Diborolenyl

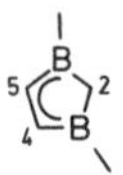

η^5-1,3-Diborolenyl

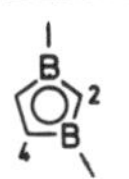

η^5-1,3-Diborylenyl(1+)

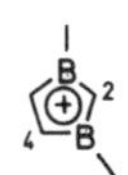

2H-1,4,2-Oxoniaazaboratol

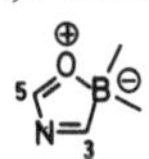

1,4,2-Oxaazoniaboratol

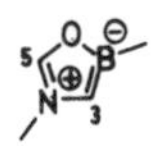

1,2,5-Oxasilaborol

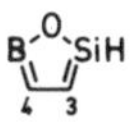

1,2,5-Oxasilaboratol(1 −)

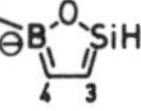

1,2,5-Oxadiborolan

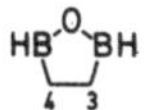

1,2,5-Oxoniadiboratolan(1 −)

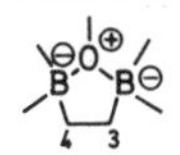

1,2,5-Oxadiborol

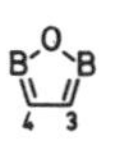

1,2,5-Oxoniadiboratol(1 −)

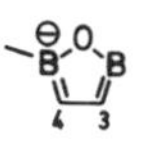

1,2,5-Oxoniaboraboratol

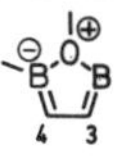

1,2,5-Oxoniadiboratol(1−)

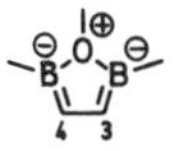

3H-1,2,3-Dithiaborol

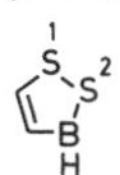

1,2,3-Azaazoniaboratolidin

1,3,2-Diazaborolidin

1H-1,3,2-Diazaborol

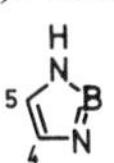

1H-1,3,2-Azaazoniaboratol

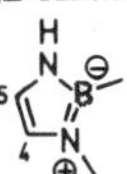

2H-1,3,2-Diazoniaboratol(1+)

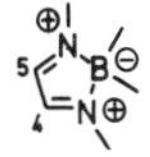

η^5-1,3,2-Diazaborlenyl

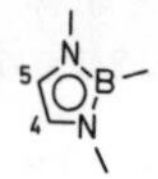

1,4,2-Diazaborolidin

1H-1,4,2-Azaazoniaboratol

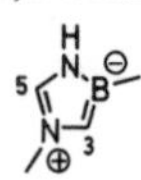

2H-1,4,2-Azaazoniaboratol

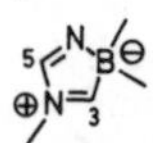

4H-1,4,2-Diazaboratol

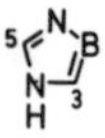

4H-1,4,2-Azoniaazaboratol

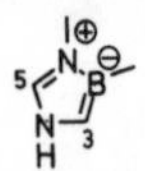

1,2,5-Azadisilolidin

1H-1,2,5-Azasilaborol

1H-1,2,5-Azasilaboratol(1 −)

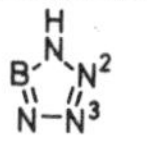

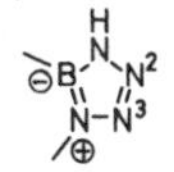

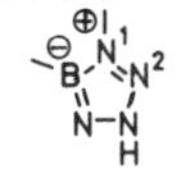

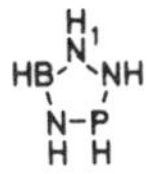

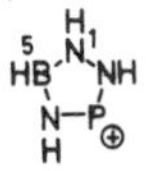

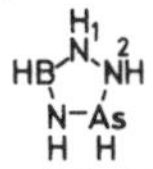

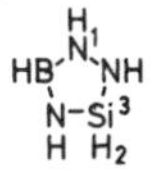

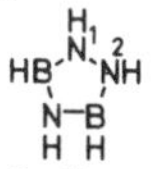

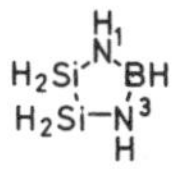

1,3,2,4,5-Diazatriborolidin

Cyclohexan

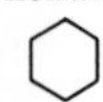

Cyclohexen

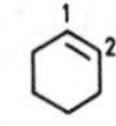

Benzol

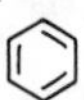

Borinan, **XIII/3a**, *54, 61, 63, 328, 334, 345, 347*

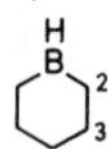

1,2-Oxaborinan

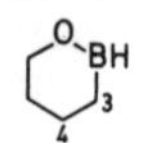

2H-1,2-Oxaborin

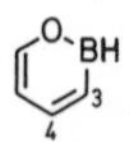

2H-1,2-Oxaboratol(1 −)

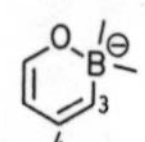

2H-1,2-Thiaborin

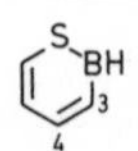

4H-1,4-Thiaborin

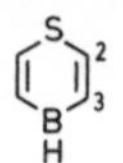

Pyrimidin

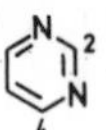

Pyrazinium-Radikal

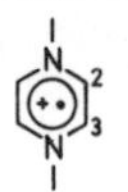

1,2-Azaborinan

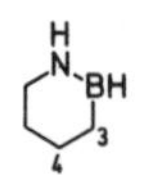

1,2-Azoniaboratinan

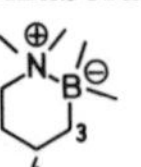

1,2-Azaborin

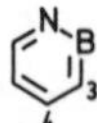

1,3,2-Dioxaborinium

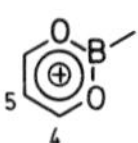

1,3,2-Oxaazaborinan

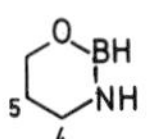

1,3,2-Oxaazaboratinan(1−)

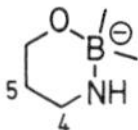

1,3,2-Oxaazoniaboratinan

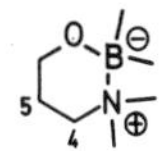

2H-1,3,2-Oxaazoniaboratin

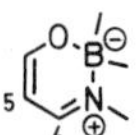

1,3,2-Oxoniaazaboratin

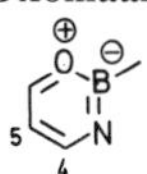

2H-1,2,5-Oxadiborin

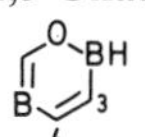

2H-1,2,6-Oxadiborin

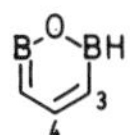

η^5-1,2,6-Oxadiborinyl

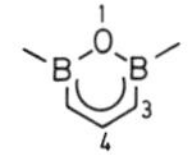

1,3,2-Dithiaborinan

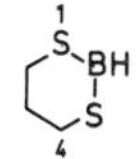

1,2,6-Selenadiborinan

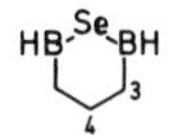

1,5,3,2-Dithiaazaborepan

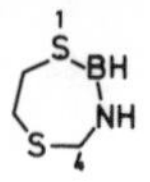

2,3-Diphenyl-6-methyl-4-oxo- **XIII/3b**, 208

1,3,6,2-Triazaborepan

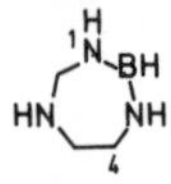

1,3-Dimethyl-2,6-diphenyl-7-thioxo- **XIII/3b**, 266

Cyclooctan

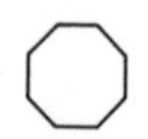

1,5-Bis-(9-bora-bicyclo[3.3.1]nonan-9-yloxy)-
aus Natrium-9-hydro-9-borata-bicyclo
[3.3.1]nonan mit *cis*-1,5-Dihydroxy-
cyclooctan **XIII/3a, 569**
1,4- (bzw. 1,5)-Bis-[diethylboryl]- **XIII/3a**, *23*

1,2-Azoniaboratocan

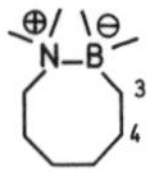

1,1-Dimethyl-2-hydro- **XIII/3b**, *593*

1,5-Diborocan

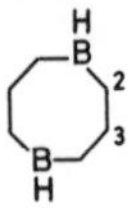

1,5-Dichlor- **XIII/3a**, 418
1,5-Dibutyloxy- **XIII/3a**, *418*

1,3,2-Dioxaborocan

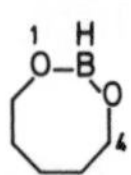

2-(1,1-Diethyl-propyl)- **XIII/3a, 661**
2-Phenyl- **XIII/3a**, 703

1,3,6,2-Dioxaazaborocan

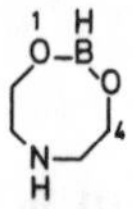

2-(4-Brom-phenyl)-6-methyl- **XIII/3a**, 710
2-Butyl- **XIII/3a**, 707
2-Butyl-6-nonafluorbutylsulfonyl- **XIII/3a**, 676
2-Hexyl- **XIII/3a**, 707
6-Methyl-2-phenyl- **XIII/3a**, 708
6-Nonafluorbutylsulfonyl-2-phenyl- **XIII/3a**, 676
2-Phenyl- **XIII/3a**, 708
2-Pentyl- **XIII/3a**, 712
2-Thexyl- **XIII/3b**, 607
2-Vinyl- **XIII/3a**, 710
2-(4-Vinyl-phenyl)- **XIII/3a**, 710

1,3,5,2-Triazaborocan

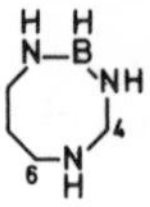

2,3-Diphenyl-4-oxo- **XIII/3b**, 265

1,5,3,7-Diphosphoniadiboratocan

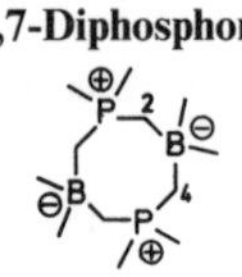

1,1,5,5-Tetraethyl-3,3,7,7-tetramethyl- **XIII/3b**, 708f.

1,3,5,7-Tetraborocan

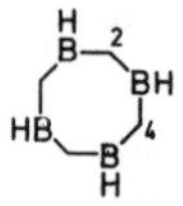

1,3,5,7-Tetramethyl- **XIII/3a**, 27

1,3,5,7,2-Tetraazaborocan

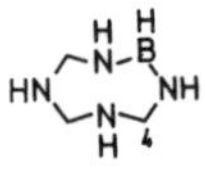

1,2,3,5,7-Pentamethyl-4,6,8-trioxo- **XIII/3b**, 262

1,3,5,7,2,6-Tetraoxadiborocan

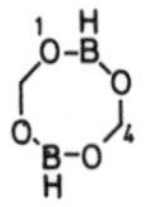

4,8-Bis-[trifluormethyl]-2,6-diethyl- (dimer)
aus 1,1-Bis-[diethyl-boryloxy]-2,2,2-
trifluor-ethan mit Tetraethyl-diboran(6)
XIII/3a, 775

1,3,5,7,2,6,4,8-Tetraoxadiazoniadiboratocan

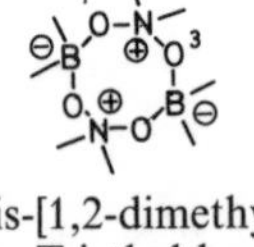

2,6-Bis-[1,2-dimethyl-butyliden]-4,4,8,8-tetraethyl-
aus Triethyl-boran mit 2-Nitro-2-buten
XIII/3b, 729
2,6-Bis-[ethyliden]-4,4,8,8-tetraethyl-
aus Ethannitronsäure-Natriumsalz mit
Chlor-diethyl-boran **XIII/3b, 731**
2,6-Bis-[isopropyliden]-4,4,8,8-tetra-
ethyl- **XIII/3b**, *622f.*
2,6-Bis-[2-(methoxycarbonyl)-2-methyl-
propyliden]-4,4,8,8-tetraethyl- **XIII/3b**, 731f.

1,3,5,7,4,6,8,2-Tetraoxatrisilaborocan

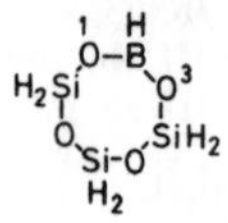

2,4,6,8-Tetraphenyl-4,6,8-trimethyl- **790**

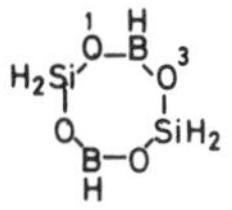

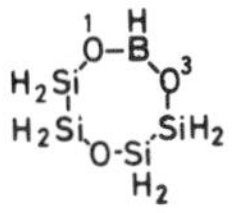

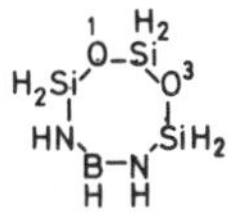

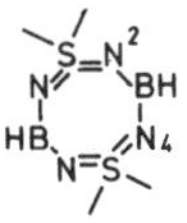

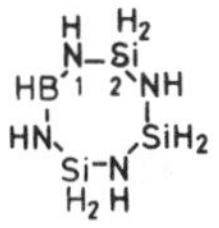

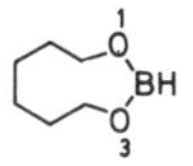

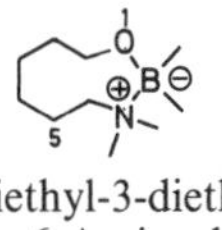

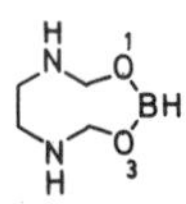

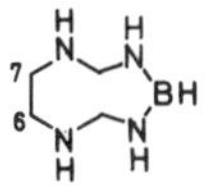

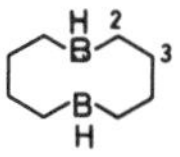

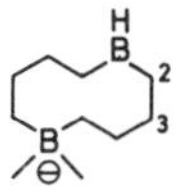

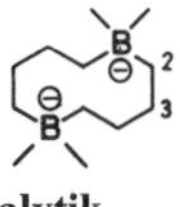

II. Bicyclische Verbindungen

2-Bora-bicyclo[2.2.1]heptan

7-Bora-bicyclo[2.2.1]hepta-2,5-dien

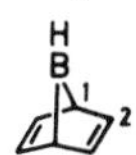

Thieno[3,2-b]thiophen

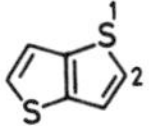

1-Aza-5-bora-bicyclo[3.3.0]octan

1-Azonia-5-borata-bicyclo[3.3.0]octan

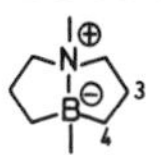

1-Azonia-5-borata-bicyclo[3.3.0]octa-3,6-dien

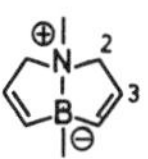

1-Azonia-7-borata-bicyclo[2.2.1]heptan

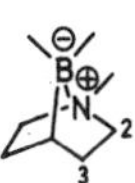

2-Aza-3-bora-bicyclo[2.2.1]hept-5-en

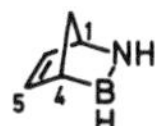

1-Phosphonia-5-borata-bicyclo[3.3.0]octan

1-Oxonia-3-oxa-2-borata-bicyclo[3.3.0]octan

2,4-Dioxa-3-bora-bicyclo[3.3.0]octan

3-Oxa-1-aza-2-bora-bicyclo-[3.3.0]octan

3-Oxa-1-azonia-2-borata-bicyclo[3.3.0]octan

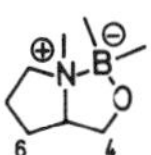

1-Oxonia-3,6-dioxa-2-borata-bicyclo[3.3.0]octan

3,7-Dioxa-1-aza-2-bora-bicyclo[3.3.0]octan

2,8-Dioxa-5-aza-1-borata-bicyclo[3.3.0]octan

2,8-Dioxa-5-azonia-1-borata-bicyclo[3.3.0]octan

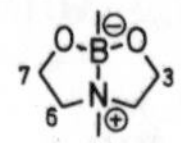

2-Oxa-6-azonia-3-sila-1-borata-bicyclo[2.2.1]heptan

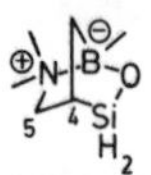

2-Oxa-6-azonia-3-bora-1-borata-bicyclo[2.2.1]heptan

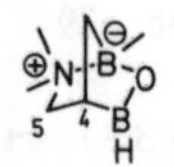

2,8-Dithia-5-azonia-1-borata-bicyclo[3.3.0]octan

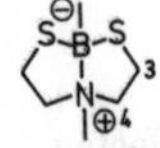

1H,3H-⟨Thieno[3,4-c]-1,2,5-thiadiborol⟩

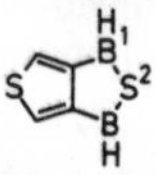

2,4,6-Trioxa-1-azonia-3-bora-5-borata-bicyclo[3.3.0]octan

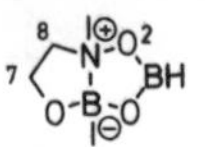

2,6-Dioxonia-4,8-diaza-3,7-diborata-bicyclo[3.3.0]oct-1,5-dien

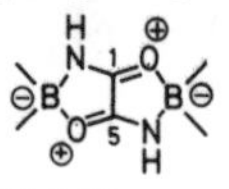

3,7-Dioxa-1,5-diaza-2,6-dibora-bicyclo[3.3.0]octadien-Bis-Betain

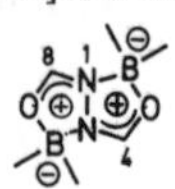

3,7-Diaza-1,5-diazonia-2,6-diborata-bicyclo[3.3.0]octa-1^8,4-dien

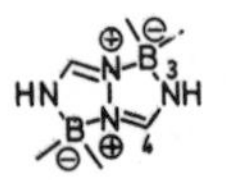

1,5-Diaza-3,7-diazonia-2,6-diborata-bicyclo[3.3.0]octa-3,7-dien

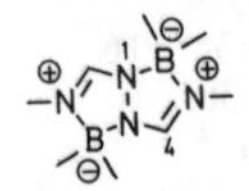

4,8-Diaza-2,6-diazonia-3,7-diborata-bicyclo[3.3.0]octa-1,5-dien

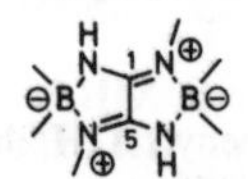

3-Borata-bicyclo[3.3.1]nonan(1−)

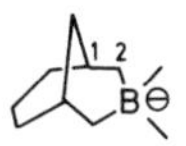

3-Bora-bicyclo[3.3.1]non-6-en

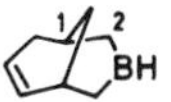

9-Borena-bicyclo[3.3.1]nonan(1+)

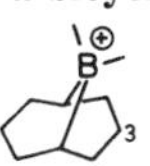

9-Bora-bicyclo[3.3.1]nonan

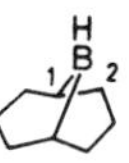

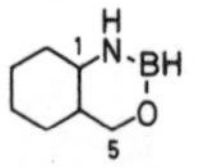

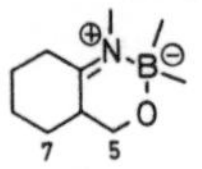

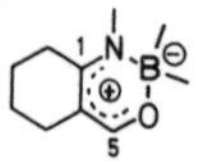

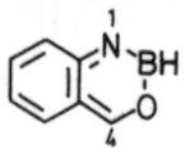

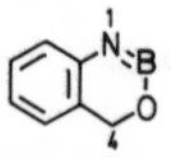

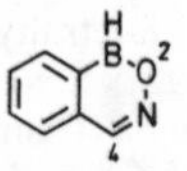

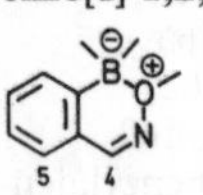

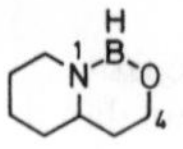

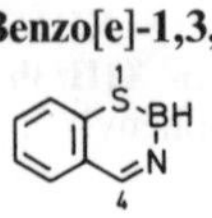

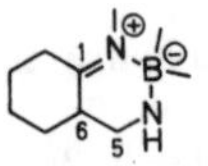

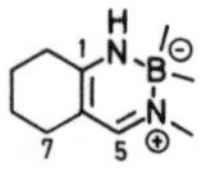

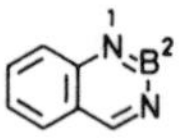

Benzo-1,3,2,4-diazadiborin

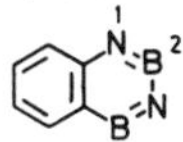

Benzo-1,4,2,3-diazadiborin

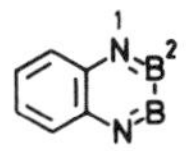

2,6,7-Trioxa-3-azonia-1-borata-bicyclo[2.2.2]octan

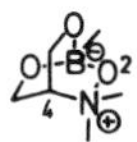

4H-⟨Pyridio[1,2-e]-1,3,5,2,4-dioxa-azoniaboraboratin⟩

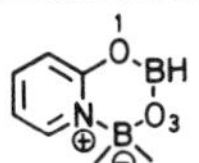

4H-⟨Pyridio[2,1-d]-1,3,5,2,6-oxaaza-azoniaboraboratin⟩

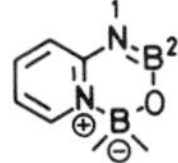

Pyridio[1,2-e]-1,3,5,2,4-azadiazoniadiboratin

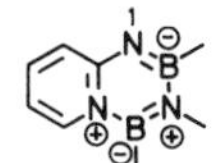

Pyrimidio[1,2-c]-1,5,3,2-diazaazoniaboratin

2,4,7,9-Tetraoxa-3,8-dibora-bicyclo[4.4.0]dec-1^6-en

2,6,9-Trioxa-4,8-diazonia-1,5-diborata-bicyclo[3.3.1]nona-3,7-dien

1,3,5,7,9-Pentaaza-2,4,6,8,10-pentabora-bicyclo[4.4.0]decan

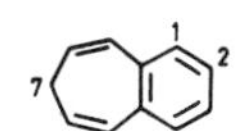

7H-⟨Benzocycloheptatrien⟩

III. Tricyclische Verbindungen

3,5,8,10-Tetraoxa-4,9-dibora-tricyclo[5.3.0.0^{2,6}]decan

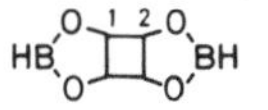

4,9-Diethyl-1,2,6,7-tetramethoxy- **XIII/3a**, 777 f.

1,6-Diphosphonia-5,10-disila-2,7-diborata-tricyclo[5.3.0.0^{2,6}]deca-3,8-dien

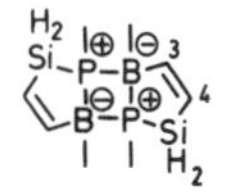

Analytik: Struktur **XIII/3c**, 458

3,5-Dioxa-4-bora-tricyclo[6.1.1.0^{2,6}]decan

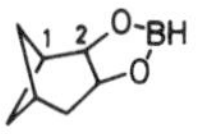

4-(1-Acetylamino-2-phenyl-ethyl)-2,9,9-trimethyl- **XIII/3a**, *625*
4-(α-Chlor-benzyl)-2,9,9-trimethyl- **XIII/3a**, 726
4-Phenyl-2,9,9-trimethyl- **XIII/3a**, 726

Biphenylen

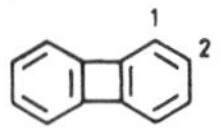

2,6(5)-Bis-[dihydroxyboryl]- **XIII/3a**, 624
2-Dihydroxyboryl- **XIII/3a**, 624

Tricyclo[5.2.1.0^{2,6}]deca-3,8-dien

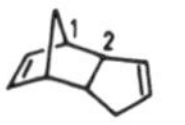

3,4- (bzw. 4,9)-Bis-[diethylboryl]- **XIII/3a**, 180

1-Azonia-5-borata-tricyclo[3.3.3.0^{1,5}]undecan XIII/3b, 444, *597f.*

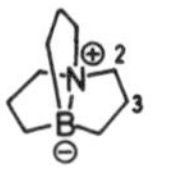

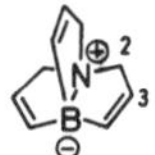

1-Azonia-5-borata-tricyclo-[3.3.3.0^{1,5}]undeca-3,6,10-trien

Analytik: ^{11}B-NMR **XIII/3c**, 523
3,7,10-Tribrom- **XIII/3b**, 440
3,7,10-Trichlor- **XIII/3b**, 440

3,5-Dioxa-4-bora-tricyclo[5.2.1.0^{2,6}] decan

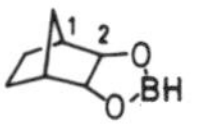

4-Allyl-1,10,10-trimethyl- **XIII/3a**, 764
4-(2-Butenyl)-1,10,10-trimethyl- **XIII/3a**, 770
4-Hydroxy-1,10,10-trimethyl- **XIII/3a**, *764*
4-(2-Methyl-allyl)-6-phenyl-1,10,10-trimethyl-(–)-(1*R*,2*S*,3*S*,4*S*)-
aus (–)-(1*R*,2*S*,3*S*,4*S*)-*exo*-2,3-Dihydroxy-*endo*-3-phenyl-1,7,7-trimethyl-bicyclo[2.2.1]heptan mit Tris-[2-methyl-allyl]-boran **XIII/3a, 658**

Cyclopent[b]-1-benzoborol

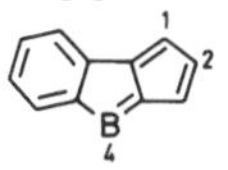

4-Propyl-1,2,3,3a,4,8b-hexahydro- **XIII/3a**, 153

Bis-[borolo][2,3-a;2′,3′-d]benzol (1,5-Dibora-s-indacen)

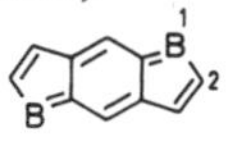

Analytik:
^{11}B-NMR **XIII/3c**, 429
^{13}C-NMR **XIII/3c**, 433
1,5-Diisopropyl-3,7-dimethyl-1,2,3,5,6,7-hexahydro- **XIII/3a**, *318*
1,5-Diisopropyl-3,7-dimethyl-η^6-tricarbonylchrom-1,2,3,5,6,7-hexahydro- **XIII/3a**, 318
3,7-Dimethyl-1,5-dipropyl-1,2,3,5,6,7-hexahydro- **XIII/3a**, 154

Benzo-1,4-diaza-5-bora-bicyclo[3.3.0]oct-6-en XIII/3b, 231

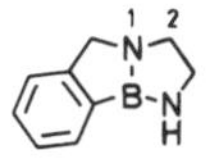

Benzo-6-aza-1-azonia-2-borata-bicyclo[3.3.0]oct-3-en

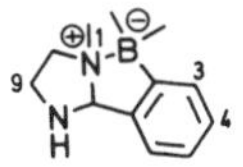

2,2-Dihydroxy-1,8-diphenyl- **XIII/3b**, 597

1,3-Diaza-2-borata-tricyclo[7.3.0.0^{3,7}] dodeca-4,6,9,11-tetraen(1−)

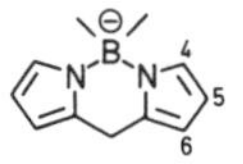

Analytik: XIII/3c, 543 f.

1-Aza-3-azonia-2-borata-tricyclo[7.3.0.0^{3,7}] dodeca-3^7,5,9,11-tetraen

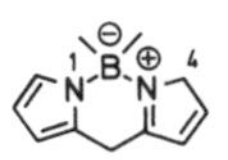

Analytik: XIII/3c, 543
2,2,8,8-Tetraethyl- **XIII/3b**, 647
aus Diethyl-pyrrolo-boran mit 3-Pentanon **XIII/3b, 648**
2,2,8,8-Tetramethyl- **XIII/3b**, 646
2,2,8,8-Tetrapropyl- **XIII/3b**, 646

1H,3H-⟨Bis-(1,2-oxaborolo)[3,4-a;3′,4′-d]benzol⟩

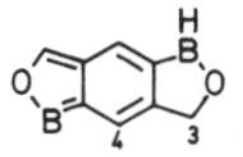

1,5-Dihydroxy-5,7-dihydro- **XIII/3a**, 794

Dibenzo-1,2-azoniaboratin

2,3-Benzo-1-aza-6-bora-bicyclo[4.4.0]deca-2,4-dien

Dibenzo-1,4-diborin

2,6-Dibora-adamantan

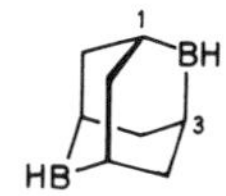

Naphtho[1,8a,8-d,e]-dioxaborin

1H,3H-⟨Naphtho[1,8a,8-c,d]-1,2,6-oxadiborin⟩

Naphtho[2,3-d]-1,2,3-diazaborin

Naphtho[2,1-d]-1,2,3-diazaborin

1H-⟨Naphtho[1,8a,8-c,d]-1,3,2-diazaborin⟩

1,3,5,9-Tetraaza-2,4,13-tribora-tricyclo [7.3.1.0^{5,13}]tridecan

2,4-Diphenyl- **XIII/3b**, 372
2,3,4-Triphenyl- **XIII/3b**, 372

2,4,6,9,11,13-Hexaoxa-5,12-dibora-tricyclo [8.4.0.0^{3,8}]tetradecan

5,12-Diphenyl- **XIII/3a**, 796

5H-⟨Dibenzo[a;d]cycloheptatrien⟩

Lithium-5,5-dimethoxy-10-triphenylboratyl- **XIII/3b**, 789

5H-⟨Dibenzo[b;f]borepin⟩

Analytik der Additions-Verb. **XIII/3c**, 534
5-(2-Amino-ethoxy)-10,11-dihydro- **XIII/3a**, *822*
5-Butyloxy- **XIII/3b**, *552*
5-Hydroxy-10,11-dihydroxy- **XIII/3a**, 501 f.; **XIII/3b**, *548*

1-Bora-homoadamantan

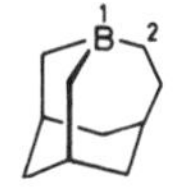

Umwandlung zu Cycloalkanen **XIII/3c**, 237
1a,1a-Dimethyl- **XIII/3a**, 103, *662*; **XIII/3b**, *449*
Pyridin-1a,1a-Dimethyl- **XIII/3b**, 453
Trimethylamin- **XIII/3b**, 438, 442, 447

2-Bora-homoadamantan

Analytik: ^{1}H-NMR **XIII/3c**, 425

2-Oxa-1-bora-homoadamantan

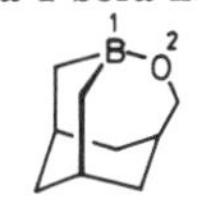

Analytik: ^{13}C-NMR **XIII/3c**, 524
2a,2a-Dialkyl- **XIII/3a**, *552*

1-Azonia-1a-borata-homoadamantan

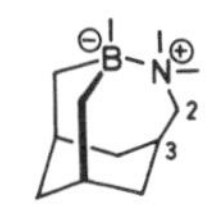

Analytik: Massenspektr. **XIII/3c**, 520

1a-Azonia-1-borata-homoadamantan

1a-Butyl-1-butyloxy-1a-hydro- **XIII/3b**, 554, *557*
1a-Butyl-1-methoxy-1a-hydro- **XIII/3b**, 557
1-Chlor-1a,1a-diethyl- **XIII/3b**, 515
1-(2,4-Dinitro-phenoxy)-1a-hydro- **XIII/3b**, 543
1a-Hydro-1-methoxy- **XIII/3b**, 555

Dibenzo-1,2,7-oxadiborepin

3,9-Diamino-5,7-dihydroxy-5,7-dihydro- **XIII/3a**, 825

Bis[pyridio][1,2-c;1′,2′-g]-1,5,3,7,2,6-diazadiazoniadiboratocin

6,6,13,13-Tetraphenyl-6,7,13,14-tetrahydro- **XIII/3b**, 657

IV. Tetracyclische Verbindungen

3,5,8,10,11,13-Hexaoxa-4,9,12-tribora-tetracyclo[5.3.3.0^{2,6}.0^{1,7}]tridecan

2,6-Dimethoxy-4,9,12-tripropyl- **XIII/3a**, 778

1,6,11-Tribora-tetracyclo[10.3.0.0^{2,6}.0^{7,11}] pentadecan

Trimethyl- **XIII/3a**, 33, 93 f.
aus 3(4)-Methyl-2-(3-methyl-1-borolanyl)-borolan mit Ethen **XIII/3a, 95**

Benzo-2,4,6,8-dioxa-3,7-dibora-tricyclo [3.3.3.0^{1,5}]undec-9-en

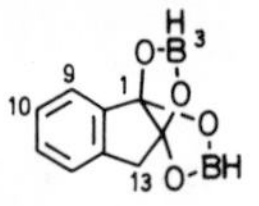

3,7-Diethyl-13-oxo- **XIII/3a**, 778
aus Triethyl-boroxin mit Ninhydrin **XIII/3a**, 780
3,7-Dipropyl-13-oxo- **XIII/3a**, 777

Benzo[c]-benzimidazolio[2,1-e]-1,2-azoniaboratol

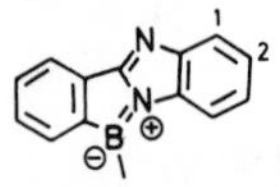

6,6-Dihydroxy-6,11-dihydro- **XIII/3b, 596**, *613*

Dibenzo-1,4-diaza-5-bora-bicyclo [3.3.0]octa-2,6-dien XIII/3b, 231

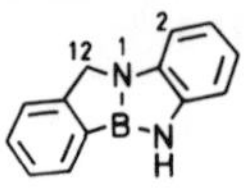

12-{2-(2,3-Dihydro-1*H*-⟨benzo-1,3,2-diazaborol⟩-2-yl)-benzyliden}- **XIII/3b**, 228

Benzo-2,5,7,9-tetraoxa-8-bora-tricyclo [4.3.3.0^{1,6}]dodec-10-en

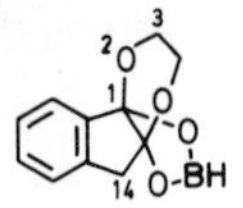

14-Oxo-8-propyl-
aus 2-Propyl-1,3,2-dioxaborolan mit Ninhydrin **XIII/3a, 779**

5,16-Pregnadien

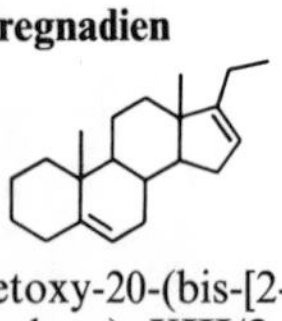

3*β*-Acetoxy-20-(bis-[2-methyl-allyl]-boryloxy)- **XIII/3a**, 526

Benzo-4-azonia-3-borata-tricyclo [5.4.0.0^{4,11}]undec-8-en

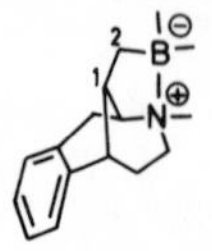

4,7-Dimethyl-3-hydro-9-methoxy- **XIII/3b**, 496f.

Benzo[c]-1,3,2-benzooxaazoniaboratolo [3,2-a]-1,2-azoniaboratin

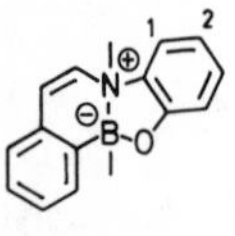

6,12-Dihydroxy-13-hydro- **XIII/3b**, 598f.

12H-⟨Benzo[c]-(1,3,2-benzodiazaborolo)[1,2-a]-1,2-azaborin⟩

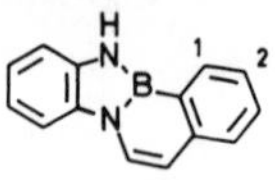

6-Hydroxy- **XIII/3b**, 258

6H-⟨Benzo[c]-benzimidazolio [2,1-f]-1,2-azoniaboratin⟩

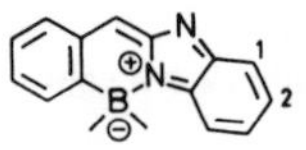

6,6-Dihydroxy-11,12-dihydro- **XIII/3b**, 596

Benzo-6-aza-1-azonia-2-borata-tricyclo[4.3.3.0^{1,5}]dodec-3-en

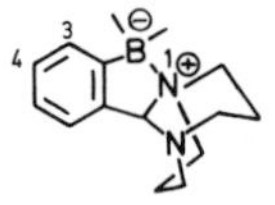

2,2-Dihydroxy- **XIII/3b**, 597

Naphtho[2,3-c]-2,9-dioxa-6-azonia-1-borata-bicyclo[4.3.0] nona-3,5-dien

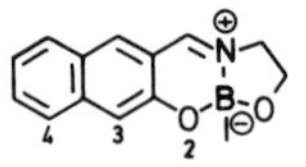

1-Phenyl- **XIII/3b**, 612

6H-⟨Benzo[e]-(1,3-benzoxazolio) [3,2-c]-1,3,2-oxaazoniaboratin⟩

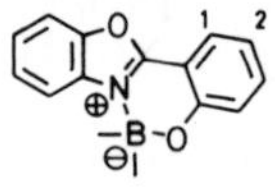

6,6-Diphenyl- **XIII/3b**, 568f.

Benzo[e]-(1,3,2-benzooxaazoniaboratolo) [2,3-b]-1,3,2-oxaazoniaboratin

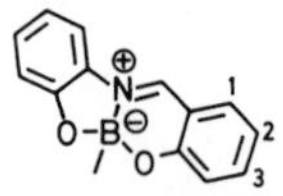

6-Phenyl- **XIII/3b**, 611ff.

6H-⟨Benzo[e]-(1,3-benzthiazolio) [3,2-c]-1,3,2-oxaazoniaboratin⟩

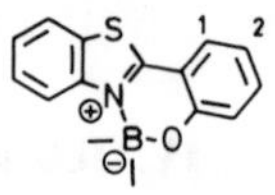

6,6-Diphenyl- **XIII/3b**, 568f.

6H,11H-⟨Benzo[e]-benzimidazolio [1,2-c]-1,3,2-oxaazoniaboratin⟩

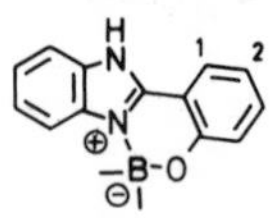

6,6-Diphenyl- **XIII/3b**, 568f.

Benzo[e]-benzimidazolo[1,2-c]-1,3,2-diazaborin

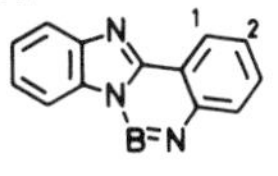

6-Methyl-5,6-dihydro- **XIII/3b**, 260
6-Phenyl-5,6-dihydro- **XIII/3b**, 260

Benzo[e]-(1,3,2-benzooxaazoniaboratolo) [2,3-b]-1,4,3,2-oxaazaazoniaboratin

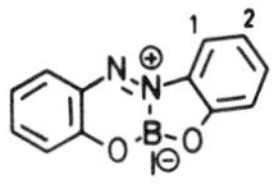

6-Phenyl-
aus Natriumtetraphenylborat mit 2,2′-Dihydroxy-azobenzol **XIII/3b, 614**
6-Phenyl-2,3,9,10-tetraorgano- **XIII/3b**, 614

6H-⟨3,1,2-Benzoxaazaborino[1,2-b]-thieno[2,3-d]-1,2,3-diazaborin⟩

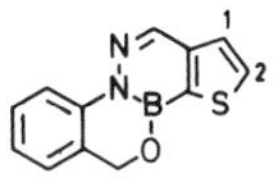

6-Oxo-
aus 2-Dihydroxyboryl-3-formyl-thiophen mit 2-Hydrazino-benzoesäure-Hydrochlorid **XIII/3b, 189**

6H-⟨3,1,2-Benzoxaazaborino[1,2-b] thieno[3,2-d]-1,2,3-diazaborin⟩

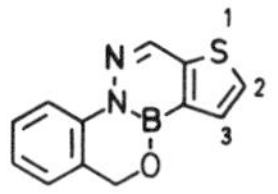

6-Oxo- **XIII/3b, 189f.**

6H-⟨Benzo[c]-naphtho-[2,1-e]-1,2-oxaborin⟩

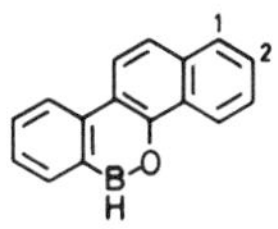

6-Ethyl-7,8,9,10,11,12-hexahydro- **XIII/3a, 557**

Anthra[2,1-c]-1,2-azaborin

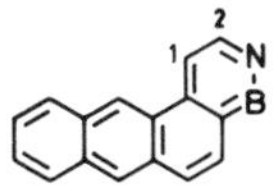

3,4-Dihydro- **XIII/3b**, 132
4-Methoxy-3,4-dihydro- **XIII/3b**, *132*

Benzo[c]-naphtho[2,1-e]-1,2-azaborin

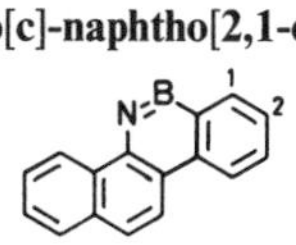

11,12-Dihydro- **XIII/3b**, 132
12-Methoxy-11,12-dihydro- **XIII/3b**, *132*, 164

Benzo[c]-naphtho[2,3-e]-1,2-azaborin

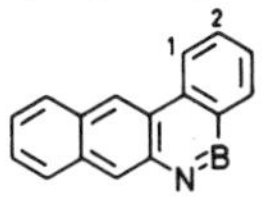

5-Methoxy-5,6-dihydro- **XIII/3b**, *64*, 164
5-Methyl-5,6-dihydro- **XIII/3b**, 64

Phenanthro[4,4a,4b,5-c,d,e]-1,2-azaborin

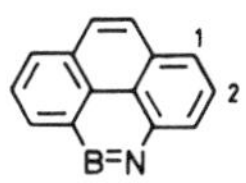

5-Chlor-4,5-dihydro- **XIII/3b**, 144, *172*
4,5-Dihydro- **XIII/3b**, 132
5-Methoxy-4,5-dihydro- **XIII/3b**, 64, *132*, 172
aus 4-Amino-phenanthren, Trichlorboran, Aluminiumtrichlorid und Methanol **XIII/3b, 162**
5-Methyl-4,5-dihydro- **XIII/3b**, 64

5H-⟨Benzo[c]-isochinolo[1,2-f]-1,2-azaborin⟩

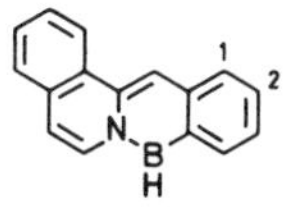

5-Chlor-7,8-dihydro- **XIII/3b**, 145

2,3;4,5-Dibenzo-1-aza-6-bora-bicyclo[4.4.0]decatetraen XIII/3b, 557

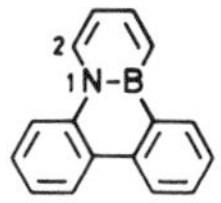

2,3,4,5-Tetrahydro- *55f.*
aus 5-(4-Brom-butyl)-6-methyl-5,6-dihydro-⟨dibenzo-1,2-azaborin⟩, Magnesium und Kohlendioxid **XIII/3b, 47**

Naphtho[2,3-c]-2,10-dioxa-6-azonia-1-borata-bicyclo[4.4.0]deca-3,5-dien

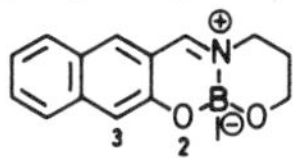

1-Phenyl- **XIII/3b**, 608

6H,8H-⟨3,1,2-Benzooxaazoniaboratino [2,1-b]-1,3,2-benzooxaazoniaboratin⟩

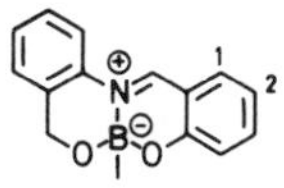

8-Oxo-6-phenyl- **XIII/3b**, 616

6H,8H-⟨3,1,2-Benzooxaazoniaboratino [2,1-b]-1,4,3,2-benzooxaazaazoniaboratin⟩

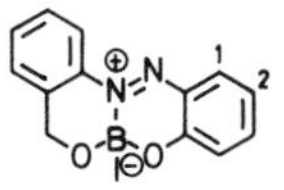

2-Methoxy-8-oxo-6-phenyl- **XIII/3b**, 617
2-Methyl-8-oxo-6-phenyl- **XIII/3b**, 617

V. Pentacyclische Verbindungen

VI. Hexa- und polycyclische Verbindungen

D. Bi-aryle bzw. -hetaryle

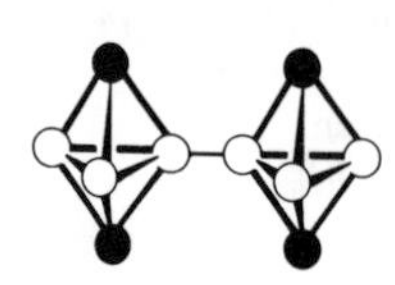

5,5′-Bi-(1,3,2-dioxaborinyl-Betain)

4,4′,6,6′-Tetramethyl-2,2,2′,2′-tetraphenyl- **XIII/3b**, 541

2,2′-Bi-borazinyl

Decamethyl- **XIII/3b**, 379
1,1′,3,3′,5,5′-Hexamethyl-4,4′,6,6′-tetrabutyl- **XIII/3b**, 379
1,1′,3,3′,5,5′-Hexaphenyl-4,4′,6,6′-tetramethyl- **XIII/3b**, 379

2,1′;3′,2″-Ter-borazinyl

Tetradecamethyl- **XIII/3b**, 385

1,2′;4′,1″-Ter-borazinyl

6′-(Pentamethyl-1-borazinyl)-trideca-methyl- **XIII/3b**, 385
Tetradecamethyl- **XIII/3b**, 385

E. Spiro-Verbindungen

I. Monospiro-Verbindungen

5,7,9-Trioxa-6,8-dibora-spiro[3.5]nonan

6,8-Diphenyl-1,1,2,2,3,3-hexafluor- **XIII/3a**, 827

2-Oxa-5-azonia-1-borata-spiro[4.4]nonan

1,1-Diphenyl- **XIII/3b**, 547
1-Phenoxy-1-phenyl- **XIII/3b**, 601 f., 608
1,1,3-Triphenyl- **XIII/3b**, 547

1,3-Dioxa-5-azonia-2-borata-spiro[4.4]nonan

2,2-Diphenyl- **XIII/3b**, 734

2,4-Dioxa-5-azonia-1-borata-spiro[4.4]-nonan

1,1-Diphenyl- **XIII/3b**, 571

6,8-Dioxa-5-azonia-7-borata-spiro[4.5]decan

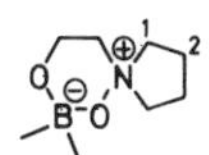

7,7-Diphenyl- **XIII/3b**, *604*

2H-Isoindolio-⟨2-spiro-2⟩-⟨benzo[c]-1,2-azoniaboratol⟩

- ; -1,1-ethylendioxy-1,3-dihydro- **XIII/3b**, 605

5-Borata-spiro[4.4]nonan(1−) XIII/3b, 754

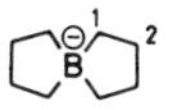

Kalium- **XIII/3b**, 765
Kalium-2,3,7,8-tetramethyl-
aus 1,4-Bis-[3,4-dimethyl-1-borolanyl]-2,3-dimethyl-butan mit Kaliummethanolat **XIII/3b, 762**
Natrium- **XIII/3b**, 757

1-Benzoboratol-⟨1-spiro-1⟩-1-benzoboratol(1−)

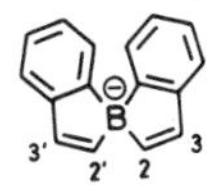

Ummetallierung **XIII/3c**, 363
2,3,2′,3′-Tetrahydro- ; -Magnesium-Salz **XIII/3b**,762
aus 1-Propyl-1-bora-indan und Diethylmagnesium **XIII/3b, 763**

Dibenzoboratol-⟨5-spiro-5⟩-dibenzoboratol(1−)

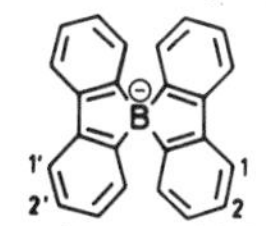

Kalium- bzw. Lithium- **XIII/3b**, 769

1,6-Dioxa-4-azonia-5-borata-spiro[4.4]nonan

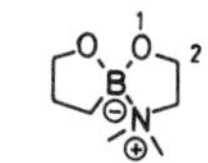

4-Hydro- **XIII/3b**, 604

1-Oxonia-2-borata-spiro[4.5]dec-3-en

4-Dimethylaminomethyl-2,2,3-triethyl-1-trimethylsilyl- **XIII/3b**, 450

Benzo[c]-1,2-azoniaboratol-⟨1-spiro-2⟩-1,3,2-dioxaboratol

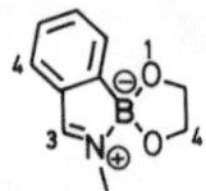

Analytik: ^{11}B-NMR **XIII/3c**, 538
2,2-Dimethyl-2,3-dihydro- ; - **XIII/3b**, 605, 608

Benzo[c]-1,2-azoniaboratol-⟨1-spiro-2⟩-benzo-1,3,2-dioxaboratol

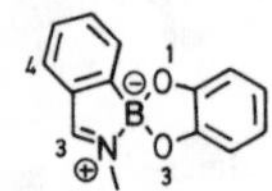

2-Benzyl- ; - **XIII/3b**, 612
2-Phenyl- ; - **XIII/3b**, 612
2-(2-Phenyl-ethyl)-2,3-dihydro- ; - **XIII/3b**, 608
2-Propyl- ; - **XIII/3b**, 612

6,11-Dihydro-benzimidazolio[1,2-b]-2,1-benzoazoniaboratol-⟨6-spiro-2⟩-benzo-1,3,2-dioxaboratol XIII/3b, 613

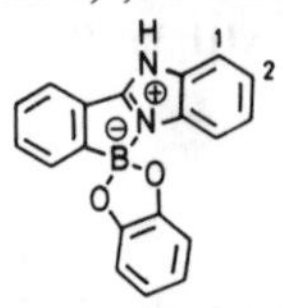

5-Azonia-1-borata-spiro[5.4]-decan

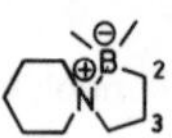

Umwandlung zu Amino-alkoholen **XIII/3c**, 341
1-Hydro-1-phenyl- **XIII/3b**, 478

Piperidinia-⟨1-spiro-2⟩-2,3-dihydro-⟨benzo[c]-1,2-azoniaboratol⟩ XIII/3a, 484

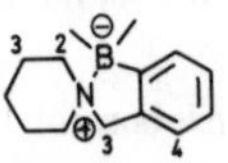

Boratinan-⟨1-spiro-1⟩-benzo[c]-1,2-azoniaboratol

- ; -2,2-dimethyl-2,3-dihydro- **XIII/3b**, 608

⟨Benzo[c]-1,2-azoniaboratol⟩-⟨1-spiro-9⟩-9-borata-bicyclo[3.3.1]nonan

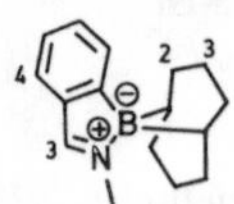

Analytik: ^{13}C-NMR **XIII/3c**, 525

⟨Benzo[c]-1,2-azoniaboratol⟩-⟨1-spiro-2⟩-1,3,2-dioxaboratinan

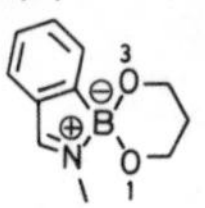

Analytik: ^{11}B-NMR **XIII/3c**, 540

1H-⟨Benzo[c]-1,2-azoniaboratol⟩-⟨1-spiro-2⟩-1,3,2-dioxaboratepan

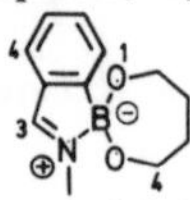

2,2-Dimethyl-2,3-dihydro- ; - **XIII/3b**, 608

3-Aza-1-azonia-spiro[4.5]dec-1-en(1+)

3-Cyclohexyl-1-hydro-4-phenyl-2-triphenyl-boratyl- **XIII/3b**, 710
aus Cyclohexylisocyanid-Triphenyl-boran, Phenyl-lithium und Methanol **XIII/3b,711**

1,3-Diazonia-spiro[4.5]deca-1,3-dien(2+)

2,4-Bis-[triphenylboratyl]-3-cyclohexyl-1-hydro- **XIII/3a**, 710
aus Cyclohexylisocyanid-Triphenyl-boran, Phenyl-lithium, Chlorwasserstoff und Methanol **XIII/3b, 711**

1,3,2-Dioxaboratol-⟨2-spiro-9⟩-9-borata-bicyclo[3.3.1]nonan(1+)

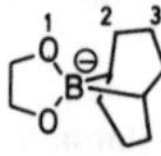

4,5-Dimethyl- ; - (Natrium-Salz) **XIII/3b**, 845
Natrium-Salz **XIII/3b**, 845
aus Natrium-9-hydro-9-borata-bicyclo[3.3.1]nonan mit Alkandiol **XIII/3b, 844**

Benzo-1,3,2-dioxaboratolan-⟨2-spiro-9⟩-9-borata-bicyclo[3.3.1]nonan(1−)

Natrium- **XIII/3b**, *569*, 845
Natrium-3a,4,5,6,7,7a-hexahydro- ; - **XIII/3b**, 845

1,2-Dihydro-⟨benzo[c]-1,2-azoniaboratin⟩-⟨1-spiro-2⟩-benzo-1,3,2-dioxaboratol

Analytik: IR/UV **XIII/3c**, 536
2-Hydro-3-hydroxy- ; - **XIII/3b**, 607
2,3,4-Trihydro- ; - **XIII/3b**, 607

1H-⟨Benzo[d]-1,2,6-oxoniaazaboratin⟩-⟨1-spiro-2⟩-benzo-1,3,2-dioxaboratol

2-Hydro- ; - **XIII/3b**, 599
2-Methyl- **XIII/3b**, 599 f.

1,3,2-Oxaazoniaboratolidin-⟨2-spiro-2⟩-1,2,3,4-tetrahydro-⟨benzo[c]borin⟩

3-Hydro- ; -1-methyl- **XIII/3b**, 558

1,3,2-Oxaazoniaboratolidin-⟨2-spiro-3⟩-3-borata-bicyclo[3.3.1]non-6-en

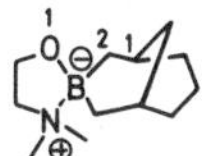

3-Hydro- ; -7-methoxymethyl- **XIII/3b**, 543

1,3,2-Oxaazoniaboratolidin-⟨2-spiro-9⟩-9-borata-bicyclo[3.3.1]nonan

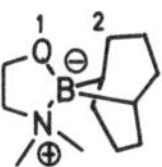

3-Hydro-; - **XIII/3b**, 554 f., 557

1,3,2-Oxaazoniaboratolidin-⟨2-spiro-5⟩-5,10-dihydro-⟨dibenzo[b;e]boratin⟩

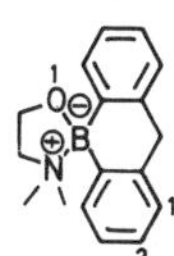

3-Hydro- ; -**XIII/3b**, 555 f.
3-Hydro- ; -10-phenyl- **XIII/3b**, *481*

1,3,2-Oxaazoniaboratolidin-⟨2-spiro-10⟩-5,10-dihydro-⟨dibenzo-1,4-azaborinat⟩

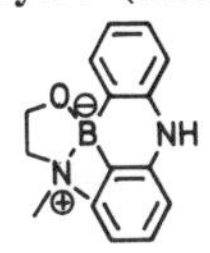

3-Hydro- ; -2,5,8-trimethyl- **XIII/3b, 550**

1-Oxa-4-azonia-8-stanna-5-borata-spiro[4.5]deca-6,9-dien

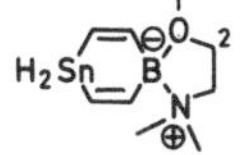

4-Hydro-7,8,8,9-tetramethyl- **XIII/3b**, 554

1,3,2-Oxaazoniaboratolidin-⟨2-spiro-1⟩-1H-⟨benzo[d]-1,2,6-oxaazaboratin⟩

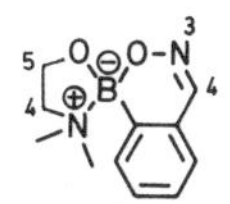

3-Hydro- **XIII/3b**, 618 f.

1,3,2-Oxaazoniaboratolidin-⟨2-spiro-5⟩-5H-⟨dibenzo[b;f]boratepin⟩

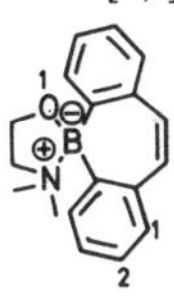

Umwandlung zu Brom-arenen **XIII/3c**, 322
3,3-Dimethyl- ; -10,11-dihydro- **XIII/3b**, 548
3-Hydro- ; -10,11-dihydro-
aus 1,2-Bis-[2-brom-phenyl]-ethan, Butyllithium, Tributyloxyboran und 2-Aminoethanol **XIII/3b, 552**

⟨Chinolino[1,8a,8-c,d]-1,3,2-oxaazoniaboratol⟩-⟨2-spiro-9⟩-9-borata-bicyclo[3.3.1]nonan

Analytik: ^{11}B-NMR **XIII/3c**, 539

2,8-Dioxa-5-azonia-1-borata-spiro[4.5]decan

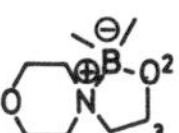

1,4-Diphenyl-1-phenoxy- **XIII/3b**, 601 f.
1-Phenoxy-1-phenyl- **XIII/3b**, 608

3,7,9-Trioxa-1-aza-2,8-dibora-spiro[4.5]decan

2,8-Diphenyl- **XIII/3b**, 166

6,10-Dioxa-3-thia-1-azonia-5-borata-spiro[4.5]dec-1-en

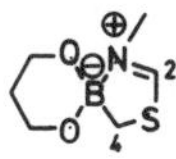

2-Amino-4,4-dimethyl-7,9-dioxo-1-hydro-
aus Dihydroxy-2-(S-thioureidopropyl)-bor(1+)bromid mit Malonsäure **XIII/3b, 618**

6,10-Dioxa-3-thia-1-azonia-5-borata-spiro[4.5]deca-1,7-dien

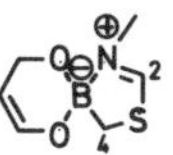

2-Amino-1-hydro-4,4,7-trimethyl-9-oxo- **XIII/3b**, 616

2,4-Dioxa-5-azonia-1-borata-spiro[4.5]decan

1,1-Diphenyl- **XIII/3b**, 573

2,4,8-Trioxa-5-azonia-1-borata-spiro[4,5]decan

1,1-Diphenyl-3-isopropyl-
aus N-Hydroxy-morpholin, Isobutanol und 2,2-Diphenyl-3-hydro-1,3,2-oxazonia-boratolidin **XIII/3b**, **574**

1,3-Dioxa-5-azonia-2-borata-spiro[4.6]-undecan

2,2-Diphenyl- **XIII/3b**, 734

Cyclohexan-⟨1-spiro-5⟩-2,4-dioxa-3-bora-bicyclo[4.4.0]dec-1^{6}-en

2-Methyl- ; -3-ethyl-10-methyl- **695**

3-Aza-1-azonia-4-bora-spiro[5.5]undec-1-en

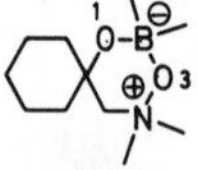

3-Cyclohexyl-1-hydro-4,5,5-triphenyl-2-triphenylboratyl-
aus 2,4-Bis-[triphenylboratyl]-3-cyclohexyl-1-hydro-1,3-diazonia-spiro[4.5]deca-1,3-dien durch Erhitzen **XIII/3b**, **710**

1,3-Dioxa-4-azonia-2-borata-spiro[5.5]undecan

4-Cyclohexylmethylen-2,2-diphenyl- **XIII/3b**, 736
2,2-Diphenyl-4-ethyliden- **XIII/3b**, 736
2,2-Diphenyl-4-isopropyliden- **XIII/3b**, 736

Cyclohexan-⟨spiro-2⟩-1,2-dihydro-4H-⟨pyridio[1,2-c]-1,5,3,2-oxaazaazoniaboratin⟩

- ; -4,4-dibutyl- **XIII/3b**, 572
- ; -4,4-diphenyl- **XIII/3b**, 572
- ; -4,4-dipropyl- **XIII/3b**, 572

7-Oxa-12-thia-8-bora-spiro[5.6]dodecan

8-Butyl- **XIII/3a**, 576

3,4-Dihydro-2H-⟨benzo[e]-1,3,2-oxaazoniaboratin⟩-⟨3-spiro-1⟩-piperidinium

2,2-Diphenyl- ; - **XIII/3b**, 549

2,5-Dioxa-6-azonia-1-borata-spiro[5.5]undecan

1,1-Diphenyl-3-methyl- **XIII/3b**, 550

2-Oxa-3-aza-6-azonia-1-borata-spiro[5.5]undec-3-en

1,1,4-Triphenyl- **XIII/3b**, 589

1,3,2-Dioxaboratinan-⟨2-spiro-9⟩-9-borata-bicyclo[3.3.1]nonan(1 −)

Natrium-5-hydoxy- ; - **XIII/3b**, 845
Natrium-4-methyl- ; - **XIII/3b**, 845

6-Dehydro-1,3,2-dioxaboratin-⟨2-spiro-9⟩-9-borata-bicyclo[3.3.1]nonan

Analytik: Struktur **XIII/3c**, 541
4,6-Dimethyl- ; - **XIII/3b**, 539

9-Borata-bicyclo[3.3.1]nonan-⟨9-spiro-2⟩-2H-⟨benzo[e]-1,3,2-oxaazoniaboratin⟩

- ; -3-phenyl- **XIII/3b**, 561

2H-1,3,5,2-Oxoniaoxaazaboratin-⟨2-spiro-9⟩-9-borata-bicyclo[3.3.1]nonan

5-Cyclohexyl-4-cyclohexylimino-6-(1-hexenyl)-4,5-dihydro- ; - **XIII/3b**, 582
6-(3,3-Dimethylbutenyl)-5-phenyl-4-phenylimino-4,5-dihydro- ; - **XIII/3b**, 582
6-(1-Hexenyl)-5-(1-naphthyl)-4-(1-naphthylimino)-4,5-dihydro- ; - **XIII/3b**, 582

2,3-Dihydro-6H-1,2,6,3-oxaphosphoniaboraboratin-⟨3-spiro-9⟩-9-borata-bicyclo[3.3.1]nonan

Analytik: Struktur **XIII/3c**, 526

II. Dispiro- bzw. Trispiro-Verbindungen

F. Zucker-Derivate

F. Trivialnamen, Bor-freie Stoffklassen usw.

(Metall-Verb. s. unter Punkt Verbindungen ohne Bor als Bezugsatom, S. 762–775)

B

H. Stoffklassenregister der Organobor-Verbindungen

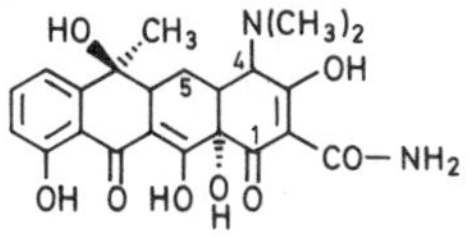

Band XIII/3a

c_2) Organobor-Wasserstoff-Verbindungen

c_3) Organobor-Halogen-Verbindungen

c_4) Organobor-Sauerstoff-Verbindungen

c_5) Organobor-Schwefel-Verbindungen

c₆) Organobor-Selen-Verbindungen

Band XIII/3b

c_7) Organobor-Stickstoff-Verbindungen

c_8) Organobor-Phosphor-Verbindungen

c_9) Organobor-Arsen-Verbindungen

Band XIII/3c

a) Organobor-Übergangsmetall-π-Komplexe

b) Kondensierte Organobor-Verbindungen

b_1) Organopolyborane

b_2) Hydro-organo-oligo- bzw. -polyborate

b_3) B-Organo-Heteroatompolyborane